DUDEN

Bedeutungswörterbuch

24000 Wörter mit ihren Grundbedeutungen

Bearbeitet von
Paul Grebe, Rudolf Köster, Wolfgang Müller
und weiteren
Mitarbeitern der Dudenredaktion

DUDEN BAND 10

Bibliographisches Institut Mannheim/Wien/Zürich
Dudenverlag

Weitere wissenschaftliche Mitarbeiter:
Dr. Dieter Berger, Dr. Maria Dose, Dr. Helga Ebner, Dr. Jakob Ebner,
Gisela Frühbrodt, Dieter Mang, Dr. Wolfgang Mentrup,
Dieter Schneider, Dr. Charlotte Schrupp, Dr. Helga Staudinger,
Rainer Wehlen, Dr. Josef Werlin

Bibliographisches Institut AG, Mannheim 1970
Satz: Zechnersche Buchdruckerei, Speyer
Druck und Einband: Klambt-Druck GmbH, Speyer
Printed in Germany
ISBN 3-411-00910-1

Vorwort

Die Dudenredaktion legt mit diesem 10. Band ein Bedeutungswörterbuch vor. Damit sind alle wichtigen Themen der deutschen Sprache in der Reihe des Großen Dudens behandelt worden.

Die Absicht, die wir mit diesem Band verbinden, ist eine doppelte. Der Band soll durch eindeutige und klare Worterklärungen zur ungestörten sprachlichen Kommunikation beitragen, und er soll vor allem dort den Sprachschatz erweitern, wo Sprachbarrieren das Fortkommen im Leben hemmen.

Wer es unternimmt, ein Bedeutungswörterbuch dieses Umfanges zu schreiben, muß eine zweifache Reduktion vornehmen. Er muß erstens einen Grundwortschatz zusammenstellen, über den er etwas aussagen will, und er muß zweitens aus den vielen Bedeutungen, die ein Wort haben kann, die Grundbedeutungen ermitteln.

Auf dieser Basis galt es, ein Bedeutungswörterbuch besonderer Prägung zu schaffen. Wir hoffen dies durch die Kombination von Worterklärungen, Anwendungsbeispielen und Bildern erreicht zu haben. Bei den Worterklärungen legten wir Wert darauf, nach Möglichkeit kein Wort zu verwenden, das nicht selbst als Stichwort in diesem Buche steht. Die Anwendungsbeispiele wurden der großen Wortkartei der Dudenredaktion entnommen. Sie sind ebenso wichtig wie die Worterklärungen, weil sie zeigen, wie der Inhalt vom Kontext mit bestimmt wird. Die Bilder stehen überall dort, wo auch eine ausführliche Worterklärung kaum weitergeholfen hätte. Es handelt sich verständlicherweise um Bilder von Lebewesen und Gegenständen.

Wir hoffen, daß dieser 10. Band von allen Benutzern im In- und Ausland mit dem gleichen Interesse aufgenommen wird wie die bisher erschienenen Bände des Großen Dudens.

Mannheim, den 1. September 1970

DIE DUDENREDAKTION

Die Behandlung der Stichwörter

1. Allgemeines

a) Die Stichwörter und die festen Wendungen sind **halbfett**, die Bedeutungsangaben *kursiv* gedruckt. Grammatische Angaben stehen in spitzen Klammern ⟨ ⟩:

> **achtgeben,** gibt acht, gab acht, hat achtgegeben ⟨itr.⟩: *aufpassen, achten:* auf die Kinder, auf die Koffer gut a.

b) ein Stichwort mit verschiedenen Bedeutungen ist je nach dem Grad der Zusammengehörigkeit der einzelnen Bedeutungen durch arabische Ziffern (1.) oder durch kleine Buchstaben a) untergliedert:

> **anspringen,** sprang an, hat/ist angesprungen: **1.** ⟨itr.⟩ *in Gang kommen:* der Motor ist nicht gleich angesprungen. **2.** ⟨in der Fügung⟩ angesprungen kommen: *sich springend nähern, herbeieilen:* als die Mutter rief, kamen die Kinder alle angesprungen. **3.** ⟨tr.⟩ **a)** *(an jmdm.) hochspringen:* der Hund hat ihn vor Freude angesprungen. **b)** *sich mit einem Sprung (auf jmdn./etwas) stürzen; (jmdn.) anfallen:* der Tiger hat den Dompteur angesprungen.

In besonderen Fällen (Zugehörigkeit zu verschiedenen Wortarten u. a.) werden auch römische Ziffern zur Gliederung verwendet:

> **anstatt: I.** ⟨Konj.⟩ *statt; und nicht:* er schenkte ihr ein Buch a. Blumen ... **II.** ⟨Präp. mit Gen.⟩ *statt; an Stelle:* a. des Geldes gab sie ihm ihren Schmuck ...

c) Feste Wendungen werden durch halbfetten Druck hervorgehoben. Vor ihnen steht ein Sternchen (*), wenn sie eng zu der vorangehenden Bedeutungsangabe gehören:

> **aufmerksam** ⟨Adj.⟩: **1.** *mit wachen Sinnen, mit Interesse folgend:* ein aufmerksamer Zuhörer. *** jmdn. auf jmdn./etwas a. machen** *(jmdn. auf jmdn./etwas hinweisen)* ...

Vor ihnen stehen zwei Sternchen, wenn sie im Hinblick auf die Bedeutung isoliert sind:

> **gut... ** guter Dinge sein** *(froh und lustig sein).*

d) Zwischen schrägen Strichen / / stehen allgemeine Angaben. Sie finden sich am häufigsten dort, wo ein Stichwort durch ein Bild erklärt wird:

> **Brezel,** die; -, -n /ein Gebäck/ (siehe Bild).

e) Sind bestimmte Wörter, Verwendungsweisen o. ä. nicht normalsprachlich, dann wird dies angegeben.

Dabei werden folgende Stufen unterschieden:

geh. (gehoben)	=	nicht alltägliche Ausdrucksweise, die in der gesprochenen Sprache feierlich wirkt.
ugs. (umgangssprachlich)	=	gelockerte alltagssprachliche Ausdrucksweise; meist in der gesprochenen Sprache.
derb	=	ungepflegte, grobe und gewöhnliche Ausdrucksweise.
abwertend	=	Aussage, die das ablehnende Urteil, die persönliche Kritik des Sprechers enthält.

f) Bildlicher Gebrauch wird durch bildl. (bildlich) gekennzeichnet:

> **geizen,** geizte, hat gegeizt ⟨itr.⟩: *in übertriebener Weise an seinem Besitz festhalten; übertrieben sparsam sein:* er geizt mit jedem Pfennig; bildl.: er geizt mit seinem Lob *(er lobt selten).*

g) In eckigen Klammern [ ] stehen die Ausspracheangaben (siehe unter Aussprache!) und Buchstaben, Silben oder Wörter, die weggelassen werden können:

> **Flug... ** [wie] im Flug[e]** *(sehr schnell).*

2. Substantive

a) Bei den Substantiven steht der Artikel, der Genitiv Singular und der Plural. Der dabei verwendete Strich (–) vertritt das Stichwort:

Mạnn, der; -[e]s, Männer:

b) Hat ein Substantiv keinen Plural oder ist der Plural nicht gebräuchlich, dann steht nur der Genitiv Singular:

Hụnger, der; -s:

c) Substantive, die nur im Plural vorkommen, erhalten den Zusatz ⟨Plural⟩:

Fe̲rien, die ⟨Plural⟩:

d) Hat ein Substantiv in bestimmten Bedeutungen keinen Plural, dann wird dies durch den Zusatz ⟨ohne Plural⟩ gekennzeichnet:

Ạndacht, die; -, -en: **1.** ⟨ohne Plural⟩ *innere Sammlung, Versunkenheit*: sie stand voller A. vor dem Gemälde ... **2.** *kurzer Gottesdienst*: die A. beginnt um fünf Uhr.

e) Bei substantivierten Adjektiven und Partizipien werden zunächst die schwachen Flexionsformen angegeben, die beim Gebrauch des bestimmten Artikels auftreten. In spitzen Klammern ⟨ ⟩ stehen dann die starken Flexionsformen, wie sie u. a. bei alleinstehendem Gebrauch üblich sind:

Ạngestellte, der; -n, -n ⟨aber: [ein] Angestellter, Plural: Angestellte⟩: ...

3. Verben

a) In der Regel stehen beim Verb die 3. Person Präteritum und die 3. Person Perfekt:

ạrbeiten, arbeitete, hat gearbeitet...

Bei Verben mit Umlaut oder mit e/i-Wechsel steht auch die 3. Person Präsens:

fạllen, fällt, fiel, ist gefallen...
brẹchen, bricht, brach, hat/ist gebrochen...

Wird das Perfekt eines Verbs mit *haben* und mit *sein* gebildet, dann wird dies bei den Konjugationsformen angegeben und in den Beispielen deutlich gemacht:

ạnbrechen, bricht an, brach an, hat/ist angebrochen: **1.** ⟨tr.⟩ *zu verbrauchen, zu verwenden beginnen:* er hat die Schachtel Zigaretten bereits angebrochen. **2.** ⟨itr.⟩ (geh.) *beginnen, eintreten, kommen:* eine neue Epoche ist angebrochen.

Bei Schwankungen zwischen starker und schwacher Konjugation und zwischen fester und unfester Zusammensetzung werden alle Formen aufgeführt:

glịmmen, glomm/glimmte, hat geglommen/geglimmt...
dụrchblättern, blätterte durch, hat durchgeblättert; (auch:) durchblạttern, durchblätterte, hat durchblättert...

b) Verben, die eine Ergänzung im Akkusativ haben und ein persönliches Passiv bilden können, erhalten die Auszeichnung ⟨tr.⟩ = transitiv.

Verben mit dem reflexiven oder reziproken Pronomen im Akkusativ erhalten die Auszeichnung ⟨rfl.⟩ = reflexiv oder ⟨rzp.⟩ = reziprok, sofern das Pronomen *sich* nicht ausdrücklich genannt ist.

Alle übrigen Verben erhalten die Auszeichnung ⟨itr.⟩ = intransitiv.

c) Mit der Bezeichnung Funktionsverb werden Verben dann versehen, wenn sie neben ihrem Gebrauch als Vollverb in bestimmten Verbindungen mit Substantiven auftreten, in denen ihr eigentlicher Inhalt verblaßt ist und in denen sie dann nur Teil eines festen Gefüges sind, z. B. *bringen* in den Fügungen „in Gefahr bringen" (= gefährden), „zum Einsatz bringen" (= einsetzen).

d) Wird ein Verb häufig im 1. oder 2. Partizip gebraucht, dann steht die Angabe ⟨häufig im 1. Partizip⟩ oder ⟨häufig im 2. Partizip⟩:

begründen, begründete, hat begründet ⟨tr.⟩: **1.** *gründen, den Grund legen (zu etwas):* jmds. Glück b. **2.** *Gründe anführen (für etwas):* seine Ansichten, Meinungen b.; ⟨häufig im 2. Partizip⟩ begründete *(berechtigte)* Zweifel hegen.

Partizipien, die sich inhaltlich verselbständigt haben, zählen zu den Adjektiven und erscheinen deshalb als eigenes Stichwort. So z. B. *bedeutend, reizend.*

4. Adjektive

a) Adjektive können als nähere Bestimmung bei einem Substantiv stehen:

die schöne Rose

Man sagt dann, das Adjektiv wird *attributiv* gebraucht.

Adjektive können in Verbindung mit Verben auftreten, und zwar in Verbindung mit *sein:*

Die Rose ist schön.

Man sagt dann, das Adjektiv wird *prädikativ* gebraucht. In Verbindung mit anderen Verben:

Die Rose blüht schön.

Man sagt dann, das Adjektiv wird *adverbial* gebraucht.

Ist die Verwendung eines Adjektivs eingeschränkt, dann wird dies angegeben:

alleinig ⟨Adj.; nur attributiv⟩: *ausschließlich, einzig:* der alleinige Vertreter, Erbe.
allmählich ⟨Adj.; nicht prädikativ⟩: ...

Es kann auch sein, daß die Beschränkung nur für eine der verschiedenen Bedeutungen eines Adjektivs gilt:

hölzern ⟨Adj.⟩: **1.** ⟨nur attributiv⟩ *aus Holz bestehend:* ein hölzerner Löffel. **2.** *nicht gewandt im Auftreten, linkisch:* der junge Mann ist recht h.

b) Vergleichsformen werden nur dann angegeben, wenn sie unregelmäßig sind oder wenn ein Umlaut auftritt:

gut, besser, beste ⟨Adj.⟩:
groß, größer, größte ⟨Adj.⟩:

5. Aussprache

a) Eine Aussprachebezeichnung steht nur hinter jenen Wörtern, deren Aussprache von der sonst üblichen abweicht, und zwar in eckigen Klammern. Die dabei verwendeten Zeichen sind die der Internationalen Lautschrift (vgl. hierzu die Übersicht auf S. 812).

Camping ['kɛmpɪŋ], das; -s:

b) Bei allen übrigen Stichwörtern wurde nur der betonte Vokal gekennzeichnet. Ist der betonte Vokal kurz, dann steht unter ihm ein Punkt: bạcken.

Ist der betonte Vokal oder Diphthong lang, dann steht unter ihm ein Strich: baden; Bäckerei.

Es gibt auch Wörter, die zwei betonte Vokale haben: blutjụng.

Die im Wörterverzeichnis verwendeten Abkürzungen

Adj.	Adjektiv
Akk.	Akkusativ
Amtsspr.	Amtssprache
bayr.	bayrisch
bes.	besonders
bildl.	bildlich
Biol.	Biologie
Börsenw.	Börsenwesen
BRD	Bundesrepublik Deutschland
Bürow.	Bürowesen
bzw.	beziehungsweise
DDR	Deutsche Demokratische Republik
dgl.	dergleichen
dicht.	dichterisch
ev.	evangelisch
fachspr.	fachsprachlich
fam.	familiär
Filmw.	Filmwesen
Fliegerspr.	Fliegersprache
geh.	gehoben
Geldw.	Geldwesen
Gen.	Genitiv
Ggs.	Gegensatz
hist.	historisch
Inf.	Infinitiv
Interj.	Interjektion
iron.	ironisch
itr.	intransitiv
jmd.	jemand
jmdm.	jemandem
jmdn.	jemanden
jmds.	jemandes
kath.	katholisch
Kaufmannsspr.	Kaufmannssprache
Kinderspr.	Kindersprache
Konj.	Konjunktion
landsch.	landschaftlich
Math.	Mathematik
Med.	Medizin
Meteor.	Meteorologie
mitteld.	mitteldeutsch
Nom.	Nominativ
nordd.	norddeutsch
nordostd.	nordostdeutsch
o. ä.	oder ähnliche[s]
östr.	österreichisch
Präp.	Präposition
Rechtsw.	Rechtswesen
Rel.	Religion
rfl.	reflexiv
Rundf.	Rundfunk
rzp.	reziprok
scherzh.	scherzhaft
Schülerspr.	Schülersprache
schweiz.	schweizerisch
Soldatenspr.	Soldatensprache
Sprachw.	Sprachwissenschaft
südd.	süddeutsch
südwestd.	südwestdeutsch
tr.	transitiv
u. a.	und andere[s]
u. ä.	und ähnliche[s]
ugs.	umgangssprachlich
usw.	und so weiter
veralt.	veraltet
Verkehrsw.	Verkehrswesen
westd.	westdeutsch
z. B.	zum Beispiel

A

Aal, der; -[e]s, -e: /ein Fisch/ (siehe Bild).

Aal

aalen, sich; aalte sich, hat sich geaalt (ugs.): *sich wohlig strekken, sich behaglich ausgestreckt ausruhen:* er aalte sich in der Sonne.

aalglatt ⟨Adj.⟩ (abwertend): *nicht oder schwer zu fassen, allzu gewandt:* ein aalglatter Mensch.

Aas, das -es, -e und Äser: **1.** ⟨Plural: Aase⟩ *[verwesender] toter Körper eines Tieres, Kadaver.* **2.** ⟨Plural: Äser⟩ (derb) /Schimpfwort/: so ein raffiniertes A.! * (derb) **kein Aas** *(niemand).*

aasen, aaste, hat geaast ⟨itr.⟩ (ugs.): *verschwenderisch umgehen:* mit dem Geld, mit den Kräften a.

Aasgeier, der; -s, -: *von Aas lebender Raubvogel:* sich wie ein A. *(gierig)* auf etwas stürzen.

ạb: **I.** ⟨Präp. mit Dativ, bei Zeitangaben auch mit Akk.⟩ *von ... an, von:* ab [unserem] Werk, ab Hamburg; ab erstem, (auch:) ersten Mai. **II.** ⟨Adverb⟩ **1. a)** *weg, fort; entfernt:* rechts ab von der Station; keine drei Schritte ab. **b)** (ugs.) *hinweg, fort:* ab nach Hause! **2.** *herunter, hinunter:* Mützen ab. * (ugs.) **Hut ab!** *(alle Achtung!, Respekt!).* ** **ab und zu**/(landsch.) **ab und an** *(manchmal).*

ạbändern, änderte ab, hat abgeändert ⟨tr.⟩: *[teilweise] anders [und besser] machen, ein wenig ändern, umgestalten:* wir änderten das Programm, den Antrag ab. **Ạbänderung,** die; -, -en

ạbängstigen, sich; ängstigte sich ab, hat sich abgeängstigt: *sich längere Zeit übermäßig ängstigen:* du hast dich um deine Kinder abgeängstigt.

ạbarbeiten, arbeitete ab, hat abgearbeitet /vgl. abgearbeitet/: **1.** ⟨rfl.⟩ *sich müde arbeiten, sich [ab]plagen:* ich habe mich auf dem Acker völlig abgearbeitet. **2.** ⟨tr.⟩ *durch Arbeit wegschaffen:* Schulden a.

Ạbart, die; -, -en: *von dem Üblichen abweichende Art.*

ạbartig ⟨Adj.⟩: *[in sexueller Hinsicht] abnorm, widernatürlich.* abartiges Verhalten; er ist a. veranlagt.

Ạbbau, der; -s: **1.** *Zerlegung in die Bestandteile, Abbruch* /Ggs. Aufbau/: der A. der Tribüne, des Zeltlagers; bildl.: A. *(Senkung, Abschaffung)* der Zölle. **2.** *zwangsweise Versetzung in den Ruhestand:* A. von Beamten. **3.** (ugs.) *das Nachlassen, Schwund, Rückgang:* der A. der Kräfte im Alter.

ạbbauen, baute ab, hat abgebaut: **1.** ⟨tr.⟩: **a)** *in seine Bestandteile zerlegen, abbrechen:* Tribünen, ein Zeltlager a. **b)** *verringern:* Zölle a. **2.** ⟨tr.⟩ *vorzeitig, zwangsweise in den Ruhestand versetzen:* Beamte a. **3.** ⟨itr.⟩ (ugs.) *in der Leistung nachlassen:* von der zehnten Runde an baute der Europameister [körperlich] ab.

ạbbeißen, biß ab, hat abgebissen ⟨tr.⟩: *(ein Stück von etwas) mit den Zähnen abtrennen:* er biß ein Stück Brot ab. * (ugs.) **da beißt die Maus keinen Faden ab** *(diese unangenehme Sache läßt sich nicht ändern).*

ạbbeizen, beizte ab, hat abgebeizt ⟨tr.⟩: **a)** *durch Beizen entfernen:* den alten Anstrich a. **b)** *durch Beizen reinigen:* die Tür a.

ạbbekommen, bekam ab, hat abbekommen ⟨itr.⟩: **1.** *(einen Teil von etwas) erhalten:* viel [von dem Vermögen], sein[en] Teil a. **2.** *erhalten, hinnehmen müssen:* einen Schlag a. **3.** *lösen, entfernen:* den Rost [vom Messer], den Deckel a.

ạbberufen, berief ab, hat abberufen ⟨tr.⟩: *von seinem Posten zurückrufen:* der Minister wurde [von seinem Amt] abberufen * (geh.) **[aus dem Leben] abberufen werden** *(sterben).* **Ạbberufung,** die; -, -en.

ạbbestellen, bestellte ab, hat abbestellt ⟨itr.⟩: **a)** *eine Bestellung (von etwas) zurückziehen:* eine Zeitung, ein Zimmer a. **b)** *einen Auftrag (an jmdn.) zurückziehen:* den Monteur a. **Ạbbestellung,** die; -, -en.

ạbbetteln, bettelte ab, hat abgebettelt ⟨tr.⟩ (ugs.): *(von jmdm.) durch drängendes Bitten erlangen:* er hat ihr Geld abgebettelt.

ạbbezahlen, bezahlte ab, hat abbezahlt ⟨tr.⟩: **1.** *(eine Summe) in Teilbeträgen zahlen:* ich habe die 5000 Mark endlich abbezahlt. **2.** *(eine Ware) in Teilbeträgen bezahlen:* wir müssen erst unseren Fernsehapparat a.

ạbbiegen, bog ab, hat/ist abgebogen: **1.** ⟨itr.⟩ *eine andere Richtung nehmen:* er ist plötzlich [nach] links abgebogen. **2.** ⟨tr.⟩ (ugs.) *verhindern:* er hat die Ausführung des Planes abgebogen.

Ạbbild, das; -[e]s, -er: *genaue Wiedergabe eines [Ur]bildes:* das Kind ist kein verkleinertes A. des Erwachsenen.

ạbbilden, bildete ab, hat abgebildet ⟨tr.⟩: *bildlich darstellen:* auf der Ansichtskarte war eine Burg abgebildet.

Ạbbildung, die; -, -en: **1.** *das Abbilden:* etwas eignet sich nicht für eine A. **2.** *das Abgebildete, bildliche Darstellung:* ein

Lexikon mit vielen Abbildungen.

ạbbinden, band ab, hat abgebunden ⟨tr.⟩: 1. *losbinden, abnehmen:* die Krawatte a. 2. *abschnüren:* ein Bein [mit einem Tuch] a., damit das Blut nicht aus der Wunde strömt.

Ạbbitte: ⟨in den Wendungen⟩ [jmdm.] A. tun, leisten: *[jmdn.] um Verzeihung bitten.*

ạbbitten, bat ab, hat abgebeten ⟨tr.⟩ (geh.): *(jmdn. für ein Unrecht) um Verzeihung bitten:* sie bat ihren Fehltritt ab.

ạbblasen, bläst ab, blies ab, hat abgeblasen ⟨tr.⟩ (ugs.): *absagen, abbrechen:* eine Veranstaltung a.

ạbblassen, blaßte ab, ist abgeblaßt ⟨itr.⟩: *allmählich blaß werden, an Farbe verlieren:* die Farben sind mit der Zeit abgeblaßt; bildl.: abgeblaßte *(kraftlos, undeutlich gewordene)* Erinnerungen.

ạbblättern, blätterte ab, ist abgeblättert ⟨itr.⟩: 1. *Blätter verlieren:* die Rosen beginnen abzublättern. 2. *sich in einzelnen Blättchen lösen [und abfallen]:* die Farbe blättert ab.

ạbblenden, blendete ab, hat abgeblendet: 1. ⟨tr.⟩ *die Beleuchtung von etwas so einstellen, daß sie nicht blendet* /Ggs. aufblenden/: die Scheinwerfer des Autos a.; ⟨auch itr.⟩ der Fahrer des entgegenkommenden Autos blendet [nicht] ab. 2. ⟨tr./itr.⟩ Foto *die Blende klein stellen:* bei dieser Beleuchtung darfst du nicht a.

Ạbblendlicht, das; -[e]s: *abgeblendetes Scheinwerferlicht* /bei Kraftfahrzeugen/.

ạbblitzen, blitzte ab, ist abgeblitzt ⟨itr.⟩ (ugs.): *abgewiesen werden:* er blitzte mit seinem Antrag, Gesuch ab; das Mädchen ließ ihn a. *(gab ihm einen Korb, erhörte ihn nicht).*

ạbbrausen, brauste ab, hat/ist abgebraust: 1. ⟨tr.⟩ *mit der Brause abspülen:* sie hat die Kinder in der Wanne abgebraust. 2. ⟨itr.⟩ (ugs.) *rasch und mit Geräusch davonfahren:* er ist mit Vollgas abgebraust.

ạbbrechen, bricht ab, brach ab, hat/ist abgebrochen: 1. ⟨tr.⟩ *durch Brechen entfernen, abtrennen, wegbrechen:* er hat den Ast [vom Baum] abgebrochen. * **einer Sache die Spitze a.** *(einer Sache die Hauptwirkung nehmen).* 2. ⟨itr.⟩ *sich durch Brechen von etwas lösen, entzweigehen:* der Ast, die Nadel, das Gestein war abgebrochen. 3. ⟨tr.⟩ *niederreißen* /Ggs. aufbauen/: sie hatten das Haus abgebrochen; die Tribüne a. *(abbauen).* * **alle Brücken hinter sich** (Dativ) **a.** *(alle bisherigen Verbindungen lösen);* **seine Zelte a.** *(den bisherigen Aufenthaltsort und Lebenskreis aufgeben).* 4. ⟨tr.⟩ *vorzeitig, vor dem Abschluß beenden:* er hat das Studium abgebrochen. 5. ⟨itr.⟩ *plötzlich aufhören:* er hatte mitten im Satz abgebrochen.

ạbbremsen, bremste ab, hat abgebremst: a) ⟨tr.⟩ *die Geschwindigkeit von etwas [bis zum Stillstand] herabsetzen:* der Fahrer bremste den Wagen plötzlich ab; bildl.: die Partei hat die Abwanderung der Wähler nicht abzubremsen *(aufzuhalten)* vermocht. b) ⟨itr.⟩ *die Geschwindigkeit herabsetzen [und anhalten]:* ich bremste scharf ab.

ạbbrennen, brannte ab, ist abgebrannt ⟨itr.⟩/vgl. abgebrannt/: 1. *durch Brand zerstört werden:* das Rathaus ist vor fünfzig Jahren abgebrannt. 2. (ugs.) *durch Brand geschädigt werden* /von Personen/: wir sind schon zweimal abgebrannt. 3. *sich durch Brennen verbrauchen:* die Kerze ist noch nicht ganz abgebrannt.

ạbbringen, brachte ab, hat abgebracht ⟨tr.⟩: *abhalten; (jmdn.) dazu bringen, etwas aufzugeben:* jmdn. von einem Plan a.

ạbbröckeln, bröckelte ab, ist abgebröckelt ⟨itr.⟩: *sich in kleinen Brocken lösen und abfallen:* der Verputz ist abgebröckelt; bildl. (Börsenw.): die Notierungen bröckelten überwiegend ab *(gingen leicht zurück).*

Ạbbruch, der -[e]s: 1. *das Abbrechen, Niederreißen:* der A. des Hauses. 2. *plötzliche, unerwartete Beendigung:* das bedeutet den A. der Beziehungen zwischen den beiden Staaten; A. [des Boxkampfes] in der ersten Runde.** **einer Sache A. tun** *(einer Sache schaden, etwas beeinträchtigen):* er hat unserer Sache niemals A. getan; (scherzh.) das tut der Liebe keinen A. *(das schadet nichts).*

ạbbrühen, brühte ab, hat abgebrüht ⟨tr.⟩ /vgl. abgebrüht/: *durch Brühen zur Weiterverarbeitung vorbereiten:* sie brühte das Huhn ab.

ạbbrummen, brummte ab, hat abgebrummt ⟨tr.⟩ (ugs.): *(eine Strafe) im Gefängnis verbüßen:* er hat seine zwei Jahre abgebrummt.

ạbbuchen, buchte ab, hat abgebucht ⟨tr.⟩: *(einen Betrag o. ä. vom Konto) wegnehmen:* die Gebühren werden von meinem Konto abgebucht; bildl.: zwei Flugzeuge mußten abgebucht *(verloren gegeben)* werden.

ạbbummeln, bummelte ab, hat abgebummelt ⟨tr.⟩ (ugs.): *abfeiern.*

ạbbürsten, bürstete ab, hat abgebürstet ⟨tr.⟩: a) *mit einer Bürste entfernen:* Schmutz [vom Mantel] a. b) *mit einer Bürste säubern:* das Kind, die Schuhe a.

ạbbüßen, büßte ab, hat abgebüßt ⟨tr.⟩: a) *büßend wiedergutmachen:* er büßte seinen Fehltritt ab. b) *büßend ableisten:* drei Jahre Haft a.

Abc-Schütze, der; -n, -n: *Schulanfänger.*

ạbdachen, sich; (selten:) dachte sich ab, hat sich abgedacht: *sich wie ein Dach neigen, allmählich abfallen:* das Waldland dacht sich nach Norden zu ab; sanft sich abdachende Wiesen.

ạbdampfen, dampfte ab, ist abgedampft ⟨itr.⟩ (ugs.): *abfahren:* morgen dampfen sie nach Amerika ab.

ạbdämpfen, dämpfte ab, hat abgedämpft ⟨tr.⟩: *(Lärm, Licht, Farben o. ä.) in der Wirkung mildern:* die gepolsterte Tür dämpft den Lärm ein wenig ab.

ạbdanken, dankte ab, hat/ (nordd. auch:) ist abgedankt ⟨itr.⟩ /vgl. abgedankt/: *von einem Amt, Posten zurücktreten:* der Minister dankte ab.

ạbdarben, sich; darbte sich ab, hat sich abgedarbt ⟨tr.⟩ (geh.): *sich unter Entbehrungen absparen:* du hast dir das Geld dafür vom, am Munde abgedarbt.

ạbdecken, deckte ab, hat abgedeckt ⟨tr.⟩: 1. a) *ab-, weg-, herunternehmen:* das Laken [vom Bett] a. b) *frei machen:* das Bett a.; den Tisch a. *(abräumen).* 2. *zudecken:* einen

Schacht [mit Brettern] a. **3.** *schützen, abschirmen:* beim Schachspiel mit dem Turm die Dame a.

Abdecker, der; -s, -: *jmd., der verendete Tiere beseitigt [u. verwertet]* /Berufsbezeichnung/.

abdichten, dichtete ab, hat abgedichtet ⟨tr.⟩: *etwas undurchlässig machen:* die Tür [gegen Zugluft], einen Raum [gegen Lärm] a. **Abdichtung,** die; -, -en.

abdienen, diente ab, hat abgedient ⟨tr.⟩: *(eine vorgeschriebene Dienstzeit) ableisten:* ich diente meine zwei Jahre ab.

abdrängen, drängte ab, hat abgedrängt ⟨tr.⟩: *wegschieben, verdrängen, von einer Stelle drängen:* die Polizei drängte die Demonstranten in eine andere Straße ab.

abdrehen, drehte ab, hat abgedreht: **1.** ⟨tr.⟩ *abstellen, abschalten* /Ggs. andrehen/: das Wasser, Licht, Gas a. **2.** ⟨tr.⟩ *durch Drehen loslösen, abtrennen:* einen Knopf a. **3.** ⟨itr.⟩ *eine andere Richtung einschlagen, einen anderen Kurs nehmen:* das Flugzeug drehte ab. **4.** ⟨tr.⟩ Filmw. *(Filmaufnahmen) fertigstellen:* einen Film a.; ⟨auch itr.⟩ wir haben abgedreht.

abdrosseln, drosselte ab, hat abgedrosselt ⟨tr.⟩: **a)** *die Zufuhr (von etwas) hemmen:* den Dampf a. **b)** *den Antrieb (bei etwas) verringern:* den Motor a.

Abdruck: **I.** der; -s, Abdrücke: **1.** ⟨ohne Plural⟩ *das Abdrücken:* der A. in Wachs dauert nicht lange. **2.** *das Abgedrückte, durch Eindrücken entstandene Nachbildung, Spur:* in der Nähe des Fensters wurden Abdrücke von Sohlen entdeckt. **II.** der; -s, -e: **1.** ⟨ohne Plural⟩ *das Abdrucken:* der A. dieses Textes ist zu gefährlich. **2.** *das Abgedruckte, gedrucktes Werk:* mehrere Abdrucke herstellen.

abdrucken, druckte ab, hat abgedruckt ⟨tr.⟩: *in einer Zeitung u. ä. gedruckt erscheinen lassen, drucken:* einen Roman [in Fortsetzungen] a.

abdrücken, drückte ab, hat abgedrückt: **1.** ⟨tr./itr.⟩ *(eine Schußwaffe) abfeuern:* er drückte [das Gewehr, den Revolver] ab. **2.** ⟨tr.⟩ *[heftig] liebkosen, an sich drücken und küssen:* das Kind a.

abend ⟨Adverb; in Verbindung mit der Angabe eines bestimmten Tages⟩: *am Abend:* heute, Dienstag a.

Abend, der; -s, -e: **1.** *Ende des Tages* /Ggs. Morgen/: der heutige A.; eines Abends *(an einem nicht näher bestimmten Abend);* guten A.! /Grußformel/; zu A. essen *(die Abendmahlzeit einnehmen);* bildl. (geh.): am A. *(Ende)* des Lebens. *** es ist noch nicht aller Tage A.** *(es kann sich noch manches ändern);* **der Heilige A.** *(der Abend oder der Tag vor dem ersten Weihnachtstag, d. h. der 24. Dezember).* **2.** *[geselliges] Beisammensein; Abendveranstaltung:* ein anregender A.; ein literarischer A.

Abendbrot, das; -[e]s: (bes. nordd.) *Abendessen.*

Abendessen, das; -s: *letzte Mahlzeit am Tage.*

Abendkasse, die; -, -n: *Stelle, an der Eintrittskarten vor der jeweiligen Vorstellung am Abend verkauft werden* /Ggs. Tageskasse/: er will die Karten an der A. kaufen.

Abendkleid, das; -[e]s, -er: *[kostbares] langes Kleid, das bei festlichen Anlässen, im Theater o. ä. getragen wird.*

Abendland, das; -es: *Europa* /in bezug auf die Kultur/.

abendlich ⟨Adj.; nur attributiv⟩: *in die Zeit des Abends fallend; zur Zeit des Abends geschehend, sich abspielend o. ä.:* das abendliche Bad; abendliche Kühle; die abendlichen Spaziergänge.

Abendmahl, das; -[e]s: **1.** *heilige Handlung im Gottesdienst, bei der vom Geistlichen Brot und Wein an die Gläubigen verteilt wird, besonders in der evangelischen Kirche.* **2.** ⟨ohne Plural⟩ Rel. *Abschiedsmahl Christi mit seinen Jüngern:* das letzte A.

abends ⟨Adverb⟩: *jeden Abend, am Abend:* a. [um] 8 Uhr; von morgens bis a.

Abendschule, die; -, -n: *Schule, an der sich bes. berufstätige Menschen durch abendlichen Unterricht weiterbilden.*

Abenteuer, das; -s, -: **1.** *außergewöhnliches Geschehen, Erlebnis, gewagtes Unternehmen:* ein politisches A.; ein A. erleben, suchen. **2.** *Liebeserlebnis:* ein galantes A.

abenteuerlich ⟨Adj.⟩: *voller Abenteuer, gefährlich, phantastisch:* eine abenteuerliche Reise; das klingt höchst a.

Abenteurer, der; -s, -: *jmd., der auf Abenteuer ausgeht.*

aber: **I.** ⟨Konj.⟩ **1.** *dagegen, jedoch, doch, allerdings:* die Mutter bereitete das Frühstück, der Vater a. lag noch im Bett; es wurde dunkel, a. wir machten kein Licht; er ist streng, a. gerecht. **2.** /dient zur Einleitung eines Widerspruchs oder zur Anknüpfung/: a. das stimmt doch gar nicht!; da es a. dunkel wurde, rasteten sie. **II.** ⟨Adverb⟩ **1.** *wirklich* /emphatisch als Ausdruck der Bewunderung, Verwunderung u. a./ das ist a. reizend; a. ja!; du bist a. ganz schön frech; a., meine Herren, nur keine Aufregung! **2.** ⟨gewöhnlich in bestimmten Fügungen⟩ *wiederum, noch einmal:* tausend und a. tausend; a. und abermals.

Aber, das; -s, -: *Einwand, Bedenken; bedenklicher Punkt, Schwierigkeit, Haken:* die Sache hat ihr A. *** das [viele, ständige, ewige] Wenn und A.** *(die vielen Zweifel, Einwände, Bedenken).*

Aberglaube, der; -ns: *als irrig angesehener Glaube, daß überirdische Kräfte in bestimmten Menschen und Dingen wirksam sind:* es ist ein A., daß dreizehn eine Unglückszahl ist.

abergläubisch ⟨Adj.⟩: *im Aberglauben befangen; aus Aberglauben entstanden:* abergläubische Eingeborene, Vorstellungen.

aberkennen, erkannte ab, hat aberkannt ⟨tr.⟩: *durch einen [Gerichts]beschluß absprechen, entziehen:* jmdm. die bürgerlichen Ehrenrechte a. **Aberkennung,** die; -, -en.

abermalig ⟨Adj.; nur attributiv⟩: *wiederholt, erneut, nochmalig:* die abermalige Verlängerung der Frist.

abermals ⟨Adverb⟩: *noch einmal, zum zweiten Mal:* er kam a. zu mir.

abessen, ißt ab, aß ab, hat abgegessen: **1.** ⟨tr.⟩ **a)** *durch Essen entfernen:* das Fleisch von den Knochen a. **b)** *leer essen:* du mußt deinen Teller a. **c)** (ugs.) *(einen für das Essen bestimmten Betrag) verbrauchen:* die zehn Mark kann man gar nicht a. **2.**

⟨itr.; meist nur in den Vergangenheitsformen und im unpersönlichen Passiv⟩ *die Mahlzeit beenden:* wir hatten gerade abgegessen.* (ugs.; bes. ostmd.) **bei jmdm. abgegessen haben** *(jmdm. nicht mehr erwünscht, bei jmdm. nicht mehr beliebt sein).*

ạbfackeln, fackelte ab, hat abgefackelt ⟨tr.⟩: *Rückstände von Gas o. ä. verbrennen:* wegen einer Betriebsstörung mußte das Erdgas abgefackelt werden.

ạbfahren, fährt ab, fuhr ab, hat/ist abgefahren: **1.** ⟨itr.⟩ *wegfahren, die Reise beginnen:* er ist mit dem nächsten Zug abgefahren. **2.** ⟨itr.⟩ Schisport *auf Schiern den Berg hinunterfahren:* er ist glänzend abgefahren. **3.** ⟨in Verbindung mit *lassen*⟩ *abweisen; abblitzen lassen:* sie hat den aufdringlichen Burschen a. lassen. **4.** ⟨tr.⟩ *mit einem Fahrzeug fortschaffen:* sie hatten die Verwundeten abgefahren. **5.** ⟨tr.⟩ *zur Kontrolle entlangfahren:* er hat/ ist die Front abgefahren. **6.** ⟨tr.⟩ *mit dem Fahrzeug aufsuchen:* er hatte/war einige Dörfer abgefahren. **7.** ⟨tr.⟩ *durch Überfahren abtrennen:* der Zug hatte ihm beide Beine abgefahren. **8.** ⟨tr.⟩ *durch Fahren abnutzen:* er hat die Reifen schnell abgefahren; ⟨auch rfl.⟩ die Hinterreifen haben sich schnell abgefahren. **9.** ⟨tr.⟩ (ugs.) *(den Anspruch, mit einem Verkehrsmittel o. ä. befördert zu werden) ganz ausnutzen:* er hatte seinen Fahrschein abgefahren.

Ạbfahrt, die; -, -en: **1.** *Abreise, Fahrtbeginn:* die A. des Zuges erfolgt um 8 Uhr. **2.** Schisport **a)** *Fahrt den Berg hinunter:* eine rasende A. **b)** *Hang (zum Abfahren):* eine steile A. **3.** *Ausfahrt von einer Autobahn:* die A. führte nach Köln.

Ạbfahrtslauf, der; -s, Abfahrtsläufe: Schisport *Fahrt talwärts als sportlicher Wettkampf.*

Ạbfall, der; -s, Abfälle: **1.** *[unbrauchbarer] Überrest:* schütte den A. in den Eimer. **2.** ⟨ohne Plural⟩ *Loslösung von einem Bündnis, [Treu]bruch:* der A. vom Reich.

ạbfallen, fällt ab, fiel ab, ist abgefallen ⟨itr.⟩: **1.** *sich lösen und herunterfallen:* Blüten, Früchte fallen ab. **2.** *für jmdn. übrigbleiben:* mancher gute Bissen fällt dabei ab; für die Kinder fällt immer eine Kleinigkeit ab *(die Kinder bekommen auch immer eine Kleinigkeit).* **3.** *jmdm.,/einer Sache abtrünnig, untreu werden:* von Gott, vom Glauben a. **4.** *schräg nach unten verlaufen, sich neigen:* der Berg fällt steil, sanft ab. **5. a)** *(im Vergleich zu jmdm./etwas) schlechter sein oder werden:* die Sängerin fiel [gegen die Sänger, neben den Sängern, am Ende des zweiten Aktes] stark ab. **b)** *abnehmen, nachlassen, weniger werden:* die [Strom]spannung, der Druck des Wassers fällt rasch ab.

ạbfällig ⟨Adj.⟩: *mißbilligend; geringschätzig, verächtlich:* eine abfällige Kritik; sich a. [über jmdn./etwas] äußern.

ạbfangen, fängt ab, fing ab, hat abgefangen ⟨tr.⟩: **1.** *daran hindern, zum Ziel zu gelangen; aufhalten:* einen Brief, einen Boten a. **2.** *erwarten und aufhalten, abpassen:* den Briefträger, die Zeitungsfrau a. **3.** *auffangen, abbremsen, abhalten, abwehren:* einen Stoß, Schlag, den Regen, die Gefahr a. **4.** *unter Kontrolle bringen, in die Gewalt bekommen:* einen schleudernden Wagen a.

ạbfärben, färbte ab, hat abgefärbt ⟨itr.⟩: *durch Berührung die eigene Farbe (auf etw. anderes) übertragen:* dein blaues Hemd hat auf die andere Wäsche abgefärbt; bildl.: sein schlechtes Benehmen hat auf dich abgefärbt *(du benimmst dich durch seinen Einfluß jetzt ebenfalls schlecht).*

ạbfassen, faßte ab, hat abgefaßt ⟨tr.⟩: **1.** *schriftlich formulieren:* einen Brief a. **2.** *erreichen, abpassen; ertappen:* jmdn. vor der Abfahrt noch a.; einen Dieb a. **Ạbfassung,** die; -.

ạbfaulen, faulte ab, ist abgefault ⟨itr.⟩: *sich durch Fäulnis lösen:* die Wurzeln faulen ab.

ạbfeiern, feierte ab, hat abgefeiert ⟨tr.⟩: *(unbezahlte Überstunden) durch Freizeit ausgleichen:* die Beamten können ihre Überstunden a.

ạbfeilen, feilte ab, hat abgefeilt ⟨tr.⟩: **a)** *durch Feilen beseitigen:* die Zacken, Unebenheiten a. **b)** *durch Feilen (von etwas) trennen:* die Griffe [von der Kiste] a. **c)** *durch Feilen verkürzen:* den Bart des Schlüssels a. **d)** *durch Feilen glätten:* hast du dir die Fingernägel abgefeilt?

ạbfertigen, fertigte ab, hat abgefertigt ⟨tr.⟩: **1.** *zur Beförderung, zum Versand fertigmachen:* Pakete, Waren a. **2. a)** *der Reihe nach bedienen:* Reisende, Kunden a. **b)** *vor der Weiterfahrt usw. überprüfen, nachsehen, ob alles den Vorschriften entspricht:* das Gepäck wird vom Zoll abgefertigt. **3.** (ugs.) *unfreundlich behandeln:* einen Bettler kurz, schroff a. **Ạbfertigung,** die; -, -en.

ạbfeuern, feuerte ab, hat abgefeuert ⟨tr.⟩: **a)** *(eine Schußwaffe) abdrücken, abschießen:* eine Pistole a. **b)** *(ein Geschoß) ab-, losschießen:* einen Schuß a.

ạbfinden, fand ab, hat abgefunden: **1.** ⟨tr.⟩ *entschädigen, zufriedenstellen:* er hat seine Gläubiger nur zum Teil abgefunden. **2.** ⟨rfl.⟩ *sich zufriedengeben, sich in etwas fügen, etwas akzeptieren:* sich mit seinem Schicksal a.

Ạbfindung, die; -, -en: *Entschädigung.*

ạbflachen, flachte ab, hat/ist abgeflacht: **1.** ⟨tr.⟩ *flach[er] machen:* der Architekt hat das Dach [noch mehr] abgeflacht. **2.** ⟨rfl.⟩ *flach[er] werden:* das Gelände hat sich hier abgeflacht. **3.** ⟨itr.⟩ *an Qualität, Tiefe o. ä. verlieren:* der Schlaf flacht gegen Morgen ab.

ạbflauen, flaute ab, ist abgeflaut ⟨itr.⟩: *allmählich schwächer werden, an Kraft verlieren:* der Wind, Lärm, die Spannung flaute ab.

ạbfliegen, flog ab, hat/ist abgeflogen: **1.** ⟨itr.⟩ **a)** *weg-, davonfliegen:* die Singvögel sind schon abgeflogen. **b)** *den Flug beginnen:* das Flugzeug ist um 9 Uhr abgeflogen. **2.** ⟨tr.⟩ *zur Kontrolle überfliegen:* er hat/ist das Gelände abgeflogen.

ạbfließen, floß ab, ist abgeflossen ⟨itr.⟩: **a)** *sich fließend entfernen, wegfließen:* das Wasser in der Badewanne fließt schlecht ab. **b)** *sich leeren:* die Badewanne fließt gut ab.

Abflug, der; -[e]s, Abflüge: *Start des Flugzeugs, Beginn des Fluges:* nei pünktlicher A.

Abfluß, der; Abflusses, Abflüsse: 1. ⟨ohne Plural⟩ *das Ab-, Wegfließen, Ablaufen:* den A. des Wassers regeln. 2. *Stelle, wo etwas abfließt; Öffnung, Rohr u. ä. für das Abfließen:* der A. [der Badewanne] ist verstopft.

Abfolge, die; -, -n: *das Aufeinanderfolgen, Reihenfolge:* die rasche A. der Ereignisse.

abfordern, forderte ab, hat abgefordert ⟨tr.⟩: *(von jmdm.) nachdrücklich fordern; abverlangen:* der Polizist forderte mir den Führerschein ab.

abformen, formte ab, hat abgeformt ⟨tr.⟩: *(durch Eindrücken in eine weiche Masse, durch Formen einer weichen Masse) nachbilden:* er formte die Füße naturgetreu [in Wachs] ab.

abfragen, fragte ab, hat abgefragt ⟨tr.⟩: *(jmds. Kenntnisse) durch Einzelfragen überprüfen:* der Lehrer fragte [den/dem Schüler] die Vokabeln ab; den Schüler a.

abfressen, frißt ab, fraß ab, hat abgefressen ⟨tr.⟩ : **a)** *durch Fressen beseitigen:* die Hasen haben den Kohl abgefressen; bildl. (ugs.): der Kummer, Gram frißt ihr das Herz ab *(quält sie sehr).* **b)** *kahl-, leer fressen:* ein Beet a.

Abfuhr, die; -: *Abtransport:* die A. von Holz. ** (ugs.) **jmdm. eine A. erteilen** *(jmdn. zurückweisen);* (ugs.) **sich eine A. holen** *(zurückgewiesen werden):* er hat sich bei ihr eine kräftige A. geholt.

abführen, führte ab, hat abgeführt: 1. ⟨tr.⟩ *wegführen:* jmdn. gefesselt a. 2. **a)** ⟨tr.⟩ *ableiten:* Gase, schlechte Luft a. **b)** ⟨tr./itr.⟩ *(von etwas) wegführen, abbringen:* der Weg führt [uns] vom Ziel ab; bildl.; dieser Gedanke führt [uns] vom Thema ab. 3. ⟨tr.⟩ *zahlen:* Gewinne [an die Aktionäre] a. 4. ⟨itr.⟩ *für Stuhlgang sorgen, den Darm leeren:* Rhabarber führt ab.

abfüllen, füllte ab, hat abgefüllt ⟨tr.⟩: *(meist aus einem größeren Behälter in ein kleineres Gefäß) füllen:* Wein [aus einem Faß] auf Flaschen a.

Abgabe, die; -, -n: 1. ⟨ohne Plural⟩ *Aushändigung, Überreichung.* 2. ⟨ohne Plural⟩ *Verkauf.* 3. Sport *Ab-, Zuspiel.* 4. ⟨Plural⟩ *Geldleistung, Steuer:* öffentliche Abgaben.

Abgang, der; -[e]s, Abgänge: 1. ⟨ohne Plural⟩ **a)** *das Verlassen eines Schauplatzes, das Abtreten:* ein dramatischer A. **b)** *das Verlassen eines Wirkungskreises:* sein A. von der Schule. * **sich einen guten A. verschaffen** *(zum Schluß mit etwas einen guten Eindruck machen).* 2. ⟨ohne Plural⟩ *Abfahrt:* kurz vor A. des Zuges, Schiffes. 3. *jmd., der aus einer Tätigkeit ausscheidet, der einen bestimmten Lebensbereich verläßt:* die Firma hatte 50 Abgänge *(50 Personen gaben ihre Stellung bei dieser Firma auf);* im Krankenhaus gab es heute 20 Zugänge und 11 Abgänge *(kamen 20 neue Patienten und 11 wurden entlassen).*

Abgase, die⟨Plural⟩: *bei einer Verbrennung entstehende und entweichende Gase:* die A. der Autos verpesten die Luft.

abgearbeitet ⟨Adj.⟩: *durch Arbeit erschöpft, verbraucht.*

abgeben, gibt ab, gab ab, hat abgegeben: 1. ⟨tr.⟩ *übergeben, aushändigen:* einen Brief bei der Sekretärin a. 2. ⟨tr.⟩ *zur Aufbewahrung geben:* den Mantel an der Garderobe a. 3. ⟨tr.⟩ *überlassen, abtreten:* er hat mir etwas [von seinem Gewinn] abgegeben. 4. ⟨tr.⟩ *von sich geben:* eine Erklärung, ein Urteil a. 5. ⟨tr.⟩ *verkaufen, vermieten:* Erdbeeren billig a.; ein Zimmer a. 6. ⟨tr./itr.⟩ Sport *abspielen, jmdm. zuspielen:* der Verteidiger gab [den Ball] ab und stürmte vor. 7. ⟨tr.⟩ *(ein Geschoß) abfeuern:* einen Schuß a. 8. ⟨tr.⟩ *ausströmen, ausstrahlen:* der Ofen gibt nur mäßig Wärme ab. 9. ⟨tr.⟩ *geeignet sein, (jmd. oder etwas) zu sein:* er gibt einen guten Redner ab. 10. ⟨rfl.⟩ (ugs.) *sich beschäftigen; (mit jmdm.) Umgang pflegen:* sie gibt sich viel mit Kindern ab.

abgebrannt: ⟨in der Verbindung⟩ a. sein (ugs.): *kein Geld mehr haben.*

abgebrüht ⟨Adj.⟩: *seelisch unempfindlich:* ein abgebrühter Bursche.

abgedankt ⟨Adj.; nur attributiv⟩: *aus dem Dienst entlassen:* ein abgedankter Offizier.

abgedroschen ⟨Adj.⟩: *schon zu oft gebraucht:* eine abgedroschene Redensart.

abgefeimt ⟨Adj.⟩: *in allen Schlechtigkeiten erfahren, durchtrieben:* ein abgefeimter Lügner.

abgegriffen ⟨Adj.⟩: *durch häufiges Greifen abgenutzt:* abgegriffene Zeitschriften; der Einband ist schon a.; bildl. : abgegriffene Wörter *(allzu häufig gebrauchte Wörter, die keine Ausdruckskraft mehr haben).*

abgehackt ⟨Adj.⟩: *nicht zusammenhängend, stoßweise [gesprochen], abrupt:* abgehackte Sätze.

abgehen, ging ab, hat/ist abgegangen: 1. ⟨itr.⟩ *weggehen; einen Platz, Ort verlassen:* das Schiff ist abgegangen; der Brief ist abgegangen *(abgeschickt worden);* die Gallensteine des Patienten sind nicht abgegangen. 2. ⟨itr.⟩ *aus seiner Tätigkeit ausscheiden, einen Wirkungskreis verlassen:* er ist von der Schule abgegangen. 3. ⟨itr.⟩ *(von etwas) ablassen, (etwas) aufgeben:* er ist von seiner Gewohnheit abgegangen. 4. ⟨tr.⟩ *bei einem Rundgang besichtigen, kontrollieren:* der Offizier hat/ist die Front abgegangen. 5. ⟨itr.⟩ (ugs.) *sich loslösen.* ein Knopf ist von dem Jackett abgegangen. 6. ⟨itr.⟩ *ablaufen; vor sich, vonstatten gehen:* es ist noch einmal gut abgegangen. 7. ⟨itr.⟩ (ugs.) *fehlen:* was ihm an Begabung abgeht, ersetzt er durch Fleiß.

abgekämpft ⟨Adj.⟩(ugs.): *von übermäßiger Anstrengung ermattet,erschöpft:* er macht einen abgekämpften Eindruck; a. sein.

abgeklärt ⟨Adj.⟩: *durch Erfahrung über den Dingen stehend, gereift, besonnen:* ein abgeklärter Mensch; sein Urteil ist a.

Abgeklärtheit, die; - .

abgelegen ⟨Adj.⟩: *abseits liegend:* ein abgelegenes *(einsames)* Haus.

abgeleiert ⟨Adj.⟩ (ugs.): *immer wieder vorgebracht (obwohl es anderen schon lange bekannt und daher langweilig ist):* abgeleierte Phrasen.

abgelten, gilt ab, galt ab, hat abgegolten ⟨tr.⟩: *(eine empfangene Leistung durch eine [gleichwertige] andere) ersetzen, ausbegleichen, abfinden:* mit dieser Zahlung sind alle Ansprüche an uns abgegolten.

ạbgemessen ⟨Adj.⟩: *maßvoll, beherrscht, gleichmäßig:* abgemessene Bewegungen; sein Benehmen ist sehr a.

ạbgeneigt: ⟨in der Verbindung⟩ jmdm./einer Sache nicht a. sein: *jmdm./einer Sache positiv gegenüberstehen:* wir sind diesem Plan nicht abgeneigt.

Ạbgeordnete, der; -n, -n ⟨aber: [ein] Abgeordneter, Plural: Abgeordnete⟩: **a)** *jmd., der zu etwas abgeordnet, mit etwas beauftragt worden ist.* **b)** *gewählter Volksvertreter, Mitglied eines Parlaments.*

ạbgerissen ⟨Adj.⟩: **1.** *zerlumpt, zerschlissen:* abgerissene Kleider. **2.** *unzusammenhängend:* abgerissene Sätze.

Ạbgesandte, der; -n, -n ⟨aber: [ein] Abgesandter, Plural: Abgesandte⟩: *jmd., der im Auftrag anderer verhandelt.*

ạbgeschabt ⟨Adj.⟩: *durch häufigen Gebrauch abgenutzt:* ein abgeschabter Mantel, Rock; die Tasche ist schon sehr a.

ạbgeschieden ⟨Adj.⟩ (geh.): **1. a)** *einsam gelegen:* ein abgeschiedenes Dorf. **b)** ⟨nicht prädikativ⟩ *von der Welt zurückgezogen:* a. leben. **2.** ⟨nur attributiv⟩ *verstorben, tot:* abgeschiedene Seelen.

ạbgeschmackt ⟨Adj.⟩: *dem normalen Geschmack zuwider; fade, geistlos, töricht:* eine abgeschmackte Redensart; a. klingen. **Ạbgeschmacktheit,** die; -, -en.

ạbgespannt ⟨Adj.⟩: *müde, ermattet, erschöpft:* einen abgespannten Eindruck machen.

ạbgestanden ⟨Adj.⟩: **1. a)** *durch längeres Stehen schal geworden:* abgestandenes Leitungswasser; das Bier ist, schmeckt a. **b)** *nicht mehr frisch, verbraucht:* abgestandene Luft. **2.** *nichtssagend, fade:* abgestandene Phrasen.

ạbgetakelt ⟨Adj.⟩: *vom Leben mitgenommen; alt und verlebt; verbraucht:* eine abgetakelte Tänzerin.

ạbgetan: ⟨in der Verbindung⟩ a. sein: *[für immer] erledigt sein:* die Sache ist damit a.

ạbgewinnen, gewann ab, hat abgewonnen ⟨tr.⟩: **a)** *im Spiel oder Wettkampf abnehmen:* jmdm. beim Kartenspiel Geld a. **b)** *abnötigen, abzwingen:* jmdm. ein Lächeln a. **c)** *(etwas Gutes) an einer Sache finden:* einer Situation positive Seiten abzugewinnen suchen.

ạbgewöhnen, gewöhnte ab, hat abgewöhnt ⟨itr.⟩: *(jmdn./sich) dazu bringen, eine Gewohnheit, Untugend abzulegen:* ich habe mir das Rauchen abgewöhnt.

ạbgezehrt ⟨Adj.⟩ (geh.): *abgemagert, verfallen:* ein abgezehrtes Gesicht; a. aussehen.

ạbgießen, goß ab, hat abgegossen ⟨tr.⟩: **a)** *weggießen:* etwas Wasser a.; das Wasser [von den Kartoffeln] a. **b)** *das Kochwasser (von etwas) weggießen:* die Kartoffeln a.

ạbgleiten, glitt ab, ist abgeglitten ⟨itr.⟩ (geh.): **1.** *(von etwas) ohne Absicht seitwärts, nach unten gleiten, abrutschen:* das Messer ist vom Brot abgeglitten; bildl.: ihre Gedanken glitten *(schweiften)* ab. **2.** *sich vom Normalen oder Geforderten (nicht erwünscht) entfernen:* in die Revolution, in die Umgangssprache a.

Ạbgott, der; -[e]s, Abgötter: *jmd., der von jmdm. überschwenglich verehrt, geliebt wird:* das Kind war ihr A.

ạbgöttisch ⟨Adj.⟩: *überschwenglich, übertrieben* /von Liebe, Zuneigung o. ä./: mit abgöttischer Liebe an jmdm. hängen.

ạbgraben, gräbt ab, grub ab, hat abgegraben ⟨tr.⟩: **1.** *grabend wegnehmen:* das Erdreich a. **2.** *grabend ableiten:* das Wasser a. * (ugs.) **jmdm./einer Sache das Wasser a.** *(jmds. Existenzgrundlage gefährden, jmdn./etwas der Wirkungsmöglichkeit berauben).*

ạbgrämen, sich; grämte sich ab, hat sich abgegrämt: *sich längere Zeit übermäßig grämen, sich in Gram verzehren:* ich hatte mich um ihn abgegrämt.

ạbgrasen, graste ab, hat abgegrast ⟨tr.⟩ (ugs.): *in bestimmter Absicht eine Gegend systematisch absuchen:* er hat das ganze Dorf nach Eiern abgegrast.

ạbgreifen, griff ab, hat abgegriffen ⟨tr.⟩ /vgl. abgegriffen/: **1.** *greifend abtasten:* der Arzt griff die Körperstelle ab. **2.** *greifend abmessen:* die Entfernung mit dem Zirkel a.

ạbgrenzen, grenzte ab, hat abgegrenzt ⟨tr.⟩: *die Grenzen (für etwas) festlegen:* die Rechte und Pflichten genau a. **Ạbgrenzung,** die; -, -en.

Ạbgrund, der; -[e]s, Abgründe: *steil abstürzende Schlucht:* in den A. stürzen; bildl.: die Abgründe *(die unergründliche Tiefe)* der Seele; ein wahrer A. *(ein übergroßes Maß)* von Gemeinheit; er lebt am Rande des Abgrunds *(des Verderbens).*

ạbgründig ⟨Adj.⟩ (geh.): **1.** *unergründlich; geheimnisvoll, rätselhaft:* ein abgründiges Lächeln. **2.** ⟨verstärkend bei Adjektiven⟩ *sehr:* a. tief, gemein.

ạbgucken, guckte ab, hat abgeguckt (ugs.): **a)** ⟨tr.⟩ *durch genaues Hinsehen lernen, sich aneignen:* jmdm. ein Kunststück a.; ich guck' dir nichts ab *(du brauchst dich nicht zu genieren*/zu Kindern/). **b)** ⟨itr.⟩ *unerlaubt abschreiben:* er hat beim Diktat von seinem Nachbarn abgeguckt.

Ạbguß, der; Abgusses, Abgüsse: *durch Gießen hergestellte Nachbildung:* einen A. in Gips herstellen lassen.

ạbhaben, hat ab, hatte ab, hat abgehabt ⟨tr.⟩ (ugs.): **1.** *(einen Teil von etwas) erhalten:* ich wollte nichts von dem Kuchen a. * **sein/seinen Teil a.** *(Tadel, Prügel bekommen haben).* **2.** *etwas abgenommen haben:* ich hatte den Hut, die Brille ab. **3.** *(etwas Festhaftendes) entfernt haben:* hast du den Verschluß ab?

ạbhacken, hackte ab, hat abgehackt ⟨tr.⟩ /vgl. abgehackt/: *(einen Teil von etwas) mit einem scharfen Werkzeug abschlagen:* einem Huhn den Kopf a.

ạbhaken, hakte ab, hat abgehakt ⟨tr.⟩: **1.** *vom Haken nehmen:* er hakte die Feldflasche ab. **2.** *zum Zeichen des Erledigtseins mit einem Haken kennzeichnen:* die Namen, die Namensliste a.

ạbhalftern, halfterte ab, hat abgehalftert ⟨tr.⟩: *(einem Reittier) das Halfter abnehmen:* ich halftere das Pferd ab; meist bildl.: man hat den Redakteur kurzerhand abgehalftert *(aus seiner Stellung entfernt).*

ạbhalten, hält ab, hielt ab, hat abgehalten ⟨tr.⟩: **1.** *nicht durchdringen lassen, abwehren:* die Wände halten den Lärm ab. **2.** *(von etwas) zurückhalten; (jmdn.) daran hindern, etwas zu tun:*

er hielt ihn von unüberlegten Handlungen ab. **3.** *veranstalten, durchführen:* die Versammlung wurde am Mittwoch abgehalten. **4.** *(ein kleines Kind) zur Verrichtung der Notdurft ein wenig hochhalten:* sie mußte den kleinen Jungen a.

abhandeln, handelte ab, hat abgehandelt ⟨tr.⟩: **1.** *durch Überredung einen Rabatt erreichen:* er hatte 5 Mark vom Preis abgehandelt. **2.** *darstellen, behandeln:* ein Thema eingehend a.

abhanden: ⟨in der Verbindung⟩ a. kommen: *verlorengehen:* meine Brieftasche ist [mir] a. gekommen.

Abhandlung, die; -, -en: *schriftliche Behandlung eines Themas, längerer Aufsatz:* eine umfangreiche A.

Abhang, der; -[e]s, Abhänge: *abfallende Seite eines Berges u. ä.:* ein bewaldeter A.

abhängen: I. hing ab, hat abgehangen ⟨itr.⟩: **1.** *durch längeres Hängen mürbe werden:* das Fleisch muß noch a.; ⟨häufig im 2. Partizip⟩ gut abgehangenes Fleisch. **2. a)** *(durch jmdn./etwas) bedingt sein:* das hängt letztlich von ihm, vom Wetter ab; für mich hängt viel davon ab *(für mich ist es sehr wichtig).* **b)** *(von jmdm./etwas) abhängig sein:* von seinen Eltern a. **II.** hängte ab, hat abgehängt ⟨tr.⟩: **1.** *ab-, herunternehmen:* ein Bild a. **2.** *abkuppeln:* einen Eisenbahnwagen a.; bildl. (ugs.): jmdn. a. *(seine Bindung zu jmdm. lösen).* **3.** (ugs.) *hinter sich lassen:* den Gegner beim Wettlauf klar a.

abhängig ⟨Adj.⟩: *unselbständig:* in abhängiger Stellung sein. * **a. von jmdm./etwas sein: a)** *durch jmdn./etwas bedingt sein; für jmdn./etwas ausschlaggebend sein:* der Ausflug ist vom Wetter a. **b)** *auf jmdn./etwas angewiesen sein:* er ist finanziell von den Eltern a.; **etwas von etwas a. machen** *(etwas zur Bedingung von etwas machen):* er machte seine Zustimmung von einer Entscheidung seines Freundes a. **Abhängigkeit,** die; -.

abhärmen, sich; härmte sich ab, hat sich abgehärmt: *sich längere Zeit übermäßig härmen:* ich härmte mich seinetwegen, um ihn ab; ⟨häufig im 2. Partizip⟩ ein abgehärmtes Gesicht.

abhärten, härtete ab, hat abgehärtet ⟨tr./itr./rfl.⟩: *widerstandsfähig machen:* er härtete seinen Körper, sich frühzeitig ab; kalte Duschen härten ab.

abhauen, hieb/haute ab, hat/ist abgehauen: **1.** ⟨tr.⟩ **a)** ⟨Prät.: haute ab⟩ *[achtlos] abschlagen:* er hat einen Ast vom Baum gehauen. **b)** ⟨Prät.: hieb ab⟩ *(mit einer Waffe) abschlagen:* er hat ihm mit dem Schwert ein Ohr abgehauen. **2.** ⟨itr.; Prät.: haute ab⟩ (ugs.) *sich entfernen:* er ist heimlich abgehauen.

abhäuten, häutete ab, hat abgehäutet ⟨tr.⟩: *(einem Tier) die Haut entfernen, abziehen:* einen Hasen a.

abheben, hob ab, hat abgehoben: **1.** ⟨tr.⟩ *anheben und abnehmen:* den Deckel, den Hörer des Telefons a. **2.** ⟨itr.⟩ *sich in die Luft erheben* /vom Flugzeug/: die Maschine hebt schnell ab. **3.** ⟨tr.⟩ *sich (Geld vom Konto) auszahlen lassen:* 100 Mark a. **4.** ⟨rfl.⟩ *sich abzeichnen:* die Türme hoben sich gegen den Himmel ab.

abheilen, heilte ab, ist abgeheilt ⟨itr.⟩: *langsam [ver]heilen [und verschwinden]:* der Ausschlag heilt [nicht] ab.

abhelfen, hilft ab, half ab, hat abgeholfen ⟨itr.⟩: *(etwas Negatives) beseitigen; (etwas) in Ordnung bringen:* einem Mangel, der Not a.

abhetzen, hetzte ab, hat abgehetzt: **1.** ⟨tr.⟩ *durch scharfes Hetzen erschöpfen:* er hat das Pferd abgehetzt. **2.** ⟨rfl.⟩ *sich bis zur Erschöpfung beeilen:* ich habe mich so abgehetzt, um den Zug noch zu erreichen; ⟨häufig im 2. Partizip⟩ abgehetzte Menschen.

Abhilfe, die; -: *Beseitigung von etwas Negativem:* unverzüglich A. schaffen.

abhobeln, hobelte ab, hat abgehobelt ⟨tr.⟩: **a)** *mit dem Hobel entfernen:* die Kante a. **b)** *mit dem Hobel glätten:* ein Brett a.

abhold ⟨in der Verbindung⟩ jmdm./einer Sache a. sein (geh.): *jmdm./einer Sache abgeneigt sein:* er ist jedem Streit a.

abholen, holte ab, hat abgeholt ⟨tr.⟩: **a)** *an eine bestimmte Stelle gehen und von dort (etwas) mit nehmen:* ein Paket [von der Post] a. **b)** *sich mit jmdm. treffen und gemeinsam den Weg fortsetzen:* einen Freund [von der Bahn] a.

abholzen, holzte ab, hat abgeholzt ⟨tr.⟩: **a)** *(Bäume) fällen:* die Bäume, den Wald a. **b)** *sämtliche Bäume (eines Gebietes) fällen:* der Hang ist abgeholzt worden.

abhorchen, horchte ab, hat abgehorcht ⟨tr.⟩: *das Ohr dicht an etwas legen, um Geräusche hören zu können:* den Boden a.; Med. der Arzt horchte die Lunge ab.

abhören, hörte ab, hat abgehört ⟨tr.⟩: **1.** *zur Überprüfung aufsagen lassen:* die Mutter hörte [ihn/ihm] die Vokabeln ab; den Schüler a. **2.** Med. *abhorchen:* das Herz, den Patienten a. **3. a)** *heimlich mithören, überwachen:* Telefone a. **b)** *[heimlich] hören:* einen fremden Sender a. **c)** Rundf., Film *prüfend anhören, kontrollieren:* ein Tonband a.

abirren, irrte ab, ist abgeirrt ⟨itr.⟩ (geh.): *(von der rechten Richtung) abkommen, abweichen:* wir sind in der Dunkelheit vom Weg[e] abgeirrt; bildl.: vom Thema a. *(abschweifen).*

Abitur, das; -s: *Reifeprüfung; Abschlußexamen an höheren Schulen:* das A. machen.

Abiturient, der; -en, -en: **a)** *jmd., der die Reifeprüfung abgelegt hat.* **b)** *Schüler der letzten Klasse an einer höheren Schule.* **Abiturientin,** die; -, -nen.

abjagen, jagte ab, hat abgejagt: **1.** ⟨tr.⟩ *nach längerer Verfolgung entreißen:* er hat dem Dieb die Beute wieder abgejagt. **2.** ⟨rfl.⟩ (ugs.): *sich abhetzen.*

abkämmen, kämmte ab, hat abgekämmt ⟨tr.⟩: **1.** *mit einem Kamm entfernen:* Heidelbeeren [mit einem Holzkamm] a. **2.** *mit einer Kette von Menschen systematisch absuchen:* die Polizisten kämmten den Wald ab.

abkanzeln, kanzelte ab, hat abgekanzelt ⟨tr.⟩ (ugs.): *scharf zurechtweisen, tadeln.*

abkapseln, sich; kapselte sich ab, hat sich abgekapselt: *sich isolieren und den Kontakt mit anderen meiden.*

abkarten, kartete ab, hat abgekartet ⟨tr.⟩ (ugs.): *zum Nachteil eines anderen heimlich verabreden:* er kartete den Gaunerstreich mit ihm ab; ⟨häufig im 2. Partizip⟩ eine abgekartete Sache.

ạbkaufen, kaufte ab, hat abgekauft ⟨tr.⟩: 1. *(von jmdm. etwas [was er angeboten hat]) kaufen:* er kaufte dem kleinen Mädchen einen Strauß ab. 2. (ugs.) *glauben:* diese Geschichte kauft dir niemand ab.

Ạbkehr, die; -: *das Sich-Abkehren, Sich-Lossagen:* A. von veralteten Methoden, von der Welt.

ạbkehren, kehrte ab, hat abgekehrt: I. ⟨tr.⟩ a) *durch Kehren entfernen:* sie kehrte den Schmutz [von der Treppe] ab. b) *durch Kehren reinigen:* die Treppe a. II. ⟨itr./rfl.⟩ *zur Seite richten, [ab]wenden:* sie hatte ihr Gesicht abgekehrt; sich vom Fenster a.; bildl.: sich von der Welt a. *(ihr entsagen).*

ạbklappern, klapperte ab, hat abgeklappert ⟨tr.⟩ (ugs.): *zu einem bestimmten Zweck der Reihe nach aufsuchen:* er klapperte die ganze Gegend nach Kartoffeln ab.

ạbklären, klärte ab, hat abgeklärt ⟨tr.⟩ /vgl. abgeklärt/: *völlig klären:* dieses Problem muß noch abgeklärt werden.

Ạbklatsch, der; -es, -e (abwertend): *bloße wirklichkeitsgetreue Nachahmung, -bildung; (minderwertige) Kopie (eines Originals):* ein A. der Natur, der Wirklichkeit; der Junge ist der A. seines Vaters.

ạbklemmen, klemmte ab, hat abgeklemmt ⟨tr.⟩: 1. *durch Klemmen unterbinden:* die Adern a. 2. *durch Klemmen [ab]trennen:* die Nabelschnur a. 3. *von einer Klemme, von Klemmen lösen:* das Gerät a.

ạbklingen, klang ab, ist abgeklungen ⟨itr.⟩ (geh.): a) *immer leiser werden:* der Lärm klingt ab. b) *schwächer werden, schwinden:* der Sturm, die Krankheit ist abgeklungen.

ạbklopfen, klopfte ab, hat abgeklopft: 1. ⟨tr.⟩ a) *durch Klopfen entfernen:* Staub [von der Jacke] a. b) *durch Klopfen säubern:* das Kind, sich, die Jacke a. 2. ⟨tr.⟩ *durch Klopfen untersuchen, prüfen:* die Wand, den Boden a.; Med.: einen Kranken, die Brust a. 3. ⟨tr./itr.⟩ Musik *durch Klopfen mit dem Taktstock unterbrechen:* der Dirigent klopfte [das Konzert] ab.

ạbknallen, knallte ab, hat abgeknallt ⟨tr.⟩ (ugs.; abwertend): 1. *hemmungslos, kaltblütig erschießen:* das Wild, Flüchtende a. 2. *durch Schießen zerstören:* Panzer, Bombenflugzeuge a.

ạbknapsen, knapste ab, hat abgeknapst ⟨tr.⟩ (ugs.): *(einen Teil von etwas) wegnehmen und sich dadurch einschränken müssen:* hast du dir das Geld für den Friseur vom Haushaltsgeld abgeknapst?

ạbkneifen, kniff ab, hat abgekniffen ⟨tr.⟩: *durch Kneifen abtrennen, abzwicken:* den Nagelkopf, den verkohlten Docht a.

ạbknicken, knickte ab, hat/ist abgeknickt: 1. ⟨tr.⟩ a) *durch Knicken entfernen, abbrechen:* ich habe die Spitze abgeknickt. b) *nach unten, abwärts knicken:* die Blumen waren nur abgeknickt, nicht abgerissen. 2. ⟨itr.⟩ *einen Knick bilden:* sie ist in der Hüfte abgeknickt; Verkehrsw.: die abknickende Vorfahrt *(Vorfahrt einer nach rechts oder links abbiegenden Bundesstraße).*

ạbknöpfen, knöpfte ab, hat abgeknöpft ⟨tr.⟩: 1. *Angeknöpftes abnehmen* /Ggs. anknöpfen/: die Hosenträger, die Kapuze [vom Mantel] a. 2. (ugs.) *jmdn. dazu bringen, daß er etwas zahlt:* er hat mir zehn Mark dafür abgeknöpft.

ạbknutschen, knutschte ab, hat abgeknutscht ⟨tr.⟩ (derb): *längere Zeit (mit jmdm.) heftig knutschen:* sie hat ihn abgeknutscht; ⟨auch rzp.⟩ sie knutschten einander, sich [gegenseitig] ab.

ạbkochen, kochte ab, hat abgekocht: 1. ⟨tr.⟩ a) *durch Kochen keimfrei machen:* das Trinkwasser a. b) *durch Kochen einen Extrakt (aus etwas) gewinnen:* [Heil]kräuter a. 2. ⟨itr.⟩ *im Freien kochen:* hier haben die Pfadfinder abgekocht.

ạbkommandieren, kommandierte ab, hat abkommandiert ⟨tr.⟩: *dienstlich (bes. beim Militär zur Erfüllung einer bestimmten Aufgabe wohin) entsenden:* der Hauptmann hat den Gefreiten zur Kampfgruppe X abkommandiert.

Ạbkomme, der; -n, -n (geh.): *Nachkomme:* ein A. des Dichters.

ạbkommen, kam ab, ist abgekommen ⟨itr.⟩: 1. a) *abweichen, sich ungewollt (von einer eingeschlagenen Richtung) entfernen:* vom Weg, Kurs a.; bildl.: von einem Problem, dem Wesentlichen a. b) *ablassen, (etwas) aufgeben:* von einem Plan, seinen Grundsätzen a. 2. Sport *starten:* alle Läufer kamen gut ab.

Ạbkommen, das; -s, -: *Übereinkommen, Vereinbarung:* ein geheimes A.

ạbkömmlich ⟨Adj.; nicht adverbial⟩: *bei etwas nicht dringend erforderlich und frei für anderes:* alle abkömmlichen Personen mußten bei der Ernte helfen; er ist nicht a. *(er kann nicht von seiner Beschäftigung fort).*

ạbkoppeln, koppelte ab, hat abgekoppelt ⟨tr.⟩: 1. *abkuppeln* /Ggs. ankoppeln/: einen Eisenbahnwagen, Anhänger a. 2. *losbinden* /Ggs. ankoppeln/: Jagdhunde a.

ạbkratzen, kratzte ab, hat/ist abgekratzt: 1. ⟨tr.⟩ a) *durch Kratzen entfernen:* er hat den Namen, das Blut abgekratzt. b) *durch Kratzen reinigen:* er hat die Schuhe, den Topf abgekratzt. 2. ⟨itr.⟩ (derb) a) *weggehen:* er ist gleich abgekratzt, als er mich sah. b) *sterben:* er sieht so aus, als ob er bald a. würde.

ạbkriegen, kriegte ab, hat abgekriegt ⟨tr.⟩ (ugs.): *abbekommen.*

ạbkühlen, kühlte ab, hat/ist abgekühlt: 1. ⟨tr./rfl.⟩ *kühl[er] machen:* das Gewitter hat die Luft abgekühlt; kühle dich erst ab, ehe du ins Wasser springst!; bildl.: das hat meine Zuneigung etwas abgekühlt. 2. ⟨itr./rfl.⟩ *kühl[er] werden:* das Wasser ist, hat sich abgekühlt; (vom Wetter:) es hatte stark abgekühlt; bildl.: die Stimmung war plötzlich abgekühlt *(hatte stark nachgelassen).*

Ạbkunft, die; -(geh.): *Abstammung; gesellschaftliche Herkunft:* von bürgerlicher A.

ạbkürzen, kürzte ab, hat abgekürzt ⟨tr.⟩: *verkürzen:* einen Namen a.; den Weg a. *(einen kürzeren Weg nehmen);* ⟨häufig im 2. Partizip⟩ ein abgekürztes *(vereinfachtes)* Verfahren.

Ạbkürzung, die; -, -en

ạbladen, lädt ab, lud ab, hat abgeladen ⟨tr.⟩: **a)** *von einem Transportmittel herunternehmen* /Ggs. aufladen/: Holz, Steine a.; bildl.: seinen Kummer bei anderen a.; die Schuld auf andere a. *(übertragen).* **b)** *durch Herunternehmen der Ladung leer machen:* ein Lastauto a.

Ạblage, die; -, -n: **1.** ⟨ohne Plural⟩ *das Ablegen:* das Ei muß vor der A. befruchtet werden. **2.** *Raum, Vorrichtung, wo etwas abgelegt wird:* eine A. für die Garderobe einrichten.

ạblagern, lagerte ab, hat abgelagert: **1.** ⟨tr.⟩ *absetzen, anschwemmen:* das Wasser lagert Kalkstein ab; der Fluß lagert Schlamm ab. **2.** ⟨itr.⟩ *durch Lagern reifen:* der Wein muß noch a.

Ạblaß, der; Ablasses, Ablässe: Rel. kath. *Erlassung von Strafen, die von dem Sünder nach seiner Umkehr auf der Erde oder nach dem Tod noch zu verbüßen wären:* hundert Tage A. gewähren, erwerben.

ạblassen, läßt ab, ließ ab, hat abgelassen: **1.** ⟨tr.⟩ **a)** *herauslaufen, ausströmen lassen:* Wasser aus der Badewanne, Gas a. **b)** *durch Herauslaufenlassen der Flüssigkeit leer machen:* die Badewanne a. **2.** ⟨tr.⟩ *auf Wunsch verkaufen, abtreten:* er ließ es ihm für zehn Mark ab. **3.** ⟨tr.⟩ *einen Rabatt gewähren:* der Verlag läßt [der Agentur] 15% ab. **4.** ⟨itr.⟩ (geh.) **a)** *(von etwas) absehen, (etwas) aufgeben:* von einem Plan, der Verfolgung a.; sie ließen nicht ab *(sie hörten nicht auf)* zu feuern. **b)** *jmdn. nicht mehr bedrängen, verfolgen:* von dem Fliehenden a.

Ạblauf, der; -s: *Verlauf:* der A. der Ereignisse. * **vor A.** *(vor Abschluß, Beendigung):* vor A. der Frist.

ạblaufen, läuft ab, lief ab, hat/ist abgelaufen: **1.** ⟨itr.⟩ **a)** *ab-, wegfließen:* das Wasser ist langsam abgelaufen. **b)** *sich leeren:* die Badewanne ist rasch abgelaufen. **2.** ⟨itr.⟩ **a)** *herunterfließen:* das Wasser ist von den Tellern abgelaufen; bildl.: an ihm läuft alles ab *(nichts berührt ihn).* **b)** *durch Abfließen trocken werden:* die Teller sind abgelaufen. **3.** ⟨tr.⟩ **a)** *zur Kontrolle entlanglaufen, besichtigen:* er hat/ist die Strecke abgelaufen. **b)** *der Reihe nach, einen nach dem andern aufsuchen:* er hat/ist alle Geschäfte abgelaufen. **4.** ⟨tr.⟩ *durch vieles Gehen abnutzen:* er hat die Schuhe abgelaufen; ⟨auch rfl.⟩ die Sohlen haben sich schon wieder abgelaufen. **5.** ⟨itr.⟩ *abrollen; von Anfang bis Ende abgespielt werden:* das Kabel, Tonband ist abgelaufen. **6.** ⟨itr.⟩ *stehenbleiben:* die Uhr ist abgelaufen. **7.** ⟨itr.⟩ *vonstatten, vor sich gehen:* die erste Europameisterschaft lief 1956 ab; das ist noch einmal gut abgelaufen *(das ist noch einmal gut ausgegangen).* **8.** ⟨itr⟩. *zu Ende sein:* die Frist ist abgelaufen; der Paß ist abgelaufen *(ungültig).* ** **jmdm. den Rang a.** *(jmdn. übertreffen).*

Ạbleben, das; -s (geh.): *Tod:* das plötzliche A. des Onkels.

ạblecken, leckte ab, hat abgeleckt ⟨tr.⟩: **a)** *durch Lecken entfernen:* das Blut a. **b)** *durch Lecken reinigen:* den Teller, sich die Finger a. **c)** *(an jmdm./etwas) leckend entlangfahren:* der Hund hat mich, mein Gesicht abgeleckt.

ạblegen, legte ab, hat abgelegt: **1.** ⟨tr.⟩ *fort-, niederlegen:* eine Last a.; Bürow.: Briefe, die Post a. *(in einen Hefter, einen Aktenordner einordnen);* Kartenspiel: Herzas a. *(beiseite legen).* **2.** ⟨tr.⟩ *(den Mantel o. ä.) ausziehen:* die Jacke a.; ⟨auch itr.⟩ legen Sie bitte ab! **3.** ⟨tr.⟩ *nicht mehr tragen:* die Trauerkleidung a.; bildl. (geh.): eine Gewohnheit a. *(aufgeben);* ⟨häufig im 2. Partizip⟩ er trägt abgelegte Schuhe *(Schuhe, die schon ein anderer getragen hat).* **4.** ⟨tr.⟩ *machen, leisten:* eine Prüfung a. **5.** ⟨itr.⟩ *ab-, wegfahren* /Ggs. anlegen/: das Schiff hatte abgelegt.

ạblehnen, lehnte ab, hat abgelehnt ⟨tr.⟩: **a)** *(etwas Angebotenes) ab-, zurückweisen:* ein Geschenk a. **b)** *abschlagen, einer Forderung u. ä. nicht nachgeben, nicht genehmigen:* einen Antrag a. **c)** *mißbilligen, (mit jmdm./etwas) nicht einverstanden sein, verwerfen:* einen Vorschlag a. **d)** *von sich weisen; nicht anerkennen:* eine Anklage a.; einen Richter als parteiisch a. **Ạblehnung,** die; -.

ạbleisten, leistete ab, hat abgeleistet ⟨tr.⟩: *voll und ganz, bis zum Ende leisten:* ein Probejahr a.

ạbleiten, leitete ab, hat abgeleitet: **1.** ⟨tr.⟩ *ablenken, wegführen:* den Fluß a. **2. a)** ⟨tr.⟩ *herleiten, entwickeln:* eine Formel aus Versuchen a. **b)** ⟨rfl.⟩ *sich ergeben, folgen:* das eine leitet sich aus dem anderen ab. **3. a)** ⟨tr.⟩ *auf seinen Ursprung zurückführen:* seine Herkunft von den Arabern a. **b)** ⟨rfl.⟩ *aus etwas stammen:* das Wort leitet sich aus dem Niederländischen ab.

Ạbleitung, die; -, -en: **1.** *das Ableiten, Wegführen:* die A. des Flusses. **2.** *Herleitung, Entwicklung:* die A. einer Formel. **3.** *Folgerung:* die A. des Besonderen, Einzelnen von, aus dem Allgemeinen. **4.** *Zurückführung (auf den Ursprung):* die A. französischer Wörter vom Lateinischen. **5.** Sprachw. *abgeleitetes Wort:* das Wort „Heiterkeit" ist eine A.

ạblenken, lenkte ab, hat abgelenkt: **1.** ⟨tr.⟩ *in eine andere Richtung bringen, lenken:* Lichtstrahlen a.; ⟨auch itr.⟩ er lenkt vom Thema ab. **2.** ⟨tr./rfl.⟩ *auf andere Gedanken bringen, zerstreuen:* jmdn., sich durch Musik ein wenig a. **Ạblenkung,** die; -, -en.

Ạblenkungsmanöver, das; -s, -: *Maßnahme, die die Aufmerksamkeit des Gegners ablenken, ihn täuschen soll:* ein A. durchschauen.

ạblesen, liest ab, las ab, hat abgelesen ⟨tr.⟩: **I. 1.** *nach einer schriftlichen Vorlage zu Gehör bringen:* er hat seine Rede abgelesen. **2. a)** *den Stand eines Meßinstruments feststellen:* das Thermometer a. **b)** *den Stand von etwas an einem Meßinstrument feststellen:* das Gas, die Entfernung a. **3. a)** *durch genaue Beobachtung erkennen:* er hat mir jeden Wunsch von, an den Augen abgelesen. **b)** *(aus etwas) erschließen:* die große Bedeutung dieser Ereignisse auch für den einzelnen kann man daraus/daran a., daß ... **II. a)** *Stück für Stück sammelnd (von etw.) wegnehmen:* die Steine vom Acker a. **b)** *sammelnd von etw. befreien:* den Acker a.

ạbleuchten, leuchtete ab, hat abgeleuchtet ⟨tr.⟩: *(mit Licht) absuchen:* ich leuchtete mit der Kerze die Wände ab; Scheinwerfer leuchteten den nächtlichen Himmel ab.

ableugnen, leugnete ab, hat abgeleugnet ⟨tr.⟩: *mit Nachdruck leugnen, nicht zugeben:* seine Schuld, ein Verbrechen a.

abliefern, lieferte ab, hat abgeliefert ⟨tr.⟩: *nach Vorschrift übergeben, aushändigen:* den Rest des Geldes lieferte sie der Mutter ab. **Ablieferung,** die; -, -en.

abliegen, lag ab, hat abgelegen ⟨itr.⟩ /vgl. abgelegen/: *(von etwas) entfernt liegen:* du weißt, daß der Bahnhof weit vom Ort abliegt.

ablocken, lockte ab, hat abgelockt ⟨tr.⟩: *durch Schmeicheln, Überreden erlangen, erhalten:* jmdm. ein Geheimnis, ein Lächeln a.

ablösen, löste ab, hat abgelöst: **1. a)** ⟨tr.⟩ *vorsichtig von seinem Untergrund lösen, entfernen:* Briefmarken a. **b)** ⟨rfl.⟩ *sich loslösen:* die Farbe, Haut löst sich ab. **2. a)** ⟨tr.⟩ *die Tätigkeit, die Arbeit (von jmdm.) übernehmen, (an jmds. Stelle) treten:* einen Kollegen a.; der Frühling löst den Winter ab. **b)** ⟨rzp.⟩ *sich abwechseln, miteinander wechseln:* die Ärzte lösen sich/einander ab; Ebbe und Flut lösen sich ab.

abluchsen, luchste ab, hat abgeluchst ⟨tr.⟩ (ugs.): *mit List und Schlauheit abnehmen:* er hat mir viel Geld abgeluchst.

abmachen, machte ab, hat abgemacht ⟨tr.⟩: **1.** *loslösen und entfernen:* ein Schild von der Tür a. **2. a)** *vereinbaren, verabreden:* wir hatten das so abgemacht; abgemacht! *(einverstanden!).* **b)** *erledigen:* die Sache war schnell abgemacht.

Abmachung, die; -, -en: *Übereinkommen, Vereinbarung:* eine bindende A. * **eine A. treffen** *(etwas vereinbaren).*

abmagern, magerte ab, ist abgemagert ⟨itr.⟩: *mager werden:* sie ist in diesen drei Wochen stark abgemagert; ein abgemagerter Körper.

abmalen, malte ab, hat abgemalt: **1.** ⟨tr.⟩ *voll und ganz, genau malen:* Pflanzen, Tiere a. **2.** ⟨rfl.⟩ *sich widerspiegeln, zum Ausdruck kommen:* in ihrem Gesicht malte sich Verlegenheit ab.

Abmarsch, der; -es: *das Abmarschieren* /Ggs. Anmarsch/: Vorbereitungen für den A. treffen.

abmarschieren, marschierte ab, ist abmarschiert ⟨itr.⟩: *sich marschierend entfernen* /Ggs. anmarschieren/: die Soldaten sind heute aus X abmarschiert.

abmelden, meldete ab, hat abgemeldet ⟨tr./rfl.⟩: *einer offiziellen Stelle den Ab-, Weggang, das Ausscheiden u. ä. mitteilen* /Ggs. anmelden/: ein Kind in der Schule, sich polizeilich a.; sein Radio a. *(offiziell mitteilen, daß man es nicht mehr benutzt).* * (ugs.) **bei jmdm. abgemeldet sein** *(jmd. will von jmdm. nichts mehr wissen; sich bei jmdm. unbeliebt gemacht haben):* sie ist bei ihm abgemeldet. **Abmeldung,** die; -, -en.

abmessen, mißt ab, maß ab, hat abgemessen ⟨tr.⟩ /vgl. abgemessen/: **1.** *(eine Entfernung) nach einem Maß bestimmen:* er hat die Strecke, eine Strecke von zehn Meter abgemessen; bildl.: das Ausmaß eines Schadens noch nicht a. *(beurteilen)* können. **2.** *(einen Teil von etwas) messen und wegnehmen:* einen Meter Stoff [vom Ballen] a.

Abmessung, die; -, -en: *Maß, Größe:* der Herd hat die vorgeschriebenen Abmessungen.

abmontieren, montierte ab, hat abmontiert ⟨tr.⟩: *(einen Teil von etwas) entfernen, wegnehmen* /bes. bei technischen Anlagen oder Geräten/: die Antenne vom Wagen, die Maschinen a.

abmühen, sich; mühte sich ab, hat sich abgemüht: *sich anstrengen, sich große Mühe geben:* vergeblich mühte er sich damit ab, sein Auto zu reparieren.

abmurksen, murkste ab, hat abgemurkst ⟨tr.⟩ (derb): *umbringen:* der Kerl wollte mich a.

abnagen, nagte ab, hat abgenagt ⟨tr.⟩: **a)** *durch Nagen entfernen:* die Maus hat ein Stückchen von dem Speck abgenagt. **b)** *durch Nagen (von etwas) leer machen:* einen Knochen a.

abnähen, nähte ab, hat abgenäht ⟨tr.⟩: *durch eine Naht, durch das Einnähen einer Stofffalte enger machen:* den Rock an der Seite a.

Abnahme, die; -: **1.** *das Ab-, Wegnehmen:* die A. des Verbandes. **2.** *Verminderung, Rückgang* /Ggs. Zunahme/: die A. der Kräfte. **3.** *Kauf, Übernahme:* vor A. der Waren. **4. a)** *offizielle Überprüfung, Kontrolle:* die A. einer Brücke. **b)** *Entgegennahme:* die A. eines Eides.

abnehmen, nimmt ab, nahm ab, hat abgenommen: **1.** ⟨tr.⟩ *weg-, herunternehmen, entfernen:* das Tischtuch, den Hut a. **2.** ⟨tr.⟩ *(jmdm.) aus der Hand nehmen und selbst tragen:* einer alten Frau den Koffer a. **3.** ⟨tr.⟩ *entgegennehmen:* da sie nicht zu Hause war, hat ihre Nachbarin das Paket abgenommen. **4.** ⟨tr.⟩ *prüfend begutachten, kontrollieren, beurteilen:* eine Brücke a. **5.** ⟨tr.⟩ *fort-, wegnehmen:* jmdm. den Führerschein a. **6.** ⟨tr.⟩ (ugs.) *abverlangen, abfordern:* er hat mir dafür 20 Mark abgenommen. **7.** ⟨tr.⟩ *abkaufen:* jmdm. eine Ware a. **8.** ⟨tr.⟩ (ugs.) *glauben:* diese Geschichte nimmt uns niemand ab. **9.** ⟨tr.⟩ *übertragen, nachbilden:* die Fingerabdrücke, Totenmaske a. **10.** ⟨itr.⟩ **a)** *an Gewicht verlieren* /Ggs. zunehmen/: sie hat sehr viel, drei Pfund abgenommen. **b)** *kleiner, geringer werden, nachlassen* /Ggs. zunehmen/: seine Kräfte nehmen ab; der Tag nimmt ab *(wird kürzer).*

Abnehmer, der; -s, -: *jmd., der eine Ware abnimmt; Käufer:* die neue Maschine findet sehr viele A.

Abneigung, die; -: *Widerwille, Antipathie* /Ggs. Zuneigung/: eine große, krankhafte A. gegen jmdn./etwas haben.

abnorm ⟨Adj.⟩: *von dem Üblichen abweichend; nicht normal.*

abnormal ⟨Adj.⟩ (ugs.): *[geistig] nicht normal; von der Regel, der Norm abweichend:* sich a. verhalten.

Abnormität, die; -, -en: **1.** *Abweichung vom Normalen, Krankhaftigkeit:* man stellte bei dem Angeklagten eine kleine A. im Gehirn fest. **2.** *Mißbildung:* früher stellte man auf Jahrmärkten oft Abnormitäten zur Schau.

abnötigen, nötigte ab, hat abgenötigt ⟨tr.⟩: *durch intensive Bemühung, eindringliches Reden o. ä. erlangen, erhalten:* sein mannhaftes Auftreten hat mir Respekt abgenötigt.

abnutzen, nutzte ab, hat abgenutzt: **a)** ⟨tr.⟩ *durch Gebrauch in Wert und Brauchbarkeit mindern:* die Möbel sind schon sehr abgenutzt. **b)** ⟨rfl.⟩ *durch Gebrauch an Wert und Brauchbar-*

keit verlieren: die Messer haben sich im Laufe der Zeit abgenutzt.

ạbnützen, nützte ab, hat abgenützt ⟨tr./rfl.⟩ (bes. südd.): *abnutzen.*

Abonnement [abɔnəˈmã:], das; -s, -s: *für längere Zeit vereinbarter und daher verbilligter Bezug von Zeitschriften, Büchern, Eintrittskarten, Mittagessen o. ä.:* etwas im A. beziehen; das A. verlängern.

Abonnẹnt, der; -en, -en: *jmd., der etwas abonniert hat:* heute habe ich acht neue Abonnenten geworben.

abonnieren, abonnierte, hat abonniert ⟨tr.⟩: *zum fortlaufenden Bezug bestellen, beziehen:* eine Zeitung a.

ạbordnen, ordnete ab, hat abgeordnet ⟨tr.⟩: *dienstlich entsenden, delegieren:* jmdn. zu einer Versammlung a.

Ạbordnung, die; -, -en: **1.** ⟨ohne Plural⟩ *dienstliche Entsendung.* **2.** *Gruppe von abgeordneten Personen, Delegation:* eine A. schicken.

Abọrt, der; -s, -e (veraltend): *[einfache, primitive] Toilette.*

ạbpacken, packte ab, hat abgepackt ⟨tr.⟩: *in bestimmter Menge verpacken:* Zucker, Mehl in Tüten a.; ⟨häufig im 2. Partizip⟩ abgepackte Ware.

ạbpassen, paßte ab, hat abgepaßt ⟨tr.⟩ (ugs.): **a)** *den passenden Zeitpunkt für etwas abwarten, auf etwas lauern:* eine günstige Gelegenheit a. **b)** *(jmdn. auf seinem Wege) erwarten und aufhalten:* den Briefträger, die Zeitungsfrau a.

ạbperlen, perlte ab, ist abgeperlt ⟨itr.⟩: *an etwas abwärts perlen* /von Flüssigkeiten/: an dem Stoff perlt das Wasser ab [illegible]ie an einer Ente.

[illegible]**feifen,** pfiff ab, hat abge[illegible]n ⟨tr./itr.⟩: Sport *(ein [illegible] durch Pfeifen unterbre[illegible]der beenden* /vom Schieds[illegible] Ggs. anpfeifen/: der [illegible]ichter pfiff [das Spiel] [illegible]

[illegible]**ken,** pflückte ab, hat [illegible]kt ⟨tr.⟩: *pflücken, [illegible]lücken entfernen:* das [illegible] Baum, Blumen a.

[illegible]**n,** sich; plagte sich ab, [illegible]geplagt: *sich längere [illegible]äßig plagen:* du hast dich dein ganzes Leben im Haushalt abgeplagt.

ạbplatzen, platzte ab, ist abgeplatzt ⟨itr.⟩: *sich platzend lösen, abspringen:* die Farbe ist abgeplatzt; mir ist ein Knopf abgeplatzt.

ạbprallen, prallte ab, ist abgeprallt ⟨itr.⟩: *federnd zurückspringen:* die Kugel prallte von/an der Panzerplatte ab; bildl.: die Kritik war an ihm abgeprallt *(hat ihn nicht beeindruckt).*

ạbpressen, preßte ab, hat abgepreßt ⟨tr.⟩: **1.** *durch Zwang wegnehmen, abnötigen:* er preßte ihm eine große Summe Geldes ab; jmdm. ein Geständnis a. **2.** *abschnüren:* die Angst preßte ihr den Atem, das Herz ab.

ạbprotzen, protzte ab, hat abgeprotzt: **1.** ⟨tr./itr.⟩ *ein Geschütz von der Protze trennen [und in Feuerstellung bringen]:* die Kanoniere protzten [das Geschütz] ab. **2.** ⟨itr.⟩ (derb) *seine Notdurft verrichten:* er mußte hinter einem Busch a.

ạbputzen, putzte ab, hat abgeputzt ⟨tr.⟩: **1.** (ugs.; fam.) *gründlich trocken- und sauberwischen:* ich putzte das Messer an der Serviette, mir den Mund mit einem Taschentuch ab; ⟨auch rfl.⟩ hast du dich gut abgeputzt (/von Kindern auf der Toilette/ *dir das Gesäß abgewischt*)? **2.** *(Gebäude) gründlich neu verputzen:* wir müssen das Haus bald wieder a. lassen.

ạbquälen, sich; quälte sich ab, hat sich abgequält: **1.** *sich längere Zeit übermäßig quälen:* ich habe mich vergeblich mit der Übersetzung abgequält. **2.** *sich unter Qual abverlangen:* ich quälte mir ein Lächeln ab.

ạbqualifizieren, qualifizierte ab, hat abqualifiziert ⟨tr.⟩: *in der Qualität, im Ansehen o. ä. herabsetzen:* ein Werk, einen Politiker a.

ạbrackern, sich; rackerte sich ab, hat sich abgerackert (ugs.): *sich abarbeiten:* du hast dich dein Leben lang nur abgerackert.

Ạbraham: ⟨in der Fügung⟩ wie in Abrahams Schoß (ugs.): *sicher, geborgen, gut aufgehoben.*

ạbrasieren, rasierte ab, hat abrasiert ⟨tr.⟩: *(Haare) durch Rasieren entfernen:* ich habe ihm, mir die Haare, den Bart abrasiert; bildl. (ugs.): alle Häuser dieses Viertels sind im Krieg abrasiert worden *(durch Bomben völlig zerstört worden).*

ạbraten, rät ab, riet ab, hat abgeraten ⟨itr.⟩: *empfehlen, etwas nicht zu tun* /Ggs. zuraten/: ich habe ihm von der Reise dringend abgeraten.

ạbräumen, räumte ab, hat abgeräumt ⟨tr.⟩: **a)** *wegschaffen:* die Teller a.; ⟨auch itr.⟩ er räumte ab. **b)** *leer, frei machen:* den Tisch a.

ạbreagieren, reagierte ab, hat abreagiert: **1.** ⟨tr.⟩ *(eine seelische Spannung) durch eine ableitende Reaktion vermindern oder zum Verschwinden bringen:* er reagiert seine Wut jetzt an mir ab. **2.** ⟨rfl.⟩ *sich durch eine ableitende Reaktion beruhigen:* wenn ich den ganzen Tag zu parieren habe, muß ich mich abends a. können.

ạbrechnen, rechnete ab, hat abgerechnet: **1.** ⟨tr.⟩ *abziehen:* die Unkosten vom Gewinn a. **2.** ⟨itr.⟩ **a)** *die Schlußrechnung aufstellen:* am Ende des Tages wird im Geschäft abgerechnet. **b)** *Rechenschaft über die Ausgaben ablegen; Schulden und Forderungen verrechnen:* ich muß nachher noch mit dir a. **3.** ⟨itr.⟩ *(jmdn.) zur Rechenschaft ziehen:* mit seinen Gegnern a.

Ạbrede, die; - (geh.; veraltend): *Verabredung, Vereinbarung, Übereinkunft:* eine stillschweigend getroffene A.; wider die A. sein. ** **etwas in A. stellen** *(etwas be-, abstreiten).*

ạbreiben, rieb ab, hat abgerieben: **1. a)** ⟨tr.⟩ *durch Reiben entfernen:* einen Fleck a. **b)** *durch Reiben reinigen:* die schmutzigen Hände mit einem Tuch a. **2.** ⟨tr./rfl.⟩ **a)** *trockenreiben:* ich hob den Jungen aus der Badewanne und rieb ihn ab. **b)** *frottieren:* ich rieb mich mit einem nassen Handtuch ab. **3.** ⟨tr.⟩ *mit einem Reibeisen reiben [und das Abgeriebene verwenden]:* du mußt noch eine Zitrone a.

Ạbreise, die; -, -n: *Abfahrt, Beginn der Reise:* die A. ist für Sonntag geplant.

ạbreisen, reiste ab, ist abgereist ⟨itr.⟩: *seinen Aufenthalt beenden und wieder zurückfahren:* er mußte plötzlich a.

ạbreißen, riß ab, hat/ist abgerissen /vgl. abgerissen/: **1.** ⟨tr.⟩ *mit einem Ruck abtrennen, her-*

unterreißen: er hat ein Kalenderblatt abgerissen; bildl.: jmdm. die Maske [vom Gesicht] a. *(jmdn. entlarven, bloßstellen).* 2. ⟨tr.⟩ *niederreißen:* sie haben die Brücke abgerissen. 3. ⟨itr.⟩ **a)** *sich ablösen, abgehen;* der Knopf ist abgerissen. **b)** *zerreißen:* der Faden reißt ab. 4. ⟨itr.⟩ *plötzlich unterbrochen werden, aufhören:* die Funkverbindung ist abgerissen.

Ạbreißkalender, der; -s, -: *Kalender mit Blättern. die abgerissen werden können* (siehe Bild).

Abreißkalender

ạbrichten, richtete ab, hat abgerichtet ⟨tr.⟩: *ein Tier bestimmte Fertigkeiten lehren, dressieren:* den Hund als Blindenführer a.

ạbriegeln, riegelte ab, hat abgeriegelt ⟨tr.⟩: 1. *mit einem Riegel versperren:* die Tür a. 2. *absperren:* eine Straße, einen Stadtteil a.

Ạbriß, der; Abrisses, Abrisse: 1. ⟨ohne Plural⟩ *das Niederreißen eines Bauwerks:* der A. dauert einen Monat. 2. *knappe Übersicht, Zusammenfassung:* ein A. der deutschen Grammatik.

ạbrollen, rollte ab, hat/ist abgerollt: 1. ⟨tr.⟩ *von einer Rolle [ab]wickeln:* ich habe das Garnknäuel abgerollt. 2. ⟨itr.⟩ *von einer Rolle ablaufen:* das Kabel rollte langsam ab; bildl.: das Programm ist reibungslos abgerollt *(ohne Zwischenfälle über die Bühne gegangen, abgelaufen).* 3. ⟨itr.⟩ *sich rollend entfernen:* das Fuhrwerk rollte ab.

ạbrücken, rückte ab, hat/ist abgerückt: 1. ⟨tr.⟩ *von seinem Platz rücken:* ich habe den Schrank [von der Wand] abgerückt. 2. ⟨itr.⟩ *sich von seinem Platz rückend ein wenig entfernen:* ich bin von der dicken, schwitzenden Frau abgerückt; bildl.: von den Vorschlägen des Politikers, von dem Abgeordneten ist die Partei abgerückt *(hat sie sich distanziert).* 3. ⟨itr.⟩ *in geschlossener Formation abmarschieren* /meist von Soldaten; Ggs. anrücken/: die Kompanie rückte [in die Kaserne] ab; bildl. (ugs.): Michael ist abgerückt *(hat sich heimlich entfernt).*

Ạbruf, der; -[e]s: 1. *Aufforderung, sich (von einer Beschäftigung) wegzubegeben:* mit seinem baldigen A. rechnen. 2. Kaufmannsspr. *Verlangen des Käufers, daß ihm eine bestellte Ware geliefert wird:* A. nach Bedarf; auf A. 3. Geldw. *das Abheben vom Konto:* der A. einer so hohen Summe.

ạbrufen, rief ab, hat abgerufen ⟨tr.⟩: 1. *(von einer Beschäftigung) wegrufen, wegholen:* jmdn. von der Arbeit a. 2. **a)** Kaufmannsspr. *die Lieferung bestellter Waren verlangen:* den Rest der Ware a. **b)** Geldw. *vom Konto abheben:* eine hohe Summe a.

ạbrunden, rundete ab, hat abgerundet ⟨tr.⟩: 1. *durch die Beseitigung von Unebenheiten, Vorsprüngen rund machen, in runder Form glätten:* Kanten, eine Spitze a. 2. *(Landbesitz) durch den Erwerb angrenzenden Landes vervollständigen:* seinen Grundbesitz a. 3. *(eine Zahl) durch Abziehen oder Hinzufügen in die nächst kleinere oder größere runde Zahl verwandeln* /häufig, bes. in der Technik, als Ggs. zu „aufrunden" im Sinne von „nach unten abrunden" gebraucht/: 85 auf 80 oder 90 a.; ich habe die Summe nach unten, nach oben abgerundet. 4. *(einer Sache) eine ausgewogene, ausgefeilte Form geben, vervollkommnen:* einen Bericht mit etwas a.; ein abgerundetes Programm, eine abgerundete Leistung.

ạbrupfen, rupfte ab, hat abgerupft ⟨tr.⟩: *durch Rupfen entfernen, lieblos abreißen:* Gras, Blumen a.

abrụpt ⟨Adj.⟩: *plötzlich, unvermittelt:* er brach das Gespräch a. ab.

ạbrüsten, rüstete ab, hat abgerüstet ⟨itr.⟩: *die Rüstung einschränken*/Ggs. aufrüsten/: die Großmächte sollten beginnen abzurüsten. **Ạbrüstung,** die; -.

ạbrutschen, rutschte ab, ist abgerutscht ⟨itr.⟩: *abwärts oder seitwärts rutschen:* ich rutschte von dem Stamm ab; das Messer ist mir abgerutscht; bildl. (ugs.): er rutscht in seinen Leistungen immer mehr ab *(leistet immer weniger).*

ạbsäbeln, säbelte ab, hat abgesäbelt ⟨tr.⟩ (ugs.): *ungeschickt, in großen Stücken abschneiden:* ich hatte mir ein Stück von der Wurst abgesäbelt.

ạbsacken, sackte ab, hat/ist abgesackt: I. ⟨itr.⟩ (ugs.): 1. **a)** *im Wasser versinken:* das Boot ist plötzlich abgesackt. **b)** *an Höhe verlieren; in etwas einsinken:* das Flugzeug, der Lastwagen sackte ab. 2. *nachlassen:* seine Leistungen sind im letzten Vierteljahr abgesackt. II. ⟨tr.⟩ *in Säcke abfüllen:* Kartoffeln, Getreide a.

Ạbsage, die; -, -n: *Zurücknahme eines Übereinkommens; Ablehnung* /Ggs. Zusage/: er bekam eine briefliche A. auf seine Bewerbung.

ạbsagen, sagte ab, hat abgesagt: 1. ⟨tr.⟩ *nicht stattfinden lassen:* ein Fest a. 2. ⟨tr./itr.⟩ *eine Zusage rückgängig machen, widerrufen* /Ggs. zusagen/: er sagte [seinen Besuch] ab. 3. ⟨itr.⟩ (geh.) *entsagen; (etwas) aufgeben:* dem Alkohol a.

ạbsägen, sägte ab, hat abgesägt ⟨tr.⟩: *durch Sägen [ab]trennen:* einen Ast [vom Baum] a.; bildl. (ugs.): er ist abgesägt *(von seinem Posten entfernt)* worden. * (ugs.) **den Ast a., auf dem man sitzt** *(sich selbst schädigen).*

ạbsahnen, sahnte ab, hat abgesahnt ⟨tr./itr.⟩ (ugs.): *in nicht ganz korrekter Weise, mühelos einnehmen:* fette Steuern a.; er wird inzwischen woanders a.

Ạbsatz, der; -es, Absätze: 1. *unter der Ferse befindlicher Teil des Schuhs* (siehe Bild): hohe Absätze. 2. *kleinere Fläche, die die Fortführung der Treppe unterbricht* (siehe Bild): er stand auf dem zweiten A. 3. *Texta[bschnitt]:* er las zwei Absätz[e aus] dem Buch vor. 4. ⟨ohne Pl[ural]⟩ *Verkauf, Umsatz:* den A. ... gern.

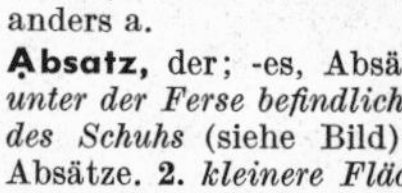

Absatz

ạbsaufen, säuft ab, s... abgesoffen ⟨itr.⟩ (ug... *Wasser versinken:* das... irgendwo im Pazifik ...

2. *sich mit Wasser füllen:* der Unterstand, die Grube säuft ab.

ạbsaugen, saugte ab, hat abgesaugt ⟨tr.⟩: **a)** *durch Saugen entfernen:* den Staub a. **b)** *durch Saugen reinigen:* den Teppich a.

ạbschaben, schabte ab, hat abgeschabt ⟨tr.⟩ /vgl. abgeschabt/: **1. a)** *durch Schaben entfernen:* die Haut von etwas a. **b)** *durch Schaben reinigen:* er schabte seinen verkrusteten Arm ab. **2.** (ugs.) *[ab]rasieren:* ich schabte mir den Bart ab; ⟨auch rfl.⟩ ich schabte mich ab.

ạbschaffen, schaffte ab, hat abgeschafft ⟨tr.⟩: *dafür sorgen, oder machen, daß etwas, was bisher üblich war, nicht mehr stattfindet oder gemacht wird; beseitigen, aufheben:* einen Brauch a.

ạbschälen, schälte ab, hat abgeschält: **a)** ⟨tr.⟩ *von der Schale, Rinde befreien:* [Baum]stämme a. **b)** ⟨tr./rfl.⟩ *in Form von Schalen lösen:* die Rinde a.; die Haut schält sich ab.

ạbschalten, schaltete ab, hat abgeschaltet: **1.** ⟨tr.⟩ **a)** *unterbrechen:* der Strom wurde drei Stunden lang abgeschaltet. **b)** *abstellen, ausschalten:* den Motor, den Fernsehapparat a. **2.** ⟨itr.⟩ (ugs.) *sich nicht mehr mit etwas konzentriert beschäftigen:* er hatte schließlich einfach abgeschaltet.

ạbschätzig ⟨Adj.⟩: *geringschätzig, verächtlich:* a. von jmdm. sprechen.

Ạbschaum, der; -s: *die moralisch minderwertigsten, schlechtesten, niedrigsten Menschen:* der A. der Menschheit, der menschlichen Gesellschaft.

ạbscheiden, schied ab, hat abgeschieden ⟨tr./rfl.⟩ (geh.) /vgl. abgeschieden/: *ausscheiden, absondern:* die Masse schied Was-
er ab; in der Flüssigkeit schei-
t sich ein Salz ab.

heren, schor ab, hat abge-
en ⟨tr.⟩: **a)** *durch Scheren*
ien: die Haare, den Bart
ahlscheren: die Schafe a.

u, der; -s: *physischer*
iderwille, starke Abnei-
empfinden vor jmdm.,
dn./etwas.

ern, scheuerte ab, hat
ıert: **1.** ⟨tr.⟩ **a)** *durch*
Reiben entfernen: die
Schmutz a.; du hast
ut abgescheuert. **b)**
uern reinigen: den Fußboden a. **2.** ⟨tr./rfl.⟩ *durch Scheuern abnutzen:* du hast die Ärmel ganz abgescheuert; der Kragen scheuert sich ab.

abscheulich ⟨Adj.⟩: **a)** *schändlich:* eine abscheuliche Tat. **b)** *widerwärtig, unangenehm:* ein abscheulicher Geruch. **c)** ⟨verstärkend bei Adjektiven⟩ (ugs.) *sehr:* a. kalt.

ạbschicken, schickte ab, hat abgeschickt ⟨tr.⟩: *versenden:* einen Brief, das Geld a.

ạbschieben, schob ab, hat/ist abgeschoben: **1.** ⟨tr.⟩ *von seinem Platz, seiner Stelle schieben:* die Couch [von der Wand] a.; bildl.: jeder schiebt die Schuld auf den anderen ab; man hat die Zigeuner, unerwünschten Ausländer über die Grenze abgeschoben *(ausgewiesen)*; er ist auf einen untergeordneten Posten abgeschoben *(seines Einflusses beraubt, kaltgestellt)* worden. **2.** ⟨itr.⟩ (ugs.) *weggehen:* er ist enttäuscht abgeschoben.

Ạbschied, der; -s, -e: *Trennung:* ein tränenreicher A.; der A. von den Eltern. * **A. nehmen** *(sich von jmdm./etwas trennen; jmdn./etwas verlassen).*

ạbschießen, schoß ab, hat abgeschossen ⟨tr.⟩: **1. a)** *(ein Geschoß) abfeuern:* Raketen, Torpedos a. **b)** *(eine Schußwaffe) gebrauchen:* eine Pistole a. **2.** *niederschießen, erlegen:* Vögel, Wild a. * (ugs.) **den Vogel a.** *(alle anderen übertreffen).* **3.** (ugs.) *aus seiner Stellung entfernen:* man versuchte, den Minister abzuschießen. **4.** *mit einem Schuß loslösen, abtrennen:* im Krieg wurde ihm ein Arm abgeschossen.

ạbschilfern, schilferte ab, ist abgeschilfert ⟨itr.⟩: *sich in kleinen Schuppen lösen:* meine Haut schilfert ab.

ạbschinden, sich; schindete sich ab, hat sich abgeschunden: *sich längere Zeit übermäßig schinden:* du hast dich für die Kinder abgeschunden.

ạbschirmen, schirmte ab, hat abgeschirmt ⟨tr.⟩: *schützen(vor, jmdn./etwas), absichern:* etwas gegen Störungen a.

ạbschlachten, schlachtete ab, hat abgeschlachtet ⟨tr.⟩: **a)** *schlachten:* ein Schwein a. **b)** *grausam töten:* bei den Unruhen wurden Hunderte von Menschen abgeschlachtet.

Ạbschlag, der; -[e]s, Abschläge: **1.** *Minderung eines Wertes, Preises um einen bestimmten Betrag:* hohen A. gewähren. **2.** *Abschlagszahlung:* die ersten Abschläge waren sehr niedrig; ich erhielt 500 Mark auf A. **3.** Sport *Abstoß des Torwarts aus der Hand:* seine Abschläge waren zu kurz.

ạbschlagen, schlägt ab, schlug ab, hat abgeschlagen ⟨tr.⟩: **1.** *durch Schlagen abtrennen, abhauen:* den Ast a. **2.** *nicht gewähren, verweigern:* eine Bitte a. **3.** *abwehren:* einen Angriff, den Feind a.

ạbschlägig ⟨Adj.⟩: *ablehnend:* er bekam eine abschlägige Antwort auf seine Bewerbung. * **jmdn. a. bescheiden** *(jmds. Gesuch oder Bitte nicht erfüllen).*

Ạbschlagszahlung, die; -, -en: *(erster) Teil einer zu leistenden Zahlung:* jmdm. zwanzig Mark als A. geben.

ạbschleifen, schliff ab, hat abgeschliffen: **1.** ⟨tr.⟩ **a)** *durch Schleifen entfernen:* den Rost a. **b)** *durch Schleifen glätten:* scharfe Kanten a. **2.** ⟨rfl.⟩ *durch Reibung abgenutzt werden:* der Bremsbelag schleift sich ab.

Ạbschleppdienst, der; -es, -e: *Unternehmen zum Abtransportieren beschädigter, nicht mehr fahrbereiter Autos.*

ạbschleppen, schleppte ab, hat abgeschleppt: **1.** ⟨tr.⟩ *ziehend fortbewegen:* ein beschädigtes Auto a. **2.** ⟨rfl.⟩ (ugs.) *mit großer Mühe an etwas tragen:* er hat sich mit dem Koffer abgeschleppt.

ạbschließen, schloß ab, hat abgeschlossen: **1.** ⟨tr.⟩ *zuschließen:* das Zimmer, den Koffer a. **2.** ⟨rfl.⟩ *sich absondern, fernhalten, isolieren:* sich von der Umwelt a. **3.** ⟨tr.⟩ *beenden, zu Ende führen:* eine Untersuchung a.; ⟨häufig im 2. Partizip⟩ ein abgeschlossenes Studium. **4.** ⟨itr.⟩ *enden, aufhören:* das Fest schließt mit einem Feuerwerk ab. **5.** ⟨tr.⟩ *durch Vertrag vereinbaren:* ein Geschäft, Bündnis a.

Ạbschluß, der; Abschlusses: *Ende, Schluß* /Ggs. Beginn/: ein schneller A.; nach A. der Verhandlungen. * **etwas zum A. bringen** *(etwas beenden.)*

ạbschmecken, schmeckte ab, hat abgeschmeckt ⟨tr.⟩: *den Geschmack einer zubereiteten*

Speise prüfen: die Soße, den Salat a.

abschmeicheln, schmeichelte ab, hat abgeschmeichelt ⟨tr.⟩: *durch vieles Schmeicheln (von jmdm.) erlangen:* sie schmeichelte dem Vater die Zustimmung zu ihrer Ausbildung als Schauspielerin ab.

abschmieren, schmierte ab, hat/ist abgeschmiert: **1.** ⟨tr.⟩ *mit Fett versehen:* er hat das Auto abgeschmiert; den Wagen a. lassen. **2.** ⟨itr.⟩ Fliegerspr. (ugs.) *abstürzen:* das Flugzeug ist abgeschmiert.

abschnallen, schnallte ab, hat abgeschnallt: **1.** ⟨tr.⟩ *durch Öffnen von Schnallen losmachen, losschnallen* /Ggs. anschnallen/: Schier, Rollschuhe a. **2.** ⟨itr.⟩ (ugs.) *aufgeben, nicht mehr wollen, können:* ich wollte mir den Vortrag über Atomphysik anhören, aber nach zehn Minuten schnallte ich ab.

abschneiden, schnitt ab, hat abgeschnitten: **1.** ⟨tr.⟩ *durch Schneiden abtrennen:* Rosen a. * (ugs.) **sich** (Dativ) **von jmdm./etwas eine Scheibe a. [können]** *(sich an jmdm./etwas ein Beispiel nehmen [können]);* (geh.) **jmdm. die Ehre a.** *(jmdn. verleumden).* **2.** ⟨tr.⟩ **a)** *abkürzen:* den Weg a. * **jmdm. das Wort a.** *(jmdn. unterbrechen).* **b)** *versperren:* er schnitt dem Verbrecher den Weg ab. **3.** ⟨tr.⟩ *isolieren, trennen:* das Dorf war durch die Überschwemmung eine Woche lang von der Umwelt abgeschnitten. **4.** ⟨itr.; in Verbindung mit einer näheren Bestimmung⟩ (ugs.) *in bestimmter Weise Erfolg haben:* sie hat bei der Prüfung gut, schlecht abgeschnitten.

abschnellen, schnellte ab, hat/ist abgeschnellt: **1.** ⟨tr.⟩ *durch Schnellen wohin schießen, befördern:* er hat den Pfeil [von der Sehne] abgeschnellt. **2.** ⟨rfl.⟩ *sich kräftig vom Boden abstoßend wohin springen:* ich ging in die Knie und schnellte mich ab. **3.** ⟨itr.⟩ *durch Schnellen wohin fliegen:* der Pfeil ist [von der Sehne] abgeschnellt. **4.** ⟨itr.⟩ *durch kräftiges Abstoßen springend wohin gelangen:* er ist vom Boden abgeschnellt.

Abschnitt, der; -s, -e: **1.** *Teil, Teilstück, Teilbereich:* der erste A. des Textes: ein entscheidender A. im Leben. **2.** *abtrennbarer Teil eines Formulars, einer Eintrittskarte o. ä.:* der A. der Postanweisung.

abschnüren, schnürte ab, hat abgeschnürt ⟨tr.⟩: *durch festes Zusammenziehen einer Schnur, eines Fadens eine Verbindung unterbrechen:* den Finger a.; jmdm. die Luft a. *(ihm keine Möglichkeit mehr zum Atmen lassen).*

abschöpfen, schöpfte ab, hat abgeschöpft ⟨tr.⟩: *durch Schöpfen wegnehmen:* den Rahm von der Milch a. *(ugs.) **den Rahm a.** *(das Beste für sich nehmen; den größten Vorteil für sich selbst herausholen).* **Abschöpfung,** die; -, -en.

abschrägen, schrägte ab, hat abgeschrägt ⟨tr.⟩: *schräg[er] machen:* wir müssen das Dach, die Seitenwand noch mehr a.

abschrauben, schraubte ab, hat abgeschraubt ⟨tr.⟩: **a)** *durch Losdrehen von Schrauben lösen* /Ggs. anschrauben/: ein Schild [von der Wand] a. **b)** *durch Schrauben entfernen:* den Verschluß einer Flasche a.

abschrecken, schreckte ab, hat abgeschreckt ⟨tr.⟩: **1.** *[durch Androhung hoher Strafen o. ä.] abhalten:* das ist ein brauchbares Mittel, Verbrecher abzuschrecken; ich lasse mich auf keinen Fall davon a.; ⟨häufig im 1. Partizip⟩ ein abschreckendes Beispiel; abschreckend wirken. **2.** *(Erhitztes) plötzlich abkühlen:* Eier a. **Abschreckung,** die; -.

abschreiben, schrieb ab, hat abgeschrieben: **1. a)** ⟨tr.⟩ *(etwas, was bereits schriftlich vorliegt) noch einmal schreiben:* eine Stelle aus einem Buch a. **b)** ⟨tr./itr.⟩ *unerlaubt übernehmen:* er hat dies von ihm abgeschrieben; der Schüler hat von seinem Nachbarn abgeschrieben. **2.** ⟨itr.⟩ *brieflich absagen:* sie wurde von ihm eingeladen, aber sie mußte ihm a. *(schreiben, daß sie nicht kommt).* **3.** ⟨tr.⟩ *abziehen:* 500 Mark für die Abnutzung der Maschine a. **4.** ⟨tr.⟩ (ugs.) *für verloren halten, mit jmdm./etwas nicht mehr rechnen:* sie hatten ihn, das Geld schon abgeschrieben. **5.** ⟨tr.⟩ *durch Schreiben abnutzen:* einen Bleistift a.; ⟨auch rfl.⟩ der Bleistift schreibt sich schnell ab.

abschreiten, schritt ab, hat/ist abgeschritten ⟨tr.⟩: **1.** *(an etwas) zur Kontrolle, besichtigend o. ä. mit langsamen Schritten entlanggehen:* er hat/ist die Front der Kompanie abgeschritten. **2.** *mit Schritten abmessen:* ich habe die Entfernung abgeschritten.

Abschrift, die; -, -en: *Zweitschrift, Kopie:* eine beglaubigte A.; eine A. anfertigen, machen.

abschuften, sich; schuftete sich ab, hat sich abgeschuftet (ugs.): *längere Zeit übermäßig schuften:* du hast dich dein ganzes Leben lang abgeschuftet.

abschürfen, schürfte ab, hat abgeschürft ⟨itr.⟩: *durch Schürfen auf der Oberfläche leicht verletzen:* ich habe mir die Knie, die Haut abgeschürft.

Abschuß, der; Abschusses, Abschüsse: **1.** *das Abfeuern:* der A. der Raketen. **2.** ⟨ohne Plural⟩ *das Zerstören durch Beschuß:* der A. vieler Flugzeuge.

Abschußbasis, die; -, Abschußbasen: *Stelle, von der Raketen abgeschossen werden.*

abschüssig ⟨Adj.⟩: *steil, mit starkem Gefälle:* eine abschüssige Straße.

abschütteln, schüttelte ab, hat abgeschüttelt ⟨tr.⟩: **a)** *durch Schütteln entfernen:* ich schüttelte den Schnee [vom Mantel] ab; bildl.: das Joch der Knechtschaft a. *(sich seiner gewaltsam entledigen).* **b)** *durch Schütteln reinigen:* die Zeltbahn a.

abschwächen, schwächte ab, hat abgeschwächt: **1.** ⟨tr.⟩ *schwächer machen; mildern:* den Einfluß, einen Eindruck a. **2.** ⟨rfl.⟩ *schwächer werden, nachlassen:* das Wetter wird schlechter, denn das Hoch schwächt sich ab.

abschwatzen, schwatzte a
hat abgeschwatzt ⟨tr.⟩ (u
durch beständiges Schw
(von jmdm.) erlangen: er h
hundert Mark abgeschwa

abschweifen, schweift
abgeschweift ⟨itr.⟩:
gehend [vom eigentlich
abweichen: der Redner
oft vom Thema ab.

abschwellen, schw
schwoll ab, ist abge
⟨itr.⟩: **1.** *dünner werd*
zug auf etwas Gesch
die Beine sind wie

schwollen. 2. *leiser werden:* der Lärm, Gesang schwoll ab.

abschwenken, schwenkte ab, hat/ist abgeschwenkt: 1. ⟨itr.⟩ *durch eine Schwenkung die Richtung ändern:* die Kolonne ist [nach] links abgeschwenkt; bildl.: die Partei ist neuerdings von dieser Linie abgeschwenkt. 2. ⟨tr.⟩ **a)** *durch Schwenken entfernen:* die Tropfen [vom Glas] a. **b)** *durch Schwenken säubern:* das Glas a.

abschwindeln, schwindelte ab, hat abgeschwindelt ⟨tr.⟩ (ugs.): *durch Schwindelei[en] (von jmdm.) erlangen:* er hat den Ärzten 40 Ampullen Morphium abgeschwindelt.

abschwirren, schwirrte ab, ist abgeschwirrt ⟨itr.⟩: *schwirrend wegfliegen* /von Vögeln/: die Stare schwirrten plötzlich ab; bildl. (ugs.): er ist eben abgeschwirrt *(schnell weggegangen).*

abschwören, schwor ab, hat abgeschworen: 1. ⟨itr.⟩ *sich mit einem Schwur (von jmdm./etwas) lossagen:* dem Teufel a.; der Vergangenheit reumütig a. 2. ⟨tr.⟩ (veralt.) *mit einem Schwur [ab]leugnen:* seine Schuld a.

absehbar ⟨Adj.; nicht adverbial⟩: *von etwas, was sich absehen läßt; erkennbar:* in absehbarer Zeit; ein Ende ist noch nicht a.

absehen, sieht ab, sah ab, hat abgesehen: 1. ⟨tr.⟩ *durch genaues Beobachten lernen:* er hat ihm diesen Trick abgesehen. 2. ⟨tr./itr.⟩ *unerlaubt abschreiben, übernehmen:* der Schüler hat [die Lösung von seinem Nachbarn] abgesehen. 3. ⟨itr.⟩ *voraussehen:* das Ende ist nicht abzusehen. 4. ⟨itr.⟩ *(auf etwas) verzichten; (etwas) nicht tun, was man tun wollte:* von einer Strafe a. 5. ⟨itr.⟩ *ausnehmen, außer Betracht lassen:* wenn man von der Entfernung absieht ...; ⟨häufig im 2. Partizip⟩ abgesehen von der Entfernung ist Südafrika ein ideales Ferienland. 6. ⟨itr.⟩ *begierig sein (auf etwas), (etwas) sehr gern haben wollen:* sie hat es nur auf sein Geld abgesehen.

abseifen, seifte ab, hat abgeseift ⟨tr./rfl.⟩: *mit [Wasser und] Seife gehörig reinigen:* die Tischplatte a.; sie seifte die Kinder in der Wanne ab; hast du dich abgeseift?

abseilen, seilte ab, hat abgeseilt ⟨tr./rfl.⟩: *an einem Seil hinablassen:* der Verletzte wurde vorsichtig abgeseilt; ich seilte mich ab.

absein, ist ab, war ab, ist abgewesen ⟨itr.⟩ (ugs.): 1. *entfernt, getrennt sein:* der Knopf war schon ab. *** der Bart ist ab** *(jetzt ist Schluß damit!)* 2. (nordd.; ugs.) *erschöpft sein:* ich war ganz ab von dem langen Marsch.

Abseite, die; -, -n: I. *(verwendbare) linke Seite eines Gewebes:* ein Dessin mit modisch aparten Abseiten. II. (landsch.) *schräger Raum unter dem Dach:* die Koffer in der A. aufbewahren.

abseitig ⟨Adj.⟩: *unüblich, ausgefallen:* abseitige Interessen; a. *(pervers)* veranlagt sein.

abseits: I. ⟨Präp. mit Gen.⟩ *(ein wenig) entfernt (von etwas):* a. des Weges steht ein Haus. **II.** ⟨Adverb⟩ *fern, außerhalb:* der Hof liegt a. vom Dorf; bildl.: die Jungen stehen a. *(beteiligen sich nicht, sind passiv).*

absenden, sandte/sendete ab, hat abgesandt/abgesendet ⟨tr.⟩: *ab-, losschicken:* einen Brief, einen Boten a.

Absender, der; -s, -: 1. *der Absendende* /Ggs. Empfänger/: er ist der A. des Briefes. 2. *Name und Adresse des Absendenden:* A. nicht vergessen!

absengen, sengte ab, hat abgesengt ⟨tr.⟩: **a)** *durch Sengen entfernen:* Haare, Federn a. **b)** *durch Sengen reinigen:* eine Gans a.

absentieren, sich; absentierte sich, hat sich absentiert (veraltend): *sich für eine Weile entfernen, abwesend sein:* ich muß mich unbedingt für eine Woche a.

abservieren, servierte ab, hat abserviert ⟨tr./itr.⟩ (geh.): *den Tisch nach dem Essen abdecken, abräumen:* die Kellner waren gerade dabei, [das Geschirr] abzuservieren; bildl. (ugs.): unser Abteilungsleiter ist abserviert *(seines Postens enthoben)* worden; ich lasse mich nicht so a. *(abweisen);* ein literarisches Werk a. *(es so heftig kritisieren, daß es als wertlos angesehen wird);* die Würste habe ich in der Kantine abserviert *(entwendet).*

absetzen, setzte ab, hat abgesetzt: 1. ⟨tr.⟩ *ab-, herunternehmen* /Ggs. aufsetzen/: den Hut a. 2. ⟨tr.⟩ *niedersetzen, hinstellen:* das Gepäck a. 3. ⟨tr.⟩ *(jmdn.) bis an eine bestimmte Stelle fahren und dann aussteigen lassen:* ich setze ihn am Bahnhof ab. 4. **a)** ⟨tr.⟩ *von etwas wegnehmen und dadurch eine Tätigkeit beenden:* er trank, ohne das Glas vom Munde abzusetzen. **b)** ⟨itr.⟩ *anhalten, unterbrechen:* sie trank, ohne abzusetzen. 5. **a)** ⟨tr.⟩ *ablagern:* der Fluß setzt Sand ab. **b)** ⟨rfl.⟩ *sich ablagern, sich niederschlagen:* Schlamm setzt sich ab. 6. ⟨tr.⟩ *aus dem Amt entfernen:* den Präsidenten a. 7. ⟨tr.⟩ *[in größeren Mengen] verkaufen:* Waren schwer a. können. 8. ⟨tr.⟩ *absagen, streichen:* einen Punkt von der Tagesordnung a. 9. ⟨tr.⟩ *abziehen:* die Summe von der Steuer a. 10. ⟨rfl.⟩ (ugs.) *sich entfernen:* er hat sich rechtzeitig ins Ausland abgesetzt.

Absicht, die; -, -en: *Plan, Ziel, das Bestreben, das Wollen:* er hat die A. zu kommen. * (ugs.) **ernste Absichten haben** *(jmdn. heiraten wollen).*

absichtlich [auch: absichtlich] ⟨Adj.; nicht prädikativ⟩: *mit Absicht, vorsätzlich, mit Willen.*

absingen, sang ab, hat abgesungen ⟨tr.⟩: 1. *vom Blatt singen:* ein Lied a. 2. *zu Ende singen:* schmutzige Lieder absingend, zogen die Betrunkenen in ein anderes Lokal. *** unter [dem] Absingen** *(während man ... sang):* unter [dem] Absingen der Nationalhymne.

absitzen, saß ab, hat/ist abgesessen: 1. ⟨itr.⟩ *vom Pferd steigen:* er ist im Hof abgesessen. 2. ⟨tr.⟩ (ugs.) **a)** *(eine Strafe) im Gefängnis verbüßen:* er hat drei Monate abgesessen. **b)** (abwertend) *nur durch Sitzen, Anwesendsein (eine bestimmte Zeit) hinter sich bringen:* er hat 8 Stunden im Büro abgesessen.

absolut ⟨Adj.⟩: 1. *allein herrschend, souverän:* ein absoluter Monarch. 2. (ugs.) *völlig, vollkommen:* absolute Ruhe; das ist a. unmöglich. 3. ⟨nur adverbial⟩ (ugs.) *unbedingt, um jeden Preis:* er will das a. haben. **** absolute Mehrheit** *(eine Mehrheit, die mehr als 50% der Stimmen vereinigt);* **a. nicht** *(überhaupt nicht):* er wollte es a. nicht tun.

Absolution, die; -, -en: *Freisprechung von Sünden:* jmdm. A. erteilen; A. erbitten.

Absolutismus, der; -: *Form der Regierung, in der die ganze Macht in der Hand des Monarchen liegt.*

Absolvent, der; -en, -en: *Besucher einer Schule kurz vor oder nach der abschließenden Prüfung.*

absolvieren, absolvierte, hat absolviert ⟨tr.⟩: **a)** *bis zum Abschluß durchlaufen, erfolgreich beenden:* die Schule, einen Lehrgang [mit Erfolg] a. **b)** *erledigen:* eine Aufgabe, ein Pensum a. **c)** *bestehen:* er hat das Examen [mit Auszeichnung] absolviert.

absonderlich ⟨Adj.⟩: *sonderbar, eigentümlich, ungewöhnlich:* absonderliche Reaktionen; sein Leben ist gar nicht so a. **Absonderlichkeit,** die; -, -en.

absondern, sonderte ab, hat abgesondert: **1. a)** ⟨tr.⟩ *von andern fernhalten; isolieren:* die kranken Tiere von den gesunden a. **b)** ⟨rfl.⟩ *für sich bleiben; den Kontakt mit andern meiden:* er sondert sich von den andern Schülern ab. **2.** ⟨tr.⟩ *ausscheiden:* die Pflanze sondert einen dunklen Saft ab; Schweiß a. *(schwitzen, transpirieren).* **Absonderung,** die; -, -en.

absorbieren, absorbierte, hat absorbiert ⟨tr.⟩: *aufsaugen:* der Filter absorbiert die Strahlung; bildl.: dieser Umstand hatte meine Aufmerksamkeit völlig absorbiert *(beansprucht).*

abspalten, spaltete ab, hat abgespaltet/abgespalten ⟨tr./rfl.⟩: *durch Spalten trennen:* er hat die Späne mit dem Messer abgespaltet; bildl.: eine radikale Gruppe hatte sich von der Partei abgespaltet/abgespalten.

Abspaltung, die; -, -en.

Abspannung, die; -: *körperliche und/oder geistige Ermüdung:* ihr Gesicht drückte äußerste A. aus.

absparen, sich; sparte sich ab, hat sich abgespart ⟨tr.⟩: *durch längeres Sparen mühsam erlangen:* ich hatte mir tausend Mark, diese Reise buchstäblich am Munde abgespart.

abspeisen, speiste ab, hat abgespeist ⟨tr.⟩: *mit weniger, als erhofft oder erwartet, abfertigen; kurz abweisen:* jmdn. mit allgemeinen Redensarten a.; warum läßt du dich so a.?

abspenstig: ⟨in der Fügung⟩ jmdm. jmdn. a. machen: *jmdn. einem anderen wegnehmen und für sich gewinnen:* jmdm. die Freundin, die Kunden a. machen.

absperren, sperrte ab, hat abgesperrt ⟨tr.⟩: **1.** *durch eine Sperre unzugänglich machen:* die Straße a. **2.** (bes. südd.) *ab-, zuschließen:* das Haus, die Schublade a. **Absperrung,** die; -, -en.

abspiegeln, spiegelte ab, hat abgespiegelt ⟨tr.⟩: *als Spiegelbild wiedergeben, spiegelnd zurückwerfen:* das Wasser spiegelte seinen Kopf ab; bildl.: die Wörter spiegeln die Gegenstände ab *(bezeichnen sie).*

abspielen, spielte ab, hat abgespielt: **1.** ⟨tr.⟩ *vom Anfang bis zum Ende spielen, ablaufen lassen:* eine Schallplatte, ein Tonband a. **2.** ⟨tr.⟩ *(einen Ball) abgeben, jmdm. zuspielen:* er spielte den Ball ab. **3.** ⟨rfl.⟩ *geschehen, sich ereignen:* die geschilderten Vorgänge spielten sich auf dem Lande ab.

absplittern, splitterte ab, hat/ist abgesplittert: **1.** ⟨tr.⟩ *in Splittern [ab]lösen:* der Blitz hat die Äste abgesplittert. **2.** ⟨itr.⟩ *sich in Splittern [ab]lösen, abspringen:* die Farbe ist abgesplittert; bildl. ⟨auch rfl.⟩: kleine Gruppen splittern [sich] ab.

Absprache, die; -, -n: *Übereinkommen, Vereinbarung:* eine geheime A. treffen.

absprechen, spricht ab, sprach ab, hat abgesprochen: **1.** ⟨tr.⟩ *vereinbaren:* sie hatten ein Zusammentreffen abgesprochen. **2.** ⟨tr.⟩ *erklären, daß jmd. etwas nicht hat:* jmdm. alles Talent a.

abspreizen, spreizte ab, hat abgespreizt ⟨tr.⟩: *(ein Körperglied) seitwärts strecken:* die Beine, den kleinen Finger a.

abspringen, sprang ab, ist abgesprungen ⟨itr.⟩: **1. a)** *herunterspringen:* von der Straßenbahn a. **b)** *sich lösen, abgehen:* Lack springt ab. **2.** (ugs.) *sich (von etwas) zurückziehen:* von einem Plan a.

abspritzen, spritzte ab, hat/ist abgespritzt: **1.** ⟨tr.⟩ *durch Spritzen mit Wasser reinigen:* er hat den Wagen, die Blumen abgespritzt. **2.** ⟨itr.⟩ *spritzend abspringen:* er hat den Kalk so heftig an die Wand geworfen, daß er davon abgespritzt ist.

Absprung, der; -s, Absprünge: **1.** *das Ab-, Losspringen:* er ist beim A. übergetreten; bildl.: jmdm. den A. ins Berufsleben erleichtern. **2.** *das Herunterspringen:* ein A. vom Flugzeug.

abspulen, spulte ab, hat abgespult ⟨tr./rfl.⟩: *von einer Spule [ab]wickeln:* er spulte den Faden ab; das Garn spult sich automatisch ab; bildl. (abwertend): ein Programm a. *(rasch und routiniert ablaufen lassen).*

abspülen, spülte ab, hat abgespült ⟨tr.⟩: **a)** *durch Spülen reinigen:* das Geschirr a. **b)** *durch Spülen entfernen:* den Schmutz, die Seife a.

abstammen, stammte ab ⟨itr.⟩: *seinen Ursprung herleiten, haben:* der Mensch soll vom Affen a.

Abstammung, die; -, -en: *Herkommen, Abkunft:* von vornehmer A.

Abstand, der; -[e]s, Abstände: **1.** *Entfernung zwischen zwei Punkten:* **a)** /räumlich/: die Autos hielten weiten A. **b)** /zeitlich/ sie starteten in einem A. von zwei Stunden. * (geh.) **von etwas A. nehmen** *(von etwas absehen, auf etwas verzichten):* er nahm von der Anklage A.; **mit A.** *(bei weitem):* sie ist mit A. die Beste in der Klasse; **A. wahren** *(sich nicht aufdrängen).* **2.** ⟨ohne Plural⟩ *Abfindung:* für die übernommenen Möbel zahlte er einen A. von 1 000 DM.

abstatten, stattete ab, hat abgestattet: ⟨in den Wendungen⟩ **jmdm. seinen Dank a.** *(jmdm. [förmlich] danken);* **jmdm. einen Besuch a.** *(jmdn. besuchen).*

abstauben, staubte ab, hat abgestaubt ⟨tr.⟩: **1.** *vom Staub befreien:* ein Bild a. **2.** (ugs.) *sich heimlich aneignen:* ich habe ein paar Kugelschreiber abgestaubt.

abstechen, sticht ab, stach ab, hat abgestochen ⟨itr.⟩: *einen Kontrast bilden; sich abheben:* die beiden Farben stechen sehr voneinander ab.

Abstecher, der; -s, -: *kleiner Ausflug, Exkurs:* ein A. nach München.

abstecken, steckte ab, hat abgesteckt ⟨tr.⟩: *mit in den Bo-*

den gesteckten Pfählen, Pflöcken abgrenzen: eine Rennbahn a.; bildl.: eine Position, einen Bereich a. *(festlegen).*

ạbstehen, stand ab, hat abgestanden ⟨itr.⟩ /vgl. abgestanden/: **1.** *von etwas entfernt stehen:* der Schrank steht zu weit von der Wand ab; ⟨häufig im 1. Partizip⟩ abstehende Ohren. **2.** (geh.) *von etwas ablassen:* ich bat ihn, von seiner Bitte abzustehen. **(ugs.) **sich** (Dativ) **die Beine nach etwas a.** *(sich wegen einer Sache durch langes Stehen ermüden):* ich habe mir die Beine danach abgestanden.

ạbsteigen, stieg ab, ist abgestiegen ⟨itr.⟩: **1.** *(von etwas) heruntersteigen; nach unten steigen* /Ggs. aufsteigen/: vom Fahrrad, Pferd a. **2.** (geh.) *Quartier nehmen, vorübergehend wohnen:* in einem Hotel a. **3.** *in eine niedrigere Klasse eingestuft werden* /Ggs. aufsteigen/: diese Fußballmannschaft wird a.

ạbstellen, stellte ab, hat abgestellt ⟨tr.⟩: **1. a)** *[vorübergehend] hinstellen:* eine Tasche a. **b)** *parken:* sein Auto a. **c)** *unterstellen, lagern:* Kisten im Keller a. **2.** *ausschalten* /Ggs. anstellen/: den Motor, das Radio, die Heizung a. **3.** *unterbinden, beseitigen, beheben:* einen Mißbrauch a.; das Übel a. **4.** *einstellen; ausrichten (nach jmdm./etwas):* sie haben alles nur auf den äußeren Eindruck abgestellt.

ạbstempeln, stempelte ab, hat abgestempelt ⟨tr.⟩: *mit einem Stempel versehen:* den Ausweis, die Briefmarke a.; bildl.: man hat diesen Schriftsteller zum, als Humoristen abgestempelt *(ihn dazu erklärt);* eine Bewegung als reaktionär a.

ạbsterben, stirbt ab, starb ab, ist abgestorben ⟨itr.⟩: **1.** *aufhören zu leben* /von Teilen des menschlichen und tierischen Organismus und von Pflanzen[teilen]/: Gewebe, Haut, ein Organ stirbt ab; ⟨häufig im 2. Partizip⟩ abgestorbene *(verdorrte)* Bäume, Äste. **2.** *durch Einwirkung von Kälte o. ä. gefühllos werden:* meine Füße sind [vor Kälte] abgestorben; abgestorbene Finger.

Ạbstieg, der; -s, -e: **a)** *das Abwärtssteigen* /Ggs. Aufstieg/: den A. vom Berg beginnen. **b)** *abwärts führender Weg* /Ggs. Aufstieg/: ein steiler A.

ạbstimmen, stimmte ab, hat abgestimmt: **1.** ⟨itr.⟩ *durch Abgeben der Stimmen eine Entscheidung herbeiführen:* die Abgeordneten stimmten über das neue Gesetz ab; jetzt stimmen wir ab, ob wir schwimmen gehen oder zu Hause bleiben. **2.** ⟨tr.⟩ *in Einklang bringen:* verschiedene Interessen aufeinander a. **Ạbstimmung,** die; -, -en.

abstinẹnt ⟨Adj.⟩ (geh.): *enthaltsam:* er führt ein abstinentes Leben; er lebt a.

Abstinẹnz, die; - (geh.): *Enthaltsamkeit:* A. halten, üben; jmdn. zur A. verpflichten.

Abstinẹnzler, der; -s, -: *jmd., der sehr enthaltsam lebt.*

ạbstoppen, stoppte ab, hat abgestoppt: **1.** ⟨tr.⟩ **a)** *zum Stoppen veranlassen:* die Polizei stoppte das Auto, den Motorradfahrer ab; bildl.: die Produktion a. *(einstellen);* **b)** *(eine Bewegung) verringern [bis zum völligen Stillstand]:* die Fahrtgeschwindigkeit, den Vormarsch des Feindes a. **c)** *anhalten* /vom Fahrer/: er stoppte den Wagen ab. **2.** ⟨tr.⟩ *mit der Stoppuhr messen:* die Zeit, den Läufer a. **3.** ⟨itr.⟩ *halten:* der Fahrer, der Wagen stoppte plötzlich ab.

Ạbstoß, der; -es, Abstöße: **1.** *Stoß von etwas weg:* ein kräftiger A. [vom Boden, Ufer]. **2.** *Beförderung des Balles aus dem Strafraum ins Spielfeld* /beim Fußball/: dem Torwart mißglückte der A.

ạbstoßen, stößt ab, stieß ab, hat abgestoßen ⟨tr.⟩ /vgl. abstoßend/: **1.** *mit einem kräftigen Stoß wegbewegen:* er hat das Boot vom Ufer abgestoßen. **2.** *billig und schnell verkaufen:* sie haben alle Waren abgestoßen. * (ugs.) **sich** (Dativ) **die Hörner a.** *(durch Erfahrung lernen).* **3.** *(jmdm.) unsympathisch, widerwärtig sein:* dieser Mensch hat mich abgestoßen.

ạbstoßend ⟨Adj.⟩: *widerwärtig, abscheuerregend:* ein abstoßendes Benehmen; a. wirken.

ạbstottern, stotterte ab, hat abgestottert ⟨tr.⟩ (ugs.): *in kleineren Beträgen abzahlen:* seine Möbel a.; er hat von seinen Schulden tausend Mark abgestottert *(zurückgezahlt).*

abstrahieren, abstrahierte, hat abstrahiert: **1.** ⟨tr.⟩ *(aus dem Besonderen das Allgemeine) entnehmen:* er versuchte aus den zahllosen Einzelfällen Normen zu a. **2.** ⟨itr.⟩ *(von etwas) absehen, (auf etwas) verzichten:* seine Theorie abstrahiert beinahe völlig von den realen Bedingungen der Gesellschaft.

ạbstrahlen, strahlte ab, hat abgestrahlt ⟨tr.⟩ (fachspr.): *Strahlen, Wellen aussenden:* die Sonne strahlt Wärme ab. **Ạbstrahlung,** die; -, -en.

abstrạkt ⟨Adj.⟩: *nicht greifbar; nur gedacht* /Ggs. konkret/: abstraktes Denken; abstrakte *(gegenstandslose)* Malerei.

ạbstreichen, strich ab, hat/ist abgestrichen: **1.** ⟨tr.⟩ **a)** *durch Streichen entfernen:* ich habe den Schaum vom Glas abgestrichen. **b)** *durch Streichen reinigen:* sie hat das Messer an der Gabel abgestrichen. **2.** ⟨tr.⟩ *abziehen:* sie hat die Hälfte von ihrer Forderung abgestrichen. * (ugs.) **die Hälfte a. [müssen, können]** *(nicht alles glauben [müssen, können]).* **3.** ⟨tr.⟩ *absuchen:* die beiden Störche haben das Ufer abgestrichen. **4.** ⟨itr.⟩ *wegfliegen* /von Vögeln/: die Krähen sind abgestrichen.

ạbstreifen, streifte ab, hat abgestreift: **1. a)** ⟨tr.⟩ *durch Streifen entfernen:* Beeren a.; die Hausschuhe, das Hemd a.; bildl.: die akademische Würde a. *(die würdevolle, steife Haltung des Akademikers ablegen).* **b)** ⟨itr.⟩ (landsch.) *durch Streifen reinigen:* hast du dir die Schuhe abgestreift? **2.** ⟨tr.⟩ *absuchen:* ein Gelände, die ganze Umgegend a.

ạbstreiten, stritt ab, hat abgestritten ⟨tr.⟩: *zurückweisen, leugnen:* eine Tat, seine Schuld a.

Ạbstrich, der; -[e]s, -e: **1.** *Abzug:* man nahm Abstriche am Hauhaltsplan vor. **2.** *Entnahme von Sekreten:* der Arzt ließ einen A. an den Mandeln machen.

abstrus ⟨Adj.⟩: *von dunklem Sinn, verworren, unverständlich, abwegig:* abstruse Vorstellungen, Ideen; reichlich a. wirken.

ạbstufen, stufte ab, hat abgestuft ⟨tr.⟩: *(in Stufen) anlegen:* der Hang ist in verschiedenen Terrassen abgestuft; bildl.: die Gehälter a. *(nach der Höhe* *staffeln).* **Ạbstufung,** die; -, -en.

ạbstumpfen, stumpfte ab, hat/ist abgestumpft: **1.** ⟨tr.⟩ *stumpf machen:* er hat die Kanten abgestumpft. **2. a)** ⟨tr./itr.⟩ *gefühllos, teilnahmslos machen:* die Not hat ihn abgestumpft; diese Arbeit stumpft ab. **b)** ⟨itr.⟩ *gefühllos, teilnahmslos werden:* er ist durch Gewöhnung abgestumpft.

Ạbsturz, der; -es, Abstürze: *Sturz, Fall aus großer Höhe:* beim A. des Flugzeugs kamen 20 Menschen ums Leben.

ạbstürzen, stürzte ab, ist abgestürzt ⟨itr.⟩: *aus großer Höhe herunterstürzen:* das Flugzeug stürzte ab.

ạbstützen, stützte ab, hat abgestützt ⟨tr./rfl.⟩: *stützend vor dem Fallen oder Einstürzen bewahren:* einen Stollen mit Balken a.; ich stützte mich etwas ab; bildl.: theoretische Äußerungen, eine Behauptung durch Belege a.

ạbsuchen, suchte ab, hat abgesucht ⟨tr.⟩: **1. a)** *den Blick suchend über etwas gleiten lassen:* er suchte den Himmel nach feindlichen Flugzeugen ab. **b)** *durchsuchen:* das Haus a.

absụrd ⟨Adj.⟩: *unsinnig, sinnlos:* ein absurder Gedanke. **Absurditạ̈t,** die; -, -en.

Abszẹß, der; Abszesses, Abszesse: *[Eiter]geschwür.*

Ạbt, der; -[e]s, Äbte: *Vorsteher eines Mönchklosters:* der A. wird von den Mönchen entweder auf Lebenszeit oder für eine bestimmte Zeit gewählt.

ạbtakeln, takelte ab, hat abgetakelt ⟨tr.⟩ /vgl. abgetakelt/: *die Takelage von einem Schiff entfernen [und dieses dadurch außer Dienst stellen]* /Ggs. auftakeln/: die „Hohenzollern" wurde abgetakelt.

ạbtasten, tastete ab, hat abgetastet ⟨tr.⟩ *tastend befühlen:* der Arzt tastete dem Kranken den Bauch ab; jmds. Kleidung nach Waffen a.; bildl.: den Luftraum nach Flugzeugen und Raketen a. *(sorgfältig absuchen).*

ạbtauen, taute ab, hat/ist abgetaut: **a)** ⟨tr.⟩ *von Eis befreien:* sie hat den Kühlschrank abgetaut. **b)** ⟨itr.⟩ *von Eis frei werden:* die Fenster sind abgetaut.

Abteil, das; -s, -e: *abgeteilter Raum in einem Wagen der Eisenbahn* (siehe Bild): ein A. für Raucher.

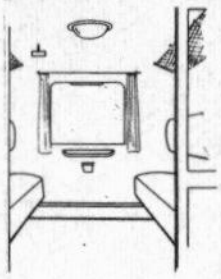

Abteil

ạbteilen, teilte ab, hat abgeteilt ⟨tr.⟩: *(in einzelne Teile) teilen:* das umgegrabene Land in Beete a.; ein Wort a. *(am Ende der Zeile trennen);* bildl.: dieser Unterschied teilt scharf zwei Weisen des menschlichen Verhaltens voneinander ab.

ạbtippen, tippte ab, hat abgetippt ⟨tr.⟩ (ugs.): *auf der Schreibmaschine abschreiben:* ein Manuskript, das Stenogramm a.

Äbtịssin, die; -, -nen: *Vorsteherin eines Nonnenklosters:* die deutsche Dichterin Hrotsvit war Ä. in Gandersheim.

ạbtöten, tötete ab, hat abgetötet ⟨tr.⟩: *(sehr kleine Lebewesen, Zellen o. ä.) gänzlich vernichten:* die Viren, Bakterien wurden abgetötet; bildl.: wir müssen die primitiven Gefühle in uns abzutöten versuchen.

Ạbtötung, die; -.

ạbtragen, trägt ab, trug ab, hat abgetragen ⟨tr.⟩: **1.** *vom Eßtisch wegtragen; abdecken:* die Speisen, Teller a. **2.** (geh.) *nach und nach abzahlen:* eine Schuld a. **3.** *(ein Kleidungsstück) so lange tragen, bis es nicht mehr brauchbar ist:* sie muß die Kleider ihrer älteren Schwester a.; abgetragene Schuhe.

ạbträglich: ⟨in der Fügung⟩ etwas ist jmdm./einer Sache a.: *etwas ist für jmdn./etwas nachteilig, schädlich:* diese Blamage war seinem Ansehen a.

ạbtransportieren, transportierte ab, hat abtransportiert ⟨tr.⟩: *mit einem Fahrzeug wegbringen:* einen Kranken [im Auto] a.; Möbel a.

ạbtreiben, trieb ab, hat/ist abgetrieben: **1. a)** ⟨tr.⟩ *in eine andere, nicht gewünschte Richtung bringen; von der Bahn abbringen:* die Strömung hat das Schiff abgetrieben. **b)** ⟨itr.⟩ *in eine andere, nicht gewünschte Richtung geraten; von der Bahn abkommen:* der Ballon ist langsam abgetrieben. **2.** ⟨tr.⟩ *eine Fehlgeburt herbeiführen:* sie hat ihr Kind abgetrieben.

Ạbtreibung, die; -, -en: *das Herbeiführen einer Fehlgeburt.*

ạbtrennen, trennte ab, hat abgetrennt ⟨tr.⟩: **1.** *lostrennen, loslösen:* einen Knopf, Zettel a. **2.** *abteilen, von etwas trennen:* einen Teil des Raumes durch eine Wand a.

ạbtreten, tritt ab, trat ab, hat/ist abgetreten: **1.** ⟨itr.⟩ *(einen Ort) verlassen:* der Schauspieler ist [von der Bühne] abgetreten; bildl.: der Minister ist abgetreten *(ist zurückgetreten, hat sich zurückgezogen).* **2.** ⟨itr.⟩ *durch festes Auftreten (mit dem Fuß) beseitigen:* er hat den Schnee von den Schuhen abgetreten. * **sich** (Dativ) **die Füsse a.** *(den Sand, Schmutz o. ä. an den Schuhen vor dem Betreten einer Wohnung beseitigen).* **3.** ⟨tr.⟩: *(auf jmdn.) übertragen:* er hat seine Rechte an uns abgetreten.

Ạbtreter, der; -s, -: *Matte oder Rost zum Entfernen des Schmutzes von den Schuhsohlen* (siehe Bild): den A. benutzen.

Abtreter

Ạbtretung, die; -, -en: *Übertragung (auf jmdn.), Überlassung:* die A. dieses Gebietes an den Sieger.

Ạbtritt, der; -s, -e (landsch.): *primitiver Abort:* auf dem A. sitzen.

ạbtrocknen, trocknete ab, hat/ist abgetrocknet: **1.** ⟨tr.⟩ *trocken machen:* die Mutter hat dem Kind das Gesicht abgetrocknet; ⟨tr./itr.⟩ er hat [das Geschirr] abgetrocknet. **2.** ⟨itr.⟩ *trocken werden:* die Fahrbahn ist abgetrocknet.

ạbtropfen, tropfte ab, ist abgetropft ⟨itr.⟩: **a)** *die Flüssigkeit (von etwas) durch ein Sieb o. ä. tropfen lassen:* die Nudeln müssen noch a.; die gewaschenen Beeren a. lassen. **b)** *nach unten tropfen* /von Flüssigkeiten/: das Wasser tropft [vom Sieb] ab.

ạbtrotzen, trotzte ab, hat abgetrotzt ⟨tr.⟩: *durch Trotz[en]* *(von jmdm.) erlangen:* sie hat den Eltern die Einwilligung zur Heirat schließlich abgetrotzt.

abtrünnig ⟨Adj.⟩ (geh.): *untreu:* ein abtrünniger Verbündeter; jmdm. a. werden *(sich von jmdm. abwenden)*.

abtun, tat ab, hat abgetan ⟨tr.⟩ /vgl. abgetan/: *als unwichtig ansehen und beiseite schieben:* einen Einwand mit einer Handbewegung a.

abtupfen, tupfte ab, hat abgetupft ⟨tr.⟩: **a)** *durch Tupfen entfernen:* das Blut a. **b)** *durch Tupfen reinigen:* [sich] die nasse Stirn a.

abverlangen, verlangte ab, hat abverlangt ⟨tr.⟩: *[nachdrücklich] verlangen, abfordern:* jmdm. Geld für etwas a.; die Strecke verlangt den Läufern nicht allzuviel, das Letzte an Können ab.

abwägen, wägte/wog ab, hat abgewägt/abgewogen ⟨tr.⟩: *genau, prüfend bedenken:* etwas kritisch a.

abwählen, wählte ab, hat abgewählt ⟨tr.⟩: **1.** *durch Wahl von seinem Posten entfernen:* den Vorsitzenden einer Partei a. **2.** *ein bestimmtes Schulfach durch Wahl nicht mehr belegen:* ich habe Musik abgewählt.

abwälzen, wälzte ab, hat abgewälzt ⟨tr.⟩: *(etwas Lästiges, Unangenehmes) von sich schieben und einen andern damit belasten:* seine Pflichten, die Verantwortung für etwas auf einen andern a.

abwandeln, wandelte ab, hat abgewandelt ⟨tr.⟩: *(teilweise) anders machen, ver-, um-, abändern, variieren:* das alte Thema in immer neuen Variationen a.; ein Leitmotiv a. **Abwand[e]lung,** die; -, -en.

abwandern, wanderte ab, ist abgewandert ⟨itr.⟩: *von einem Ort oder Bereich in einen andern ziehen:* vom Land in die Stadt a.; in besser bezahlte Berufe a. **Abwanderung,** die; -, -en.

abwarten, wartete ab, hat abgewartet: **a)** ⟨tr./itr.⟩ *(auf das Eintreffen, Eintreten von jmdm./etwas) warten:* er hat das Ende des Spiels nicht mehr abgewartet und ist gegangen; ⟨häufig im 1. Partizip⟩ eine abwartende Haltung. **b)** ⟨tr.⟩ *auf das Ende (von etwas) warten:* den Regen a.

abwärts ⟨Adverb⟩: *nach unten* /Ggs. aufwärts/: [den Weg] a. gehen.

abwärtsgehen, ging abwärts, ist abwärtsgegangen ⟨itr.⟩ (ugs.): *schlechter werden:* sein Geschäft geht seit dieser Zeit immer mehr abwärts; es geht abwärts mit seiner Gesundheit.

abwaschen, wäscht ab, wusch ab, hat abgewaschen ⟨tr.⟩: **a)** *mit Wasser säubern:* wasch dir das Gesicht ordentlich ab!; ⟨tr./itr.⟩ wir müssen noch [das Geschirr] a. *(Geschirr spülen)*. **b)** *mit Wasser [und Seife] beseitigen:* Schmutz [vom Auto] a.

Abwasser, das; -s, Abwässer: *durch Gebrauch verschmutztes abfließendes Wasser:* die Abwässer der Stadt fließen in den See.

abwechseln, wechselte ab, hat abgewechselt: ⟨itr./rzp.⟩ *ablösen, miteinander wechseln:* sie wechselten [sich] bei der Arbeit ab.

Abwechslung, die; -, -en: *Zerstreuung, angenehme Unterbrechung:* am Wochenende brauche ich etwas A.

abwechslungsreich ⟨Adj.⟩: *reich an Abwechslung, nicht eintönig:* die Landschaft ist sehr a.

Abwege, die ⟨Plural⟩: *moralisch oder gedanklich falsche Wege:* auf Abwegen sein; auf A. geraten.

abwegig ⟨Adj.⟩: *nicht der allgemeinen Erwartung entsprechend; völlig unmöglich:* ein abwegiger Gedanke; ich finde diesen Plan a.

Abwehr, die; -: **1.** *Verteidigung gegen einen Angriff oder Widerstand* /bes. militärisch und im Sport/: sich auf [die] bloße A. des Gegners beschränken; auf A. stoßen. **2.** *Ablehnung:* jmdm. mit stummer, reservierter A. begegnen; eine instinktive A. gegen jmdn. empfinden. **3.** *zur Verteidigung eingesetzte Spieler einer Mannschaft:* die deutsche A. handelte oft erschreckend unsicher. **4.** *Organisation zur Verteidigung gegen feindliche Spionage:* die deutsche A. kam den beiden Agenten auf die Spur.

abwehren, wehrte ab, hat abgewehrt: **1.** ⟨tr.⟩ **a)** *zurückweisen, sich wehren (gegen etwas):* einen Verdacht, Vorwurf a. **b)** *abwenden:* eine Gefahr, einen Angriff, das Schlimmste a. **c)** *fernhalten:* die Fliegen, Neugierige a. **2.** ⟨itr.⟩ *etwas von sich weisen, ablehnen:* erschrocken wehrte er ab, als man ihm diese Aufgabe übertragen wollte; ⟨im 1. Partizip⟩ mit einer abwehrenden Bewegung.

abweichen, wich ab, ist abgewichen ⟨itr.⟩: **a)** *sich entfernen:* vom Weg a. **b)** *von etwas abgehen:* von einer Gewohnheit a. **c)** *verschieden sein, sich unterscheiden:* unsere Ansichten weichen voneinander ab. **Abweichung,** die; -, -en.

abweisen, wies ab, hat abgewiesen ⟨tr.⟩: *zurückweisen, von sich weisen; ablehnen:* einen Bettler, einen Antrag a.; Hilfe, Geschenke a.

abwenden, wandte/wendete ab, hat abgewandt/abgewendet: **1. a)** ⟨itr.⟩ *nach der Seite wenden, wegwenden:* den Blick von jmdm. a.; ⟨auch rfl.⟩ bei diesem Anblick wandte sie sich schnell ab. **b)** ⟨rfl.⟩ *sich zurückziehen:* er hat sich von uns abgewandt. **2.** ⟨tr.; Prät.: wendete ab; 2. Partizip: abgewendet⟩ *verhindern; (von jmdm.) fernhalten:* ein Unglück a.; er wendete die Gefahr von uns ab.

abwerben, wirbt ab, warb ab, hat abgeworben ⟨tr.⟩: *durch Werben [einer Firma] abspenstig machen und für eine andere gewinnen:* er hat der Konkurrenz Arbeitskräfte, Facharbeiter abgeworben. **Abwerbung,** die; -, -en.

abwerfen, wirft ab, warf ab, hat abgeworfen: **1.** ⟨tr.⟩ *herab-, herunterwerfen; herabfallen lassen:* die Flugzeuge warfen Bomben [auf die Stadt] ab. **2.** ⟨itr.⟩ (ugs.) *Gewinn bringen:* das Geschäft wirft viel ab.

abwerten, wertete ab, hat abgewertet ⟨tr.⟩: *in seinem Wert herabsetzen:* den Dollar, die Währung eines Landes a.; eine abwertende *(abschätzige)* Bemerkung. **Abwertung,** die; -, -en.

abwesend ⟨Adj.⟩: *nicht da; nicht anwesend:* er ist schon länger a.; er war ganz a. *(in Gedanken verloren, hörte nicht zu)*.

Abwesenheit, die; -: *das Abwesendsein* /Ggs. Anwesenheit/:

in seiner A. wurde das besprochen.

ạbwickeln, wickelte ab, hat abgewickelt ⟨tr.⟩: 1. *von einer Rolle wickeln:* er hat den Draht [von der Rolle] abgewickelt. 2. *ausführen, erledigen:* Aufträge, Geschäfte [rasch, ordnungsgemäß] a. **Ạbwicklung,** die; -.

ạbwiegen, wog ab, hat abgewogen ⟨tr.⟩: *so viel von einer größeren Menge wiegen, bis man die gewünschte Menge hat:* das Mehl für den Kuchen a.; wiegen Sie mir bitte fünf Pfund Kartoffeln ab!

ạbwimmeln, wimmelte ab, hat abgewimmelt ⟨tr.⟩ (ugs.): *(etwas Lästiges, jmd., der einem lästig ist) mit Beredsamkeit, durch Vorwände, Ausreden o. ä. abweisen:* die Arbeit, einen Auftrag a.; einen Vertreter a.

ạbwinken, winkte ab, hat abgewinkt (landsch.: abgewunken): 1. ⟨itr.⟩ *durch Winken mit der Hand seine Ablehnung zu verstehen geben:* ärgerlich winkte er [der eintretenden Sekretärin] ab. 2. ⟨tr.⟩ *(Rennen) durch Winken beenden:* das Rennen mußte abgewinkt werden.

ạbwischen, wischte ab, hat abgewischt ⟨tr.⟩: a) *durch Wischen entfernen:* ich wischte ihm, mir den Schweiß [von der Stirn] ab. b) *durch Wischen reinigen:* den Tisch a.; ich wischte [ihm, mir] die Stirn ab.

ạbwohnen, wohnte ab, hat abgewohnt ⟨tr.⟩ (ugs.): 1. *(Häuser, Räume o. ä.) durch langes Bewohnen abnutzen:* ein Haus a.; ⟨häufig im 2. Partizip⟩ eine abgewohnte Küche. 2. *(eine Geldsumme) durch Wohnen aufbrauchen:* die Vorauszahlung a.

ạbwracken, wrackte ab, hat abgewrackt ⟨tr.⟩: *(ausgediente Fahrzeuge aller Art) zerlegen und verschrotten:* der alte Dampfer wurde abgewrackt; bildl.: ⟨häufig im 2. Partizip⟩ ein abgewrackter *(alter, verbrauchter)* Schauspieler.

ạbwürgen, würgte ab, hat abgewürgt ⟨tr.⟩ (ugs.): *im Entstehen unterdrücken:* die Kritik a.; den Motor a. *(durch ungeschicktes, falsches Bedienen zum Stillstand bringen).*

Ạbwurf, der; -[e]s, Abwürfe: 1. *das Abwerfen:* der A. einer Atombombe. 2. *Wurf des Balles ins Spielfeld durch den Torwart* /bei Fuß- und Handball/: die Abwürfe des Torwarts kamen genau.

ạbzahlen, zahlte ab, hat abgezahlt ⟨tr.⟩: *nach und nach bezahlen:* ein Darlehen a.; das Auto a.

ạbzählen, zählte ab, hat abgezählt ⟨tr.⟩: *durch Zählen die Anzahl (von etwas) bestimmen:* er zählte ab, wieviel Personen gekommen waren; das Fahrgeld abgezählt *(passend)* in der Hand halten.

ạbzapfen, zapfte ab, hat abgezapft ⟨tr.⟩: *(Flüssigkeiten) entnehmen, abziehen:* Bier [aus einem Faß] a.; bildl. (ugs.): jmdm. Geld a. *(abnehmen).*

ạbzappeln, sich; zappelte sich ab, hat sich abgezappelt (ugs.): *sich übereifrig und voller Unruhe bemühen:* du hast dich abgezappelt, um noch fertig zu werden.

Ạbzeichen, das; -s, -: *Plakette oder Nadel zum Anstecken als Kennzeichen für die Zugehörigkeit zu einer Partei oder einem Verein, für eine Leistung o. ä.* (siehe Bild): ein A. tragen.

Abzeichen

ạbzeichnen, zeichnete ab, hat abgezeichnet: 1. ⟨tr.⟩ *kopieren, zeichnend nachbilden:* ein Bild a. 2. ⟨tr.⟩ *mit dem [abgekürzten] Namen versehen; als gesehen kennzeichnen:* ein Protokoll a. 3. ⟨rfl.⟩ *sich abheben; [in den Umrissen] erkennbar sein:* in der Ferne zeichnet sich der Gipfel des Berges ab.

Ạbziehbild, das; -[e]s, -er: *Bild, das auf Papier o. ä. aufgeweicht und dann abgezogen wird* (siehe Bild).

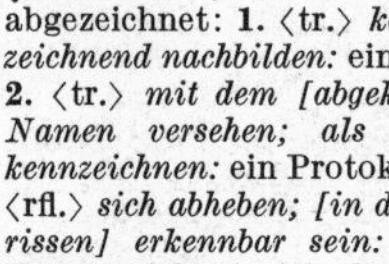

Abziehbild

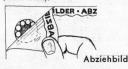

ạbziehen, zog ab, hat/ist abgezogen: 1. ⟨tr.⟩ a) *weg-, herunterziehen und so entfernen:* sie hat den Ring vom Finger abgezogen; die Bettwäsche a. b) *von etwas befreien:* einen Hasen a. *(sein Fell entfernen);* sie hat die Betten abgezogen *(die Bezüge von den Betten entfernt).* 2. a) ⟨itr.⟩ *sich wieder entfernen:* die Truppen sind abgezogen; das Gewitter ist abgezogen. b) ⟨tr.⟩ *zurückziehen:* sie haben die Truppen aus der Stadt abgezogen. 3. ⟨tr.⟩ *herausziehen:* er hat den Schlüssel abgezogen. 4. ⟨tr.⟩ *(einen Teil von einer Summe oder einem Betrag) wegnehmen:* ziehen Sie [davon] bitte fünf Mark ab!; die Firma hat den Betrag [von der Rechnung] abgezogen.

ạbzielen, zielte ab, hat abgezielt ⟨itr.⟩: *gerichtet sein:* diese Maßnahmen zielen auf die Steigerung der Produktion ab.

ạbzirkeln, zirkelte ab, hat abgezirkelt ⟨tr.⟩: *überaus genau abmessen, ausführen:* seine Bewegungen a.; ⟨häufig im 2. Partizip⟩ abgezirkelte Beete, Wege; im abgezirkelten Trab; bildl.: seine Worte a. *(wohlüberlegt setzen).*

Ạbzug, der; -s, Abzüge: 1. ⟨ohne Plural⟩ *Rückzug, Abgang:* der A. der Truppen, der Besatzung aus dem besetzten Land. 2. *Öffnung, durch die etwas wegziehen, entweichen kann:* ein A. über dem Herd. 3. *das Abziehen, Abrechnen:* der A. von Steuern. 4. ⟨Plural⟩ *Steuern, Abgaben:* monatliche, einmalige Abzüge. 5. *Hebel zum Auslösen eines Schusses:* den Finger am A. halten. 6. *Bild von einem entwickelten Film:* weitere Abzüge von einer Aufnahme machen lassen.

ạbzüglich ⟨Präp. mit Gen.⟩: *nach Abzug, abgerechnet:* a. der Zinsen, aller unserer Unkosten.

ạbzupfen, zupfte ab, hat abgezupft ⟨tr.⟩: a) *durch Zupfen entfernen:* Blätter, die Stiele von den Kirschen a. b) *durch Zupfen säubern:* Stachelbeeren a.

ạbzwacken, zwackte ab, hat abgezwackt ⟨tr.⟩ (ugs.): a) *durch Zwicken wegnehmen:* ein Stück Draht, jmdm. ein wenig Blut a. b) *abknapsen:* ich habe mir ein paar Mark vom Haushaltsgeld abgezwackt.

Ạbzweig, der; -[e]s, -e: *Abzweigung von einer Straße, bes. von der Autobahn:* der Autofahrer hatte den richtigen A. verpaßt.

ạbzweigen, zweigte ab, hat/ist abgezweigt: 1. ⟨itr.⟩ *eine andere Richtung nehmen:* der Weg ist hier früher nach rechts abgezweigt. **2.** ⟨tr.⟩ *zu einem bestimmten Zweck wegnehmen:* er hat von seinem Gehalt viel für das neue Auto a. können.

Abzweigung, die; -, -en: *Stelle, an der von einer Straße eine andere wegführt:* an der nächsten A. müssen wir abbiegen.

abzwicken, zwickte ab, hat abgezwickt ⟨tr.⟩ (ugs.): *durch Zwicken abtrennen, abkneifen:* ein Stück Draht a.

Ach, das; -s, -: *Seufzer meist des Bedauerns, des Schmerzes:* ein bedauerndes Ach kam über seine Lippen; das ewige Ach und Weh. * (ugs.) **mit Ach und Krach** *(mit Mühe, mit knapper Not).*

Achillesferse, die; -, -n (geh.): *schwache, verwundbare Stelle; wunder, schwacher, empfindlicher Punkt, Blöße:* seine A. verbergen; das ist seine A.

Achse, die; -, -n: **1.** *Teil einer Maschine, eines Wagens o. ä., an dessen Enden Räder sitzen:* der Wagen hat zwei Achsen; die A. ist gebrochen. * (ugs.) **auf A. sein** *(unterwegs sein).* **2.** *[gedachte] Linie in der Mitte von etwas:* die Erde dreht sich um ihre A.

Achsel die; -, -n: *Schulter[gelenk]* (siehe Bild): er zuckte mit den Achseln (um zu zeigen, daß er ratlos war oder daß er es nicht wußte).

Achsel

Achselzucken, das; -s: *das Zucken der Achseln als Ausdruck des Nichtwissens, der Ratlosigkeit:* etwas mit einem spöttischen A. abtun.

achselzuckend, ⟨Adj.; meist adverbial⟩: *mit den Achseln zuckend:* ich wandte mich a. ab; a. hinausgehen.

acht ⟨Kardinalzahl⟩: 8: a. Personen; heute in a. Tagen. ** **etwas außer a. lassen** *(etwas nicht beachten);* **etwas in a. nehmen** *(etwas sorgsam, vorsichtig behandeln);* **sich in a. nehmen** *(vorsichtig sein).*

Acht, die; - (hist.): *gerichtlicher Ausschluß aus der Gemeinschaft:* die A. über jmdn. verhängen. * **in A. und Bann tun, erklären** *(ausschließen, verfemen).*

achtbar ⟨Adj.⟩ (geh.): **1.** *geachtet:* aus achtbarer Familie stammen. **2.** *[be]achtenswert:* eine achtbare Leistung; sich a. halten.

achte ⟨Ordinalzahl⟩: 8.: der a. Mann.

achten, achtete, hat geachtet: **1.** ⟨tr.⟩ *schätzen, respektieren:* man achtet ihn sehr wegen seiner Zuverlässigkeit; das Gesetz a. *(befolgen).* **2.** ⟨itr.⟩ **a)** *(einer Sache) Beachtung, Aufmerksamkeit schenken:* er achtete nicht auf ihre Worte. **b)** *aufpassen:* auf das Kind a.

ächten, ächtete, hat geächtet ⟨tr.⟩ (hist.): *die Acht (über jmdn). verhängen:* der Vatermörder wurde geächtet; bildl.: die Atomwaffen ä. *(als Mittel der Kriegführung verdammen).*

Achter, der; -s, - Sport: **a)** *Boot für acht Ruderer* (siehe

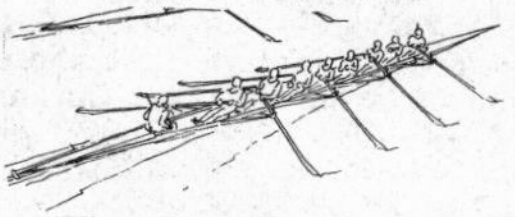

Achter

Bild): der Verein konnte im A. einen Erfolg verbuchen. **b)** Eislauf *Figur in Form der Ziffer Acht:* einen A. laufen; auch Reiten das Pferd geht die schwersten A.

Achterbahn, die; -, -en: *Berg-und-Tal-Bahn mit Schleifen in Form der Ziffer Acht* (siehe Bild): A. fahren.

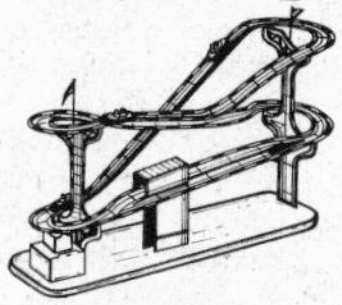

Achterbahn

achtgeben, gibt acht, gab acht, hat achtgegeben ⟨itr.⟩: *aufpassen, achten:* auf die Kinder, auf die Koffer gut a.

achtlos ⟨Adj.; nur adverbial⟩: *unachtsam, gleichgültig:* sie ließ die Blumen a. liegen. **Achtlosigkeit,** die; -.

Achtung, die; -: **1.** *Respekt, hohe Meinung, die man von jmdm./etwas hat:* mit A. von jmdm. sprechen. * **vor jmdm./etwas A. haben** *(jmdn./etwas achten)*; (ugs.) **alle A.!** *(das verdient Anerkennung).* **2.** /Warn-, Aufforderungsruf, warnende Aufschrift/: A. *(Vorsicht),* Stufen!

Ächtung, die; -, -en (hist.): *das Ächten:* die Ä. des Grafen durch den Kaiser; bildl.: der gesellschaftlichen, sozialen Ä. *(dem Boykott)* anheimfallen.

Achtungserfolg, der; -[e]s, -e: *Erfolg, der zwar Achtung erzielt, aber keinen großen Gewinn abwirft; mäßiger Erfolg:* einen A. erringen, verbuchen können.

achtzig ⟨Kardinalzahl⟩: 80: a. Personen.

ächzen, ächzte, hat geächzt ⟨itr.⟩: *vor Anstrengung o. ä. stöhnen:* er ächzte, als er die Treppe hinaufging; die Dielen ächzten *(knarrten)* unter seinem schweren Tritt.

Acker, der; -s, Äcker: *für den Anbau genutztes Stück Land, Feld:* steinige Äcker; /als Maßangabe/ zehn A. Land.

ackern, ackerte, hat geackert ⟨itr./tr.⟩: *(das Feld) pflügen:* dem Bauern [das Feld] a. helfen; bildl. (ugs.): ich habe mit ihm [Latein] geackert *(angestrengt [in Latein] gearbeitet).*

Ackerland, das; -[e]s: *für den Anbau geeignetes Land.*

ad absurdum: ⟨in der Wendung⟩ etwas (seltener: jmdn.) ad absurdum führen: *das Widersinnige einer Sache beweisen; jmdm. nachweisen, daß sein Gedanke widersinnig ist:* einen Gedanken, sich selbst ad absurdum führen.

ad acta: ⟨in der Wendung⟩ etwas ad acta legen: *etwas als erledigt betrachten:* willst du diesen Vorfall nicht endlich einmal ad acta legen?

Adam: ⟨in den Wendungen⟩ (ugs.) **bei A. und Eva anfangen** *(ganz von vorn anfangen);* (ugs.) **seit Adams Zeiten** *(seit jeher);* **der alte A.** *(der mit allen menschlichen Schwächen behaftete Mensch).* ** (ugs.) **nach A. Riese** *(richtig gerechnet):* nach

A. Riese macht, sind das zehn Mark.

Adamsapfel, der; -s, Adamsäpfel: *[stark] hervortretender Knorpel am Hals* /bes. bei Männern/.

Adamskostüm: ⟨in der Fügung⟩ im A. (ugs.): *nackt:* im A. herumlaufen.

adäquat ⟨Adj.⟩: *angemessen, entsprechend:* die adäquate Darstellung eines Themas.

addieren, addierte, hat addiert ⟨tr.⟩: *zusammenzählen, hinzufügen:* Zahlen a.

Addition, die; -, -en: *das Addieren, Zusammenzählen.*

Adel, der; -s: **1.** *früher auf Grund der Geburt oder durch Verleihung mit besonderen Rechten ausgestatteter Stand der Gesellschaft:* bei dieser Hochzeit war der ganze A. des Landes anwesend. **2.** *vornehme, edle Gesinnung:* sein Handeln zeugt von innerem A.

adeln, adelte, hat geadelt ⟨tr.⟩ (hist.): *in den Adelsstand erheben:* der König adelte den bürgerlichen Dichter; eine neu geadelte Familie; bildl.: Liebe, Treue und Verantwortungsgefühl müssen den Geschlechtsakt a. *(läutern)*; diese Gesinnuug adelt ihn *(macht ihn zu einem edlen, vornehmen Menschen).*

Ader, die; -, -n: *Blutgefäß:* die Adern schwellen an. * (ugs,) **eine künstlerische, dichterische A. haben** *(künstlerisch, dichterisch veranlagt sein).*

Aderlaß, der; Aderlasses, Aderlässe: Med. *Entziehung von Blut durch Öffnen einer Ader:* einen A. bei jmdm. vornehmen; bildl.: der grausige A. *(Verlust, Einbuße)* durch den letzten Krieg.

ad hoc: *[eigens] zu diesem Zweck, dafür:* der Ausschuß ist erst ad hoc gebildet worden.

Adjutant, der; -en, -en: *Offizier, der einem im Rang höheren Offizier zur Unterstützung beigegeben ist:* der Überläufer wurde dem Adjutanten des Kommandeurs vorgeführt.

Adler, der; -s, -: /ein Vogel/ (siehe Bild).

adlig ⟨Adj.⟩: **1.** *dem Adel angehörend:* ein adliges Fräulein; er ist a. **2.** *edel, vornehm:* ein Mensch von adliger Gesinnung.

Admiral, der; -s, -e (auch: Admiräle): *Offizier der Marine im Rang eines Generals.*

Adler

ad oculos: ⟨in der Wendung⟩ jmdm. etwas ad oculos demonstrieren: *jmdm. etwas durch den Augenschein beweisen.*

Adonis, der; -, -se (scherzh.): *schöner junger Mann:* nicht gerade ein, kein A. sein.

adoptieren, adoptierte, hat adoptiert ⟨tr.⟩: *als eigenes Kind zu sich nehmen, annehmen:* sie haben das kleine Mädchen vor zwei Jahren adoptiert.

Adoption, die; -, -en: *das Adoptieren:* die A. eines Kindes.

Adressat, der; -en, -en: *Empfänger [einer Postsendung].*

Adresse, die; -, -n: **1.** *Anschrift:* sich jmds. A. aufschreiben. * (ugs.) **die richtige A.** *(die zuständige Stelle):* sich an die richtige A. wenden; bei ihm bist du nicht an der richtigen A.; (ugs.) **bei jmdn. an die falsche A. kommen** *(von jmdm. scharf abgewiesen werden):* bei ihm bist du an die falsche A. gekommen. **2.** *Schreiben einer Gruppe an hochgestellte Persönlichkeiten oder politische Institutionen, das ein politisches Ziel, einen Glückwunsch, Dank o. ä. zum Inhalt hat:* eine A. an die Regierung richten.

adressieren, adressierte, hat adressiert ⟨tr.⟩: *mit der Adresse versehen:* Pakete a.; der Brief ist an dich adressiert *(gerichtet).*

adrett ⟨Adj.⟩: *sauber; ordentlich und nett anzusehen:* sie ist immer a. gekleidet.

Advent, der; -[e]s: **a)** *die vier Sonntage einschließende Zeit vor Weihnachten.* **b)** *einer der vier Sonntage in der Zeit vor Weihnachten:* erster, zweiter A.

Advokat, der; -en, -en (veralt.; oft abwertend): *Rechtsanwalt:* zum Advokaten gehen; ein gerissener A.; bildl.: die Advokaten *(Verfechter, Fürsprecher)* der Freiheit.

Affäre, die; -, -n: *[unangenehme] Angelegenheit:* sie konnte die peinliche A. nicht so schnell vergessen. * **sich aus der A. ziehen** *(sich von etwas Unangenehmem, Lästigem geschickt zurückziehen).*

Affe, der; -n, -n: /ein Tier/ (siehe Bild); /als Schimpfwort/ (derb): du blöder A.! * (ugs.) **einen Affen an jmdm. gefressen haben** *(jmdn. besonders gern mögen).*

Affekt, der; -[e]s, -e: *heftige Erregung:* im A. handeln.

affektiert ⟨Adj.⟩: *gekünstelt, eitel:* eine affektierte Person; sich a. benehmen. **Affektiertheit,** die; -, -en.

Affe

affenartig ⟨Adj.; nur attributiv⟩: *in der Art von Affen:* affenartige Tiere. * (ugs.) **mit affenartiger Geschwindigkeit** *(überaus geschickt und schnell):* er kletterte mit affenartiger Geschwindigkeit auf den Baum.

Affenhitze, die; - (ugs.): *sehr große Hitze.*

Affenliebe, die; - (ugs.): *übertriebene Liebe zu seinen Kindern.*

Affenschande: ⟨in der Wendung⟩ das/es ist eine A. (ugs.): *das/es ist eine unerhörte, unglaubliche, ärgerliche Tatsache; es ist unerhört:* es ist eine A., wie man die alten Leute hier behandelt.

Affentheater, das; -s, - (ugs.; abwertend): *unsinniger, lächerlicher Vorgang, Geschehen:* das ist ja ein A., das reinste A.; ich mache das A. nicht mehr mit.

affig ⟨Adj.⟩ (ugs.): *eitel, eingebildet:* ein affiges Mädchen.

Affront [a'frõ:], der; -s, -s (veraltend; geh.): *[schwere] Kränkung, Beleidigung, Schimpf:* jmdm. einen A. antun; darin sehe ich einen A. gegen mich.

After, der; -s, -: *Ende, Ausgang des Darms.*

Agent, der; -en, -en: *Spion, der im Auftrag eines Staates geheime Aufträge ausführt:* er arbeitete als A. für eine feindliche Macht.

Agentur, die; -, -en: **a)** *Vertretung, Geschäftsstelle:* die A. der Versicherung befindet sich im vierten Stock. **b)** *Büro, das Künstlern Engagements vermittelt:* die A. vermittelte den Sänger ins Ausland.

Aggregat, das; -s, -e: *Koppelung, Satz von zusammenarbeitenden Geräten oder Maschinen:* dieses landwirtschaftliche A. kann gleichzeitig den Boden bearbeiten und Dünger streuen; ein A. für elektrischen Strom; bildl.: die Steuerung großer wirtschaftlicher Aggregate.

Aggregatzustand, der; -[e]s, Aggregatzustände: *fester, flüssiger oder gasförmiger Zustand eines Stoffes.*

Aggression, die; -, -en: *Angriff, Überfall auf einen fremden Staat:* jede A. ablehnen, verurteilen.

aggressiv ⟨Adj.⟩: *immer geneigt, andere anzugreifen; streitsüchtig:* er ist ein aggressiver Mensch. **Aggressivität,** die; -.

Aggressor, der; -s, -en: *Staat, der einen anderen Staat überfällt; Angreifer:* unverhüllt als A. auftreten; einen Staat zum A. erklären, als A. verurteilen.

Ägide: ⟨in der Fügung⟩ unter jmds. Ä. (geh.): *unter jmds. Schirmherrschaft, Leitung, Obhut.*

agieren, agierte, hat agiert: **a)** ⟨tr.⟩ (veraltend) *eine bestimmte Rolle auf der Bühne spielen:* die komische Alte a. **b)** ⟨itr.⟩ *auf der Bühne auftreten und spielen:* über hundert Schauspieler agieren in diesem Stück; bildl.: auf der Bühne der Außenpolitik a. *(wirken);* gegen jmdn. a. *(tätig sein);* mit den Armen a. *(sie lebhaft bewegen).*

agil ⟨Adj.⟩: *beweglich, wendig, geschäftig:* ein sehr agiler Geschäftsmann.

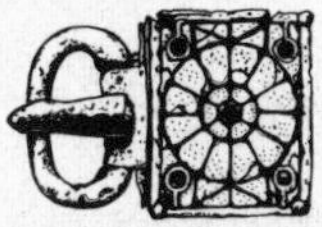

Agraffe

Agitation, die; -: *[politische] Werbung, Propaganda:* sich an einer politischen, religiösen A. beteiligen; A. betreiben.

Agitator, der; -s, -en: *jmd., der agitiert:* sich als politischer A. betätigen.

agitieren, agitierte, hat agitiert ⟨itr.⟩: *politische Werbung, Propaganda betreiben:* für eine Partei, eine Idee a.

Agonie, die; -, -n: *Todeskampf:* in A. verfallen; in A. liegen; bildl.: die Gesellschaft liegt in offener A.

Agraffe, die; -, -n: *Spange, Nadel* /als Schmuckstück/ (siehe Bild): eine A. mit Diamanten im Haar tragen.

ägyptisch: ⟨in der Fügung⟩ eine ägyptische Finsternis: *tiefe, undurchdringliche Dunkelheit.*

Ahle, die; -, -n: *Werkzeug, mit dem man Löcher in Leder stechen kann* (siehe Bild).

Ahle

ahnden, ahndete, hat geahndet ⟨tr.⟩ (geh.): *(begangenes Unrecht) bestrafen:* ein Vergehen [streng] a. **Ahndung,** die; -, -en.

ähneln, ähnelte, hat geähnelt ⟨itr.; rcp.⟩: *gleichen; ähnlich aussehen (wie jmd.):* er ähnelt seinem Bruder; die beiden Kinder ähneln sich, einander sehr.

ahnen, ahnte, hat geahnt ⟨tr.⟩: *ein undeutliches Wissen (von etwas Kommendem) haben; vermuten:* das Unglück a.; ich konnte ja nicht a. *(wissen),* daß es so schnell gehen würde.

Ahorn

Ahnen, die ⟨Plural⟩: *Vorfahren:* meine A. lebten in der Schweiz.

ähnlich ⟨Adj.⟩: *zum Teil übereinstimmend, annähernd gleich:* ähnliche Bilder; er sieht seinem Bruder ähnlich *(gleicht ihm sehr).* * (ugs.) **das sieht dir/ihm ähnlich** *(das ist typisch für dich/ihn).* **Ähnlichkeit,** die; -, -en.

Ahnung, die; -, -en: *undeutliches Wissen, Gefühl von etwas Kommendem; Vermutung:* seine A. hat sich nicht bestätigt. * (ugs.) **keine A. haben** *(nicht wissen):* ich habe keine A., wo er ist.

ahnungslos ⟨Adj.⟩: *nichts ahnend:* er ist völlig a.

Ahorn, der; -s, -e: /ein Laubbaum/ (siehe Bild).

Ähre, die; -, -n: *Teil des Halmes, an dem die Blüten, Samen sitzen* (siehe Bild).

Ähre

Air [ɛ:r], das; -s (geh.): *Aussehen, Miene, Erscheinung, Haltung:* vom A. des Globetrotters umgeben; sich ein spezifisch weltmännisches A. geben.

Akademie, die; -, -n: **1.** *Vereinigung von Gelehrten oder Künstlern zur Pflege von Wissenschaft und Kunst:* A. der Künste. **2.** *anspruchsvollere Bildungsstätte, Fach[hoch]schule:* A. für Erziehung und Unterricht; eine landwirtschaftliche A. besuchen.

Akademiker, der; -s, -: *jmd., der ein Studium an einer Universität absolviert [und mit einem Examen abgeschlossen] hat:* er ist A.; einen A. heiraten.

akademisch ⟨Adj.⟩: **1.** ⟨nur attributiv⟩ *auf der Universität erworben; wissenschaftlich:* akademische Bildung; akademischer Grad; die akademische Jugend *(die Studenten).* **2.** *langweilig, trocken, theoretisch:* der Vortrag war sehr a.

Akazie, die; -, -n: /ein Laubbaum/ (siehe Bild).

Akazie

Akelei, die; -, -en: /eine Zierpflanze/ (siehe Bild).

akklimatisieren, sich; akklimatisierte sich, hat sich akklimatisiert: *sich (an eine neue Umwelt) gewöhnen, anpassen:*

er hatte sich nach einigen Tagen [in der fremden Umgebung] bereits akklimatisiert.

Akelei

Akkord, der; -[e]s, -e: *Zusammenklang verschiedener übereinanderliegender Töne:* einen A. auf dem Klavier anschlagen. ** **im A. arbeiten** *(nach der jeweiligen, möglichst schnell geleisteten Arbeit bezahlt werden).*

Akkordeon, das; -s, -s: /Musikinstrument/ (siehe Bild): auf dem A. spielen.

Akkordeon

Akkumulator, der; -s, -en: *Speicher für elektrischen Strom:* die Akkumulatoren sind leergelaufen; den A. wieder aufladen.

akkurat ⟨Adj.⟩: *sehr sorgfältig, genau:* sie näht sehr a. **Akkuratesse,** die; -.

Akontozahlung, die; -, -en: *Anzahlung, Abschlagszahlung:* eine A. leisten.

Akribie, die; -: *pedantische Genauigkeit, peinliche Sorgfalt:* mit wissenschaftlicher A. [arbeiten]; mit der A. des Philologen.

Akrobat, der; -en, -en: *jmd., der außergewöhnliche turnerische Kunststücke vollbringt.*

Akrobatik, die; -: *Kunst des Akrobaten:* die Artisten zeigten A. in höchster Vollendung.

akrobatisch ⟨Adj.⟩: *nach Art eines Akrobaten, äußerst gewandt und gelenkig, halsbrecherisch:* er zeigt eine akrobatische Beherrschung seines Körpers.

Akt, der; -[e]s, -e: **1.** *Handlung, Tat:* sein Selbstmord war ein A. der Verzweiflung. **2.** *größerer Abschnitt eines Schauspiels, einer Oper o. ä.; Aufzug:* Pause nach dem zweiten A. **3.** *künstlerische Darstellung eines nackten menschlichen Körpers:* der Maler arbeitete an einem weiblichen A.

Akten, die ⟨Plural⟩: *[in Ordnern] gesammelte Schriftstücke:* ein Bündel A. * (ugs.) **etwas zu den A. legen** *(etwas als erledig betrachten).*

Aktentasche, die; -, -n: *eine Tasche mit Griff zum Tragen* (siehe Bild).

Aktentasche

Akteur [ak'tø:r], der; -s, -e: *jmd., der an einem Geschehen aktiv und unmittelbar beteiligt ist:* die an dem Coup beteiligten Akteure.

Aktie, die; -, -n: *Wertpapier, das jmds. Anteil am Kapital eines Unternehmens (Aktiengesellschaft) beurkundet:* die Aktien steigen, fallen. * (ugs.; scherzh.) **wie steh[e]n die Aktien?** *(wie ist die Lage, wie geht's?).*

Aktion, die; -, -en: *Unternehmung, Maßnahme; Handlung:* eine gemeinsame A. zur Unterstützung der Armen. * **in A.** *(in Tätigkeit):* die Polizei trat in A.; etwas ist in A.

Aktionär, der; -s, -e: *Besitzer von Aktien:* eine Versammlung der Aktionäre.

Aktionsradius, der; -: *Strecke, die ein Fahrzeug o. ä., ohne aufzutanken, zurücklegen kann; Reichweite:* einen großen, kleinen, ausreichenden A. haben; der A. des Bombers beträgt 4000 km; bildl.: mein A. *(Wirkungsbereich, Bereich meines Einflusses)* ist nicht sehr groß.

aktiv [in Opposition zu *passiv* auch: aktiv] ⟨Adj.⟩: *tätig, rührig, zielstrebig* /Ggs. passiv/: er ist sehr a. * **aktive Bestechung** *(Angebot von Geschenken oder Vorteilen an Personen im öffentlichen Dienst, um sie in Entscheidungen zu beeinflussen);* **aktives Wahlrecht** *(Recht zu wählen).*

Aktive, der; -n, -n ⟨aber: [ein] Aktiver, Plural: Aktive⟩: Sport *Mitglied eines Sportvereins, das regelmäßig an [den von seinem Verein durchgeführten] Wettkämpfen teilnimmt:* die Aktiven wurden von vielen Schlachtenbummlern begleitet.

aktivieren, aktivierte, hat aktiviert ⟨tr.⟩: *zu einer [verstärkten] Tätigkeit anregen; beleben:* die Jugend politisch a.; die gefährliche Lage aktivierte die Kräfte der Partei.

Aktivität, die; -: *rege Tätigkeit, Betriebsamkeit; Regsamkeit, Unternehmungsgeist:* politische A. entfalten; seine A. verstärken.

Aktualität, die; -: *Bedeutsamkeit für die unmittelbare Gegenwart, Zeitnähe:* das Thema, der Film ist von außerordentlicher, brennender A.; etwas verliert an A.

aktuell ⟨Adj.⟩: *im augenblicklichen Interesse liegend, zeitgemäß:* ein aktuelles Thema.

Akustik, die; -: **1.** *Lehre vom Schall:* die A. ist ein Teilgebiet der Physik. **2.** *Klangwirkung (innerhalb eines [geschlossenen] Raumes):* das Theater hat eine gute A.

akustisch ⟨Adj.; nicht prädikativ⟩: *den Ton, Klang betreffend:* die akustischen Verhältnisse dieses Saales sind gut.

akut ⟨Adj.; nicht adverbial:⟩ *unvermittelt [mit Heftigkeit] auftretend; vordringlich:* eine akute Gefahr bekämpfen; eine akute *(plötzlich auftretende und heftig verlaufende)* Erkrankung; akute Fragen.

Akzent, der; -[e]s, -e: **1.** *Zeichen über einem Buchstaben, das Aussprache oder Betonung angibt.* **2.** *Betonung, Nachdruck:* in diesem Wort liegt der A. am Ende; er spricht mit fremdem A. *(Tonfall).* * **den A. auf etwas legen** *(etwas besonders betonen).*

akzeptabel ⟨Adj.⟩: *annehmbar, brauchbar:* akzeptable Vorschläge.

akzeptieren, akzeptierte, hat akzeptiert ⟨tr.⟩: *annehmen, billigen:* einen Vorschlag, ein Angebot a.

Alabaster, der; -s: *dem Marmor ähnliche, schneeweiße Abart des Gipses:* weiß wie A.; Schmucksachen aus A.

à la carte [ala'kart]: *so, wie es auf der Speisekarte steht; nach der Tageskarte:* à la carte essen.

Alarm, der; -[e]s, -e: *Warnungszeichen, Aufruf zu sofortiger Bereitschaft bei Gefahr:* der A. kam zu spät. * **blinder A.** *(grundlose Aufregung, Beunruhigung);* **A. schlagen** *(auf Gefahr aufmerksam machen).*

alarmieren, alarmierte, hat alarmiert ⟨tr.⟩: **1.** *zum Einsatz, zu Hilfe rufen:* die Polizei, die Feuerwehr a. **2.** *beunruhigen, warnen:* die Nachricht hatte uns alarmiert; alarmierende Nachrichten.

Albatros, der; -, -se: /ein Vogel/ (siehe Bild).

Albatros

albern: I. ⟨Adj.⟩ (abwertend): *einfältig, töricht, kindisch:* ein albernes Benehmen; du bist heute so a. **II.** albern, alberte, hat gealbert ⟨itr.⟩: *sich albern benehmen:* sie alberten schon drei Stunden.

Albernheit, die; -, -en: **1.** ⟨ohne Plural⟩ *albernes Benehmen, Wesen:* seine A. ist nicht mehr zu überbieten. **2.** *alberne Handlung:* Albernheiten treiben.

Album, das; -s, Alben: *Buch mit leeren Blättern zum Sammeln von Briefmarken, Photographien o. ä.* (siehe Bild): Bilder in ein A. einkleben.

Album

Alchimie, die; -: *mittelalterliche Chemie; Kunst des Goldmachens.*

Alchimist, der; -en, -en: *jmd., der die Alchimie betreibt.*

Alge, die; -, -n: *niedere [Wasser]pflanze:* die Algen am Kiel des Schiffes; die Mole war schwarzgrün von Algen.

Algebra, die; -: /Disziplin der Mathematik/: im ursprünglichen, engeren Sinn ist die A. die Lehre von den Gleichungen.

alias ⟨Adverb⟩: *anders genannt, auch genannt:* die Affäre Dr. Heyde a. Sawade.

Alibi, das; -s, -s: **1.** *[Nachweis der] Abwesenheit vom Ort des Verbrechens:* sein A. beweisen; ein lückenloses A. erbringen können. **2.** *Beweis der Unschuld, Rechtfertigung, Ausrede:* die korrekte Erfüllung seiner Pflicht ist ihm das beste A. vor seinem Gewissen.

Alimente, die ⟨Plural⟩: *Unterhaltsbeiträge (bes. für uneheliche Kinder):* A. [be]zahlen [müssen].

Alkohol, der; -s: **1.** *flüssiger, farbloser Stoff, der in bestimmter Konzentration wesentlicher Bestandteil der alkoholischen Getränke ist:* der Schnaps enthält 45 Prozent A. **2.** *Getränk, das Weingeist enthält:* er trinkt keinen A.

Alkoholika, die ⟨Plural⟩: *alkoholische Getränke, Spirituosen:* er gab jeden Monat viel Geld für A. aus.

Alkoholiker, der; -s, -: *Trinker:* mit dem verglasten Blick des Alkoholikers.

alkoholisch ⟨Adj.⟩: *Alkohol enthaltend:* alkoholische Getränke.

Alkoholspiegel, der; -s, -: *Menge des im Blut enthaltenen Alkohols:* er hat sich mit einem A. von 1,5 Promille an das Steuer seines Wagens gesetzt.

Alkoven, der; -s, -: *bes. zum Schlafen benutzter, sehr kleiner Nebenraum [ohne Fenster] in alten [Bauern]häusern.*

all ⟨Indefinitpronomen und unbestimmtes Zahlwort⟩: **I. 1. aller, alle, alles;** /unflektiert/ **all** ⟨Singular⟩ *ganz, gesamt:* aller erwiesene Respekt; trotz alles/allen guten Willens; alles, was; all[e] seine Habe; * **vor allem** *(hauptsächlich, besonders);* **alles in allem** *(im ganzen gesehen);* (scherzh. oder abwertend:) **Mädchen für alles** *(Hilfskraft für alle Arbeiten).* **2. alle** /unflektiert/ **all** ⟨Plural⟩ *sämtliche; jeder [von diesen]:* alle schönen Mädchen; all[e] seine Hoffnungen; alle beide. * **vor allen Dingen** *(besonders);* **aus aller Herren Ländern** *(von überall her);* (ugs.) **über alle Berge sein** *(weit weg, nicht mehr zu erreichen sein).* **3.** (ugs.) **alles** ⟨Neutrum Singular⟩ *alle [Anwesenden]:* alles aussteigen! **II.** ⟨alle + Zeit- oder Maßangabe⟩ /bezeichnet eine bestimmte regelmäßige Wiederholung/: alle fünf Minuten *(jede fünfte Minute)* fährt ein Bus; alle vier Schritte steht ein Pfahl.

All, das; -s (geh.): *Weltall, Universum:* die Gesetze des Alls; seine Seele vermag das A. zu umfassen.

alle: ⟨in der Verbindung⟩ a. sein (ugs.): *zu Ende, verbraucht sein:* das Geld ist a.

Allee, die; -, -n: *breite Straße, breiter Weg mit Bäumen zu beiden Seiten* (siehe Bild).

Allee

Allegorie, die; -, -n: *bildliche Darstellung eines Begriffs:* die Gestalt auf diesem Bild ist eine A. der Gerechtigkeit.

allegorisch ⟨Adj.⟩: *die Allegorie betreffend, sinnbildlich:* allegorische Figuren, Szenen; etwas a. darstellen.

allein: I. ⟨Adj.; nicht attributiv⟩ **a)** *ohne die Anwesenheit eines anderen, ohne Gesellschaft:* a. reisen. **b)** *einsam, verlassen:* in der Großstadt kann man sich sehr a. fühlen. **c)** *ohne Hilfe:* er will [ganz] a. damit fertig werden. **II.** ⟨Adverb⟩ *nur, ausschließlich; anderes nicht mitgerechnet:* a. er ist schuld; schon a. der Turm des Schlosses ist sehenswert. **III.** ⟨Konj.⟩ (geh.) *aber, jedoch, indes:* er rief um Hilfe, a. es war zu spät.

alleinig ⟨Adj.; nur attributiv⟩: *ausschließlich, einzig:* der alleinige Vertreter, Erbe.

alleinseligmachend ⟨Adj.⟩: *allein zur Seligkeit führend:* die katholische Kirche hält sich für a.; den Marxismus als a. erklären.

alleinstehend ⟨Adj.; nicht adverbial⟩: **1.** ⟨nur attributiv⟩ *für sich, einzeln stehend:* ein alleinstehendes Haus. **2.** *nicht verhei-*

ratet, ohne Familie, Verwandte: sie ist a.

allemal ⟨Adverb⟩ (ugs.): *auf jeden Fall:* das Geld reicht a. ** **ein für a.** *(für immer):* ich verbiete es dir ein für a.

allenfalls ⟨Adverb⟩: **a)** *höchstens, im besten Fall; gerade noch:* das reicht a. für zwei Personen. **b)** *möglicherweise, vielleicht, gegebenenfalls:* wir müssen warten, was a. noch zu tun ist.

allenthalben ⟨Adverb⟩ (veraltend): *überall:* man sprach a. von dieser Sache.

allerbeste ⟨Adj.⟩ (verstärkend): *beste (von allen):* die a. Sorte.

allerdings ⟨Adverb⟩: **1.** *freilich, jedoch:* diese Frage konnte er a. nicht beantworten. **2.** *aber gewiß, natürlich:* hast du das gewußt? A. habe ich das gewußt!

allererste: I. ⟨Zahlwort⟩ (verstärkend) *erste (von allen):* beim allerersten Mal. **II.** ⟨Adj.; nur attributiv⟩ (ugs.) *hervorragend:* Stoffe von allererster Qualität.

Allergie, die; -, -n: Med. *besondere Empfindlichkeit (gegenüber bestimmten Stoffen):* das Eiweiß von Fischen ruft bei ihm eine A. hervor; bildl.: seine A. gegen das Militär ist verständlich.

allergisch ⟨Adj.⟩: *besonders empfindlich gegenüber bestimmten Stoffen:* allergische Haut; er reagiert a. auf Erdbeeren; bildl.: gegen Übertreibungen ist er a.

allerhand ⟨unbestimmtes Zahlwort⟩: *allerlei, vielerlei; ziemlich viel:* a. Bücher lagen auf dem Tisch. * (ugs.) **das ist a.!** (das ist unerhört!).

allerhöchst ⟨Adj.⟩ (verstärkend): *höchste (von allen):* der allerhöchste Turm der Stadt. * **es ist allerhöchste Zeit** *(es kann nicht mehr aufgeschoben werden).*

allerlei ⟨unbestimmtes Zahlwort⟩: *mancherlei, vielerlei:* a. Gutes; a. Dinge.

Allerlei: ⟨in der Fügung⟩ ein buntes A.: *alles mögliche durcheinander.*

allerletzte ⟨Zahlwort⟩ (verstärkend): *letzte:* beim allerletzten Mal.

allerliebst ⟨Adj.⟩: **1.** (verstärkend) *liebste (von allen):* es ist sein allerliebstes Spielzeug. **2.** *reizend, entzückend, niedlich:* das Kind ist a.

allermeist ⟨Indefinitpronomen und unbestimmtes Zahlwort⟩ (verstärkend): *meist:* er hat die allermeisten Briefmarken.

allerseits ⟨Adverb⟩: *allseits.*

Allerwerteste, der; -n, -n (ugs.; scherzh.): *Gesäß:* jmdm. seinen blanken Allerwertesten zeigen.

allgemein: I. ⟨Adj.⟩ **1.** ⟨nur attributiv⟩ *überall verbreitet:* die allgemeine Meinung. **2.** ⟨nur attributiv⟩ **a)** *alle angehend; für alle geltend:* das allgemeine Wohl; die allgemeine Wehrpflicht. **b)** *gemeinsam:* der allgemeine Aufbruch. **3. a)** *nicht speziell; nicht auf Einzelheiten eingehend:* etwas ganz a. schildern. **b)** *[alles] umfassend:* eine allgemeine Bildung. **c)** *unbestimmt, unklar:* allgemeine Redensarten. **II.** ⟨Adverb⟩ *überall, allseits:* a. beliebt sein. ** **im allgemeinen** *(meistens, für gewöhnlich).*

Allgemeinheit, die; -, -en: **1.** ⟨ohne Plural⟩ *Gesamtheit; alle:* damit diente er der A. am besten. **2.** ⟨ohne Plural⟩ *Unbestimmtheit:* Erklärungen von [zu] großer A. **3.** ⟨Plural⟩ *allgemeine, oberflächliche Redensarten, Bemerkungen:* seine Rede erschöpfte sich in Allgemeinheiten.

Allheilmittel: ⟨meist in der Verbindung⟩ etwas ist kein A. gegen etwas: *etwas ist kein Mittel, das ein Übel restlos beseitigt:* Prügel sind kein A. gegen ungehorsame Kinder.

Allianz, die; -, -en: *Bündnis zwischen zwei oder mehreren Staaten.*

Alligator, der; -s, -en: /eine Art Krokodil/ (siehe Bild).

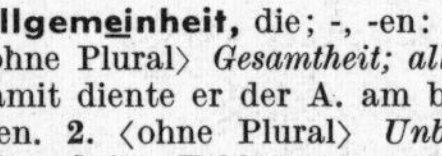

Alligator

Alliierte, der; -n, -n ⟨aber: [ein] Alliierter, Plural: Alliierte⟩: *verbündeter Staat:* die Alliierten des ersten Weltkriegs.

alljährlich ⟨Adj.; nicht prädikativ⟩: *jedes Jahr [wiederkehrend]:* die alljährlichen Festspiele.

Allmacht, die; -: *unbeschränkte Macht über alles:* die A. Gottes, des Staates.

allmächtig ⟨Adj.⟩: *grenzenlos mächtig:* der allmächtige Gott.

allmählich ⟨Adj.; nicht prädikativ⟩: *langsam, nach und nach; kaum merklich:* der allmähliche Übergang; sich a. beruhigen.

Allotria, die ⟨Plural⟩, meist: das; -[s] (veraltend): *Unfug, Unsinn:* A. treiben, allerlei A. machen.

allseitig ⟨Adj.⟩: **a)** *allgemein; nach, von, auf allen Seiten:* allseitige Empörung, a. Freude auslösen. **b)** *alle Seiten berücksichtigend, universal:* jmdm. eine allseitige Ausbildung angedeihen lassen.

allseits ⟨Adverb⟩: *allgemein, überall:* er war a. beliebt; es herrschte a. Zufriedenheit.

Alltag, der; -s, -e: **1.** *Werktag:* sie trug das Kleid nur am A. **2.** ⟨ohne Plural⟩ *gleichförmiges tägliches Einerlei:* der graue A.; nach den Ferien in den A. zurückkehren.

alltäglich ⟨Adj.⟩: **1.** [alltäglich] *üblich; durchschnittlich:* alltägliche Ereignisse; ein alltäglicher Mensch. **2.** ⟨nicht prädikativ⟩ [alltäglich] *jeden Tag [wiederkehrend]:* sein alltäglicher Spaziergang.

alltags ⟨Adverb⟩: *werktags, wochentags:* a. wie sonntags *(täglich).*

Allüren, die ⟨Plural⟩: *[auffallendes] Benehmen, Auftreten; aus dem Rahmen fallende Umgangsformen:* die A. einer Diva haben, annehmen; seine früheren A. beibehalten.

allwissend ⟨Adj.⟩: *alles wissend:* ich bin auch nicht a.

allzu ⟨Adverb⟩: *sehr, viel zu ...; übermäßig, übertrieben:* der a. frühe Abbruch seiner Studien; er war a. geschäftig.

Alm, die; -, -en: *Wiese in den Bergen, hochgelegener Weideplatz* (siehe Bild): im Frühsommer treibt man die Kühe auf die A.

Alm

Almanach, der; -s, -e: **a)** *[bebilderter] Kalender in Form eines Buches mit unterhaltendem Inhalt.* **b)** *jährliches Verzeichnis der Bücher eines Verlages mit Leseproben o. ä.*

Almosen, das; -s, -: **a)** (geh.; veralt.): *milde Gabe an Bettler u. a.:* um [ein] A. bitten; von den A. der Reichen leben. **b)** (abwertend) *dürftiges Entgelt:* in meinen Augen ist das keine gerechte Entlohnung, sondern ein A.; für ein A. arbeiten.

Alpdruck, der; -s, Alpdrücke: *Beklemmung [im Schlaf], drükkende Last:* von einem A. befreit werden; diese Vorstellung legt sich wie ein A. auf mich.

Alpdrücken, das; -s: *Gefühl des Bedrücktwerdens, der Beklemmung:* der Gedanke daran verursacht mir A.; A. haben.

Alphabet, das; -[e]s, -e: *die in einer bestimmten Reihenfolge angeordneten Buchstaben einer Schrift:* Karteikarten nach dem A. ordnen.

alphabetisch ⟨Adj.⟩: *nach dem Alphabet [aufgeführt]:* in alphabetischer Ordnung, [Reihen]folge.

alphabetisieren, alphabetisierte, hat alphabetisiert ⟨tr.⟩: *nach dem Alphabet ordnen:* du mußt die Namen a.

alpin ⟨Adj.⟩: *die Alpen betreffend, dort stattfindend, verbreitet:* der alpine [Schi]rennsport; unter alpinen Bedingungen; diese Pflanze ist a. verbreitet.

Alptraum, der; -[e]s, Alpträume: *mit einem Alpdruck verbundener Traum:* aus einem A. erwachen; bildl.: das Examen ist ein A. für mich *(verursacht mir Beklemmungen).*

als: I. ⟨temporale Konj.⟩ *zu der Zeit, da:* a. *(nachdem)* die Polizei ihn eingekreist hatte, erschoß er sich selbst; a. *(während)* sie in der Küche saß, klopfte es an die Tür; a. sie eintraf, hatten die anderen bereits einen Entschluß gefaßt. **II.** ⟨Vergleichspartikel⟩ **1. a)** /nach einem Komparativ/: mehr rechts als links; er ist geschickter a. sein Bruder; das ist mehr a. traurig. **b)** /nach *ander[s], nichts, kein* u. ä./: das ist nichts a. Unsinn *(nur Unsinn);* (ugs.) das ist alles andere a. schön *(es ist nicht schön).* **2.** /als Konj. in Vergleichssätzen/: er tat, a. habe er nichts gehört; er tat, a. ob/wenn er hier bleiben wollte. * (ugs.) **so tun, als ob** *(etwas vortäuschen):* er tut, als ob er krank sei. **III.** /schließt eine nähere Erläuterung an/: er fühlt sich a. Held. etwas a. angenehm empfinden. **IV.** /in bestimmten Verbindungen oder Korrelationen/: **1.** zu ..., als daß /drückt eine Folge aus/: der Gedanke ist zu schwierig, a. daß man ihn in einem Satz ausdrücken könnte. **2.** insofern/insoweit, als: *in dieser Hinsicht, daß:* er akzeptierte diese Antwort insoweit, a. sie die Aufrichtigkeit des Sprechers bewies. **3.** um so + Komparativ + als /nennt einen Grund/: dieser Tage war um so geeigneter für den Ausflug, a. das Wetter gut war.

alsbald ⟨Adverb⟩ (veraltend): *[so]gleich:* dieses Gerücht wurde a. dementiert.

also ⟨Adverb⟩: *folglich, demnach, demzufolge:* er sprach nur gebrochen Deutsch, a. war er ein Ausländer; das ist a. der Dank!; a. kommst du jetzt? * (ugs.) **na a.!** *(endlich!).*

alt, älter, älteste ⟨Adj.⟩: **1.** *nicht mehr jung, in vorgerücktem Alter, bejahrt:* ein altes Mütterchen; ein alter Baum; ein älterer *(nicht mehr junger)* Herr. ***a. und jung** *(jedermann).* **2.** *ein bestimmtes Alter habend:* wie a. ist er?; ein drei Wochen altes Kind. **3. a)** *nicht mehr neu, gebraucht, getragen:* alte Kleider, Schuhe; alte Häuser; er hat das Auto a. *(gebraucht)* gekauft. **b)** (ugs.) *wertlos:* alter Kram. **4. a)** *nicht mehr frisch:* altes Brot; eine alte Spur. **b)** *vom letzten Jahr stammend:* die alte Ernte; die alten Kartoffeln. **5. a)** *seit langem vorhanden, bekannt:* eine alte Tradition, Erfahrung; ein alter *(bewährter, erfahrener)* Mitarbeiter. **b)** *langweilig, überholt:* ein alter Witz; ein altes Thema. **6. a)** *einer früheren Zeit angehörend; eine vergangene Zeit betreffend:* eine alte Chronik; alte Meister. **b)** *antiquarischen Wert habend:* alte Münzen, Drucke, Bücher. **7.** ⟨nur attributiv⟩ *vorherig; früher, ehemalig:* die alten Plätze wieder einnehmen; seine alten Schüler besuchen. **8. a)** /in vertraulicher Anrede/: mein alter Junge. **b)** /verstärkend bei abwertenden Personenbezeichnungen/: ein alter Schwätzer.

Alt, der; -s: **1.** *Stimme in der tiefen Lage* /von einer Sängerin, einem Knaben/: sie hat einen weichen A. **2.** *Sängerin, Knabe mit einer Stimme in der tiefen Lage:* das Lied wurde von einem A. gesungen.

Altar, der; -s, Altäre: *für gottesdienstliche Handlungen (bes. Opfer) bestimmter Aufbau in Form eines Tisches* (siehe Bild): einen A. entweihen; bildl.: etwas auf dem A. des Vaterlandes *(für das Vaterland)* opfern; (hist.) Thron und Altar *(Monarchie und Kirche).*

Altar

altbacken ⟨Adj.; nicht adverbial⟩ (abwertend): *nicht [mehr] frisch* /vom Brot o. ä./: altbakkene Brötchen; bildl.: seine Ansichten sind ziemlch a. *(altmodisch).*

Alte, der; -n, -n ⟨aber: [ein] Alter, Plural: Alte⟩: **1.** *alter Mann, Greis:* er führte den Alten langsam die Treppe hinauf. **2.** (ugs.) *Vater:* paß auf, dein Alter kommt! **3.** (ugs.) *Ehemann:* ihr Alter ist eifersüchtig.

alteingesessen ⟨Adj.; nicht adverbial⟩: *seit langem eingesessen:* einer alteingesessenen Familie entstammen.

Altenteil, das; -s: *Wohnung und Lebensunterhalt, die sich jmd. bei Übergabe seines Besitzes vorbehält:* sich auf das A. zurückziehen; auf dem A. sitzen.

Alter, das; -s: **1. a)** *Zustand des Altseins; letzter Abschnitt des Lebens* /Ggs. Jugend/: das A. macht sich bemerkbar; viele Dinge begreift man erst im A. *(wenn man alt ist).* **b)** *lange Dauer des Bestehens, Vorhandenseins:* man sieht diesem Mantel sein A. nicht an *(er sieht noch recht neu aus).* **2. a)** *bestimmter Abschnitt des Lebens:* im kindlichen, im mittleren A. sein. **b)** *Anzahl der Jahre des Bestehens, Vorhandenseins:* im A. von 60

Jahren; das A. einer Münze, eines Gemäldes schätzen. **3.** *alte Leute* /Ggs. Jugend/: Ehrfurcht vor dem A. haben.

altern, alterte, ist gealtert ⟨itr.⟩: *alt werden:* sie ist auffallend gealtert.

Alternative, die; -, -n: **1.** *Möglichkeit des Wählens zwischen zwei oder mehreren Dingen:* mehrere Alternativen anbieten: **2.** *Entscheidung zwischen zwei Möglichkeiten:* er wurde vor eine A. gestellt.

alters: ⟨in den Fügungen⟩ **von a. her/seit a.** *(seit je);* (geh.) **vor a.** *(vor langer Zeit, einstmals).*

Altersheim, das; -[e]s, -e: *Heim für alte Leute.*

altersschwach ⟨Adj.; nicht adverbial⟩: *schwach, gebrechlich vor Alter:* ein altersschwaches Möbelstück; die Baracke ist schon a.

Altertum, das; -s: *älteste historische Zeit eines Volkes, bes. der Griechen und Römer:* das klassische A. *(Antike);* die Zeugnisse gehen über das Mittelalter und das A. bis in die Vorgeschichte zurück.

Altertümer, die ⟨Plural⟩: *[Kunst]gegenstände aus dem Altertum:* A. sammeln.

altertümlich ⟨Adj.⟩: *aus früherer Zeit stammend:* ein altertümliches Gebäude; eine altertümliche Einrichtung.

Älteste, der; -n, -n ⟨aber: [ein] Ältester, Plural: Älteste⟩: **1.** *ältester Mann einer Gemeinschaft [als Vorsteher]:* der Rat der Ältesten. **2.** *ältester Sohn, älteste Tochter:* Peter ist mein Ältester.

altgedient ⟨Adj.; nicht adverbial⟩: *im Dienst alt geworden:* ein altgedienter Feldwebel; bildl. (scherzh.): ein altgedienter *(lange in Behandlung befindlicher)* Patient.

altgewohnt ⟨Adj.; nicht adverbial⟩: *seit langem gewohnt:* in altgewohnter Ordnung, Umgebung.

althergebracht ⟨Adj.; nicht adverbial⟩: *seit langem hergebracht:* in althergebrachter [Art und] Weise.

altklug ⟨Adj.⟩: *von unkindlicher, frühreifer Art; sich nicht mehr wie ein Kind, sondern schon wie ein Erwachsener benehmend:* ein altkluges Mädchen.

ältlich ⟨Adj.⟩: *nicht mehr ganz jung aussehend; nicht jugendlich:* eine ältliche Dame.

Altmaterial, das; -s: *Schrott, Abfälle, die noch verwertbar sind:* A. sammeln.

Altmeister, der; -s, -: *[nicht mehr im Amt befindlicher] noch als Vorbild geltender Meister in seinem Fach:* Professor X, A. der Romanistik.

altmodisch ⟨Adj.⟩: *nicht mehr modern; veraltet, nicht zeitgemäß:* ein altmodisches Kleid; seine Ansichten sind a.

altväterisch ⟨Adj.⟩: *altmodisch:* altväterische Anschauungen.

altväterlich ⟨Adj.⟩: *in der Art eines Patriarchen, patriarchalisch, ehrwürdig:* eine altväterliche Erscheinung.

Altwaren, die ⟨Plural⟩: *zum Kauf angebotene gebrauchte Gegenstände:* mit A. handeln.

Altwasser, das; -s, -; *ehemaliger Arm eines Flusses mit stehendem Wasser:* ein von Altwassern gesäumter Strom.

Altweibersommer, der; -s, -: **1.** *schöne, warme Tage im späten Herbst:* der A. ist dieses Jahr recht früh. **2.** ⟨ohne Plural⟩ *vom Wind getragene herbstliche Spinnweben:* am anderen Ufer des Baches hing A.

Aluminium, das; -s: /ein leichtes Metall/: Töpfe aus A.

am ⟨Verschmelzung von *an* + *dem*⟩: **1.** *an dem* **a)** /die Verschmelzung kann aufgelöst werden/: Das Haus liegt am Ende der Straße. **b)** /die Verschmelzung kann nicht aufgelöst werden/: er ist mit seinen Kräften am Ende. **2.** ⟨mit folgendem Superlativ⟩ /drückt den höchsten Grad aus/: er läuft am schnellsten. **3.** (landsch.) ⟨in Verbindung mit *sein* und einem substantivierten Infinitiv⟩ /bildet die Verlaufsform/: sie ist am Putzen *(putzt gerade).*

Amateur [ama'tø:r] der; -s, -e: *jmd., der eine bestimmte Tätigkeit als Liebhaberei, nicht beruflich ausübt:* dieses Bild wurde von einem A. gemalt.

Amazone, die; -, -n: **1.** (veralt.) *betont männlich auftretende Frau, Mannweib:* eine streitbare A. **2.** *hübsches, knabenhaft schlankes, sportliches Mädchen.* **3.** *Teilnehmerin an einem Reitturnier:* einen überragenden Erfolg der Amazonen gab es im schweren Springen.

Ambition, die; -, -en (geh.): *Ehrgeiz, ehrgeizige Bestrebung:* seine Ambitionen auf Eigenheim und Auto sind befriedigt worden.

Ambrosia, die; -: *köstliche Speise der griechischen Götter:* wie A. duften; jmdm. kommt etwas wie A. vor.

Amboß, der; Ambosses, Ambosse: *eiserner Block, auf dem das Eisen geschmiedet wird* (siehe Bild).

Amboß

ambulant ⟨Adj.⟩: *nicht an eine stationäre Aufnahme in einem Krankenhaus gebunden:* eine ambulante Untersuchung; einen Kranken a. behandeln.

Ameise, die; -, -n: /ein Insekt/ (siehe Bild).

Ameise

amen ⟨Adverb⟩: *Schlußwort des christlichen Gebets:* a. sagen; (ugs.) etwas kommt so sicher wie das Amen in der Kirche *(ganz sicher);* * (ugs.) **zu etwas ja und a. sagen** *(mit allem einverstanden sein);* (ugs.) **sein Amen zu etwas geben** *(seine Einwilligung, Zustimmung zu etwas geben).*

Amme, die; -, -n: *weibliche Person, die fremde Kinder stillt [und aufzieht].*

Ammenmärchen, das; -s, - (abwertend): *Erzählung, Bericht, dem man keinen Glauben schenken darf; unwahre Geschichte; Erfindung:* jmdm. ein A. erzählen; das sind alles A.

Amnestie, die; -, -n: *allgemeiner, durch Gesetz festgelegter Erlaß von Strafen; Begnadigung:* nur die politischen Häftlinge fallen unter die A.

amnestieren, amnestierte, hat amnestiert ⟨tr.⟩: *unter eine Amnestie fallen lassen, begnadigen:*

zahlreiche politische Häftlinge wurden amnestiert.

Amok: ⟨in der Fügung⟩ A. laufen: *in einem Anfall von Geistesgestörtheit mit einer Waffe umherlaufen und töten:* er hat/ist A. gelaufen.

amoralisch ⟨Adj.⟩: *der herrschenden Moral widersprechend, moralisch verwerflich:* er wurde wegen seines amoralischen Verhaltens heftig kritisiert.

Amortisation, die; -: **1.** Geldw. *allmähliche Tilgung (einer Schuld) nach einem bestimmten ausgearbeiteten Plan:* die A. eines Darlehens. **2.** Kaufmannsspr. *Deckung der für die Anschaffung eines Gerätes o. ä. entstandenen Kosten durch den von dem Gerät o. ä. eingebrachten Ertrag:* die Zeit der A. beträgt bei diesem Bagger im günstigsten Fall zwei Jahre.

amortisieren, amortisierte, hat amortisiert: **1.** ⟨tr.⟩ Geldw. *(eine Schuld) nach einem bestimmten ausgearbeiteten Plan allmählich tilgen:* ein Darlehen a. **2.** Kaufmannsspr. **a)** ⟨tr.⟩ *(die Kosten für die Anschaffung eines Gerätes o. ä.) durch den (vom Gerät o. ä.) eingebrachten Ertrag decken:* wir werden das Fahrzeug in einem Jahr amortisiert haben. **b)** ⟨rfl.⟩ *die Kosten für die Anschaffung (eines Gerätes o. ä.) durch den Ertrag wieder einbringen:* diese Maschine amortisiert sich in kurzer Zeit.

Ampel, die; -, -n: **1.** *Verkehrslicht* (siehe Bild): die A. steht auf Grün. **2.** *kleinere hängende Lampe* (siehe Bild).

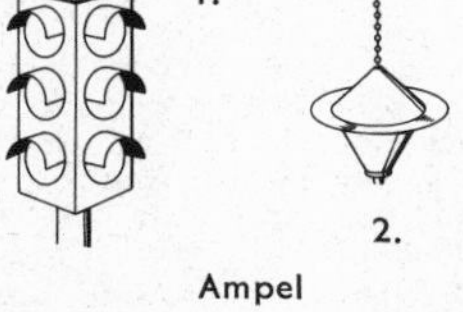

Ampel

Amphibie, die; -, -n: *erst im Wasser, dann auf dem Land lebendes Tier.*

Amphitheater, das; -s, -: *[antikes] Theater mit stufenweise ansteigenden Sitzen* (siehe Bild): ein A. ausgraben.

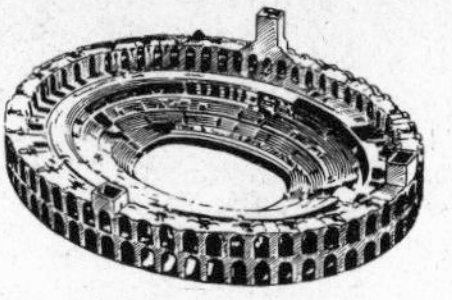
Amphitheater

Amphore, die; -, -n: *antikes Gefäß mit zwei Henkeln* (siehe Bild).

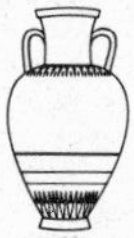
Amphore

Ampulle, die; -, -n: *Röhrchen aus Glas, in dem flüssige Arzneien und sterile Lösungen aufbewahrt werden* (siehe Bild): eine A. zerbrechen.

Ampulle

Amputation, die; -, -en: *Trennung (eines Gliedes vom Körper) durch Operation:* A. des linken Beines bis zum Knie.

amputieren, amputierte, hat amputiert ⟨tr.⟩: *durch eine Operation vom Körper abtrennen:* nach dem Unfall mußte ihm ein Bein amputiert werden.

Amsel, die; -, -n: /ein Singvogel/ (siehe Bild).

Amsel

Amt, das; -[e]s, Ämter: **1. a)** *offizielle Stellung (in Staat, Gemeinde, Kirche o. ä.); Posten:* ein hohes, weltliches A. bekleiden; das A. des Bürgermeisters übernehmen. **b)** ⟨ohne Plural⟩ *Aufgabe, Verpflichtung:* er hat das schwere A. übernommen, den Tod des Sohnes mitzuteilen. **2.** *Behörde, Dienststelle:* A. für Statistik; Auswärtiges A. *(Ministerium für auswärtige Politik).*

amtieren, amtierte, hat amtiert ⟨itr.⟩: *ein Amt innehaben:* der Graf amtierte als Richter auf seiner Burg; dem amtierenden Bundeskanzler das Vertrauen entziehen.

amtlich ⟨Adj.⟩: **a)** ⟨nicht prädikativ⟩ *behördlich:* ein amtlicher Bericht; eine amtliche Genehmigung. **b)** *dienstlich, offiziell:* in amtlichem Auftrag handeln. **c)** ⟨nicht prädikativ⟩ *von einem Amt stammend und daher zuverlässig, glaubwürdig:* die Untersuchung stützt sich auf amtliche Unterlagen.

Amtsgericht, das; -[e]s, -e: *unterste Instanz der deutschen Gerichte:* die Richter des örtlichen Amtsgerichts.

Amtsschimmel, der; -s (abwertend): *übertrieben genaue Handhabung der dienstlichen Vorschriften; Bürokratie:* den Kampf mit dem A. aufnehmen.

Amulett, das; -[e]s, -e: *kleiner Gegenstand, der vor Zauber schützen soll.*

amüsant ⟨Adj.⟩: *lustig, belustigend:* ein amüsanter Abend; amüsante Geschichten erzählen.

Amüsement [amyzəˈmãː], das; -s, -s: *[seichtes] Vergnügen, Belustigung:* zu jmds. A. beitragen; etwas zu seinem A. tun.

amüsieren, amüsierte, hat amüsiert: **1.** ⟨rfl.⟩ *sich vergnügen:* er amüsierte sich den ganzen Abend beim Tanz. **2. a)** ⟨itr.⟩ *erheitern:* der Gedanke an das lustige Ereignis amüsierte ihn. **b)** ⟨rfl.⟩ *sich lustig machen, belustigt sein:* sie amüsierten sich über die Antwort des Kindes.

an: **I.** ⟨Präp. mit Dativ und Akk.⟩ **1.** /räumlich/ **a)** ⟨mit Dativ; auf die Frage: wo?⟩ /drückt aus, daß etwas ganz in der Nähe von etwas ist, etwas berührt/: die Leiter lehnt an der Wand; Trier liegt an der Mosel; **b)** ⟨mit Akk.; auf die Frage: wohin?⟩ /drückt eine Bewegung auf etwas zu, in eine bestimmte Richtung aus/: die Leiter an die Wand stellen; er trat ans Fenster. **2.** ⟨mit Dativ; auf die Frage: wann?⟩ /bezeichnet einen Zeitpunkt/: Klaus ist an einem Sonntag geboren. **3.** /in Abhängigkeit von bestimmten Wörtern/: er starb an einer unheilbaren Krankheit; Zweifel an einer Entscheidung. **** an [und für] sich** *(eigentlich; im Grunde genommen).* **II.** ⟨Adverb⟩ *ungefähr, nahezu, annähernd, gegen:* er hat an [die] 40 Mark verloren.

Anachronismus [anakro'nɪsmʊs], der; -, Anachronismen: **1.** ⟨ohne Plural⟩ *falsche zeitliche Einordnung:* etwas als A. empfinden. **2.** *durch die Zeit überholte Einrichtung:* Krieg ist ein sinnlos gewordener A.

analog ⟨Adj.⟩: *entsprechend, ähnlich:* eine analoge Erscheinung; a. [zu] diesem Fall.

Analogie, die; -, -n: *Entsprechung, Übereinstimmung:* in A. zu etwas; eine A. ziehen.

Analphabet, der; -en, -en: *jmd., der nicht lesen und schreiben kann.*

Analyse, die; -, -n: *Zerlegung eines Ganzen in seine Teile und die damit verbundene Untersuchung, Prüfung, Kritik:* eine gründliche A. von etwas vornehmen.

analysieren, analysierte, hat analysiert ⟨tr.⟩: *sehr genau, auf seine Merkmale hin untersuchen:* einen Satz a.

Ananas, die; -, -se: /eine tropische Frucht/ (siehe Bild).

Ananas

Anarchie, die; -: *[politische] Unordnung, Zustand ohne Regierung, Herrschaft, Gesetze:* der zügellosen A. Einhalt gebieten; überall herrschte A.; in A. versinken.

anarchisch ⟨Adj.⟩: *von Anarchie gekennzeichnet, bestimmt; chaotisch:* seit dem Putsch herrschen in diesem Staat anarchische Zustände, Verhältnisse.

Anarchist, der; -en, -en: *jmd., der die Gewalt des Staates und jeden gesetzlichen Zwang ablehnt.*

Anatomie, die; -: **a)** *Lehre von Form und Aufbau des Körpers:* A. studieren. **b)** *Aufbau, Struktur des Körpers:* die A. des menschlichen Körpers.

anbahnen, bahnte an, hat angebahnt: **1.** ⟨rfl.⟩ *sich zu entwickeln beginnen, sich andeuten:* zwischen den beiden bahnte sich eine Freundschaft an. **2.** ⟨tr.⟩ *in die Wege leiten, vorbereiten:* eine Verständigung a.

Anbahnung, die; -, -en.

anbändeln, bändelte an, hat angebändelt ⟨itr.⟩ (ugs.): *Beziehungen anzuknüpfen beginnen:* er versuchte auf der Straße mit ihr anzubändeln.

Anbau, der; -s, -ten: **1.** ⟨ohne Plural⟩ *das Anbauen:* der A. eines Stalles war nötig geworden. **2.** *Gebäude, das an ein größeres angebaut ist:* der häßliche A. stört.

anbauen, baute an, hat angebaut: **1. a)** ⟨tr.⟩ *(etwas) an etwas bauen:* eine Garage [ans Haus] a. **b)** ⟨itr.⟩ *ein Gebäude durch einen Anbau erweitern, vergrößern:* wir müssen in diesem Jahr a. **2.** ⟨tr.⟩ *systematisch, auf großen Flächen anpflanzen:* Gemüse, Wein a.

Anbaumöbel, die ⟨Plural⟩: *Möbelstücke, die mit anderen für einen bestimmten Zweck kombiniert werden können.*

Anbeginn, der; -s (geh.): *Anfang, Beginn:* ein A. voller Hoffnung. * **seit A./von A. [an]** *(von Anfang an).*

anbehalten, behält an, behielt an, hat anbehalten ⟨tr.⟩ (ugs.): *(Kleidungsstücke) nicht ablegen, nicht ausziehen:* die Hose hatte ich anbehalten.

anbei ⟨Adverb⟩: *beiliegend, als Anlage (zu einer Briefsendung):* a. schicken wir Ihnen den gewünschten Zeitungsausschnitt.

anbeißen, biß an, hat angebissen: **1.** ⟨tr.⟩ *(in etwas) beißen und es zu essen beginnen:* einen Apfel a. **2.** ⟨itr.⟩ *an die Angel, an den Köder gehen:* die Fische wollen heute nicht a.; bildl. (ugs.): er biß nicht an *(ging auf den Vorschlag nicht ein).*

anbelangen: ⟨in der Fügung⟩ was jmdn./etwas anbelangt: *was jmdn./etwas betrifft, angeht:* was die Arbeit anbelangt, [so] war er zufrieden.

anberaumen, beraumte an, hat anberaumt ⟨tr.⟩: *(für etwas) einen Termin, Ort bestimmen:* eine Versammlung für 16 Uhr a.

anbeten, betete an, hat angebetet ⟨tr.:⟩ **a)** *betend verehren:* die Götter a. **b)** *übertrieben verehren:* sie betet ihren Mann an.

Anbetracht: ⟨in der Fügung⟩ in A. ⟨mit Gen.⟩: *im Hinblick auf:* in A. der schwierigen Lage, mußten sie ihre Pläne ändern.

anbetteln, bettelte an, hat angebettelt ⟨tr.⟩: *sich bettelnd (an jmdn.) wenden:* die Kinder bettelten ihn um Zigaretten an.

anbiedern, sich; biederte sich an, hat sich angebiedert (abwertend): *sich beliebt machen wollen:* er biederte sich mit kleinen Geschenken bei ihr an.

anbieten, bot an, hat angeboten: **1. a)** ⟨tr.⟩ *zur Verfügung stellen:* jmdm. einen Platz, [seine] Hilfe a.; jmdm. Zigaretten a. *(zum Zugreifen reichen).* **b)** ⟨rfl.⟩ *sich zu etwas bereit erklären:* er bot sich an, die Summe zu bezahlen. **2.** ⟨tr.⟩ **a)** *vorschlagen:* jmdm. den Posten eines Ministers a. **b)** *zum Kauf, Tausch vorschlagen, offerieren:* eine neue Kollektion Mäntel a.

anbinden, band an, hat angebunden ⟨tr.⟩: *(an etwas) binden, befestigen, festmachen:* den Hund a.; das Boot am Ufer a. * (ugs.) **kurz angebunden** *(abweisend, unverbindlich, einsilbig):* er antwortete, zeigte sich aber kurz angebunden.

anblasen, bläst an, blies an, hat angeblasen ⟨tr.⟩: **1.** *(gegen jmdn./etwas) blasen:* ein kühler Wind blies mich an; bildl. (ugs.): er hat mich ganz schön angeblasen *(heftig getadelt).* **2.** *durch Blasen zum Brennen bringen:* die Glut a. **3.** *die ersten Töne auf einem Blasinstrument blasen:* die Flöte a.

Anblick, der; -s: **a)** *das Betrachten, Anblicken:* sie erschrak beim A. der Schlange. **b)** *etwas, was sich dem Auge bietet; Bild, Eindruck:* ein erfreulicher A.; der A. der Landschaft begeisterte sie.

anblicken, blickte an, hat angeblickt ⟨tr.⟩ (geh.): *ansehen:* jmdn. freundlich a.

anbohren, bohrte an, hat angebohrt ⟨tr.⟩: *ein Loch (in etwas) bohren:* ein Boot unter Wasser a.; bildl.: neue Quellen a. *(erschließen);* (ugs.) ich werde ihn einmal a. *(vorsichtig ausfragen).*

anbraten, brät an, briet an, hat angebraten ⟨tr.⟩: *kurz braten:* das Fleisch a.

anbrechen, bricht an, brach an, hat /ist angebrochen: **1.** ⟨tr.⟩ *zu verbrauchen, zu verwenden beginnen:* er hat die Schachtel Zigaretten bereits angebrochen. **2.** ⟨itr.⟩ (geh.) *beginnen, eintre-*

ten, kommen: eine neue Epoche ist angebrochen.

anbrennen, brannte an, hat/ ist angebrannt: 1. a) ⟨tr.⟩ *anzünden:* er hat die Kerzen angebrannt. b) ⟨itr.⟩ *anfangen zu brennen:* das nasse Holz ist schlecht angebrannt. 2. ⟨itr.⟩ *sich beim Kochen oder Braten im Topf ansetzen und zu dunkel werden, schwarz werden:* die Suppe ist angebrannt.

anbringen, brachte an, hat angebracht /vgl. angebracht/: 1. ⟨tr.⟩ (ugs.) *herbeitragen, herbeibringen:* die Kinder brachten ihr Spielzeug an. 2. ⟨tr.⟩ *festmachen, befestigen:* eine Lampe an der Wand a. 3. ⟨tr.⟩ *vorbringen, zur Sprache bringen:* eine Beschwerde bei jmdm. a.; sein Wissen a. *(zeigen, was man weiß).* 4. ⟨itr.⟩ (ugs.) *verkaufen:* eine solche Ware ist nicht anzubringen. 5. ⟨itr⟩ (ugs.) *unterbringen:* er konnte seinen Sohn bei dieser Firma als Lehrling a.

Anbruch: ⟨in den Fügungen⟩ **bei/mit A.** *(mit Anfang/Beginn):* bei A. des Tages zogen sie weiter; **vor A.** *(vor Beginn):* sie waren vor A. der Dunkelheit zu Hause.

anbrüllen, brüllte an, hat angebrüllt ⟨tr.⟩: *sich brüllend (gegen jmdn.) wenden:* der Feldwebel brüllte den Gefreiten an; ⟨auch rzp.⟩ einander, sich [gegenseitig] a.

Andacht, die; -, -en: 1. ⟨ohne Plural⟩ *innere Sammlung, Versunkenheit:* sie stand voller A. vor dem Gemälde; in tiefer A. standen sie vor dem Altar. 2. *kurzer Gottesdienst:* die A. beginnt um fünf Uhr.

andächtig (Adj.⟩: *in Andacht versunken, überaus aufmerksam und konzentriert:* a. lauschen, zusehen.

andauern, dauerte an, hat angedauert ⟨itr.⟩ /vgl. andauernd/: *noch nicht aufgehört haben; fortdauern:* das schöne Wetter dauert an.

andauernd ⟨Adj.; nicht prädikativ⟩: *unausgesetzt, fortwährend:* die andauernden Störungen ärgerten ihn.

Andenken, das; -s, -: 1. ⟨ohne Plural⟩ *Erinnerung:* jmdn. in freundlichem A. behalten 2. *Gegenstand, Geschenk zur Erinnerung; Souvenir:* er brachte von der Reise ein A. mit.

andere ⟨Indefinitpronomen und unbestimmtes Zahlwort⟩ /vgl. anders/: 1. a) *nicht derselbe; der zweite, weitere:* der eine kommt, der and[e]re geht; alles and[e]re *(übrige)* später. b) *nicht derselbe, der nächste, folgende, vorausgehende:* von einem Tag zum ander[e]n. 2. *nicht gleich, andersartig:* er war anderer Meinung; man hat mich eines anderen *(Besseren)* belehrt; sie verdient alles andere als Lob *(gar kein Lob).*

ander[e]nfalls ⟨Adverb⟩: *sonst, im andern Fall:* er bat mich, ihm zu helfen, weil er a. zu spät komme; die Anweisungen müssen befolgt werden, a. können Schwierigkeiten auftreten.

ander[e]nteils ⟨Adverb, meist in Verbindung mit *einesteils*⟩: *zum anderen Teil, andererseits:* einesteils war sie zufrieden, a. aber auch etwas traurig.

and[e]rerseits ⟨Adverb⟩: *von der anderen Seite aus gesehen:* es kränkte ihn, a. machte es ihn hochmütig; ⟨oft in Verbindung mit *einerseits*⟩ einerseits machte es ihm Freude, a. Angst; ein Gewinn war nicht festzustellen, wie auch a. kein Verlust entstanden war.

andermal: ⟨in der Fügung⟩ ein a.: *bei einer anderen Gelegenheit; nicht jetzt, sondern später:* diese Arbeit machen wir lieber ein a.

ändern, änderte, hat geändert: 1. ⟨tr.⟩ a) *umarbeiten, umgestalten:* den Mantel ä.; seine Pläne ä. b) *wechseln, durch etwas anderes ersetzen:* die Richtung ä. 2. a) ⟨tr.⟩ *anders machen, wandeln:* das ändert die Sache; einen alten Menschen kann man nicht mehr ä. b) ⟨rfl.⟩ *anders werden, sich wandeln:* das Wetter ändert sich; er hat sich sehr geändert.

andernfalls: siehe ander[e]nfalls.

andernteils: siehe ander[e]nteils.

anders ⟨Adverb⟩: 1. *auf andere, abweichende Art:* er sieht a. aus als sein Vater; hier muß vieles a. werden *(muß sich vieles ändern);* gut gewürzt schmeckt die Suppe gleich a. *(besser).* 2. *sonst:* wer a. als er könnte das getan haben?

andersartig ⟨Adj.⟩: *von anderer Art:* er hat jetzt eine ganz andersartige Beschäftigung.

Änderung, die; -, -en: 1. a) *Umarbeitung, Umgestaltung:* die Ä. des Mantels. b) *Wechsel:* Ä. der Richtung. 2. *Wandel, Wandlung:* Ä. der Sachlage, des Wetters.

anderweit ⟨Adverb⟩: *in anderer Hinsicht, Beziehung:* können wir dir a. helfen?

anderweitig ⟨Adj.; nicht prädikativ⟩: *sonstig, auf andere Weise:* anderweitige Verpflichtung; etwas a. verwenden.

andeuten, deutete an, hat angedeutet: 1. ⟨tr.⟩ a) *kurz erwähnen:* er deutete mit ein paar Worten an, worum es ging. b) *durch einen Hinweis, vorsichtig zu verstehen geben:* sie deutete ihm an, er könne gehen. c) *nur flüchtig kennzeichnen; nicht vollständig ausführen:* mit ein paar Strichen eine Figur a.; eine Verbeugung nur a. 2. ⟨rfl.⟩ *sich abzeichnen; erkennbar werden:* eine Wendung zum Besseren deutete sich an. **Andeutung,** die; -, -en.

andichten, dichtete an, hat angedichtet ⟨tr.⟩: 1. *in einem Gedicht rühmend behandeln:* sie hat ihn angedichtet. 2. *fälschlich zuschreiben, unterschieben:* diese Absicht hat er mir angedichtet.

Andrang, der; -s: *Gedränge, das durch eine Menge von Menschen entsteht, die zu einer bestimmten Stelle wollen; Zulauf:* es war großer A. an der Kasse des Theaters.

andrehen, drehte an, hat angedreht ⟨tr.⟩: 1. *einschalten, anstellen* /Ggs. abdrehen/: Licht, das Radio a. 2. (ugs.; abwertend) *(jmdn.) dazu überreden, etwas zu kaufen:* ein Vertreter hat ihr die Ware angedreht.

andrerseits /vgl. and[e]rerseits/.

androhen, drohte an, hat angedroht ⟨tr.⟩: *(mit etwas) drohen:* jmdm. eine Strafe a. **Androhung,** die; -, -en.

anecken, eckte an, ist angeeckt ⟨itr.⟩ (ugs.): *unangenehm auffallen:* er ist heute morgen bei seinem Chef angeeckt, weil er zu spät kam.

aneignen, eignete an, hat angeeignet ⟨itr.⟩: 1. *zu eigen machen, erlernen:* ich habe mir diese Kenntnisse angeeignet. 2.

unrechtmäßig in Besitz nehmen: du hast dir das Buch einfach angeeignet. **Ạneignung,** die; -.

aneinạnder ⟨Adverb⟩: **1.** *einer an den anderen* ⟨häufig zusammengesetzt mit Verben⟩: aneinanderbinden, aneinanderfügen, aneinanderstoßen. **2.** *an sich gegenseitig; einer am andern, an den andern:* a. denken; sie hängen a.

aneinạndergeraten, gerät aneinander, geriet aneinander, ist aneinandergeraten ⟨itr.⟩: *in Streit geraten:* sie sind wegen des Erbes a.; mit jmdm. a.

Anekdọte, die; -, -n: *kurze, oft witzige Geschichte, die eine Persönlichkeit, eine Epoche o. ä. charakterisiert:* über diesen Künstler werden viele Anekdoten erzählt.

ạnekeln, ekelte an, hat angeekelt ⟨itr.⟩: **1.** *mit Ekel erfüllen:* du ekelst mich an; ⟨häufig im 2. Partizip⟩ mit angeekelter Miene; angeekelt das Gesicht verziehen. **2.** ⟨tr.⟩ (landsch.) *absichtlich durch Kränkungen zum Streit reizen:* ekel mich nicht so an!

Anemọne, die; -, -n: /eine Blume/ (siehe Bild).

Anemone

Ạnerbieten, das; -s, - (geh.): *Angebot:* jmds. A. dankend annehmen; Ihr A. ehrt mich außerordentlich.

ạnerkannt ⟨Adj.; nicht adverbial⟩: *von der Öffentlichkeit allgemein geschätzt, von allen als tüchtig angesehen:* er ist ein anerkannter Fachmann auf seinem Gebiet; ein international anerkannter Wissenschaftler.

ạnerkennen, erkannte an, hat anerkannt ⟨tr.⟩ /vgl. anerkannt/: **1.** *für rechtmäßig, gültig erklären; bestätigen:* einen Anspruch a.; er hat ihn nicht als Vorgesetzten anerkannt *(folgte seinen Anweisungen nicht).* **2.** *achten, schätzen, würdigen:* jmds. Fleiß a. **Ạnerkennung,** die; -, -en.

ạnfachen, fachte an, hat angefacht ⟨tr.⟩ (geh.): *[durch Blasen erneut] zum Brennen bringen, entzünden:* die Glut zur Flamme a.; ein Feuer a.; bildl.: einen Streit [wieder] a.

ạnfahren, fährt an, fuhr an, hat/ist angefahren: **1.** ⟨itr.⟩ *zu fahren beginnen:* das Auto ist langsam angefahren. **2.** ⟨in der Fügung⟩ angefahren kommen (ugs.): *mit einem Fahrzeug heran-, ankommen:* er kam in großem Tempo angefahren. **3.** ⟨tr.⟩ *mit einem Fahrzeug heranbringen:* er hat Steine, Holz angefahren. **4.** ⟨tr.⟩ *mit einem Fahrzeug streifen, umstoßen:* er hat die Frau angefahren. **5.** ⟨tr.⟩ *in Richtung (auf ein bestimmtes Ziel) fahren:* zunächst hat er Paris angefahren. **6.** ⟨tr.⟩ *in heftigem Ton zurechtweisen:* er hat ihn grob angefahren.

Ạnfahrt, die; -, -en: **1.** *das Heranfahren, -kommen:* die A. dauerte lange. **2.** *kürzeres Stück einer Straße, eines Weges, auf dem man mit einem Fahrzeug zu einem Gebäude gelangt:* die A. zum Haus war versperrt.

Ạnfall, der; -s, Anfälle: *plötzliches, heftiges Auftreten einer Krankheit:* einen schweren A. bekommen; ein A. von Fieber; bildl.: in einem A. von Wut.

ạnfallen, fällt an, fiel an, hat/ist angefallen: **1.** ⟨tr.⟩ *gewaltsam vorgehen (gegen jndn.); angreifen, überfallen:* ein Unbekannter hatte ihn angefallen. **2.** ⟨itr.⟩ *entstehen, sich ergeben:* in der letzten Zeit ist hier viel Arbeit angefallen.

ạnfällig ⟨Adj.; nicht adverbial⟩: *zum Krankwerden neigend, gegen Krankheiten nicht widerstandsfähig:* er ist sehr a. für Erkältungen. **Ạnfälligkeit,** die; -.

Ạnfang, der; -s, Anfänge: *das erste, der erste Teil, das erste Stadium von etwas; Beginn* /Ggs. Ende, Schluß/: ein neuer A.; der A. eines Romans; am/zu A. *(anfangs);* A. Februar *(in den ersten Tagen des Monats Februar);* der A. *(Ursprung)* der Welt; er kam über die Anfänge *(ersten Versuche)* nicht hinaus.

ạnfangen, fängt an, fing an, hat angefangen: **1.** ⟨tr.⟩ *beginnen; mit einer Handlung, einem Vorgang einsetzen* /Ggs. beenden/: ein Gespräch a.; ⟨auch itr.⟩ mit dem Gespräch a.; hier fängt der Wald an; morgen fängt die Schule an. **2. a)** ⟨tr.⟩ *tun, bewerkstelligen:* eine Sache richtig a. **b)** ⟨itr⟩ *machen, anstellen:* ich kann mit dem Buch nichts a. *(es interessiert mich nicht).*

Ạnfänger, der; -s, -: *jmd., der mit einer ihm neuen Tätigkeit, Beschäftigung beginnt; Neuling:* er spielt sehr gut Klavier, ist also kein A. mehr.

ạnfänglich ⟨Adj.; nicht prädikativ⟩: *zu Beginn [vorhanden]; erst:* sein anfänglicher Erfolg.

ạnfangs ⟨Adverb⟩: *am Anfang, zuerst:* ich glaubte es a. nicht.

Ạnfangsgründe, die ⟨Plural⟩ (geh.): *Grundlagen, erste Begriffe von etwas:* in den Anfangsgründen einer Wissenschaft unterrichtet werden.

ạnfassen, faßte an, hat angefaßt: **1. a)** ⟨tr.⟩ *mit den Fingern, mit der Hand berühren; in die Hand nehmen, ergreifen:* sie faßte das Tuch vorsichtig an. **b)** ⟨tr.⟩ *bei der Hand nehmen:* sie faßte das Kind an und ging über die Straße. **c)** ⟨itr.⟩ *helfen:* alle müssen [mit] a. **2.** ⟨tr.⟩ *behandeln:* jmdn. grob a.; eine Aufgabe geschickt a. *(beginnen).*

ạnfauchen, fauchte an, hat angefaucht ⟨tr.⟩: *sich fauchend (gegen jmdn./etwas) wenden:* die Katze fauchte mich an; bildl. (ugs.): er hat mich wütend angefaucht *(erregt getadelt).*

ạnfechten, ficht an, focht an, hat angefochten ⟨tr.⟩: **1.** *(die Gültigkeit einer Sache) bestreiten, nicht anerkennen:* der Sohn focht das Testament des Vaters an. **2.** (geh.) *beunruhigen, aufregen, mit Sorge erfüllen:* Verdächtigungen fochten ihn nicht an; ich lasse es mich nicht a. **Ạnfechtung,** die; -, -en.

ạnfeinden, feindete an, hat angefeindet ⟨tr.⟩: *mit Feindseligkeit begegnen; bekämpfen:* wegen seines Verhaltens wurde er von vielen angefeindet. **Ạnfeindung,** die; -, -en.

ạnfertigen, fertigte an, hat angefertigt ⟨tr.⟩: *herstellen, machen:* ein Protokoll, ein Kleid a. **Ạnfertigung,** die; -, -en.

ạnfeuchten, feuchtete an, hat angefeuchtet ⟨tr.⟩: *[ein wenig] feucht, naß machen:* die Briefmarke a.

ạnfeuern, feuerte an, hat angefeuert ⟨tr.⟩: *[durch Zurufe] an-*

treiben; ermutigen, beflügeln: die Zuschauer feuerten die Spieler [zu immer größeren Leistungen] an.

anflehen, flehte an, hat angefleht ⟨tr.⟩: *flehentlich bitten; sich flehend wenden (an jmdn.):* sie flehte ihn [weinend] um Hilfe an.

anfliegen, flog an, hat angeflogen: **1.** ⟨in der Fügung⟩ angeflogen kommen: *fliegend herankommen; heranfliegen:* ein Flugzeug, ein Vogel, ein Ball kam angeflogen. **2.** ⟨tr.⟩ *in Richtung (auf ein bestimmtes Ziel) fliegen:* die Flugzeuge haben die Stadt angeflogen.

Anflug, der; -s, Anflüge: **1. a)** *Annäherung im Flug, das Heranfliegen:* beim ersten A. glückte die Landung. **b)** *Weg, der beim Heranfliegen an ein Ziel zurückgelegt werden muß:* ein weiter A. **2.** ⟨ohne Plural⟩ *Hauch, Spur, Andeutung:* auf ihrem Gesicht zeigte sich ein A. von Röte.

anfordern, forderte an, hat angefordert ⟨tr.⟩: *die Lieferung, Zusendung (von etwas) verlangen; bestellen:* Zeugnisse a.

Anforderung, die; -, -en: **1.** ⟨ohne Plural⟩ *das Anfordern; Bestellung:* die A. von Prospekten. **2.** ⟨Plural⟩ *Beanspruchungen, Forderungen:* die an ihn gestellten Anforderungen waren zu hoch.

Anfrage, die; -, -n: *Bitte um Auskunft oder Aufklärung; Erkundigung:* eine A. an jmdn. richten.

anfragen, fragte an, hat angefragt ⟨itr.⟩: *um Auskunft bitten, sich erkundigen:* er hat höflich bei ihm angefragt, ob er kommen könne.

anfreunden, sich; freundete sich an, hat sich angefreundet: *sich befreunden:* sich mit einem Mädchen, mit dem Alkohol a.

anfühlen, fühlte an, hat angefühlt: **1.** ⟨tr.⟩ *prüfend zwischen die Finger nehmen, betasten:* jmds. Hände a. **2.** ⟨rfl.⟩ *ein bestimmtes Gefühl vermitteln:* du fühlst dich, deine Hand fühlt sich heiß an; das Zeug fühlt sich wie Leder an. **3.** ⟨itr.⟩ *an jmds. Benehmen fühlen:* ich fühle es dir an, daß du verstimmt bist.

anführen, führte an, hat angeführt ⟨tr.⟩: **1.** *befehligen, leiten; (jmdm.) führend worangehen:* eine Mannschaft a. **2. a)** *wörtlich wiedergeben, zitieren:* eine Stelle aus einem Buch a. **b)** *vorbringen, erwähnen, aufzählen:* etwas zu seiner Entschuldigung a.; **3.** (ugs.) *[zum Scherz] irreführen, zum besten halten:* sie haben ihn schön a.

Anführer, der; -s, -: *jmd., der andere zu etwas anstiftet, ihr Führer ist:* der A. einer Verbrecherbande.

Angabe, die; -, -n: *Mitteilung über einen bestimmten Sachverhalt:* genaue, wichtige Angaben zu/über etwas machen; ich richte mich nach seinen Angaben *(Anweisungen).*

angaffen, gaffte an, hat angegafft ⟨tr.⟩: *gaffend ansehen:* die Kinder gafften mich neugierig an.

angängig ⟨Adj.; nicht adverbial⟩: *möglich, zulässig, erlaubt:* das ist eine nicht angängige Methode; es ist nicht a., diese Berufsgruppe zu den Arbeitern zu rechnen.

angeben, gibt an, gab an, hat angegeben: **1.** ⟨tr.⟩ **a)** *mitteilen, nennen:* den Preis für eine Ware a.; die Richtung a. *(zeigen);* etwas als Grund a. *(bezeichnen).* **b)** *anordnen, bestimmen, festsetzen:* den Takt a. **2.** ⟨itr.⟩ (ugs.) *prahlen, großtun:* der gibt aber an mit seinem neuen Auto!

Angeber, der; -s, -: *jmd., der gern prahlt, großtut.*

angeberisch ⟨Adj.⟩: *jmd., der angibt, prahlt, großtut:* ein angeberischer Kerl.

angeblich ⟨Adj.; nicht prädikativ⟩: *wie behauptet wird:* er soll a. das Geld gestohlen haben.

angeboren ⟨Adj.⟩: *von Geburt an vorhanden:* angeborene Eigenschaften.

Angebot, das; -s, -e: **1. a)** *das Anbieten von etwas; Vorschlag:* er machte mir das A., während der Ferien in seinem Landhaus zu wohnen. **b)** *Bedingungen für den Erwerb von etwas für eine zu leistende Arbeit:* als ich sein Haus kaufen wollte, machte er mir ein großzügiges A.; machen Sie mir bitte für diese Arbeit ein A.! **2.** *Waren, die zum Kauf oder Tausch angeboten werden:* ein großes A. an Kleidern, an Obst; A. und Nachfrage.

angebracht: ⟨in bestimmten Fügungen⟩: **etwas für a. halten** *(etwas für sinnvoll halten):* er hielt es nicht für a., früher zu reisen; **etwas ist a.** *(etwas paßt, ist [in einer bestimmten Situation] richtig, zweckmäßig):* diese Frage ist hier nicht a.

angedeihen: ⟨in der Wendung⟩ jmdm. etwas a. lassen (geh.): *jmdm. etwas zuteil werden, zugute kommen lassen:* man läßt diesen Leuten eine bemerkenswerte Schonung a.

angegossen: ⟨in der Wendung⟩ etwas sitzt, paßt wie a. (ugs.): *etwas sitzt, paßt sehr gut.*

angeheiratet ⟨Adj.; nicht adverbial⟩: *durch Heirat mit jmdm. verbunden:* eine angeheiratete Tante von mir.

angeheitert ⟨Adj.⟩: *ein wenig betrunken und lustig:* in angeheitertem Zustand.

angehen, ging an, hat/ist angegangen /vgl. angehend/: **1.** ⟨tr.⟩ *bitten:* er hat/ist seinen Vater um Geld angegangen. **2.** ⟨itr.⟩ *betreffen:* diese Frage ist uns alle angegangen; das geht dich nichts an. **3.** ⟨itr.⟩ (ugs.) **a)** *beginnen:* das Kino war bereits um 8 Uhr angegangen. **b)** *zu brennen, zu leuchten beginnen* /Ggs. ausgehen/: die Lampe, das Feuer war angegangen.

angehend ⟨Adj.; nur attributiv⟩: *künftig; in der Ausbildung, Entwicklung stehend:* ein angehender Arzt.

angehören, gehörte an, hat angehört ⟨itr.⟩: *gehören (zu etwas), zugehören:* einem Verein a.; die Dampflokomotive gehört schon der Vergangenheit an.

Angehörige, der; -n, -n ⟨aber: [ein] Angehöriger, Plural: Angehörige⟩: **1.** *jmd., der dem engsten Kreis der Familie angehört; nächster Verwandter:* seine Angehörigen besuchen. **2.** *jmd., der einer bestimmten Gruppe angehört; Mitglied, Anhänger, Mitarbeiter:* der A. einer Partei, Firma.

Angeklagte, der; -n, -n ⟨aber: [ein] Angeklagter, Plural: Angeklagte⟩: *jmd., der vor Gericht angeklagt ist:* der A. wurde freigesprochen.

Angel, die; -, -n: **1.** *Gerät zum Fangen von Fischen* (siehe Bild). **2.** *Vorrichtung, an der eine Tür,* *ein Fenster o. ä. beweglich aufgehängt ist.*

Angel 1.

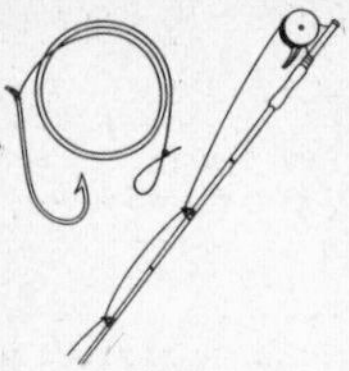

ạngelegen: ⟨in der Wendung⟩ sich etwas a. sein lassen (geh.): *sich (um etwas) bemühen, kümmern:* ich ließ mir seine Erziehung a. sein, ließ es mir a. sein, ihn zu erziehen.

Ạngelegenheit, die; -, -en: *etwas, womit sich jmd. befaßt, befassen muß; Sache, Vorfall:* eine wichtige A.; sich in jmds. Angelegenheiten mischen *(sich einmischen).*

ạngelegentlich ⟨Adj.; nicht prädikativ⟩: *eindringlich, nachdrücklich:* eine angelegentliche Bitte; jmdn./etwas a. betrachten.

ạngeln, angelte, hat geangelt ⟨tr./itr.⟩: *mit der Angel fischen:* ich gehe [Forellen] a. * **sich** (Dativ) **jmdn. a.** *(jmdn., den man heiraten will, für sich gewinnen):* sie hat sich einen reichen Mann geangelt.

Ạngelpunkt, der; -[e]s, -e: *Punkt, um den sich alles dreht; Hauptsache:* dieses Ereignis hat der Schriftsteller zum A. seiner Geschichte gemacht.

ạngemessen ⟨Adj.⟩: *den gegebenen Umständen entsprechend:* eine [dem Alter] angemessene Bezahlung.

ạngenehm ⟨Adj.⟩: *wohltuend, erfreulich:* ein angenehmer Geruch; eine angenehme Nachricht; eine angenehme *(willkommene)* Abwechslung; ein angenehmer *(freundlicher, nicht aufdringlicher)* Mensch.

ạngeregt ⟨Adj.⟩: *lebhaft, munter:* eine angeregte Diskussion; sich a. unterhalten.

ạngeschlagen ⟨Adj.⟩ (ugs.): *müde, erschöpft; der Ruhe, Erholung bedürfend:* er kam a. nach Hause.

ạngesehen ⟨Adj.⟩: *geachtet; Ansehen genießend:* ein angesehener Mann.

Ạngesicht, das; -[e]s (geh.): *Gesicht:* ich schaute ihm ins A. * (geh.) **im A.** *(im/beim Anblick):* im A. der Gefahr; **etwas im Schweiße seines Angesichts tun** *(etwas mit großer Anstrengung tun):* er grub das Land im Schweiße seines Angesichts um.

ạngesichts ⟨Präp. mit Gen.⟩: **a)** *beim Anblick:* a. des Todes. **b)** *im Hinblick (auf etwas); bei:* a. dieser Situation.

ạngespannt ⟨Adj.⟩: *kritisch, bedenklich:* die angespannte Lage.

Ạngestellte, der; -n, -n ⟨aber: [ein] Angestellter, Plural: Angestellte⟩: *jmd., der in einem Betrieb, bei einer Behörde angestellt ist und ein monatliches Gehalt bezieht.*

ạngetrunken ⟨Adj.⟩: *[leicht] betrunken:* sie waren alle a.

ạngewiesen: ⟨in der Verbindung⟩ auf jmdn./etwas a. sein: *von jmdm./etwas abhängig sein:* er ist auf deine Hilfe a.

ạngewöhnen, gewöhnte an, hat angewöhnt ⟨itr.⟩: **a)** *sich zur Gewohnheit machen:* ich habe mir das Rauchen angewöhnt. **b)** *(jmdn. zu etwas Bestimmtem) erziehen:* er hat seinen Kindern früh angewöhnt, pünktlich zu sein.

Ạngewohnheit, die; -, -en: *[schlechte] Gewohnheit, Eigenart:* das ist eine üble A. von ihm; er hat die A., mit sich selbst zu reden.

ạngezeigt: ⟨in bestimmten Fügungen⟩ **etwas ist a.** *(etwas ist ratsam oder angebracht);* **etwas für a. halten** *(etwas für angebracht halten).*

Angịna, die; -: *Infektion des Rachens und der Schleimhaut des Gaumens.*

ạngleichen, glich an, hat angeglichen ⟨tr. /rfl.⟩: *anpassen; ähnlich werden:* die Renten dem Lebensstandard a.; er hat sich [den Verhältnissen] angeglichen. **Ạngleichung,** die; -, -en.

Ạngler, der; -s, -: *jmd., der mit der Angel fischt.*

ạngliedern, gliederte an, hat angegliedert ⟨tr.⟩: *als Glied einer Sache hinzufügen:* der Anstalt ist ein Internat angegliedert.

ạnglotzen, glotzte an, hat angeglotzt ⟨tr.⟩: *glotzend ansehen:* er glotzte mich schweigend an.

ạngreifen, griff an, hat angegriffen ⟨tr.⟩: **1. a)** *in feindlicher Absicht vorgehen (gegen jmdn./etwas); überfallen; den Kampf beginnen:* den Feind a.; ⟨auch itr.⟩ die feindlichen Truppen griffen plötzlich an. **b)** *heftig kritisieren:* jmdn. öffentlich a. **2.** *anbrechen, zu verbrauchen beginnen:* Vorräte a. **3. a)** *schwächen; (jmdm.) schaden:* diese Arbeit wird ihre Gesundheit sehr a.; ⟨im 2. Partizip⟩ sie sieht sehr angegriffen *(erschöpft, abgespannt)* aus. **b)** *zersetzen, beschädigen:* die Säure greift den Stoff, die Haut an.

Ạngreifer, der; -s, -: *jmd., der angreift; Aggressor:* als A. gebrandmarkt werden.

ạngrenzen, grenzte an, hat angegrenzt ⟨itr.⟩: *an der Grenze (von etwas) liegen:* der Garten hat damals noch an den Wald angegrenzt; ⟨häufig im 1. Partizip⟩ angrenzend erhebt sich ein altes Schloß.

Ạngriff, der; -s, -e: **1.** *das Angreifen; Überfall; Beginn eines Kampfes:* einen A. abwehren. **2.** *heftige Kritik, starker Vorwurf:* persönliche Angriffe gegen jmdn. richten. ** **etwas in A. nehmen** *(etwas beginnen, anpacken):* eine Arbeit in A. nehmen.

Ạngriffspunkt, der; -[e]s, -e: *schwacher Punkt, der Anlaß zu einem Angriff bietet oder bieten kann:* dem Gegner keine[rlei] Angriffspunkte bieten, liefern.

ạngst: ⟨in bestimmten Wendungen⟩ **jmdm. ist/wird [es] a. [und bange]** *(jmd. fürchtet sich, hat/bekommt Angst);* **jmdm. a. [und bange] machen** *(jmdn. in Angst versetzen).*

Ạngst, die; -, Ängste: **a)** *Gefühl, bedroht zu sein; Beklemmung; Furcht:* das Kind hat A. vor dem Hund. **b)** *Sorge, Unruhe:* mit großer A. erwartete sie seine Rückkehr; in A. um jmdn. sein.

Ạngsthase, der; -n, -n (abwertend): *jmd., der sehr ängstlich ist.*

ạ̈ngstigen, ängstigte, hat geängstigt: **1.** ⟨tr.⟩ *in Angst versetzen:* diese Vorstellung ängstigte sie. **2.** ⟨rfl.⟩ *Angst haben, sich Sorgen machen:* er ängstigte sich sehr um sie.

ạ̈ngstlich ⟨Adj.⟩: **1.** *von einem Gefühl der Angst, Unsicherheit, Besorgnis erfüllt; furchtsam:* ein ängstliches Gesicht machen; sie blickte sich ä. in dem dunklen Raum um; sie war schon immer sehr ä. *(scheu, unsicher).* **2.** ⟨nicht prädikativ⟩ *übertrieben genau, gewissenhaft:* sie war ä. darauf bedacht, keinen Fehler zu machen. **Ängstlichkeit,** die; -.

angucken, guckte an, hat angeguckt ⟨tr.⟩ (ugs.): *[aufmerksam] ansehen:* jmdn. von der Seite a.; ich habe mir das neue Bild angeguckt.

anhaben, hat an, hatte an, hat angehabt ⟨tr.⟩ (ugs.): *(ein Kleidungsstück) tragen:* einen Mantel, ein Kleid a. ** **jmdm./etwas nichts a. können** *(jmdm./etwas keinen Schaden zufügen können):* er hat keine Beweise und kann dir nichts a.

anhaften, haftete an, hat angehaftet ⟨itr.⟩: *(etwas Unangenehmes, Negatives) an sich haben; damit behaftet, belastet sein:* ihm haftet kein guter Ruf an.

anhaken, hakte an, hat angehakt ⟨tr.⟩: **1.** *an einem Haken befestigen:* er hakte die Feldflasche an. **2.** *zum Zeichen des Erledigtseins mit einem Haken kennzeichnen:* ich habe die betreffenden Namen auf der Liste angehakt.

Anhalt, der; -s: *Anhaltspunkt:* [k]einen A. haben, finden; [einen] A. bieten.

anhalten, hält an, hielt an, hat angehalten: **1. a)** ⟨tr.⟩ *zum Stehen, Stillstand bringen:* ein Auto a.; den Atem a. *(nicht atmen).* **b)** ⟨itr.⟩ *stehenbleiben, zum Stillstand kommen:* das Auto hielt an der Ecke an. **2.** ⟨itr.⟩ *andauern, fortdauern:* der Winter hielt noch lange an; ⟨im 1. Partizip⟩ anhaltender Beifall. **3.** ⟨tr.⟩ *veranlassen, dafür sorgen, daß jmd. etwas Bestimmtes tut; ermahnen:* jmdn. zur Ordnung, Arbeit a.

Anhalter: ⟨in der Wendung⟩ per A. fahren: *Autos anhalten und sich umsonst mitnehmen lassen* (siehe Bild).

Anhalter

Anhaltspunkt, der; -[e]s, -e: *etwas, worauf man sich zur Begründung einer Vermutung, einer Ansicht stützen kann; Hinweis:* es gibt keinen A. dafür, daß er der Täter war.

anhand ⟨Präp. mit Gen.⟩: *mit Hilfe, nach Anleitung:* a. eines Buches lernen.

Anhang, der; -s, Anhänge: *etwas, was ergänzend an ein Buch, an ein Schriftstück o. ä. angefügt ist:* die Anmerkungen stehen in diesem Buch im A.; der A. zu einem Vertrag.

anhängen: I. hängte an, hat angehängt ⟨tr.⟩: **1.** *an etwas hängen, befestigen:* einen Zettel [an ein Paket] a. **2.** *ankuppeln:* einen Anhänger, einen Eisenbahnwagen a. **3.** *am Schluß, Ende hinzufügen:* ein Kapitel, ein Nachwort a. **4.** (ugs.; abwertend) *(jmdm. Übles) nachsagen, zufügen:* er hat seinem Nachbarn allerlei Schlechtes angehängt. **II.** hing an, hat angehangen ⟨itr.⟩: **1.** *ergeben sein, folgen; Anhänger sein (von jmdm.):* er hing ihm treu an; einer Lehre a. **2.** *deutlich anzumerken sein; lasten (auf jmdm.):* seine Vergangenheit hängt ihm an.

Anhänger, der; -s, -: **1.** *angehängter Wagen ohne Motor* (siehe Bild): der Lastkraftwagen

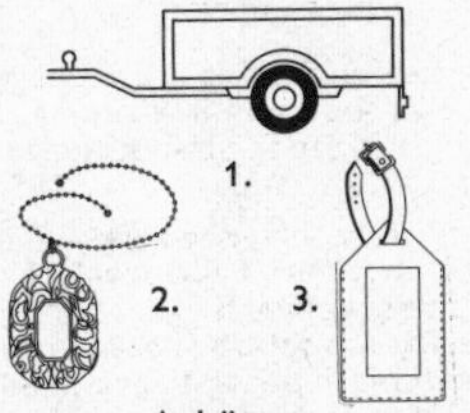

Anhänger

hat einen A. **2.** *Schmuckstück, das an einer Kette, einem Band getragen wird* (siehe Bild). **3.** *mit Namen oder Nummer versehenes Schild für Gepäckstücke* (siehe Bild). **4.** *jmd., der einer Person oder einer Sache ergeben ist, sie gutheißt:* ein treuer A. dieser Partei.

Anhängerschaft, die; -: *Gesamtheit der Anhänger:* die Spannungen in der A. dieser Partei konnten nicht behoben werden.

anhänglich ⟨Adj.⟩: *jmdm. zugetan und gern dessen Nähe suchend; treu:* Hunde sind anhängliche Tiere. **Anhänglichkeit,** die; -.

anhauchen, hauchte an, hat angehaucht ⟨tr.⟩: *seinen Hauch richten (auf jmdn./etwas):* das Brillenglas a.; bildl. (ugs.): ich bin heute vom Chef ganz schön angehaucht *(heftig getadelt)* worden; meine Frau ist amerikanisch angehaucht *(hat hie und da amerikanische Sitten übernommen).*

anhauen, haute an, hat angehauen ⟨tr.⟩ (ugs.): **1.** *formlos ansprechen:* wollen wir die Mädchen a.? **2.** *um etwas angehen, bitten:* er hat mich angehauen, ob ich ihm nicht fünfzig Mark pumpen könne.

anhäufen, häufte an, hat angehäuft: **a)** ⟨tr.⟩ *in Mengen zusammentragen, sammeln undaufbewahren:* Vorräte, Geld a. **b)** ⟨rfl.⟩ *immer mehr werden, sich ansammeln:* die Vorräte häufen sich im Lager an. **Anhäufung,** die; -, -en.

anheben, hob an, hat angehoben ⟨tr.⟩: **1.** *(etwas) ein [kleines] Stück in die Höhe heben:* sie mußten den Schrank a., um den Teppich darunterschieben zu können. **2.** *erhöhen:* die Gehälter wurden schließlich doch angehoben.

anheften, heftete an, hat angeheftet ⟨tr.⟩: **a)** *heftend nähen:* sie heftete den Ärmel an das Kleid an. **b)** *klammernd, stechend, schlagend o. ä. befestigen:* er heftete das Schild mit Reißnägeln an die Tür an; ich heftete mir die Auszeichnung an; ⟨auch rfl.⟩ die Bakterie heftet sich an der Oberfläche der Zelle an.

anheimeln, heimelte an, hat angeheimelt ⟨tr.⟩: *(jmdm.) vertraut, gemütlich, heimisch vorkommen:* die Atmosphäre heimelte mich an, war anheimelnd, hatte etwas Anheimelndes.

anheimstellen, stellte anheim, hat anheimgestellt ⟨tr.⟩ (geh.): *überlassen, in jmds. Ermessen stellen:* er stellte ihm die Entscheidung anheim.

anheischig: ⟨in der Wendung⟩ sich a. machen (geh.): *sich verpflichten, sich zutrauen, etwas, was von andern für schwierig gehalten wird, zu tun:* er machte sich a., die Beweise zu liefern.

anheizen, heizte an, hat angeheizt ⟨tr.⟩ (ugs.): *zu einem Höhepunkt treiben, steigern:* die Jazzkapelle heizte die Stimmung im Saal rasch an.

anherrschen, herrschte an, hat angeherrscht ⟨tr.⟩: *in heftigem Ton zurechtweisen; anfahren:* er herrschte ihn wütend an, weil er zu spät gekommen war.

anheuern, heuerte an, hat angeheuert: **1.** ⟨itr.⟩ *(auf einem Schiff) Dienst annehmen:* ich hatte auf einem Fischdampfer angeheuert. **2.** ⟨tr.⟩ *für den Dienst auf einem Schiff heuern:* der Kapitän heuerte einen neuen Matrosen an; bildl. (ugs.): der Betrieb muß sich mal einen Fachmann a. *(einstellen).*

Anhieb: ⟨in der Fügung⟩ auf A.: *gleich zu Beginn, beim ersten Versuch:* etwas glückt auf A.

anhimmeln, himmelte an, hat angehimmelt ⟨tr.⟩: **a)** *schwärmerisch verehrend ansehen:* das junge Mädchen himmelte den Künstler an, als sie vor ihm stand. **b)** *schwärmerisch verehren:* sie hat ihn schon immer angehimmelt.

Anhöhe, die; -, -n: *[kleine] Erhebung, Hügel:* die A. hinaufsteigen; auf die A. steigen.

anhören, hörte an, hat angehört: **1. a)** ⟨itr.⟩ *(etwas) aufmerksam bis zu Ende hören:* du mußt dir das Konzert a.; sich jmds. Wünsche a. **b)** ⟨tr.⟩ *bereitwillig, aufmerksam zuhören, was jmd. als Wunsch oder Beschwerde vorträgt:* der Vorgesetzte hörte ihn geduldig an. **c)** ⟨tr.⟩ *zufällig mithören:* er hat das Gespräch der beiden Männer mit angehört. **2.** ⟨rfl.; mit näherer Bestimmung⟩ *bei einem Hörer einen bestimmten Eindruck hervorrufen; klingen, wirken:* dein Vorschlag hört sich gut an.

animalisch ⟨Adj.⟩: **a)** *von Tieren stammend:* animalischer Dünger. **b)** *Tieren eigentümlich; tierisch-sinnlich:* ein Ausdruck animalischer Unzufriedenheit trat in sein Gesicht; diese Anlage in uns ist durchaus a.

animieren, animierte, hat animiert ⟨tr.⟩: *anregen, ermuntern:* ich versuchte vergeblich, sie zum Tanzen zu a.; ⟨häufig im 2. Partizip⟩ von etwas animiert *(in Stimmung gebracht)* sein.

Animosität, die; -, -en: *gereizte Abneigung, feindseliger Widerwille, Feindseligkeit:* eine A. gegen jmdn./etwas haben.

Anis, das; -es, -e: **a)** *Heil- und Gewürzpflanze.* **b)** ⟨ohne Plural⟩ *das aus den Samen der gleichnamigen Pflanze bereitete Gewürz:* nach A. schmecken.

ankämpfen, kämpfte an, hat angekämpft ⟨itr.⟩: *(etwas) bekämpfen; (einer Sache) Widerstand entgegensetzen:* gegen Wind und Regen a.; er kämpfte vergeblich gegen den Schlaf an.

Ankauf, der; -s, Ankäufe: *Kauf (bes. von größeren Wertobjekten):* der A. eines kleinen Gutes; A. von Aktien.

ankaufen, kaufte an, hat angekauft: **1.** ⟨tr.⟩ *(bes. größere Wertobjekte) kaufen:* ein Grundstück a. **2.** ⟨rfl.⟩ *sich durch Kauf eines Hauses, Grundstückes an einem Ort niederlassen:* ich hatte mich in einem kleinen Ort in der Heide angekauft.

Anker, der; -s, -: *schweres, eisernes Gerät, mit dem ein Schiff festgemacht wird* (siehe Bild).

Anker

anketten, kettete an, hat angekettet ⟨tr.⟩: *an eine Kette schließen:* den Hund, das [Motor]rad a.

Anklage, die; -, -n: *Klage [vor Gericht]:* eine leidenschaftliche A. gegen den Krieg. *** gegen jmdn. A. erheben** *(jmdn. anklagen):* gegen jmdn. A. wegen versuchten Mordes erheben.

anklagen, klagte an, hat angeklagt ⟨tr.⟩: *[vor Gericht] Klage erheben (gegen jmdn.):* jmdn. [des Diebstahls, wegen Diebstahls] a.

Ankläger, der; -s, -: *jmd., der vor Gericht Klage erhebt.*

anklammern, klammerte an, hat angeklammert: **1.** ⟨rfl.⟩ *sich mit klammerndem Griff festhalten:* ängstlich klammerte sie sich [an die Mutter] an. **2.** ⟨tr.⟩ *mit Klammern festmachen:* die Wäsche a.

Anklang, der; -s, Anklänge: *gewisse Ähnlichkeit (mit vergleichbaren Dingen):* der A. an Bilder von Kandinsky ist ganz deutlich. **** A. finden** *(freundliche Zustimmung erhalten):* der Vorschlag fand allgemein A.

ankleben, klebte an, hat/ist angeklebt: **1.** ⟨tr.⟩ *mit Klebstoff (an etwas befestigen):* er hat die Plakate angeklebt. **2.** ⟨itr.⟩ *an etwas kleben, fest haften:* das Pflaster ist an der Wunde angeklebt.

ankleiden, kleidete an, hat angekleidet ⟨tr./rfl.⟩ (geh.): *anziehen* /Ggs. auskleiden/: ein Kind, sich schnell a.

anklingeln, klingelte an, hat angeklingelt ⟨tr.⟩ (ugs.): *(an jmdn.) telefonieren:* ich werde dich morgen a.

anklingen, klang an, hat angeklungen ⟨itr.⟩: **1.** *hörbar, sichtbar, spürbar sein; sich andeuten:* das Motiv, der Gedanke der Freiheit klingt immer wieder an. **2.** *ähnlich klingen, sein; teilweise (mit etwas) übereinstimmen, erinnern:* der Stil klingt an [den von] Fontane an.

anklopfen, klopfte an, hat angeklopft ⟨itr.⟩: *an die Tür klopfen* [weil man eintreten will]: er klopfte laut [an die Tür] an.

anknipsen, knipste an, hat angeknipst ⟨tr.⟩ (ugs.): *einschalten* /Ggs. ausknipsen/: das Licht a.

anknöpfen, knöpfte an, hat angeknöpft ⟨tr.⟩: *(an etwas) knöpfen* /Ggs. abknöpfen/: die Kapuze [an den Mantel] a.

anknüpfen, knüpfte an, hat angeknüpft: **1.** ⟨itr.⟩ *(etwas) als Ausgangspunkt benutzen; sich beziehen (auf etwas), anschließen:* er knüpfte in seiner Rede an die Worte seines Kollegen an. **2.** ⟨tr.⟩ *beginnen, aufnehmen:* geschäftliche Beziehungen a.

Anknüpfungspunkt, der; -[e]s, -e: *etwas [Gemeinsames, Verbindendes], was als Ausgangspunkt für ein Gespräch dienen kann:* er wollte sich mit ihr unterhalten, aber er fand keine Anknüpfungspunkte.

ankohlen, kohlte an, hat angekohlt ⟨tr.⟩: **1.** *ein wenig verbrennen lassen:* du mußt die Spitze des Stockes a.; ⟨häufig im 2. Partizip⟩ eine angekohlte Tischplatte. **2.** (ugs.) *belügen, irreführen, zum besten haben:* du kohlst mich ja doch nur an!

ankommen, kam an, ist angekommen ⟨itr.⟩: **1.** *einen Ort erreichen; eintreffen:* sie kamen gegen 14 Uhr [in Berlin] an. **2.** *sich nähern:* das Auto kam in/mit großem Tempo an; (ugs.) er kam immer wieder mit seinen Fragen bei mir an *(wendete sich immer wieder mit seinen Fragen an mich)*. **3.** (ugs.) *eine Stellung, einen Arbeitsplatz o. ä. finden:* er kam [als Redakteur] bei einem Verlag an. **4.** (ugs.) *Erfolg haben, Widerhall finden:* die Schauspielerin kam [mit dem ersten Film] gut beim Publikum an; mit seiner Bitte kam er bei ihr nicht an *(fand er kein Gehör, Verständnis)*. **5.** *sich durchsetzen können:* sie kam gegen die Vorurteile nicht an. **6. a)** *wichtig, von Bedeutung sein (für jmdn.):* es kommt ihr auf die gute Behandlung an. **b)** *abhängen (von jmdm./etwas):* es kommt aufs Wetter an, ob wir morgen abreisen können; es kommt allein auf dich an. ** **es auf etwas a. lassen** *(etwas wagen, riskieren):* er läßt es auf einen Kampf a.

ankoppeln, koppelte an, hat angekoppelt ⟨tr.⟩: *anschließen, ankuppeln* /Ggs. abkoppeln/: einen Eisenbahnwagen, Anhänger a.

ankotzen, kotzte an, hat angekotzt ⟨tr.⟩ (derb): *anekeln:* die Sache, der ganze Laden kotzt mich an.

ankreiden, kreidete an, hat angekreidet ⟨tr.⟩ (ugs.): *(etwas) übelnehmen und seinen Unmut darüber zum Ausdruck bringen:* jmdm. ein Versäumnis a.

ankreuzen, kreuzte an, hat angekreuzt ⟨tr.⟩: *durch ein Kreuz hervorheben, anstreichen:* einen Namen in einer Liste, eine Stelle in einem Buch a.

ankündigen, kündigte an, hat angekündigt: **a)** ⟨tr.⟩ *(etwas Kommendes, demnächst Erscheinendes) bekanntgeben, mitteilen:* eine Veranstaltung, ein neues Buch a.; jmdm. seinen Besuch a.; die Wolken kündigen Regen an *(sind Anzeichen für Regen, lassen auf Regen schließen)*. **b)** ⟨rfl.⟩ *sich in Anzeichen bemerkbar machen; sich anmelden:* ein Verhängnis, Unheil kündigt sich an. **Ankündigung,** die; -, -en.

Ankunft, die; -: *das Eintreffen, Ankommen am Ziel:* die A. des Zuges erwarten.

ankurbeln, kurbelte an, hat angekurbelt ⟨tr.⟩ (ugs.): *beleben:* die Industrie, die Wirtschaft a.

anlächeln, lächelte an, hat angelächelt ⟨itr.⟩: *lächelnd ansehen:* sie lächelte die Kinder freundlich an.

anlachen, lachte an, hat angelacht: **1.** ⟨tr.⟩ *lachend ansehen:* sie lachte ihn durchtrieben an; bildl.: bares Geld lachte ihn an *(stimmte ihn fröhlich)*. **2.** ⟨itr.⟩ (ugs.) *(mit jmdm.) anbändeln, sich zulegen:* hast du dir eine Freundin angelacht?

Anlage, die; -, -n: **1.** ⟨ohne Plural⟩ *das Anlegen; Gestaltung:* die A. des Sportplatzes dauerte längere Zeit. **2. a)** *mit öffentlichen Mitteln angelegte und erhaltene Grünfläche mit Blumen, Sträuchern o. ä.:* städtische Anlagen; die Anlagen am Ufer des Sees. **b)** *bebauter oder unbebauter Komplex [eines Betriebes]:* militärische Anlagen; die Anlagen *(Gebäude und Einrichtungen)* der Fabrik. **c)** *Vorrichtung, Einrichtung:* eine komplizierte A. bedienen. **3.** ⟨ohne Plural⟩ *Plan, Entwurf, Aufbau:* die A. eines Romans. **4.** *Veranlagung, Begabung:* das Kind hat gute Anlagen; er hat eine A. zu dieser Krankheit. ** **in der A./als A.** *([dem Brief] beiliegend):* in der A. übersenden wir Ihnen die gewünschten Unterlagen.

anlangen, langte an, ist angelangt ⟨itr.⟩ (geh.): *ankommen:* er ist glücklich zu Hause angelangt. * **was jmdn./etwas anlangt** *(was jmdn./etwas betrifft, anbelangt):* was die Arbeit anlangt, so war er zufrieden.

Anlaß, der; Anlasses, Anlässe: *etwas, wodurch eine Handlung ausgelöst wird; Grund:* **1.** A. zu Lob oder Tadel; du hast keinen A., auf deine Arbeit besonders stolz zu sein. * **aus A.** *(anläßlich):* aus A. seines Geburtstages gab er eine Runde Bier. **2.** *Gelegenheit, besonderes Ereignis:* ein festlicher A.

anlassen, läßt an, ließ an, hat angelassen: **1.** ⟨tr.⟩ *in Gang setzen:* den Motor, Wagen a. **2.** ⟨rfl.⟩ (ugs.) *(in bestimmter Weise) beginnen:* das Geschäft läßt sich gut an. **3.** ⟨tr.⟩ (ugs.) *nicht ausziehen:* seinen Mantel, die Schuhe a. **4.** ⟨tr.⟩ (ugs.) *eingeschaltet, brennen lassen:* das Radio a.; den Ofen, die Lampe a.

Anlasser, der; -s, -: *Vorrichtung zum Anlassen eines Motors.*

anläßlich ⟨Präp. mit Gen.⟩: *aus Anlaß; zu, bei:* a. des Geburtstages fand eine Feier statt.

anlasten, lastete an, hat angelastet ⟨tr.⟩ (bes. östr.): *zur Last legen:* dieses Versäumnis darf dem Autor nur zum Teil angelastet werden.

Anlauf, der; -[e]s, Anläufe: *das Anlaufen; Lauf, dem ein Sprung folgt:* beim A. ist er zu langsam; bildl.: er bestand die Prüfung erst beim zweiten A. *(Versuch)*. ** **einen [neuen] A. nehmen/machen** *(einen neuen Anfang, Versuch machen)*.

anlaufen, läuft an, lief an, hat/ist angelaufen: **1.** ⟨itr.⟩ *zu laufen beginnen:* der Motor, die Maschine ist angelaufen. **2.** ⟨tr.⟩ *einfahren (in etwas)* /von Schiffen/: das Schiff hat den Hafen angelaufen. **3.** ⟨itr.⟩ *sich mit einer dünnen Schicht überziehen; beschlagen; seinen Glanz verlieren:* das Silber, die Scheiben sind angelaufen. **4.** ⟨itr.⟩ *eine bestimmte Farbe annehmen:* er ist vor Wut rot angelaufen *(rot geworden)*. ** **angelaufen kommen** *(herbeieilen):* als er rief, kamen die Kinder alle angelaufen.

anlegen, legte an, hat angelegt: **1.** ⟨tr.⟩ *an etwas legen:* er legte das Lineal an; das Pferd legt die Ohren an *(legt die Ohren an den Kopf)*. * **einen strengen Maßstab a.** *(etwas streng beurteilen)*; **Hand a.** *(bei einer Arbeit helfen)*. **2.** ⟨itr.⟩ *festmachen, landen* /Ggs. ablegen/: das Schiff legte am Kai an. **3.** ⟨tr.⟩ (geh.) *anziehen:* eine Uniform, ein festliches Gewand a. * **jmdm. einen Verband a.** *(jmdm. eine Wunde verbinden)*; **jmdm. Fesseln a.** *(jmdn. fesseln)*. **4.** ⟨tr.⟩ *schaffen, einrichten, gestalten, ausführen:* einen Garten, Spielplatz a. **5.** ⟨tr.⟩ **a)** *gewinnbringend verwenden:* sein Kapital in Aktien a. **b)** *bezahlen:* für einen Anzug 300 Mark a. ** **es auf etwas a.** *(ein bestimmtes Ziel verfolgen):* er hat es darauf angelegt, dich zu täuschen; **sich mit jmdm. a.** *(sich mit jmdm. in einen Streit einlassen):* er hat sich mit seinem Kollegen angelegt.

anlehnen, lehnte an, hat angelehnt: **1.** ⟨tr./rfl.⟩ *lehnen (an etwas/jmdn.):* er lehnte das Fahrrad [an die Wand] an;

das Kind lehnte sich an sie an. 2. ⟨rfl.⟩ *zum Vorbild nehmen; sich stützen, beziehen (auf etwas):* er lehnte sich in seiner Rede eng an den Aufsatz von Herrn Müller an. 3. ⟨tr.⟩ *ein wenig offenlassen:* das Fenster, die Tür nur a.

Anleihe, die; -, -n: *das Leihen, Aufnahme einer größeren Geldsumme bes. durch Gemeinden, Länder o. ä.:* öffentliche Anleihen; eine siebenprozentige A. * **bei jmdm. eine A. machen** *(das geistige Eigentum eines anderen für sich verwenden).*

anleimen, leimte an, hat angeleimt ⟨tr.⟩: *mit Leim befestigen:* er hat den Deckel wieder angeleimt; wie angeleimt *(beharrlich)* sitzen bleiben.

anleinen, leinte an, hat angeleint ⟨tr.⟩: *an die Leine tun:* hast du den Hund angeleint?

anleiten, leitete an, hat angeleitet ⟨tr.⟩: *in eine Arbeit einführen; unterweisen:* Lehrlinge a. **Anleitung,** die; -, -en.

anlernen, lernte an, hat angelernt ⟨tr.⟩: *für eine bestimmte berufliche Tätigkeit ausbilden; einarbeiten:* einen Lehrling a.

anliegen, lag an, hat angelegen ⟨itr.⟩: *dicht am Körper liegen:* das Trikot lag eng [am Körper] an.

Anliegen, das; -s, -: *Wunsch, Bitte:* ein großes A. haben.

Anlieger, der; -s, -: *jmd., dessen Besitz an etwas grenzt:* die Straße darf nur von den Anliegern benutzt werden.

anlocken, lockte an, hat angelockt ⟨tr.⟩: *an sich locken:* das farbenprächtige Schauspiel lockte viele Fremde an; bildl.: von ihm geht das Gerücht, daß er das Unglück anlocke.

anlügen, log an, hat angelogen ⟨tr.⟩: *(jmdm.) absichtlich die Unwahrheit sagen:* als ich ihn nach dem Grund fragte, hat er mich frech angelogen.

anmachen, machte an, hat angemacht ⟨tr.⟩ (ugs.): 1. *befestigen, anbringen:* Gardinen a. 2. a) *anschalten* /Ggs. ausmachen/: das Licht, Radio a. b) *anzünden* /Ggs. ausmachen/: das Feuer a. 3. *mit etwas mischen, anrühren:* Salat a. *(zubereiten).*

anmalen, malte an, hat angemalt: 1. ⟨tr.⟩ *mit Farbe versehen, bedecken:* die Kiste müßte man noch a.; bildl.: jmdn. schwarz a. *(verteufeln).* 2. ⟨rfl.⟩ (ugs.) *sich schminken:* sie hat sich heute abend angemalt.

Anmarsch, der; -es: *das Anmarschieren* /Ggs. Abmarsch/: der Feind ist bereits im A.

anmarschieren, marschierte an, ist anmarschiert ⟨itr.⟩: *sich marschierend nähern* /Ggs. abmarschieren/: die feindlichen Truppen marschierten an; anmarschiert kommen.

anmaßen, maßte an, hat angemaßt ⟨itr.⟩ /vgl. anmaßend/: *ohne Berechtigung für sich in Anspruch nehmen:* du hast dir diese Rechte angemaßt.

anmaßend ⟨Adj.⟩: *seine [vermeintliche] Überlegenheit auf herausfordernde Weise zum Ausdruck bringend; überheblich:* er ist sehr a.

anmelden, meldete an, hat angemeldet: 1. a) ⟨rfl.⟩ *sein Kommen ankündigen:* sich beim Arzt a. b) ⟨tr./rfl.⟩ *bei offizieller Stelle melden, registrieren lassen* /Ggs. abmelden/: ein Kind in der Schule, sich polizeilich a. 2. ⟨tr.⟩ *vorbringen; geltend machen:* seine Bedenken, seine Ansprüche a. **Anmeldung,** die; -, -en.

anmerken, merkte an, hat angemerkt ⟨itr.⟩: *an jmdm. feststellen, spüren:* jmdm. die Anstrengung a.; er ließ sich seinen Ärger nicht a. *(zeigte ihn nicht).*

Anmerkung, die; -, -en: *erläuternde, ergänzende Bemerkung zu einem Text; Fußnote:* einen Text mit Anmerkungen versehen.

Anmut, die; -: *zarte, angenehme Schönheit der Bewegung, Haltung; Liebreiz, Grazie:* sie bewegte sich mit natürlicher A.

anmuten, mutete an, hat angemutet ⟨itr.⟩: *auf jmdn. wirken:* sein Verhalten mutete [ihn] höchst merkwürdig an.

anmutig ⟨Adj.⟩: *voll Anmut, Liebreiz habend:* eine anmutige Erscheinung; sie lächelte a.

annageln, nagelte an, hat angenagelt ⟨tr.⟩: *mit einem oder mehreren Nägeln befestigen:* er hat das Brett angenagelt; wie angenagelt *(beharrlich)* sitzen bleiben.

annähen, nähte an, hat angenäht ⟨tr.⟩: *(etwas) an etwas nähen:* sie nähte einen Knopf an den Rock.

annähernd ⟨Adj.; nicht prädikativ⟩: *ungefähr, fast:* mit annähernder Sicherheit; a. alle waren versammelt; es sind a. hundert Kilometer.

Annäherung, die; -, -en: *das Näherkommen:* die A. der feindlichen Flugzeuge; bildl.: eine A. *(Besserung der Beziehungen)* zwischen den beiden deutschen Staaten.

Annahme, die; -, -n: 1. ⟨ohne Plural⟩ a) *das Annehmen, Entgegennehmen:* er hat die A. des Pakets verweigert. b) *Billigung, Zustimmung:* die A. eines Vorschlags von etwas abhängig machen. 2. *Vermutung, Ansicht:* die A., daß er bereits abgereist sei, war falsch. 3. *Schalter, an dem etwas angenommen wird:* ein Paket an der A. abgeben.

Annalen, die ⟨Plural⟩: *nach Jahren eingeteilte [geschichtliche] Aufzeichnungen:* die A. des Tacitus; A. der deutschen Literatur; bildl. (geh.): in die A. der Geschichte eingegangen sein *(unvergessen bleiben).*

annehmbar ⟨Adj.⟩: *so beschaffen, daß man darauf eingehen, es annehmen kann; zufriedenstellend:* annehmbare Bedingungen, Vorschläge.

annehmen, nimmt an, nahm an, hat angenommen: 1. ⟨tr.⟩ a) *nicht zurückweisen, sondern an sich nehmen; entgegennehmen:* ein Paket, ein Geschenk a. b) *von einem Angebot Gebrauch machen, es nicht ablehnen; akzeptieren, billigen:* jmds. Hilfe, eine Einladung, einen Vorschlag a. 2. ⟨tr.⟩ a) *für möglich, wahrscheinlich halten; vermuten, glauben:* ich nahm an, daß ihr mitkommen wolltet. b) *voraussetzen:* wir nehmen an, daß seine Angaben stimmen; ⟨im 2. Partizip⟩ angenommen, wir hätten Geld gewonnen, was würden wir dann tun? 3. ⟨tr.⟩ *aufnehmen; einstellen:* er wurde am Gymnasium angenommen; sie haben ihn bei der Firma angenommen; ein Kind a. *(adoptieren).* 4. ⟨rfl.; mit Gen.⟩ *sich um jmdn./etwas kümmern:* sie nahm sich der kranken Kinder an. 5. ⟨tr.⟩ *sich zulegen:* einen anderen Namen a. * **Vernunft a.** *(vernünftig werden).* 6. ⟨tr.⟩ *eindringen oder haften lassen:* das Papier nimmt keine Tinte, kein Wasser an.

Annehmlichkeit, die; -, -en: *das Angenehme; Bequemlich-*

keit, Vorzug: das Leben in der Stadt hat viele Annehmlichkeiten.

annektieren, annektierte, hat annektiert ⟨tr.⟩: *sich (ein fremdes Gebiet [gewaltsam]) aneignen:* Rußland hatte damals den größten Teil Polens annektiert; die Bevölkerung der annektierten Gebiete.

Annexion, die; -, -en: *[gewaltsame] Aneignung von fremdem Gebiet.*

Anno: ⟨in den Fügungen⟩ **A. dazumal** *(vor sehr langer Zeit);* (ugs.) **aus/von A. Tobak** *(aus Großvaters Zeiten).*

Annonce [a'nõ:sə], die; -, -n: *Anzeige in einer Zeitung oder Zeitschrift.*

annoncieren [anõ'si:rən], annoncierte, hat annonciert ⟨itr./tr.⟩: *durch eine Annonce bekanntmachen [und anbieten]:* du mußt mal in der Zeitung a., vielleicht hast du Glück; ein Zimmer a.

annullieren, annullierte, hat annulliert ⟨tr.⟩: *für ungültig erklären:* ein Gesetz, eine Ehe a.

anöden, ödete an, hat angeödet ⟨tr.⟩ (ugs.): **1.** *[durch ödes Geschwätz o. ä.] langweilen:* sein Gerede ödet mich an; klassische Musik ödete ihn an. **2.** *belästigen:* Halbstarke hatten die Passanten angeödet.

anomal ⟨Adj.⟩: *nicht der Regel, der Norm entsprechend; von der Norm abweichend:* anomale Verhältnisse.

Anomalie, die; -, -n: *Abweichung von der Regel, der Norm:* eine A. des Wachstums.

anonym ⟨Adj.; nur in bestimmten Verwendungen⟩: ein anonymer Brief *(Brief, dessen Verfasser seinen Namen nicht nennt);* das Buch ist a. *(ohne Nennung des Verfassers)* erschienen; der Spender möchte a. bleiben *(möchte nicht genannt werden).* **Anonymität**, die; -.

Anorak, der; -s, -s: /ein Kleidungsstück/ (siehe Bild).

Anorak

anordnen, ordnete an, hat angeordnet ⟨tr.⟩: **1.** *veranlassen, verfügen:* eine Untersuchung a. **2.** *in eine bestimmte Ordnung bringen; nach einem bestimmten Plan ordnen, aufstellen:* die Bücher neu a. **Anordnung,** die; -, -en.

anorganisch, ⟨Adj.⟩: *nicht organisch, in seinen Teilen nicht zusammen passend:* a. aufgebaut sein.

anormal ⟨Adj.⟩: *nicht normal; von der Regel, der Norm abweichend; krankhaft:* ein anormales Verhalten zeigen; a. reagieren.

anpacken, packte an, hat angepackt: **1.** ⟨itr.⟩ *mithelfen:* alle müssen mit a. **2.** ⟨tr.⟩ (ugs.) *in Angriff nehmen; handhaben:* eine Arbeit richtig a.

anpassen, paßte an, hat angepaßt: **1.** ⟨rfl.⟩ *sich angleichen; sich (nach jmdm./etwas) richten:* sich der Zeit, den Umständen a. **2.** ⟨tr.⟩ *für etwas passend machen; abstimmen (auf etwas):* die Kleidung der Jahreszeit a.

anpassungsfähig ⟨Adj.⟩: *fähig, sich anzupassen:* sie kommen gut miteinander aus, weil sie beide a. sind.

anpeilen, peilte an, hat angepeilt ⟨tr.⟩: *durch Peilen bestimmen:* ich peilte den feindlichen Sender an; etwas a. *(als Richtpunkt nehmen);* bildl. (ugs.): jmdn./etwas a. *(mit einem bestimmten Vorsatz den Blick auf jmdn./etwas richten).*

anpfeifen, pfiff an, hat angepfiffen: **1.** ⟨tr./itr.⟩ Sport *(ein Spiel) durch Pfeifen eröffnen* /vom Schiedsrichter; Ggs. abpfeifen/: der Schiedsrichter pfiff [das Spiel] an. **2.** ⟨tr.⟩ (ugs.) *heftig tadeln:* der Chef hat ihn mächtig angepfiffen.

Anpfiff, der; -s, -e: **1.** Sport *Pfiff als Zeichen für den Beginn des Spieles:* nach dem A. des spanischen Schiedsrichters. **2.** (ugs.) *heftiger Tadel:* er hat einen A. vom Chef bekommen.

anpflanzen, pflanzte an, hat angepflanzt ⟨tr.⟩: **a)** *an eine bestimmte Stelle pflanzen:* Sträucher, Obstbäume a. **b)** *auf großen Flächen anbauen:* Wein, Tee, Tabak a.

anpflaumen, pflaumte an, hat angepflaumt ⟨tr.⟩ (ugs.): *spottend und anzüglich (zu jmdm.) sprechen:* er hat mich ständig angepflaumt.

anpflocken, pflockte an, hat angepflockt ⟨tr.⟩: *an einen Pflock binden:* du mußt die Ziegen a.; angepflockt im Gras weiden.

anpinseln, pinselte an, hat angepinselt (ugs.): **1.** ⟨tr.⟩ *mit einem Pinsel [be]malen:* hast du den Namen [an die Tür] angepinselt?; den Zaun grün a. **2.** ⟨rfl.⟩ *sich schminken:* kurz vor ihrem Auftritt pinselten sich die Mädchen an.

anpöbeln, pöbelte an, hat angepöbelt ⟨tr.⟩ (ugs.; abwertend): *durch freche Worte beleidigen; belästigen:* er pöbelte ihn auf der Straße an.

anprangern, prangerte an, hat angeprangert ⟨tr.⟩: *(jmdn./etwas) öffentlich tadeln, (jmdn.) anklagen:* die Mißstände a.; jmdn. als Verräter a.

anpreisen, pries an, hat angepriesen ⟨tr.⟩: *mit vielen Worten loben und nachdrücklich empfehlen:* der Händler preist seine Waren an.

Anprobe, die; -, -n: *das Anprobieren eines Kleidungsstükkes, das nach den eigenen Maßen angefertigt wird:* der Schneider stellte bei der A. noch einige Mängel fest.

anprobieren, probierte an, hat anprobiert ⟨tr.⟩: *(ein Kleidungsstück o. ä.) anziehen, um zu sehen, ob es paßt:* die Schuhe, den Mantel a.

anpumpen, pumpte an, hat angepumpt ⟨tr.⟩ (ugs.): *sich (von jmdm.) Geld leihen:* wenn er kein Geld mehr hat, pumpt er seine Freunde an.

anraten, rät an, riet an, hat angeraten ⟨tr.⟩: *nachdrücklich (zu etwas) raten; dringend nahelegen, empfehlen:* jmdm. Ruhe a.; der Arzt riet ihm an, weniger zu essen.

anrauhen, rauhte an, hat angerauht ⟨tr.⟩: *ein wenig rauh machen:* Holz aus Sandpapier a.; Blusen aus angerauhter Seide; bildl.: seine Stimme war, klang angerauht *(ein wenig heiser).*

anrechnen, rechnete an, hat angerechnet ⟨tr.⟩: **a)** *berechnen:* der Kellner hat einen Kaffee zu viel angerechnet. **b)** *mit in Zahlung nehmen, verrechnen:* das alte Radio [mit 20 Mark] a. * **jmdm. etwas hoch a.** *(jmds. Verhalten besonders anerkennen):*

ich rechne es ihm hoch an, daß er mir damals geholfen hat.

Ạnrecht: ⟨in der Fügung⟩ auf etwas A. haben: *ein Recht, einen Anpsruch auf etwas haben; etwas fordern können:* er hat ein A. auf Unterstützung.

Ạnrede, die; -, -n: *Bezeichnung, mit der man jmdn. anredet:* „gnädige Frau" ist eine höfliche A.

ạnreden, redete an, hat angeredet ⟨tr.⟩: *sich mit Worten (an jmdn.) wenden; das Wort (an jmdn.) richten; ansprechen:* jmdn. mit seinem Titel a.

ạnregen, regte an, hat angeregt ⟨tr.⟩ /vgl. angeregt/: **1. a)** *den Anstoß (zu etwas) geben:* eine Arbeit a. **b)** *veranlassen, ermuntern, inspirieren:* etwas regt jmdn. zur Nachahmung an; diese Eindrücke haben ihn zu einem neuen Roman angeregt. **2.** *vorschlagen:* er hat angeregt, jedes Jahr dieses Fest zu feiern. **3.** *anreizen, beleben:* etwas regt den Appetit an; ⟨auch itr.⟩ Wein regt an; ⟨im 1. Partizip⟩ der Vortrag war anregend. **Ạnregung,** die; -, -en.

ạnreichern, reicherte an, hat angereichert ⟨tr.⟩: *(mit etwas) gehaltvoller machen:* Lebensmittel mit Vitaminen a.; die Gefahren durch die mit Rauch, Gas, Staub und Dämpfen angereicherte *(durchsetzte)* Luft werden immer größer.

ạnreihen, reihte an, hat angereiht ⟨tr./rfl.⟩: *(einer Reihe) hinzufügen, anschließen:* sie reihten eine Beschuldigung an die andere an; hier reiht sich ein schöner Bungalow an den anderen an.

Ạnreise, die; -: *Fahrt zu einem bestimmten Ziel:* die A. dauert 3 Tage.

ạnreisen, reiste an, ist angereist ⟨itr.⟩: *an einen bestimmten Ort reisen:* die Sportler reisten an; ⟨häufig in der Fügung⟩ angereist kommen: auf diese Nachricht hin kam sie sofort angereist.

ạnreißen, riß an, hat angerissen ⟨tr.⟩: **1.** *zu zerreißen beginnen:* ein Stück Papier a. **2.** (ugs.) *zu verbrauchen beginnen:* ich riß meine letzte Schachtel Zigaretten an; der Abend ist bereits angerissen. **3.** (landsch.) *anzünden:* ein Streichholz a.

Ạnreiz, der; -es: *Verlockung, Antrieb:* einen A. zum Kauf bieten; gelegentliche Geldspenden sind ein A. zur Arbeit.

ạnreizen, reizte an, hat angereizt ⟨tr.⟩: *verlocken:* die bunte Reklame reizte viele zum Kauf an.

ạnrempeln, rempelte an, hat angerempelt ⟨tr.⟩ (ugs.): *im Vorübergehen [mit Absicht] heftig anstoßen:* die Passanten a.

ạnrennen, rannte an, ist angerannt ⟨itr.⟩: **1.** (ugs.) *ohne Absicht (an, gegen etwas) rennen:* ich bin an den Pfosten angerannt. **2.** *sich rennend (gegen jmdn./etwas) wenden:* der Feind rennt gegen unsere Stellungen an; b i l d l.: blind gegen eine Entwicklung a. **3.** ⟨in der Fügung⟩ angerannt kommen: *sich im Laufschritt nähern.*

Ạnrichte, die; -, -n: *Tisch oder Schrank zum Bereitstellen von Speisen, auch der Raum dafür* (siehe Bild).

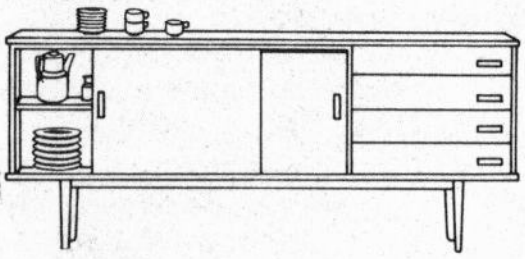

Anrichte

ạnrichten, richtete an, hat angerichtet ⟨tr.⟩: **1.** *zum Servieren fertigmachen, zum Essen bereitstellen:* das Mittagessen a. **2.** *(etwas Übles) [ohne Absicht] verursachen:* Unheil a.; das Gewitter hat große Schäden angerichtet.

ạnrüchig ⟨Adj.⟩: *in schlechtem Ruf stehend, von sehr zweifelhaftem Ruf:* ein anrüchiges Lokal.

ạnrucken, ruckte an, ist angeruckt ⟨itr.⟩: *mit einem Ruck anfahren:* die Lokomotive, der Zug ruckte an.

ạnrücken, rückte an, ist angerückt ⟨itr.⟩: *in geschlossener Formation anmarschieren* /meist von Soldaten; Ggs. abrücken/: Pioniere rückten an und sprengten die Brücke; angerückt kommen; b i l d l. (ugs.): wir können dort nicht zu sechst a. *(hingehen, einen Besuch machen).*

Ạnruf, der; -s, -e: **1.** *Zuruf, der eine Aufforderung enthält:* er blieb auf den A. der Wache nicht stehen. **2.** *Telefongespräch:* einen A. erwarten.

ạnrufen, rief an, hat angerufen: **1.** ⟨tr./itr.⟩ *mit jmdm. eine telefonische Verbindung herstellen:* einen Freund a.; ich muß noch [bei ihm] a. **2.** ⟨tr.⟩ (geh.) *sich bittend wenden (an jmdn./etwas):* die Götter, ein höheres Gericht a.

ạnrühren, rührte an, hat angerührt ⟨tr.⟩: **1.** *anfassen; mit der Hand berühren:* du darfst hier nichts a.; sie haben das Essen nicht angerührt *(sie haben nichts davon gegessen);* b i l d l.: er rührte diese Frage nicht an *(er brachte sie nicht ins Gespräch).* **2.** *(etwas) durch das Mischen von Bestandteilen mit Flüssigkeit zubereiten:* einen Teig a.; Farben a.

ạns ⟨Verschmelzung von *an* + *das*⟩: *an das:* er stellte sein Fahrrad ans *(an das)* Haus; ⟨nicht auflösbar in Wendungen⟩ jmdm. etwas ans Herz legen.

ạnsäen, säte an, hat angesät ⟨tr.⟩: *auf eine bestimmte Fläche gleichmäßig säen:* Rasen a.

Ạnsage, die; -, -n: *das Bekanntgeben:* auf die A. der Ergebnisse des Länderkampfes warten; die A. *(Ankündigung)* einer Sendung im Radio.

ạnsagen, sagte an, hat angesagt: **1.** ⟨tr.⟩ **a)** *ankündigen, bekanntgeben:* ein Programm a. **b)** *anmelden:* seinen Besuch bei jmdm. a.; ⟨auch rfl.⟩ er sagte sich bei ihm [zu Besuch, für morgen] an.

ạnsägen, sägte an, hat angesägt ⟨tr.⟩: *einen Schnitt (in etwas) sägen, nicht völlig durchsägen:* einen Baum, eine Ampulle a.

Ạnsager, der; -s, -: *jmd., der als Sprecher beim Rundfunk oder im Fernsehen die Sendungen ansagt.*

ạnsammeln, sammelte an, hat angesammelt: **a)** ⟨tr.⟩ *sammeln und aufbewahren; anhäufen:* Vorräte, Schätze a. **b)** ⟨rfl.⟩ *immer mehr werden, in großen Mengen zusammenkommen; sich anhäufen:* in dem Lager haben sich die Vorräte angesammelt. **Ạnsammlung,** die; -, -en.

ạnsässig: ⟨in der Verbindung⟩ a. sein: *an einem bestimmten Ort* *wohnen, seinen Wohnsitz haben:* in München a. sein.

Ansatz, der; -es, Ansätze: **1.** *Versuch, Anlauf; Anfang:* der erste A. zur Verwirklichung seines Planes scheiterte; die ersten Ansätze des Romans lagen im Jahre 1962. **2.** *Beginn der Entwicklung, Bildung von etwas:* der A. einer Knospe war zu sehen. **3.** *Stelle, an der ein Körperteil ansetzt:* der A. des Halses.

ansaugen, saugte /(geh.:) sog an, hat angesaugt/ (geh.:) angesogen: **1.** ⟨tr.⟩ *durch Saugen an sich ziehen:* die Pumpe saugte Luft an; bildl.: von einem Strudel niederer Regungen angesogen *(erfaßt)* werden. **2.** ⟨rfl.⟩ *sich fest (an etwas) saugen und dadurch festhalten:* die Schnecke hat sich an die, an der Mauer angesaugt.

anschaffen, schaffte an, hat angeschafft ⟨tr.⟩: *[wertvolle Gegenstände] käuflich erwerben:* hast du dir neue Möbel angeschafft? **Anschaffung,** die; -, -en.

anschalten, schaltete an, hat angeschaltet ⟨tr.⟩: *einschalten:* das Radio, das Licht a.

anschauen, schaute an, hat angeschaut ⟨tr.⟩: *ansehen; aufmerksam betrachten:* jmdn. nachdenklich a.; willst du dir nicht das Schloß a.?

anschaulich ⟨Adj.⟩: *leicht verständlich, deutlich, lebendig:* eine anschauliche Darstellung; a. erzählen. **Anschaulichkeit,** die; -.

Anschauung, die; -, -en: *Ansicht, grundsätzliche Meinung; Auffassung von etwas:* zu einer bestimmten A. gelangen; ich kenne seine politischen Anschauungen nicht.

Anschein: ⟨in bestimmten Fügungen⟩: **es hat den A.** *(es scheint so, sieht so aus):* es hat den A., als wollte es regnen; **den A. erwecken** *(den Eindruck machen):* er erweckt den A., als wäre ihm die Sache gleichgültig; **allem A. nach** *(wie es scheint, vermutlich).*

anscheinend ⟨Adverb⟩: *dem Anschein nach, wie es scheint; offenbar:* er hat sich a. verspätet.

anscheißen, schiß an, hat angeschissen ⟨tr.⟩ (derb): **1.** *heftig tadeln:* der Chef hat mich angeschissen. **2.** *betrügen:* der hat mich bestimmt angeschissen. ** **angeschissen kommen** *(ungelegen kommen).*

anschicken, sich; schickte sich an, hat sich angeschickt (geh.): *gerade anfangen, (etwas) tun wollen, im Begriff sein:* er schickte sich an wegzugehen.

anschieben, schob an, hat angeschoben ⟨tr.⟩: *durch Schieben in Bewegung setzen:* einen Wagen a.

anschießen, schoß an, hat angeschossen ⟨tr.⟩: *durch einen Schuß verletzen:* ein Tier a.

Anschiß, der; Anschisses, Anschisse (derb): *heftiger Tadel:* jmdm. einen kräftigen A. verpassen.

Anschlag, der; -s, Anschläge: **1.** ⟨ohne Plural⟩ *das Anschlagen:* der weiche A. des Pianisten; der A. des Schwimmers am Rand des Beckens. **2.** *verbrecherisches Vorhaben, Überfall, Attentat:* der A. ist gelungen, mißglückt. **3.** *Bekanntmachung, die irgendwo öffentlich ausgehängt ist; Aushang:* die Anschläge an der Litfaßsäule lesen; etwas durch [einen] A. bekanntgeben. **4.** ⟨ohne Plural⟩ *Stelle, bis zu der ein Teil einer Maschine o. ä. bewegt werden kann:* einen Hebel bis zum A. niederdrücken.

anschlagen, schlägt an, schlug an, hat/ist angeschlagen: **1.** ⟨itr.⟩ *an etwas schlagen:* er hat als erster Schwimmer angeschlagen *(den Rand des Beckens berührt).* **2.** ⟨itr.⟩ *gegen etwas stoßen [und sich dabei verletzen]:* ich bin mit dem Kopf [an die Wand angeschlagen; ich habe mir das Knie angeschlagen. **3.** ⟨tr.⟩ *durch Anstoßen beschädigen:* beim Spülen des Geschirrs hat er einen Teller angeschlagen; angeschlagene Tassen. **4.** ⟨tr.⟩ **a)** *durch Druck nach unten betätigen:* sie hat die Tasten der Schreibmaschine kräftig angeschlagen. **b)** *auf einem Klavier, Cembalo o. ä. erklingen lassen:* er hatte einen Akkord [auf dem Klavier] angeschlagen. * **einen Ton a.** *(mit jmdm. in einer bestimmten Weise reden):* er hat einen unverschämten Ton angeschlagen. **5.** ⟨tr.⟩ *öffentlich anbringen, aushändigen:* er hat eine Bekanntmachung, ein Plakat angeschlagen. ** **etwas schlägt an** *(etwas wirkt, hat Erfolg):* das Medikament hat bei ihm gut angeschlagen; das Essen schlug bei ihm an *(machte ihn dick).*

Anschlagsäule, die; -, -n: *Säule für Plakate, Anschläge; Litfaßsäule.*

anschleichen, schlich an, hat/ist angeschlichen: **a)** ⟨rfl.⟩ *sich schleichend (jmdm./einer Sache) nähern:* ich habe mich [an das Haus] angeschlichen. **b)** ⟨tr.⟩ *beschleichen:* wir haben das Haus angeschlichen. **c)** ⟨itr.⟩ *heranschleichen:* ich bin [an das Haus] angeschlichen. ** (ugs.) **angeschlichen kommen** *(deprimiert daherkommen; ungelegen kommen).*

anschließen, schloß an, hat angeschlossen: **1.** ⟨tr.⟩ *an etwas anbringen und dadurch eine Verbindung herstellen:* einen Schlauch [an die/der Leitung] a. **2. a)** ⟨tr.⟩ *folgen lassen:* er schloß [an seine Rede] einige Worte des Dankes an. **b)** ⟨rfl.⟩ *(auf etwas) unmittelbar folgen:* an die Fahrt schloß sich ein Besuch im Museum an. **3.** ⟨itr.⟩ *unmittelbar danebenliegen:* die Terrasse schließt an die Veranda an. **4.** ⟨rfl.⟩ **a)** *(zu jmdm.) in engere Beziehung treten:* du hast dich in letzter Zeit wieder mehr deinen alten Freunden, an deine alten Freunde angschlossen; sich leicht a. *(leicht Kontakt zu anderen Menschen finden).* **b)** *einer Meinung o. ä. zustimmen:* willst du dich nicht seinem Vorschlag a.? **c)** *sich (an einem Unternehmen) beteiligen; (mit jmdm.) mitgehen:* sich einem Streik a.; darf ich mich Ihnen a.?; sich einer Partei a. *(Mitglied einer Partei werden).*

anschließend ⟨Adverb⟩: *darauf, danach:* a. gingen wir ins Theater.

Anschluß, der; Anschlusses, Anschlüsse: **1.** *Verbindung (mit etwas)* /in bezug auf Strom, Gas, Wasser, Telefon/: das Dorf hat noch keinen A. an Strom und Wasser; einen A. für den Telefonapparat legen lassen; er wollte gestern bei ihr anrufen, bekam aber keinen A. *(keine telefonische Verbindung).* **2.** *Möglichkeit, eine Reise [ohne Unterbrechung mit einem anderen Zug o. ä.] fortzusetzen:* in Köln mußte er eine Stunde auf den A. warten. **3.** ⟨ohne Plural⟩ *Kontakt* *(mit etwas), Beziehung, Verbindung (zu etwas):* den A. an das tägliche Leben finden; in der neuen Umgebung suchte er sofort A. *** im A. an** *(unmittelbar nach):* im A. an den Vortrag findet eine Diskussion statt.

anschmiegen, schmiegte an, hat angeschmiegt: ⟨itr./rfl.⟩: *(an jmdn./etwas) schmiegen:* das Tier schmiegte den Kopf an mich an; das Kind schmiegte sich an die Mutter an; das Kleid schmiegt sich den Formen des Körpers an; b i l d l.: das Kloster schmiegt sich der Landschaft, an die Landschaft an *(fügt sich ihr harmonisch ein).*

anschmieren, schmierte an, hat angeschmiert: **1.** ⟨tr.⟩ *schlecht und grob bemalen, beschmieren:* die Wände a. **2.** ⟨rfl.⟩ **a)** (ugs.) *sich [teilweise] mit Farbe o. ä. bedecken:* wir wollten uns schwarz a. **b)** (ugs.) *(an der Haut, Kleidung) mit Farbe oder Schmutz in Berührung kommen:* du hast dich am linken Ärmel angeschmiert. **3.** ⟨rfl.⟩ (ugs.) *sich einschmeicheln:* er hat versucht, sich beim Chef anzuschmieren. **4.** ⟨tr.⟩ (ugs.) **a)** *betrügen, täuschen:* ich bin von ihm angeschmiert worden. **b)** *weit über den angemessenen Preis verkaufen:* ich habe ihm mein altes Rad angeschmiert.

anschnallen, schnallte an, hat angeschnallt ⟨tr.⟩: *mit Riemen, Gurten o. ä. festmachen; festschnallen* /Ggs. abschnallen/: die Schier a.; ⟨auch rfl.⟩ im Flugzeug mußten sie sich a.

anschnauzen, schnauzte an, hat angeschnauzt ⟨tr.⟩ (ugs.): *laut und grob anfahren, heftig tadeln:* der Chef hat mich angeschnauzt; ⟨auch rzp.⟩ einander, sich [gegenseitig] a.

Anschnauzer, der; -s, - (ugs.): *heftiger Tadel:* er hat einen mächtigen A. bekommen.

anschneiden, schnitt an, hat angeschnitten ⟨tr.⟩: **1.** *zu verbrauchen beginnen, indem man das erste Stück abschneidet:* den Kuchen a. **2.** *(über etwas) zu sprechen beginnen; zur Sprache bringen:* ein Problem, eine Frage a.

anschrauben, schraubte an, hat angeschraubt ⟨tr.⟩: *mit Schrauben befestigen* /Ggs. abschrauben/: das Schild an die Wand a.

anschreiben, schrieb an, hat angeschrieben ⟨tr.⟩: **1.** *für alle sichtbar auf eine senkrechte Fläche schreiben:* welcher Schüler schreibt den Satz [an die Tafel] an?; ⟨auch itr.⟩ du schreibst an! **2.** *bis zur späteren Bezahlung notieren:* schreiben Sie den Betrag bitte an! **3.** *sich schriftlich wenden (an jmdn./etwas):* er hat verschiedene Hotels angeschrieben, aber noch keine Antwort bekommen. ****** (ugs.) **bei jmdm. gut/schlecht angeschrieben sein** *(von jmdm. sehr/nicht geschätzt werden).*

anschreien, schrie an, hat angeschrie[e]n ⟨tr.⟩: *(jmdn.) wütend und mit lauter Stimme anfahren:* der Chef hat den Lehrling angeschrieen.

Anschrift, die; -, -en: *Angabe [des Namens und] der Wohnung einer Person; Adresse.*

anschuldigen, schuldigte an, hat angeschuldigt ⟨tr.⟩: *(jmdm./einer Sache) schuld geben; bezichtigen:* er wird angeschuldigt, die Frau ermordet zu haben. **Anschuldigung,** die; -, -en.

anschwärzen, schwärzte an, hat angeschwärzt ⟨tr.⟩: **1.** *ein wenig schwarz machen:* du mußt [dir] das Gesicht a.; eine angeschwärzte Decke. **2.** (ugs.) *verdächtigen, verleumden:* man schwärzte ihn bei seinem Vorgesetzten an.

anschwellen, schwillt an, schwoll an, ist angeschwollen ⟨itr.⟩: **1.** *dick werden, an Umfang zunehmen:* sein Fuß ist nach dem Unfall stark angeschwollen. **2.** *immer lauter werden:* der Lärm schwoll immer mehr an. **Anschwellung,** die; -, -en.

anschwemmen, schwemmte an, hat angeschwemmt ⟨tr.⟩: *an das Ufer schwemmen:* das Meer schwemmt viel Unrat an.

anschwindeln, schwindelte an, hat angeschwindelt ⟨tr.⟩ (ugs.): *anlügen.*

ansehen, sieht an, sah an, hat angesehen ⟨tr.⟩ /vgl. angesehen/: **1. a)** *den Blick richten (auf jmdn./etwas):* sie sah ihn an und lächelte. **b)** *[aufmerksam, prüfend] betrachten:* der Arzt sah sich (Dativ) den Patienten lange an; willst du dir diesen Film a.? *** etwas ist schön anzusehen** *(etwas bietet einen schönen Anblick):* dieses Bild ist schön anzusehen; **jmdm. etwas a.** *(an jmds. Äußerem dessen Stimmung o. ä. ablesen, erkennen):* man sieht ihm den Kummer an. **2.** *eine bestimmte Meinung, Vorstellung haben (von jmdm./etwas); (für etwas) halten:* jmdn. als seinen Freund a.; etwas als seine Pflicht a. **3.** *einschätzen, beurteilen:* er sieht den Fall ganz anders an als du.

Ansehen, das; -s: *[hohe] Meinung, die man von jmdn./etwas hat; Achtung:* sein A. in der Bevölkerung ist groß; das A. der Partei ist gesunken. **** jmdn. nur vom A. kennen** *(jmdn. nur vom Sehen, nicht mit Namen kennen).*

ansehnlich ⟨Adj.⟩: **1.** *ziemlich groß; beachtlich:* er hat ein ansehnliches Vermögen. **2.** *gut aussehend:* er ist ein ansehnlicher Mann.

anseilen, seilte an, hat angeseilt ⟨tr./rfl.⟩: *[zur Sicherung] an ein Seil binden* /bes. beim Bergsteigen/: der Verletzte wurde angeseilt; ich seilte mich an.

ansengen, sengte an, hat angesengt ⟨tr.⟩: *ein wenig [ver]sengen:* ich hatte mir die Augenbrauen angesengt; angesengte Wäsche.

ansetzen, setzte an, hat angesetzt: **1.** ⟨tr.⟩ *zur Verlängerung o. ä. an etwas anbringen, annähen:* einen Streifen Stoff an einen Rock a.; wir müssen hier noch ein Stück Rohr a. **2.** ⟨tr.⟩ *(etwas) zu einem bestimmten Zweck an eine bestimmte Stelle bringen:* du mußt den Hebel genau an diesem Punkt a.; er setzte das Glas an *(führte es an den Mund)* und trank es aus. **3.** ⟨tr.⟩ *beauftragen; einsetzen:* jmdn. als Bearbeiter auf ein neues Projekt a. **4.** ⟨itr.⟩ *(mit einer Tätigkeit) beginnen; sich anschicken, etwas zu tun:* zum Sprung a.; der Redner setzte noch einmal [zum Sprechen] an. **5.** ⟨tr.⟩ **a)** *(auf eine bestimmte Zeit) anordnen, festsetzen:* eine Verhandlung [auf neun Uhr] a. **b)** *veranschlagen, festlegen:* die Kosten für etwas auf 200 Mark a.; für diese Arbeit muß man drei Tage a. *(rechnen).* **6. a)** ⟨tr.⟩ *bilden, bekommen:* die Pflanzen setzen Knospen an; Fett a. *(dick werden);* ⟨auch itr.⟩ die Bäume setzen schon an *(bekommen Knospen)*. **b)** ⟨itr.⟩ *hervorkommen, sich bilden:* ein neuer Trieb setzt an der Pflanze an. **7. a)** ⟨itr.⟩ *eine Schicht um sich bilden, bekommen:* die Geräte haben bereits Rost angesetzt. **b)** ⟨rfl.⟩ *als Schicht an etwas entstehen:* an den Wänden des Gefäßes hat sich Kalk angesetzt. **8.** ⟨tr.⟩ *bei der Zubereitung (von etwas) bestimmte Zutaten vorbereitend mischen:* eine Bowle, den Teig a.

Ansicht, die; -, -en: **1.** *persönliche Meinung; Überzeugung:* er hat seine A. über ihn geändert; nach meiner A./meiner A. nach hat er nicht recht. **2.** *Bild, Abbildung einer Landschaft u. a.:* er zeigte ihr einige Ansichten von Berlin. **3.** *Seite, Front:* die hintere A. des Schlosses. ** **zur A.** *(vorerst nur zum Ansehen, ohne daß man es kaufen muß):* einige Muster zur A. bestellen.

ansichtig: ⟨in der Verbindung⟩ jmds./einer Sache a. werden: (geh.) *jmdn./etwas erblikken:* als sie Ulrichs a. wurde, errötete sie.

Ansichtskarte, die; -, -n: *Postkarte mit der Ansicht einer Stadt, Landschaft o. ä.*

Ansichtssache: ⟨in der Fügung⟩ das ist A.: *darüber kann man verschiedener Meinung sein.*

ansiedeln, siedelte an, hat angesiedelt: **1.** ⟨rfl.⟩ *sich an einem Ort niederlassen, seßhaft werden:* die Einwanderer siedelten sich zuerst am Fluß an. **2.** ⟨tr.⟩ *an einem Ort ansässig machen:* man versuchte, diese Tiere in Europa anzusiedeln.

Ansinnen, das; -s (geh.): *Forderung, der kaum zu entsprechen ist; Zumutung:* dieses A. lehnte ich ab.

ansonsten ⟨Adverb⟩ (ugs.): **a)** *im übrigen, sonst:* von fern pfiff dann und wann eine Lokomotive, a. aber umgab ihn himmlische Ruhe. **b)** *anderenfalls:* die Anweisung muß befolgt werden, a. können Schwierigkeiten auftreten.

anspannen, spannte an, hat angespannt ⟨tr.⟩: **1. a)** *(Zugtiere) vor einem Wagen festmachen:* die Pferde, Ochsen a.; ⟨auch itr.⟩ ich werde sofort a. lassen. **b)** *(einen Wagen) mit Zugtieren versehen:* die Kutsche a. **2. a)** *straff spannen:* die Muskeln a. **b)** *anstrengen:* seine Kräfte a. **Anspannung,** die; -.

anspeien, spie an, hat angespie[e]n ⟨tr.⟩ (geh.): *anspucken:* Gassenjungen spien die Gefangenen an.

anspielen, spielte an, hat angespielt ⟨itr.⟩: *versteckt (auf etwas) hinweisen:* er spielte in seiner Rede auf den Vorfall von gestern an. **Anspielung**, die; -, -en.

anspinnen, spann an, hat angesponnen: **1.** ⟨tr.⟩ *behutsam beginnen, anknüpfen:* er nahm sich vor, ein Verhältnis mir ihr anzuspinnen. **2.** ⟨rfl.⟩ *sich entwickeln:* eine lebhafte Unterhaltung spann sich an.

anspitzen, spitzte an, hat angespitzt ⟨tr.⟩: *vorn spitz machen* einen neuen Bleistift a.; bildl.: der Regisseur hat die Bearbeitung sozialkritisch angespitzt *(sie dadurch interessanter gemacht, daß er soziale Kritik mit einfließen ließ).*

Ansporn, der; -s: *Antrieb, Anreiz:* die Belohnung sollte ein A. für seine weitere Arbeit sein.

anspornen, spornte an, hat angespornt ⟨tr.⟩: *Antrieb, Anreiz geben:* ihr Lob spornte ihn zu noch größeren Leistungen an.

Ansprache, die; -, -n: *kurze Rede:* er hielt aus Anlaß des Jubiläums eine A. vor den Gästen.

ansprechen, spricht an, sprach an, hat angesprochen /vgl. ansprechend/: **1.** ⟨tr.⟩ *das Wort (an jmdn.) richten; anreden:* jmdn. auf der Straße a., um nach dem Weg zu fragen; jmdn. mit seinem Namen a. **2.** ⟨tr.⟩ *sich mit einer Frage an jmdn. wenden, um dessen Meinung zu etwas Bestimmtem zu erfahren:* er sprach ihn auf den Vorfall von gestern an. **3.** ⟨tr.⟩ *bitten:* er sprach ihn um Hilfe an. **4.** ⟨tr.⟩ *ansehen, betrachten, bezeichnen:* diese Bilder kann man nicht als Kunstwerke a. **5.** ⟨itr.⟩ *eine Wirkung zeigen; reagieren:* der Patient sprach auf das Medikament nicht an. **6.** ⟨tr.⟩ *beeindrucken; wirken (auf jmdn.):* das Bild sprach ihn nicht besonders an; dieses Lied spricht das Gefühl an.

ansprechend ⟨Adj.⟩: *gewinnend, für sich einnehmend; reizvoll:* ein ansprechendes Äußeres haben; diese Mode ist sehr a.

anspringen, sprang an, hat/ist angesprungen: **1.** ⟨itr.⟩ *in Gang kommen:* der Motor ist nicht gleich angesprungen. **2.** ⟨in der Fügung⟩ angesprungen kommen: *sich springend nähern, herbeieilen:* als die Mutter rief, kamen die Kinder alle angesprungen. **3.** ⟨tr.⟩ **a)** *(an jmdm.) hochspringen:* der Hund hat ihn vor Freude angesprungen. **b)** *sich mit einem Sprung (auf jmdn./etwas) stürzen; (jmdn.) anfallen:* der Tiger hat den Dompteur angesprungen.

Anspruch, der; -s, Ansprüche: **1.** *[berechtigte] Forderung:* seine Ansprüche an das Leben waren nicht groß. * **A. auf etwas erheben/machen** *(etwas verlangen, fordern, beanspruchen):* er erhob keinen A. auf Schadenersatz; **etwas in A. nehmen: a)** *von etwas Gebrauch machen; etwas benutzen:* jmds. Hilfe in A. nehmen. **b)** *etwas erfordern, brauchen:* diese Arbeit nimmt viel Zeit, alle seine Kräfte in A. **2.** *bestimmtes Recht:* er hat den A. auf das Haus verloren. * **[einen] A. auf etwas haben** *(etwas berechtigt fordern, beanspruchen können):* er hat A. auf Unterstützung.

anspruchslos ⟨Adj.⟩: **a)** *keine großen Ansprüche stellend; genügsam:* er ist ein anspruchsloser Mensch. **b)** *nur geringen Ansprüchen genügend:* anspruchslose Lektüre.

anspruchsvoll ⟨Adj.⟩: *große Ansprüche stellend; unbescheiden:* sie ist eine sehr anspruchsvolle Frau; ein anspruchsvolles *(kritisches)* Publikum.

anspucken, spuckte an, hat angespuckt ⟨tr.⟩: *(an etwas, gegen jmdn./etwas) spucken:* er spuckte mich, das Bild an.

anspülen, spülte an, hat angespült ⟨tr.⟩: *an das Ufer spülen:* der Fluß hat die Kiesel angespült; bildl.: am Rand der Großstadt angespült, fristen sie ihr Leben in ärmlichen Behausungen.

anstacheln, stachelte an, hat angestachelt ⟨tr.⟩: *antreiben, anspornen:* jmds. Eifer, Ehrgeiz durch Lob a.

Anstalt, die; -, -en: *öffentliches Gebäude, Heim, das der Ausbildung, Erziehung, Heilung* *o. ä. dient:* er kam in eine A. für schwer erziehbare Kinder; der Trinker wurde in eine A. gebracht. ** **[keine] Anstalten zu etwas machen** *(sich [nicht] zu etwas vorbereiten, anschicken; etwas [nicht] tun wollen):* sie machten keine Anstalten zu gehen.

Ạnstand, der; -s: *gutes Benehmen; Sitte:* er hat keinen A., kein Gefühl für A.; den A. verletzen.

ạnständig ⟨Adj.⟩: **1.** *dem Anstand, der Sitte entsprechend; ordentlich, höflich:* er ist ein anständiger Mensch; sich a. benehmen. **2.** (ugs.) *zufriedenstellend, durchaus genügend:* sie spricht ein anständiges Englisch. **3.** (ugs.) *ziemlich groß, viel; beträchtlich:* sie haben eine ganz anständige Summe verdient. **Ạnständigkeit,** die: -.

ạnstandshalber ⟨Adverb⟩: *um die Form zu wahren; nur aus Höflichkeit:* du mußt ihn a. fragen, ob er heute nachmittag mitgehen will.

ạnstandslos ⟨Adverb⟩ (ugs.): *ohne Zögern, Bedenken:* sie haben mir das Kleid a. umgetauscht.

Ạnstandswauwau, der: -s, -s (ugs.; scherzh.): *[ältere] Begleiterin, [älterer] Begleiter eines jungen Mädchens, der über Sitte und Anstand wachen soll:* ich soll wohl den A. machen?

ạnstarren, starrte an, hat angestarrt ⟨tr.⟩: *starr, ohne Unterbrechung ansehen:* alle starrten den Fremden an.

anstạtt: I. ⟨Konj.⟩ *statt; und nicht:* er schenkte ihr ein Buch a. Blumen; du solltest lieber arbeiten, a. zu jammern. **II.** ⟨Präp. mit Gen.⟩ *statt; an Stelle:* a. des Geldes gab sie ihm ihren Schmuck; ⟨mit Dativ, wenn der Gen. nicht erkennbar ist⟩ a. Worten will ich endlich Taten sehen.

ạnstauen, staute an, hat angestaut ⟨tr.⟩: *(bes. Flüssigkeiten) stauend aufhalten:* das Wasser a.; dadurch ist das Blut angestaut worden; b i l d l.: der durch Jahre hindurch angestaute *(angesammelte)* Groll hat sich hier Luft gemacht.

ạnstaunen, staunte an, hat angestaunt ⟨tr.⟩: *staunend, bewundernd ansehen:* alle staunten das neue Auto an.

ạnstechen, sticht an, stach an, hat angestochen ⟨tr.⟩: **1. a)** *ein wenig stechen, um die betreffende Sache festzuhalten oder zu prüfen:* das Fleisch, die Kartoffeln mit der Gabel a. **b)** *verletzend stechen:* ein Insekt hat den Apfel angestochen; (ugs.) wütend wie ein angestochener Eber *(überaus wütend).* * (ugs.) **wie angestochen** *(wild erregt).* **2.** *durch einen Stich öffnen, anzapfen:* ein Faß Bier a.

ạnstecken, steckte an, hat angesteckt: **1.** ⟨tr.⟩ *mit einer Nadel befestigen; an etwas stekken:* sie steckte ihm eine Blume, eine Schleife an; er steckte ihr einen Ring an. **2.** ⟨tr.⟩ *anzünden:* eine Kerze a.; du steckst dir eine Zigarette nach der andern an. **3. a)** ⟨tr.⟩ *eine Krankheit (auf jmdn.) übertragen:* er hat mich [mit seinem Schnupfen] angesteckt. **b)** ⟨rfl.⟩ *durch Kontakt (mit einem Kranken selbst) krank werden:* er hat sich bei ihm, in der Schule angesteckt. **c)** ⟨itr.⟩ *sich auf jmdn. übertragen:* diese Krankheit steckt nicht an; ⟨häufig im 1. Partizip⟩ ansteckende Krankheiten.

Ạnsteckung, die; -, -en: *Übertragung einer Krankheit, Infektion:* sich vor A. fürchten.

ạnstehen, stand an, hat angestanden ⟨itr.⟩: **1.** *in einer Schlange warten, bis man an die Reihe kommt:* sie hat lange nach den Karten für diese Vorstellung angestanden. **2.** (geh.) *angemessen sein; (zu jmdm.) passen:* Bescheidenheit steht ihr gut an. * (geh.) **nicht a., etwas zu tun** *(nicht zögern, etwas zu tun):* ich stehe nicht an zu behaupten, daß du unrecht hast. **3.** *auf Erledigung warten:* diese Arbeit steht noch an. * **etwas a. lassen** *(etwas hinausschieben, mit etwas warten):* du darfst diese Arbeit nicht länger a. lassen.

ạnsteigen, stieg an, ist angestiegen ⟨itr.⟩: **1.** *aufwärts führen:* die Straße, das Gelände steigt an. **2. a)** *höher werden:* das Wasser steigt an; ansteigende Temperaturen. **b)** *zunehmen, wachsen:* die Zahl der Besucher ist im letzten Jahr stark angestiegen.

anstẹlle ⟨Präp. mit Gen.⟩: *statt; stellvertretend (für jmdn./etwas):* sie fuhr a. ihrer Schwester mit.

ạnstellen, stellte an, hat angestellt: **1.** ⟨tr.⟩ *an etwas stellen:* eine Leiter [an die Wand] a. **2.** ⟨rfl.⟩ *sich einer wartenden Reihe von Personen anschließen:* sich an der Kasse des Theaters a. **3.** ⟨tr.⟩ *einschalten, andrehen* /Ggs. abstellen/: das Radio, die Heizung a. **4.** ⟨tr.⟩ *(jmdn.) einstellen, beschäftigen:* jmdn. als Verkäufer a.; er ist bei einer Behörde angestellt. **5.** ⟨tr.⟩ *tun, versuchen, anrichten:* er hat schon alles mögliche angestellt, aber nichts hat gegen diese Krankheit geholfen; Unfug a.; das hat er ganz geschickt angestellt *(eingerichtet, angefangen).* **6.** ⟨rfl.⟩ *sich benehmen:* sich bei einer Arbeit dumm, geschickt a. **7.** ⟨als Funktionsverb⟩ Überlegungen a. *(überlegen);* Beobachtungen a. *(beobachten);* mit jmdm. ein Verhör a. *(jmdn. verhören).*

Ạnstellung, die; -, -en: *das Anstellen; Einstellung:* die A. weiterer Mitarbeiter; eine feste A. *(Stellung)* suchen.

ạnsteuern, steuerte an, hat angesteuert ⟨tr.⟩: *(in Richtung auf etwas) steuern:* die norwegische Küste a.; b i l d l.: er versuchte, dieses Thema anzusteuern, aber niemand ging darauf ein.

Ạnstich, der; -[e]s: **1.** *das Anstechen eines Wein- oder Bierfasses:* vor dem A. wurden die Gäste begrüßt. **2.** *erster Ausschank aus angestochenen Wein- oder Bierfässern:* frischer A.

Ạnstieg, der; -s: **1.** *das Ansteigen; Steigung:* der A. der Straße. **2.** *Erhöhung, Zunahme:* der A. der Temperaturen. **3.** *das Hinaufsteigen, Aufstieg:* ein beschwerlicher A.

ạnstieren, stierte an, hat angestiert ⟨tr.⟩: *starr ansehen:* er stierte mich unverwandt an.

ạnstiften, stiftete an, hat angestiftet ⟨tr.⟩: **1.** *(etwas Übles) veranlassen, ins Werk setzen:* Unfug, Verschwörungen a. **2.** *verleiten; (zu etwas Üblem) überreden:* jmdn. zu einem Betrug a. **Ạnstiftung,** die; -, -en.

ạnstimmen, stimmte an, hat angestimmt ⟨tr.⟩: *zu singen beginnen:* ein Lied, einen Choral a.

ạnstinken: ⟨in der Wendung⟩ gegen jmdn./etwas nicht a. können (derb): *jmdm./einer Sache nicht gewachsen sein:* gegen die da oben kannst du sowieso nicht a.

Anstoß, der; -es, Anstöße: *Anregung, Impuls:* er hat den ersten A. zu dieser Sammlung gegeben. ** **A. erregen** *(Ärger hervorrufen):* mit dieser Bemerkung hat er A. bei ihr erregt; **an etwas A. nehmen** *(etwas mißbilligen):* sie nahm A. an seinem Benehmen.

anstoßen, stößt an, stieß an, hat/ist angestoßen: **1. a)** ⟨tr.⟩ *einen Stoß geben:* er hat mich beim Schreiben versehentlich angestoßen; jmdn. freundschaftlich a. **b)** ⟨itr.⟩ *an etwas stoßen:* das Kind ist mit dem Kopf an den Tisch angestoßen. **2.** ⟨itr.⟩ *die Gläser aneinanderstoßen, um auf etwas zu trinken:* sie haben auf seine Gesundheit, auf den Erfolg des Buches angestoßen. **3.** ⟨itr.⟩ *(jmds.) Unwillen hervorrufen; Anstoß erregen:* er ist bei seinem Chef angestoßen.

anstößig ⟨Adj.⟩: *Anstoß erregend; unanständig:* sie sangen anstößige Lieder.

anstreben, strebte an, hat angestrebt ⟨tr.⟩: *zu erreichen suchen; (nach etwas) streben:* eine neue soziale Ordnung a.

anstreichen, strich an, hat angestrichen ⟨tr.⟩: **1.** *Farbe (auf etwas) streichen:* ein Haus anstreichen. **2.** *durch einen Strich [am Rand] hervorheben, kenntlich machen:* eine Stelle, einen Abschnitt in einem Buch a.; er hat in deinem Aufsatz fünf Fehler angestrichen.

anstrengen, strengte an, hat angestrengt: **1.** ⟨rfl.⟩ *seine Kräfte mehr als gewöhnlich einsetzen; sich große Mühe geben:* du mußt dich in der Schule mehr a.; ⟨auch tr.⟩ seinen Verstand, seine Stimme a. **2.** ⟨tr.⟩ *übermäßig beanspruchen; eine Belastung, Strapaze sein:* das viele Sprechen strengte den Kranken sehr an; ⟨auch itr.⟩ Turnen strengt an; ⟨häufig im 1. Partizip⟩ eine anstrengende Arbeit. **Anstrengung,** die; -, -en.

Anstrich, der; -[e]s, -e: **1.** ⟨ohne Plural⟩ *das Anstreichen mit Farbe:* den A. übernehmen. **2.** *angestrichene Farbe:* der A. des Hauses war einmal weiß gewesen. **3.** *Aussehen, Note:* einer Sache einen offiziellen A. verleihen; sich einen besonderen A. geben *(etwas vorspiegeln).*

Ansturm, der; -s, Anstürme: **1.** *heftiges Herandrängen, Heranstürmen:* der Boxer konnte dem A. des Gegners standhalten. **2.** *großer Andrang:* es begann ein großer A. auf die Kasse des Theaters.

ansuchen, suchte an, hat angesucht ⟨itr.⟩: **a)** (veraltend) *förmlich, offiziell (um etwas) bitten:* der Herr hat um eine Vermittlung der Bekanntschaft angesucht. **b)** (östr.) *ein Gesuch einreichen:* es kann um Kredite bis zu 40000 Schilling angesucht werden.

Ansuchen, das; -s, -: **1.** (veraltend) *förmliche Bitte:* auf wiederholtes A. der Eltern. **2.** (östr.) *Gesuch:* er hat ein A. bei der Polizei, an die Behörde gestellt.

Antagonismus, der; -, Antagonismen: *unüberbrückbarer Gegensatz, Widerstreit:* der A. zwischen Bürger und Künstler.

antanzen, tanzte an, ist angetanzt ⟨itr.⟩ (ugs.; abwertend): *widerwillig, auf Befehl (zu jmdm.) kommen, (bei jmdm.) erscheinen:* er wird morgen bei a. ** **angetanzt kommen** *(ungelegen kommen).*

antasten, tastete an, hat angetastet ⟨tr.⟩: *tastend anfassen:* einen Stoff a.; bildl.: seine Unabhängigkeit ist nie angetastet *(angegriffen, eingeschränkt)* worden.

Anteil, der; -s, -e: *Teil eines Ganzen, der jmdm. gehört oder zukommt:* er verzichtete auf seinen A. an der Erbschaft. * **A. an etwas haben** *(an etwas beteiligt sein):* er hat großen A. an der Entwicklung des neuen Instrumentes; **A. an jmdm./etwas nehmen** *(Interesse, Mitgefühl für jmdn./etwas haben):* sie nahm persönlichen, besonderen A. an ihm und seinem Schicksal.

Anteilnahme, die; -: *Teilnahme, Interesse, Mitgefühl:* ein Ereignis mit lebhafter A. verfolgen; jmdm. seine A. *(sein Beileid nach dem Tod eines Verwandten)* aussprechen.

Antenne, die; -, -n: *Vorrichtung zum Ausstrahlen oder Empfangen von Sendungen des Rundfunks, Fernsehens o. ä.* (siehe Bild): eine A. auf dem Dach anbringen.

Anthologie, die; -, -n: *Auswahl (literarischer Texte); [Gedicht]sammlung:* eine A. moderner Prosa herausgeben.

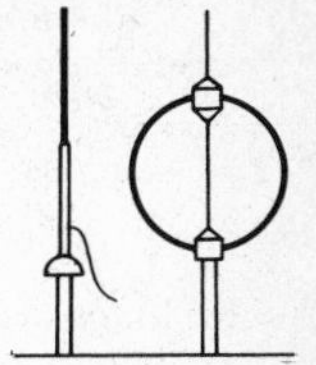

Antenne

Anthrazit, der; -s: *glänzende Steinkohle.*

Antialkoholiker, der; -s, -: *Gegner des Alkohols:* zum A. werden.

Antibabypille [...'be:bi...], die; -, -n: *Tablette, die die Empfängnis verhütet.*

Antibiotikum, das; -s, Antibiotika: Med. *Wirkstoff, der andere Organismen im Wachstum hemmt oder sie abtötet:* dem Patienten wurde ein A. verabreicht.

Antichrist ['antikrist], : **I.** der; -s (geh.): *am Ende der Zeiten auftretender Widersacher Christi.* **II.** der; -en, -en: *Gegner des Christentums.*

Antifaschist, der; -en, -en: *Gegner des Faschismus.*

antik ⟨Adj.⟩: **1.** *der Antike angehörend:* ein berühmtes antikes Bauwerk. **2.** *altertümlich:* eine schon recht antike Sehenswürdigkeit; a. *(mit Möbeln einer früheren Stilperiode)* eingerichtet sein.

Antike, die; -: *das klassische, griechisch-römische Altertum und seine Kultur:* die Welt der A.

Antilope, die; -, -n: /ein Tier/ (siehe Bild).

Antilope

Antipathie, die; -, -n: *dem Gefühl entspringende Abneigung gegen jmdn., etwas* /Ggs. Sympathie/: zwischen beiden besteht eine A.; er hat eine große A. gegen alles, was mit dem Militär zusammenhängt.

Antipode, der; -n, -n: *ausgesprochener, grundsätzlicher Geg-*

ner: von unserer gemeinsamen politischen Überzeugung abgesehen, sind mein Bekannter und ich in allem Antipoden.

antippen, tippte an, hat angetippt ⟨tr.⟩: *leicht berühren:* er tippte seinen Nachbarn an und flüsterte ihm etwas ins Ohr; bildl.: eine heikle Angelegenheit nur a. *(vorsichtig im Gespräch berühren);* ich werde bei ihm einmal [deswegen] a. *(vorsichtig anfragen).*

Antiquar, der; -s, -e: *Besitzer eines Antiquariats.*

Antiquariat, das; -s, -e: *Buchhandlung, in der man alte [wertvolle], gebrauchte Bücher o. ä. kaufen kann:* das Buch ist nur noch in einem A. zu erhalten.

antiquarisch ⟨Adj.; nicht prädikativ⟩: *gebraucht, alt [und wertvoll]* /von Büchern o. ä./: antiquarische Bücher; Noten, Schallplatten a. kaufen.

antiquiert ⟨Adj.⟩: *veraltet:* einen antiquierten Standpunkt vertreten. **Antiquiertheit,** die; -.

Antiquitäten, die ⟨Plural⟩: *wertvolle alte [Kunst]gegenstände:* er handelt mit A.

Antisemit, der; -en, -en: *Gegner der Juden.*

Antlitz, das; -es, -e (geh.): *Gesicht:* sie betrachteten schweigend das bleiche A. des Toten.

Antrag, der; -s, Anträge: **1.** *an eine Behörde gerichtete schriftliche Bitte; Gesuch, Eingabe:* einen A. auf Gewährung eines Zuschusses stellen; sein A. wurde abgelehnt. **2.** *zur Abstimmung eingereichter Entwurf, Vorschlag:* gegen einen A. stimmen; auf A. der Partei.

antragen, trägt an, trug an, hat angetragen ⟨tr.⟩ (geh.): *anbieten:* jmdm. ein Amt, seine Freundschaft a.

antreffen, trifft an, traf an, hat angetroffen ⟨tr.⟩: *an einem bestimmten Ort, in einem bestimmten Zustand vorfinden:* ich habe ihn nicht zu Hause angetroffen; er war froh, sie gesund anzutreffen; diese Pflanze trifft man nur in bestimmten Gegenden an *(findet man nur dort, kommt nur dort vor).*

antreiben, trieb an, hat/ist angetrieben: **1.** ⟨tr.⟩ *vorwärtstreiben; zu rascherer Fortbewegung veranlassen:* weil es schon spät geworden war, hatte er die Pferde angetrieben. **2.** ⟨tr.⟩ *drängen, (zu etwas) treiben:* der Chef hat sie zu schnellerem Arbeiten, zur Eile angetrieben; der Ehrgeiz, die Neugier hat ihn [dazu] angetrieben. **3.** ⟨tr.⟩ *in Gang bringen und in Bewegung halten:* früher hat der Wind die Mühle angetrieben; eine Maschine elektrisch a. **4. a)** ⟨tr.⟩ *ans Ufer treiben:* die Wellen haben den Toten [ans Ufer] angetrieben. **b)** ⟨itr.⟩ *ans Ufer getrieben werden:* das leere Boot ist erst nach Wochen an der/an die Küste angetrieben.

antreten, tritt an, trat an, hat/ist angetreten: **1.** ⟨itr.⟩ *sich in einer bestimmten Ordnung aufstellen:* die Schüler waren der Größe nach angetreten. **2.** ⟨itr.⟩ *sich (einem Gegner) zu einem Wettkampf stellen:* er ist gegen den Weltmeister angetreten. **3.** ⟨tr.⟩ *(mit etwas) beginnen:* er hat eine Reise nach England, eine Tournee angetreten; seinen Dienst a.; ein Amt a. *(übernehmen);* jmds. Nachfolge a. *(jmds. Nachfolger werden).* * **den Beweis für etwas a.** *(etwas beweisen).*

Antrieb, der; -s, -e: **1.** *innere Kraft, die jmdn. zu einem bestimmten Verhalten treibt:* Ehrgeiz und Egoismus waren die Antriebe seines Handelns. **2.** *Kraft, die eine Maschine in Gang bringt und in Bewegung hält:* ein Motor mit elektrischem A.

antrinken, trank an, hat angetrunken /vgl. angetrunken/: **1.** ⟨tr.⟩ (ugs.) *zu trinken beginnen:* ich hatte die Flasche Bier gerade erst angetrunken. **2.** ⟨itr.⟩ *durch Trinken erlangen:* hast du dir einen Rausch angetrunken?; sich Mut a.

Antritt, der; -s: **1.** *das Antreten, Beginn:* vor A. der Reise. **2.** *Übernahme:* nach A. des Amtes.

antun, tat an, hat angetan ⟨tr.⟩: **a)** *erweisen:* jmdm. etwas Gutes, eine Ehre a. **b)** *zufügen:* jmdm. Unrecht, Schande, etwas Böses, Gewalt a. ** **sich** (Dativ) **etwas a.** *(Selbstmord begehen);* **es jmdm. angetan haben** *(jmdn. angenehm berühren, entzücken):* er hat es mir angetan; sein Spiel auf der Geige hatte es ihr angetan.

Antwort, die; -, -en: *Äußerung, die auf die Frage oder die Äußerung eines andern folgt; Entgegnung, Auskunft:* er bekam [auf seine Frage] nur eine kurze A. * **[keine] A. geben** *([nicht] antworten):* die Mutter rief, aber die Kinder gaben keine A.; **jmdm. Rede und A. stehen** *(jmdm. Rechenschaft geben über etwas).*

antworten, antwortete, hat geantwortet ⟨itr.⟩: *sich auf eine Frage hin äußern; eine Antwort geben; entgegnen, erwidern:* er antwortete [mir] höflich auf meine Frage; er wußte nicht, was er darauf a. sollte; er antwortete kein einziges Wort, etwas Unverständliches.

anvertrauen, vertraute an, hat anvertraut: **1.** ⟨tr.⟩ **a)** *(jmdm.) die Verwaltung, Leitung (von etwas) übergeben:* jmdm. sein Vermögen, eine Abteilung seines Unternehmens a. **b)** *der Fürsorge eines anderen übergeben:* während seiner Reise vertraute er die Kinder seiner Schwester an. **2. a)** ⟨tr.⟩ *im Vertrauen mitteilen:* jmdm. seine Pläne, ein Geheimnis a. **b)** ⟨rfl.⟩ *sich im Vertrauen an jmdn. wenden und ihm Persönliches mitteilen:* er hat sich nur seinem Freund anvertraut.

anvisieren, visierte an, hat anvisiert ⟨tr.⟩: *(bes. als Ziel für einen Schuß oder Wurf) ins Auge fassen:* das Fenster, einen Punkt im Gelände a.; bildl.: Möglichkeiten einer neuen deutschen Politik a.

anwachsen, wächst an, wuchs an, ist angewachsen ⟨itr.⟩: **1.** *zunehmen, sich vermehren, sich steigern:* seine Schulden wachsen immer mehr an; der Tumult wuchs an. **2.** *sich wachsend (mit etwas) verbinden:* die Sträucher sind gut angewachsen; angewachsenes Ohrläppchen.

Anwalt, der; -[e]s, Anwälte: *Jurist, der beruflich jmdn. in rechtlichen Angelegenheiten berät oder vertritt:* sich durch seinen A. vertreten lassen. * **sich für jmdn./etwas zum A. machen** *(sich für jmdn./etwas einsetzen; für jmdn./etwas eintreten):* er machte sich zum A. der Armen.

anwandeln, wandelte an, hat angewandelt ⟨tr.⟩ (geh.): *erfassen, ergreifen, überkommen* /von Gefühlen/: eine Laune hat sie angewandelt.

Anwandlung, die; -, -en: *plötzlich auftretendes Gefühl:* sie folgte einer [plötzlichen] A. und reiste ab; eine A. von Heimweh befiel ihn.

anwärmen, wärmte an, hat angewärmt ⟨tr.⟩: *ein wenig wärmen:* das Bett a.

Anwärter, der; -s, -: *jmd., der einen Anspruch, die Aussicht auf etwas hat:* er ist einer der Anwärter auf dieses Amt.

Anwartschaft, die; -: *mit einem gewissen Anspruch verbundene Aussicht:* er hatte, besaß eine A. auf dieses Amt, diesen Titel.

anwehen, wehte an, hat angeweht: **1.** ⟨tr.⟩ *(gegen jmdn./etwas) wehen:* ein Luftzug wehte mich an; bildl. (geh.): eine Ahnung wehte sie an *(sie ahnte es unbestimmt).* **2.** ⟨tr.⟩ *durch Wehen anhäufen:* der Wind hat an dieser Seite eine Menge Schnee angeweht. **3.** ⟨itr.⟩ *durch Wehen wohin gelangen und angehäuft werden:* hier weht immer viel Sand an.

anweisen, wies an, hat angewiesen ⟨tr.⟩ /vgl. angewiesen/: **1.** *zuteilen, zuweisen:* jmdm. einen Platz, ein Zimmer a. **2.** *(jmdm.) einen bestimmten Auftrag erteilen, (jmdm.) etwas befehlen:* ich habe ihn angewiesen, sofort den Chef zu benachrichtigen; er war angewiesen, nicht darüber zu sprechen. **3.** *die Auszahlung (von etwas) veranlassen; überweisen:* den Angestellten das Gehalt a. **Anweisung,** die; -, -en.

anwenden, wandte/wendete an, hat angewandt/angewendet ⟨tr.⟩: **1.** *gebrauchen; (mit etwas) arbeiten:* bei einer Arbeit ein bestimmtes Verfahren, eine bestimmte Technik a.; er mußte eine List a., um seine Frau aus dem Zimmer zu schicken. **2.** *(auf jmdn./etwas) beziehen, übertragen:* einen Paragraphen des Gesetzbuches auf einen Fall a. **Anwendung,** die; -, -en.

anwerben, wirbt an, warb an, hat angeworben ⟨tr.⟩: *für eine bestimmte Arbeit, einen Dienst werben:* er versuchte noch einige Leute anzuwerben, die ihm helfen sollten; Truppen a.

anwerfen, wirft an, warf an, hat angeworfen ⟨tr.⟩: *(einen Motor) in Gang setzen:* den Motor, den Wagen a.

Anwesen, das; -s, - (geh.): *[größeres] Grundstück mit Haus, Gebäude.*

anwesend ⟨Adj.; nicht adverbial⟩: *sich an einem bestimmten Ort befindend, aufhaltend:* alle anwesenden Personen waren einverstanden; als dies beschlossen wurde, war er nicht a.

Anwesenheit, die; -: *das Anwesendsein; Gegenwart* /Ggs. Abwesenheit/: man darf in seiner A. nicht davon sprechen.

anwidern, widerte an, hat angewidert ⟨tr.⟩: *jmdm. zuwider, widerlich sein; jmds. Ekel erregen:* dieser Mensch, sein Benehmen widert mich an; er fühlte sich von dem Gestank angewidert.

Anwohner, der; -s, -: *Anlieger, Nachbar:* alle Anwohner der Straße hörten den nächtlichen Lärm.

Anwurf, der; -[e]s, Anwürfe: *schmähender Vorwurf, beleidigende Anschuldigung:* zu diesen Anwürfen möchte ich mich nicht äußern.

anwurzeln, wurzelte an, ist angewurzelt ⟨itr.⟩: *mit den Wurzeln anwachsen:* der Strauch ist gut angewurzelt. * **wie angewurzelt** *(unbewegt vor Schreck, Überraschung):* wie angewurzelt stehen[bleiben], dastehen.

Anzahl, die; -: *vorhandene Zahl; gewisse Menge:* eine größere A. der Gäste war nicht gekommen.

anzahlen, zahlte an, hat angezahlt ⟨tr.⟩: **a)** *beim Kauf als ersten Teil des ganzen Betrags zahlen:* die Hälfte, 100 Mark a. **b)** *beim Kauf einen ersten Teil, die erste Rate für etwas zahlen:* einen Fernsehapparat a. **Anzahlung,** die; -, -en.

anzapfen, zapfte an, hat angezapft ⟨tr.⟩: *(einer Sache) Flüssigkeit durch Abzapfen entnehmen:* reiche Erdöllager a.; ⟨auch itr.⟩ der Wirt hat [das Faß Bier] angezapft; bildl. (ugs.): eine Telefonleitung a. *(abhören);* jmdn. a. *(zum Geldgeben bewegen, Geld von ihm leihen; aushorchen).*

Anzeichen, das; -s, -: *Zeichen, das etwas Vorhandenes oder Kommendes anzeigt:* sie waren nach dem langen Marsch ohne jedes A. von Erschöpfung; die A. eines drohendes Krieges.

anzeichnen, zeichnete an, hat angezeichnet ⟨tr.⟩: **1.** *an eine Wandtafel zeichnen:* ein Quadrat a. **2.** *durch ein Zeichen bezeichnen, kenntlich machen:* ich habe die Bäume, die gefällt werden müssen, angezeichnet.

Anzeige, die; -, -n: **1.** *Bekanntgabe in der Zeitung, Annonce; gedruckte Mitteilung:* auf seine A. hin meldeten sich fünf Mädchen; jmdm. eine A. zur Verlobung schicken. **2.** *offizielle Meldung an die Polizei oder an eine entsprechende Behörde:* jmdm. mit einer A. drohen. * **gegen jmdn. A. erstatten, jmdn./etwas zur A. bringen** *(jmdn./etwas anzeigen):* [gegen jmdn.] A. bei der Polizei erstatten.

anzeigen, zeigte an, hat angezeigt ⟨tr.⟩ /vgl. angezeigt/: **1.** *dem Betrachter zeigen; (auf etwas) hindeuten:* das Barometer zeigt schönes Wetter an. **2.** *mitteilen, bekanntmachen, ankündigen:* die Geburt eines Sohnes in der Zeitung a.; jmdm. seinen Besuch a. **3.** *der Polizei oder einer entsprechenden Behörde melden:* jmdn. wegen Betrugs, eines Diebstahls a.

anzetteln, zettelte an, hat angezettelt ⟨tr.⟩: *(etwas Übles) planvoll vorbereiten; anstiften:* eine Verschwörung, einen Krieg a.

anziehen, zog an, hat angezogen /vgl. anziehend/: **1.** ⟨tr.⟩ **a)** *den Körper mit der üblichen Kleidung bedecken, versehen* /Ggs. ausziehen/: die Mutter zog die Kinder rasch an; ⟨auch rfl.⟩ du mußt dich jetzt a.; ⟨häufig im 2. Partizip⟩ eine gut angezogene *(gekleidete)* Frau. **b)** *(ein Kleidungsstück) überziehen, überstreifen* /Ggs. ausziehen/: einen Mantel, Handschuhe a. **2.** ⟨tr.⟩ *Anziehungskraft (auf etwas) ausüben und an sich heranziehen:* der Magnet zieht Eisen an; bildl.: die Ausstellung zog viele Besucher an. **3.** ⟨tr.⟩ *an den Körper ziehen:* ein Bein a. **4.** ⟨tr.⟩ *straffer spannen; durch Ziehen, Drehen fester machen:* das Seil, die Schraube a. **5.** ⟨itr.⟩ *[im Preis] steigen:* die Preise haben stark angezogen; die Kartoffeln ziehen auch wieder an. **6.** ⟨itr.⟩ *zu ziehen beginnen:* die Pferde ziehen an.

anziehend ⟨Adj.⟩: *reizvoll, reizend, attraktiv:* sie ist ein sehr anziehendes Mädchen.

Anziehungskraft, die; -, Anziehungskräfte: *magnetische Kraft, Schwerkraft:* die A. eines Magnets; die A. der Erde; bildl.: sie übt eine große A. auf ihn aus.

anzischen, zischte an, hat angezischt ⟨tr.⟩: *sich zischend (gegen jmdn.) wenden:* der Schwan zischte mich an; bildl. (ugs.): „Sei ruhig!" zischte er mich an *(sagte er scharf, erbost in unterdrücktem Ton).*

Anzug, der; -s, Anzüge: *aus Jacke [Weste] und Hose bestehendes Kleidungsstück* (siehe Bild): er trug einen dunklen A. ** **im A. sein** *(herankommen, sich nähern):* ein Gewitter ist im A.

Anzug

anzüglich ⟨Adj.⟩: *auf etwas Peinliches anspielend:* eine anzügliche Bemerkung machen.

Anzüglichkeit, die; -, -en.

anzünden, zündete an, hat angezündet ⟨tr.⟩: *zum Brennen bringen; anstecken:* eine Kerze, ein Streichholz a.; darf ich dir die Zigarette a.?

anzweifeln, zweifelte an, hat angezweifelt ⟨tr.⟩: *Zweifel (an etwas) äußern, zweifelnd in Frage stellen:* die Glaubwürdigkeit des Zeugen a.

Aorta, die; -, Aorten: Med. *größte Schlagader des Körpers:* die A. war verengt.

apart ⟨Adj.⟩: *durch seine Besonderheit angenehm auffallend; ungewöhnlich, nicht alltäglich und dadurch reizvoll:* eine aparte Dame; dieser Hut ist besonders a.

Apartment, das; -s, -s: *(meist nur aus einem Zimmer bestehende) komfortable Kleinwohnung.*

Apathie, die; -, -n: *Teilnahmslosigkeit, Gleichgültigkeit:* seine A. überwinden.

apathisch ⟨Adj.⟩: *teilnahmslos, gleichgültig:* er saß völlig a. in einer Ecke.

Aperitif, der; -s, -s: *den Appetit anregendes alkoholisches Getränk:* ein französischer A.

Apfel, der; -s, Äpfel: /eine Frucht/ (siehe Bild). * **in den sauren A. beißen** *(etwas Unangenehmes notgedrungen tun).*

Apfel

Apfelsine, die; -, -n: *Orange* /eine Südfrucht/ (siehe Bild).

Apfelsine

Aphorismus, der; -, Aphorismen: *knapp formulierter, geistreicher Gedanke:* ein geschliffener A.

apodiktisch ⟨Adj.⟩: *keinen Widerspruch duldend:* etwas a. erklären, behaupten.

Apostel, der; -s, -: **1.** *Jünger Jesu:* die zwölf A. **2.** (oft abwertend) *jmd., der eine [neue] Lehre verkündet:* ein falscher A.; ein A. der Gewaltlosigkeit.

apostrophieren, apostrophierte, hat apostrophiert ⟨tr.⟩: *(als etwas) ansprechen, erklären, benennen:* das Unglück wurde als kleines Mißgeschick apostrophiert; jmdn. als intellektuell a.; zwei als Konkurrenten apostrophierte Politiker.

Apotheke, die; -, -n: *Geschäft, in dem Medikamente verkauft oder auch hergestellt werden.*

Apotheker, der; -s, -: *jmd., der die Berechtigung zur Leitung einer Apotheke erworben hat* /Berufsbezeichnung/.

Apparat, der; -s, -e: **1.** *[kompliziertes] aus mehreren Teilen zusammengesetztes technisches Gerät, das eine bestimmte Arbeit leistet:* er mußte den A. auseinandernehmen, weil er nicht mehr funktionierte; (ugs.) du wirst am A. *(am Telefon)* verlangt; (ugs.) stelle doch bitte den A. *(das Radio)* ab. **2.** *alle Menschen und Hilfsmittel, die für eine bestimmte größere Aufgabe benötigt werden:* der riesige A. der Verwaltung.

Apparatur, die; -, -en: *gesamte Anlage von Apparaten und Instrumenten, die einer bestimmten Aufgabe dient:* allein die A. kostete ein Vermögen.

Appartement [apart(ə)'mã:], das; -s, -s: *komfortable Wohnung mit einer ganzen Reihe von Zimmern:* ein erstklassiges A. bewohnen; in einem reservierten A. des Hotels „Milano".

Appell, der; -s, -e: **1.** *[Aufforderung, sich zur] Entgegennahme von Befehlen [zu versammeln]*/beim Militär/: zum A. antreten. **2.** *dringliche Aufforderung, beschwörender Aufruf:* einen A. an die Öffentlichkeit richten; mit einem A. zur Toleranz seine Rede beschließen.

appellieren, appellierte, hat appelliert ⟨itr.⟩: *sich nachdrücklich mit einer Aufforderung oder Mahnung (an jmdn.) wenden:* er appellierte an die Bewohner, Ruhe zu bewahren; an jmds. Einsicht a.

Appetit, der; -s: *Lust zu essen:* er bekam auf einmal großen A. auf Fisch. * **guten A.!** /Wunschformel/.

appetitlich ⟨Adj.⟩: *(durch die Art der Zubereitung, durch das Aussehen) den Appetit anregend:* die Brötchen sehen sehr a. aus.

applaudieren, applaudierte, hat applaudiert ⟨itr.⟩: *Beifall spenden, klatschen; seine Zustimmung äußern:* nach seiner Rede applaudierten die Zuhörer besonders lebhaft.

Applaus, der; -es: *Beifall, der sich durch Klatschen, Zurufe o. ä. äußert:* nach dem Konzert setzte stürmischer A. ein.

apportieren, apportierte, hat apportiert ⟨tr.⟩: *(kleineres geschossenes Wild) herbeibringen* /vom Jagdhund/: der Hund apportierte den Hasen.

Approbation, die; -, -en: *staatliche Zulassung zur Berufsausübung als Arzt oder Apotheker:* nach diesem Skandal wurde dem Arzt die A. entzogen.

approbiert ⟨Adj.; nicht adverbial⟩: *die Approbation besitzend, staatlich zugelassen:* ein approbierter Zahnarzt, Apotheker.

Aprikose

Aprikose, die; -, -n: /eine Frucht/ (siehe Bild).

April, der; -[s]: *vierter Monat des Jahres.*

Aprilscherz, der; -es, -e: *scherzhaft gemeinte Unwahrheit, mit der man jmdn. am 1. April zum Narren hält:* das ist kein A., sondern traurige Wahrheit.

a priori (geh.): *von vornherein, grundsätzlich:* a priori kommen alle Anwesenden als Täter in Frage.

Apsis, die; -, Apsiden: **1.** *[halbrunde] Nische in einer Kirche zur Aufnahme eines Altars* (siehe Bild): hinter dem Chor befindet sich eine A. **2.** *halbrunder Teil des Zeltes für das Gepäck* (siehe Bild): das kleine Zelt hat leider keine A.

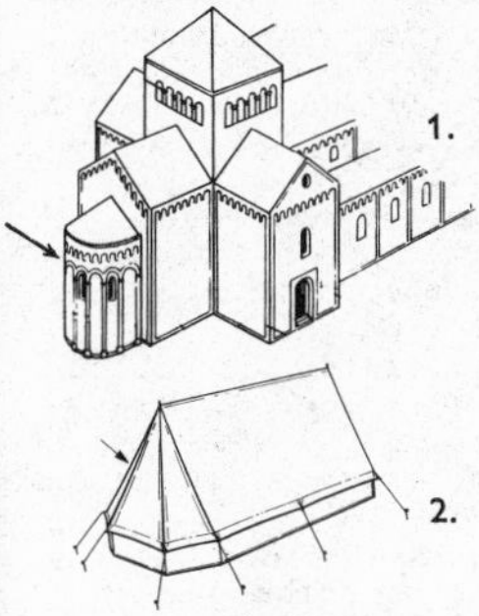

Apsis

Aquädukt, der; -[e]s, -e: *römische Wasserleitung in Form einer Brücke* (siehe Bild).

Aquädukt

Aquanaut, der; -en, -en: *jmd., der unter der Oberfläche des Meeres Forschungen betreibt:* Aquanauten als Pioniere künftigen menschlichen Lebens unter Wasser.

Aquarell, das; -s, -e: *mit Wasserfarben gemaltes Bild:* farbige, leuchtende Aquarelle.

Aquarium, das; -s, Aquarien: *Behälter aus Glas zur Pflege und Züchtung von kleinen Tieren und Pflanzen, die im Wasser leben* (siehe Bild): Goldfische im A. halten.

Aquarium

Äquator, der; -s: *(gedachte) Linie, die die Erde in eine nördliche und eine südliche Hälfte teilt:* das Schiff überquert, passiert den Ä.

Äquivalent, das; -s, -e: *gleichwertiger Ersatz, [angemessener] Gegenwert:* das ist kein genügendes Ä. für seine große Mühe.

Ära, die; - (geh.): *Zeitalter:* eine neue Ä. einleiten; die Ä. de Gaulle.

Arbeit, die; -, -en: **1.** *körperliche oder geistige Tätigkeit, Betätigung; Ausführung eines Auftrags:* eine neue, interessante A. beginnen; er hat als Lehrling jeden Tag bestimmte Arbeiten zu verrichten. **2.** ⟨ohne Plural⟩ **a)** *das Beschäftigtsein mit etwas; das Tätigsein, Arbeiten:* du störst mich bei der A.; er hat viel A. *(hat viel zu tun).* *** etwas ist in A.** *(an etwas wird gerade gearbeitet).* **b)** *Anstrengung, Mühe, Beschwerlichkeit:* es war eine ziemliche A., die Bücher neu zu ordnen; du hast dir viel A. gemacht mit der Vorbereitung des Festes. **c)** *berufliche Tätigkeit, Ausübung des Berufs:* er sucht eine neue A.; er hat zur Zeit keine A. *(ist arbeitslos).* **3.** *Werk, Erzeugnis:* die Künstler stellten ihre Arbeiten aus; eine wissenschaftliche A. *(Abhandlung)* veröffentlichen; der Lehrer sammelte die Arbeiten *(schriftlichen Aufgaben)* ein. **4.** *Gestaltung, Art der Ausführung:* dieser Schrank ist eine alte, solide A.

arbeiten, arbeitete, hat gearbeitet: **1.** ⟨itr.⟩: *Arbeit leisten, verrichten; tätig sein:* er arbeitete sehr konzentriert; er arbeitet bei einer Behörde, für eine andere Firma; er hat lange an der Lösung dieser Aufgabe gearbeitet *(war lange damit beschäftigt);* ⟨auch rfl.⟩ er hat sich müde gearbeitet *(hat so lange gearbeitet, bis er müde war).* **2.** ⟨itr.⟩ *in Tätigkeit, in Betrieb, in Funktion sein:* die Maschine arbeitet Tag und Nacht; sein Herz arbeitet wieder normal. **3.** ⟨tr.⟩ *anfertigen, herstellen:* wer hat diesen Anzug gearbeitet? **4.** ⟨rfl.⟩ *einen bestimmten Weg mühevoll zurücklegen:* es dauerte einige Zeit, bis er sich durch den Schnee gearbeitet hatte.

Arbeiter, der; -s, -: **a)** *jmd., der arbeitet:* er ist ein gewissenhafter A. **b)** *jmd., der gegen Lohn körperliche Arbeit verrichtet:* er ist ein gelernter A.; die Arbeiter bekommen ihren Lohn am Ende jeder Woche.

Arbeiterschaft, die; -: *Gesamtheit der Arbeiter.*

Arbeitgeber, der; -s, -: *jmd., der andere gegen regelmäßige Bezahlung beschäftigt:* er hat einen verständnisvollen A.

Arbeitnehmer, der; -s, -: *jmd., der nicht selbständig ist, sondern bei einem anderen gegen Bezahlung arbeitet.*

arbeitsam ⟨Adj.⟩: *fleißig und tüchtig:* ein arbeitsamer Mensch; dieses Volk ist sehr a. **Arbeitsamkeit,** die; -.

Arbeitsamt, das; -[e]s, Arbeitsämter: *behördliche Einrichtung zur Vermittlung von Arbeit.*

Arbeitsessen, das; -s, -: *Essen von Verhandlungen führenden Politikern, Industriellen o. ä., bei dem die Verhandlungsgegenstände unter Berücksichtigung von Einzelheiten und in zwangloserer Weise besprochen werden.*

Arbeitskraft, die; -, Arbeitskräfte: **1.** ⟨ohne Plural⟩ *Fähigkeit, etwas zu leisten, zu arbeiten:* die menschliche A. durch Maschinen ersetzen. **2.** *Arbeit leistender Mensch:* der Betrieb hat neue Arbeitskräfte eingestellt.

arbeitslos ⟨Adj.⟩: *unfreiwillig ohne berufliche Beschäftigung; keinen Arbeitsplatz habend:* er ist schon seit einem halben Jahr a. **Arbeitslose,** der; -n, -n ⟨aber: [ein] Arbeitsloser, Plural: Arbeitslose⟩.

Arbeitsplatz, der; -es, Arbeitsplätze: **1.** *Platz, an dem man seine berufliche Arbeit verrichtet:* er hat einen schönen, sonnigen A. **2.** *Stelle, Beschäftigung:* seinen A. wechseln, verlieren.

Arbeitstag, der; -[e]s, -e: **1.** *Tag, an dem allgemein gearbeitet wird:* die Woche hat nur noch fünf Arbeitstage. **2.** ⟨ohne Plural⟩ *festgelegte tägliche Arbeitszeit im Beruf:* sein A. hat acht Stunden.

Arbeitstier, das; -[e]s, -e (abwertend): *jmd., der gezwungen oder freiwillig sehr viel Arbeit leistet [ohne daß dies entsprechend gewürdigt würde]:* er ist zeit seines Lebens nur ein A. gewesen.

Arbeitsverhältnis, das; -ses, -se: **1.** *rechtliche Beziehung zwischen Arbeitnehmer und Arbeitgeber:* er will sein A. lösen *(seine Stelle aufgeben).* **2.** ⟨Plural⟩ *Bedingungen, unter denen man beruflich arbeitet:* bei seiner Firma sind die Arbeitsverhältnisse nicht sehr erfreulich.

Arbeitszeit, die; -, -en: **1.** *tägliche für die Arbeit vorgesehene oder festgelegte Zeit:* die A. wurde um eine halbe Stunde verkürzt. **2.** *Zeit, die für eine bestimmte Arbeit benötigt wird:* der Handwerker berechnete A. und Material.

Archäologie, die; -: *Wissenschaft von den nichtliterarischen Funden aus dem Altertum:* die neuen Erkenntnisse, die wir der A. verdanken.

Arche: ⟨in der Fügung⟩ die A. Noah: *in der Bibel vorkommendes, einem Kasten ähnliches Schiff, in dem Noah und je ein Paar Tiere die Sintflut überlebten.*

Architekt, der; -en, -en: *jmd., der Architektur studiert [hat]* /Berufsbezeichnung/: der Entwurf des Herrn Architekt[en] Schulze; bildl.: diese Physiker sind die Architekten *(Schöpfer)* eines neuen Weltbildes.

architektonisch ⟨Adj.⟩: *die Gesetze der Baukunst betreffend:* der Bau ist ein architektonisches Meisterwerk; bildl.: eine geschickte architektonische Gliederung der einzelnen Texte.

Architektur, die; -: **1.** *Baukunst:* A. studieren. **2.** *Gestaltung, Stil eines Bauwerkes:* die A. einer Schloßruine betrachten.

Archiv, das; -s, -e: **1.** *Sammlung von Dokumenten, Urkunden o. ä.:* ein A. anlegen. **2.** *Ort für die Aufbewahrung von Dokumenten, Urkunden o. ä.:* die alten Urkunden liegen im A.

Archivar, der; -s, -e: *wissenschaftlicher Beamter in einem Archiv.*

Areal, das; -s, -e: *[Boden]fläche, Gebiet:* das ganze A. ist von einem hohen Zaun umschlossen.

Arena, die; -, Arenen: *runder Platz zum Vorführen (von etwas):* **a)** *im römischen Amphitheater* (siehe Bild): die Gladiatoren kämpften in der A.; bildl.: die politische A. verlassen *(sich von der Politik zurückziehen).* **b)** *im Zirkus* (siehe Bild): der Dompteur mußte schwer verletzt aus der A. getragen werden.

arg, ärger, ärgste ⟨Adj.⟩: **a)** *schlimm, übel; unangenehm, groß, heftig:* in arge Not geraten; das war eine arge Enttäuschung für ihn. **b)** ⟨verstärkend bei Adjektiven und Verben⟩ (bes. südd.) *sehr, in auffallender Weise:* der Koffer ist a. schwer; er ist noch a. jung.

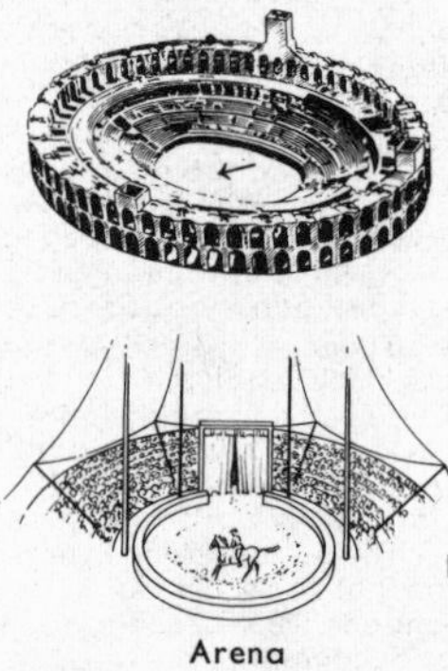

a)

b)

Arena

Ärger, der; -s, **1.** *durch Mißfallen an etwas, durch Unzufriedenheit, Enttäuschung o. ä. hervorgerufenes Gefühl des Gereiztseins; Verdruß, Unwille:* sie konnte ihren Ä. über das Mißgeschick nicht verbergen. **2.** *etwas, worüber man sich ärgert; Unannehmlichkeit:* heute gab es im Büro wieder [viel] Ä.

ärgerlich ⟨Adj.⟩: **1.** *voll Ärger, Verdruß; verärgert, aufgebracht:* etwas in ärgerlichem Ton sagen; er war sehr ä. über die Störung. **2.** *Ärger, Verdruß verursachend; unerfreulich, unangenehm:* eine ärgerliche Angelegenheit; er fand es sehr ä., so lange warten zu müssen.

ärgern, ärgerte, hat geärgert: **1.** ⟨tr.⟩ **a)** *(jmdm.) Ärger, Verdruß bereiten; verstimmen:* er hat sie mit seiner Bemerkung geärgert; es ärgerte ihn, daß er alles falsch gemacht hat. **b)** *reizen, necken, hänseln:* er hat es darauf abgesehen, sie zu ä. **2.** ⟨rfl.⟩ *Ärger, Verdruß empfinden; ärgerlich, erregt sein:* hast du dich über ihn geärgert?

Ärgernis, das; -ses, -se: *etwas, worüber man sich ärgert; Unannehmlichkeit:* seine häufige Abwesenheit war ein Ä. für den Chef.

Arglist, die; - (geh.): *Hinterlist, heimtückisches Wesen:* ohne A.; voll[er] A. sein.

arglistig ⟨Adj.⟩ (geh.): *voll Arglist, hinterlistig, heimtückisch:* einen Vertrag wegen arglistiger Täuschung anfechten.

arglos ⟨Adj.⟩: **a)** *ohne böse Absicht:* eine arglose Bemerkung. **b)** *nichts Böses ahnend, vertrauensselig:* das Mädchen folgte a. dem Manne. **Arglosigkeit,** die; -.

Argument, das; -[e]s, -e: *etwas, was zur Rechtfertigung, Begründung oder als Beweis vorgebracht wird.*

Argumentation, die; -, -en: *Angabe von Gründen, das Erbringen von Beweisen:* sich auf keine umständliche A. einlassen.

argumentieren, argumentierte, hat argumentiert ⟨itr.⟩: *Argumente vorbringen:* kann man unsinniger a.?; er argumentierte, daß das keinen Einfluß mehr auf die Entwicklung habe.

Argusaugen: ⟨in der Fügung⟩ mit A. (geh.): *mißtrauisch-wachsam, scharf:* etwas mit A. überwachen, beobachten.

Argwohn, der; -s: *Mißtrauen, Verdacht.*

argwöhnen, argwöhnte, hat geargwöhnt ⟨tr.⟩: *(jmdm. gegenüber) mißtrauisch sein und befürchten, vermuten:* sie argwöhnte, daß er sie belog.

argwöhnisch ⟨Adj.⟩: *mißtrauisch.*

Arie, die; -, -n: *von dem Sänger oder der Sängerin unter Begleitung von Instrumenten gesungenes kunstvolles Lied aus einer Oper, Operette oder Kantate:* die herrliche A. zu Beginn des zweiten Aktes von „Rigoletto".

Aristokrat, der; -en, -en: **1.** (hist.) *Angehöriger des adligen Standes.* **2.** *durch und durch vornehmer Mensch:* er ist ein ausgesprochener A.

Aristokratie, die; -, -n: **1.** (hist.) **a)** *Stadt oder Staat, in dem der Adel herrscht:* in einer A. übt ein Rat von Adligen die eigentliche Herrschaft aus. **b)** *Gesamtheit der Adligen:* zur A. gehören. **2.** ⟨ohne Plural⟩ *vornehme Gesinnung, edle Würde:* die A. seiner Erscheinung.

aristokratisch ⟨Adj.⟩: **1.** (hist.) *die Aristokratie betreffend, zu ihr gehörig; adlig:* eine aristokratische Verfassung. **2.** *vornehm, edel:* eine aristokratische Gesinnung zeigen.

Arkade, die; -, -n: **1.** *auf zwei Pfeilern oder Säulen ruhender Bogen* (siehe Bild): die mittlere A. ist mit einem Ornament verziert. **2.** ⟨Plural⟩ *langer Gang*

Arkade

mit Bögen, die auf Pfeilern oder Säulen ruhen: ein von Arkaden umgebener Platz.

arm, ärmer, ärmste ⟨Adj.⟩: **1.** *nur sehr wenig Geld zum Leben habend* /Ggs. reich/: seine Eltern waren a. und konnten ihn nicht studieren lassen. * **a. und reich** *(jedermann);* **a. an etwas sein** *(nur wenig von etwas haben):* die Banane ist a. an Vitaminen. **2.** *bedauernswert, Mitleid erregend:* der arme Mann hat nur ein Bein.

Arm, der; -[e]s, -e: **1.** /Glied des [menschlichen] Körpers/ (siehe Bild): der rechte, linke A.; bildl.: ein toter *(nicht weiterführender)* A. eines Flusses.

Arm

* (ugs.) **jmdn. auf den A. nehmen** *(jmdn. zum besten haben);* **jmdm. [mit Geld o. ä.] unter die Arme greifen** *(jmdn. [mit Geld o. ä.] unterstützen);* (ugs.) **die Beine untern A. nehmen** *(schnell weglaufen; sich beeilen).* **2.** fachspr. *Ärmel:* ein Kleid mit kurzem A.

Armaturen, die ⟨Plural⟩: *der Bedienung und Überwachung dienende zusätzliche Ausrüstung einer technischen Anlage:* alle Armaturen müssen kontrolliert werden.

Armaturenbrett

Armaturenbrett, das; -[e]s, -er: *Tafel mit den Armaturen* (siehe Bild): bei dem Zusammenstoß hat er sich am A. verletzt; die übersichtliche Anordnung aller Instrumente am A.

Armbrust, die; -, Armbrüste: *einem Bogen ähnliche alte Waffe* (siehe Bild): die A. spannen.

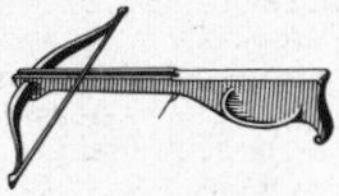

Armbrust

Armee, die; -, -n: **a)** ⟨ohne Plural⟩ *alle Soldaten oder Truppen eines Staates; Heer.* **b)** *größere Einheit, Abteilung eines Heeres:* die zweite A. **c)** *große Menge:* eine A. von Arbeitslosen.

Ärmel

Ärmel, der; -s, -: *Teil eines Kleidungsstückes, der den Arm bedeckt* (siehe Bild). * **[sich** (Dativ)**] etwas aus dem Ä./aus den Ärmeln schütteln** *([sich] etwas mit Leichtigkeit leisten können).*

ärmlich ⟨Adj.⟩: *[im Äußeren] von Armut zeugend; dürftig:* ärmliche Kleidung; er lebt sehr ä.

armselig ⟨Adj.⟩: *ärmlich, kümmerlich, unzulänglich:* er war sehr a. angezogen. **Armseligkeit,** die; -.

Armut, die; -: **a)** *materielle Not:* in dieser Familie herrschte bitterste A.; die A. war in diesem Lande groß. **b)** *Mangel:* die A. des Gefühls/an Gedanken.

Armutszeugnis, das; -ses, -se: Rechtsw. *behördliches Zeugnis, in dem bestätigt wird, daß die betreffende Person nicht in der Lage ist, die Kosten für einen Prozeß zu bestreiten:* dem Gesuch ein A. beifügen; bildl.: damit stellst du dir nur ein A. aus *(lieferst du den Beweis für deine Unfähigkeit).*

Aroma, das; -s, Aromen und Aromas: **1.** /von Genuß- und Lebensmitteln/ **a)** *angenehmer, stärker ausgeprägter Geschmack:* die Erdbeeren haben ein schönes A. **b)** *würziger Duft, Wohlgeruch:* die Zigarre hat ein besonderes A. **2.** *Flüssigkeit mit besonderem Geschmack, die einer [süßen] Speise beigegeben wird:* ein Fläschchen A.

aromatisch ⟨Adj.⟩: **a)** *wohlschmeckend, würzig, kräftig:* ein aromatischer Apfel. **b)** *wohlriechend:* der aromatische Duft des Kaffees.

Arrak, der; -s: *ostindischer Branntwein [aus Reis].*

Arrangement [arãʒəˈmã:], das; -s, -s: **1.** *vorbereitende Gestaltung, Organisation:* das A. dieser Veranstaltung liegt in den Händen von Herrn X. **2. a)** *etwas geschmackvoll Zusammengestelltes* /bes. in bezug auf Blumen/: ein großes A. aus Flieder und Rosen. **b)** *Bearbeitung eines Musikstücks:* er schreibt gute Arrangements für Klavier. **3.** (veraltend) *Verständigung, Übereinkunft, Vereinbarung, Vergleich:* zu einem A. mit der Sowjetunion bereit sein.

arrangieren [arãˈʒi:rən], arrangierte, hat arrangiert: **1.** ⟨tr.⟩ **a)** *die Gestaltung (einer Veranstaltung o. ä.) übernehmen:* ein Fest a. **b)** *in die Wege leiten, bewerkstelligen:* etwas geschickt a. **2.** ⟨rfl.⟩ *sich [mit jmdm.] verständigen und eine Lösung für etwas finden:* sie müssen sich a.

Arrest, der; -[e]s: *Entziehung der Freiheit als Strafe* /bes. bei Soldaten und Schülern/: der Gefreite mußte drei Tage leichten A. absitzen; für diese Frechheit hat der Schüler Meyer zwei

Stunden A. *(Nachsitzen)* bekommen.

Arrestant, der; -en, -en: *jmd., der seinen Arrest verbüßt; Häftling:* den Arrestanten vorführen.

arretieren, arretierte, hat arretiert ⟨tr.⟩: **1.** (veralt.) *in Arrest nehmen, verhaften:* der Schutzmann arretierte den Dieb. **2.** *in der Bewegung anhalten, feststellen, sperren, blockieren:* die Waage, den Hebel a.

arrivieren, arrivierte, ist arriviert ⟨itr.⟩ (abwertend): *vorwärtskommen, zu Erfolg und Anerkennung kommen:* er ist sogar zum nationalen Märtyrer arriviert; ⟨häufig im 2. Partizip⟩ ein arrivierter Bürger, Künstler; die Arrivierten.

arrogant ⟨Adj.⟩: *anmaßend, dünkelhaft; so überheblich, daß man sich dadurch herausgefordert fühlt:* er benahm sich sehr a.

Arroganz, die; -: *mit Überheblichkeit und Frechheit gepaarte Anmaßung:* er ist von einer A., die gerade durch ihre Diskretion aufreizend wirkt.

Arsch, der; -es, Ärsche (derb): *Gesäß.*

Arsenal, das; -s, -e (veralt.): *militärisches Lager für Waffen und Geräte:* Arsenale errichten; bildl.: er muß das ganze A. *(Rüstzeug)* seiner juristischen Kenntnisse aufbieten, um eine Verurteilung zu verhindern.

Art, die; -, -en: **1.** ⟨ohne Plural⟩ *Eigenart, Wesen, Beschaffenheit, Natur:* ihre frische A. gefiel allen. **2.** ⟨ohne Plural⟩ *Weise, Gewohnheit im Handeln:* er hat eine unangenehme A. zu fragen; auf diese A. kommst du nie ans Ziel; er tat dies in seiner gewohnten A.; sie glaubten dies nach kindlicher A. **3.** *Sorte, Gattung:* Blumen aller A. * **aus der A. schlagen** *(niemandem aus der Familie in Anlage oder Wesen ähnlich sein):* der Sohn ist ganz aus der A. geschlagen.

arten, artete, ist geartet ⟨itr.⟩: *(jmdm.) ähnlich werden, geraten; ähnlich beschaffen sein (wie jmd.):* er artet ganz nach seinem Vater; ⟨häufig im 2. Partizip⟩ es sind ganz anders geartete Menschen.

Arterie, die; -, -n: Med. *Schlagader:* die A. teilt sich an dieser Stelle in drei Äste.

artig ⟨Adj.⟩: **1.** *gehorsam, folgsam, brav:* ein artiges Kind. **2.** *höflich, galant:* er fragte sie a. nach ihrem Befinden. **Artigkeit,** die; -, -en.

Artikel, der; -s, -: **1.** *schriftlicher Beitrag, Aufsatz in einer Zeitung o. ä.* **2.** *in sich abgeschlossener Abschnitt innerhalb eines Textes:* das steht im A. 3 der Verfassung. **3.** *verkäufliche Ware; Gegenstand:* dieser A. ist im Augenblick nicht vorhanden.

artikulieren, artikulierte, hat artikuliert ⟨tr.⟩: **1.** *(in bestimmter Weise) aussprechen:* die Worte, Silben deutlich, schlecht a. **2.** ⟨tr./rfl.⟩ *(einer Sache) Ausdruck verleihen, äußern:* vor einiger Zeit hat der Minister seinen Standpunkt in öffentlicher Debatte artikuliert; die Stimmung artikulierte sich in Zweifel und Resignation.

Artillerie, die; -: *mit Geschützen ausgerüstete Truppe:* feindliche A. trommelt auf die Bunker.

Artist, der; -en, -en: *Künstler im Zirkus oder Varieté.*

artistisch ⟨Adj.⟩: **1.** *die Kunst des Artisten betreffend, zu ihr gehörend:* im Varieté wurden mehrere artistische Vorführungen gezeigt. **2.** *äußerst geschickt, gewandt; in der technischen oder künstlerischen Durchführung vollendet, perfekt:* das artistische Spiel des Pianisten; a. gebaute Verse.

Arznei, die; -, -en: *Heilmittel.*

Arzneipflanze, die; -, -n: *Heilpflanze.*

Arzt, der; -es, Ärzte: *jmd., der Medizin studiert hat und die staatliche Erlaubnis hat, Kranke zu behandeln.* **Ärztin,** die; -, -nen.

ärztlich ⟨Adj.; nicht prädikativ⟩: **a)** *zum Arzt gehörend:* die ärztliche Praxis. **b)** *vom Arzt [ausgehend]:* eine ärztliche Untersuchung; sich ä. behandeln lassen.

As, das; Asses, Asse.: **1.** *Spielkarte mit dem höchsten Wert* (siehe Bild): ich habe nur ein A. **2. a)** *hervorragender Könner auf einem Gebiet* /bes. im Sport/: diese beiden Spieler sind die großen Asse ihrer Mannschaft. **b)** *hervorragendes Fabrikat:* ein A. unter den Staubsaugern.

As

Asche, die; -: *etwas, was von verbranntem Material in Form von Pulver übrigbleibt.*

Aschenbecher, der; -s, -: *Schale für die Asche von Zigaretten o. ä.* (siehe Bild).

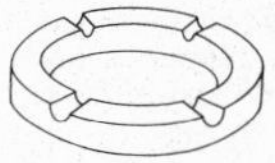

Aschenbecher

Aschermittwoch, der; -s, -e: *die Fastenzeit eröffnender Mittwoch, Mittwoch nach Fastnacht:* am A. Buße tun.

äsen, äste, hat geäst ⟨itr.⟩: *fressen, grasen* /vom Wild/: vor dem Wald äste friedlich ein stattlicher Hirsch.

Askese, die; -: *enthaltsame Lebensweise; Enthaltsamkeit:* A. üben, treiben.

Asket, der; -en, -en: *völlig enthaltsam lebender Mensch:* Ludwig war kein A. und Kostverächter.

asketisch ⟨Adj.⟩: *völlig enthaltsam:* ein streng asketisches Christentum; a. leben.

asozial ⟨Adj.⟩: *gegen die Gesellschaft gerichtet, der Gemeinschaft schadend.*

Aspekt, der; -[e]s, -e: *Art der Betrachtung oder Beurteilung von etwas; Gesichtspunkt:* die verschiedenen Aspekte eines Problems.

Asphalt, der; -s: *dem Pech ähnliches, als Belag für Straßen verwendetes schwarzes Mineral:* der A. war naß und spiegelte die Lichter wider.

asphaltieren, asphaltierte, hat asphaltiert ⟨tr.⟩: *mit Asphalt versehen:* man asphaltierte den Weg; asphaltierte Straßen.

Aspik, der; -s: *der Gallerte ähnliche Masse (bes. für Fisch- und Fleischeinlagen):* Hering in A.

Aspirant, der; -en, -en (geh.): *Anwärter, Bewerber:* für diesen Posten hatten sich mehrere Aspiranten gemeldet.

Assessor, der; -s, -en: *Anwärter der höheren Beamtenlaufbahn* /bes. bei der höheren Schule und bei Gericht/.

Assimilation, die; -, -en: *Angleichung, Anpassung, Ver-*

schmelzung: hier vollzieht sich eine gesellschaftliche A. größten Ausmaßes; A. an die Umwelt.

assimilieren, assimilierte, hat assimiliert ⟨tr.⟩/rfl.⟩: *angleichen, anpassen, verschmelzen:* Ausländer werden in diesem Land relativ leicht assimiliert; ich habe mich rasch assimiliert.

Assimilierung, die; -, -en.

Assistent, der; -en, -en: *[wissenschaftlicher] Mitarbeiter, der einem Professor, einer Person in leitender Stellung zugeteilt ist:* die Lage der wissenschaftlichen Assistenten an den deutschen Hochschulen.

Assistenz, die; -: *Mithilfe, Beistand:* A. anfordern; jmdn. zur A. heranziehen.

assistieren, assistierte, hat assistiert ⟨itr.⟩: *beistehen, Hilfe leisten:* der junge Arzt assistierte dem Professor bei der Operation.

Ast, der; -es, Äste: *stärkerer Zweig eines Baumes* (siehe Bild).

Ast

asten, astete, hat/ ist geastet (ugs.): **1.** ⟨tr.⟩ *mühevoll, angestrengt tragen:* er hat die Kartoffeln in den Keller geastet. **2.** ⟨itr.⟩ *mühevoll (mit Gepäck wohin) gehen:* ich bin mit den Koffern zum Bahnhof geastet.

Aster, die; -, -n: /eine Blume/ (siehe Bild).

Aster

Ästhet, der; -en, -en: *[überfeinerter] Freund des Schönen, Geschmackvollen, Ansprechenden:* als Ä. schätzt er euer rüdes Benehmen gar nicht.

ästhetisch ⟨Adj.⟩: **a)** ⟨nicht prädikativ⟩ *die Gesetze der Schönheit und der Kunst betreffend:* etwas vom ästhetischen Standpunkt aus betrachten. **b)** *durch seine Schönheit angenehm [wirkend], ansprechend:* ein ästhetischer Anblick.

Asthma, das; -s: Med. *Atemnot, die in Anfällen auftritt:* an A. leiden; die Luft hier verschlimmert sein nervöses A.

asthmatisch ⟨Adj.⟩: **1.** ⟨nicht adverbial⟩ *an Asthma leidend:* ein asthmatischer junger Mensch. **2.** *durch Asthma hervorgerufen:* asthmatisches Keuchen.

Astrologe, der; -n, -n: *jmd., der Astrologie betreibt:* sich durch einen namhaften Astrologen ein Horoskop stellen lassen.

Astrologie, die; -: *Deutung des menschlichen Schicksals aus den Sternen:* die A. wird nicht als ernst zu nehmende Wissenschaft betrachtet.

astrologisch ⟨Adj.⟩: *die Astrologie betreffend, zu ihr gehörend, mit ihren Mitteln erfolgend:* eine astrologische Deutung der Zukunft.

Astronaut, der; -en, -en: *Insasse eines [amerikanischen] Weltraumfahrzeugs.*

Astronom, der; -en, -en: *jmd., der Astronomie studiert [hat]:* der Leiter der Sternwarte war ein bekannter A.

Astronomie, die; -: *Wissenschaft von den Himmelskörpern:* A. studieren.

astronomisch ⟨Adj.⟩: **1.** *die Astronomie betreffend, zu ihr gehörend, mit ihren Mitteln erfolgend:* die Entfernung zwischen zwei Sternen auf astronomischem Weg ermitteln. **2.** *unvorstellbar [groß], riesig:* die Raumfahrt verschlingt astronomische Summen.

Asyl, das; -s, -e: **1.** *Heim für Notleidende, Obdachlose, Landstreicher, Trinker o. ä.:* er wurde in ein A. für Blinde eingewiesen. **2.** *Zuflucht in einem anderen Land für jmdn., der im eigenen politisch verfolgt wird:* um politisches A. bitten; jmdm. A. zusichern, bieten, gewähren.

Atavismus, der; -, Atavismen: *Rückfall in eine primitive Form, einen primitiven Zustand:* der Krieg sollte allmählich zu einem A. werden.

Atelier [atəli'e:], das; -s, -s: *Raum für künstlerische o. ä. Arbeiten.*

Atem, der; -s: **1.** *das Atmen:* der A. setzte aus. **2.** *Luft, die ein- oder ausgeatmet wird:* A. holen; er ist außer A.

atemberaubend ⟨Adj.⟩: *überaus groß, schnell o. ä.; hinreißend, mitreißend; voller Spannung:* mit atemberaubender Schnelligkeit; dieser Duft ist a.; eine atemberaubende Handlung.

Atempause, die; -, -n: *kurze Pause der Ruhe, Erholung:* eine kleine A. einlegen.

atemraubend ⟨Adj.⟩: *atemberaubend.*

Atemzug, der; -[e]s, Atemzüge: *das einmalige Einziehen [und Ausstoßen] des Atems:* einen tiefen A. machen, tun; jmds. Atemzüge hören. * (geh.) **bis zum letzten A.** *(bis zum Tode)*; **in einem/im gleichen/ in demselben/im selben A.** *(gleichzeitig)*.

Atheist, der; -en, -en: *jmd., der die Existenz Gottes verneint:* die Kirche hat die Atheisten früher verfolgt.

Äther, der; -s: **1.** (geh.) *Himmel, Luft:* das tiefe Blau des Äthers. **2.** *chemisches Mittel bes. zur Betäubung:* einen Wattebausch mit Ä. tränken.

ätherisch ⟨Adj.⟩ (geh.): *himmlisch, vergeistigt; zart, gebrechlich:* sie ist ein ätherisches Wesen.

Athlet, der; -en, -en: **1.** *stark muskulöser, kräftiger Mann.* **2.** *jmd., der an einem sportlichen Wettkampf teilnimmt* (siehe Bild).

Athlet

athletisch ⟨Adj.⟩: **1.** *wie ein Athlet gebaut, äußerst muskulös und stark:* sein nackter athletischer Körper glänzte in der Sonne. **2.** *den Wettkampf, Wettkämpfer im Sport betreffend:* athletische Ambitionen haben.

Atlantik, der; -s: *großes zusammenhängendes Meer zwischen Europa und Afrika im Osten und Amerika im Westen:* den A. überqueren.

atlantisch ⟨Adj.; nur attributiv⟩: *den Atlantik betreffend, zu ihm gehörend:* eine atlantische Störung (im Wetter). ***der Atlantische Ozean** *(Atlantik)*.

Atlas, der; - und -ses, Atlanten: *zu einem Band zusammengefaßte Landkarten.*

atmen, atmete, hat geatmet: 1. ⟨itr.⟩ *Luft einziehen [und ausstoßen]:* durch die Nase a.; tief a. 2. ⟨tr.⟩ *einatmen:* frische Luft a. **Atmung,** die; -, -en.

Atmosphäre, die; -: 1. *Luft, die die Erde als Hülle umgibt:* das Gewitter hat die A. gereinigt. 2. a) *Stimmung, Klima:* es herrschte eine gespannte A. b) *Einfluß (eines Ortes auf jmdn.):* die A. dieser Stadt erfaßte ihn.

Atom...: siehe Kern...

Atom, das; -s, -e: *kleinstes Teilchen eines chemischen Grundstoffes.*

atomar ⟨Adj.⟩: 1. ⟨nur attributiv⟩ *das Atom betreffend, sich darauf beziehend, Atom...:* auf atomaren Vorgängen beruhen. 2. *auf der Energie des Atoms beruhend, durch Kernenergie:* ein atomarer Antrieb; a. angetrieben werden. 3. *auf die Ausrüstung mit Kernwaffen bezüglich, mit Kernwaffen durchgeführt:* für atomare Einsätze ausgerüstet sein; jmdn. a. bewaffnen.

Attaché [ataˈʃe:], der; -s, -s: *untergeordneter Begleiter eines Gesandten [der diesen auf bestimmten Gebieten als Fachmann unterstützt]:* er ist A. bei der Botschaft in Belgrad.

Attacke, die; -, -n: 1. *Angriff der Kavallerie:* eine A. reiten. * **eine A. gegen jmdn./etwas reiten** *(jmdn./etwas [mit Worten] heftig angreifen, tadeln).* 2. Med. *heftiger Anfall:* diese A. wird er kaum überleben.

attackieren, attackierte, hat attackiert ⟨tr.⟩: 1. *angreifen* /von Soldaten zu Pferde/: die Kavallerie attackierte die feindlichen Stellungen. 2. *[mit Worten] heftig angreifen, tadeln:* er hat mich zu Unrecht attackiert; er attackiert immer wieder diese Zustände.

Attentat, das; -[e]s, -e: *Versuch, eine im öffentlichen Leben stehende Person zu töten; Anschlag:* das A. auf den Präsidenten mißglückte.

Attentäter, der; -s, -: *jmd., der ein Attentat begangen hat:* der A. wurde sogleich abgeführt.

Attest, das; -[e]s,-e: *ärztliche Bescheinigung [über eine Krankheit].*

attestieren, attestierte, hat attestiert ⟨tr.⟩ (geh.): *bescheinigen:* ich attestiere meinen Schülern Fleiß und eine aufgegeschlossene Haltung.

Attitüde, die; -, -n (geh.; oft abwertend): *(einer inneren Einstellung entsprechende) Haltung des Körpers, Pose:* mit großer A. auftreten; die Attitüden und Gebärden der Schauspielerin sind gekünstelt.

Attraktion, die; -, -en: *etwas, was durch seine besondere Art das Interesse auf sich zieht:* auf dem Fest gab es einige Attraktionen.

attraktiv ⟨Adj.⟩: a) *anziehend durch besondere Vorteile oder Gegebenheiten; einen Anreiz bietend:* der Dienst in der Verwaltung ist noch immer a. b) *anziehend auf Grund eines ansprechenden Äußeren; hübsch und voller Reiz:* eine attraktive Frau.

Attrappe, die; -, -n: *täuschend ähnliche Nachbildung einer Ware:* im Schaufenster lagen nur Attrappen aus Papier.

Attribut, das; -s, -e: *zur besonderen Kennzeichnung Hinzugefügtes, Merkmal, Kennzeichen; Beigabe:* die Attribute der Heiligen; die körperlichen Attribute der Weiblichkeit.

ätzen, ätzte, hat geätzt ⟨tr.⟩: 1. a) *mit einer scharfen Flüssigkeit behandeln:* die Wunde ä.; b) *mit einer scharfen Flüssigkeit zerstören:* diese Lösung ätzt die Haut; bildl. ⟨meist im 1. Partizip⟩: jmdn. mit ätzender Ironie behandeln. 2. *mittels Säuren (in Metall) zeichnen:* ein Bild auf eine Kupferplatte ä. **Ätzung,** die; -, -en.

auch ⟨Adverb⟩: 1. *ebenfalls, genauso, gleichfalls:* sämtliche Mitglieder, a. die Vorsitzenden waren anwesend; sein Kopf tat ihm a. weh. 2. *außerdem, zudem, im übrigen:* das war a. der Grund, warum er nicht gekommen war. 3. *selbst, sogar:* a. die kleinste Gabe hilft den Armen; auf diese Weise wirst du a. nicht eine Mark sparen. 4. a) *tatsächlich, wirklich:* ich glaubte, er sei verreist, und er war es a. b) *schließlich, denn:* sie ging viel ins Konzert. Warum a. nicht? 5. /drückt Ärger, Vorwurf, Verwunderung o. ä. aus/ du bist a. eigensinnig; a. das noch!; warum bist du a. zu spät gekommen!

Audienz, die; -, -en: *feierlicher Empfang (durch hochgestellte, fürstliche Personen):* vom Papst in A. empfangen werden; er wurde von Maria Theresia zur A. zugelassen.

Auditorium, das; -s, Auditorien (geh.): *Zuhörerschaft:* das A. applaudierte dem Redner.

Aue, die; -, -n (geh.): *flaches, fruchtbares Gelände an Wasserläufen:* die weite A. war mit Büschen und einzelnen Bäumen bestanden.

auf: I. ⟨Präp. mit Dativ oder Akk.⟩ 1. /räumlich; kennzeichnet die Berührung von oben/ a) /Lage; mit Dativ/: das Buch liegt a. dem Tisch. b) /Richtung; mit Akk./: er legte das Buch a. den Tisch. 2. /zeitlich; mit Akk./ a) /zeitliche Dauer/: a. zwei Jahre ins Ausland fahren. b) /zeitliches Nacheinander/: a. Regen folgt Sonne. ** **a. der Stelle** *(sofort);* **a. einmal** *(plötzlich; gleichzeitig).* II. ⟨Adverb⟩ 1. *empor, in die Höhe:* a., Leute! 2. *los, vorwärts:* a. zur Stadt!

aufarbeiten, arbeitete auf, hat aufgearbeitet ⟨tr.⟩: 1. *(etwas, was schon einige Zeit auf Bearbeitung wartet) erledigen:* nach seiner Reise mußte er erst einmal die liegengebliebene Post a. 2. *erneuern, (einem Gegenstand) ein neues Aussehen geben:* Möbel a.

aufatmen, atmete auf, hat aufgeatmet ⟨itr.⟩: *erleichtert sein:* als er hörte, daß sie das Unglück gesund überstanden hatte, atmete er auf.

aufbahren, bahrte auf, hat aufgebahrt ⟨tr.⟩: *(einen Verstorbenen, den Sarg mit dem Verstorbenen) auf eine Bahre, ein Gestell legen, stellen:* man hatte den Vater in einem Nebenraum aufgebahrt; an dem aufgebahrten Sarg Wache halten. **Aufbahrung,** die; -, -en.

Aufbau, der; -s, -ten: 1. ⟨ohne Plural⟩ *das Aufbauen, Errichtung:* den A. der Wirtschaft beschleunigen. 2. *das Aufgebaute, Erhöhung:* das Haus hatte einen A. 3. ⟨ohne Plural⟩ *Gliederung, Struktur:* der A. des Dramas.

aufbauen, baute auf, hat aufgebaut: 1. ⟨tr.⟩ a) *aufstellen, zu einem Ganzen zusammenfügen, errichten:* ein Zelt a.; ein Haus wieder a. b) *nach und nach schaffen:* eine Armee a.; ich habe mir eine neue Existenz aufgebaut. 2. ⟨itr.⟩ *ausgehen (von etwas), (etwas) zur Grundlage nehmen:* auf den neuesten Erkenntnissen a. 3. ⟨tr.⟩ *jmds. Aufstieg im öffentlichen Leben vorbereiten und betreiben:* jmdn. als Kandidaten für eine Partei a. 4. ⟨rfl.⟩ (ugs.) *sich hinstellen:* sich vor jmdm. a.

aufbäumen, sich; bäumte sich auf, hat sich aufgebäumt: a) *sich auf die hinteren Füße stellen und aufrichten:* das Pferd bäumte sich auf. b) *sich empören, Widerstand leisten:* er bäumte sich gegen die Ungerechtigkeit auf.

aufbauschen, bauschte auf, hat aufgebauscht ⟨tr.⟩ (abwertend): *(etwas) übertrieben oder schlimmer darstellen, als es in Wirklichkeit ist:* einen Vorfall a.

aufbegehren, begehrte auf, hat aufbegehrt ⟨itr.⟩: *sich auflehnen; sich gegen jmdn./etwas zur Wehr setzen:* keiner wagte aufzubegehren.

aufbehalten, behält auf, behielt auf, hat aufbehalten ⟨tr.⟩ (ugs.): 1. *(eine Kopfbedeckung) nicht abnehmen:* behalten Sie bitte Ihren Hut auf! 2. *geöffnet lassen:* den Schirm a.; die Augen a. *(offenhalten).*

aufbekommen, bekam auf, hat aufbekommen ⟨tr.⟩ (ugs.): 1. *als Hausaufgabe bekommen:* was hat du vom Lehrer aufbekommen? 2. *ganz aufessen [können]:* er bekommt den Kuchen bestimmt auf. 3. *öffnen können:* hast du den Koffer aufbekommen?

aufbereiten, bereitete auf, hat aufbereitet ⟨tr.⟩: *zur weiteren Verwendung vorbereiten, indem fremde Bestandteile ausgeschieden werden:* Erze, Mineralien, Trinkwasser a.; bildl.: alles vorgefundene Material ist aufbereitet *(erschlossen, verarbeitet)* worden. **Aufbereitung,** die; -, -en.

aufbessern, besserte auf, hat aufgebessert ⟨tr.⟩: *in der Qualität oder Quantität steigern, erhöhen:* die Verpflegung, die alten Möbel, das Gehalt a. **Aufbesserung,** die; -, -en.

aufbewahren, bewahrte auf, hat aufbewahrt ⟨tr.⟩: *sorgsam aufheben:* jmds. Schmuck, Uhr a. **Aufbewahrung,** die; -, -en.

aufbieten, bot auf, hat aufgeboten ⟨tr.⟩: 1. *(Vorhandenes) einsetzen (für etwas), um etwas zu erreichen:* die Polizei gegen Ausschreitungen a.; alle Kräfte a. 2. *eine beabsichtigte Heirat amtlich bekanntgeben:* sie sind aufgeboten worden. **Aufbietung,** die; -.

aufbinden, band auf, hat aufgebunden ⟨tr.⟩: 1. *(etwas Gebundenes) lösen:* die Schürze a. 2. *in die Höhe binden:* die Rosen a. 3. (ugs.) *(Unwahres) erzählen:* wer hat dir denn dieses Märchen aufgebunden!

aufblähen, blähte auf, hat aufgebläht 1. ⟨tr./rfl.⟩ *durch Blähen anschwellen lassen:* der Wind blähte die Hemden auf der Leine auf; die bunten Röcke blähten sich auf; bildl. ⟨meist im 2. Partizip⟩: eine unnötig aufgeblähte *(vermehrte)* Verwaltung. 2. ⟨rfl.⟩ (abwertend) *sich wichtig machen:* er hat sich aufgebläht.

aufblasen, bläst auf, blies auf, hat aufgeblasen: 1. ⟨tr.⟩ *durch Blasen prall werden lassen:* einen Ballon a. 2. ⟨rfl.⟩ (abwertend) *sich wichtig tun:* blas dich nicht so auf!

aufbleiben, blieb auf, ist aufgeblieben ⟨itr.⟩: 1. *noch nicht ins Bett gehen, sich noch nicht schlafen legen:* die Kinder bleiben Silvester bis 24 Uhr auf. 2. *offenbleiben:* die Tür soll a.

aufblenden, blendete auf, hat aufgeblendet ⟨tr.⟩: *auf volle Stärke einschalten* /Ggs. abblenden/: die Scheinwerfer a.; ⟨auch itr.⟩ der Fahrer blendet auf; der Scheinwerfer blendet auf *(scheint mit voller Stärke).*

aufblicken, blickte auf, hat aufgeblickt ⟨itr.⟩: *nach oben, in die Höhe blicken:* ich blickte verwundert vom Essen, von meinem Teller auf; zum Himmel a.; bildl.: bewundernd zu jmdm. a. *(ihn verehren).*

aufblitzen, blitzte auf, hat/ist aufgeblitzt ⟨itr.⟩: *blitzend aufleuchten:* eine Taschenlampe hatte vor ihm aufgeblitzt; bildl.: ein Gedanke war in ihm aufgeblitzt *(ihm plötzlich gekommen).*

aufblühen, blühte auf, ist aufgeblüht ⟨itr.⟩ *zu blühen beginnen:* die Rosen sind aufgeblüht; bildl.: seitdem sie die neue Stellung hat, ist sie sichtlich aufgeblüht *(fühlt sie sich wohl).*

aufbocken, bockte auf, hat aufgebockt ⟨tr.⟩: *auf ein Gestell setzen:* ein Auto zur Reparatur a.

aufbrauchen, brauchte auf, hat aufgebraucht ⟨tr.⟩: *völlig verbrauchen:* sie hat ihm geholfen, sein Vermögen aufzubrauchen; ⟨häufig im 2. Partizip⟩ die aufgebrauchten Vorräte ersetzen.

aufbrausen, brauste auf, ist aufgebraust ⟨itr.⟩: *schnell zornig werden und seinen Zorn erregt äußern:* als er das hörte, brauste er gleich auf.

aufbrechen, bricht auf, brach auf, hat/ist aufgebrochen: 1. ⟨tr.⟩ *gewaltsam öffnen:* er hat den Tresor aufgebrochen. 2. ⟨itr.⟩ *sich platzend öffnen:* die Knospe ist aufgebrochen. 3. ⟨itr.⟩ *beginnen, den Ort, an dem man sich befindet, zu verlassen; sich aufmachen:* die Klasse ist gerade zu einer Wanderung aufgebrochen.

aufbringen, brachte auf, hat aufgebracht ⟨tr.⟩: 1. *beschaffen; durch gewisse Anstrengungen oder Bemühungen (eine bestimmte Menge von etwas) zur Verfügung haben:* er konnte das Geld für die Reise nicht a.; bildl.: das nötige Verständnis für die Jugend a. *(haben).* 2. *Urheber (von etwas) sein:* wer hat denn dieses Gerücht aufgebracht? 3. a) *zornig machen:* diese Bemerkung brachte ihn auf; ⟨häufig im 2. Partizip⟩ er war sehr aufgebracht *(ärgerlich).* b) *aufwiegeln:* sie versuchte, die Mitarbeiter gegen ihn aufzubringen. 4. *kapern:* ein Schiff a.

Aufbruch, der; -[e]s: *das Weggehen:* zum A. drängen, treiben; es sah nach einem übereilten A. aus; bildl.: der erste A. *(das Erwachen)* der Kultur.

aufbrühen, brühte auf, hat aufgebrüht ⟨tr.⟩: *(Kaffee oder Tee) mit kochendem Wasser zubereiten:* ich brühe dir neuen Tee auf.

aufbrummen, brummte auf, hat/ist aufgebrummt (ugs.): 1. ⟨tr.⟩ *auferlegen:* der Richter hat ihm ein paar Jahre [Gefängnis] aufgebrummt; der Schüler hat Arrest aufgebrummt bekommen. 2. ⟨itr.⟩ a) *mit dem Grund in Berührung, auf Grund kommen:* wir sind mit unserem Kahn aufgebrummt. b) *auffahren, (mit etwas) zusammenstoßen:* er ist auf meinen Wagen aufgebrummt.

aufbürden, bürdete auf, hat aufgebürdet ⟨tr.⟩: *als Last auf jmdn. legen; übertragen:* er hat ihm die ganze Arbeit, die Verantwortung aufgebürdet.

aufdecken, deckte auf, hat aufgedeckt: 1. ⟨tr.⟩ *die Decke (von jmdm./etwas) wegnehmen:* einen Toten a.; ich deckte das Bett auf. * **die/seine Karten a.:** a) *die Spielkarten offen hinlegen.* b) (ugs.) *seine geheimen Absichten endlich zu erkennen geben.* 2. ⟨tr.⟩ *enthüllen, bloßlegen:* ein Verbrechen, Widersprüche a. 3. ⟨tr.⟩ *(als Decke) auf den Tisch legen:* ein Tischtuch a. 4. ⟨itr.⟩ *den Tisch decken:* kann ich schon a.?

aufdonnern, sich; donnerte sich auf, hat sich aufgedonnert (ugs.; abwertend): *sich auffällig anziehen:* die hat sich heute ja wieder mal furchtbar aufgedonnert; ⟨häufig im 2. Partizip⟩ ein aufgedonnertes Mädchen; aufgedonnert daherkommen.

aufdrängen, drängte auf, hat aufgedrängt: 1. ⟨tr.⟩ *(jmdn.) dazu bringen, etwas zu nehmen oder zu übernehmen, was er anfänglich nicht annehmen wollte:* jmdm. eine Ware, ein Amt a. 2. ⟨rfl.⟩ *jmdm. seine Hilfe o. ä. in aufdringlicher Weise anbieten:* er wollte sich nicht a. 3. ⟨rfl.⟩ *sich zwangsläufig ergeben:* es drängt sich die Frage auf, ob diese Maßnahme nötig war.

aufdrehen, drehte auf, hat aufgedreht /vgl. aufgedreht/: 1. ⟨tr.⟩ *durch Drehen öffnen:* den Hahn a. 2. ⟨itr.⟩ a) *(das Radio) auf volle Lautstärke einstellen:* du mußt mehr a. b) (ugs.) *die Geschwindigkeit beschleunigen:* der hat tüchtig aufgedreht.

aufdringlich ⟨Adj.⟩: *sich ohne Hemmung [mit einem Anliegen] an einen anderen wendend und ihm lästig werdend:* die Mutter sagte dem Kind, es solle nicht a. sein. **Aufdringlichkeit,** die; -.

aufdrucken, druckte auf, hat aufgedruckt ⟨tr.⟩: *(auf etwas) drucken:* die Anschrift der Firma auf die Briefumschläge a. lassen.

aufdrücken, drückte auf, hat aufgedrückt: 1. ⟨tr.⟩ *(auf etwas) drücken:* hast du den Stempel [auf die Bescheinigung] aufgedrückt? * **jmdm./einer Sache seinen Stempel a.** *(jmdn./etwas so beeinflussen, daß seine Mitwirkung deutlich erkennbar ist):* die Industrialisierung hat der Landschaft ihren Stempel aufgedrückt 2. ⟨tr.⟩ *durch Drücken öffnen:* die Tür a. 3. ⟨itr.⟩ *(in bestimmter Weise auf etwas) drücken:* du drückst mit der Feder zu sehr [auf dem Papier] auf.

aufeinander ⟨Adverb⟩: 1. *übereinander; etwas auf etwas:* die Bücher sollen nicht a. liegen, sondern nebeneinander stehen. 2. *auf sich gegenseitig:* a. warten; ⟨oft zusammengesetzt mit Verben⟩ aufeinanderlegen, aufeinanderfolgen.

Aufenthalt, der; -[e]s, -e: 1. *Zeit, in der man sich an einem Ort aufhält:* er verlängerte seinen A. in der Stadt. 2. *Unterbrechung einer Fahrt o. ä. für bestimmte Zeit:* der Zug hat auf der Station nur fünf Minuten A. 3. *Ort, an dem man sich aufhält:* die Insel ist ein angenehmer A.

auferlegen, erlegte auf, hat auferlegt ⟨tr.⟩: *(jmdn.) belasten (mit etwas), als Pflicht (von jmdm.) verlangen, verpflichten (zu etwas):* jmdm. eine Strafe a.; mit diesem Amt wurde ihm eine große Verantwortung auferlegt.

auferstehen, erstand auf, ist auferstanden ⟨itr.⟩: *wieder zum Leben erwachen:* Christus ist von den Toten auferstanden; bildl.: keine dieser großen Zeitungen ist nach dem 2. Weltkrieg wieder auferstanden; (ugs.; scherzh.) bist du wieder auferstanden? *(nach längerer Krankheit wieder gesund?).* **Auferstehung,** die; -, -en.

aufessen, ißt auf, aß auf, hat aufgegessen ⟨tr.⟩: *essen, ohne etwas übrigzulassen; alles, was vorhanden oder auf dem Teller ist, essen:* sie haben das ganze Brot aufgegessen.

auffahren, fährt auf, fuhr auf, hat/ist aufgefahren: 1. ⟨itr.⟩ *gegen etwas fahren, aufprallen:* er ist auf einen Lastwagen aufgefahren. 2. ⟨itr.⟩ *an jmdn., der vor einem fährt, nahe heranfahren:* er war ganz dicht aufgefahren. 3. ⟨tr.⟩ (ugs.) *sehr reichlich und gut zu essen vorsetzen:* als wir bei ihm zu Gast waren, hat er viel aufgefahren. 4. ⟨itr.⟩ *sich vor Schreck in die Höhe richten, aufschrecken:* er ist aus dem Schlaf aufgefahren. 5. ⟨itr.⟩ *(auf etwas) zornig reagieren:* bei dieser Bemerkung ist er gleich aufgefahren.

auffallen, fällt auf, fiel auf, ist aufgefallen ⟨itr.⟩: *durch besondere Art, Größe o. ä. bemerkt werden, Aufmerksamkeit erregen:* er fiel wegen seiner Größe auf; seine Höflichkeit fiel angenehm auf; ⟨im 1. Partizip⟩ eine auffallende Ähnlichkeit.

auffällig ⟨Adj.⟩: *auffallend; die Aufmerksamkeit auf sich ziehend:* ein auffälliges Kleid; es war a. *(verdächtig),* daß er schwieg.

auffangen, fängt auf, fing auf, hat aufgefangen ⟨tr.⟩: a) *(Fallendes, Fliegendes) fangen:* einen Ball a.; bildl.: eine Bemerkung a. *(zufällig hören).* b) *am Weiterbewegen hindern und in einen Behälter o. ä. leiten:* das Wasser [mit Eimern] a.

auffassen, faßt auf, faßte auf, hat aufgefaßt: 1. ⟨tr.⟩ *auslegen, deuten, verstehen:* er hatte ihre Bemerkung als Tadel aufgefaßt; sie hatte seine Frage falsch aufgefaßt. 2. ⟨tr./itr.⟩ *geistig erfassen, begreifen:* das Kind faßt [alles] schnell auf. **Auffassung,** die; -, -en.

auffinden, fand auf, hat aufgefunden ⟨tr.⟩: *(jmdn./etwas, was gesucht oder vermißt wird) finden, entdecken:* jmdn. erfroren a.

aufflackern, flackerte auf, ist aufgeflackert ⟨itr.⟩: a) *[von neuem oder von Zeit zu Zeit] schwach aufleuchten:* Lichter flackerten auf. b) *sich zu regen beginnen:* Hoffnungen flackerten auf; die Kämpfe waren wieder aufgeflackert.

aufflammen, flammte auf, ist aufgeflammt ⟨itr.⟩: a) *plötzlich aufleuchten:* überall flammten Fackeln auf. b) *sich plötzlich zu regen beginnen:* die Unruhen sind wieder aufgeflammt.

auffliegen, flog auf, ist aufgeflogen ⟨itr.⟩: 1. *nach oben, in die Höhe fliegen:* als er vorbeiging, flog der Vogel auf. **2.** *sich plötzlich durch einen Druck öffnen:* der Deckel flog auf. **3.** (ugs.) *(als kriminelle Gruppe o. ä.) entdeckt und aufgelöst werden:* die Bande ist aufgeflogen.

auffordern, forderte auf, hat aufgefordert ⟨tr.⟩: *[nachdrücklich] bitten oder verlangen, etwas Bestimmtes zu tun:* jmdn. zur Mitarbeit a.; er wurde aufgefordert, seinen Ausweis zu zeigen; der junge Mann forderte sie zum Tanz auf *(bat sie, mit ihm zu tanzen).* **Aufforderung,** die; -, -en.

aufforsten, forstete auf, hat aufgeforstet: **a)** ⟨tr.⟩ *ein Gebiet) wieder mit Bäumen bepflanzen:* die abgeholzte Fläche wurde erst nach Jahrzehnten wieder aufgeforstet; bildl.: die Provinz sozial, kulturell a. **b)** ⟨itr.⟩ *wieder Bäume pflanzen:* überall hat man hier wieder aufgeforstet;

auffressen, frißt auf, fraß auf, hat aufgefressen ⟨tr.⟩: *völlig fressen* /von Tieren, derb vom Menschen/: die Ziege fraß die Blätter auf; du hast den ganzen Kuchen aufgefressen; bildl. (ugs.): die Arbeit frißt mich noch auf *(erschöpft, ruiniert mich);* wenn die Sache schiefgeht, frißt er uns auf *(tadelt er uns heftig).*

auffrischen, frischte auf, hat aufgefrischt: **1.** ⟨tr.⟩ *wieder frisch machen, erneuern:* die Möbel müßten aufgefrischt werden; bildl.: sie frischten manche schöne Erinnerung an gemeinsame Taten auf. **2.** ⟨itr.⟩ *stärker wehen:* der Wind, es frischte auf.

aufführen, führte auf, hat aufgeführt: **1.** ⟨tr.⟩ *vorführen, zeigen:* ein Schauspiel a. **2.** ⟨rfl.⟩ *sich in bestimmter (meist schlechter) Weise benehmen:* sie führten sich wie die Herren auf. **3.** ⟨tr.⟩ *(in einem Text o. ä.) nennen, anführen:* er war namentlich in dem Buch aufgeführt. 4. ⟨tr.⟩ *in die Höhe bauen, errichten:* eine Mauer a. **Aufführung,** die; -, -en.

auffüllen, füllte auf, hat aufgefüllt: **1.** ⟨tr./itr.⟩ *auf den Teller füllen:* Suppe a.; die Mutter füllte ihm auf. **2.** ⟨tr.⟩ *(etwas, was leer geworden ist) wieder füllen:* den Tank a.; bildl.: das Bataillon wurde aufgefüllt *(die Gefallenen und Verwundeten wurden durch neue Soldaten ersetzt).*

Aufgabe, die; -, -n: **1.** ⟨ohne Plural⟩ *das Aufgeben, das Aufhören (mit etwas):* sie verlangte von ihm die A. seiner Stellung; er entschloß sich zur A. des Geschäftes. **2. a)** *Verpflichtung, Auftrag:* eine unangenehme A. **b)** ⟨Plural⟩ *Schulaufgaben; Arbeiten, die der Schüler nach dem Unterricht für die einzelnen Fächer zu machen hat:* Klaus hatte alle Aufgaben gemacht.

aufgabeln, gabelte auf, hat aufgegabelt ⟨tr.⟩ (ugs.): *(jmdn.) zufällig treffen oder kennenlernen:* wo hast du denn dieses Mädchen aufgegabelt?

Aufgang, der; -s, Aufgänge: **1.** ⟨ohne Plural⟩ *das Aufgehen:* beim A. der Sonne. **2. a)** *Treppe, die nach oben führt:* dieses Haus hat zwei Aufgänge. **b)** *Weg, der nach oben führt:* der A. zur Burg.

aufgeben, gibt auf, gab auf, hat aufgegeben: **1.** ⟨tr.⟩ *als Aufgabe übertragen:* jmdm. ein Rätsel a.: der Lehrer hat den Schülern ein Gedicht zu lernen aufgegeben. **2. a)** ⟨tr.⟩ *(auf etwas) verzichten, (von etwas) Abstand nehmen:* Pläne a. **b)** ⟨itr.⟩ *vorzeitig beenden, aufhören:* nach zehn Runden gab der Boxer auf. **3.** ⟨tr.⟩ *(in bezug auf jmdn.) keine Hoffnung mehr haben:* die Ärzte hatten ihn schon aufgegeben. **4.** ⟨tr.⟩ *zur Beförderung oder weiteren Bearbeitung übergeben:* den Koffer bei der Bahn a. *** eine Bestellung a.** *(bestellen).*

aufgeblasen ⟨Adj.⟩ (abwertend): *eingebildet, überheblich; bei innerer Leere sich bedeutendes Ansehen zu geben versuchend:* er konnte ihn nicht leiden, weil er immer so a. war. **Aufgeblasenheit,** die; -.

Aufgebot, das; -[e]s, -e: **1.** *amtliche Bekanntgabe einer beabsichtigten Heirat:* das A. aushängen. *** das A. bestellen** *(sich für die beabsichtigte Heirat amtlich anmelden).* **2.** ⟨ohne Plural⟩ *etwas, was aufgeboten worden ist:* ein starkes A. an/von Menschen und Material; das letzte A. *** mit/unter [dem] A.** *(mit, unter Aufbietung):* mit dem A. seiner letzten Kräfte.

aufgedreht ⟨Adj.⟩ (ugs.): *übertrieben lustig und gesprächig:* er ist heute ganz a.

aufgedunsen ⟨Adj.⟩: *aufgeschwollen:* ein aufgedunsenes Gesicht; der Körper des Toten war a.

aufgehen, ging auf, ist aufgegangen ⟨itr.⟩: **1. a)** *sichtbar werden, erscheinen:* die Sonne geht auf. **b)** *keimen, sprießend hervorkommen:* die Saat geht auf. **2. a)** *sich öffnen:* das Fenster ist durch den Wind aufgegangen. **b)** *sich öffnen lassen:* die Tür geht nur schwer auf. **c)** *sich entfalten:* die Knospen gehen auf. **3.** (ugs.) *(jmdm.) zum Bewußtsein kommen, deutlich werden:* erst später ging mir auf, daß seine Bemerkung eine Frechheit war. **4.** *ohne Rest verteilt oder geteilt werden können:* die Karten gehen auf; er rechnete diese Aufgabe, doch sie ging nicht auf *(ließ sich nicht lösen).* **5.** *in etwas übergehen:* viele Betriebe gingen in den Konzernen auf. **6.** *sich ganz einer Sache hingeben:* er geht in seinem Beruf auf.

aufgeilen, geilte auf, hat aufgegeilt ⟨tr./rfl.⟩ (derb): *geschlechtlich reizen:* die Bilder geilten ihn auf; sich an erotischen Darstellungen a. *(sich geschlechtlich immer mehr erregen).*

aufgekratzt ⟨Adj.⟩: *gut gelaunt und lustig:* er ist heute sehr a.

aufgelegt ⟨Adj.; mit näherer Bestimmung⟩: *(in bestimmter Weise) gelaunt, sich (in einer bestimmten Stimmung) befindend:* schlecht, gut a. sein.

aufgeräumt ⟨Adj.⟩: *munter, gut gelaunt, in heiterer Stimmung:* „Da bist du ja!" rief er a.

aufgeschlossen ⟨Adj.⟩: *(Vorschlägen, Anregungen o. ä.) zugänglich, nicht abgeneigt; interessiert:* er ist immer a. für neue Ideen; sie ist Neuerungen gegenüber stets a.

aufgeschmissen ⟨in der Verbindung⟩: a. sein (ugs.): *sich in einer schwierigen Lage befinden und nicht mehr weiterwissen:* wenn du mir nicht hilfst, bin ich a.

aufgeschossen ⟨Adj.⟩: *recht groß und zugleich schmal gewachsen* /in bezug auf Jugendliche/.

aufgeschwemmt ⟨Adj.⟩ (abwertend): *ungesund dick [und ohne Kraft und Festigkeit]:* dieser aufgeschwemmte Mann ist kein schöner Anblick.

aufgesprungen ⟨Adj.⟩: *rissig:* er hat aufgesprungene Hände.

aufgeweckt ⟨Adj.⟩: *für sein Alter in auffallender Weise geistig entwickelt und aktiv:* er ist ein aufgeweckter Junge.

aufgeworfen: ⟨in der Fügung⟩ aufgeworfene Lippen: *breite, wulstige Lippen.*

aufgießen, goß auf, hat aufgegossen ⟨tr.⟩: *aufbrühen.*

aufgliedern, gliederte auf, hat aufgegliedert ⟨tr.⟩: *(unter bestimmte Gruppen) ordnen, aufteilen:* die Menschen in bestimmte Typen a.; die einzelnen Posten der Rechnung nach Art und Höhe a. **Aufgliederung,** die; -, -en.

aufgraben, gräbt auf, grub auf, hat aufgegraben ⟨tr.⟩: **1.** *durch Graben lockern:* die Erde a. **2.** *durch Graben öffnen, zutage fördern:* einen verschütteten Brunnen a.

aufgreifen, griff auf, hat aufgegriffen ⟨tr.⟩: **1.** *(einen Verdächtigen o. ä.) ergreifen, festnehmen:* die Polizei hatte einen Mann aufgegriffen, der keinen Ausweis bei sich hatte. **2.** *als Anregung aufnehmen, eingehen (auf etwas):* einen Vorschlag, Plan a.

aufgrund /vgl. Grund/.

Aufguß, der; Aufgusses, Aufgüsse: *durch Aufgießen bereitete Flüssigkeit:* ich werde von dem Tee noch einen zweiten A. machen; bildl.: wir wollen kein zweiter A. der ehemaligen Volkspartei sein.

aufhaben, hat auf, hatte auf, hat aufgehabt ⟨itr.⟩ (ugs.): **1.** *auf etwas (z. B. auf dem Kopf) tragen:* die Mütze a.; eine Brille a. *(aufgesetzt haben).* **2.** *als Schulaufgabe machen müssen:* in Deutsch haben wir heute nichts auf. **3. a)** *geöffnet haben:* wir haben unser Geschäft bis 18³⁰ Uhr auf; **b)** *geöffnet sein:* am Sonntag hat der Laden nicht auf.

aufhacken, hackte auf, hat aufgehackt ⟨tr.⟩: *durch Hacken öffnen:* das Eis, den gefrorenen Boden a.

aufhaken, hakte auf, hat aufgehakt ⟨tr.⟩: *(mit einem Haken Geschlossenes) öffnen:* den Rock, die Jacke a.

aufhalsen, halste auf, hat aufgehalst ⟨tr.⟩ (ugs.): *aufbürden:* da hast du mir ja eine schöne Aufgabe aufgehalst!

aufhalten, hält auf, hielt auf, hat aufgehalten: **1.** ⟨tr.⟩ *machen, daß sich etwas nicht weiter entwickeln kann; hemmen:* mit diesen Maßnahmen wurde die Katastrophe aufgehalten. **2.** ⟨tr.⟩ *(jmdn.) nicht zum Arbeiten o. ä. kommen lassen:* er hat mich eine Stunde aufgehalten. **3.** ⟨rfl.⟩ *sich mit jmdm./etwas sehr ausführlich befassen, so daß man Zeit für anderes verliert:* er hat sich bei Einzelheiten zu lange aufgehalten. **4.** ⟨tr.⟩ *(für jmdn.) geöffnet halten:* er hielt [ihm] die Tür auf; die Hand a. (um Geld zu bekommen). **5.** ⟨rfl.⟩ *irgendwo vorübergehend leben:* sich im Ausland a. **6.** ⟨rfl.⟩ *ärgerliche Bemerkungen (über jmdn./etwas) machen:* er hielt sich darüber auf, daß sie soviel rauchte.

aufhängen, hängte auf, hat aufgehängt: **1.** ⟨tr.⟩ *auf etwas hängen:* die Wäsche [zum Trocknen] a. **2.** ⟨tr./rfl.⟩ *durch Hängen töten:* sie hatten den Verräter an der Laterne aufgehängt; er wollte sich a.

Aufhänger, der; -s, -: **1.** *kleines Band o. ä. an der Innenseite des Kragens zum Aufhängen von Jacken, Mänteln o. ä.:* der A. ist gerissen. **2.** *besonderer aktueller Umstand, Anlaß, mit dem eine allgemeine Darstellung verbunden werden kann:* dieser Slogan des Journalisten bildete einen willkommenen A. für die weitere Diskussion.

aufhäufen, häufte auf, hat aufgehäuft ⟨tr.⟩: *so häufen, daß es in die Höhe ragt:* Erde, Vorräte a.; bildl.: Kenntnisse in sich a. *(sammeln, speichern).*

aufheben, hob auf, hat aufgehoben **1.** ⟨tr.⟩ *(jmdn./etwas, was liegt) in die Höhe heben:* das Papier [vom Boden] a. **2.** ⟨tr.⟩ *rückgängig machen, wieder abschaffen:* eine Verordnung, ein Urteil a. **3.** ⟨tr.⟩ *eine Beratung o. ä. beenden:* er hob die Sitzung auf; er hob die Tafel auf *(beendete [feierlich] die Mahlzeit).* **4.** ⟨tr.⟩ *aufbewahren:* alte Briefe a. *(nicht wegwerfen);* er hatte mir ein Stück Kuchen aufgehoben *(für mich zurückgelegt).* * **bei jmdm. gut aufgehoben sein** *(bei jmdm. in guten Händen, gut versorgt sein).* **5.** ⟨tr./rzp.⟩ *in gleicher Größe oder Höhe vorhanden sein und sich dadurch ausgleichen:* der Verlust hebt den Gewinn wieder auf; +2 und −2 heben sich auf.

Aufheben: ⟨in der Wendung⟩ **viel Aufhebens von etwas machen** *(etwas übertrieben wichtig nehmen und zuviel darüber sprechen).*

aufheitern, heiterte auf, hat aufgeheitert: **1.** ⟨tr.⟩ *jmdn. (der traurig ist) in heitere Stimmung bringen:* ich hatte große Mühe, ihn nach der Niederlage aufzuheitern. **2.** ⟨rfl.⟩ *heiter, freundlich werden:* seine Miene, sein Gesicht heiterte sich bei dieser freudigen Nachricht auf; das Wetter heitert sich auf *(wird schön und sonnig).* **Aufheiterung,** die; -, -en.

aufhelfen, hilft auf, half auf, hat aufgeholfen ⟨itr.⟩: *helfen, wieder auf die Füße zu kommen:* einem Verletzten a.; bildl.: jmdm. von seinen Schulden wieder a.; das half seiner gekränkten Eitelkeit ein wenig auf.

aufhellen, hellte auf, hat aufgehellt: **1.** ⟨tr.⟩ *heller machen:* dieses Mittel hellt das Haar auf; bildl.: nur jedes dritte Delikt konnte aufgehellt *(geklärt)* werden. **2.** ⟨rfl.⟩ *heller werden:* der Himmel hellt sich auf; bildl.: das Geheimnis wird sich a. *(sich klären);* jmds. Miene hellt sich auf *(jmds. Gesicht wird freundlicher).*

aufhetzen, hetzte auf, hat aufgehetzt ⟨tr.⟩: *(gegen jmdn.) aufbringen, aufreizen:* er hetzte ihn [gegen den Chef] auf.

aufholen, holte auf, hat aufgeholt: **1.** ⟨tr.⟩ *durch besondere Anstrengungen (einen Rückstand) [wieder] ausgleichen:* er holte den Vorsprung seines Gegners auf; der Zug konnte die Verspätung nicht a. **2.** ⟨itr.⟩ *den Vorsprung eines anderen [um ein bestimmtes Maß] durch eigene Leistung vermindern:* der Läufer hat [fünf Meter] aufgeholt.

aufhorchen, horchte auf, hat aufgehorcht ⟨itr.⟩: *plötzlich in-*

teressiert horchen: ich horchte auf, als ich den Namen vernahm; ein Geräusch ließ sie a.; bildl.: in dem Bericht fand ich etwas, was mich a. ließ *(meine Aufmerksamkeit erregte).*

aufhören, hörte auf, hat aufgehört ⟨itr.⟩: **1.** *nicht länger dauern, zu Ende gehen:* der Regen hörte endlich auf. **2.** *nicht fortfahren; etwas nicht weiterführen; nicht mehr tun:* er hörte nicht auf zu pfeifen; mit der Arbeit a.

aufkaufen, kaufte auf, hat aufgekauft ⟨tr.⟩: *alles [von einer bestimmten Sache] kaufen:* er kaufte alle Aktien auf.

aufkeimen, keimte auf, ist aufgekeimt ⟨itr.⟩ (geh.): *keimend aus dem Boden kommen; in die Höhe keimen* /von Samen/: die Saat keimt üppig auf; bildl.: sie fühlte [in ihrem Herzen] Sympathie für ihn a. *(entstehen).*

aufklappen, klappte auf, hat aufgeklappt ⟨tr.⟩: **a)** *(etwas, was nur an einer Seite befestigt ist) in die Höhe heben:* den Deckel einer Kiste a. **b)** *(etwas) öffnen, indem man den dafür vorgesehenen Teil um seine Achse dreht:* den Koffer a.

aufklaren, klarte auf, hat aufgeklart ⟨itr.⟩: *klar, schön werden* /vom Wetter o. ä./: es, der Himmel klarte auf.

aufklären, klärte auf, hat aufgeklärt: **1.** ⟨tr.⟩ *Klarheit in etwas bringen:* einen Mord a. **2.** ⟨rfl.⟩ **a)** *sich völlig klären:* die Sache hat sich aufgeklärt. **b)** *sonnig werden:* das Wetter klärt sich auf. **3.** ⟨tr.⟩ *(jmdm.) über etwas (bes. über sexuelle Fragen) klare Vorstellungen vermitteln:* die Eltern hatten die Kinder nicht aufgeklärt.

Aufklärung, die; -, -en: **1.** *völlige Klärung, Ergründung:* man wartete auf die A. des Verbrechens. **2.** *Belehrung, Unterrichtung (bes. in sexuellen Fragen).* **3.** *geistige Bewegung im 18. Jahrhundert, die für Vernunft und Menschenrechte eintritt:* das Zeitalter der A.

aufklauben, klaubte auf, hat aufgeklaubt ⟨tr.⟩ (südd.; östr.; schweiz.): *auflesen:* Steine a.

aufkleben, klebte auf, hat aufgeklebt ⟨tr.⟩: *(auf etwas) kleben:* er klebte die Adresse [auf das Paket] auf.

aufklinken, klinkte auf, hat aufgeklinkt ⟨tr.⟩: *durch Drücken einer Klinke öffnen:* sie klinkte behutsam die Tür auf.

aufknacken, knackte auf, hat aufgeknackt ⟨tr.⟩: *durch Knakken öffnen:* die Nüsse mit den Zähnen a.

aufknöpfen, knöpfte auf, hat aufgeknöpft ⟨tr.⟩: *(etwas, was durch Knöpfe geschlossen worden ist) wieder öffnen:* ich knöpfte [mir] den Mantel auf.

aufknoten, knotete auf, hat aufgeknotet ⟨tr.⟩: *(die Knoten von etwas) aufmachen:* ein Bündel, die Schnur a.

aufknüpfen, knüpfte auf, hat aufgeknüpft: **1.** ⟨tr./rfl.⟩ (ugs.) *durch Hängen töten:* man knüpfte den Verräter auf; er hat sich aufgeknüpft. **2.** ⟨tr.⟩ *aufknoten:* sie knüpfte ihr Kopftuch auf.

aufkochen, kochte auf, hat aufgekocht: **1.** ⟨itr.⟩ **a)** *zum Kochen kommen und kurz aufwallen:* die Suppe, das Wasser a. lassen; bildl.: die bayrische Volksseele kochte auf. **b)** (südd.; östr.) *auftafeln:* bei solchen Familien wird aufgekocht, wenn die Näherin kommt. **2.** ⟨tr.⟩ **a)** *kurz zum Kochen bringen:* Essig und Wasser a., über das Gemüse geben. **b)** *erneut kochen lassen:* jmdm. aufgekochten Kaffee vorsetzen; bildl.: warum kochst du allen Kummer noch einmal auf *(bringst ihn noch einmal zur Sprache)*, den du mit ihm gehabt hast?

aufkommen, kam auf, ist aufgekommen ⟨itr.⟩: **1.** **a)** *entstehen, sich entwickeln:* Unruhe kam auf. **b)** *Mode werden, Verbreitung finden:* es kommen ständig neue Tänze auf. **2.** *(jmdm.) gewachsen sein, etwas gegen jmdn./etwas tun können* /meist verneint/: gegen diesen Konkurrenten kam er nicht auf. **3.** *(für einen Schaden o. ä., den man selbst oder ein anderer verursacht hat) die Kosten tragen:* er mußte für die Schulden seines Sohnes a. **4.** *[wieder] gesund werden:* ich glaube nicht, daß er wieder aufkommt.

aufkratzen, kratzte auf, hat aufgekratzt ⟨tr.⟩ /vgl. aufgekratzt/: *durch Kratzen öffnen:* ich habe [mir] die Wunde wieder aufgekratzt.

aufkreischen, kreischte auf, hat aufgekreischt ⟨itr.⟩: *plötzlich kurz kreischen:* die Mädchen kreischten ängstlich auf.

aufkrempeln, krempelte auf, hat aufgekrempelt ⟨tr.⟩: *mehrmals umschlagen, so daß es kürzer wird:* die Ärmel a.

aufkriegen, kriegte auf, hat aufgekriegt ⟨tr.⟩ (ugs.): *aufbekommen.*

aufkündigen, kündigte auf, hat aufgekündigt ⟨tr.⟩: *mitteilen, daß man etwas nicht weiter fortsetzen will:* jmdm. die Freundschaft a.

auflachen, lachte auf, hat aufgelacht ⟨itr.⟩: *plötzlich kurz lachen:* er lachte schallend, laut, höhnisch auf.

aufladen, lädt auf, lud auf, hat aufgeladen ⟨tr.⟩: **1.** *zum Tragen oder zum Transport auf etwas laden*/ Ggs. abladen/: Möbel a.; bildl.: jmdm. alle Verantwortung a. **2.** *elektrisch laden:* eine Batterie a.

Auflage, die; -, -n: **1.** *alle Exemplare eines Buches o. ä., die auf einmal gedruckt worden sind:* diese Zeitschrift hat eine A. von 5000 [Exemplaren]. **2.** *das Aufgelegte, Schicht:* das Besteck hat eine A. aus Silber. **3.** *auferlegte Verpflichtung:* er bekam die A., sich jeden Tag bei der Polizei zu melden.

auflassen, läßt auf, ließ auf, hat aufgelassen ⟨tr.⟩: **1.** *geöffnet lassen:* die Tür a. **2.** (ugs.) *auf dem Kopf behalten:* die Mütze a. **3.** (ugs.) *nicht ins Bett schicken, aufbleiben lassen:* die Mutter ließ die Kinder am Geburtstag eine Stunde länger auf.

auflauern, lauerte auf, hat aufgelauert ⟨itr.⟩: *in böser Absicht (auf jmdn.) lauern, warten:* er hatte seinem Opfer im Dunkeln aufgelauert.

Auflauf, der; -s, Aufläufe: **1.** *Menge von Menschen, die erregt zusammengelaufen ist; Tumult:* es gab einen großen A. vor dem Restaurant. **2.** *in einer Form gebackene Speise aus Mehl, Reis o. ä.*

auflaufen, läuft auf, lief auf, hat/ist aufgelaufen: **1.** ⟨itr.⟩ **a)** *(auf etwas) geraten* /von Schiffen/: das Schiff ist auf ein Riff aufgelaufen. **b)** *im Laufen (auf jmdn./etwas) prallen:* sie ist so plötzlich stehengeblieben, daß ich auf sie aufgelaufen bin. **c)**

Sport *während des Wettlaufs nach vorne gelangen:* er ist zur Spitze aufgelaufen; bildl.: zu ganz großer Form a. 2. ⟨itr.⟩ *anwachsen:* mein Guthaben ist durch die Zinsen auf 2000 DM aufgelaufen. 3. ⟨itr./rfl.⟩ (ugs.) *sich [die Füße] wund laufen:* ich habe mir die Füße, mich aufgelaufen.

aufleben, lebte auf, ist aufgelebt ⟨itr.⟩: **a)** *[wieder] fröhlich werden:* nach langer Zeit der Trauer lebt er nun wieder auf. **b)** *von neuem beginnen:* der alte Streit lebte wieder auf.

auflecken, leckte auf, hat aufgeleckt ⟨tr.⟩: *leckend völlig von einer Fläche aufnehmen:* der Hund hat den Rest Milch aufgeleckt.

auflegen, legte auf, hat aufgelegt ⟨tr.⟩ /vgl. aufgelegt/: **1.** *auf etwas legen:* eine neue Decke a.; den Hörer a. (beim Telefon). **2.** *durch Drucken veröffentlichen:* das Buch wird nicht wieder aufgelegt.

auflehnen, sich; lehnte sich auf, hat sich aufgelehnt: *sich widersetzen; Widerstand leisten, rebellieren:* sich gegen Unterdrückung, gegen einen Diktator a. **Auflehnung,** die; -, -en.

auflesen, liest auf, las auf, hat aufgelesen ⟨tr.⟩: *sammelnd vom Erdboden aufheben:* sie kniete auf dem Boden und las alle Perlen auf.

aufleuchten, leuchtete auf, hat/ist aufgeleuchtet ⟨itr.⟩: *[plötzlich] für kurze Zeit leuchten:* eine Lampe hat/ist aufgeleuchtet.

aufliegen, lag auf, hat aufgelegen: **1.** ⟨itr.⟩: *auf etwas liegen:* der Balken liegt auf der Mauer auf. **2.** ⟨itr.⟩ *offen zur Einsicht oder Ansicht irgendwo liegen oder ausgelegt sein:* die neuesten Zeitschriften liegen in der Bibliothek auf. **3. a)** ⟨itr.⟩ *durch Liegen wund machen:* ich habe mir den Rücken aufgelegen. **b)** ⟨rfl.⟩ *durch Liegen wund werden:* ich habe mich aufgelegen.

auflockern, lockerte auf, hat aufgelockert ⟨tr.⟩: **a)** *locker machen:* er lockerte den Boden auf, damit der Regen gut eindringen konnte; bildl.: aufgelockerte *(nicht geschlossene)* Bewölkung. **b)** *zwangloser oder freundlicher gestalten:* der Unterricht muß aufgelockert werden; er war in aufgelockerter *(ungezwungener und vergnügter)* Stimmung.

auflodern, loderte auf, ist aufgelodert ⟨itr.⟩ (geh.): *in die Höhe lodern, aufflammen:* das Holz loderte, die Flammen loderten auf; bildl.: Zorn loderte in ihm auf.

auflösen, löste auf, hat aufgelöst: **1. a)** ⟨tr.⟩ *(in einer Flüssigkeit) zerfallen oder zergehen lassen:* eine Tablette in Wasser a. **b)** ⟨rfl.⟩ *zerfallen, zergehen:* die Tablette löst sich in Wasser auf. **2.** ⟨tr.⟩ *nicht mehr bestehen lassen:* einen Verein a.; ⟨auch rfl.⟩ der Verein hatte sich aufgelöst. **Auflösung,** die; -, -en.

aufmachen, machte auf, hat aufgemacht: **1. a)** ⟨tr.⟩ *öffnen:* ein Fenster a. **b)** ⟨itr.⟩ *zum Verkauf von Waren geöffnet werden:* die Geschäfte machen morgens um 8 Uhr auf. **2.** ⟨tr.⟩ *gründen, eröffnen:* einen Laden a. **3.** ⟨rfl.⟩ *sich schminken, zurechtmachen:* sie macht sich immer sehr auf. **4.** ⟨rfl.⟩ *sich zu etwas begeben; weggehen, um zu einem bestimmten Ziel zu kommen:* er machte sich gleich auf, um rechtzeitig zu Hause zu sein. **5.** ⟨tr.⟩ *aufstellen, zusammenstellen:* jmdm. eine Rechnung a.

Aufmachung, die; -, -en: *äußere Ausstattung, Äußeres:* in dieser A. willst du auf die Straße gehen?

Aufmarsch, der; -es, Aufmärsche: *das Aufmarschieren:* der A. der Armee vollzog sich reibungslos; an einem A. demonstrierender Kriegsbeschädigter teilnehmen.

aufmarschieren, marschierte auf, ist aufmarschiert ⟨itr.⟩: *sich marschierend wohin begeben und sich dort aufstellen* /bes. von Truppen/: in drei Kolonnen [auf dem Platz] a.; bildl.: er ließ eine ganze Batterie Flaschen a. *(herbeischaffen und aufstellen).*

aufmeißeln, meißelte auf, hat aufgemeißelt ⟨tr.⟩: *mit dem Meißel öffnen:* die Stelle muß aufgemeißelt werden.

aufmerken, merkte auf, hat aufgemerkt ⟨itr.⟩ (geh.): *aufmerksam werden, achten, achtgeben, aufpassen:* er hatte nicht aufgemerkt, ich mußte meine Frage wiederholen; ich merkte auf alles auf, was der Lehrer sagte.

aufmerksam ⟨Adj.⟩: **1.** *mit wachen Sinnen, mit Interesse folgend:* ein aufmerksamer Zuhörer. * **jmdn. auf jmdn./etwas a. machen** *(jmdn. auf jmdn./etwas hinweisen):* er machte mich auf dieses Mädchen, auf einen Fehler a.; **auf jmdn./etwas a. werden** *(jmdn./etwas bemerken).* **2.** *höflich und zuvorkommend:* das ist sehr a. von Ihnen.

Aufmerksamkeit, die; -, -en: **1.** ⟨ohne Plural⟩ *Konzentration der Sinne und des Geistes auf etwas.* **2.** *Gefälligkeit, höfliche und freundliche Handlung, kleines Geschenk.*

aufmöbeln, möbelte auf, hat aufgemöbelt ⟨tr.⟩ (ugs.): *erfrischen, beleben:* trinke eine Tasse Kaffee, das wird dich wieder a.!; wir müssen die Stimmung unserer Gäste etwas a.

aufmucken, muckte auf, hat aufgemuckt ⟨itr.⟩ (ugs.): *aufbegehren:* gegen den Vater, gegen jmds. Anordnungen a.; niemand wagte aufzumucken.

aufmuntern, munterte auf, hat aufgemuntert ⟨tr.⟩: *heiter stimmen:* jmdn. durch eine Unterhaltung a.; ⟨auch im 1. Partizip⟩ aufmunternde Worte.

Aufnahme, die; -, -n: **1. a)** ⟨ohne Plural⟩ *das Aufnehmen (eines Gastes, eines Patienten, eines Menschen in einen bestimmten Kreis):* die A. in eine Familie, in ein Krankenhaus, in einen Verein. **b)** ⟨ohne Plural⟩ *das Aufnehmen in einen Körper:* die A. der Nahrung. **c)** *das Photographieren, Filmen:* die Schüler hatten sich zu einer A. aufgestellt. **d)** *das Aufnehmen (auf eine Schallplatte, ein Tonband oder einen Filmstreifen):* die Aufnahmen für diese Schallplatte dauerten sechs Stunden. **e)** *das Aufnehmen (von etwas, indem man es aufschreibt):* die A. eines Protokolls. **f)** ⟨ohne Plural⟩ *das Beginnen (mit etwas):* die A. von Verhandlungen. **g)** ⟨ohne Plural⟩ *das Aufnehmen von Geld:* die A. eines Darlehens. **2. a)** *Photographie:* eine undeutliche A.; die Aufnahmen sind *(der Film ist)* zum Teil im Ausland gedreht worden. **b)** *auf eine Schallplatte oder auf ein Tonband aufgenommene akustische Darbietung:* die A. wurde mit mehreren Preisen ausgezeichnet. **3.** *Raum, in dem jmd.*

für die Unterbringung registriert wird: der Patient mußte sich in der A. melden.

aufnahmefähig ⟨Adj.; nicht adverbial⟩: *fähig, etwas [geistig] aufzunehmen:* die Märkte im Ausland sind noch a. für unsere Waren; ein aufnahmefähiges Kind. **Aufnahmefähigkeit,** die; -.

Aufnahmeprüfung, die; -, -en: *für die Aufnahme in eine Schule oder ein ähnliches Institut erforderliche Prüfung:* die höheren Schulen verlangen im allgemeinen eine A.

aufnehmen, nimmt auf, nahm auf, hat aufgenommen: **1.** ⟨tr.⟩ **a)** *[vom Boden] aufheben:* die Tasche a. **b)** *(eine Laufmasche, eine verlorene Masche) heraufholen:* Laufmaschen a. **2.** ⟨tr.⟩ **a)** *(jmdm.) eine Unterkunft bieten:* das Hotel kann keine Gäste mehr a. **b)** *in einem bestimmten Kreis zulassen:* jmdn. in eine Gemeinschaft, in eine Schule a. **3.** ⟨itr.⟩ *fassen, Platz bieten (für jmdn./etwas):* das Flugzeug kann zweihundert Personen a. **4.** ⟨tr.⟩ *(in etwas) mit hineinnehmen, mit einbeziehen:* eine Erzählung in eine Sammlung a. **5.** ⟨tr.⟩ *(einer Sache gegenüber) eine bestimmte Haltung einnehmen, (in bestimmter Weise auf etwas) reagieren:* eine Nachricht gelassen a. **6.** ⟨tr.⟩ *in sein Bewußtsein hineinnehmen; erfassen; auf sich wirken lassen und es geistig verarbeiten:* auf der Reise habe ich viele neue Eindrücke aufgenommen. **7.** ⟨tr.⟩ **a)** *(Nahrung) zu sich nehmen:* der Kranke nimmt wieder Nahrung auf. **b)** *in sich eindringen lassen:* der Stoff nahm die Farbe nicht gleichmäßig auf. **8.** ⟨tr.⟩ **a)** *(mit einer Tätigkeit, einem Unternehmen) beginnen:* nach seiner Krankheit nahm er die Arbeit wieder auf. **b)** *sich von neuem (mit etwas) befassen; aufgreifen:* der Prozeß wurde wieder aufgenommen; er hat die Arbeit an seinem Buch wieder aufgenommen. **c)** *beginnen; anknüpfen:* das Studium, die Vorlesungen a.; mit einem Staat Verhandlungen a. *** es mit jmdm./etwas a. [können]** *(stark genug für einen Kampf mit jmdm. sein; mit jmdm./etwas konkurrieren [können]):* mit ihm kann er es schon a.; dieses Theater kann es mit den besten Bühnen des Auslandes a. **9.** ⟨tr.⟩ **a)** *photographieren:* jmdn. im Profil a.; ein Bild a. **b)** *filmen:* eine Szene a. **c)** *auf einer Schallplatte oder einem Tonband festhalten:* eine Oper a. **d)** *schriftlich festhalten, aufzeichnen:* einen Unfall, ein Protokoll a. **10.** *[gegen eine Sicherheit] Geld borgen, um es zu investieren:* Kapital [für den Bau eines Krankenhauses] a.

aufnötigen, nötigte auf, hat aufgenötigt ⟨tr.⟩: *(jmdn.) drängen, (etwas) anzunehmen:* jmdm. bei Tisch etwas a.

aufopfern, sich; opferte sich auf, hat sich aufgeopfert: *sich ohne Rücksicht auf die eigene Person einsetzen:* die Eltern opfern sich für ihre Kinder auf; ⟨häufig im 1. Partizip⟩ sie pflegte ihn aufopfernd; ein aufopfernder *(entsagungsvoller)* Beruf. **Aufopferung,** die; -.

aufpacken, packte auf, hat aufgepackt ⟨tr.⟩: **1.** *(auf jmdn.) packen, aufladen:* jmdm. Akten a.; bildl. (ugs): er hat mir alle Verantwortung aufgepackt. **2.** *(etwas Gepacktes) öffnen:* ein Paket a.

aufpäppeln, päppelte auf, hat aufgepäppelt ⟨tr.⟩ (ugs.): *(jmdn., der klein und schwach ist oder krank gewesen ist) so pflegen, daß er allmählich zu Kräften kommt:* das Kind muß jetzt erst mal wieder aufgepäppelt werden; bildl.: eine Zeitung durch Werbung mit Anzeigen a.

aufpassen, paßte auf, hat aufgepaßt ⟨itr.⟩: **a)** *aufmerksam sein, um etwas plötzlich Eintretendes rechtzeitig zu bemerken:* wenn ihr über die Straße geht, müßt ihr [auf die Autos] a.; paß mal auf! **b)** *(einer Sache) mit Interesse [und Verständnis] folgen:* bei einem Vortrag a.; er paßt auf alles auf, was ich tue. **c)** *(auf jmdn./etwas) achten, damit die betreffende Person oder Sache keinen Schaden erleidet oder anrichtet:* auf ein Kind a.

aufpeitschen, peitschte auf, hat aufgepeitscht: **1.** ⟨tr.⟩ *(das Meer o. ä.) in Aufruhr bringen, aufwühlen* /vom Wind/: der Orkan peitschte die Wellen auf; ⟨auch im 2. Partizip⟩ die aufgepeitschte See. **2.** ⟨tr./rfl.⟩ **a)** *durch starke Reize oder Eindrücke in heftige Erregung versetzen:* der Rhythmus peitschte die Sinne auf; die Tanzenden peitschten sich durch die Musik auf. **b)** *(seine Leistungsfähigkeit durch bestimmte Mittel) gewaltsam steigern:* sich, seine Nerven mit Kaffee a.

aufpflanzen, pflanzte auf, hat aufgepflanzt: **1.** ⟨tr.⟩ *aufrichten, hinstellen:* eine Fahne a. *** das Seitengewehr a.** *(das Seitengewehr auf das Gewehr stecken).* **2.** ⟨rfl.⟩ (ugs.) *sich breit und herausfordernd hinstellen:* ich pflanzte mich vor ihm auf und drohte ihm.

aufpfropfen, pfropfte auf, hat aufgepfropft ⟨tr.⟩: *(auf etwas) pfropfen:* er pfropfte das Reis [auf den Stamm] auf; bildl.: einem wilden Volksstamm die europäische Zivilisation a. *(sie ihm nur oberflächlich und äußerlich vermitteln).*

aufpicken, pickte auf, hat aufgepickt ⟨tr.⟩: **1.** *pickend aufnehmen:* das Huhn pickte eifrig die Körner auf; bildl. (ugs.): ich weiß nicht, wo er das wieder aufgepickt *(gelesen, erfahren)* hat. **2.** *durch Picken öffnen:* das Küken hat die Schale des Eis aufgepickt. **3.** (östr.; ugs.) *aufkleben.*

aufplatzen, platzte auf, ist aufgeplatzt ⟨itr.⟩: *sich platzend öffnen, aufspringen:* die Haut, die Wunde ist aufgeplatzt.

aufplustern, plusterte auf, hat aufgeplustert: **1.** ⟨tr./rfl.⟩ *durch Plustern der Federn größer, fülliger machen* /von Vögeln/: das Gefieder, sich (Akk.) a.; bildl. (ugs.): die Sache ist aufgeplustert worden *(für wichtiger genommen worden, als sie in Wirklichkeit war).* **2.** ⟨rfl.⟩ (ugs.; abwertend) *sich wichtig machen, sich großtun:* plustere dich nicht so auf!

aufpolieren, polierte auf, hat aufpoliert ⟨tr.⟩: *durch Polieren wieder glänzend machen, neu polieren:* er polierte das Büfett auf; bildl.: ich habe den Text des alten Artikels noch einmal aufpoliert *(überarbeitet und dadurch verbessert).*

aufprägen, prägte auf, hat aufgeprägt ⟨tr.⟩: **a)** *(auf etwas) prägen:* er prägte einen Adler [auf die Münze] auf. **b)** ⟨rfl.⟩ *Spuren hinterlassen; noch deutlich erkennbar sein:* die schweren Erlebnisse hatten sich seinem Gesicht deutlich aufgeprägt.

Aufprall, der; -s: *heftiger Aufschlag:* ein harter A.

aufprallen, prallte auf, ist aufgeprallt ⟨itr.⟩: *heftig auftreffen:* das abstürzende Flugzeug prallte auf dem Wasser auf; ihr Wagen war auf einen anderen aufgeprallt.

aufprobieren, probierte auf, hat aufprobiert ⟨tr.⟩: *kurz aufsetzen, um zu prüfen, ob es paßt:* einen Hut, eine neue Brille a.

aufpulvern, pulverte auf, hat aufgepulvert ⟨tr./rfl.⟩: *durch geeignete Mittel die Leistungsfähigkeit künstlich steigern:* der schwarze Kaffee pulverte ihn auf.

aufpumpen, pumpte auf, hat aufgepumpt ⟨tr.⟩: *durch Pumpen mit Luft füllen:* die Reifen eines Autos a.

aufputschen, putschte auf, hat aufgeputscht (abwertend): **1.** ⟨tr.⟩ *aufhetzen:* die Bevölkerung a. **2. a)** ⟨tr.⟩ *in starke Erregung versetzen, aufreizen:* das Publikum war durch das Spiel aufgeputscht worden. **b)** ⟨tr./rfl.⟩ *(durch Drogen o. ä.) die Leistungsfähigkeit künstlich steigern:* das Mittel sollte ihn a.; er versuchte, sich mit Kaffee, Tabletten aufzuputschen.

aufputzen, putzte auf, hat aufgeputzt ⟨tr./rfl.⟩: *in etwas auffälliger Weise schmücken:* Pferde mit Blumen und Bändern a.; ich hatte mich aufgeputzt; bildl.: der Erzähler hat das Märchen phantastisch aufgeputzt und ausgesponnen.

aufquellen, quillt auf, quoll auf, ist aufgequollen ⟨itr.⟩: **1.** *quellen und dadurch umfangreicher, fülliger werden:* die Leichen waren aufgequollen; ⟨häufig im 2. Partizip⟩ ein aufgequollener Leib. **2.** (geh.) *in die Höhe quellen:* Dampf quoll auf; bildl.: Zorn quoll in ihm auf.

aufraffen, raffte auf, hat aufgerafft: **1.** ⟨tr.⟩ *schnell sammeln und aufnehmen:* sie raffte die aus dem Portemonnaie gefallenen Scheine auf. **2.** ⟨rfl.⟩ **a)** *mühsam aufstehen:* er stürzte, raffte sich aber wieder auf. **b)** *sich mühsam (zu etwas) entschließen:* er raffte sich endlich auf, einen Brief zu schreiben.

aufragen, ragte auf ⟨itr.⟩: *in die Höhe ragen:* ein Turm ragte vor mir auf.

aufrappeln, sich; rappelte sich auf, hat sich aufgerappelt (ugs.): *sich aufraffen.*

aufrauchen, rauchte auf, hat aufgeraucht ⟨tr.⟩: *bis zu Ende rauchen:* die Zigarette [nur halb] a.

aufrauhen, rauhte auf, hat aufgerauht ⟨tr.⟩: *[durch Kratzen, Schaben] rauh machen:* ich rauhte das Holz mit Sandpapier ein wenig auf; aufgerauhte Stoffe.

aufräumen, räumte auf, hat aufgeräumt /vgl. aufgeräumt/: **1.** ⟨tr.⟩ *(irgendwo) Ordnung machen, indem man jeden Gegenstand an seinen Platz legt:* die Wohnung, den Schreibtisch a. **2.** ⟨itr.⟩ (ugs.) *(etwas/jmdn.) beseitigen; rücksichtslos Schluß machen (mit etwas):* mit überholten Begriffen a.; der Staat soll endlich mit diesen Verbrechern a.

aufrechnen, rechnete auf, hat aufgerechnet ⟨tr.⟩: **1.** *auf die Rechnung setzen:* er hat mir die Kosten für die Reparatur aufgerechnet. **2.** *ausgleichen, verrechnen:* Forderungen [gegeneinander] a.

aufrecht ⟨Adj.⟩: **1.** *aufgerichtet, gerade:* er hat einen aufrechten Gang; bildl.: die Hoffnung allein hält ihn noch a. *(gibt ihm noch Kraft und Mut).* **2.** *in seinem Wesen echt [und für seine Überzeugung einstehend]; ehrlich, redlich:* ein aufrechter Mann.

aufrechterhalten, erhält aufrecht, erhielt aufrecht, hat aufrechterhalten ⟨tr.⟩: *weiterhin durchsetzen; beibehalten:* die Disziplin a.; gegen dieses Argument konnte er seine Behauptung nicht a.; er hat auch später die Verbindung mit ihm a.

aufregen, regte auf, hat aufgeregt: **1.** ⟨tr.⟩ *in Erregung versetzen [so daß dadurch die Gesundheit angegriffen wird]:* man darf Kranke nicht a.; der Lärm regt ihn auf; das braucht dich nicht weiter aufzuregen *(zu beunruhigen);* ⟨häufig im 1. Partizip⟩ ein aufregendes Ereignis; seine Leistung war nicht besonders aufregend *(war nicht außergewöhnlich, war nur mittelmäßig);* ⟨häufig im 2. Partizip⟩ er war sehr aufgeregt. **2.** ⟨rfl.⟩ **a)** *in Erregung geraten [so daß dadurch die Gesundheit angegriffen wird]:* du darfst dich jetzt nicht a. **b)** (ugs.) *sich empören, entrüsten (über jmdn. /etwas):* das ganze Dorf regte sich über ihren Lebenswandel auf. **Aufregung,** die; -, -en.

aufreiben, rieb auf, hat aufgerieben: **a)** ⟨rfl.⟩ *seine Kräfte im Einsatz (für etwas) völlig verbrauchen:* er reibt sich in seinem Beruf auf; du reibst dich mit deiner Sorge für die Kinder völlig auf. **b)** ⟨tr.⟩ *(jmds.) Kraft aufzehren:* die ständige Sorge reibt seine Gesundheit auf; ⟨häufig im 1. Partizip⟩ eine aufreibende Tätigkeit.

aufreihen, reihte auf, hat aufgereiht: **a)** ⟨tr.⟩ *in eine Reihe bringen:* Muscheln [auf eine Schnur] a. **b)** ⟨tr./rfl.⟩ *in einer Reihe aufstellen:* Bücher a.; aufgereiht dastehen; Polizisten reihten sich längs der Straße auf.

aufreißen, riß auf, hat/ist aufgerissen: **1.** ⟨tr.⟩ **a)** *mit heftiger Bewegung öffnen:* er hat das Fenster aufgerissen. * (derb) **das Maul a.** *(prahlerisch reden und sich wichtig tun).* **b)** *gewaltsam öffnen und dabei die Oberfläche zerstören; aufbrechen:* die Straße wurde aufgerissen, weil eine neue Wasserleitung gelegt wurde; er hat den Brief aufgerissen. **2.** ⟨itr.⟩ *(die Haut) durch heftige Bewegung verletzen:* ich habe mir an dem Nagel den Finger aufgerissen. **3.** ⟨itr.⟩ **a)** *sich zerteilen* /von Wolken/: der Himmel ist schon etwas aufgerissen. **b)** *sich durch heftige Bewegung wieder öffnen:* die Wunde, die Naht ist aufgerissen.

aufreizen, reizte auf, hat aufgereizt ⟨tr.⟩: **1.** *zur Auflehnung veranlassen; aufhetzen:* jmdn. zum Widerstand a. **2.** *stark erregen:* die Jugend wird durch diese Filme aufgereizt; ⟨häufig im 1. Partizip⟩ ein aufreizender Anblick.

aufrichten, richtete auf, hat aufgerichtet: **1.** ⟨tr./rfl.⟩ *in die Höhe richten:* einen Verunglückten a.; sich aus seiner gebückten Haltung a. **2.** ⟨tr.⟩ *[durch Anteilnahme und Zuspruch] neuen Mut zum Leben geben:* er hat sie in ihrer Verzweiflung wieder aufgerichtet; ⟨auch rfl.⟩ sie haben sich an seinen Worten aufgerichtet.

aufrichtig ⟨Adj.⟩: *dem innersten Gefühl entsprechend, ehr-*

lich: aufrichtige Reue; er ist nicht immer ganz a.; es tut mir a. leid. **Aufrichtigkeit,** die; -.

aufrollen, rollte auf, hat aufgerollt ⟨tr.⟩: **1.** *zu einer Rolle wickeln:* er rollte die Leine auf; ich rollte die Ärmel auf *(schlug sie mehrfach um).* **2.** (*etwas Zusammengerolltes*) *öffnen, entfalten:* Meyer, rollen Sie bitte die Landkarte auf! **3.** *zur Sprache bringen:* eine Frage, ein Problem a. **4.** *von der Seite angreifen und in Abschnitten einnehmen:* die feindlichen Stellungen wurden aufgerollt.

aufrücken, rückte auf, ist aufgerückt ⟨itr.⟩: **1.** *an eine frei gewordene Stelle nach vorn rücken:* in einer Schlange von Wagen allmählich a.; bildl.: der Fall rückte plötzlich aus dem Feuilleton in den politischen Teil der Zeitung auf. **2.** *befördert werden, [im Rang] aufsteigen:* er ist in eine leitende Stellung aufgerückt; zum Vorarbeiter a.

Aufruf, der; -s, -e: *öffentliche Aufforderung:* es wurde ein A. an die Bevölkerung erlassen, sich Vorräte anzulegen.

aufrufen, rief auf, hat aufgerufen ⟨tr.⟩: **1.** *(einen Menschen aus einer Menge) laut beim Namen nennen:* einen Schüler a.; ⟨auch stellvertretend für den Menschen⟩: Nummern, Lose a. **2.** *[durch einen öffentlichen Appell] zu einem bestimmten Handeln oder Verhalten auffordern:* die Bevölkerung wurde zu Spenden aufgerufen.

Aufruhr, der; -s: *Auflehnung einer empörten Menge gegen den Staat oder eine Führung:* einen A. unterdrücken.

aufrühren, rührte auf, hat aufgerührt ⟨tr.⟩ **1. a)** *(in jmdm.) wecken, hervorrufen:* die Leidenschaft in jmdm. a. **b)** *(etwas Unangenehmes) erneut erwähnen:* eine alte Geschichte a. **2.** *in heftige Erregung versetzen, innerlich aufwühlen:* er hat ihn mit seinem Bericht im Innersten aufgerührt.

Aufrührer, der; -s, -: *jmd., der Aufruhr stiftet:* die A. wurden vor ein Gericht gestellt und zum Tode verurteilt.

aufrührerisch ⟨Adj.⟩ **a)** *zum Aufruhr antreibend:* aufrührerische Ideen. **b)** *im Aufruhr begriffen:* aufrührerische Volksmassen.

aufrunden, rundete auf, hat aufgerundet ⟨tr.⟩: *(eine Zahl, Summe) nach oben abrunden:* 99,50 DM auf 100 DM a.

aufrüsten, rüstete auf, hat aufgerüstet ⟨itr.⟩: *die Rüstung verstärken*/Ggs. abrüsten/: im stillen a.

aufrütteln, rüttelte auf, hat aufgerüttelt ⟨tr.⟩: *durch Rütteln bewirken, daß jmd. aufwacht, sich aufrichtet:* ich rüttelte den Schlafenden auf; bildl.: das Gewissen der Menschheit a.

aufs ⟨Verschmelzung von *auf* + *das*⟩: *auf das:* aufs Dach klettern; ⟨nicht auflösbar in Wendungen⟩ jmdn. aufs Korn nehmen.

aufsagen, sagte auf, hat aufgesagt ⟨tr.⟩: *auswendig vortragen:* der Schüler sagt ein Gedicht auf.

aufsammeln, sammelte auf, hat aufgesammelt ⟨tr.⟩: *einzeln aufheben und sammeln:* er sammelte die Münzen auf, die aus dem Portemonnaie gefallen waren.

aufsässig ⟨Adj.⟩: *trotzig und widerspenstig:* ein aufsässiger Schüler. **Aufsässigkeit,** die; -.

Aufsatz, der; -es, Aufsätze: **a)** *kürzere schriftliche Arbeit über ein Thema, das der Lehrer dem Schüler stellt:* einen A. schreiben; Aufsätze korrigieren. **b)** *[wissenschaftliche] Abhandlung eines selbstgewählten Themas:* einen A. in einer Zeitschrift veröffentlichen.

aufsaugen, sog auf /(auch:) saugte auf, hat aufgesogen/ (auch:) aufgesaugt ⟨tr.⟩: **a)** *saugend in sich aufnehmen:* der Schwamm saugt das Wasser auf. **b)** *aufgehen (in etwas):* die kleinen Betriebe werden von den großen aufgesogen.

aufschauen, schaute auf, hat aufgeschaut ⟨itr.⟩: *aufblicken.*

aufschäumen, schäumte auf, ist/ (auch:) hat aufgeschäumt ⟨itr.⟩ (geh.): *schäumend in die Höhe steigen:* das Meer schäumte auf; bildl.: Empörung und Rachsucht schäumten in ihm auf.

aufscheinen, schien auf, ist aufgeschienen ⟨itr.⟩ (südd.; östr.): *erscheinen, auftreten, vorkommen:* diese Bücher scheinen in der Liste nicht auf.

aufscheuchen, scheuchte auf, hat aufgescheucht ⟨tr.⟩: *(ein Tier) aufschrecken, hochjagen:* einen Vogel, ein Reh a.

aufschichten, schichtete auf, hat aufgeschichtet ⟨tr.⟩: *nach einer bestimmten Ordnung übereinanderlegen:* Bücher, Holz a.

aufschieben, schob auf, hat aufgeschoben ⟨tr.⟩: **1.** *schiebend öffnen:* ein Fenster, eine Tür a. **2.** *sich entschließen, (etwas) später zu tun:* eine Arbeit, eine Reise a.

aufschießen, schoß auf, ist aufgeschossen ⟨itr.⟩: *in die Höhe schießen:* eine riesige Stichflamme ist aufgeschossen; bildl.: er schoß auf *(fuhr plötzlich vom Sitz hoch)*; Angst schoß in ihm auf.

Aufschlag, der; -s, Aufschläge: **1.** *das Aufschlagen; heftiges, hartes Auftreffen im Fall:* als der Baum stürzte, hörte man einen dumpfen A. **2.** *auf- oder umgeschlagener Teil an Kleidungsstücken:* eine Hose mit Aufschlägen. **3.** *Erhöhung eines Preises um einen bestimmten Betrag:* für das Frühstück ist ein A. von 3 DM zu zahlen.

aufschlagen, schlägt auf, schlug auf, hat/ist aufgeschlagen: **1.** ⟨itr.⟩ *im Fall hart auftreffen:* die Rakete ist auf das/ auf dem Wasser aufgeschlagen. **2.** ⟨itr.⟩ *durch Schlagen öffnen:* er hat die Nüsse aufgeschlagen. **3.** ⟨itr.⟩ *durch Schlagen verletzen:* ich habe mir beim Sturz das Bein aufgeschlagen. **4.** ⟨tr.⟩ *(eine bestimmte Stelle eines Buches o. ä.) offen hinlegen, daß sie gelesen oder angesehen werden kann:* er hat die Seite 17 aufgeschlagen. **5.** ⟨tr.⟩ *(etwas, was aus einzelnen Teilen besteht) zusammenfügen und aufstellen:* er hat das Zelt aufgeschlagen. **6.** ⟨itr.⟩ **a)** *den Preis von etwas erhöhen:* der Kaufmann hat aufgeschlagen. **b)** *teurer werden:* Milch hat aufgeschlagen.

aufschließen, schloß auf, hat aufgeschlossen /vgl. aufgeschlossen/: **1.** ⟨tr.⟩ *mit einem Schlüssel öffnen:* die Tür a. **2.** ⟨itr.⟩ *einen größeren Abstand zwischen Marschierenden oder Autos so verringern, daß sie sich direkt hintereinander befinden:* ihr müßt mehr a.

aufschlitzen, schlitzte auf, hat aufgeschlitzt ⟨tr.⟩: *durch Schlitzen öffnen:* er schlitzte den Brief, den Sack auf.

Aufschluß, der; Aufschlusses, Aufschlüsse: *Klärung, Auskunft:* er suchte den endgültigen A. über das Leben; sein Tagebuch gibt A. über seine Leiden.

aufschlüsseln, schlüsselte auf, hat aufgeschlüsselt ⟨tr.⟩: *nach bestimmten Gesichtspunkten aufteilen, gliedern:* er hatte die Gefangenen für statistische Zwekke nach Alter, Beruf und Religion aufgeschlüsselt.

aufschlußreich ⟨Adj.⟩: *Aufschluß gebend, interessant, lehrreich:* seine Bemerkung war sehr a.

aufschnappen, schnappte auf, hat aufgeschnappt ⟨tr.⟩: **a)** *schnappend auffangen:* der Hund schnappte den Knochen auf, den man ihm hinwarf; bildl.: wo hast du denn die Grippe wieder aufgeschnappt? **b)** *zufällig hören oder erfahren:* die Kinder schnappten bei dem Gespräch manches auf, was sie nicht hören sollten.

aufschneiden, schnitt auf, hat aufgeschnitten: **1.** ⟨tr.⟩ *durch Schneiden öffnen:* der Arzt hatte ihm den Bauch a. müssen; den Verband a. *(durchschneiden).* **2.** ⟨tr.⟩ *durch Schneiden zerteilen, zerlegen, in Stücke schneiden:* den Braten vor dem Essen a. **3.** ⟨itr.⟩ *prahlen:* man glaubt ihm nicht mehr, weil er immer aufschneidet.

Aufschneider, der; -s, - (ugs.): *jmd., der aufschneidet, prahlt, renommiert:* jmdn. für einen A. halten; als A. gelten, dastehen.

Aufschnitt, der; -s: *Scheiben von Wurst, Braten, Schinken und Käse, die aufs Brot gelegt werden* (siehe Bild).

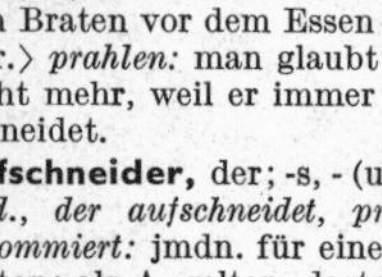

Aufschnitt

aufschnüren, schnürte auf, hat aufgeschnürt ⟨tr.⟩: *(etwas Verschnürtes) öffnen:* sie schnürte ihr Mieder, ihre Schuhe auf; ein Paket a.

aufschrauben, schraubte auf, hat aufgeschraubt ⟨tr.⟩: *schraubend öffnen:* eine Flasche a.

aufschrecken: I. schreckt/ (veraltend) schrickt auf, schreckte/schrak auf, ist aufgeschreckt ⟨itr.⟩: *sich vor Schreck plötzlich aufrichten, wegen eines Schrecks in die Höhe fahren:* nachts schreckte sie manchmal aus einem bösen Traum auf. **II.** schreckte auf, hat aufgeschreckt ⟨tr.⟩: *(jmdn.) so erschrecken, daß er darauf mit einer plötzlichen heftigen Bewegung o. ä. reagiert:* der Lärm hatte sie aufgeschreckt.

Aufschrei, der; -[e]s, -e: *plötzlicher kurzer Schrei:* er hörte einen erschreckten A.; ein A. der Freude.

aufschreiben, schrieb auf, hat aufgeschrieben ⟨tr.⟩: **1.** *schriftlich festhalten, niederschreiben:* seine Erlebnisse a. **2.** *wegen eines Verstoßes o. ä. (jmds. Namen und Adresse) notieren:* er wurde vom Polizisten aufgeschrieben, weil er bei Rot über die Straße gegangen war.

aufschreien, schrie auf, hat aufgeschrie[e]n ⟨itr.⟩: *plötzlich kurz schreien:* sie schrie vor Angst auf; bildl. (geh.): die Räder schrie[e]n auf, als der Wagen in die Kurve ging.

Aufschrift, die; -, -en: *etwas, was oben auf etwas geschrieben steht; kurzer Text auf etwas:* die A. [auf dem Deckel] war mit roter Tinte geschrieben.

Aufschub, der; -s: *das Aufschieben oder Verschieben auf eine spätere Zeit; Verzögerung:* diese Angelegenheit duldet keinen A. *(darf nicht aufgeschoben werden).*

aufschütteln, schüttelte auf, hat aufgeschüttelt ⟨tr.⟩: *durch Schütteln in die Höhe bringen und dadurch lockern:* das Kissen, die Bettdecke a.

aufschütten, schüttete auf, hat aufgeschüttet ⟨tr.⟩: **a)** *aufhäufen:* einem Pferd Stroh a.; vor dem Haus lag aufgeschütteter Sand. **b)** *durch Aufhäufen errichten:* einen Wall, Damm a.

aufschwatzen, schwatzte auf, hat aufgeschwatzt ⟨tr.⟩: *(jmdn. zum Kauf von etwas überreden:* er hat mir dieses Buch aufgeschwatzt.

aufschwellen: I. schwillt auf, schwoll auf, ist aufgeschwollen ⟨itr.⟩: *durch Schwellen prall oder größer werden:* die Leiche war im Wasser sehr aufgeschwollen. **II.** schwellte auf, hat aufgeschwellt ⟨tr.⟩: *unnötig vergrößern; an Umfang größer werden lassen:* die Fußnoten haben das Buch sehr aufgeschwellt.

aufschwemmen, schwemmte auf, hat aufgeschwemmt ⟨itr.⟩ /vgl. aufgeschwemmt/: *[ungesund] dick machen:* Bier schwemmt auf.

aufschwingen, sich; schwang sich auf, hat sich aufgeschwungen: **a)** *sich in die Höhe schwingen:* der Adler schwang sich auf in die Wolken. **b)** *sich aufraffen, entschließen (zu etwas):* endlich hat er sich zu einem Brief an ihn aufgeschwungen.

Aufschwung, der; -s, Aufschwünge: **1.** Turnen *Schwung nach oben an einem Gerät.* **2.** *gute wirtschaftliche Entwicklung, Aufstieg:* der A. der Wirtschaft. * **einen A. nehmen** *(sich gut und schnell entwickeln).*

aufsehen, sieht auf, sah auf, hat aufgesehen ⟨itr.⟩: *(zu jmdm./etwas) in die Höhe sehen:* sie sah von ihrer Arbeit auf und beobachtete ihn; bildl.: sie sah zu ihm auf wie zu einem Gott *(sie bewunderte, verehrte ihn).*

Aufsehen, das; -s: *allgemeine Beachtung, die jmd./etwas durch andere findet:* er scheute das A. * **A. machen/erregen/verursachen** *(sehr auffallen);* **A. vermeiden** *(sich bewußt so verhalten, daß man nicht auffällt).*

Aufseher, der; -s, -: *jmd., der zur Aufsicht über etwas oder jmds. Tun eingesetzt ist* /Berufsbezeichnung/: er war A. in einem Museum.

aufsein, ist auf, war auf, ist aufgewesen ⟨itr.⟩ (ugs.): **1.** *geöffnet sein:* das Fenster ist [nicht] auf[gewesen]. **2.** *aufgestanden, außer Bett sein:* weißt du, ob er schon auf ist?

aufsetzen, setzte auf, hat aufgesetzt: **1.** ⟨tr.⟩ *auf etwas setzen* /Ggs. absetzen/: einen Hut a. * **jmdm. Hörner a.** *(den Ehemann mit einem anderen Mann betrügen);* **eine ernste Miene a.** *(ernst werden).* **2.** *(einen Text) schriftlich entwerfen:* ein Gesuch a. **3.** ⟨rfl.⟩ *sich sitzend aufrichten:* der Kranke setzte sich im Bett auf. **4.** ⟨itr.⟩ *auf festen Boden gelangen, landen* /bes. von Flugzeugen/: das Flugzeug setzte leicht auf; die Sonde setzte weich [auf dem Mond] auf. **5.** ⟨tr.⟩ *auf etwas* *nähen:* einen Flicken [auf die Hose] a.

Aufsicht, die; -: 1. *das Beaufsichtigen, Kontrolle, Überwachung:* sie hatte die A. über die Kinder. * **die A. führen** *(beaufsichtigen; darauf achten, daß sich alles ordentlich vollzieht).* 2. *jmd., der die Kontrolle über etwas hat oder die Aufgabe hat, etwas zu überwachen:* gefundene Gegenstände bei der A. abgeben.

aufsitzen, saß auf, hat/ist aufgesessen ‹itr.›: 1. *aufrecht sitzen:* wenn der Kranke aufgesessen hätte, hätte er besser essen können. 2. *aufbleiben, nicht schlafen gehen:* wir haben gestern noch lange aufgesessen. 3. *aufs Pferd steigen:* er war aufgesessen und ritt davon. 4. *auf jmdn. hereinfallen; nicht merken, daß etwas falsch oder unwahr ist:* ich bin einem Betrüger, einem Irrtum aufgesessen. * **jmdn. a. lassen** *(jmdn. im Stich lassen, indem man ein Versprechen nicht hält).*

aufspalten, spaltete auf, hat aufgespaltet/aufgespalten: a) ‹tr.› *in zwei oder mehr Teile spalten:* er hat das schmale Brett der Länge nach aufgespaltet/aufgespalten. b) ‹rfl.› *sich trennen:* die Welt ist heute in zwei feindliche Lager aufgespalten; die Partei hat sich aufgespalten.

aufspannen, spannte auf, hat aufgespannt ‹tr.›: 1. *spannend ziehen, ausbreiten, entfalten, öffnen:* er spannte die Leine, das Segel auf; den Schirm a. 2. *(auf etwas) spannen:* ein neues Blatt Papier [auf das Reißbrett] a.

aufsparen, sparte auf, hat aufgespart ‹tr.›: *(für einen späteren Zeitpunkt) aufheben:* wir sparen [uns] den Kuchen für später auf; ich habe Ihnen noch eine köstliche Überraschung aufgespart; die Besichtigung habe ich mir für morgen aufgespart.

aufspeichern, speicherte auf, hat aufgespeichert: 1. ‹tr.› *speichern, aufhäufen:* Vorräte a.; bildl.: das Gehirn speichert unsere Erfahrungen auf; aufgespeicherter Ärger. 2. ‹rfl.› *sich [an]sammeln:* Bitterkeit speicherte sich in ihm auf.

aufsperren, sperrte auf, hat aufgesperrt ‹tr.›: 1. *weit öffnen:* die jungen Vögel sperrten ihre Schnäbel auf; (ugs.) Türen und Fenster [weit] a.; bildl. (ugs.): sperr doch die Augen auf! *(paß auf!).* * (ugs.) **Mund und Nase/ Mund und Augen / Maul und Augen a.** *(höchst verwundert sein).* 2. (bes. südd.) *aufschließen:* ich sperrte die Tür auf.

aufspielen, spielte auf, hat aufgespielt: 1. ‹rfl.› (abwertend) *sich wichtig tun; mehr sein wollen, als man ist; angeben:* er spielt sich vor andern immer sehr auf. 2. ‹itr.› *zum Tanz oder zur Unterhaltung Musik machen:* eine Kapelle wird zur Hochzeit a.

aufspießen, spießte auf, hat aufgespießt ‹tr.›: 1. *(mit einem spitzen Gegenstand) aufnehmen:* er spießte das Stück Fleisch mit der Gabel auf; eine Fliege mit einer Nadel a. 2. *anprangern:* die Mißstände in der Politik mit spitzer Feder a.

aufsplittern, splitterte auf, hat aufgesplittert ‹tr./rfl.›: *durch Splittern spalten:* der Druck hatte den Balken völlig aufgesplittert; bildl.: die Armee war in mehrere Teile aufgesplittert; die Partei splitterte sich in eine westliche und eine östliche Gruppe auf.

aufsprengen, sprengte auf, hat aufgesprengt ‹tr.›: *gewaltsam öffnen:* eine Tür, den feindlichen Ring a.

aufspringen, sprang auf, ist aufgesprungen ‹itr.›/vgl. aufgesprungen/: 1. *plötzlich in die Höhe springen:* als er diese Beleidigung hörte, sprang er empört vom Stuhl auf. 2. *auf ein sich bewegendes Fahrzeug springen:* er ist auf die Straßenbahn aufgesprungen. 3. *sich springend öffnen:* das Schloß des Koffers sprang auf.

aufspulen, spulte auf, hat aufgespult ‹tr./rfl.›: *auf eine Spule wickeln:* einen Faden a.; der Film war nur lose aufgespult; das Garn spult sich automatisch auf.

aufspüren, spürte auf, hat aufgespürt ‹tr.›: *nach längerem Suchen finden, ausfindig machen:* die Hunde spürten einen Hasen auf; die Polizei hat den flüchtigen Verbrecher in Frankfurt aufgespürt; bildl.: ein Geheimnis, eine alte Handschrift a. *(entdecken).*

aufstacheln, stachelte auf, hat aufgestachelt ‹tr.›: *aufhetzen; durch Reden bewirken, daß jmd. in bestimmter Weise handelt:* der Redner stachelte die Zuhörer zum Widerstand auf.

aufstampfen, stampfte auf, hat aufgestampft ‹itr.›: *stampfend auftreten:* sie stampfte zornig [mit dem Fuß] auf; ich stampfte mit den Füßen auf, um den Schnee von den Stiefeln zu schütteln.

Aufstand, der; -[e]s, Aufstände: *Erhebung gegen eine bestehende Ordnung; Rebellion, Revolte:* der A. gegen die Regierung wurde niedergeschlagen.

aufständisch ‹Adj.; nicht adverbial›: *an einem Aufstand beteiligt, im Aufstand befindlich:* die aufständischen Bauern.

Aufständische, der; -n, -n ‹aber: [ein] Aufständischer, Plural; Aufständische›: *jmd., der sich an einem Aufstand beteiligt.*

aufstapeln, stapelte auf, hat aufgestapelt ‹tr.›: *zu einem Stapel übereinanderlegen, -stellen, aufschichten:* Bücher, Bretter, Kisten a.; Vorräte a. *(aufhäufen).*

aufstauen, staute auf, hat aufgestaut ‹tr.›: *(Wasser) durch Stauen sammeln:* das Wasser des Flusses wurde zu einem großen See aufgestaut; bildl.: seinem aufgestauten Groll freien Lauf lassen.

aufstechen, sticht auf, stach auf, hat aufgestochen ‹tr.›: *durch Stechen öffnen:* eine Blase a.; bildl. (landsch.): er hat etwas aufgestochen *(ein Versehen, einen Fehler o. ä. bemerkt, aufgedeckt).*

aufstecken, steckte auf, hat aufgesteckt ‹tr.›: 1. *nach oben, in die Höhe stecken:* sie steckte ihr blondes Haar flach um ihren Kopf herum auf. 2. *(auf etwas) stecken:* Kerzen [auf den Leuchter] a. * (ugs.) **jmdm. ein Licht a.** *(jmdn. über etwas [für ihn Unangenehmes] aufklären).* 3. *auf seinem Gesicht zeigen:* er hatte ein mokantes Lächeln aufgesteckt. 4. (ugs.) *(auf etwas) verzichten:* ich glaube, du wirst deinen Plan a. müssen; ‹auch itr.› er steckt nie auf *(verliert nie den Mut).* 5. (südd.; östr.) *erreichen, gewinnen:* er hat bei ihr nichts a. können.

aufstehen, stand auf, hat/ist aufgestanden ‹itr.›: 1. *sich er-*

heben: **a)** /aus sitzender Stellung/: bei der Begrüßung ist er aufgestanden. **b)** /aus liegender Stellung, aus dem Bett/: er ist früh aufgestanden, um den Zug zu erreichen. **2.** (ugs.) *offenstehen:* das Fenster hat den ganzen Tag aufgestanden. **3.** (geh.) *sich gegen jmdn. erheben:* das Volk ist gegen seine Bedrücker aufgestanden.

aufsteigen, stieg auf, ist aufgestiegen ⟨itr.⟩: **1.** *auf etwas steigen*/Ggs. absteigen/: auf das Fahrrad a. **2. a)** *in die Höhe steigen:* Rauch stieg [aus dem Schornstein] auf. **b)** *(als Zweifel o. ä. in jmdm.) entstehen, lebendig werden:* Angst stieg in mir auf; ein Verdacht stieg in ihm auf. **3. a)** *in eine bestimmte höhere [berufliche] Stellung gelangen:* er stieg zum Minister auf *(wurde Minister).* **b)** Sport *in eine höhere Klasse eingestuft werden* /Ggs. absteigen/: die Mannschaft stieg auf.

aufstellen, stellte auf, hat aufgestellt: **1. a)** ⟨tr.⟩ *an eine Stelle, einen Ort stellen:* Stühle in einem Saal a. **b)** ⟨rfl.⟩ *sich hinstellen:* er stellte sich drohend vor ihm auf. **2.** ⟨tr.⟩ *(jmdn., den andere wählen sollen) nennen, vorschlagen:* einen Kandidaten a. **3.** ⟨tr.⟩ *(Personen zur Ausführung von etwas) zusammenstellen, vereinigen:* Truppen a. **4.** ⟨tr.⟩ *im einzelnen schriftlich festhalten, formulieren:* ein Programm a.; eine Liste der vorhandenen Gegenstände a. *(machen).* *** eine Behauptung a.** *(behaupten).*

Aufstellung, die; -, -en: **1.** *das Aufstellen:* die A. der Kandidaten für die Wahl. *** A. nehmen** *(sich aufstellen).* **2.** *Liste:* er ließ sich die A. der Waren geben.

Aufstieg, der; -s, -e: **1.** /Ggs. Abstieg/ **a)** *das Aufwärtssteigen:* er wagte den A. auf den steilen Berg. **b)** *das Aufwärtsentwikkeln:* der wirtschaftliche A. **2.** *Weg, der nach oben führt* /Ggs. Abstieg/.

aufstöbern, stöberte auf, hat aufgestöbert ⟨tr.⟩: **1.** *(Wild) in seinem Versteck finden und vertreiben, aufscheuchen:* Wildschweine, Hasen a. **2.** (ugs.) *aufspüren, auffinden:* die Polizei stöberte den Flüchtigen in seinem Schlupfwinkel auf.

aufstocken, stockte auf, hat aufgestockt ⟨tr./itr.⟩: **1.** *(ein Haus) um ein Stockwerk erhöhen:* wir müssen das Einfamilienhaus a., um Platz zu gewinnen; die Deutsche Bibliothek stockt auf. **2.** *(ein Kapital durch eine weitere Geldsumme) vergrößern:* einen Kredit um eine Million Mark a.; Aachener Straßenbahn stockt auf. **3.** *vermehren:* die Bundeswehr soll um 10000 Mann aufgestockt werden. **Aufstockung,** die; -, -en.

aufstoßen, stößt auf, stieß auf, hat/ist aufgestoßen: **1.** ⟨tr.⟩ *durch Stoßen öffnen:* er hat die Tür mit dem Fuß aufgestoßen. **2.** ⟨itr.⟩ *durch Stoßen verletzen:* ich habe mir das Knie aufgestoßen. **3.** ⟨itr.⟩ (ugs.) *Luft aus dem Magen hörbar durch den Mund ausstoßen:* er hat Brause getrunken und danach aufgestoßen. *** etwas stößt jmdm. übel auf** *(etwas wird von jmdm. mit Mißfallen bemerkt):* es ist ihm übel aufgestoßen, daß sie ihn nicht beachtet hat.

aufstreben, strebte auf ⟨itr.⟩ (geh.): **a)** *aufragen:* riesige Tannen strebten vor mir auf. **b)** *aufstehen wollen:* sie strebte von ihrem Sessel auf; bildl. ⟨häufig im 1. Partizip⟩: das aufstrebende *(immer größeren Einfluß ausübende)* Bürgertum; aufstrebende *(sich emporarbeitende)* Kräfte müssen gefördert werden.

Aufstrich, der; -s: *etwas, was auf das Brot gestrichen wird:* als A. nehmen wir Butter.

aufstülpen, stülpte auf, hat aufgestülpt ⟨tr.⟩: **1.** *(auf etwas) stülpen:* [jmdm., sich] den Hut [auf den Kopf] a. **2.** *(etwas Herabhängendes) nach oben bringen:* sie stülpte vor dem Spiegel ihre Lippen auf; eine aufgestülpte Nase haben; seine Ärmel a. *(aufkrempeln).*

aufstützen, stützte auf, hat aufgestützt ⟨tr./rfl.⟩: *auf etwas stützen:* den Arm a.; sich mit der Hand a.

aufsuchen, suchte auf, hat aufgesucht ⟨tr.⟩: **1.** *(zu jmdm. oder etwas) aus einem bestimmten Grund hingehen:* den Arzt a. **2.** *(an einer bestimmten Stelle) suchen:* eine Stadt auf der Landkarte a.

auftafeln, tafelte auf, hat aufgetafelt ⟨tr./itr.⟩ (geh.): *(zum Essen und Trinken) reichlich auf den Tisch bringen:* sie ließen sich mächtige Braten a.; man tafelte mir vom Besten auf.

auftakeln, takelte auf, hat aufgetakelt: **1.** ⟨tr.⟩ *(ein Schiff) mit Takelage versehen* /Ggs. abtakeln/: wir takelten die Jacht auf. **2.** ⟨rfl.⟩ (ugs.) *sich aufdonnern.*

Auftakt, der; -[e]s, -e: *Einleitung, Beginn [eines besonderen Ereignisses]:* dies war der A. zum 1. Weltkrieg; nach dem hoffnungsvollen A. im Vorjahr ist die Entwicklung jetzt enttäuschend.

auftanken, tankte auf, hat aufgetankt: **a)** ⟨tr.⟩ *mit Treibstoff versehen:* ich tankte gerade meinen Wagen auf; ein Flugzeug a.; bildl. (ugs.): Reserven a. *(Kräfte sammeln).* **b)** ⟨itr.⟩ *mit Treibstoff versorgt werden:* ich, meine Maschine hatte zuletzt in Y aufgetankt.

auftauchen, tauchte auf, ist aufgetaucht ⟨itr.⟩: *(aus dem Wasser o. ä.) wieder hervorkommen, zu sehen sein:* ab und zu tauchte der Kopf des Mannes aus den Wellen auf; bildl.: du bist ja schon lange nicht mehr bei uns aufgetaucht *(hast uns schon lange nicht mehr besucht).*

auftauen, taute auf, hat/ist aufgetaut: **1.** ⟨tr.⟩ **a)** *zum Tauen, Schmelzen bringen:* die Sonne hat das Eis aufgetaut. **b)** *von Eis befreien:* er hat das Rohr aufgetaut. **2.** ⟨itr.⟩ **a)** *sich tauend auflösen, schmelzen:* der Schnee ist aufgetaut. **b)** *von Eis frei werden:* der Fluß ist aufgetaut. **3.** ⟨itr.⟩ *die Hemmungen verlieren und gesprächig werden:* erst war der neue Schüler sehr still, doch bald war er aufgetaut.

aufteilen, teilte auf, hat aufgeteilt ⟨tr.⟩: *(ein Ganzes) in Stücke o. ä. völlig verteilen:* den Kuchen a.; die Schüler in Klassen a. *(einteilen).* **Aufteilung,** die; -, -en.

auftischen, tischte auf, hat aufgetischt ⟨tr./itr.⟩: *(zum Essen und Trinken) auf den Tisch bringen:* man hat uns viele leckere Gerichte aufgetischt; bildl. (ugs.): sie hat mir das übliche Märchen vom Besuch einer Freundin aufgetischt *(den Besuch vorgelogen).*

Auftrag, der; -s, Aufträge: **1.** *Bestellung einer Ware bei einem*

Kaufmann: die Firma hat viele Aufträge bekommen. 2. *Anweisung (eine Arbeit auszuführen):* er bekam den A., einen Bericht über sie zu schreiben.

auftragen, trägt auf, trug auf, hat aufgetragen: **1.** ⟨tr.⟩ (geh). *auf den Tisch bringen, servieren:* das Essen a. **2.** ⟨tr.⟩ *(etwas) auf etwas streichen:* Farbe a. * (ugs.) **dick a.** *(übertreiben):* er hat in seinem Bericht wieder sehr dick aufgetragen. **3.** ⟨tr.⟩ (geh.) *den Auftrag geben, etwas zu tun oder eine Nachricht zu übermitteln:* er hat mir aufgetragen, seine kranke Mutter zu besuchen. **4.** ⟨tr.⟩ *so lange tragen oder anziehen, bis es völlig abgenutzt ist:* die Kinder wachsen so schnell, daß sie ihre Kleidung gar nicht a. können. **5.** ⟨itr.⟩ *dick machen:* diesen Pullover kann ich nicht unter dem Mantel tragen, weil er aufträgt.

auftreffen, trifft auf, ist aufgetroffen ⟨itr.⟩: *auf etwas treffen, aufprallen:* die Sonde traf auf die/auf der Oberfläche des Mondes auf.

auftreiben, trieb auf, hat aufgetrieben ⟨tr.⟩: **1.** (ugs.) *nach längerem Suchen finden, sich beschaffen:* er konnte in der ganzen Stadt keinen Dolmetscher a. **2.** *von innen her dick machen, schwellen lassen:* das Wasser hat den Leib des Toten aufgetrieben.

auftrennen, trennte auf, hat aufgetrennt ⟨tr.⟩: **a)** *(etwas Genähtes) durch Auflösen der Nähte in seine Bestandteile zerlegen:* einen Rock a.; die Naht mit dem Messer a. *(die Fäden zwischen Zusammengenähtem entfernen).* **b)** *(bei etwas Gestricktem, Gehäkeltem) die Verbindung der Fäden völlig lösen:* einen Pullover a.

auftreten, tritt auf, trat auf, ist aufgetreten ⟨itr.⟩: **1.** *den Fuß auf den Boden setzen:* er hatte sich am Fuß verletzt und konnte nicht a. **2. a)** *sich in bestimmter Weise zeigen, benehmen:* er trat bei den Verhandlungen sehr energisch auf. **b)** *(in bestimmter Absicht) tätig sein:* als Zeuge, Redner a. **c)** *auf der Bühne spielen:* der Schauspieler tritt nicht mehr auf. **3.** *sich (bei Gebrauch oder im Laufe der Zeit) herausstellen, ergeben:* Schwierigkeiten traten auf.

Auftreten, das; -s: *Art, sich zu benehmen; jmds. Benehmen vor anderen:* der Vertreter hat ein sicheres A.

Auftrieb, der; -s: *nach oben treibende Kraft; Schwung:* diese Nachricht gab ihm A. *(ermutigte ihn, machte ihn froh).*

Auftritt, der; -s, -e: **1.** *das Auftreten (eines Schauspielers auf der Bühne):* der Schauspieler wartete auf seinen A. **2.** *Teil eines Aufzugs, Szene:* im zweiten A. der ersten Szene spricht der Held einen Monolog. **3.** *erregter Streit, Zank:* als der Sohn spät nach Hause kam, gab es einen A. in der Familie.

auftrumpfen, trumpfte auf, hat aufgetrumpft ⟨itr.⟩: *seine Meinung, seinen Willen oder eine Forderung (auf Grund seiner Überlegenheit) durchzusetzen versuchen:* er versuchte bei seinen Eltern aufzutrumpfen; mit seinem Können a.

auftun, tat auf, hat aufgetan: **1.** ⟨tr.⟩ (ugs.) *auf den Teller tun:* das Essen a. **2. a)** ⟨tr.⟩ *(Augen, Mund o. ä.) öffnen:* die Augen a. **b)** ⟨rfl.⟩ (geh.) *sich öffnen:* die Tür tat sich auf und der Lehrer kam herein. **c)** ⟨rfl.⟩ (geh.) *plötzlich deutlich erkennbar oder vor jmdm. sichtbar werden:* auf der Reise tat sich ihm eine ganze neue Welt auf. **3.** ⟨tr.⟩ (ugs.) *(etwas Günstiges o. ä.) entdecken, finden:* ich habe einen billigen Laden für Schokolade aufgetan.

auftürmen, türmte auf, hat aufgetürmt (geh.): **1.** ⟨tr./rfl.⟩ *in großen Mengen übereinanderlegen, aufhäufen:* Steine a.; Wolken türmten sich auf; bildl.: Hindernisse a.; immer neue Schwierigkeiten türmten sich auf. **2.** ⟨rfl.⟩ *aufragen:* riesige Felsen türmten sich vor mir auf.

aufwachen, wachte auf, ist aufgewacht ⟨itr.⟩: *wach werden:* durch den Lärm a.

aufwachsen, wächst auf, wuchs auf, ist aufgewachsen ⟨itr.⟩: *(in bestimmter Umgebung) seine Kindheit verbringen und dort groß werden:* er ist bei seinen Großeltern aufgewachsen.

aufwallen, wallte auf, ist/(auch:) hat aufgewallt ⟨itr.⟩ (geh.): **1.** *in die Höhe steigen*/von Dämpfen o. ä./: der Rauch ist [zur Decke] aufgewallt; bildl.: Haß wallte in ihm auf; ⟨häufig im 1. Partizip⟩ in aufwallender Leidenschaft. **2.** *kurz aufkochen:* das Wasser ist, (auch:) hat aufgewallt.

Aufwallung, die; -, -en: *plötzlich und heftig aufsteigende Empfindung:* er mußte eine A. von Zärtlichkeit unterdrücken.

Aufwand, der; -s: **1.** *das Aufwenden; Einsatz:* dieser A. an Kraft war nicht erforderlich. **2.** *Luxus, übertriebene Pracht, Verschwendung:* er leistete sich einen gewissen A. * **A. treiben** *(luxuriös, aufwendig leben).*

Aufwandsentschädigung, die; -, -en: *Ersatz; extra gezahltes Geld für besondere Ausgaben im Dienst.*

aufwärmen, wärmte auf, hat aufgewärmt: **1.** ⟨tr.⟩ **a)** *(Speisen) wieder warm machen:* das Essen a. **b)** *(etwas [Unerfreuliches], was vergessen oder erledigt war) wieder in Erinnerung bringen, darüber sprechen:* warum mußt du immer wieder die alten Geschichten a.? **2.** ⟨rfl.⟩ *sich wieder wärmen, weil einem kalt ist, weil man friert:* sich am Ofen a.

aufwarten, wartete auf, hat aufgewartet ⟨itr.⟩: **1.** (veraltend) *(jmdn.) bei Tisch bedienen:* den Gästen a. **2.** (veraltend) *(etwas) anbieten:* mit einer Tasse Kaffee a.; meist bildl.: kannst du mit einer Neuigkeit a. *(weißt du eine Neuigkeit)?* **3.** (veralt.) *einen höflichen, kurzen Besuch abstatten:* der Gräfin a.

aufwärts ⟨Adverb⟩: *nach oben*/ Ggs. abwärts/: der Lift fährt a.

aufwärtsgehen, ging aufwärts, ist aufwärtsgegangen ⟨itr.⟩ (ugs.): *in wirtschaftlicher o. ä. Hinsicht besser werden:* es geht wieder aufwärts mit der Firma; mit seiner Gesundheit geht es wieder aufwärts.

Aufwartung, die; -, -en: **1.** (veraltend) *das Bedienen bei Tisch:* der Prinz hatte zwei Lakaien zur täglichen A. **2.** *weibliche Person, die für eine bestimmte Zeit im Haushalt hilft:* unsere A. ist schon wieder krank. ** (geh.; veralt.) **jmdm. seine A. machen** *(jmdm. einen höflichen, kurzen Besuch abstatten).*

aufwaschen, wäscht auf, wusch auf, hat aufgewaschen ⟨tr./itr.⟩: *(schmutziges Geschirr) reinigen:* wäschst du mal das Geschirr auf?; Christine steht in der Küche und wäscht auf. * (ugs.) **das ist ein Aufwaschen/das geht in einem Aufwaschen** *(alles wird zu gleicher Zeit erledigt).*

aufwecken, weckte auf, hat aufgeweckt ⟨tr.⟩ /vgl. aufgeweckt/: *wach machen:* der Lärm hat ihn aufgeweckt.

aufweichen, weichte auf, hat/ist aufgeweicht: **1.** ⟨tr.⟩ *[durch Eintauchen in eine Flüssigkeit] allmählich weich machen:* ich hatte den Zwieback in der Milch aufgeweicht; bildl.: wir dürfen die strategische Konzeption nicht a. *(von innen her allmählich zerstören).* **2.** ⟨itr.⟩ *allmählich weich werden:* der Asphalt ist durch die Hitze aufgeweicht; aufgeweichte Wege; bildl.: die Seele weicht auf *(verliert allmählich ihre Widerstandskraft).*

aufweisen, wies auf, hat aufgewiesen ⟨itr.⟩: *(durch etwas) gekennzeichnet sein und dies zeigen oder erkennen lassen; haben:* dieser Apparat weist einige Mängel auf.

aufwenden, wandte/wendete auf, hat aufgewandt/aufgewendet ⟨tr.⟩: *(für einen bestimmten Zweck, für ein Ziel) aufbringen, einsetzen:* er mußte viel Geld a., um das Haus renovieren zu lassen.

aufwendig ⟨Adj.⟩: *kostspielig, teuer, viel Geld o. ä. beanspruchend:* er lebt sehr a.

Aufwendungen, die ⟨Plural⟩: *Unkosten, Ausgaben.*

aufwerfen, wirft auf, warf auf, hat aufgeworfen /vgl. aufgeworfen/: **1.** ⟨tr.⟩ **a)** *(Erde) von unten lockern und nach oben bringen:* der Pflug wirft die Erde auf. **b)** *(auf etwas) werfen:* er hat unter dem aufgeworfenen Schotter einen Schacht entdeckt. **c)** *aufschütten:* Erde a. **d)** *durch Aufhäufen von etwas bilden:* einen Wall, einen Damm a.; das Schiff warf hohe Wellen auf *(verursachte sie).* **e)** *mit Wucht öffnen:* der Wind warf das Fenster auf. **2.** ⟨tr.⟩ *in die Höhe werfen:* die Hände, den Kopf a. **3.** ⟨tr.⟩ *zur Sprache bringen, zur Diskussion stellen:* in der Diskussion wurden heikle Fragen, Themen aufgeworfen. **4.** ⟨rfl.⟩ *sich (als jmd.) aufspielen:* hast du das Recht, dich in dieser Angelegenheit zum Richter aufzuwerfen?

aufwerten, wertete auf, hat aufgewertet ⟨tr.⟩: **1. a)** *eine Währung im Wert erhöhen:* wenn die DM aufgewertet wird, werden die Exporte geringer werden. **b)** *den ursprünglichen Wert abgewerteter geldlicher Forderungen zum Teil wieder herstellen:* nach dem Krieg wurden die alten Konten mit 10% aufgewertet. **Aufwertung,** die; -, -en.

aufwickeln, wickelte auf, hat aufgewickelt ⟨tr.⟩: **1.** *auf etwas wickeln:* Wolle a. **2.** *die Hülle (von etwas) entfernen, auseinanderwickeln:* ein Päckchen a.

aufwiegeln, wiegelte auf, hat aufgewiegelt ⟨tr.⟩: *zur Auflehnung (gegen Vorgesetzte o. ä.) aufhetzen:* er hat die Arbeiter gegen die Regierung aufgewiegelt. **Aufwiegelung,** die; -, -en.

aufwiegen, wog auf, hat aufgewogen ⟨tr.⟩: *denselben Wert wie etwas anderes haben; einen Ausgleich (für etwas) darstellen:* der Verlust des Ringes konnte mit Geld nicht aufgewogen werden.

aufwirbeln, wirbelte auf, hat/ist aufgewirbelt ⟨itr./tr.⟩: *in die Höhe wirbeln:* der Staub ist aufgewirbelt; der Wind hat den Staub aufgewirbelt; bildl.: der Skandal hat eine Menge Staub aufgewirbelt.

aufwischen, wischte auf, hat aufgewischt: **a)** ⟨tr.⟩ *mit einem Lappen durch Wischen [vom Boden] entfernen:* ich wischte die verschüttete Milch auf. **b)** ⟨tr./itr.⟩ *durch Wischen reinigen:* den Fußboden a.; hast du aufgewischt?

aufwühlen, wühlte auf, hat aufgewühlt ⟨tr.⟩: *wühlend (in etwas) eindringen, es durcheinanderbringen [und dabei Unteres nach oben befördern]:* der Bagger wühlte die Erde auf; mit einem Stock das trübe Wasser a.; bildl.: die Musik wühlte ihn auf *(erregte ihn innerlich stark).*

aufzählen, zählte auf. hat aufgezählt ⟨tr.⟩: *einzeln und nacheinander nennen:* jmds. Verdienste a. **Aufzählung,** die; -, -en.

aufzäumen, zäumte auf, hat aufgezäumt ⟨tr.⟩: *(ein Zug- oder Reittier) mit einem Zaum versehen:* ein Pferd a. * (ugs.) **das Pferd beim Schwanz a.** *(eine Sache verkehrt anfangen).*

aufzehren, zehrte auf, hat aufgezehrt ⟨tr.⟩: *durch ständige Beanspruchung o. ä. bewirken, daß nichts mehr (von etwas) vorhanden ist; völlig verbrauchen:* die Krankheit hatte seine Kräfte aufgezehrt.

aufzeichnen, zeichnete auf, hat aufgezeichnet ⟨tr.⟩: *schriftlich festhalten:* seine Beobachtungen a. **Aufzeichnung,** die; -, -en.

aufzeigen, zeigte auf, hat aufgezeigt ⟨tr.⟩: *deutlich (auf etwas) hinweisen; vor Augen führen:* Probleme a.

aufziehen, zog auf, hat/ist aufgezogen: **1.** ⟨tr.⟩ *in die Höhe ziehen:* er hat den Rolladen aufgezogen. **2.** ⟨tr.⟩ *durch Ziehen öffnen:* er hat den Vorhang aufgezogen. **3.** ⟨tr.⟩ *(auf etwas) straff befestigen:* er hat das Bild auf Pappe aufgezogen. **4.** ⟨tr.⟩ *großziehen:* die Großeltern haben das Kind aufgezogen. **5.** ⟨tr.⟩ **a)** *(eine Uhr o. ä.) durch Straffen einer Feder zum Funktionieren bringen:* er hat den Wecker aufgezogen. **b)** *arrangieren; machen, daß eine Veranstaltung abgehalten werden kann:* er hat ein großes Fest aufgezogen. **6.** ⟨tr.⟩ *hänseln; Scherz, Spott treiben (mit jmdm.):* seine Kameraden haben ihn wegen seines Namens aufgezogen. **7.** ⟨itr.⟩ **a)** *herankommen, sich nähern:* ein Gewitter ist aufgezogen. **b)** *sich (an einer bestimmten Stelle) aufstellen:* eine Wache war vor dem Schloß aufgezogen.

Aufzucht, die; -: *das Aufziehen* /bes. von [Haus]tieren/: die A. von Schweinen, Geflügel; (scherzh.) sie kann die A. der Enkel nicht mehr bewältigen.

Aufzug, der; -s, Aufzüge: **1. a)** *Anlage zum Befördern von Personen oder Sachen nach oben oder unten; Fahrstuhl, Lift:* in die-

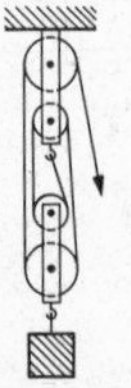

Aufzug 1. b)

sen A. gehen nur 4 Personen. **b)** *Vorrichtung zum Hochziehen von Lasten* (siehe Bild). **2.** (abwertend) *Kleidung; äußere Auf-*

machung: willst du in diesem A. auf die Straße gehen? **3.** *Akt eines Dramas.*

aufzwingen, zwang auf, hat aufgezwungen ⟨tr.⟩: *(jmdn.) zur Aufnahme oder Übernahme (von etwas) zwingen:* jmdm. seinen Willen a.

Augapfel, der; -s, Augäpfel: *hauptsächlicher, beweglicher Teil des menschlichen (zum Teil auch tierischen) Auges:* ihre Augäpfel schimmerten bläulich; bildl.: der Junge war sein A. *(sein Liebstes).* * **etwas wie seinen A. hüten** *(etwas auf das sorgfältigste hüten).*

Auge, das; -s, -n: *Organ zum Sehen* (siehe Bild): blaue, strahlende Augen. * **ein A./beide Augen zudrücken** *(nachsichtig mit jmdm. sein):* der Schüler kam zu spät, aber der Lehrer drückte ein Auge zu und sagte nichts;

Auge 

unter vier Augen *(zu zweit ohne Zeugen; ohne daß jmd. zuhört):* ein Gespräch unter vier Augen; (ugs.) **mit einem blauen A. davonkommen** *(mit einem relativ geringen Schaden davonkommen);* **auf jmdn./etwas ein wachsames A. haben** *(jmdn./etwas genau beobachten, überwachen);* (ugs.) **große Augen machen** *(staunen);* (geh.) **sich** (Dativ) **die Augen ausweinen** *(sehr viel weinen);* (ugs.) **das paßt wie die Faust aufs A.** *(das paßt überhaupt nicht);* **jmdm. ein Dorn im A. sein** *(jmdm. unbequem und deshalb verhaßt sein).*

Augenblick [auch: ...blịck], der; -s, -e: **a)** *sehr kurzer Zeitraum, Moment:* warte noch einen A.! **b)** *bestimmter Zeitpunkt:* das war ein günstiger, wichtiger A. * **jeden A.** *(schon in den nächsten Minuten, gleich):* er kann jeden A. eintreffen; **im A.** *(augenblicklich, jetzt, zur Zeit).*

augenblicklich [auch: ...blịck ...] ⟨Adj.⟩ **1.** ⟨nicht prädikativ⟩ *sofort, sofortig:* du hast a. zu kommen. **2.** *gegenwärtig, jetzt, im Augenblick:* die augenblickliche Lage ist ernst; die Ware ist a. knapp.

Augenmaß, das; -es: *Fähigkeit, etwas mit dem Auge zu messen:* ein gutes, schlechtes A. haben. * **nach [dem] A.** *(nur geschätzt, nicht ganz genau).*

Augenmerk: ⟨in den Wendungen⟩ **sein A. auf jmdn./etwas richten** *(auf jmdn./etwas besonders achten);* **jmds. A. auf jmdn./etwas lenken** *(dafür sorgen, daß jmd. auf jmdn./etwas besonders achtet).*

Augenschein, der; -s: *das Anschauen, Wahrnehmen mit den eigenen Augen:* wie der A. lehrt; der A. trügt; dem A. nach; sich durch den A. von etwas überzeugen. * **jmdn./etwas in A. nehmen** *(genau betrachten).*

augenscheinlich [auch: ... schein...] ⟨Adj.⟩: *sich auf den Augenschein gründend, offensichtlich, offenbar, deutlich, klar:* sein augenscheinlicher Mangel an Selbstvertrauen; das ist a. in Vergessenheit geraten.

Augenzeuge, der; -n, -n: *jmd., der einen Vorfall o. ä. mit angesehen hat [und den Hergang schildern kann]:* er wurde A. dieses Unfalls.

August, der; -[s]: *achter Monat des Jahres.*

Auktion, die; -, -en: *Versteigerung.*

Auktionator, der; -s, -en: *jmd., der eine Auktion abhält.*

Aula, die; -, Aulen und -s: *großer Raum für feierliche Veranstaltungen oder Versammlungen in Schulen und Universitäten.*

Aureole, die; -, -n: *die ganze Gestalt umgebender Heiligenschein:* um Maria hatte der Künstler eine A. gemalt; bildl. (geh.): eine A. *(etwas Weihevolles)* umgab sie.

aus ⟨Präp. mit Dativ⟩: **1.** /lokal/ **a)** /gibt die Richtung von innen nach außen oder die Bewegung von etwas weg an/: aus dem Zimmer gehen. **b)** /bezeichnet Herkunft und Ursprung/: aus Berlin stammen. **2.** /in Verbindung mit Stoffbezeichnungen zur Angabe der Beschaffenheit/: ein Kleid aus Papier. **3.** *bewirkt (durch etwas); vor* /gibt den Grund an/: etwas aus Eifersucht tun.

ausarbeiten, arbeitete aus, hat ausgearbeitet: **1.** ⟨tr.⟩ *den Aufbau oder die Ausführung (von etwas) im einzelnen entwerfen und festlegen:* einen Vortrag a. **2.** ⟨rfl.⟩ *sich in angenehmer Weise durch körperliche Arbeit Bewegung verschaffen; sich zum Ausgleich körperlich betätigen:* er hat sich im Garten tüchtig ausgearbeitet. **Ausarbeitung,** die; -, -en.

ausarten, artete aus, ist ausgeartet ⟨itr.⟩: *sich über das normale Maß hinaus (zu etwas Schlechtem) entwickeln:* der Streit artete in eine Schlägerei aus; die Forschungen arteten zu einem Wettkampf aus.

ausatmen, atmete aus, hat ausgeatmet ⟨tr.⟩: *den Atem aus der Lunge entweichen lassen, ausstoßen.*

ausbaden, badete aus, hat ausgebadet ⟨tr.⟩: *(für etwas, was man selbst oder ein anderer verschuldet hat) die Folgen tragen, auf sich nehmen müssen:* seine Frechheiten hatten wir auszubaden.

ausbaggern, baggerte aus, hat ausgebaggert ⟨tr.⟩: **a)** *durch Baggern (aus etwas) herausschaffen:* wir müssen Erde a. **b)** *durch Baggern [wieder] tiefer machen:* die Fahrrinne a.

ausbalancieren [...balãsi:rən] balancierte aus, hat ausbalanciert ⟨tr./rfl.⟩: *ins Gleichgewicht bringen, im Gleichgewicht halten; balancierend ausgleichen:* seinen Körper, Unebenheiten des Bodens a.; bildl.: diese politischen Kräfte müssen ausbalanciert werden, sich a.

ausbaldowern, baldowerte aus, hat ausbaldowert ⟨tr.⟩ (ugs.): *auf schlaue, geschickte Weise ausfindig machen; auskundschaften:* ein Versteck a.

Ausbau, der; -s: *das Ausbauen.*

ausbauen, baute aus, hat ausgebaut ⟨tr.⟩: **1.** *durch Bauen vergrößern, erweitern, verändern:* ein Haus a. **2.** *(etwas in etwas Eingebautes) wieder aus etwas herausnehmen:* den Motor [aus dem Auto] a.

ausbedingen, sich; bedang sich aus, hat sich ausbedungen (geh.): *zur Bedingung machen, verlangen:* du mußt dir ein gutes Honorar a.; ich habe mir ausbedungen, daß die Prüfung von mir vorgenommen wird.

ausbeißen, sich; biß sich aus, hat sich ausgebissen ⟨tr.⟩: *(einen Zahn, Zähne) durch Beißen verlieren:* ich habe mir einen Zahn ausgebissen. * **sich** (Dativ) **an etwas die Zähne a.** *(mit Mühe* *etwas zu bewältigen suchen und damit nicht fertig werden)*: ich habe mir an der Aufgabe die Zähne ausgebissen.

ausbessern, besserte aus, hat ausgebessert ⟨tr.⟩: *(schadhafte Stellen an etwas) wieder in guten Zustand versetzen:* Wäsche, das Dach eines Hauses a. **Ausbesserung,** die; -, -en.

ausbeulen, beulte aus, hat ausgebeult ⟨tr./rfl.⟩: **1.** *mit einer Beule, mit Beulen versehen:* die Taschen, Hosen a.; bei dieser Hose beulen sich die Knie nicht so leicht aus; ein Blech a. **2.** *Beulen (bei etwas) beseitigen:* den Kotflügel a.; der Hut beult sich schon wieder aus.

Ausbeute, die; -: *Gewinn, Ertrag:* eine große A. an Mineralien; die wissenschaftliche A. der Reise war gering.

ausbeuten, beutete aus, hat ausgebeutet ⟨tr.⟩: **1.** *zum eigenen Vorteil ausnutzen:* die Arbeiter wurden ausgebeutet. **2.** *zum Nutzen gebrauchen, Nutzen ziehen (aus etwas):* den guten Boden a. **Ausbeutung,** die; -, -en.

ausbezahlen, bezahlte aus, hat ausbezahlt ⟨tr.⟩: *aus einer Kasse bezahlen:* die Kumpel müssen ausbezahlt werden; eine Summe, den Lohn [in] bar ausbezahlt bekommen.

ausbilden, bildete aus, hat ausgebildet ⟨tr.⟩: **a)** *längere Zeit in etwas unterweisen, um auf eine [berufliche] Tätigkeit vorzubereiten:* Lehrlinge a. **b)** *fördern, entwickeln:* seine Fähigkeiten a.

Ausbilder, der; -s, -: *jmd., der jmdn. längere Zeit für eine [berufliche, bes. militärische] Tätigkeit ausbildet:* der A. schliff seine Rekruten.

Ausbildung, die; -, -en: **a)** *Unterweisung in etwas:* die A. der Lehrlinge. **b)** *Förderung, Entwicklung:* die A. seiner Fähigkeiten.

ausbitten, sich; bat sich aus, hat sich ausgebeten ⟨itr.⟩: **a)** *erbitten:* als Geschenk bat ich mir einen Papagei aus. **b)** *nachdrücklich und als selbstverständlich fordern, verlangen:* ich bitte mir Ruhe aus! * **das möchte ich mir** [**auch**] **ausgebeten haben!** *(das erwarte ich nicht anders!).*

ausblasen, bläst aus, blies aus, hat ausgeblasen ⟨tr.⟩: **1.** *durch Blasen zum Erlöschen bringen:* die Kerzen a. * (veraltend; scherzh. verhüllend) **jmdm. das Lebenslicht a.** *(jmdn. töten).* **2.** *durch Blasen reinigen:* einen Kamm, eine Röhre a.

ausbleiben, blieb aus, ist ausgeblieben ⟨itr.⟩: *nicht eintreten oder eintreffen, obgleich es erwartet wird, obgleich man damit rechnet:* der Erfolg blieb aus; er hatte ein Hotel gekauft, aber die Gäste blieben aus; es konnte ja nicht a. *(es mußte ja so kommen)*, daß er sich bei dem Wetter erkältete.

ausblenden, blendete aus, hat ausgeblendet ⟨tr.⟩: *aus einer (Rundfunk-, Fernseh-)Sendung herausnehmen:* in allen wichtigen Szenen wurde der Ton ausgeblendet.

Ausblick, der; -s, -e: *Blick in die Ferne, Aussicht:* wir genossen den herrlichen A. auf die Dünen und das Meer; bildl.: der A. in die Zukunft ist [wenig] erfreulich.

ausbluten, blutete aus, hat/ist ausgeblutet ⟨itr.⟩: *bis zu Ende bluten:* das geschlachtete Schwein hat, ist ausgeblutet; bildl.: nach dem Krieg war das Land, waren wir ausgeblutet *(durch Verluste an Menschen und Material stark geschwächt).*

ausbohren, bohrte aus, hat ausgebohrt ⟨tr.⟩: **a)** *durch Bohren aushöhlen:* einen schlechten Zahn a. **b)** *durch Bohren vertiefen:* du mußt das Loch in dem Stein noch mehr a. **c)** *durch Bohren beseitigen:* die schlechten Stellen im Zahn a.

ausbooten, bootete aus, hat ausgebootet ⟨tr.⟩ (ugs.): *von einem Posten, aus einer beruflichen Stellung entfernen:* einige Dozenten sollten ausgebootet werden.

ausbrechen, bricht aus, brach aus, hat/ist ausgebrochen: **1.** ⟨tr.⟩ *durch Brechen (aus etwas) entfernen:* er hat einen Stein [aus einer Mauer] ausgebrochen. **2.** ⟨itr.⟩ *aus einem Gefängnis o. ä. fliehen, sich befreien:* drei Gefangene sind ausgebrochen. **3.** ⟨itr.⟩ **a)** *plötzlich und sehr rasch entstehen:* eine Panik, ein Feuer war ausgebrochen. **b)** *plötzlich hervordringen:* ihm ist der Schweiß ausgebrochen. **4.** ⟨tr.⟩ *erbrechen:* er hat das Essen wieder ausgebrochen. ** **in Tränen a.** *(heftig zu weinen beginnen);* **in Lachen a.** *(heftig zu lachen beginnen).*

ausbreiten, breitete aus, hat ausgebreitet: **1.** ⟨tr.⟩ **a)** *in seiner ganzen Größe oder Breite hinlegen, zeigen:* die Zeitung vor sich a. **b)** *(zusammengehörige Gegenstände) nebeneinander hinlegen:* er breitete die Geschenke auf dem Tisch aus. **2.** ⟨rfl.⟩ *sich nach allen Richtungen ausdehnen:* das Feuer hat sich schnell weiter ausgebreitet.

ausbrennen, brannte aus, hat/ist ausgebrannt: **1.** ⟨tr.⟩ **a)** *durch Brennen beseitigen:* er hat die Warze ausgebrannt. **b)** *durch Brennen reinigen:* der Arzt hat die Wunde ausgebrannt. **2.** ⟨tr.⟩ *durch Hitze ausdörren:* die Sonne hat die Erde ausgebrannt; meine Kehle ist wie ausgebrannt *(ich habe starken Durst).* **3.** ⟨itr.⟩ **a)** *aufhören zu brennen:* das Feuer ist ausgebrannt; ein ausgebrannter *(erloschener)* Vulkan. **b)** *im Inneren gänzlich verbrennen:* der Wagen ist bei dem Unglück ausgebrannt; ausgebrannte Panzer; bildl.: der Mann ist völlig ausgebrannt *(so erschöpft, daß er nichts mehr leisten kann).*

ausbringen, brachte aus, hat ausgebracht ⟨tr.⟩: *in einem Kreis von Personen [beim (ersten) Trinken von Alkohol] rufen, aussprechen:* der Redner brachte einen Toast auf den Jubilar aus; einen Trinkspruch auf gute Zusammenarbeit a.

Ausbruch, der; -s, Ausbrüche: *das Ausbrechen.* * **zum A. kommen** *(nach einer gewissen Zeit hervorbrechen, sich deutlich zeigen, sich entladen):* seine ganze Wut kam bei dieser Gelegenheit zum A.

ausbrüten, brütete aus, hat ausgebrütet ⟨tr.⟩: **a)** *(Küken o. ä.) durch Brüten zum Ausschlüpfen bringen:* Küken [künstlich] a.; bildl. (ugs.; abwertend): seltsame Gedanken a. *(auf sie verfallen).* **b)** *(auf Eiern) so lange sitzen, bis Junge ausschlüpfen:* Eier a.

ausbügeln, bügelte aus, hat ausgebügelt ⟨tr.⟩: **1.** *durch Bügeln glätten:* ich muß deine Hose noch a. **2.** *durch Bügeln entfernen:* die Falten im Rock a. **3.** (ugs.) *wieder in Ordnung bringen:* er bügelte die Affäre, den Fehler, die Einbußen schnell wieder aus.

ausbuhen, buhte aus, hat ausgebuht ⟨tr.⟩ (ugs.): *(jmdm.) sein Mißfallen über ihn zeigen, indem man „buh" ruft:* als sich der Intendant auf der Bühne zeigte, wurde er ausgebuht.

Ausbund: ⟨in der Fügung⟩ ein [wahrer] A. von etwas [sein] (abwertend; iron.): *ein Muster[beispiel], der Inbegriff von etwas [sein]:* sie ist ein A. von Verlogenheit, aller Schlechtigkeit; ein A. von Gelehrsamkeit.

ausbürgern, bürgerte aus, hat ausgebürgert ⟨tr.⟩: *(jmdm.) die Staatsangehörigkeit entziehen:* man hat diesen Künstler bald nach 1933 ausgebürgert.

ausbürsten, bürstete aus, hat ausgebürstet ⟨tr.⟩: **a)** *mit einer Bürste entfernen:* Staub [aus dem Mantel] a. **b)** *mit einer Bürste reinigen:* die Hose a.

Ausdauer, die; -: *Fähigkeit, etwas (z. B. eine Anstrengung) längere Zeit auszuhalten; Beharrlichkeit:* es fehlt ihm beim Schwimmen noch die A.

ausdauernd ⟨Adj.⟩: *eine Anstrengung längere Zeit aushaltend; nicht so schnell ermüdend, nicht erlahmend:* ein ausdauernder Schwimmer.

ausdehnen, dehnte aus, hat ausgedehnt: **1.** ⟨rfl.⟩ **a)** *sich ausbreiten, sich auf ein weiteres Gebiet erstrecken:* der Handel dehnt sich immer weiter aus; ⟨im 2. Partizip⟩ ein ausgedehnter *(sich weit erstreckender)* Wald. **b)** *sich dehnen:* die Schienen dehnen sich bei Hitze aus; ausgedehnter *(nicht mehr elastischer)* Gummi. **c)** *(eine gewisse Zeit) andauern:* die Feier dehnte sich über den ganzen Abend aus. **2.** ⟨tr.⟩ *ausweiten:* seinen Einfluß auf andere a. **3.** ⟨tr.⟩ *verlängern:* seinen Besuch bis in die Nacht a. **Ausdehnung,** die; -, -en.

ausdenken, dachte aus, hat ausgedacht ⟨tr.⟩: *in Gedanken zurechtlegen, ausarbeiten, sich vorstellen:* ich hatte mir einen Trick ausgedacht; es ist nicht auszudenken *(es ist unvorstellbar)*, was ohne seine Hilfe passiert wäre.

ausdiskutieren, diskutierte aus, hat ausdiskutiert ⟨tr.⟩: *durch Diskutieren völlig klären:* diese Frage, dieser Streitpunkt konnte nicht mehr ausdiskutiert werden; ein umstrittenes, nicht ausdiskutiertes Problem.

ausdorren, dorrte aus, ist ausgedorrt ⟨itr.⟩ (geh.): *völlig trocken, dürr werden:* der Erdboden ist ausgedorrt.

ausdörren, dörrte aus, hat ausgedörrt ⟨tr.⟩: *völlig trocken, dürr machen:* die Sonne hat den Boden ausgedörrt; meine Kehle ist ausgedörrt; sein Gehirn war wie ausgedörrt.

ausdrehen, drehte aus, hat ausgedreht ⟨tr.⟩: *[durch Drehen] abschalten:* das Gas, das Licht, das Radio a.

Ausdruck, der; -s, Ausdrücke: **1.** *Wort, Wendung:* er gebrauchte einen schlechten A.; diesen A. habe ich noch nie gehört. **2.** ⟨ohne Plural⟩ *Stil oder Art und Weise des Formulierens, der künstlerischen Gestaltung:* sein A. ist schwerfällig. **3.** ⟨ohne Plural⟩ *Spiegelung (einer seelischen Verfassung):* ein A. von Trauer zeigt sich auf seinem Gesicht; er schrieb das Gedicht als A. seiner Liebe. * **zum A. bringen** *([in Worten] deutlich werden lassen);* **zum A. kommen** *(deutlich werden).*

ausdrücken, drückte aus, hat ausgedrückt: **1.** ⟨tr.⟩ **a)** *aus etwas pressen:* den Saft [aus der Zitrone] a. **b)** *Flüssigkeit durch Druck (aus etwas) entfernen:* den Schwamm a. **2. a)** ⟨tr.⟩ *(in bestimmter Weise) formulieren:* seine Gedanken klar a. **b)** ⟨rfl.⟩ *sich in Worten äußern:* er kann sich nicht gut a. **3. a)** ⟨tr.⟩ *aussprechen:* seinen Dank a. **b)** ⟨itr.⟩ *erkennen lassen:* seine Worte drücken große Sorge aus.

ausdrücklich [auch: ...drück-...] ⟨Adj.; nicht prädikativ⟩: *mit Nachdruck [vorgebracht], extra [für diesen Fall erwähnt]:* ein ausdrückliches Verbot; ich habe a. gesagt, daß er das Geld sofort bezahlen muß.

ausdrucksvoll ⟨Adj.⟩: *voll[er] Ausdruck in der Formulierung oder [künstlerischen] Gestaltung:* das Kind erzählt a.; ein ausdrucksvolles Profil.

Ausdrucksweise, die; -, -n: *Art und Weise, wie sich jmd. mündlich oder schriftlich ausdrückt.*

ausdünsten, dünstete aus, hat ausgedünstet ⟨tr.⟩: *(einen unangenehmen Geruch) von sich geben:* die Pferde dünsteten einen scharfen Geruch aus. **Ausdünstung,** die; -, -en.

auseinander ⟨Adverb⟩: *einer vom anderen entfernt, weg:* die Schüler a. setzen; ⟨oft zusammengesetzt mit Verben⟩ auseinandergehen, auseinanderlaufen.

auseinandergehen, ging auseinander, ist auseinandergegangen ⟨itr.⟩: **1.** *sich trennen:* sie sind im besten Einvernehmen auseinandergegangen. **2.** *sich unterscheiden, verschieden sein, differieren:* in diesem Punkt gehen unsere Ansichten, Meinungen auseinander. **3.** (ugs.) *dick[er] werden:* sie ist ziemlich auseinandergegangen.

auseinandersetzen, setzte auseinander, hat auseinandergesetzt: **1.** ⟨tr.⟩ *bis ins einzelne erklären, darlegen:* jmdm. seine Gründe für ein Verhalten a. **2.** ⟨rfl.⟩ *sich eingehend (mit jmdm./etwas) beschäftigen oder befassen:* er hatte sich mit diesem Problem auseinanderzusetzen.

Auseinandersetzung, die; -, -en: **1.** *heftige Debatte, Streit:* er hatte mit seinem Chef eine A. **2.** *eingehende kritische Beschäftigung (mit etwas):* eine A. mit diesem Problem ist notwendig.

auserkoren: ⟨in bestimmten Verbindungen⟩ (geh.) **jmdn. a. haben** *(jmdn. ausgewählt haben):* das Schicksal hat ihn dazu a.; (geh.) **a. sein** *(ausgewählt sein):* er ist von der Vorsehung dazu a., diese Aufgabe zu erfüllen.

auserlesen ⟨Adj.; nicht adverbial⟩ (geh.): *ausgesucht, vorzüglich, hervorragend:* auserlesene Weine; das Publikum schien a. zu sein.

ausersehen, ersieht aus, ersah aus, hat ausersehen ⟨tr.⟩ (geh.): *auswählen und zu etwas bestimmen:* ich als ältester Sohn wurde zum Priester ausersehen; als Opfer für etwas ausersehen sein.

auserwählen, erwählte aus, hat auserwählt ⟨tr.⟩ (geh.): *auswählen.*

ausfahren, fährt aus, fuhr aus, hat/ist ausgefahren /vgl. ausgefahren/: **1.** ⟨tr.⟩ **a)** *(bes. kleine Kinder) spazierenfahren;* sie hat das Baby täglich ausgefahren. **b)** *mit einem Fahrzeug (an jmdn.) liefern:* die Post hat die Pakete noch nicht ausgefahren. **2.** ⟨tr.⟩ *(aus etwas) herausgleiten lassen:* der Pilot hat das Fahrgestell des Flugzeuges ausgefahren. **3.** ⟨tr.⟩ *(ein Fahrzeug) so fahren, daß die* *höchste Leistungsfähigkeit erreicht ist:* er hat seinen Wagen voll ausgefahren. **4.** ⟨tr.⟩ *(eine gebogene Strecke) entlang der äußeren Biegung fahren:* er hat die Kurve, die Ecken ausgefahren. **5.** ⟨itr.⟩ **a)** *sich fahrend entfernen:* der Zug ist [aus dem Bahnhof] ausgefahren; das Schiff fährt [aus dem Hafen] aus; bildl.: der Teufel ist [aus ihm] ausgefahren. **b)** *spazierenfahren:* sie sind heute abend ausgefahren.

Ausfahrt, die; -, -en: **1.** *das Hinausfahren:* am Sonntag machten sie eine A. **2.** *Stelle, an der man aus etwas herausfährt:* vor einer A. darf man nicht parken.

Ausfall, der; -s, Ausfälle: *das Ausfallen:* der Streik verursachte einen großen A. in der Produktion.

ausfallen, fällt aus, fiel aus, ist ausgefallen ⟨itr.⟩ /vgl. ausfallend; ausgefallen/: **1.** *aus etwas herausfallen; nicht mehr fest in etwas bleiben, sondern sich aus etwas lösen:* ihm fallen schon die Haare aus. **2. a)** *[entgegen den Erwartungen] ausbleiben, wegfallen:* durch seine Krankheit fielen die Einnahmen aus. **b)** *nicht stattfinden:* das Konzert fiel aus. **c)** *nicht in der erwarteten Weise eingesetzt werden können:* drei Mitarbeiter fallen wegen Krankheit aus. **3.** ⟨mit näherer Bestimmung⟩ *ein bestimmtes Ergebnis haben:* das Zeugnis ist gut ausgefallen.

ausfallend ⟨Adj.⟩: *grob, beleidigend, unverschämt:* eine ausfallende Bemerkung; er wird leicht a.

ausfällig ⟨Adj.⟩: *ausfallend.*

ausfechten, ficht aus, focht aus, hat ausgefochten ⟨tr.⟩: **1.** *bis zu Ende fechten:* drei Mensuren a. müssen. **2.** *durchfechten:* einen Streit, auszufechten haben.

ausfeilen, feilte aus, hat ausgefeilt ⟨tr.⟩: *mit einer Feile bearbeiten und dadurch glätten, für etwas passend machen:* einen Schlüssel a.; bildl.: der Artikel muß noch ausgefeilt *(im Stil vervollkommnet)* werden; ⟨häufig im 2. Partizip⟩ ausgefeilte Gedichte, Sätze.

ausfertigen, fertigte aus, hat ausgefertigt ⟨tr.⟩: *schriftlich festlegen, ausstellen:* einen Vertrag a. **Ausfertigung,** die; -, -en.

ausfindig: ⟨in der Wendung⟩ jmdn./etwas a. machen: *jmdn./etwas nach längerem Suchen finden:* ich habe jetzt ein Geschäft a. gemacht, wo man billig einkaufen kann.

ausfliegen, flog aus, hat/ist ausgeflogen: **1.** ⟨itr.⟩ *sich fliegend entfernen:* die jungen Vögel sind [aus dem Nest] ausgeflogen; bildl. (ugs.): der Vogel ist ausgeflogen *(der Gesuchte ist auf und davon).* **2.** ⟨itr.⟩ (ugs.) *spazierengehen, -fahren, wandern, einen Ausflug machen:* die ganze Familie ist ausgeflogen. **3.** ⟨tr.⟩ *mit dem Flugzeug (aus einem [eingeschlossenen] Ort, einem [gefährdeten] Gebiet) transportieren:* wir haben damals vor allem Verwundete und Kranke [aus dem Kessel] ausgeflogen; zweitausend Mann sind ausgeflogen worden.

ausfließen, floß aus, ist ausgeflossen ⟨itr.⟩: **a)** *(aus etwas) fließen, auslaufen:* das Wasser ist [aus dem Gefäß] ausgeflossen. **b)** *sich durch Wegfließen von Flüssigkeit leeren:* das Faß ist ausgeflossen. **c)** *verfließen:* die Tusche fließt auf diesem Papier aus.

Ausflucht, die; -, Ausflüchte: **1.** ⟨Plural⟩ *Ausreden, [falsche] Entschuldigungen:* seine Erklärungen klingen wie Ausflüchte. * **Ausflüchte machen** *(Vorwände vorbringen, um sich einer Forderung o. ä. zu entziehen).* **2.** ⟨Singular⟩ *das Ausweichen, Flucht:* es gibt keine A.

Ausflug, der; -s, Ausflüge: *zur Erholung oder zum Vergnügen stattfindende Wanderung oder Fahrt in die Umgebung:* am Sonntag machen wir einen A.

Ausflügler, der; -s, -: *jmd., der einen Ausflug macht:* A., die das schöne Wetter ins Freie gelockt hatte, kehrten zurück.

Ausfluß, der; -es, Ausflüsse: **1.** *Stelle, an der etwas ausfließt:* am A. des Sees. **2.** ⟨ohne Plural⟩ Med. *[krankhafte] Absonderung:* übelriechender A. **3.** (geh.) *Ergebnis, Folge, Wirkung:* es war ein A. seiner üblen Laune; das sind die Ausflüsse zügelloser Triebhaftigkeit.

ausformulieren, formulierte aus, hat ausformuliert ⟨tr.⟩: *bis zu Ende, vollständig und sorgfältig formulieren:* die Fragen, Auffassungen sind nicht ausformuliert.

ausfragen, fragte aus, hat ausgefragt ⟨tr.⟩: *eingehend (nach etwas/jmdm.) fragen; (jmdm.) viele Fragen stellen:* er hat ihn über seinen Chef ausgefragt.

ausfransen, franste aus, ist ausgefranst ⟨itr.⟩: *sich an den Enden in Fransen auflösen:* deine Hosen fransen unten aus; ⟨häufig im 2. Partizip⟩ ein ausgefranster Teppich.

ausfressen, frißt aus, fraß aus, hat ausgefressen ⟨tr.⟩: **1.** *leer fressen:* der Hund hat seinen Napf ausgefressen. **2.** *durch Fressen aushöhlen:* das Tier hat das Ei ausgefressen. ** (ugs.) **[et]was a.** *(etwas Unrechtes begehen):* er ist weggelaufen, weil er etwas ausgefressen hat; (derb) **etwas a. müssen** *(die unangenehmen Folgen von etwas tragen müssen).*

Ausfuhr, die; -, -en: *Verkauf von Waren ins Ausland, Export.*

ausführen, führte aus, hat ausgeführt ⟨tr.⟩: **1. a)** *verwirklichen; vollziehen, in die Tat umsetzen:* einen Plan a.; einen Befehl a. **b)** *durchführen, machen:* Reparaturen a. **2.** *ins Ausland verkaufen, exportieren:* Maschinen a. **3. a)** *(jmdn.) ins Freie führen, um ihm Bewegung zu verschaffen:* den Hund a. **b)** *(jmdn.) ins Theater, in ein Restaurant o. ä. einladen:* der Vater hat seine Tochter ausgeführt. **4.** *[eingehend] darlegen, erklären:* wie ich vorhin ausgeführt habe, sind die Untersuchungen noch nicht abgeschlossen.

ausführlich [auch: ...führ...] ⟨Adj.⟩: *bis ins einzelne gehend, eingehend:* er gab einen ausführlichen Bericht über seine letzte Reise. **Ausführlichkeit** [auch: ...führ...], die; -.

Ausführung, die; -, -en: **1.** *das Ausführen, Durchführung:* er übernahm die A. der Arbeiten. **2.** ⟨Plural⟩ *Darlegungen, Erklärungen:* er konnte den Ausführungen des Redners nicht folgen.

ausfüllen, füllte aus, hat ausgefüllt ⟨tr.⟩: **1. a)** *(Hohles mit etwas) [vollständig] füllen:* einen Graben mit Sand a. **b)** *(einen bestimmten begrenzten Raum) einnehmen:* der Schrank füllt die ganze Ecke des Zimmers aus. **c)** *(eine bestimmte begrenzte Zeit mit etwas) zubringen, überbrücken:* er füllte die Pause mit Gesprächen aus. **d)** *erfüllen, innerlich befriedigen:* seine Tätigkeit füllte ihn ganz aus. **2.** *(auf ein Formular o. ä.) alle erforderlichen Angaben eintragen:* einen Fragebogen a. **3.** *(ein Amt o. ä.) in bestimmter Weise versehen:* er füllt seinen Posten gut aus.

Ausgabe, die; -, -n: **1.** ⟨ohne Plural⟩ *das Ausgeben, Austeilen:* die A. der Bücher an die Schüler verzögerte sich. **2.** *Kosten, finanzielle Aufwendung:* durch den Umzug hatte er große Ausgaben. **3.** *Veröffentlichung eines Werkes in einer bestimmten Form oder unter einem bestimmten Datum; Druck (eines Buches o. ä.):* eine neue A. eines Buches vorbereiten.

Ausgang, der; -s, Ausgänge: **1.** *Tür, Stelle oder Öffnung, die nach draußen führt:* der Saal hat zwei Ausgänge. **2.** *Ergebnis:* der A. der Wahlen war überraschend. **3.** ⟨ohne Plural⟩ *Erlaubnis zum Ausgehen, zum Verlassen des Hauses:* die Soldaten bekamen keinen A.

Ausgangspunkt, der; -s, -e: *Stelle o. ä., an der etwas anfängt; Beginn:* wir nehmen diesen Vorfall zum A. für die Diskussion.

ausgeben, gibt aus, gab aus, hat ausgegeben ⟨tr.⟩: **1.** *(Geld) durch Kauf o. ä. verbrauchen:* auf der Reise hat er viel [Geld] ausgegeben. **2.** *austeilen, (an eine Anzahl von Personen) geben:* neue Bücher wurden an die Schüler ausgegeben. **3.** *(jmdn./etwas) als etwas bezeichnen, was er/es aber nicht ist:* er gab das Mädchen als seine Schwester aus; ⟨auch rfl.⟩ er gab sich als Arzt aus. **4.** *(jmdm. etwas) spendieren; (für jmdn.) kaufen:* ein Bier für jmdn. a.

ausgebombt ⟨Adj.; nicht adverbial⟩: **a)** *durch Bomben um den Besitz gebracht:* ausgebombte Flüchtlinge; ich bin 1944 a. worden. **b)** *durch Bomben zerstört:* ausgebombte Viertel; der Laden ist zweimal a. worden.

ausgebucht: ⟨in der Fügung⟩ a. sein: *keinen Platz mehr frei haben:* das Flugzeug ist ausgebucht; (ugs.) ich bin ausgebucht *(habe keine Zeit mehr frei, kann keine Verpflichtungen mehr übernehmen).*

Ausgeburt, die; -, -en: *übles Erzeugnis, widerliches Produkt:* Ausgeburten menschlichen Dünkels; sie ist eine A. von Faulheit und Borniertheit.

ausgedient ⟨Adj.; nur attributiv⟩: *abgenutzt, verbraucht:* ein altes, ausgedientes Fahrrad. * **a. haben** *(unbrauchbar geworden sein):* der Mantel hat a.

ausgefahren ⟨Adj.; nicht adverbial⟩: *durch allzu vieles Fahren beschädigt:* ausgefahrene Gleise; die Wege waren a.; bildl.: die Politik bewegte sich in ausgefahrenen Gleisen *(wurde ganz traditionell in althergebrachter Weise betrieben).*

ausgefallen ⟨Adj.⟩: *ungewöhnlich, nicht alltäglich:* ein ausgefallener Wunsch.

ausgeglichen ⟨Adj.⟩: *harmonisch, in seinem Wesen gleichmäßig ruhig:* sie hat ein ausgeglichenes Wesen; er ist immer sehr a. **Ausgeglichenheit** die; -.

ausgehen, ging aus, ist ausgegangen ⟨itr.⟩: **1.** *zu einem Vergnügen, zum Tanz o. ä. gehen:* wir gehen heute abend aus. **2.** *(von jmdm.) vorgetragen, vorgeschlagen werden, (auf jmdn.) zurückgehen:* dieser Vorschlag geht von ihm aus. **3.** *(von jmdm.) hervorgebracht, ausgestrahlt werden:* große Wirkung ging von ihm aus. **4.** *(etwas) als Ausgangspunkt nehmen, (etwas) voraussetzen:* von der Annahme a., daß ... **5.** *(etwas) als Ziel haben:* er geht darauf aus, einen hohen Gewinn zu erzielen. **6.** ⟨mit näherer Bestimmung⟩ *(in bestimmter Weise) enden:* die Angelegenheit wird nicht gut a. **7.** *zu brennen oder leuchten aufhören* /Ggs. angehen/: das Feuer ist ausgegangen. **8.** *zu Ende gehen:* der Vorrat ist ausgegangen. **9.** *ausfallen:* ihm gehen die Haare aus.

ausgehungert ⟨Adj.⟩: *sehr hungrig:* sich wie ausgehungerte Wölfe auf das Essen stürzen.

ausgekocht ⟨Adj.⟩ (ugs.): *sehr schlau, durchtrieben:* ein ausgekochter Bursche.

ausgelassen ⟨Adj.⟩: *übermütig, wild und vergnügt:* die Kinder sind heute sehr a. **Ausgelassenheit,** die; -.

ausgemacht ⟨Adj.⟩ (ugs.): **a)** ⟨nicht adverbial⟩ *feststehend, beschlossen, entschieden:* es ist eine ausgemachte Sache, daß...; es ist noch gar nicht a., daß/ob Fritz kommt. **b)** ⟨nur attributiv⟩ *vollendet, vollkommen, sehr groß, unverbesserlich:* er ist ein ausgemachter Snob; eine ausgemachte Dummheit.

ausgemergelt ⟨Adj.; nicht adverbial⟩: *völlig erschöpft, ganz entkräftet:* ein ausgemergeltes Gesicht; sein Körper ist ganz a.

ausgenommen ⟨Konj.⟩: *außer, mit Ausnahme (von jmdm./etwas):* ich bin täglich zu Hause, a. am Sonntag; alle waren gekommen, a. einer; wir werden kommen, a. *(nur nicht wenn)* es regnet.

ausgeprägt ⟨Adj.⟩: *deutlich hervortretend:* er zeigt ein ausgeprägtes Interesse an der Technik.

ausgerechnet [auch: ...rẹch...] ⟨Adverb⟩: *gerade* /drückt Bedauern, Ärger o. ä. aus/: a. ihm mußte dieser Fehler passieren; a. gestern regnete es, als wir spazierengehen wollten.

ausgeschlossen [auch: ...schlọs...]: ⟨in den Fügungen⟩ **etwas ist a.** *(etwas ist nicht möglich, kann nicht [vorgekommen] sein):* ein Irrtum ist a.; **etwas für a. halten** *(etwas für nicht möglich halten, an die Richtigkeit einer Nachricht o. ä. nicht glauben):* daß er dieses Unglück verschuldet hat, halte ich für a.

ausgeschnitten ⟨Adj.⟩: *mit einem Ausschnitt am Hals versehen:* ein weit ausgeschnittenes Kleid.

ausgesprochen ⟨Adj.; nur attributiv⟩: **a)** *besonders ausgeprägt, unverkennbar:* eine ausgesprochene Abneigung gegen Alkohol. **b)** ⟨verstärkend bei Adjektiven⟩ *ganz besonders:* ein a. heißer Sommer.

ausgestalten, gestaltete aus, hat ausgestaltet ⟨tr.⟩: *[in einer bestimmten Weise] gestalten:* eine Feier a. **Ausgestaltung,** die; -, -en.

ausgewachsen ⟨Adj.; nicht adverbial⟩: **1.** *zu voller Größe gewachsen, ausgereift:* nach fünf Wochen sind die Männchen a. **2.** (ugs.) *vollendet, sehr groß:* das ist ein ausgewachsener Unsinn.

ausgezeichnet [auch: ...zẹich...] ⟨Adj.⟩: *hervorragend (durch sei-*

ne Qualität), sehr gut: ausgezeichnete Zeugnisse; sie spielt a. Geige.

ausgiebig ⟨Adj.; nicht prädikativ⟩: *reichlich, in reichem Maße:* a. schlafen.

ausgießen, goß aus, hat ausgegossen ⟨tr.⟩: **a)** *(aus einem Gefäß) gießen:* das Wasser [aus der Schüssel] a. **b)** *(ein Gefäß) leer machen, indem man die sich darin befindliche Flüssigkeit weggießt:* eine Flasche a.

Ausgleich, der; -s: *Herstellung eines Zustandes, in dem Unterschiedliches oder Nachteile ausgeglichen sind; Versöhnung:* der Streit endete mit einem A.

ausgleichen, glich aus, hat ausgeglichen ⟨tr.⟩: *(Unterschiede, Nachteile o. ä.) durch einen anderen, dagegen wirkenden Faktor aufheben:* einen Mangel a.; eine schlechte Note in Latein durch eine Eins in Mathematik a.; ⟨auch rfl.⟩ die Unterschiede glichen sich allmählich aus *(verschwanden allmählich).*

ausgleiten, glitt aus, ist ausgeglitten ⟨itr.⟩ (geh.): *ausrutschen:* ich bin auf dem Eis ausgeglitten; bildl.: es ist besser, mit dem Fuße auszugleiten als mit der Zunge.

ausglühen, glühte aus, hat/ist ausgeglüht: **1.** ⟨tr.⟩ *völlig zum Glühen bringen:* er hat die Schneide des Messers ausgeglüht; ausgeglühte eiserne Träger. **2.** ⟨itr.⟩ **a)** *aufhören zu glühen:* das Feuer hat langsam ausgeglüht. **b)** *im Innern völlig verbrennen:* die Rakete ist ausgeglüht; ⟨häufig im 2. Partizip⟩ ausgeglühte Wracks, Panzer.

ausgraben, gräbt aus, grub aus, hat ausgegraben ⟨tr.⟩: *durch Graben aus der Erde holen:* die Toten wurden ausgegraben und an anderer Stelle bestattet; Waffen, Urnen a.; einen Tempel a. *(freilegen);* bildl.: eine alte Bestimmung von 1850 wurde ausgegraben *(hervorgeholt und angewendet).*

ausgreifen, griff aus, hat ausgegriffen ⟨itr.⟩: **1.** *mit großen Schritten rasch traben oder galoppieren:* die Pferde griffen tüchtig aus; /vom Menschen/ mit weit ausgreifenden Schritten davongehen. **2.** *viel Raum einnehmen, ausholen:* seine Hände griffen weit aus; ⟨häufig im 1. Partizip⟩ mit ausgreifenden Bewegungen; bildl.: er griff weit aus in seiner Rede *(begann bei sehr entfernt Liegendem.*

Ausguck, der; -[e]s, -e: /bes. auf Schiffen/: **a)** *Stelle, Ort, von dem jmd. Ausschau hält:* der Matrose verließ, bezog den A. **b)** *jmd., der Ausschau hält:* der A. meldete Land.

Ausguß, der; Ausgusses, Ausgüsse: *Becken [in der Küche] mit Abfluß* (siehe Bild).

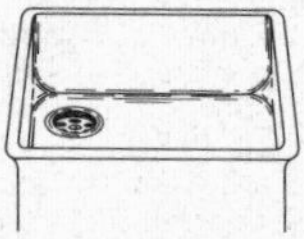

Ausguß

aushaken, hakte aus, hat ausgehakt ⟨tr.⟩: *aus einem Haken lösen:* hast du den Reißverschluß ausgehakt? ** (ugs.) **bei jmdm. hakt es aus** *(jmd. begreift nicht, verliert die Fassung, versagt; jmds. Geduld ist zu Ende).*

aushalten, hält aus, hielt aus, hat ausgehalten: **1.** ⟨tr.⟩ *in der Lage sein, etwas zu überstehen oder hinzunehmen; ertragen:* Entbehrungen a. **2.** ⟨itr.⟩ *ausharren, durchhalten; (irgendwo unter bestimmten Umständen) bleiben:* er hat [es] in dem Betrieb nur ein Jahr ausgehalten. **3.** ⟨tr.⟩ *(für eine Geliebte o. ä.) den Lebensunterhalt bezahlen:* sie läßt sich von ihm a. **4.** ⟨tr.⟩ *(einen Ton o. ä.) längere Zeit erklingen lassen:* die Sängerin hielt den hohen Ton lange aus.

aushandeln, handelte aus, hat ausgehandelt ⟨tr.⟩: *durch Verhandlungen vereinbaren:* eine Regelung, einen Kompromiß a.

aushändigen, händigte aus, hat ausgehändigt ⟨tr.⟩: *persönlich übergeben:* jmdm. eine Urkunde a. **Aushändigung,** die; -, -en.

Aushang, der; -s, Aushänge: *öffentlich ausgehängte Bekanntmachung:* er las auf dem A., daß jemand eine Wohnung suchte.

aushängen: I. hing aus, hat ausgehangen ⟨itr.⟩: *(als Aushang) öffentlich irgendwo hängen, angebracht sein:* die Liste der Kandidaten hing zwei Wochen aus. **II.** hängte aus, hat ausgehängt: **1.** ⟨tr.⟩ *öffentlich anschlagen:* eine Bekanntmachung a. **2.** ⟨tr.⟩ *aus den Angeln heben:* eine Tür a. **3.** ⟨rfl.⟩ *durch Hängen wieder glatt werden:* das Kleid hat sich ausgehängt.

Aushängeschild, das; -[e]s, -er: *jmd./etwas, was zum Anlocken oder zum Verbergen der eigentlichen Absichten benutzt wird:* das hübsche Mädchen dient ihm als A., um Käufer anzulocken; das Programm dieser Partei ist nur ein A.

ausharren, harrte aus, hat ausgeharrt ⟨itr.⟩: *(irgendwo) trotz unangenehmer Umstände bleiben; (bis zum Ende) aushalten:* sie harrte bis zu seinem Tode bei ihm aus.

aushauchen, hauchte aus, hat ausgehaucht ⟨tr.⟩ (geh.): **1.** *hauchend von sich geben:* die eingeatmete Luft wieder a. * **sein Leben/den Geist/die Seele a.** *(sterben).* **2.** *hauchend verbreiten:* die Steine hauchten eisige Kälte aus.

aushauen, hieb aus, hat ausgehauen ⟨tr.⟩: *durch Herausschlagen herstellen:* er hieb Stufen im Eis aus; der Künstler hat die Figuren aus dem Fels ausgehauen.

ausheben, hob aus, hat ausgehoben ⟨tr.⟩: **1.** *durch Herausschaufeln (ein Loch o. ä.) herstellen:* einen Graben a. **2.** *(eine Bande o. ä.) entdecken und verhaften:* die Diebe wurden in ihrem Versteck ausgehoben. **Aushebung,** die; -, -en.

aushecken, heckte aus, hat ausgeheckt ⟨tr.⟩ (ugs.): *sich heimlich (etwas Listiges oder Böses) ausdenken:* er hat wieder einige Streiche ausgeheckt.

ausheilen, heilte aus, hat/ist ausgeheilt: **1.** ⟨tr.⟩ **a)** *vollständig gesund machen:* der Arzt hat den Patienten ausgeheilt. **b)** *(eine Krankheit) erfolgreich behandeln, so daß sie nicht wieder auftritt:* der Arzt hat die Tuberkulose [nicht] a. können. **2.** ⟨itr.⟩ *vollständig heilen, wieder gut werden* /von Krankheiten/: seine Verletzungen heilen nicht aus, sind ausgeheilt.

aushelfen, hilft aus, half aus, hat ausgeholfen ⟨itr.⟩: **a)** *aus einer vorübergehenden Notlage (mit Geld o. ä.) helfen:* weil ich kein Geld mehr hatte, half er mir [mit 100 Mark] aus. **b)** *bei einer Arbeit helfen, damit die Arbeit geschafft werden kann; für jmdn. einspringen:* vor Weihnachten hilft sie immer im Geschäft aus; sie hat für vier Wochen im Geschäft ausgeholfen, weil eine Verkäuferin krank geworden war.

Aushilfe, die; -, -n: **1.** <ohne Plural> *das Aushelfen, (gelegentliche) Hilfe:* um eine A. von hundert Mark bitten. *** zur A.** *(als Hilfe, Ersatz, Vertretung):* niemand zur A. haben. **2.** *jmd., der aushilft, einspringt:* unsere A. ist sehr zuverlässig.

aushöhlen, höhlte aus, hat ausgehöhlt <tr.>: *hohl machen:* einen Kürbis a.; ein ausgehöhlter Baumstamm; bildl.: das Fieber höhlte ihn aus *(erschöpfte ihn sehr);* Schritt für Schritt höhlten sie das parlamentarisch-demokratische System der Republik aus *(schwächten sie es entscheidend).*

ausholen, holte aus, hat ausgeholt: **1.** <itr.> *(den Arm, sich) nach hinten bewegen, um vermehrten Schwung zu einer [beabsichtigten] Bewegung nach vorn zu bekommen:* mit dem Arm, mit der Axt [zum Schlag] a.; der Hammer der Glocke holte aus; bildl.: zum Gegenschlag a. *(einen Gegenangriff einleiten);* ich muß am Anfang meiner Geschichte weit a. *(bei scheinbar sehr entfernt Liegendem beginnen).* **2.** <tr.> (landsch.) *aushorchen:* er versucht mich über meine Absichten auszuholen.

aushorchen, horchte aus, hat ausgehorcht <tr.> (ugs.): *ausfragen:* er versuchte, das Kind auszuhorchen.

aushungern, hungerte aus, hat ausgehungert <tr.> /vgl. ausgehungert/: *(einen Gegner) durch Hunger zur Übergabe zwingen:* die Besatzung der Festung, die Festung a.

ausixen, ixte aus, hat ausgeixt <tr.> (ugs.): *(auf der Schreibmaschine) mit dem Buchstaben x ungültig machen:* Wörter, Zeilen a.

auskehren, kehrte aus, hat ausgekehrt <tr.>: **a)** *durch Kehren (aus etwas) entfernen:* den Schmutz [aus dem Zimmer] a. **b)** *durch Kehren reinigen:* das Zimmer a.; bildl. (ugs.): hier müßte einmal mit eisernem Besen ausgekehrt werden *(energisch Ordnung geschaffen werden).*

auskennen, sich; kannte sich aus, hat sich ausgekannt: *sich auf Grund eingehender Kenntnisse zurechtfinden; gut Bescheid wissen:* ich kenne mich in Berlin gut aus; auf dem Gebiet kennt er sich aus.

ausklammern, klammerte aus, hat ausgeklammert <tr.>: *nicht berücksichtigen, ausschließen:* diese Frage wollen wir bei diesem Gespräch a. **Ausklammerung,** die; -, -en.

Ausklang, der; -[e]s, Ausklänge: **1.** *das Ausklingen* /von Tönen o. ä./: der düstere A. des Liedes. **2.** *Ende, [Ab]schluß:* die Lage läßt einen versöhnlichen A. nicht zu.

auskleiden, kleidete aus, hat ausgekleidet <rfl./tr.> (geh.): *ausziehen* /Ggs. ankleiden/: sie kleidete sich, das Kind aus.

ausklingen, klang aus, ist/hat ausgeklungen <itr.> (geh.): **1.** *aufhören zu klingen:* die Glocke hat ausgeklungen. **2.** *zu Ende gehen:* die Feier ist mit einem Lied ausgeklungen.

ausklinken, klinkte aus, hat ausgeklinkt <tr./itr.>: *durch Betätigen eines Hebels aus der Verbindung lösen:* Bomben a.; der Pilot hatte eine Sekunde zu spät ausgeklinkt.

ausklopfen, klopfte aus, hat ausgeklopft <tr.>: **a)** *durch Klopfen säubern:* den Teppich a. **b)** *durch Klopfen entfernen:* den Staub aus dem Teppich a.

ausklügeln, klügelte aus, hat ausgeklügelt <tr.>: *scharfsinnig ausdenken, klug ersinnen:* er hat eine raffinierte Methode ausgeklügelt; <häufig im 2. Partizip> ein ausgeklügeltes System.

auskneifen, kniff aus, ist ausgekniffen <itr.> (ugs.): *(seinen Vorgesetzten, Eltern o. ä.) davonlaufen, ausreißen:* in seiner Jugend ist er einmal seinen Eltern, von zu Hause ausgekniffen.

ausknipsen, knipste aus, hat ausgeknipst <tr.> (ugs.): *ausschalten* /Ggs. anknipsen/: die Lampe a.

ausknobeln, knobelte aus, hat ausgeknobelt <tr.>: **1.** *durch Knobeln entscheiden, bestimmen:* sie knobelten aus, wer von ihnen den ersten Versuch wagen sollte. **2.** (ugs.) *ausklügeln:* einen Test, ein Verfahren a.

ausknocken [...nɔkən], knockte aus, hat ausgeknockt <tr.>: Boxen *den Gegner durch Knockout besiegen:* in der dritten Runde wurde der Herausforderer ausgeknockt; bildl.: er hat mich bei ihr ausgeknockt *(völlig aus ihrer Gunst verdrängt).*

auskochen, kochte aus, hat ausgekocht <tr.> /vgl. ausgekocht/: **1.** *längere Zeit so kochen, daß etwas daraus gewonnen wird:* Knochen, Rindfleisch a. **2.** *längere Zeit so kochen, daß es gereinigt wird:* Instrumente, Windeln a.; bildl. (ugs.): diese Frage ist noch lange nicht ausgekocht *(bereinigt, geklärt).*

auskommen, kam aus, ist ausgekommen <itr.>: **1.** *etwas in ausreichendem Maß haben:* er kommt mit seinem Geld gut aus. **2.** *sich vertragen:* er kommt mit den Nachbarn gut aus.

Auskommen, das; -s: *ausreichendes Einkommen:* er hat ein gesichertes A. *** mit jmdm. ist kein A.** *(mit jmdm. kann man sich nicht vertragen).*

auskömmlich <Adj.>: *genügend, ausreichend:* er hat, bezieht ein auskömmliches Gehalt.

auskosten, kostete aus, hat ausgekostet <tr.>: *ausgiebig, bis zu Ende genießen:* die Freuden des Lebens ausgekostet haben; ich kostete meinen Triumph aus. * (geh.) **etwas [bis zur Neige] a. müssen** *(etwas [bis zur Neige] erleiden müssen):* ich habe diesen Schmerz bis zur Neige a. müssen.

auskratzen, kratzte aus, hat ausgekratzt: **1.** <tr.> **a)** *durch Kratzen leer machen:* darf ich den Topf a.? **b)** *durch Kratzen entfernen, beseitigen:* er kratzte die Zeichnung an der Wand mit dem Messer aus; ich war so böse auf ihn, daß ich ihm am liebsten die Augen ausgekratzt hätte.

auskristallisieren, kristallisierte aus, hat auskristallisiert <itr./rfl.>: *(sich aus etwas) kristallisieren:* die Masse kristallisiert in Behältern zu weißen Stangen aus; die Sole verdampft, und es kristallisiert sich richtiges Salz aus.

auskundschaften, kundschaftete aus, hat ausgekundschaftet <tr.>: *in Erfahrung bringen; durch geschicktes Nachforschen erfahren:* er hatte bald ausgekundschaftet, wo sie wohnt.

auskugeln, sich; kugelte sich aus, hat sich ausgekugelt (ugs.): *ausrenken.*

auskühlen, kühlte aus, hat/ ist ausgekühlt: **1.** ⟨itr.⟩ *ziemlich kühl, kalt werden:* das Zimmer ist ausgekühlt; den Pudding a. lassen. **2.** ⟨tr.⟩ *ziemlich kühl, kalt machen:* der eisige Wind hat das Zimmer ausgekühlt.

Auskunft, die; -, Auskünfte: **1.** *Mitteilung über etwas, die man auf eine Frage hin erhält; Information:* jmdn. um eine A. bitten. **2.** *Stelle, bei der man über etwas Informationen erhält:* bei der A. am Bahnhof nach einem Zug fragen.

auskuppeln, kuppelte aus, hat ausgekuppelt ⟨itr.⟩: *(bei Fahrzeugen) das Pedal für die Kupplung treten:* Sie dürfen nicht schalten, bevor Sie ausgekuppelt haben.

auskurieren, kurierte aus, hat auskuriert ⟨tr./rfl.⟩: *völlig kurieren:* der Arzt, ich kurierte meine Lungenentzündung aus; ich muß mich a.

auslachen, lachte aus, hat ausgelacht: **1.** ⟨tr.⟩ *über jmdn. spottend lachen:* sie lachten den Kameraden wegen seiner komischen Mütze aus. **2.** ⟨rfl.⟩ *so lange lachen, bis man sich wieder beruhigt hat:* er soll sich erst a. und dann weitersprechen.

ausladen, lädt aus, lud aus, hat ausgeladen ⟨tr.⟩ /vgl. ausladend/: **I. a)** *(aus einem Wagen o. ä.) herausnehmen* /Ggs. einladen/: Kartoffeln [aus dem Waggon] a. **b)** *durch Herausnehmen der Ladung leer machen:* den Lastwagen a. **II.** (ugs.) *eine Einladung wieder rückgängig machen:* du kannst die Gäste doch jetzt nicht mehr a.!

ausladend ⟨Adj.⟩: **a)** *deutlich herausragend; vorstehend:* ein ausladender Balkon. **b)** *nach außen gewölbt, bauchig:* ein ausladendes Gefäß. **c)** *mit großen Bewegungen [ausgeführt]:* der Redner machte weit ausladende Gesten.

Auslage, die; -, -n: **1.** *[in einem Schaufenster] ausgestellte Ware:* die Auslagen eines Geschäftes betrachten. **2.** ⟨Plural⟩ *Unkosten; Ausgaben, die ersetzt werden:* die Auslagen für Verpflegung und Hotel werden ersetzt.

Ausland, das; -s: *außerhalb des eigenen Staates liegendes Gebiet:* er arbeitet im A.; das Ergebnis der Wahlen wurde vom A. *(von den Regierungen, der Presse o. ä. der fremden Staaten)* aufsührlich kommentiert. * **ins A. gehen** *(sich in einem fremden Land niederlassen).*

Ausländer, der; -s, -: *Angehöriger eines fremden Staates:* in Deutschland arbeiten viele A.

ausländisch ⟨Adj.; nicht adverbial⟩: *aus dem Ausland kommend, stammend:* ausländische Besucher, Zeitungen.

auslassen, läßt aus, ließ aus, hat ausgelassen: **1.** ⟨tr.⟩ *herausfließen lassen:* das Wasser aus der Badewanne a. **2.** ⟨tr.⟩ *weglassen, übergehen, sich entgehen lassen:* einen Satz beim Abschreiben a.; er läßt kein gutes Geschäft aus. **3.** ⟨itr.⟩ *(seine Wut, seinen Ärger o. ä.) andere ungehemmt fühlen lassen:* er ließ seinen Zorn an seinen Mitarbeitern aus. **4.** ⟨rfl.⟩ *[ausführlich] erörtern:* er ließ sich in seinem Vortrag lang und breit über Afrika aus. **5.** ⟨tr.⟩ *schmelzen:* Butter in der Pfanne a. **6.** ⟨tr.⟩ *länger machen* /von Kleidungsstücken/: das Kleid, den Saum, die Hose a. **Auslassung,** die; -, -en.

auslasten, lastete aus, hat ausgelastet ⟨tr.⟩: *voll belasten, ausnutzen, beschäftigen:* die Maschinen, die Kapazität eines Betriebes a.; ⟨häufig im 2. Partizip⟩ ich bin [nicht, voll] ausgelastet.

Auslauf, der; -s, Ausläufe: **1.** *Möglichkeit, sich zu bewegen:* in der Stadt haben die Kinder keinen A. **2.** *Raum, Bereich hinter dem Ziel, in dem ein Sportler seinen Lauf abbremst:* der Schiläufer stürzte im A.

auslaufen, läuft aus, lief aus, ist ausgelaufen ⟨itr.⟩: **1. a)** *aus etwas herausfließen:* die Milch ist ausgelaufen. **b)** *durch Herausfließen leer werden:* die Flasche läuft aus. **2.** *den Hafen verlassen:* das Schiff läuft aus. **3.** *[allmählich] aufhören, sich zu bewegen:* der Sportler läuft hinter dem Ziel aus; die Räder a. lassen. **4.** *enden:* der Weg läuft im Wald aus; der Vertrag läuft am Ende dieses Jahres aus; die Angelegenheit ist gut ausgelaufen.

Ausläufer, der; -s, -: *äußerster Teil, Ende (von etwas):* die westlichen A. des Thüringer Waldes; der A. eines kräftigen Hochs; die A. einer Pflanze, einer Zelle, eines Erdbebens.

auslaugen, laugte aus, hat ausgelaugt ⟨tr.⟩: **1. a)** *(durch Wasser, Lauge o. ä. aus einer festen Substanz) herausziehen:* Salze [aus der Asche] a. **b)** *(eine feste Substanz) durch Wasser, Lauge o. ä. von bestimmten Bestandteilen trennen:* der Kalk wird durch diesen Prozeß stark ausgelaugt. **2.** *aussaugen, erschöpfen, verbrauchen:* die körperlichen Anstrengungen haben seinen Körper ausgelaugt; ⟨häufig im 2. Partizip⟩ ich fühle mich ganz ausgelaugt.

ausleben, lebte aus, hat ausgelebt: **1.** ⟨rfl.⟩ *das Leben (bes. in sexueller Beziehung) ohne Einschränkung genießen:* als Künstler will ich mich a. **2.** ⟨tr./rfl.⟩ (geh.) *ohne Einschränkung entfalten:* seine Individualität voll a.; sein Fanatismus konnte sich ungehemmt a.

auslecken, leckte aus, hat ausgeleckt ⟨tr.⟩: **a)** *durch Lecken leer machen:* die Schüssel a. **b)** *durch Lecken entfernen:* den Pudding [aus der Schüssel] a. **c)** *durch Lecken reinigen:* der Hund leckte sich (Dativ) die Wunde aus.

ausleeren, leerte aus, hat ausgeleert: **1.** ⟨tr.⟩ *völlig leeren:* seine Taschen. eine Dose, Flasche a. **2.** ⟨itr.⟩ (verhüllend) *Stuhl haben:* haben Sie heute schon ausgeleert?; ⟨auch rfl.⟩ (derb) ich muß mich erst mal a.

auslegen, legte aus, hat ausgelegt ⟨tr.⟩: **1. a)** *so legen, daß es betrachtet werden kann:* die Bücher im Schaufenster a. **b)** *zu einem bestimmten Zweck [versteckt] legen:* Gift für die Ratten a. **2.** *zur Verzierung, als Schutz o. ä. bedecken, mit etwas versehen:* den Boden mit Teppichen a.; das Badezimmer mit Fliesen a. **3.** *vorläufig für jmd. anders bezahlen:* kannst du für mich zwei Mark a.? **4.** *erklären, deuten, interpretieren:* ein Gesetz a.; du hast meine Äußerungen falsch ausgelegt *(falsch verstanden).* **Auslegung,** die; -, -en.

ausleiern, leierte aus, hat ausgeleiert ⟨tr.⟩ (ugs.): *durch an-*

haltendes Drehen, häufigen Gebrauch so lockern, daß es nicht mehr straff ist, sitzt: du hast den Mechanismus schon ganz ausgeleiert; ⟨häufig im 2. Partizip⟩ ausgeleiertes Gummiband.

Ausleihe, die; -, -n: **1.** ⟨ohne Plural⟩ *das Ausleihen bes. von Büchern:* A.: Montag bis Freitag von 8 bis 12 Uhr. **2.** *Raum in einer Bibliothek, in dem Bücher zum vorübergehenden Gebrauch ausgeliehen werden:* die A. hat geschlossen.

ausleihen, lieh aus, hat ausgeliehen: **a)** ⟨tr.⟩ *(jmdm. etwas) leihen:* er hat seinem Freund eine Leiter ausgeliehen. **b)** ⟨itr.⟩ *sich (etwas von jmdm.) leihen:* er lieh sich von seinem Freund ein Fahrrad aus.

auslernen, lernte aus, hat ausgelernt ⟨itr.⟩: *die Lehrzeit beenden:* die Verkäuferin hat ausgelernt; ⟨häufig im 2. Partizip⟩ ein ausgelernter Schreiner.

Auslese, die; -, -n: **1.** *Auswahl:* bei der Wahl der Nationalmannschaft wurde eine strenge A. vorgenommen. **2.** *die besten aus einer Anzahl von Personen oder Dingen; Elite:* am Wettkampf nimmt eine A. der Sportler teil.

auslesen, liest aus, las aus, hat ausgelesen ⟨tr.⟩: **I.** *zu Ende lesen:* ein Buch a. **II.** *aus einer Anzahl von Personen oder Dingen diejenigen herausnehmen, die eine bestimmte Beschaffenheit haben:* die besten Schüler a.; die schlechten Kartoffeln a.

ausliefern, lieferte aus, hat ausgeliefert ⟨tr.⟩: **1.** *auf jmds. Forderung hin übergeben:* der Verbrecher wird der Polizei seines Heimatlandes ausgeliefert. *** jmdm./einer Sache ausgeliefert sein** *(gegen jmdn./etwas machtlos sein):* er war der Willkür des Herrschers, dem Schicksal ausgeliefert. **2.** *an den Handel zum Verkauf geben:* die neuen Bücher werden im Herbst ausgeliefert. **Auslieferung,** die; -, -en.

ausliegen, lag aus, hat ausgelegen ⟨itr.⟩: *so liegen, daß es öffentlich betrachtet oder geprüft werden kann:* die neuen Zeitschriften liegen in der Bibliothek aus.

auslöffeln, löffelte aus, hat ausgelöffelt ⟨tr.⟩: **a)** *mit dem Löffel (aus etwas) nehmen und essen:* die Suppe a. * (ugs.) **die Suppe a. [müssen], die man sich eingebrockt hat** *(die unangenehmen Folgen seines Tuns selbst tragen [müssen]).* **b)** *mit dem Löffel leer essen:* den Teller a.

auslöschen, löschte aus, hat ausgelöscht ⟨tr.⟩: **1.** *bewirken, daß etwas nicht mehr brennt:* die Kerze a. **2.** *bewirken, daß etwas nicht mehr vorhanden ist; aus dem Bewußtsein vertreiben:* er versuchte, die Erinnerung an das Unglück auszulöschen. **Auslöschung,** die; -, -en.

auslosen, loste aus, hat ausgelost ⟨tr.⟩: **a)** *(an Personen, die durch das Los ermittelt worden sind) ausgeben:* Prämien, Gewinne a. **b)** *durch das Los bestimmen:* vier Mann wurden ausgelost.

auslösen, löste aus, hat ausgelöst ⟨tr.⟩: **1.** *bewirken, daß sich etwas zu bewegen, zu funktionieren beginnt:* die Anlage wird durch einen Druck auf den Knopf ausgelöst. **2.** *hervorrufen:* der Sänger löste große Begeisterung aus. **Auslösung,** die; -, -en.

ausloten, lotete aus, hat ausgelotet ⟨tr.⟩: *(die Tiefe von etwas) mit dem Lot messen:* das Schiff lotete die Meeresbucht aus; bildl.: die Untiefen der Menschenseele auszuloten suchen.

auslüften, lüftete aus, hat ausgelüftet: **1.** ⟨tr.⟩ *durch Lüften wieder völlig frisch machen:* die Betten, die Kleider a. **2.** ⟨itr.⟩ *durch Lüften frisch werden:* die Anzüge haben genügend ausgelüftet. **3.** ⟨rfl.⟩ (ugs.) *sich von frischer Luft durchdringen lassen:* wollen wir spazierengehen, damit wir uns mal a.?

ausmachen, machte aus, hat ausgemacht /vgl. ausgemacht/: **1.** ⟨tr.⟩ (landsch.) *ernten, indem man es aus der Erde herausholt:* Kartoffeln a. **2.** ⟨tr.⟩ (ugs.) *vereinbaren, verabreden:* einen Termin a. *** etwas mit sich selbst a. [müssen]** *(mit etwas allein innerlich fertig werden, etwas allein bewältigen).* **3.** ⟨tr.⟩ *in der Ferne nach längerem Suchen [mit einem Fernrohr o. ä.] erkennen:* er hat das Schiff am Horizont ausgemacht. **4.** ⟨tr.⟩ (ugs.) *ausschalten, auslöschen* /Ggs. anmachen/: das Licht a. **5.** ⟨itr.⟩ *betragen, sein:* der Unterschied macht 50 Meter aus. **6.** ⟨itr.⟩ *das sein, was etwas dazu macht, was es ist; das eigentliche Wesen von etwas darstellen:* ihm fehlt das Wissen, das einen großen Arzt ausmacht.

ausmahlen, mahlte aus, hat ausgemahlen ⟨tr.⟩: *gründlich, völlig mahlen:* Weizen fein, stark a.

ausmalen, malte aus, hat ausgemalt **1.** ⟨tr.⟩: *(einen Raum mit Malereien) schmücken:* der Künstler malte die Kapelle mit Fresken aus. **2.** ⟨tr.⟩ *(vorgezeichnete Flächen) mit Farbe bedecken:* die Kinder malten die Zeichnungen aus. **3. a)** ⟨tr.⟩ *(jmdm.) deutlich vor Augen stellen, anschaulich schildern:* der Bearbeiter malt diese Ereignisse behaglich aus; ich malte ihr das Leben auf dem Lande aus. **b)** ⟨itr.⟩ *sich lebhaft als schön o. ä. vorstellen:* ich malte mir das Leben auf dem Lande aus.

ausmanövrieren, manövrierte aus, hat ausmanövriert ⟨tr.⟩: *durch geschicktes Manövrieren (als Gegner) ausschalten:* den Feind auf dem Schlachtfeld a.; man muß versuchen, diesen Politiker diplomatisch auszumanövrieren.

Ausmaß, das; -es, -e: **1.** *räumliche Ausdehnung, Größe:* die Ausmaße eines Gebäudes. **2.** *Umfang, Grad, in dem etwas zutrifft oder geschieht:* das A. der Katastrophe.

ausmerzen, merzte aus, hat ausgemerzt ⟨tr.⟩: *als untauglich, falsch o. ä. aussondern, entfernen, tilgen:* schlechte Angewohnheiten auszumerzen suchen; derartige Fehler mußt du a.

ausmessen, mißt aus, maß aus, hat ausgemessen ⟨tr.⟩: *(eine Fläche, einen Raum) nach einem Maß bestimmen:* er hat das Zimmer ausgemessen.

ausmisten, mistete aus, hat ausgemistet ⟨tr.⟩: *(einen Stall) vom Mist reinigen:* der Bauer mistete den Stall aus; bildl. (ugs.): seinen Schreibtisch a. *(darin Ordnung machen und nicht mehr Benötigtes wegwerfen).*

Ausnahme, die; -, -n: *etwas, was anders ist als das Übliche; Abweichung von der Regel:* eine

A. machen; mit A. von Peter waren alle anwesend.

Ausnahmezustand, der; -[e]s, Ausnahmezustände: **1.** *Zustand, der eine Ausnahme bildet:* daß wir hier in Zelten kampieren müssen, ist ein A. **2.** ⟨ohne Plural⟩ *Notstand, der zu außerordentlichen militärischen Maßnahmen zwingt, wodurch bestimmte Rechte der Bürger außer Kraft gesetzt werden:* den A. erklären, verhängen, ausrufen, anordnen, aufheben.

ausnahmslos ⟨Adverb⟩: *ohne Ausnahme:* die Versammelten entschieden sich a. für eine nochmalige Wahl;.

ausnahmsweise ⟨Adverb⟩: *als Ausnahme; nur in diesem Fall:* er darf a. früher weggehen.

ausnehmen, nimmt aus, nahm aus, hat ausgenommen: **1.** ⟨tr.⟩ **a)** *herausnehmen:* die Eingeweide [aus dem Huhn] a.; die Eier [aus dem Nest] a. **b)** *durch Herausnehmen leer machen:* eine Gans a. *(vor dem Kochen von den Eingeweiden befreien);* ein Nest a. *(einem brütenden Vogel die Eier aus dem Nest nehmen).* **2.** ⟨tr.⟩ *(jmdn. bei etwas) nicht mitzählen, als Ausnahme behandeln:* alle haben schuld, ich nehme keinen aus. **3.** ⟨rfl.; mit näherer Bestimmung⟩ *in bestimmter Weise wirken, aussehen:* das farbige Bild nimmt sich gut zu den hellen Gardinen aus. **4.** ⟨tr.⟩ (ugs.) *(jmdm.) durch listiges, geschicktes Vorgehen [beim Spiel] möglichst viel Geld abnehmen:* sie haben ihn gestern beim Skat tüchtig ausgenommen.

ausnehmend ⟨Adverb⟩: *besonders, in besonderem Maße (so daß es auffällt):* das Kleid gefällt mir a. gut; sie ist a. hübsch.

ausnutzen, nutzte aus, hat ausgenutzt ⟨tr.⟩: **1.** *etwas günstig für einen Zweck verwenden:* eine Gelegenheit, einen Vorteil a. **2.** (abwertend) *die Möglichkeiten zur Vergrößerung seiner Macht oder zur persönlichen Bereicherung skrupellos benutzen:* er nutzte seine Schwächen, die Untergebenen rücksichtslos aus.

ausnützen, nützte aus, hat ausgenützt ⟨tr.⟩ (bes. südd.): *ausnutzen.*

auspacken, packte aus, hat ausgepackt: **1. a)** ⟨tr.⟩ *etwas aus seiner Verpackung herausnehmen:* eine Vase a. **b)** *etwas, worin etwas verpackt war, leeren:* den Koffer a. **2.** ⟨itr.⟩ (ugs.) *nachdem man lange an sich gehalten oder über etwas geschwiegen hat, schließlich doch erzählen, berichten:* der Verbrecher packte aus.

auspeitschen, peitschte aus, hat ausgepeitscht ⟨tr.⟩: *zur Strafe mehrmals mit einer Peitsche schlagen:* Frauen, die sich dieses Vergehens schuldig gemacht hatten, wurden öffentlich ausgepeitscht.

auspfeifen, pfiff aus, hat ausgepfiffen ⟨tr.⟩: *durch Pfiffe zum Ausdruck bringen, daß man (mit jmdm./etwas) unzufrieden ist:* die Menge hat den Schiedsrichter ausgepfiffen; das Theaterstück ist ausgepfiffen worden.

ausplaudern, plauderte aus, hat ausgeplaudert ⟨tr.⟩: *(etwas, was geheim bleiben sollte) weitersagen, verraten:* Geheimnisse a.

ausplündern, plünderte aus, hat ausgeplündert ⟨tr.⟩: **a)** *allen Eigentums berauben:* er wurde bis aufs Hemd ausgeplündert. **b)** *allen Inhalts, aller Wertsachen berauben:* Diebe haben den Laden, das Auto ausgeplündert.

ausposaunen, posaunte aus, hat ausposaunt ⟨tr.⟩ (ugs.): *[gegen den Willen eines anderen] bekanntmachen, überall verkünden:* er hat die Neuigkeit gleich überall ausposaunt.

auspowern, powerte aus, hat ausgepowert ⟨tr.⟩ (ugs.; abwertend): *rücksichtslos ausbeuten und arm machen:* sie werden von der herrschenden Schicht ausgepowert; ⟨häufig im 2. Partizip⟩ die ausgepowerten Arbeiter revoltierten.

ausprägen, prägte aus, hat ausgeprägt: **1.** ⟨rfl.⟩ **a)** *sich deutlich (in, an etwas) zeigen, offenbar werden:* der Kummer hat sich in ihren Zügen ausgeprägt. **b)** *sich herausbilden, zum Vorschein kommen:* diese Tendenz hat sich hier besonders stark ausgeprägt; ⟨häufig im 2. Partizip⟩ scharf ausgeprägte Gegensätze. **2.** ⟨tr.⟩ *deutlich formen, gestalten:* das antike Modell hat schon beide Formen der Diktatur ausgeprägt.

auspressen, preßte aus, hat ausgepreßt ⟨tr.⟩: **a)** *so pressen, daß Flüssigkeit herausläuft:* zwei Zitronen a.; bildl.: die Bauern a. *(das Letzte aus ihnen herausholen).* **b)** *durch Pressen (Flüssigkeit aus etwas) gewinnen:* hast du genügend Saft [aus der Zitrone] ausgepreßt?

ausprobieren, probierte aus, hat ausprobiert ⟨tr.⟩: *auf seine Brauchbarkeit probieren:* hast du die neue Waschmaschine schon ausprobiert?; ich probierte eine andere Methode aus.

Auspuff, der; -s, -e: *Rohr, durch das bei Motoren [von Kraftfahrzeugen] die ausströmenden Gase abgeleitet werden* (siehe Bild): der A. des Autos muß erneuert werden.

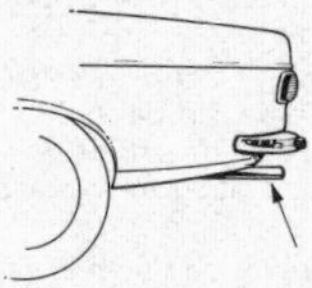

Auspuff

auspumpen, pumpte aus, hat ausgepumpt ⟨tr.⟩: **a)** *durch Pumpen herausholen:* das Wasser [aus dem Keller] a. **b)** *durch Pumpen leer machen:* den Keller a.; bildl. (ugs.): der lange Marsch hat ihn ausgepumpt *(erschöpft);* ⟨häufig im 2. Partizip⟩ der ausgepumpte Schiläufer; völlig ausgepumpt sein.

auspunkten, punktete aus, hat ausgepunktet ⟨tr.⟩: Boxen *durch eine größere Zahl von Punkten besiegen:* der Boxer punktete seinen Gegner aus; bildl.: du kannst mich nur mit eindeutigen Beweisen a. *(zeigen, daß ich unrecht habe).*

auspusten, pustete aus, hat ausgepustet ⟨tr.⟩ (ugs.): *ausblasen.*

ausquartieren, quartierte aus, hat ausquartiert ⟨tr.⟩: *aus seinem [gewohnten] Quartier herausnehmen und woanders unterbringen:* wir bekommen Besuch, ich muß dich a.

ausquetschen, quetschte aus, hat ausgequetscht ⟨tr.⟩: **a)** *so quetschen, daß Flüssigkeit herausläuft:* eine Zitrone a.; bildl. (ugs.): ich muß ihn mal wegen dieser Sache a. *(genau ausfragen).* **b)** *durch Quetschen (Flüssigkeit aus etwas) gewinnen:*

hast du genügend Saft [aus den Früchten] ausgequetscht?

ausradieren, radierte aus, hat ausradiert ⟨tr.⟩: *durch Radieren tilgen:* er hat das Datum [mit dem Gummi, Messer] ausradiert; bildl.: die Stadt ist im Krieg ausradiert *(dem Erdboden gleichgemacht)* worden.

ausrangieren [...raŋʒi:rən], rangierte aus, hat ausrangiert ⟨tr.⟩: *(etwas, was alt, nicht mehr brauchbar ist) aussondern:* die alten, geflickten Hemden a.; ⟨häufig im 2. Partizip⟩ ausrangierte Autos, Maschinen.

ausrasieren, rasierte aus, hat ausrasiert ⟨tr.⟩: **a)** *(Haare) durch Rasieren entfernen:* die Haare im Nacken a. **b)** *durch Rasieren von Haaren befreien:* den Nacken, das Kinn a.

ausrauben, raubte aus, hat ausgeraubt ⟨tr.⟩: **a)** *(jmdm.) gewaltsam alles nehmen; völlig ausplündern:* er ist nachts von zwei Strolchen ausgeraubt worden. **b)** *durch Raub leeren:* Diebe haben die Wohnung vollständig ausgeraubt.

ausräuchern, räucherte aus, hat ausgeräuchert ⟨tr.⟩: *durch Rauch vertreiben, vernichten oder töten:* Ratten, [die Brutstätten von] Schaben a.; bildl.: die Polizei räucherte die Verbrecher in ihren Schlupfwinkeln aus *(machte sie dingfest, unschädlich).*

ausraufen, raufte aus, hat ausgerauft ⟨tr.⟩: *in Menge ausreißen:* Ähren a. * (ugs.) **sich** (Dativ) **vor Wut die Haare a.** *(äußerst wütend sein).*

ausräumen, räumte aus, hat ausgeräumt ⟨tr.⟩: **1. a)** *aus etwas herausnehmen:* die Bücher [aus dem Regal] a. **b)** *durch Herausnehmenleermachen:* die Wohnung a. **c)** *(etwas, was Verhandlungen o. ä. im Wege steht) beseitigen:* Vorurteile, Bedenken a. **2.** (ugs.) *plündern:* die Diebe räumten das ganze Geschäft aus.

ausrechnen, rechnete aus, hat ausgerechnet /vgl. ausgerechnet/: **1.** ⟨tr.⟩ *durch Rechnen finden:* die Kosten a. **2.** ⟨rfl.⟩ *durch Überlegen finden:* der Sportler rechnet sich seine Chancen aus.

Ausrede, die; -, -n (abwertend): *falscher oder nicht ganz zutreffender Grund, der als Entschuldigung für etwas angegeben wird:* eine faule A.; für sein Zuspätkommen gebrauchte er die A., daß die Straßenbahn so langsam gefahren sei.

ausreden, redete aus, hat ausgeredet: **1.** ⟨itr.⟩ *zu Ende sprechen:* laß ihn doch a. **2.** ⟨tr.⟩ *(jmdn.) durch Überreden (von etwas) abbringen:* er versuchte, ihm den Plan auszureden.

ausreichen, reichte aus, hat ausgereicht ⟨itr.⟩: *genügen:* das Geld reicht für den Bau des Hauses nicht aus; ⟨häufig im 1. Partizip⟩: er hat ausreichende Kenntnisse.

ausreifen, reifte aus, ist ausgereift ⟨itr.⟩: *völlig reif werden:* der Weizen ist noch nicht ausgereift; bildl.: einen Plan a. *(sich innerhalb der dazu notwendigen Zeit voll entwickeln)* lassen; ⟨häufig im 2. Partizip⟩ eine ausgereifte Methode; ein ausgereiftes Werk.

Ausreise, die; -, -n: *Überschreiten der Grenze bei einer Reise ins Ausland:* bei der A. wird der Paß kontrolliert; jmdm. die A. verweigern.

ausreisen, reiste aus, ist ausgereist ⟨itr.⟩: *über die Grenze ins Ausland reisen:* er ist bei Basel in die Schweiz ausgereist.

ausreißen, riß aus, hat/ist ausgerissen: **1.** ⟨tr.⟩ *durch gewaltsames Herausziehen entfernen:* er hat das Unkraut ausgerissen. **2.** ⟨itr.⟩ *sich [infolge zu großer Belastung] loslösen:* der Griff am Koffer ist ausgerissen. **3.** ⟨itr.⟩ (ugs.) *seinen Vorgesetzten, Eltern o. ä. davonlaufen:* der Junge ist ausgerissen.

Ausreißer, der; -s, -: (ugs.) *jmd., der seinen Vorgesetzten, Eltern weggelaufen ist:* der A. wurde von der Polizei nach Hause gebracht.

ausrenken, sich; renkte sich aus, hat sich ausgerenkt: *(den Arm o. ä.) so unglücklich bewegen, daß er aus dem Gelenk springt:* er hat sich beim Turnen den Arm ausgerenkt.

ausrichten, richtete aus, hat ausgerichtet **1.** ⟨tr.⟩: *(jmdm. etwas) mitteilen, wozu man von jmd. anderem gebeten worden ist:* jmdm. Grüße a.; richte ihm aus, daß ich erst später kommen kann. **2.** ⟨tr.⟩ *erreichen; bei etwas Erfolg haben:* /in Verbindung mit *etwas, nichts, wenig*/ er konnte bei den Verhandlungen nichts a. **3.** ⟨rfl.⟩ *sich in einer bestimmten Ordnung aufstellen:* sich a.; die Sportler standen in einer Linie ausgerichtet. **Ausrichtung,** die; -, -en.

ausrollen, rollte aus, hat/ist ausgerollt: **1.** ⟨tr.⟩ **a)** *(etwas Zusammengerolltes) ausbreiten:* er hat den Teppich ausgerollt. **b)** *mit einer Rolle bearbeiten und in eine flache Form bringen:* sie hat den Teig rund ausgerollt. **2.** ⟨itr.⟩ *langsam zu rollen aufhören* /von Flugzeugen/: die Maschine ist vor dem Flughafengebäude ausgerollt.

ausrotten, rottete aus, hat ausgerottet ⟨tr.⟩: *völlig vernichten:* ein ganzes Volk wurde ausgerottet. **Ausrottung,** die; -, -en.

ausrücken, rückte aus, hat/ist ausgerückt: **1.** ⟨itr.⟩ *sich in Formation vom Standort aus (wohin) begeben* /von Soldaten o. ä./: die Truppe ist zum Manöver ausgerückt. **2.** ⟨itr.⟩ (ugs.) *weglaufen:* er ist von zu Hause ausgerückt. **3.** ⟨tr.⟩ *Zeilen mehr zum Rand der Seite hin als die anderen beginnen lassen:* die Schreiberin hat die Ziffern nach links ausgerückt.

Ausruf, der; -s, -e: *spontane Äußerung als Ausdruck eines Gefühls:* ein freudiger A.; ein A. des Erschreckens.

ausrufen, rief aus, hat ausgerufen ⟨tr.⟩: **1.** *spontan äußern:* „Herrlich!" rief sie aus. **2.** *öffentlich bekanntgeben:* der Schaffner ruft die Station aus. **3.** *öffentlich verkünden:* nach der Revolution wurde die Republik ausgerufen.

ausruhen, ruhte aus, hat ausgeruht ⟨rfl./itr.⟩: *ruhen, um sich zu erholen:* ich muß mich ein wenig a.; wir haben ein paar Stunden ausgeruht.

ausrüsten, rüstete aus, hat ausgerüstet ⟨tr.⟩: *mit allem versehen, was benötigt wird:* ein Schiff a.; das Krankenhaus wurde mit den modernsten Instrumenten ausgerüstet.

Ausrüstung, die; -, -en: **1.** *alle Geräte, die man zu einem bestimmten Zweck braucht:* eine vollständige A. zum Schilaufen, Photographieren. **2.** ⟨ohne Plural⟩ *das Ausrüsten:* die A. einer Expedition erfordert große finanzielle Mittel.

ausrutschen, rutschte aus, ist ausgerutscht ⟨itr.⟩: **1.** *durch Rutschen der Füße den Halt verlieren und fallen:* ich bin auf dem Eis ausgerutscht; bildl. (ugs.): jeder ist schon einmal irgendwo ausgerutscht *(hat einen Fauxpas begangen, sich schlecht benommen).* **2.** *aus der beabsichtigten Richtung gleiten:* das Beil ist ihm ausgerutscht. * (ugs.) **jmdm. rutscht die Hand aus** *(jmd. gibt jmdm. eine Ohrfeige).*

Ausrutscher, der; -s, - (ugs.): **1.** *Fall, Sturz durch Rutschen:* der A. auf der Bananenschale. **2. a)** *unerwartetes einmaliges sportliches Versagen:* die Mannschaft darf sich jetzt keinen A. mehr leisten. **b)** *einmaliges gesellschaftliches, moralisches o. ä. Versagen:* wegen dieses Ausrutschers ist er noch lange kein Strolch.

Aussaat, die; -: **1.** *das Aussäen:* vor der A. wird der Acker gepflügt. **2.** *Samen, der ausgesät wird:* die A. geht bald auf.

aussäen, säte aus, hat ausgesät ⟨tr.⟩: *auf einer größeren Fläche säen:* der Bauer sät im Herbst den Weizen aus.

Aussage, die; -, -n: **1.** *Angabe, Mitteilung, die man auf eine Aufforderung hin vor einer Behörde macht:* vor Gericht eine A. machen; der Zeuge verweigerte die A. über den Unfall. **2.** *geistiger Inhalt, Gehalt, der durch ein Kunstwerk o. ä. ausgedrückt wird:* die Sehnsucht nach Freiheit ist die wichtigste A. seines Werkes. **3.** *Äußerung einer Meinung:* seine Aussagen über Staat und Politik sind wissenschaftlich nicht fundiert.

aussagen, sagte aus, hat ausgesagt: **1.** ⟨itr.⟩ *[vor Gericht] mitteilen, was man (über etwas) weiß:* als Zeuge a. **2.** ⟨tr.⟩ *deutlich zum Ausdruck bringen; äußern; darlegen:* in seinem Vortrag wurde Grundlegendes zu diesem Problem ausgesagt.

Aussatz, der; -es: *stark ansteckende Krankheit, bei der sich Geschwüre in der Haut bilden:* viele Bewohner der Insel waren vom A. befallen; sein Gesicht war vom A. ganz entstellt.

aussätzig ⟨Adj.⟩: *den Aussatz habend.*

aussaugen, sog aus/(auch:) saugte aus, hat ausgesogen/ (auch:) ausgesaugt ⟨tr.⟩: **a)** *durch Saugen entfernen:* das Gift [aus der Wunde] a. **b)** *durch Saugen leer machen:* eine Apfelsine, die Wunde a.; bildl.: die feindlichen Truppen sogen das Land aus *(beuteten, plünderten es aus).*

ausschaben, schabte aus, hat ausgeschabt ⟨tr.⟩: **a)** *durch Schaben herausholen:* das Fruchtfleisch mit einem Löffel [aus der Melone] a. **b)** *durch Schaben leer machen, aushöhlen:* die Melone a.; Med. die Gebärmutter a.

ausschachten, schachtete aus, hat ausgeschachtet ⟨tr.⟩: **a)** *durch Herausholen von Erde herstellen:* eine Grube a. **b)** *durch Herausholen von Erde Raum (für etwas) schaffen:* den Keller, das Fundament a. **c)** *(Erde) herausholen:* der Boden muß bis zu zwei Meter Tiefe ausgeschachtet werden.

ausschalten, schaltete aus, hat ausgeschaltet ⟨tr.⟩: **1.** *durch Betätigen eines Hebels, eines Schalters außer Betrieb setzen:* den Motor, das Licht a. **2. a)** *Maßnahmen ergreifen, um etwas [in Zukunft] zu verhindern:* Fehler bei der Produktion a.; eine Gefahr a. **b)** *verhindern, daß jmd., der den eigenen Bestrebungen im Wege ist, weiterhin handeln kann:* er konnte bei den Verhandlungen seine Konkurrenten a.; der Diktator schaltete das Parlament aus. **Ausschaltung,** die; -, -en.

Ausschank, der; -s: **1.** *das Ausschenken:* den A. von geistigen Getränken untersagen. **2.** *Raum, in dem [alkoholische] Getränke ausgeschenkt werden:* den A. betreten.

Ausschau: ⟨in der Wendung⟩ nach jmdm./etwas A. halten: *nach jmdm./etwas erwartungsvoll sehen.*

ausschauen, schaute aus, hat ausgeschaut ⟨itr.⟩: **1.** *nach jmdm./etwas erwartend sehen:* er schaut nach dem Schiff aus. **2.** ⟨mit näherer Bestimmung⟩ (bes. südd.) *aussehen:* er schaut schlecht aus.

ausscheiden, schied aus, hat/ist ausgeschieden: **1.** ⟨itr.⟩ *eine Gemeinschaft, Gruppe oder Tätigkeit verlassen und sich nicht mehr darin betätigen:* er ist aus dem Dienst, aus dem Verein ausgeschieden. **2.** ⟨itr.⟩ *die Beteiligung an einem Wettkampf aufgeben:* nach dem Sturz ist der Sportler ausgeschieden. **3.** ⟨itr.; in den zusammengesetzten Formen der Vergangenheit und im 2. Partizip nicht gebräuchlich⟩ *nicht in Frage kommen:* diese Möglichkeit scheidet aus. **4.** ⟨tr.⟩ *absondern:* der Körper hat die giftigen Stoffe ausgeschieden. **5.** ⟨tr.⟩ *aussondern, entfernen:* er hat die wertlosen Bücher gleich ausgeschieden.

Ausscheidung, die; -, -en: **1.** *Absonderung:* die Ausscheidungen des menschlichen Körpers. **2.** Sport *Kampf, bei dem die Teilnehmer an weiteren Kämpfen ermittelt werden:* die zehn besten Mannschaften kamen in die A.

ausschelten, schilt aus, schalt aus, hat ausgescholten ⟨tr.⟩: *tüchtig schelten:* sie hat mich wegen meiner Nachlässigkeit ausgescholten.

ausschenken, schenkte aus, hat ausgeschenkt ⟨tr.⟩: *(Getränke) ausgeben oder verkaufen:* Alkohol darf an Kinder nicht ausgeschenkt werden.

ausscheren, scherte aus, ist ausgeschert ⟨itr.⟩: *eine mit anderen [hintereinander] eingehaltene Linie, Reihe verlassen:* das Schiff, das Flugzeug, der Wagen ist ausgeschert; bildl. (ugs.): wer ausscherte *(nicht mehr mitmachte),* wurde scheel angesehen.

ausschildern, schilderte aus, hat ausgeschildert ⟨tr.⟩: *mit Verkehrsschildern versehen:* die Straße ist nicht genügend, ist entsprechend ausgeschildert.

ausschlachten, schlachtete aus, hat ausgeschlachtet ⟨tr.⟩: *(einem geschlachteten Tier) die Eingeweide herausnehmen und es zum Verkauf in Einzelteile zerlegen:* wir müssen noch das Schwein a.; bildl.: das Auto ist völlig ausgeschlachtet worden *(alles, was noch zu gebrauchen war, ist herausgenommen worden);* der Fall wurde politisch ausgeschlachtet *(in unangemessener Weise für politische Zwecke ausgiebig verwertet).*

ausschlafen, schläft aus, schlief aus, hat ausgeschlafen: **1.** ⟨itr./rfl.⟩ *ausreichend schlafen:* ich habe [mich] noch nicht ganz ausgeschlafen. **2.** ⟨itr.⟩ *durch Schlafen überwinden, (über* *etwas) hinwegkommen:* hast du deinen Rausch, deinen Ärger ausgeschlafen?

Ausschlag, der; -s, Ausschläge: **1.** *auf der Haut auftretende krankhafte Veränderung.* **2.** ⟨Singular⟩ *das Ausschlagen eines Pendels o. ä. vom Ausgangspunkt:* der A. der Nadel eines Kompasses. *** den A. geben** *(entscheidend sein):* die Meinung des Direktors gab bei dieser Sache den A.

ausschlagen, schlägt aus, schlug aus, hat/ist ausgeschlagen: **1.** ⟨itr.⟩ *mit einem Bein stoßen [um sich zu wehren]* /bes. vom Pferd/: das Pferd hat ausgeschlagen. **2.** ⟨tr.⟩ *durch Schlagen gewaltsam entfernen:* er hat ihm drei Zähne ausgeschlagen. **3.** ⟨tr.⟩ *(die Wände eines Raumes, einer Kiste o. ä.) verkleiden, (mit etwas) bedecken:* er hat das Zimmer mit Stoff ausgeschlagen. **4.** ⟨tr.⟩ *ablehnen, zurückweisen:* er hat das Angebot [mitzufahren] ausgeschla .en. **5.** ⟨itr.⟩ *(als Zeiger oder Pendel) sich vom Ausgangspunkt wegbewegen:* der Zeiger hat/ist ausgeschlagen. **6.** ⟨itr.⟩ *anfangen, grün zu werden:* die Bäume haben/(selten:) sind ausgeschlagen. **7.** ⟨itr.⟩ *sich (zu etwas) entwickeln:* es ist schließlich zum Guten ausgeschlagen, daß er die Stellung nicht bekommen hat.

ausschließen, schloß aus, hat ausgeschlossen /vgl. ausgeschlossen/: **1.** ⟨tr.⟩ **a)** *nicht teilnehmen lassen (an etwas):* er wurde vom Spiel ausgeschlossen. **b)** *(aus etwas) entfernen:* er wurde aus der Partei ausgeschlossen. **2.** ⟨rfl.⟩ *sich fernhalten, absondern, nicht mitmachen:* du schließt dich immer [von allem] aus. **3.** ⟨tr.⟩ *unmöglich machen, nicht entstehen lassen:* das Mißtrauen schließt jede Zusammenarbeit aus. **4.** ⟨tr.⟩ *(eine Wohnung o. ä. verschließen und dadurch jmdm.) den Zutritt unmöglich machen:* sie hatten ihn ausgeschlossen.

ausschließlich [auch: ausschließlich]: **I.** ⟨Adj.; nur attributiv⟩ *alleinig, uneingeschränkt:* der Wagen steht zu seiner ausschließlichen Verfügung. **II.** ⟨Adverb⟩ *nur, allein:* er interessiert sich a. für Sport. **III.** ⟨Präp. mit Gen.⟩ *ohne, außer, ausgenommen:* die Kosten a. des Portos; ⟨aber: vor starken Substantiven, wenn sie ohne Artikel und ohne adjektivisches Attribut stehen, im Singular ohne Flexionsendung, im Plural dann mit Dativ⟩ a. Porto; a. Getränken.

ausschlüpfen, schlüpfte aus, ist ausgeschlüpft ⟨itr.⟩: *(aus etwas) schlüpfen* /von bestimmten Tieren/: der Schmetterling schlüpft [aus der Hülle] aus; das Küken ist [aus dem Ei] ausgeschlüpft.

Ausschluß, der; Ausschlusses, Ausschlüsse: *das Ausschließen (von jmdm.):* die Partei drohte mir mit dem A.; unter, mit A. der Öffentlichkeit.

ausschmücken, schmückte aus, hat ausgeschmückt ⟨tr.⟩: *(einen Raum) schmücken, mit Schmuck versehen, dekorieren:* einen Saal a.

ausschneiden, schnitt aus, hat ausgeschnitten ⟨tr.⟩ /vgl. ausgeschnitten/: *(aus etwas) herausschneiden:* einen Aufsatz aus einer Zeitung a.

Ausschnitt, der; -s, -e: **1.** *Stelle, wo etwas ausgeschnitten worden ist (so daß eine Öffnung oder Lücke entstanden ist):* dieses Kleid hat einen tiefen A. **2. a)** *das Ausgeschnittene:* er hat viele Ausschnitte aus Zeitungen gesammelt. **b)** *Teil (aus einem Ganzen), Abschnitt:* Ausschnitte aus einem Film zeigen.

ausschöpfen, schöpfte aus, hat ausgeschöpft ⟨tr.⟩: **1. a)** *durch Schöpfen herausholen:* Wasser [aus dem Kahn] a. **b)** *durch Schöpfen leer machen:* den Kahn a. **2.** *völlig nutzen, auswerten:* wir haben noch nicht alle Möglichkeiten für eine Verständigung ausgeschöpft.

ausschreiben, schrieb aus, hat ausgeschrieben ⟨tr.⟩: **1.** *nicht abkürzen:* seinen Namen a. **2)** *bekanntgeben und dadurch zur Beteiligung, Bewerbung o. ä. auffordern:* die Wahlen für September a.; einen Wettbewerb für Architekten a. **3.** *ausstellen, als schriftliche Unterlage geben:* eine Rechnung a. **Ausschreibung**, die; -, -en.

Ausschreitungen, die ⟨Plural⟩: *Gewalttätigkeiten, bei denen die öffentliche Ordnung gestört ist:* bei den A. gab es zwei Verletzte.

Ausschuß, der; Ausschusses, Ausschüsse: **1.** *aus einer größeren Versammlung o. ä. ausgewählte Gruppe von Personen, die eine besondere Aufgabe zu erfüllen hat; Gremium.* **2.** ⟨ohne Plural⟩ *minderwertige Ware:* das ist alles nur A. **3.** *Stelle, wo ein Geschoß aus einem Körper wieder herausgekommen ist.*

ausschütteln, schüttelte aus, hat ausgeschüttelt ⟨tr.⟩: **a)** *durch Schütteln entfernen:* den Staub [aus der Decke] a. **b)** *durch Schütteln reinigen:* die Decke, das Staubtuch a.

ausschütten, schüttete aus, hat ausgeschüttet ⟨tr.⟩ **a)** *(aus einem Gefäß) schütten:* das Obst [aus dem Korb] a. **b)** *(ein Gefäß) leer machen, indem man das, was sich darin befindet, heraus- oder wegschüttet:* einen Korb a.; den Mülleimer a. ***jmdm. sein Herz a.** *(jmdm. seinen Kummer erzählen);* **sich vor Lachen a.** *(sehr lachen).*

ausschwärmen, schwärmte aus, ist ausgeschwärmt ⟨itr.⟩: **1.** *im Schwarm ausfliegen* /bes. von Bienen/: die Bienen schwärmten aus; bildl.: am Abend schwärmt das Heer der Sekretärinnen und Verkäuferinnen aus. **2.** (veralt.) *aus einer geschlossenen Formation in eine aufgelöste Ordnung übergehen* /von Soldaten/: die feindliche Infanterie schwärmte aus.

ausschweifend ⟨Adj.⟩: **a)** *das gewöhnliche Maß überschreitend:* eine ausschweifende Phantasie. **b)** *im Genuß unmäßig; in sexueller Hinsicht zügellos:* ein ausschweifendes Leben führen.

Ausschweifungen, die ⟨Plural⟩: *zügellose Hingabe an ein unmäßiges Genießen; Orgien.*

ausschwenken, schwenkte aus, hat/ist ausgeschwenkt: **1.** ⟨tr.⟩ *(etwas) reinigen, indem man Wasser darin schwenkt:* ich habe die Kanne mit kaltem Wasser ausgeschwenkt. **2.** ⟨tr./itr.⟩ *(nach außen, zur Seite) schwenken:* der Kran hat den Arm nach rechts ausgeschwenkt, ist weit zur Seite ausgeschwenkt.

ausschwitzen, schwitzte aus, hat ausgeschwitzt: **1.** ⟨tr.⟩ **a)** *durch Schwitzen absondern:* die Wände haben Feuchtigkeit ausgeschwitzt; bildl.: er war ein Mensch, der ständig philosophische Gedanken ausschwitzte. **b)** *durch Schwitzen vertreiben:* eine Krankheit a. **2.** ⟨itr.⟩ *durch Ab-*

sonderung herauskommen: ein gelbes Harz schwitzt [aus den Bäumen] aus.

aussehen, sieht aus, sah aus, hat ausgesehen ⟨itr.; mit näherer Bestimmung⟩: *ein bestimmtes Aussehen haben, einen bestimmten Eindruck machen:* er sieht sehr sportlich aus.

Aussehen, das; -s: *Äußeres eines Menschen oder eines Gegenstandes in seiner Wirkung auf den Betrachter:* ein gesundes A.

aussein, ist aus, war aus, ist ausgewesen ⟨itr.⟩ (ugs.): 1. *zu Ende sein:* die Vorstellung ist aus; alles ist aus *(verloren).* * **es ist mit etwas aus** *(es ist Schluß mit etwas);* **es ist mit jmdm. aus** *(jmd. ist [finanziell] erledigt, gestorben).* 2. *erloschen sein:* sieh nach, ob das Feuer aus ist! 3. *ausgeschaltet sein:* das Licht war aus. 4. *ausgegangen sein:* sie ist mit ihrem Freund aus. ** **auf etwas a.** *(etwas sehr gern haben wollen, sich um etwas bemühen).*

außen ⟨Adverb⟩: *an der äußeren Seite:* die Tasse ist a. schmutzig.

aussenden, sandte/sendete aus, hat ausgesandt/ausgesendet ⟨tr.⟩: 1. (geh.) *mit einem Auftrag wohin schicken:* die Kirche hat Missionare zu den Heiden ausgesandt/ausgesendet. 2. Physik *(Strahlen, Wellen o. ä.) in den Raum senden:* das Produkt sendete radioaktive Strahlen aus, hat sie ausgesendet.

Außenpolitik, die; -: *Gesamtheit der politischen Handlungen eines Staates im Verkehr mit anderen Staaten:* eine realistische A. treiben.

Außenseite, die; -, -n: *äußere Seite.*

Außenseiter, der; -s, -: *jmd., der sich von der Gesellschaft absondert und seine eigenen Ziele verfolgt; Sonderling:* er war schon als Junge ein A.

Außenstände, die ⟨Plural⟩: *ausstehende finanzielle Forderungen:* A. eintreiben.

Außenstehende, der; -n, -n ⟨aber: [ein] Außenstehender, Plural: Außenstehende⟩: *jmd., der nicht zu einem kleine[re]n Kreis gehört und deshalb nicht eingeweiht ist:* A. mußten die Ehe der beiden jungen Leute für normal halten.

außer: I. ⟨Präp. mit Dativ⟩ *abgesehen (von jmdm./etwas), ausgenommen, nicht mitgerechnet:* alle a. ihm. ** **a. der Zeit** *(außerhalb der eigentlich vorgesehenen Zeit):* Sie müssen in meine Sprechstunde kommen, a. der Zeit kann ich Sie nicht behandeln; **a. sich** (Dativ) **sein** *(sehr aufgeregt sein).* **II.** ⟨Konj.⟩ *ausgenommen, mit Ausnahme [von ...]:* ich bin täglich zu Hause, a. diesen Sonntag; wir werden kommen, a. [wenn] es regnet.

außerdem [auch: ...dem] ⟨Adverb⟩: *auch, überdies, dazu, darüber hinaus:* er ist groß, a. sieht er gut aus; seine Leistungen sind schlecht, denn er hat einen Monat gefehlt und ist a. noch faul.

äußere ⟨Adj.; nur attributiv⟩ /vgl. äußerst/: **a)** *sich außen befindend, außen vorhanden:* die ä. Schicht. **b)** *von außen wahrnehmbar:* der ä. Anblick. **c)** *von außen, nicht aus dem Innern des Menschen kommend:* ein äußerer Anlaß. **d)** *auf das Ausland gerichtet:* innere und ä. Politik.

Äußere, das; -n ⟨aber: [sein] Äußeres⟩: *äußere Erscheinung, Aussehen:* auf sein Äußeres achten.

außergewöhnlich [auch: ...wöhn...] ⟨Adj.⟩: *vom Üblichen oder Gewohnten abweichend, über das übliche Maß hinaus:* eine außergewöhnliche Begabung.

außerhalb: I. ⟨Präp. mit Gen.⟩ *außen* **a)** *nicht innerhalb, vor einem bestimmten Raum, jenseits einer bestimmten Linie:* a. des Zimmers. **b)** *nicht in einem bestimmten Zeitraum:* a. der Arbeitszeit. **II.** ⟨Adverb⟩ *in der weiteren Umgebung, draußen, nicht in der Stadt:* er wohnt a. [von Berlin]; wir liefern auch nach a. *(auch in die weitere Umgebung).*

äußerlich ⟨Adj.⟩: **a)** ⟨nicht attributiv⟩ *nach außen, dem Äußeren nach:* a. machte er einen gefaßten Eindruck. **b)** *oberflächlich:* ein äußerlicher Mensch.

Äußerlichkeit, die; -, -en: *nicht wesentlicher, äußerer, unbedeutender Bestandteil; Unwesentliches:* an Äußerlichkeiten hängen; sich über Äußerlichkeiten aufregen.

äußern, äußerte, hat geäußert: 1. ⟨tr.⟩ *zu erkennen geben:* seine Kritik durch Zischen ä. 2. ⟨rfl.⟩ *seine Meinung sagen:* sie hat sich [zu seinem Vorschlag] nicht geäußert. 3. ⟨rfl.⟩ *sich zeigen, in bestimmter Weise sichtbar werden:* seine Unruhe äußerte sich in seiner Schrift.

außerordentlich ⟨Adj.⟩: 1. *außerhalb der gewöhnlichen Ordnung stehend, stattfindend:* eine außerordentliche Versammlung. 2. *außergewöhnlich, herausragend:* ein außerordentlicher Erfolg. 3. ⟨verstärkend bei Adjektiven und Verben⟩ *sehr, ganz besonders:* das freut mich a.

äußerst ⟨Adj.⟩ /vgl. äußere/: **a)** ⟨nur attributiv⟩ *größt, stärkst:* ein Moment äußerster Spannung. **b)** ⟨verstärkend bei Adjektiven⟩ *sehr, in höchstem Maße:* er lebt ä. bescheiden.

außerstande: ⟨in der Verbindung⟩ a. sein: *nicht fähig, nicht imstande sein:* ich war a., den Befehl zu befolgen.

Äußerung, die; -, -en: 1. *Bemerkung:* eine unvorsichtige Ä. 2. *sichtbares Zeichen (für etwas):* sein Benehmen war eine Ä. trotziger Unabhängigkeit.

aussetzen, setzte aus, hat ausgesetzt: 1. ⟨itr.⟩ *mitten in einer Tätigkeit o. ä. [für eine gewisse Zeit] aufhören:* der Motor setzte plötzlich aus. 2. ⟨tr.⟩ *vorübergehend unterbrechen:* den Kampf a. 3. ⟨tr.⟩ *an einen bestimmten Ort bringen und dort liegen lassen:* ein Kind a. 4. ⟨tr./rfl.⟩ *sich so verhalten, daß jmd./etwas oder man selbst durch etwas gefährdet ist oder ohne Schutz vor etwas ist:* er wollte ihn nicht dem Verdacht a.; sich der Sonne a. 5. ⟨tr.⟩ *(eine Summe als Belohnung) versprechen, anbieten:* für die Ergreifung des Täters wurden 1000 Mark als Belohnung ausgesetzt. ** **etwas an jmdm./etwas auszusetzen haben** *(mit jmdm./etwas nicht ganz zufrieden sein und sagen, was einem nicht gefällt).*

Aussicht, die; - -en: 1. ⟨ohne Plural⟩ *Blick ins Freie, in die Ferne:* von dem Fenster hat man eine schöne A. [auf den Park]. 2. *bestimmte Erwartung, Hoffnung, Chance; sich für die Zukunft zeigende positive Möglichkeit:* seine Aussichten, die Prüfung zu bestehen, sind gering. ** **in A. nehmen** *(vorsehen):* für diese Arbeit sind vier Tage in A. genommen; **in A.**

stellen *(versprechen):* eine hohe Belohnung ist in A. gestellt worden; **[keine] A. auf etwas haben** *(mit etwas Gutem o. ä. [nicht] rechnen können):* er hat A. auf den ersten Preis im Schwimmen; in dieser Firma hat er keine A. auf Beförderung.

aussichtslos ⟨Adj.⟩: *keinen Erfolg versprechend, ohne Aussicht auf Erfolg:* sich in einer aussichtslosen Lage befinden.

aussöhnen, söhnte aus, hat ausgesöhnt: **1.** ⟨tr./rfl.⟩ *nach vorangegangenem Streit zur Eintracht zurückführen, versöhnen:* ich söhnte die beiden Kampfhähne [miteinander] aus; ich habe mich mit ihm, wir haben uns ausgesöhnt. **2.** ⟨rfl.⟩ *sich abfinden, zufriedengeben:* hast du dich mit deiner neuen Umgebung ausgesöhnt?

aussondern, sonderte aus, hat ausgesondert ⟨tr.⟩: *aus einer Anzahl auswählen [und entfernen]:* die schlechten Waren wurden ausgesondert.

aussortieren, sortierte aus, hat aussortiert ⟨tr.⟩: **a)** *sortieren und auswählen:* die in Frage kommenden Akten a. **b)** *sortieren und [Unbrauchbares] entfernen:* die faulen Äpfel müssen aussortiert werden.

ausspannen, spannte aus, hat ausgespannt: **1.** ⟨itr.⟩ *für einige Zeit mit einer anstrengenden Tätigkeit aufhören, um sich zu erholen:* er mußte [vier Wochen] a. **2.** ⟨tr.⟩ (ugs.) **a)** *nach langem Bitten (von jmdm.) bekommen und behalten dürfen:* der Sohn hatte dem Vater die Uhr ausgespannt. **b)** *(jmdm. einen Freund, eine Freundin) wegnehmen, abspenstig machen:* jmdm. die Freundin a.; darf ich dir heute abend deine Frau a.? *(darf ich heute abend mit ihr ausgehen?).* **3.** ⟨tr.⟩ *breit spannen:* die Netze zum Trocknen a. **4.** ⟨tr.⟩ *(ein Pferd o. ä.) vom Wagen losmachen:* der Bauer spannt die Pferde aus.

aussparen, sparte aus, hat ausgespart ⟨tr.⟩: *(einen Raum) frei lassen:* in dem Zimmer ist eine Ecke für die Kommode ausgespart; bildl.: in dem Gespräch sparte er alles Private aus *(sprach er nicht über private Angelegenheiten).*

ausspeien, spie aus, hat ausgespie[e]n (geh.): **1.** ⟨tr.⟩ *durch den Mund wieder von sich geben:* er spie das Essen wieder aus; bildl.: der Computer speit Analysen aus. **2.** ⟨itr.⟩ *ausspucken:* er spie verächtlich aus.

aussperren, sperrte aus, hat ausgesperrt ⟨tr.⟩: **1.** (ugs.) *(eine Wohnung o. ä. verschließen und dadurch jmdm.) den Zutritt unmöglich machen, ausschließen:* man hatte ihn ausgesperrt. **2.** *(einen streikenden Arbeitnehmer) nicht mehr beschäftigen* /vom Arbeitgeber/: die Leitung des Konzerns sperrte Tausende von Arbeitern aus.

ausspielen, spielte aus, hat ausgespielt ⟨tr.⟩: **1.** *zu spielen beginnen, indem man die erste Karte hinlegt* /beim Kartenspiel/: Wette, daß du das As ausspielst?; ⟨auch itr.⟩ wer spielt aus?; bildl.: er spielt seinen letzten Trumpf aus *(gebraucht das letzte Mittel, Argument, das ihm zur Verfügung steht);* einen gegen den anderen a. *(den einen gegen den anderen benutzen, um selbst Vorteil davon zu haben).* **2.** *(um etwas) spielen:* der Preis wird jedes Jahr ausgespielt; die zweite Weltmeisterschaft wurde 1934 in Italien ausgespielt. **3.** Sport *(den Gegner) durch geschicktes Spielen überwinden:* es war beeindruckend, wie X seine Gegner ausspielte. **4.** Theater *ausführlich, in allen Einzelheiten spielen, darstellen:* das Stück wurde in der Inszenierung von X turbulent ausgespielt. ** **[seine Rolle] ausgespielt haben** *(nichts mehr zu sagen haben, seinen Einfluß, seine Bedeutung eingebüßt haben).*

ausspinnen, spann aus, hat ausgesponnen ⟨tr.⟩: *fortsetzen, weiterverfolgen:* er spann den Gedanken [weiter] aus.

ausspionieren, spionierte aus, hat ausspioniert ⟨tr.⟩: **a)** *durch Spionieren entdecken, herausbekommen:* sein Versteck, er ist ausspioniert worden. **b)** *(etwas von jmdm.) durch Spionieren zu erfahren suchen:* man läßt ihn a.

Aussprache, die; -, -n: **1.** ⟨ohne Plural⟩ *Art, wie etwas gesprochen wird:* die A. eines Wortes. **2.** *klärendes Gespräch:* eine offene A.

aussprechen, spricht aus, sprach aus, hat ausgesprochen: **1.** ⟨tr.⟩ *(in einer bestimmten Weise) sprechen:* ein Wort richtig a. **2.** ⟨tr.⟩ *zum Ausdruck bringen, äußern, mit Worten ausdrücken:* eine Bitte a. **3.** ⟨rfl.; mit näherer Bestimmung⟩ *seine Meinung (über jmdn./etwas in bestimmter Weise) äußern:* er hat sich lobend über ihn ausgesprochen. **4.** ⟨rfl.⟩ *jmdm. sagen, was einen bedrückt, innerlich beschäftigt oder bewegt:* er hatte das Bedürfnis, sich auszusprechen. **5.** ⟨tr.⟩ *(eine rechtliche Entscheidung) bekanntmachen, offiziell mitteilen, verkünden:* eine Kündigung a.

aussprengen, sprengte aus, hat ausgesprengt ⟨tr.⟩ (geh.) *[der Wahrheit nicht Entsprechendes] verbreiten:* sie hat Lügen über mich ausgesprengt; Neuigkeiten im Dorf a.

Ausspruch, der; -s, Aussprüche: *Satz [einer bedeutenden Persönlichkeit], in dem eine Ansicht o. ä. prägnant ausgesprochen ist:* dieser A. stammt von Goethe.

ausspucken, spuckte aus, hat ausgespukt: **a)** ⟨tr./itr.⟩ *aus dem Mund entfernen:* er wollte [den Schnaps] a., hustete und verschluckte sich; bildl.: im vergangenen Jahr spuckten die deutschen Gymnasien 56000 Abiturienten aus. **b)** ⟨itr.⟩ *den Speichel aus dem Mund entfernen:* er spuckte [verächtlich] aus.

ausspülen, spülte aus, hat ausgespült ⟨tr.⟩: **a)** *durch Spülen reinigen:* den Krug a.; ich habe mir den Mund ausgespült. **b)** *durch Spülen entfernen:* den Schleim, Eiter a.

ausstaffieren, staffierte aus, hat ausstaffiert ⟨tr./rfl.⟩ (ugs.): *ausstatten:* jmdn. mit Kleidern, ein Zimmer mit neuen Möbeln a.; ich habe mich für die Reise neu ausstaffiert.

Ausstand, der; -[e]s: *Streik:* im A. stehen; den A. abbrechen.

ausstatten, stattete aus, hat ausgestattet ⟨tr.⟩: *mit etwas versehen:* ein Zimmer mit Möbeln a.

Ausstattung, die; -, -en: **1.** ⟨ohne Plural⟩ *das Ausstatten:* die A. der Räume mit Mobiliar. **2.** ⟨ohne Plural⟩ *äußere Gestaltung und Aufmachung:* auf gediegene A. der Bücher legen wir großen Wert. **3. a)** *Möbel, Geräte o. ä. (mit denen ein Raum* *ausgestattet ist):* die A. des Krankenhauses ist modernisiert worden. **b)** *Aussteuer:* die A. der Tochter noch ergänzen müssen.

ausstechen, sticht aus, stach aus, hat ausgestochen ⟨tr.⟩: **1. a)** *durch Stechen (aus etwas) herausholen:* Rasen, Torf a. **b)** *durch Stechen entfernen:* Unkraut a.; jmdm. die Augen a. **c)** *durch Stechen herstellen:* Plätzchen [aus dem Teig] a. **2.** *in jmds. Gunst o. ä. ablösen, übertreffen, verdrängen:* er wollte mich bei ihr a.

ausstehen, stand aus, hat ausgestanden ⟨itr.⟩: **1.** *erwartet werden, noch nicht eingetroffen sein:* die Antwort auf mein Schreiben steht noch aus. **2.** *ertragen, erdulden:* er hatte viel Angst ausgestanden. * (abwertend) **jmdn./etwas nicht a. können** *(jmdn./etwas nicht leiden können):* ich kann diesen Kerl nicht a.

aussteigen, stieg aus, ist ausgestiegen ⟨itr.⟩: **a)** *ein Fahrzeug verlassen, aus etwas steigen* /Ggs. einsteigen/: weil sich der Betrunkene in der Bahn schlecht benahm, wurde er aufgefordert auszusteigen. **b)** (ugs.) *sich nicht mehr (an einem Unternehmen) beteiligen* /Ggs. einsteigen/: aus einem Geschäft a.

ausstellen, stellte aus, hat ausgestellt ⟨tr.⟩: **1.** *zur Ansicht, zum Verkauf hinstellen:* Waren a. **2.** *ein Formular o. ä. (als Unterlage für etwas) ausfüllen und jmdm. geben:* jmdm. einen Paß a.; ich habe mir eine Quittung für den Kauf a. lassen.

Ausstellung, die; -, -en: **1.** ⟨ohne Plural⟩ *das Ausstellen:* für die A. des Passes mußte er 5 Mark bezahlen. **2.** *Gesamtheit der in einem Raum oder auf einem Gelände zur Besichtigung o. ä. ausgestellten Gegenstände:* eine A. besuchen.

Aussterbeetat [...eta:]: ⟨in den Wendungen⟩ **auf dem A. sein/stehen/sich befinden** *(langsam zu Ende gehen);* **jmdn./etwas auf den A. setzen** *(jmdn. langsam ausschalten, im Wirken einschränken; etwas langsam eingehen lassen).*

aussterben, stirbt aus, starb aus, ist ausgestorben ⟨itr.⟩: *ohne Nachkommen bleiben; sich nicht fortpflanzen:* das Geschlecht, dieses Tier, diese Planze ist ausgestorben; bildl.: dieses Handwerk ist längst ausgestorben *(hat aufgehört zu existieren);* ⟨häufig im 2. Partizip⟩ das Dorf lag ausgestorben *(menschenleer)* da.

Aussteuer, die; -: *das, was eine Tochter von ihren Eltern bei der Hochzeit in die Ehe mitbekommt.*

Ausstieg, der; -s, -e: *Öffnung, Stelle zum Aussteigen.*

ausstopfen, stopfte aus, hat ausgestopft ⟨tr.⟩: *stopfend füllen:* ich stopfte die nassen Schuhe mit Papier aus; ein Tier a. *(den Balg eines toten Tieres füllen, so daß es wie natürlich aussieht);* bildl.: die Hirne der Leser mit Sensationen und Klatsch a.

ausstoßen, stößt aus, stieß aus, hat ausgestoßen ⟨tr.⟩: **a)** *(aus einer Gemeinschaft) ausschließen:* er wurde aus der Partei ausgestoßen. **b)** *als Äußerung des Schreckens o. ä. heftig hervorbringen:* einen Schrei a.

ausstrahlen, strahlte aus, hat ausgestrahlt: **1.** ⟨itr.⟩ *verbreiten, von sich ausgehen lassen:* der Ofen strahlt Hitze aus; bildl.: ihr Wesen strahlt Ruhe aus. **2.** ⟨tr.⟩ Rundf., Fernsehen *senden:* ein Programm a.

ausstrecken, streckte aus, hat ausgestreckt: **1.** ⟨tr.⟩ *(ein Glied des Körpers) von sich strecken:* er streckte seine Arme aus, ergriff die ausgestreckte rechte Hand. * **seine/die Hand nach jmdm./etwas a.** *(etwas in Besitz nehmen wollen);* **nur den kleinen Finger auszustrecken brauchen** *(etwas leicht bewerkstelligen können);* **[seine/die] Fühler a.** *(sich behutsam, vorsichtig erkundigen).* **2.** ⟨rfl.⟩ *sich der Länge nach (auf etwas) strecken:* ich streckte mich [auf dem Bett] aus.

ausstreichen, strich aus, hat ausgestrichen ⟨tr.⟩: **1.** *(etwas Geschriebenes o. ä.) durch Striche tilgen:* warum hast du den Satz ausgestrichen?; bildl.: man müßte alles Gewesene a. können. **2.** *streichend (mit etwas) ausfüllen:* die Fugen einer Mauer mit Zement a.

ausstreuen, streute aus, hat ausgestreut ⟨tr.⟩: *durch Streuen (auf einer bestimmten Fläche) verbreiten:* Erbsen [auf dem Boden] a.; bildl.: allerlei Gerüchte a. *(in Umlauf setzen).*

ausströmen, strömte aus, hat/ist ausgeströmt: **1.** ⟨tr.⟩ *abgeben, verbreiten:* der Ofen hat Wärme ausgeströmt; bildl.: der Raum strömt Behaglichkeit aus. **2.** ⟨itr.⟩ *strömend hervor-, herauskommen:* es ist Gas ausgeströmt; bildl.: unendliche Kraft strömte von ihm aus.

aussuchen, suchte aus, hat ausgesucht ⟨tr.⟩: *aus mehreren Dingen oder Personen (das Entsprechende) heraussuchen oder wählen:* er suchte für seinen Freund ein gutes Buch aus; ich hatte mir einen teuren Anzug ausgesucht.

Austausch, der; -s: *das Austauschen.*

austauschen, tauschte aus, hat ausgetauscht ⟨tr.⟩: **1.** *wechselseitig (Gleichartiges) geben und nehmen:* Gefangene a.; sie tauschten Gedanken aus *(teilten sie sich mit und sprachen darüber);* sie tauschten Erfahrungen aus *(teilten sie sich mit).* **2.** *auswechseln, durch Entsprechendes ersetzen:* einen Motor a. *(für einen alten einen neuen oder anderen einsetzen).*

austeilen, teilte aus, hat ausgeteilt ⟨tr.⟩: *(die Teile, Stücke o. dgl. einer vorhandenen Menge) einzeln an dafür vorgesehene Personen geben:* der Lehrer teilt die Hefte aus und läßt einen Aufsatz schreiben.

Auster, die; -, -n: *im Meer lebende eßbare Muschel* (siehe Bild): Austern fangen, züchten, als Vorspeise reichen.

Auster

austoben, sich; tobte sich aus, hat sich ausgetobt: **1.** *sehr toben, wüten:* der Sturm hatte sich ausgetobt und hatte einige Häuser zerstört. **2. a)** *seinem Gefühl, seiner Stimmung freien Lauf lassen, sich nicht zügeln:* sich auf dem Klavier a. **b)** *wild und vergnügt sein:* die Kinder konnten sich im Garten richtig a. **3.** *[erschöpft] aufhören zu toben; mit einer wilden oder ausgelassenen Betätigung aufhören:* morgens hatte sich der Sturm endlich ausgetobt; habt ihr euch nun ausgetobt?; ⟨auch itr.⟩ habt ihr endlich ausgetobt?

austragen, trägt aus, trug aus, hat ausgetragen ⟨tr.⟩: **1.** *(Post* *o. ä.) dem Empfänger ins Haus bringen:* die Zeitungen trägt eine ältere Frau aus. **2. a)** *bis zur Entscheidung führen:* einen Streit a. * **ein Kind a.** *(ein Kind bis zur normalen Geburt im Mutterleib tragen).* **b)** *(durch etwas) eine Entscheidung herbeiführen oder feststellen, wer der Bessere oder Stärkere ist:* einen Wettkampf a.

austreiben, trieb aus, hat ausgetrieben ⟨tr.⟩: *durch geeignete drastische Maßnahmen bewirken, daß jmd. sein schlechtes Benehmen o. ä. aufgibt:* ich werde dir deine Frechheit, deine Faulheit schon a.!

austreten, tritt aus, trat aus, hat/ist ausgetreten: **1.** ⟨tr.⟩ *durch Darauftreten bewirken, daß etwas nicht mehr glüht oder brennt:* er hat die Glut, die brennende Zigarette ausgetreten. **2.** ⟨tr.⟩ *dadurch, daß man oft darauf tritt, abnutzen, so daß eine Vertiefung entsteht:* die Besucher der Burg haben im Laufe der Jahre die Stufen sehr ausgetreten. **3.** ⟨itr.⟩ *(aus einer Gemeinschaft) auf eigenen Wunsch ausscheiden* /Ggs. eintreten/: er ist aus dem Verein ausgetreten. ** (ugs.) **a. [gehen]** *(die Toilette aufsuchen).*

austricksen, trickste aus, hat ausgetrickst ⟨tr.⟩: Sport *mit einem Trick ausspielen:* X trickst seinen Gegner aus und gibt den Ball an Y; bildl. (ugs.): die Gefangenen haben ihren Bewacher ausgetrickst *(mit einem Trick getäuscht).*

austrinken, trank aus, hat ausgetrunken ⟨tr.⟩: **a)** *trinken, bis nichts mehr übrig ist:* das Bier a. **b)** *leer trinken:* ein Glas a.

Austritt, der; -s, -e: **1.** *das Ausscheiden aus einem Verein o. ä., dem man als Mitglied angehört:* seinen A. [aus der Partei] bekanntgeben. **2.** *Platz in der Art eines kleinen Balkons, der das Hinaustreten aus dem Zimmer ins Freie ermöglicht.*

austrocknen, trocknete aus, hat/ist ausgetrocknet: **a)** ⟨tr.⟩ *völlig, bis zu Ende trocken machen:* die Hitze hat den Boden ausgetrocknet. **b)** *völlig trocken werden:* der kleine, flache Teich ist ausgetrocknet.

austüfteln, tüftelte aus, hat ausgetüftelt ⟨tr.⟩: *(sich etwas, was sehr kompliziert ist) durch sorgfältiges, bis ins kleinste gehendes Nachdenken ausarbeiten:* ich habe [mir] einen Plan ausgetüftelt.

ausüben, übte aus, hat ausgeübt ⟨tr.⟩: **a)** *regelmäßig oder längere Zeit ausführen:* eine Beschäftigung a.; sie übt keinen Beruf aus *(ist nicht beruflich tätig).* **b)** ⟨als Funktionsverb⟩ *in besonderer Weise auf jmdn./etwas wirken lassen:* Terror, Druck a.; Einfluß auf jmdn. a. *(jmdn. beeinflussen).* **Ausübung,** die; -.

ausufern, uferte aus, ist ausgeufert ⟨itr.⟩ (fachspr.): *über die Ufer treten* /von Gewässern/: die Donau ist ausgeufert; bildl.: der Wettbewerb ufert heute leicht aus *(wird überspitzt, übertrieben).*

Ausverkauf, der; -[e]s: **1.** *Verkauf von Waren zu herabgesetzten Preisen bei Aufgabe eines Geschäftes o. ä.:* die Schuhe habe ich im A. gekauft. **2.** (ugs.) *Schlußverkauf.*

ausverkauft ⟨Adj.; nicht adverbial⟩: *völlig verkauft:* die Eintrittskarten sind a.; die Vorstellung ist a. *(alle Eintrittskarten zu der Vorstellung sind verkauft).*

auswachsen, wächst aus, wuchs aus, hat/ist ausgewachsen /vgl. ausgewachsen/: **1.** ⟨itr.⟩ *(ein Kleidungsstück) nicht mehr tragen können, weil man zu sehr gewachsen ist:* er hat den Anzug ausgewachsen; den ausgewachsenen Mantel weggeben. **2.** ⟨rfl.⟩ *sich [voll] entwickeln:* der Ort hat sich bereits zur Großstadt ausgewachsen; die Reibereien wuchsen sich aus *(wurden immer lästiger, unangenehmer).* **3.** ⟨rfl.⟩ *während des Wachsens allmählich verschwinden:* dieser kleine körperliche Fehler wächst sich [mit den Jahren] aus. **4.** ⟨itr.⟩ *in der Ähre auf dem Halm keimen:* das Korn wächst aus. ** (ugs.) **ich bin [fast/beinahe] ausgewachsen vor Ungeduld** *(ich bin sehr ungeduldig geworden);* **das ist zum Auswachsen [langweilig o. ä.]** *(das ist zum Verzweifeln [langweilig o. ä.]).*

Auswahl, die; -: **1.** *das Auswählen:* die A. unter den vielen Stoffen ist schwer [zu treffen]. **2. a)** *Möglichkeit des Auswählens:* Delikatessen in reicher A. **b)** *Menge von Waren o. ä., aus der ausgewählt werden kann:* die A. an Möbeln ist nicht sehr groß. **3.** *das Ausgewählte:* **a)** *ausgewählter Text o. ä.:* eine A. aus Goethes Werken. **b)** Sport *aus Spielern verschiedener Mannschaften ausgewählte Mannschaft:* die englische A. siegte überlegen.

auswählen, wählte aus, hat ausgewählt ⟨tr.⟩: *(aus einer Anzahl) heraussuchen:* er wählte unter den Bewerbern zwei aus, die für die Arbeit in Frage kamen.

auswalzen, walzte aus, hat ausgewalzt ⟨tr.⟩: *durch Walzen in der Länge und Breite strecken:* Bleche a.; bildl. (ugs.): das Interview wurde in der Zeitung breit ausgewalzt *(lang und breit besprochen).*

Auswanderer, der; -s, -: *jmd., der auswandern will oder ausgewandert ist* /Ggs. Einwanderer/: nach fünf Jahren kehrten die meisten A. in ihre Heimat zurück.

auswandern, wanderte aus, ist ausgewandert ⟨itr.⟩: *seine Heimat verlassen, um in einem anderen Land eine neue Heimat zu finden* /Ggs. einwandern/: nach dem Krieg wanderten viele [aus Deutschland] aus. **Auswanderung,** die; -, -en.

auswärtig ⟨Adj.; nur attributiv⟩: **1.** *fremde Länder, das Ausland betreffend:* die auswärtigen Mächte; die auswärtige Politik. **2.** *außerhalb des eigenen ständigen Aufenthaltsortes oder Sitzes gelegen, befindlich:* unsere auswärtigen Unternehmen, Kunden. **3.** *von auswärts kommend:* auswärtige Gäste.

auswärts ⟨Adverb⟩: **a)** *außerhalb des Hauses; nicht zu Hause:* a. essen. **b)** *außerhalb des Ortes; nicht am Ort:* a. studieren.

auswaschen, wäscht aus, wusch aus, hat ausgewaschen ⟨tr.⟩: **1. a)** *durch Waschen entfernen:* die Flecken [aus einem Kleid] a. **b)** *außerhalb der normalen Wäsche kurz waschen:* ein Kleid kalt a. **2.** *aushöhlen* /von Flüssigkeiten, bes. Wasser/: das Wasser hat die Felsen ausgewaschen.

auswechseln, wechselte aus, hat ausgewechselt ⟨tr.⟩: *durch etwas Gleichartiges ersetzen:* den Motor a.

Ausweg, der; -s, -e: *Möglichkeit, sich aus einer unangenehmen oder schwierigen Lage zu befreien:* nach einem A. suchen.

ausweglos ⟨Adj.⟩: *keinen Ausweg bietend, keine Möglichkeit der Rettung oder Hilfe aus einer Not erkennen lassend:* er befindet sich in einer ausweglosen Lage. **Ausweglosigkeit,** die; -.

ausweichen, wich aus, ist ausgewichen ⟨itr.⟩: **a)** *aus dem Weg gehen, Platz machen, (vor jmdm./ etwas) zur Seite weichen:* einem Betrunkenen a. **b)** *(etwas) vermeiden; (einer Sache) zu entgehen suchen:* einem Kampf a.

ausweiden, weidete aus, hat ausgeweidet ⟨tr.⟩: *(einem auf der Jagd erlegten Tier) die Eingeweide herausnehmen:* einen Hirsch a.

ausweinen, weinte aus, hat ausgeweint: **1.** ⟨itr.⟩ *durch Weinen mildern:* sie hat ihren Kummer bei mir ausgeweint. **2.** ⟨rfl.⟩ *sich durch Weinen erleichtern:* ich habe mich an seiner Brust ausgeweint. ** (geh.) **sich** (Dativ) **die Augen a.** *(sehr viel weinen).*

Ausweis, der; -es, -e: *Papier, das als Bestätigung oder Legitimation [amtlich] ausgestellt worden ist und Angaben zur betreffenden Person enthält:* die Ausweise kontrollieren.

ausweisen, wies aus, hat ausgewiesen: **1.** ⟨tr.⟩ *zum Verlassen des Landes zwingen:* einen Ausländer a. **2. a)** ⟨rfl.⟩ *sich durch Papiere o. ä. legitimieren:* er konnte sich als Besitzer des Koffers a. **b)** ⟨tr.⟩ *bestätigen, daß etwas/jmd. etwas Bestimmtes ist oder eine bestimmte Eigenschaft hat:* der Paß wies ihn als gebürtigen Berliner aus.

ausweiten, weitete aus, hat ausgeweitet: **1.** ⟨tr.⟩ *durch längeren Gebrauch weiter machen, dehnen:* die Schuhe a. **2.** ⟨rfl.⟩ *sich erweitern, sich vergrößern:* seine Macht hat sich ausgeweitet. **Ausweitung,** die; -, -en.

auswendig ⟨nur adverbial⟩: *aus dem Gedächtins:* ein Gedicht a. vortragen. * (ugs.) **etwas in- und a. kennen** *(etwas sehr gut kennen; etwas schon zu oft gehört oder gelesen haben).*

auswerfen, wirft aus, warf aus, hat ausgeworfen ⟨tr.⟩: **1. a)** *grabend hinauswerfen:* Erde, Sand a. **b)** *mit Wucht herausschleudern:* der Vulkan wirft Asche aus. **c)** *(als Kranker) ausspucken:* Blut, Schleim a. **d)** *durch Hinauswerfen von Erde o. ä. herstellen:* eine Grube a. **e)** *zu einem bestimmten Zweck an einen bestimmten Ort werfen:* ich stand an der Reling, während die Taue, die Anker ausgeworfen wurden; die Pflanze wirft ihren Samen aus; bildl.: einen Köder nach jmdm. a. *(ihn locken, ködern wollen).* **f)** *durch einen Wurf entfernen:* er hat ihm das linke Auge ausgeworfen. **2.** *herausziehen und an besonderer Stelle sichtbar machen* /beim Schreiben/: die Summe aller Zahlen rechts a.; ein bestimmtes Wort als Stichwort a. **3.** *(als Zahlung) festsetzen, bestimmen; zur Verfügung stellen:* für diese sozialen Leistungen sind hohe Summen ausgeworfen worden.

auswerten, wertete aus, hat ausgewertet ⟨tr.⟩: *(etwas) im Hinblick auf Wichtigkeit und Bedeutung prüfen, um es für etwas nutzbar zu machen:* die Polizei wertete die Berichte aus; der Forscher wertete die Statistik aus. **Auswertung,** die; -, -en.

auswetzen, wetzte aus, hat ausgewetzt: ⟨in der Wendung⟩ eine Scharte [wieder] a. (ugs.): *einen Fehler wiedergutmachen.*

auswickeln, wickelte aus, hat ausgewickelt ⟨tr.⟩: *(etwas Eingepacktes) aus dem Papier o. ä. wickeln* /Ggs. einwickeln/: ein Geschenk a.

auswirken, sich; wirkte sich aus, hat sich ausgewirkt: *bestimmte Folgen haben; in bestimmter Weise (auf etwas) wirken:* dieses Ereignis wirkte sich ungünstig auf die Wirtschaft aus. **Auswirkung,** die; -, -en.

auswischen, wischte aus, hat ausgewischt ⟨tr.⟩: **1. a)** *durch Wischen herausbefördern:* den Staub [aus dem Glas] a. **b)** *durch Wischen reinigen:* das Glas, das Zimmer a. **2.** *durch Wischen beseitigen, löschen:* die Zahlen an der Tafel a. ** (ugs.) **jmdm. eins/etwas a.** *(jmdm. unversehens eine Bosheit antun).*

auswringen, wrang aus, hat ausgewrungen ⟨tr.⟩ (nordd.): *durch Pressen von Wasser befreien:* die Wäsche, ein Tuch a.; der Mantel war [naß] zum Auswringen.

Auswuchs, der; -es, Auswüchse: *etwas, was bei Pflanze, Tier oder Mensch in krankhafter Weise herausgewachsen ist; Wucherung, Mißbildung:* an seiner Stirn, an dem Stamm des Obstbaumes befindet sich ein A.

Auswüchse, die ⟨Plural⟩ (abwertend): *etwas, was sich aus etwas bildet und als schädlich oder übertrieben empfunden wird; Mißstände.*

auswuchten, wuchtete aus, hat ausgewuchtet ⟨tr.⟩: *(sich drehende Teile von Maschinen, Fahrzeugen) durch Anbringen ausgleichender Gewichte so ausbalancieren, daß sie nicht mehr vibrieren:* die Werkstatt hat alle vier Räder ausgewuchtet.

Auswurf, der; -[e]s: **1.** *das Auswerfen:* der A. der tiefer gelegenen Gesteine des Vulkans. **2.** Med. *Ausscheidung von Schleim o. ä. aus dem Mund:* zäher, grünlicher A. **3.** *Abschaum:* zum A. der Menschheit gehören.

auszahlen, zahlte aus, hat ausgezahlt ⟨tr.⟩: *(eine bestimmte Summe) an jmdn. zahlen:* das Gehalt a. * (ugs.) **etwas zahlt sich aus** *(etwas lohnt sich, macht sich bezahlt):* es hat sich doch ausgezahlt, daß er sich die Mühe gemacht hat.

auszählen, zählte aus, hat ausgezählt ⟨tr.⟩: **1.** *durch Zählen die genaue Anzahl oder Menge (von etwas) feststellen:* nach der Wahl die Stimmen a. **2.** Boxen *(einen auf dem Boden liegenden Boxer) nach Zählen von 1–10 zum Verlierer erklären.* **Auszählung,** die; -, -en.

auszeichnen, zeichnete aus, hat ausgezeichnet /vgl. ausgezeichnet/: **1.** ⟨tr.⟩ *auf besondere Weise ehren:* der Schüler wurde wegen guter Leistungen [mit einem Preis] ausgezeichnet. **2. a)** ⟨rfl.⟩ *sich (durch etwas) hervortun, (wegen guter Eigenschaften) auffallen:* er zeichnet sich durch Fleiß aus. **b)** ⟨itr.⟩ *(durch etwas Besonderes) von anderen deutlich unterschieden sein:* ihre große Geduld zeichnete sie aus.

Auszeichnung, die; -, -en: **1.** *das Auszeichnen:* die A. der besten Schüler findet in der Aula statt. **2.** *Orden, Preis o. ä.:* er erhielt eine A. für seine Verdienste. * **etwas ist für jmdn. eine A.** *(etwas bedeutet für jmdn. eine Ehre).*

ausziehen, zog aus, hat/ist ausgezogen: 1. ⟨tr./rfl.⟩ *(jmdm./sich) die Kleidungsstücke vom Körper nehmen* /Ggs. anziehen/: die Mutter hat das Kind ausgezogen; ich habe mich ausgezogen. 2. ⟨tr.⟩ *aus etwas herausziehen:* er hat Unkraut ausgezogen. 3. ⟨tr.⟩ *(etwas, was zusammengeschoben ist) durch Auseinanderziehen länger machen:* sie hatten für die Feier den Tisch ausgezogen; diese Antenne kann man a. 4. ⟨itr.⟩ *aus der Wohnung ziehen:* wir sind vor Weihnachten [aus dem Haus] ausgezogen.

Auszug, der; -s, Auszüge: 1. *das Ausziehen:* nach unserm A. wurde die ganze Wohnung neu tapeziert. 2. *wichtiger Bestandteil, der aus etwas herausgenommen worden ist:* Auszüge aus einer Rede.

auszugsweise ⟨Adverb⟩: *im Auszug, in Ausschnitten:* etwas a. veröffentlichen.

autark ⟨Adj.; nicht adverbial⟩ *von der Einfuhr aus dem Ausland unabhängig, sich selbst versorgend:* eine autarke Wirtschaft; bildl.: geistig, kulturell a. sein. **Autarkie,** die; -.

authentisch ⟨Adj.⟩: *im Wortlaut verbürgt, echt, verbindlich:* eine authentische Darstellung des Geschehens; dieser Text ist a.

Auto, das; -s, -s: /ein Kraftfahrzeug/ (siehe Bild).

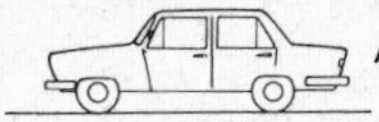

Auto

Autobahn, die; -, -en: *für Kraftfahrzeuge gebaute Straße mit mehreren Fahrbahnen* (siehe Bild).

Autobahn

Autobus, der; -ses, -se: *Omnibus.*

Autodidakt, der; -en, -en: *jmd., der sich sein Wissen ohne Hilfe eines Lehrers nur aus Büchern angeeignet hat.*

Autofahrer, der; -s, -: *jmd., der ein Auto fährt.*

Autogramm, das; -s, -e: *mit eigener Hand geschriebener Name einer bekannten oder berühmten Persönlichkeit, Unterschrift:* das Mädchen sammelt Autogramme von Schauspielern.

Autokino, das; -s, -s: *Kino im Freien, in dem man den Film vom Auto aus betrachtet:* die Leinwand dieses Autokinos ist 36 × 15 m groß.

Automat, der; -en, -en: *Apparat, der nach Einwerfen einer Münze Waren ausgibt oder zu Leistungen bereit ist* (siehe Bild).

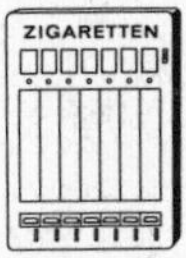

Automat

Automatik, die; -: *technische Vorrichtung, die einen Vorgang automatisch steuert:* eine Armbanduhr mit eingebauter A.; ein Auto mit A. *(mit automatischem Getriebe).*

automatisch ⟨Adj.; nicht prädikativ⟩: a) *von selbst erfolgend, selbsttätig:* automatische Herstellung. b) *ohne eigenes Zutun, als Folge (von etwas) eintretend:* weil er Kunde ist, bekommt er die Prospekte a. zugeschickt; er hob a. das Knie.

Autonomie, die; -: *Selbständigkeit, Unabhängigkeit (bes. in bezug auf die Verwaltung).*

Autor, der; -s, -en: *Verfasser eines Textes; Schriftsteller.*

autorisieren, autorisierte, hat autorisiert ⟨tr.⟩: 1. *ermächtigen:* ich bin autorisiert, Ihnen einen Vorschuß von 1000 Mark auszuhändigen. 2. *genehmigen:* diese Vereinbarung des Botschafters war von der Regierung nicht autorisiert; ⟨häufig im 2. Partizip⟩ eine autorisierte *(vom Übersetzer im Hinblick auf die Textfassung genehmigte)* Übersetzung.

autoritär ⟨Adj.⟩: *sich auf Autorität stützend, diktatorisch:* etwas a. entscheiden.

Autorität, die; -, -en: 1. ⟨ohne Plural⟩ *durch Macht oder Können erworbenes Ansehen:* die A. des Vaters. 2. *Person, die sich durch Können auf einem bestimmten Gebiet Ansehen erworben hat; anerkannter Fachmann:* sich auf das Urteil von Autoritäten stützen.

autoritativ ⟨Adj.⟩: *sich auf echte Autorität stützend; von echter Autorität bestimmt:* autoritative Entscheidungen treffen.

avancieren [avã'si:rən], avancierte, ist avanciert ⟨itr.⟩ (veraltend, oft noch iron.): *[im Rang] befördert werden, aufrükken:* er ist zum Oberst avanciert; die Schauspielerin ist zur Diva avanciert.

Avantgarde [avã'gard(ə)], die; -, -n (veralt.): *Vorhut einer Armee:* die A. war bis X vorgerückt; bildl.: diese Männer waren die A. *(Vorkämpfer)* des Proletariats.

Avantgardist [avãgar'dɪst], der; -en, -en: *Vorkämpfer einer Idee, einer [künstlerischen] Richtung o. ä.:* sie sind mutige Avantgardisten der neuen Mode.

avantgardistisch [avãgar'dɪstɪʃ] ⟨Adj.⟩: *die Avantgarde betreffend, zur Avantgarde gehörend, bahnbrechend:* avantgardistische Literatur; dieser Schriftsteller, Film ist a.

Aversion, die; -, -en (geh.): *[Gefühl der] Abneigung, Widerwille:* ich empfinde, habe eine starke A. gegen einen solchen übertriebenen Kult.

avisieren, avisierte, hat avisiert ⟨tr.⟩ (veraltend): *ankündigen:* jmdm. die Lieferung von Waren a.; er hat mir Ihre Ankunft schon avisiert.

Axt, die; -, Äxte: /ein Werkzeug/ (siehe Bild).

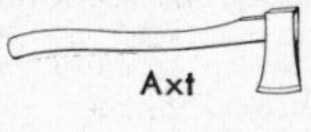

Axt

B

babbeln, babbelte, hat gebabbelt ⟨tr./itr.⟩ (ugs.; abwertend): *[unverständlich, töricht] reden; schwatzen:* sie babbelte lauter dummes Zeug; sie kann stundenlang b.

Baby ['be:bi], das; -s, -s *Säugling, Kind im ersten Jahr seines Lebens:* ein B. haben, erwarten.

babylonisch: ⟨in der Fügung⟩ babylonische Sprachverwirrung: *Gewirr, das durch das Zusammentreffen der verschiedensten Sprachen entsteht.*

Babysitter ['be:bizɪtər], der; -s, -: *jmd., der kleine Kinder bei Abwesenheit der Eltern [gegen Entgelt] beaufsichtigt:* bei jmdm. B. machen.

Bach, der; -[e]s, Bäche: *kleines fließendes Gewässer.*

Bachstelze, die; -, -n: /ein Vogel/ (siehe Bild).

Bachstelze

Backbord, das; -[e]s, -e: *linke Seite eines Schiffes, Flugzeugs* /Ggs. Steuerbord/: er legt das Ruder nach B.

backbord[s] ⟨Adverb⟩: *auf der linken Seite eines Schiffes, Flugzeugs* /Ggs. steuerbord[s]/: das Schiff muß sich mehr b. halten.

Backe, die; -, -n (ugs.): *Teil des menschlichen Gesichtes zwischen Auge, Nase und Ohr; Wange.*

backen, bäckst, backte, hat gebacken: **a)** ⟨tr.⟩ (*Teig*) *durch Hitze mürbe und genießbar machen:* Kuchen, Brot b. **b)** ⟨itr.⟩ *gar, mürbe werden*: der Kuchen bäckt im Herd. **c)** ⟨tr.⟩ (landsch.) *braten:* Leber b.

Backenzahn, der; -s, Backenzähne: *Zahn im seitlichen Teil des Gebisses, mit dem die Speisen gekaut werden:* er mußte sich einen B. ziehen lassen.

Bäcker, der; -s, -: *jmd., der Brot u. ä. herstellt und verkauft* /Berufsbezeichnung/.

Bäckerei, die; -, -en: *Backstube und Laden des Bäckers.*

Backfisch, der; -[e]s; -e (veraltend): *junges Mädchen zwischen 14 und 17 Jahren:* ein alberner, kichernder B.

Backofen, der; -s, Backöfen: *Ofen, in dem Brot gebacken wird:* das Brot in den B. schieben; es ist warm wie in einem B. *(sehr heiß).*

Backpfeife, die; -, -n (ugs.): *Schlag auf die Wange, Ohrfeige:* einem Kind eine B. geben.

Backpulver, das; -s, -: *Pulver, das in den Teig kommt, um das Gebäck locker zu machen.*

Backstube, die; -, -n: *Raum, in dem Brot und Kuchen gebacken werden.*

Bad, das; -[e]s, Bäder: **1. a)** *Badezimmer:* die Wohnung hat kein B. **b)** *Wasser zum Baden in einer Wanne:* das B. ist zu heiß. *** ein B. nehmen** *(baden).* **2.** *Ort, an dem man eine Kur macht:* in ein B. reisen.

Badeanzug, der; -s, Badeanzüge: *Kleidungsstück, das man beim Schwimmen, Baden trägt.*

Badehose, die; -, -n: *Kleidungsstück für Männer, das beim Schwimmen, Baden getragen wird.*

Bademantel, der; -s, Bademäntel: *Umhang oder Mantel zum Abtrocknen und Aufwärmen nach dem Baden.*

baden, badete, hat gebadet: **a)** ⟨tr./itr.⟩ *jmdn./sich in einer mit Wasser gefüllten Badewanne waschen:* sie badet [das Kind] täglich. **b)** ⟨itr.⟩ *(in einem Schwimmbad, Gewässer) schwimmen, sich erfrischen:* wir haben in einem See gebadet.

Badewanne, die -, -n: *im Badezimmer aufgestellte Wanne zum Baden.*

Badezimmer, das; -s, -: *zum Baden eingerichteter Raum.*

baff: ⟨in der Verbindung⟩ b. sein (ugs.): *vor Überraschung sprachlos sein; verdutzt, verblüfft sein:* das hättest du nicht erwartet, da bist du b.!

Bagage [ba'ga:ʒə], die; - (abwertend): *Gesindel; Gruppe von Menschen, über die man sich ärgert, die man verachtet.*

Bagatelle, die; -, -n: *Kleinigkeit; etwas Geringfügiges:* dieser Vorfall war nur eine B.

bagatellisieren, bagatellisierte, hat bagatellisiert ⟨tr.⟩: *als nicht wichtig, unbedeutend, geringfügig ansehen, darstellen:* er bagatellisiert diese Gefahr.

Bagger, der; -s, -: *große Maschine zum Abräumen von Erde u. ä.* (siehe Bild).

baggern, baggerte, hat gebaggert: **a)** ⟨itr.⟩ *größere Massen von Erde, Geröll o. ä. mit einem Bagger entfernen:* er baggert schon eine Woche bei derselben Baustelle. **b)** ⟨tr.⟩ *mit dem Bagger herstellen:* er baggerte ein großes Loch.

Bagger

Bahn, die; -, -en: **I.** *Verkehrsmittel, das sich auf Schienen bewegt:* **a)** *Eisenbahn, Zug:* mit der B. reisen. **b)** *Straßenbahn:* eine B. verpassen. **II.** *bestimmte Strecke [die ein Körper im Raum durchläuft]:* die B. der Sonne, der Rakete. *** auf die schiefe B. kommen/geraten** *(ein unordentliches, unmoralisches Leben beginnen).* **III.** *ein Stück Stoff o. ä. in seiner ganzen Breite:* für die Gardine braucht sie vier Bahnen des Stoffes.

bahnbrechend ⟨Adj.⟩: *bedeutungsvoll für die Zukunft; eine neue Entwicklung einleitend:* eine bahnbrechende Erfindung.

bahnen, bahnte, hat gebahnt ⟨tr.⟩: *einen Weg, freie Bahn (durch etwas) schaffen:* [jmdm., sich] den Weg durch das Gebüsch b.

Bahnhof, der; -s, Bahnhöfe: *Gelände und zugehöriges Gebäude, wo die Züge der Eisenbahn halten:* jmdn. zum B. bringen. *** großer B.** *(festlicher Empfang [für eine Person des öffentlichen Lebens] auf dem Bahnsteig oder Flugplatz, bei dem viele Personen zur Begrüßung anwesend sind):* die ausländischen Gäste wurden mit großem B. empfangen.

Bahnsteig, der; -s, -e: *erhöhte Plattform auf dem Gelände des Bahnhofs, wo die Züge halten.*

Bahnsteigkarte, die; -, -n: *Karte, die zum Betreten des Bahnsteigs berechtigt.*

Bahnübergang, der; -s, Bahnübergänge: *Stelle, an der eine Straße, ein Weg über die Gleise der Bahn führt.*

Bahnwärter, der; -s, -: *Angestellter bei der Bahn, der die Schranken zu betätigen und die Gleise zu überwachen hat.*

Bahre, die; -, -n: *Gestell, auf dem Verletzte oder Tote transportiert werden können* (siehe

Bild): den Verletzten auf die B. legen.

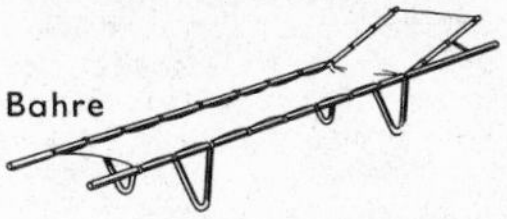

Bahre

Baiser [bɛ'ze:], das; -s, -s: *süßes, vorwiegend aus geschlagenem Eiweiß und Zucker bestehendes Gebäck:* ein B. mit Schlagsahne füllen.

Bajonẹtt, das; -s, -e: *Seitengewehr, das als Waffe auf das Gewehr gesteckt wird:* mit gefälltem B. auf den Feind losgehen.

Bạkken, der; -[s], -: *vorderer, leicht geneigter Teil einer Sprungschanze, der dem Absprung dient:* über den B. gehen *(von der Sprungschanze abspringen).*

bakteriẹll ⟨Adj.⟩: *Bakterien betreffend; durch Bakterien hervorgerufen:* eine bakterielle Infektion.

Bakterien, die ⟨Plural⟩: *sehr kleine pflanzliche Organismen; Krankheitserreger.*

Balance [ba'lã:sə], die; -: *Gleichgewicht:* sie konnte sich eine Minute in der B. halten. * **die B. halten** *(das Gleichgewicht beibehalten können)*; **die B. verlieren** *(das Gleichgewicht nicht beibehalten können).*

balancieren [balã'si:rən], balancierte, hat balanciert: **a)** ⟨itr.⟩ *das Gleichgewicht haltend gehen:* er balancierte auf einem Seil. **b)** ⟨tr.⟩ *im Gleichgewicht halten:* ein Tablett b.

bạld: I. ⟨Abverb⟩ *in kurzer Zeit:* er wird b. kommen. **II.** ⟨in der Verbindung⟩ bald ... bald ⟨Konj.⟩ /bezeichnet den Wechsel von zwei Situationen/: b. regnet es, b. schneites.

Bạldachin, der; -s, -e: *prunkvolles, oft mit kostbaren Stoffen bespanntes Gerüst in Form eines Daches [unter dem sich häufig erlauchte Persönlichkeiten zeigen]* (siehe Bild): der Bischof trägt die Monstranz unter einem roten B.

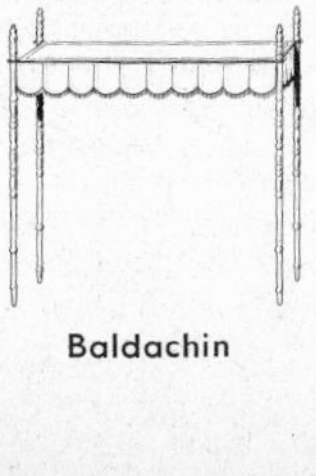

Baldachin

bạldig ⟨Adj.; nur attributiv⟩: *in kurzer Zeit erfolgend, kurz bevorstehend:* er wünschte eine baldige Veröffentlichung der Ergebnisse.

Bạldrian, der; -s, -e: **1.** *Pflanze, deren Wurzeln ein stark riechendes Öl enthält, das zur Beruhigung der Nerven verwendet wird.* **2.** ⟨ohne Plural⟩ *Heilmittel aus der gleichnamigen Pflanze.*

Bạlg: I. der; -[e]s, Bälge: **1.** *Fell von Tieren:* die Hasen haben im Winter schöne weiche Bälge. * (ugs.) **jmdm. auf den B. rücken** *(sich jmdm. in aufdringlicher Weise nähern).* **2.** *ausgestopfter Rumpf einer Puppe.* **3.** *in Falten liegendes, eine Verbindung herstellendes Teil, das sich ausziehen und zusammenpressen läßt:* die Bälge zwischen den Eisenbahnwagen. **II.** das, (auch:) der; -[e]s, Bälge[r] (abwertend): *unartiges, schlecht erzogenes Kind:* ein lästiges, zudringliches B.

bạlgen, sich; balgte sich, hat sich gebalgt: *[aus Übermut] miteinander ringend kämpfen:* die Jungen balgten sich auf der Straße.

Balgerei, die; -, -en: *nicht besonders ernst zu nehmende Rauferei, bei der sich die Teilnehmer [um etwas ringend] häufig auf dem Boden wälzen.*

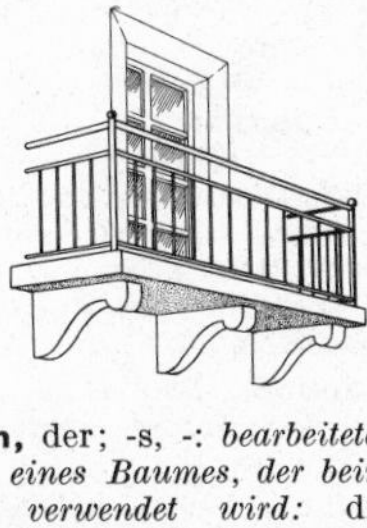

Balkon

Bạlken, der; -s, -: *bearbeiteter Stamm eines Baumes, der beim Bauen verwendet wird:* die Decke wird von Balken getragen.

Bạlkenüberschrift, die; -, -en: *große, kräftige Schlagzeile (in einer Zeitung) u. ä.*

Bạlkenwaage, die; -, -n: *Waage mit zwei Armen, an denen zwei Schalen hängen.*

Balkon [bal'kɔŋ], der; -s, -s; (bes. südd.:) [bal'ko:n], -s, -e: **1.** *von einem Geländer o. ä. umgebender Teil an einem Gebäude, den man vom Inneren des Hauses aus betreten kann* (siehe Bild): eine Wohnung mit B. **2.** *Rang im Theater, im Kino:* er saß B. erste Reihe.

Bạll, der; -[e]s, Bälle: **I.** *Gegenstand zum Spielen in Form einer Kugel aus elastischem Material* (siehe Bild): den B. werfen, fangen; B. spielen *(ein Spiel mit dem B. machen).* **II.** *festliche Veranstaltung, bei der getanzt wird* (siehe Bild): einen B. geben, veranstalten.

I. II.

Ball

Ballade, die; -, -n: *längeres Gedicht mit einer dramatischen Handlung.*

Bạllast [auch: Ballạst], der; -[e]s: **1.** *Last, die zum Beschweren eines Fahrzeugs mitgenommen wird:* das Schiff wirft seinen B. ab; **2.** *etwas, was als unnütze Last empfunden wird:* sie empfindet vieles von dem, was sie gelernt hat, als B.

bạllen, ballte, hat geballt: **a)** ⟨tr.⟩ *[durch Druck] in runde Form bringen:* Schnee in der Hand b.; die Hand zur Faust b. **b)** ⟨rfl.⟩ *sich zusammendrängen [zu einem runden Gebilde]:* die Wolken ballten sich am Himmel.

Bạllen, der; -s, -: **I.** *fest zusammengeschnürtes größeres Bündel (von bestimmter Form):* ein B. Stoff, Stroh. **II.** *Polster von Muskeln an der Innenseite der Hand und unter dem vorderen Teil des Fußes bei Menschen und manchen Säugetieren.*

Ballerịna, die; -, Ballerinen: *hervorragende Tänzerin beim Ballett:* die B. tanzte ein Solo.

bạllern, ballerte, hat geballert (ugs.): **1.** ⟨itr.⟩: **a)** *lärmend schlagen, klopfen; trommeln:* als wir ihn nicht hereinließen, ballerte er an die Tür. **b)** *laut schie-*

ßen, knallen: der Junge ballert mit seiner Pistole. **2.** ⟨tr.⟩ *mit Wucht werfen, schleudern, so daß beim Auftreffen ein lauter Knall entsteht:* etwas vor Wut in die Ecke b.

Ballett, das; -s, -e: **1.** *künstlerischer Tanz einer Gruppe von Tänzern auf der Bühne:* klassisches und modernes B. tanzen. **2.** *Gruppe von Tänzern einer Bühne:* das B. trat auf.

Balletteuse [balɛ'tø:zə]: *Tänzerin beim Ballett:* sie kam als B. zum Theater.

Ballkleid, das; -[e]s, -er: *festliches Kleid, das auf einem Ball getragen wird:* sie erschien in einem langen B.

Ballon [ba'lɔŋ], der; -s, -s; (bes. südd.:) [ba'lo:n] -s, -e: *mit Gas gefüllter, schwebender, zum Fliegen geeigneter Körper von der Gestalt einer Kugel* (siehe Bild): ein B. steigt auf, fliegt.

Ballspiel, das; -s, -e: *[im Sport als Wettkampf zwischen Mannschaften ausgetragenes] Spiel mit einem Ball.*

Balsam, der; -s: *Gemisch aus Harzen und Ölen, das zur Parfümherstellung und [zur Linderung von Schmerzen] in der Medizin verwendet wird:* sich die Schläfen mit B. einreiben; bildl. (geh.): diese Worte sind B. für meine Seele.

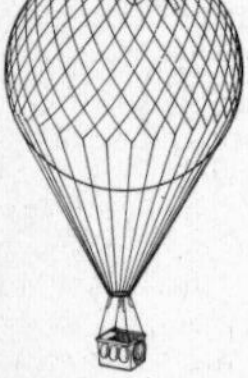

Ballon

balsamieren, balsamierte, hat balsamiert: **a)** ⟨tr.⟩ *als Schutz vor Verwesung mit einem konservierenden Mittel einreiben:* bei den Grabungen wurden balsamierte Leichen gefunden. **b)** ⟨tr./rfl.⟩ (geh.) *mit Balsam, heilkräftigen oder angenehm duftenden Mitteln einreiben:* er balsamiert den Kranken, sich täglich mit duftenden Essenzen.

Balustrade, die; -, -n: *mit kleinen Säulen verziertes Geländer.*

Bambus, der; -ses, -se: *in den Tropen vorkommendes Gewächs, dessen Stengel innen hohl ist und zu verschiedenen Zwecken verwendet wird* (siehe Bild): eine Matte aus B.

Bambus

bammeln, bammelte, hat gebammelt ⟨itr.⟩ (ugs.; scherzh.): *baumeln:* du wirst noch einmal am Galgen b.!

banal ⟨Adj.⟩: *nichtssagend, ohne Gehalt, nicht bedeutungsvoll:* banale Worte, Reden; die Sache ist ganz b.

Banane, die; -, -n: /eine Südfrucht/ (siehe Bild).

Banane

Bananenstecker, der; -s, -: *Stecker mit einem Pol* (siehe Bild).

Bananenstecker

Banause, der; -n, -n (abwertend): *jmd., der keinerlei Interesse für Kunst hat.*

Band: I. das; -[e]s, Bänder: **a)** *schmaler Streifen aus Stoff o. ä.:* ein buntes B.; ein B. im Haar tragen. **b)** *Tonband:* Musik auf B. aufnehmen. **II.** der; -[e]s, Bände: *einzelnes gebundenes Buch [das zu einer Reihe gehört]:* ein dicker B.; ein B. Gedichte. **III.** Band [bɛnt], die; -, -s: *Gruppe von Musikern, die besonders Jazz spielt.*

Bandage [ban'da:ʒə], die; -, -n: *Verband, der etwas stützen soll.*

bandagieren [banda'ʒi:rən], bandagierte, hat bandagiert ⟨tr.⟩: *(einem Körperteil) eine Bandage anlegen:* den geschwollenen Knöchel b.

Bande, die; -, -n: **1.** *Gruppe von Gleichgesinnten, die gemeinsam etwas Übles unternimmt:* eine bewaffnete B.; eine B. von Dieben. **2.** (scherzh.) *Schar von Kindern, Jugendlichen.*

Banderole, die; -, -n: *Streifen aus Papier, mit dem eine Ware (z. B. Zigaretten, Tabak) gekennzeichnet wird, für die die Steuer bezahlt worden ist:* die B. von dem Päckchen entfernen.

bändigen, bändigte, hat gebändigt ⟨tr.⟩: *bezähmen, beruhigen:* seine Leidenschaften b.; die lebhaften Kinder waren kaum zu b.

Bandit, der; -en, -en: *Räuber, Verbrecher:* von Banditen überfallen werden.

Bandscheibe, die; -, -n: Med. *knorpelige Scheibe, die zwischen zwei Wirbeln der Wirbelsäule liegt.*

Bandwurm, der; -s, Bandwürmer: *langer, aus vielen Gliedern bestehender Wurm, der im Darm des Menschen und bestimmter Tiere vorkommt.*

bang[e], banger/(auch:) bänger, bangste/(auch:) bängste ⟨Adj.⟩: *ängstlich, angstvoll:* eine bange Ahnung; b. lauschen. * **jmdm. ist angst und b.** *(jmd. hat große Angst);* **jmdm. b. machen** *(jmdm. angst machen).*

Bange: ⟨meist in der Wendung⟩ [keine] B. haben (nordd.): *[keine] Angst haben.*

bangen, bangte, hat gebangt ⟨itr.⟩ (geh.): *in großer Angst, Sorge (um jmdn.) sein:* er bangte um seinen kranken Vater, um sein Leben.

Bank: I. die; -, Bänke: *lange und schmale, meist aus Holz hergestellte Sitzgelegenheit für mehrere Personen:* sich auf eine B. im Park setzen. * **etwas auf die lange B. schieben** *(etwas Unangenehmes aufschieben).* **II.** die; -, Banken: *Unternehmen, das mit Geld handelt, Geld verleiht u. a.:* Geld von der B. holen, zur B. bringen.

Bänkelsänger, der; -s, - (hist.): *fahrender Sänger, der auf Jahrmärkten o. ä. in einförmigen Liedern seltsame und aufregende Ereignisse vortrug.*

Bankett, das; -s, -e: *festliches Essen mit offiziellem Charakter:* ein B. geben.

Bankier [baŋki'e:], der; -s, -s: *Inhaber einer Bank.*

Banknote, die; -, -n: *Geld in Form eines Scheines.*

bankrott ⟨Adj.⟩: *zahlungsunfähig; finanziell ruiniert:* ein bankrotter Geschäftsmann; b. sein. * **b. gehen** *(zahlungsunfähig werden).*

Bankrott, der; -s, -e: *Unfähigkeit, Zahlungen zu leisten; finanzieller Ruin:* die Firma steht vor dem B.; bildl.: der geistige B. *(Zusammenbruch)* einer Gesellschaft.

Bann, der; -[e]s: **1.** (hist.) *Ausschluß aus der [kirchlichen] Gemeinschaft:* Luther wurde mit dem B. belegt; den B. lösen, aufheben. **2.** (geh.) *zwingende, fesselnde Gewalt, beherrschender Einfluß:* jmdn. in seinen B. ziehen: im Bann[e] der Musik, des Geschehens.

bannen, bannte, hat gebannt ⟨tr.⟩: **1.** (hist.) *aus der kirchlichen Gemeinschaft ausschließen:* der Papst bannte den Kaiser. **2.** (geh.) **a)** *[an einer Stelle oder in einem Zustand] durch eine zwingende Gewalt festhalten, binden, fesseln:* seine Worte haben ihn gebannt; ⟨häufig im 2. Partizip⟩ gebannt lauschte er dem Klang der Musik. **b)** *durch eine zwingende Gewalt vertreiben:* die Geister b;. bildl.: das Fieber b.

Banner, das; -s, -: *Fahne, die an einer mit der Fahnenstange verbundenen Querleiste hängt* (siehe Bild).

Banner

bar ⟨Adj.⟩: **1.** ⟨nicht prädikativ⟩ *in Geldscheinen oder Münzen [vorhanden]:* bares Geld; etwas [in] b. bezahlen. * **etwas für bare Münze nehmen** *(etwas wörtlich nehmen, arglos für wahr halten).* **2.** ⟨nur attributiv⟩ (geh.) *rein:* bares Entsetzen, bare Angst. **3.** (geh.) **a)** *bloß, unbekleidet:* mit barem Haupt. **b)** ⟨mit Gen.⟩ *ohne:* b. aller Vernunft; b. jeglichen Gefühls.

Bar, die; -, -s: **1.** *erhöhter Schanktisch:* er saß an der B. und trank Whisky. **2.** *kleineres, intimes [Nacht]lokal:* in die B. gehen.

Bär, der; -en, -en: /ein großes Raubtier/ (siehe Bild): stark wie ein B. * (ugs.) **jmdm. einen Bären aufbinden** *(jmdm. etwas Unwahres erzählen, was der andere auch glaubt).*

Bär

Baracke, die; -, -n: *leichter, flacher, meist zerlegbarer [Holz]-bau:* in einer B. wohnen.

Barbar, der; -en, -en: *ungesit'eter, roher, grausamer Mensch.*

Barbarei die; -: *Roheit, Grausamkeit.*

barbarisch ⟨Adj.⟩: *ungesittet, roh, grausam:* barbarische Sitten; jmdn. b. behandeln.

bärbeißig ⟨Adj.⟩; (abwertend): *grimmig, brummig, mürrisch:* ein bärbeißiger Alter.

Barbetrag, der; -[e]s, Barbeträge: *Betrag an Bargeld.*

Bardame, die; -, -n: *Angestellte in einem Nachtlokal, die den Gästen Getränke verkauft und sie unterhält.*

Bärendienst: ⟨in der Wendung⟩ jmdm. einen B. erweisen/leisten (ugs.): *jmdm. helfen, ihm dabei aber ungewollt Schaden zufügen.*

Bärenführer, der; -s, - (ugs.; scherzh.): *Fremdenführer:* bei ihrer Fahrt nach England spielte er den B.

Bärenhaut: ⟨in der Wendung⟩ auf der B. liegen (abwertend): *faulenzen, nichts tun:* wenn er den ganzen Tag auf der B. liegt, wird er es nie schaffen.

Bärenhunger, der; -s (ugs.): *großer Hunger.*

Barett, das; -s, -e: *flache Kopfbedeckung ohne Schirm* /meist als Teil der Amtstracht von Professoren, Richtern u. a./.

barfuß: ⟨in Verbindung mit bestimmten Verben⟩ *mit bloßen Füßen, ohne Schuhe und Strümpfe:* b. laufen, gehen.

barfüßig ⟨Adj.⟩: *an Füßen und Beinen nicht bekleidet, mit bloßen Füßen:* ein barfüßiger Junge; b. sein.

Bargeld, das; -[e]s: *in Scheinen oder Münzen vorhandenes Geld:* er bat nur wenig B. bei sich.

Barhocker, der; -s, -: *Hocker mit hohen Beinen, auf dem man an der Bar sitzt.*

Bariton, der; -s, -e: **1.** *Stimme in der mittleren Lage* /vom Sänger/: er hat einen wohlklingenden, weichen B. **2.** *Sänger mit einer Stimme in der mittleren Lage:* er war ein berühmter B.

Barkasse, die; -, -n: **a)** *größtes Boot, das auf Kriegsschiffen mitgeführt wird.* **b)** *größeres Motorboot.*

barmherzig ⟨Adj.⟩ (geh.): *von Mitleid erfüllt, hilfreich:* eine barmherzige Tat; er ist, handelt b. **Barmherzigkeit**, die; -.

barock ⟨Adj.⟩: **1. a)** *im Stil des Barocks gestaltet:* ein barockes Gemälde. **b)** *von verschwenderischer Fülle; überladen, verschnörkelt:* barocke Schriftzüge; eine barocke Rede. **2.** *sonderbar, seltsam:* seine Einfälle sind immer etwas b.

Barock, das und der; -[s]: *Stil in der europäischen Kunst, Dichtung und Musik des 17. und 18. Jahrhunderts, der durch verschwenderische Formen und pathetischen Ausdruck gekennzeichnet ist:* das Zeitalter des Barock[s].

Barometer, das; -s, -: *Gerät, das den Luftdruck mißt:* das B. steigt, fällt.

Baron, der; -s, -e: *Freiherr.*

Barras, der; - (Soldatenspr.; ugs.): *Wehrdienst:* er muß zum B.

Barren, der; -s, -: **1.** *für den Handel übliches Stück aus nicht bearbeitetem Edelmetall in der Form eines Quaders, Zylinders o. ä.:* ein B. Gold. **2.** /ein Turngerät/ (siehe Bild).

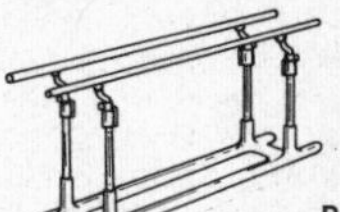

Barren

Barriere, die; -, -n: *Schranke, Sperre:* Barrieren errichten, aufstellen, niederreißen, beseitigen.

Barrikade, die; -, -n: *zur Verteidigung errichtetes Hindernis:* Barrikaden errichten, bauen.

*** auf die Barrikaden gehen/steigen** *(heftig protestieren, sich heftig empören).*

barsch ⟨Adj.⟩: *grob, unfreundlich, hart:* barsche Worte; in barschem Ton sprechen; jmdn. b. anfahren.

Barsch, der; -[e]s, -e: /ein Fisch/ (siehe Bild).

Barsch

Barschaft, die; -: *gesamte Summe des Bargeldes:* ihre ganze B. bestand aus zehn Mark.

Barschheit, die; -: *das Barschsein:* seine B. verdroß mich.

Bart, der; -es, Bärte: **1. a)** *Haarwuchs um die Lippen, auf Wangen und Kinn:* sich einen B. wachsen lassen; jmdm. den B. abnehmen *(abrasieren).* * (ugs.) **jmdm. um den Bart gehen** *(jmdm. schmeicheln).* **b)** *Haare an der Schnauze bestimmter Säugetiere:* der B. der Katze. **2.** *Teil des Schlüssels, der im Schloß den Riegel bewegt* (siehe Bild): der B. ist abgebrochen.

Bart 2.

bärtig ⟨Adj.⟩: *mit [dichtem, langem] Bart:* bärtige Gesichter, Männer; (ugs.) b. herumlaufen.

Barzahlung, die; -, -en: *Zahlung mit Bargeld, die sofort oder innerhalb einer kurzen Frist erfolgt.*

Basalt, der; -[e]s, -e: *dunkles Gestein vulkanischen Ursprungs.*

Basar, der; -s, -e: **1.** *offene Kaufhalle, Markt für allerlei Waren [im Orient].* **2.** *Verkauf von Waren zu einem wohltätigen Zweck.*

Baseball ['bɛ:sbo:l], der; -s: *amerikanisches Schlagballspiel.*

basieren, basierte, hat basiert ⟨itr.⟩ (geh.): *(auf etwas) beruhen, sich (auf etwas) stützen, gründen:* die Erzählung basiert auf einer wahren Begebenheit.

Basilika, die; -, Basiliken: **a)** *größeres Gebäude der Antike, meist eine weite offene Halle.* **b)** *Kirche, bei der nach alter christlicher Bauweise das [schmale] Mittelschiff die Seitenschiffe überragt.*

Basis, die; -, Basen: *Grundlage, Ausgangspunkt:* Forschungen auf breiter B. betreiben; etwas ist, bildet die B. für etwas.

Basisgruppe, die; -, -n: *links orientierter, politisch aktiver Arbeitskreis [von Studenten], der auf einem bestimmten [Fach]gebiet progressive Ideen durchzusetzen versucht:* eine Dokumentation, die von der B. „Philologie" erarbeitet wurde.

Basketball, der; -[e]s: *Korbball[spiel].*

baß: ⟨gewöhnlich in der Wendung⟩ b. erstaunt / verwundert sein: *sehr, aufs höchste erstaunt / verwundert sein.*

Baß, der; Basses, Bässe: **1.** *tiefe Männerstimme:* er hat einen tiefen, rauhen, sonoren B. **2.** *Sänger mit einer tiefen Stimme.* **3. a)** *tiefste Stimme eines Musikstücks.* **b)** *sehr tief klingendes Streichinstrument.*

Baßgeige, die; -, -n: *größtes Streichinstrument mit der tiefsten Stimmlage:* die B. streichen.

Bassin [ba'sɛ̃:], das; -s, -s: *künstlich angelegtes Wasserbecken.*

Bassist, der; -en; -en: **1.** *Sänger, der Baß singt.* **2.** *Musiker, der die Baßgeige spielt.*

Bast, der; -es, -e: *pflanzliche Faser, die zum Binden und Flechten verwendet wird:* aus B. eine Tasche anfertigen.

basta ⟨Interj.⟩ (ugs.): *Schluß damit!, genug!:* nun weißt du es, und damit b.!

Bastard, der; -s, -e: *Mischling:* das ist kein reinrassiger Hund, das ist ein B.

Bastei, die; -, -en: *vorspringender Teil an alten Befestigungen.*

basteln, bastelte, hat gebastelt ⟨itr.⟩: *in der Freizeit, aus Liebhaberei, als Hobby kleinere handwerkliche Arbeiten selbst herstellen:* er bastelt gerne; ⟨auch tr.⟩ ein Spielzeug b.

Bastion, die; -, -en: *Befestigung, Bollwerk:* bis zur letzten B. wurde die Stadt von den Feinden besetzt.

Bataillon [batal'jo:n], das; -s, -e: *kleinste militärische Abteilung.*

Batist, der; -[e]s, -e: *ein feines Gewebe [aus Baumwolle].*

Batterie, die; -, -n: *vom Stromnetz unabhängige elektrische Stromquelle:* die B. der Taschenlampe, im Auto ist verbraucht.

Batzen, der; -s, - (ugs.): *unförmiger Klumpen aus einer weichen [klebrigen] Masse:* ein B. Lehm. *** ein B. Geld** *(sehr viel Geld).*

Bau, der; -[e]s, -e oder -ten: **1.** ⟨ohne Plural⟩ *das Bauen:* den B. eines Hauses planen, leiten. **etwas ist/befindet sich im B.** *(etwas wird gebaut):* das Schiff ist, befindet sich im B. **2.** ⟨ohne Plural⟩ *Gliederung, Aufbau, Struktur:* der B. eines Satzes, des menschlichen Körpers. **3. a)** ⟨Plural Bauten⟩ *etwas, was gebaut, errichtet ist; Gebäude:* die neue Bank ist ein solider, zweckmäßiger und gewaltiger B. **b)** ⟨nur in bestimmten Fügungen⟩ *Baustelle:* er ist, arbeitet auf dem B.; er kommt gerade vom B. * (ugs.) **vom B. sein** *(Fachmann sein).* **c)** ⟨Plural Baue⟩ *von bestimmten Säugetieren als Behausung in die Erde gebaute Höhle:* der B. eines Fuchses, Dachses.

Bauch, der; -[e]s, Bäuche: **a)** *unterer Teil des Rumpfes zwischen Zwerchfell und Becken:* den B. einziehen; auf dem B. liegen; bildl.: der B. *(der Hohlraum, das Innere)* des Schiffes. (ugs.) **nichts im B. haben** *(noch nichts gegessen haben und daher hungrig sein).* **b)** *deutlich hervortretende Wölbung am unteren Teil des Rumpfes:* einen B. bekommen, ansetzen, haben; bildl.: der B. einer Vase, Flasche.

bauchig ⟨Adj.⟩: *[in seinem Umfang] eine Wölbung aufweisend:* eine bauchige Vase, Kanne.

Bauchlandung, die; -, -en: *Landung, bei der das Flugzeug nicht auf den dafür vorgesehenen Rädern, sondern direkt mit dem Rumpf aufsetzt.*

bäuchlings ⟨Adverb⟩: *auf dem Bauch:* b. auf der Erde liegen, herumkriechen.

Bauchschmerzen, die ⟨Plural⟩: *Schmerzen im Bauch:* starke B. haben.

bauen, baute, hat gebaut: **1.** ⟨tr.⟩ **a)** *(etwas) nach einem be-*

stimmten Plan ausführen, errichten [lassen]: ein Haus, ein Schiff, eine Straße b.; der Vogel baut sich (Dativ) ein Nest; bildl. (ugs.): sich (Dativ) einen Anzug b. lassen; wir müssen noch unsere Betten b. *(in Ordnung bringen);* ⟨auch itr.⟩: er will demnächst b.; an dieser Kirche wird schon lange gebaut. **b)** *(etwas) entwickeln, konstruieren:* eine Maschine, einen Rennwagen, ein neues Modell b. **c)** (ugs.) *(etwas) machen, verursachen:* sein Examen b.; einen Unfall b. ** **einen Türken b.** *(etwas vortäuschen, vorspiegeln):* vor dem Gericht konnte er keinen Türken b. **2.** ⟨itr.⟩ *sich (auf jmdn./etwas) verlassen, (auf jmdn./etwas) fest vertrauen:* auf ihn, seine Erfahrung kannst du b. **3.** ⟨im 2. Partizip in Verbindung mit *sein*⟩ *in bestimmter Weise gewachsen sein:* gut, athletisch, zart gebaut sein. **4.** ⟨tr.⟩ *(selten) anbauen, anpflanzen:* Kartoffeln, Getreide, Wein b.

Bauer: I. der; -n, -n: **1.** *jmd., der [beruflich] Landwirtschaft betreibt; Landwirt:* der B. arbeitet auf dem Feld. **2.** *Figur im Schachspiel* (siehe Bild). **3.** /eine Spielkarte/ (siehe Bild). **II.** das; -s, -: *Käfig für Vögel* (siehe Bild).

I. 2.

I. 3.

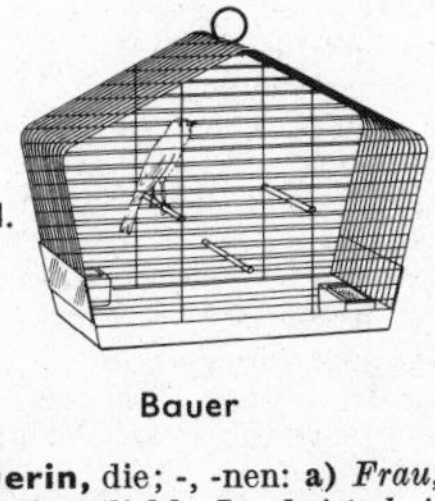

II.

Bauer

Bäuerin, die; -, -nen: **a)** *Frau, die [beruflich] Landwirtschaft betreibt.* **b)** *Frau eines Bauern.*

bäuerlich ⟨Adj.⟩: *den Bauern[hof] betreffend, zum Bauern[hof] gehörend, vom Bauern[hof] stammend; ländlich:* bäuerliche Erzeugnisse; die bäuerliche Bevölkerung.

Bauernfängerei, die; -, -en (abwertend): *plumper [leicht durchschaubarer] Betrug:* B. betreiben; das ist nichts als B.

Bauernfrühstück, das; -s: *Speise aus Bratkartoffeln, Speck und Eiern.*

Bauernhof, der; -s, Bauernhöfe: *Gut, Hof eines Bauern.*

bauernschlau ⟨Adj.⟩: *pfiffig, listig, schlau:* seine bauernschlaue Art gefiel ihr nicht.

Bauersfrau, die; -, -en: *Bäuerin.*

baufällig ⟨Adj.⟩: *vom Einsturz bedroht; nicht mehr stabil:* eine baufällige Hütte.

Bauherr, der; -n, -n: *Person, Instanz, die einen Bau errichten läßt:* B. dieses Heims ist der Staat.

Baukasten, der; -s, Baukästen: *Spielzeug mit kleinen Einzelteilen zum Bauen.*

Baukunst, die; -: *Kunst des Bauens:* ein Denkmal alter römischer B.

Baum, der; -[e]s, Bäume: *großes Gewächs mit einem Stamm aus Holz* (siehe Bild): die Bäume schlagen aus, blühen, lassen ihre Blätter fallen; einen B. fällen.

Baum

Baumeister, der; -s, -: *Sachverständiger mit spezieller Ausbildung, der Pläne für Bauten entwirft und ihren Bau leitet.*

baumeln, baumelte, hat gebaumelt ⟨itr.⟩ (ugs.): *lose hängend hin und her schwingen, schaukeln:* an dem Ast baumelte ein Schild; die Füße b. lassen.

bäumen, sich, bäumte sich, hat sich gebäumt: *sich plötzlich, ruckartig aufrichten:* der Hengst bäumt sich vor Übermut; bildl. (geh.): sie bäumten sich gegen die wachsende Unterdrückung *(widersetzten sich ihr, lehnten sich gegen sie auf).*

Baumschule, die; -, -n: *Gärtnerei, Pflanzung, in der Bäume gezogen werden.*

Baumwolle, die; -: *aus der Pflanze gleichen Namens gewonnenes Garn, Gewebe:* ein Kleid aus B.

bäurisch ⟨Adj.⟩ (abwertend): *nicht fein, plump:* sein bäurisches Benehmen fiel unangenehm auf.

Bausch: ⟨in der Fügung⟩ in B. und Bogen: *im ganzen, insgesamt, ohne das einzelne zu berücksichtigen; alles in allem.*

bauschen, bauschte, hat gebauscht: **1.** ⟨tr.⟩ *(etwas) schwellend auseinanderfalten, wölben:* der Wind bauscht die Segel. **2.** ⟨rfl.⟩ *sich wölben, gebläht werden, anschwellen:* die Vorhänge bauschen sich im Wind.

Baustein, der; -[e]s, -e: **1. a)** *Stein zum Bauen:* Bausteine transportieren. **b)** *kleines Klötzchen aus Holz, Plastik o. ä., mit dem kleine Kinder spielen:* mit Bausteinen spielen. **2.** *etwas, worauf man aufbauen kann, worauf etwas sich aufbaut; kleiner, aber wichtiger Beitrag:* ein wertvoller B. für die weitere Entwicklung sein, darstellen.

Baustelle, die; -, -n: *Stelle, an der gebaut wird.*

Baustil, der; -s, -e: *Stil eines Bauwerks:* der gotische, romanische B.

Bauwerk, das; -[e]s, -e: *größeres, meist eindrucksvolles Gebäude:* ein mächtiges, historisches B.

Bazillus, der; -, Bazillen; *Krankheitserreger, Bakterie.*

beabsichtigen, beabsichtigte, hat beabsichtigt ⟨tr.⟩: *(tun, ausführen) wollen; die Absicht haben:* er beabsichtigt, in nächster Zeit den Wohnort zu wechseln; das war nicht beabsichtigt.

beachten, beachtete, hat beachtet ⟨tr.⟩: *(auf jmdn. /etwas) achten; (jmdm./ einer Sache) Aufmerksamkeit schenken:* er beachtete ihn, seine Ratschläge überhaupt nicht.

beachtlich ⟨Adj.⟩: **a)** *ziemlich wichtig, bedeutsam, groß; Achtung, Anerkennung verdienend:* beachtliche Fortschritte, Summen. **b)** ⟨verstärkend bei Adjektiven und Verben⟩ *sehr, ziemlich:* der Baum ist b. groß; sein Guthaben auf der Bank ist im vergangenen Jahr b. angewachsen.

Beachtung, die; -: *das Beachten:* die B. der Verkehrszeichen. * (geh.) **jmdm./ einer Sache B. schenken** *(jmdm./etwas beachten);* **etwas verdient B.** *(etwas ist so interessant oder wichtig, daß man sich damit beschäftigen o. ä. sollte):* dieser Aufsatz verdient B.

Beamte, der; -n, -n ⟨aber: [ein] Beamter, Plural: Beamte⟩: *jmd., der [vom Staat] auf Lebenszeit angestellt ist und Pension erhält:* ein höherer, mittlerer Beamter; mehrere Beamte ernennen, pensionieren. **Beamtin,** die; -, -nen.

beängstigend ⟨Adj.⟩: *Angst hervorrufend, einflößend:* ein beängstigender Anblick; der Zustand des Kranken ist b.

beanspruchen, beanspruchte, hat beansprucht ⟨tr.⟩: **a)** *Anspruch erheben (auf etwas):* das gleiche Recht b.; er will ihre Hilfe weiter b. *(in Anspruch nehmen).* **b)** *[jmds. Kräfte] erfordern, nötig haben:* die Arbeit beansprucht ihn ganz; die Maschine wurde zu stark beansprucht *(belastet).* **Beanspruchung,** die; -, -en.

beanstanden, beanstandete, hat beanstandet ⟨tr.⟩: *Anstoß nehmen an, bemängeln:* er beanstandete die Qualität der gelieferten Ware. **Beanstandung,** die; -, -en.

beantragen, beantragte, hat beantragt ⟨tr.⟩: *durch Antrag verlangen:* ein Stipendium, die Bestrafung des Schuldigen b.

beantworten, beantwortete, hat beantwortet ⟨tr.⟩: *(auf etwas) antworten:* eine Frage, einen Brief ausführlich, kurz b. **Beantwortung,** die; -, -en.

bearbeiten, bearbeitete, hat bearbeitet ⟨tr.⟩: **1.** *in bestimmter Weise behandeln; an etwas arbeiten:* die Erde [mit dem Pflug], einen Stein [mit Hammer und Meißel] b.; ein Thema b.; ein Hörspiel für die Bühne b. **2.** (ugs.) *hartnäckig zu überzeugen suchen, bedrängen:* sie bearbeitete ihn so lange, bis er ihr einen Pelzmantel kaufte. **Bearbeitung,** die; -, -en.

beargwöhnen, beargwöhnte, hat beargwöhnt ⟨tr.⟩: *(gegen jmdn./etwas) Argwohn haben; verdächtigen, (jmdm.) mißtrauen:* er beargwöhnte den Fremden.

Beat [bi:t], der; -s: *moderne [Tanz]musik mit starkem Rhythmus und betontem Takt.*

Beatle ['bi:təl], der; -s, -s: *Jugendlicher mit langen, meist bis zur Schulter reichenden Haaren:* er läuft als B. herum.

beaufsichtigen, beaufsichtigte, hat beaufsichtigt ⟨tr.⟩: *überwachen, Aufsicht führen (über jmdm./etwas):* die Kinder, eine Klasse, die Arbeit b. **Beaufsichtigung,** die; -, -en.

beauftragen, beauftragte, hat beauftragt ⟨tr.⟩: *(jmdm.) einen Auftrag geben; (jmdm.) auftragen, etwas zu tun:* jmdn. [dienstlich] mit einer Arbeit b.

bebauen, bebaute, hat bebaut ⟨tr.⟩: **1.** *Gebäude, Häuser (auf einem Gelände) bauen:* Grundstücke, ein Gebiet [neu] b. **2.** *(Land) bearbeiten, bepflanzen:* die Felder, Äcker b.

beben, bebte, hat gebebt ⟨itr.⟩: *[heftig] zittern:* die Erde, das Haus bebte; (geh.) sie bebte vor Angst, Kälte.

bebildern, bebilderte, hat bebildert ⟨tr.⟩: *mit Bildern versehen:* ein Kinderbuch b.; ⟨häufig im 2. Partizip⟩ bunt bebilderte Zeitschriften. **Bebilderung,** die; -, -en.

Becher

Becher, der; -s, -: *Trinkgefäß [ohne Henkel und ohne Fuß]* (siehe Bild): einen B. Milch trinken.

bechern, becherte, hat gebechert ⟨itr.⟩ (ugs.; scherzh.): *ausgiebig trinken, zechen:* sie becherten bis in den frühen Morgen hinein.

becircen [bəˈtsɪrtsən], becircte, hat becirct ⟨tr.⟩ (ugs.): *betören, umgarnen / von jüngeren weiblichen Personen/:* sie becircte ihren Chef.

Becken, das; -s, -: **1. a)** *rundes oder ovales flaches Gefäß; Schüssel* (siehe Bild): neben dem Krankenbett stand ein B. mit Wasser. **b)** *großer künstlich gefertigter Behälter für Wasser; Bassin:* das B. des Springbrunnens; das Schwimmbad hat mehrere B. **2.** *aus Knochen gebildeter Ring, der den unteren Teil des Rumpfes mit den Beinen verbindet.* **3.** *Schlaginstrument* (siehe Bild).

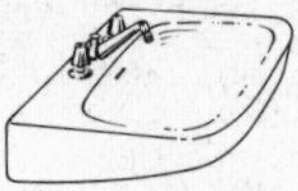

1. a)

3.

Becken

Beckmesserei, die; -: *kleinliche Kritik.*

Bedacht: ⟨in den Fügungen⟩ mit, voll, ohne Bedacht: *mit, ohne Sorgfalt, Umsicht:* etwas mit, voll B. auswählen; er sagte es ohne B. *(ohne die Folgen zu bedenken).*

bedächtig ⟨Adj.⟩: *langsam [und sorgfältig]:* b. prüfte er die Papiere.

bedachtsam ⟨Adj.⟩: *langsam und mit Bedacht:* sich b. über etwas äußern; er überstürzt nichts, bei allen Unternehmungen ist er sehr b.

bedanken, sich; bedankte sich, hat sich bedankt: *(jmdm.) danken, seinen Dank aussprechen:* sich herzlich bei jmdm. b.; er bedankte sich für die Einladung.

Bedarf, der; -s: *das Verlangen, Nachfrage nach etwas, was gebraucht wird; Bedürfnis:* es besteht B. an Lebensmitteln; mein B. ist gedeckt *(ich habe genug).*

Bedarfsfall: ⟨in den Fügungen⟩ im/für den B.: *im Falle, für den Fall, daß Bedarf an etwas besteht.*

bedauerlich ⟨Adj; nicht adverbial⟩: *nicht erfreulich; zu bedauern:* ein bedauerlicher Vorfall, Irrtum; das ist sehr b.

bedauerlicherweise ⟨Adverb⟩: *zu jmds. Bedauern, leider:* b. konnten wir ihn nicht mehr sehen.

bedauern, bedauerte, hat bedauert ⟨tr.⟩: **a)** *(mit jmdm.) Mitgefühl empfinden; (jmdm. gegenüber) sein Mitgefühl äußern:*

er bedauerte sie wegen ihres Mißerfolgs; er ist zu b. **b)** *ausdrücken, daß einem etwas leid tut:* er bedauerte den Vorfall sehr, aufrichtig, von Herzen; ich bedauere, daß ich ihn nicht mehr gesehen habe.

Bedauern, das; -s: **a)** *mitfühlende Anteilnahme; Mitleid, Mitgefühl:* jmdm. sein B. ausdrücken. **b)** *das Leidtun, leichte Reue:* mit einem [leichten] B., die Sache nicht selbst in die Hand genommen zu haben.

bedauernswert ⟨Adj.⟩: *Mitleid erregend:* sie ist ein bedauernswerter Mensch.

bedecken, bedeckte, hat bedeckt ⟨tr.⟩: *zudecken, verhüllen:* sie bedeckte das Kind mit ihrem Mantel; ⟨im 2. Partizip⟩ der Himmel ist bedeckt *(bewölkt);* der Boden war mit herumliegendem Papier bedeckt *(überall auf dem Boden lag Papier).*

bedenken, bedachte, hat bedacht: **1. a)** ⟨tr.⟩ *überlegen, in Betracht ziehen, beachten:* das hatte er nicht bedacht; jmdm. etwas zu b. geben. **b)** ⟨rfl.⟩ *sich besinnen, mit sich zu Rate gehen:* er bedachte sich nicht lange und nahm ein Stück Kuchen. **2.** ⟨tr.⟩ *(jmdm. etwas) schenken:* jmdn. mit einem Buch b. ** **auf etwas bedacht sein** *(sorgfältig auf etwas achten, an etwas denken):* sie war stets auf ihr Äußeres, ihren guten Ruf bedacht.

Bedenken, das; -s, -: *Zweifel, Befürchtung:* seine B. äußern; ein B. gegen etwas vorbringen. **jmds. B. teilen** *([ebenso] wie der andere etwas befürchten):* ich teilte seine B. nicht.

bedenklich ⟨Adj.⟩: *Besorgnis, Zweifel, Mißtrauen erregend:* in einer bedenklichen Lage sein; er wiegte b. *(zweifelnd)* den Kopf.

Bedenkzeit, die; -: *Zeit, die jmd. hat, etwas zu überlegen, zu entscheiden:* zwei Tage B. haben; um B. bitten.

bedeuten, bedeutete, hat bedeutet /vgl. bedeutend/: **1.** ⟨itr.⟩ *einen bestimmten Sinn haben:* ich weiß nicht, was dieses Wort b. soll; er wußte, was es bedeutet *(heißt),* kein Geld zu haben. **2.** ⟨itr.⟩ *wichtig sein, einen bestimmten Wert haben (für jmdn.):* er/dieses Bild bedeutet mir viel, nichts. **3.** ⟨tr.⟩ (geh.) *zu verstehen geben:* man bedeutete ihm, er könne jetzt hereinkommen.

bedeutend ⟨Adj.⟩: **a)** *wichtig, groß, wertvoll; Anerkennung verdienend:* ein bedeutendes Werk, Ereignis, Vermögen; der Mann ist nicht sehr b. **b)** ⟨verstärkend bei Verben und vor dem Komparativ⟩ *sehr, viel:* seine Schmerzen haben b. zugenommen; der neue Turm ist b. höher als der alte.

bedeutsam ⟨Adj.⟩: *wichtig für etwas, besondere Bedeutung für etwas habend:* eine bedeutsame Entdeckung; sie lächelte ihm b. *(vielsagend)* zu. **Bedeutsamkeit,** die; -.

Bedeutung, die; -, -en: **1.** *das durch ein Zeichen, ein Wort o. ä. hervorgerufene Wissen eines Zusammenhangs; Sinn, Inhalt:* das Wort hat mehrere Bedeutungen; die eigentliche B. der Geschichte hatten sie nicht verstanden. **2.** ⟨ohne Plural⟩ *Wichtigkeit, Wert:* etwas hat große, besondere, politische, keine B.; das ist nicht von B. *(nicht wichtig).*

bedeutungsvoll ⟨Adj.⟩: *voll Bedeutung, wichtig:* ein bedeutungsvoller Tag; jmdn. b. ansehen.

bedienen, bediente, hat bedient: **1. a)** ⟨tr.⟩ *(für jmdn.) Dienste leisten:* seine Gäste, die Kunden b.; (ugs.) ich bin bedient *(ich habe genug, mir reicht es)*!; ⟨auch itr.⟩ welcher Kellner bedient *(serviert)* hier? **b)** ⟨rfl.⟩ *zugreifen, (sich) nehmen:* bitte, b. Sie sich *(höfliche Aufforderung).* **2.** ⟨tr.⟩ *in Gang setzen, handhaben:* eine Maschine, den Fahrstuhl b. **3.** ⟨rfl.; mit Gen.⟩ (geh.) *(etwas) benutzen, Gebrauch machen (von etwas):* er bediente sich eines Vergleichs. **4.** ⟨tr./itr.⟩ Kartenspiel *eine Karte der bereits ausgespielten Farbe spielen:* du mußt Herz b.; er hat nicht bedient.

Bedienstete, der; -n,- n ⟨aber: [ein] Bediensteter, Plural: Bedienstete⟩: *jmdm., der im öffentlichen Dienst beschäftigt ist.*

Bedienung, die; -, -en: **1.** ⟨ohne Plural⟩ *das Bedienen:* die B. erfolgte prompt; die B. einer Maschine. **2.** *jmd., der bedient:* die B. ließ lange auf sich warten.

Bedienungsgeld, das; -[e]s, -er: *Aufschlag für die Bedienung in einem Restaurant o. ä.*

bedingen, bedingte, hat bedingt /vgl. bedingt/: **1.** ⟨tr.⟩ *verursachen, zur Folge haben:* ihre abweisende Art bedingte sein Verhalten; ⟨häufig im 2. Partizip⟩ die schlechte Ernte ist durch das ungünstige Wetter bedingt *(wurde durch das ungünstige Wetter hervorgerufen).* **2.** ⟨itr.⟩ *erfordern, voraussetzen:* die Aufgabe bedingt Fleiß und Können.

bedingt ⟨Adj.; nicht prädikativ⟩ *unter bestimmten Voraussetzungen geltend:* eine bedingte Anerkennung, Zusage; etwas ist nur b. richtig; ein bedingter *(durch Dressur oder Gewohnheit entstandener)* Reflex.

Bedingtheit, die; -, -en (geh.): **1.** *Gebundenheit, Begrenztheit, Abhängigkeit (von etwas):* sich der B. des eigenen Standortes bewußt sein. **2.** *Voraussetzung:* die klimatische B. für etwas.

Bedingung, die; -, -en: *Voraussetzung, Forderung:* der Vertrag enthält einige ungünstige Bedingungen; eine B. stellen.

bedingungslos ⟨Adj.: nicht prädikativ⟩; *ohne Einschränkung, unbedingt:* bedingungsloses Vertrauen; b. gehorchen.

bedrängen, bedrängte, hat bedrängt ⟨tr.⟩: *hartnäckig (zu einem bestimmten Handeln) zu bewegen suchen, keine Ruhe lassen:* jmdn. mit Forderungen, Fragen b.; Gedanken, Sorgen bedrängen jmdn.

Bedrängnis, die; -, -se (geh.): *Not[lage], Ausweglosigkeit:* jmdn. in große B. bringen; in B. sein.

bedrohen, bedrohte, hat bedroht ⟨tr.⟩: **a)** *(jmdm.) mit Anwendung von Gewalt drohen:* er bedrohte ihn mit dem Messer. **b)** *gefährlich sein (für etwas):* eine Seuche, das Hochwasser bedroht die Stadt.

bedrohlich ⟨Adj.⟩: *gefährlich; Unheil, Gefahr verratend:* eine bedrohliche Situation; die Wolken sehen b. aus, sind b. nahe.

Bedrohung, die; -, -en: *das Bedrohen:* die B. der Demokratie durch radikale Minderheiten von rechts und links.

bedrucken, bedruckte, hat bedruckt ⟨tr.⟩: *(mit einem bestimmten Druck) versehen:* einen Stoff mit roten Mustern b.; ⟨häufig im 2. Partizip⟩ ein bunt bedrucktes Plakat.

bedrücken, bedrückte, hat bedrückt ⟨tr.⟩ /vgl. bedrückend und bedrückt/: *(auf jmdm.) lasten:* Sorgen bedrücken ihn.

bedrückend ⟨Adj.⟩: *traurig, niedergeschlagen machend; deprimierend:* eine bedrückende Stille.

bedrückt ⟨Adj.⟩: *niedergeschlagen, deprimiert:* er saß b. in einer Ecke.

bedürfen, bedarf, bedurfte, hat bedurft ⟨itr.; mit Gen.⟩ (geh.): *(etwas) nötig haben, brauchen:* er bedurfte seines Rates nicht; das bedarf einer Erklärung.

Bedürfnis, das; -ses, -se: *Gefühl, jmds./einer Sache zu bedürfen; Verlangen:* ein großes, dringendes B. nach Ruhe fühlen.

bedürfnislos ⟨Adj.⟩: *ohne besondere Bedürfnisse oder Ansprüche; genügsam:* b. sein, leben.

bedürftig ⟨Adj.⟩: *Mangel leidend, arm:* einer bedürftigen Familie helfen; er ist nicht b. *(geh.) **einer Sache b. sein** *(etwas brauchen).*

Beefsteak ['bi:fste:k], das; -s, -s: *kurz gebratene Scheibe Rindfleisch.* * **deutsches B.** *(gebratenes Klößchen aus Hackfleisch).*

beehren, beehrte, hat beehrt (geh.): **1.** ⟨tr.⟩ **a)** *(jmdm.) eine Ehre erweisen, auszeichnen:* der Minister beehrte die Versammlung mit seiner Anwesenheit. **b)** *besuchen:* wann b. Sie uns wieder? **2.** ⟨rfl.⟩ *sich erlauben, sich die Ehre geben* /gewöhnlich formelhaft in Anzeigen, Briefen o. ä./: wir beehren uns, unseren Kunden mitzuteilen ...

beeiden, beeidete, hat beeidet ⟨tr.⟩: *beschwören, (auf etwas) einen Eid leisten:* eine Aussage [vor Gericht] b.

beeilen, sich; beeilte sich, hat sich beeilt: *schnell machen:* er muß sich [mit seiner Arbeit] sehr b.; sie beeilte sich *(zögerte nicht),* ihre Zustimmung zu geben.

beeindrucken, beeindruckte, hat beeindruckt ⟨tr.⟩: *starken Eindruck machen, nachhaltige Wirkung haben (auf jmdn.):* das Gemälde, die Aufführung beeindruckte ihn; ⟨häufig im 2. Partizip⟩ sie war tief beeindruckt von ihm.

beeinflussen, beeinflußte, hat beeinflußt ⟨tr.⟩: *(auf jmdn.) Einfluß ausüben:* jmdn. [in seinem Denken] stark, maßgeblich b.; ⟨häufig im 2. Partizip⟩ sein Werk ist von der Romantik beeinflußt.

beeinträchtigen, beeinträchtigte, hat beeinträchtigt ⟨tr.⟩: *(auf jmdn./etwas) behindernd, hemmend einwirken:* jmdn. in seiner Freiheit sehr b.; der Lärm beeinträchtigte ihren Schlaf.

Beelzebub: ⟨in der Wendung⟩ den Teufel mit B. austreiben: *ein Übel durch ein anderes, schlimmeres beseitigen, bekämpfen.*

beenden, beendete, hat beendet ⟨tr.⟩: *enden lassen, zum Abschluß bringen* /Ggs. anfangen, beginnen/: ein Gespräch, die Arbeit b.; der Unfall beendete ihre Karriere.

beendigen, beendigte, hat beendigt ⟨tr.⟩: *beenden.* **Beendigung,** die; -.

beengen, beengte, hat beengt ⟨tr.⟩: *(bei jmdm.) einen Zustand, ein Gefühl der Enge bewirken; einengen:* der Kragen beengte seinen Hals; die niedrige Decke beengte sie.

Beengtheit, die; -: *Zustand des Beengtseins; Enge:* er leidet unter der B. seines Wirkungsbereiches.

beerben, beerbte, hat beerbt ⟨tr.⟩: *etwas erben (von jmdm.), jmds. Erbe sein:* seinen Onkel b.

beerdigen, beerdigte, hat beerdigt ⟨tr.⟩: *begraben:* den Toten, Verstorbenen b.

Beerdigung, die; -, -en: *Begräbnis:* zur B. gehen.

Beere, die; -, -n: *kleine, runde oder ovale Frucht mit mehreren Samenkernen* (siehe Bild): Beeren pflücken, sammeln.

Beere

Beet, das; -[e]s, -e: *kleineres abgegrenztes [bepflanztes] Stück Land in einem Garten, einer Anlage o. ä.:* ein langes, rundes B.; Beete anlegen.

befähigen, befähigte, hat befähigt ⟨tr.⟩: *die Voraussetzung, Grundlage (zu etwas) schaffen; in die Lage versetzen (etwas zu tun):* Fleiß und Verstand befähigen ihn zu großen Leistungen; ⟨häufig im 2. Partizip⟩ ein befähigter *(begabter)* Lehrer.

Befähigung, die; -: *das Befähigtsein:* er hat eine besondere, die beste B. zu diesem Beruf.

befahrbar ⟨Adj.⟩: *zum Befahren geeignet:* ein befahrbarer Weg.

befahren, befährt, befuhr, hat befahren ⟨tr.⟩: **1.** *fahren (auf etwas); mit einem Fahrzeug benutzen:* eine Straße [mit dem Auto], einen Fluß mit dem Schiff b. **2.** *im Fahren (mit etwas) bestreuen:* einen Weg mit Sand b.

Befall, der; -[e]s: *das Befallenwerden, -sein von Krankheiten oder Schädlingen* /bes. bei Pflanzen/: etwas gegen den B. von Bohnen mit Blattläusen unternehmen.

befallen, befällt, befiel, hat befallen ⟨tr.⟩: *plötzlich erfassen, ergreifen:* eine Krankheit, Angst, Traurigkeit befällt jmdn.; die Bäume sind von Ungeziefer befallen.

befangen ⟨Adj.⟩: **1.** *in Verlegenheit, Verwirrung gebracht und daher gehemmt; schüchtern:* jmdn. b. ansehen, machen. **2.** *voreingenommen, parteiisch, nicht objektiv:* er kann es nicht entscheiden, weil er b. ist; einen Richter als b. ablehnen. **Befangenheit,** die; -.

befassen, befaßte, hat befaßt: **1.** ⟨rfl.⟩ *sich (mit jmdm./etwas) auseinandersetzen, beschäftigen:* sich mit jmdm., mit einem Problem, einer Frage b. **2.** ⟨tr.⟩ *(jmdn.) veranlassen, sich (mit einer Sache) auseinanderzusetzen, zu beschäftigen:* einen Beamten mit einer besonderen Aufgabe b.

befehden, befehdete, hat befehdet ⟨tr.⟩ (geh.): *bekämpfen:* sie, ihre Pläne wurden heftig befehdet.

Befehl, der; -[e]s, -e: *Auftrag, Anordnung eines Vorgesetzten:* ein strenger, geheimer B.; einen B. geben, befolgen; den B. *(die Leitung, das Kommando)* übernehmen.

befehlen, befiehlt, befahl, hat befohlen ⟨tr.⟩: **1.** *den Befehl,*

Auftrag geben (etwas zu tun): er befahl mir, mit ihm zu kommen. **2.** *(an einen bestimmten Ort) kommen lassen, beordern:* er wurde zu seinem Vorgesetzten, dorthin befohlen. **3.** (geh.) *unter jmds. Schutz stellen, anvertrauen:* sie befahl Haus und Garten dem Schutz des Bruders.

befehligen, befehligte, hat befehligt ⟨tr.⟩: *über jmdm./etwas den Befehl haben:* eine Armee b.

Befehlshaber, der; -s; -: *Führer einer größeren militärischen Truppe.*

Befehlsnotstand, der; -[e]s, Befehlsnotstände: *Lage, in der man gezwungen ist, Befehle auszuführen, die man moralisch nicht vertreten kann.*

Befehlsverweigerung, die; -, -en: *Weigerung [eines Soldaten], einen Befehl auszuführen.*

befestigen, befestigte, hat befestigt ⟨tr.⟩: **1.** *(an etwas) festmachen:* ein Schild an der Tür b. **2.** *widerstandsfähig, tragfähig machen:* eine Straße, den Damm b. **3.** *zur Verteidigung ausbauen, sichern:* die Stadt, Grenze b. **Befestigung,** die; -,-en.

befeuchten, befeuchtete, hat befeuchtet ⟨tr.⟩: *ein wenig naß, feucht machen:* die Lippen, eine Briefmarke b.

befeuern, befeuerte, hat befeuert ⟨tr.⟩: **1. a)** *mit Brennstoff versorgen:* eine Heizung mit Kohlen, Öl b. **b)** (geh.) *anspornen, anfeuern:* einen Sportler durch laute Zurufe b. **2.** *(für die Schiffahrt wichtige Punkte) an Land oder auf dem Wasser durch Leuchtfeuer kenntlich machen:* die flachen Stellen des Fahrwassers b.

befinden, befand, hat befunden: **1.** ⟨rfl.⟩ **a)** *(an einem bestimmten Ort) sein, sich aufhalten:* sich in einem Raum, auf der Straße b. **b)** *sein:* sich in einer unangenehmen Lage, in schlechtem Zustand, im Irrtum b.; wie befindet *(fühlt)* sich der Patient? **2.** (geh.) **a)** ⟨tr.⟩ *halten, erachten (für etwas); entscheiden:* etwas für richtig, als gut b.; er befand, man solle jetzt gehen. **b)** ⟨itr.⟩ *(über jmdn./etwas) urteilen, bestimmen:* über ihn, über sein Schicksal befindet jetzt ein anderer.

Befinden, das; -s: *gesundheitlicher Zustand:* wie ist sein B.?

befindlich ⟨Adj.; nur attributiv⟩: *sich befindend, vorhanden:* die im Keller befindliche Pumpe.

beflaggen, beflaggte, hat beflaggt ⟨tr.⟩: *mit Fahnen, Flaggen versehen, schmücken:* das Schiff b.; ⟨häufig im 2. Part.⟩ ein festlich beflaggter Ort.

beflecken, befleckte, hat befleckt ⟨tr.⟩ (geh.): *beschmutzen:* seine Kleidung ist mit Blut befleckt; bildl.: die Ehre, die Seele b.

befleißigen, sich; befleißigte sich, hat sich befleißigt ⟨mit Gen.⟩ (geh.): *sich eifrig (um etwas) bemühen:* sich großer Höflichkeit, Zurückhaltung b.

beflissen ⟨Adj.⟩ (geh.): *sehr eifrig, [in untertäniger Weise] um etwas bemüht:* beflissene Höflichkeit; b. auf etwas eingehen. **Beflissenheit,** die; -.

beflügeln, beflügelte, hat beflügelt ⟨tr.⟩ (geh.): *schneller, beschwingter machen; anregen:* die Freude beflügelt seine Schritte; das Lob beflügelt ihn.

befolgen, befolgte, hat befolgt ⟨tr.⟩: *handeln, sich richten (nach etwas):* einen Rat, Befehl, eine Vorschrift b.

befördern, beförderte, hat befördert ⟨tr.⟩: **1.** *von einem Ort an einen andern bringen:* Reisende in Omnibussen, Pakete mit der Bahn b. **2.** *in eine höhere Stellung aufrücken lassen:* er wurde [zum Direktor] befördert. **Beförderung,** die; -, -en.

befragen, befragte, hat befragt: **a)** ⟨tr.⟩ *nach etwas fragen; Fragen richten (an jmdn.):* jmdn. genau b.; den Arzt b. **b)** ⟨rfl.⟩ *sich erkundigen, Auskünfte holen (bei jmdm.):* sich bei seinem Anwalt b. **Befragung,** die; -, -en.

befreien, befreite, hat befreit ⟨tr.⟩: **a)** *frei machen, die Freiheit geben:* einen Gefangenen b.; ⟨auch rfl.⟩ er hat sich befreit. **b)** *(etwas Störendes, Unangenehmes) entfernen:* die Schuhe von Schmutz b.; er hat ihn von seiner Krankheit befreit *(ihn geheilt).* **c)** *(von etwas) freistellen, entbinden:* einen Schüler vom Unterricht b. **Befreiung,** die; -, -en.

befremden, befremdete, hat befremdet ⟨tr.⟩: *eigenartig anmuten, in Erstaunen setzen:* sein Verhalten befremdete ihn; ⟨häufig im 1. und 2. Partizip⟩ ein äußerst befremdendes Verhalten; er sah ihn befremdet an.

Befremden, das; -s: *das Befremdetsein:* sein B. über etwas ausdrücken; etwas mit B. feststellen.

befreunden, sich; befreundete sich, hat sich befreundet: **1.** *Freundschaft schließen (mit jmdm.):* die beiden Kinder haben sich schnell [miteinander] befreundet. **2.** *sich (an etwas) gewöhnen:* sich mit einem Gedanken, der neuen Mode [nur langsam] b.

befriedigen, befriedigte, hat befriedigt ⟨tr.⟩: *zufriedenstellen, (jmds. Verlangen, Erwartung) erfüllen:* jmds. Wünsche, Forderungen b.; die Arbeit befriedigte ihn nicht; ⟨häufig im 1. Partizip⟩ eine befriedigende Lösung. **Befriedigung,** die; -.

befristen, befristete, hat befristet ⟨tr.⟩: *(auf eine bestimmte Zeit) beschränken:* die Bestimmungen befristen seine Tätigkeit auf zwei Jahre.

befruchten, befruchtete, hat befruchtet ⟨tr.⟩: **1.** *die Befruchtung vollziehen:* Insekten befruchten die Blüten. **2.** *wertvolle, wesentliche Anregungen geben; fruchtbar sein (für etwas):* seine Ideen befruchteten die gesamte Forschung.

Befruchtung, die; -, -en: *Vereinigung von männlicher und weiblicher Keimzelle:* künstliche B.

Befugnis, die; -, -se: *Berechtigung, Erlaubnis:* er hatte dazu keine B.

befugt ⟨in der Verbindung⟩ b. sein zu etwas: *berechtigt, ermächtigt sein zu etwas:* er ist [nicht] b., dies zu tun.

befühlen, befühlte, hat befühlt ⟨tr.⟩: *prüfend betasten:* sie befühlte den weichen Stoff.

Befund, der; -[e]s, -e: *nach Unteruschung festgestelltes Ergebnis:* ein ärztlicher B.; Med. ohne Befund /Abk. o. B./ *(ohne erkennbare Krankheit).*

befürchten, befürchtete, hat befürchtet ⟨tr.⟩: *(Unangenehmes) fürchten, ahnen:* das Schlimmste b. **Befürchtung,** die; -, -en.

befürworten, befürwortete, hat befürwortet ⟨tr.⟩: *durch Empfehlung unterstützen, sich einsetzen (für etwas):* einen Antrag b. **Befürwortung,** die; -, -en.

begabt ⟨Adj.⟩: *mit besonderen Anlagen, Fähigkeiten ausgestattet:* ein [vielseitig, mäßig] begabter Schüler; er ist künstlerisch b.

Begabung, die; -, -en: *natürliche Anlage, angeborene Befähigung zu bestimmten Leistungen:* eine künstlerische, bemerkenswerte, große B. für/zu etwas haben.

begaffen, begaffte, hat begafft (ugs.; abwertend) ⟨tr.⟩: *unverhohlen, in aufdringlicher Weise anstarren:* die Menge begaffte den Fremden.

begatten, begattete, hat begattet: **a)** ⟨rfl.⟩ *sich paaren.* **b)** ⟨tr.⟩ *die Paarung (mit jmdm). vollziehen.* **Begattung,** die; -, -en.

begeben, sich; begibt sich, begab sich, hat sich begeben (geh.): **1.** *gehen:* sich an seinen Platz, nach Hause b.; sich auf eine Reise, in ärztliche Behandlung b. **2.** *sich ereignen, zutragen:* er erzählte, was sich begeben hatte. **3.** ⟨mit Gen.⟩ *verzichten (auf etwas), sich bringen (um etwas):* sich eines Anspruchs, eines Vorteils b.

Begebenheit, die; -, -en (geh.): *Ereignis:* eine seltsame, heitere, wahre B. erzählen.

begegnen, begegnete, ist begegnet ⟨itr.⟩: **1. a)** *zufällig zusammentreffen (mit jmdm.):* jmdm. auf der Straße b. **b)** *stoßen (auf etwas), antreffen:* sie begegneten überall großer Zurückhaltung. **2.** (geh.) *widerfahren, zustoßen:* hoffentlich begegnet ihnen nichts Schlimmes, Böses. **3.** (geh.) *(jmdn. in bestimmter Weise) behandeln:* jmdm. höflich, mit Spott b. **4.** (geh.) *entgegentreten, Maßnahmen treffen (gegen etwas):* den Schwierigkeiten, einer Gefahr, einem Angriff [mit Klugheit, Umsicht] b. **Begegnung,** die; -, -en.

begehen, beging, hat begangen ⟨tr.⟩: **1.** *gehen (auf etwas), als Fußgänger benutzen:* den neuen Weg kann man schon b. **2.** *(Schlechtes) ausführen; verüben:* einen Fehler, ein Verbrechen b. **3.** (geh.) *feiern; festlich, feierlich gestalten:* ein Fest, jmds. Geburtstag b.

begehren, begehrte, hat begehrt ⟨tr.⟩ (geh.): **a)** *großes Verlangen haben (nach jmdm.):* er begehrte sie zur Frau *(wollte sie heiraten).* **b)** *bittend fordern:* er begehrte, sie zu sprechen; er begehrte Einlaß *(wollte hinein).*

begehrlich ⟨Adj.⟩: *starkes Verlangen zeigend:* begehrliche Blicke.

begeifern, begeiferte, hat begeifert ⟨tr.⟩ (geh.): **a)** *mit Speichel beschmutzen:* der Hund hat meine Hand begeifert. **b)** *in gehässiger Weise beschimpfen, schmähen:* die Alte begeiferte ihren kranken Bruder.

begeistern, begeisterte, hat begeistert: **1.** ⟨tr.⟩ *in freudige Erregung versetzen, hinreißen:* er, seine Rede begeisterte alle; jmdn. für eine Sache, zu einer Tat b.; ⟨auch im 2. Partizip⟩ sie waren alle von ihm begeistert; ein begeisterter Anhänger des Marxismus. **2.** ⟨rfl.⟩ *(durch etwas) in freudige Erregung geraten; ganz erfüllt sein (von etwas):* sie begeisterten sich an der Schönheit der Landschaft.

Begeisterung, die; -: *freudige Erregung; Enthusiasmus:* große, jugendliche B.; etwas mit B. tun. * **in B. geraten** *(begeistert sein).*

Begierde, die; -, -n: *auf Genuß, Befriedigung, Besitz gerichtetes leidenschaftliches Verlangen:* wilde, ungezügelte Begierden.

begierig ⟨Adj.⟩: *von großem Verlangen erfüllt:* etwas mit begierigen Blicken ansehen; sie war b., dies zu erfahren.

begießen, begoß, hat begossen ⟨tr.⟩: *Flüssigkeit (auf etwas) gießen:* die Blumen b.; bildl. (ugs.): das müssen wir b. *(darauf müssen wir trinken).*

Beginn, der; -s: *Anfang* /Ggs. [Ab]schluß/: bei, nach, vor B. der Vorstellung.

beginnen, begann, hat begonnen: **1.** ⟨tr.⟩ *anfangen*: eine Arbeit, ein Gespräch b.; zu sprechen b. **2.** ⟨itr.⟩ *seinen Anfang nehmen, anfangen* /im Zeitlichen oder Räumlichen/: ein neues Jahr hat begonnen; der Wald beginnt hinter dem Haus. **3.** ⟨tr.⟩ *in Angriff nehmen:* eine Sache richtig b.

beglaubigen, beglaubigte, hat beglaubigt ⟨tr.⟩: *amtlich als wahr bescheinigen:* die Abschrift eines Zeugnisses b. [lassen].

begleichen, beglich, hat beglichen ⟨tr.⟩ (geh.): *bezahlen:* eine Rechnung b.

begleiten, begleitete, hat begleitet ⟨tr.⟩: **1.** *(mit jmdm.) mitgehen; (jmdn. an einen bestimmten Ort) bringen:* jmdn. nach Hause b. **2.** *zu einem Solo auf einem oder mehreren Instrumenten spielen:* einen Sänger auf dem Klavier b.; ⟨auch itr.⟩ er begleitete gut.

Begleiterscheinung, die; -, -en: *Erscheinung, die sich im engen Zusammenhang mit etwas, als Folge von etwas einstellt:* die unerwünschten Begleiterscheinungen in Kauf nehmen müssen.

Begleitumstand, der; -[e]s, Begleitumstände: *Begleiterscheinung.*

Begleitung, die; -: **1.** *das Mitgehen:* er bot mir seine B. an; in B. von ... **2.** *das Begleiten auf einem Musikinstrument:* Herr X kann die B. des Sängers übernehmen. **3.** *begleitende Person[en]:* die B. des Ministers lachte.

beglücken, beglückte, hat beglückt ⟨tr.⟩: *glücklich machen, erfreuen:* jmdn. mit einem Geschenk, mit seiner Gegenwart b.

beglückwünschen, beglückwünschte, hat beglückwünscht ⟨tr.⟩: *Glück wünschen (zu etwas), gratulieren:* jmdn. [zu seinem Erfolg] b.

begnadigen, begnadigte, hat begnadigt ⟨tr.⟩: *(jmdm.) die Strafe vermindern oder erlassen:* einen Gefangenen b. **Begnadigung,** die; -, -en.

begnügen, sich; begnügte sich, hat sich begnügt: *(mit etwas) zufrieden sein, nicht nach mehr verlangen:* er begnügt sich mit dem [wenigen], was er hat.

begraben, begräbt, begrub, hat begraben ⟨tr.⟩: *ins Grab legen, in die Erde bringen:* einen Toten [in aller Stille] b.; bildl.: seine Hoffnungen b. *(aufgeben).* *(ugs.) **hier liegt der Hund begraben** *(das ist der entscheidende schwierige Punkt, an dem etwas scheitert).*

Begräbnis, das; -ses, -se: *das feierliche Begraben eines Toten:* an einem B. teilnehmen.

begreifen, begriff, hat begriffen /vgl. begriffen/: **a)** ⟨tr.⟩ *gei-*

stig erfassen; verstehen: eine Aufgabe, den Sinn einer Sache b.; ⟨auch itr.⟩ sie begreift leicht, schlecht. **b)** ⟨itr.⟩ *Verständnis haben (für jmdn./etwas):* ich begreife nicht, wie man so etwas tun kann.

begreiflich ⟨Adj.; nicht adverbial⟩: *verständlich:* ein begreiflicher Wunsch; es ist nicht b., wie er das tun konnte.

begrenzen, begrenzte, hat begrenzt ⟨tr.⟩: **1.** *die Grenze (von etwas) bilden:* eine Hecke begrenzt den Garten. **2.** *(einer Sache) eine Grenze setzen; beschränken:* durch ein Schild die Geschwindigkeit b.; ⟨häufig im 2. Partizip⟩ unser Wissen ist begrenzt. **Begrenzung,** die; -, -en.

Begriff, der; -[e]s, -e: **1.** *gedankliche Einheit; Zusammenfassung der wesentlichen Merkmale von etwas; Sinngehalt:* ein philosophischer, fester B. **2.** *Vorstellung, Meinung:* sich von etwas einen B. machen; das übersteigt alle Begriffe. ****im B. sein/stehen** *(gerade etwas anfangen, tun wollen):* er war im B. fortzugehen; (ugs.) **schwer/langsam von Begriff sein** *(nur langsam begreifen, verstehen):* sei doch nicht so schwer von B.!

begriffen: ⟨in der Verbindung⟩ in etwas b. sein: *gerade (mit etwas) beschäftigt sein, gerade (etwas) tun:* wir sind gerade in den Vorbereitungen b.

begrifflich ⟨Adj.⟩: *mit einem bestimmten Begriff, in bezug auf die Begriffe:* manche Erscheinungen sind b. nicht faßbar; etwas b. klären.

begriffsstutzig ⟨Adj.⟩, (abwertend): *nicht gleich begreifend:* er ist ein wenig b.

begründen, begründete, hat begründet ⟨tr.⟩: **1.** *gründen, den Grund legen (zu etwas):* jmds. Glück b. **2.** *Gründe anführen (für etwas):* seine Ansichten, Meinungen b.; ⟨häufig im 2. Partizip⟩ begründete *(berechtigte)* Zweifel hegen. **Begründung,** die; -, -en.

begrüßen, begrüßte, hat begrüßt ⟨tr.⟩: **1.** *seinen Gruß entbieten, willkommen heißen:* seine Gäste herzlich b. **2.** *zustimmend aufnehmen:* einen Vorschlag, jmds. Entschluß b. **Begrüßung,** die; -, -en.

begucken, beguckte, hat beguckt ⟨tr.⟩ (ugs.): *genau anschauen, betrachten:* jmdn. von allen Seiten b.

begünstigen, begünstigte, hat begünstigt ⟨tr.⟩: *bevorzugen; fördern:* er hat ihn begünstigt; das Schicksal begünstigte seine Pläne. **Begünstigung,** die; -, -en.

begutachten, begutachtete, hat begutachtet ⟨tr.⟩: *fachmännisch beurteilen; ein Gutachten abgeben (über etwas):* ein Manuskript, ein Bild b. **Begutachtung,** die; -, -en.

begütert ⟨Adj.⟩: *reich, wohlhabend:* eine begüterte Frau heiraten.

begütigen, begütigte, hat begütigt ⟨tr.⟩: *besänftigen, gut zureden:* er versuchte vergebens, ihn zu b.

behaart ⟨Adj.⟩: *mit Haaren versehen:* behaarte Beine.

behäbig ⟨Adj.⟩: **a)** *[beleibt und] schwerfällig:* ein behäbiger Mann. **b)** ⟨nur adverbial⟩ *bequem:* er saß b. im Sessel. **Behäbigkeit,** die; -.

behaftet: ⟨in der Verbindung⟩ mit etwas b. sein (geh.): *mit etwas (Unerfreulichem) ausgestattet sein, etwas (Unerfreuliches) an sich haben:* die Sache ist mit einem Mangel b.

behagen, behagte, hat behagt ⟨itr.⟩: *zusagen, gefallen;* seine Pläne behagen ihr sehr.

Behagen, das; -s: *wohltuendes Gefühl der Zufriedenheit:* etwas mit großem, sichtlichem B. genießen.

behaglich ⟨Adj.⟩: **a)** *gemütlich; Behagen verbreitend:* ein behaglicher Raum. **b)** ⟨nur adverbial⟩ *bequem, mit Behagen:* sich b. ausstrecken. **Behaglichkeit,** die; -.

behalten, behält, behielt, hat behalten: **1.** itr. **a)** *dort lassen, wo es ist; nicht hergeben, nicht fortlassen:* den Hut auf dem Kopf b.; den Gewinn [allein] b.; jmdn. als Gast [bei sich] b.; ein Geheimnis für sich /bei sich b. *(nicht weitererzählen).* **b)** *nach wie vor in gleicher Weise haben:* seine gute Laune b.; ein Haus behält seinen Wert. **2.** ⟨tr.⟩ *sich merken, nicht vergessen:* eine Adresse, eine Melodie b.; das kann ich nicht b.

Behälter, der; -s, -: *etwas, was zum Aufbewahren, Transportieren dient:* einen B. mit Benzin füllen; ein B. für Obst.

behandeln, behandelte, hat behandelt ⟨tr.⟩: **1. a)** *verfahren, umgehen (mit jmdm./etwas):* jmdn. unfreundlich, mit Nachsicht b.; eine Angelegenheit diskret b. **b)** *durch ein bestimmtes Verfahren zu heilen suchen:* eine Krankheit, einen Kranken b. **2.** *bearbeiten:* den Boden mit Wachs b.; ein Thema, eine Frage [im Unterricht] b. **Behandlung,** die; -, -en.

behangen ⟨Adj.; nicht adverbial⟩: *voll von etwas, was [herab]hängt:* dicht mit Äpfeln behangene Obsbäume.

behängen, behängte, hat behängt /vgl. behangen/: **a)** ⟨tr.⟩ *mit etwas, was man aufhängen kann, ausstatten:* den Christbaum mit Süßigkeiten b. **b)** ⟨rfl.⟩ (ugs.; abwertend) *übermäßig viel (Schmuck) tragen:* sie behängt sich gerne mit falschem Schmuck.

beharren, beharrte, hat beharrt ⟨itr.⟩: *(an etwas) festhalten, nicht nachgeben:* auf seiner Meinung, bei seinem Entschluß b.

beharrlich ⟨Adj.⟩: *ausdauernd, hartnäckig:* mit beharrlichem Fleiß; b. schweigen. **Beharrlichkeit,** die; -.

Beharrung, die; -: *das Beharren:* das Gesetz der B.

Beharrungsvermögen, das; -s: *Fähigkeit, (trotz Einwirkungen von außen) in unverändertem Zustand zu bleiben; Trägheit:* das B. fester Gegenstände.

behauen, behaute, hat behauen ⟨tr.⟩: *durch Hauen in eine bestimmte Form bringen:* Balken rechteckig b.; ⟨häufig im 2. Partizip⟩ ein kunstvoll behauener Grabstein.

behaupten, behauptete, hat behauptet: **1.** ⟨tr.⟩ *mit Bestimmtheit aussprechen, als sicher ausgeben, hinstellen:* er behauptete, nichts davon gewußt zu haben. **2.** (geh.) **a)** ⟨tr.⟩ *erfolgreich verteidigen:* seine Stellung b. **b)** ⟨rfl.⟩ *sich durchsetzen:* er, die Firma konnte sich nicht b. **Behauptung,** die; -, -en.

Behausung, die; -, -en: *[einfache] Wohnung, Unterkunft.*

beheben, behob, hat behoben ⟨tr.⟩: *wieder in Ordnung bringen, beseitigen:* einen Schaden b.

beheimatet: ⟨in der Verbindung⟩ b. sein in: *seinen festen Wohnsitz, seine Heimat haben in:* er ist in einer kleinen Stadt b.

beheizen, beheizte, hat beheizt ⟨tr.⟩: *durch Heizen warm machen:* ein Haus b.

Behelf, der; -s, -e: *etwas, womit man sich behelfen muß; Provisorium:* diese Wohnung ist ein [notdürftiger] B., bis unser Haus fertig ist.

behelfen, sich; behilft sich, behalf sich, hat sich beholfen: ⟨itr.⟩ *sich mit Unzureichendem, mit einem Ersatz helfen:* heute müssen wir uns mit dem kleinen Tisch b.

behelfsmäßig ⟨Adj.⟩: *notdürftig, als Behelf dienend:* eine behelfsmäßige Unterkunft; sich b. einrichten.

behelligen, behelligte, hat behelligt ⟨tr.⟩: *belästigen, stören:* jmdn. mit Fragen, Forderungen b.

behende ⟨Adj.⟩: *schnell und gewandt, flink:* b. auf einen Baum klettern. **Behendigkeit,** die; -.

beherbergen, beherbergte, hat beherbergt ⟨tr.⟩: *(jmdm.) Unterkunft bieten:* jmdn. für eine Nacht b.

beherrschen, beherrschte, hat beherrscht: **1. a)** ⟨tr.⟩ *Herr sein (über etwas/jmdn.), herrschen (über etwas/jmdn.), Macht haben (über etwas/jmdn.):* jmdn., ein Land b.; seit ein paar Jahren beherrscht dieses Produkt den Markt; bildl.: der Berg beherrscht die ganze Landschaft. **b)** ⟨tr./rfl.⟩ *bezähmen, zügeln, zurückhalten:* seinen Ärger b.; er konnte sich nicht b.; ⟨häufig im 2. Partizip⟩ mit beherrschter Stimme sprechen; er ist stets beherrscht. **2.** *sehr gut können:* mehrere Sprachen b. **Beherrschung,** die; -.

beherzigen, beherzigte, hat beherzigt ⟨tr.⟩: *ernst nehmen und befolgen:* einen Rat, jmds. Worte b.

beherzt ⟨Adj.⟩: *mutig und entschlossen:* beherzte Männer; b. vorgehen. **Beherztheit,** die; -.

behilflich: ⟨in der Verbindung⟩ jmdm. b. sein: *jmdm. helfen:* er war mir bei der Arbeit b.

behindern, behinderte, hat behindert ⟨tr.⟩: *erschweren, hindern (an etwas):* der Nebel behindert die Sicht; jmdn. bei der Arbeit b. **Behinderung,** die; -, -en.

Behörde, die; -, -n: *staatliche oder kommunale Stelle, Verwaltung:* das Finanzamt ist eine B.

behördlich ⟨Adj.: nicht prädikativ⟩: *von einer Behörde ausgehend:* mit behördlicher Genehmigung.

behüten, behütete, hat behütet ⟨tr.⟩: *sorgsam wachen (über jmdn./etwas), beschützen:* jmdn. [vor Gefahr, Schaden] b. ***[Gott] behüte!**/Ausruf der Ablehnung/.

behutsam ⟨Adj.⟩: *vorsichtig, zart:* mit behutsamen Händen; b. vorgehen, anfassen. **Behutsamkeit,** die; -.

bei ⟨Präp. mit dem Dativ⟩: **1.** /lokal; kennzeichnet räumliche Nähe, Berührung, Zugehörigkeit/: Offenbach bei Frankfurt; er wohnt bei seinen Eltern; er arbeitet bei einer Bank; sie nahm das Kind bei der Hand; bei ihm muß man vorsichtig sein; etwas bei sich tragen; ein Geheimnis bei sich behalten; auf dem Platz steht Zelt bei Zelt *(stehen die Zelte dicht nebeneinander)*. **2.** /temporal; in Verbindung mit Vorgängen oder Zuständen/: bei Tag, bei Abfahrt des Zuges; er lernte sie beim Tanzen kennen. **3.** /kennzeichnet verschiedene Umstände/: **a)** /Zustand/: bei guter Gesundheit, bei Kräften sein. **b)** /konzessiv/: selbst bei größter Sparsamkeit reichte das Geld nicht. **c)** /konditional/: bei passender Gelegenheit; er tut es nur bei entsprechender Bezahlung. **d)** /kausal/: bei der hohen Miete kann er sich kein Auto leisten. **4.** /in Formeln der Beteuerung/: bei Gott/bei meiner Ehre, das habe ich nicht getan.

beibehalten, behält bei, behielt bei, hat beibehalten ⟨tr.⟩: *festhalten (an etwas), nicht aufgeben:* den politischen Kurs b.

beibringen, brachte bei, hat beigebracht ⟨tr.⟩: **1.** *(jmdm. etwas) erklären, lehren, zeigen:* jmdm. das Lesen, einen Tanz b.; er bringt den Kindern allerlei Unsinn bei. **2.** (ugs.) *(Unangenehmes) vorsichtig mitteilen:* man muß ihr diese Nachricht schonend b. **3.** *zufügen:* dem Feind Verluste b. **4.** *(Gefordertes) herbeischaffen, vorlegen:* Zeugnisse, ein Attest b.

Beichte, die; -, -n: **a)** *Bekenntnis der Sünden in der christlichen Kirche:* zur B. gehen. **b)** *Geständnis, Bekenntnis:* ich hörte mir die B. meines Freundes an.

beichten, beichtete, hat gebeichtet ⟨tr.⟩: **a)** *eine Beichte seiner Sünden ablegen:* dem Priester alle seine Sünden b.; ⟨auch itr.⟩ in die Kirche gehen, um zu b. **b)** *gestehen, bekennen:* ich muß dir etwas b.

Beichtstuhl, der; -[e]s, Beichtstühle: *Gehäuse in Form eines dreiteiligen Schrankes, in dessen mittlerem Teil der Priester sitzt und durch ein kleines Fenster dem Gläubigen, der in einem der beiden seitlichen Teile kniet, die Beichte abnimmt* /in kath. Kirchen/.

Beichtvater, der; -s, Beichtväter: *Geistlicher, bei dem man regelmäßig beichtet* /meist in der kath. Kirche/.

beide ⟨Pronomen und Zahlwort⟩: **a)** ⟨mit Artikel oder Pronomen⟩ *zwei* /bezieht sich auf zwei Personen, Dinge, Vorgänge, die in bestimmter Hinsicht zusammengefaßt werden/: diese beiden Bücher hat er mir geliehen; einer der beiden Männer; wir b. werden das tun; ihr beide[n] könnt jetzt gehen; wir, ihr beiden Armen; mit unser beider Hilfe; für uns, euch beide. **b)** ⟨ohne Artikel oder Pronomen⟩ *alle zwei* /betont den Gegensatz zu nur einer Person, einem Ding, Vorgang/: sie haben beide Kinder verloren; in beiden Fällen hatte er recht; sie konnten b. nichts finden. **c)** ⟨alleinstehend gebraucht als Singular in den Formen *beides* und *beidem*⟩ /bezieht sich auf zwei verschiedenartige Dinge oder Vorgänge, die als Einheit gesehen werden/: sie liebt beides, die Musik und den Tanz; er hat von beidem gegessen.

beiderlei ⟨Zahlwort⟩: *sowohl von dem einen als auch von dem andern; zweierlei:* Personen b. Geschlechts; in b. Hinsicht.

beiderseits ⟨Präp. mit dem Gen.⟩: *zu beiden Seiten:* b. des Weges.

beieinander ⟨Adverb⟩: *einer beim andern, nahe zusammen:* sie waren damals lange b.; ⟨häufig zusammengesetzt mit Verben⟩ beieinanderliegen, beieinanderstehen.

Beifahrer, der; -s, -: *jmd., der in einem Kraftfahrzeug [neben dem Fahrer sitzend] mitfährt.*

Beifall, der; -s: **1.** *Äußerung des Gefallens, der Begeisterung durch Klatschen, Zurufe u ä:* rauschender, herzlicher B.; der Schauspieler bekam viel, starken B. **2.** *Zustimmung, Billigung:* etwas findet allgemeinen B.

beifällig ⟨Adj.⟩: *zustimmend:* eine beifällige Äußerung; b. nicken.

beifügen, fügte bei, hat beigefügt ⟨tr.⟩: *hinzufügen, beilegen:* einer Sendung die Rechnung b.

Beifügung: ⟨in der Fügung⟩ unter B. von: *mit Hinzufügung:* ein Gesuch unter B. aller Unterlagen einreichen.

Beigabe, die; -, -n: **1.** ⟨ohne Plural⟩ *das Beigeben, Hinzufügen:* nach der B. von Wein darf die Speise nicht mehr kochen. **2.** *das Beigegebene, Hinzugefügte:* etwas Obst als B.

beige [bɛ:ʒ] ⟨Adj.; indeklinabel⟩: *(in der Färbung) wie heller Sand [aussehend]:* die Tasche ist b.

beigeben, gibt bei, gab bei, hat beigegeben ⟨tr.⟩: *hinzufügen:* der Soße noch einige Gewürze b.; jmdm. einen Helfer b. *(zuordnen).* *(ugs.) **klein beigeben** *(seinen Widerstand schließlich doch aufgeben und sich fügen):* sie bedrängten ihn solange, bis er klein beigab.

Beigeschmack, der; -s: *zusätzlicher Geschmack, der den eigentlichen Geschmack beeinträchtigt:* die Butter, der Wein hat einen [merkwürdigen, unangenehmen] B.

beigesellen, gesellte bei, hat beigesellt (geh.): **a)** ⟨tr.⟩ *(als Gefährten, Kollegen o. ä.) hinzukommen lassen, beigeben:* ein neuer Fachmann wird unserer Gruppe beigesellt. **b)** ⟨rfl.⟩ *sich anschließen:* fünf muntere Burschen gesellten sich uns bei.

Beihilfe, die; -, -n: **1.** *kleinere [finanzielle] Unterstützung:* monatlich eine kleine B. beziehen. **2.** *Hilfe, die bei einer Straftat wissentlich geleistet wird:* jmdn. wegen B. zum Mord anklagen.

beikommen, kam bei, ist beigekommen ⟨itr.⟩: **a)** *(jmdn.) zu fassen bekommen; fertig werden (mit jmdm.):* diesem schlauen Burschen ist nicht, nur schwer beizukommen. **b)** *(etwas) bewältigen, Herr werden (über etwas):* er versuchte dem Problem, den Schwierigkeiten beizukommen.

Beil, das; -s, -e: *kleine Axt* (siehe Bild).

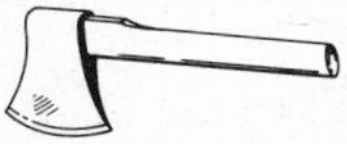

Beil

Beilage, die; -, -n: **1.** *etwas, was einer Zeitschrift, Zeitung o. ä. beigelegt ist:* samstags hat die Zeitung eine B. für die Frau. **2.** *etwas, was einem Gericht zum Fleisch beigegeben wird (Gemüse, Kartoffeln o. ä.):* Braten mit verschiedenen Beilagen.

beiläufig ⟨Adj.⟩: *nebenbei, wie zufällig [geäußert]:* beiläufige Fragen; etwas b. sagen, feststellen. **Beiläufigkeit,** die; -.

beilegen, legte bei, hat beigelegt ⟨tr.⟩: **1.** *zu etwas Vorhandenem legen; beifügen:* einem Brief Geld b. ***einer Sache große Bedeutung b.** *(etwas als sehr wichtig betrachten).* **2.** *beenden, schlichten:* einen Streit b.

beilegen, legte bei, hat beigelegt ⟨tr.⟩: **1.** *(zu etwas Vorhandenem) legen; beifügen:* einem Brief Geld b. **2.** *beenden:* einen Streit b. **3.** ⟨als Funktionsverb⟩ einer Sache Bedeutung, Wert b. *(etwas als wichtig, wertvoll erachten);* einer Sache einen bestimmten Sinn b. *(einer Sache einen bestimmten Sinn geben).* **Beilegung,** die; -.

beileibe ⟨Adverb⟩: *durchaus, bestimmt* /verstärkt eine verneinende Aussage und wird in emotionaler Sprechweise gebraucht/: das soll b. kein Vorwurf sein; das habe ich b. nicht getan.

Beileid, das; -s: *Anteilnahme an der Trauer eines andern:* jmdm. sein [herzliches, aufrichtiges] B. ausdrücken.

beiliegen, lag bei, hat beigelegen ⟨itr.⟩: *beigefügt, beigelegt sein:* der Sendung liegt die Rechnung bei; ⟨häufig im 1. Partizip⟩ beiliegend finden Sie die gewünschten Unterlagen.

beim ⟨Verschmelzung von *bei + dem*⟩: **1.** *bei dem* **a)** /die Verschmelzung kann aufgelöst werden/: der Baum steht b. Haus. **b)** /die Verschmelzung kann nicht aufgelöst werden/: jmdn. b. Wort nehmen. **2.** ⟨in Verbindung mit *sein* und einem substantivierten Infinitiv⟩ /bildet die Verlaufsform/: er ist b. Schreiben *(schreibt gerade).*

beimengen, mengte bei, hat beigemengt ⟨tr.⟩: *(unter etwas) mengen, mischen:* dem Mehl Backpulver b.; bildl.: der neuen Ideologie sind die eigenartigsten Anschauungen beigemengt. **Beimengung,** die; -, -en.

beimessen, mißt bei, maß bei, hat beigemessen ⟨Funktionsverb⟩: einer Sache Bedeutung, Wichtigkeit, Wert b. *(eine Sache für bedeutsam, wichtig, wertvoll halten, erachten).*

Bein, das; -[e]s, -e: *Gliedmaße zum Gehen bei Menschen und Tieren:* schlanke, dicke, krumme Beine; bildl.: die Beine des Stuhls, des Tisches. *(ugs.) **wieder auf den Beinen sein** *(wieder gesund sein);* (ugs.) **etwas auf die Beine bringen/stellen** *(etwas zustande bringen, schaffen);* (ugs.) **etwas kriegt/bekommt Beine** *(etwas verschwindet, wird gestohlen);* (ugs.) **jmdm. Beine machen** *(jmdn. zur Eile antreiben);* (ugs.) **jmdm. ein B. stellen** *(jmdn. zu Fall bringen; jmdm. Schaden zufügen);* **es friert Stein und B.** *(es friert sehr stark);* **durch Mark und B.** *(durch und durch):* der Schrei ging ihm durch Mark und B.

beinah[e] [beinah[e], beinah[e]] ⟨Adverb⟩: *fast, nahezu:* er wartete b. drei Stunden; b. hätte ich es vergessen.

Beiname, der; -ns, -n: *Name, den jmd. auf Grund einer auffallenden Eigenschaft, einer besonderen Gegebenheit o. ä. zusätzlich zu seinem eigentlichen Namen erhält.*

Beinbruch: ⟨in den Wendungen⟩ (ugs.) **etwas ist [doch] kein B.** *(etwas ist nicht so schlimm);* (ugs.) **Hals- und B.** *(viel Glück, alles Gute):* jmdm. Hals- und Beinbruch wünschen.

beinhalten, beinhaltete, hat beinhaltet ⟨itr.⟩: *zum Inhalt haben:* das Schreiben beinhaltet einige wichtige Fragen.

beiordnen, ordnete bei, hat beigeordnet ⟨tr.⟩: *zur Seite stellen, beigeben:* dem Minister sind Fachleute beigeordnet.

beipflichten, pflichtete bei, hat beigepflichtet ⟨itr.⟩: *nachdrücklich beistimmen, recht geben:* viele pflichteten seinem Vorschlag bei.

beirren, beirrte, hat beirrt ⟨tr.⟩: *irremachen, unsicher machen:* er läßt sich nicht so leicht b.

beisammen ⟨Adverb⟩: *beieinander, zusammen:* nach langer Zeit waren sie endlich wieder einmal ein paar Tage b.

beisammensein, ist beisammen, war beisammen, ist beisammengewesen ⟨itr.⟩ (ugs.): **1.** *zusammengebracht, zusammengetragen sein:* er kauft das Haus erst, wenn die Summe beisammen ist. **2.** *in einer bestimmten gesundheitlichen Verfassung sein:* er ist wieder ganz gut b.

Beisammensein, das; -s: *das Zusammensein, das Beieinandersein:* ein geselliges, gemütliches B. der alten Freunde.

Beischlaf, der; -[e]s: *Geschlechtsakt.*

beischließen, schloß bei, hat beigeschlossen ⟨tr.⟩ (östr.): *(einer Sendung) beilegen:* meinem Schreiben sind die nötigen Unterlagen beigeschlossen.

Beisein: ⟨in der Fügung⟩ in jmds. B./im B. von: *in jmds. Anwesenheit, in Anwesenheit von:* im B. der Eltern; im B. von Herrn Maier.

beiseite ⟨Adverb⟩: **a)** *zur Seite:* das Buch b. legen; b. springen. *(ugs.) **etwas b. legen** *([für einen bestimmten Fall] Geld sparen).* **b)** *auf der Seite:* er stand b.

beisetzen, setzte bei, hat beigesetzt ⟨tr.⟩ (geh.): *[feierlich] begraben, beerdigen:* den Toten, die Urne b.

Beisetzung, die; -, -en (geh.): *Begräbnis, Beerdigung.*

Beispiel, das; -s, -e: *einzelner Fall, der etwas kennzeichnet, erklärt, beweist; Vorbild, Muster:* ein gutes, anschauliches B. nennen, anführen; er ist ein erfreuliches, abschreckendes B. für ihn; einige Farben mag sie nicht, zum Beispiel (Abk.: z. B.) grau und grün. ***sich an jmdm./etwas ein B. nehmen** *(jmdm./einer Sache nacheifern);* **ohne B. sein** *(nicht seinesgleichen haben, noch nicht dagewesen sein):* seine Tat, Leistung, diese Frechheit ist ohne B.

beispielhaft ⟨Adj.⟩: *vorbildlich, mustergültig:* eine beispielhafte Ordnung; sich b. verhalten.

beispiellos ⟨Adj.⟩: *ohne Beispiel, unvergleichlich, unerhört:* beispiellose Erfolge, Triumphe; seine Frechheit ist b.

beispielsweise ⟨Adverb⟩: *zum Beispiel:* viele sind krank, in dieser Klasse b. dreizehn.

beispringen, sprang bei, ist beigesprungen ⟨itr.⟩: *zu Hilfe eilen:* einem Verletzten b.

beißen, biß, hat gebissen: **1. a)** ⟨itr.⟩ *mit den Zähnen (in etwas) eindringen:* in den Apfel b.; ich habe mir aus Versehen auf die Zunge gebissen. *(ugs.) **nicht viel zu b. haben** *(arm sein, nicht viel zu essen haben);* (ugs.) **in den sauren Apfel b.** *(etwas Unangenehmes auf sich nehmen);* (ugs.) **ins Gras b.** *(sterben).* **b)** ⟨tr.⟩ *mit den Zähnen fassen und verletzen:* ein Hund, eine Schlange hat ihn gebissen; ⟨auch itr.⟩ der Hund beißt *(ist bissig).* **c)** ⟨tr.⟩ *stechen, Blut aussaugen* /von Insekten/: ein Floh, eine Wanze hat ihn gebissen. **d)** ⟨rzp.⟩ (ugs.) *nicht zueinander passen, nicht harmonieren* /von Farben/: das Grün und das Blau, diese Farben beißen sich. **2.** ⟨itr.⟩ *scharf sein, brennen:* Pfeffer beißt auf der Zunge; der Rauch beißt in den Augen; ⟨häufig im 1. Partizip⟩: beißende *(scharfe)* Kälte.

Beißzange, die; -, -n (landsch.): *Kneifzange.*

Beistand, der; -[e]s: *Hilfe, Unterstützung:* jmds. B. benötigen. * **jmdm. B. leisten** *(jmdm. beistehen, helfen).*

beistehen, stand bei, hat beigestanden ⟨itr.⟩: *helfen, zur Seite stehen:* jmdm. mit Rat und Tat b.

beisteuern, steuerte bei, hat beigesteuert ⟨tr.⟩: *einen Beitrag (zu etwas) geben:* zu einer Sammlung eine Summe, seinen Teil b.

beistimmen, stimmte bei, hat beigestimmt ⟨itr.⟩: *zustimmen, recht geben:* er hat seinem Vorschlag sofort beigestimmt.

Beitrag, der; -s, Beiträge: **1.** *Anteil, mit dem sich jmd. an etwas beteiligt:* einen wichtigen, bedeutenden B. zur Entwicklung eines Landes, zur Lösung eines Problems leisten, liefern. **2.** *Betrag, der regelmäßig an eine Organisation zu zahlen ist:* die Beiträge für einen Verein, eine Partei kassieren. **3.** *schriftliche Arbeit, Aufsatz, Bericht für eine Zeitung, Zeitschrift o. ä.:* das Buch enthält mehrere Beiträge bekannter Autoren.

beitragen, trägt bei, trug bei, hat beigetragen ⟨itr.⟩: *seinen Beitrag leisten (zu etwas), mithelfen (bei etwas):* jeder wollte zum Gelingen des Festes b.; ⟨auch tr.⟩ etwas, seinen Teil dazu b., daß...

beitreten, tritt bei, trat bei, ist beigetreten ⟨itr.⟩: *Mitglied werden (in einem Verein o. ä.), sich anschließen:* einem Verein b.

Beitritt, der; -s: *das Beitreten:* seinen B. [zu einer Partei] erklären.

Beiwagen, der; -s, -: **a)** *an der Seite eines Motorrads angebrachter kleiner Wagen, in dem eine Person sitzen kann.* **b)** *Wagen der Straßenbahn, der keinen eigenen Antrieb hat; Anhänger:* in den B. einsteigen.

Beiwerk, das; -s: *etwas, was ergänzend, schmückend zu etwas hinzukommt; Zutat, Nebensächliches:* alles überflüssige, störende B. weglassen.

beiwohnen, wohnte bei, hat beigewohnt ⟨itr.⟩ (geh.): *anwesend sein (bei etwas), zugegen sein:* viele wohnten dem Fest, der Veranstaltung bei.

Beize, die; -, -n: **1.** *[chemisches] Mittel zur Behandlung von Holz, Häuten, Metall, Textilien und Saatgut.* **2. a)** *Marinade.* **b)** *saure Brühe zum Pökeln von Fleisch.*

beizen, beizte, hat gebeizt ⟨tr.⟩: **1.** *mit Beize behandeln:* das Holz b. **2.** *(Fisch, Fleisch) in Beize legen.* **3.** *mit ätzender Schärfe (auf etwas) einwirken:* der Qualm beizte uns die Augen.

beizeiten ⟨Adverb⟩: *rechtzeitig:* morgen müssen wir b. aufstehen; b. vorsorgen.

bejahen, bejahte, hat bejaht ⟨tr.⟩: *ja sagen (zu etwas), (einer*

Sache) zustimmen; einverstanden sein (mit etwas): eine Frage b.; er hat den Plan ohne weiteres bejaht.

bejahrt ⟨Adj.⟩ (geh.): *ziemlich alt; in vorgerücktem Alter:* ein bejahrter Herr.

bejammern, bejammerte, hat bejammert ⟨tr.⟩: *mit viel Gejammer beklagen:* sie bejammert immer noch den Verlust ihrer Handtasche.

bejubeln, bejubelte, hat bejubelt ⟨tr.⟩: *(jmdm./einer Sache) begeistert zujubeln:* der Bundespräsident wurde bei seiner Ankunft stürmisch bejubelt; die Menge bejubelte den Sieg der deutschen Sportler.

bekämpfen, bekämpfte, hat bekämpft ⟨tr.⟩: *kämpfen, angehen (gegen jmdn./etwas):* einen Gegner, ein Übel, eine Krankheit b.

bekannt ⟨Adj.; nicht adverbial⟩: **1. a)** *von vielen gekannt, gewußt:* eine bekannte Melodie; die Geschichte ist [allgemein] b. ***für etwas b. sein** *(sich mit etwas einen Namen gemacht haben, durch etwas aufgefallen sein):* dieser Kaufmann ist für seine gute Ware b. **b)** *berühmt, angesehen:* ein bekannter Künstler, Arzt. **2.** ⟨in den Fügungen⟩ jmdm. b. sein: **a)** *jmdm. nicht fremd sein:* er ist mir gut b. **b)** *(von etwas) Kenntnis haben:* sein Fall ist mir b.; jmdm. b. vorkommen: *jmdm. nicht fremd erscheinen:* er, diese Gegend kommt mir b. vor. **3. a)** ⟨in der Fügung⟩ b. sein mit jmdm.: *jmdn. näher kennen; vertraut sein mit jmdm./etwas:* ich bin mit ihm, mit seinen Problemen [seit langem] b. **b)** ⟨in der Fügung⟩ b. werden mit jmdm.: *jmdn. kennenlernen:* sie sind gestern miteinander b. geworden. **c)** ⟨in der Fügung⟩ jmdn. mit jmdm./etwas b. machen: *jmdn. jmdm. vorstellen, jmdn. über etwas informieren, jmdn. mit etwas vertraut machen:* ich werde dich mit ihm b. machen; jmdn. mit einer Maßnahme b. machen; sich mit der neuen Arbeit b. machen.

Bekannte, der; -n, -n ⟨aber: [ein] Bekannter, Plural: Bekannte⟩: **a)** *jmd., mit dem man gut bekannt ist:* ein Bekannter meines Vaters; gute, alte B. **b)** (ugs.) *Freund eines Mädchens; Liebhaber:* ich habe sie mit ihrem Bekannten getroffen.

bekanntgeben, gibt bekannt, gab bekannt, hat bekanntgegeben ⟨tr.⟩: *öffentlich mitteilen:* das Ergebnis, seine Verlobung b.

bekanntlich ⟨Adverb⟩: *wie allgemein bekannt:* in den Bergen regnet es b. viel.

bekanntmachen, machte bekannt, hat bekanntgemacht ⟨tr.⟩: *von behördlicher Seite öffentlich mitteilen; der Allgemeinheit zur Kenntnis geben:* eine neue Verordnung b.

Bekanntmachung, die; -, -en: **1.** *das Bekanntmachen:* die B. erfolgt morgen. **2.** *öffentliche, behördliche Mitteilung:* eine B. lesen.

Bekanntschaft, die; -, -en: *Kreis von Menschen, die man kennt:* in seiner B. war niemand, der ihm helfen konnte. ****jmds. B. machen** *(jmdn. kennenlernen);* (ugs.) **mit etwas B. machen** *(mit etwas Unangenehmem in Berührung kommen):* mit dem Stock, mit der Polizei B. machen.

bekehren, bekehrte, hat bekehrt ⟨tr./rfl.⟩: *(bei jmdm.) eine innere Wandlung bewirken:* jmdn., sich zum christlichen Glauben b.; er ließ sich nicht b. **Bekehrung,** die; -, -en.

bekennen, bekannte, hat bekannt: **1.** ⟨tr.⟩ *offen aussprechen, zugeben, gestehen:* seine Schuld b.; er bekannte, daß er es nicht gewußt hatte. **2.** ⟨rfl.⟩ *(zu jmdm./etwas) stehen, (für jmdn./etwas) eintreten:* sich zu seinem Freund, zu seinen Taten b.

Bekenntnis, das; -ses, -se: **1.** *Geständnis, das Zugeben:* das B. seiner Schuld. **2.** *Religionsgemeinschaft, Konfession:* welchem B. gehört er an?

beklagen, beklagte, hat beklagt: **1.** ⟨tr.⟩ (geh.) *als traurig empfinden, schmerzlich bedauern:* einen Verlust, den Tod des Freundes b. **2.** ⟨rfl.⟩ *sich beschweren, Klage führen:* sich über einen andern, über den Lärm b.

beklagenswert ⟨Adj.⟩: *sehr zu beklagen, zu bedauern:* ein beklagenswerter Mensch; seine Lage ist b.

bekleben, beklebte, hat beklebt ⟨tr.⟩: *(mit etwas, was geklebt wird) versehen:* eine Wand mit Plakaten b.

bekleckern, bekleckerte, hat bekleckert ⟨tr./rfl.⟩ (ugs.): *durch Kleckern beschmutzen:* das Tischtuch b.; er hat sich mit Suppe bekleckert.

bekleiden, bekleidete, hat bekleidet **1.** ⟨in der Verbindung⟩ bekleidet sein: *angezogen sein:* er war nur leicht, nur mit einer Hose bekleidet. **2.** ⟨tr.⟩ *(ein Amt) innehaben:* einen hohen Posten b.

Bekleidung, die; -, -en: *Kleidung:* warme B. für Herbst und Winter.

beklemmend ⟨Adj.⟩: *bedrückend, beengend, beängstigend:* ein beklemmendes Gefühl.

Beklemmung, die; -, -en: *beklemmendes Gefühl.*

beklommen ⟨Adj.⟩: *von einem Gefühl der Angst, Unsicherheit erfüllt; ängstlich:* mit beklommener Stimme antworten; ihr war b. zumute.

beklopfen, beklopfte, hat beklopft ⟨tr.⟩: *durch Klopfen prüfen, untersuchen:* ein leeres Faß b.; der Arzt beklopft den Rükken des Patienten.

bekommen, bekam, hat/ist bekommen ⟨itr.⟩: **1.** *in den Besitz (von etwas) kommen; erhalten; erlangen, für sich gewinnen:* ein Geschenk, eine Belohnung, einen Brief b.; eine Stellung b.; Einblick in etwas b.; er hat sein Recht bekommen; etwas zu essen, geliehen b.; eine Strafe, Prügel b.; eine Krankheit b. *(krank werden).* **2.** *bekömmlich, zuträglich, förderlich sein (für jmdn.):* das Essen, die Kur ist ihr gut bekommen.

bekömmlich ⟨Adj.⟩: *zuträglich; leicht verträglich [und daher gesund]:* eine bekömmliche Speise.

beköstigen, beköstigte, hat beköstigt ⟨tr.⟩: *[regelmäßig] mit Essen versorgen:* Frau Müller beköstigt auch ihren Untermieter.

bekräftigen, bekräftigte, hat bekräftigt ⟨tr.⟩: **1.** *mit Nachdruck bestätigen:* ein Versprechen, eine Aussage b. **2.** *unterstützen:* jmdn. in seinem Vorsatz b.

bekränzen, bekränzte, hat bekränzt ⟨tr.⟩: *mit einem Kranz mit Girlanden schmücken:* dem

Sieger die Stirn b.; ⟨häufig im 2. Partizip⟩ ein festlich bekränztes Portal.

bekreuzigen, sich; bekreuzigte sich, hat sich bekreuzigt: *das Zeichen des Kreuzes mit einer Bewegung der Hand vor Kopf und Brust andeuten:* beim Eintreten in die Kirche bekreuzigten sie sich.

bekriegen, bekriegte, hat bekriegt ⟨tr.⟩: *(gegen jmdn./ein Land) Krieg führen; bekämpfen:* ein feindliches Land b.; ⟨auch rzp.⟩ Völker, die einander, sich [gegenseitig] bekriegen.

bekritteln, bekrittelte, hat bekrittelt ⟨tr.⟩: *wegen lächerlicher Kleinigkeiten kritisieren:* er findet ständig etwas zu b.

bekritzeln, bekritzelte, hat bekritzelt ⟨tr.⟩ (ugs.): *mit undeutlicher Schrift, mit Kritzeleien versehen:* Kinder haben Tische und Bänke bekritzelt; schnell ein paar Seiten b.

bekümmern, bekümmerte, hat bekümmert ⟨itr.⟩ /vgl. bekümmert/: *(jmdm.) Kummer, Sorge bereiten:* sein Zustand bekümmerte sie sehr.

bekümmert ⟨Adj.⟩: *voll Sorge, bedrückt:* mit bekümmertem Blick; er war tief b.

bekunden, bekundete, hat bekundet ⟨tr.⟩: *deutlich zum Ausdruck bringen, zeigen:* sein Interesse b.

belächeln, belächelte, hat belächelt ⟨tr.⟩: *leicht von oben herab (über etwas) lächeln:* den Einfall des Kindes b.

beladen, belädt, belud, hat beladen ⟨tr.⟩: *mit einer Ladung, Fracht versehen:* einen Wagen, ein Schiff [mit Kisten] b.

Belag, der; -[e]s, Beläge: *dünne Schicht, mit der etwas bedeckt, belegt, überzogen ist:* der B. des Fußbodens; seine Zunge hatte einen weißen B.

belagern, belagerte, hat belagert ⟨tr.⟩: *(einen Ort) mit Truppen o. ä. umschlossen halten:* eine Stadt, Burg b.; bildl.: eine Menge von Menschen belagerte die Kasse *(drängte sich an der Kasse).* **Belagerung,** die; -, -en.

Belang: ⟨in den Verbindungen⟩ von/ohne B. sein: *von, ohne Bedeutung, Wichtigkeit sein:* diese Tatsache ist für mich ohne B.

Belange, die ⟨Plural⟩: *Angelegenheiten, Interessen:* die kulturellen B. einer Stadt; die sozialen B. berücksichtigen.

belangen, belangte, hat belangt ⟨tr.⟩: *zur Rechenschaft, Verantwortung ziehen, verklagen:* jmdn. wegen eines Vergehens [gerichtlich] b.

belanglos ⟨Adj.; nicht adverbial⟩: *ohne große Bedeutung, unwichtig:* belanglose Dinge; das ist doch völlig b. **Belanglosigkeit,** die; -, -en.

belassen, beläßt, beließ, hat belassen ⟨tr.⟩: *im gegenwärtigen Zustand, unverändert lassen:* einen Text in seiner jetzigen Form b.; und dabei belassen wir es! *(und dabei lassen wir es bewenden!).*

belasten, belastete, hat belastet: **1.** ⟨tr.⟩ *mit einer Last versehen, beschweren:* einen Wagen zu stark b.; ⟨auch rfl.⟩ damit belaste ich mich nicht. **2.** ⟨itr.⟩ *(auf jmdm.) lasten, (jmdn.) in Anspruch nehmen:* die Arbeit, die große Verantwortung belastet ihn sehr. **3.** ⟨tr.⟩ *beschuldigen, als schuldig erscheinen lassen:* ihre Aussage belastete ihn am meisten.

belästigen, belästigte, hat belästigt ⟨tr.⟩: *stören, (jmdm.) lästig werden:* jmdn. mit Fragen b.; er belästigte sie auf der Straße *(wurde zudringlich).* **Belästigung,** die; -, -en.

Belastung, die; -, -en: **1.** *das Belasten, Beschweren:* die B. eines Wagens. **2.** *Inanspruchnahme:* die B. durch dieses Amt ist mir zu groß. **3.** *Beschuldigung:* eine B. durch Zeugenaussagen.

belaufen, sich; beläuft sich, belief sich, hat sich belaufen: *(einen bestimmten Betrag) ausmachen, (eine bestimmte Endsumme, ein bestimmtes Endergebnis) ergeben; betragen:* die Verpflichtungen belaufen sich auf eine beträchtliche Summe.

belauschen, belauschte, hat belauscht ⟨tr.⟩: *heimlich lauernd (jmdm., einem Gespräch, einer Unterhaltung o. ä.) zuhören:* die Kinder belauschten hinter der Tür die Unterhaltung der Erwachsenen; Leute beim Gespräch b.

beleben, belebte, hat belebt /vgl. belebt/: **a)** ⟨tr.⟩ *lebhaft[er] machen, anregen, lebendig gestalten:* das Getränk belebte ihn; die Wirtschaft b. **b)** ⟨rfl.⟩ *lebhaft, lebendiger werden:* die Unterhaltung belebte sich.

belebt ⟨Adj.⟩: *nicht [ganz] einsam, nicht menschenleer:* eine belebte Gegend; eine belebte *(verkehrsreiche)* Straße.

belecken, beleckte, hat beleckt ⟨tr.⟩: *(an jmdm./etwas) lecken:* die Katze beleckt ihre Pfoten. * (ugs.) **von keiner Kultur/nicht von der Kultur beleckt sein** *(von der Kultur nicht geprägt, verfeinert, zivilisiert sein):* in einer abgeschiedenen Gegend, wo die Leute noch nicht von der Kultur beleckt sind.

Beleg, der; -[e]s, -e: *etwas, was als Beweis, Nachweis dient:* eine Quittung als B. vorlegen; für eine wissenschaftliche Arbeit Belege sammeln.

belegbar ⟨Adj.⟩: *durch einen Beleg nachweisbar:* die Buchungen erwiesen sich als nicht b.; ein schon in alter Zeit belegbares Wort.

belegen, belegte, hat belegt ⟨tr.⟩: **1.** *mit einem Belag versehen; bedecken:* den Boden mit einem Teppich b.; belegte Brötchen *(Brötchen, auf dem sich Wurst, Käse u. a. befindet).* **2.** *besetzen, reservieren:* einen Platz im Zug b.; ⟨häufig im 2. Partizip⟩ die Betten sind belegt. **3.** *nachweisen:* einen Kauf mit einer Quittung b.

Belegschaft, die; -, -en: *alle Beschäftigten in einem Betrieb.*

belehren, belehrte, hat belehrt ⟨tr.⟩: *aufklären; (jmdm.) sagen, wie etwas wirklich ist, wie sich etwas verhält:* er läßt sich nicht b. **Belehrung,** die; -, -en.

beleibt ⟨Adj.⟩: *dick:* ein sehr beleibter Herr.

beleidigen, beleidigte, hat beleidigt ⟨tr.⟩: *kränken, (durch eine Äußerung, Handlung) verletzen:* mit diesen Worten hat er ihn tief, sehr beleidigt. **Beleidigung,** die; -, -en.

belesen ⟨Adj.; nicht adverbial⟩: *durch vieles Lesen reich an [literarischen] Kenntnissen:* ein sehr belesener Mann. **Belesenheit,** die; -.

beleuchten, beleuchtete, hat beleuchtet ⟨tr.⟩: *Licht werfen (auf etwas):* die Bühne, die Straße b.; bildl.: ein Thema [von allen Seiten] b. **Beleuchtung,** die; -.

beleumdet: ⟨in der Verbindung⟩ gut, übel, schlecht o. ä. b. sein: *einen guten, üblen, schlechten o. ä. Leumund haben.*

beleumundet ⟨Adj.⟩: *beleumdet.*

belichten, belichtete, hat belichtet ⟨tr.⟩: *beim Photographieren das Licht (auf den Film) fallen lassen:* er hat den Film nicht lange genug belichtet; ⟨auch itr.⟩ bei trübem Wetter muß man länger b. **Belichtung,** die; -, -en.

belieben, beliebte, hat beliebt ⟨itr.⟩ (geh.) /vgl. beliebt/: *für den Augenblick Lust haben; gelaunt, geneigt sein, etwas zu tun:* das gnädige Fräulein beliebt heute lange zu schlafen; wie es dir beliebt, wie du beliebst *(wie es dir gefällt).*

Belieben: ⟨in der Fügung⟩ nach B.: *nach eigenem Wunsch, Geschmack; wie man will:* etwas ganz nach B. ändern.

beliebig ⟨Adj.⟩: **a)** ⟨nur attributiv⟩ *irgendein:* einen beliebigen Namen auswählen; ein Stoff von beliebiger *(gleichgültig von welcher)* Farbe. **b)** ⟨nicht attributiv⟩ *nach Belieben, Gutdünken:* etwas b. ändern.

beliebt ⟨Adj.; nicht adverbial⟩ *allgemein gern gesehen; von vielen geschätzt:* ein beliebter Lehrer; er ist b.; eine beliebte *(oft gekaufte)* Seife. * **sich b. machen** *(sich durch etwas die Zuneigung anderer erwerben).* **Beliebtheit,** die; -.

beliefern, belieferte, hat beliefert ⟨tr.⟩: *(an jmdn. etwas) [wiederholt] liefern:* seine Kunden mit Waren b.

bellen, bellte, hat gebellt ⟨itr.⟩: *kurze kräftige Laute von sich geben* /von Hunden und Füchsen/.

belobigen, belobigte, hat belobigt ⟨tr.⟩: *offiziell mit einem Lob hervorheben, auszeichnen:* der Kommandant belobigte einen Soldaten.

belohnen, belohnte, hat belohnt ⟨tr.⟩: **a)** *zum Dank mit etwas beschenken:* jmdn. für seine Bemühungen b. **b)** *vergelten:* eine gute Tat b. **Belohnung,** die; -, -en.

belügen, belog, hat belogen ⟨tr.⟩: *(jmdm.) die Unwahrheit sagen:* er hat ihn belogen.

belustigen, belustigte, hat belustigt: **1.** ⟨tr.⟩ *(bei jmdm.) eine mit leichter Ironie gemischte Heiterkeit hervorrufen:* sein Wesen ärgert mich nicht, es belustigt mich höchstens; ⟨häufig im 1. oder 2. Partizip⟩ ein äußerst belustigender Vorfall; über etwas belustigt sein, sich belustigt über etwas äußern. **2.** ⟨rfl.⟩ **a)** *sich (über jmdn./etwas) lustig machen:* wir belustigten uns über sein selbstgefälliges Verhalten. **b)** (veraltend) *sich vergnügen:* die jungen Leute belustigten sich beim Tanz. **Belustigung,** die; -, -en.

bemächtigen, sich; bemächtigte sich, hat sich bemächtigt ⟨mit Gen.⟩ (geh.): *sich (etwas) mit Gewalt nehmen:* er bemächtigte sich [ganz einfach] des Geldes; bildl.: Angst bemächtigte sich seiner *(erfaßte ihn).*

bemalen, bemalte, hat bemalt ⟨tr.⟩: *mit Farbe anstreichen; [durch Malen] mit bunten Bildern o. ä. versehen:* die Wände bemalen; ⟨häufig im 2. Partizip⟩ ein bunt bemalter Schrank.

bemängeln, bemängelte, hat bemängelt ⟨tr.⟩: *beanstanden, als Fehler vorhalten:* er bemängelte, daß sie immer zu spät kamen.

bemannt ⟨Adj.⟩: *mit einer Besatzung, einer Mannschaft versehen:* ein bemanntes Schiff.

bemänteln, bemäntelte, hat bemäntelt ⟨tr.⟩ (geh.): *verschleiern, vertuschen:* einen Fehler, ein Versagen b.

bemerkbar: ⟨in der Wendung⟩ sich b. machen: *auf sich aufmerksam machen:* der eingesperrte Junge versuchte vergebens, sich b. zu machen.

bemerken, bemerkte, hat bemerkt ⟨tr.⟩: **1.** *aufmerksam werden (auf jmdn./etwas); entdecken, wahrnehmen:* er bemerkte die Fehler nicht; sie wurden in der Menge nicht bemerkt. **2.** *äußern, erwähnen:* etwas nebenbei b.

bemerkenswert ⟨Adj.⟩: *beachtlich, groß:* eine bemerkenswerte Leistung, Arbeit.

Bemerkung, die; -, -en: *kurze Äußerung:* eine treffende, abfähige, kritische B. **eine B. machen** *(etwas bemerken, sagen).*

bemessen, bemißt, bemaß, hat bemessen ⟨tr.⟩: *auf Grund von Berechnungen oder genauen Überlegungen in bezug auf Größe, Menge, Dauer o. ä. festlegen, einteilen:* er hat den Vorrat zu knapp bemessen; ⟨häufig im 2. Partizip⟩ eine zu kurz bemessene Zeit.

bemitleiden, bemitleidete, hat bemitleidet ⟨tr.⟩: *bedauern, (mit jmdm.) Mitleid empfinden:* man darf ihn nicht zu oft b.

bemühen, bemühte, hat bemüht: **1.** ⟨rfl.⟩ **a)** *sich anstrengen, Mühe geben:* er bemühte sich sehr, das Ziel zu erreichen. **b)** *sich (mit jmdm.) Mühe machen, sich (um jmdn.) kümmern:* sie bemühten sich alle um den Kranken. **c)** *für sich zu bekommen suchen:* sich um eine Stellung b. **d)** *sich (irgendwohin) begeben:* du mußt dich schon selbst in die Stadt b. **2.** ⟨tr.⟩ *(jmdm.) Mühe machen, (jmds.) Hilfe in Anspruch nehmen:* darf ich sie noch einmal b.? **Bemühung,** die; -, -en.

bemuttern, bemutterte, hat bemuttert ⟨tr.⟩: *wie eine Mutter umsorgen:* hilflose Menschen b.

benachrichtigen, benachrichtigte, hat benachrichtigt ⟨tr.⟩: *(jmdn.) unterrichten (von etwas), (jmdm.) Nachricht geben:* wir müssen sofort seine Eltern [davon] b. **Benachrichtigung,** die; -, -en.

benachteiligen, benachteiligte, hat benachteiligt ⟨tr.⟩: *in seinen Rechten beeinträchtigen; zurücksetzen, schädigen:* er hat den ältesten Sohn immer benachteiligt.

benebeln, benebelte, hat benebelt ⟨tr.⟩: **1.** *(jmdm.) durch besondere Einwirkungen den Verstand trüben; verwirren:* der große Erfolg hat seinen Kopf benebelt. **2.** (ugs.) *ein wenig betrunken machen:* der starke Wein benebelte uns etwas; ⟨häufig im 2. Partizip⟩ leicht benebelt *(angeheitert)* verließ er das Gasthaus.

benehmen, sich; benimmt sich, benahm sich, hat sich benommen: *sich (in einer bestimmten Weise) verhalten, betragen:* er hat sich ihm gegenüber anständig, höflich, schlecht, gemein benommen.

Benehmen, das; -s: *Verhalten; Art, wie sich jmd. benimmt:* ein gutes, schlechtes B.

beneiden, beneidete, hat beneidet ⟨tr.⟩: **a)** *gerne an jmds. Stelle sein wollen:* viele beneideten den erfolgreichen Mann. **b)** *selbst gerne haben wollen, was ein anderer besitzt:* ich beneide ihn um diese Sammlung.

beneidenswert ⟨Adj.⟩: *zu beneiden:* ein beneidenswerter Glückspilz.

benennen, benannte, hat benannt ⟨tr.⟩: **a)** *mit einem Namen, einer Bezeichnung versehen; bezeichnen:* seine Eltern benannten ihn nach seinem Großvater; eine Farbe, die schwer zu b. ist. **b)** *(mit Namen) angeben, anführen:* jmdn. als neues Mitglied b.

benetzen, benetzte, hat benetzt ⟨tr.⟩ (geh.): *leicht befeuchten:* Tränen benetzten ihre Wangen; er benetzte sich die Stirn.

bengalisch: ⟨in der Fügung⟩ bengalische Beleuchtung: *gedämpfte Beleuchtung aus buntfarbigem Licht.*

Bengel, der; -s, - (ugs.): **a)** *ungezogener, frecher, rüpelhafter Junge.* **b)** (scherzh.) *kleiner Junge, Bub:* ein ganz süßer kleiner B.

Benjamin, der; -s, -e: **a)** *jüngster Sohn, Jüngster:* er ist der B. der Familie, unser B. **b)** *jüngstes Mitglied einer Mannschaft, eines Vereins o. ä.:* er ist der B. der Klasse.

benommen ⟨Adj.⟩: *leicht betäubt:* sie war von dem Sturz ganz b.

benötigen, benötigte, hat benötigt ⟨tr.⟩: *haben müssen, nötig haben, brauchen:* er benötigte noch etwas Geld.

benutzen, benutzte, hat benutzt ⟨tr.⟩: **a)** *in Gebrauch nehmen:* hast du das Handtuch schon benutzt? **b)** *verwenden:* das alte Gebäude wird als Stall benutzt; den vorderen Eingang b. *(vorne hineingehen);* die Bahn b. *(damit fahren);* die Gelegenheit b. *(ausnutzen).* **c)** *Gebrauch machen (von etwas), sich (einer Sache) bedienen:* ein Taschentuch b.

benützen, benützte, hat benützt ⟨tr.⟩ (bes. südd.): *benutzen.*

Benzin, das; -s: *chemisches Gemisch, das als Treibstoff oder Reinigungsmittel verwendet wird:* B. tanken; mit B. einen Fleck entfernen.

beobachten, beobachtete, hat beobachtet ⟨tr.⟩: *aufmerksam, genau betrachten; überwachen:* jmdn. lange, heimlich b.; die Natur b. **Beobachtung,** die; -, -en.

beordern, beorderte, hat beordert ⟨tr.⟩: **a)** *durch einen [militärischen] Befehl, Auftrag (an einen bestimmten Ort) kommen lassen, bestellen:* der Soldat wurde zum Kommandanten beordert; er hat uns zu einem Einsatz nach Frankreich beordert. **b)** *(jmdm.) einen Auftrag geben; befehlen:* er beorderte einen Angestellten, sich um die Sache zu kümmern.

bepacken, bepackte, hat bepackt ⟨tr.⟩: *voll beladen:* für den Urlaub das Auto mit vielen notwendigen Dingen b.; ⟨häufig im 2. Partizip⟩ ein schwer bepackter Wagen; mit Koffern bepackt nach Hause kommen.

bepflanzen, bepflanzte, hat bepflanzt ⟨tr.⟩: *durch Einpflanzen (mit Bäumen, Sträuchern, Blumen o. ä.) versehen:* den Garten [mit Rosen] b.; ⟨häufig im 2. Partizip⟩ ein mit Gemüse bepflanztes Beet.

bepflastern, bepflasterte, hat bepflastert ⟨tr.⟩ (ugs.): *(eine Wunde o. ä.) mit einem Pflaster verbinden, bedecken:* eine Wunde bepflastern; die bepflasterten Knie des kleinen Jungen.

bepinseln, bepinselte, hat bepinselt ⟨tr.⟩ (ugs.): **1.** *leicht [wie] mit einem Pinsel bestreichen:* das Fleisch mit Öl, die entzündeten Stellen mit einem Medikament b. **2.** (abwertend) **a)** *bemalen:* er bepinselt ein wenig die Leinwand und nennt das dann ein Kunstwerk. **b)** *beschreiben:* viele Seiten mit einem stümperhaften Aufsatz b.

bequem ⟨Adj.⟩: **1.** *in seiner Art angenehm:* ein bequemer Sessel; bequeme *(nicht enge)* Schuhe; ein bequemes *(faules, nicht arbeitsreiches)* Leben führen; man kann den Ort b. *(ohne Mühe)* erreichen. **2.** *jeder Anstrengung, Mühe abgeneigt; träge:* zu weiten Spaziergängen ist er viel zu b.

bequemen, sich; bequemte sich, hat sich bequemt (abwertend): *sich endlich entschliessen:* es dauerte einige Zeit, bis er sich zu einer Auskunft bequemte.

Bequemlichkeit, die; -, -en: **1.** *das Angenehme; bequeme Einrichtung, Komfort:* auf die gewohnten Bequemlichkeiten nicht verzichten wollen; in diesem Hotel fehlt jede B. **2.** ⟨ohne Plural⟩ *Trägheit, Nachlässigkeit:* aus lauter B. ist er zu Hause geblieben.

berappen, berappte, hat berappt ⟨tr.⟩ (ugs.): *[widerwillig] bezahlen:* seine Schulden, viel Geld b.

beraten, berät, beriet, hat beraten ⟨tr.⟩: **1.** *(jmdm.) mit Rat beistehen:* er hat ihn bei seinem Kauf beraten. **2.** *gemeinsam überlegen und besprechen:* einen Plan b.; ⟨auch itr.⟩: sie haben lange über das Vorhaben beraten. **Beratung,** die; -, -en.

berauben, beraubte, hat beraubt ⟨tr.⟩: *(jmdm.) gewaltsam (etwas) entwenden, rauben:* der Lenker des Taxis wurde getötet und beraubt; ⟨mit Gen.⟩ er beraubte sie ihres gesamten Schmuckes; bildl.: er hatte uns der letzten Hoffnung beraubt. *** einer Sache beraubt sein** *(etwas nicht mehr besitzen; ohne etwas früher Vorhandenes sein):* wir sind unserer alten Rechte beraubt; zuerst waren wir vor Schreck unserer Stimme beraubt.

berauschen, berauschte, hat berauscht: **1.** ⟨tr.⟩ **a)** *betrunken machen:* vom starken Wein berauscht werden. **b)** *trunken machen:* die Siege berauschten ihn; ⟨häufig im 1. und 2. Partizip⟩ ein berauschendes Glücksgefühl; von Begeisterung berauscht. **2.** ⟨rfl.⟩ *sich an etwas begeistern:* sich an den neuen Ideen b.

berechnen, berechnete, hat berechnet ⟨tr.⟩ /vgl. berechnend/: **a)** *durch Rechnen feststellen, ermitteln:* den Preis, die Entfernung b. **b)** *anrechnen, in Rechnung stellen:* die Verpakkung hat er [mir] nicht berechnet.

berechnend ⟨Adj.⟩ (abwertend): *stets auf Gewinn, eigenen Vorteil bedacht:* sie ist sehr b.

Berechnung, die; -, -en: **1.** *das Berechnen:* die B. des Preises; alle Berechnungen waren falsch. **2.** (abwertend): *auf eigenen Vorteil zielende Überlegung, Absicht:* aus reiner, kalter B. handeln.

berechtigen, berechtigte, hat berechtigt ⟨itr.⟩: *das Recht, die Genehmigung geben:* die Karte berechtigt zum Eintritt; ⟨im 2. Partizip⟩ berechtigt sein *(das Recht haben):* er war nicht berechtigt, diesen Titel zu tragen. *** etwas ist berechtigt** *(etwas besteht zu Recht, ist begründet):* seine Hoffnung war durchaus berechtigt. **Berechtigung,** die; -, -en.

bereden, beredete, hat beredet: **1.** ⟨tr.⟩ **a)** *(über jmdn./etwas) [abfällig] reden:* es gibt Leute, die alles und jeden b. müssen. **b)** *besprechen, (über etwas) beraten:* wir wollen die Sache ruhig miteinander b. **2.** ⟨rfl.⟩ *sich besprechen, sich beraten:* sie müssen sich noch mit ihm über die Angelegenheit b. **3.** ⟨tr.⟩ *überreden:* ich konnte ihn nicht b., das zu tun.

beredsam ⟨Adj.⟩: *beredt.*

Beredsamkeit, die; -: *Gewandtheit im Reden; Fähigkeit, durch Reden zu überzeugen:* er widersprach mit großer B.

beredt ⟨Adj.⟩: *gewandt (im Reden); mit vielen Worten, Argumenten:* ein beredter Verteidiger seiner Ideen; mit beredten Worten; sich b. verteidigen.

Bereich, der; -[e]s, -e: *Raum, Fläche, Gebiet von bestimmter Abgrenzung, Größe:* im B. der Stadt; das fällt in den B. der Kunst.

bereichern, bereicherte, hat bereichert: **1.** ⟨tr.⟩ *reicher machen, vergrößern:* seine Sammlung um einige wertvolle Stücke b. **2.** ⟨rfl.⟩ *sich ohne Skrupel einen Gewinn verschaffen:* er hat sich im Krieg am Eigentum anderer bereichert. **Bereicherung,** die; -.

bereifen, bereifte, hat bereift ⟨tr.⟩: *ein Fahrzeug mit Reifen versehen:* er hat sein Auto neu bereift.

bereift ⟨Adj.⟩: *durch Frost mit Reif bedeckt:* bereifte Bäume.

Bereifung, die; -, -en: *die zu einem Fahrzeug gehörenden Reifen:* die B. [des Autos] erneuern.

bereinigen, bereinigte, hat bereinigt ⟨tr.⟩: *(etwas, was zu einer Verstimmung geführt hat) in Ordnung bringen und damit das normale Verhältnis wieder herstellen:* diese Angelegenheiten müssen bereinigt werden.

bereisen, bereiste, hat bereist ⟨tr.⟩: *(in einem Gebiet, Land) reisen; durch Reisen kennenlernen:* viele Städte, ein Land b.

bereit: ⟨in der Verbindung⟩ b. sein: **1.** *fertig sein:* ich bin b., wir können gehen. **2.** *den Willen haben, entschlossen sein:* er ist b., dir zu helfen.

bereiten, bereitete, hat bereitet ⟨tr.⟩: **1.** *zubereiten, fertigmachen, zurechtmachen:* jmdm. ein Bad b. **2.** *zuteil werden lassen, zufügen, verursachen:* jmdm. eine Freude, Kummer, einen schönen Empfang b.

bereithalten, hält bereit, hielt bereit, hat bereitgehalten ⟨tr./rfl.⟩: *zur Verfügung halten; so vorbereiten, daß es gleich zur Verfügung steht, wenn es gebraucht wird:* die Feuerwehr muß sich ständig b.; das Geld b.

bereits ⟨Adverb⟩: *schon:* er wußte es b.

Bereitschaft, die; -: *das Bereitsein:* er erklärte seine B. zur Hilfe.

bereitstehen, stand bereit, hat bereitgestanden ⟨itr.⟩: *für den Gebrauch zur Verfügung stehen:* das Auto steht bereit.

bereitstellen, stellte bereit, hat bereitgestellt ⟨tr.⟩: *zur Verfügung stellen, bereithalten:* eine größere Summe Geld, Waren für bestimmte Zwecke b.

Bereitung, die; - (veralt.): *Zubereitung, Herstellung:* die B. von Pasteten.

bereitwillig ⟨Adj.⟩: *gerne bereit, entgegenkommend:* ein bereitwilliger Helfer; b. gab er ihm Auskunft. **Bereitwilligkeit,** die; -.

bereuen, bereute, hat bereut ⟨tr.⟩: *Reue empfinden (über etwas); (etwas) sehr bedauern:* er bereute diese Tat, seine Worte; sie bereute, daß sie nicht mitgegangen war.

Berg, der; -[e]s, -e: **1.** *größere Erhebung im Gelände:* ein hoher, steiler B.; auf einen B. steigen, klettern; bildl.: ein B. von Büchern, von Arbeit *(viel Arbeit).* *** über alle Berge sein** *(längst weit weg sein):* die Diebe waren über alle Berge, als die Polizei kam. **2.** ⟨Plural⟩ *Gebirge:* in die Berge fahren.

bergab ⟨Adverb⟩: *den Berg hinunter, abwärts:* b. laufen; die Straße geht b.; bildl.: mit ihm geht es [immer mehr] b. *(sein Zustand, seine Lage verschlechtert sich [immer mehr]* /in bezug auf Gesundheit, wirtschaftliche Lage o. ä./).

bergauf ⟨Adverb⟩: *den Berg hinauf, aufwärts:* b. muß er das Fahrrad schieben; langsam b. gehen; bildl.: mit ihm geht es [schon wieder] b. *(sein Zustand, seine Lage bessert sich [schon wieder]* in bezug auf Gesundheit, wirtschaftliche Lage o. ä./).

Bergbau, der; -s: *industrielle Gewinnung nutzbarer Bodenschätze.*

bergen, birgt, barg, hat geborgen /vgl. geborgen/: **1.** ⟨tr.⟩ *retten, in Sicherheit bringen:* die Verunglückten b. **2.** ⟨tr.⟩ (geh.) *verstecken, verhüllen:* sie barg das Gesicht in den Händen. **3.** ⟨itr.⟩ (geh.) *enthalten:* diese Lösung birgt viele Vorteile in sich.

Bergfried, der; -[e]s, -e (hist.): *der für die Verteidigung wichtigste Turm einer Burg.*

bergig ⟨Adj.⟩: *viele Berge aufweisend, reich an Bergen:* eine bergige Landschaft.

Bergsteiger, der; -s, -: *im Besteigen von Bergen erfahrener und geschulter Sportler.*

Berg-und-Tal-Bahn, die; -, -en: *kleine Bahn auf Rummelplätzen, die abwechselnd steil bergauf und bergab fährt.*

Bergung, die; -, -en: *das In-Sicherheit-Bringen, Rettung:* die B. der verunglückten Bergsteiger.

Bergwerk, das; -s, -e: *für den Bergbau notwendige Anlage, bestehend aus der Grube und den dazugehörenden technischen Einrichtungen.*

Bericht, der; -[e]s, -e: *Darstellung eines Sachverhalts; Mitteilung:* ein mündlicher, schriftlicher, ausführlicher, knapper B. ***B. von etwas geben** *(von etwas berichten).*

berichten, berichtete, hat berichtet ⟨tr./itr.⟩: *sachlich darstellen, mitteilen; melden:* er hat seinem Vorgesetzten alles genau berichtet; sie berichteten über ihre Erlebnisse, von ihrer Reise.

Berichterstatter, der; -s, -: *jmd., der für eine Zeitung o. ä. über aktuelle Ereignisse berichtet; Korrespondent:* er arbeitet als B. für eine Zeitung in Berlin.

berichtigen, berichtigte, hat berichtigt ⟨tr./rfl.⟩: *verbessern, korrigieren:* einen Fehler b.; er berichtigte sich sofort; ich muß dich b. *(auf einen Fehler, Irrtum aufmerksam machen),* die Sache war anders. **Berichtigung,** die; -, -en.

beriechen, beroch, hat berochen ⟨tr.⟩: *durch Riechen prüfen, untersuchen:* die Wurst b., ob sie noch frisch ist; bildl. (ugs.): ⟨rzp.⟩ einander, sich [gegenseitig] zunächst einmal b. *(vorsichtig [prüfend] Kontakte herstellen).*

berieseln, berieselte, hat berieselt ⟨tr.⟩: **1.** *feucht halten, indem man dünne Strahlen von Wasser über etwas fließen läßt:* die Felder b. **2.** (abwertend) *ständig einwirken (auf jmdn.):* das Radio berieselte sie den ganzen Tag mit Musik.

beritten ⟨Adj.⟩: *auf Pferden reitend:* berittene Polizei.

Bernstein, der; -s: *leicht durchsichtiger Stein von gelber bis brauner Farbe.*

Berserker, der; -s, - (geh.): *Mensch, der sich äußerst wild gebärdet:* die Kräfte eines Berserkers besitzen.

bersten, birst, barst, ist geborsten ⟨itr.⟩ (geh.): *zerspringen, platzen; plötzlich und mit großer Gewalt gesprengt werden:* bei diesem Erdbeben barst die Erde; er ist vor Lachen bald geborsten.

berüchtigt ⟨Adj.; nicht adverbial⟩: *durch moralisch schlechte Eigenschaften, Taten bekannt [und gefürchtet]; verrufen:* ein berüchtigter Betrüger; die Gegend, das Lokal ist b.

berückend ⟨Adj.⟩ (geh.): *bezaubernd, hinreißend, verführerisch:* eine berückende Schönheit; sie lächelte b.

berücksichtigen, berücksichtigte, hat berücksichtigt ⟨tr.⟩: *beachten; (an etwas) denken; in Betracht ziehen:* man muß sein Alter, seine schwierige Lage b. **Berücksichtigung,** die; -.

Beruf, der; -[e]s, -e: *[erlernte] Arbeit, Tätigkeit, mit der man sein Geld verdient:* einen B. ergreifen, ausüben; seinem B. nachgehen; er ist von B. Lehrer.

berufen: I. berufen, berief, hat berufen: **1.** ⟨tr.⟩ *(jmdm. ein Amt) anbieten; in ein Amt einsetzen:* er wurde ins Ministerium berufen. **2.** ⟨rfl.⟩ *als Zeugen, als Beweis nennen:* Sie können sich immer auf mich, auf diesen Befehl b. **II.** ⟨Adj.⟩ *besonders befähigt:* ein berufener Vertreter seines Fachs; er ist, fühlt sich b., Großes zu leisten.

beruflich ⟨Adj.; nicht prädikativ⟩: *den Beruf betreffend:* er hat berufliche Schwierigkeiten.

berufsmäßig ⟨Adj.⟩: *den Beruf betreffend, als Beruf:* er übt diese Tätigkeit b. aus.

Berufsschule, die; -, -n: *Schule, in der Lehrlinge während ihrer Lehre unterrichtet werden.*

berufstätig ⟨Adj.; nicht adverbial⟩: *einen Beruf ausübend:* berufstätige Frauen; sie ist nicht mehr b.

Berufung, die; -, -en: **1.** *Angebot eines Amtes:* eine B. als Professor annehmen. **2.** ⟨ohne Plural⟩ *das Sichberufen, Sichstützen (auf jmdn./etwas):* die B. auf einen Zeugen, auf eine Aussage. **3.** ⟨ohne Plural⟩ *besondere Befähigung, die man als Auftrag in sich fühlt:* es war seine B., den Menschen zu helfen.

beruhen, beruhte, hat beruht ⟨itr.⟩: *seine Ursache haben (in etwas); sich stützen (auf etwas):* seine Aussagen beruhten auf einem Irrtum. **** etwas auf sich b. lassen** *(etwas nicht weiter untersuchen, so lassen, wie es ist):* diesen Fall können wir auf sich b. lassen.

beruhigen, beruhigte, hat beruhigt: **a)** ⟨tr.⟩ *ruhig machen, zur Ruhe bringen:* das weinende Kind b.; die Medizin beruhigt die Nerven. **b)** ⟨rfl.⟩ *ruhig werden:* er konnte sich nur langsam b.; das Meer, der Sturm beruhigte sich allmählich. **Beruhigung,** die; -.

Beruhigungsmittel, das; -s, -: *Medikament, das die Nerven beruhigt.*

berühmt ⟨Adj.; nicht adverbial⟩: *durch besondere Leistung, Qualität weithin bekannt:* ein berühmter Künstler; ein berühmter Roman; sie wird eines Tages b. werden; dieses Buch hat ihn b. gemacht.

Berühmtheit, die; -, -en: **1.** ⟨ohne Plural⟩ *das Berühmtsein:* ihre B. hat sie stolz gemacht. **2.** *jmd., der berühmt ist:* an dem Fest nahmen mehrere Berühmtheiten teil.

berühren, berührte, hat berührt ⟨tr.⟩: *(zu jmdm./etwas) [mit der Hand] eine Verbindung, einen Kontakt herstellen; streifen:* jmdn./etwas leicht, zufällig b.; bildl.: eine Frage, eine Angelegenheit im Gespräch b. *(erwähnen).* **Berührung,** die; -, -en.

besagen, besagte, hat besagt ⟨itr.⟩ / vgl. besagt /: *ausdrücken, bedeuten:* das Schild besagt, daß man hier nicht halten darf; das will nichts b.

besagt ⟨Adj.; nur attributiv⟩: *bereits genannt, erwähnt:* das ist das besagte Buch.

besänftigen, besänftigte, hat besänftigt ⟨tr.⟩: *beruhigen, beschwichtigen:* er versuchte ihn, seinen Zorn zu b.

Besatz, der; -es, Besätze: *Verzierung auf Kleidungsstücken, die aufgenäht oder eingesetzt wird:* das Kleid hat um den Ausschnitt einen roten B.

Besatzer, der; -s, - (abwertend): *Soldat, der zur Besatzung eines Landes gehört.*

Besatzung, die; -, -en: **1.** *Mannschaft eines Schiffes, eines Flugzeugs o. ä.* **2.** *Truppen, die ein fremdes Land besetzt halten:* die B. zog ab.

besaufen, sich; besäuft sich, besoff sich, hat sich besoffen (derb): *sich betrinken.*

beschädigen, beschädigte, hat beschädigt ⟨tr.⟩: *Schaden (an etwas) verursachen, (etwas) schadhaft machen:* das Haus wurde durch Bomben beschädigt. **Beschädigung,** die; -, -en.

beschaffen, beschaffte, hat beschafft ⟨tr.⟩: *[unter Überwindung von Schwierigkeiten] holen; dafür sorgen, daß etwas, was gebraucht, benötigt wird, zur Verfügung steht:* jmdm./sich Geld, Arbeit b. ****so beschaffen sein,**

daß... *(von der Art sein, daß...):* das Material ist so b., daß es Wasser abstößt.

Beschaffenheit, die; -: *[stofflicher] Zustand (von etwas):* die B. des Materials muß erst geprüft werden.

Beschaffung, die; -: *das Beschaffen, Herbeischaffen:* jmdn. mit der B. von Material beauftragen.

beschäftigen, beschäftigte, hat beschäftigt: **1. a)** ⟨rfl.⟩ *zum Gegenstand seiner Tätigkeit machen; arbeiten (an etwas); zu tun haben (mit jmdm./etwas):* ich beschäftige mich viel mit den Kindern; die Polizei mußte sich mit diesem Fall b.; ⟨im 2. Partizip⟩ sie war damit beschäftigt *(war dabei)*, das Essen zuzubereiten; er ist beschäftigt *(hat zu tun, zu arbeiten)*. **b)** (itr.) *innerlich in Anspruch nehmen:* dieses Problem beschäftigte ihn. **2.** ⟨tr.⟩ **a)** *(jmdm.) Arbeit geben:* er beschäftigt in seinem Betrieb hundert Arbeiter. **b)** *(jmdm.) zu tun geben:* die Kinder mit einem Spiel b. **Beschäftigung,** die; -, -en.

beschämen, beschämte, hat beschämt ⟨tr.⟩: *mit einem Gefühl der Scham erfüllen, demütigen:* seine Güte beschämte ihn; ⟨häufig im 1. Partizip⟩ seine Einstellung ist beschämend; das ist beschämend *(sehr)* wenig.

beschatten, beschattete, hat beschattet ⟨tr.⟩: *einem Auftrag gemäß heimlich überwachen, beobachten:* die Polizei beschattete ihn einige Zeit; einen Verdächtigen b. lassen.

beschauen, beschaute, hat beschaut ⟨tr.⟩ (landsch.): *prüfend anschauen, genau betrachten:* mißtrauisch beschaute er den Fremden.

beschaulich ⟨Adj.⟩: *geruhsam, besinnlich:* ein beschauliches Leben führen. **Beschaulichkeit,** die; -.

Bescheid, der; -[e]s: *Mitteilung, Nachricht:* haben Sie schon einen B. bekommen? * **jmdm. B. geben/sagen** *(jmdm. etwas mitteilen)*; **B. wissen** *(von etwas Kenntnis haben, etwas gut kennen):* du brauchst es ihm nicht zu sagen, er weiß [schon] B.

bescheiden ⟨Adj.⟩: **1.** *sich nicht in den Vordergrund stellend; genügsam:* ein bescheidener Mensch; er ist sehr b. **2.** *einfach, klein:* ein bescheidenes Zimmer, Einkommen. **Bescheidenheit,** die; -.

bescheinen, beschien, hat beschienen ⟨tr.⟩: *(auf etwas) scheinen, beleuchten:* die Sonne bescheint die winterliche Landschaft; ⟨häufig im 2. Partizip⟩ vom Mond beschienene Dächer.

bescheinigen, bescheinigte, hat bescheinigt ⟨tr.⟩: *schriftlich bestätigen; quittieren:* den Empfang des Geldes b.

Bescheinigung, die; -, -en: *Schriftstück, mit dem etwas bescheinigt wird:* er hat von ihm eine B. über seinen Aufenthalt im Krankenhaus verlangt.

bescheißen, beschiß, hat beschissen ⟨tr.⟩ (derb): *betrügen:* diese Kerle wollten mich b.

beschenken, beschenkte, hat beschenkt ⟨tr.⟩: *(jmdm.) etwas schenken; mit Gaben, Geschenken bedenken:* jmdn. reich b.

bescheren, bescherte, hat beschert ⟨tr./itr.⟩: **a)** *(zu Weihnachten) schenken:* den Kindern wurde viel beschert; um 17 Uhr bescheren wir *(teilen wir die Geschenke aus)*; bildl.: ihnen waren viele Jahre des Glücks beschert. **b)** *(etwas Unangenehmes) bringen, womit man nicht gerechnet hat:* der gestrige Tag bescherte uns eine böse Überraschung.

beschießen, beschoß, hat beschossen ⟨tr.⟩: *längere Zeit hindurch (auf jmdn./etwas) schießen:* die Feinde haben das Dorf, die Einwohner beschossen.

beschildern, beschilderte, hat beschildert ⟨tr.⟩: *mit Schildern versehen:* eine Straße b. **Beschilderung,** die; -, -en.

beschimpfen, beschimpfte, hat beschimpft ⟨tr.⟩: *mit groben Worten beleidigen:* er hat ihn beschimpft. **Beschimpfung,** die; -, -en.

beschirmen, beschirmte, hat beschirmt ⟨tr.⟩ (geh.): *beschützen:* Gott möge euch auf der Fahrt b.

beschlafen, beschläft, beschlief, hat beschlafen ⟨tr.⟩: *(über etwas) eine Nacht verstreichen lassen, um es sich noch genau überlegen zu können:* ich muß die ganze Angelegenheit erst [noch einmal] b.

Beschlag: ⟨in den Fügungen⟩ in B. nehmen, mit B. belegen: *ganz für sich in Anspruch nehmen:* die Kinder nahmen den Onkel die ganze Zeit über in B.

beschlagen: I. beschlagen, beschlägt, beschlug, hat/ist beschlagen: **1.** *mit etwas versehen, was durch Nägel gehalten wird:* er hat das Pferd beschlagen. **2.** ⟨itr./rfl.⟩ *sich mit einer dünnen Schicht überziehen, anlaufen:* das Fenster ist/hat sich beschlagen. **II.** ⟨Adj.; nicht adverbial⟩ *(auf einem Gebiet) gut Bescheid wissend:* ein beschlagener Fachmann; er ist auf seinem Gebiet sehr b.

Beschlagnahme, die; -, -n: *das In-Beschlag-Nehmen:* das Gericht ordnete die B. der Papiere an.

beschlagnahmen, beschlagnahmte, hat beschlagnahmt ⟨tr.⟩: *in amtlichem Auftrag wegnehmen:* die Polizei beschlagnahmte alle Akten.

beschleichen, beschlich, hat beschlichen ⟨tr.⟩: **1.** *(an etwas) heranschleichen:* den Feind, das feindliche Lager b. **2.** *langsam und unbemerkt ergreifen, überkommen:* ein Gefühl der Niedergeschlagenheit beschlich ihn.

beschleunigen, beschleunigte, hat beschleunigt ⟨tr.⟩: **a)** *schneller werden lassen:* seine Schritte b.; ⟨auch itr.⟩ das Auto beschleunigt gut *(kommt leicht auf eine höhere Geschwindigkeit)*. **b)** *früher, schneller geschehen, vonstatten gehen lassen:* seine Abreise, die Arbeit b. **Beschleunigung,** die; -.

beschließen, beschloß, hat beschlossen ⟨tr.⟩: **1.** *einen bestimmten Entschluß fassen:* sie beschlossen, doch schon früher abzureisen. **2.** *beenden; enden lassen:* eine Feier [mit einem Lied] b.

Beschluß, der; Beschlusses, Beschlüsse: *[gemeinsam] festgelegte Entscheidung; Ergebnis einer Beratung:* einen B. verwirklichen. * **einen B. fassen** *(etwas beschließen)*.

beschlußfähig ⟨Adj.; nicht adverbial⟩: *fähig, Beschlüsse zu fassen:* wenn die Mitgleider vollzählig erscheinen, ist die Versammlung b.

beschmieren, beschmierte, hat beschmiert ⟨tr.⟩: **a)** *(auf etwas) schmieren, streichen; be-*

streichen: Brot mit Butter und Honig b. **b)** *(mit etwas Schmierigem, Weichem) beschmutzen:* das Kind hat sich das Gesicht mit Marmelade beschmiert. **c)** (abwertend) *unordentlich, unsauber beschreiben, bemalen:* die Wände mit roten Zeichen b.

beschmutzen, beschmutzte, hat beschmutzt ⟨tr./rfl.⟩: *[unabsichtlich] schmutzig machen:* seine Kleider b.; du hast dich beschmutzt.

beschneiden, beschnitt, hat beschnitten ⟨tr.⟩: **a)** *durch Schneiden kürzen, in die richtige Form bringen:* die Äste der knorrigen Bäume b.; Papier, Bretter b. *** jmdm. die Flügel b.** *(jmdn. in seiner Wirksamkeit beschränken).* **b)** (geh.) *einschränken, verringern, kürzen:* jmdm. seine Freiheit, Hoffnung b.; alle unsere Gehälter wurden beschnitten. **c)** *(jmdm.) die Vorhaut entfernen* /rituelle oder medizinische Maßnahme bei verschiedenen Völkern/: die Knaben wurden bald nach der Geburt oder in der Pubertät beschnitten.

beschnüffeln, beschnüffelte, hat beschnüffelt ⟨tr.⟩: *unter anhaltendem Schnüffeln beriechen:* der Hund beschnüffelte den fremden Mann; bildl. (ugs.; abwertend): alles genau b. *(genau ansehen, einer genauen Untersuchung unterziehen);* (ugs.) jmdn. b. *(vorsichtig kennenzulernen suchen).*

beschnuppern, beschnupperte, hat beschnuppert ⟨tr.⟩: *beschnüffeln.*

beschönigen, beschönigte, hat beschönigt ⟨tr.⟩: *(Negatives) positiver darstellen, vorteilhafter erscheinen lassen:* jmds. Fehler, Handlungen b.

beschränken, beschränkte, hat beschränkt /vgl. beschränkt/: **a)** ⟨tr.⟩ *einschränken, begrenzen:* jmds. Rechte, Freiheit b.; ⟨im 2. Partizip⟩ die Zahl der Plätze ist beschränkt. **b)** ⟨rfl.⟩ *sich begnügen (mit etwas):* bei seiner Rede beschränkte er sich auf das Notwendigste.

beschrankt ⟨Adj.; nicht adverbial⟩: *mit Schranken versehen:* der Bahnübergang ist nicht b.

beschränkt ⟨Adj.⟩ (abwertend): *von geringer Intelligenz, dumm:* er ist etwas b.

Beschränktheit, die; -: **1.** *das Eingeschränktsein, Begrenztsein:* die B. unserer Mittel. **2.** *geistiges Eingeengtsein, Dummheit, Einfältigkeit:* das alles ist auf ihre B. zurückzuführen.

Beschränkung, die; -, -en: **a)** ⟨ohne Plural⟩ *das Beschränken, Verringern:* eine B. dieser großen Zahl von Schülern erwies sich als notwendig. **b)** *etwas, was beschränkt:* jmdm. Beschränkungen auferlegen.

beschreiben, beschrieb, hat beschrieben ⟨tr.⟩: **1.** *mit Schrift bedecken; vollschreiben:* ein Blatt Papier b. **2.** *mit Worten in Einzelheiten darstellen:* einen Vorgang, einen Gegenstand [genau, ausführlich] b. **3.** *sich in einer bestimmten Bahn bewegen:* eine Kurve b.; er beschrieb *(zeichnete)* einen Kreis mit dem Zirkel.

Beschreibung, die; -, -en: **a)** ⟨ohne Plural⟩ *das Beschreiben, Darstellen* /mündlich oder schriftlich/: die B. der örtlichen Verhältnisse nahm viel Zeit in Anspruch. *** etwas spottet jeder B.** *(etwas ist so schlimm oder so schlecht, daß man es nicht für möglich hält):* die Unordnung in diesem Zimmer spottet jeder B. **b)** *etwas, was Besonderheiten, Kennzeichen o. ä. genau angibt:* eine B. für den Gebrauch; die einzelnen Beschreibungen dieses Vorfalles sind sehr verschieden.

beschreiten, beschritt, hat beschritten ⟨tr.⟩ (geh.): *(eine bestimmte Richtung) wählen:* in einer bestimmten Angelegenheit den richtigen, falschen Weg b.

beschriften, beschriftete, hat beschriftet ⟨tr.⟩: *mit einer Aufschrift versehen:* ein Schild, einen Umschlag b.

beschuldigen, beschuldigte, hat beschuldigt ⟨tr.⟩: *(jmdm. etwas) zur Last legen; (jmdm.) die Schuld (an etwas) geben:* man beschuldigte ihn, einen Diebstahl begangen zu haben; ⟨mit Gen.⟩ jmdn. des Mordes b. **Beschuldigung,** die; -, -en.

beschummeln, beschummelte, hat beschummelt ⟨tr.⟩ (ugs.): *in kleineren Dingen beschwindeln, betrügen:* er hat mich beim Spielen beschummelt; jmdn. um ein paar Pfennige b.

Beschuß, der; Beschusses: *das Beschießen:* durch den B. der Stadt wurden viele Häuser zerstört. *** unter B. liegen/stehen** *(beschossen werden);* **unter B. nehmen** *(beschießen);* **bei B.** *(während [auf etwas] geschossen wird).*

beschütten, beschüttete, hat beschüttet ⟨tr./rfl.⟩: *(auf jmdn./etwas) schütten:* einen Weg mit Schotter b.; ich habe mich mit Suppe beschüttet *(begossen).*

beschützen, beschützte, hat beschützt ⟨tr.⟩: *(von jmdm./etwas) Gefahr abhalten:* er beschützte seinen kleinen Bruder.

Beschützer, der; -s, -: *jmd., der einen Schwächeren beschützt.*

beschwatzen, beschwatzte, hat beschwatzt ⟨tr.⟩ (ugs.): **a)** *(über etwas) reden:* das Ereignis wird von den Leuten noch viele Wochen hindurch beschwatzt. **b)** *überreden:* ich lasse mich von ihm nicht b. mitzukommen; sie konnte mich dazu b.

Beschwerde, die; -, -n: **1.** *Klage, mit der man sich über jmdn., etwas beschwert, seine Unzufriedenheit ausdrückt:* die B. hatte nichts genutzt. *** gegen jmdn./über etwas B. führen** *(sich über jmdn./etwas beschweren).* **2.** ⟨Plural⟩ *körperliche Leiden:* die Beschwerden des Alters.

beschweren, beschwerte, hat beschwert: **1.** ⟨rfl.⟩ *sich beklagen:* sich bei jmdm. über/wegen etwas b. **2.** ⟨tr.⟩ *(mit etwas Schwerem) belasten:* Briefe mit einem Stein b.

beschwerlich ⟨Adj.; nicht adverbial⟩: *mit Anstrengung verbunden, mühsam:* eine beschwerliche Arbeit; der Weg war lang und b. **Beschwerlichkeit,** die; -, -en.

beschwichtigen, beschwichtigte, hat beschwichtigt ⟨tr.⟩: *beruhigen, besänftigen:* er versuchte, seinen zornigen Freund zu b.

beschwindeln, beschwindelte, hat beschwindelt ⟨tr.⟩: *belügen; (jmdm. gegenüber) nicht ganz ehrlich sein und eine Frage nicht der Wahrheit entsprechend beantworten:* er hat dich gestern ganz schön beschwindelt.

beschwingt ⟨Adj.⟩: *voll Schwung; heiter:* er kam mit beschwingten Schritten; beschwingte Melodien.

beschwipst ⟨Adj.⟩ (ugs.): *angeheitert, leicht betrunken:* bei dem Fest waren alle schon etwas b.

beschwören, beschwor, hat beschworen ⟨tr.⟩: **1.** *beeiden:* seine Aussagen [vor Gericht] b. **2.** *eindringlich bitten:* er beschwor ihn, nicht zu reisen. **3.** *durch Zauber (über jmdn./etwas) Gewalt erlangen:* einen Geist, Tote b.

beseelen, beseelte, hat beseelt ⟨tr.⟩ (geh.): **a)** *mit Seele, [Eigen]leben erfüllen:* Völker, die die Natur b.; der Schauspieler hat diese Gestalt neu beseelt. **b)** *innerlich erfüllen:* ein heißes Verlangen, das ihn beseelte; ⟨häufig im 2. Partizip⟩ der beseelte Blick; der beseelte Vortrag des Künstlers; von einem starken Willen beseelt sein.

besehen, besieht, besah, hat besehen ⟨tr.⟩: *anschauen, betrachten:* ich möchte mir den Park einmal näher b.; du mußt [dir] den Schaden genau b.; ich habe mir die Welt besehen *(sie bereist)*; ⟨auch rfl.⟩ sich im Spiegel von allen Seiten b. *** bei Licht[e] /in der Nähe/ genau/ recht b.** *(genaugenommen)*.

beseitigen, beseitigte, hat beseitigt ⟨tr.⟩: *machen, daß etwas nicht mehr vorhanden ist:* den Schmutz, einen Fleck b.; alle Schwierigkeiten, die Ursache des Übels b. **Beseitigung,** die; -.

beseligen, beseligte, hat beseligt ⟨tr.⟩ (geh.): *mit größtem Glück, höchster Seligkeit erfüllen:* ihre Anwesenheit beseligte ihn; ⟨häufig im 1. und 2. Partizip⟩ ein beseligendes Gefühl; beseligt lächeln.

Besen, der; -s, -: *Gerät zum Kehren, Fegen* (siehe Bild).

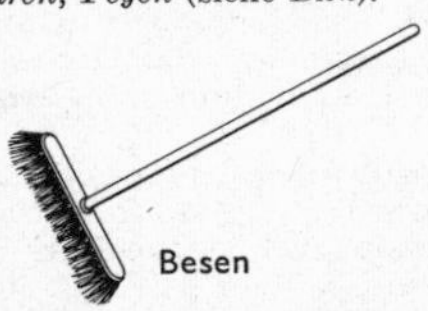
Besen

Besenstiel, der; -s, -e: *langer Stab als Teil des Besens:* den B. abbrechen; (ugs.) steif wie ein B. *(sehr steif)*; (ugs.) er geht, als hätte er einen B. verschluckt *(starr aufrecht; übertrieben gerade)*.

besessen: ⟨in der Verbindung⟩ b. sein von etwas: *heftig ergriffen, ganz erfüllt sein von etwas:* von einem Gedanken, einer Idee b. sein. **Besessenheit,** die; -.

besetzen, besetzte, hat besetzt ⟨tr.⟩: **1.** *mit Truppen belegen:* ein Land b. **2.** *an jmdn. vergeben:* einen Posten, eine Rolle beim Theater b. **3.** *zur Verzierung (mit etwas) versehen:* einen Mantel mit Pelz b. **** besetzt sein** *(nicht mehr frei sein)*: alle Tische sind besetzt.

Besetzung, die; -, -en: **a)** ⟨ohne Plural⟩ *das Belegen (mit Truppen):* die B. eines Landes durch feindliche Truppen. **b)** *das Vergeben an jmdn.:* die B. des Postens erwies sich als notwendig. **c)** *Gesamtheit der Künstler, die bei der Aufführung eines Theaterstückes o. ä. mitwirken:* die Oper wurde in einer hervorragenden B. aufgeführt.

besichtigen, besichtigte, hat besichtigt ⟨tr.⟩: *aufsuchen und betrachten:* eine Kirche, eine neue Wohnung b. **Besichtigung,** die; -, -en.

besiedeln, besiedelte, hat besiedelt ⟨tr.⟩: *neue Siedlungen (in einem Land) errichten:* dieses Land wurde erst spät besiedelt; ⟨häufig im 2. Partizip⟩ ein dicht besiedeltes Gebiet.

besiegeln, besiegelte, hat besiegelt ⟨tr.⟩ (geh.): **a)** *bekräftigen:* die Freundschaft mit einem Händedruck b. **b)** *endgültig, unabwendbar machen:* durch den Entschluß hat er unser Schicksal besiegelt; ⟨häufig im 2. Partizip⟩ sein Untergang war bereits besiegelt.

besiegen, besiegte, hat besiegt ⟨tr.⟩: *den Sieg (über jmdn.) erringen, (gegen jmdn.) gewinnen:* den Gegner [im Kampf] b.; bildl.: seine Zweifel, Leidenschaften b.

besingen, besang, hat besungen ⟨tr.⟩: **a)** *(etwas) singen, was (auf ein Tonband, eine Schallplatte) aufgenommen wird:* er hat schon über hundert Platten mit Schlagern besungen. **b)** (geh.) *in einem Lied oder Gedicht preisen, verherrlichen:* die Taten großer Helden b.

besinnen, sich; besann sich, hat sich besonnen /vgl. besonnen/: **1.** *nachdenken, überlegen:* er besann sich eine Weile, ehe er antwortete. **2.** *sich (an etwas) erinnern:* sich auf Einzelheiten b. können.

besinnlich ⟨Adj.⟩: *nachdenklich; der Besinnung dienend:* eine besinnliche Stunde.

Besinnung, die; -: *das ruhige Nachdenken; Sammlung:* nach einer Weile der B. war er ruhiger geworden. *** die B. verlieren** *(bewußtlos werden)*; **ohne B. sein** *(bewußtlos sein)*.

besinnungslos ⟨Adj.⟩: *ohne Bewußtsein; ohnmächtig:* er lag b. am Boden.

Besitz, der; -es: **1.** *etwas, was jmdm. gehört; Eigentum:* das Haus ist sein einziger B. **2.** *das Besitzen:* der B. eines Autos. *** im B. von etwas sein/etwas in B. haben** *(etwas besitzen)*; **etwas in B. nehmen/von etwas B. ergreifen** *(sich einer Sache bemächtigen)*.

besitzen, besaß, hat besessen ⟨itr.⟩: *[als Eigentum] haben:* er besitzt ein Haus; er besaß die Frechheit, dies zu behaupten.

Besitzer, der; -s, -: *jmd., der etwas Bestimmtes besitzt:* er ist der B. dieses Hauses.

Besitzung, die; -, -en: *größerer Besitz an Grund und Gebäuden:* er hat alle seine Besitzungen verloren.

besohlen, besohlte, hat besohlt ⟨tr.⟩: *mit neuen Sohlen versehen:* du mußt deine Schuhe b. lassen.

besolden, besoldete, hat besoldet ⟨tr.⟩: *(jmdm.) den Sold, das Gehalt zahlen* /bei Soldaten und Beamten/: der Staat besoldet die Beamten; ⟨häufig im 2. Partizip⟩ eine gut, schlecht besoldete Stelle. **Besoldung,** die; -.

besondere ⟨Adj.; nur attributiv⟩: *außerordentlich; nicht gewöhnlich, nicht alltäglich:* jmdm. eine besondere Freude machen. **Besonderheit,** die; -, -en.

besonders ⟨Adverb⟩: **a)** *für sich allein:* diese Frage müssen wir b. behandeln. **b)** *vor allem, nachdrücklich, insbesondere:* das möchte ich b. betonen. **c)** *sehr, außerordentlich:* dieses Eis schmeckt b. gut.

besonnen ⟨Adj.⟩: *ruhig und vernünftig; umsichtig und abwägend:* ein besonnener Mensch; b. handeln. **Besonnenheit,** die; -.

besorgen, besorgte, hat besorgt ⟨tr.⟩: **1.** *etwas beschaffen, kaufen:* etwas zum Essen, Geschenke b.; ich muß mir noch ein

Buch b. **2.** *sich (um jmdn./etwas) kümmern, (jmdn./etwas) versorgen:* den Haushalt, das Baby b. *** besorgt sein um jmdn./etwas** *(bedacht sein auf etwas, Sorge haben um jmdn.):* er war sehr besorgt um ihre Gesundheit.

Besorgnis, die; -, -se: *das Besorgtsein; Sorge:* seine B. um den kranken Jungen war sehr groß.

Besorgung, die; -, -en: *das Besorgen, Beschaffen; Einkauf:* ich habe noch einige Besorgungen in der Stadt zu machen.

bespannen, bespannte, hat bespannt ⟨tr.⟩: **a)** *(mit etwas, was gespannt, ausgedehnt wird) versehen:* die Geige mit neuen Saiten b.; Wände mit Stoff b. **b)** *(mit Zugtieren) versehen:* einen Wagen mit zwei Pferden b. **Bespannung,** die; -, -en.

bespiegeln, bespiegelte, hat bespiegelt ⟨tr.⟩ (geh.): *anschaulich machen, wiedergeben; kritisch darstellen, beleuchten:* der Autor bespiegelt in seinem Werk die Verhältnisse seines Landes.

bespielen, bespielte, hat bespielt ⟨tr.⟩: **1.** *(etwas auf ein Tonband oder eine Schallplatte) aufnehmen:* ein Band mit alten Liedern b. **2.** *regelmäßig (auf einer Bühne, an einem Ort, der kein Theater hat) spielen:* das Theater einer größeren Stadt bespielt kleinere Orte, die Bühnen kleinerer Orte.

bespitzeln, bespitzelte, hat bespitzelt ⟨tr.⟩: *durch einen Spitzel heimlich beobachten und aushorchen:* der Politiker wurde von seinem Gegner bespitzelt.

bespötteln, bespöttelte, hat bespöttelt ⟨tr.⟩: *(über jmdn./etwas) spötteln:* ein eigenartiges Verhalten b.

besprechen, bespricht, besprach, hat besprochen ⟨tr.⟩: **1.** *gemeinsam ausführlich (über etwas) sprechen; (etwas) im Gespräch klären:* die neuesten Ereignisse b.; ⟨auch rfl.⟩ er besprach sich mit ihm über diesen Fall. **2.** *eine Kritik (über etwas) schreiben; rezensieren:* ein Buch b. **Besprechung,** die; -, -en.

besprengen, besprengte, hat besprengt ⟨tr./rfl.⟩: *durch Spritzen leicht befeuchten:* vor dem Bügeln die Wäsche mit Wasser b.; sich mit Parfüm b.

bespritzen, bespritzte, hat bespritzt ⟨tr./rfl.⟩: *durch Spritzen naß machen, beschmutzen:* das Auto hat mich von oben bis unten bespritzt; sich mit Schmutz b.; ⟨häufig im 2. Partizip⟩ von Blut bespritzt sein.

besprühen, besprühte, hat besprüht ⟨tr.⟩: *durch Sprühen leicht befeuchten:* Pflanzen mit einem Mittel gegen Krankheiten b.

bespucken, bespuckte, hat bespuckt ⟨tr.⟩: *(auf jmdn./etwas) spucken:* er bespuckte den verhaßten Gegenstand, seinen Gegner.

besser ⟨Adj.⟩: **1.** /Komparativ von *gut*/: in den neuen Schuhen kann er b. gehen. **2.** ⟨nur attributiv⟩ *einer höheren Schicht der Gesellschaft angehörend:* ein besserer Herr, bessere Leute.

bessern, besserte, hat gebessert: **1.** ⟨rfl.⟩ *besser werden:* das Wetter, seine Laune hat sich gebessert. **2.** ⟨tr.⟩ *besser machen:* damit besserst du auch nichts; die Strafe hat ihn nicht gebessert. **Besserung,** die; -.

Besserwisser, der; -s, - (abwertend): *jmd., der alles besser zu wissen glaubt:* ein arroganter B.

Bestand, der; -[e]s, Bestände: **1.** ⟨ohne Plural⟩ *das Bestehen:* den B. der Firma sichern. *** von B. sein** *(dauerhaft sein; sich lange halten):* die Freundschaft war nicht von B. **2.** *vorhandene Menge (von etwas); Vorrat:* den B. der Waren ergänzen. *** eiserner B.** *(Vorrat für den Notfall).*

bestanden ⟨Adj.; nicht adverbial⟩: *bewachsen:* ein mit alten Bäumen bestandener Garten; der Wald ist hauptsächlich mit Fichten b.

beständig ⟨Adj.⟩: **a)** *dauernd, ständig:* in beständiger Sorge leben. **b)** *gleichbleibend:* das Wetter ist b. **Beständigkeit,** die; -.

Bestandteil, der; -s, -e: *einzelner Teil eines Ganzen:* Fett ist ein notweniger B. unserer Nahrung; etwas in seine Bestandteile zerlegen.

bestärken, bestärkte, hat bestärkt ⟨tr.⟩: *durch Zureden o. ä. unterstützen, sicher machen:* jmdn. in seinem Vorsatz b.

bestätigen, bestätigte, hat bestätigt: **a)** ⟨tr.⟩ *(etwas) für richtig, zutreffend erklären:* er bestätigte ihre Worte. **b)** ⟨tr.⟩ *mitteilen, daß man etwas erhalten hat:* einen Brief, eine Sendung b. **c)** ⟨tr.⟩ *als richtig erweisen:* das bestätigt meinen Verdacht. **d)** ⟨rfl.⟩ *sich als wahr, richtig erweisen:* die Nachricht, seine Befürchtungen haben sich bestätigt. **Bestätigung,** die; -, -en.

bestatten, bestattete, hat bestattet ⟨tr.⟩: *feierlich begraben:* einen Toten b.

Bestattung, die; -, -en: *feierliches Begräbnis.*

bestäuben, bestäubte, hat bestäubt ⟨tr.⟩: **a)** *mit (etwas, was die Form von Pulver oder Staub hat) bedecken, überziehen:* den Kuchen mit Zucker b.; die Landschaft ist ganz leicht von Schnee bestäubt. **b)** *(Pflanzen) befruchten:* Bäume werden meist durch den Wind bestäubt.

bestaunen, bestaunte, hat bestaunt ⟨tr.⟩: *staunend ansehen, betrachten; (über jmdn./etwas) staunen:* sie bestaunten das neue Auto.

beste ⟨Adj.; Superlativ von *gut*⟩: sein bester Freund. *** etwas zum besten geben** *(etwas zur Unterhaltung beitragen):* ein Erlebnis zum besten geben; **jmdn. zum besten haben/halten** *(jmdn. verspotten, zum Narren halten);* (meist iron.) **auf dem besten Weg sein** *(im Begriff sein, nahe daran sein):* er ist auf dem besten Wege zu verkommen.

bestechen, besticht, bestach, hat bestochen: **1.** ⟨tr.⟩ *durch Geschenke in nicht erlaubter Weise für seine Zwecke gewinnen:* einen Beamten [mit Geld] b. **2.** ⟨tr./itr.⟩ *einen sehr guten Eindruck (auf jmdn.) machen; für sich einnehmen:* sein sicheres Auftreten hat alle bestochen; sie bestach durch ihre Schönheit.

bestechlich ⟨Adj.; nicht adverbial⟩: *sich leicht bestechen lassend:* ein bestechlicher Polizist.

Bestechung, die; -, -en: *das Bestechen:* er wurde wegen B. bestraft.

Besteck, das; -[e]s, -e: *Geräte für eine Person, mit denen man die Speise zu sich nimmt; Messer, Gabel und Löffel.*

bestehen, bestand, hat bestanden /vgl. bestanden/: **1.**

⟨itr.⟩ *vorhanden sein, dasein:* zwischen den beiden Sorten besteht kein Unterschied; das Geschäft besteht noch nicht lange *(wurde erst vor kurzem gegründet).* 2. ⟨itr.⟩ **a)** *sich zusammensetzen (aus etwas), gebildet sein (aus etwas):* ihre Nahrung bestand aus Wasser und Brot. **b)** *(etwas) als Inhalt haben:* seine Aufgabe besteht in der Erledigung der Korrespondenz; der Unterschied besteht darin, daß ... 3. ⟨tr.⟩ *den Anforderungen (einer Prüfung o. ä.) entsprechen, gewachsen sein:* eine Prüfung mit Auszeichnung b.; ein Abenteuer, einen Kampf b.; ⟨auch itr.⟩ er konnte vor ihm/vor seinen Augen nicht b. *(konnte bei ihm keine Anerkennung finden).* 4. ⟨itr.⟩ **a)** *(etwas) mit Nachdruck fordern und nicht nachgeben:* auf seinem Recht b. **b)** (selten) *(auf etwas) dringen:* bestehen Sie auf diese Summe!

bestehlen, bestiehlt, bestahl, hat bestohlen ⟨tr.⟩: *(jmdm.) etwas entwenden, stehlen:* er bestahl seine eigenen Eltern; bildl.: jmdn. um seine schönsten Hoffnungen b.

besteigen, bestieg, hat bestiegen ⟨tr.⟩: **a)** *(auf etwas) hinaufsteigen:* einen Berg, ein Pferd, ein Fahrrad b. **b)** *durch Hinaufsteigen betreten:* den Zug, die Straßenbahn, das Schiff, das Flugzeug b.

bestellen, bestellte, hat bestellt ⟨tr.⟩: 1. **a)** *die Lieferung (von etwas) veranlassen:* Waren b.; sie bestellten beim Kellner eine Flasche Wein *(ließen sie sich bringen).* **b)** *reservieren lassen:* ein Zimmer, Karten für ein Konzert b. **c)** *(irgendwohin) kommen lassen:* jmdn. zu sich b. 2. *überbringen, übermitteln:* jmdm. Grüße, eine Botschaft b. 3. *ernennen, bestimmen (zu etwas):* jmdn. zu seinem Nachfolger b. 4. *bebauen, bearbeiten:* Felder, Äcker b. **Bestellung,** die; -, -en.

bestens ⟨Adverb⟩: *aufs beste, ausgezeichnet, sehr gut:* die Sache hat sich bei uns b. bewährt; grüße alle b. *(sehr herzlich)* von mir.

besteuern, besteuerte, hat besteuert ⟨tr.⟩: *mit Steuern belegen:* der Staat besteuert Einkommen und Besitz, seine Bürger; ⟨häufig im 2. Partizip⟩ Importe sind hoch besteuert.

bestialisch ⟨Adj.⟩: **a)** *sehr roh, grausam:* ein bestialischer Mord; seine Brutalität war b. **b)** ⟨verstärkend bei Adjektiven und Verben⟩ (ugs.) *sehr, ungemein:* b. betrunken sein; b. stinken.

Bestialität, die; -, -en: *starke Roheit, Grausamkeit; grausame Handlung.*

besticken, bestickte, hat bestickt ⟨tr.⟩: *mit Stickerei verzieren:* eine Bluse b.; ⟨häufig im 2. Partizip⟩ ein reich besticktes Tischtuch.

Bestie, die; -, -n: *wildes Tier.*

bestimmen, bestimmte, hat bestimmt ⟨tr.⟩ /vgl. bestimmt/: 1. **a)** *anordnen, festsetzen:* einen Termin, den Preis b. **b)** *vorsehen (als/für etwas/jmdn.):* der Vater hatte ihn zu seinem Nachfolger bestimmt; ⟨häufig im 2. Partizip⟩ sie waren im Schicksal] füreinander bestimmt. 2. *klären; ermitteln:* den Standort von etwas b.; einen Begriff b. *(definieren).*

bestimmt: I. ⟨Adj.⟩: 1. ⟨nur attributiv⟩ *genau festgelegt; feststehend:* einen bestimmten Zweck verfolgen. 2. *entschieden, fest, energisch:* etwas sehr b. ablehnen. II. ⟨Adverb⟩: *ganz sicher; gewiß:* er wird b. kommen. **Bestimmtheit,** die; -.

Bestimmung, die; -, -en: 1. ⟨ohne Plural⟩ *das Festlegen, Festsetzen:* die B. eines Termins, des Preises. 2. *Anordnung, Vorschrift:* die neuen Bestimmungen für den Verkehr in der Innenstadt müssen beachtet werden. 3. ⟨ohne Plural⟩ *das Bestimmtsein; Zweck, für den etwas verwendet werden soll:* ein neues Krankenhaus seiner B. übergeben. 4. ⟨ohne Plural⟩ *Klärung; Definition:* die B. eines Begriffs, einer Größe.

Bestleistung, die; -, -en: *die best[möglich]e Leistung* /meist in sportlichen Wettkämpfen/: er konnte im Springen eine persönliche B. erzielen.

bestmöglich ⟨Adj.⟩: *so gut wie nur möglich:* er will für seinen Betrieb die bestmöglichen Maschinen erwerben; etwas b. machen wollen.

bestrafen, bestrafte, hat bestraft ⟨tr.⟩: *(jmdm.) für etwas eine Strafe geben:* der Lehrer bestrafte die Schüler streng, hart; jmdn. mit Gefängnis b. **Bestrafung,** die; -, -en.

bestrahlen, bestrahlte, hat bestrahlt ⟨tr.⟩: *mit Strahlen behandeln:* eine Entzündung, eine Geschwulst b. **Bestrahlung,** die; -, -en.

Bestreben, das; -s: *das Bemühen; Absicht:* es war sein B., ihnen zu helfen.

bestrebt: ⟨in der Verbindung⟩ b. sein: *bemüht sein:* er war immer bestrebt, ihnen zu helfen.

Bestrebungen, die ⟨Plural⟩: *Bemühungen, Anstrengungen:* alle seine B. waren vergebens; es sind B. im Gange, die das verhindern sollen.

bestreichen, bestrich, hat bestrichen ⟨tr.⟩: *streichend mit etwas versehen:* ein Brot mit Butter b.

bestreiken, bestreikte, hat bestreikt ⟨tr.⟩: *durch Streik stilllegen:* eine Betrieb b.

bestreiten, bestritt, hat bestritten ⟨tr.⟩: 1. **a)** *für nicht richtig erklären:* jmds. Worte, Behauptungen b. **b)** *abstreiten, leugnen:* eine Tat, jede Schuld b. 2. *aufkommen (für etwas); übernehmen:* er muß die Kosten der Reise selbst b.; er hat die Unterhaltung allein bestritten *(dafür gesorgt).*

bestreuen, bestreute, hat bestreut ⟨tr.⟩: *streuend mit etwas versehen:* den Kuchen mit Zukker b.

bestricken, bestrickte, hat bestrickt ⟨tr.⟩: *bezaubern, betören:* ihre Art bestrickt jeden; ⟨häufig im 1. Partizip⟩ eine Frau von bestrickender Anmut.

Bestseller, der; -s, -: *Buch o. ä., das [innerhalb kurzer Zeit] besonders großen Absatz findet:* der Roman, die Schallplatte verspricht ein B. zu werden.

bestücken, bestückte, hat bestückt ⟨tr.⟩: *ausstatten, versehen, ausrüsten:* die Firma hat die Autos mit neuen Motoren bestückt; ⟨häufig im 2. Partizip⟩ Kreuzungen, die reichlich mit Ampeln bestückt sind.

bestürmen, bestürmte, hat bestürmt ⟨tr.⟩: *heftig bedrängen:* die Kinder bestürmten die Mutter mit Bitten.

bestürzt ⟨Adj.⟩: *aufs tiefste erschüttert; fassungslos:* er war über den plötzlichen Tod des Freundes sehr b.

Bestürzung, die; -: *das Bestürztsein, tiefe Erschütterung:*

die Nachricht erweckte, erregte allgemeine B.

Besuch, der; -[e]s, -e: 1. *das Besuchen:* den B. eines Freundes erwarten. * **zu B. sein** *(Gast sein).* 2. ⟨ohne Plural⟩ *jmd., der jmdn. besucht; Gast:* B. erwarten; den B. zur Bahn bringen.

besuchen, besuchte, hat besucht ⟨tr.⟩: **a)** *sich zu jmdm. [den man gern sehen möchte] begeben und dort einige Zeit verweilen; (jmdn.) aufsuchen:* einen Freund, Kranken b.; er besucht seine Kunden jede Woche. **b)** *sich irgendwohin begeben, um etwas zu besichtigen, an etwas teilzunehmen:* eine Ausstellung, ein Konzert, die Schule b.

Besucher, der; -s, -: **a)** *jmd., der einem andern [außerhalb des privaten Bereichs] einen Besuch macht:* die B. müssen jetzt das Krankenhaus verlassen. **b)** *Zuschauer, Zuhörer:* die B. des Konzerts.

besudeln, besudelte, hat besudelt ⟨tr./rfl.⟩ (abwertend): *stark beschmutzen:* du hast dich mit Farbe besudelt; er hat seine Kleider beim Essen besudelt.

betagt ⟨Adj.; nicht adverbial⟩ (geh.): *sehr alt:* ein betagter Herr.

betasten, betastete, hat betastet ⟨tr.⟩: *prüfend mit den Fingern [mehrmals] berühren:* der Arzt betastet die empfindliche Stelle.

betätigen, betätigte, hat betätigt: 1. ⟨rfl.⟩ *sich beschäftigen; tätig sein:* sich künstlerisch, politisch b. 2. ⟨tr.⟩ *in Gang setzen:* einen Hebel, die Bremse b. **Betätigung,** die; -, -en.

betäuben, betäubte, hat betäubt ⟨tr.⟩: *bewußtlos machen; (jmdm.) die Empfindung für Schmerz nehmen:* der Arzt betäubte ihn vor der Operation; ⟨häufig im 1. Partizip⟩ ein betäubender *(sehr starker)* Duft. **Betäubung,** die; -, -en.

Bete, die; -, -n: ⟨in der Fügung⟩ rote Bete: *rote Rübe* /ein Gemüse/.

beteiligen, beteiligte, hat beteiligt: 1. ⟨rfl.⟩ *teilnehmen (an etwas), mitmachen (bei etwas):* sich an einem Gespräch, bei einem Wettbewerb b.; ⟨häufig im 2. Partizip⟩ an einer Unterhaltung beteiligt sein; an einem Unternehmen, Gewinn beteiligt sein *(teilhaben).* 2. ⟨tr.⟩ *teilhaben lassen:* er beteiligte seine Brüder am Gewinn. **Beteiligung,** die; -, -en.

beten, betete, hat gebetet ⟨itr.⟩: *sich im Gebet an Gott wenden; ein Gebet sprechen:* die Kinder beteten am Abend.

beteuern, beteuerte, hat beteuert ⟨tr.⟩: *beschwörend, nachdrücklich versichern:* seine Unschuld, seine Liebe b. **Beteuerung,** die; -, -en.

betiteln, betitelte, hat betitelt ⟨tr.⟩: **a)** *mit dem Titel anreden, nennen:* wir betiteln unsere Mitarbeiter nicht; man betitelt ihn mit Herr Rat; (ugs.) jmdn. als Esel b. *(beschimpfen).* **b)** *(Bücher, Aufsätze o. ä.) mit einem Titel versehen:* einen Film neu b.; ⟨auch rfl.⟩ wie betitelt sich *(heißt)* die Schrift?

betölpeln, betölpelte, hat betölpelt ⟨tr.⟩: *übertölpeln:* ich lasse mich von dir nicht b.

Beton [be'tɔŋ], der; -s, -s; (bes. südd.:) [be'to:n], -s, -e: *am Bau verwendete Mischung aus Zement, Wasser, Sand o. ä., die im trockenen Zustand sehr hart und fest ist:* ein Pfeiler aus B.; B. mischen.

betonen, betonte, hat betont ⟨tr.⟩: 1. *durch stärkeren Ton hervorheben:* ein Wort, eine Silbe, eine Note b. 2. *mit Nachdruck sagen, hervorheben:* dies möchte ich noch einmal besonders b. **Betonung,** die; -, -en.

betonieren, betonierte, hat betoniert ⟨tr.⟩: *mit Beton bauen, errichten:* eine Mauer b.; die Straße b.

betören, betörte, hat betört ⟨tr.⟩: *durch verführisches, aufreizendes Benehmen um den klaren Verstand bringen:* ich lasse mich durch so etwas nicht so leicht b.; ⟨häufig im 1. Partizip⟩ ein betörender Duft, betörend lächeln.

Betracht: ⟨in bestimmten Fügungen⟩ **in B. kommen** *(als möglich betrachtet werden):* das kommt nicht in B.; **in B. ziehen** *(erwägen, berücksichtigen):* mehrere Möglichkeiten in B. ziehen; **außer B. lassen** *(nicht berücksichtigen, absehen von etwas):* diese Frage lassen wir hier außer B.

betrachten, betrachtete, hat betrachtet ⟨tr.⟩: 1. *den Blick längere Zeit (auf jmdn./etwas) richten; genau ansehen:* jmdn./etwas neugierig b.; ein Bild b. 2. *eine bestimmte Meinung, Vorstellung haben (von jmdm./etwas); ansehen (als etwas):* jmdn. als seinen Freund b.; er betrachtete es als seine Pflicht.

beträchtlich ⟨Adj.⟩: **a)** *ziemlich groß; beachtlich:* eine beträchtliche Summe. **b)** ⟨verstärkend bei Adjektiven im Komparativ und Verben⟩ *sehr, viel:* er ist in letzter Zeit b. gewachsen; er war b. schneller als du.

Betrachtung, die; -, -en: 1. ⟨ohne Plural⟩ *das Betrachten:* die B. eines Bildes. 2. *[schriftlich formulierte] Gedanken über ein bestimmtes Thema:* eine politische, wissenschaftliche B.

Betrag, der; -[e]s, Beträge: *eine bestimmte Summe (an Geld):* ein B. von tausend Mark.

betragen, beträgt, betrug, hat betragen: 1. ⟨itr.⟩ *die Summe, Größe erreichen (von einer bestimmten Höhe); sein:* der Gewinn betrug 500 Mark; die Entfernung beträgt drei Meter. 2. ⟨rfl.⟩ *sich benehmen, verhalten, aufführen:* er hat sich gut, schlecht betragen.

Betragen, das; -s: *das Benehmen:* sein gutes, schlechtes B. fiel auf.

betrauen, betraute, hat betraut ⟨tr.⟩: *(mit etwas Wichtigem) beauftragen:* der Chef hat ihn mit der Führung des Geschäftes betraut; er wurde mit einer wichtigen Aufgabe betraut.

betrauern, betrauerte, hat betrauert ⟨tr.⟩: *(über jmdn./etwas) trauern:* wir alle betrauern den Tod dieses Mannes; einen Toten b.

beträufeln, beträufelte, hat beträufelt ⟨tr.⟩: *(mit einigen Tropfen von etwas) befeuchten:* das Fleisch mit dem Saft einer Zitrone b.

betreffen, betrifft, betraf, hat betroffen ⟨tr.⟩ /vgl. betroffen/: *sich (auf jmdn./etwas) beziehen; angehen:* das betrifft uns alle; was dies betrifft, brauchst du dir keine Sorgen zu machen; ⟨im 1. Partizip⟩ die betreffende *(genannte, in Frage kommende)* Regel noch einmal lesen.

betreiben, betrieb, hat betrieben ⟨tr.⟩: 1. **a)** *sich eifrig beschäftigen (mit etwas), vorantreiben:* sein Studium, seine Abreise mit Eifer b. **b)** *als Beruf* *ausüben; leiten, führen:* ein Handwerk, ein Geschäft, einen Handel b. **2.** *in Gang bringen, antreiben:* eine Fabrik, eine Maschine mit elektrischem Strom b.

betreten: I. betreten, betritt, betrat, hat betreten ⟨tr.⟩: **a)** *(auf etwas) treten, seinen Fuß (auf etwas) setzen:* den Rasen nicht b. **b)** *(in einen Raum) hineingehen:* ein Zimmer b. **II.** ⟨Adj.⟩ *in Verlegenheit, Verwirrung gebracht; unangenehm, peinlich berührt:* ein betretenes Gesicht; b. schweigen.

betreuen, betreute, hat betreut ⟨tr.⟩: *sich (um jmdn./etwas) kümmern; sorgen, die Verantwortung (für jmdn./etwas) haben:* einen Kranken, die Kinder b.; sie betreut in seiner Abwesenheit das Geschäft. **Betreuung,** die; -, -en.

Betrieb, der; -[e]s, -e: **1.** *Unternehmen, Firma:* einen B. leiten. **2.** *reges Leben; große Geschäftigkeit, Bewegung; Verkehr:* auf den Straßen ist/herrscht großer B. ** **in B. sein** *(in Tätigkeit sein, arbeiten):* die Maschine ist in B.; **außer B. sein** *(nicht mehr benutzt werden, ruhen):* die Mühle ist außer B.; **etwas in B. nehmen** *(mit einer Maschine o. ä. zu arbeiten beginnen):* die neuen Anlagen der Fabrik in B. nehmen; **etwas in B. setzen** *(etwas in Gang setzen, anlaufen lassen)*: den Motor, die Maschine in B. setzen.

betrieblich ⟨Adj.⟩: *den Betrieb betreffend, zum Betrieb gehörend:* betriebliche Schwierigkeiten; diese Abmachungen sind rein b.

betriebsam ⟨Adj.⟩: *geschäftig; mit [allzu] großem Eifer tätig:* er ist ein betriebsamer Mensch. **Betriebsamkeit,** die; -.

Betriebsklima, das; -s, -s: *Verhältnis aller Personen in einem Betrieb zueinander, Atmosphäre am Arbeitsplatz:* das B. ist gut, schlecht, ausgezeichnet; ein gesundes B.

betrinken, sich; betrank sich, hat sich betrunken /vgl. betrunken/: *eine größere Menge Alkohol trinken und dadurch in einen Rausch geraten:* sich [aus Kummer] b.

betroffen ⟨Adj.⟩: *voll plötzlicher, heftiger Verwunderung und Überraschung [über etwas Negatives, Ungünstiges]; unangenehm berührt:* sie war über seine groben Bemerkungen sehr b.; er blieb b. stehen.

betrüben, betrübte, hat betrübt ⟨tr.⟩: *traurig machen:* seine Worte betrübten sie sehr; ⟨häufig im 2. Partizip⟩ sie machten betrübte *(traurige)* Gesichter.

betrüblich ⟨Adj.⟩: *traurig machend, Kummer verursachend:* eine betrübliche Nachricht.

Betrübtheit, die; -: *das Betrübtsein, Traurigkeit (über etwas):* meine B. verschwand, als das Wetter wieder schöner wurde.

Betrug, der; -[e]s: *das Täuschen, Hintergehen eines andern; Unterschlagung:* der B. wurde aufgedeckt; auf diesen B. *(Schwindel)* falle ich nicht herein.

betrügen, betrog, hat betrogen ⟨tr.⟩: *täuschen, hintergehen:* bei diesem Geschäft hat er mich betrogen; er hat ihn um hundert Mark betrogen *(hat ihm hundert Mark zu wenig gegeben).*

Betrüger, der; -s, -: *jmd., der einen andern betrügt.*

betrügerisch ⟨Adj.⟩: *betrügen wollend; nicht ehrlich:* in betrügerischer Absicht handeln.

betrunken ⟨Adj.⟩: *durch reichlichen Genuß von Alkohol ohne [völlige] Kontrolle über sich selbst; nicht nüchtern:* er war b. **Betrunkenheit,** die; -.

Betschwester, die; -, -n (abwertend): *Frau, die übertrieben viel in die Kirche geht [um ihre Frömmigkeit zur Schau zu stellen]:* diese alte B. kennt nichts anderes, als andere Leute schlechtzumachen.

Bett, das; -es, -en: *Gestell mit Matratze, Kissen und Decke, in dem man schläft* (siehe Bild): das B. steht an der Wand; sich ins B. legen. * **zu B. gehen** *(sich zum Schlafen ins Bett legen).*

Bett

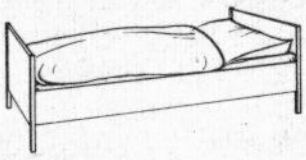

Bettdecke, die; -, -n: **a)** *Decke, mit der man sich im Bett zudeckt:* eine warme, weiche B. **b)** *Decke, die während des Tages als Zierde über das Bett gebreitet wird:* eine B., die zum Teppich paßt.

Bettel, der; -s (ugs.; abwertend): *unnützes, wertloses Zeug; Kram:* du kannst ruhig den ganzen B. haben!

Bettelei, die; -, -en (abwertend): *länger anhaltendes, als lästig empfundenes Betteln:* ich habe genug von ihrer dauernden B.!

betteln, bettelte, hat gebettelt ⟨itr.⟩: **a)** *bei fremden Menschen um eine Gabe bitten:* auf der Straße b.; um ein Stück Brot b. **b)** *immer wieder, flehentlich bitten:* die Kinder bettelten, man solle sie doch mitnehmen.

Bettelstab: ⟨in den Wendungen⟩ **jmdn. an den B. bringen** *(jmdn. allmählich finanziell ruinieren):* durch sein Trinken brachte er die ganze Familie an den B.; **an den B. kommen** *(verarmen):* durch sein verschwenderisches Leben ist er schließlich an den B. gekommen.

betten, bettete, hat gebettet: **a)** ⟨tr.⟩ *behutsam (auf, in etwas) legen:* sie betteten den Kranken auf das Sofa; das Kind in die Kissen b.; (geh.) den Toten zur letzten Ruhe b. *(begraben)*; ⟨häufig im 2. Partizip⟩ auf, in etwas gebettet sein *(weich auf, in etwas liegen);* in roten Samt gebetteter Schmuck. * (ugs.) **er ist nicht [gerade] auf Rosen gebettet** *(es geht ihm finanziell nicht besonders gut).* **b)** ⟨rfl.⟩ *sich (auf etwas, was man als Lager vorbereitet hat) legen:* ich bettete mich auf meinen Mantel und schlief sofort ein.

bettlägerig ⟨Adj.; nicht adverbial⟩: *durch Krankheit gezwungen, im Bett zu liegen:* sie ist schon seit Wochen b.

Bettler, der; -s, -: *jmd., der bettelt, vom Betteln lebt:* einem B. Kleider geben.

Bettuch, das; -[e]s, Bettücher (bes. südd. und mitteld.): *Tuch, mit dem die Matratze des Bettes bedeckt wird; Laken.*

Bettwäsche, die; -: *Wäsche, mit der ein Bett überzogen wird.*

betulich ⟨Adj.⟩: *gemächlich und etwas umständlich* /bei der Ausführung einer Tätigkeit/: in ihrer betulichen Art goß sie den Kaffee in die Tassen.

betupfen, betupfte, hat betupft ⟨tr.⟩: **1.** *leicht tupfend berühren:* die Wunde mit einem Wattebausch b.; dem Kranken mit einem Tuch die Stirn b.

2. *mit vielen Tupfen versehen:* ein Stück Papier rot b.; ⟨häufig im 2. Partizip⟩ ein bunt betupftes Kleid.

beugen, beugte, hat gebeugt: 1. a) ⟨tr.⟩ *krumm machen:* den Arm, die Knie b. b) ⟨tr./rfl.⟩ *[über etwas hinweg] nach vorn, unten neigen:* den Kopf über das Buch b.; sich über das Geländer b. 2. ⟨rfl.⟩ *sich fügen, unterordnen; nachgeben:* sich jmds. Willen, der Gewalt b.; er wird sich [ihm] nicht b. 3. ⟨tr.⟩ *flektieren, konjugieren, deklinieren:* ein Substantiv, ein Verb b. **Beugung,** die; -, -en.

Beule, die; -, -n: a) *durch Stoß oder Schlag entstandene Schwellung der Haut:* eine B. am Kopf haben. b) *durch Stoß oder Schlag entstandene Vertiefung oder Wölbung in einem festen Material:* die Kanne war voller Beulen; das Auto hatte mehrere Beulen.

beunruhigen, beunruhigte, hat beunruhigt: a) ⟨tr.⟩ *in Unruhe, Sorge versetzen; unruhig machen:* die Nachricht beunruhigt sie. b) ⟨rfl.⟩ *in Unruhe, Sorge versetzt werden; unruhig werden:* du brauchst dich wegen ihrer Krankheit nicht zu b. **Beunruhigung,** die; -, -en.

beurkunden, beurkundete, hat beurkundet ⟨tr.⟩: *amtlich festlegen, beglaubigen, zu einer Urkunde machen:* einen Vertrag b.

beurlauben, beurlaubte, hat beurlaubt ⟨tr.⟩: a) *Urlaub, Freizeit gewähren:* einen Schüler [für ein paar Tage] b. b) *(jmdn. vorläufig, bis zur Klärung eines Vorfalls) seine dienstlichen Pflichten nicht mehr ausüben lassen:* bis zum Abschluß der Untersuchungen wurde der Beamte beurlaubt. **Beurlaubung,** die; -, -en.

beurteilen, beurteilte, hat beurteilt ⟨tr.⟩: *einschätzen; ein Urteil (über jmdn.) abgeben:* jmdn. nach seinem Äußeren b.; jmds. Arbeit, Leistung b. **Beurteilung,** die; -, -en.

Beute, die; -: *etwas Erbeutetes; etwas, was jmd. einem andern gewaltsam weggenommen hat:* den Dieben ihre B. wieder abnehmen; ich habe mir die B. mit ihm geteilt.

Beutel, der; -s, -: *Behälter von der Form eines kleineren Sackes:* er nahm Tabak aus einem ledernen B.

bevölkern, bevölkerte, hat bevölkert ⟨tr.⟩: 1. *(in einem bestimmten Gebiet) die Bevölkerung bilden; bewohnen:* Menschen verschiedener Rassen bevölkerten dieses Land. 2. *in großer Zahl (in einem bestimmten Gebiet) vorhanden sein:* viele Menschen bevölkerten die Straßen; ⟨auch rfl.⟩ der Strand, das Stadion bevölkerte *(füllte)* sich rasch.

Bevölkerung, die; -: *alle Bewohner, Einwohner eines bestimmten Gebietes:* die gesamte B. des Landes.

bevollmächtigen, bevollmächtigte, hat bevollmächtigt ⟨tr.⟩: *jmdm. eine bestimmte Vollmacht geben:* der Chef hatte ihn bevollmächtigt, die Briefe zu unterschreiben. **Bevollmächtigung,** die; -.

Bevollmächtigte, der; -n, -n ⟨aber: [ein] Bevollmächtigter, Plural: Bevollmächtigte⟩: *jmd., der die Vollmacht hat, etwas Bestimmtes zu tun:* die Firma hat einen Bevollmächtigten geschickt.

bevor ⟨Konj.⟩: /drückt aus, daß etwas zeitlich vor etwas anderem geschieht/ a) *ehe:* b. wir verreisen, müssen wir noch alles erledigen. b) /nur verneint mit konditionaler Nebenbedeutung/: keiner geht nach Hause, b. nicht *(wenn nicht)* die Arbeit beendet ist.

bevormunden, bevormundete, hat bevormundet ⟨tr.⟩: *einem andern vorschreiben, was er tun soll, ihn in seinen Entscheidungen beeinflussen:* ich lasse mich nicht länger von dir b. **Bevormundung,** die; -, -en.

bevorstehen, stand bevor, hat bevorgestanden ⟨itr.⟩: *bald geschehen, erwartet werden:* seine Abreise, das Fest stand [unmittelbar, nahe] bevor.

bevorzugen, bevorzugte, hat bevorzugt ⟨tr.⟩: *(jmdm./einer Sache) den Vorzug geben; lieber mögen:* er bevorzugte diese Sorte Kaffee. **Bevorzugung,** die; -.

bewachen, bewachte, hat bewacht ⟨tr.⟩: *(über jmdn./etwas) wachen; beaufsichtigen:* die Gefangenen wurden streng, scharf bewacht; ein Lager b.

bewachsen: ⟨in der Verbindung⟩ b. sein: *(mit Pflanzen) bedeckt sein:* die Mauer war mit Moos b.

Bewachung, die; -: a) *das Bewachen:* unter scharfer, strenger B. sein. b) *Wache:* die B. des Palastes bemerkte den Eindringling nicht.

bewaffnen, bewaffnete, hat bewaffnet ⟨tr./rfl.⟩: *mit Waffen versehen:* die Rebellen hatten sich bewaffnet; (scherzh.) er hatte sich mit einem Fernglas bewaffnet (*ausgerüstet*); ⟨häufig im 2. Partizip⟩ die Polizisten waren bewaffnet. **Bewaffnung,** die; -.

bewahren, bewahrte, hat bewahrt: 1. ⟨tr.⟩ *behüten, schützen:* jmdn. vor einem Verlust, vor dem Schlimmsten, vor Enttäuschungen b. 2. ⟨tr.⟩ *(irgendwo) aufheben, aufbewahren:* sie bewahrte die Bilder in einem Kästchen; ein Geheimnis b. *(für sich behalten).* 3. ⟨itr.⟩ *weiterhin behalten, erhalten:* ich habe mir meine Freiheit bewahrt. * **[die] Ruhe b.** *(ruhig bleiben);* **[die] Haltung/Fassung b.** *(gefaßt bleiben).*

bewähren, sich; bewährte sich, hat sich bewährt: *sich als brauchbar, geeignet erweisen; (eine Probe) bestehen:* er muß sich in der neuen Stellung erst b.; der Mantel hat sich bei dieser Kälte bewährt; ⟨häufig im 2. Partizip⟩ ein bewährtes Mittel.

bewahrheiten, sich; bewahrheitete sich, hat sich bewahrheitet: *sich bestätigen; sich als wahr, richtig erweisen:* deine Vermutung, das Gerücht hat sich bewahrheitet.

Bewahrung, die; -: *das Bewahren:* die B. eines Geheimnisses, der Ruhe; jmdm. für die B. vor einem großen Unglück danken.

Bewährung, die; -: *das Sichbewähren:* seine B. in vielen schwierigen Situationen steht außer Zweifel; (Rechtsw.) eine Strafe zur B. aussetzen.

bewältigen, bewältigte, hat bewältigt ⟨tr.⟩: *(mit etwas Schwierigem) fertig werden; erledigen können, meistern:* eine schwere Aufgabe allein, nur mit Mühe b. **Bewältigung,** die; -.

bewandert: ⟨in der Verbindung⟩ b. sein: *(auf einem bestimmten Gebiet) besonders erfahren sein, viel wissen:* er ist in der französischen Literatur sehr b.

Bewandtnis: ⟨meist in der Fügung⟩ mit jmdm./etwas hat es seine eigene/besondere B.: *für jmdn./etwas sind besondere Umstände maßgebend:* mit diesem Preis hat es seine besondere B.

bewässern, bewässerte, hat bewässert ⟨tr.⟩: *[künstlich] mit Wasser versorgen:* trockene Gebiete, die Wüste b.; (geh.) ein Bach, der das Tal bewässert. **Bewässerung,** die; -, -en.

bewegbar ⟨Adj.; nicht adverbial⟩: *[leicht] zu bewegen; so beschaffen, daß es sich [leicht] bewegen läßt:* eine bewegbare Maschine; die einzelnen Teile sind b.

bewegen: **I.** bewegte, hat bewegt: **1.** ⟨tr./rfl.⟩ *die Lage, Stellung (von etwas) verändern; nicht ruhig halten:* die Beine, den Arm b.; die Blätter bewegten sich im Wind; er stand auf dem Platz und bewegte sich nicht. **2.** ⟨tr.⟩ *innerlich beschäftigen; erregen, rühren:* der Plan, Wunsch bewegte sie lange Zeit; die Nachricht bewegte alle [tief, schmerzlich]; ⟨häufig im 2. Partizip⟩ er nahm sichtlich bewegt *(gerührt, ergriffen)* Abschied. **II.** bewog, hat bewogen ⟨tr.⟩: *veranlassen:* sie versuchten, ihn zum Bleiben zu b. *(zu überreden);* niemand wußte, was ihn zu dieser Tat bewogen hatte.

Beweggrund, der; -[e]s, Beweggründe: *[innere] Veranlassung, Ursache, Motiv:* der B. für seine Tat war reiner Ehrgeiz; etwas aus niedrigen Beweggründen tun.

beweglich ⟨Adj.⟩: **1.** *so beschaffen, daß es sich [leicht] bewegen läßt:* eine Puppe mit beweglichen Armen und Beinen. **2.** *schnell [und lebhaft] reagierend; wendig:* sein beweglicher Geist, Verstand; er ist [geistig] sehr b. **Beweglichkeit,** die; -.

Bewegung, die; -, -en: **1.** *das Bewegen; Veränderung der Lage, Stellung:* er machte eine rasche, abwehrende B. [mit der Hand]; seine Bewegungen waren geschmeidig, flink. *** sich in B. setzen** *(anfangen sich zu bewegen).* **2.** ⟨ohne Plural⟩ *inneres Ergriffensein; Erregung, Rührung:* sie versuchte, ihre B. zu verbergen. **3.** *gemeinsames Bestreben einer Gruppe:* sich einer politischen B. anschließen.

bewegungslos ⟨Adj.⟩: *ohne Bewegung:* vor Schreck war er völlig b.; b. im Bett liegen.

bewehrt ⟨Adj.; nicht adverbial⟩ (geh.): *ausgerüstet, zum Schutz (mit etwas) versehen:* diese Stadt war früher einmal mit vielen Türmen b.

beweihräuchern, beweihräucherte, hat beweihräuchert ⟨tr.⟩ (abwertend): *übertrieben, meist ohne viel Grund loben, verherrlichen:* man hat ihn geradezu beweihräuchert, obwohl seine Leistungen sehr mittelmäßig sind; ⟨auch rfl.⟩ du scheinst dich gerne selbst zu b.

beweinen, beweinte, hat beweint ⟨tr.⟩: **a)** *(um jmdn./etwas) [weinend] trauern:* einen Toten b.; den Verlust des einzigen Kindes b. **b)** *(über etwas) weinend klagen:* sie beweint häufig ihr hartes Schicksal.

Beweis, der; -es, -e: **a)** *Nachweis der Richtigkeit, Wahrheit; Begründung einer Behauptung:* für seine Aussagen hatte er keine Beweise; etwas als/zum B. vorlegen. **b)** *Ausdruck, [sichtbares] Zeichen für etwas:* das Geschenk war ein B. seiner Dankbarkeit.

beweisen, bewies, hat bewiesen ⟨tr.⟩: **a)** *einen Beweis (für etwas) liefern; nachweisen:* seine Unschuld, die Richtigkeit einer Behauptung b. **b)** *erkennen, sichtbar werden lassen; zeigen:* Mut b.; ihre Kleidung beweist, daß sie Geschmack hat.

Beweismaterial, das; -s: *etwas, worauf sich ein Beweis stützt, was als Beweis für etwas dient:* B. sammeln.

bewenden: ⟨in der Fügung⟩ es bei etwas b. lassen: *es mit etwas genug sein lasen; sich mit etwas begnügen:* wir wollen es diesmal noch bei einer leichten Strafe b. lassen.

bewerben, sich; bewirbt sich, bewarb sich, hat sich beworben: *eine bestimmte Stellung zu bekommen suchen; sich um eine bestimmte Stellung bemühen:* sich um ein Amt, ein Stipendium b.; sich bei einer Firma b. **Bewerbung,** die; -, -en.

bewerfen, bewirft, bewarf, hat beworfen ⟨tr.⟩: **a)** *(auf jmdn./etwas) werfen:* eine berühmte Künstlerin mit Blumen b.; sie haben den Politiker mit faulen Eiern beworfen. **b)** *mit Mörtel bedecken, verputzen:* die Wände eines neuen Hauses b.

bewerkstelligen, bewerkstelligte, hat bewerkstelligt ⟨tr.⟩: *mit Geschick erreichen, zustande bringen:* er wird es, den Verkauf schon b.

bewerten, bewertete, hat bewertet ⟨tr.⟩: *beurteilen:* jmds. Leistungen, einen Aufsatz b. **Bewertung,** die; -, -en.

bewilligen, bewilligte, hat bewilligt ⟨tr.⟩: *genehmigen, zugestehen:* man hat ihm die Summe nicht bewilligt. **Bewilligung,** die; -, -en.

bewirken, bewirkte, hat bewirkt ⟨tr.⟩: *zur Folge haben; verursachen, hervorrufen:* sein Protest bewirkte, daß eine Besserung eintrat.

bewirten, bewirtete, hat bewirtet ⟨tr.⟩: *(einem Gast) zu essen und zu trinken geben:* sie wurden bei ihr gut, mit Tee und Gebäck bewirtet.

bewirtschaften, bewirtschaftete, hat bewirtschaftet ⟨tr.⟩: **a)** *(landwirtschaftliche Betriebe, Gaststätten o. ä.) im Hinblick auf Wirtschaftlichkeit oder Ertrag durch entsprechende Bearbeitung und organisatorische Leitung für sich nutzbar machen:* einen Bauernhof gut, schlecht, vorbildlich b.; die Hütte ist während des Winters nicht bewirtschaftet *(wird nicht als Gaststätte geführt).* **b)** *staatlich kontrollieren und regeln* /in bezug auf die Zuteilung und Vergebung bestimmter Sachen/: Devisen b.

Bewirtung, die; -, -en: *das Bewirten:* die B. war ausgezeichnet.

bewohnbar ⟨Adj.⟩: *zum Wohnen geeignet, zu bewohnen:* nach dem Krieg gab es wenig bewohnbare Häuser; die alte Burg ist zum Teil noch b.

bewohnen, bewohnte, hat bewohnt ⟨tr.⟩: *wohnen (in etwas):* ein ganzes Haus b.

Bewohner, der; -s, -: *jmd., der an einem bestimmten Ort wohnt:* die B. des Hauses, der Stadt, der Insel.

bewölken, sich; bewölkte sich, hat sich bewölkt: *sich mit Wolken bedecken:* der Himmel bewölkte sich rasch. **Bewölkung,** die; -.

bewundern, bewunderte, hat bewundert ⟨tr.⟩: *staunend anerkennen, (zu jmdm.) aufsehen:* jmdn. wegen seiner Leistungen b.; jmds. Wissen b. *(imponierend finden).*

bewundernswert ⟨Adj.⟩: *wert, bewundert zu werden; der Bewunderung würdig:* eine bewundernswerte Fertigkeit, Dinge herzustellen; ihre Aufrichtigkeit ist b.

Bewunderung, die; -: *das Bewundern:* sie war voller B. für ihn.

bewußt ⟨Adj.⟩: **1.** ⟨nicht prädikativ⟩ **a)** *absichtlich:* eine bewußte Lüge, Irreführung; das hat er ganz b. getan. **b)** *klar erkennend; geistig wach:* er hat den Krieg noch nicht b. erlebt. ***sich** (Dativ) **einer Sache b. sein** *(den Ernst, die Bedeutung usw. einer Sache klar erkennen):* ich bin mir der Gefahr durchaus b. **2.** ⟨nur attributiv⟩ *bereits erwähnt, bekannt:* wir treffen uns in dem bewußten Haus, zu der bewußten Stunde.

bewußtlos ⟨Adj.⟩: *ohne Bewußtsein; ohnmächtig:* er brach b. zusammen. **Bewußtlosigkeit,** die; -.

Bewußtsein, das; -s: **1.** *Zustand geistiger Klarheit:* bei dem schrecklichen Anblick verlor sie das B. ***bei B. sein** *(in klarer geistiger Verfassung sein).* **2.** *das Wissen um etwas; persönliche Überzeugung, Gewißheit:* das B. ihrer Macht erfüllte sie mit Stolz. ***das B. haben** *(davon überzeugt sein):* er hatte das B., seine Pflicht getan zu haben; **etwas kommt jmdm. zu B.** *(etwas wird jmdm. klar/deutlich).*

bezahlen, bezahlte, hat bezahlt ⟨tr.⟩: **a)** *eine Summe, den Preis oder den Lohn (für etwas) zahlen:* eine Ware, seine Schulden b.; er mußte viel [Geld] b.; ⟨auch itr.⟩ ich möchte bitte b.! ***sich bezahlt machen** *(sich lohnen [in bezug auf das aufgewendete Geld]).* **b)** *(jmdm.) für etwas Geleistetes Geld geben:* einen Arbeiter, den Schneider b.; jmdn. für seine Arbeit b. **Bezahlung,** die; -.

bezähmen, bezähmte, hat bezähmt ⟨tr./rfl.⟩: *in Schranken halten, zügeln, zurückhalten:* er konnte sich, seinen Hunger, seine Neugier nicht länger b.

bezaubernd ⟨Adj.⟩: *besonders reizvoll, anmutig, entzückend:* ein bezauberndes junges Mädchen; b. lächeln.

bezaubern, bezauberte, hat bezaubert ⟨tr.⟩ /vgl. bezaubernd/: *durch Anmut beeindrucken; (bei jmdm.) Entzücken hervorrufen; faszinieren:* sie, ihre Erscheinung bezauberte alle.

bezeichnen, bezeichnete, hat bezeichnet ⟨tr.⟩ /vgl. bezeichnend/: **1.** *kennzeichnen; kenntlich machen:* die Kisten mit Buchstaben b.; ein Kreuz bezeichnet die Stelle, wo er verunglückt ist. **2. a)** *bedeuten, nennen:* das Wort bezeichnet verschiedene Dinge. **b)** *näher beschreiben:* er bezeichnete ihm noch einmal den Ort, wo sie sich treffen wollten. **c)** *hinstellen (als etwas); so von jmdm./etwas sprechen, daß ein bestimmter Eindruck entsteht:* eine Arbeit als gut b.; er bezeichnete ihn als Verräter.

bezeichnend ⟨Adj.⟩: *kennzeichnend, charakteristisch:* diese Äußerung war sehr b. für ihn.

bezeichnenderweise ⟨Adverb⟩: *wie es für jmdn./etwas bezeichnend, typisch ist:* b. mied er jede Veranstaltung.

Bezeichnung, die; -, -en: **1.** *passendes Wort; Name, Titel:* für diesen Gegenstand gibt es mehrere Bezeichnungen; die B. Redakteur trifft auf ihn nicht zu. **2.** *Kennzeichnung:* die genaue B. der einzelnen Kisten ist erforderlich.

bezeigen, bezeigte, hat bezeigt (geh.): **1.** ⟨tr.⟩ **a)** *erweisen, bekunden:* jmdm. Ehrfurcht, Respekt, seine Teilnahme b. **b)** *zu erkennen geben, zeigen:* Freude, Furcht, Mut b. **2.** ⟨rfl.⟩ *sich zeigen, erweisen:* ich hatte mich dafür dankbar bezeigt.

bezeugen, bezeugte, hat bezeugt ⟨tr.⟩: *durch eine entsprechende Aussage bestätigen, bekräftigen:* er hat vor Gericht den Tatbestand unter Eid bezeugt; ich weiß es nicht, ich kann es nicht b.

bezichtigen, bezichtigte, hat bezichtigt ⟨tr.; mit Gen.⟩: *beschuldigen; (jmdm. etwas) zur Last legen:* jmdn. eines Diebstahls, eines Vergehens b.

beziehen, bezog, hat bezogen: **1.** ⟨tr.⟩ *Stoff o. ä. (über etwas) spannen, ziehen:* einen Schirm, einen Sessel neu b.; die Betten frisch b. *(mit frischer Bettwäsche versehen).* **2.** ⟨tr.⟩ *[regelmäßig] erhalten, geliefert bekommen:* eine Zeitung durch die Post b.; er bezieht eine Rente. **3.** ⟨tr.⟩ *(in eine Wohnung) einziehen:* ein Haus, ein Zimmer b. **4. a)** ⟨rfl.⟩ *sich (auf etwas) stützen, berufen, (an etwas) anknüpfen:* wir beziehen uns auf unser Gespräch von letzter Woche. **b)** ⟨rfl.⟩ *(mit jmdm./etwas) in Zusammenhang oder in Verbindung stehen:* der Vorwurf bezieht sich nicht auf dich. **c)** ⟨tr.⟩ *(mit jmdm./etwas) in Zusammenhang oder in Verbindung bringen:* er bezieht alles auf sich.

Beziehung, die; -, -en: **1.** *Verbindung zu jmdm./etwas:* die Beziehungen zu seinen Freunden pflegen, abbrechen; er hat überall Beziehungen *(Verbindungen zu Leuten, die ihm Vorteile bringen);* zur Kunst hat er keine B. *(kein inneres Verhältnis).* **2.** *Zusammenhang:* eine B. zwischen zwei Vorfällen erkennen, feststellen. *** etwas zu etwas in B. setzen** *(etwas auf etwas beziehen, miteinander verbinden):* man muß die beiden Taten zueinander in B. setzen; **in dieser B.** *(was dies betrifft/angeht):* in dieser B. ist er ganz zuverlässig.

beziehungsweise ⟨Konj.⟩ (Abk.: bzw.): *oder; [oder] vielmehr, besser gesagt:* er war mit ihm bekannt b. befreundet.

beziffern, bezifferte, hat beziffert: **1.** ⟨tr.⟩ *mit Ziffern versehen:* die einzelnen Seiten b. **2. a)** ⟨tr.⟩ *schätzen, die Höhe (von etwas) angeben:* man beziffert den Schaden auf etwa eine Million Mark. **b)** ⟨rfl.⟩ *sich belaufen:* der Verlust bezifferte sich auf eine Million Mark.

Bezirk, der; -s, -e: *Bereich, Gebiet von bestimmter Abgrenzung:* er wohnt in einem anderen B. der Stadt.

Bezug, der; -[e]s, Bezüge: **1.** *etwas, womit etwas bezogen oder überzogen wird:* der B. eines Kissens. **2.** ⟨ohne Plural⟩ *das Beziehen, das regelmäßige Bekommen:* der B. von Waren, Zeitungen. **3.** ⟨Plural⟩ *Gehalt, Einkommen:* die Bezüge eines Beamten. **4.** *Beziehung, Zusam-*

menhang, Verbindung: einen B. zu etwas herstellen. ***B. nehmen auf etwas** *(sich beziehen auf etwas):* wir nehmen B. auf Ihren letzten Brief; **mit B. auf etwas** *(Bezug nehmend auf etwas);* **in bezug auf jmdn./etwas** *(was ihn/dies betrifft/angeht; bezüglich):* in bezug auf seine Wünsche hat er sich nicht geäußert.

bezüglich ⟨Präp. mit Gen.⟩: *in bezug (auf etwas), hinsichtlich:* b. seiner Pläne hat er sich nicht geäußert.

bezwecken, bezweckte, hat bezweckt ⟨tr.⟩: *beabsichtigen; einen Zweck verfolgen; zu erreichen suchen:* niemand wußte, was er damit bezweckte.

bezweifeln, bezweifelte, hat bezweifelt ⟨tr.⟩: *(an etwas) zweifeln, nicht glauben können:* jmds. Fähigkeiten b.; ich bezweifle, daß das richtig ist.

bezwingen, bezwang, hat bezwungen ⟨tr.⟩: *(über etwas/jmdn.) Herr werden; (jmdn.) besiegen, bewältigen:* einen Gegner im [sportlichen] Kampf b.; seinen Ärger, sich selbst b.

bibbern, bibberte, hat gebibbert ⟨itr.⟩ (nordd.): *zittern:* vor Angst, Aufregung b.

Bibel, die; -, -n: **a)** ⟨ohne Plural⟩ *Schrift, auf die sich das Christentum stützt; Heilige Schrift:* die B. auslegen; in der B. steht geschrieben; bildl.: dieses Buch wurde ihm zur B. *(wurde das für ihn bedeutsamste Buch).* **b)** *Buch, in dem die gleichnamige Schrift abgedruckt ist:* er schenkte ihm zur Konfirmation eine B.

Biber, der; -s, -: **1.** /ein Tier/ (siehe Bild). **2.** *Pelz des gleichnamigen Tieres von brauner bis grauer Farbe.* **3.** *angerauhtes Gewebe aus Baumwolle oder Wolle:* Bettwäsche aus B.

Bibliographie, die; -, -n: *umfassendes Verzeichnis von Büchern über ein bestimmtes Gebiet oder einen bestimmten Autor.*

Bibliothek, die; -, -en: **1.** *[größere] Sammlung von Büchern:* er besitzt eine schöne, große, beachtliche B. **2.** *Räume, Gebäude, in dem sich eine große, der Öffentlichkeit zugängliche Sammlung von Büchern befindet:* sich ein Buch in/von der B. leihen; in der B. arbeiten.

Bibliothekar, der; -s, -e: *Angestellter in einer Bibliothek mit wissenschaftlicher Ausbildung* /Berufsbezeichnung/.

biblisch ⟨Adj.; nur attributiv⟩: *aus der Bibel stammend, sich auf die Bibel beziehend:* biblische Gestalten; die biblischen Geschichten; /als Fach in der Schule/ Biblische Geschichte; bildl. (ugs.): sie erreichte ein biblisches *(sehr hohes)* Alter.

bieder ⟨Adj.⟩: *rechtschaffen, brav, verläßlich, dabei aber kleinbürgerlich, ohne größere geistige oder ideelle Ansprüche:* ein biederer Beamter; den jungen Leuten ist er einfach zu b. und zu langweilig.

biegen, bog, hat/ist gebogen: **1. a)** ⟨tr.⟩ *krumm machen; durch Druck o. ä. eine gekrümmte Form geben:* er hat den Draht, das Blech gebogen. **b)** ⟨rfl.⟩ *krumm werden; durch Druck o. ä. eine gekrümmte Form bekommen:* die Zweige haben sich unter der Last des Schnees gebogen. **2.** ⟨itr.⟩ *in seiner Bewegung einen Bogen beschreiben:* sie sind um die Ecke, in eine andere Straße gebogen.

biegsam ⟨Adj.; nicht adverbial⟩: *sich leicht biegen lassend; flexibel:* biegsames Material; ein biegsamer Körper. **Biegsamkeit,** die; -.

Biegung, die; -, -en: *Stelle, an der sich die Richtung in Form eines Bogens ändert; Krümmung:* die B. des Flusses, der Straße.

Biene, die; -, -n: *Honig lieferndes Insekt* (siehe Bild).

Biene

Bienenfleiß, der; -es: *großer, unermüdlicher Fleiß:* mit B. machten sie sich an die Arbeit.

Bier, das; -s, -e: *alkoholisches Getränk, das aus Hopfen und Getreide, meist Gerste, hergestellt wird:* ein [Glas] helles, dunkles B. trinken; B. vom Faß.

Bierbrauer, der; -s, -: *jmd., der Bier braut; Besitzer einer Brauerei.*

Bierruhe, die; - (ugs.; scherzh.): *große, unerschütterliche Ruhe:* mit einer B. hat er diese schwierige Situation gemeistert.

Biese, die; -, -n: **a)** *farbiger Streifen an Uniformen, bes. an der Hose.* **b)** *kleiner Saum als Verzierung von Kleidungsstükken.*

Biest, das; -es, -er (ugs.; abwertend): *Mensch, Tier, Gegenstand, den man verwünschen könnte, der einem lästig ist:* die Biester *(Fliegen, Kinder)* quälen mich noch zu Tode; dieser Schrank ist ja ein riesiges B.!

bieten, bot, hat geboten: **1. a)** ⟨tr.⟩ *zur Verfügung, in Aussicht stellen; geben, anbieten:* jmdm. eine Summe, einen Ersatz für etwas b.; jmdm. eine Chance b. *(die Möglichkeit zu etwas geben);* er bot *(reichte)* ihm die Hand zum Gruß; das lasse ich mir nicht b. *(gefallen).* **b)** ⟨rfl.⟩ *sich eröffnen, ergeben:* es bot sich ihm eine Chance, eine neue Möglichkeit. **2. a)** ⟨itr.⟩ *zeigen; sehen, erkennen lassen:* die Stelle des Unfalls bot ein schreckliches Bild, ein Bild des Grauens. **b)** ⟨rfl.⟩ *sich zeigen, sichtbar werden:* ein herrlicher Anblick, ein Bild des Jammers bot sich ihnen, ihren Blicken.

Bigamie, die; -: *Ehe, bei der jmd. mit zwei Personen zugleich verheiratet ist:* wegen B. angeklagt sein.

bigott ⟨Adj.⟩: *übertrieben fromm [und scheinheilig]:* ein bigotter Mensch. **Bigotterie,** die; -.

Bikini, der; -s, -s: *aus zwei Teilen bestehender, sehr kleiner Badeanzug für Frauen.*

Bilanz, die; -, -en: *[aus einem vergleichenden Überblick gewonnenes] Ergebnis:* die B. des Tages, Jahres.

bilateral ⟨Adj.; nicht adverbial⟩: *auf zwei verschiedenen Seiten beruhend, zwischen ihnen bestehend* /meist in der Politik/: bilaterale Gespräche; bilaterale Verträge; das Abkommen ist b.

Bild, das; -es, -er: **1.** *[mit künstlerischen Mitteln] auf einer Fläche Dargestelltes, Wiedergegebenes:* ein B. malen, betrachten, aufhängen. **2.** *Anblick:* die Straße bot ein friedliches B. **3.** *Vorstellung, Eindruck:* jmdm. ein richtiges, falsches B. von etwas geben, vermitteln; sie konnten sich von dieser Zeit, von den Vorgängen kein rechtes B. machen. ***[über etwas] im Bilde sein** *([über etwas bereits] Bescheid wissen).*

bilden, bildete, hat gebildet/vgl. gebildet/: **1. a)** ⟨tr.⟩ *her-*

stellen, machen, formen: Sätze b.; die Kinder bilden einen Kreis. **b)** ⟨rfl.⟩ *entstehen, sich entwickeln:* auf der gekochten Milch hat sich eine Haut gebildet. **2.** ⟨tr.⟩ *sein, darstellen, ausmachen:* der Fluß bildet die Grenze; die Darbietung der Sängerin bildete den Höhepunkt des Abends. **3.** ⟨itr./tr./rfl.⟩ *Kenntnisse, Wissen vergrößern:* die Lektüre hat ihn, seinen Geist gebildet; er versuchte, sich durch Reisen zu b.; Lesen bildet.

Bịlderbuch, das; -[e]s, Bilderbücher: *Buch [für kleine Kinder], das hauptsächlich mit Bildern und nur mit wenig Text ausgestattet ist:* ein B. aus Pappe für die Kleinsten.

Bịlderrätsel, das; -s, -: *Rätsel, bei dem aus Bildern Wörter zu erraten sind.*

Bịldfläche, die; -, -n: *Leinwand im Kino oder bei der Vorführung eines Filmes:* eine große, kleine B.; die B. vergrößern. * (ugs.) **auf der B. erscheinen** *(plötzlich anwesend sein, kommen, erscheinen)*, er erscheint dann auf der B., wenn man ihn am wenigsten erwartet; (ugs.) **von der B. verschwinden** *(sich plötzlich entfernen, spurlos verschwinden; in Vergessenheit geraten).*

Bịldhauer, der; -s, -: *Künstler, der aus Stein, Holz o. ä. Plastiken herstellt.*

bịldhübsch ⟨Adj.⟩: *sehr hübsch:* ein bildhübsches Kind; das Mädchen ist b.; b. aussehen.

bịldlich ⟨Adj.; nicht prädikativ⟩: *als Bild [gebraucht]; anschaulich:* bildliche Ausdrücke; das Wort war nur b. *(im übertragenen Sinne)* gemeint.

Bịldnis, das; -ses, -se (geh.): *Darstellung (eines Menschen) in der Art eines Bildes:* ein alter Stempel mit dem B. des Kaisers.

Bịldschirm, der; -s, -e: *Teil des Fernsehapparates, auf dem das Bild erscheint:* sie saßen den ganzen Abend vor dem B.

bịldschön ⟨Adj.⟩: *sehr schön:* eine bildschöne Frau; seine Wohnung ist b.

Bịldung, die; -, -en: **1. a)** ⟨ohne Plural⟩ *das Bilden; Entstehung, Entwicklung:* die B. von Schaum, Rauch; die B. einer neuen Partei. **b)** *etwas in bestimmter Weise Gebildetes; Form:* die eigenartigen Bildungen der Wolken. **2.** ⟨ohne Plural⟩ *Erziehung; Kenntnisse, Wissen; geistige Haltung:* er hat eine gründliche, gediegene B. erhalten; das gehört zur allgemeinen B.

Billard [ˈbiljart, (östr.:) biˈja.r], das; -s, -e, (östr.:) -s: *Spiel mit Kugeln auf einem mit Tuch bespannten Tisch:* B. spielen.

Billett [bɪlˈjɛt], das; -s, -e und -s: **a)** *Fahrkarte:* am Schalter ein B. lösen. **b)** *Eintrittskarte:* ein B. fürs Theater kaufen.

bịllig ⟨Adj.⟩: **1.** *niedrig im Preis; nicht teuer:* billige Waren; etwas b. einkaufen. **2.** (abwertend) *nichtssagend, wertlos, dürftig:* eine billige Ausrede; ein billiger Trost. ****etwas ist recht und b.** *(etwas ist durchaus gerechtfertigt, angebracht):* deine Forderung ist nur recht und b.

bịlligen, billigte, hat gebilligt ⟨tr.⟩: *für richtig, angebracht erklären; gutheißen; (einer Sache) zustimmen:* jmds. Pläne, Vorschläge b. **Bịlligung,** die; -.

Billion, die; -, -en: **a)** *eine Million Millionen* /in Deutschland und England. **b)** *tausend Millionen* /in Frankreich, USA, UdSSR/.

Bịmbam: ⟨in der Fügung⟩ [ach du] heiliger B.! (ugs.; scherzh.): /Ausruf der Überraschung, des Schrecks/.

bịmmeln, bimmelte, hat gebimmelt ⟨itr.⟩ (ugs.): *in hellen Tönen läuten; klingeln:* die Glöckchen am Schlitten bimmelten während der ganzen Fahrt.

bịmsen, bimste, hat gebimst (ugs.): **1.** ⟨tr.⟩ *mit besonderer Härte behandeln, drillen, schikanieren* /bes. beim Militär/: er hat die Soldaten wieder anständig gebimst. **2.** ⟨tr./itr.⟩ (landsch.) *äußerst angestrengt lernen, büffeln:* vor einer Prüfung tüchtig [Latein] b. müssen.

Bịmsstein, der; -s, -e: *meist heller, poröser Stein, mit dem man hartnäckigen Schmutz an den Händen entfernen kann:* sich die Hände mit B. abreiben.

Bịnde, die; -, -n: *[schmaler] Streifen aus Stoff, der als Verband, Schutz o. ä. dient:* die B. von der Wunde nehmen; er trug eine schwarze B. über dem verletzten Auge.

bịnden, band, hat gebunden: **1.** ⟨tr.⟩ **a)** *mit Faden, Schnur o. ä. befestigen, zusammenfügen:* das Pferd an einen Baum b.; Blumen zu einem Strauß b.; ein Buch b. *(die einzelnen Blätter mit dem Einband zu einem Ganzen verbinden).* **b)** *knüpfen, knoten:* die Krawatte, einen Schal b. **2.** ⟨tr./rfl.⟩ *abhängig machen, verpflichten, festlegen:* das Versprechen bindet dich nicht; sich durch ein Versprechen b.; sie wollte sich noch nicht b. *(sie wollte noch nicht heiraten)*; ⟨im 1. Partizip⟩ eine bindende Zusage. ***gebunden sein** *(nicht frei entscheiden können):* er ist an bestimmte Vorschriften, durch das Gesetz gebunden.

Bịnder, der; -s, -: *Krawatte, Schlips.*

Bịndfaden, der; -s, Bindfäden: *[dünne] Schnur zum Binden, Schnüren.*

Bịndung, die; -, -en: **1. a)** *innere Verbundenheit:* seine B. an ihn, an die Heimat. **b)** *bindende Beziehung; Verbindung:* die B. zu jmdm. lösen. **2.** *Vorrichtung, mit der der Schi am Schuh befestigt wird* (siehe Bild).

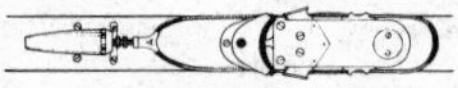

Bindung 2.

bịnnen ⟨Präp. mit Dativ, seltener Gen.⟩: *im Verlauf (von etwas), innerhalb:* b. drei Jahren; b. einem Monat/eines Monats muß die Arbeit fertig sein.

Bịnnengewässer, das; -s, -: *Gewässer auf dem Festland:* lieber in einem B. als im Meer baden.

Bịnnenland, das; -[e]s, Binnenländer: *Gebiet, das weit von der Küste entfernt liegt:* die Luft ist im Binnenland anders als an der See.

Bịnse, die; -, -n: /eine Pflanze/ (siehe Bild): aus Binsen Körbe flechten. * (ugs.) **in die Binsen gehen** *(verbraucht, zerstört werden):* mein ganzes Geld ist in die Binsen gegangen.

Binse

Binsenwahrheit: ⟨in der Fügung⟩ das ist eine B.: *das ist eine allgemein bekannte Tatsache, etwas, was jeder weiß.*

Binsenweisheit, die; -, -en: *Binsenwahrheit.*

Biograph, der; -en, -en: *jmd., der eine Biographie schreibt.*

Biographie, die; -, n: *Beschreibung des Lebens einer bekannten Person:* die B. eines Dichters.

Biologe, der; -n, -n: *jmd., der Biologie studiert [hat].*

Biologie, die; -: *Lehre von der belebten Natur, den Gesetzmäßigkeiten im Ablauf des Lebens von Pflanze, Tier und Mensch:* B. studieren, unterrichten.

biologisch ⟨Adj.⟩: **1. a)** *auf die Biologie bezüglich, mit den Mitteln der Biologie [erfolgend]:* eine biologische Untersuchung. **b)** *die Lebensvorgänge betreffend:* die biologische Wirkung der radioaktiven Strahlen. **c)** *durch die Natur bedingt, der Natur gemäß:* das Altern stellt einen biologischen Prozeß dar. **2.** *aus natürlichen Auszügen von Pflanzen hergestellt:* ein biologisches Präparat. **3.** *auf schädliche Bakterien o. ä. bezogen, mit deren Wirkung verknüpft:* biologische Waffen.

Birke, die; -, -n: /ein Baum/ (siehe Bild).

Birke

Birne, die; -, -n: **1.** /eine Frucht/ (siehe Bild). **2.** (ugs.) *Glühbirne* (siehe Bild). **3.** (ugs.) *Kopf.*

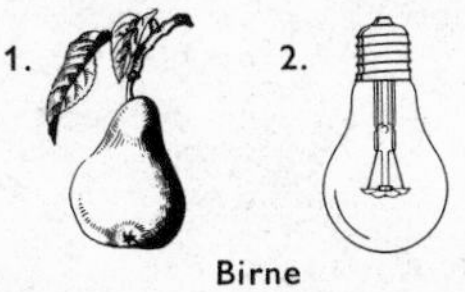

Birne

bis: I. 1. ⟨Präp. mit Akk.⟩ **a)** /zeitlich; gibt das Ende eines Zeitraums an; Frage: wie lange?/: die Konferenz dauert bis morgen, bis nächsten Sonntag; von 16 bis 18 Uhr; er ist bis 17 Uhr hier: **(a)** *nach 17 Uhr ist er nicht mehr da.* **b)** *er wird bis 17 Uhr hier eingetroffen sein);* ⟨auch als Adverb in Verbindung mit bestimmten Präpositionen⟩ bis in den Morgen, bis zum Abend. **b)** /räumlich; gibt das Ende einer Strecke o. ä. an; Frage: wie weit?/: bis dorthin, bis Frankfurt, von unten bis oben; ⟨auch als Adverb in Verbindung mit bestimmten Präpositionen⟩ bis an, in das Haus; bis zur Mauer. **2.** ⟨in der Fügung⟩ bis auf: **a)** *einschließlich, inklusive:* der Saal war bis auf den letzten Platz besetzt. **b)** *mit Ausnahme (von),* alle waren einverstanden, bis auf einen. **3.** ⟨in Verbindung mit Zahlen⟩ /begrenzt einen nicht genau angegebenen Wert nach oben/: eine Strecke von 8 bis 10 Metern; in 3 bis 4 Stunden; Kinder bis zu 6 Jahren *(von höchstens 6 Jahren)* haben freien Eintritt. **II.** ⟨Konj.⟩ /kennzeichnet die zeitliche Grenze, an der ein Vorgang, eine Handlung endet/: wir warten, bis du kommst; /konditionale Nebenbedeutung/ du darfst nicht gehen, bis die Arbeit gemacht ist.

Bischof, der; -s, Bischöfe: *Träger einer hohen geistlichen Würde innerhalb der katholischen und evangelischen Kirche, dem ein größerer Bereich untersteht:* der Bischof hat viele Kinder gefirmt.

bischöflich ⟨Adj.; nicht adverbial⟩: *zu einem Bischof gehörig:* die bischöfliche Würde.

bisher ⟨Adverb⟩: *bis jetzt:* b. war alles in Ordnung.

bisherig ⟨Adj.; nur attributiv⟩: *bis jetzt, bisher gewesen, vorhanden:* seine bisherigen Erfolge.

Biskuit [bɪs'kvi:t], das; -s, -s, (auch:) -e: *feines Gebäck aus Eiern, Zucker und Mehl.*

Biß, der; Bisses, Bisse: **1.** *das Beißen:* der B. der Schlange ist gefährlich. **2.** *durch Beißen entstandene Verletzung:* der B. des Hundes war deutlich zu sehen.

bißchen: ⟨meist in der Fügung⟩ ein b.: *ein wenig; etwas:* du mußt mir ein b. mehr Zeit lassen; dazu braucht man ein b. Mut.

Bissen, der; -s, -: *kleine Menge einer Speise, die man auf einmal in den Mund stecken kann:* er schob den letzten B. in den Mund; der letzte B. blieb ihm fast im Halse stecken. ***sich jeden B. vom Munde absparen** *(auf vieles verzichten; sehr sparsam leben).*

bissig ⟨Adj.⟩: **1.** ⟨nicht adverbial⟩ *durch seine Neigung zum Beißen gefährlich* /von Tieren/: ein bissiger Hund. **2.** (abwertend) *durch scharfe Worte verletzend:* eine bissige Bemerkung; b. antworten.

Bistum, das; -s, Bistümer: *Bereich, der einem katholischen Bischof untersteht.*

bisweilen ⟨Adverb⟩: *manchmal.*

bitte /Formel der Höflichkeit bei der Äußerung einer Frage, eines Wunsches, als Antwort auf einen Dank o. ä./: was wünschen Sie b.?; b. setzen Sie sich; [wie] b.? vielen Dank! – b. [sehr]!

Bitte, die; -, -n: *Wunsch, den man jmdm. gegenüber äußert:* eine höfliche, große B.; eine B. aussprechen, erfüllen.

bitten, bat, hat gebeten: **a)** ⟨tr.⟩ *sich mit einer Bitte (an jmdn.) wenden:* jmdn. um Auskunft, um Hilfe b.; er bat mich, ihm zu helfen. **b)** ⟨tr.⟩ *einladen, bestellen:* jmdn. zum Essen/ zu sich b. **c)** ⟨itr.⟩ *eine Bitte aussprechen; höflich, nachdrücklich wünschen, daß etwas gemacht wird:* so sehr er auch bat, man erfüllte ihm seine Bitte nicht; er bat um Ruhe *(bat darum, ruhig zu sein).*

bitter ⟨Adj.⟩: **1.** *im Geschmack unangenehm streng, scharf; sehr herb, ohne Süße:* eine bittere Medizin; der Tee schmeckt sehr b.; bildl.: eine bittere *(schmerzliche)* Enttäuschung, Erfahrung; bittere *(scharfe)* Ironie; bittere *(große, beißende)* Kälte. **2.** ⟨in meist negativ empfundenen Zusammenhängen verstärkend bei Adjektiven und Verben⟩ *sehr:* es war b. kalt; er hat sich b. beklagt, gerächt.

bitterböse ⟨Adj.:⟩ *sehr böse:* ein bitterböser Blick.

Bitterkeit, die; -: *das Bittersein:* die B. des Tees; bildl.: die vielen Enttäuschungen haben in ihm B. hervorgerufen.

bitterlich: ⟨in Verbindung mit bestimmten Verben⟩ *sehr, heftig:* b. weinen, schluchzen; wir haben b. gefroren.

bittersüß ⟨Adj.⟩: **a)** *einen bitteren und süßen Geschmack zugleich habend:* ein bittersüßes Getränk. **b)** *schön, angenehm, aber dabei etwas schmerzlich:* ein bittersüßes Lächeln; ein bittersüßes Märchen von Liebe und Tod.

Bittschrift, die; -, -en (veralt.): *Gesuch.*

Bittsteller, der; -s, -: *jmd., der mündlich oder schriftlich eine Bitte vorbringt:* einen B. lange warten lassen, kurz abfertigen.

Biwak, das; -s, -s und -e: *Lager im Freien, das behelfsmäßig errichtet wird* /bes. beim Militär und bei Bergsteigern/: ein B. errichten, beziehen, abbrechen.

biwakieren, biwakierte, hat biwakiert ⟨itr.⟩: *in einem Biwak lagern, übernachten:* die Bergsteiger biwakierten einige hundert Meter unter dem Gipfel.

bizarr ⟨Adj.⟩: *seltsam, eigenwillig [geformt]:* bizarre Felsen, Formen.

Bizeps, der; -es, -e: *Muskel im Oberarm, der den Unterarm beugt.*

Blabla, das; - (ugs.; abwertend): *nichtssagendes Gerede:* etwas mit viel B. bekanntmachen.

blähen, blähte, hat gebläht: **1.** ⟨tr./rfl.⟩ *mit Luft füllen und dadurch prall machen, straffen:* der Wind blähte die Segel; der Vorhang, der Mantel blähte sich. **2.** ⟨itr.⟩ *übermäßig viel Gas in Darm und Magen bilden:* frisches Brot bläht. **Blähung,** die; -, -en.

blamabel ⟨Adj.⟩: *beschämend, bloßstellend:* eine blamable Situation; er fand das Ergebnis sehr b.

Blamage [bla'ma:ʒə] die; -, -n: *etwas sehr Peinliches, Beschämendes; Bloßstellung:* diese Niederlage war eine große B. für den Verein.

blamieren, blamierte, hat blamiert ⟨tr./rfl.⟩: *in eine peinliche Lage bringen; bloßstellen:* er hat sie, sich durch sein schlechtes Benehmen vor allen Leuten blamiert.

blanchieren [blã'ʃi:rən], blanchierte, hat blanchiert ⟨tr.⟩: *kurz in Wasser aufkochen lassen:* Gemüse, das man einfrieren will, muß man vorher b.

blank ⟨Adj.⟩: **1.** *sehr glatt und glänzend; blinkend:* blankes Metall; blanke Stiefel. **2.** ⟨nur attributiv⟩ *nicht bedeckt; bloß:* die blanke Haut; sie setzten sich auf die blanke Erde, den blanken Boden. **(ugs.) **b. sein** *(kein Geld mehr haben).*

blanko ⟨Adj.; nur prädikativ⟩: *nicht ausgefüllt, leer* /in bezug auf geschäftliche Papiere/: einen Scheck b. ausstellen; ein Schriftstück b. lassen.

Blankoscheck, der; -s, -s: *Scheck, der zwar unterschrieben, in dem aber nicht die Summe ausgefüllt ist.*

Blankovollmacht, die; -, -en: *unbeschränkte Vollmacht:* jmdm. eine B. geben.

Blase, die; -, -n: **1.** *kleinerer, mit Luft gefüllter hohler Raum von rundlicher Form in einem festen oder flüssigen Stoff:* Blasen im Glas, Metall, Teig; im Wasser stiegen Blasen auf. **2.** *durch Reibung, Verbrennung o. ä. hervorgerufene, mit Flüssigkeit gefüllte Wölbung der Haut:* nach der Wanderung hatte er eine B. am Fuß. **3.** *inneres Organ bei Menschen und bestimmten Tieren, in dem sich der Harn sammelt.*

Blasebalg, der; -[e]s, Blasebälge: *Gerät, das einen Luftstrom erzeugt* (siehe Bild): mit einem B. das Feuer anfachen, die Luftmatratze aufpumpen.

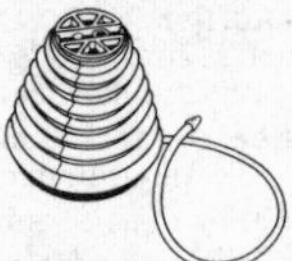

Blasebalg

blasen, bläst, blies, hat geblasen: **1.** ⟨tr./itr.⟩ *Luft aus dem Mund ausstoßen:* durch ein Rohr b.; er blies ihm den Rauch ins Gesicht. **2.** ⟨tr.⟩ **a)** *(ein Blasinstrument) spielen:* die Flöte, Trompete b. **b)** *(etwas auf einem Blasinstrument) spielen:* eine Melodie, ein Signal [auf der Trompete] b.

Blasenleiden, das; -s: *Leiden, das durch eine chronische Erkrankung der Harnblase hervorgerufen wird.*

Bläser, der; -s, -: *Musiker, der in einem Orchester ein Blasinstrument spielt.*

blasiert ⟨Adj.⟩ (abwertend): *eingebildet, hochnäsig, hochmütig:* ein blasierter junger Mann; er hörte b. lächelnd zu. **Blasiertheit,** die; -.

Blasinstrument, das; -[e]s, -e: *Musikinstrument, bei dem die Töne durch das Hineinblasen der Luft erzeugt werden.*

Blasphemie, die; -, -n: *verletzende Äußerung über etwas Heiliges, Gotteslästerung:* seine Äußerung ist eine arge B.

blasphemisch ⟨Adj.⟩: *lästerlich, etwas Heiliges verletzend, verhöhnend:* eine blasphemische Rede, Antwort.

blaß ⟨Adj.⟩: **a)** *ohne die natürliche, frische Farbe des Gesichts; ein wenig bleich:* ein blasses junges Mädchen; b. sein, werden. **b)** *in der Färbung nicht kräftig; schwach, hell:* ein blasses Blau; die Schrift war nur noch ganz b.; bildl.: eine blasse *(schwache)* Erinnerung haben.

Blässe, die; -: *das Blaßsein; blasses Aussehen:* die B. ihres Gesichtes war auffallend.

Blatt, das; -[e]s, Blätter: **1.** /Teil einer Pflanze/(siehe Bild): grüne, welke Blätter; die Blätter fallen *(es wird Herbst).* **2.** *rechteckiges [nicht gefaltetes, glattes] Stück Papier:* ein leeres B. [Papier]; von diesem Papier habe ich nur noch einige Blätter; /als Mengenangabe/ hundert B. Papier. ***ein unbeschriebenes B. sein** *(nicht bekannt oder noch ohne Kenntnisse, Erfahrungen sein):* der neue Mitarbeiter ist [noch] ein unbeschriebenes B. **3.** *Zeitung:* ein bekanntes, von vielen gelesenes B.

Blattern, die ⟨Plural⟩: *schwere ansteckende Krankheit, bei der auf der Haut eitrige Bläschen entstehen, die später zu häßlichen Narben werden:* die B. haben.

Blatt 1.

blättern, blätterte, hat geblättert ⟨itr.⟩: *die Seiten eines*

Heftes, Buches, einer Zeitung o. ä. flüchtig umwenden: er blätterte hastig in den Akten.

Blätterteig, der; -[e]s: *Teig, der nach dem Backen aus einzelnen dünnen Schichten besteht, die wie Blätter übereinander liegen.*

Blattgold, das; -[e]s: *dünn ausgewalztes reines Gold.*

Blattlaus, die; -, Blattläuse: *kleines, schädliches Insekt, das meist in großer Zahl Pflanzen befällt.*

Blattpflanze, die; -, -n: *Pflanze, die wegen ihrer schönen [großen] Blätter häufig in Gärten und Zimmern steht.*

blau ⟨Adj.⟩: *in der Färbung dem wolkenlosen Himmel ähnlich:* blaue Blüten. *(ugs.) **sein blaues Wunder erleben** *(eine unangenehme Überraschung erleben)*; (ugs.) **mit einem blauen Auge davonkommen** *(mit einem relativ geringen Schaden davonkommen)*; **eine Fahrt ins Blaue** *(eine Fahrt ohne bestimmtes Ziel)*; (ugs.) **b. sein** *(betrunken sein)*.

blauäugig ⟨Adj.⟩: *blaue Augen habend, mit blauen Augen:* ein blauäugiges Mädchen.

Blaubeere, die; -, -n (landsch.): *Heidelbeere.*

bläuen, bläute, hat gebläut ⟨tr.⟩: *ein wenig blau färben:* die Wäsche b. /damit sie strahlend weiß wirkt, wenn durch etwas blauen Farbstoff die gelbe Tönung überdeckt wird/.

bläulich ⟨Adj.⟩: *leicht blau getönt:* ein bläulicher Schimmer.

Blaulicht, das; -[e]s, -er: *blaues Licht an den Kraftfahrzeugen der Polizei und der Feuerwehr, das bei Unglücksfällen eingeschaltet wird und im Straßenverkehr zur Vorfahrt berechtigt:* die Polizei raste mit B. durch die Straßen.

blaumachen, machte blau, hat blaugemacht ⟨itr.⟩ (ugs.): *nicht zur Arbeit gehen [und dafür bummeln]:* er macht heute blau.

Blaustrumpf, der; -s, Blaustrümpfe (veralt.; abwertend): *überaus gelehrte Frau, die wenig Weibliches an sich hat.*

Blazer ['ble:zər], der; -s, -: *[Klub]jacke für Männer* (siehe Bild).

Blech, das; -s, -e: *Metall in Form einer dünnen Platte:* ein B. anbringen. *(ugs.) **B. reden** *(Unsinn reden)*.

blechen, blechte, hat geblecht ⟨itr.⟩ (ugs.): *gezwungen sein, viel zu zahlen:* für diese Reparatur wirst du tüchtig b. müssen.

Blazer

blechern ⟨Adj.⟩: **a)** ⟨nur attributiv⟩ *aus Blech hergestellt:* ein blecherner Topf. **b)** *hohl klingend, schnarrend:* eine blecherne Stimme; diese Musik klingt b.

Blechmusik, die; -: *Musik, bei der nur Blasinstrumente aus Blech spielen.*

blecken, bleckte, hat gebleckt: ⟨in der Verbindung⟩ die Zähne b.: *die Lippen breit öffnen und dabei die Zähne sehen lassen:* der Hund bleckte die Zähne.

Blei: I. das; -[e]s: /ein schweres Metall/: es liegt mir wie B. in den Gliedern *(die Glieder sind schwer und müde)*. **II.** der oder das; -[e]s, -e: (Kurzform für:) *Bleistift.*

Bleibe, die; -: *Unterkunft, Herberge:* keine B. haben.

bleiben, blieb, ist geblieben ⟨itr.⟩: **1.** *nicht weggehen:* zu Hause b.; er blieb in Berlin; ⟨im 1. Partizip⟩ ein bleibender *(dauernder)* Wert. **2.** *seinen Zustand nicht ändern:* die Tür bleibt geschlossen. ***am Leben b.** *(nicht sterben)*. **3.** *übrig sein:* jetzt bleibt nur noch eins [zu tun].

bleibenlassen, läßt bleiben, ließ bleiben, hat bleibenlassen ⟨tr.⟩ (ugs.): *nicht mehr tun, unterlassen:* er hat seine üble Gewohnheit b.; laß das b.!

bleich ⟨Adj.; nicht adverbial⟩: *[sehr] blaß; ohne die normale Farbe:* ein bleiches Gesicht; sie wurde b. vor Schreck.

bleichen: I. bleichte, hat gebleicht ⟨tr.⟩: *bleich, heller machen:* die Wäsche, die Haare b. **II.** bleichte/blich, ist gebleicht/geblichen ⟨itr.⟩: *bleich, heller werden:* der blaue Stoff bleicht in der Sonne.

Bleichgesicht, das; -[e]s, -er (scherzh.): *jmd. mit einer bes. blassen Haut [im Gesicht].*

bleiern ⟨Adj.⟩: *bedrückend; [schwer] wie Blei:* er erwachte aus einem bleiernen Schlaf.

Bleigießen, das; -s: *zu Silvester üblicher Brauch, bei dem geschmolzenes Blei in kaltes Wasser gegossen wird und die dadurch entstandenen Gebilde in bezug auf das Schicksal der beteiligten Personen im kommenden Jahr gedeutet werden.*

bleischwer ⟨Adj.⟩: *sehr schwer:* ein bleischwerer Sack; bildl.: Sorgen, die b. auf jmdm. lasten.

Bleistift, der; -s, -e: *zum Schreiben und Zeichnen verwendeter Stift:* einen B. spitzen.

Blende, die; -, -n: **1. a)** *etwas, was unerwünschtes Licht abschirmen soll:* als B. die Hand über die Augen legen. **b)** *Einrichtung am Photoapparat, mit der man das Objektiv verkleinern und die Belichtung regulieren kann:* eine große B. einstellen. **2. a)** *Streifen Stoff, der als Verzierung an Kleidungsstücke genäht ist:* das Kleid hat eine weiße B. am Hals. **b)** *angedeutetes Fenster, Giebel, Bogen o. ä. zur Dekoration oder Gliederung einer Mauerfläche.*

blenden, blendete, hat geblendet ⟨tr.⟩ /vgl. blendend/: **1.** *durch sehr helles Licht am Sehen hindern:* die Sonne blendete mich; der Fahrer wurde durch entgegenkommende Autos geblendet. **2.** *durch äußerliche Vorzüge beeindrucken, täuschen:* sein geschicktes Auftreten blendet die Kunden.

blendend ⟨Adj.⟩ (ugs.): *sehr eindrucksvoll, ausgezeichnet:* er hielt eine blendende Rede; wir haben uns b. unterhalten.

Blendwerk, das; -s (geh.; abwertend): *bloßer Schein, Täuschung:* ein raffiniertes B.; ein B. durchschauen.

Blesse, die; -, -n: **a)** *lichter Fleck auf der Stirn eines Tieres.* **b)** *Tier mit einem lichten Fleck auf der Stirn.*

blessieren, blessierte, hat blessiert ⟨tr.⟩ (veralt.): *verletzen, verwunden:* er wurde beim Spielen leicht blessiert; ⟨häufig im 2. Partizip⟩ blessiert sein; ein blessierter Junge.

Blick, der; -[e]s, -e: **1.** *[kurzes] Blicken:* ein B. auf die Uhr; ein freundlicher B. ***einen B. für etwas haben** *(die Gabe haben, etwas gleich festzustellen oder be-*

urteilen zu können): sie hat einen B. für geschmackvolle Kleidung. **2.** *Aussicht:* ein weiter B. ins Land.

blicken, blickte, hat geblickt ⟨itr.⟩: *die Augen auf ein Ziel richten, jmdn./etwas ansehen:* auf die Tür, aus dem Fenster, in die Ferne b. ***sich nicht b. lassen** *(nicht erscheinen, nicht kommen).*

Blickfang, der; -[e]s, Blickfänge: *etwas, was durch auffallende Form, Farbe o. ä. den Blick auf sich lenkt:* ein buntes Plakat ist ein wirkungsvoller B.

Blickfeld, das; -[e]s: *Bereich, der von einem bestimmten Standpunkt aus übersehen werden kann:* das lag außerhalb seines Blickfeldes.

Blickpunkt, der; -[e]s, -e: **a)** *Ort, Stelle, auf die der Blick unwillkürlich fällt:* im B. der Anlage steht eine antike Statue; bildl.: im B. der Öffentlichkeit, des allgemeinen Interesses stehen. **b)** *Gesichtspunkt:* von diesem B. aus gesehen, verhält sich die Sache anders.

Blickwinkel, der; -s, -: **a)** *Winkel, Bereich, der von einer Person überschaut werden kann:* sich aus jmds. B. entfernen. **b)** *Gesichtspunkt:* etwas aus einem bestimmten B. betrachten.

blind ⟨Adj.⟩: **1.** *nicht sehen könnend:* ein blindes Kind. **2.** *ohne Einsicht, Überlegung:* blinder *(maßloser)* Haß; blindes Vertrauen. **3.** *nicht klar, trüb, angelaufen:* ein blinder Spiegel. ****blinder Alarm** *(grundlose Aufregung, Beunruhigung);* **ein blinder Passagier** *(jmd. der, heimlich mitfährt oder -fliegt).*

Blinddarm, der; -s: *kleine Abzweigung am Dickdarm:* jmdm. den B. operieren; am B. operiert werden.

Blinde, der; -n, -n ⟨aber: [ein] Blinder, Plural: Blinde⟩: *jmd., der nicht sehen kann.*

Blindekuh: ⟨in der Wendung⟩ B. spielen *(ein Kinderspiel spielen, bei dem ein Kind mit verbundenen Augen eines der sich im Kreis bewegenden Kinder ergreifen und beim Namen nennen muß).*

blindfliegen, flog blind, ist blindgeflogen ⟨itr.⟩: *ein Flugzeug ohne Sicht, nur mit Hilfe der Geräte steuern:* er ist sämtliche Strecken blindgeflogen.

Blindflug, der; -[e]s, Blindflüge: *Flug (im Nebel o. ä.), bei dem der Pilot keine Sicht hat und sich auf seine Geräte verlassen muß.*

Blindgänger, der; -s, -: *abgeworfene Bombe o. ä., die nicht detoniert ist.*

blindgläubig ⟨Adj.⟩: *von blindem Glauben bestimmt, ohne Kritik:* ein blindgläubiges Vertrauen; auf etwas b. eingehen.

Blindheit, die; -: *das Blindsein:* die B. des Kindes konnte nach einem Jahr festgestellt werden; bildl.: politische B. führte ihn in die Katastrophe. *** [wie] mit B. geschlagen sein** *(nicht merken, nicht durchschauen, was vor sich geht).*

blindlings ⟨Adverb⟩: *ohne Vorsicht und Überlegung:* er rannte b. in sein Verderben.

blindschreiben, schrieb blind, hat blindgeschrieben ⟨tr./itr.⟩: *mit zehn Fingern auf der Schreibmaschine schreiben, ohne dabei auf die Tasten zu sehen:* sie schreibt alles blind; eine Sekretärin muß b. können.

blinken, blinkte, hat geblinkt ⟨itr.⟩: **a)** *funkeln:* der Spiegel blinkt in der Sonne. **b)** *Signale geben, indem man ein Licht kurz aufleuchten läßt:* mit einer Lampe b.

Blinker, der; -s, -: **a)** *blinkendes Signal an Kraftfahrzeugen, das eine Änderung der Fahrtrichtung anzeigt.* **b)** *blinkender Köder aus Metall, der beim Angeln verwendet wird.*

Blinklicht, das -[e]s, -er: **a)** *in verschiedenen Farben blinkendes Licht, das zur Vorsicht mahnt und den Verkehr regelt.* **b)** *Blinker.*

blinzeln, blinzelte, hat geblinzelt ⟨itr.⟩: *die Augen zu einem schmalen Spalt verengen und die Augenlider schnell auf und ab bewegen:* er blinzelte in der hellen Sonne.

Blitz, der; -es, -e: *[im Zickzack] kurz und grell aufleuchtendes Licht* /beim Gewitter/: der B. hat in einen Baum eingeschlagen. ***wie der B.** *(überraschend schnell, sehr schnell);* **wie ein B. aus heiterem Himmel** *(ohne daß man darauf vorbereitet gewesen ist, plötzlich ausbrechend, sich mit Heftigkeit ereignend* /in bezug auf etwas Unerfreuliches/): die Nachricht von seinem Unfall traf uns wie ein B. aus heiterem Himmel.

Blitzableiter, der; -s, -: *auf einem Gebäude angebrachte eiserne Stange, von der der einschlagende Blitz in den Boden abgeleitet wird.*

blitzartig ⟨Adj.⟩: *sehr schnell, rasch:* eine blitzartige Reaktion; b. auf etwas antworten.

blitzblank ⟨Adj.⟩: *sehr blank, blitzend vor Sauberkeit:* eine neue blitzblanke Wohnung; etwas b. putzen.

blitzen, blitzte, hat geblitzt ⟨itr.⟩: **a)** *(als Blitz) aufleuchten:* bei dem Gewitter hat es oft geblitzt. **b)** *funkeln, glänzen:* der Ring blitzt am Finger.

Blitzkrieg, der; -[e]s, -e: *Krieg, der zu einem raschen Ende [und einem Sieg der angreifenden Macht] führt:* in einem B. wurden die strittigen Gebiete erobert und annektiert.

Blitzlicht, das; -[e]s, -er: *grell aufblitzendes Licht, das zum Photographieren in Räumen verwendet wird.*

blitzschnell ⟨Adj.⟩: *sehr schnell:* b. handeln.

Bloch, das; -[e]s, -e und Blöcher (südd.; östr.; schweiz.): *gefällter und von Ästen gesäuberter Stamm eines großen Baumes.*

Block, der; -s, Blöcke und Blocks: **1.** ⟨Plural: Blöcke⟩ *festes, großes Stück aus einheitlichem Material:* ein B. aus Beton. **2.** ⟨Plural: Blocks⟩ **a)** *Viereck von aneinandergebauten Häusern* (siehe Bild). **b)** *zusammengeheftete Blätter, die einzeln abgerissen werden können* (siehe Bild). **3.** ⟨Plural: Blöcke oder Blocks⟩ *Gruppe, Verband:* die politischen Parteien bildeten einen B.

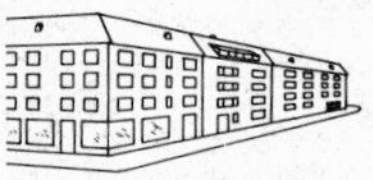

Block 2. a)

Block 2. b)

Blockade, die; -, -n: *völlige Absperrung eines Hafens, eines*

[Küsten]gebietes, eines Landes o. ä. durch militärische Maßnahmen: über ein Land die B. verhängen.

Blockflöte, die; -, -n: /ein Blasinstrument aus Holz/ (siehe Bild).

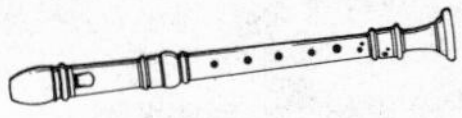

Blockflöte

Blockhaus, das; -es, Blockhäuser: *ein aus nahezu rohen Stämmen gezimmertes Haus* (siehe Bild).

Blockhaus

blockieren, blockierte, hat blockiert ⟨tr.⟩: *sperren, aufhalten, unmöglich machen:* durch den Unfall wurde der Verkehr blockiert; bildl.: durch seine ablehnende Haltung blockiert er die Verhandlungen.

Blockschrift, die; -, -en: *Schriftart mit kräftiger, gleichmäßig starker Linienführung* (siehe Bild).

Aa Bb Cc

Blockschrift

blöd[e] ⟨Adj.⟩: **1.** (abwertend) *dumm:* ist das ein blöder Kerl! **2.** *schwachsinnig; geistig zurückgeblieben:* ein blödes Kind.

blödeln, blödelte, hat geblödelt ⟨itr.⟩ (ugs.): *mit Absicht, aus Spaß Unsinn reden, treiben:* man könnte mit ihm den ganzen Abend b.

Blödian, der; -s, -e (abwertend): *jmd., der durch Dummheit Ärgernis erregt:* dieser B. verwechselt wieder alles!

Blödsinn, der; -s (abwertend): *Unsinn, sinnloses Reden oder Handeln:* alles was er sagte, war B.

blöken, blökte, hat geblökt ⟨itr.⟩: *mit langem Ton schreien:* das Schaf, das Kalb blökt.

blond ⟨Adj.⟩: *hell* /vom Haar/: ein blondes Mädchen; das Haar b. färben.

blondieren, blondierte, hat blondiert ⟨tr.⟩: *(Haar) mit Hilfe chemischer Mittel blond machen:* ich ließ mir einige Streifen im Haar b.

Blondine, die; -, -n (scherzh.): *Frau, junges Mädchen mit blonden Haaren.*

bloß: I. ⟨Adj.⟩ **1.** *nicht bedeckt, nackt:* bloße Füße. ***mit bloßem Auge** *(ohne [Fern]glas).* **2.** ⟨nur attributiv⟩ *allein vorhanden, ausschließlich:* die bloße Nennung des Namens genügt nicht. **II.** ⟨Konj. oder Adverb⟩ *nur:* er ist nicht dumm, er ist b. faul.

Blöße: ⟨in der Wendung⟩ sich [k]eine B. geben: *[k]eine Schwäche zeigen:* der Politiker gab sich eine B.

bloßstellen, stellte bloß, hat bloßgestellt ⟨tr. / rfl.⟩: *(bei jmdm.) eine schwache Stelle zeigen, (jmdn./sich) blamieren:* er hat den Beamten [in aller Öffentlichkeit] bloßgestellt. **Bloßstellung,** die; -, -en.

blubbern, blubberte, hat geblubbert ⟨itr.⟩ (landsch.): *glukkern:* der kochende Brei blubbert und spritzt.

Bluff, der; -s, -s (ugs.; abwertend): *etwas, was auf dreiste oder raffinierte Weise eine Täuschung verursacht:* ich habe diesen B. sofort durchschaut.

bluffen, bluffte, hat geblufft ⟨tr./itr.⟩: *durch dreistes Auftreten täuschen:* er blufft [die Leute] gern.

blühen, blühte, hat geblüht ⟨itr.⟩: *Blüten hervorbringen, in Blüte stehen:* die Rosen blühen; bildl.: Künste und Wissenschaften blühen. ***eine blühende Phantasie haben** *(sehr übertreiben).*

Blume 1. b)

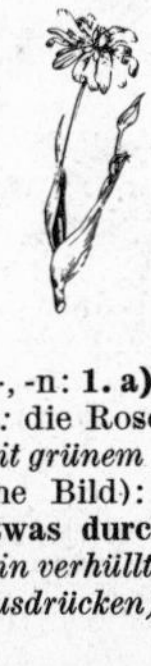

Blume, die; -, -n: **1. a)** *blühende grüne Pflanze:* die Rose ist eine B. **b)** *Blüte mit grünem Stiel und Blättern* (siehe Bild): Blumen pflücken. ***etwas durch die B. sagen** *(etwas in verhüllter Weise, nicht direkt ausdrücken).* **2.** *Duft des Weines:* dieser Wein hat eine köstliche B.

Blumenkohl, der; -s: *Kohl, dessen knolliger, dichter Blütenstand als Gemüse verwendet wird* (siehe Bild).

Blumenkohl

Blumenstock, der; -s, Blumenstöcke: *Pflanze, die in einem Blumentopf wächst:* sie hat viele blühende Blumenstöcke an den Fenstern.

Blumenstrauß, der; -es, Blumensträuße: *aus Blumen bestehender Strauß:* jmdm. zum Geburtstag einen B. schenken.

Blumentopf, der; -[e]s, Blumentöpfe: *Topf aus Ton, Porzellan, Kunststoff o. ä., in dem bestimmte Pflanzen wachsen:* für diese Blattpflanze ist der B. schon zu klein.

blumig ⟨Adj.⟩: **a)** *mit einem feinen, anmutigen Duft versehen:* ein blumiges Parfüm. **b)** (abwertend) *allzu reich mit Bildern und Vergleichen ausgestattet* /vom Stil/: eine blumige Rede halten.

Bluse, die; -, -n: *Kleidungsstück [für Damen], das den Oberkörper bedeckt* (siehe Bild).

Bluse

Blut, das; -es: *rote, zum Leben notwendige Flüssigkeit in den Adern:* in den Kriegen ist viel B. vergossen worden *(es hat viele Tote und Verwundete gegeben).* ***ruhig B. behalten/bewahren** *(in einer schwierigen Lage ruhig bleiben, sich beherrschen).*

blutarm ⟨Adj.⟩: *unter [krankhaftem] Mangel an Blut leidend:* blutarme Kinder werden auf Erholung geschickt; bildl.: eine blutarme *(wenig geistreiche)* Abhandlung.

Blutbad, das; -[e]s, Blutbäder (abwertend): *unnötige Tötung von mehreren Personen,* *bei der viel Blut vergossen wird:* ein B. anrichten.

Blutbank, die; -, -en: *Einrichtung, wo konserviertes Blut gelagert und für Operationen zur Verfügung gehalten wird.*

Blutbild, das; -es, -er: Med. *Zusammensetzung des Blutes als Ergebnis verschiedener Untersuchungen:* bei einem Patienten das B. feststellen.

blutdürstig ⟨Adj.⟩: *begierig, Blut fließen zu sehen; gierig nach Mord:* ein blutdürstiger Mensch; b. Vergeltung verlangen.

Blüte, die; -, -n: **1.** *blühender Teil einer Pflanze* (siehe Bild):

Blüte 1.

ein Baum voller Blüten. **2.** ⟨ohne Plural⟩ *das Blühen:* in der Zeit der B. ***in B. stehen** *(blühen).* **3.** *falscher Geldschein.*

bluten, blutete, hat geblutet ⟨itr.⟩: *Blut verlieren:* seine Nase blutete. *(ugs.) **b. müssen** *(viel Geld hergeben müssen).*

Blütenlese, die; -, -n: *Sammlung von Aussprüchen [berühmter Persönlichkeiten].*

Blütenstand, der; -[e]s, Blütenstände: *Teil einer Pflanze, der die Blüte trägt.*

Blütenstaub, der; -[e]s: *feiner Staub, der von Insekten, Wind o. ä. von einer Blüte zur anderen getragen wird und sie befruchtet.*

blütenweiß ⟨Adj.⟩: *leuchtend weiß:* ein blütenweißes Oberhemd.

Bluterguß, der; Blutergusses, Blutergüsse: *Stelle unter der Haut, wo sich nach einer Verletzung Blut gesammelt hat.*

Blütezeit, die; -, -en: **a)** *Zeit, in der bestimmte Pflanzen blühen:* die Blütezeit der Obstbäume wurde durch das schlechte Wetter stark verzögert. **b)** *Zeit, in der jmd./etwas seinen Höhepunkt, seine höchste Leistung, seinen höchsten Glanz erreicht hat:* die B. der barocken Malerei.

blutgierig ⟨Adj.⟩: *blutdürstig:* ein blutgieriges Raubtier.

Blutgruppe, die; -, -n: *für die Medizin wichtiges Merkmal des menschlichen Blutes (das sich in vier verschiedene Gruppen einteilen läßt):* die B. A haben.

blutig ⟨Adj.⟩: **a)** *mit Blut bedeckt, beschmutzt:* ein blutiges Gesicht. **b)** *mit Blutvergießen verbunden:* blutige Kämpfe. ***es ist jmdm. blutiger Ernst mit etwas** *(jmd. meint etwas sehr ernst);* **ein blutiger Laie sein** *(von etwas überhaupt nichts verstehen).*

blutjung ⟨Adj.⟩: *noch sehr jung* /im Verhältnis zu den Umständen und der Tätigkeit/: ein blutjunger Offizier.

Blutkonserve, die; -, -n: *haltbar gemachtes Blut, das für Transfusionen aufbewahrt wird.*

Blutkörperchen, das; -s, -: *mikroskopisch kleiner Bestandteil des Blutes:* er hat zu viele rote und zu wenig weiße B.

blutleer ⟨Adj.; nicht adverbial⟩: *wenig durchblutet, bleich:* blutleere Lippen.

Blutprobe, die; -, -n: **a)** Med. *kleine Mengen abgenommenen Blutes für verschiedene Untersuchungen:* dem Labor eine B. einsenden. **b)** *Untersuchung des Blutes [auf den Gehalt an Alkohol]:* sich einer B. unterziehen müssen.

Blutrache, die; -: *Rache, bei der ein Angehöriger des Ermordeten den Mörder tötet.*

blutrünstig ⟨Adj.⟩: *an Grausamkeiten Freude habend:* eine blutrünstige Rede halten; diese Geschichte ist sehr b. *(voller Grausamkeiten).*

Blutsauger, der; -s,- (ugs.; abwertend): *jmd., der andere skrupellos ausbeutet.*

Blutschande, die; -: *Geschlechtsverkehr zwischen engsten Blutsverwandten:* wegen B. angeklagt werden.

Blutspender, der; -s, -: *jmd., der für Transfusionen Blut spendet.*

blutsverwandt ⟨Adj.; nicht adverbial⟩: *durch Zugehörigkeit zur gleichen Linie miteinander verwandt:* Geschwister sind immer b.

Blutung, die; -, -en: *das Austreten von Blut aus einer Wunde:* die B. zum Stillstand bringen; innere Blutungen.

blutunterlaufen ⟨Adj.; nicht adverbial⟩: *durch das Austreten von Blut in das Gewebe bläulich gefärbt:* blutunterlaufene Augen; die Haut war an dieser Stelle b.

Blutvergießen, das; -s: *Kampf, bei dem Blut vergossen wird:* sinnloses B. vermeiden.

Blutvergiftung, die; -, -en: *Vergiftung des Blutes durch eingedrungene Bakterien:* er ist an einer B. gestorben.

Blutwurst, die; -, Blutwürste: *fette, aus Blut und Fleisch hergestellte Wurst.*

Bö, die; -, -en: *plötzlich und kurz auftretender Wind:* eine Bö erfaßte die Segel.

Bob, der; -s, -s: /ein Sportgerät für zwei oder vier Fahrer/ (siehe Bild).

Bob

Bock, der; -[e]s, Böcke: **1.** *männliches Tier bestimmter Arten* /Ziege, Reh u. a./. * (ugs.) **einen B. schießen** *(einen dummen Fehler machen);* (ugs.) **den B. zum Gärtner machen** *(einen*

Bock 2.

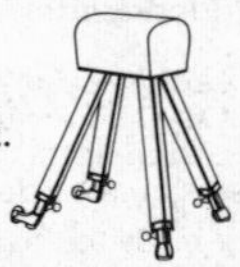

Auftrag gerade an denjenigen geben, der dafür am allerwenigsten geeignet ist). **2.** /ein Turngerät/ (siehe Bild): [über den] B. springen.

bockbeinig ⟨Adj.⟩ (abwertend): *störrisch, widerspenstig:* sei doch nicht so b.!

Bockbier, das; -[e]s, -e: *sehr starkes, an Alkohol reiches Bier.*

bocken, bockte, hat gebockt ⟨itr.⟩: *störrisch, widerspenstig sein:* das Pferd bockt; bildl.: der Motor bockt *(läuft nicht mehr gleichmäßig).*

bockig ⟨Adj.⟩: *störrisch, eigensinnig:* ein bockiges Kind.

Bocksbeutel, der; -s, -: *platte, seitlich bauchige Flasche* /für besondere Weine aus Franken/ (siehe Bild).

Bocksbeutel

Bockshorn: ⟨in der Wendung⟩ sich ins B. jagen lassen: *sich unnötig angst machen lassen, sich durch Täuschung o. ä. erschrecken und verwirren lassen.*

Bockspringen, das; -s: Turnen *in verschiedenster Weise unter Aufstützen der Hände über einen Bock oder eine gebückte Person springen.*

Bockwurst, die; -, Bockwürste: *lange, dünne Wurst, die heiß gegessen wird.*

Boden, der; -s, Böden: **1.** [*nutzbare*] *obere Schicht der Erde:* fruchtbarer B. **2.** *Grund, auf dem man steht; Grundfläche (eines Raumes oder Gefäßes):* das Buch ist auf den B. gefallen; der Teppich liegt auf dem B.; der Mantel schleift am B. **3.** *offener Raum unter dem Dach:* eine Kiste auf den B. bringen.

bodenlos ⟨Adj.; nur attributiv⟩: *unglaublich, unerhört:* eine bodenlose Gemeinheit.

Bodensatz, der; -es: *kleine, feste Bestandteile einer Flüssigkeit, die sich bei längerem Stehen auf dem Boden eines Gefäßes ansammeln:* bei der letzten Tasse Kaffee bleibt ein B. zurück.

Bodenschätze, die ⟨Plural⟩: *für die Industrie wichtige Rohstoffe (Erze, Mineralien, Kohle o. ä.), die aus dem Boden gewonnen werden:* ein an Bodenschätzen reiches Land.

bodenständig ⟨Adj.; nicht adverbial⟩: *fest zu einer Landschaft gehörend, in der Heimat verwurzelt:* ein bodenständiges Handwerk.

Bodenturnen, das; -s: *Turnen auf dem Boden ohne Turngerät:* im B. den dritten Preis bekommen.

Bodycheck ['bɔdɪtʃɛk], der; -s, -s: Eishockey *hartes, aber nach den Regeln in bestimmten Fällen erlaubtes Rempeln des Gegners:* geschickt einen B. anbringen.

Bodybuilding ['bɔdɪbɪldɪŋ], das; -[s]: *moderne Methode der Ausbildung des Körpers durch gezieltes Training der Muskeln an besonderen Geräten:* er betreibt B.

Bogen, der; -s, -: **I. 1.** *gekrümmte, gebogene Linie:* der Fluß fließt im B. um die Stadt. ***einen B. um jmdn./etwas machen** *(jmdm./ einer Sache ausweichen, um Unannehmlichkeiten zu vermeiden).* **2.** *gewölbter Teil eines Bauwerks*

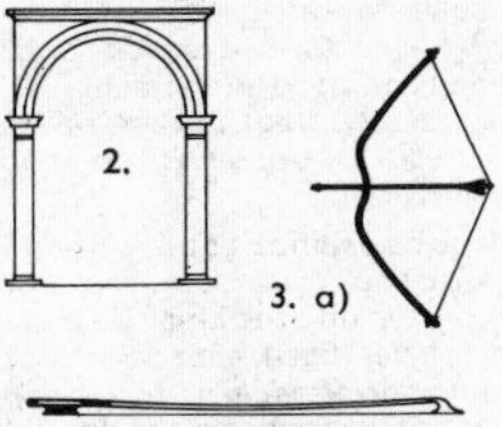

Bogen

(siehe Bild). **3. a)**/eine alte Schußwaffe/ (siehe Bild): mit Pfeil und B. schießen. **b)** *Gerät zum Streichen der Saiten einer Geige u. ä.* (siehe Bild). **II.** *größeres, rechteckiges Blatt Papier:* einen B. falten.

Boheme [bo'ɛ:m], die; -: *durch ein ungebundenes, ausschweifendes Leben gekennzeichnete Welt der Künstler, die sich nicht im Rahmen eines bürgerlichen Lebens bewegen:* er verkehrt in der B. von München.

Bohemien [boemi'ɛ̃:], der; -s, -s: *Angehöriger der Boheme:* als B. fühlte er sich glücklich und genoß die vielen Freiheiten.

Bohle, die; -, -n: *sehr dickes Brett:* die Brücke ist mit Bohlen belegt.

böhmisch: ⟨in den Wendungen⟩ (ugs.) **das kommt mir b. vor** *(das ist seltsam, das kommt mir verdächtig vor);* (ugs.) **das sind für mich böhmische Dörfer** *davon habe ich keine Ahnung).*

Bohne, die; -, -n: **a)** /eine Pflanze/. **b)** ⟨Plural⟩ *die als Gemüse o. ä. verwendeten Früchte und Samen dieser Pflanze* (siehe Bild): heute gibt es grüne Bohnen.

Bohne b)

Bohnenstange, die; -, -n: *Stange aus Holz, an der sich Bohnen emporranken sollen:* Bohnenstangen in das Beet stecken; sie ist lang und dünn wie eine B.; bildl. (ugs.; scherzh.): für diese B. *(diesen hoch gewachsenen, sehr dünnen Menschen)* ist der Anzug viel zu kurz und viel zu weit.

Bohnenstroh: ⟨in der Wendung⟩ dumm/grob wie B. sein (ugs.): *sehr dumm, grob sein.*

Bohner, der; -s, -: *schwere Bürste mit langem Stiel zum Bohnern.*

bohnern, bohnerte, hat gebohnert ⟨tr.⟩: *(mit Hilfe von Wachs) blank machen:* den Fußboden b.

Bohnerwachs, das; -es: *Wachs, mit dem die Fußböden gebohnert werden.*

bohren, bohrte, hat gebohrt: **a)** ⟨tr./itr.⟩ *durch [drehende] Bewegung eines Werkzeugs ein Loch in etwas machen:* ein Loch in das Brett b.; in einem Zahn b. **b)** ⟨tr.⟩ *durch drehende Bewegung eines Werkzeugs (etwas) herstellen:* einen Brunnen b. **c)** ⟨rfl.⟩ *unter plötzlichem oder fortgesetztem Druck eindringen:* der Nagel bohrte sich durch die Sohle.

Bohrer, der; -s, -: *Werkzeug zum Bohren.*

Bohrung, die; -, -en: *das Bohren:* bei den Bohrungen stieß man auf Erdöl.

böig ⟨Adj.⟩: **a)** *in Böen [wehend]:* böige, b. auffrischende Winde. **b)** *reich an Böen:* böiges Wetter.

Boiler

Boiler ['bɔʏlər], der; -s, -: *Gerät zur Bereitung von heißem Wasser* (siehe Bild S. 137).

Boje, die; -, -n: *auf dem Wasser schwimmender, auf dem Grund verankerter Körper, der den Schiffen als Signal gilt* (siehe Bild): seichte Stellen sind durch Bojen gekennzeichnet.

Bolerojäckchen, das; -s, -: *knappe, offene, bunt bestickte Jacke für Frauen.*

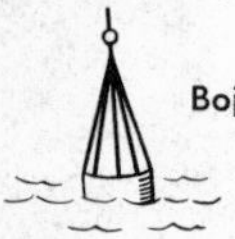

Boje

Böller, der; -s, -: *kleines Geschütz, mit dem bei bestimmten Anlässen laut krachende Schüsse abgefeuert werden:* am frühen Morgen vor der Hochzeit hörte man die B. schießen.

böllern, böllerte, hat geböllert ⟨itr.⟩: *laut krachend mit dem Böller schießen:* zu Beginn des großen Festtages wurde in jedem Dorf geböllert.

Bollwerk, das; -s, -e: **1.** *Befestigung des Ufers, wo Schiffe anlegen und beladen werden können.* **2.** *Anlage, die zur Befestigung und Verteidigung dient:* die Stadt wurde bis zum letzten B. eingenommen; bildl.: ein B. des christlichen Glaubens.

Bolschewismus, der; -: *Kommunismus in der UdSSR [der von Lenins Auslegung des Marxismus ausgeht].*

Bolzen, der; -s, -: *kurzer, runder Stift aus Metall:* ein Rad mit einem B. befestigen.

Bombardement [bɔmbardə'mã:], das; -s, -s: *Angriff mit Bomben.*

bombardieren, bombardierte, hat bombardiert ⟨tr.⟩: *Bomben (auf etwas) werfen:* eine Stadt b.; bildl. (ugs.): jmdn. mit Fragen, Vorwürfen b. *(überschütten).*

Bombast, der; -es (abwertend): *aufgeblasenes, schwülstiges Gerede:* ein leerer, hohler B.

bombastisch ⟨Adj.⟩ (abwertend): *schwülstig, prahlerisch:* ein bombastischer Stil.

Bombe, die; -, -n: /ein Sprengkörper/ (siehe Bild): eine B. legen, werfen; die Nachricht schlug wie eine B. ein *(erregte großes Aufsehen).*

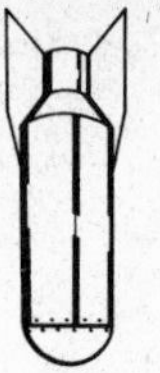

Bombe

Bombenerfolg, der; -[e]s, -e (ugs.): *sehr großer Erfolg:* dieses Buch ist ein B.

bombenfest ⟨Adj.⟩: **I.** bombenfest: *sehr stabil, einem Angriff mit Bomben standhaltend:* bombenfeste Unterstände. **II.** bombenfest (ugs.): *sehr sicher, mit völliger Gewißheit:* etwas b. behaupten.

bombensicher ⟨Adj.⟩: **I.** bombensicher: *sicher vor Bomben:* etwas b. aufbewahren. **II.** bombensicher (ugs.): *ganz sicher; mit äußerster Gewißheit, Sicherheit:* ein bombensicherer Erfolg; du bekommst das Geld b.

Bombentreffer, der; -s, -: *Treffer durch eine Bombe:* mehrere B. zerstörten den ältesten Teil der Stadt.

Bomber, der; -s, -: *Flugzeug, das Bomben abwirft.*

Bon [bõ:], der; -s, -s: *als Gutschein oder Quittung dienender Zettel:* auf, für diesen B. bekommt sie ein Mittagessen.

Bonbon [bõ'bõ:], der und das; -s, -s: *[vor allem aus Zucker bestehende] Süßigkeit zum Lutschen.*

Bonbonniere [bõbɔni'ɛ:rə], die; -, -n: *schön ausgestattete Packung mit einer Auswahl von Pralinen:* er überreichte ihr eine B.

bongen, bongte, hat gebongt ⟨tr.⟩ (ugs.): *(für etwas) einen Bon ausstellen:* der Kellner hat das Bier schon gebongt.

Bonmot [bõ'mo:], das; -s, -s: *witzige, geistreiche Äußerung, die den Kern einer Sache trifft:* seine Bonmots sind überall bekannt.

Bonus, der; - und -ses, - und -se: *Gutschrift.*

Bonze, der; -n, -n (abwertend): *jmd., der in Politik, Wirtschaft o. ä. eine führende Stellung hat und nur auf seinen Vorteil bedacht ist:* keiner von den Bonzen interessiert sich für unsere Probleme.

Boom [bu:m], der; -s, -s: *wirtschaftlicher Aufschwung, der ganz plötzlich erfolgt:* er konnte den B. gerade richtig ausnutzen.

Boot, das; -es, -e: *kleines Schiff* (siehe Bild).

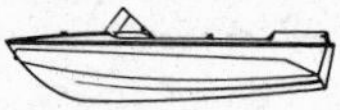

Boot

Bord: I. das; -[e]s, -e: *an der Wand befestigtes Brett für Bücher o. ä.; Regal.* **II.** ⟨in bestimmten Wendungen⟩ **an B.** *(auf dem Schiff);* **über B. gehen** *(ins Wasser fallen).*

Bordell, das; -s, -e: *Haus mit Frauen, die sich ihren Besuchern gegen Bezahlung für den Geschlechtsverkehr zur Verfügung stellen.*

Bordüre, die; -, -n: *Borte, mit der man Ränder von Kleidungsstücken, Vorhängen, Tüchern o. ä. zur Verzierung einfaßt.*

Bordwand, die; -, Bordwände: **a)** *äußere, seitliche Wand bei einem Schiff, Boot oder Flugzeug.* **b)** *seitliche Wand am hinteren Teil eines Lastkraftwagens.*

borgen, borgte, hat geborgt: **1.** ⟨tr.⟩ *sich für eine begrenzte Zeit geben lassen; entleihen:* ich muß mir Geld b. **2.** ⟨tr./itr.⟩ *für eine begrenzte Zeit zur Verfügung stellen:* er borgt ihm nicht gern [das Geld].

Borke, die; -, -n: *Rinde.*

Born, der; -[e]s, -e (dicht.): *Brunnen, Quelle;* meist bildl.: ein B. der Freude.

borniert ⟨Adj.⟩: *engstirnig; unbelehrbar und dabei noch eingebildet.* **Borniertheit,** die; -.

Börse, die; -, -n: **1.** *Gebäude, in dem Kaufleute zusammenkommen, um Geschäfte abzuschließen und den Preis von Wertpapieren festzulegen:* an der B. stiegen die Kurse. **2.** *Geldbeutel, Portemonnaie.*

Börsenbericht, der; -[e]s, -e: *Bericht über den Ablauf der Geschäfte an der Börse.*

Börsenmakler, der; -s, -: *Angestellter, der an der Börse Geschäfte mit Wertpapieren vermittelt* /Berufsbezeichnung/.

Borste, die; -, -n: *sehr festes, dickes, steif stehendes Haar:* die Borsten des Schweins; die Borsten der Bürste.

Borstenvieh, das -s (ugs.; scherzh.): *Schwein[e].*

borstig ⟨Adj.⟩: **1.** *kratzend, stachlig:* ein borstiges Schwein; sein Haar ist sehr b. **2.** *unfreundlich und grob:* er war heute sehr b.

Borte, die; -, -n: *Band aus Wolle, Seide u. ä., mit dem man Kleider u. a. verziert.*

bösartig ⟨Adj.⟩: *auf versteckte, heimtückische Weise böse:* der Hund ist b.; eine bösartige *(gefährliche)* Krankheit. **Bösartigkeit,** die; -, -en.

Böschung, die; -, -en: *schräg abfallende Fläche* (siehe Bild).

Böschung

böse ⟨Adj.⟩: **a)** *nicht gut, nicht freundlich gesinnt:* ein böser Mann. **b)** ⟨nicht prädikativ⟩ *unangenehm, schlimm, gefährlich:* eine b. Krankheit. **c)** *nicht folgsam, unartig:* der kleine Junge war sehr b. **d)** ⟨nicht attributiv⟩ *zornig; verärgert:* der Vater wurde ganz b.; er ist b. auf mich.

Bösewicht, der; -[e]s, -e[r]: **a)** (veralt.) *Mensch, der nur schlechte Absichten hat:* dieser B. hat ihm den letzten Groschen genommen. **b)** (ugs.; scherzh.) *Schlingel, kleiner Übeltäter:* wer ist der B. gewesen?

boshaft ⟨Adj.⟩: *bestrebt, anderen zu schaden; hinterhältig:* ein boshafter Mensch; er lächelt b. **Boshaftigkeit,** die; -, -en.

Bosheit, die; -, -en: **a)** ⟨ohne Plural⟩ *böse Absicht, schlechte Gesinnung:* er tat es aus reiner B. **b)** *Wort oder Handlung, die boshaft gegen jmdn. gerichtet ist:* seine Bosheiten ärgern mich nicht mehr.

Boß, der; Bosses, Bosse (ugs.): **a)** *Chef, [oberster] Vorgesetzter.* **b)** *Leiter einer Partei.*

böswillig ⟨Adj.⟩: *absichtlich boshaft, feindselig:* eine böswillige Verleumdung. **Böswilligkeit,** die; -.

Botanik, die; -: *Wissenschaft von den Pflanzen.*

Botaniker, der; -s, -: *jmd., der Botanik studiert [hat].*

botanisch ⟨Adj.⟩: *die Botanik betreffend.*

Botanisiertrommel, die; -, -n: *länglicher Behälter aus Blech zum Umhängen, in dem der Botaniker die Pflanzen beim Sammeln aufbewahrt.*

Bote, der; -n, -n: *jmd., der zur Ausführung eines Auftrags zu jmdm. geschickt wird:* der B. überbrachte eine Einladung.

Botengang, der; -[e]s, Botengänge: *Gang, bei dem man den Auftrag hat, jmdm. eine Nachricht zu übermitteln.*

Botmäßigkeit, die; - (geh.): *Herrschaft:* das Land stand unter fremder B.

Botschaft, die; -, -en: **1.** *wichtige Nachricht, Mitteilung.* **2.** *ständige diplomatische Vertretung eines Staates im Ausland.*

Botschafter, der; -s, -: *höchster diplomatischer Vertreter eines Staates in einem fremden Staat.*

Böttcher, der; -s, -: *jmd., der Gefäße aus Holz herstellt*/Berufsbezeichnung/.

Bottich, der; -s, -e: *größerer rundlicher Behälter aus Holz ohne Deckel für Flüssigkeiten.*

Boudoir [budo'a:r], das; -s, -s (veralt.): *elegantes Zimmer einer Dame:* sie verläßt kaum ihr B.

Bouillon [bʊ'ljõ; (östr.:) bu'jõ:], die; -, -s: *Fleischbrühe:* eine Tasse B.

Boulevard [bul(ə)'va:r], der; -s, -s (geh.): *schöne, breite Straße in einer Stadt:* er kennt die Boulevards der europäischen Hauptstädte.

Boulevardblatt [bul(ə)'va:rblatt], das; -[e]s, Boulevardblätter: *billige, in hohen Auflagen erscheinende Zeitung, die mit vielen sensationellen Berichten die Massen anspricht.*

bourgeois [bʊrʒo'a] ⟨Adj.; nicht adverbial⟩ (abwertend): *der Bourgeoisie angehörend, ihr entsprechend:* bourgeoise Prinzipien.

Bourgeois [bʊrʒo'a], der; -, - (abwertend): *wohlhabender, satter Bürger; reicher Spießer:* der B. sonnt sich in seinem Reichtum.

Bourgeoisie [bʊrʒoa'zi:], die; - (abwertend): *wohlhabendes, durch Wohlstand entartetes Bürgertum:* der B. angehörend.

Bouteille [bu'tɛ:j(e)], die; -, -n (veralt.): *kleinere Flasche, bes. für Wein.*

Boutique [bu'ti:k], die; -, -n: *kleiner Laden, in dem exklusive modische Kleidung verkauft wird.*

Bowle ['bo:lə], die; -, -n: *Getränk, das aus Wein, Zucker und Früchten hergestellt ist.*

Box, die; -, -en: **1. a)** *für ein Pferd bestimmter abgeteilter Verschlag im Stall:* das Pferd zum Reiten aus der B. holen. **b)** *kleiner, geschlossener Raum, der jmdm. zum Abstellen bestimmter Gegenstände, auch als Garage, zur Verfügung steht:* zu seiner Wohnung gehört auch eine B. im Keller. **c)** *einzelner Stand bei einer Ausstellung:* die Firma stellt dieses Jahr in zwei verschiedenen Boxen aus. **2.** *einfache Kamera.*

boxen, boxte, hat geboxt ⟨tr./itr.⟩: *mit den Fäusten schlagen:* [gegen] jmdn. b.

Boxer, der; -s, -: **1.** *Sportler, der Boxkämpfe austrägt* (siehe Bild). **2.** /ein Hund/ (siehe Bild).

1.

2.

Boxer

Boxkampf, der; -[e]s, Boxkämpfe: *sportlicher Wettkampf im Boxen.*

Boy [bɔʏ], der; -s, -s: **1.** *[livrierter] junger Diener, Bote:* der B. brachte ihn im Lift nach oben. **2.** (scherzh.; ugs.) *junger Freund (eines Mädchens):* sie geht mit ihrem B. ins Kino.

Boykott [bɔʏ'kɔt], der; -s, -e: *gegen jmdn. gerichtete [wirt-*

schaftliche] Maßnahme: durch den B. wurde die Wirtschaft des Landes geschwächt.

boykottieren [bɔYkɔ'ti:rən], boykottierte, hat boykottiert ⟨tr.⟩: *durch Boykott zu schaden versuchen.*

Brache, die; -, -n: **a)** *Land, das eine bestimmte Zeit lang nicht bebaut wird, damit sich der Boden erholen kann:* im kommenden Jahr bleibt das Feld als B. liegen. **b)** *Zeit, während der ein Acker nicht bestellt wird:* während der B. kann sich der Boden erholen.

Brachialgewalt, die; -: *rohe, körperliche Gewalt, die auf nichts Rücksicht nimmt:* die Tür mit B. öffnen; etwas mit B. erzwingen.

Brachland, das; -[e]s, Brachländer: *brachliegendes Stück Land.*

brachliegen, lag brach, hat brachgelegen ⟨itr.⟩: *nicht bebaut sein:* viele Äcker haben brachgelegen; bildl.: die besten Kräfte liegen brach *(werden leider nicht genutzt).*

Brackwasser, das; -s, -: *Gemisch aus Süß- und Salzwasser:* an der Mündung des Flusses bildet sich B.

bramarbasieren, bramarbasierte, hat bramarbasiert ⟨itr.⟩ (geh.; abwertend): *aufschneiden, prahlen:* er bramarbasiert gerne von seinen Erfolgen.

Branche [brã:ʃə], die; -, -n: *einzelnes Fachgebiet, Zweig in der Wirtschaft, im geschäftlichen Leben:* in der gleichen B. tätig sein.

Branchenverzeichnis ['brã:ʃən...], das; -ses, -se: *nach Branchen geordnetes Verzeichnis im Telefonbuch.*

Brand, der; -es, Brände: **1.** *starkes Brennen; Feuer:* die Feuerwehr löschte den B. ***in B. stecken/setzen** *(anzünden).* **2.** *Material zum Heizen:* B. kaufen. **(ugs.) **B. haben** *(sehr durstig sein).*

branden, brandete, hat gebrandet ⟨itr.⟩: *tosend aufprallen und schäumend wieder zurückfluten* /von Wellen/: die Wellen brandeten gegen den Felsen; bildl.: Beifall brandete um den Redner *(er wurde mit heftigem Beifall gefeiert);* er begab sich mitten in den brandenden *(überaus regen)* Verkehr.

Brandherd, der; -[e]s, -e: *Stelle, von wo ein Brand ausgeht:* die Polizei muß den B. feststellen; bildl.: ein B. von Unruhen.

Brandlegung, die; -, -en (östr.): *Brandstiftung.*

Brandmal, das; -[e]s, -e und Brandmäler: **a)** *in die Haut gebranntes Mal, Zeichen:* auf dem rechten Arm ein großes B. haben; bildl. (geh.): das B. einer großen Schande. **b)** *angeborener roter Fleck auf der Haut:* sie hat ein häßliches B. im Gesicht.

brandmarken, brandmarkte, hat gebrandmarkt ⟨tr.⟩: *öffentlich in scharfem Ton tadeln, scharf kritisieren:* er hat die soziale Ungerechtigkeit gebrandmarkt.

Brandmauer, die; -, -n: *starke Mauer zwischen den einzelnen Häusern eines Häuserblocks, die ein Übergreifen des Feuers verhindern soll.*

brandneu ⟨Adj.⟩ (ugs.): *ganz neu:* das Auto ist noch b.

Brandrede, die; -, -n: *Rede, die sich polemisch gegen jmdn./etwas richtet, etwas anprangert.*

brandschatzen, brandschatzte, hat gebrandschatzt ⟨tr./itr.⟩ (geh.): *plündern, ausrauben:* fremde Truppen haben [diese Gebiete] gebrandschatzt.

Brandstifter, der; -s, -: *jmd., der absichtlich oder fahrlässig einen Brand verursacht hat.*

Brandstiftung, die; -, -en: *das absichtliche oder fahrlässige Verursachen eines Brandes:* er wird wegen B. angeklagt.

Brandung, die; -, -en: *sich brechende Wogen des Meeres an der Küste.*

Branntwein, der -[e]s, -e: *stark alkoholisches Getränk, das durch Destillation von gegorenen Säften hergestellt wird.*

braten, brät, briet, hat gebraten: **a)** ⟨tr.⟩ *durch Erhitzen in Fett gar und an der Oberfläche braun werden lassen:* eine Gans b. **b)** ⟨itr.⟩ *in Fett unter Hitze weich, gar und braun werden:* das Fleisch brät schon eine Stunde; bildl. (scherzh.): in der Sonne b. *(sich in die heiße Sonne legen und dann braun brennen lassen).*

Braten, der; -s, -: *Fleisch, das gebraten worden ist:* ein saftiger B. *(ugs.) **den B. riechen** *(etwas Unangenehmes rechtzeitig ahnen).*

Bratkartoffeln, die ⟨Plural⟩: *zerkleinerte und in Fett geschmorte [gekochte] Kartoffeln.*

Bratsche, die; -, -n: *ein der Geige ähnliches Musikinstrument.*

Bratschist, der; -en, -en: *Musiker, der die Bratsche spielt.*

Bratwurst, die; -, Bratwürste: *Wurst, die gebraten gegessen wird:* Bratwürste soll man vor dem Braten in heißes Wasser legen; B. mit Kraut essen.

Brauch, der; -[e]s, Bräuche: *[aus früherer Zeit] überkommene Sitte, Gewohnheit:* man will die ländlichen Bräuche bewahren; bei uns ist es B., zu Pfingsten einen Ausflug zu machen.

brauchbar ⟨Adj.⟩: *für einen bestimmten Zweck verwendbar:* der Spaten ist ein brauchbares Werkzeug. **Brauchbarkeit,** die; -.

brauchen, brauchte, hat gebraucht ⟨itr.⟩ /vgl. gebraucht/: *nötig haben, haben müssen:* der Kranke braucht Ruhe; ⟨auch tr.⟩ das wird noch gebraucht *(darf nicht weggeworfen werden);* ⟨als Modalverb; immer verneint⟩ (nach vorangehendem Infinitiv) hat ... brauchen: er braucht nicht zu laufen *(muß nicht laufen);* er hat nicht zu kommen b.

Brauchtum, das; -s, Brauchtümer: *Gesamtheit der Bräuche:* das B. pflegen, wiederbeleben.

Braue, die; -, -n: *feine Haare über dem Auge in Form eines Bogens:* die Brauen runzeln.

brauen, braute, hat gebraut ⟨tr.⟩: *(ein alkoholisches Getränk) herstellen, zubereiten:* Bier, einen Punsch b.

Brauerei, die; -, -en: **a)** *Betrieb, in dem Bier hergestellt wird.* **b)** ⟨ohne Plural⟩ *das Herstellen von Bier:* sich für die B. interessieren.

braun ⟨Adj.; nicht adverbial⟩: *der Farbe von Schokolade oder Kakao ähnlich:* sie hat braunes Haar.

braunäugig ⟨Adj.⟩: *braune Augen habend, mit braunen Augen:* ein braunäugiges Mädchen.

Bräune, die; -: *braune Farbe der Haut, die durch längeren Aufenthalt in der Sonne entsteht.*

bräunen, bräunte, hat gebräunt: **a)** ⟨tr.⟩: *braun machen, braun werden lassen:* Zwiebel in Butter b.; die Sonne hat ihn gebräunt. **b)** ⟨itr.⟩ *braun werden:* meine Haut bräunt sehr schnell in der Sonne.

braungebrannt ⟨Adj.⟩: *von der Sonne stark gebräunt:* ein braungebranntes Gesicht haben.

Braunkohle, die; -, -n: *leicht brüchige Kohle von brauner bis schwarzer Farbe.*

bräunlich ⟨Adj.; nicht adverbial⟩: *leicht braun getönt:* ein bräunlicher Stoff.

Bräunung, die; -: *braune Färbung:* eine leichte B. feststellen.

Braus: ⟨in der Wendung⟩ in Saus und B. leben (ugs.): *verschwenderisch leben.*

Brause, die; -, -n: **I.** *Anlage zum Duschen* (siehe Bild). **II.** *kohlensäurehaltiges Getränk ohne Alkohol; Limonade.*

Brause I.

Brausebad, das; -[e]s, Brausebäder: **a)** *[öffentliche Anstalt,] Einrichtung, in der man unter einer Brause ein Bad nehmen kann:* sich wöchentlich in einem B. duschen. **b)** *Bad, das man unter einer Brause nimmt:* ein ausgiebiges B. ist sehr erfrischend.

Brauselimonade, die; -, -n: *Limonade, die mit Wasser und Brausepulver zubereitet wird.*

brausen, brauste, hat/ist gebraust: **1.** ⟨rfl./tr.⟩ *duschen:* ich habe mich jeden Morgen gebraust; die Mutter hat die Kinder gebraust. **2.** ⟨itr.⟩ *in heftiger Bewegung sein und ein dumpfes, anhaltendes Geräusch hervorbringen:* der Wind, das Meer hat die ganze Nacht gebraust. **3.** ⟨itr.⟩ (ugs.) *schnell fahren:* er ist mit seinem Auto durch die Stadt gebraust.

Brausepulver, das; -s, -: *Pulver, das in Wasser aufgelöst ein perlendes und prickelndes Getränk ergibt.*

Braut, die; -, Bräute: *[junge] Frau, die vor der Hochzeit steht; Verlobte.*

Bräutigam, der; -s, -e: *[junger] Mann, der vor der Hochzeit steht; Verlobter.*

Brautpaar, das; -[e]s, -e: **a)** *junges Paar nach der Verlobung.* **b)** *junges Paar, das Hochzeit feiert:* das B. verläßt strahlend die Kirche.

brav ⟨Adj.⟩: **1. a)** *gehorsam, folgsam:* ein braves Kind; das Kind hat b. gegessen. **b)** ⟨nicht prädikativ⟩ *ordentlich, aber ohne besondere Leistung:* er hat seine Aufgaben b. gemacht. * **treu und b.** *(wie es verlangt worden ist [ohne selbst zu denken]):* er hat alles treu und b. gemacht.

bravo ⟨Interj.⟩: *sehr gut!, ausgezeichnet!:* b., das hast du gut gemacht!

Bravour [bra'vu:r], die; - (geh.): **a)** *Tapferkeit, Schneid:* die B. dieser Bergsteiger ist zu bewundern. **b)** *hervorragende Technik, Meisterschaft:* sie sang die schwierige Arie mit B.

bravourös [bravu'rø:s] ⟨Adj.⟩: *mit Bravour, großartig:* er hat eine bravouröse Leistung vollbracht.

Bravourstück [bra'vu:r...], das; -[e]s, -e: **a)** *Musikstück, das ein besonderes Können verlangt.* **b)** *Leistung, die durch besonderes Können, besondere Geschicklichkeit erreicht wurde:* die Besteigung des Berges war ein B.

Break [bre:k], der und das; -s, -s: Sport *plötzlicher, unerwarteter Durchbruch aus der Verteidigung heraus:* das Tor wurde durch einen glänzenden B. erzielt.

Brecheisen, das; -s, -: *an der Spitze ein wenig gebogene, kurze Eisenstange, die als Werkzeug benutzt wird.*

brechen, bricht, brach, hat/ist gebrochen /vgl. gebrochen/: **1.** ⟨itr.⟩ *in Stücke gehen:* das Eis auf dem See brach; der Tisch ist unter der Last der Bücher gebrochen. **2. a)** ⟨tr./itr.⟩ *durch Druck, Gewalt in Teile zerlegen, von etwas abtrennen:* er hat einen Zweig vom Baum gebrochen; bildl.: die Polizei hat den Widerstand gebrochen; ich habe mir beim Sturz von der Leiter das Bein gebrochen. **b)** ⟨tr.; in Verbindung mit bestimmten Objekten⟩ *sich nicht an eine Verpflichtung halten:* er hat den Vertrag, die Ehe, den Eid gebrochen. **3.** ⟨itr.⟩ *an Übelkeit leiden, sich übergeben:* er hat nach dem Essen gebrochen; **4.** ⟨rfl.⟩ *auf etwas auftreffen und dadurch die ursprüngliche Richtung ändern:* das Licht hat sich im Wasser gebrochen. **5.** ⟨itr.⟩ *die Freundschaft auflösen:* er hat mit ihm endgültig gebrochen.

Brecher, der; -s, -: *große, sich überstürzende Welle:* schwere B. klatschen aufs Deck.

Brechmittel, das; -s, -: *Medikament, das Erbrechen herbeiführt:* ein B. einnehmen; bildl. (ugs.): er ist für mich ein B. *(ich kann ihn nicht ausstehen).*

Brechreiz, der; -es, -e: *Reiz, bei dem man das Gefühl hat, erbrechen zu müssen:* einen B. verspüren.

Brechung, die; -, -en: Physik *Abweichung von der ursprünglichen Richtung* /bei Wellen/: die B. des Lichtes, des Schalles.

Bredouille [bre'dʊljə]: ⟨in den Wendungen⟩ (landsch.) **in der B. sein/sitzen** *(in Bedrängnis, Verlegenheit sein)*; (landsch.) **in die B. kommen** *(in Bedrängnis, in Verlegenheit kommen).*

Brei, der; -[e]s, -e: *dick gekochte Speise, dickflüssige Masse:* das Baby bekommt einen B. *(ugs.) **wie die Katze um den heißen B. gehen** *(sich nicht entschließen können, etwas Unangenehmes zu sagen oder zu tun).*

breit ⟨Adj.⟩: **1.** *rechts und links weit ausgedehnt:* eine breite Straße, Hand. **2.** ⟨in Verbindung mit Angaben von Maßen⟩ *eine bestimmte Breite habend:* der Stoff ist 2 Meter b. ****lang und b.** *(sehr ausführlich):* etwas lang und b. erklären.

breitbeinig ⟨Adj.; nicht prädikativ⟩: *mit einem größeren Abstand zwischen den Beinen; die Beine gespreizt:* b. stehen, gehen, sitzen.

breitdrücken, drückte breit, hat breitgedrückt ⟨tr.⟩: *in eine breite, flache Form drücken:* sie hat ihren alten Hut etwas breitgedrückt, damit er anders aussieht.

Breite, die; -, -n: **a)** ⟨ohne Plural⟩ *seitliche Ausdehnung:* die Straße hat eine B. von fünf Metern. **b)** *Abstand eines Ortes* *vom Äquator:* Berlin liegt unter 52 Grad nördlicher B.

breiten, breitete, hat gebreitet: **1.** ⟨tr.⟩ **a)** *in voller Breite, Ausdehnung (über jmdn./etwas) legen:* ein Tuch über den Tisch b.; bildl.: über etwas den Schleier des Geheimnisvollen b. **b)** (geh.) *(Arme, Flügel o. ä.) weit ausstrecken:* der Adler breitet seine Schwingen. **2.** ⟨rfl.⟩ *sich ausdehnen, über eine größere Fläche erstrecken:* blühende Wiesen breiten sich über das Tal; bildl.: dunkle Schatten breiteten sich über ihr Gemüt.

Breitengrad, der; -[e]s, -e: *Abstand zwischen den einzelnen (gedachten) Linien auf der Erdoberfläche, die parallel zum Äquator verlaufen und die nördliche und südliche Hälfte horizontal gliedern:* das Flugzeug befindet sich auf dem fünfzigsten B.

breitmachen, sich; machte sich breit, hat sich breitgemacht (ugs.): *viel Platz für sich in Anspruch nehmen oder mit seinen Sachen belegen:* er hat sich in dem Zimmer sehr breitgemacht.

breitschlagen: ⟨in der Verbindung⟩ sich b. lassen (ugs.): *sich überreden lassen:* er ließ sich endlich b. und gab seine Zustimmung.

Breitseite, die; -, -n: **1.** *die breitere Seite von etwas:* an der B. des Tisches sitzen. **2. a)** *alle Geschütze, die auf der Längsseite eines Kriegsschiffes aufgestellt sind.* **b)** *das gleichzeitige Abfeuern aller Geschütze auf der Längsseite eines Kriegsschiffes:* eine B. geben.

breitspurig ⟨Adj.; nicht prädikativ⟩ (abwertend): *überheblich, selbstherrlich, anmaßend:* b. auftreten.

Breitwand, die; -: *bes. breite Leinwand im Kino:* auf B. spielen.

Bremse, die; -, -n: *Einrichtung, mit der man in Bewegung befindliche Fahrzeuge o. ä. verlangsamt oder zum Stillstand bringt:* er trat auf die B., und das Auto hielt an.

bremsen, bremste, hat gebremst: **a)** ⟨itr.⟩ *die Bremse betätigen:* er hat zu spät gebremst. **b)** ⟨tr.⟩ *die Geschwindigkeit von etwas verringern, zum Stillstand bringen:* das Auto b.; bildl.: die Ausgaben müssen gebremst *(eingeschränkt)* werden.

Bremslicht, das; -[e]s, -er: *rotes Licht an der Rückseite eines Kraftwagens, das beim Bremsen aufleuchtet.*

Bremsweg, der; -[e]s, -e: *Strecke, die ein Fahrzeug vom Betätigen der Bremse bis zum Stillstand zurücklegt.*

brennen, brannte, hat gebrannt: **1. a)** ⟨itr.⟩ *eine Flamme hervorbringen; in Flammen stehen:* das Öl, das Haus brennt; bildl.: die Sonne brennt *(ist sehr heiß);* er brannte darauf *(war begierig),* ihn zu sehen. **b)** ⟨tr.⟩ *als Heizmaterial verwenden:* Koks, Öl, Holz b. **2.** ⟨itr.⟩ *leuchten:* die Lampe brennt. **3.** ⟨tr.⟩ *durch Hitze für den Gebrauch zubereiten:* Kaffee, Mehl b. **4. a)** ⟨itr.⟩ *schmerzen;* die Füße b. [mir] vom langen Laufen; die Wunde brennt. **b)** ⟨rfl.⟩ *sich durch Hitze oder Feuer verletzen:* ich habe mich [am Ofen] gebrannt.

Brennessel, die; -, -n: *Unkraut, das bei Berührung auf der Haut brennende Bläschen hervorruft* (siehe Bild).

Brennessel

Brennpunkt, der; -[e]s, -e: **a)** Optik *Punkt, in dem sich durch eine Linse o. ä. gebrochene Strahlen treffen.* **b)** *zentraler Punkt, Mittelpunkt:* im B. der Öffentlichkeit stehen.

Brennstoff, der; -[e]s, -e: *Stoff, der durch Verbrennen Hitze erzeugt:* Öl ist heute ein beliebter B.

brenzlig ⟨Adj.⟩ (ugs.): *bedenklich, gefährlich:* die Sache wird [mir] b.

Bresche: ⟨in bestimmten Wendungen⟩ **für etwas eine B. schlagen** *(für etwas durch das Beseitigen von Widerständen den Weg frei machen);* **für jmdn. in die B. springen** *(für jmdn. helfend einspringen).*

Brett, das; -[e]s, -er: *flache, längliche Platte aus Holz:* eine Wand aus Brettern. *** Schwarzes B.** *(Tafel für Mitteilungen, Anschläge).*

Brettspiel, das; -s, -e: *Spiel, bei dem die Figuren in bestimmter Weise auf einem Brett zu bewegen sind:* Schach ist ein B.

Brevier, das; -s, -e: **1. a)** *lateinisches Gebet, das alle katholischen Geistlichen täglich beten müssen:* das B. beten. **b)** *Gebetbuch eines katholischen Geistlichen:* im B. lesen. **2.** (geh.) *Zusammenstellung einer Auswahl von Texten:* ein B. heiterer Geschichten.

Brezel, die; -, -n: /ein Gebäck/ (siehe Bild).

Brezel

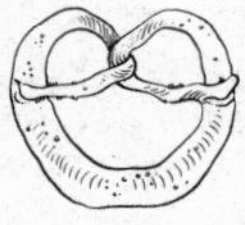

Bridge [brɪtʃ], das; -: *Kartenspiel, an dem vier Personen teilnehmen:* B. spielen.

Brief, der; -[e]s, -e: *schriftliche Mitteilung, die an jmdn. in einem Umschlag geschickt wird:* einen B. schreiben.

Brieffreund, der; -es, -e: *Jugendlicher, mit dem ein anderer Jugendlicher brieflich in freundschaftlichem Kontakt steht, ohne ihn persönlich zu kennen.*

Briefkarte, die; -, -n: *Karte, die man beschrieben in einem Briefumschlag verschickt.*

Briefkasten, der; -s, Briefkästen: *Behälter, in den Post eingeworfen wird:* **a)** *die befördert werden soll:* wo ist der nächste B.? **b)** *die dem Empfänger zugestellt wird:* er nimmt die Post aus dem B.

Briefkopf, der; -[e]s, Briefköpfe: *der obere Teil eines Briefbogens [mit der Adresse des Absenders].*

brieflich ⟨Adj.⟩: *durch einen Brief, durch Briefe:* mit jmdm. b. in Kontakt treten.

Briefmarke, die; -, -n: *von der Post ausgegebene Marke, die man auf Briefe, Karten usw. klebt.*

Briefmarkenkunde, die; -: *fachmännisches Sammeln von Briefmarken und die damit verbundenen Kenntnisse über Alter, Wert o. ä. der Briefmarken.*

Brieföffner, der, -s; -: *Gegenstand in Form eines kleinen Messers zum Öffnen von Umschlägen o. ä.*

Brieftasche, die; -, -n: *kleine Mappe für Ausweise, Geld usw. die man bei sich trägt.*

Brieftaube, die; -, -n: *Taube, die besonders dazu geeignet ist, von einem Ort, an dem man sie aufsteigen läßt, tn die Heimat zurückzufinden.*

Briefträger, der; -s, -: *jmd., der die Post zustellt.*

Briefumschlag, der; -s, Briefumschläge: *Hülle eines Briefes:* er kaufte mehrere Briefumschläge.

Briefwechsel, der; -s: *häufiger schriftlicher Kontakt zwischen Personen durch das Schreiben von Briefen; Korrespondenz:* der B. zwischen ihnen ist sehr rege. ***mit jmdm. in B. stehen** *(mit jmdm. korrespondieren).*

Brigade, die; -, -n: **a)** *aus mehreren Regimentern bestehender Verband von Truppen.* **b)** (DDR) *Gruppe von Menschen, die gemeinsam an etwas arbeiten* /bes. in Industrie und Landwirtschaft/.

Brikett, das; -s, -s: *in eine bestimmte Form gepreßte Kohle:* den Ofen mit Briketts heizen.

brillant [brɪl'jant] ⟨Adj.⟩: *glänzend, fein; großartig:* ein brillantes Spiel; eine brillante Rede.

Brillanz [brɪl'jants], die; -: *meisterhafte Technik, hervorragendes Können:* die B. dieser Interpretation.

Brille, die; -, -n: *Gestell mit Gläsern für die Augen* (siehe Bild).

Brille

Brillenschlange, die; -, -n: **a)** /eine Schlange/ (siehe Bild). **b)** (ugs.; abwertend) *[weibliche] Person, die eine Brille trägt.*

a)

Brillenschlange

brillieren [brɪl'ji:rən], brillierte, hat brilliert ⟨itr.⟩: *sich (durch besondere Leistung) hervortun:* er brillierte mit seiner Rede.

Brimborium, das; -s (ugs.; abwertend): *viel unnützes Aufheben, viel Drum und Dran, das keinen Sinn hat:* auf das ganze B. darum herum kann ich verzichten.

bringen, brachte, hat gebracht: **1.** ⟨tr.⟩ *an einen Ort tragen, befördern, bewegen:* der Briefträger bringt die Post; er brachte den Koffer zum Bahnhof. **2.** ⟨tr.⟩ **a)** *begleiten:* jmdn. nach Hause, zum Zug b. **b)** *mit Gewalt an einen Ort schaffen:* den Betrunkenen auf die Polizei b. **3.** ⟨itr.⟩ *ergeben; erreichen; erzielen:* das Geschäft beachte ihm viel Geld, hohen Gewinn, große Verluste. **4.** ⟨tr.⟩ *bieten, veröffentlichen:* das Programm bringt nichts Neues; die Zeitung brachte nur einen kurzen Artikel über den Unfall. **5.** ⟨als Funktionsverb⟩ etwas zur Sprache b. *(etwas diskutieren, besprechen);* etwas/jmdn. in Gefahr b. *(etwas/jmdn. gefährden);* zum Einsatz b. *(einsetzen).*

brisant ⟨Adj.⟩: *äußerst explosiv:* der Sprengstoff ist b.; bildl.: ein brisantes *(sehr aktuelles, heikles)* Thema.

Brisanz, die; -: *ungeheure Kraft, die beim Explodieren entwickelt wird:* die B. der Bombe; bildl.: die B., die hinter diesen Problemen steckt.

Brise, die; -, -n: *leichter Wind [von der See]:* eine leichte, sanfte B.

bröckeln, bröckelte, ist gebröckelt ⟨itr.⟩: *in kleine Brokken zerfallen:* das Brot bröckelte sehr stark; der Putz bröckelte von den Wänden.

brocken, brockte, hat gebrockt ⟨tr.⟩: **1.** *kleine Stückchen abbrechen (um sie in einer Flüssigkeit aufzuweichen):* er brockt sich gerne das Brot in die Milch. **2.** (südd.; östr.) *pflücken:* Äpfel, Beeren, Blumen b.

Brocken, der; -s, -: *größeres, unförmiges [abgebrochenes] Stück:* ein schwerer B.; bildl.: er spricht nur ein paar. B. *(nur wenig)* Englisch; ein harter B. *(eine schwierige Sache).*

bröcklig ⟨Adj.⟩: **a)** *aus vielen kleinen Bröckchen bestehend:* bröcklige Kohle. **b)** *leicht in viele kleine Bröckchen zerfallend:* ein bröckliges Gestein.

brodeln, brodelte, hat gebrodelt ⟨itr.⟩: *[beim Kochen] Blasen bilden und in starker Bewegung sein:* das kochende Wasser brodelt im Topf.

Brodem, der; -s (geh.): *warme, schlecht riechende Luft; Dunst, Qualm:* aus dem Raum strömte ein ekliger B.

Brokat, der; -[e]s, -e: *schwerer Stoff aus Seide oder Baumwolle, in den mit silbernen oder goldenen Fäden Muster gewebt sind.*

Brombeere, die; -, -n: /eine schwarze Beere in der Form der Himbeere/.

Bronchialkatarrh, der; -s, -e: Med. *Bronchitis.*

Bronchien, die ⟨Plural⟩: Med. *Verästelung der Luftröhre.*

Bronchitis, die; -: Med. *durch Infektion hervorgerufene Entzündung der Schleimhaut in den Bronchien.*

Bronze [brõ:sə], die; -, -n: **1.** ⟨ohne Plural⟩ *Legierung aus Kupfer und Zinn:* eine Halskette aus B. **2.** *Plastik aus der gleichnamigen Legierung:* die Bronzen des Künstlers sind in der ersten Halle ausgestellt.

Brosamen, die ⟨Plural⟩ (geh.): *von Brot, Gebäck o. ä. abgebröckelte Krumen:* die B. vom Tischtuch entfernen.

Brosche, die; -, -n: /ein Schmuckstück für Damen/ (siehe Bild).

Brosche

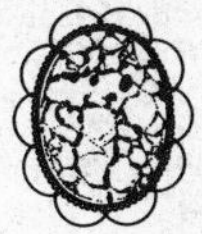

broschiert ⟨Adj.⟩: *leicht und einfach gebunden:* eine broschierte Ausgabe.

Broschüre, die; -, -n: *kleine Druckschrift ohne festen Einband.*

Brösel, der, (östr.:) das; -s, -: *ganz kleines, von Brot o. ä. abgebröckeltes Stück, Krume:* nach dem Essen die B. vom Tisch entfernen.

Brot, das; -[e]s, -e: /ein Nahrungsmittel/ (siehe Bild): frisches, trockenes B. ***jmdm. Arbeit und B. geben** *(jmdn. beschäftigen und ihm damit seine Existenz ermöglichen).*

Brot

Brötchen, das; -s, -: /ein Nahrungsmittel/ (siehe Bild); morgens gibt es frische B.

Brötchen

Brotkorb: ⟨in der Wendung⟩ jmdm. den B. höher hängen (ugs.): *jmdn. knapper halten.*

brotlos ⟨Adj.; nur prädikativ⟩: *erwerbslos, arbeitslos:* durch die wirtschaftliche Krise ist er b. geworden. ***brotlose Kunst** *(Tätigkeit, die nichts einbringt).*

Brotstudium, das; -s: *Studium, das nicht aus Interesse, sondern wegen der guten Aussicht auf einen hohen Verdienst gewählt wird.*

Bruch, der -[e]s, Brüche: **1.** *das Brechen, Zerbrechen:* der B. des Rades verursachte große Kosten. **2.** Math.: *Verhältnis zwischen zwei Zahlen in der Schreibweise* $\frac{3}{5}$ *oder* $^3/_5$. **3.** *das Heraustreten von Eingeweiden durch eine Lücke in der Bauchwand:* einen B. operieren.

Bruchbude, die; -, -n (ugs.; abwertend): *Haus, Wohnung, Zimmer in schlechtem, verwahrlostem Zustand:* in diese B. würde ich nie einziehen.

brüchig ⟨Adj.⟩: *so beschaffen, daß es leicht bricht, zerfällt:* alte Seide ist b. **Brüchigkeit,** die; -.

Bruchlandung, die; -, -en: *Landung, bei der das Flugzeug beschädigt wird.*

bruchrechnen ⟨itr.; nur im Infinitiv⟩: *mit Brüchen rechnen:* er kann gut b.

Bruchstelle, die; -, -n: *Stelle, an der etwas gebrochen ist:* die B. mit Gips bestreichen.

Bruchstrich, der; -[e]s, -e: *Strich zwischen Zähler und Nenner eines Bruches.*

Bruchstücke, die ⟨Plural⟩: *[übriggebliebene] Teile (von einem zusammenhängenden Ganzen):* er hörte nur B. der Unterhaltung; das Gedicht ist nur in Bruchstücken überliefert.

Bruchteil, der; -[e]s, -e: *winziger, ganz geringer Teil:* einen B. der Kosten decken; im B. einer Sekunde *(ganz plötzlich).*

Brücke, die; -, -n: /ein Bauwerk/ (siehe Bild): eine B. bauen, schlagen. ***alle Brücken hinter sich abbrechen** *(alle Verbindungen zu seinem bisherigen Lebensbereich lösen).*

Brückenwaage, die; -, -n: *Waage mit breiter Plattform und mit Hebelarmen von ungleicher Länge.*

Bruder, der; -s, Brüder: *Kind männlichen Geschlechts in einer Geschwisterreihe.*

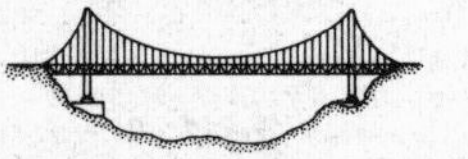

Brücke

Bruderherz, das; -ens (scherzh.): *geliebter Bruder:* mein B. begleitet mich; /auch als vertrauliche Anrede für einen guten Freund/: B., was machen wir jetzt?

Bruderkrieg, der; -[e]s, -e (geh.): *Krieg innerhalb eines Volkes oder zwischen zwei nahe verwandten Völkern.*

brüderlich ⟨Adj.⟩: *wie bei Brüdern üblich; im Geiste von Brüdern:* etwas b. teilen. **Brüderlichkeit,** die; -.

Brüderschaft: ⟨in der Wendung⟩ mit jmdm. B. trinken/schließen: *bei einem Glas Wein o. ä. mit jmdm. Freundschaft schließen und sich danach duzen.*

Brühe, die; -: **a)** *durch Kochen von Fleisch oder Knochen gewonnene Flüssigkeit:* eine heiße B. trinken. **b)** (abwertend) *trübe, schmutzige Flüssigkeit:* in dieser B. soll ich baden?

brühen, brühte, hat gebrüht ⟨tr.⟩: *(über etwas) kochendes Wasser gießen; (auf etwas) kochendes Wasser einwirken lassen:* Tomaten soll man vor dem Schälen kurz b.

brühwarm ⟨Adj.⟩: *soeben bekanntgeworden:* eine brühwarme Neuigkeit; etwas b. *(sogleich, nachdem man es vernommen hat)* weitererzählen.

brüllen, brüllte, hat gebrüllt ⟨itr.⟩: **1.** *[aus Erregung oder Wut] sehr laut sprechen:* er brüllte so laut, daß man ihn im Nebenzimmer hörte. **2. a)** *laut schreien:* er brüllte vor Schmerzen. **b)** (ugs.) *sehr laut und heftig weinen:* das Kind brüllte die ganze Nacht.

Brummbär, der; -en, -en (abwertend): *unfreundlicher, mürrischer Mensch:* er ist ein alter B.

Brummbaß, der; Brummbasses, Brummbässe (ugs.; scherzh.): *sehr tiefe Stimme:* mit einem B. sprechen.

brummeln, brummelte, hat gebrummelt ⟨itr./tr.⟩ (ugs.): *leise und undeutlich reden, brummen:* wenn er so brummelt, versteht man ihn kaum; er brummelte einen Dank und verschwand.

brummen, brummte, hat gebrummt: **1.** ⟨itr.⟩ *längere tiefe Töne von sich geben:* der Bär brummt; ein brummender Motor. **2.** ⟨itr./tr.⟩ *[in mürrischer Weise] undeutliche Laute von sich geben:* er brummte etwas ins Telefon.

Brummer, der; -s, - (ugs.): **a)** *dicke, laut brummende Fliege:* ein B. kam durch das Fenster herein. **b)** (scherzh.) *etwas Großes, Dickes, Schwerfälliges, was ein brummendes Geräusch erzeugt:* einen B. *(Lastkraftwagen)* auf der Straße überholen.

brummig ⟨Adj.⟩: *(aus Ärger oder schlechter Laune) unfreundlich, mürrisch:* ein brummiger Mann.

Brummschädel, der; -s, - (ugs.; scherzh.): *[von Schmerzen] benommener Kopf:* am Morgen nach der Feier erwachte er mit einem B.

brünett ⟨Adj.⟩: *dunkel, bräunlich* /vom Haar, Teint/: ein brünettes Mädchen.

Brunnen, der; -s, -: *[eingefaßte] Stelle, an der man Wasser entnehmen kann.*

Brunst, die; -: *Zeit, in der bei bestimmten Tieren infolge geschlechtlicher Erregung die Paarung vollzogen wird.*

brünstig ⟨Adj.⟩: *sich in geschlechtlicher Erregung befindend* /von bestimmten Tieren/: die Kuh ist b.

brüsk ⟨Adj.⟩: *kurz und knapp, schroff:* einen Vorschlag b. ablehnen.

brüskieren, brüskierte, hat brüskiert ⟨tr.⟩: *schroff, in verletzender Weise behandeln und dadurch kränken, beleidigen:* mit dieser Äußerung brüskierte der Minister die verbündeten Staaten.

Brust, die; -, Brüste: **a)** ⟨ohne Plural⟩ *vordere Hälfte des Rumpfes:* jmdn. an seine B. drükken. **b)** *milchgebende Organe am weiblichen Oberkörper:* dem Kind die B. geben *(es stillen).*

Brustbeutel, der; -s, -: *Beutel, den man zur sicheren Aufbewahrung von Geld, Wertsachen o. ä. unter der Kleidung auf der Brust trägt.*

brüsten, sich; brüstete sich, hat sich gebrüstet (abwertend); *sich (einer Sache) prahlend rühmen:* sie brüstete sich mit ihrer guten Stellung.

Brustkorb, der; -[e]s, Brustkörbe: *oberer, von den Rippen gebildeter Teil des Rumpfes:* ein enger, breiter B.

brustschwimmen ⟨itr.; nur im Infinitiv⟩: *schwimmen, indem man die nach vorn gestreckten Arme seitlich nach hinten führt und dabei die angewinkelten Beine nach hinten stößt:* er kann gut b. **Brustschwimmen,** das; -s.

Brustton: ⟨in der Fügung⟩ im B. der Überzeugung: *von etwas völlig überzeugt:* etwas im B. der Überzeugung sagen, äußern, erklären.

Brüstung, die; -, -en: *starkes Geländer oder Mauer in Brusthöhe:* er beugte sich über die B.

Brut, die; -, -en: **1. a)** *das Brüten:* bei den Vögeln findet die B. im Frühling statt. **b)** *junge Tiere [die eben aus den Eiern geschlüpft sind]:* der Vogel füttert seine hungrige B. **2.** ⟨ohne Plural⟩ (abwertend) *verkommene Gesellschaft, Gesindel:* eine üble, böse, verhaßte B.

brutal ⟨Adj.⟩: *roh, gewalttätig:* ein brutaler Mensch.

Brutalität, die; -: *rohes, gewalttätiges, rücksichtsloses Verhalten.*

brüten, brütete, hat gebrütet ⟨itr.⟩: **1.** *ein Ei so lange mit dem Körper erwärmen, bis ein junges Tier hervorkommt* /von Hühnern, Vögeln usw./. **2.** (ugs.) *lange über etwas nachdenken:* der Schüler brütete über diesem Aufsatzthema.

Bruthitze, die; - (ugs.): *große, fast unerträgliche Hitze:* in diesem Raum herrscht eine B.

Brutkasten, der; -s, Brutkästen: *Apparat, in den Frühgeburten kommen, damit sich sich in der gleichmäßigen Wärme weiter entwickeln.*

Brutstätte, die; -, -n: *Ort, an dem ein Tier seine Eier ausbrütet:* die B. der Störche; bildl.: eine B. des Lasters *(Ort, an dem ein lasterhaftes Leben geführt wird und von wo es sich weiter ausbreitet).*

brutto ⟨Adverb⟩: *das Gewicht der Verpackung, verschiedene Abgaben (Steuern o. ä.) [noch] nicht abgezogen* /Ggs. netto/: die Ware wiegt b. 5 kg; er verdient monatlich 1000 Mark b.

Bruttoeinkommen, das; -s, -: *Einkommen ohne Abzug von Steuern und ähnlichen Abgaben* /Ggs. Nettoeinkommen/: er hat ein B. von 1000 Mark.

Bruttogewicht, das; -[e]s, -e: *Gewicht einer Ware, einschließlich der Verpackung* /Ggs. Nettogewicht/.

brutzeln, brutzelte, hat gebrutzelt (ugs.): **1.** ⟨itr.⟩ *in heißem Fett unter ständigem Zischen gar werden:* die Bratkartoffeln brutzeln in der Pfanne. **2.** ⟨tr.⟩ *in heißem Fett unter ständigem Zischen gar werden lassen, braten:* ich brutzele mir ein Frühstück aus Speck und Eiern.

Bub, der; -en, -en (südd.): *Junge:* er ist ein frecher B.

Bube, der; -n, -n: **1.** (veralt.; abwertend) *böser, heimtückischer Mensch; Schurke:* jmdn. einen schändlichen Buben schimpfen. **2.** *Bauer* /als Spielkarte/: den König mit dem Buben stechen.

Bubenstück, das; -[e]s, -e (abwertend): *gemeiner, schurkischer Streich; üble Tat:* für dieses B. fehlt mir jedes Verständnis.

Büberei, die; -, -en (geh.): *Bubenstück.*

Bubikopf, der; -[e]s, Bubiköpfe: *kurz geschnittenes, schlicht frisiertes Haar bei Frauen.*

Buch, das; -[e]s, Bücher: *größeres Druckwerk mit festem Einband:* er hat ein B. über dieses Thema geschrieben.

Buchbinder, der; -s, -: *jmd., der Bücher bindet* /Berufsbezeichnung/.

Buchdrucker, der; -s, -: *jmd., der Bücher o. ä. druckt* /Berufsbezeichnung/.

Buchdruckerei, die; -, -en: **a)** ⟨ohne Plural⟩ *Gewerbe, das Bücher o. ä. druckt:* die B. erlernen. **b)** *Betrieb, in dem Bücher o. ä. gedruckt werden:* in einer B. arbeiten.

Buche, die; -, -n: /ein Baum/ (siehe Bild).

Buche

Buchecker, die; -, -n: *Frucht der Buche.*

buchen, buchte, hat gebucht ⟨tr.⟩: **1.** *in ein Buch für geschäftliche Angelegenheiten eintragen:* er hat Einnahmen und Ausgaben gebucht. **2.** *beim Reisebüro (einen Platz für eine Reise) im voraus bestellen:* er hat einen Flug nach New York gebucht.

Bücherei, die; -, -en: *kleinere Bibliothek:* die Schule hat eine eigene B.

Bücherschrank, der; -[e]s, Bücherschränke: *Schrank, der für Bücher bestimmt ist.*

Bücherwurm, der; -[e]s, Bücherwürmer: (ugs.; scherzh.): *jmd., der ständig liest.*

Buchführung, die; -, -en: *genaue und systematische Aufzeichnung aller Einnahmen und Ausgaben* /bes. in Geschäften und Betrieben/: eine gewissenhafte B.

Buchhalter, der; -s, -: *Angestellter in einem Geschäft, Betrieb, der für die Buchführung zuständig ist.*

Buchhaltung, die; -, -en: **a)** *Buchführung:* die B. lernen. **b)** *Abteilung eines Betriebes, die die Buchführung macht:* in der B. arbeiten.

Buchhandel, der; -s: *Zweig der Wirtschaft, der sich mit der Herstellung und dem Vertrieb von Büchern o. ä. befaßt:* im B. beschäftigt sein.

Buchhändler, der; -s, -: *jmd., der Bücher o. ä. verkauft* /Berufsbezeichnung/.

Buchhandlung, die; -, -en: *Geschäft, in dem Bücher verkauft werden.*

Buchmacher, der; -s, -: *jmd., der bei Pferderennen Wetten vermittelt* /Berufsbezeichnung/.

Buchsbaum, der; -[e]s, Buchsbäume: /ein Strauch/ (siehe Bild).

Buchsbaum

Buchse, die; -, -n: **a)** *runde Öffnung, in die ein Stecker eingeführt wird.* **b)** *Hülse als Lager von Achsen und Wellen in Form eines Zylinders, der an beiden Enden offen ist.*

Büchse, die; -, -n: /ein Gefäß/ (siehe Bild).

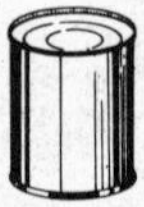

Büchse

Büchsenmilch, die; -: *kondensierte, haltbare Milch, die in Büchsen vertrieben wird.*

Büchsenöffner, der; -s, -: *Gerät, mit dem man Konservenbüchsen öffnet* (siehe Bild).

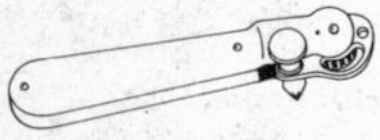

Büchsenöffner

Buchstabe, der; -ns, -n: *Zeichen einer Schrift, das einem Laut entspricht.*

buchstabieren, buchstabierte, hat buchstabiert ⟨tr.⟩: *die Buchstaben eines Wortes nacheinander nennen.*

buchstäblich ⟨Adverb⟩: *wirklich, in der Tat, im wahrsten Sinne des Wortes:* mir wurden bei dem Andrang b. die Eintrittskarten aus der Hand gerissen.

Bucht, die; -, -en: *in das Festland ragender Teil eines Meeres oder Sees.*

Buchung, die; -, -en: **1.** *einzelne Eintragung bei der Buchführung:* die Buchungen sind sorgfältig durchzuführen. **2.** *das Bestellen (eines Platzes für eine Reise) beim Reisebüro im voraus:* er machte seine B. für den Flug rückgängig.

Buckel, der; -s, -: **1.** (ugs.) *Rücken:* er nahm den Rucksack auf den B. ***er kann mir den B. runterrutschen** *(er ist mir völlig gleichgültig).* **2.** *krankhafte Ausbuchtung des Rückens:* er hat einen B.

buckeln, buckelte, hat gebuckelt ⟨itr.⟩ (ugs.): **a)** *bucklig, krumm werden; wie ein Buckel hervortreten:* die Katze buckelt fauchend vor dem Hund; **b)** (abwertend) *sich unterwürfig verhalten:* es ist nicht seine Art, ständig zu kriechen und zu b.

bücken, sich; bückte sich, hat sich gebückt: *den Oberkörper nach vorn beugen:* er bückte sich nach dem heruntergefallenen Bleistift.

bucklig ⟨Adj.; nicht adverbial⟩: **1.** *eine krankhafte Ausbuchtung des Rückens habend:* eine bucklige, alte Frau. **2.** *holprig, uneben:* eine bucklige Straße.

Bückling, der; -s, -e: **I.** (scherzh.) *Verbeugung:* er verabschiedete sich mit einem tiefen B. **II.** *geräucherte Hering:* einen B. essen.

Buddel, die; -, -n (landsch.): *Flasche.*

Buddelei, die; - (ugs.): *länger dauerndes, als lästig empfundenes Graben, Wühlen:* wann hört diese B. endlich auf?

buddeln, buddelte, hat gebuddelt ⟨itr.⟩ (ugs.): *[im Sand, in der Erde] wühlen, graben:* Kinder buddeln im Sand.

Bude, die; -, -n (ugs.): **a)** *meist aus Brettern primitiv und leicht gebaute Hütte.* **b)** *baufälliges und altes Haus.* **c)** *[einfach] möbliertes Zimmer [eines Studenten].*

Budenzauber, der; -s, - (ugs.; scherzh.): *fröhliches Fest im eigenen Zimmer, in der eigenen Wohnung:* einen B. veranstalten.

Budget [bʏ'dʒe:], das; -s, -s: **a)** *Plan, Voranschlag für die öffentlichen Einnahmen und Ausgaben:* das B. aufstellen. **b)** (ugs.) *laut Plan, Voranschlag zur Verfügung stehende Mittel:* Ausgaben, die das B. sehr belasten.

Büfett, das; -s, -e: **1.** *Schrank für Geschirr.* **2.** *Schanktisch in Gaststätten, Theke.* ***kaltes B.** *(kalte Speisen auf einem Tisch zur Selbstbedienung).*

Büffel, der; -s, -: /ein Tier/ (siehe Bild).

Büffel

Büffelei, die; - (ugs.): *angestrengtes Lernen, Pauken.*

büffeln, büffelte, hat gebüffelt ⟨tr./itr.⟩ (ugs.): *angestrengt und mit Ausdauer lernen:* Mathematik b.; für die Prüfung b.

Buffet [bʏ'fe:], das; -s, -s: *Büfett.*

Bug, der; -[e]s, -e und Büge: **1.** ⟨Plural: Buge⟩ *vorderer Teil eines Schiffes oder Flugzeuges:* das Wasser schäumte um den B. **2.** *[Fleisch von der] Gegend zwischen Hals und den vorderen Beinen* /bei größeren Säugetieren/: das Pferd am B. streicheln; ein Stück vom B. braten.

Bügel, der; -s, -: *bogenförmiger Gegenstand aus Holz oder Metall [zum Aufhängen von Kleidern]:* er hängte den Mantel über, auf den B.

Bügeleisen, das; -s, -: *[elektrisch geheiztes] Gerät, mit dem man Kleider, Stoffe glatt macht.*

bügeln, bügelte, hat gebügelt ⟨tr./itr.⟩: *mit einem Bügeleisen glatt machen:* das Kleid b.; ich habe lange gebügelt.

bugsieren, bugsierte, hat bugsiert ⟨tr.⟩: **a)** *(ein Schiff im Schlepptau an eine bestimmte Stelle) befördern:* ein Schlepper bugsierte das Schiff ins Dock. **b)** (ugs.) *mit Mühe und unter Anwendung von Gewalt (an einen bestimmten Ort) befördern:* der Wirt hat den Betrunkenen aus dem Lokal bugsiert.

buhen, buhte, hat gebuht ⟨itr.⟩ (ugs.): *Mißfallen und Entrüstung durch Rufen von „buh“ zum Ausdruck bringen* /im Theater, bei sportlichen Veranstaltungen/: nach der Vorstellung buhten die meisten Zuschauer.

buhlen, buhlte, hat gebuhlt ⟨itr.⟩: **a)** (geh.; abwertend) *sich bemühen, werben:* er buhlte um die Gunst der Masse. **b)** (veralt.; abwertend) *eine Liebschaft haben:* die Gräfin buhlte mit ihrem Gärtner.

Buhlerin, die; -, -nen (veralt.; abwertend): *Geliebte.*

buhlerisch ⟨Adj.⟩ (veralt.; abwertend): *eine verbotene Liebschaft anstrebend; verrucht:* ein buhlerisches Weib.

Buhne, die; -, -n: *quer in einen Fluß oder ins Meer gebauter Damm, der das Ufer schützen soll* (siehe Bild): auf der B. angeln.

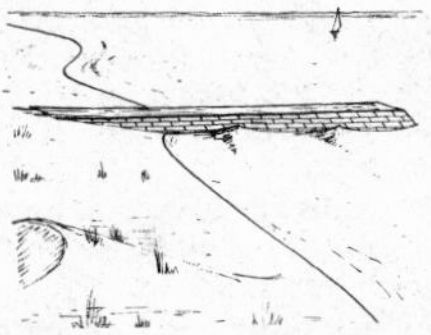

Buhne

Bühne, die; -, -n: **a)** *Plattform im Theater, auf der gespielt wird:* er betrat die B. **b)** *Theater:* sie will zur B. *(sie will Schauspielerin, Sängerin werden).*

Bühnenaussprache, die; -: *für alle Bühnen verbindliche Aussprache der Hochsprache, die frei von jeder mundartlichen Färbung ist.*

Bühnenbild, das; -[e]s, -er: *Ausgestaltung der Bühne für eine bestimmte Szene oder ein bestimmtes Theaterstück.*

Bukett, das; -[e]s, -e: **1.** (geh.) *Blumenstrauß:* jmdm. ein B. Rosen überreichen. **2.** *Duft, Blume des Weines:* der Wein hat ein wunderbares B.

Bullauge

Bulette, die; -, -n (landsch.): *Frikadelle:* er ißt am liebsten Buletten. *(ugs.; scherzh.) **'ran an die Buletten** *(an die Arbeit!, los!, auf!).*

Bullauge, das; -s, -n: *rundes, dicht schließendes Fenster am Rumpf eines Schiffes* (siehe Bild).

Bulldogge, die; -, -n: /ein Hund/ (siehe Bild).

Bulldogge

Bulldozer ['bʊldo:zər], der; -s, -: *schweres Fahrzeug zum Ebnen des Geländes oder zum Bewegen größerer Erdmassen:* die B. sind auf der Baustelle eingesetzt.

Bulle, der; -n, -n: **I.** *geschlechtsreifes männliches Rind.* **II.** (derb; abwertend) *Polizist, Kriminalbeamter.*

Bullenhitze, die; - (ugs.): *große Hitze.*

Bulletin [bʏ'ltẽ:, auch: byl'tẽ:], das; -s, -s (geh.): *offizieller Bericht über ein besonderes Ereignis oder über den gesundheitlichen Zustand einer hohen Persönlichkeit:* laut ärztlichem B. ist beim Präsidenten eine leichte Besserung eingetreten.

Bumerang, der; -s, -e: *gekrümmte Keule, die geschleudert wird und wieder an den Ausgangspunkt zurückkehrt, falls sie ihr Ziel verfehlt:* einen B. werfen; bildl.: diese schlechte Tat erwies sich bei ihm als B. *(fügte ihm selbst Schaden zu).*

Bummel, der; -s, -: *kleiner Spaziergang innerhalb einer Stadt:* mit jmdm. einen B. durch die City machen.

Bummelant, der; -en, -en (ugs.; abwertend): *jmd., der seine Tätigkeit selten pünktlich beginnt oder sie langsam ausführt:* du mußt diesem Bummelanten mal gehörig ins Gewissen reden.

Bummelei, die; - (ugs.): **a)** *langsames, wenig zielstrebiges Arbeiten, Handeln:* wegen seiner B. wird er nicht pünktlich fertig werden. **b)** *Nachlässigkeit, Trägheit, untätiges Verhalten:* Studenten, die wegen ihrer B. das Studium nie oder erst sehr spät beenden.

bummelig ⟨Adj.⟩ (ugs.): *langsam und träge:* mit bummeligen Menschen ist nicht viel anzufangen.

bummeln, bummelte, hat/ist gebummelt ⟨itr.⟩: **1.** *zum Vergnügen langsam durch die Straßen gehen:* er ist durch die Innenstadt gebummelt. **2.** *eine Arbeit langsam ausführen:* er hat bei dieser Arbeit sträflich gebummelt.

Bummelstreik, der; -s, -s: *Art des Streiks, bei der nur sehr langsam gearbeitet wird.*

Bummler, der; -s, - (ugs.): **a)** *jmd., der einen Bummel macht:* am Sonntag bevölkern viele B. die Straßen. **b)** *Bummelant.*

bumsen, bumste, hat/ist gebumst ⟨itr.⟩ (ugs.): **a)** *einen dumpf dröhnenden Laut von sich geben:* während des Angriffs hörte man es überall b.; bildl.: gleich bumst es *(bekommst du eine Ohrfeige),* wenn du nicht ruhig bist. **b)** *dröhnend schlagen, stoßen:* er hat zornig mit beiden Fäusten gegen die Wand gebumst. **c)** *laut polternd fallen:* der schwere Sack ist ihm auf den Boden gebumst.

Bumslokal, das; -[e]s, -e (ugs.; abwertend): *billiges, anrüchiges Lokal, in dem auch getanzt werden kann:* solche Bumslokale meide ich.

Bund: I. der; -[e]s, Bünde: **1.** *Vereinigung; das Sichzusammenschließen zu gemeinsamem Handeln:* diese drei Staaten haben einen B. geschlossen. *(geh.) **den B. fürs Leben schließen** *(heiraten).* **2.** *oberer, auf der Innenseite eingefaßter Rand bei Hosen und Röcken:* der B. der Hose ist ihm zu eng. **II.** das; -[e]s, -e: *eine Vielzahl gleichartiger Dinge, die geordnet zusammengebunden sind:* ein B. Stroh; ein B. Radieschen.

Bündchen, das; -s, -: **a)** *schmaler, gut abschließender Rand am unteren Teil des Ärmels.* **b)** *schmale, um den Hals anliegende Blende.*

Bündel, das; -s, -: *mehrere Dinge, die zu einem Ganzen zusammengebunden sind:* ein B. Akten, Briefe; ein B. schmutziger Wäsche.

bündeln, bündelte, hat gebündelt ⟨tr.⟩: *zu einem Bund binden:* Stroh b.

Bundesbahn, die; -, -en: **a)** ⟨ohne Plural⟩ *öffentliches Unternehmen in der BRD und in Österreich, das für die Beförderung mit der Eisenbahn zu-*

ständig ist: die Maschinen sind Eigentum der B. **b)** ⟨Plural⟩ *öffentliches, für die Beförderung mit der Eisenbahn zuständiges Unternehmen in der Schweiz:* die Schweizerischen Bundesbahnen.

Bụndesbruder, der; -s, Bundesbrüder: *jmd., der der gleichen studentischen Verbindung angehört.*

Bụndesgenosse, der; -n, -n: *Person, Staat, mit dem man gleicher Gesinnung oder verbündet ist:* wir können unsere Bundesgenossen nicht im Stich lassen.

Bụndesheer, das; -[e]s: *Militär in Österreich.*

Bụndeskanzlei, die; -: **a)** *Teil des Bundeskanzleramtes* /in der BRD/. **b)** *Geschäftsstelle des Bundesrates* /in der Schweiz/.

Bụndeskanzler, der; -s, -: **a)** *Chef der Bundesregierung* /in der BRD und in Österreich/. **b)** *Chef der Bundeskanzlei* /in der Schweiz/.

Bụndeskanzleramt, das; -[e]s: **a)** *Amt des Bundeskanzlers* /in der BRD/. **b)** *Geschäftsstelle des Bundeskanzlers* /in Österreich/.

Bụndesland, das; -es, Bundesländer: *in bestimmten Bereichen und in einem bestimmten Ausmaß selbständig verwaltetes Land innerhalb eines Staates:* Österreich hat neun Bundesländer.

Bụndesliga, die; -: *oberste Klasse im Fußballsport der BRD:* in der B. spielen.

Bụndespräsident, der; -en, -en: *Oberhaupt eines Bundesstaates* /in der BRD, Österreich und in der Schweiz/.

Bụndesrat, der; -[e]s, Bundesräte: **a)** ⟨ohne Plural⟩ *die einzelnen Bundesländer vertretendes parlamentarisches Gremium* /in der BRD und in Österreich/. **b)** ⟨ohne Plural⟩ *zentrale Regierung in der Schweiz.* **c)** *Mitglied der gleichnamigen Gremien in Österreich und der Schweiz.*

Bụndesregierung, die; -, -en: *zentrale Regierung eines Bundesstaates.*

Bụndesstaat, der; -[e]s, -en: *Staat, der sich aus mehr oder minder selbständig regierten Ländern zusammensetzt:* die Bundesrepublik Deutschland ist ein B.

Bụndestag, der; -[e]s: *Volksvertretung der BRD:* der neue B. tritt Ende des Monats zusammen.

Bụndeswehr, die; -: *Militär der BRD:* er geht zur B.

bụndig ⟨Adj.; nur attributiv⟩: *sicher, überzeugend:* ein bündiger Beweis. ***kurz und b.** *(kurz und bestimmt).*

Bụ̈ndnis, das; -ses, -se: *Zusammenschluß aus gemeinsamen Interessen:* ein B. schließen, lösen, erneuern; ein B. zwischen zwei Staaten.

Bungalow ['bʊŋgalo], der; -s, -s: *[leicht gebautes] einstöckiges Haus mit flachem Dach und meist mit Garten.*

Bụnker, der; -s -: **a)** *meist unterirdische Anlage zum Schutz gegen militärische Angriffe.* **b)** *großer Raum oder Behälter zum Sammeln und Lagern bestimmter Stoffe, z. B. von Kohle.*

bunt ⟨Adj.⟩: **a)** *viele Farben habend:* der Stoff ist sehr b. **b)** *aus verschiedenen Dingen zusammengesetzt; vielgestaltig, abwechslungsreich:* ein buntes Programm; ein bunter Abend.

bụntfarbig ⟨Adj.⟩: *bunt:* ein buntfarbiger Teppich.

Bụntheit, die; -: **a)** *buntfarbiges Aussehen:* die B. bestimmter Vögel. **b)** *das Bestehen, Zusammengesetztsein aus vielen verschiedenen Dingen; Vielgestaltigkeit:* die B. seiner Einfälle.

Buntstift, der; -[e]s, -e: *Stift mit farbiger Mine, der meist zum Zeichnen verwendet wird:* etwas mit einem B. rot anmalen.

Bụ̈rde, die; -, -n: *seelische Last, Mühsal:* die B. des Alters.

Bụrg, die; -, -en: *durch einen Graben und eine dicke Mauer vor Feinden geschütztes Gebäude aus alter Zeit:* am Rhein stehen viele alte Burgen.

Bụ̈rge, der; -n, -n: *jmd., der für einen anderen eine Sicherheit leistet:* für dieses Darlehen brauche ich zwei Bürgen.

bụ̈rgen, bürgte, hat gebürgt ⟨itr.⟩: *haften, Sicherheit leisten:* er hat für ihn gebürgt; ich bürge dafür, daß alles pünktlich bezahlt wird.

Bụ̈rger, der; -s, -: *Angehöriger einer Gemeinde oder eines Staates.*

bụ̈rgerlich ⟨Adj.⟩: **1.** ⟨nur attributiv⟩ *den Staatsbürger betreffend, ihm zustehend:* die bürgerlichen Rechte und Pflichten. **2. a)** ⟨nicht adverbial⟩ *zum Stand der Bürger gehörig:* aus bürgerlichem Hause stammen; seine Herkunft ist b. **b)** *dem Bürgertum entsprechend, wie ein Bürger:* ein bürgerliches Leben führen; b. leben; (abwertend) über etwas b. *(spießig)* urteilen.

Bụ̈rgermeister, der; -s, -: *Leiter einer Gemeinde.*

Bụ̈rgersteig, der; -s, -e: *für Fußgänger bestimmter Weg neben der Fahrbahn.*

Bụ̈rgertum, das; -s: **a)** *Gesamtheit der Bürger:* das behäbige B. **b)** *Stand der Bürger:* er gehört zum B.

Bụrgfriede, der; -ns und **Bụrgfrieden,** der; -s: *Abmachung zwischen [zwei] Parteien, einander nicht mehr zu bekämpfen:* sie haben einen B. geschlossen.

Bụ̈rgschaft, die; -, -en: *das Bürgen, das Haften für jmdn.:* eine B. übernehmen.

burlẹsk ⟨Adj.⟩: *von derber Komik [gezeichnet]:* ein burleskes Theaterstück.

Büro̲, das; -s, -s: *Dienstzimmer, Geschäftsstelle:* ins B. gehen.

Bürokra̲t, der; -en, -en (abwertend): *Beamter, der andere in kleinlicher, engstirniger Weise mit nebensächlichen, meist formalen Dingen behelligt.*

Bürokrati̲e, die; -, -n: **a)** *der aus der Gesamtheit der Beamten bestehende Apparat:* in diesem Staat herrscht praktisch die B. **b)** (abwertend) *für Bürokraten typische Handlungsweise:* Auswüchse der B.

bürokra̲tisch ⟨Adj.⟩ (abwertend): *peinlich genau, kleinlich, engstirnig:* sei doch nicht so b.!

Bürokratịsmus, der; - (abwertend): *für Bürokraten typische Handlungsweise mit peinlich genauer, engstirniger, kleinlicher Auslegung von Vorschriften o. ä.*

Bụrsche, der; -n, -n: *[jüngerer] kräftiger Mann:* ein gesunder, toller B.; (abwertend) ein gerissener B.

burschiko̲s ⟨Adj.⟩: *frei und ungezwungen, flott, jungenhaft*/ meist von Mädchen gesagt/: sie hat ein burschikoses Wesen.

Bụ̈rste, die; -, -n: *Gegenstand zum Entfernen von Staub und Schmutz* (siehe Bild S. 149).

Bürste

bürsten, bürstete, hat gebürstet ⟨tr./itr.⟩: *mit der Bürste [be]arbeiten:* den Mantel, Teppich b.; du mußt kräftig b.

Bus, der; -ses, -se: *Omnibus:* mit dem B. fahren.

Busch, der; -es, Büsche: **1.** *Strauch* (siehe Bild): in den Büschen sangen die Vögel. **2.** ⟨ohne Plural⟩ *tropischer Urwald:* diese Elefanten kommen aus dem afrikanischen B.

Busch 1.

Büschel, das; -s, -: *Bündel vieler langgewachsener, zusammengeraffter gleichartiger Dinge:* ein B. Gras, Stroh, Haare.

buschig ⟨Adj.⟩: **1.** *mit Büschen bewachsen:* ein buschiges Gelände. **2.** *dicht mit Haaren bewachsen:* der Fuchs hat einen buschigen Schwanz.

Busen, der; -s, -: *weibliche Brust:* ein üppiger B.; bildl.: am B. der Natur *(mitten in der Schönheit oder Ruhe der Natur).*

Busenfreund, der; -[e]s, -e (scherzh.): *enger Freund.*

Bussard, der; -s, -e: /ein Vogel/ (siehe Bild).

Bussard

Buße, die; -, -n: **1.** *Reue mit dem Willen zur Besserung:* B. tun. **2.** *Geldstrafe für ein kleineres Rechtsvergehen:* er mußte eine B. zahlen, weil er die Verkehrsregel nicht beachtet hatte.

büßen, büßte, hat gebüßt ⟨tr./itr.⟩: *Strafe erleiden oder auf sich nehmen:* seinen Leichtsinn mit dem Leben b.; das mußt du [mir] b.!

Büßer, der; -s, -: *jmd., der Buße tut:* ein reumütiger B.

bußfertig ⟨Adj.⟩: *bereit, Buße zu tun, zu bereuen:* ein bußfertiger Sünder.

Bußtag, der; -[e]s, -e: *am vorletzten Mittwoch des Kirchenjahres in den deutschen evangelischen Kirchen begangener Tag der Besinnung:* am Buß- und Bettag.

Büste, die; -, -n: **a)** *meist auf einem Sockel stehende plastische Darstellung eines menschlichen Kopfes einschließlich des oberen Teiles der Brust* (siehe Bild): die B. eines römischen Kaisers. **b)** *weibliche Brust:* eine gut entwickelte B. **c)** Schneiderei *auf einem Ständer angebrachte Nachbildung des menschlichen Rumpfes zum Anprobieren* (siehe Bild).

a)

c)

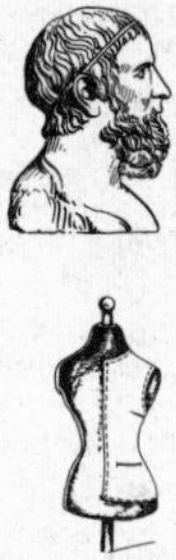

Büste

Büstenhalter, der; -s, -: *Teil der Unterwäsche der Frau, der der Brust Halt gibt.*

Bütt, die; -, -en (landsch.): *Podium in Form eines Fasses, in dem im Karneval Reden gehalten werden:* in die B. steigen.

Bütte, die; -, -n: **a)** (landsch.) *größeres Gefäß aus Holz, das nach unten etwas enger wird:* eine B. mit Wasser füllen. **b)** *bei der Herstellung von Papier verwendetes breites Gefäß.*

Büttenpapier, das; -s: *Papier, das mit der Hand aus der Bütte geschöpft wurde, einen rauhen Rand und Wasserzeichen aufweist.*

Butter, die; -: *aus Milch gewonnenes Fett.* * **sich** (Dativ) **die B. nicht vom Brot nehmen lassen** *(sich nichts gefallen lassen, sich gegenüber anderen behaupten).*

Butterbrot, das; -[e]s, -e: *mit Butter bestrichene Scheibe Brot:* zur Milch ein großes B. essen. * (ugs.) **um/für ein B.** *(für einen lächerlichen Preis):* etwas für ein B. verkaufen.

buttern, butterte, hat gebuttert: **1.** ⟨itr.⟩ *Butter bereiten:* nur bei wenigen Bauern wird heute noch gebuttert; ⟨auch tr.⟩ einen großen Klumpen b. **2.** ⟨tr.⟩ **a)** *mit Butter versehen, beschmieren:* bevor man den Teig hineingibt, soll man die Form ordentlich b. **b)** (ugs.) *(Geld in etwas) geben, hineinstecken:* ich buttere keinen Groschen mehr in diese Kasse.

Butzenscheibe, die; -, -n: *kleine, runde, in Blei gefaßte Scheibe aus mattem Glas mit einer leichten Verdickung in der Mitte.*

C

Café, das; -s, -s: *Lokal, in dem man vorwiegend Kaffee und Kuchen verzehrt:* ein kleines, gemütliches, modernes C.; ins C. gehen.

Call-Girl ['kɔ:lgœrl], das; -s, -s: *Prostituierte, die auf telefonischen Anruf hin kommt oder jmdn. empfängt.*

Camp [kɛmp], das; -s, -s: **1.** *[Feld-, Gefangenen]lager:* bei dem Manöver übernachteten die Soldaten in einem C. **2.** *Campingplatz.*

campen ['kɛmpən], campte, hat gecampt ⟨itr.⟩: *zelten oder im Wohnwagen leben:* wir haben in unserem Urlaub am Meer gecampt.

Camping ['kɛmpɪŋ], das; -s: *Leben, Aufenthalt [während der Ferien] in Zelt oder Wohnwagen auf dafür eingerichteten Plätzen:* zum C. fahren.

Campingplatz ['kɛmpɪŋ...], der; -es, Campingplätze: *für das Camping bestimmter Platz:* während des Sommers haben wir auf Campingplätzen gelebt.

Cape [ke:p], das; -s, -s: *Kleidungsstück in Form eines Man-*

tels, aber ohne Ärmel: bei Regen zogen die Kinder ihre Capes an.

Catcher ['kɛtʃər], der; -s, -: *Ringer im Freistil:* C. prügelten sich unter Stöhnen und Schreien im Ring.

Cellist [tʃɛ'lɪst u. ʃɛ'lɪst], der; -en, -en: *Musiker, der das Cello spielt.*

Cello ['tʃɛlo u. 'ʃɛlo], das; -s, -s und Celli:/ein Streichinstrument/ (siehe Bild).

Cello

Celsius ['tsɛlziʊs]: *Einheit einer Temperaturskala:* Wasser kocht bei hundert Grad C.

Cembalo ['tʃɛmbalo], das; -s, -s und Cembali: /ein Musikinstrument/ (siehe Bild).

Cembalo

Chaiselongue [ʃɛz(ə)'lõ:], die; -, -n und -s: /ein Möbelstück/ (siehe Bild): die alte Dame pflegte nach dem Essen auf der C. zu ruhen.

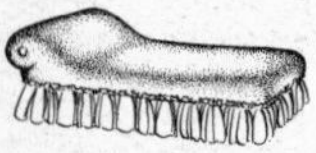

Chaiselongue

Chalet [ʃa'le:], das; -s, -s: *Haus in ländlichem Stil.*

Chamäleon [ka'mɛ:leon], das; -s, -s: /ein Tier/ (siehe Bild); bildl. (geh.): dieser Mensch ist ein C. *(er paßt sich geschickt seiner jeweiligen Umgebung an).*

Chamäleon

chamois [ʃamo'a] ⟨Adj.; indeklinabel⟩: *gelbbraun:* ein c. Stoff; der Stoff ist c.

Champagner [ʃam'panjər], der; -s: **a)** (geh.) *Sekt:* bei dem feierlichen Empfang wurde C. gereicht. **b)** *in der Champagne erzeugter Schaumwein.*

Champignon ['ʃampɪnjõ], der; -s, -s: /ein eßbarer Pilz/ (siehe Bild).

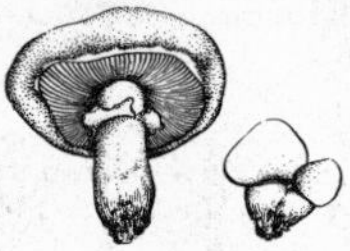

Champignon

Champion ['tʃæmpjən], der; -s, -s: *Meister einer sportlichen Disziplin.*

Championat [ʃãpio'na:t], das; -s, -e: *Meisterschaft in einer Sportart:* er gewann das C. im Tennis.

Chance ['ʃã:s(ə)], die; -, -n: **a)** *Möglichkeit, günstige Gelegenheit:* eine [große] C. erhalten, nützen, vergeben. **b)** *Aussicht auf Erfolg:* er hat die beste, keine C. [auf den Sieg].

changieren [ʃã'ʒi:rən], changierte, hat changiert ⟨itr.⟩: *in mehreren Farben schillern* /von Stoffen/: changierende Seide.

Chanson [ʃã'sõ:], das; -s, -s: *ironisch-witziges, manchmal freches, leicht sentimentales und melancholisches Lied.*

Chaos ['ka:ɔs], das; -: *völliges Durcheinander, Wirrwar, Auflösung jeder Ordnung:* es herrschte ein unbeschreibliches C.; er stürzte sein Land ins C.

chaotisch [ka'o:tɪʃ] ⟨Adj.⟩: *wirr, nicht geordnet, wüst:* nach der Katastrophe herrschten in jener Gegend chaotische Zustände.

Charạkter, der; -s, -e: **1.** *Gesamtheit der geistig-seelischen Eigenschaften eines Menschen, seine Wesensart, Veranlagung:* er hat einen guten C. **2.** ⟨ohne Plural⟩ *Gepräge, Art:* eine Stadt mit ländlichem C.

charakterisieren, charakterisierte, hat charakterisiert ⟨tr.⟩: *den Charakter einer Person oder Sache beschreiben:* er hat ihn gut charakterisiert.

Charakterịstik, die; -, -en: *treffende Schilderung einer Person oder Sache:* er gab eine kurze C. der Persönlichkeit des großen Forschers.

Charakterịstikum, das; -s, Charakteristika: *bezeichnende, ausgeprägte Eigenschaft; hervorstechendes Merkmal:* demagogische Angriffe auf die Demokratie sind das C. dieser Partei.

charakterịstisch ⟨Adj.⟩: *die besondere Art, das Typische einer Person oder Sache kennzeichnend:* eine charakteristische Kleidung; die Farben sind für seine Bilder c.

charạkterlich ⟨Adj.; nicht prädikativ⟩: *den Charakter betreffend:* die charakterlichen Qualitäten eines Menschen.

charạkterlos ⟨Adj.⟩ *ohne festen Charakter, ehrlos:* er war charakterlosen und habgierigen Verwandten in die Hände gefallen. **Charạkterlosigkeit,** die; -.

Charge ['ʃarʒə], die; -, -n: **1.** *Dienstgrad, Rang:* entsprechend seiner niedrigen C. stand er hinter dem Offizier. **2.** *stark ausgeprägte Nebenrolle:* die Chargen waren bei dieser Aufführung des Dramas ausgezeichnet besetzt.

charmant [ʃar'mant] ⟨Adj.⟩: *entzückend, anmutig, bezaubernd:* eine charmante Dame; sie ist sehr c.

Charme [ʃarm], der; -s: *Anmut, Liebreiz, Zauber:* mit seinem natürlichen männlichen C. gewann er alle anwesenden Damen für sich.

Charmeur [ʃar'mø:r], der; -s, -s und -e (geh.): *jmd., der charmant zu plaudern versteht:* als wir ihn mit den Damen allein ließen, erwies er sich als exzellenter C.

chartern ['(t)ʃartərn], charterte, hat gechartert ⟨tr.⟩: *ein Flugzeug oder Schiff (zum Transport von Personen oder Sachen) mieten.*

Chassis [ʃa'si:], das; - [ʃa'si:(s)], - [ʃa'si:s]: *Gestell, auf dem Teile eines Gerätes, Fahrzeuges o. ä. montiert sind:* das C. eines Autos, eines Fernsehapparates.

Chauffeur [ʃɔ'fø:r], der; -s, -e: *jmd., der berufsmäßig andere in einem Auto fährt.*

Chaussee [ʃɔ'se:], die; -, -n: *Landstraße.*

Chauvinismus [ʃoviˈnɪsmʊs], der; - (abwertend): *übersteigerte Liebe zum eigenen Vaterland und sich daraus ergebende Hetze zum Krieg.*

chauvinistisch [ʃoviˈnɪstɪʃ] ⟨Adj.⟩ (abwertend): *von Chauvinismus erfüllt:* chauvinistische Journalisten berichteten äußerst gehässig über diesen Vorfall.

Chef [ʃɛf], der; -s, -s: *jmd., der anderen Personen vorgesetzt ist; Leiter einer Gruppe von Personen, einer Abteilung, Firma usw.:* ich möchte den C. sprechen.

Chemie, die; -: *Teil der Naturwissenschaften, der von den Eigenschaften, der Zusammensetzung und der Umwandlung der Stoffe handelt:* C. studieren.

Chemikalie, die; -, -n: *industriell hergestellter chemischer Stoff:* vielen Lebensmitteln sind Chemikalien zugesetzt.

Chemiker, der; -s, -: *jmd., der Chemie studiert [hat].*

chemisch ⟨Adj.⟩: *die Chemie betreffend, zu ihr gehörend, von ihr herrührend:* die chemische Industrie; etwas c. reinigen.

Chicorée [ʃikoˈre:], die; -: /ein Gemüse/ (siehe Bild).

Chicorée

Chiffon [ʃɪˈfõ:], der; -s, -s: *sehr dünnes, durchscheinendes Gewebe (ursprünglich aus Seide).*

Chiffre [ˈʃɪfrə], die; -, -n: *[Geheim]zeichen, Geheimschrift:* diese Nachricht war geheim und lief als C.

chiffrieren [ʃɪˈfri:rən], chiffrierte, hat chiffriert ⟨tr.⟩: *in Geheimschrift abfassen:* die wichtigen Depeschen hatte man chiffriert; ⟨häufig im 2. Partizip⟩ chiffrierte Meldungen.

Chip [tʃɪp], der; -s, -s: **1.** *einen bestimmten Geldwert repräsentierende Marke bei Glücksspielen:* der Spieler kaufte für sein ganzes Geld Chips. **2.** ⟨Plural⟩ *in Fett gebackene dünne Scheiben von rohen Kartoffeln:* zum Wein knabberten wir Chips.

Chirurg, der; -en, -en: *Arzt, der auf dem Gebiet der Chirurgie tätig ist.*

Chirurgie, die; -: *[Lehre von der] Behandlung der Krankheiten durch Operation.*

chirurgisch ⟨Adj.⟩: **1.** ⟨nur attributiv⟩ *die Chirurgie betreffend:* die chirurgische Abteilung eines Krankenhauses. **2.** *operativ:* die Geschwulst wurde durch einen chirurgischen Eingriff entfernt.

Chloroform, das; -s: *süßlich riechende chemische Flüssigkeit, die früher zum Betäuben verwendet wurde:* der Einbrecher preßte dem Hausmeister ein mit C. getränktes Tuch unter die Nase.

Cholera, die; -: *eine durch Infektion hervorgerufene, epidemisch auftretende Krankheit mit heftigem Erbrechen und starkem Durchfall:* große Teile der Bevölkerung erkrankten an der C.

Choleriker [koˈle:rikər], der; -s, -: *leidenschaftlicher, reizbarer, jähzorniger Mensch:* der C. tobte und beschimpfte die Polizisten.

cholerisch [koˈle:rɪʃ] ⟨Adj.⟩: *jähzornig, aufbrausend:* ein cholerischer Mensch.

Chor, der; -[e]s, Chöre: *Gruppe singender Personen:* ein mehrstimmiger C.; ein gemischter C. *(ein Chor mit Frauen- und Männerstimmen).*

Choral, der; -s, Choräle: *Lied für den Gottesdienst.*

Choreograph [koreoˈgraf], der; -en, -en: *jmd., der [am Theater] Tänze künstlerisch gestaltet und einstudiert* /Berufsbezeichnung/: der C. studierte das Ballett ein.

Choreographie [koreograˈfi:], die; -: *Entwurf und Gestaltung des künstlerischen Tanzes.*

Chorknabe, der; -n, -n: *Junge, der einem Chor angehört:* die Chorknaben begeisterten die Zuhörer mit ihren hellen, klaren Stimmen.

Christ, der; -en, -en: *sich zum Christentum bekennender Mensch:* in früheren Zeiten wurden die Christen oft verfolgt.

Christbaum, der; -[e]s, Christbäume (bes. südd. und mitteld.): *Weihnachtsbaum* (siehe Bild).

Christenheit, die; -: *Gesamtheit aller Christen:* die C. wurde vom Papst zum Gebet für den Frieden auf Erden aufgerufen.

Christbaum

Christenpflicht, die; -, -en: *Pflicht eines Christen seinem Mitmenschen gegenüber:* es ist deine C., den Armen zu helfen.

Christentum, das; -s: *die von Jesus Christus gestiftete Religion.*

Christkind, das; -[e]s: **a)** *Jesus Christus als neugeborenes Kind:* das C. in der Krippe. **b)** *gedachte Person, die den Kindern zu Weihnachten Geschenke überbringt:* Fritzchen hat vom C. einen Roller bekommen.

christlich ⟨Adj.⟩: *zum Christentum gehörend; im Geiste des Christentums:* christliche Lehre, Kunst, Moral.

Christmesse, die; -, -n: *katholischer Gottesdienst in der Nacht vom 24. zum 25. Dezember.*

Chrom [kro:m]; das; -s: *glänzendes, schweres Metall:* ein schönes, neues Auto mit viel glänzendem C.

Chronik, die; -, -en: *Aufzeichnung geschichtlicher Ereignisse nach ihrem zeitlichen Ablauf.*

chronisch ⟨Adj.⟩: **1.** ⟨nicht adverbial⟩ *langsam verlaufend, langwierig:* ein chronisches Leiden; diese Krankheit ist bei ihm c. **2.** ⟨scherzh.⟩ *gar nicht mehr aufhörend, nicht mehr zu beheben:* er leidet an chronischer Faulheit.

Chronist, der; -en, -en: *Verfasser einer Chronik.*

Chronologie, die; -: *zeitliche Abfolge:* die C. der Ereignisse wurde vom Erzähler eingehalten.

chronologisch ⟨Adj.⟩: *zeitlich [geordnet]:* eine chronologische Darstellung; die Ergebnisse wurden c. geordnet.

circa: siehe zirka.

Circe [ˈtsɪrtse], die; -, -n (geh.): *verführerische Frau, die es darauf anlegt, die Männer mit ihren weiblichen Reizen zu betören.*

Circulus vitiosus, der; - -, Circuli vitiosi (geh.): *Unglücksfälle oder Fehler, die so fest verknüpft aufeinander folgen, daß die davon betroffene Person sich nicht von ihnen befreien kann:* in seiner Not fing er das Trinken an, und das Trinken vergrößerte seine Not: so geriet er in einen Circulus virtiosus, dem er nicht zu entrinnen vermochte.

City ['sɪti], die; -, -s: *Innenstadt, Zentrum [mit den großen Geschäften] einer Stadt:* die großen Warenhäuser liegen alle in der C.

Clan [kla:n], der; -s, -e: *[Familien]verband:* der C. stellte nach außen hin eine starke Einheit dar, obwohl die Familien miteinander verfeindet waren.

clever ['klɛvər] ⟨Adj.⟩: *wendig, klug, geschickt, listig:* er war ein cleverer Geschäftsmann und machte gute Geschäfte.

Clinch [klɪn(t)ʃ], der; -[e]s: *gegenseitige Umklammerung der Boxer im Nahkampf:* es kam zu keinem schönen Kampf, da die Boxer ständig in den C. gingen.

Clip: siehe Klipp.

Clipper: siehe Klipper.

Clique ['klɪkə], die; -, -n: *kleinere Gruppe von Menschen, die sich gegenseitig unterstützen und sich Vorteile verschaffen.*

Clou [klu:], der; -s, -s: *Höhepunkt, wichtigstes Ereignis:* der Auftritt des Dompteurs bildete den C. des Abends.

Clown [klaʊn], der; -s, -s: *jmd., der im Zirkus oder im Varieté mit allerlei lustigen Vorführungen zum Lachen reizt.*

Cockpit ['kɔkpɪt], das; -s, -s: **1.** *vertiefter Sitz für die Besatzung bes. von Jachten und Motorbooten.* **2.** *Kabine des (der) Piloten* /in [Düsen]flugzeugen/: über eine Leiter gelangte der Pilot in das C. des Bombers.

Cocktail ['kɔktɛɪl], der; -s, -s: *Getränk, das aus verschiedenen Spirituosen, Früchten, Säften usw. hergestellt ist.*

Cocktailkleid ['kɔktɛɪl...], das; -[e]s, -er: *festliches Kleid für kleinere Geselligkeiten:* sie trug an ihrem Geburtstag ein neues C.

Cocktailparty ['kɔktɛɪlpa:rti], die; -, -s und Cocktailparties: *zwangloses geselliges Beisammensein in den frühen Abendstunden:* eine C. ist eine typische Form moderner Geselligkeit.

Code: siehe Kode.

Codex, der; -[es], -e und Codices: siehe Kodex.

Coiffeur [koa'fø:r], der; -s, -e (geh.): *Friseur.*

Collage [kɔ'la:ʒə], die; -, -n: *aus buntem Papier oder anderem Material geklebtes Bild:* sehr beachtet wurden auf der Ausstellung die Collagen aus Stoffresten und Fetzen von Zeitungen.

College ['kɔlɪdʒ], das; -[s], -s: *höhere Schule oder Universität in England und Amerika.*

Colt [kɔlt], der; -s, -s: *amerikanischer Revolver:* die Cowboys schossen mit ihren schweren Colts.

Comeback [kam'bɛk], das; -[s], -s (geh.): *[erfolgreiches] Wiederauftreten einer bekannten Persönlichkeit nach einer größeren Pause:* der vor Jahren so erfolgreiche Sportler feierte ein unerwartetes C.

Comics ['kɔmɪks], die ⟨Plural⟩: *Comic strips.*

Comic strips ['kɔmɪk 'strɪps], die ⟨Plural⟩: *in einer Reihe von Bildern mit wenig Text dargestellte Geschichte meist abenteuerlichen oder komischen Inhalts.*

Computer [kɔm'pju:tər], der; -s, -: *elektronische Rechenanlage.*

Conférencier [kõferãsi'e:], der; -s, -s: *unterhaltender Ansager.*

Container [kɔn'tɛɪnər], der; -s, -: *genormter größerer Behälter zur Beförderung von Gütern ohne Umladen* (siehe Bild).

Container

Copyright ['kɔpiraɪt], das; -s, -s: *Recht des Urhebers, über sein Werk zu verfügen.*

Corned beef ['kɔ:nd'bi:f], das; - -: *gepökeltes Rindfleisch in Dosen.*

Corpus delicti ['kɔrpʊs-], das; -, Corpora delicti: *Gegenstand, durch den ein Verbrechen o. ä. bewiesen werden kann.*

Couch [kaʊtʃ], die; -, -es: *flaches, gepolstertes Möbelstück zum Liegen* (siehe Bild).

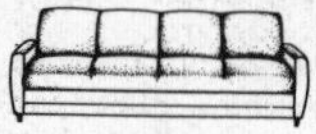

Couch

Couleur [ku'lø:r], die; -, -en und -s: *Band und Mütze einer studentischen Verbindung.*

Countdown ['kaʊnt'daʊn], der und das; -[s], -s: **a)** *(beim Abschuß einer Rakete) bis zum Zeitpunkt Null (Start) zurückschreitende Ansage der Zeit:* aus den Lautsprechern klang der monotone C. über den Platz. **b)** *Gesamtheit der vor dem Start auszuführenden Kontrollen:* der C. verlief planmäßig, die Rakete wurde genau zur vorgesehenen Zeit abgeschossen.

Coup [ku:], der; -s, -s: *kühn angelegtes, erfolgreiches Unternehmen:* ein toller C., dieser Einbruch in das Museum.

Coupé [ku'pe:], das; -s, -s: **1.** *sportlicher Personenkraftwagen mit zwei Sitzen und einer Tür auf jeder Seite.* **2.** (veralt.) *[Eisenbahn]abteil.*

Coupon: siehe Kupon.

Cour [ku:r]: ⟨in der Wendung⟩ jmdm. die C. machen (veralt.): *(zu einer Dame) besonders höflich und aufmerksam sein, um ihr zu gefallen.*

Courage [ku'ra:ʒə], die; -: *Mut, Unerschrockenheit, Beherztheit:* er zeigte in dieser schwierigen Situation viel C.; er hat Angst vor der eigenen C. *(er behommt Angst vor den Folgen seines mutvoll begonnenen Vorhabens).*

couragiert [kurɑ'ʒi:rt] ⟨Adj.⟩ (ugs.): *beherzt, energisch und zielstrebig, ohne Furcht vorgehend:* eine couragierte Dame.

Cousin [ku'zɛ̃:], der; -s, -s: *Vetter.*

Cousine: siehe Kusine.

Cowboy ['kaʊbɔʏ], der; -s, -s: *amerikanischer Rinderhirt* (siehe Bild S. 153): das Leben der Cowboys wird in unzähligen Filmen geschildert.

Crack [krɛk], der; -s, -s: *bedeutender Sportler:* alle Cracks waren bei den Meisterschaften am Start.

Cowboy

Crackers ['krɛkərs], die ⟨Plural⟩: *sprödes, knuspriges [salziges] Gebäck:* zum Wein wurden C. gereicht.

Creme [krɛ:m], die; -, -s/vgl. Krem/: *Salbe zur Pflege der Haut.*

Crew [kru:], die; -, -s: **a)** *Besatzung eines Schiffes:* die C. des U-Bootes hatte sich schon in vielen Gefahren bewährt. **b)** Sport *Mannschaft bes. eines Ruderbootes:* die erfolgreiche C. trat wieder zum Start an.

Croupier [krupi'e:], der; -s, -s: *jmd., der im Auftrag einer Spielbank für den ordnungsgemäßen Ablauf des Glücksspieles sorgt und Einsätze und Gewinne verwaltet:* mit ruhiger Stimme forderte der C. die Spieler auf, ihre Einsätze zu machen.

Crux [krʊks]: ⟨in der Verbindung⟩ eine C. sein (geh.): *eine Mühsal, Last, große Schwierigkeit sein:* die C. bei dieser Arbeit war das Fehlen von Hilfsmitteln.

cum grano salis (geh.): *mit entsprechender Einschränkung, nicht ganz wörtlich [zu nehmen]:* was er über seine Frau berichtet, trifft, cum grano salis, auf alle Frauen zu.

Cup [kap], der; -s, -s: *Pokal als Preis für den Sieger* /bei sportlichen Wettkämpfen/: bei dem Turnier haben wieder einmal die Amerikaner den begehrten C. gewonnen.

Curry ['kœri], der und das; -s: *scharfe Mischung mehrerer Gewürze:* der Reis war stark mit C. gewürzt.

Cutaway

Cut [kœt, kat], der; -s, -s: *Cutaway.*

Cutaway ['kœtəve, 'katəve, 'kʌtəvɛɪ], der; -s, -s: /ein Kleidungsstück/ (siehe Bild).

Cutter ['katər], der; -s, -: *jmd., der den Schnitt des Films ausführt* /Berufsbezeichnung/.

D

da: **I.** ⟨Adverb⟩ **1.** ⟨lokal⟩ **a)** *an einer bestimmten Stelle, dort:* da hinten; der Mann da; da steht er. **b)** *hier:* da sind wir; da hast du den Schlüssel. **2.** ⟨temporal⟩ *zu einem bestimmten Zeitpunkt, dann:* von da an war sie wie verwandelt; da lachte er; da werde ich hoffentlich Zeit haben. **3.** ⟨konditional⟩ *unter dieser Bedingung:* wenn ich schon gehen muß, da gehe ich lieber gleich. **II.** ⟨Konj.⟩ **1.** ⟨kausal⟩ *weil:* da er verreist war, konnte er nicht kommen. **2.** ⟨temporal⟩ (geh.) *als, während:* da er noch reich war, hatte er viele Freunde.

dabehalten, behält da, behielt da, hat dabehalten ⟨tr.⟩: *bei sich behalten:* Gäste zum Abendessen d.

dabei [nachdrücklich auch: dabei] ⟨Pronominaladverb⟩: **1.** *nahe bei der betreffenden Sache:* ich habe das Paket ausgepackt; die Rechnung lag nicht d. * (ugs.) **d. bleiben** *(seine Meinung nicht ändern);* (ugs.) **es ist nichts d.** *(es schadet nichts).* **2.** *während dieser Zeit:* sie hatte sich einer längeren Kur zu unterziehen und mußte d. viel liegen. **3.** *obwohl:* er hat seine Arbeit noch nicht abgeschlossen, d. beschäftigt er sich schon jahrelang damit. **4.** *hinsichtlich des eben Gesagten:* das ist eben seine Einstellung, d. kann man nichts machen; wichtig ist d., daß ...

dabeibleiben, blieb dabei, ist dabeigeblieben ⟨itr.⟩: *bei einer Sache oder Tätigkeit verweilen:* die Diskussion war zwar interessant, doch konnten wir nicht bis zum Schluß d.

dabeisein, ist dabei, war dabei, ist dabeigewesen ⟨itr.⟩: **1.** *beteiligt sein, anwesend sein:* er will überall d. **2.** *im Begriff sein:* er war gerade dabei, den Brief abzuschicken.

dabeisitzen, saß dabei, hat dabeigesessen ⟨itr.⟩: *bei jmdm./etwas sitzen:* während sich die anderen unterhielten, saß er stumm dabei.

dabeistehen, stand dabei, hat dabeigestanden ⟨itr.⟩: *bei jmdm./etwas stehen:* während sie die Auslagen in den Schaufenstern betrachtete, stand er gelangweilt dabei.

dableiben, blieb da, ist dageblieben ⟨itr.⟩: *an einem Ort bleiben, nicht fortgehen:* ich wäre gern noch länger dageblieben.

Dach, das; -[e]s, Dächer: *Überdeckung eines Gebäudes zum Schutz gegen Regen, Wind u. ä.:* ein flaches, niedriges D.; das D. mit Ziegeln, Stroh decken. * **etwas unter D. und Fach bringen** *(etwas abschließen, in Sicherheit bringen):* ein Geschäft unter D. und Fach bringen; **etwas ist unter D. und Fach** *(etwas ist fertig geworden);* (ugs.) **jmdm. aufs D. steigen** *(jmdn. rügen, tadeln);* (ugs.) **eins aufs D. bekommen** *(einen Tadel erhalten, einen Verlust erleiden).*

Dachboden, der; -s, Dachböden: *Raum zwischen dem Dach und dem obersten Geschoß eines Hauses.*

Dachdecker, der; -s, -: *Handwerker, der das Dach deckt* /Berufsbezeichnung/.

Dachgarten, der; -s, Dachgärten: *wie ein Garten angelegte Fläche auf einem Dach.*

Dachgesellschaft, die; -, -en: *Gesellschaft zur einheitlichen Leitung mehrerer Unternehmen.*

Dachhase, der; -n, -n (scherzh.): *Katze.*

Dachkammer, die; -, -n: *vom Dachboden abgeteilte Kammer.*

Dachpfanne, die; -, -n: *Dachziegel.*

Dachrinne, die; -, -n: *Rinne am Dach für das Auffangen des Regens.*

Dachs

Dachs, der; -es, -e: **1.** /ein Tier/ (siehe Bild). **2.** (ugs.) *unerfahre-*

ner junger Mensch: er ist noch ein ganz junger D.

Dachschaden; ⟨in der Wendung⟩ einen Dachschaden haben (ugs.; scherzh.): *nicht ganz normal sein oder scheinen.*

Dachstuhl, der; -s, Dachstühle: *alle Balken, die das Dach tragen.*

Dachziegel, der; -s, -: *Ziegel zum Decken des Daches.*

Dackel, der; -s, -: /Hund/ (siehe Bild).

Dackel

dadurch [nachdrücklich auch: dadurch] ⟨Pronominaladverb⟩ **1.** *durch etwas hindurch:* das Loch im Zaun war so groß, daß er d. kriechen konnte. **2.** *durch dieses Mittel, auf Grund dieser Sache:* d. wirst du wieder gesund; er hat uns d. sehr geholfen, daß er uns vorübergehend sein Auto zur Verfügung stellte.

dafür [nachdrücklich auch: dafür] ⟨Pronominaladverb⟩: **1.** *für diesen Zweck, für dieses Ziel:* das ist kein Werkzeug d.; Voraussetzung d. ist, daß ...; du mußt den Klassenlehrer fragen, d. bist du der Klassensprecher *(denn du bist ja der Klassensprecher).* **2. a)** *statt dessen, zum Tausch:* ich gebe dir d. eine andere Briefmarke; das Schauspiel fällt aus, d. wird eine Oper aufgeführt. **b)** *als Entgegnung (auf etwas), als Preis (für etwas):* das ist nun der Dank d., daß wir ihm geholfen haben; d. brauchte ich nicht viel zu bezahlen. **3.** *zum Vorteil, zugunsten einer Sache:* d. muß etwas getan werden; alle stimmten d., daß ... * **dafür sein** *(zustimmen).* **4.** *für diese Sache, was das betrifft; hinsichtlich dieser Sache:* d. habe ich kein Verständnis; ich mache Sie d. verantwortlich, wenn etwas passiert; d. *(im Hinblick darauf),* daß er noch nicht in Frankreich war, spricht er gut französisch.

Dafürhalten: ⟨in der Fügung⟩ meinem usw. D. nach, nach meinem D. (geh.): *meiner Meinung, Ansicht nach:* meinem D. nach wird sie morgen kommen.

dagegen ⟨Pronominaladverb⟩ [nachdrücklich auch: dagegen]: **1.** *gegen das Betreffende:* **a)** /drückt ein räumliches Verhältnis aus/: ein Brett d. halten. **b)** /drückt eine gegensätzliche Einstellung aus/: sich d. auflehnen, daß ...; d. muß man etwas tun. **2.** *im Vergleich dazu:* die Aufsätze der anderen waren glänzend, seiner ist nichts d. **3.** *jedoch:* die meisten Gäste gingen vor Mitternacht aus dem Haus, einige d. blieben bis zum Morgen.

dagegenhalten, hält dagegen, hielt dagegen, hat dagegengehalten ⟨tr.⟩ (geh.): *gegen eine eben erwähnte Sache oder Überlegung eine andere geltend machen, vorbringen:* er äußerte seine Ansichten, sie hielt dagegen, daß ...

dagegenwirken, wirkte dagegen, hat dagegengewirkt ⟨itr.⟩: *eine Sache unwirksam machen, verhindern wollen:* die Opposition hielt die Finanzpolitik der Regierung für falsch und wirkte dagegen, daß...

daheim ⟨Adverb⟩ (südd., östr., schweiz.): *zu Hause:* d. bleiben; bei uns d.

Daheim, das; -s (südd.; östr.; schweiz.): *Zuhause:* kein D. haben.

daher [nachdrücklich auch: daher] ⟨Adverb⟩: **1.** *von dort:* fahren Sie nach Hamburg? D. komme ich gerade. **2.** *deshalb, aus diesem Grunde:* wir sind zur Zeit in Urlaub und können Sie d. leider erst in drei Wochen später besuchen; d. also seine Aufregung.

dahergelaufen ⟨Adj.; nur attributiv⟩ (ugs.; abwertend): *plötzlich aufgetaucht, ohne daß man weiß, woher, und deshalb ohne Ansehen:* ein dahergelaufener Strolch.

daherkommen, kam daher, ist dahergekommen ⟨itr.⟩: *in jmds. Gesichtskreis, auf jmdn. zukommen:* sie kam daher, als wenn nichts geschehen sei.

daherreden, redete daher, hat dahergeredet ⟨tr.⟩ (ugs.; abwertend): *ohne Überlegung erzählen, sagen:* er hat das nur so dahergeredet; ⟨auch itr.⟩ leichtfertig, dumm d.

dahin [nachdrücklich auch: dahin] ⟨Adverb⟩: **1.** *an diesen Ort, dorthin:* es ist nicht mehr weit bis d. **2.** *in dem Sinne:* sie haben sich d. geäußert, daß ... **3.** ⟨in Verbindung mit *bis*⟩ *bis zu dem Zeitpunkt:* bis d. muß ich mit der Arbeit fertig sein. ** **d. sein** *(verloren, vorbei sein):* mein Geld ist d.; sein Leben ist d.

dahingestellt: ⟨in bestimmten Verbindungen⟩ *unentschieden, offen:* wir wollen es d. sein lassen; es sei, bleibt d., ob er wirklich nicht kommen konnte.

dahinleben, lebte dahin, hat dahingelebt ⟨itr.⟩: *seine Tage einförmig, ohne innere und äußere Aufregung verbringen:* sie lebten Jahr für Jahr ruhig dahin.

dahinschwinden, schwand dahin, ist dahingeschwunden ⟨itr.⟩: *vergehen, abnehmen:* die Zeit, das Geld schwand dahin.

dahinten [nachdrücklich auch: dahinten] ⟨Adverb⟩: *an jenem entfernten Ort:* d. ziehen sich dunkle Wolken zusammen.

dahinter [nachdrücklich auch: dahinter] ⟨Pronominaladverb⟩: **1. a)** *hinter der betreffenden Sache:* ein Haus mit einem Garten d. **b)** *hinter die betreffende Sache:* sie stellte die Teller in den Schrank und die Gläser d. **2.** *hinter diesem Verhalten:* wer weiß, was sich bei ihm d. verbirgt.

dahinterkommen, kam dahinter, ist dahintergekommen ⟨itr.⟩ (ugs.): *etwas, was man gern wissen möchte, herausfinden:* wir kommen schon dahinter, was ihr vorhabt.

dahinterstecken, steckte dahinter, hat dahintergesteckt ⟨itr.⟩ (ugs.): *der (nicht recht erkennbare) Grund, die Ursache für etwas sein:* überraschend wurde er versetzt, ich möchte wissen, was dahintersteckt.

dahinziehen, zog dahin, hat/ist dahingezogen: **1.** ⟨itr.⟩ *sich langsam vor jmds. Augen bewegen:* die Wolken sind am Himmel dahingezogen. **2.** ⟨rfl.⟩ *sich erstrecken, sich ausdehnen:* das flache Land hatte sich weit dahingezogen.

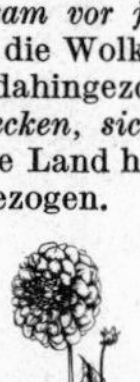

Dahlie

Dahlie, die; -, -n: /eine Blume/ (siehe Bild S. 154).

dalassen, läßt da, ließ da, hat dagelassen ⟨tr.⟩: *nicht mit sich nehmen, an einem bestimmten Ort lassen:* sie ist plötzlich aus England zurückgekommen, hat aber die Kinder zunächst dagelassen.

daliegen, lag da, hat dagelegen ⟨itr.⟩: *so an einer bestimmten Stelle liegen, daß es allgemein, deutlich zu sehen ist:* der Patient lag völlig teilnahmslos da; weil der Schmuck offen dalag, wurde er gestohlen.

dalli: ⟨in den Fügungen⟩ (ugs.) **d. machen** *(schnell machen, sich beeilen);* (ugs.) **ein bißchen d.** *(aber schnell, beeile dich)!;* (ugs.) **d. d.** *(schnell)!*

damalig ⟨Adj.; nur attributiv⟩: *in einer bestimmten früheren Zeit bestehend, herrschend:* unter den damaligen Umständen; der damalige Minister.

damals ⟨Adverb⟩: *zu einem weiter zurückliegenden Zeitpunkt:* d., bei unserem letzten Besuch, ging es ihm noch besser.

Damast, der; -es: *einfarbiges Gewebe mit Mustern, die sich matt vom glänzenden Untergrund abheben.*

Dame, die; -, -n: **1.** *gebildete, gepflegte Frau:* eine feine, vornehme D.; /als höfliche Anrede/ meine Damen! **2.** *altes Brettspiel* (siehe Bild). **3.** *Figur im Schachspiel* (siehe Bild). **4.** /eine Spielkarte/ (siehe Bild).

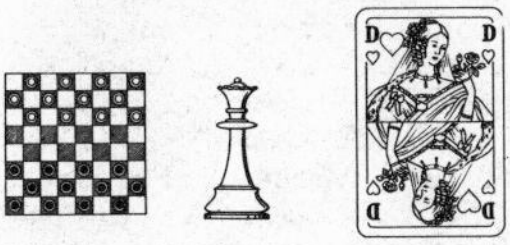

2. 3. 4.

Dame

damenhaft ⟨Adj.⟩: *einer Dame gemäß, entsprechend:* eine damenhafte Erscheinung.

Damensalon [... zalõ:], der; -s, -s: *Salon, in dem nur Damen frisiert werden.*

Damenwahl, die; -: *beim Tanz Aufforderung der Herren durch die Damen.*

damit ⟨Partikel⟩: **I.** ⟨Pronominaladverb⟩ [nachdrücklich auch: damit] **1.** *mit der betreffenden Sache:* er ist d. einverstanden; d. habe ich nichts zu tun; unser Gespräch endet jedesmal d., daß wir in Streit geraten. **2.** *auf diese Weise:* d. schließt das Buch. **II.** ⟨finale Konj.⟩ *zu dem Zweck, daß:* ihm wurde eine Kur verordnet, d. er wieder voll arbeitsfähig werde.

Dämlack, der; -s, -e und -s (ugs.; abwertend): *dummer Mensch.*

dämlich ⟨Adj.⟩ (ugs.; abwertend): *dumm:* dämliche Fragen; der ist viel zu d., um das zu begreifen.

Damm, der; -[e]s, Dämme: **1.** *langer Wall aus Erde und Steinen:* einen D. bauen; der D. *(Deich)* ist gebrochen. * (ugs.) **nicht auf dem D. sein** *(nicht gesund sein).* **2.** (landsch.) *Fahrbahn:* über den D. gehen.

Dammbruch, der; -[e]s, Dammbrüche: *Durchbruch durch einen Damm, Zerstörung eines Dammes durch den Druck des Wassers.*

dämmen, dämmte, hat gedämmt ⟨tr.⟩: *durch einen Damm auf-, zurückhalten:* das Wasser, den Fluß d.; bildl.: sein Zorn ließ sich nicht d. *(ließ sich nicht beschwichtigen).*

dämmerig ⟨Adj.; nicht adverbial⟩: *weder hell noch dunkel:* dämmeriges Licht; ein dämmeriger Raum; in der Kirche war es schon d.

dämmern, dämmerte, hat gedämmert ⟨itr.⟩: *Morgen, Abend werden:* es dämmert; der Morgen, der Abend dämmert *(bricht an).* * (ugs.) **es dämmert** [**jmdm.**] *(jmdm. wird langsam ein Zusammenhang klar);* **vor sich hin d.** *(sich in einem apathischen Zustand befinden):* der Kranke dämmerte vor sich hin.

Dämmerschoppen, der; -s, -: *geselliges Beisammensein zur Zeit der abendlichen Dämmerung, bei dem Bier oder Wein getrunken wird:* zum D. gehen.

Dämmerung, die; -: *Übergang von der Helle des Tages zum Dunkel der Nacht [und umgekehrt]:* die D. bricht herein.

Dämon, der; -s, -en: *[böser] Geist, schicksalhafte Macht:* er ist von einem D. besessen; von seinem D. getrieben, arbeitete er trotz Krankheit an seinem Werk weiter.

Dämonie, die; -: *unerklärliche [feindliche] Macht, die schicksalhaft das menschliche Leben bestimmt.*

dämonisch ⟨Adj.⟩ *von einem bösen Geist beherrscht; eine unwiderstehliche Macht ausübend; unheimlich:* ein dämonischer Mensch; dämonische Triebe.

Dampf, der; -[e]s, Dämpfe: *sichtbarer feuchter Dunst, der beim Erhitzen von Flüssigkeit entsteht:* die Küche war voller D. * (ugs.) **jmdm. D. machen** *(jmdn. bei der Arbeit antreiben);* (ugs.) **hinter etwas D. machen/setzen** *(eine Arbeit beschleunigen).*

dampfen, dampfte, hat gedampft ⟨itr.⟩: *Dampf von sich geben:* die Kartoffeln dampfen in der Schüssel.

dämpfen, dämpfte, hat gedämpft ⟨tr.⟩: **1.** *in Dampf kochen, dünsten:* Kartoffeln, Gemüse d. **2.** *Dampf (auf etwas) einwirken lassen:* das Kleid wird nicht gebügelt, sondern gedämpft. **3.** *die Stärke von etwas reduzieren:* die Stimme d.; seine Begierden d.

Dampfer, der; -s, -: *mit Dampf betriebenes Schiff:* mit dem D. fahren.

Dämpfer, der; -s, -: *Vorrichtung bei Musikinstrumenten, die den Ton dämpft:* auf der Geige mit dem D. spielen; den D. aufsetzen. * (ugs.) **jmdm. einen D. aufsetzen** *(jmds. Überschwang mäßigen).*

Dampferlinie, die; -, -n: *Strecke, auf der Dampfer regelmäßig verkehren.*

Dampfheizung, die; -, -en: *mit Dampf betriebene Zentralheizung.*

Dampfmaschine, die; -, -n: *Maschine, die die Energie des Dampfdruckes in Bewegungsenergie umsetzt.*

Dämpfung, die; -: *Abschwächung, Milderung, Reduzierung: der Stärke, Intensität (von etwas):* die D. des Tons; Maßnahmen zur D. der Konjunktur vorschlagen.

Dampfwalze, die; -, -n: *durch Dampf angetriebene (veraltete) Walze, mit der man den frischen Asphalt von Straßen dichtete und glättete;* bildl.: die russische D. *(das im 1. Weltkrieg in Deutschland eingedrungene russische Heer).*

danach [nachdrücklich auch: danach] ⟨Pronominaladverb⟩:

1. *zeitlich nach etwas, hinterher, später:* erst wurde gegessen, d. getanzt. 2. *in der Reihenfolge nach der betreffenden Person, Sache:* voran gingen die Eltern, d. kamen die Kinder. 3. *nach etwas* /im Hinblick auf ein Ziel/: er hielt einen Ball in der Hand, das Kind griff sofort d.; er hatte sich immer d. gesehnt, wieder nach Italien zurückzukehren. 4. *entsprechend:* ihr kennt seinen Willen, nun handelt d.; die Ware ist billig, aber sie ist auch d. *(entsprechend schlecht).*

Dandy ['dɛndi], der; -s, -s: *stets nach der neuesten Mode gekleideter, eitler und selbsgefälliger Mann; Geck:* die Kleidung, der Geschmack eines Dandys.

daneben [nachdrücklich auch: daneben] ⟨Pronominaladverb⟩: 1. a) *neben einer Sache:* auf dem Tisch steht eine Lampe, d. liegt ein Buch. b) *neben eine Sache:* das Bild paßte so gut zu den andern, daß sie es d. hängte. 2. *darüber hinaus, außerdem:* sie steht den ganzen Tag im Beruf, d. hat sie noch ihren Haushalt zu besorgen.

danebenbenehmen, sich; benimmt sich daneben, benahm sich daneben, hat sich danebenbenommen (ugs.): *sich ungehörig, unpassend benehmen:* leider hat sie sich auf der Party gründlich danebenbenommen.

danebengehen, ging daneben ist danebengegangen ⟨itr.⟩ (ugs.): *das Ziel verfehlen, mißlingen:* der Schuß ging daneben; der Versuch ist danebengegangen.

danebenhauen, haute/hieb daneben, hat dan-bengehauen ⟨itr.⟩: *beim Schlagen das Ziel verfehlen, nicht treffen:* er wollte den Nagel mit dem Hammer in die Wand einschlagen, haute/hieb aber daneben; bildl. (ugs.): mit dieser Schätzung hast du danebengehauen *(nicht das Richtige getroffen).*

daniederliegen, lag danieder, hat daniedergelegen ⟨itr.⟩ (geh.): *krank sein und im Bett liegen:* an einer schweren Krankheit d.; bildl.: der Handel liegt danieder *(floriert nicht).*

dạnk ⟨Präp. mit Gen.; im Singular auch mit Dativ⟩: *durch:* d. der Beziehungen seines Freundes hat er die Stelle erhalten.

Dạnk, der; -[e]s: *[in Worten geäußertes] Gefühl der Verpflichtung gegenüber jmdm., von dem man etwas Gutes erfahren hat:* jmdm. D. sagen, schulden; von D. erfüllt; zum D. schenkte er mir ein Buch; herzlichen D.!

Dạnkadresse, die; -, -n: *Schreiben einer Gruppe an hochgestellte Persönlichkeiten oder politische Institutionen, das einen Dank zum Inhalt hat:* eine D. an die Regierung richten.

dạnkbar ⟨Adj.⟩: 1. *vom Gefühl des Dankes erfüllt:* ein dankbares Kind; jmdm. d. sein. 2. ⟨nicht adverbial⟩ *lohnend:* eine dankbare Arbeit, Aufgabe; diese Pflanze ist sehr d. *(gedeiht, blüht, ohne viel Arbeit zu machen).*

Dạnkbarkeit, die; -: *Gefühl des Dankes:* jmdm. seine D. zeigen; etwas aus D. tun.

dạnken, dankte, hat gedankt ⟨itr.⟩: 1. a) *seine Dankbarkeit (jmdm. gegenüber) äußern, aussprechen:* jmdm. für seine Hilfe d.; er dankte ihm mit einer Widmung; ich danke Ihnen; (iron.) für solchen Rat danke ich *(auf solchen Rat verzichte ich).* b) *einen Gruß erwidern:* freundlich d. 2. *verdanken:* jmdm., seinem Fleiß etwas d.

dạnkenswert ⟨Adj.; nicht adverbial⟩: *des Dankes wert, würdig:* eine dankenswerte Arbeit vorlegen; es ist d., daß Sie sich bereit erklären, den Vortrag zu halten.

dạnkerfüllt ⟨Adj.⟩ (geh.): *von Dankbarkeit erfüllt, durchdrungen:* einen dankerfüllten Brief schreiben.

Dạnksagung, die; -, -en: *[schriftlich ausgesprochener] feierlicher Dank [für die Anteilnahme an jmds. Tod]:* sie las seine D. für ihre ihm erwiesene Anteilnahme.

dạnn ⟨Adverb⟩: 1. *zeitlich, in der Reihenfolge unmittelbar danach:* erst badeten sie, d. sonnten sie sich. 2. *zu dem betreffenden späteren Zeitpunkt:* bald habe ich Urlaub, d. besuche ich euch. 3. *in dem Fall:* wenn er sich etwas vorgenommen hat, d. führt er es auch aus. 4. *außerdem:* und d. vergiß bitte nicht, zur Post zu gehen.

darạn [nachdrücklich auch: daran] ⟨Pronominaladverb⟩: 1. a) *an der betreffenden Sache:* vergiß nicht, den Brief in den Kasten zu werfen, wenn du d. vorbeikommst; seine Einstellung kannst du schon d. erkennen, daß ... * **nahe d. sein, etwas zu tun** *(beinahe etwas tun):* er war nahe d. zu verzweifeln. b) *an die betreffende Sache:* sie suchten sich einen Tisch und setzten sich d.; sie besichtigten die Kirche, d. anschließend stiegen sie auf den Turm. 2. *im Hinblick auf etwas, in bezug auf eine bestimmte Sache:* ich kann mich kaum d. erinnern. * **nicht d. denken, etwas zu tun** *(es liegt jmdm. fern, etwas zu tun):* er dachte nicht d., seine Schulaufgaben zu machen.

darạngehen, ging daran, ist darangegangen ⟨itr.⟩ (ugs.): *beginnen:* sie ging daran, den Umzug vorzubereiten.

darạnsetzen, setzte daran, hat darangesetzt: 1. ⟨tr.⟩ *aufbieten, aufs Spiel setzen:* seine Ehre d.; er hat alles darangesetzt, um sein Ziel zu erreichen. 2. ⟨rfl.⟩ *sich endlich hinsetzen, um (mit etwas) zu beginnen:* wenn du mit deiner Arbeit noch fertig werden willst, mußt du dich jetzt d.

darauf [nachdrücklich auch: darauf] ⟨Pronominaladverb⟩: 1. a) *auf der betreffenden Sache:* er bekam eine Geige geschenkt und kann auch schon d. spielen. b) *auf die betreffende Sache:* nachdem ein Platz frei geworden war, wollten sich sogleich mehrere d. setzen. * (ugs.) **d. kannst du Gift nehmen** *(das ist ganz sicher).* 2. *danach, im Anschluß daran:* ein Jahr d. starb er. 3. *deshalb:* man hatte ihn auf frischer Tat ertappt, d. war er verhaftet worden. 4. *im Hinblick auf etwas, in bezug auf eine bestimmte Sache:* d. versessen sein.

darauffolgend ⟨Adj., nur attributiv⟩: *(auf diese Zeit, diese Sache) folgend:* an diesem und dem darauffolgenden Tage; nach dem Scheitern seines Planes und der darauffolgenden Ernüchterung.

daraufhịn [nachdrücklich auch: daraufhin] ⟨Adverb⟩: 1. *deshalb, im Anschluß daran:* es kam zu einer so heftigen Auseinandersetzung, daß d. das Gespräch abgebrochen wurde. 2. *in bezug auf etwas, unter einem* *bestimmten Aspekt:* er prüfte seine Bekannten in Gedanken d., von wem er noch Geld leihen könnte.

daraus [nachdrücklich auch: daraus] ⟨Pronominaladverb⟩: *aus der betreffenden Sache:* sie öffnete ihren Koffer und holte d. ein Kissen hervor; sie kaufte ein paar Reste, um d. etwas für die Kinder zu nähen; d. kannst du viel lernen.

darben, darbte, hat gedarbt ⟨itr.⟩ (geh.): *Mangel [an Nahrung] leiden, eingeschränkt leben:* im Krieg hatten sie d. müssen.

darbieten, bot dar, hat dargeboten (geh.): **1.** ⟨tr.⟩ *zum Entgegennehmen hinhalten, reichen:* sie bot ihm ihre Hand dar. **2.** ⟨tr.⟩ *(künstlerische oder unterhaltende Werke) aufführen, vortragen:* in dem Kurort wurden täglich Konzerte dargeboten. **3.** ⟨rfl.⟩ **a)** *sich dem Blick zeigen, sichtbar werden:* als sie auf dem Berg standen bot sich ihnen eine schöne Aussicht dar. **b)** *sich anbieten:* mir bot sich eine günstige Gelegenheit dar, nach London zu kommen.

Darbietung, die; -, -en: *etwas, was innerhalb einer Veranstaltung aufgeführt, vorgetragen wird:* die musikalischen Darbietungen waren besonders schön.

darbringen, brachte dar, hat dargebracht ⟨tr.⟩ (geh.): *aus Verehrung, Dank zuteil werden lassen; geben, schenken:* jmdm. Glückwünsche, ein Ständchen d.; ein Opfer d.

darein [nachdrücklich auch: darein] ⟨Adverb⟩ (geh.): *in die betreffende Sache:* ich besitze das Buch schon lange, hatte aber noch keine Zeit, mich d. zu vertiefen.

dareinfinden, sich; fand sich darein, hat sich dareingefunden: *sich (mit etwas) abfinden, sich (auf etwas) einstellen:* durch den Tod seines Vaters veränderte sich seine Lage völlig, doch fand er sich schnell darein.

darin [nachdrücklich auch: darin] ⟨Pronominaladverb⟩ *in der betreffenden Sache:* sie mieteten einen Bungalow, um d. die Ferien zu verbringen; d. ist er dir weit überlegen.

darlegen, legte dar, hat dargelegt ⟨tr.⟩: *ausführlich erläutern, erklären:* jmdm. seine Ansicht, seine Gründe d. **Darlegung,** die; -, -en.

Darlehen, das; -s, -: *[gegen Zinsen] geliehene größere Geldsumme:* ein D. aufnehmen, beantragen; jmdm. ein [zinsloses] D. gewähren.

Darm, der; -[e]s, Därme: *Verdauungskanal zwischen Magen und After.*

darreichen, reichte dar, hat dargereicht ⟨tr.⟩ (geh.): *zum Entgegennehmen hinhalten, reichen:* er reichte ihr ein kostbares Geschenk dar.

darstellen, stellte dar, hat dargestellt: **1.** ⟨tr.⟩ *in einem Bild zeigen, abbilden:* das Gemälde stellt ihn im Kostüm des Hamlet dar. **2.** ⟨tr.⟩ *als Schauspieler eine bestimmte Rolle spielen:* er hatte den Wallenstein schon an mehreren Bühnen dargestellt. * (ugs.) **nichts/etwas d.** *(nichts/etwas Besonderes sein):* dieser Mann stellt doch nichts dar. **3.** ⟨tr.⟩ *schildern:* einen Sachverhalt ausführlich, falsch d. **4.** ⟨itr.⟩ *bedeuten, sein:* das Ereignis stellte einen Wendepunkt in seinem Leben dar. **5.** ⟨rfl.⟩ *einen bestimmten Eindruck machen; sich herausstellen, erweisen (als etwas):* mir stellte sich die Angelegenheit sehr verwickelt dar. ** **die darstellenden Künste** *(Malerei, Plastik, Schauspiel, Ballett).*

Darsteller, der; -s, -: *jmd., der eine Rolle auf der Bühne o. ä. spielt:* der D. des Hamlet. **Darstellerin,** die; -, -nen.

Darstellung, die; -, -en: **a)** *Wiedergabe im Bild:* sie betrachteten eine moderne D. der Kreuzigung. **b)** *Wiedergabe auf der Bühne:* die D. des Nathan war nicht befriedigend. **c)** *Wiedergabe durch Worte; Schilderung:* das Buch enthält eine realistische D. des Krieges.

darüber [nachdrücklich auch: darüber] ⟨Pronominaladverb⟩: **1. a)** *über der betreffenden Sache:* die Bücher stehen in den unteren Fächern, d. liegen die Noten. **b)** *über die betreffende Sache:* er packte Schuhe und Wäsche in den Koffer, d. legte er die Anzüge; ihm war dieses Thema unangenehm, deshalb ging er mit ein paar Sätzen d. hinweg. **2.** *über das betreffende Maß, die betreffende Grenze hinaus:* das Alter der Abiturienten ist heute im Durchschnitt achtzehn Jahre und d. **3.** *währenddessen, dabei:* er hatte gewartet und war d. eingeschlafen; d. habe ich völlig vergessen, daß ... **4.** *in bezug auf die betreffende Sache:* wir wollen uns nicht d. streiten.

darübermachen, sich; machte sich darüber, hat sich darübergemacht (ugs.): **a)** *(mit etwas, wozu man sich zwingen muß) endlich beginnen:* zwar hatte sie keine Lust, den Aufsatz zu schreiben, doch machte sie sich schließlich darüber. **b)** *mit großem Appetit zu essen beginnen:* kaum waren die Äpfel reif, machten sich die Kinder darüber.

darüberstehen, stand darüber, hat darübergestanden ⟨itr.⟩: *(über etwas) erhaben sein:* der Vorwurf, den man ihm machte, traf ihn nicht, er stand darüber.

darum [nachdrücklich auch: darum]: ⟨Pronominaladverb⟩: **1.** *um die betreffende Sache:* den Blumenstrauß hatten sie in die Mitte gestellt und d. herum die Geschenke aufgebaut. **2.** *im Hinblick auf etwas, in bezug auf die betreffende Sache:* d. brauchst du dir keine Sorgen zu machen, das erledige ich schon. **3.** *aus diesem Grund, deshalb:* d. ist er auch so schlecht gelaunt. **4.** *aus diesem Grund, zu dem Zweck:* wir wollen uns Möbel anschaffen, d. müssen wir uns jetzt für einige Zeit sehr einschränken und eisern sparen.

darumkommen, kam darum, ist darumgekommen ⟨itr.⟩ (ugs.): *(auf etwas) verzichten müssen, (um etwas) gebracht werden:* weil sie krank wurde, kam sie darum, am Ausflug teilzunehmen.

darumstehen, stand darum, hat darumgestanden ⟨itr.⟩: *(um etwas) stehen, (etwas) stehend umgeben:* kaum waren die Autos zusammengestoßen, als auch schon viele Menschen darumstanden.

darunter [nachdrücklich auch darunter] ⟨Pronominaladverb⟩: **1. a)** *unter der betreffenden Sache:* im Stockwerk d. wohnen die

Großeltern. **b)** *unter die betreffende Sache:* er drehte die Dusche auf und stellte sich d. **2.** *unter, zwischen den betreffenden Personen:* er hatte eine große Anzahl Schüler, einige d. waren sehr begabt. **3.** *unter dem betreffenden Maß, unter der betreffenden Grenze:* eine Mark das Pfund, d. kann ich die Ware nicht verkaufen. **4.** *in bezug auf die betreffende Sache:* d. kann ich mir nichts vorstellen.

darunterfallen, fällt darunter, fiel darunter, ist daruntergefallen ⟨itr.⟩: *(von etwas) betroffen sein:* diese Bestimmung galt für alle Flüchtlinge, auch er fiel darunter.

darunterliegen, lag darunter, hat daruntergelegen ⟨itr.⟩: *unter einer bestimmten Grenze, Höhe liegen; schlechter sein:* seine Leistungen sind sehr hoch, meine liegen weit darunter.

das: siehe der.

dasein, ist da, war da, ist dagewesen ⟨itr.⟩: *gegenwärtig, anwesend, vorhanden sein:* ich weiß nicht, ob ich d. werde; so etwas ist noch nicht dagewesen *(so etwas hat es noch nie gegeben).*

Dasein, das; -s: **1.** *Leben:* der Kampf ums D.; ein bescheidenes D. führen. **2.** *Existenz:* er leugnet das D. Gottes.

Daseinsberechtigung, die; -: *Recht auf ein Dasein unter angemessenen Bedingungen; Recht zu leben, zu existieren:* [keine] D. haben.

dasitzen, saß da, hat dagesessen ⟨itr.⟩: *(ruhig) an einem Ort sitzen:* unbeweglich, traurig d.; sie saß mit einem Buch in der Hand da und las; bildl. (ugs.): du hast es gut, aber ich sitze da *(bin in einer unangenehmen Situation).*

dasjenige: siehe derjenige.

dasselbe: siehe derselbe.

dastehen, stand da, hat dagestanden ⟨itr.⟩: **a)** *(ruhig) an einem Ort stehen:* steif, aufrecht d. **b)** *unter bestimmten Verhältnissen leben [müssen]:* ohne Mittel d.; allein d. *(keine Angehörigen mehr haben).* * (ugs.) **wie stehe ich nun da!: a)** *ich bin blamiert.* **b)** *bin ich nicht ein großartiger Kerl?*

Daten, die ⟨Plural⟩: *[technische] Größen, Angaben, Werte, Befunde:* exakte D. bekanntgeben.

Datenbank, die; -, -en: *Stelle, auf der bestimmte Daten, Fakten gespeichert werden und auf Verlangen nach bestimmten Gesichtspunkten durch Maschinen ermittelt werden können.*

Datenverarbeitung, die; -, -en: *Prozeß, bei dem Daten mit Hilfe von Rechenmaschinen gespeichert und weiter bearbeitet werden.*

datieren, datierte, hat datiert: **1.** ⟨tr.⟩ **a)** *mit einem Datum versehen:* eine Urkunde d.; der Brief ist vom 5. Februar datiert. **b)** *die Entstehungszeit (von etwas) bestimmen:* eine alte Handschrift, ein Gemälde d. **2.** ⟨itr.⟩ *stammen:* diese Einrichtung datiert aus alter Zeit.

Dattel, die; -, -n: /eine Frucht/ (siehe Bild).

Dattel

Datum, das; -s, Daten: **1.** *Zeitpunkt, Tagesangabe nach dem Kalender:* der Brief ist ohne D.; die wichtigsten Daten der Weltgeschichte. **2.** ⟨Plural⟩ *Angaben, Tatsachen:* statistische Daten.

Dauer, die; -: *bestimmte ununterbrochene Zeit:* die D. seines Aufenthaltes; für die D. von einem Jahr. * **auf die D.** *(wenn es noch lange dauert):* auf die D. macht mir die Arbeit keinen Spaß; **keine D. haben/nicht von [langer] D. sein** *(keinen Bestand haben, nicht andauern).*

dauerhaft ⟨Adj.⟩: *sich lange Zeit erhaltend, beständig:* ihre Neigungen waren nicht sehr d.

Dauerkarte, die; -, -n: *Karte, die für eine bestimmte Dauer zum Eintritt (in etwas) berechtigt:* eine D. für das Schwimmbad lösen.

Dauerlauf, der; -s, Dauerläufe: *[dem körperlichen Training dienender] längerer Lauf in gemäßigtem Tempo:* einen D. machen; es ging im D. zum Bahnhof.

dauern, dauerte, hat gedauert ⟨itr.⟩: **I. 1.** *sich über eine bestimmte Zeit erstrecken:* die Verhandlung dauerte einige Stunden. **2.** (geh.) *Bestand haben:* sie glaubten, eine solche Freundschaft müsse d. **II.** (geh.) *jmds. Mitleid erregen, jmdm. leid tun:* das alte Pferd dauerte ihn; die Zeit, das Geld dauert mich *(es ist schade um die Zeit, das Geld).*

dauernd ⟨Adj.⟩: *ständig, immer wieder:* eine dauernde Wiederholung; er ist d. unterwegs; er kommt d. zu spät.

Daumen

Dauerwelle, die; -, -n: *gegenüber Einflüssen der Witterung relativ beständige Wellung des Haares:* ich muß mir wieder bei meinem Frisör eine D. machen lassen.

Daumen, der; -s, -: *aus zwei Gliedern bestehender erster Finger der Hand* (siehe Bild): ein kurzer D. * (ugs.) **etwas über den D. peilen** *(etwas grob, ungefähr schätzen);* **auf etwas den D. halten** *(etwas festhalten, nicht ohne weiteres hergeben);* **jmdm./für jmdn. den D. halten** *(in Gedanken bei jmdm. sein und ihm einen guten Ausgang seiner Sache wünschen).*

Daumenschraube: ⟨in der Wendung⟩ jmdm. Daumenschrauben ansetzen (ugs.): *jmds. Bewegungsfreiheit einengen, jmdn. unter Druck setzen.*

Daunen, die ⟨Plural⟩: *kleine zarte Federn:* mit D. gefüllte Kissen.

Daunenbett, das; -[e]s, -en: *mit Daunen gefüllte Bettdecke.*

davon [nachdrücklich auch: davon] ⟨Pronominaladverb⟩: **1.** *von der betreffenden Sache* /in bezug auf Abstand oder Trennung/: nicht weit d. [entfernt] befindet sich das Museum; der Schmuck ist von meiner Großmutter, ich kann mich nur schwer d. trennen. * **auf und d.** *(weg).* **2.** *von der betreffenden Sache herrührend, dadurch:* du hast zu laut gesprochen, d. ist sie wach geworden. **3.** *von der betreffenden Menge, Sorte:* d. fehlen mir noch einige Exemplare. **4.** *im Hinblick auf etwas, über die betreffende Sache:* d. hat er sich inzwischen erholt; d. weiß ich nichts. **5.** *mit, aus* *der betreffenden Sache:* d. werde ich mir ein neues Kleid nähen; d. läßt sich durchaus leben.

davonbleiben, blieb davon, ist davongeblieben ⟨itr.⟩ (ugs.): *(sich von etwas) entfernt halten, (etwas) nicht berühren:* das Papier ist schmutzig, bleib davon!

davongehen, ging davon, ist davongegangen ⟨itr.⟩: **1.** *einen Ort verlassen, weg-, fortgehen:* unbemerkt d. **2.** (geh.) *sterben:* sie ist für immer davongegangen.

davonkommen, kam davon, ist davongekommen ⟨itr.⟩: *einer drohenden Gefahr entgehen, sich retten können:* da bist du noch einmal davongekommen; er ist mit dem [bloßen] Schrekken davongekommen *(außer einem Schrecken hat er keinen Schaden erlitten);* er ist mit dem Leben davongekommen *(hat sein Leben retten können).*

davonlassen, läßt davon, ließ davon, hat davongelassen: ⟨in der Wendung⟩ die Finger d. (ugs.): *sich nicht auf etwas Heikles einlassen.*

davonlaufen, läuft davon, lief davon, ist davongelaufen ⟨itr.⟩: *weglaufen:* er ist aus Angst davongelaufen.

davonmachen, sich; machte sich davon, hat sich davongemacht (ugs.): *sich [heimlich] entfernen:* als die Polizei kam, hatte er sich längst davongemacht.

davontragen, trägt davon, trug davon, hat davongetragen ⟨tr.⟩: **1.** *durch Tragen von einem Ort entfernen:* er hat den schweren Sack davongetragen; bildl. der Wind trug die Klänge davon. **2. a)** (geh.) *erlangen, gewinnen:* bei dem Wettkampf trug er den Sieg davon. **b)** *erleiden:* eine Verwundung d.

davor [nachdrücklich auch: davor] ⟨Pronominaladverb⟩: **1. a)** *vor der betreffenden Sache:* ein Haus mit einem Garten d. **b)** *vor die betreffende Sache:* damit das Haus nicht so kahl aussah, pflanzten sie Sträucher d. **2.** *vor der betreffenden Zeit, vorher:* nach der Pause fiel das entscheidende Tor, d. stand das Spiel 2 : 2. **3.** *im Hinblick auf die betreffende Sache:* er fürchtet sich d., allein die Verantwortung zu tragen.

davorstehen, stand davor, hat davorgestanden ⟨itr.⟩: **1.** *(etwas) räumlich vor sich haben, (vor etwas) stehen:* sie suchte das Haus Nr. 25 und bemerkte, daß sie davorstand. **2.** *(etwas) zeitlich vor sich haben:* „Haben sie schon Examen gemacht?“ „Nein, aber ich stehe unmittelbar davor.“

dazu [nachdrücklich auch: dazu] ⟨Pronominaladverb⟩: **1.** *zu der betreffenden Sache:* ich lasse mich von niemandem d. zwingen. **2.** *im Hinblick auf etwas, in bezug auf die betreffende Sache:* er wollte sich nicht näher d. äußern. **3.** *zu der betreffenden Art:* er ist von Natur kein verschlossener Mensch, seine Erfahrungen haben ihn erst d. gemacht. **4.** *zu diesem Zweck:* d. ist er gewählt worden.

dazugehören, gehörte dazu, hat dazugehört ⟨itr.⟩: *zu der betreffenden Sache, zu den betreffenden Personen gehören:* alles, was dazugehört, fehlt mir noch; in ihrem Kreis weiß man erst nach einiger Zeit, ob man wirklich dazugehört.

dazukommen, kam dazu, ist dazugekommen ⟨itr.⟩: **1.** *(zu einem Geschehen) kommen, erscheinen:* sie kam gerade dazu, als sich die Kinder zu streiten begannen. **2.** *hinzukommen:* die Klasse hatte 25 Schüler, drei von ihnen blieben sitzen, zwei kamen dazu.

dazumal ⟨Adverb⟩ (scherzh.): *damals:* die Mode von d. * (ugs.) **Anno d.** *(vor sehr langer Zeit).*

Dazutun: ⟨in der Fügung⟩ ohne jmds. D.: *ohne jmds. Hilfe, Unterstützung.*

dazuverdienen, verdiente dazu, hat dazuverdient ⟨tr.⟩: *zusätzlich verdienen:* sie verdiente sich als Schneiderin noch ein paar Mark dazu.

dazwischen [nachdrücklich auch: dazwischen] ⟨Pronominaladverb⟩: **1.** *zwischen den betreffenden Sachen, Personen:* wir reisen nach Florenz und Rom, werden d. aber mehrmals Station machen. **2.** *zwischen den betreffenden Ereignissen:* am Nachmittag gibt es Reportagen und d. Musik. **3.** *darunter, dabei:* wir haben alle Briefe durchsucht, aber Ihren Antrag nicht d. gefunden.

dazwischenfahren, fährt dazwischen, fuhr dazwischen, ist dazwischengefahren ⟨itr.⟩: *mit lauter Stimme eingreifen, um Lärm oder Streit zu beenden:* sie machen einen furchtbaren Krach, da müßte mal jemand d.

dazwischenfunken, funkte dazwischen, hat dazwischengefunkt ⟨itr.⟩ (ugs.): **a)** *dazwischenfahren:* nachdem der Vater dazwischengefunkt hatte, waren die Kinder plötzlich ruhig. **b)** *störend eingreifen:* wir wären längst fertig, wenn du nicht dauernd dazwischengefunkt hättest.

dazwischenkommen, kam dazwischen, ist dazwischengekommen ⟨itr.⟩: *sich unvorhergesehen ereignen und dadurch etwas unmöglich machen oder verzögern:* wenn nichts dazwischenkommt, werden wir euch noch in diesem Jahr besuchen.

dazwischenreden, redete dazwischen, hat dazwischengeredet ⟨itr.⟩: *sich unhöflich in ein Gespräch einschalten, jmdn. unterbrechen:* du darfst nicht ständig d.

dazwischenrufen, rief dazwischen, hat dazwischengerufen ⟨tr./itr.⟩: *(durch Rufe) jmds. Rede unterbrechen:* kaum begann der Politiker seine Rede, als auch schon einige Zuhörer [ihre Bemerkungen] dazwischenriefen.

dazwischenschlagen, schlägt dazwischen, schlug dazwischen, hat dazwischengeschlagen ⟨itr.⟩: *durch Anwendung von Gewalt etwas, was man mißbilligt, zu beenden suchen* /üblich in Sätzen mit Konjunktiv, die Wunsch nach Beseitigung übler Zustände o. ä. ausdrücken/: da sollte man doch d.; am liebsten kätte ich dazwischengeschlagen.

dazwischentreten, tritt dazwischen, trat dazwischen, ist dazwischengetreten ⟨itr.⟩: *sich einschalten, um einen Streit zu schlichten:* als die Schüler nicht aufhörten sich zu streiten, mußte der Lehrer d.

Debakel, das; -s, -: *blamable Niederlage, Zusammenbruch, Unglück:* zu einem völligen D. führen.

Debatte, die; -, -n: *lebhafte Erörterung, Aussprache [im Parlament]:* die D. eröffnen; in die D. eingreifen; das steht hier nicht zur D.

debattieren, debattierte, hat debattiert ⟨itr./tr.⟩: *lebhaft erörtern, besprechen.*

Debüt [de'by:], das; -s, -s: *erstes Auftreten:* er gab gestern sein D.

Debütạnt, der; -en, -en: *jmd., der im Theater, Konzertsaal o. ä. sein Debüt gibt:* einen Debütanten vorstellen.

debütieren, debütierte, hat debütiert ⟨itr.⟩: *zum erstenmal öffentlich auftreten* /von Schauspielern, Sängern, Tänzern o. ä./: er debütierte in der Rolle des Egmont.

dechiffrieren [deʃɪ'fri:rən], dechiffrierte, hat dechiffriert ⟨tr.⟩: *aus einem verschlüsselten einen verständlichen Text herstellen; entschlüsseln:* eine geheime Nachricht d.

Dẹck, das; -s, -s: **a)** *oberstes Stockwerk eines Schiffes:* alle Mann an D.! **b)** *unter dem oberen Abschluß des Schiffsrumpfes liegendes Stockwerk:* das Kino befindet sich im unteren D.

Dẹckadresse, die; -, -n: *Adresse, die jmd. angibt, um seine eigentliche Anschrift zu verheimlichen.*

Dẹckbett, das; -[e]s, -en: *Bettdecke, mit der der Körper [während des Schlafes] zugedeckt wird:* das D. über die Ohren ziehen.

Dẹcke, die; -, -n: **1.** *Gegenstand aus Stoff, mit dem man jmdn./etwas bedeckt* (siehe Bild): eine warme D. * (ugs.) **sich nach der D. strecken müssen** *(mit wenig auskommen müssen; sparsam sein müssen);* (ugs.) **mit jmdm. unter einer D. stekken** *(mit jmdm. insgeheim die gleichen schlechten Ziele verfolgen).* **2.** *obere, äußerste Schicht, Umhüllung:* die Straße ist voller Löcher, die D. muß an mehreren Stellen repariert werden. **3.** *oberer Abschluß eines Raumes* (siehe Bild): das Zimmer hat eine niedrige, hohe D.

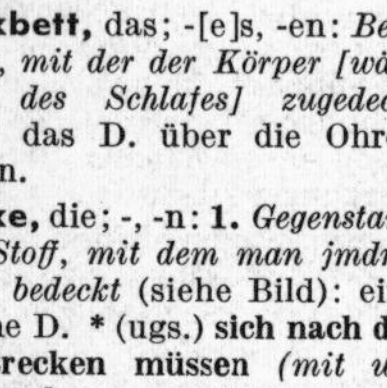

1.

3.

Decke

Dẹckel, der; -s, -: **1.** *abnehmbarer, aufklappbarer Teil eines Gefäßes, der die Öffnung verdeckt:* den D. des Topfes abnehmen. **2.** *vorderes und hinteres Blatt des steifen Umschlags, in den ein Buch gebunden ist:* den D. aufschlagen. **3.** (ugs.; scherzh.) *Hut, Kopfbedeckung.* * (ugs.) **jmdm. eins auf den D. geben** *(jmdn. zurechtweisen);* (ugs.) **eins auf den D. kriegen** *(zurechtgewiesen werden).*

dẹcken, deckte, hat gedeckt: **1. a)** ⟨tr.⟩ *(etwas) auf etwas legen:* das Dach [mit Ziegeln] d.; [den Tisch] für drei Personen d. *(Tischtuch und Bestecke auf den Tisch legen).* **b)** ⟨itr.⟩ *(als Farbe) nichts mehr durchscheinen lassen:* diese Farbe deckt gut. **2. a)** ⟨tr./rfl.⟩ *schützen:* den Rückzug der Truppen d.; der Boxer deckte sich schlecht. **b)** ⟨tr.⟩ *sich (vor etwas oder jmdn., der rechtswidrig gehandelt hat) schützend stellen:* seinen Komplicen, ein Verbrechen d. **c)** ⟨tr.⟩ Ballspiele *ständig in der Nähe des gegnerischen Spielers sein und ihm keine Möglichkeit zum Spielen lassen:* die Verteidigung deckte den gegnerischen Mittelstürmer nicht konsequent. **3.** ⟨tr.⟩ **a)** *eine Sicherheit, Geldmittel bereithalten (für etwas):* das Darlehen wurde durch eine Hypothek gedeckt; ⟨häufig im 2. Partizip⟩ er wollte wissen, ob der Scheck gedeckt sei. **b)** *die notwendigen Mittel bereitstellen, jmdn. versorgen:* die Nachfrage, den Bedarf d.; mein Bedarf ist gedeckt. **4.** ⟨tr.⟩ *begatten:* die Stute wurde gedeckt. **5.** ⟨rzp.⟩ *einander gleich sein:* die beiden Dreiecke decken sich.

Dẹckenbeleuchtung, die; -, -en: *an der Decke eines Raumes angebrachte Beleuchtung.*

Dẹckengemälde, das; -s, -: *an die Decke eines Raumes gemaltes Gemälde:* sie betrachteten die alten Deckengemälde, die die Erlösung und Verdammung der Menschen am Jüngsten Tag darstellten.

Dẹckfarbe, die; -, -n: *besondere Farbe, die den Grund, auf den sie aufgetragen wird, nicht durchscheinen läßt.*

Dẹckmantel, der; -s: *Vorwand, der etwas Schlechtes durch etwas Gutes verschleiern soll:* unter dem D. der Religion Geschäfte machen.

Dẹckname, der; -ns, -n: *angenommener Name, um den eigentlichen geheimzuhalten:* er trieb unter einem Decknamen Spionage.

Dẹckung, die; -: **1. a)** *Schutz vor feindlichem Beschuß o. ä.:* die Soldaten suchten volle D. **b)** *Duldung:* die D. einer rechtswidrigen Verhaftung. **c)** Sport: *α) Verteidigung, Schutz vor Angriffen, bes. beim Boxen:* die D. entblößen. *β) verteidigende Spieler:* die D. spielte ausgezeichnet. **2. a)** *Sicherheit, entsprechender Gegenwert:* das zur D. der Währung vorgeschriebene Niveau der Devisen. **b)** *Befriedigung:* man sicherte die D. des Bedarfs an Nahrungsmitteln durch Importe. **3.** *Begattung* /von Haustieren/: der Hengst darf zur D. fremder Stuten verwendet werden. **4.** *Übereinstimmung:* die D. von Denken und Tun, Absicht und Erfüllung.

Dẹckweiß, das; -[es]: *weiße Farbe, die den Grund, auf den sie aufgetragen wird, nicht durchscheinen läßt.*

de fạcto: *tatsächlich, den Tatsachen gemäß* /Ggs. de jure/: die neuen Grenzen d. f. anerkennen.

Defätịst, der; -en, -en: *jmd., der die eigene Mutlosigkeit auch auf andere überträgt.*

defätịstisch ⟨Adj.⟩: *zum Aufgeben des militärischen Widerstands neigend, mutlos:* ein defätistisches Verhalten.

defẹkt ⟨Adj.⟩: *schadhaft:* der Motor ist d.

Defẹkt, der; -[e]s, -e: *Schaden:* einen D. an einer Maschine beheben.

defensịv ⟨Adj.⟩: *verteidigend, abwehrend* /Ggs. offensiv/: der Gegner verhielt sich d.; d. *(rücksichtsvoll)* Auto fahren.

Defensịvbündnis, das; -ses, -se: *Bündnis, das in Kraft tritt, wenn einer der den Vertrag schließenden Partner bedroht oder angegriffen wird und Schutz braucht.*

Defensịve, die; -: *Verteidigung, Abwehr* /Ggs. Offensive/: jmdn. aus der Offensive in die D. drängen; in der D. bleiben.

defilieren, defilierte, hat/ist defiliert ⟨itr.⟩ (geh.): *[feierlich] vorbeiziehen, vorbeimarschieren:* die Soldaten sind/haben vor der Loge der Königin defiliert.

definieren, definierte, hat definiert ⟨tr.⟩: *[den Inhalt eines Begriffes] bestimmen, erklären:* einen Begriff d.

Definition, die; -, -en: *Bestimmung, Erklärung eines Begriffes:* eine D. geben.

Defizit, das; -s, -e: *Fehlbetrag; Verlust:* ein D. von 1000 DM haben.

Deflation, die; -, -en: *unzureichende Versorgung der Wirtschaft eines Staates mit Geld* /Ggs. Inflation/: eine D. durch erhöhte staatliche Ausgaben bekämpfen.

deformieren, deformierte, hat deformiert ⟨tr.⟩: **a)** *verformen:* durch den starken Aufprall wurde die Karosserie des Wagens total deformiert. **b)** *verunstalten, entstellen:* sein Gesicht ist durch die Explosion schrecklich deformiert worden.

deftig ⟨Adj.⟩ (nordd.; ugs.): **1.** *tüchtig, kräftig:* eine deftige Mahlzeit. **2.** *derb, etwas grob:* deftige Witze erzählen.

Degen, der; -s, -: *Hieb- und Stichwaffe [zum Fechten]* (siehe Bild).

Degen

degeneriert ⟨Adj.⟩: **1.** *nicht mehr dem Vorbild entsprechend, entartet:* ein degenerierter Mensch; sittlich d. sein. **2.** *nicht mehr ganz ausgebildet* /von Organen/: degenerierte Zellen.

degradieren, degradierte, hat degradiert ⟨tr.⟩: *auf eine tiefere Rangstufe stellen, erniedrigen:* der Offizier wurde degradiert; die Tragödie wurde zum Musical degradiert. **Degradierung,** die; -, -en.

dehnbar ⟨Adj.⟩: *sich in die Länge, Breite dehnen lassend:* ein sehr dehnbares Gummiband; bildl.: ein dehnbarer *(nicht klar umrissener, nicht genau bestimmter)* Begriff. **Dehnbarkeit,** die; -.

dehnen, dehnte, hat gedehnt: **1.** ⟨tr.⟩ *durch Auseinanderziehen, Spannen länger, breiter machen:* dieses Gewebe kann man nicht d. **2.** ⟨rfl.⟩ *breiter, länger, größer werden:* der Pullover dehnt sich am Körper.

Deich, der; -[e]s, -e: *Damm an der Küste, am Flußufer zum Schutz gegen Überschwemmung:* einen D. bauen; der D. ist gebrochen.

Deichbruch, der; -[e]s, Deichbrüche: *Durchbruch durch einen Deich, Zerstörung eines Deiches durch den Druck von Wasser.*

Deichsel, die; -, -n: *[zum Anspannen der Pferde, Ochsen usw. dienende] Stange am Wagen.*

deichseln, deichselte, hat gedeichselt ⟨tr.⟩ (ugs.): *durch Geschicklichkeit (etwas Schwieriges) zustande bringen, meistern:* mach dir keine Sorgen, ich werde die Sache schon d.

dein ⟨Possessivpronomen⟩ /bezeichnet ein Besitz- oder Zugehörigkeitsverhältnis der angeredeten Person/: dein Buch; deine Freunde; das Leben deiner Kinder.

Dejeuner [deʒø'ne:], das; -s, -s (geh.): *Frühstück:* das D. bereiten, servieren.

de jure: *rechtlich, von Rechts wegen* /Ggs. de facto/: das Parlament hat nicht nur d. j., sondern auch de facto politische Macht.

dekadent ⟨Adj.⟩: *krankhaft verfeinert:* seine Gedichte waren etwas d.

Dekadenz, die; -: *krankhafte Verfeinerung, Verfall:* die individuellen Grundrechte als Ausdruck bürgerlicher D. abwerten.

Dekan, der; -s, -e: *Leiter einer Fakultät.*

Deklamation, die; -, -en: *pathetische, gehaltlose Rede:* auf der Versammlung kam es zu keinen Entscheidungen, sondern nur zu leeren Deklamationen.

deklamieren, deklamierte, hat deklamiert ⟨tr.⟩: *mit Pathos vortragen:* Verse d.

Deklaration, die; -, -en: *feierlich, offiziell abgegebene] grundsätzliche Erklärung:* eine D. abgeben; eine D. der Grundrechte des Menschen.

deklarieren, deklarierte, hat deklariert ⟨tr.⟩: **1.** *grundsätzlich erklären:* der Schuldner deklarierte vor Gericht, daß er unfähig sei zu zahlen. **2.** *zum Verzollen oder Versteuern angeben:* die Zigaretten müssen deklariert werden.

deklassieren, deklassierte, hat deklassiert ⟨tr.⟩: **1.** *in den Augen der Gesellschaft um eine bestimmte Stufe herabsetzen:* man hat ihn mit üblen Methoden deklassiert; ihr Benehmen deklassierte sie. **2.** *bei sportlichen Wettkämpfen die Gegner ganz überlegen schlagen:* in den folgenden Runden deklassierte Clark die übrigen Läufer.

deklinieren, deklinierte, hat dekliniert ⟨tr.⟩: *ein Wort in seinen Formen abwandeln, beugen:* ein Substantiv, ein Adjektiv d.

Dekolleté [dekɔl(ə)'te:], das; -s, -s: *tiefer Ausschnitt an Damenkleidern:* sie trug ein Ballkleid mit einem großzügigen D.

dekolletiert [dekɔl(ə)'ti:rt], *tief ausgeschnitten* /von Kleidern/: ein geschickt dekolletiertes Kleid.

Dekor, der, (auch:) das; -s, -s: *(farbige) Verzierung:* Gläser mit geschmackvollem D.

Dekorateur [dekora'tø:r], der; -s, -e: *jmd., der Schaufenster oder Räume künstlerisch ausgestaltet* /Berufsbezeichnung/.

Dekoration, die; -, -en: **a)** ⟨ohne Plural⟩ *schmückendes, künstlerisches Ausgestalten eines Raumes, Schmücken eines Gegenstandes:* die D. der Schaufenster, der Tische nahm lange Zeit in Anspruch. **b)** *Dinge, mit denen etwas ausgeschmückt, künstlerisch ausgestaltet wird, ist:* die Dekorationen zu „Figaros Hochzeit"; die festlichen Dekorationen auf dem Podium wurden von allen bewundert.

dekorativ ⟨Adj.⟩: *schmückend, [nur] als Dekoration dienend:* eine dekorative Anordnung; dekorative Einzelheiten.

dekorieren, dekorierte, hat dekoriert ⟨tr.⟩: **1.** *künstlerisch ausgestalten, ausschmücken:* die Schaufenster, den Saal d. **2.** *mit Orden auszeichnen:* der Präsident ist auf seiner Reise mehrfach dekoriert worden.

Dekret, das; -[e]s, -e: *Verfügung, Beschluß, Entscheidung* /von Kaisern, Päpsten o. ä./: ein D. erlassen.

dekretieren, dekretierte, hat dekretiert ⟨tr.⟩ (geh.): *ver-, anordnen:* die Regierung dekretiert folgende Maßnahmen ...

Delegation, die; -, -en: *Abordnung:* eine D. entsenden.

delegieren, delegierte, hat delegiert ⟨tr.⟩: **1.** *abordnen:* jmdn. zu einem Kongreß d. **2.** *(jmdm.) eine Aufgabe, Befugnis übertragen:* der Manager delegiert einen Teil seiner Arbeit auf andere.

Delegierte, der; -n, -n ⟨aber: [ein] Delegierter, Plural: Delegierte⟩: *jmd., der zu etwas abgeordnet ist.*

delektieren, delektierte, hat delektiert ⟨tr./rfl.⟩ (geh.): *erfreuen, ergötzen:* er delektierte seine Gäste mit pikanten Anekdoten; ich delektierte mich an dem besonders zarten Fleisch und Gemüse.

delikat ⟨Adj.⟩: **1.** *besonders fein, wohlschmeckend:* das Gemüse ist, schmeckt d. **2. a)** ⟨nicht adverbial⟩ *heikel:* eine delikate Angelegenheit. **b)** *taktvoll, mit Feingefühl:* die Sache will d. behandelt sein.

Delikatesse, die; -, -n: *Leckerbissen, besonders feine Speise:* Lachs ist eine D.

Delikt, das; -[e]s, -e: *Vergehen, geringe Straftat:* ein D. begehen.

Delinquent, der; -en, -en: *jmd., der eine gering? Straftat begangen hat.*

Delirium, das; -s, Delirien: *Störung des Bewußtseins, verbunden mit Erregung und Sinnestäuschungen:* in ein D. verfallen; im D. toben.

Delle, die; -, -n (landsch.): *leichte Vertiefung:* eine D. im Kotflügel des Autos; eine D. in den Hut drücken.

Delphin, der; -s, -e: /ein Tier/ (siehe Bild).

Delphin

Delta, das; -s, -s: *Gebiet an der Mündung eines Flusses, das durch die verschiedenen Arme dieses Flusses wie ein Dreieck geformt ist:* das D. des Nils.

Demagoge, der; -n, -n: *jmd., der andere [politisch] aufhetzt, durch leidenschaftliche Reden verführt.*

Demagogie, die; -: *politische Aufwiegelung, Verführung:* der D. eines Politikers erliegen; jmds. D. durchschauen.

demagogisch ⟨Adj.⟩: *Hetze treibend:* demagogische Reden.

Demarkationslinie, die; -, -n: *zwischen Staaten vereinbarte vorläufige Grenze:* die D. respektieren, überschreiten.

demaskieren, demaskierte, hat demaskiert: **a)** ⟨rfl.⟩ *die Maske abnehmen:* um Mitternacht demaskieren sich alle. **b)** ⟨rfl.⟩ *sein wahres Gesicht zeigen:* durch sein Verhalten hat er sich demaskiert. **c)** ⟨tr.⟩ *jmdn. zwingen, sein wahres Gesicht zu zeigen:* einen Hochstapler d. **Demaskierung,** die; -, -en.

Dementi, das; -s, -s: *offizielle Berichtigung oder Widerruf einer Behauptung:* es ergab sich für die Regierung die Notwendigkeit, ein D. zu veröffentlichen.

dementieren, dementierte, hat dementiert ⟨tr.⟩: *(eine Nachricht, Behauptung anderer) öffentlich für unwahr erklären:* eine Meldung d.

dementsprechend ⟨Adj.⟩: *dem eben Gesagten entsprechend:* auf eine spitze Frage eine dementsprechende Antwort geben; das Wetter war kühl, d. zog sie sich an.

demgegenüber ⟨Adverb⟩: *dem eben Gesagten gegenüber, dagegen; im Vergleich dazu:* für dieses eine Fach interessierte er sich, alle anderen Fächer waren ihm d. gleichgültig.

demgemäß ⟨Adverb⟩: *dem eben gesagten gemäß; infolgedessen:* die Zeitung hatte nur eine geringe Auflage und brachte d. nichts ein.

demilitarisieren, demilitarisierte, hat demilitarisiert ⟨tr.⟩: *von Truppen und militärischen Anlagen entblößen:* auf Grund von vertraglichen Vereinbarungen wurde das Gebiet demilitarisiert. **Demilitarisierung,** die; -.

demnach ⟨Adverb⟩: *auf Grund des vorher Gesagten; folglich:* er fährt einen großen Wagen, d. müßte es ihm sehr gut gehen.

demnächst ⟨Adverb⟩: *in nächster Zeit:* d. erscheint die zweite Auflage des Buches.

Demokrat, der; -en, -en: *Anhänger der Demokratie:* als guter D. wehrte er sich gegen diese autoritären Maßnahmen.

Demokratie, die; -, -n: *Staatsform, in der das Volk durch seine gewählten Vertreter die Herrschaft ausübt:* in einer D. leben.

demokratisch ⟨Adj.⟩: *den Grundsätzen der Demokratie entsprechend:* eine demokratische Einstellung.

demolieren, demolierte, hat demoliert ⟨tr.⟩: *mutwillig stark beschädigen [und dadurch unbrauchbar machen]:* die Betrunkenen demolierten die Möbel.

Demonstrant, der; -en, -en: *jmd., der an einer Demonstration teilnimmt:* mehrere Demonstranten wurden verhaftet.

Demonstration, die; -, -en: **1.** *Massenkundgebung:* eine D. veranstalten. **2.** *anschauliche Beweisführung:* ein Unterricht mit Demonstrationen. **3.** *sichtbarer Ausdruck einer bestimmten Absicht:* die Olympischen Spiele sind eine D. der Völkerfreundschaft; seine Rede wurde als eindrucksvolle D. gegen den Krieg verstanden.

demonstrativ ⟨Adj.⟩: **a)** *betont auffällig:* daraufhin erklärte er d. seinen Rücktritt. **b)** *anschaulich:* eine demonstrative Darlegung schwieriger Probleme.

demonstrieren, demonstrierte, hat demonstriert: **1.** ⟨itr.⟩ *seine ablehnende Haltung gegen etwas öffentlich mit anderen zusammen kundtun:* gegen den Krieg d.; die Arbeiter demonstrierten gemeinsam mit den Studenten. **2.** ⟨tr.⟩ *veranschaulichen, zeigen:* er demonstrierte, wie sich der Unfall ereignet hatte.

Demontage [demɔn'ta:ʒə], die; -, -n: *Abbruch, Abbau:* die D. der Industrieanlagen war Teil der Wiedergutmachung nach dem 2. Weltkrieg.

demontieren, demontierte, hat demontiert ⟨tr.⟩: *auseinandernehmen, abbauen:* eine Maschine, Fabrik d.

demoralisieren, demoralisierte, hat demoralisiert ⟨tr.⟩: *(jmdm.) den moralischen Halt nehmen:* die ständigen Angriffe demoralisierten die Soldaten. **Demoralisierung,** die; -.

Demoskopie, die; -, -n: *Meinungsforschung, Volksbefragung:* Institut für D.

Demut, die; -: *Ergebenheit; Bereitschaft zu dienen, sich zu unterwerfen:* christliche D.

demütig ⟨Adj.⟩: *von Demut erfüllt, untertänig:* d. bitten. **demütigen,** demütigte, hat gedemütigt: **a)** ⟨tr.⟩ *(jmdn.) erniedrigen, in seinem Ehrgefühl und Stolz verletzen:* es macht ihm Freude, andere zu d. **b)** ⟨rfl.⟩ *sich in Demut beugen:* sich vor Gott d. **Demütigung,** die; -, -en.

demzufolge ⟨Adverb⟩: *demnach, folglich:* er kam heute morgen sehr früh hier an, d. müßte er gestern abend schon abgefahren sein.

Denkart, die; -: *Art und Weise zu denken, Einstellung:* seine D. entspricht nicht der meinen.

denkbar ⟨Adj.⟩: **a)** ⟨nicht adverbial⟩ *möglich [gedacht zu werden]:* ohne Luft und Licht ist kein Leben d. **b)** ⟨verstärkend bei Adjektiven⟩ *äußerst:* dieser Termin ist d. ungünstig; zwischen uns besteht das d. beste *(allerbeste)* Verhältnis.

denken, dachte, hat gedacht: **1. a)** ⟨itr.⟩ *die menschliche Fähigkeit des Erkennens und Urteilens (auf etwas) anwenden:* logisch d.; bei dieser Arbeit muß man d. **b)** ⟨tr.⟩ *einen bestimmten Gedanken haben:* jeder denkt im geheimen dasselbe; er dachte bei sich, ob es nicht besser wäre, wenn ... **2.** ⟨itr.⟩ **a)** *gesinnt sein:* rechtlich d. **b)** *(über jmdn./etwas) eine bestimmte [vorgefaßte] Meinung haben:* die Leute denken nicht gut von dir; ⟨auch tr.⟩ ich weiß nicht, was ich davon d. *(halten)* soll. **3.** ⟨itr.⟩ **a)** *annehmen, glauben, meinen:* ich dachte, ich hätte dir das Buch schon gegeben. **b)** *(etwas) vermuten:* du hättest dir doch d. können, daß ich später komme. **c)** *sich (jmdn./etwas) in einer bestimmten Weise vorstellen:* ich denke mir das Leben auf dem Lande sehr erholsam. **4.** ⟨itr.⟩ *beabsichtigen, vorhaben:* eigentlich denke ich, morgen abzureisen. **5.** ⟨itr.⟩ **a)** *sich erinnern, in Gedanken (bei jmdm./etwas) sein:* er denkt oft an seine verstorbenen Eltern. **b)** *auf jmds. Wohl bedacht sein, (für etwas) Vorsorge treffen:* sie denkt immer zuerst an die Kinder; ans Alter d. **c)** *(jmdn.) für eine Aufgabe o. ä. vorgesehen haben:* wir hatten bei dem Projekt an Sie gedacht.

Denker, der; -s, -: *jmd., der über die Probleme des Daseins lange und gründlich nachdenkt und sie dabei zu lösen versucht; Philosoph:* er gehört zu den bedeutendsten Denkern seiner Zeit.

denkfaul ⟨Adj.⟩: *zum Nachdenken zu faul:* eine oberflächliche Unterhaltung für ein denkfaules Publikum.

Denkmal, das; -s, Denkmäler: **1.** *zum Gedächtnis an eine Person, ein Ereignis errichtete größere plastische Darstellung, Monument* (siehe Bild): das D. Schillers und Goethes. *** sich** (Dativ) **ein D. setzen** *(durch eine besondere Leistung in der Erinnerung weiterleben).* **2.** *erhaltenswertes Werk, das für eine frühere Kultur Zeugnis ablegt:* diese Handschrift gehört zu den wichtigen Denkmälern des Mittelalters.

1.

Denkmal

Denkschrift, die; -, -en: *an eine offizielle Stelle gerichtete Schrift über eine wichtige [öffentliche] Angelegenheit:* eine D. an die Regierung richten.

Denksport, der; -s: *als Spiel betriebene Übung des Verstandes an dazu geeigneten Aufgaben:* eine Zeit, die Quiz und D. liebt.

Denkweise, die; -: *Art und Weise zu denken; Einstellung:* seine D. unterschied sich von der seines Freundes.

denkwürdig ⟨Adj.⟩: *wert, im Gedächtnis bewahrt zu werden; bedeutungsvoll:* ein denkwürdiges Ereignis.

Denkzettel, der; -s, - (ugs.): *längere Zeit im Gedächtnis bleibende Strafe oder unangenehme Erfahrung, die auf das eigene Verhalten zurückzuführen ist:* jmdm. einen D. geben.

denn ⟨Partikel⟩: **I.** ⟨kausale Konj.⟩: wir gingen wieder ins Haus, d. auf der Terrasse war es zu kühl geworden. **II.** ⟨Vergleichspartikel⟩ (selten) *als:* er ist bedeutender als Gelehrter d. als Künstler; ⟨häufig in Verbindung mit *je* nach Komparativ⟩ mehr, besser d. je. **III.** ⟨Adverb⟩ /dient der Verstärkung/: was ist d. [nur]?; nun d. *(also)*!

dennoch ⟨Adverb⟩: *auch unter den genannten Umständen noch, trotzdem:* er war krank, d. wollte er seine Reise nicht verschieben.

Denunziant, der; -en, -en (abwertend): *jmd., der einen anderen denunziert:* du mußt ihm gegenüber vorsichtiger sein, denn er ist ein D.

Denunziation, die; -, -en: *denunzierende Anzeige:* er ließ sich für die D. bezahlen.

denunzieren, denunzierte, hat denunziert ⟨tr.⟩ (abwertend): *aus niedrigen Motiven anzeigen, verraten:* er hat ihn [bei der Polizei] denunziert.

Depesche, die; -, -n: **1.** (veraltend) *gefunkte oder durch Draht übermittelte eilige Nachricht, Telegramm:* eine D. schicken, erhalten. **2.** *von einer Regierung ihrem Vertreter übermitteltes Schriftstück.*

depeschieren, depeschierte, hat depeschiert ⟨tr./itr.⟩ (veraltend): *telegraphieren:* er depeschierte ihr folgende Nachricht ...; aus diesem Grund hatte er ihr depeschiert.

deplaciert ⟨Adj.⟩: *unangebracht, unpassend:* diese Bemerkung war absolut deplaciert.

deponieren, deponierte, hat deponiert ⟨tr.⟩: *hinterlegen, in Verwahrung geben:* seinen Schmuck im Safe d.

Deportation, die; -, -en: *unter Zwang erfolgte Verschickung, Verbannung:* die Verurteilten erwarteten ihre D. auf eine einsame Insel.

deportieren, deportierte, hat deportiert ⟨tr.⟩: *unter Anwendung von Zwang verschicken, verbannen:* Verbrecher, politische Gegner, ganze Bevölkerungsgruppen d.

Depot [de'po:], das; -s, -s: **1.** *Lager für Vorräte:* Uniformen, Waffen aus dem D. **2.** *Ort, an dem in einer Bank Wertpapiere und wertvolle Gegenstände aufbewahrt werden:* Geld, Schmuck in das D. einschließen. **3.** *Ort, an dem Straßenbahnen, Omnibusse o. ä. stehen, wenn sie nicht im Einsatz sind:* die Straßenbahn in das D. fahren.

Depp, der; -en (auch: -s), -en (landsch.; ugs.): *ungeschickter, einfältiger Mensch.*

Depression, die; -, -en: *Niedergeschlagenheit, traurige Verstimmung:* an Depressionen leiden.

deprimieren, deprimierte, hat deprimiert ⟨tr.⟩: *mutlos machen, niederdrücken:* dieser Vorfall hat mich sehr deprimiert; ⟨häufig im 2. Partizip⟩ nach seiner Niederlage war er völlig deprimiert.

Deputat, das; -s, -e: *aus Naturalien bestehender Anteil des Lohnes oder Gehaltes.*

Deputation, die; -, -en: *Abrodnung, die Wünsche, Forderungen o. ä. überbringt:* eine D. entsenden; der Minister empfing eine D. der Beamten.

Deputierte, der; -n, -n ⟨aber: [ein] Deputierter, Plural: Deputierte⟩: *jmd., der einer Deputation angehört.*

der, die, das: **I.** ⟨bestimmter Artikel⟩ **a)** /individualisierend/: der König hatte einen Sohn; die Witwe hatte zwei Töchter; das Kind ist krank. **b)** /generalisierend/: der Mensch ist sterblich; die Geduld ist eine Tugend; das Gold ist ein Metall. **II.** ⟨Demonstrativpronomen⟩: ausgerechnet der/die muß mir das sagen; die können das doch gar nicht. **III.** ⟨Relativpronomen⟩: der Mann, der das gesagt hat; das Haus, das an der Ecke steht.

derangiert [derã'ʒi:rt] ⟨Adj.⟩ (geh.): *verwirrt, durcheinander, zerzaust:* ihre Kleidung war ziemlich d.; sein derangiertes Äußere.

derartig ⟨Adj.⟩: *solch, so [geartet]:* eine derartige Kälte hat es seit langem nicht mehr gegeben; sie schrie d., daß ...

derb ⟨Adj.⟩: **1.** *kräftig:* ein derber Menschenschlag. **2.** *unfein, grob:* ein derber Scherz.

Derby ['dɛrbi], das; -s, -s: *jährlich stattfindendes Rennen dreijähriger Pferde aus besonderer Zucht.*

dereinst ⟨Adverb⟩ (geh.): **1.** *später einmal, in ferner Zukunft:* jetzt geht es ihnen gut, aber wie wird es ihnen d. ergehen? **2.** *früher einmal, in der Vergangenheit:* ich bin ihr d. vorgestellt worden.

derjenige, diejenige, dasjenige ⟨Demonstrativpronomen⟩ /wählt etwas Genanntes aus und weist nachdrücklich darauf hin/: der Antiquar verkaufte diejenigen Bücher, die beschädigt waren, um die Hälfte ihres Wertes.

Dernier cri [dɛrnje'kri] (geh.): *letzte Neuheit, bes. [in] der Mode:* sie ist immer nach dem Dernier cri gekleidet.

derselbe, dieselbe, dasselbe ⟨Demonstrativpronomen⟩ /bezeichnet die strenge Identität/: dieses Buch hat derselbe Verlag herausgegeben; es war dieselbe Stadt, dasselbe Dorf wie damals.

derweil (geh.): **I.** ⟨Adverb⟩ *während dieser Zeit, inzwischen:* als sie zu lesen aufhörte, merkte sie, daß es d. sehr spät geworden war. **II.** ⟨Konj.⟩ *während:* er arbeitete, d. sie mit den Kindern spielte.

derzeit ⟨Adverb⟩: **1.** *augenblicklich, gegenwärtig:* ich habe d. nichts davon auf Lager. **2.** (selten) *damals, seinerzeit:* d. war er der beste Läufer.

derzeitig ⟨Adj.; nur attributiv⟩: **1.** *augenblicklich, gegenwärtig:* dies ist die beste derzeitige Ausgabe der Werke dieses Dichters. **2.** (selten) *damalig:* der derzeitige Leiter des Unternehmens war zugleich ein großer Sportler.

Desaster, das; -s, -: *vollständiger Zusammenbruch, unglücklicher Ausgang:* zu einem D. führen; mit einem D. enden.

desavouieren [...avu...], desavouiete, hat desavouiert ⟨tr.⟩ (geh.): **1.** *plötzlich im Stich lassen und dadurch [öffentlich] bloßstellen:* der Vorsitzende hat seinen Stellvertreter vor der Versammlung öffentlich desavouriert. **2.** *nicht anerkennen: sich (über etwas) hinwegsetzen:* die Truppen desavouierten den Waffenstillstand und setzten die Kämpfe fort.

Deserteur [dezɛr'tø:r], der; -s, -e: *Fahnenflüchtiger, Überläufer.*

desertieren, desertierte, hat/ist desertiert ⟨itr.⟩: *fahnenflüchtig werden, zum Feind überlaufen.*

deshalb ⟨Adverb⟩: **1.** *wegen dieser Sache:* ich hatte meine Brille vergessen und ging d. **2.** *aus diesem Grund:* sie macht in einigen Tagen ihr Examen, d. kann sie an der Reise nicht teilnehmen,

Design [di'zaɪn], das; -s, -s: *Plan, Entwurf, Muster, Modell:* berufsmäßig Designs für Möbel entwerfen.

Designer [di'zaɪnər], der; -s, -: *jmd., der die Formen für Gebrauchsgegenstände o. ä. entwirft* /Berufsbezeichnung/: der Betrieb sucht einen begabten D. für Textilien.

desillusionieren, desillusionierte, hat desillusioniert ⟨tr.⟩: *ernüchtern, (jmdm.) die Illusionen nehmen:* bisher ließ er sich täuschen, durch diese Erfahrungen aber wurde er völlig desillusioniert; ⟨häufig im 2. Partizip⟩ desillusioniert von einer Veranstaltung zurückkehren.

Desinfektion, die; -, -en: *das Desinfizieren:* die D. der Kleidungsstücke, der Wunde.

desinfizieren, desinfizierte, hat desinfiziert ⟨tr.⟩: *Krankheitserreger (an etwas) unschädlich machen; keimfrei machen:* die Kleidung, einen Raum d.

Desinteresse, das; -s: *fehlendes Interesse, Gleichgültigkeit:* das D. der Bevölkerung verhindert die energische Durchführung von Reformen.

desinteressiert ⟨Adj.⟩: *nicht interessiert, gleichgültig:* ein desinteressierter Schüler.

desodorieren, desodorierte, hat desodoriert ⟨tr./itr.⟩: *unangenehme Gerüche des menschlichen Körpers beseitigen;* ⟨meist im 1. Partizip⟩ desodorierende Seife.

desorientiert ⟨Adj.⟩ (geh.): *nicht/falsch unterrichtet; nicht/falsch informiert:* er war völlig d.; der desorientierte Leser.

despektierlich ⟨Adj.⟩ (veraltend): *geringschätzig, den nötigen Respekt vermissen lassend:* er äußerte sich in despektierlicher Art über seinen Kollegen; er behandelte seine Verwandten recht d.

Despot, der; -en, -en: *willkürlich und diktatorisch regierender Herrscher:* die Despoten der Antike; damals herrschte ein grausamer D. über das Römische Reich; bildl.: zu Hause innerhalb der Familie ist er ein D. *(herrischer Mensch).*

despotisch ⟨Adj.⟩: *willkürlich, diktatorisch:* despotische Befehle; d. herrschen, regieren.

Dessert [dɛ'sɛ:r], das; -s, -s: *Nachtisch, Nachspeise.*

Dessin [dɛ'sɛ̃:], das; -s, -s: *fortlaufendes Muster aus immer wiederkehrenden Motiven:* Stoffe mit buntem D.; neue Dessins entwerfen.

Dessous [dɛ'su:], das; - [dɛ'su:(s)], - [dɛ'su:s] (geh.): *Unterwäsche für Damen:* im Geschäft wählte sie passende D. aus.

Destillation, die; -, -en: *Reinigung und Trennung flüssiger Stoffe durch Verdampfen und erneutes Verflüssigen.*

destillieren, destillierte, hat destilliert ⟨tr.⟩: *flüssige Stoffe durch Verdampfen und erneutes Verflüssigen reinigen und voneinander trennen:* Alkohol, Wasser d.

destruktiv ⟨Adj.⟩: *zersetzend, zerstörerisch:* destruktive Politik.

deswegen ⟨Adverb⟩: **1.** *wegen dieser Sache:* d. hättest du mich nicht anzurufen brauchen, daran hätte ich sowieso gedacht. **2.** *aus diesem Grund:* ich ahnte schon, daß du später kommen würdest, d. habe ich noch keinen Kaffee gekocht, sondern bis jetzt gewartet.

Detail [de'taɪ, auch de'ta[:]j, de'taɪl], das; -s, -s: *Einzelheit:* einen Vorgang bis ins kleinste D. schildern; er ging bei seiner Beschreibung allzusehr ins D. *(ins einzelne).*

detailliert [deta'ji:rt] ⟨Adj.⟩: *ins Detail gehend, genau:* detaillierte Aussagen, Kenntnisse; auf Fragen d. antworten.

Detektiv, der; -s, -e: *jmd., dessen Beruf es ist, jmdn. zu beobachten und unauffällig Ermittlungen über dessen Tun und Verhalten anzustellen:* jmdn. durch einen D. beobachten lassen.

Detektivroman, der; -s, -e: *Roman, in dem ein Detektiv und die ihm übertragene Aufklärung eines Verbrechens im Mittelpunkt stehen:* einen spannenden D. lesen.

Detonation, die; -, -en: *heftige Explosion:* eine schwere D. erschütterte die Häuser.

detonieren, detonierte, hat/ist detoniert ⟨itr.⟩: *explodieren:* eine Granate detonierte.

Deus ex machina, der; - - - (geh.): *unerwarteter, im richtigen Moment auftauchender Helfer; helfende Maßnahme:* er war der Deus ex machina, der plötzlich alle Probleme löste.

deuteln, deutelte, hat gedeutelt ⟨itr.⟩: *durch Haarspaltereien verschieden deuten, spitzfindig auslegen:* seine Antwort ist so klar, daß es daran nichts zu d. gibt.

deuten, deutete, hat gedeutet: **1.** ⟨itr.⟩ **a)** *hinzeigen, weisen:* auf etwas, jmdn. [mit dem Finger] d. **b)** *hinweisen, ankündigen:* alles deutet auf kommende Veränderungen. **2.** ⟨tr.⟩ *(einer Sache) einen bestimmten Sinn beilegen; erklären, auslegen:* Träume, Zeichen d.; die Zukunft d. *(vorhersagen).*

deutlich ⟨Adj.⟩: **a)** *klar, gut wahrnehmbar:* eine deutliche Stimme; eine deutliche *(lesbare)* Schrift; sich d. *(genau)* [an etwas] erinnern. **b)** *unmißverständlich, unverhüllt:* ein deutlicher Hinweis; sich d. ausdrücken. *** d. werden** *(bisher zurückgehaltene Kritik äußern).* **Deutlichkeit,** die; -.

deutsch: ⟨in den Wendungen⟩ **d. mit jmdm. reden** *(offen, deutlich, grob mit jmdm. reden);* (ugs.) **auf gut d.** *(einfach, verständlich ausgedrückt).*

Deutung, die; -, -en: *Klärung der Bedeutung, des tieferen Sinns; Auslegung, Interpretation:* die D. des Traums, des Gedichtes; sich um die D. eines schwierigen Textes bemühen.

Devise, die; -, -n: **1.** ⟨Plural⟩ *Zahlungsmittel in ausländischer Währung:* keine Devisen haben. **2.** *Wahlspruch, Losung:* mehr Freizeit lautet heute die D.

devot ⟨Adj.⟩ (abwertend): *unterwürfig, übertrieben ergeben:* eine devote Haltung; er verneigte sich d.

Dezember, der; -[s]: *zwölfter Monat im Jahr.*

dezent ⟨Adj.⟩: *unaufdringlich, zurückhaltend; nur leicht andeutend:* ein dezentes Kleid, Parfum; eine dezente *(gedämpfte)* Beleuchtung; d. *(taktvoll)* auf einen Fehler hinweisen.

Dezernat, das; -[e]s, -e: *Abteilung einer Behörde oder das ihr zugewiesene Sachgebiet:* das D. für Bauwesen; ein D. verwalten.

Dezernent, der; -en, -en: *Leiter eines Dezernats.*

dezimieren, dezimierte, hat dezimiert ⟨tr.⟩ (geh.): *(einer größeren Gruppe von Lebewesen, bes. Menschen) erhebliche Verluste zufügen:* Hunger und Krankheit haben die Bevölkerung stark dezimiert.

Dia, das; -s, -s: /Kurzform von Diapositiv/: Dias vom Urlaub vorführen.

Diabetiker, der; -s, -: *jmd., der an der Zuckerkrankheit leidet.*

diabolisch ⟨Adj.⟩: *teuflisch:* diabolische Freude; d. lachen.

Diadem, das; -s, -e: *auf der Stirn oder im Haar getragener Reifen aus edlem Metall und kostbaren Steinen.*

Diagnose, die; -, -n: *Bestimmung einer Krankheit:* eine richtige, falsche D. *** eine D. stellen** *(eine Krankheit auf Grund bestimmter Anzeichen feststellen).*

diagnostizieren, diagnostizierte, hat diagnostiziert ⟨tr./itr.⟩: Med. *(eine Krankheit) in einer Diagnose auf Grund bestimmter Anzeichen feststellen:* der Arzt diagnostizierte eine Gehirnerschütterung; vorsichtig d.

diagonal ⟨Adj.⟩: *zwei nicht benachbarte Ecken eines Vielecks geradlinig verbindend:* die Linien verlaufen d.; bildl.: ein Buch d. *(nur die wichtigsten Abschnitte eines Buches)* lesen.

Diagonale, die; -, -n: Math. *kürzeste Linie, die zwei nicht benachbarte Ecken verbindet:* die Länge der Diagonalen eines Quadrats berechnen.

Diakon, der; -s, -e (auch: -en, -en): **1.** *katholischer Kleriker, der die niedrigen Weihen empfangen hat.* **2.** *Helfer eines evangelischen Pfarrers; zum Dienst in einer evangelischen Gemeinde, in Krankenhäusern, Erziehungsanstalten o. ä. ausgebildete männliche Person:* dem D. wurde in dieser Woche der Unterricht der Konfirmanden übertragen.

Diakonisse, die; -, -n: *einem evangelischen Verband angehörende Schwester, die zum Dienst in der Gemeinde, in Krankenhäusern, Erziehungsanstalten o. ä. ausgebildet ist:* die D. war um die kranken Kinder auf ihrer Station sehr besorgt.

Dialekt, der; -s, -e: *Mundart:* der oberdeutsche, sächsische D.; er spricht D.

Dialektik, die; -: *philosophische Methode, die die Position, von der sie ausgeht, durch gegensätzliche Behauptungen in Frage stellt und in der Synthese beider Positionen eine Erkenntnis höherer Art zu gewinnen sucht:* die Hegelsche D.; eine scharfe, klare D.

dialektisch ⟨Adj.⟩: **1.** *die Dialektik betreffend, in Gegensätzen, Widersprüchen denkend:* die dialektische Methode entwickeln, anwenden. **2.** (abwertend) *spitzfindig:* d. argumentieren.

Dialog, der; -s, -e: **a)** *Gespräch zwischen zwei oder mehr Personen* /Ggs. Monolog/: ein langer, gut geführter D. **b)** *Gespräche, die zwischen zwei Interessengruppen geführt werden, um die gegenseitigen Standpunkte kennenzulernen:* der D. zwischen der Kirche und den Atheisten.

Diamant, der; -en, -en: *kostbarer Edelstein:* Diamanten schleifen.

diamanten ⟨Adj.; nur attributiv⟩: **1.** *aus einem Diamanten bestehend:* die diamantene Spitze eines Bohrers. **2.** *mit Diamanten besetzt, gearbeitet:* eine diamantene Brosche. *** die diamantene Hochzeit** *(die 75. Wiederkehr des Hochzeitstages).*

diametral ⟨Adj., nicht prädikativ⟩: **1.** *sich auf dem Durchmesser befindend:* zwei diametrale Punkte verbinden. **2.** *entgegengesetzt:* sie vertraten diametrale Ansichten.

Diapositiv, das; -s, -e: *Bild auf einer durchsichtigen Platte (aus Glas oder Zelluloid), das zum Projizieren auf eine Leinwand verwendet wird:* Diapositive rahmen, zeigen.

Diarium, das; -s, Diarien (veraltend): *Tagebuch, Kladde:* das D. aufschlagen, um etwas einzutragen.

Diarrhö, die; -: *Durchfall.*

Diaskop, das; -s, -e: *Apparat zum Projizieren von Diapositiven.*

Diaspora, die; -: **a)** *Gebiet, in dem eine religiöse Minderheit lebt:* in der D. leben. **b)** *religiöse Minderheit:* diese D. ist längst untergegangen.

diät: ⟨in der Wendung⟩ d. essen/leben: *sich in bestimmter, schonender Weise ernähren, so leben.*

Diät, die; -: *bestimmte Ernährung für einen Kranken:* eine strenge D. einhalten.

Diäten, die ⟨Plural⟩: *Aufwandsentschädigung (für Abgeordnete), Tagegelder.*

dicht ⟨Adj.⟩: **1.** *undurchdringlich, nur mit wenig Zwischenraum:* ein dichtes Gebüsch; dichter Nebel; die Pflanzen stehen zu d. **2.** *undurchlässig:* die Stiefel sind nicht mehr d. **3.** ⟨in Verbindung mit einer Präp.⟩ *in unmittelbarer Nähe (von etwas):* d. am Ufer; d. vor mir machte er halt.

Dichte, die; -: **1.** *dichtes Nebeneinander (von gleichartigen Wesen oder Dingen auf einem bestimmten Raum):* die D. der Bevölkerung, des Straßenverkehrs; bildl.: eine Erzählung von großer psychologischer D. **2.** *Verhältnis der Masse eines Körpers zu dem von ihm eingenommenen Raum.*

dichten, dichtete, hat gedichtet: **I.** ⟨itr./tr.⟩ *ein sprachliches Kunstwerk hervorbringen:* ein Gedicht, ein Lied d. **II. a)** ⟨tr.⟩ *abdichten, undurchlässig machen:* das Fenster, das Dach, den Wasserhahn d. **b)** ⟨itr.⟩ *als Mittel zum Abdichten geeignet sein:* der Kitt dichtet gut, nicht mehr.

Dichter, der; -s, -: *Schöpfer eines sprachlichen Kunstwerks:* einen D. zitieren.

dichterisch ⟨Adj.⟩: *einem Dichter gemäß, entsprechend:* dichterische Freiheit; (scherzh.) er hat eine dichterische Ader *(Talent zum Dichten).*

dichthalten, hält dicht, hielt dicht, hat dichtgehalten ⟨itr.⟩ (ugs.): *ein Geheimnis nicht verraten, den Mund halten:* hast du etwas von ihm über diese Sache erfahren, oder hat er dichtgehalten?

Dichtkunst, die; -: **1.** *Gesamtheit der dichterischen Kunstwerke:* die D. der Eskimos. **2.** *Fähigkeit, ein dichterisches Kunstwerk zu schaffen:* die D. ist nicht erlernbar.

Dichtung, die; -, -en: **I.** *gedichtetes Werk, Literatur:* die D. des Mittelalters. **II. a)** ⟨ohne Plural⟩ *das Dichtmachen.* **b)** *Schicht aus einem geeigneten Material, die zwischen zwei Teile eines Gerätes o. ä. zur Abdichtung gelegt wird:* die D. am Wasserhahn muß erneuert werden.

dick ⟨Adj.⟩: **1. a)** *von beträchtlichem, mehr als normalem Umfang; massig* /Ggs. dünn/: ein dicker Mann, Ast; ein dickes *(umfangreiches)* Buch; sie ist in den letzten Jahren dicker geworden. **b)** *angeschwollen:* eine dicke Backe, Lippe haben. **2.** ⟨in Verbindung mit Angaben von Maßen⟩ *eine bestimmte Dicke habend, stark:* das Brett ist 2 cm d. **3.** *zähflüssig:* dicker Brei; dicke *(saure)* Milch. **4. a)** *dicht, undurchdringlich:* dicker Nebel. **b)** ⟨in Verbindung mit bestimmten Verben⟩ *in großer Menge, sehr stark:* das Brot d. mit Butter bestreichen. * (ugs.) **ein dickes Fell haben** *(auf Vorwürfe, Aufforderungen o. ä. gar nicht reagieren; sich unbeeindruckt zeigen);* (ugs.) **es ist dicke Luft** *(es herrscht eine schlechte, gefährliche Stimmung);* (ugs.) **d. auftragen** *(übertreiben);* (ugs.) **mit jmdm. durch dick und dünn gehen** *(schwierige Situationen gemeinsam mit jmdm. durchstehen).* **5.** ⟨nicht prädikativ⟩ (ugs.) *groß, bedeutend:* eine dicke Freundschaft; ein dickes Lob. ** (ugs.) **etwas dick[e] haben** *(von einer Sache genug haben, einer Sache überdrüssig sein).*

Dickdarm, der; -[e]s, Dickdärme: *der an den Dünndarm anschließende kürzere und dickere Abschnitt des Darms.*

Dicke, die; -: *Ausmaß des Querschnitts:* die D des Brettes, der Mauer.

dickfellig ⟨Adj.⟩ (ugs.; abwertend): *gleichgültig gegenüber Vorwürfen, Aufforderungen o. ä.*

dickflüssig ⟨Adj.⟩: *langsam, zäh fließend:* ein dickflüssiges Öl.

Dickicht, das; -s, -e: *dichtes Gebüsch, dichter junger Wald:* das Reh hat sich im D. versteckt.

Dickkopf, der; -[e]s, Dickköpfe (ugs.; abwertend): **1.** *dickköpfiger Mensch:* alles soll immer nach deinem Willen gehen, du D.! **2.** *dickköpfige Haltung:* einen D. haben.

dickköpfig ⟨Adj.⟩ (ugs.; abwertend): *trotzig, auf seinem Willen beharrend, eigensinnig.*

Didaktik, die; -: *Lehre vom Unterrichten:* eine D. schreiben.

didaktisch ⟨Adj.⟩: **1.** *die Didaktik betreffend:* eine d. zweckmäßige Unterweisung der Schüler. **2.** *lehrhaft:* ein didaktisches Gedicht.

die: siehe der.

Dieb, der; -[e]s, -e: *jmd., der stiehlt:* einen D. auf frischer Tat ertappen. **Diebin,** die; -, -nen.

diebisch ⟨Adj.; nur attributiv⟩: *auf Diebstahl ausgehend:* sie ist eine diebische Person; eine diebische Elster (auch bildl.: *eine diebische Frau*). ** **sich d. über etwas freuen** *(sich heimlich sehr [über das Mißgeschick o. ä. eines anderen] freuen).*

Diebstahl, der; -s, Diebstähle: *das Stehlen; rechtswidrige Aneignung fremden Eigentums:* einen D. begehen, aufdecken; er wurde beim D. ertappt. * **geistiger D.** *(Aneignung fremden Gedankengutes, Plagiat).*

diejenige: siehe derjenige.

Diele, die; -, -n: **I.** *Brett für den Fußboden* (siehe Bild): eine knarrende D. **II.** *[geräumiger] Flur* (siehe Bild): in der D. warten.

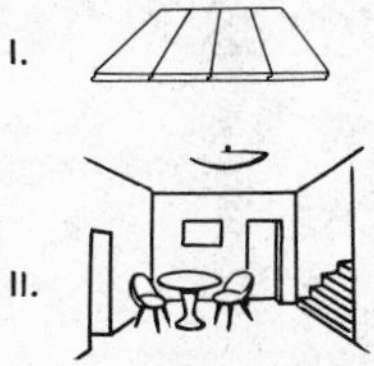

Diele

dienen, diente, hat gedient ⟨itr.⟩ /vgl. gedient/: **1. a)** *für eine Institution, in einem bestimmten Bereich tätig sein:* er hat fast sein ganzes Leben dem Staat, der Wissenschaft gedient. **b)** *dem Militärdienst nachkommen:* bei der Luftwaffe d. **2.** *nützlich sein (für jmdn./etwas):* ihre Forschungen dienten friedlichen Zwecken, der ganzen Menschheit. **3.** *in bestimmter Weise verwendet werden, einen bestimmten Zweck erfüllen:* das Schloß dient heute als Museum; der Graben dient dazu, das Wasser abzuleiten.

Diener, der; -s, -: **1. a)** (veraltend) *jmd., der in abhängiger Stellung in einem Haushalt tätig ist und dafür Lohn empfängt:* er ist ein treuer D. seines Herrn. **b)** (geh.) *jmd., der sich (für bestimmte Personen oder Dinge) einsetzt und sie fördert:* ein D. der Wahrheit, des Evangeliums. **2.** *Neigung des Kopfes und des Oberkörpers als Zeichen der Höflichkeit, Untergebenheit; Verbeugung bes. bei Kindern:* einen tiefen D. machen.

dienlich ⟨Adj.; nicht adverbial⟩: *nützlich, zuträglich:* ein dienlicher Hinweis; er trank mehr als ihm d. war.

Dienst, der; -es, -e: *bestimmte Pflichten umfassende berufliche Arbeit [in einer staatlichen, kirchlichen Institution]:* ein anstrengender D.; der militärische D. * **außer D.** *(aus seinem Amt, Beruf ausgeschieden;* Abk.: a.D.): ein Leutnant a. D.; **jmdm. einen [schlechten] D. mit etwas erweisen** *(jmdm. mit etwas [k]eine Hilfe sein, [nicht] nützen);* **jmdm. seine Dienste anbieten** *(sich bereit erklären, jmdm. zu helfen).*

Dienstag, der; -s, -e: *dritter Tag der mit Sonntag beginnenden Woche.*

dienstbereit ⟨Adj.⟩: **1.** *zum Dienst bereit:* ein dienstbereiter Polizist kam sofort. **2.** *außerhalb der gewöhnlichen Arbeitszeit zum Dienst bereit;* die Apotheke war d.

diensteifrig ⟨Adj.⟩: *äußerst eifrig um jmdn. bemüht:* jmdn. d. die Tür aufmachen; er ist ein diensteifriger Kellner.

Dienstgrad, der; -[e]s, -e: *Rang, Rangstufe:* er hat den D. eines Leutnants.

diensthabend ⟨Adj.; nur attributiv⟩: *zu einer bestimmten Zeit den notwendigen Dienst versehend, zum Dienst eingeteilt:* der diensthabende Beamte.

Dienstleistung, die; -, -en: **1.** *Dienst, den jmd. leistet:* eine kleine, freundliche D. **2.** ⟨Plural⟩ *Leistungen, Arbeiten in der Wirtschaft, die nicht der Produktion von Gütern dienen:* man denkt daran, die Dienstleistungen der Post zu verringern.

dienstlich ⟨Adj.⟩: **a)** *die Ausübung des Amts, des Berufs betreffend; hinsichtlich des Dienstes:* eine dienstliche Angelegenheit; ich bin d. *(durch meinen Dienst)* verhindert. **b)** *amtlich, streng offiziell:* das ist dienstlicher Befehl. * **d. werden** *(in einem Gespräch von einem persönlichen auf einen formellen Ton übergehen).*

Dienststelle, die; -, -n: *amtliche Stelle:* Hinweise nimmt jede polizeiliche D. entgegen.

Dienstweg, der; -[e]s: *für die Erledigung behördlicher Angelegenheiten vorgeschriebener Weg:* etwas auf dem D. beantragen.

Dienstwohnung, die; -, -en: *jmdm. für die Dauer einer Beschäftigung von einer vorgesetzten Behörde zur Verfügung gestellte Wohnung:* sie brauchen sich um keine Wohnung zu bemühen, da sie in eine D. ziehen können.

diesbezüglich ⟨Adj.; nicht prädikativ⟩: *auf diese Angelegenheit bezüglich:* es ist verboten, die Straße nach 20 Uhr zu betreten; eine diesbezügliche Vorschrift ist schon vor einigen Tagen erlassen worden.

dieselbe: siehe derselbe.

dieser, diese, dieses ⟨Demonstrativpronomen⟩ /wählt etwas näher Liegendes aus und weist nachdrücklich darauf hin/: dieses Abends erinnere ich mich noch; dieser Mann ist es; all dies[es] war mir bekannt.

diesig ⟨Adj.⟩: *dunstig, nicht klar:* diesiges Wetter.

diesmal ⟨Adverb⟩: *dieses Mal:* bisher hat er immer gewonnen, d. wird er aber wohl verlieren.

diesseits ⟨Präp. mit Gen.⟩: *auf dieser Seite*/Ggs. jenseits/: d. des Flusses.

Diesseits, das; - (geh.): *die sinnlich wahrnehmbare Welt; die Erde; das irdische Leben* /Ggs. Jenseits/: seine Gedanken auf das D. richten.

Dietrich, der; -s, -e: *zu einem Haken gebogener Draht, der zum Öffnen einfacher Schlösser dient:* die Tür mit einem D. öffnen.

diffamieren, diffamierte, hat diffamiert ⟨tr.⟩ (abwertend): *verleumden, in einen schlechten Ruf bringen:* diffamierende Äußerungen. **Diffamierung,** die; -, -en.

Differenz, die; -, -en: **1.** *Unterschied zwischen zwei Zahlen, Größen:* die D. zwischen Einnahme und Ausgabe; die D. zwischen 25 und 17 ist 8. **2.** ⟨Plural⟩ *Meinungsverschiedenheiten:* er hatte ständig Differenzen mit ihm.

differenzieren, differenzierte, hat differenziert: **1.** ⟨tr./rfl.⟩: *bis ins einzelne aufspalten, unterscheiden, trennen:* seine Vorstellungen d.; die Partei differenzierte sich in einen linken und einen rechten Flügel. **2.** ⟨itr.⟩ *bis ins einzelne gehende Unterschiede machen:* man muß zwischen Grund und Anlaß genau d.; ⟨häufig im 2. Partizip⟩ differenzierte *(genaue, ins einzelne gehende)* Aussagen machen. **Differenzierung,** die; -, -en.

differieren, differierte, hat differiert ⟨itr.⟩: *von einander abweichen, verschieden sein:* die errechneten Zahlen differierten von den geschätzten.

diffizil ⟨Adj.; nicht adverbial⟩: **a)** *schwierig, schwer zu behandeln:* eine diffizile Aufgabe. **b)** *peinliche Genauigkeit erfordernd:* diffizile medizinische Untersuchungen.

diffus, ⟨Adj.⟩: *ungeordnet, unklar, undeutlich, verschwommen:* ein diffuser Eindruck; diffuse Gedanken.

Diktat, das; -s, -e: **1. a)** *Ansage eines Textes, der wörtlich niedergeschrieben werden soll:* nach D. schreiben; die Sekretärin wurde zum D. gerufen. **b)** *nach einer Ansage wörtlich niedergeschriebener Text:* ein D. aufnehmen, übertragen; die Schüler schreiben ein D. *(eine Übung zur Rechtschreibung)*. **2.** *aufgezwungene Verpflichtung:* das Volk wollte sich dem D. des Sieger nicht fügen; das D. der Mode.

Diktator, der; -s, -en: *jmd., der mit Gewalt herrscht; führender Mann in den Diktaturen und totalitären Staaten nach dem 1. und 2. Weltkrieg:* einen D. stürzen; bildl.: er trat in seiner Familie als D. auf.

diktatorisch ⟨Adj.⟩: *keinen Widerspruch duldend, autoritär.*

Diktatur, die; -, -en: *[Staat mit einer] Herrschaft, die sich nicht an das Recht gebunden fühlt und willkürlich entscheiden kann:* in einer D. leben.

diktieren, diktierte, hat diktiert ⟨tr.⟩: **1.** *zum wörtlichen Niederschreiben ansagen:* jmdm. einen Brief d. **2.** *aufzwingen:* jmdm. seinen Willen d.; eine von politischen Erwägungen diktierte *(gelenkte, bestimmte)* Äußerung.

Diktion, die; -, -en (geh.): *die einem Menschen eigentümliche Ausdrucksweise, Stil:* die knappe D. eines Vortrags, eines Artikels.

Diktum, das; -s, Dikta (veralt.): **1.** *Ausspruch:* Lessings bekanntes D., ... **2.** *Befehl:* sich einem D. fügen, unterwerfen.

Dilemma, das; -s: *Situation, in der man gezwungen ist, sich zwischen zwei gleichermaßen unangenehmen Dingen zu entscheiden:* er wußte nicht, wie er aus dem D. herauskommen sollte.

Dilettant, der; -en, -en (oft abwertend): *jmd., der sich auf einem bestimmten Gebiet als Laie, nicht als Fachmann betätigt.*

dilettantisch ⟨Adj.⟩ (oft abwertend): *laienhaft, nicht fachmännisch:* ein dilettantisches Urteil abgeben.

Dilettantismus, der; - (oft abwertend): *laienhafte, nicht fachmännische Betätigung:* man kann ihre Handlungen nicht als naiven D. abtun.

Dill, der; -s: /ein Küchenkraut/ (siehe Bild).

Dill

Dimension, die; -, -en: **1.** *Ausdehnung in die Länge, Höhe oder Breite:* jeder Körper hat drei Dimensionen. **2.** ⟨Plural⟩ *Ausmaß:* die Katastrophe nahm ungeheure Dimensionen an.

Diner [di'ne:], das; -s, -s (geh.): *festliche Mahlzeit, die aus mehreren aufeinander abgestimmten Gerichten besteht:* an einem offiziellen D. teilnehmen.

Ding, das; -[e]s, -e und (ugs.) -er: **I.** ⟨Plural: Dinge⟩: **1.** *bestimmtes Etwas, nicht näher bezeichneter Gegenstand:* ein wertloses D.; Dinge zum Verschenken. **2.** ⟨Plural⟩ **a)** *das, was geschieht, geschehen ist:* die Dinge nicht ändern können; nach Lage der Dinge. *** etwas geht nicht mit rechten Dingen zu** *(etwas geschieht nicht auf natürliche, rechtmäßige Weise)*; **unverrichteter Dinge** *(ohne etwas verwirklicht, erreicht zu haben)*; **über den Dingen stehen** *(sich nicht allzusehr von etwas beeindrucken lassen)*. **b)** *Angelegenheiten:* persönliche und geschäftliche Dinge. *** vor allen Dingen** *(vor allem andern, besonders)*. **II.** ⟨Plural: Dinger⟩ (ugs.): **1.** *Mädchen:* ein liebes, kleines albernes D.; es waren alles junge Dinger. **2. a)** *etwas, was [absichtlich] nicht mit seinem Namen benannt wird:* ein riesiges D.; die alten Dinger solltest du endlich wegwerfen. **b)** *Sache, Affäre:* das ist ein [tolles] D.! * (ugs.) **ein D. drehen** *(etwas Übles tun, etwas anstellen)*.

dingen, dingte, hat gedungen ⟨tr.⟩ (veralt.): *für Entgelt in Dienst nehmen, mit etwas beauftragen:* einen Gärtner d.; Mörder d.

dingfest: ⟨in der Wendung⟩ jmdn. dingfest machen: *jmdn. verhaften.*

dinieren, dinierte, hat diniert ⟨itr.⟩ (geh.): *ein Diner einnehmen:* sie haben bei mir diniert; vorzüglich d.

Diözese, die; -, -n: **1.** *Gebiet, in dem ein katholischer Bischof sein Amt ausübt:* einzelne Diözesen neu einteilen. **2.** *Gebiet, in dem ein Superintendent sein Amt ausübt.*

Diphtherie, die; -: *eine durch Infektion hervorgerufene Krankheit des Rachens:* an D. erkranken.

Diplom, das; -s, -e: **1.** *amtliches Zeugnis über eine an einer Universität oder Fachschule bestandene Prüfung bestimmter Art:* das D. erwerben; (ugs.) sein D. machen. **2.** *von einer offiziellen Stelle verliehene Urkunde, durch die jmd. ausgezeichnet wird:* für dieses Erzeugnis bekam der Hersteller ein D.

Diplomat, der; -en, -en: *bei einem fremden Staat als Vertreter seines Landes beglaubigter Beamter im auswärtigen Dienst;* bildl.: er ist ein guter D. *(er verhält sich so geschickt, daß er mit allen gut auskommt und dadurch seine Ziele erreicht)*.

Diplomatie, die; -: **1.** *Kunst des Verhandelns mit fremden Staaten:* auf dem Wege der D. einen Krieg vermeiden; bildl.: durch D. *(kluge Berechnung, geschicktes Verhalten)* sein Ziel erreichen. **2.** *Gesamtheit der Diplomaten:* unsere D. muß noch tätiger werden, wenn die Interessen unseres Staates gewahrt werden sollen.

diplomatisch ⟨Adj.⟩: *die Diplomatie, den Diplomaten betreffend:* die diplomatischen Beziehungen zu einem Staat abbrechen; bildl. d. *(geschickt, klug berechnend)* ans Werk gehen.

direkt ⟨Adj.⟩: **1. a)** ⟨nur attributiv⟩ *in geradem Weg auf ein Ziel zulaufend:* ein direkter Weg; eine direkte Verbindung (bei der man nicht umzusteigen braucht). **b)** ⟨nur adverbial⟩ *unmittelbar, ohne einen Zwischenraum, eine Verzögerung oder eine Mittelsperson:* wir kaufen das Gemüse d. vom Bauern. **2.** ⟨nicht prädikativ⟩ *sich unmittelbar auf die betreffende Person oder Sache beziehend* /Ggs. indirekt/: ein direktes Interesse. * Sprachw. **die direkte Rede** *(wörtliche Wiedergabe von etwas Gesprochenem)*. **3.** (ugs.) *unmißverständlich, eindeutig:* sie ist immer sehr d. in ihren Äußerungen. **4.** (ugs.) *geradezu, tatsächlich:* mit dem Wetter habt ihr d. Glück gehabt.

Direktion, die; -, -en: **1.** *Leitung:* die D. übernehmen, übertragen bekommen. **2.** *leitende Person[en] eines Unternehmens [und deren Büro]:* die neue D. führte einige Änderungen durch; an die D. schreiben.

Direktive, die; -, -n (geh.): *Weisung, Regel für das Verhalten:* ich muß mich an die Direktiven meines Chefs halten.

Direktor, der; -s, -en: *Leiter einer Institution, eines Unternehmens:* der D. einer Schule, einer Bank.

Direktorat, das; -s, -e: **1.** *Leitung:* das D. des Instituts übernehmen. **2.** *Dienststelle eines Direktors:* auf das D. bestellt werden.

Direktorium, das; -s, Direktorien: *Vorstand, leitende Behörde, Geschäftsführung:* das D. der Bank.

Direktrice [dirɛk'tri:sə], die; -, -n: *leitende Angestellte (bes. in einer Abteilung, in der Bekleidung verkauft wird):* sie ist D. in einem großen Kaufhaus.

Direktübertragung, die; -, -en: *Sendung des Rundfunks, Fernsehens, die ein Geschehen direkt übermittelt.*

Dirigent, der; -en, -en: *Leiter eines Orchesters, eines Chors.*

dirigieren, dirigierte, hat dirigiert ⟨tr.⟩: **1.** *(die Aufführung eines musikalischen Werkes, ein Orchester o. ä.) leiten:* eine Oper, ein Orchester d.; ⟨auch itr.⟩ er dirigiert ohne Taktstock. **2.** *in eine bestimmte Richtung lenken; an einen bestimmten Platz, Ort leiten, bringen:* man dirigierte den Betrunkenen in sein Zimmer.

Dirndl, das; -s, -: /ein Kleidungsstück/ (siehe Bild).

Dirndl

Dirne, die; -, -n: *Prostituierte:* eine öffentliche D.; bildl.: die Justiz war zur D. der Partei geworden.

Discjockey: siehe Diskjockey.

Disharmonie, die; -, -n: **1.** *nicht gut klingende Verbindung von Tönen, Mißklang.* **2.** *Unstimmigkeit, Mißstimmung* /Ggs. Harmonie/: diese Disharmonien führten schließlich zu immer größeren Spannungen zwischen ihnen.

disharmonisch ⟨Adj.⟩: **1.** *Mißklänge bildend:* disharmonische Musik. **2.** *uneinig:* ein disharmonisches Familienleben.

Diskjockey ['dɪskdʒɔki], der; -s, -s: *jmd., der Schallplattensendungen zusammenstellt und den verbindenden Text dazu spricht.*

Diskothek, die; -, -en: **1.** *Sammlung, Archiv von Schallplatten.* **2.** *Lokal bes. für Jugendliche, in dem Schallplatten gespielt werden:* in der D. herrschte Hochstimmung.

Diskrepanz, die; -, -en: *Mißverhältnis, Unstimmigkeit:* man merkt bei ihm eine D. zwischen Reden und Handeln.

diskret ⟨Adj.⟩: **a)** *taktvoll* /Ggs. indiskret/: ein diskretes Benehmen; sich d. abwenden. **b)** *unauffällig:* ein diskreter Hinweis. **c)** *vertraulich:* etwas d. behandeln; eine diskrete *(sehr persönliche)* Frage.

Diskretion, die; -: **a)** *Takt, taktvolle Zurückhaltung:* ein heikles Problem mit D. lösen. **b)** *Verschwiegenheit, vertrauliche Behandlung (einer Sache):* er hat mich in dieser Angelegenheit um äußerste D. gebeten.

diskriminieren, diskriminierte, hat diskriminiert ⟨tr.⟩: **a)** *durch [unzutreffende] Aussagen jmds. Ruf schaden; herabsetzen:* jmdn. in der Öffentlichkeit d. **b)** *durch unterschiedliche Behandlung zurücksetzen:* in einigen Ländern werden die Schwarzen immer noch diskriminiert. **Diskriminierung,** die; -, -en.

Diskurs, der; -es, -e (veraltend): *Erörterung, Unterhaltung:* einen erregten D. miteinander führen.

Diskus, der; -, -se und Disken: /ein Sportgerät/ (siehe Bild).

Diskus

Diskussion, die; -, -en: *[lebhaftes, wissenschaftliches] Gespräch über ein bestimmtes Thema, Problem:* eine lange, politische D.; eine D. führen, eröffnen; sich auf keine D. mit jmdm. einlassen. * **etwas zur D. stellen** *(etwas als Thema zur Erörterung vorschlagen)*.

diskutabel ⟨Adj.; nicht adverbial⟩: *der Erwägung, Überlegung wert* /Ggs. indiskutabel/: ein diskutables Angebot.

diskutieren, diskutierte, hat diskutiert ⟨tr.⟩: *[in einer lebhaften Auseinandersetzung] seine Meinungen über ein bestimmtes Thema austauschen:* eine Frage ausführlich d.; ⟨auch itr.⟩ über diesen Punkt wurde heftig diskutiert.

dispensieren, dispensierte, hat dispensiert ⟨tr.⟩: *(von einer bestimmten Pflicht oder Aufgabe) befreien:* einen Schüler vom Unterricht d.

disponieren, disponierte, hat disponiert ⟨itr.⟩ /vgl. disponiert/: **a)** *verfügen:* über sein Vermögen, seine Zeit d. [können]. **b)** *etwas richtig einteilen:* er versteht nicht zu d. *(er versteht nicht, sein Geld, seine Arbeit richtig einzuteilen)*.

disponiert: ⟨in der Verbindung⟩ d. sein: **a)** *in einer bestimmten körperlich-seelischen Verfassung sein:* der Künstler war ausgezeichnet, nicht d. **b)** *Veranlagung (zu etwas) haben, (zu etwas) neigen:* er ist für diese Krankheit d.

Disposition, die; -, -en: **1.** *freie Verfügung:* er ist zwar wohlhabend, doch steht ihm im Augenblick nur ein Teil seines Geldes zur D. **2.** *Einteilung, Anordnung:* Dispositionen treffen, umwerfen.

Disput, der; -[e]s, -e: *Wortwechsel, Streitgespräch [zwischen zwei Personen] über einen bestimmten Gegenstand.*

Disputation, die; -, -en (veralt.): *gelehrtes Streitgespräch:* in einer D. seinem Gegner unterlegen sein.

disputieren, disputierte, hat disputiert ⟨itr.⟩: *(gelehrte) Streitgespräche führen; im Austausch mit anderen seine Meinung (über etwas) äußern:* über ein Problem heftig d.

Disqualifikation, die; -, -en: *das Disqualifizieren:* der Boxer verlor durch D. wegen Tiefschlags.

disqualifizieren, disqualifizierte, hat disqualifiziert ⟨tr.⟩: *wegen grober Verletzung der sportlichen Regeln von der weiteren Teilnahme an einem Wettkampf ausschließen.*

Dissertation, die; -, -en: *wissenschaftliche Abhandlung zur Erlangung der Doktorwürde:* sich das Thema für eine D. geben lassen.

Dissonanz, die; -, -en: *Mißklang.*

Distanz, die; -, -en: **1.** *räumlicher, zeitlicher oder innerer Abstand:* die D. zwischen beiden Läufern betrug nur wenige Meter, Sekunden; kein Gefühl für D. haben; sehr auf D. bedacht sein; alles aus der D. sehen. **2.** ⟨ohne Plural⟩ Sport *zurückzulegende Strecke:* er war Sieger über eine D. von 200 Metern.

distanzieren, distanzierte, hat distanziert: **1.** ⟨rfl.⟩ *(mit jmdm./etwas) nichts zu tun haben wollen:* zuerst war er bereit mitzumachen, doch dann distanzierte er sich von dem Plan seiner Freunde. **2.** ⟨tr.⟩ *im Wettkampf hinter sich lassen:* der Ferrari distanzierte den Porsche um fünf Runden.

Distel, die; -, -n: /eine Pflanze/ (siehe Bild).

Distel

distinguiert [dɪstɪŋ'gi:rt] ⟨Adj.⟩ (geh.): *[betont] vornehm:* ein distinguierter älterer Herr.

Distrikt, der; -[e]s, -e: *Bezirk, abgegrenzter amtlicher Bereich:* die Einteilung des Landes in Distrikte.

Disziplin, die; -, -en: **I.** ⟨ohne Plural⟩: *Zucht, Ordnung:* in der Klasse herrscht keine D. **II. a)** *wissenschaftliche Fachrichtung:* die mathematische D. **b)** *Sportart:* er beherrscht mehrere Disziplinen.

disziplinarisch ⟨Adj.⟩: *die dienstliche Zucht, Ordnung betreffend:* gegen ihn wurde ein disziplinarisches Verfahren eingeleitet.

Disziplinarstrafe, die; -, -n: *Strafe wegen Verletzung der dienstlichen Zucht, Ordnung:* eine D. aussprechen.

diszipliniert ⟨Adj.⟩: *an Zucht und Ordnung gewöhnt; beherrscht:* eine straff organisierte und disziplinierte Partei; d. auftreten.

Diva, die; -, -s und Diven: *gefeierte Sängerin, [Film]schauspielerin, die durch ihre exzentrischen Allüren von sich reden macht; Star:* stundenlang ließ die D. ihre Verehrer warten, bevor sie Autogramme gab.

divergieren, divergierte, hat divergiert ⟨itr.⟩: *(voneinander) abweichen, auseinandergehen:* ihre politischen und gesellschaftlichen Interessen divergierten; ⟨häufig im 1. Partizip⟩ divergierende Kräfte.

diverse ⟨Adj.; nur attributiv⟩: *verschiedene:* d. Gelegenheiten, Abenteuer.

Dividende, die; -, -n: *auf eine Aktie entfallender Anteil vom Reingewinn:* eine D. festsetzen, ausschütten.

dividieren, dividierte, hat dividiert ⟨tr.⟩: *in einem bestimmten Verhältnis zweier Zahlen die Zahl suchen, die angibt, wie oft die niedrigere von beiden in der höheren enthalten ist; teilen:* zwanzig dividiert durch fünf ist vier.

Division, die; -, -en: **1.** *Rechnung, bei der eine Zahl, Größe dividiert wird:* eine komplizierte, einfache D.; etwas durch Divisionen errechnen. **2.** *großer militärischer Verband:* eine D. ist im Einsatz.

Diwan, der; -s, -e (veralt.): /ein Möbelstück/ (siehe Bild).

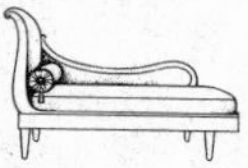

Diwan

doch: **I.** ⟨Konj. oder Adverb⟩ *aber, jedoch* /leitet meist knappe Aussagen ein/: sie sind arm, doch nicht unglücklich. **II.** ⟨Adverb⟩ **1.** *dennoch, trotzdem* /steht als freie, betonte Angabe im Satz/: er fühlte sich nicht gesund, und d. machte er die Reise mit. **2.** (ugs.) *das Gegenteil ist der Fall* /als Antwort auf eine Frage, die etwas in Zweifel zieht/: hast du denn die Arbeit nicht gemacht? D.! **3.** /drückt die Stellungnahme des Sprechers aus/: **a)** /bekräftigt einen Tatbestand/: das kommt mir d. bekannt vor. **b)** /drückt in Fragesätzen eine gewisse Besorgnis aus/: du wirst d. nicht etwa absagen? **c)** /verleiht einem Wunsch, einer Aufforderung Nachdruck/: wäre d. alles schon vorüber!

Docht, der; -[e]s, -e: *Faden aus Baumwolle, der durch eine Kerze verläuft, an dem die Kerze angezündet und mit dem sie am Brennen gehalten wird.*

Dock, das; -s, -s: *Anlage zum Ausbessern von Schiffen:* das Schiff liegt im D.

Dogge, die; -, -n: /ein Hund/ (siehe Bild).

Dogge

Dogma, das; -s, Dogmen: *[kirchlicher] Lehrsatz mit dem Anspruch unbedingter Geltung.*

dogmatisch ⟨Adj.⟩: *an ein Dogma gebunden, im Sinne eines Dogmas:* eine dogmatische Einstellung.

Dohle, die; -, -n: /ein Vogel/ (siehe Bild).

Dohle

Doktor, der; -s, -en (Abk.: Dr.): **1.** *akademischer Grad [der auf Grund einer schriftlichen Arbeit und einer mündlichen Prüfung durch eine Fakultät verliehen wird]:* jmdn. zum D. promovieren; (ugs.) seinen, den D. machen *(promovieren);* Dr. h. c. *(honoris causa)* /auf Grund besonderer Verdienste ohne Prüfung verliehener akademischer Grad/. **2.** *jmd., der den Grad des Doktors besitzt.* **3.** (ugs.) *Arzt:* den D. holen, rufen.

Doktorwürde, die; -, -n: *die Würde, der Grad eines Doktors:* die D. erlangen.

Doktrin, die; -, -en: **1.** *für gültig erklärte Lehre, Anschauung:* die katholische D. der Rechtfertigung. **2.** *präzis formulierter politischer Grundsatz, grundsätzliche Erklärung:* die kommunistische D. von der Diktatur des Proletariats.

doktrinär ⟨Adj.⟩: *einer Doktrin verpflichtet, von einer Doktrin abhängig:* in einem politischen Gespräch auf eine Frage eine doktrinäre Antwort geben.

Dokument, das; -[e]s, -e: **a)** *Urkunde:* Dokumente einsehen, einreichen. **b)** *Schriftstück, das als Beweis dient:* ein wichtiges D. für den Prozeß.

Dokumentarbericht, der; -[e]s, -e: *Bericht, der Begebenheiten und Verhältnisse möglichst genau den Tatsachen entsprechend wiederzugeben versucht:* im Fernsehen wurde ein D. über die Weimarer Republik gezeigt.

Dokumentarfilm, der; -s, -e: *Film, der Begebenheiten und Verhältnisse möglichst genau den Tatsachen entsprechend zu schildern versucht:* Schülern einen D. über das Leben der Insekten vorführen.

dokumentarisch ⟨Adj.⟩: **a)** *aus Urkunden, zeitgenössischen Berichten usw. bestehend, durch Urkunden belegt:* eine dokumentarische Arbeit über die jüngste Geschichte. **b)** *beweiskräftig, anschaulich:* jmdn. durch dokumentarisches Material belasten.

Dokumentation, die; -, -en: **1.** *Zusammenstellung und Ordnung von Urkunden, durch die das Benutzen und Auswerten dieser Urkunden ermöglicht oder erleichtert wird:* eine D. über die Entstehung der liberalen Bewegung vorlegen. **2.** *Beweis, Ausdruck:* die Verhandlungen sind eine D. der Bereitschaft beider Völker, sich zu verständigen.

dokumentieren, dokumentierte, hat dokumentiert ⟨tr.⟩: **a)** *(durch Urkunden o. ä.) belegen:* eine Sendung durch Aktenauszüge, Fotos d.; ⟨häufig im 2. Partizip⟩ ein ausgezeichnet dokumentierter Bericht. **b)** *deutlich zeigen, ausdrücken:* den Willen zum Frieden d.; ⟨auch rfl.⟩ in dieser Inszenierung dokumentiert sich die Freude am Experiment.

Dolce vita ['dɔltʃə 'vi:ta], das; - -: *ausschweifende, nur auf das Vergnügen gerichtete Lebensführung:* die Playboys genossen das Dolce vita auf der Insel in vollen Zügen.

Dolch, der; -[e]s, -e: *kurze Stichwaffe* (siehe Bild).

Dolch

Dolde, die; -, -n: /besonderer Blütenstand/ (siehe Bild).

Dolde

dolmetschen, dolmetschte, hat gedolmetscht ⟨itr./tr.⟩: *ein Gespräch zwischen Personen, die verschiedene Sprachen sprechen, wechselweise übersetzen:* er mußte auf dem Kongreß d.; ein Gespräch, eine Rede d.

Dolmetscher, der; -s, -: *jmd., der berufsmäßig ein Gespräch o. ä. dolmetscht.* **Dolmetscherin,** die; -, -nen.

Dom, der; -[e]s, -e: *große Kirche [eines Bischofs]:* an einem Gottesdienst im D. teilnehmen; bildl. (dicht.): des Himmels D. wölbte sich über uns.

Domäne, die; -, -n: **1.** *Teil des dem Staat gehörenden landwirtschaftlich genutzten Bodens:* eine D. pachten. **2.** *Gebiet, auf dem jmd. Bescheid weiß:* römisches Recht ist seine ureigenste D.

Domestik, der; -en, -en (veralt.): *Diener:* die Domestiken des Schlosses.

dominieren, dominierte, hat dominiert ⟨itr.⟩: *vorherrschen, stärker als jmd./etwas hervortreten; überwiegen:* in den meisten Ländern dominiert Englisch als Fremdsprache.

I.

II.

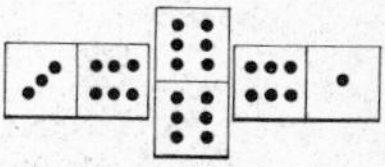

Domino

Domino: I. der; -s, -s: *besonderes, für einen Maskenball bestimmtes Kostüm oder dessen Träger* (siehe Bild): einen D. tragen; ein D. trat in den Saal und mischte sich unter die anderen Masken. **II.** das; -s, -s: /ein Gesellschaftsspiel/ (siehe Bild): D. spielen.

Domizil, das; -s, -e (oft scherzh.): *Wohnsitz:* wo willst du dann im Winter dein D. aufschlagen?

Dompfaff, der; -en, -en: *Gimpel.*

Dompteur [dɔmp'tø:r], der; -s, -e: *jmd., der wilde Tiere für Vorführungen dressiert.*

Don Juan [dɔn xu'an], der; - -s, - -s: *jmd., der schon zahlreiche Frauen geliebt und verführt hat:* er war ein unwiderstehlicher Don Juan und betörte alle Frauen.

Donner, der; -s, -: *dumpf rollendes, dröhnendes Geräusch, das dem Blitz folgt:* der D. rollt, grollt; bildl.: der D. der Kanonen.

dọnnern, donnerte, hat gedonnert ⟨itr.⟩: **a)** *ein krachendes, polterndes Geräusch ertönen lassen:* es donnert; bildl.: die Kanonen donnerten den ganzen Tag; der Zug donnert *(fährt mit einem dem Donner vergleichbaren Geräusch)* über die Brücke. **b)** *mit lauter, dröhnender Stimme sprechen; schimpfen:* er hat furchtbar gedonnert, weil wir zu spät gekommen waren.

Dọnnerschlag, der; -[e]s, Donnerschläge: **1.** *kurzes, heftiges Donnern:* durch einen D. geweckt werden; die Nachricht wirkte auf ihn wie ein D. **2.** *Ausruf des Erstaunens oder Unwillens:* [zum] D. [noch mal]!

Dọnnerstag, der; -[e]s, -e: *fünfter Tag der mit Sonntag beginnenden Woche.*

Dọnnerwetter, das; -s (ugs.): **1.** *scharfe Zurechtweisung; Krach:* mach dich zu Hause auf ein D. gefaßt! **2.** *Ausruf des Erstaunens oder Unwillens:* [zum] D., hör endlich auf zu heulen!

Donquichotterie [dõkiʃɔtəˈriː], die; -, -n: *Torheit aus weltfremdem Idealismus:* es ist eine D. anzunehmen, daß diese Empfehlungen zur Lösung des Konflikts beitragen.

doof ⟨Adj.⟩ (ugs.; abwertend): **a)** *dumm:* er ist zu d., um das zu kapieren. **b)** *nicht schön, langweilig:* das war gestern ein doofer Abend.

dọpen [auch: do...], dopte, hat gedopt ⟨tr.⟩: Sport *(jmdm.) bei einem Wettkampf unerlaubte Mittel zur Steigerung der Leistung geben;* ⟨auch rfl.⟩ der Sieger im Kugelstoßen hatte sich gedopt.

Dọping [auch: Do...], das; -s, -s: Sport *das Zuführen von unerlaubten Mitteln zur Steigerung der Leistung bei Sportlern, die sich in einem Wettkampf befinden:* da man D. befürchtete, wurden bei den betreffenden Sportlern Urinuntersuchungen durchgeführt.

Dọppel, das; -s, -: **1.** *zweite Ausfertigung:* das D. eines Zeugnisses. **2.** Tennis *Spiel zweier Spieler gegen zwei andere:* ein D. austragen. *** ein gemischtes D.** *(von Damen und Herren ausgetragenes Spiel).*

Dọppeldecker, der; -s, -: **1.** /ein Flugzeug/ (siehe Bild). **2.** (ugs.) /ein Omnibus/ (siehe Bild).

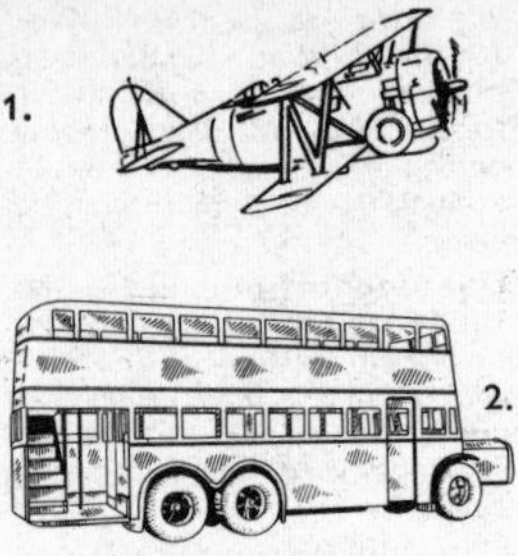

Doppeldecker

dọppeldeutig ⟨Adj.⟩: *auf doppelte Weise zu deuten:* die Aussage war d.

Dọppelgänger, der; -s, -: *jmd., der einem andern zum Verwechseln ähnlich sieht:* einen D. haben.

Dọppelkinn, das; -[e]s, -e: *unter dem Kinn entstandener Wulst aus Fett:* ein gewaltiges D.

Dọppelkopf, der; -[e]s: *Kartenspiel für vier Personen:* D. spielen.

Dọppelpaddel, das; -s, -: *Paddel mit je einem breiten, flachen Ende, das sitzend geführt wird* (siehe Bild): das D. für das Faltboot kann man auseinandernehmen.

Doppelpaddel

Dọppelpunkt, der; -[e]s, -e: /ein Satzzeichen/ (Zeichen :).

dọppelsinnig ⟨Adj.⟩: *einen doppelten Sinn enthaltend:* jmdm. eine doppelsinnige Antwort geben.

dọppelt ⟨Adj.⟩: **a)** *zweifach; zweimal:* ein Koffer mit doppeltem Boden; er ist d. so alt wie du. *** eine doppelte Moral** *(unterschiedliche moralische Beurteilung eines Tatbestandes, die davon abhängt, wer etwas gemacht hat, ob z. B. eine Frau oder ein Mann);* **ein doppeltes Spiel spielen** *(mit zwei gegnerischen Parteien in Verbindung stehen und beide täuschen).* **b)** ⟨nicht prädikativ⟩ *erst recht, besonders [groß]:* etwas mit doppelter Anstrengung noch einmal versuchen; wir müssen uns jetzt d. vorsehen.

dọppelzüngig ⟨Adj.⟩: *in der Absicht, sich niemanden zum Feind zu machen, sich über bestimmte Dinge verschiedenen Personen gegenüber verschieden äußernd; nicht aufrichtig; falsch:* sie ist eine doppelzüngige Person; seine Worte sind d.

Dọrf, das; -[e]s, Dörfer: **a)** *ländliche Siedlung mit bäuerlichem Charakter.* *** das sind jmdm. / für jmdn. böhmische Dörfer** *(das ist jmdm. unklar, unverständlich).* **b)** (ugs.) *die Einwohner einer ländlichen Siedlung mit bäuerlichem Charakter:* das ganze D. lief zusammen.

dọ̈rflich ⟨Adj.⟩: **1.** ⟨nur attributiv⟩ *aus den Bewohnern des Dorfes bestehend:* eine dörfliche Gemeinde. **2.** *zum Dorf gehörend, dem Dorf gemäß:* nach dörflichem Brauch; ein dörfliches Idyll.

Dọrfschule, die; -, -n: *Volksschule auf dem Lande:* ich verließ die D., um in der Stadt ein Gymnasium zu besuchen.

Dọrn, der; -[e]s, -en: *am Stengel einer Pflanze hervorstehender Stachel:* diese Rosen haben keine Dornen. *** jmdm. ein D. im Auge sein** *(jmdm. unbequem und deshalb verhaßt sein).*

Dọrnenkrone, die; -: *aus dornigen Zweigen geflochtener Kranz, der Jesus am Tage der Kreuzigung aufgesetzt wurde;* bildl.: die D. des Dichters.

dọrnig ⟨Adj.: nicht adverbial⟩: *mit vielen Dornen versehen:* ein dorniger Strauch; bildl. (geh.): der dornige *(leidvolle, beschwerliche)* Weg, der zum Ruhm führt.

dọrren, dorrte, ist gedorrt ⟨itr.⟩ (geh.): *dürr werden, vertrocknen:* die Pflanzen dorrten in der Gluthitze.

dọ̈rren, dörrte, hat gedörrt: **a)** ⟨tr.⟩ *dürr machen, austrocknen:* sie dörrte die Pflaumen im Backofen. **b)** ⟨itr.⟩ *dürr werden, vertrocknen:* das Gras dörrte in der Sonne.

Dọ̈rrobst, das; -es: *gedörrtes Obst:* die gerupfte Gans mit D. füllen.

Dọrsch, der; -es, -e: *junger Kabeljau.*

dort ‹Adverb›: *an jenem Platz, Ort; nicht hier:* von d. aus ist die Stadt leicht zu erreichen.

dorther [nachdrücklich auch: dorther] ‹Adverb›: *von jenem Ort [her], von dort:* ich hätte dir das Buch aus der Bücherei mitbringen können, ich komme gerade von d.

dorthin [nachdrücklich auch: dorthin] ‹Adverb›: *nach jenem Ort hin, nach dort:* ich möchte morgen nach Hamburg fahren, wie sind die Verbindungen d.?

Dose, die; -, -n: **a)** *kleiner Behälter mit Deckel.* **b)** *Büchse* /für Konserven/: eine D. [Erbsen].

dösen, döste, hat gedöst ‹itr.› (ugs.): **1.** *nicht wach sein, aber auch nicht fest schlafen:* die Augen schließen und ein bißchen d. **2.** *wachend träumen; unaufmerksam, gedankenlos sein:* er zündete sich eine Zigarette an und begann zu d.

dosieren, dosierte, hat dosiert ‹tr.›: *die richtige Dosis abmessen:* die Schwester dosierte sorgfältig die Arznei und gab sie dem Patienten; bildl.: die Mittel, die man anwendet, geschickt d.

Dosis, die; -, Dosen: *abgemessene Menge, die auf einmal eingenommen oder eingegeben wird:* eine starke D. Morphium geben; bildl.: er hat eine beträchtliche D. Humor.

dotiert ‹Adj.; nicht adverbial›: *mit (einer bestimmten Summe) Geld verbunden, (in bestimmter Weise) bezahlt, honoriert:* das Rennen war mit 20000 DM dotiert; ein hervorragend dotierter Posten.

Dotter, der und das; -s, -: *Eigelb.*

doubeln ['du:bəln], doubelte, hat gedoubelt ‹tr./itr.›: *als Double (jmds. Rolle) übernehmen, spielen:* er hat den Star bei diesen gefährlichen Szenen gedoubelt; diese Szene ist gedoubelt *(in dieser Szene spielt jmd. als Double die Rolle eines anderen);* vor seiner ersten großen Rolle hatte er zwei Jahre lang gedoubelt *(als Double gespielt).*

Double ['du:bəl], das; -s, -s: Filmw. *jmd., der für den eigentlichen Darsteller einzelne, insbesondere gefährliche Partien seiner Rolle spielt:* sich in verschiedenen Szenen von einem D. vertreten lassen.

Dozent, der; -en, -en: *jmd., der an einer Hochschule, Universität unterrichtet.*

dozieren, dozierte, hat doziert: **1.** ‹tr.› *lehren:* er doziert Philosophie an der Universität Heidelberg. **2.** ‹itr.› (abwertend) *in lehrhaftem Ton einen Vortrag halten, in lehrhaftem Ton reden:* kaum wurde im Gespräch dieses Thema angeschnitten, begann er auch schon darüber zu d.; ‹häufig im 1. Partizip› etwas in dozierendem *(lehrhaftem)* Ton vortragen.

Drache, der; -n, -n: *großes, furchterregendes, feuerspeiendes Tier in der Sage* (siehe Bild).

Drache

Drachen, der; -s, -: **1.** *mit Papier bespanntes Gestell aus Holz, das Kinder im Herbst an einer langen Schnur steigen lassen* (siehe Bild): einen D. steigen lassen.

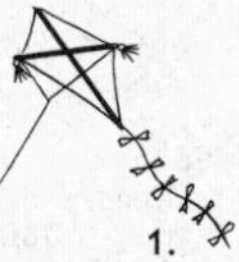

Drachen

1.

2. (ugs.; abwertend) *streitsüchtige, böse Frau:* sie ist ein richtiger D.

Dragée [dra'ʒe:], das; -s, -s und die; -, -n: **1.** *mit einer Masse aus Zucker oder Schokolade überzogene Frucht; gefüllter Bonbon.* **2.** *mit einer Masse aus Zucker oder Schokolade überzogene Arznei:* Dragées einnehmen.

Dragoner, der; -s, - (hist.): *Kavallerist auf leichterem Pferd;* die D. ritten eine Attacke; bildl. (ugs.; abwertend): sie ist ein richtiger D. *(sie ist derb und ungeschlacht; sie tritt auf, als wäre sie ein Mann).*

Draht, der; -[e]s, Drähte: *Material, Gegenstand aus Metall in der Form eines Fadens oder einer Schnur:* ein Stück D.; Drähte spannen. * (ugs.) **auf D. sein** *(äußerst wachsam, wendig sein).*

drahtig ‹Adj.›: **a)** *wie Draht:* das Haar ist d. **b)** *gelenkig; gut trainiert:* eine drahtige Gestalt.

Drahtseilbahn, die; -, -en: *Seilbahn.*

Drahtzieher, der; -s, - (abwertend): *jmd., der im verborgenen Aktionen plant und lenkt:* die D. konnten nicht gefaßt werden.

drakonisch ‹Adj.›: *sehr streng:* auf diese Vergehen standen drakonische Strafen.

drall ‹Adj.›: *rundlich, gesund und lebensvoll* /von Mädchen und jungen Frauen/: bildl.: und jungen Frauen/: eine hübsche, dralle Person; bildl.: dralle, unbekümmerte Komik.

Drall, der; -[e]s: **1.** *Drehung (eines Geschosses) um die eigene Achse:* der D. einer Gewehrkugel; bildl. (ugs.): der politische D. *(Trend)* nach rechts konnte abgefangen werden. **2.** *Windung der Züge in Feuerwaffen.*

Drama, das; -s, Dramen: **1.** *Schauspiel [in dem ein tragischer Konflikt dargestellt wird]:* ein D. in fünf Akten. **2.** *Vorgang mit tragischen Folgen:* das D. der Kapitulation. * **etwas ist ein D.** *(etwas Bestimmtes ist besonders schwierig durchzuführen, zu erreichen):* es war ein D., in den überfüllten Zug hineinzukommen.

Dramatik, die; -: **1.** *dramatische Dichtung:* die klassische D. **2.** *erregende Spannung:* das Fußballspiel verlief ohne jede D.; eine Szene voller D.

Dramatiker, der; -s, -: *jmd., der Dramen verfaßt [hat].*

dramatisch ‹Adj.›: **1.** ‹nicht prädikativ› *das Drama, die Gattung des Dramas betreffend:* die dramatische Dichtung des 18. Jahrhunderts. **2.** *aufregend, spannend:* ein dramatischer Zwischenfall, Augenblick.

dramatisieren, dramatisierte, hat dramatisiert ‹tr.›: *aufregender darstellen, als es in Wirklichkeit ist:* sie muß immer alles d.

Dramaturg, der; -en, -en: *jmd., der den Leiter einer Bühne in literarischer Hinsicht berät:* der D. schlägt die Stücke vor, die in der kommenden Spielzeit aufgeführt werden sollen.

dran ‹Adverb› (ugs.): *daran:* ich kann dir Briefmarken von der Post mitbringen, ich gehe d. vorbei. * **d. glauben müssen: a)** *sich bestimmten Unannehmlichkeiten nicht entziehen können.* **b)** *sterben müssen.* ** **d. sein** *(an der*

Reihe sein; **gut d. sein** *(gutgehen, gut gestellt sein);* **nicht wissen, wie man mit jmdm. d. ist** *(nicht wissen, was man von jmdm. zu halten hat).*

Dränage [drɛ'na:ʒə], die; -, -n: *Entwässerung des Bodens durch Rohre, die unter der Erde verlaufen:* eine D. bauen, anlegen.

Drang, der; -[e]s: *starker innerer Antrieb, Bedürfnis, etwas zu tun oder zu verwirklichen:* der D. nach Freiheit; ich verspürte keinen D. mitzumachen.

drängeln, drängelte, hat gedrängelt ⟨itr.⟩ **1.** *in einer Menge andere zur Seite schieben, um möglichst schnell irgendwohin zu gelangen oder an die Reihe zu kommen:* du brauchst nicht zu d., du kommst deshalb doch nicht eher dran. **2.** (fam.) *immer wieder ungeduldig (auf jmdn.) einreden und (ihn) zu etwas zu bewegen suchen:* die Kinder drängelten, endlich nach Hause zu gehen.

drängen, drängte, hat gedrängt /vgl. gedrängt/: **1.** ⟨tr./rfl.⟩ *(in eine bestimmte Richtung, beiseite) schieben:* jmdn. an die Seite d.; sich durch die Menge d.; ⟨auch im 2. Partizip⟩ dicht aneinander gedrängt *(eng nebeneinander)* stehen; der Saal war gedrängt voll. **2.** ⟨tr./itr.⟩ *(jmdn.) ungeduldig (zu einem bestimmten Handeln) zu bewegen suchen:* er hat den Freund zu dieser Tat gedrängt; die Gläubiger drängten wegen der Bezahlung; ⟨im 2. Partizip⟩ sich zu etwas gedrängt fühlen. **3.** ⟨itr.⟩ *rasches Handeln verlangen:* die Zeit drängt.

Drangsal, die; -, -e (veralt.): *bedrängte Lage, (große) Not:* in großer D. sein.

drapieren, drapierte, hat drapiert ⟨tr.⟩: **1.** *(einen Stoff) in kunstvolle Falten legen:* sie betrachtete die ausgestellten Stoffe, die geschickt drapiert waren. **2.** *mit Stoff behängen, schmücken:* eine Wand d.; bildl.: bestimmte Vorstellungen wissenschaftlich zu d. *(als Wissenschaft auszugeben)* suchen.

drastisch ⟨Adj.⟩: *etwas sehr deutlich zum Ausdruck bringend:* drastische Maßnahmen; eine drastische *(derbe)* Schilderung.

drauf ⟨Adverb⟩ (ugs.): *darauf:* hier ist das Sparbuch, ich habe eine hohe Summe d. ** **eine hohe Geschwindigkeit/ein hohes Tempo d. haben** *(sehr schnell fahren);* **d. und dran sein** *(im Begriff sein).*

Draufgänger, der; -s, -: *jmd., der verwegen, kühn auf sein Ziel losgeht.*

draufgängerisch ⟨Adj.⟩: *einem Draufgänger gemäß; verwegen:* ein draufgängerischer Kerl.

draufgehen, ging drauf, ist draufgegangen ⟨itr.⟩: **1.** (derb) *umkommen, sterben:* bei dem Unfall sind beide draufgegangen. **2.** (ugs.) *verbraucht werden:* bei der Feier sind drei Kästen Bier draufgegangen.

drauflosgehen, ging drauflos, ist drauflosgegangen ⟨itr.⟩ (ugs.): **1.** *entschlossen auf ein bestimmtes Ziel zugehen:* kaum bemerkte die Katze die Maus, ging sie auch schon drauflos. **2.** *ohne zu überlegen, in eine willkürlich gewählte Richtung gehen:* da wir niemanden trafen, den wir nach dem Weg fragen konnten, gingen wir einfach drauflos.

draußen ⟨Adverb⟩: **a)** *außerhalb eines Raumes; im Freien* /Ggs. drinnen/: er sitzt d. und wartet; bei dem Wetter könnt ihr nicht d. spielen. **b)** *irgendwo weit entfernt; auf dem Meer, an der Front:* d. in der Welt.

drechseln, drechselte, hat gedrechselt ⟨tr.⟩: *(Holz o. ä.) durch schnelle Drehung auf einem dazu bestimmten Gerät rund formen:* eine Schale d.; bildl.: Sätze, Gedichte, d. *(mühsam bilden, bauen);* ⟨häufig im 2. Partizip⟩ gedrechselte Verse.

Drechsler, der; -s, -: *jmd., der drechselt* /Berufsbezeichnung/.

Dreck, der; -s (ugs.): *gröberer Schmutz:* den D. [von den Schuhen] abkratzen; bildl. (derb; abwertend) /als Ausdruck des Ärgers oder ärgerlicher Ablehnung/: macht euern D. *(eure Arbeit)* alleine!; um jeden D. *(jede Kleinigkeit)* muß man sich kümmern. * **etwas in den D. ziehen** *(häßlich, verächtlich über etwas reden);* **die Karre aus dem D. ziehen** *(etwas wieder in Ordnung bringen).*

Dreckfink, der; -en, -en (ugs.): *schmutziger Mensch* /besonders von Kindern/.

dreckig ⟨Adj.⟩ (ugs.): **1.** *[sehr] schmutzig:* dreckige Schuhe. * (ugs.) **es geht jmdm. d.** *(jmd. befindet sich [finanziell] in einer sehr schlechten Lage).* **2.** *unanständig:* ein dreckiger Witz; d. lachen.

Dreh, der; -s, -s (ugs.): *zur Lösung einer alltäglichen Aufgabe nötiger Kunstgriff, Trick:* dieser neue D. des Chefs fand wenig Anklang im Betrieb. * **den [richtigen] D. heraushaben/weghaben** *(den richtigen Kunstgriff gefunden haben);* **auf den [richtigen] D. kommen** *(den zur Lösung einer Aufgabe führenden Weg entdeckt haben).*

Dreharbeiten, die ⟨Plural⟩: *alle mit dem Drehen eines Films zusammenhängenden Arbeiten:* die D. für diesen Film dauerten vier Monate.

Drehbleistift, der; -[e]s, -e: *Bleistift, dessen Mine man aus dem Stift drehen und auswechseln kann.*

Drehbuch, das; -[e]s, Drehbücher: *Manuskript, das den Text und alle Anweisungen für einen Film oder eine Inszenierung des Fernsehens enthält.*

drehen, drehte, hat gedreht: **1. a)** ⟨tr./rfl.⟩ *im Kreise bewegen:* den Schalter am Radio [nach links] d.; sich um sich selbst, seine eigene Achse d.; ⟨gelegentlich auch itr.⟩ du sollst nicht daran d. **b)** ⟨tr.⟩ *durch eine dem Zweck entsprechende [rollende] Tätigkeit herstellen:* Zigaretten d.; einen Film d. **2.** ⟨rfl.⟩ (ugs.) *sich handeln (um etwas/jmdn.):* in der Diskussion drehte es sich um wichtige Dinge. **3.** ⟨tr./rfl.⟩ *wenden:* den Kopf, sich seitwärts, hin und her d.; ⟨auch itr.⟩ der Wind hat gedreht *(die Richtung geändert).* **Drehung,** die; -, -en.

Drehorgel, die; -, -n: *Leierkasten:* der Bettler zog mit seiner D. von Straße zu Straße.

Drehwurm: ⟨in den Wendungen⟩ (ugs.) **einen/den D. haben** *(schwindlig sein);* (ugs.) **einen/den D. kriegen** *(schwindlig werden).*

drei ⟨Kardinalzahl⟩: 3: d. Personen; bis d. zählen. * (ugs.) **nicht bis d. zählen können** *(sehr dumm sein).*

Dreieck, das; -s, -e: *Figur, deren drei Ecken durch die drei kürzesten der möglichen Linien* *verbunden sind:* ein D. konstruieren.

dreieckig ⟨Adj.⟩: *mit drei Ecken versehen:* ein dreieckiges Tuch.

Dreieinigkeit, die; -: *die Einheit der drei Personen (Vater, Sohn und Heiliger Geist) in Gott:* die Lehre von der D.; an die D. glauben.

Dreifaltigkeit, die; -: *Dreieinigkeit.*

Dreikäsehoch, der; -s, -[s] (ugs.; scherzh.): *kleines Kind [das sich altklug gibt und dadurch spaßig wirkt]:* ein D. steht vor der Tür und möchte dich sprechen.

Dreiklang, der; -s, Dreiklänge: *Akkord von drei Tönen.*

dreinblicken, blickte drein, hat dreingeblickt ⟨itr.⟩: *(auf eine bestimmte Weise) blicken:* mutig, traurig d.

dreinreden, redete drein, hat dreingeredet ⟨itr.⟩: *unaufgefordert Ratschläge geben, seine Meinung aufdrängen:* sie pflegt überall dreinzureden. * **sich** (Dativ) **bei etwas nicht / sich nirgends d. lassen** *(sich bei etwas, sich nirgends Vorschriften machen lassen).*

Dreirad, das; -[e]s, Dreiräder: **1.** *kleines Fahrzeug mit drei Rädern für Kinder, das durch Pedale am vorderen Rad angetrieben wird:* das Kind fuhr auf seinem D. **2.** *Auto mit drei Rädern, das besonders als Lieferwagen dient.*

dreißig ⟨Kardinalzahl⟩: 30: d. Personen.

dreist ⟨Adj.⟩: *[in unbefangener Weise] zudringlich, frech, unverfroren:* ein dreister Bursche; eine dreiste Behauptung.

Dreistigkeit, die; -, -en.

dreizehn ⟨Kardinalzahl⟩: 13: d. Personen. * **nun schlägt's [aber] d.!** *(das ist ja unerhört!)* /Ausruf des Erstaunens/.

dreschen, drischt, drosch, hat gedroschen ⟨tr.⟩: **1.** *mit einer Maschine die Körner aus den Ähren des Getreides, herausbringen:* Korn, Weizen d.; ⟨auch itr.⟩ auf dem Felde d. * (ugs.; abwertend) **Phrasen d.** *(mit großen Worten Nichtssagendes äußern).* **2.** (ugs.) *prügeln:* er hat den Jungen grün und blau gedroschen.

Dreß, der; - und Dresses, Dresse: *besondere Kleidung [der Sportler].*

dressieren, dressierte, hat dressiert ⟨tr.⟩: *(einem Tier) bestimmte Kunststücke beibringen; abrichten:* einen Hund, Pferde, Tiger d.

Dressman ['drɛsmæn], der; -s, Dressmen: *Mann, der bei einer Modenschau Kleidung vorführt:* ein sportlicher, gut aussehender D. schritt über den Laufsteg.

Dressur, die; -, -en: **1.** ⟨ohne Plural⟩ *das Abrichten (von Tieren):* sich mit der D. von Hunden beschäftigen; bildl. (abwertend): die D. *(überaus strenge, der Persönlichkeit nicht gerecht werdende Erziehung)* eines Kindes. **2.** *Kunststück dressierter Tiere:* der Dompteur ließ seine Raubtiere schwierige Dressuren vorführen.

dribbeln, dribbelte, hat gedribbelt ⟨itr.⟩ Sport: *den Fußball durch kurze Stöße vorwärts treiben.*

Drill, der; -[e]s: *strenge und einförmige Ausbildung in bestimmten Übungen:* Soldaten durch täglichen D. widerstandsfähig machen wollen.

drillen, drillte, hat gedrillt ⟨tr.⟩: *in bestimmten einförmigen Übungen streng ausbilden:* Rekruten, Schüler d.

Drillich, der; -s: *sehr festes Gewebe aus Leinen oder Baumwolle:* Kleidung aus D.

drin ⟨Adverb⟩ (ugs.): *darin:* in der Flasche ist nichts mehr d. ** **d. sein** *(im Bereich der Möglichkeiten liegen).*

dringen, drang, hat/ist gedrungen ⟨itr.⟩ /vgl. dringend und gedrungen/: **1.** *durch ein Hindernis hindurch an eine bestimmte Stelle gelangen:* Wasser ist in den Keller gedrungen; bildl.: das Gerücht drang bis zum Minister. **2.** *darauf bestehen, daß (etwas) durchgeführt wird:* er hat auf die Einführung von Änderungen im Unterricht gedrungen. **3.** *(auf jmdn. durch Reden in einer bestimmten Absicht) einzuwirken versuchen:* der Vater ist [mit Bitten] in sein Kind gedrungen, ihm alles zu gestehen.

dringend ⟨Adj.⟩: *unbedingt Erledigung verlangend:* eine dringende Angelegenheit; etwas d. *(unbedingt und sofort)* benötigen, nötig haben.

dringlich ⟨Adj.⟩: *dringend:* er sagt, es sei sehr d.

Drink, der; -[s], -s: *alkoholisches Getränk:* einen D. mixen, reichen.

drinnen ⟨Adverb⟩: *innerhalb eines Raumes* /Ggs. draußen/: er sitzt schon d. und wartet auf dich; bei dem Wetter sollte man lieber d. bleiben.

dritte ⟨Ordinalzahl⟩: 3.: an dritter Stelle stehen; der d. von links ist es.

Drittel, das; -s, -: *der dritte Teil von einem Ganzen:* das erste D. unserer Reise haben wir schon hinter uns.

dritteln, drittelte, hat gedrittelt ⟨tr.⟩: *in drei Teile teilen:* eine Menge d.

Droge, die; -, -n: *als Heilmittel verwendeter pflanzlicher oder tierischer Rohstoff, Substanz.*

Drogerie, die; -, -n: *Geschäft für den Verkauf von Drogen, Chemikalien und kosmetischen Artikeln.*

Drogist, der; -en, -en: *Inhaber oder Angestellter einer Drogerie mit einer speziellen Ausbildung* /Berufsbezeichnung/.

drohen, drohte, hat gedroht ⟨itr.⟩: **1. a)** *(jmdn.) mit Worten oder Gesten einzuschüchtern versuchen, warnen:* mit dem Finger d. **b)** *darauf hinweisen, daß man etwas für jmdn. Unangenehmes veranlassen wird, falls er sich nicht den Forderungen entsprechend verhält:* mit einer Klage d.; er drohte, mich verhaften zu lassen. **2.** *möglicherweise eintreffen; bevorstehen* /von etwas Unangenehmem/: ein Gewitter, Regen droht; ⟨auch im 1. Partizip⟩ drohende Gefahren. **3.** ⟨d. + zu + Inf.⟩ *in Gefahr sein (etwas zu tun):* das Haus droht einzustürzen.

Drohne, die; -, -n: **1.** *männliches Tier in einem Bienenstaat.* **2.** *fauler Mann, der andere für sich arbeiten läßt.*

dröhnen, dröhnte, hat gedröhnt ⟨itr.⟩: **1.** *mit durchdringendem lautem Schall tönen:* der Lärm der Motoren dröhnt mir in den Ohren. **2.** *von lautem vibrierendem Schall erfüllt sein:* die Fabrik dröhnt vom Lärm der Maschinen; mir dröhnt der Kopf.

Drohung, die; -, -en: *Ankündigung von etwas Unangenehmem, falls jmd. einer Forderung nicht nachkommt:* eine offene, schreckliche D.; seine D. wahr machen.

drollig ⟨Adj.⟩: *belustigend wirkend:* ein drolliges Kind; eine drollige Geschichte; sie hat drollige *(komische)* Einfälle.

Dromedar, das; -s, -e: /ein Tier/ (siehe Bild).

Dromedar

Drops, der; -, -: *säuerlich schmeckender Bonbon.*

Droschke, die; -, -n: *leichtes Fuhrwerk, das Personen mieten können, um sich darin fahren zu lassen:* eine D. anhalten und einsteigen.

Drossel, die; -, -n: /ein Vogel/ (siehe Bild).

Drossel

drosseln, drosselte, hat gedrosselt ⟨tr.⟩: **a)** *die Zufuhr (von etwas) behindern:* den Dampf d.; den Motor d. *(seine Leistung verringern).* **b)** *einschränken:* die Ausgaben, die Einfuhr d. **Drosselung,** die; -, -en.

drüben ⟨Adverb⟩: **1. a)** *auf der anderen, gegenüberliegenden Seite:* d. am Ufer. **b)** (ugs.) *auf die andere, gegenüberliegende Seite:* ich gehe nach d. **2.** *jenseits der Grenze, des Ozeans:* ihr Sohn lebt d. in Amerika; es sind wieder Flüchtlinge von d. gekommen.

drüber ⟨Adverb⟩ (ugs.): *darüber:* ein Tuch d. ausbreiten. *** Schwamm d.!** *(die Sache ist abgetan).* **** es/alles geht drunter und d.** *(es/alles ist in Unordnung, geht durcheinander):* in der Klasse geht es drunter und d.

Druck: I. der; -s, Drücke: **1.:** Physik *senkrecht auf eine Fläche wirkende Kraft.* **2.** ⟨ohne Plural⟩ *das Drücken:* der kräftige D. seiner Hand. **3.** ⟨ohne Plural⟩ *Zwang:* er konnte den ständigen politischen D. nicht mehr aushalten. *** einen D. auf jmdn. ausüben / jmdn. unter D. setzen** *(jmdn. durch Forderungen, Drohungen bedrängen)*; (ugs.) **im/in D.** *(in Bedrängnis):* in D. kommen, geraten; im D. sein. **II.** der; -s, -e **1.** ⟨ohne Plural⟩ *Vorgang, bei dem man Typen durch Maschinen auf Papier oder Stoff preßt und überträgt:* die Kosten für den D. der Broschüre berechnen. *** etwas in D. geben** *(etwas drucken lassen).* **2.** *Art der Schrift, in der etwas gedruckt ist:* ein [un]klarer, kleiner D. **3.** *Reproduktion eines Bildes:* Drucke von berühmten Gemälden.

Drückeberger, der; -s, - (ugs.): *jmd., der Unannehmlichkeiten ausweicht, sich insbesondere vor Arbeiten gerne drückt.*

drucken, druckte, hat gedruckt ⟨tr.⟩: **a)** *durch Druck herstellen und vervielfältigen:* Bücher, Zeitungen d. **b)** *durch Druck auf etwas übertragen:* ein Muster in verschiedenen Farben d.

drücken, drückte, hat gedrückt /vgl. drückend, gedrückt/: **1.** ⟨itr./tr.⟩ *unter Anwendung von Kraft in eine bestimmte Richtung bewegen; (etwas) durch Druck betätigen:* auf den Knopf d.; jmdn. auf einen Stuhl d. **2.** ⟨tr.⟩ *durch Zusammenpressen herauslösen:* Wasser aus dem Schwamm d. **3.** ⟨itr.⟩ *lastend (auf jmdm.) liegen; belasten:* Sorgen drücken ihn. **4.** ⟨tr.⟩ *[allzu] fest umschließen:* die Mutter drückte das Kind; ⟨auch itr.⟩ die Schuhe drücken *(sind zu eng).* **5.** ⟨tr.⟩ *bewirken, daß etwas niedriger wird:* Preise drücken **6.** ⟨rfl.⟩ (ugs.) *sich [unauffällig] einer Arbeit, Verpflichtung entziehen:* sich gern [vor/von der Arbeit] d.

drückend ⟨Adj.⟩: *schwül:* eine drückende Hitze; es ist heute d.

Drucker, der; -s, -: *Arbeiter in einer Druckerei mit einer speziellen Ausbildung* /Berufsbezeichnung/.

Drücker, der; -s, -: **1.** *Türgriff.* **2.** *Knopf, auf den man drückt, um eine entfernte Tür automatisch zu öffnen.* ****** (ugs.) **auf den letzten D.** *(im letzten Augenblick);* **am D. sein/ sitzen** *(entscheidenden Einfluß haben).*

Druckerei, die; -, -en: *Betrieb, in dem gedruckte Erzeugnisse gewerbsmäßig hergestellt werden.*

Druckfehler, der; -s, -: *Fehler, der beim Setzen von Buchstaben entsteht; Fehler in gedrucktem Text.*

Druckknopf, der ;-[e]s, Druckknöpfe: *aus zwei Teilen bestehender Knopf, der sich durch einen Druck der Finger schließen läßt:* einen D. auf dem Gürtel annähen.

Druckmittel, das; -s, -: *Mittel, mit dem man Druck auf jmdn. ausüben kann.*

Drucksache, die; -, -n: *von der Post beförderte Sendung, die nur gedruckte Schriften enthält.*

drucksen, druckste, hat gedruckst ⟨itr.⟩ (ugs.): *nicht recht sprechen wollen, mit dem Sprechen zögern:* er druckste lange, bevor er dann doch antwortete.

drum ⟨Adverb⟩: **1.** (ugs.) *darum:* man gönnte ihm die Erbschaft nicht und wollte ihn d. betrügen. **** sei's d.** *(einverstanden, die Sache ist erledigt);* **d. und dran sein** *(damit verbunden sein, dazugehören);* **das D. und Dran** *(alles, was dazugehört).* **2.** (ugs.) *darum:* wegen des Nebels konnte ich nur langsam fahren, d. bin ich zu spät gekommen.

drunter ⟨Adverb⟩ (ugs.): *darunter:* die Begriffe waren ihr unbekannt, sie konnte sich nichts d. vorstellen. **** es/alles geht d. und drüber** *(es/alles ist in Unordnung, geht durcheinander):* in der Klasse geht es d. und drüber.

Drüse, die; -, -n: *Organ, das einen Saft produziert und diesen an dem Körper oder nach außen abgibt.*

Dschungel, der; -s, -: *undurchdringliche, sumpfige Wälder, bes. in den Tropen Indiens:* sich im D. einen Weg bahnen; bildl.: im D. menschlicher Konflikte.

du ⟨Personalpronomen⟩ /bezeichnet eine angeredete vertraute Person/: jmdn. mit du anreden; du kannst mir das Buch morgen bringen.

Dualismus, der; -: *Gegensatz, rivalisierendes Nebeneinander (zweier Dinge, Kräfte, Prinzipien):* der D. Preußens und Österreichs in der Mitte des 19. Jahrhunderts.

dualistisch ⟨Adj.⟩: *von einem Dualismus bestimmt, durch riva-*

lisierende Kräfte geprägt: eine dualistische Religion.

Dübel, der; -s, -: *in eine Wand eingelassener Pflock zur Befestigung von Schrauben o. ä.*

dubios ⟨Adj.⟩: *unsicher, zweifelhaft:* dubiose Nachrichten verbreiten.

Dublee, das; -s: *mit Gold, Silber o. ä. überzogenes unedles Metall:* eine Kette aus D.

Dublette, die; -, -n: *das zweite von doppelt vorhandenen Stükken:* die Dubletten der Bibliothek verkaufen.

ducken, duckte, hat geduckt: **1.** ⟨rfl.⟩ *[vor irgendeiner Gefahr] den Kopf einziehen und dabei den Rücken etwas gekrümmt*

ducken 1.

halten (siehe Bild): sich vor einem Schlag d. **2.** ⟨tr.⟩ (ugs.) *demütigen:* dieser freche Bursche muß einmal geduckt werden.

Duckmäuser, der; -s, - (ugs.; abwertend): *jmd., der seine Meinung nicht vertritt und sich ohne Widerspruch dem Willen eines anderen beugt.*

dudeln, dudelte, hat gedudelt ⟨tr./itr.⟩ (abwertend): *(auf Blasinstrumenten oder mechanischen Instrumenten) einförmig spielen, so daß es ermüdend wirkt:* er dudelte auf seiner Flöte immer wieder dieselbe Melodie; ständig dudelte das Radio.

Dudelsack, der; -s, Dudelsäcke: /ein Blasinstrument/ (siehe Bild).

Dudelsack

Duell, das; -s, -e: *Zweikampf.*

duellieren, sich; duellierte sich, hat sich duelliert: *ein Duell austragen:* willst du dich wegen dieser Beleidigung mit ihm d.?

Duett, das; -s, -e: *Komposition für zwei Singstimmen.*

Duft, der; -[e]s, Düfte: *angenehmer, feiner Geruch:* der D. einer Blume, eines Parfums.

duften, duftete, hat geduftet ⟨itr.⟩: *angenehmen Geruch ausströmen:* die Rosen duften stark, zart; es duftet nach Veilchen.

duftig ⟨Adj.⟩: *fein und leicht wie ein Hauch:* duftige Spitzen, Kleider.

dulden, duldete, hat geduldet: **1.** ⟨itr.⟩ *über sich ergehen lassen:* Not und Verfolgung d.; still d. *(leiden).* **2.** ⟨tr.⟩ **a)** *zulassen:* keinen Widerspruch d.; die Sache duldet keinen Aufschub. **b)** *(jmdn.) in seiner Nähe leben, sich aufhalten lassen:* sie duldeten ihn nicht in ihrer Mitte.

duldsam ⟨Adj.⟩: *eine andere Denk- und Handlungsweise tolerierend.* **Duldsamkeit,** die; -.

Duldung, die; -: *das Hinnehmen, Zulassen:* die D. dieser Zustände wird negative Folgen haben.

dumm ⟨Adj.⟩: **1. a)** *mangelnde Begabung auf intellektuellem Gebiet aufweisend:* ein dummer Mensch. * (ugs.) **sich nicht für d. verkaufen lassen** *(nicht glauben, was ein anderer einem einzureden versucht).* **b)** *unklug in seinem Tun:* das war aber d. von dir, ihm das jetzt zu sagen. **2.** (ugs.) *unangenehm:* das ist eine dumme Geschichte.

dummdreist ⟨Adj.⟩: *sowohl dumm als auch dreist, in dümmlicher Weise dreist:* eine dummdreiste Person; seine Antwort war d.

Dummerjan, der; -s, -e (ugs.; scherzh.): *dummer Mensch:* schon wieder hat er sich anführen lassen, er ist wirklich ein D.!

Dummheit, die; -, -en: **1.** ⟨ohne Plural⟩ *mangelnde Begabung auf intellektuellem Gebiet, Unwissenheit.* **2.** *unkluge Handlung:* eine D. begehen.

Dummkopf, der; -[e]s, Dummköpfe (abwertend): *dummer, unverständiger Mensch:* er ist ein D.; sei kein D.!

dümmlich ⟨Adj.⟩: *einfältig, leicht beschränkt [wirkend]:* vor Erstaunen öffnete sie ihren Mund, wodurch ihr Gesicht einen dümmlichen Ausdruck bekam.

dumpf ⟨Adj.⟩: **1.** *gedämpft und dunkel klingend:* sie fiel mit dumpfem Aufprall zu Boden. **2.** *muffig:* das Mehl riecht d. **3.** *(als Schmerz, Gefühl o. ä.) nicht ausgeprägt hervortretend:* ein dumpfes Gefühl im Kopf. **4.** *untätig und ohne Anteilnahme am äußeren Geschehen:* d. vor sich hinbrüten.

Düne, die; -, -n: *durch den Wind entstandene, hügelartige Ablagerung von Sand* (siehe Bild).

Düne

Dung, der; -s: *natürlicher Dünger.*

düngen, düngte, hat gedüngt ⟨tr.⟩: *(dem Boden) Dünger zuführen:* das Feld, den Kohl d.

Dünger, der; -s, -: *Stoffe, durch deren Zufuhr der Ertrag des Bodens erhöht wird:* künstlicher D.

Düngung, die; -: *das Düngen:* den Ertrag eines Bodens durch D. steigern.

dunkel ⟨Adj.⟩: **1. a)** *finster; nicht hell [genug]:* dunkle Straßen; es wird schon früh d. **b)** *sich in der Farbe dem Schwarz nähernd:* ein dunkler Anzug. **2.** *unbestimmt:* dunkle Vorstellungen von etwas haben. **3.** *undurchschaubar:* eine dunkle Vergangenheit, Existenz.

Dünkel, der; -s (abwertend): *übertriebenes Bewußtsein einer (gesellschaftlichen, geistigen) Überlegenheit; Hochmut:* obwohl er aus einer alten und wohlhabenden Familie stammt, hat er keinen D.

dünkelhaft ⟨Adj.⟩: *eingebildet, überheblich.*

Dunkelheit, die; -: *[fast] lichtloser Zustand, Finsternis:* bei Einbruch der D.

Dunkelziffer, die; -, -n: *offiziell nicht bekanntgewordene Anzahl (von bestimmten sich negativ auf die Gesellschaft auswirkenden Vorkommnissen):* die D. der Abtreibungen, der von Krebs Befallenen ist wesentlich höher als die Anzahl der statistisch erfaßten Fälle.

dünken, dünkte, hat gedünkt: 1. ⟨itr.⟩ *(jmdm. in einer bestimmten Weise) erscheinen, vorkommen:* die Sache dünkt mir/mich zweifelhaft. 2. (abwertend) ⟨rfl.⟩ *sich aus Überheblichkeit zu Unrecht (für etwas) halten:* sich besser d. als andere.

dünn ⟨Adj.⟩: 1. *von [zu] geringem Umfang, Durchmesser* /Ggs. dick/: ein dünner Ast; sie ist d. 2. **a)** *beinahe durchsichtig:* ein dünner Schleier. **b)** *spärlich:* dünnes Haar; das Land ist d. bevölkert. **c)** ⟨in Verbindung mit bestimmten Verben⟩ *in geringer Menge:* eine Salbe d. auftragen. 3. *wenig gehaltvoll, wäßrig:* dünner Kaffee.

Dünndarm, der; -[e]s, Dünndärme: *der sich an den Ausgang des Magens anschließende dünne Abschnitt des Darms.*

dünnmachen, sich; machte sich dünn, hat sich dünngemacht (ugs.): *sich unauffällig, heimlich entfernen:* ehe man sie fassen konnte, hatten sie sich dünngemacht.

Dunst, der; -es, Dünste: *leichte Trübung der Atmosphäre; Nebel, Rauch:* die Berge sind in D. gehüllt.

dünsten, dünstete, hat gedünstet ⟨tr.⟩: *(Nahrungsmittel) in verschlossenem Topf in [Fett und] Wasserdampf weich, gar werden lassen:* Gemüse d.

Dunstglocke, die; -, -n: *über Großstädten und Industriegebieten liegender Dunst.*

dunstig ⟨Adj.⟩: *durch Dampf oder Nebel trübe.*

Dünung, die; -: *Seegang nach einem Sturm mit gleichmäßig langen Wellen:* die schwache D. schaukelte das Schiff hin und her.

Duo, das; -s, -s: **a)** *Musikstück für zwei Stimmen oder zwei Instrumente.* **b)** *Gruppe von zwei Sängern oder Musikern:* sie sind öfter als D. aufgetreten.

düpieren, düpierte, hat düpiert ⟨tr.⟩ (geh.): *betrügen, täuschen, foppen:* in einer geliehenen Uniform Offiziere und Soldaten d.

Duplikat, das; -s, -e: *zweite Ausfertigung eines Schriftstücks:* das D. eines Vertrages.

Duplizität, die; -, -en: *doppeltes Auftreten; zufälliges Zusammentreffen zweier gleicher Ereignisse:* die D. der Ereignisse.

durch ⟨Präp. mit Akk.⟩: 1. /kennzeichnet eine Bewegung, die auf der einen Seite in etwas hinein- und auf der anderen Seite wieder hinausführt/: d. die Tür, den Wald gehen. 2. /kennzeichnet die vermittelnde, bewirkende Person, das Mittel, die Ursache, den Grund/: etwas d. das Los entscheiden; die Stadt wurde d. ein Erdbeben zerstört. * (ugs.) **d. und d.** *(völlig, total):* er ist d. und d. verdorben.

durchackern, ackerte durch, hat durchgeackert ⟨tr.⟩ (ugs.): *(einen Stoff) mit besonderer Energie und Gründlichkeit durcharbeiten:* wir haben das ganze Buch durchgeackert.

durcharbeiten, arbeitete durch, hat durchgearbeitet: 1. ⟨tr.⟩ *genau durchlesen und sich mit dem Inhalt auseinandersetzen:* ein Buch gründlich d. 2. ⟨itr.⟩ *ohne Pause arbeiten:* sie arbeiten mittags durch.

durchaus [durchaus] ⟨Adverb⟩: **a)** *unter allen Umständen:* er will d. dabei sein. **b)** *völlig, ganz:* was Sie sagen, ist d. richtig.

durchbeißen, biß durch, hat durchgebissen: 1. ⟨tr.⟩ *ganz durch etwas beißen und es in zwei Stücke zerteilen:* einen Faden d. 2. (ugs.) ⟨rfl.⟩ *verbissen und zäh alle Schwierigkeiten überwinden:* mach dir nur keine Sorgen, ich werde mich schon d.

durchblättern, blätterte durch, hat durchgeblättert; (auch:) durchblättern, durchblätterte, hat durchblättert ⟨tr.⟩: *(Blätter eines Buches, einer Zeitschrift o. ä.) umschlagen, um sich dabei kurz über den Inhalt zu informieren:* die Zeitungen d.

durchbleuen, bleute durch, hat durchgebleut ⟨tr.⟩ (ugs.): *(auf jmdn./etwas) lange und kräftig einschlagen, verprügeln:* er hat seinen Bruder tüchtig durchgebleut.

durchblicken, blickte durch, hat durchgeblickt ⟨itr.⟩: *(durch etwas) blicken:* er nahm sein Fernglas und blickte durch; bildl. (ugs.): ich blicke [bei dieser Sache] nicht mehr durch *(ich verstehe die Zusammenhänge nicht mehr).* ***etwas d. lassen** *(etwas andeuten):* er ließ d., daß er damit nicht zufrieden sei.

durchblutet ⟨Adj.⟩: *mit Blut versorgt:* frisch durchblutete Haut.

durchbohren: I. durchbohren, bohrte durch, hat durchgebohrt ⟨tr.⟩: *(in etwas) durch Bohren eine Öffnung herstellen:* ein Loch durch die Wand d. II. durchbohren, durchbohrte, hat durchbohrt ⟨tr.⟩: *bohrend (durch etwas) dringen:* ein Brett d.; das Geschoß durchbohrte die Tür des Autos.

durchboxen, boxte durch, hat durchgeboxt ⟨tr./rfl.⟩ (ugs.): *mit Energie durchsetzen:* er boxte durch, daß er eine Gehaltserhöhung bekam; er hat sich durchgeboxt *(auf seinem Weg zum Erfolg alle Hindernisse energisch überwunden).*

durchbraten, brät durch, briet durch, hat durchgebraten ⟨tr.⟩: *(Fleisch) so lange braten, bis es durch und durch gar ist:* die Leber d.

durchbrechen: I. durchbrechen, bricht durch, brach durch hat/ist durchgebrochen: 1. **a)** ⟨tr.⟩ *in zwei Teile zerbrechen:* er hat den Stock durchgebrochen. **b)** ⟨itr.⟩ *durch Brechen entzweigehen:* der Stuhl ist durchgebrochen. 2. ⟨tr.⟩ *(eine Öffnung) in eine Wand brechen:* wir haben eine Tür durch die Wand durchgebrochen. 3. ⟨itr.⟩ *unter Überwindung von Hindernissen durch etwas dringen oder an die Oberfläche gelangen:* die Mutter stellte fest, daß bei ihrem Kind der erste Zahn durchgebrochen war. II. durchbrechen, durchbricht, durchbrach, hat durchbrochen ⟨tr.⟩: *mit Gewalt durch eine Absperrung dringen:* die Fluten durchbrachen den Deich.

durchbrennen, brannte durch, ist durchgebrannt ⟨itr.⟩: 1. *durch langes Brennen, starke Belastung mit Strom entzweigehen:* die Sicherung ist durchgebrannt. 2. *bis zum Glühen brennen:* die Kohlen sind noch nicht durchgebrannt. 3. (ugs.) *sich heimlich und überraschend davonmachen:* mit der Kasse d.

durchbringen, brachte durch, hat durchgebracht (ugs.): 1. **a)** ⟨tr.⟩ *durch ärztliche Kunst erreichen, daß jmd. eine Krise übersteht und gesund wird:* die Ärzte haben den Patienten durchgebracht. **b)** ⟨tr./rfl.⟩ *mit gewisser Anstrengung dafür sorgen, daß das Nötigste zum Leben (für jmdn., für die eigene Person) vorhanden ist:* sich, seine Kinder ehrlich d. **c)** ⟨tr.⟩ *gegen eine mögliche Opposition durchsetzen:* einen Kandidaten d. **2.** ⟨tr.⟩ *(Geld, Besitz) in kurzer Zeit bedenkenlos verschwenden:* sein Vermögen, Erbe d.

Dụrchbruch, der; -[e]s, Durchbrüche: **1.** *das Durchbrechen, [deutliches Hervortreten nach] Überwindung von Hindernissen:* ein D. durch die Stellung des Feindes. **2.** *Öffnung in etwas:* den D. im Deich schließen.

durchdenken: **I.** dụrchdenken, dachte durch, hat durchgedacht ⟨tr.⟩: *bis zu Ende denken:* ich habe die Sache noch einmal durchgedacht. **II.** durchdẹnken, durchdachte, hat durchdacht ⟨tr.⟩: *hinsichtlich der Möglichkeiten und Konsequenzen bedenken:* etwas gründlich d.; ⟨häufig im 2. Partizip⟩ ein in allen Einzelheiten durchdachter Plan.

dụrchdrehen, drehte durch, hat durchgedreht: **1.** ⟨tr.⟩ *durch eine Maschine drehen:* Fleisch d. **2.** ⟨itr.⟩ (ugs.) *kopflos werden, die Nerven verlieren:* kurz vor dem Examen hat er durchgedreht; ⟨häufig im 2. Partizip⟩ er ist völlig durchgedreht.

durchdringen: **I.** dụrchdringen, drang durch, ist durchgedrungen ⟨itr.⟩: *Hindernisse überwinden, gegen etwas ankommen:* bei dem Lärm konnte er [mit seiner Stimme] nicht d.; er konnte mit seinem Vorschlag nicht d. *(konnte seinen Vorschlag nicht durchsetzen).* **II.** durchdrịngen, durchdrang, hat durchdrungen ⟨tr.⟩: **1.** *trotz Behinderung (durch etwas) dringen und wahrnehmbar sein:* einzelne Strahlen durchdringen die Wolken. **2.** *erfüllen:* ein Gefühl der Begeisterung durchdrang alle. **Durchdrịngung,** die; -.

dụrchdrücken, drückte durch, hat durchgedrückt ⟨tr.⟩ (ugs.): *gegenüber starken Widerständen durchsetzen:* seinen Willen d.

durcheinạnder ⟨Adverb⟩: **1.** *ungeordnet;* ⟨häufig zusammengesetzt mit Verben⟩ durcheinanderlaufen, durcheinanderliegen. **2.** *wahllos (das eine und das andere):* alles d. essen und trinken.

Durcheinạnder [Dụrch...], das; -s: *Unordnung, allgemeine Verwirrung:* in seinem Zimmer herrschte ein großes D.

durcheinạnderbringen, brachte durcheinander, hat durcheinandergebracht ⟨tr.⟩: **1.** *in Unordnung bringen:* meine Bücher waren alle durcheinandergebracht worden. **2.** *verwechseln:* zwei verschiedene Begriffe d. **3.** *verwirren:* die Nachricht hat mich ganz durcheinandergebracht.

durcheinạndergehen, ging durcheinander, ist durcheinandergegangen ⟨itr.⟩ (ugs.): *sich in völliger Unordnung, in Wirrwarr befinden:* wenn er so etwas organisiert, geht immer alles durcheinander.

durcheinạnderreden, redete durcheinander, hat durcheinander geredet ⟨tr./itr.⟩ (ugs.): **1.** *gleichzeitig reden:* jedes Kind wollte antworten, und so redeten alle [ihre Bemerkungen] durcheinander. **2.** *wirr, nicht zusammenhängend reden:* im Schlaf redete er [alles mögliche] durcheinander.

durcheinạnder sein, ist durcheinander, war durcheinander, ist durcheinander gewesen ⟨itr.⟩ (ugs.): *verwirrt, konfus sein:* ich war ganz durcheinander.

durchfahren: **I.** dụrchfahren, fährt durch, fuhr durch, ist durchgefahren ⟨itr.⟩: *ohne Halt durch einen Ort, ein Gebiet fahren:* wir konnten d. **II.** durchfa̲hren, durchfährt, durchfuhr, hat durchfahren **1.** ⟨tr.⟩: **a)** *(einen bestimmten Weg) zurücklegen:* eine Strecke d. **b)** *[nach allen Richtungen] durch einen Ort, ein Gebiet fahren:* eine Stadt, ein Land d. **2.** ⟨itr.⟩ *plötzlich in jmds. Bewußtsein dringen und eine heftige Empfindung auslösen:* ein Schreck, ein Gedanke durchfuhr mich.

Dụrchfahrt, die; -, -en: **1.** ⟨ohne Plural⟩: *das Durchfahren durch etwas:* auf der D. von Berlin nach Hamburg sein. **2.** *Öffnung, Tor zum Durchfahren:* neben der D. parken.

Dụrchfall, der; -s, Durchfälle: *[durch Infektion hervorgerufene] häufige Entleerung von dünnem, flüssigem Stuhl; Diarrhö.*

dụrchfallen, fällt durch, fiel durch, ist durchgefallen ⟨itr.⟩: **a)** *eine Prüfung nicht bestehen:* im Examen d. **b)** *keinen Erfolg beim Publikum haben:* das neue Stück des Autors ist durchgefallen.

dụrchfechten, ficht durch, focht durch, hat durchgefochten ⟨tr.⟩: *(für eigene oder fremde Interessen) so lange eintreten, bis man sie durchgesetzt hat:* vor dem Gericht gelang es ihm, seine Ansprüche durchzufechten.

dụrchfinden, fand durch, hat durchgefunden (ugs.): **1.** ⟨itr.⟩: *dorthin finden, wohin man will; die Orientierung nicht verlieren; sich zurechtfinden:* ich kannte die Stelle zwar nicht, doch fand ich mich leicht durch. **2.** ⟨rfl.⟩ *(etwas) verstehen; die Übersicht (über etwas) haben:* mir ist das alles zu schwierig, ich finde mich da nicht mehr durch.

durchfliegen: **I.** dụrchfliegen, flog durch, ist durchgeflogen ⟨itr.⟩: **1.** *(durch eine Öffnung) fliegen:* der Ball flog [durch das Fenster] durch. **2.** (ugs.) *durchfallen, (eine Prüfung) nicht bestehen:* gestern war die Prüfung, leider ist er durchgeflogen. **II.** durchfli̲egen, durchflog, hat durchflogen ⟨tr.⟩: **1.** *(eine Strecke) fliegend zurücklegen:* das Flugzeug hat die Strecke in fünf Stunden durchflogen. **2.** *rasch und flüchtig lesen:* ich habe das Buch nur durchflogen.

durchfließen: **I.** dụrchfließen, floß durch, ist durchgeflossen ⟨itr.⟩: *(durch eine Öffnung) fließen:* sie nahm den Filter von der Kanne, weil das Wasser durchgeflossen war. **II.** durchfli̲eßen, durchfloß, hat durchflossen ⟨tr.⟩: *(durch ein Gebiet o. ä.) fließen:* der Bach durchfließt eine Wiese.

durchfọrschen, durchforschte hat durchforscht ⟨tr.⟩: **a)** *wissenschaftlich untersuchen:* ein Werk nach neuen Gesichtspunkten d. **b)** *gründlich untersuchen, absuchen:* die Gegend nach einer Quelle d.

dụrchfrieren, fror durch, ist durchgefroren ⟨itr.⟩: *langsam durch und durch kalt werden* /von Personen/: ich mußte lange draußen warten und fror dabei ganz schön durch; ⟨häufig im 2. Partizip⟩: er kam völlig durchgefroren /(auch:) durchfroren nach Hause.

dụrchführen, führte durch, hat durchgeführt ⟨tr.⟩: **a)** *verwirklichen:* ein Vorhaben d. **b)** *ausführen:* eine Untersuchung d. **c)** *stattfinden lassen, veranstalten:* eine Abstimmung d. **Dụrchführung,** die; -.

Dụrchgang, der; -s, Durchgänge: **1.** ⟨ohne Plural⟩ *das Durchgehen durch etwas:* D. verboten. **2.** *Stelle zum Durchgehen:* kein öffentlicher D. **3. a)** *sich in bestimmten Abständen wiederholende Belegung eines Hauses für die Ferien:* die Häuser werden in vier Durchgängen bewohnt. **b)** *Phase innerhalb eines Wettbewerbs, Wettkampfes, einer Wahl:* ein Wettbewerb mit drei Durchgängen.

dụrchgängig ⟨Adj.; nicht prädikativ⟩: *ausnahmslos, durchgehend:* die durchgängige Meinung ist, daß ...; alle waren d. der Ansicht, daß ...

dụrchgeben, gibt durch, gab durch, hat durchgegeben ⟨tr.⟩: *durch Rundfunk, Telefon als Information übermitteln:* eine Nachricht d.

dụrchgehen, ging durch, ist durchgegangen /vgl. durchgehend/: **1.** ⟨itr.⟩ *durch etwas gehen:* ich ließ ihn vor mir [durch die Tür] d. **2.** ⟨itr.⟩ *plötzlich nicht mehr den Zügeln gehorchen und davonlaufen:* die Pferde sind [dem Bauern] durchgegangen; b i l d l. (ugs.): sein Temperament ist mit ihm durchgegangen. **3.** ⟨itr.⟩ **a)** *durch etwas hindurchkommen:* der dicke Faden geht nur schwer [durch die Nadel] durch. **b)** *ohne Beanstandung angenommen werden:* der Antrag ging durch. **c)** ⟨in der Verbindung⟩ d. lassen: *unbeanstandet lassen:* sie ließ alle Unarten d. **4.** ⟨tr.⟩ *durchsehen:* eine Rechnung noch einmal d.

dụrchgehend ⟨Adj.⟩: **1.** ⟨nur attributiv⟩ *direkt bis ans eigentliche Ziel einer Reise fahrend:* ein durchgehender Zug. **2.** ⟨nur adverbial⟩ *ohne Pause oder Unterbrechung:* die Geschäfte sind d. geöffnet.

durchglühen: I. dụrchglühen, glühte durch, ist durchgeglüht ⟨itr.⟩: *langsam durch und durch glühend werden:* die Kohlen sind durchgeglüht. **II.** durchglühen, durchglühte, hat durchglüht ⟨tr.⟩ (geh.): *ganz und gar erfüllen, beseelen:* Begeisterung durchglühte ihn; ⟨häufig im 2. Partizip⟩ von edlem Wollen durchglüht.

dụrchgreifen, griff durch, hat durchgegriffen ⟨itr.⟩: *mit drastischen Maßnahmen gegen Mißstände o. ä. vorgehen:* die Polizei hat rücksichtslos durchgegriffen.

dụrchhalten, hält durch, hielt durch, hat durchgehalten ⟨itr.⟩: *einer Belastung standhalten:* bis zum Äußersten d.; ⟨auch tr.⟩ das halte ich [gesundheitlich] nicht durch.

durchhauen: I. dụrchhauen, hieb/haute durch, hat durchgehauen ⟨tr.⟩: **1.** ⟨hieb durch/ (ugs.:) haute durch⟩ *in zwei Stücke hauen:* er hieb den Klotz mitten durch. **2.** ⟨haute durch⟩ (ugs.) *(auf jmdn.) lange und kräftig einschlagen, verprügeln:* der Bengel wurde von seinem Vater tüchtig durchgehauen. **II.** durchhauen, durchhieb/ (ugs.:) durchhaute, hat durchhauen ⟨tr.⟩: *in zwei Stücke hauen:* er hat den Ast mit einem Schlag durchhauen.

dụrchhecheln, hechelte durch, hat durchgehechelt ⟨tr.⟩ (ugs.; abwertend): *lange und unfreundlich (über jmdn./etwas) reden:* sie haben die lieben Verwandten durchgehechelt.

dụrchheizen, heizte durch, hat durchgeheizt ⟨tr./itr.⟩: **a)** *so heizen, daß es überall warm ist:* sie heizten [das ganze Haus] durch; ⟨häufig im 2. Partizip⟩ eine gut durchgeheizte Wohnung. **b)** *ohne Unterbrechung Tag und Nacht heizen:* bei dieser Kälte muß man [die Räume] d.

dụrchhelfen, hilft durch, half durch, hat durchgeholfen ⟨itr.⟩ (ugs.): *helfen, eine schwierige Situation zu bestehen:* als er arbeitslos wurde, versuchte sein Bruder, ihm durchzuhelfen; ich half mir schließlich selbst durch.

durchkämmen: I. dụrchkämmen, kämmte durch, hat durchgekämmt ⟨tr.⟩: *gründlich und sorgfältig kämmen:* das vom Wind zerzauste Haar d. **II.** durchkämmen, durchkämmte, hat durchkämmt ⟨tr.⟩: *(ein Gebiet) gründlich durchsuchen* /von mehreren nebeneinandergehenden Menschen/: die Polizisten durchkämmten den Wald nach einem entflohenen Verbrecher.

dụrchkämpfen, kämpfte durch, hat durchgekämpft: **1.** ⟨tr.⟩ *nach anfänglichen Schwierigkeiten zu dem gewünschten Ende führen; durchsetzen:* er hat seine Versetzung schließlich doch noch durchgekämpft. **2.** ⟨rfl.⟩ *sich gewaltsam einen Weg bahnen, sich mühsam zu einem Ziel bewegen:* der Saal war so voll, daß er sich nur langsam zum Ausgang d. konnte; b i l d l.: das Buch ist schwer verständlich, ich habe mich Seite für Seite d. müssen.

dụrchkauen, kaute durch, hat durchgekaut ⟨tr.⟩ (ugs.; abwertend): *bis zum Überdruß besprechen:* eine Lektüre im Unterricht d.

dụrchkommen, kam durch, ist durchgekommen ⟨itr.⟩: **1.** *an einer Stelle vorbeikommen:* der Zug kommt hier durch. **2.** *trotz räumlicher Behinderung durch etwas an sein Ziel gelangen:* durch die Menge war kaum durchzukommen. **3.** (ugs.) **a)** *sein Ziel erreichen:* er wird nicht überall mit seiner Faulheit d.; mit Englisch kommt man überall durch *(kann man sich überall verständigen).* **b)** *eine Prüfung bestehen:* alle Schüler sind durchgekommen. **c)** *die Krise überstehen, gesund werden:* der Patient ist durchgekommen. **d)** *(eine Arbeit) bewältigen können:* ich komme [mit der Arbeit] nicht durch. **4.** (ugs.) *gemeldet, bekanntgegeben werden:* die Meldung vom Putsch kam gestern in den Nachrichten durch.

durchkreuzen: I. dụrchkreuzen, kreuzte durch, hat durchgekreuzt ⟨tr.⟩: *mit einem Kreuz durchstreichen:* eine Zahl d. **II.** durchkreuzen, durchkreuzte, hat durchkreuzt: *durch Gegenmaßnahmen behindern, vereiteln:* jmds. Pläne d.

Dụrchlaß, der; Durchlasses, Durchlässe: **1.** ⟨ohne Plural⟩ *das Durchlassen:* Polizisten sorgten für einen geregelten D. **2.** *Durchgang, Öffnung:* der D. war so schmal, daß ein Auto kaum durchfahren konnte.

dụrchlassen, läßt durch, ließ durch, hat durchgelassen: **a)** ⟨tr.⟩ *durchgehen, vorbeigehen lassen:* ohne Ausweis wird niemand durchgelassen. **b)** ⟨itr.⟩ *eindringen lassen:* die Schuhe lassen Wasser durch.

durchlässig ⟨Adj.⟩: *nicht dicht; (Luft, Wasser o. ä.) durchlassend:* durchlässige Zellen.

durchlaufen: **I.** durchlaufen, läuft durch, lief durch, ist durchgelaufen ⟨itr.⟩: *durch eine Öffnung laufen:* durch ein Tor d. **II.** durchlaufen, durchläuft, durchlief, hat durchlaufen ⟨tr.⟩: **1.** *(einen Weg, eine Strecke) laufend zurücklegen.* **2.** *(etwas, was der Ausbildung, dem Fortkommen dient) in Etappen hinter sich bringen:* sie hat die höhere Schule durchlaufen.

durchleben, durchlebte hat durchlebt ⟨tr.⟩: **a)** *(eine bestimmte Zeit) verbringen:* fröhliche Tage d. **b)** *(ein Gefühl) in allen Nuancen kennenlernen:* Seligkeiten, Qualen d.

durchlesen, liest durch, las durch, hat durchgelesen ⟨tr.⟩: *von Anfang bis Ende lesen:* ein Buch d.

durchleuchten, durchleuchtete, hat durchleuchtet ⟨tr.⟩: **1.** *mit Licht, Röntgenstrahlen durchdringen, um das Innere sichtbar zu machen:* sich vom Arzt d. lassen; Eier elektrisch d. **2.** (dicht.) *verklären:* sein Gesicht war von innen durchleuchtet. **3.** *aufklären, kritisch untersuchen:* das Treiben dieser Gruppe muß gründlich durchleuchtet werden. **Durchleuchtung,** die; -, -en.

durchlöchern, durchlöcherte, hat durchlöchert ⟨tr.⟩: *mit Löchern versehen; (in jmdn./etwas) Löcher bohren, schlagen, schießen:* die Zielscheibe war von Kugeln durchlöchert; bildl.: diese Ausnahmen können das Prinzip d. *(teilweise aufheben).*

durchmachen, machte durch, hat durchgemacht ⟨tr.⟩: **1.** *erleiden:* wer weiß, was er alles durchgemacht hat. **2.** *(einen Lehrgang bis zum Ende) besuchen:* er hat nach dem Studium noch eine praktische Ausbildung durchgemacht.

Durchmesser, der; -s, -: *durch den Mittelpunkt eines Kreises bis zur Peripherie verlaufende gerade Linie:* ein Baum mit einem D. von 1,50 m.

durchnehmen, nimmt durch, nahm durch, hat durchgenommen ⟨tr.⟩: *im Unterricht behandeln:* der Lehrer nahm den schwierigen Stoff noch einmal durch.

durchnumerieren, numerierte durch, hat durchnumeriert ⟨tr.⟩: *von Anfang bis Ende numerieren:* die Seiten d.

durchpausen, pauste durch, hat durchgepaust ⟨tr.⟩: *durch durchsichtiges Papier in den Umrissen nachzeichnen:* eine Zeichnung d.

durchpeitschen, peitschte durch, hat durchgepeitscht ⟨tr.⟩ (abwertend): *dafür sorgen, daß etwas in aller Eile noch behandelt und schnell erledigt wird:* ein Gesetz im Parlament d.

durchqueren, durchquerte, hat durchquert ⟨tr.⟩: *sich gehend, fahrend quer von einer Seite auf die andere bewegen:* er durchquerte den Saal; Schiffe durchqueren die See.

durchrechnen, rechnete durch, hat durchgerechnet ⟨tr.⟩: *(eine Aufgabe) von Anfang bis Ende rechnen; durch Rechnen prüfen:* bevor ich mich zum Kauf entschließe, will ich noch einmal d., wie hoch die monatliche Belastung wird.

durchregnen, regnete durch, hat durchgeregnet ⟨itr.⟩: *durch etwas durchdringen* /vom Regen/: es hatte an mehreren Stellen der Decke durchgeregnet.

Durchreiche, die; -, -n: *Öffnung in der Wand zwischen Küche und Zimmer, durch die Speisen und Geschrir gereicht werden können* (siehe Bild).

Durchreiche

Durchreise, die; -, -n: *Reise durch einen Ort, ein Land:* sich auf der D. befinden.

durchreisen: **I.** durchreisen, reiste durch, ist durchgereist ⟨itr.⟩: **a)** *ohne längere Unterbrechung (durch einen Ort, ein Land) reisen:* nein, ich kenne die Stadt nicht, ich bin nur durchgereist. **b)** *ohne längere Unterbrechung (während einer bestimmten Zeit) reisen:* bei seiner Ankunft wird er sehr müde sein, denn er muß die ganze Nacht d. **II.** durchreisen, durchreiste, hat durchreist ⟨tr.⟩: *durch eine längere Reise, durch viele Reisen genau kennenlernen:* ein Gebiet mehrere Wochen lang d.

durchreißen, riß durch, hat/ist durchgerissen: **a)** ⟨tr.⟩ *in zwei Teile zerreißen:* er hat das Heft durchgerissen. **b)** ⟨itr.⟩ *in zwei Teile reißen:* der Faden ist durchgerissen.

durchringen, sich; rang sich durch, hat sich durchgerungen: *sich nach inneren Kämpfen entschließen:* sich zum Handeln d.

durchrütteln, rüttelte durch, hat durchgerüttelt ⟨tr.⟩: *lange und kräftig rütteln, durch Rütteln erschüttern:* er wurde auf dem Trecker tüchtig durchgerüttelt.

Durchsage, die; -, -n: *durch Lautsprecher, [Rund]funk o. ä. bekanntgegebene Nachricht:* wir erbitten ihre Aufmerksamkeit für eine D.

durchsagen, sagte durch, hat durchgesagt ⟨tr.⟩: *(eine Nachricht) durch Lautsprecher, [Rund]funk o. ä. bekanntgeben:* den Wetterbericht d.

durchsägen, sägte durch, hat durchgesägt ⟨tr.⟩: *in zwei Teile sägen:* ein Brett d.

durchschauen: **I.** durchschauen, schaute durch, hat durchgeschaut ⟨itr.⟩ (landsch.): *durch etwas sehen:* durch das Mikroskop d. **II.** durchschauen, durchschaute, hat durchschaut ⟨tr.⟩: *(über Hintergründe und Zusammenhänge in bezug auf jmdn./etwas) Klarheit gewinnen; erkennen:* jmdn., jmds. Motive nicht sogleich d.

durchscheinen: **I.** durchscheinen, schien durch, hat durchgeschienen ⟨itr.⟩: *(durch etwas) scheinen, zu sehen sein:* die Vorhänge waren so dick, daß kein Licht durchgeschienen hat; ⟨häufig im 1. Partizip⟩ durchscheinend *(Licht durchlassend)* wie Pergament. **II.** durchscheinen, durchschien, hat durchschienen ⟨tr.⟩: *mit Licht erfüllen; hell machen:* Sonne hatte das Zimmer durchschienen.

durchscheuern, scheuerte durch, hat durchgescheuert: **1.** ⟨tr./rfl.⟩ *(Kleidungsstücke) durch langes Tragen so abnutzen, daß sie dünn werden und Löcher bekommen:* du kannst den Pullover nicht länger tragen, die Ärmel sind ja ganz durchgescheuert; der Stoff hat sich durchgescheuert. 2. ⟨rfl.⟩ (ugs.) *(an Händen, Füßen o. ä.) durch Scheuern Wunden bekommen:* weil ihr die Schuhe nicht paßten, hat sich die Haut an der Ferse durchgescheuert.

Dụrchschlag, der; -s, Durchschläge: 1. *durch untergelegtes Kohlepapier hergestellte Kopie eines maschinegeschriebenen Schriftstücks:* etwas mit zwei Durchschlägen auf der Schreibmaschine schreiben.

dụrchschlagen, schlägt durch, schlug durch, hat/ist durchgeschlagen: 1. ⟨itr.⟩ *in jmds. äußerer Erscheinung, jmds. Wesen sichtbar, spürbar werden:* im Enkel ist der Großvater durchgeschlagen. 2. ⟨rfl.⟩ *mühsam seine Existenz behaupten:* nach dem Krieg haben sie sich kümmerlich durchgeschlagen.

dụrchschleppen, schleppte durch, hat durchgeschleppt ⟨tr.⟩ (ugs., abwertend): **a)** *(jmdm.) unter Anstrengungen helfen, bestimmte Leistungen zu vollbringen:* seinen Freunden gelang es, ihn bei der Prüfung durchzuschleppen. **b)** *(für jmdn.) unter eigenen Entbehrungen so sorgen, daß er das Nötigste zum Leben hat:* obwohl sie selbst nicht viel hatten, versuchten sie noch einen Bekannten mit durchzuschleppen.

dụrchschleusen, schleuste durch, hat durchgeschleust ⟨tr.⟩: **1. a)** *(ein Schiff) durch eine Schleuse leiten:* nachdem wir lange gewartet hatten, wurde das Schiff gegen Abend doch noch durchgeschleust. **b)** *(Fahrzeuge) durch eine enge Stelle o. ä. leiten:* die Straßen waren so eng, daß die Polizisten Mühe hatten, die vielen Autos durchzuschleusen. 2. (ugs.) *(Personen) [kontrollierend] durch einen engen Durchgang leiten:* die Reisenden, die sich vor der Kontrollstelle drängten, wurden langsam durchgeschleust.

durchschneiden: I. dụrchschneiden, schnitt durch, hat durchgeschnitten ⟨tr.⟩: *in zwei Teile schneiden:* er schnitt die Leine durch; jmdm. die Kehle d. **II.** durchschne̲iden, durchschnitt, hat durchschnitten ⟨tr.⟩: *schneidend (durch etwas) dringen:* die Säge durchschnitt das Brett; bildl.: der Fluß durchschneidet die Ebene; ihre Stimme durchschnitt die Stille.

Dụrchschnitt, der; -s, -e: *mittleres Ergebnis zwischen zwei Extremen der Qualität oder Quantität; Mittelwert:* seine Leistungen liegen über dem D. * **im D.** *(durchschnittlich, im allgemeinen):* unsere Bäume bringen im D. zehn Zentner Obst.

dụrchschnittlich ⟨Adj.⟩: 1. ⟨nicht prädikativ⟩ *dem Durchschnitt entsprechend; im allgemeinen:* ein durchschnittliches Einkommen von 1000 DM; sie sind d. nicht älter als 15 Jahre. 2. ⟨nicht adverbial⟩ *von mittlerer Qualität, mittelmäßig:* eine durchschnittliche Bildung.

Dụrchschrift, die; -, -en: *durch untergelegtes Kohlepapier gleichzeitig mit dem Original entstandene Kopie.*

dụrchschütteln, schüttelte durch, hat durchgeschüttelt ⟨tr.⟩: *lange und kräftig schütteln:* er faßte ihn am Arm und schüttelte ihn tüchtig durch; Inhalt der Flasche gut d.

dụrchsehen, sieht durch, sah durch, hat durchgesehen: 1. ⟨itr.⟩ *durch etwas sehen:* laß mich einmal [durch das Fernrohr] d.! 2. *auf etwas hin untersuchen, durchlesen:* die Arbeiten der Schüler [auf Fehler] d.

durchsetzen: I. dụrchsetzen, setzte durch, hat durchgesetzt: **1. a)** ⟨tr.⟩ *gegenüber Widerständen verwirklichen:* Reformen d. **b)** ⟨rfl.⟩ *Widerstände überwinden und sich Geltung verschaffen:* du wirst dich schon d. **II.** durchsẹtzen, durchsetzte, hat durchsetzt ⟨tr.⟩: *in wenig auffallender Weise sich negativ auswirkende Gedanken o. ä. in einen Kreis von Personen hineinbringen und ihn dadurch zu beeinflussen suchen:* das Volk mit aufrührerischen Ideen d.

Dụrchsicht, die; -: *das Durchsehen, Durchlesen, Überprüfen:* nach D. des gesamten Materials kam er zu folgendem Ergebnis.

dụrchsichtig ⟨Adj.⟩: 1. *[als Materie] so beschaffen, daß man hindurchsehen kann:* durchsichtiges Papier. 2. (abwertend) *leicht zu durchschauen:* seine Absichten waren sehr d.

dụrchsickern, sickerte durch, ist durchgesickert ⟨itr.⟩: *(durch etwas) sickern, langsam (durch etwas) dringen:* der Boden war so trocken, daß das Wasser nur langsam durchsickerte; bildl. (ugs.): von dem Plan ist schon allerhand durchgesickert *(bekanntgeworden).*

dụrchsprechen, spricht durch, sprach durch, hat durchgesprochen ⟨tr.⟩: *ausführlich (über etwas) sprechen:* einen Plan d.

dụrchstehen, stand durch, hat durchgestanden ⟨tr.⟩: *sich (in einer schwierigen Lage) behaupten und sie bis zu Ende ertragen:* wir wissen selbst nicht, wie wir alles d. sollen.

durchstö̲bern, durchstöberte, hat durchstöbert ⟨tr.⟩ (ugs.): *mit Ausdauer, aber ohne System durchsuchen:* die Kinder durchstöberten einen Schrank, in dem alte Kleider aufbewahrt wurden; alte Zeitungen, Briefe d.

durchstoßen: I. dụrchstoßen, stößt durch, stieß durch, hat/ist durchgestoßen: **1.** ⟨tr.⟩ **a)** *(durch etwas) stoßen:* er hat den Stock [durch die Spalte] durchgestoßen. **b)** *durch Stoßen öffnen, aufbrechen:* sie haben die Tür durchgestoßen. **c)** *durch Stoßen (in etwas eine Öffnung) herstellen:* er hat durch die dünne Eisdecke ein Loch durchgestoßen. 2. ⟨itr.⟩ *sich unter Anwendung von Gewalt einen Weg bahnen:* der Feind ist bereits an mehreren Punkten durch unsere Linien durchgestoßen. **II.** durchsto̲ßen, durchstößt, durchstieß, hat durchstoßen ⟨tr.⟩: *mit Gewalt (durch ein Hindernis) stoßen:* das Regiment hat die feindliche Front durchstoßen.

dụrchstreichen, strich durch, hat durchgestrichen ⟨tr.⟩: *einen Strich durch etwas ziehen und es damit entwerten, ungültig machen:* eine Zeile, ein Wort d.

durchstre̲ifen, durchstreifte, hat durchstreift ⟨tr.⟩: *(durch ein Gebiet) kreuz und quer streifen:* den Wald d.

durchsu̲chen, durchsuchte, hat durchsucht ⟨tr⟩: *an einer Stelle gründlich nach jmdm./etwas suchen:* eine Wohnung [nach Waffen] d. **Durchsu̲chung,** die; -, -en.

durchtrạ̈nken, durchtränkte, hat durchtränkt ⟨tr.⟩ (geh.): *durch und durch feucht, naß machen:* der Regen durchtränkte die Erde; ⟨häufig im 2. Partizip⟩: von Öl durchtränkt; bildl.: der Duft der Blüten durchtränkte *(erfüllte)* die Luft.

durchtrieben ⟨Adj.⟩ (abwertend): *[schon] in allen Listen erfahren; verschlagen:* ein durchtriebener Bursche; dieses Mädchen ist schon ganz d.

durchwachen, durchwachte, hat durchwacht ⟨tr.⟩: *(einen bestimmten Zeitraum) ohne Schlaf zubringen:* als das Kind schwer krank war, hat sie mehrere Nächte durchwacht.

durchwachsen ⟨Adj.⟩: *aus mageren und fetten Schichten bestehend* /vom Speck/: durchwachsener Speck; bildl. (ugs.): „Wie geht es dir?" „Na, so d." *(mal gut, mal schlecht)*.

durchwählen, wählte durch, hat durchgewählt ⟨itr.⟩: *ohne Vermittlung eines Amtes selbst eine telefonische Verbindung herstellen:* ich brauche das Gespräch nach London nicht anzumelden, ich kann d.

durchwandern, durchwanderte, hat durchwandert ⟨tr.⟩: *kreuz und quer (durch ein Gebiet) wandern; durch eine längere Wanderung, durch viele Wanderungen kennenlernen:* sie durchwanderten den Odenwald.

durchweg [...wẹg] ⟨Adverb⟩: *meist, fast ohne Ausnahme:* das Wetter war d. gut.

durchwinden, sich; wand sich durch, hat sich durchgewunden ⟨rfl.⟩: *(sich durch eine Öffnung) zwängen, mühsam bewegen:* das Fenster war nur schmal, aber sie wand sich durch und gelangte ins Haus; bildl. (ugs.): er hat sich durch alle Schwierigkeiten durchgewunden.

durchwühlen: I. durchwühlen, wühlte durch, hat durchgewühlt: **1.** ⟨tr.⟩: *durchsuchen und dabei Unordnung schaffen:* die Kinder haben alle Schubladen durchgewühlt; bildl. (ugs.): weil er nicht mehr wußte, wo der betreffende Artikel stand, hat er mehrere Stöße von Zeitungen durchgewühlt. **2. a)** ⟨tr.⟩ *durch Wühlen herstellen:* der Hund hat unter dem Zaun ein Loch durchgewühlt. **b)** ⟨rfl.⟩ *sich (durch etwas) wühlen:* der Hund hat sich unter dem Zaun [durch die Erde] durchgewühlt. **II.** durchwühlen, durchwühlte, hat durchwühlt ⟨tr.⟩: **1.** *durchsuchen und dabei Unordnung schaffen:* die Diebe durchwühlten die Schubladen; bildl.: sie durchwühlte alle alten Briefe, fand aber nicht den gesuchten. **2.** *(Erde) durch Wühlen auflockern:* die Schweine haben den Boden durchwühlt.

durchziehen: I. durchziehen, zog durch, ist durchgezogen: ⟨itr.⟩ *durch eine Gegend ziehen:* ein Treck von Flüchtlingen ist hier durchgezogen. **II.** durchziehen, durchzog, hat durchzogen ⟨tr.⟩: *sich in einer Linie, in Linien in einem Gebiet ausdehnen:* viele Flüsse durchziehen das Land.

durchzucken, durchzuckte, hat durchzuckt ⟨tr.⟩: **1.** *(durch etwas) zucken* /von Feuer, Licht/: grelle Blitze durchzuckten die Finsternis. **2.** *plötzlich (den Kopf, den ganzen Körper) durchdringen* /von Gedanken, Gefühlen/: ihn durchzuckte der Gedanke, daß ...

Durchzug, der; -s: *durch zwei einander gegenüberliegende Öffnungen entstehender Luftzug:* die Luft im Zimmer ist verbraucht, ich werde mal D. machen.

dürfen, darf, durfte, hat gedurft/ (nach vorangehendem Inf.) hat...dürfen ⟨itr.⟩: **1. a)** *die Erlaubnis haben (etwas zu tun):* du darfst hereinkommen; wenn er gedurft hätte, wären sie ins Kino gegangen. **b)** *(jmdm.) gestattet sein (etwas zu tun):* hier darf nicht geraucht werden. **2. a)** *aus moralischen Gründen wagen können, etwas zu tun; sollen:* ich darf keinen von euch vorziehen. **b)** *Grund haben (sich in bestimmter Weise zu verhalten):* sie durften auf ihre Erfolge stolz sein. **3.** ⟨im 2. Konjunktiv + Inf.⟩ *es ist wahrscheinlich, daß ... :* morgen dürfte schönes Wetter sein.

dürftig ⟨Adj.⟩: **1.** *unergiebig; kümmerlich:* eine dürftige Leistung. **2.** *karg, ärmlich:* dürftige Verhältnisse; d. leben.

dürr ⟨Adj.⟩: **1.** *trocken, abgestorben:* ein dürrer Ast. **2.** *trokken und deshalb unfruchtbar:* dürrer Boden. **3.** (abwertend) *sehr mager und schmal:* ein dürrer Mensch.

Durst, der; -es: *Bedürfnis zu trinken:* großen D. haben; seinen D. löschen, stillen.

dursten, durstete, hat gedurstet ⟨itr.⟩: *Durst erleiden:* er mußte d.

dürsten, dürstete, hat gedürstet ⟨itr.⟩: **1.** (geh.) *dursten:* mich dürstet. **2.** *Verlangen haben (nach etwas):* er dürstet/ihn dürstet es nach Ruhm.

durstig ⟨Adj; nicht adverbial⟩: *Durst habend:* hungrig und d. kamen wir zu Hause an.

Dusche, die; -, -n: **1.** *Brause:* unter die D. gehen. **2.** *das Duschen:* eine kalte, warme D.

duschen, duschte, hat geduscht ⟨itr., tr., rfl.⟩: *[sich] unter einer Brause erfrischen, reinigen:* kalt, warm d.

Düse, die; -, -n: *sich verengender Teil eines Rohres, der die Umsetzung von Druck in Geschwindigkeit ermöglicht, auch zum Zerstäuben von Flüssigkeiten dient oder als Meßinstrument gebraucht wird.*

Dusel, der; -s (ugs.): **1.** *leichte Betäubung; Zustand zwischen Wachen und Schlafen:* in seinem D. nahm er kaum noch wahr, was um ihn herum geschah. **2.** *Glück:* wenn er trotz seiner Faulheit die Prüfung besteht, muß er schon großen D. haben.

Düsenflugzeug, das; -[e]s, -e: *Flugzeug, das durch Düsen angetrieben wird.*

Dussel, der; -s, - (ugs.; abwertend): *dummer, unverständiger Mensch.*

düster ⟨Adj.⟩: *dunkel und unfreundlich:* ein düsteres Zimmer; d. blicken.

Dutzend, das; -s, -e: *Menge von zwölf Stück:* zwei D. Eier. * **Dutzende von** *(sehr viele):* Dutzende von Beispielen; **zu Dutzenden** *(in großer Anzahl)*.

duzen, duzte, hat geduzt ⟨tr.⟩: *mit „du" anreden:* er duzte ihn.

Dynamik, die; -: *treibende Kraft (in etwas), Bewegung, Schwung:* die D. der wirtschaftlichen Entwicklung.

dynamisch ⟨Adj.⟩: *voller Dynamik, bewegt, schwungvoll* /Ggs. statisch/: eine dynamische Politik.

Dynamit, das; -s: /ein Sprengstoff/: eine Brücke mit D. in die Luft sprengen.

Dynamo, der; -s, -s: *Maschine zur Erzeugung von elektrischem Strom.*

Dynast, der; -en, -en: *Herrscher, [kleiner] Fürst.*

Dynastie, die; -, -n: *Familie, die während mehrerer Generationen über ein bestimmtes Gebiet herrscht:* diese D. ist ausgestorben.

D-Zug ['de:...], der; -s, D-Züge: *sehr schnell fahrender Zug, der nur an wichtigen Stationen hält.*

E

Ebbe, die; -: *regelmäßig wiederkehrendes, im Zurückgehen des Wassers sichtbar werdendes Fallen des Meeresspiegels* /Ggs. Flut/: es ist E.

eben: **I.** ⟨Adj.⟩: **a)** *flach:* ebenes Land. **b)** *glatt, ohne Hindernis:* ein ebener Weg; den Boden e. machen. *** zu ebener Erde** *(in Höhe des Erdbodens, im Erdgeschoß).* **II.** ⟨Adverb⟩: **1.** ⟨temporal⟩: *soeben* **a)** *gerade jetzt, in diesem Augenblick:* e. tritt er ein. **b)** *gerade vorhin:* sie war e. [noch] im Zimmer. **2.** ⟨modal⟩ **a)** (verstärkend) *gerade, genau:* e. das wollte ich sagen. **b)** *gerade noch:* mit dem Geld komme ich e. aus. **c)** *nun einmal, einfach:* das ist e. so.

Ebenbild, das; -es, -er: *genaues Abbild, genaue Entsprechung (einer Person):* der Sohn war das E. seines Vaters.

ebenbürtig ⟨Adj.⟩: *gleichwertig:* ein ebenbürtiger Gegner; er ist ihm geistig e. **Ebenbürtigkeit,** die; -.

ebendort [nachdrücklich auch: ebendort] ⟨Adverb⟩: *am selben Ort:* im Seitenschiff der Kirche hingen alte Gemälde, und e. befand sich der Kreuzweg.

Ebene, die; -, -n: *flaches Land:* eine weite, fruchtbare E. *** auf höchster E.** *(im Kreis der höchsten Vertreter einer Institution):* ein Gespräch auf höchster E.

ebenerdig ⟨Adj.⟩: *zu ebener Erde, im Ergdeschoß gelegen:* die Garage lag e.

ebenfalls ⟨Adverb⟩: *auch, gleichfalls, genauso:* er war e. verhindert zu kommen.

Ebenmaß, das; -es: *schöne Regelmäßigkeit:* das antike Standbild zeichnete sich durch sein klassisches E. aus.

ebenmäßig ⟨Adj.⟩: *regel-, gleichmäßig:* er besaß kräftige, e. gewachsene Zähne. **Ebenmäßigkeit,** die; -.

ebenso ⟨Adverb⟩: *in dem gleichen Maße:* er war über das Ergebnis e. froh wie du.

Eber, der; -s, -: *männliches Schwein.*

echauffiert [eʃo'fi:rt] ⟨Adj.⟩ (veralt.): *aufgeregt, erhitzt, außer Atem:* nach dem Besuch ihres Neffen war die alte Dame ganz e.

Echo, das; -s, -s: *Widerhall:* ein mehrfaches E.; bildl.: seine Vorschläge fanden ein starkes E.

echt ⟨Adj; nicht adverbial⟩: **1. a)** *nicht künstlich hergestellt, nicht imitiert:* ein echter Pelz; e. *(reines)* Gold. **b)** *nicht gefälscht:* ein echter Picasso *(ein Original Picassos).* **2.** *wahr, wirklich, wie es die Bezeichnung ausdrückt:* echte Freundschaft; ein echtes Talent. **3.** *in der Farbe beständig:* echte Farben; das Blau ist e. **Echtheit,** die; -.

Eckball, der; -[e]s, Eckbälle: Fußball *unbehindert ausgeführter Stoß des Balles, der von einer Ecke des Spielfeldes ausgeführt wird:* der Schiedsrichter entschied auf E.

Ecke, die; -, -n: **a)** *Stelle, an der zwei Seiten eines Raumes aufeinanderstoßen; Winkel:* die vier Ecken des Zimmers. **b)** *spitz hervorstehender Rand; Kante:* die Ecken des Tisches. **c)** *Stelle, an der zwei Reihen von Häusern, zwei Straßen aufeinanderstoßen:* an der E. stehen.

Eckensteher, der; -s, -: *jmd., der ungerne arbeitet und an Straßenecken herumlungert:* er lehnte in der lässigen Haltung eines Eckenstehers an der Hauswand.

Eckfenster, das; -s, -: *Fenster, das sich über die Ecke eines Zimmers erstreckt.*

Eckhaus, das; -es, Eckhäuser: *Haus an einer Straßenecke.*

eckig ⟨Adj.⟩: **1.** *nicht rund; kantig:* ein eckiger Tisch. **2.** *in steifer, verkrampfter Weise unbeholfen:* seine Bewegungen waren e.

Eckzahn, der; -[e]s, Eckzähne: *kräftiger, spitzer Zahn vor den Backenzähnen.*

edel ⟨Adj.⟩: **a)** ⟨nicht adverbial⟩ *besonders wertvoll:* ein edles Holz, ein edles Tier. **b)** (geh.) *von hoher Gesinnung [zeugend], selbstlos:* ein edles Streben; ein edler Mensch; e. handeln. **c)** *schön geformt:* er bewunderte die edlen Züge dieses Gesichts.

Edelmann, der; -[e]s, Edelleute: **1.** (hist.) *Mann aus dem Adel.* **2.** (geh.) *Mensch von edler Gesinnung.*

Edelmetall, das; -s, -e: *gegen Einwirkung von Sauerstoff beständiges, hochwertiges Metall:* Gold und Silber sind Edelmetalle.

Edelstahl, der; -[e]s: *bes. harter, rostfreier Stahl:* eine Messerklinge aus E.

Edelstein, der; -[e]s, -e: *kostbares Mineral, das wegen seiner Farbe und seines Glanzes als Schmuckstück Verwendung findet:* der Armreif war über und über mit Edelsteinen besetzt.

Edelweiß, das; -[e]s, -e: /eine Blume/ (siehe Bild).

Edelweiß

Edition, die; -, -en: *Veröffentlichung nach bestimmten wissenschaftlichen Grundsätzen, Herausgabe von literarischen Werken:* die E. einer Gesamtausgabe.

Efeu, der; -s: /eine immergrüne Pflanze/ (siehe Bild).

Efeu

Effeff [auch: Effeff, Effeff]: ⟨in der Fügung⟩ aus dem E. (ugs.): *völlig, vorzüglich:* er versteht seine Sache aus dem E.

Effekt, der; -[e]s, -e: *Wirkung:* einen großen E. mit etwas erzielen; die Effekte dieses Bildes liegen allein in den Farben.

Effekten, die ⟨Plural⟩: *[an der Börse gehandelte] Wertpapiere.*

Effekthascherei, die; -, -en (abwertend): *Bemühen um bloße äußere Wirkung:* dieses Deklamieren ist pure E.

effektiv ⟨Adj.⟩: **a)** *wirklich, tatsächlich:* der effektive Wert eines Hauses. **b)** *wirksam:* Reformen sind effektiver als Verbote.

effektvoll ⟨Adj.⟩: *von besonderem Effekt, wirkungsvoll:* diese Farben und Muster sind sehr e.

egal ⟨Adj.; nicht attributiv⟩ (ugs.): **1.** *gleich [in der Art]:* die Kleider sind e. gearbeitet. **2.** *einerlei, gleichgültig:* das ist [mir] doch e.

egalisieren, egalisierte, hat egalisiert ⟨tr.⟩: Sport *ausgleichen, gleichmachen:* den Vorsprung, einen Rekord e.

Egge, die; -, -n: *landwirtschaftliches Gerät zum Zerkleinern der Ackerschollen* (siehe Bild).

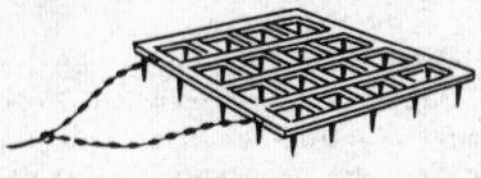

Egge

eggen, eggte, hat geeggt ⟨tr./itr.⟩: *(Ackerschollen) mit der Egge zerkleinern; mit einem Zugtier oder Traktor die Egge über den Acker ziehen:* nach dem Pflügen eggte der Bauer [das Feld].

Egoismus, der; -: *egoistische Haltung, nur auf den eigenen Vorteil gerichtete Art des Denkens und Handelns:* sein E. kennt keine Grenzen.

Egoist, der; -en, -en: *egoistischer Mensch.*

egoistisch ⟨Adj.⟩: *nur an sich denkend, eigennützig, selbstsüchtig:* ein egoistischer Mensch; er ist sehr e.

egozentrisch ⟨Adj.⟩: *stark auf die eigene Person bezogen, sich zum Mittelpunkt machend:* er ist ein egozentrischer Mensch.

eh /vgl. ehe/: ⟨in der Wendung⟩ [seit] eh und je: *seit jeher, schon immer:* seit eh und je war er dieser Ansicht.

ehe ⟨Konj.⟩: /drückt aus, daß etwas vor etwas anderem geschieht/ **a)** *bevor:* es vergingen drei Stunden, ehe das Flugzeug landen konnte. **b)** /nur verneint mit konditionaler Nebenbedeutung/: ehe ihr das Sprechen nicht einstellt, werde ich die Sonate nicht vorspielen.

Ehe, die; -, -n: *gesetzlich anerkannte Gemeinschaft von Mann und Frau:* eine glückliche E.; die E. wurde nach 5 Jahren geschieden. *** eine E. schließen/eingehen** *(heiraten).*

Ehebruch, der; -[e]s: *Verletzung der ehelichen Treue.*

Ehefrau, die; -, -en: *weiblicher Partner in der Ehe.*

Eheleute, die ⟨Plural⟩: *Ehemann und Ehefrau, Ehepaar.*

ehelich ⟨Adj.⟩: **1.** ⟨nur attributiv⟩ *auf die Ehe bezogen, in der Ehe [üblich]:* die eheliche Gemeinschaft. **2.** ⟨nicht adverbial⟩ *aus gesetzlicher Ehe stammend:* sie hat drei eheliche Kinder.

ehelichen, ehelichte, hat geehelicht ⟨tr.⟩: *heiraten:* er ehelichte das junge Mädchen.

ehelos ⟨Adj.⟩: *ledig, nicht verheiratet:* die Frau blieb bis zu ihrem Tode e.

ehemalig ⟨Adj., nur attributiv⟩: *früher:* ein ehemaliger Soldat; mein ehemaliger Freund.

ehemals ⟨Adverb⟩: *früher, einst, vor langer Zeit:* er war e. Beamter.

Ehemann, der; -[e]s, Ehemänner: *männlicher Partner in der Ehe.*

Ehepaar, das; -[e]s, -e: *verheiratetes Paar.*

eher ⟨Adverb⟩: **a)** *früher:* je e. du kommst, desto besser; ich konnte nicht e. kommen. **b)** *lieber, leichter:* er wird es um so e. tun, als es für ihn ja von Vorteil ist; es ist e. möglich, daß er einfach keine Lust hat zu kommen, als daß er krank ist. **c)** *mehr, vielmehr:* das ist e. eine Frage des Geschmacks.

Ehescheidung, die; -, -en: *gerichtliche Auflösung der Ehe:* an [die] E. denken; in E. leben, stehen.

Eheschließung, die; -, -en: *das Eingehen der Ehe vor einer staatlichen oder kirchlichen Instanz:* die standesamtliche, kirchliche E.

ehrbar ⟨Adj.⟩ (geh.): *ehrenhaft:* ein durchaus ehrbarer Bürger. **Ehrbarkeit,** die; -.

Ehre, die; -, -n: **1.** *äußeres Ansehen, Geachtetsein durch andere [und dessen Ausdruck in einer besonderen Auszeichnung], Anerkennung:* hohe, sportliche Ehren; jmdn. mit Ehren überhäufen. *** jmdm. die letzte E. erweisen** *(an jmds. Begräbnis teilnehmen);* (geh.:) **der Wahrheit die E. geben** *(etwas in seinem wahren Sachverhalt darstellen, wenn es auch unangenehm ist).* **2.** ⟨ohne Plural⟩ *innerer Wert, persönliche Würde:* die E. eines Menschen, einer Familie. *** jmdn. bei seiner E. packen** *(an jmds. Ehrgefühl appellieren).*

ehren, ehrte, hat geehrt: **1.** ⟨tr.⟩ *achten, verehren; (jmdm.) Ehre erweisen:* seine Eltern soll man e.; jmdn. mit einem Orden e. *(auszeichnen).* **2.** ⟨itr.⟩ *Anerkennung verdienen:* seine Großmut ehrt ihn. **3.** (geh.) ⟨tr.⟩ *respektieren, gelten lassen:* er ehrte ihre Trauer.

ehrenamtlich ⟨Adj.⟩: *ohne Bezahlung ausgeübt:* eine ehrenamtliche Tätigkeit.

Ehrenbürger, der; -s, -: **1.** *Titel, der jmdm. von einer Stadt verliehen wird, um die er sich besonders verdient gemacht hat:* der Forscher erhielt den E. der Stadt Frankfurt. **2.** *jmdm., der ehrenhalber zum Bürger einer Stadt ernannt wird:* Schliemann wurde E. der Stadt Berlin.

ehrenhaft ⟨Adj.⟩: *entsprechend den Geboten der Ehre, untadelig:* ein ehrenhafter Charakter, Mensch; e. sein, denken. **Ehrenhaftigkeit,** die; -.

Ehrenmal, das; -[e]s, -e und Ehrenmäler: *zu jmds. Ehren errichtetes Denkmal; Gedenkstätte für bedeutende Persönlichkeiten, bes. für Opfer von Kriegen:* man legte am E. für die Gefallenen beider Weltkriege Kränze nieder.

Ehrenmann, der; -[e]s, Ehrenmänner: *ehrenhafter Mann:* als E. war er über solches Geschwätz erhaben. *** ein dunkler E.** *(kein ehrenhafter Mann).*

Ehrenrechte, die ⟨Plural⟩: *Rechte und Befugnisse eines Bürgers, die sich aus seiner Staatsangehörigkeit ergeben:* dem Mörder wurden die bürgerlichen E. auf Lebenszeit aberkannt.

ehrenrührig ⟨Adj.⟩: *die Ehre verletzend:* ein ehrenrühriges Verhalten, Wort.

Ehrensache: ⟨in der Fügung⟩ etwas ist E.: *etwas ist eine* *selbstverständliche Pflicht:* die Teilnahme an dieser Veranstaltung ist für uns E.

Ehrenwort, das; -s: *feierliche Bekräftigung, festes Versprechen:* er gab mir sein E., rechtzeitig wieder zurückzukehren.

ehrerbietig ⟨Adj.⟩: *voll Achtung und Respekt:* ich verbeugte mich e. vor dem Priester.

Ehrerbietung, die; -: *Ausdruck der Hochachtung und Verehrung gegenüber jmdm.:* jmdm. mit E. begegnen; jmdn. mit E. grüßen.

Ehrfurcht, die; -: *Scheu, große Achtung, Verehrung (für jmdn.):* E. vor jmdm., dem Menschen haben.

ehrfürchtig ⟨Adj.⟩: *von Ehrfurcht erfüllt:* wir verharrten in ehrfürchtigem Schweigen.

ehrfurchtsvoll ⟨Adj.⟩: *voller Ehrfurcht:* die Kinder schritten e. hinter den Erwachsenen.

Ehrgefühl, das; -s: *feines Empfinden für die eigene Ehre:* ein ausgeprägtes E.; aus verletztem E. heraus handeln.

Ehrgeiz, der; -es: *stark ausgeprägtes Streben nach Erfolg, Geltung, Anerkennung:* ein starker, unbändiger, politischer E.; er ist von E. besessen.

ehrgeizig ⟨Adj.⟩: *voll Ehrgeiz; nach Erfolg, Geltung, Anerkennung strebend:* ein ehrgeiziger Politiker; er ist sehr e.

ehrlich ⟨Adj.⟩: **1.** *in geldlichen Angelegenheiten zuverlässig:* ein ehrlicher Kassierer, e. abrechnen; ein ehrlicher Finder *(jmd., der gefundene Wertsachen nicht behält, sondern abliefert).* **2.** *ohne Lüge, Verstellung; aufrichtig:* ein ehrliches Kind; sei e.!; es e. mit jmdm. meinen.

Ehrlichkeit, die; -: **1.** *Zuverlässigkeit in geldlichen Dingen:* die E. des Beamten. **2.** *Aufrichtigkeit, Wahrhaftigkeit:* an der E. seiner Bemühungen ist nicht zu zweifeln.

ehrlos ⟨Adj.⟩: *ohne Ehre, nicht ehrenhaft:* Sie sind ein ehrloser Schurke. **Ehrlosigkeit,** die; -, -en.

ehrsam ⟨Adj.⟩ (geh.): *ehrenhaft, der Ehre gemäß:* ein ehrsames Gewerbe betreiben. **Ehrsamkeit,** die; -.

Ehrung, die; -, -en: *sichtbarer Beweis der Achtung:* dem verdienten Sportler wurden viele Ehrungen zuteil.

Ei, das; -[e]s, -er: *von einer Henne oder einem weiblichen Vogel hervorgebrachtes Produkt,*

Ei

das den Keim zu einem neuen Lebewesen enthält (siehe Bild): Eier legen, ausbrüten; ein frisches Ei; ein Ei kochen.

Eibe, die; -, -n: /ein Baum/ (siehe Bild)

Eibe

Eiche, die; -, -n: /ein Baum/ (siehe Bild).

Eiche

Eichel, die; -, -n: *Frucht der Eiche* (siehe Bild).

Eichel

eichen, eichte, hat geeicht ⟨tr.⟩: **a)** *(dem Maß und Gewicht) die Größe bzw. Schwere geben, die das Gesetz vorschreibt:* Maße, Gewichte e.; geeichte Gläser. **b)** *auf das richtige Gewicht, Maß prüfen:* die Waage muß noch geeicht werden. * (ugs.) **auf etwas geeicht sein** *(sich auf etwas sehr gut verstehen, etwas besonders gut können).*

Eichhörnchen

Eichhörnchen, das; -s, -: /ein Tier/ (siehe Bild).

Eid, der; -[e]s, -e: *in feierlicher Form [vor Gericht[abgegebene Versicherung, daß eine Aussage der Wahrheit entspricht oder ein Versprechen gehalten wird; Schwur:* einen E. [auf die Verfassung] schwören, leisten. * **an Eides Statt** *(wie wenn man vereidigt worden wäre):* etwas an Eides Statt erklären, versichern.

Eidechse

Eidechse, die; -, -n: /ein Tier/ (siehe Bild).

eidesstattlich ⟨Adj.; nicht prädikativ⟩: *für einen Eid stehend, an Eides Statt:* eine eidesstattliche Erklärung abgeben; etwas e. versichern.

Eidgenosse, der; -n, -n: *Schweizer Staatsbürger.*

Eierbecher, der; -s, -: *kleines Gefäß, das sich innen der Form einer Eihälfte genau anpaßt und in dem ein gekochtes Ei auf den Tisch gestellt wird* (siehe Bild).

Eierbecher

Eierkuchen, der; -s, -: *flacher, in der Pfanne auf beiden Seiten gebackener Kuchen aus Mehl, Eiern und Milch.*

Eierstock, der; -[e]s, Eierstöke: Med. *paarweise auftretendes Organ, das die weiblichen Keimzellen und Geschlechtshormone bildet.*

Eifer, der; -s: *unablässiges, ständiges Streben, Bemühen; Fleiß:* ein unermüdlicher, fieberhafter E.; sein E. erlahmte bald.

Eiferer, der; -s, - (abwertend): *jmd., der etwas übertrieben, fanatisch vertritt:* ein religiöser, politischer E.

eifern, eiferte, hat geeifert ⟨itr.⟩: **1.** *leidenschaftlich (für oder gegen jmdn./etwas) sprechen, Stellung nehmen:* er eiferte heftig gegen diese Mißstände. **2.** *zielbewußt, energisch (nach etwas) streben:* er hat nach Anerkennung geeifert.

Eifersucht, die; -: *leidenschaftliches und neidisches Streben, jmdn./etwas allein zu besitzen:* eine rasende, blinde E.; er quält seine Frau mit seiner E.

eifersüchtig ⟨Adj.⟩: *voll Eifersucht, Eifersucht zeigend:* ein eifersüchtiger Mensch, Blick; jmdn. e. beobachten; er ist e.

eiförmig ⟨Adj.; nicht adverbial⟩: *in der Form eines Eis, oval.*

eifrig ⟨Adj.⟩: *voll Eifer [tätig], unermüdlich:* ein eifriger Verfechter einer Idee; er war e. um sie bemüht; ein eifriger *(fleißig mitarbeitender)* Schüler.

Eigelb, das; -[e]s, -e: *von Eiweiß umgebene gelbe Masse im Innern des Eis:* das E. mit dem Teig verrühren; /als Maßangabe/ drei E.

eigen ⟨Adj.⟩: **1.** ⟨nur attributiv⟩ **a)** *jmdm. selbst gehörend:* ein eigenes Haus, Auto; sie hat keine eigenen Kinder; etwas am eigenen Leib *(an sich selbst)* erfahren; in eigener Person *(persönlich)*; das ist sein e. *(gehört ihm)*. * (geh.) **sich** (Dativ) **etwas zu e. machen** *(sich etwas aneignen)*. **b)** *selbständig, unabhängig:* eine eigene Meinung, einen eigenen Willen haben. **c)** *besonders, gesondert:* Wohnung mit eigenem Eingang. **2.** ⟨nicht adverbial⟩ *für jmdn. bezeichnend, typisch; jmdn./etwas kennzeichnend:* ein ihm eigener Zug; ein Hang zum Grübeln war ihm e. **3.** ⟨nicht adverbial⟩ (landsch.) *genau, sorgam:* er ist sehr e. in seinen Angelegenheiten.

Eigenart, die; -, -en: *etwas, was für jmdn. etwas typisch ist; besondere Art:* es war eine E. von ihm, seine Vorträge mit langen Zitaten zu versehen.

eigenartig ⟨Adj.⟩: *[auffallend] fremd anmutend, ungewöhnlich, seltsam, sonderbar:* ein eigenartiges Wesen; eine eigenartige Veranlagung.

Eigenbrötler, der; -s, -: *Einzelgänger, Sonderling;* er ist im Alter ein richtiger E. geworden.

eigenhändig ⟨Adj.⟩: *von der eigenen Hand ausgeführt:* ein Bild mit eigenhändiger Unterschrift des Schauspielers; der Brief ist e. *(persönlich)* abzugeben.

Eigenheim, das; -[e]s, -e: *Einfamilienhaus, das der Hausbesitzer selbst bewohnt.*

Eigenheit, die; -, -en: *für jmdn. charakteristisches Kennzeichen, Eigenart:* das ist eine typisch deutsche E.

Eigenlob, das; -[e]s: *auf die eigene Person gerichtetes Lob.*

eigenmächtig ⟨Adj.⟩: *nach eigenem Ermessen; ohne Auftrag oder Befugnis [ausgeführt]:* eine eigenmächtige Handlung; e. verfahren, handeln. **Eigenmächtigkeit,** die; -, -en.

Eigenname, der; -ns, -n: *einem bestimmten Wesen oder Ding zugehörender Name.*

Eigennutz, der; -es: *Streben nach dem eigenen Vorteil ohne Rücksicht auf den anderen; Egoismus:* aus E. handeln.

eigennützig ⟨Adj.⟩: *auf eigenen Vorteil, Nutzen bedacht, bezogen; selbstsüchtig:* ein eigennütziges Verhalten; e. denken.

eigens ⟨Adverb⟩: **a)** *besonders, extra, ausdrücklich:* er hatte noch e. Wein bestellt; ich habe es ihm e. gesagt. **b)** *nur, speziell:* der Tisch war e. für ihn gedeckt worden.

Eigenschaft, die; -, -en: *zum Wesen einer Person oder Sache gehörendes Merkmal:* gute, schlechte Eigenschaften haben; die Eigenschaften von Mineralien, Tieren. * **in jmds. E. als** *([in jmds. Funktion] als):* in seiner E. als Vormund handeln.

Eigensinn, der; -s (abwertend): *beharrliches Festhalten an einer Meinung, einem Vorhaben:* sein E. verärgerte die andern.

eigensinnig ⟨Adj.⟩ (abwertend): *auf seinem Willen, seiner Meinung beharrend; verstockt, starrköpfig:* ein eigensinniger Mensch; e. seine Ansicht vertreten; im Alter wurde er immer eigensinniger.

eigenständig ⟨Adj.⟩: *nach eigenen Gesetzen gewachsen, selbständig [hervorgebracht]:* eine eigenständige Kultur, Dichtung.

eigentlich: **I.** ⟨Adj.⟩: **1.** ⟨nur attributiv⟩ *ursprünglich:* die eigentliche Bedeutung eines Wortes. **2.** *wirklich, tatsächlich:* das ist der eigentliche Grund für diese Entwicklung. **II.** ⟨Adverb⟩: **1.** *in Wirklichkeit, tatsächlich:* er heißt e. Karl, doch alle nennen ihn Bill. **2.** *im Grunde, genau-, strenggenommen:* ich mußte zugeben, daß er e. recht hatte; das Wort bedeutet e. etwas anderes; e. geht das nicht. **3.** *überhaupt:* wie heißt du e.?; was denkst du dir denn e.?

Eigentum, das; -s: *materielles Gut, das jmdm. gehört und worüber er allein verfügen kann:* persönliches E.; das Grundstück ist sein E. * **geistiges E.** *(selbständige geistige Leistung, Erfindung eines einzelnen, über die ein anderer nicht nach Belieben verfügen darf).*

Eigentümer, der; -s, -: *jmd., dem etwas als Eigentum gehört:* der E. eines Geschäftes, Hauses.

eigentümlich ⟨Adj.⟩: **1.** [auch: ...tümlich] *merkwürdig, sonderbar:* eine eigentümliche Person, Sprechweise. **2.** ⟨nicht adverbial⟩ *als typisch zu jmdm. gehörend:* mit dem ihm eigentümlichen Stolz lehnte er jede Hilfe ab.

Eigentümlichkeit, die; -, -en: **1.** *merkwürdige, sonderbare Eigenart:* dieser Snob hat manche lächerliche E. **2.** *charakteristisches, typisches Merkmal:* eine E. der romantischen Dichtung.

Eigentumswohnung, die; -, -en: *Wohnung in einem [größeren] Wohnhaus, die Eigentum eines einzelnen ist:* er erwarb eine E. in einem Hochhaus.

eigenwillig ⟨Adj.⟩: *seine eigene Art deutlich und nachdrücklich zur Geltung bringend, durchsetzend:* einen eigenwilligen Stil entwickeln; der kleine Junge ist sehr e. *(dickköpfig)*. **Eigenwilligkeit,** die; -, -en.

eignen, eignete, hat geeignet /vgl. geeignet/: **1.** ⟨rfl.⟩ *Befähigung (zu etwas) haben:* er eignet sich für diese Beschäftigung; ich eigne mich nicht zum Lehrer. **b)** *sich gut (für/als etwas) verwenden lassen:* dieser Teppich eignet sich nicht für das Büro. **2.** ⟨itr.⟩ (geh.) *als Merkmal oder Eigenart (zu jmdm.) gehören:* ihr eignet eine gewisse Schüchternheit. **Eignung,** die; -.

Eiklar, das; -[e]s, -e (östr.): *Eiweiß (im Innern des Eis):* E. schlagen; /als Maßangabe/: drei E.

Eilbrief, der; -[e]s, -e: *Brief, der nach Eintreffen auf der Post dem Empfänger sofort zugestellt wird:* er kündigte mir seine Ankunft in einem E. an.

Eile, die; -: *Hast; Bestreben, etwas rasch zu erledigen:* in großer E. handeln. * **etwas hat E.** *(etwas ist eilig)*; **mit etwas hat es keine E.** *(etwas eilt nicht)*.

Eileiter, der; -s, -: Med. *paarweise auftretender Gang, der die Eierstöcke mit der Gebärmutter verbindet.*

eilen, eilte, hat/ist geeilt: **1.** ⟨itr.⟩ *sich schnell (irgendwohin) begeben:* er war sofort nach dem Einbruch zur Polizei geeilt; jmdm. zu Hilfe e. *(sich schnell zu jmdm. begeben, um ihm zu helfen)*. **2.** ⟨itr.⟩ *schnell erledigt werden müssen:* dieses Schreiben hat sehr geeilt; ⟨auch unpersönlich⟩ es eilt mir nicht damit.

eilends ⟨Adverb⟩ (geh.): *sogleich, so schnell wie möglich, ohne sich aufzuhalten:* als er davon hörte, schrieb er e. einen Brief.

eilfertig ⟨Adj.⟩: *übertrieben bestrebt, einem andern einen Dienst zu erweisen:* er öffnete ihr e. die Tür.

eilig ⟨Adj.⟩: **1.** *rasch, schnell:* eilige Schritte hören; e. davonlaufen; er hat es immer e. *(ist immer in Eile)*. **2.** ⟨nicht adverbial⟩ *keinen Aufschub zulassend:* ein eiliger Auftrag.

Eilzug, der; -s, Eilzüge: *Zug, der schneller als ein Personenzug fährt und nicht auf jeder Station hält.*

Eimer, der; -s, -: *größeres, tragbares Gefäß* (siehe Bild).

Eimer

eimerweise ⟨Adverb⟩: *in Eimern, in großer Menge:* wir ernteten e. Stachelbeeren.

ein: I. ⟨unbestimmter Artikel⟩ **a)** /individualisierend/: eine [große] Freude. **b)** /klassifizierend/: er ist ein Künstler; dies ist ein Rembrandt *(ein Bild von Rembrandt)*. **c)** /generalisierend/: ein Baum ist eine Pflanze. **II.** ⟨Indefinitpronomen⟩ /alleinstehend/ **a)** *jemand, irgendeiner:* einer von uns; die Rückkehr eines meiner Mitarbeiter. **b)** (ugs.) *man:* da kann einer doch völlig verrückt werden. **c)** (ugs.) *ich, wir:* das tut einem *(mir)* gut. **III.** ⟨Kardinalzahl⟩ /betont/: ein Mann und zwei Frauen saßen auf der Bank. * (ugs.) **in einem fort** *(ununterbrochen)*; **jmds. ein und alles sein** *(das Liebste, Schönste für jmdn. sein):* das Kind ist ihr ein und alles.

Einakter, der; -s, -: *Schauspiel in nur einem Akt:* man spielte zwei E.

einander ⟨reziprokes Pronomen⟩: *sich, uns, euch [gegenseitig]:* wir müssen e. helfen.

einarbeiten, arbeitete ein, hat eingearbeitet: **1. a)** ⟨tr.⟩ *mit der neuen Arbeit vertraut machen:* er ist gründlich eingearbeitet worden. **b)** ⟨rfl.⟩ *mit einer neuen Arbeit vertraut werden:* er muß sich noch e. **2.** ⟨tr.⟩ *einfügen:* Nachträge in einen Aufsatz e.

einäschern, äscherte ein, hat eingeäschert ⟨tr.⟩: **1.** *(einen Toten) verbrennen:* die Leiche e. **2.** *niederbrennen, durch Brand zerstören:* ein Haus e.

einatmen, atmete ein, hat eingeatmet: ⟨itr./tr.⟩ *(den Atem in die Lunge) einziehen* /Ggs. ausatmen/: die frische Luft e.

Einbahnstraße, die; -, -n: *Straße, die nur in einer Richtung befahren werden darf.*

einbalsamieren, balsamierte ein, hat einbalsamiert ⟨tr.⟩: *(einen Leichnam) durch Behandlung mit bestimmten Mitteln vor dem Verwesen schützen:* man balsamierte den Toten ein. *(ugs.) **laß dich e.!** *(mit dir ist nichts anzufangen)*.

Einband, der; -[e]s, Einbände: *Rücken und Deckel eines Buches:* das Buch hat einen E. aus Leinen.

einbauen, baute ein, hat eingebaut ⟨tr.⟩: **1.** *montieren (in etwas), hineinbauen:* einen Schrank e. **2.** *nachträglich einfügen:* eine kurze Szene in das Schauspiel e.

Einbaum

Einbaum, der; -[e]s, Einbäume: *aus einem ausgehöhlten Baumstamm hergestelltes Boot* (siehe Bild): die Eingeborenen fuhren in ihren Einbäumen geschickt durch die Brandung.

einbegriffen ⟨Adj.; nur prädikativ⟩: *inbegriffen, mit erfaßt, mit berücksichtigt:* in dem Preis für die Reise sind Unterkunft und Verpflegung einbegriffen.

einbehalten, behält ein, behielt ein, hat einbehalten ⟨tr.⟩: *für sich behalten, nicht aushändigen:* die Firma hat sein Gehalt einbehalten.

einbekennen, bekannte ein, hat einbekannt (östr.): *bekennen, eingestehen:* der Mörder hat sein Verbrechen einbekannt.

einberufen, berief ein, hat einberufen ⟨tr.⟩: **a)** *zu einer Versammlung zusammenrufen; (Mitglieder, Abgeordnete* o. ä.*) auffordern, sich zu versammeln:* das Parlament e. **b)** *zum Dienst beim Militär heranziehen:* als der Krieg ausbrach, wurde er sofort einberufen. **Einberufung,** die; -, -en.

einbetten, bettete ein, hat eingebettet ⟨tr.⟩: *(in etwas) einfügen:* das Kloster ist in ein Tal eingebettet.

einbeziehen, bezog ein, hat einbezogen ⟨tr.⟩: **a)** *berücksichtigen (bei/für etwas), aufnehmen (in etwas):* ein Ergebnis in seine Arbeit [mit] e. **b)** *(bei etwas) hinzunehmen; teilnehmen lassen (an etwas):* jmdn. in eine Unterhaltung [mit] e. **Einbeziehung,** die; -.

einbiegen, bog ein, ist eingebogen ⟨itr.⟩: *um die Ecke biegen und in eine andere Straße hineinfahren:* das Auto bog in eine Straße ein.

einbilden, sich; bildete sich ein, hat sich eingebildet ⟨itr.⟩ /vgl. eingebildet/: **1.** *irrtümlich der Meinung sein:* du bildest dir ein, krank zu sein. **2.** *ohne rechten Grund (auf etwas) stolz sein:* er bildet sich viel auf sein Wissen ein.

Einbildung, die; -, -en: *Vorstellung, die nicht der Wirklichkeit entspricht, Phantasie:* diese Probleme gibt es nur in deiner E.; ihre Krankheit ist reine E.

Einbildungskraft, die; -: *Fähigkeit, sich etwas vorzustellen:* meine E. reichte nicht aus, mir diese Greuel vorzustellen.

einbinden, band ein, hat eingebunden ⟨tr.⟩: **1.** *(in etwas)* *binden:* seine Sachen in ein Tuch e. 2. *mit einem Einband versehen:* das Buch ist in Leinen eingebunden.

einblenden, blendete ein, hat eingeblendet ⟨tr.⟩: *in eine Sendung oder einen Film einschalten, einfügen:* eine Reportage e.; ⟨auch rfl.⟩ wir werden uns in wenigen Minuten wieder e.

einbleuen, bleute ein, hat eingebleut ⟨tr.⟩ (ugs.): *mit viel Mühe beibringen, einschärfen:* sie hat den Kindern eingebleut, sich von fremden Leuten nichts schenken zu lassen.

Einblick: ⟨in den Wendungen⟩ **einen E. bekommen in etwas** *(etwas kennenlernen):* er versuchte, einen E. in ihr Leben zu bekommen; **einen E. haben in etwas** *(Bescheid wissen über etwas, etwas kennen):* er hatte keinen E. in die Verhandlungen; **sich** (Dativ) **einen E. in etwas verschaffen** *(sich etwas ansehen, etwas durch eigenes Anschauen kennenlernen):* er verschaffte sich einen E. in die Arbeit.

einbrechen, bricht ein, hat/ist eingebrochen ⟨itr.⟩: 1. *gewaltsam, unbefugt eindringen, um zu stehlen:* Diebe waren in den Raum eingebrochen; man hatte in dem einsamen Haus eingebrochen *(gestohlen)*. 2. *durch die Oberfläche brechen:* der Junge war auf dem zugefrorenen See eingebrochen.

Einbrecher, der; -s, -: *jmd., der gewaltsam, unbefugt in ein Gebäude eindringt, um zu stehlen.*

einbringen, brachte ein, hat eingebracht ⟨tr.⟩: 1. *in etwas hineinschaffen, -bringen:* die Ernte, das Heu e. 2. *zum Beschluß vorlegen:* ein Gesetz e. 3. *Gewinn, Ertrag bringen:* die Arbeit bringt [mir] viel, nichts ein; das bringt nichts ein *(lohnt sich nicht, hat keinen Erfolg)*.

einbringlich ⟨Adj.⟩: *großen Gewinn, Ertrag einbringend:* ein einbringliches Geschäft.

einbrocken, brockte ein, hat eingebrockt ⟨tr.⟩ (ugs.): *(jmdn./sich) in eine unangenehme Situation bringen:* diese Sache hast du dir selbst eingebrockt.

Einbruch, der; -, Einbrüche: 1. *gewaltsames, unbefugtes Eindringen in ein Gebäude, um zu stehlen:* an dem E. waren drei Männer beteiligt. * **einen E.** verüben *(einbrechen)*. 2. (geh.) ⟨ohne Plural⟩ *das Herannahen, der Beginn:* sie wollten vor E. der Nacht zurückkehren.

einbuchten, buchtete ein, hat eingebuchtet ⟨tr.⟩ (ugs.): *ins Gefängnis bringen:* der Landstreicher wurde für eine Woche eingebuchtet.

einbürgern, bürgerte ein, hat eingebürgert: 1. ⟨tr.⟩ *die Staatsangehörigkeit geben:* er wird bald eingebürgert werden. 2. ⟨rfl.⟩ *heimisch, zur Gewohnheit werden:* diese Sitte hat sich allmählich bei uns eingebürgert.

Einbuße, die; -, -n: *Verlust, Verringerung, Abnahme:* seine Äußerung bedeutete für ihn eine E. an Ansehen; sein Besitz hat einige Einbußen erlitten *(ist weniger geworden)*.

einbüßen, büßte ein, hat eingebüßt ⟨tr.⟩: *(bei einem Unternehmen, durch ein Geschehen) verlieren:* bei diesem Spiel hat er einen Teil seines Vermögens eingebüßt; im Kriege hatte er einen Arm eingebüßt.

eincremen, cremte ein, hat eingecremt ⟨tr./rfl.⟩: *mit Creme einreiben:* ich cremte ihn, mich ein; ich habe mir das Gesicht eingecremt.

eindämmen, dämmte ein, hat eingedämmt ⟨tr.⟩: *aufhalten, begrenzen:* das Hochwasser, einen Waldbrand, eine Seuche e.

Eindämmung, die; -, -en.

eindecken, sich; deckte sich ein, hat sich eingedeckt: *sich mit Vorräten versorgen:* sich mit Kartoffeln, Kohlen e.; (ugs.) ich bin mit Arbeit eingedeckt *(habe viel Arbeit)*.

eindeutig ⟨Adj.⟩: *keine zweite Deutung zulassend, unmißverständlich:* eine eindeutige Anordnung; er bekam eine eindeutige Abfuhr *(wurde sehr deutlich abgewiesen)*. **Eindeutigkeit,** die; -, -en.

eindeutschen, deutschte ein, hat eingedeutscht ⟨tr.⟩: *(einem fremden Wort) in Aussprache und Schreibung deutsche Form geben; in die deutsche Sprache aufnehmen:* der fremde Ausdruck wurde eingedeutscht. **Eindeutschung,** die; -, -en.

eindrängen, drängte ein, hat/ist eingedrängt: 1. ⟨rfl.⟩ *sich durch Drängen (zu etwas) Zutritt verschaffen:* die Demonstranten haben sich in die Halle eingedrängt; bildl.: sich in ein Gespräch, in fremde Angelegenheiten e. *(einmischen)*. 2. ⟨itr.⟩ (geh.) *durch Drängen in jmds. Nähe kommen:* Polizisten sind von allen Seiten auf ihn eingedrängt; bildl.: Erinnerungen drängten auf mich ein *(bestürmten mich)*.

eindringen, drang ein, ist eingedrungen ⟨itr.⟩: 1. a) *(in etwas) gelangen, hineindringen:* Wasser drang in den Keller ein. b) *(etwas) erforschen, ergründen:* in die Geheimnisse der Natur e. 2. a) *sich gewaltsam und unbefugt Zutritt verschaffen:* Diebe drangen in das Geschäft ein. b) *einfallen:* feindliche Truppen drangen in das Land ein.

eindringlich ⟨Adj.⟩: *nachdrücklich, mahnend:* e. auf etwas hinweisen; mit eindringlichen Worten sprach er auf sie ein. **Eindringlichkeit,** die; -.

Eindringling, der; -s, -e: *jmd., der in etwas eindringt, sich mit Gewalt Zutritt verschafft.*

Eindruck, der; -s, Eindrücke: *Bild oder Vorstellung, die durch eine Einwirkung von außen in jmdm. hervorgerufen wird:* ein positiver, bleibender, flüchtiger E.; einen falschen E. bekommen. * **E. machen** *(beeindrucken, eine starke Wirkung ausüben)*; **den E. haben, daß ...** *(nach allem, was man wahrgenommen hat, annehmen müssen, daß ...)*.

eindrücken, drückte ein, hat eingedrückt ⟨tr.⟩: *durch Druck auf etwas* a) *beschädigen, eine Vertiefung hervorrufen:* den Kotflügel e. b) *zerbrechen:* die Einbrecher haben die Fensterscheibe eingedrückt.

eindrucksvoll ⟨Adj.⟩: *einen nachhaltigen Eindruck hinterlassend, bewirkend:* eine eindrucksvolle Aufführung; etwas e. darstellen.

einebnen, ebnete ein, hat eingeebnet ⟨tr.⟩: *eben, flach machen:* ein Grab e.

einengen, engte ein, hat eingeengt ⟨tr.⟩: *die Bewegungsfreiheit einschränken:* das Kleid engt mich ein; ⟨häufig im 2. Partizip⟩ er fühlte sich durch diese Vorschrift eingeengt; sie saßen sehr eingeengt.

einerlei ⟨Adj.; nur prädikativ⟩ (ugs.): *gleich[gültig]:* das ist

[mir] alles e.; denke immer daran, e., was du tust.

Einerlei, das; -s: *Eintönigkeit, langweilige Gleichförmigkeit:* sie versuchten, etwas Abwechslung in das ewige E. des Alltags zu bringen.

einernten, erntete ein, hat eingeerntet ⟨tr.⟩: *ernten und einbringen:* man erntete den Weizen ein; bildl.: viel Lob, Anerkennung e. *(erhalten).*

einerseits ⟨nur in Verbindung mit *and[e]rerseits*⟩ **einerseits ... and[e]rerseits** ⟨Adverb⟩: *von der einen Seite aus gesehen:* e. machte es Freude, andererseits kostete es besondere Anstrengung.

einesteils ⟨nur in Verbindung mit *and[e]renteils*⟩ **einesteils ... and[e]renteils** ⟨Adverb⟩: *zum einen Teil, einerseits:* e. war sie zufrieden, and[e]renteils aber auch etwas traurig.

einfach: I. ⟨Adj.⟩ 1. *schlicht, ohne großen Aufwand oder Anspruch:* sie ist e. gekleidet; das Essen war e. 2. *leicht [verständlich, durchschaubar]:* die Sache ist ganz e. 3. *einmal vorhanden, gemacht, nicht doppelt:* ein einfacher Knoten, eine einfache Fahrt *(Fahrkarte für eine Fahrt ohne Rückfahrt* /bei der Eisenbahn/). II. ⟨Adverb⟩ (verstärkend): das ist e. *(überhaupt)* nicht wahr; das ist e. *(nun einmal)* so; das ist e. *(völlig, ganz und gar)* unmöglich; das ist ja e. *(geradezu)* herrlich; er ist e. *(ohne weiteres)* weggelaufen.

Einfachheit, die; -: 1. *schlichte, bescheidene Beschaffenheit:* ihn zeichneten E. und Zurückhaltung aus. 2. *leicht verständliche, nicht komplizierte Beschaffenheit:* die E. der technischen Einrichtung.

einfädeln, fädelte ein, hat eingefädelt: 1. ⟨tr.⟩ a) *durch ein Nadelöhr ziehen:* einen Faden e. b) *mit einem Faden versehen:* eine Nadel e. 2. ⟨tr.⟩ *in geschickter Weise bewerkstelligen, ins Werk setzen:* eine Intrige, eine Verbindung klug, fein e. 3. ⟨rfl.⟩ *sich [beim Einbiegen in eine stark befahrene Straße] in eine Kolonne von Autos einreihen.*

einfahren, fährt ein, fuhr ein, hat/ist eingefahren: 1. ⟨itr.⟩ *fahrend (in etwas) kommen; hineinfahren (in etwas):* der Zug ist soeben in den Bahnhof eingefahren. 2. ⟨tr.⟩ *einbringen, in die Scheune fahren:* der Bauer hat die Ernte eingefahren. 3. ⟨tr.⟩ *(ein neues Fahrzeug) so lange mit begrenzter Geschwindigkeit fahren, bis der Motor voll leistungsfähig ist:* er hat das neue Auto eingefahren. 4. ⟨rfl.⟩ (ugs.) *zur Gewohnheit werden:* inzwischen hat es sich eingefahren, daß wir uns nur noch zu Weihnachten schreiben.

Einfahrt, die; -, -en: 1. *das Hineinfahren:* die E. in das enge Tor war schwierig; der Zug hat keine E. *(darf noch nicht einfahren).* 2. *Stelle, an der man hineinfährt:* die E. in den Hafen; die E. muß freigehalten werden.

Einfall, der; -s, Einfälle: 1. *plötzlicher Gedanke, plötzliche Idee:* ein guter E.; einen E. haben. 2. *gewaltsames, feindliches Eindringen:* einen E. in ein Land planen.

einfallen, fällt ein, fiel ein, ist eingefallen ⟨itr.⟩ /vgl. eingefallen/: 1. *einstürzen, in sich zusammenfallen:* die Mauer ist eingefallen. 2. *eindringen, kommen:* der Feind fiel in unser Land ein. 3. *(jmdm.) [unerwartet] in den Sinn, ins Gedächtnis kommen:* mir fällt sein Name nicht ein.

einfallsreich ⟨Adj.⟩: *mit vielen Einfällen, an Einfällen reich:* ein findiger, einfallsreicher Techniker.

Einfalt, die; -: 1. (geh.) *schlichte, lautere Gesinnung:* die E. des Herzens. 2. *gutmütige, naive Dummheit:* in seiner E. schenkte er ihr volles Vertrauen.

einfältig ⟨Adj.⟩: *wenig kritisch und leichtgläubig; naiv:* ein einfältiger Mensch; er sah sie e. an.

Einfamilienhaus, das; -es, Einfamilienhäuser: *Haus, in dem nur eine Familie wohnt.*

einfangen, fing ein, hat eingefangen ⟨tr.⟩: 1. *fangen:* einen Vogel, Hund [wieder] e. 2. (geh.) *in Bild oder Wort in seiner Eigenart wiedergeben, zum Ausdruck bringen:* er hat die Stimmung gut eingefangen.

einfarbig ⟨Adj.⟩: *nur eine Farbe habend, nicht bunt:* ein einfarbiger Stoff; ein einfarbiges Kleid.

einfassen, faßte ein, hat eingefaßt ⟨tr.⟩: *mit einem Rahmen, Rand, einer Borte umgeben:* einen Edelstein in Gold e.; einen Garten mit einer Hecke e. **Einfassung,** die; -, -en.

einfetten, fettete ein, hat eingefettet ⟨tr./rfl.⟩: *mit Fett einreiben:* das Lager eines Rades, Leder, Schuhe e.; ich fettete mich mit Creme ein.

einfinden, sich; fand sich ein, hat sich eingefunden: *an einem festgelegten Ort, zu einem festgelegten Zeitpunkt erscheinen:* sich in der Hotelhalle um 18 Uhr e.

einflechten, flicht ein, flocht ein, hat eingeflochten ⟨tr.⟩: *in eine Rede o. ä. einfügen, einfließen lassen; beiläufig bemerken:* Beispiele, Zitate in einen Vortrag e.; er flocht ein, daß er gerade erst von einem längeren Aufenthalt im Ausland zurück sei.

einflicken, flickte ein, hat eingeflickt ⟨tr.⟩: *einen Flicken (in etwas) einsetzen:* sie flickte ein Stück Stoff in den Hosenboden ein; bildl. (ugs.): er hatte noch etliche Sprichwörter in der Vortrag eingeflickt *(eingefügt).*

einfliegen, flog ein, hat/ist eingeflogen: 1. ⟨itr.⟩ *hineinfliegen:* ein Flugzeug ist in ein fremdes Gebiet eingeflogen. 2. ⟨tr.⟩ *in einen [eingeschlossenen] Ort, ein [gefährdetes] Gebiet mit dem Flugzeug transportieren:* das Militär hat Lebensmittel in die überschwemmten Gebiete eingeflogen. 3. ⟨tr.⟩ *(ein neues Flugzeug) zur Erprobung, Kontrolle fliegen und auf volle Leistung bringen:* der neue Typ ist eingeflogen worden.

einfließen: ⟨in der Verbindung⟩ e. lassen: *beiläufig bemerken:* ganz unauffällig ließ er ins Gespräch e., daß er die Absicht habe zu heiraten.

einflößen, flößte ein, hat eingeflößt ⟨tr.⟩: 1. *in kleinsten Mengen vorsichtig zu trinken geben:* einem Kranken Medizin e. 2. *(in jmdm. ein bestimmtes Gefühl) hervorrufen:* seine Worte flößten mir Angst ein.

Einfluß, der; Einflusses, Einflüsse: *Wirkung auf das Verhalten einer Person oder Sache:* sie übte keinen guten E. auf ihn aus; der E. der französischen Literatur auf die deutsche; er stand unter ihrem E. *(wurde von ihr beeinflußt);* großen E. haben *(auf Grund seiner Stellung etwas durchsetzen können).*

Einflußbereich, der; -[e]s, -e: *Gebiet, auf das ein Einfluß ausgeübt wird:* Polen liegt im sowjetischen E.

einflußreich ⟨Adj.⟩: *[große] Wirkung habend, mächtig:* eine einflußreiche Persönlichkeit; er ist sehr e.

einfordern, forderte ein, hat eingefordert ⟨tr.⟩: *das Zahlen, Zurückgeben (von etwas) fordern:* der Gläubiger forderte sein Geld wieder ein.

einförmig ⟨Adj.⟩: *keine Abwechslung bietend, gleichförmig:* ihr Leben war sehr e.

einfried[ig]en, friedete/friedigte ein, hat eingefriedet/eingefriedigt ⟨tr.⟩: *(eine Fläche) mit einem Zaun, einer Hecke o. ä. umgeben:* man friedete den Kinderspielplatz mit einer Hecke ein.

einfrieren, fror ein, ist/hat eingefroren: **1.** ⟨itr.⟩ *durch Frost an seiner Funktion gehindert werden:* der Motor ist eingefroren; die Wasserleitungen sind eingefroren. **2.** ⟨tr.⟩ *durch Frost konservieren:* wir haben das Fleisch eingefroren. **3.** ⟨itr.⟩ *vom Eis umgeben und dadurch festgehalten werden:* das Schiff ist eingefroren. **4. a)** ⟨tr.⟩ *auf dem gegenwärtigen Stand ruhen lassen, nicht weiterführen:* sie haben die Verhandlungen eingefroren; eingefrorene Guthaben *(Guthaben, über die man nicht verfügen kann).* **b)** ⟨itr.⟩ *auf dem gegenwärtigen Stand ruhen:* die Beziehungen zwischen ihnen waren eingefroren.

einfügen, fügte ein, hat eingefügt: **1.** ⟨tr.⟩ *in etwas fügen; einsetzen:* ein Zitat in einen Text e. **2.** ⟨rfl.⟩ *sich einordnen, sich (jmdm./einer Sache) anpassen:* er muß sich [in die Gemeinschaft] e. **Einfügung,** die; -, -en.

einfühlen, sich; fühlte sich ein, hat sich eingefühlt: *sich (in die Situation eines anderen) hineinversetzen:* er konnte sich nur schwer in die Stimmung seines Freundes e.

einfühlsam ⟨Adj.⟩: *zum Sicheinfühlen fähig und bereit:* ein einfühlsamer Mensch.

Einfühlungsvermögen, das; -s: *Fähigkeit, sich in jmdn./etwas hineinzuversetzen:* er hat überhaupt kein E.

Einfuhr, die; -, -en: *Einkauf von Waren im Ausland, Import:* die E. soll nicht die Ausfuhr übersteigen.

einführen, führte ein, hat eingeführt ⟨tr.⟩: **1.** *aus dem Ausland beziehen, importieren* /Ggs. ausführen/: Erdöl, Getreide [aus Übersee] e. **2.** *bekannt machen:* er hat sie bei den Eltern eingeführt; in den ersten drei Monaten wurde er [in seine Arbeit] eingeführt. **3.** *(Neuerungen, Neuheiten) verbreiten:* neue Lehrbücher, Artikel e.; eine neue Währung e. *(an die Stelle der alten setzen).* **4.** *durch eine Öffnung (in etwas) hineinschieben, -stecken:* eine Sonde in den Magen e. **Einführung,** die; -.

einfüllen, füllte ein, hat eingefüllt ⟨tr.⟩: *Flüssigkeit (in einen Behälter) gießen und (ihn) so füllen:* Öl in einen Tank e.

Eingabe, die; -, -n: **1.** *an eine Behörde gerichtete schriftliche Bitte oder Beschwerde:* eine E. prüfen. **2.** *Aufnahme von Daten in eine Rechenmaschine.*

Eingang, der; -s, Eingänge: **1.** *Tür, Öffnung nach innen* /Ggs. Ausgang/: das Haus hat zwei Eingänge. **2.** ⟨ohne Plural⟩ *das Eintreffen (einer Sendung):* den E. der Post, des Geldes abwarten. **3.** ⟨Plural⟩ *eingehende Post, Ware* /Ggs. Ausgang/: die Eingänge sortieren.

eingängig ⟨Adj.; nicht adverbial⟩: *leicht faßlich; in der Art, daß es ohne Mühe verstanden und leicht behalten wird:* ein eingängiger Spruch.

eingangs ⟨Adverb⟩: *zu Beginn (einer Rede o. ä.):* er kam in seinem Vortrag auf das e. erwähnte Beispiel zurück.

eingeben, gibt ein, gab ein, hat eingegeben ⟨tr.⟩: **1.** (geh.) *jmdn. (zu etwas) veranlassen:* diese Reaktion gab ihm der Augenblick ein. **2.** *(eine Arznei) einflößen:* dem Kranken die Tropfen stündlich e. **3.** *(bei einer Behörde) einreichen:* eine Sache beim Gericht e. **4.** *(Daten) von einer Rechenmaschine aufnehmen lassen:* Zahlen, ein Programm in den Computer e.

eingebildet ⟨Adj.⟩: *von sich, seinen Fähigkeiten allzusehr überzeugt; überheblich:* ein eingebildeter Mensch; sie ist e.

Eingeborene, der; -n, -n ⟨aber: [ein] Eingeborener, Plural: Eingeborene⟩: *ursprünglicher Bewohner eines nicht zivilisierten Gebietes:* im Urwald lebende Eingeborene.

Eingebung, die; -, -en: *plötzlich auftauchender Gedanke, der jmds. Tun oder Denken entscheidend beeinflußt:* in einer plötzlichen E. änderte er seinen Entschluß.

eingedenk: ⟨in der Fügung⟩ e. einer Sache: *sich an (etwas) erinnernd und es beherzigend:* e. seiner Warnungen, blieb ich im Zimmer; er war ihrer Ermahnungen e. *(erinnerte sich ihrer).*

eingefallen ⟨Adj.⟩: *hohle Wangen habend:* ein eingefallenes Gesicht.

eingefleischt ⟨Adj.; nur attributiv⟩: *in seiner Anschauung, Lebensweise nicht mehr zu ändern; unverbesserlich:* ein eingefleischter Junggeselle.

eingehen, ging ein, ist eingegangen /vgl. eingehend/: **1.** ⟨itr.⟩ *eintreffen:* es geht täglich viel Post ein. **2.** ⟨itr.⟩ *aufhören zu existieren:* das Pferd ist eingegangen; der Baum ist eingegangen *(abgestorben);* die Zeitung ist eingegangen *(erscheint nicht mehr).* **3.** ⟨als Funktionsverb⟩ *sich (auf etwas) einlassen und sich daran gebunden fühlen:* einen Handel, Vertrag e.; eine Wette e. *(wetten);* eine Ehe e. *(heiraten);* ein Risiko e. *(etwas riskieren).* **4.** ⟨itr.⟩ **a)** *(etwas) aufgreifen und weiterführen:* auf eine Frage, einen Gedanken, ein Problem e. **b)** *(etwas) annehmen, akzeptieren:* auf einen Plan, Vorschlag, jmds. Bedingungen e. ** **in den ewigen Frieden, zur ewigen Ruhe e.** *(sterben).*

eingehend ⟨Adj.⟩: *gründlich, ausführlich:* eine eingehende Beschreibung; sich mit jmdm., etwas e. befassen.

Eingemachte, das; -n ⟨aber: Eingemachtes⟩: *eingekochtes Obst:* im Keller steht noch Eingemachtes vom letzten Jahr.

eingenommen: ⟨in den Verbindungen⟩ **von sich/ etwas e. sein** *(sich auf sich selbst, auf etwas [viel] einbilden):* sie war sehr von sich, ihren Fähigkeiten e.; **von etwas e. sein** *(von etwas begeistert, fasziniert sein):* er ist von deinem Vorschlag sehr e.

eingepfercht ⟨Adj.⟩: *eng zusammengedrängt, dicht gedrängt* *(in etwas) eingeschlossen:* sie standen e. in der Straßenbahn.

eingeschworen ⟨Adj.; nicht adverbial⟩ (geh.): *(jmdm. oder einer Sache) fest verbunden:* eine eingeschworene Gemeinschaft.

eingesessen ⟨Adj.; nicht adverbial⟩: *seit langem an einem Ort ansässig, einheimisch:* die eingesessene Bevölkerung stand den Ausländern skeptisch gegenüber.

Eingeständnis, das; -ses, -se: *Geständnis (eigenen Versagens, eigener Schuld):* das E. seiner Schuld fiel ihm äußerst schwer.

eingestehen, gestand ein, hat eingestanden ⟨tr.⟩: *schließlich gestehen, zugeben:* eine Tat, einen Irrtum e.; ich wollte mir diese Schwäche nicht e. *(wollte sie nicht vor mir selbst zugeben).*

Eingeweide, die ⟨Plural⟩: *alle Organe im Innern des Leibes:* einem geschlachteten Huhn die E. herausnehmen.

Eingeweihte, der; -n, -n ⟨aber: [ein] Eingeweihter, Plural: Eingeweihte⟩: *jmd., der gut und eingehend über etwas informiert ist:* nur die Eingeweihten konnten seinen Ausführungen folgen.

eingewöhnen, sich; gewöhnte sich ein, hat sich eingewöhnt: *sich an eine neue Umgebung, an neue Verhältnisse gewöhnen:* sie hat sich inzwischen bei uns eingewöhnt. **Eingewöhnung,** die; -.

eingezogen ⟨Adj.⟩: *einsam, für sich allein:* er lebte recht e.

eingießen, goß ein, hat eingegossen ⟨tr.⟩: *(in ein Gefäß) gießen:* den Wein e.

eingleisig ⟨Adj.⟩: *nur ein Gleis aufweisend, mit nur einem Gleis aus[gestattet]:* eine eingleisige Strecke.

eingliedern, gliederte ein, hat eingegliedert ⟨tr./rfl.⟩: *sinnvoll (in etwas) einfügen:* die Gastarbeiter, sich in eine neue Umgebung e. **Eingliederung,** die; -, -en.

eingraben, gräbt ein, grub ein, hat eingegraben: **1.** ⟨tr.⟩ *durch Graben in die Erde bringen:* der Hund grub den Knochen ein. **2.** ⟨rfl.⟩ *sich zum Schutz vor feindlichen Angriffen einen Graben machen* /von Soldaten/: die Infanteristen gruben sich tief in den weichen Boden ein.

eingreifen, griff ein, hat eingegriffen ⟨itr.⟩: *sich entscheidend einschalten; einschreiten:* in die Diskussion e.; die Polizei mußte bei der Schlägerei e.; das Erlebnis hat tief in sein Leben eingegriffen *(auf sein Leben eingewirkt).*

Eingriff, der; -s, -e: **1.** *mit ärztlichen Instrumenten durchgeführtes Öffnen des Körpers und Entfernung von krankem Gewebe oder kranken Teilen, Operation:* ein chirurgischer E.; der Arzt mußte einen E. machen. **2.** *ungebührliches oder unberechtigtes Eingreifen in den Bereich eines andern:* ein E. in die private Sphäre, in die Rechte eines andern.

einhaken, hakte ein, hat eingehakt: **1.** ⟨tr./rfl.⟩ *(mit jmdm.) Arm in Arm gehen:* sie hatte ihren Freund eingehakt; ich hakte mich bei ihm ein. **2.** ⟨tr.⟩ *durch einen Haken (mit etwas) verbinden:* den Verschluß in eine[r] Öse e.: **2.** ⟨itr.⟩ (ugs.) *(eine Rede an einem bestimmten Punkt) mit einem Einwand unterbrechen:* an dieser Stelle seiner Rede hakte man ein.

Einhalt: ⟨in der Wendung⟩ E. gebieten: *(ein Übel, ein gefährliches Geschehen) energisch bekämpfen und verhindern, daß sich die betreffende Sache weiter ausbreitet:* einer Seuche E. gebieten; die Regierung versuchte der Abwanderung in die Städte E. zu gebieten.

einhalten, hält ein, hielt ein, hat eingehalten: **1.** ⟨tr.⟩ *(etwas, was als verbindlich gilt) [weiterhin] befolgen, sich (an etwas) halten:* eine Bestimmung e.; einen Termin e. *(etwas nicht später als zum festgesetzten Zeitpunkt tun).* **2.** ⟨tr.⟩ *nicht von etwas abweichen:* eine Richtung, einen Kurs e. **3.** ⟨itr.⟩ *(mit seinem Tun) plötzlich für kürzere Zeit innehalten, aufhören; (etwas) unterbrechen:* im Lesen, in der Arbeit e.

einhandeln, handelte ein, hat eingehandelt: **1.** ⟨tr.⟩ *durch einen Handel für sich erwerben:* er hat das Silber gegen Lebensmittel eingehandelt. **2.** ⟨tr.⟩ (ugs.) *(einen Nachteil) in Kauf, hinnehmen müssen:* ich handelte mir einen Verweis ein.

einhändigen, händigte ein, hat eingehändigt ⟨tr.⟩: *persönlich übergeben:* jmdm. Geld, einen Schlüssel e.

einhängen, hängte ein, hat eingehängt: **1. a)** ⟨tr.⟩ *in etwas hängen:* das Seil e. **b)** ⟨tr./itr.⟩ *den Telefonhörer in die Gabel hängen und dadurch das Gespräch beenden:* er hängte plötzlich [den Hörer] ein. **2.** ⟨rfl.⟩ (ugs.) *(sich bei jmdm.) einhaken:* nach wenigen Metern hängte ich mich bei ihm ein.

einhauen, haute/hieb ein, hat eingehauen: **1.** ⟨tr.; hieb ein/(ugs.:) haute ein⟩ **a)** *durch Hauen (in etwas) schlagen:* einen Nagel in das Brett e. **b)** *durch Hauen zerstören:* jmdm. den Schädel e. **2. a)** ⟨itr.; hieb ein, (ugs.: haute ein⟩ *dauernd (auf jmdn. oder etwas) schlagen:* auf ein Pferd e. **b)** ⟨itr.; haute ein⟩ (ugs.) *große Mengen (von etwas) hastig essen:* tüchtig in den Kuchen e.

einheften, heftete ein, hat eingeheftet ⟨tr.⟩: *(in etwas) heften:* Unterlagen in einen Ordner e.

einheimisch ⟨Adj.; nicht adverbial⟩: *an einem Ort, in einem Land seine Heimat habend und mit den Verhältnissen dort vertraut seiend:* die einheimische Bevölkerung eines Landes.

einheimsen, heimste ein, hat eingeheimst ⟨tr.⟩ (ugs.): *in großer Menge erhalten:* Erfolge, Lob e.

Einheirat, die; -, -en: *Heirat durch die jmd., bes. ein Mann, an einem Unternehmen o. ä. beteiligt oder in einer goße [reiche] Familie eingeführt wird:* die E. in eine Familie, ein Unternehmen.

einheiraten, heiratete ein, hat eingeheiratet ⟨itr.⟩: *durch Heirat an einem Unternehmen o. ä. beteiligt werden oder in eine große [reiche] Familie gelangen:* er heiratete in eine vornehme Familie, in ein Bauerngut ein.

Einheit, die; -, -en: **1.** ⟨ohne Plural⟩ *Ganzheit:* eine territoriale, nationale, wirtschaftliche E. **2.** Mil. *zahlenmäßig nicht festgelegter militärischer Verband:* eine motorisierte E. **3.** *bei der Bestimmung eines Maßes zugrunde gelegte Größe:* die E. der Längenmaße ist der Meter.

einheitlich ⟨Adj.⟩: **a)** *eine Einheit erkennen lassend, zum Ausdruck bringend:* ein einheitliches System; die Struktur ist e. **b)**

für alle in gleicher Weise beschaffen, geltend: eine einheitliche Kleidung, Regelung. **Einheitlichkeit,** die; -.

einheizen, heizte ein, hat eingeheizt: 1. ⟨itr./tr.⟩ *durch Heizen erwärmen, warm machen:* tüchtig e.; den Ofen e. 2. ⟨itr.⟩ (ugs.) *(jmdn.) antreiben, offen und gehörig die Meinung sagen:* ich habe dem Faulenzer ganz schön eingeheizt.

einhellig ⟨Adj.⟩: *in beeindruckender Weise einstimmig:* nach der einhelligen Meinung der Kritiker war dieses das schwächste Stück des Autors.

einherfahren, fährt einher, fuhr einher, ist einhergefahren ⟨itr.⟩ (geh.): *(in einer bestimmten Art) gefahren kommen:* stolz fuhr er in seiner prächtigen Kutsche einher.

einhergehen, ging einher, ist einhergegangen ⟨itr.⟩ (geh.): 1. *(in einer bestimmten Art) gegangen kommen:* er ging müde neben dem Pferd einher. 2. *(von etwas) begleitet sein:* mit den Unruhen ging ein Streik einher.

einholen, holte ein, hat eingeholt ⟨tr.⟩: 1. **a)** *(jmdn., der einen Vorsprung hat), [schließlich] erreichen:* er konnte ihn noch e. **b)** *(einen Rückstand [gegenüber jmdm.]) aufholen:* einen Vorsprung e.; jmdn. in seinen Leistungen e. 2. *sich geben lassen:* jmds. Rat, Zustimmung, Erlaubnis e.; Erkundigungen, Auskünfte über jmdn. e. *(einziehen).* 3. (landsch.) *einkaufen:* Brot, Wurst e.; sie ist e. gegangen.

einhüllen, hüllte ein, hat eingehüllt ⟨tr./rfl.⟩: *(mit etwas) als Hülle umgeben:* ich hüllte ihn, mich in eine Decke ein; bildl.: der Nebel hüllte alles ein. **Einhüllung,** die; -.

einig: ⟨in bestimmten Verbindungen⟩: **sich** (Dativ) / **mit jmdm. e. werden** *(zur Übereinstimmung kommen):* ich bin mir mit ihm, wir sind uns schließlich e. geworden; **sich** (Dativ)/ **mit jmdm. e. sein** *(übereinstimmen):* in diesem Punkt bin ich mir mit ihm, sind wir uns völlig e.; **sich** (Dativ) /**mit sich selbst [noch nicht] e. sein** *(sich [noch nicht] klar über etwas sein):* ich war mir, mit mir selbst noch nicht ganz e., ob ich das Angebot annehmen sollte.

einige ⟨Indefinitpronomen und unbestimmtes Zahlwort⟩: 1. **einiger, einige, einiges** ⟨Singular⟩ *ein wenig, ein bißchen, nicht viel:* mit einigem guten Willen hätte man dieses Problem lösen können; er wußte wenigstens einiges. 2. **einige** ⟨Plural⟩ *ein paar, mehrere; mehr als zwei bis drei, aber nicht viele:* er war einige Wochen verreist; in dem Ort gibt es einige Friseure; er hat nur einige *(wenige)* Fehler. 3. *beträchtlich, ziemlich groß, nicht wenig, ziemlich viel:* das wird noch einigen Ärger bringen; das wird einige Überlegungen erfordern.

einigemal ⟨Adverb⟩: *mehrmals, zuweilen:* e. in der Woche.

einigen, einigte, hat geeinigt ⟨rzp.⟩: *(mit jmdm.) zu einer Übereinstimmung kommen:* sich auf einen Kompromiß e.; sie haben sich über den Preis geeinigt.

einigermaßen ⟨Adverb⟩: *ziemlich; bis zu einem gewissen Grade:* auf diesem Gebiet weiß er e. Bescheid; die Arbeit ist ihm e. gelungen.

einiggehen, ging einig, ist einiggegangen ⟨itr.⟩: *eine übereinstimmende Meinung haben:* ich gehe in dieser Auslegung mit dir einig.

Einigkeit, die; -: *Übereinstimmung, Einmütigkeit:* E. war nicht zu erreichen; darüber herrschte völlige E., daß etwas an dem bestehenden System geändert werden müsse.

Einigung, die; -: *Übereinkunft:* eine E. kam nicht zustande; es wurde keine E. erzielt *(man konnte sich nicht einigen).*

einimpfen, impfte ein, hat eingeimpft ⟨tr.⟩: (ugs.) *(jmdm. etwas) tief einprägen; (bei jmdm.) eine bestimmte Einstellung bewirken:* jmdm. eine Überzeugung, einem Mutlosen Hoffnung e.; man hatte ihm diesen Haß eingeimpft; die Mutter hatte ihren Kindern eingeimpft *(eingeschärft),* mit keinem Fremden mitzugehen.

einjagen, jagte ein, hat eingejagt ⟨als Funktionsverb⟩: jmdm. Angst e. *(jmdn. ängstigen);* jmdm. einen Schreck e. *(jmdn. erschrecken).*

einjährig ⟨Adj.; nur attributiv⟩: **a)** *ein Jahr alt:* ein einjähriges Kind. **b)** *ein Jahr dauernd:* eine einjährige Freiheitsstrafe.

einkalkulieren, kalkulierte ein, hat einkalkuliert ⟨tr.⟩: *in seine Berechnungen einplanen, einbeziehen:* dieses Risiko hatte er einkalkuliert.

einkassieren, kassierte ein, hat einkassiert ⟨tr.⟩: *(einen fälligen Betrag) einziehen, kassieren:* Beiträge, das Geld für ein Abonnement e.

Einkauf, der; -s, Einkäufe: *das Einkaufen:* sie erledigten ihre Einkäufe und fuhren nach Hause; dieser Mantel war wirklich ein guter E.

einkaufen, kaufte ein, hat eingekauft ⟨tr./itr.⟩: *Benötigtes, Gewünschtes kaufen:* Material, Waren e.; en gros e.; er kauft immer im Warenhaus ein; sie ist e. gegangen.

Einkäufer, der; -s, -: *jmd., der für ein Unternehmen den Einkauf besorgt.*

Einkehr: ⟨in der Wendung⟩ E. halten (geh.): *sich auf sich selbst besinnen, die eigene Lage überdenken, sein Inneres prüfen.*

einkehren, kehrte ein, ist eingekehrt ⟨itr.⟩: *unterwegs (eine Gaststätte) besuchen:* sie sind auf ihrer Wanderung zweimal in einem Lokal eingekehrt.

einkellern, kelltere ein, hat eingekellert ⟨tr.⟩: *für den Bedarf während des Winters im Keller als Vorrat anlegen:* im Herbst kellerten wir Kartoffeln ein.

einkerben, kerbte ein, hat eingekerbt ⟨tr.⟩: *mit einer Kerbe versehen:* ein Brett e.

einkerkern, kerkerte ein, hat eingekerkert ⟨tr.⟩: *in einen Kerker einschließen:* er wurde in der Festung eingekerkert.

einkesseln, kesselte ein, hat eingekesselt ⟨tr.⟩: *(Truppen, Soldaten) umzingeln:* die Armee wurde vom Gegner eingekesselt.

einklagen, klagte ein, hat eingeklagt ⟨tr.⟩: *(etwas, was einem nach seiner Meinung zusteht) mit Hilfe einer Klage zu erreichen suchen:* er klagte sein Erbteil ein.

einklammern, klammerte ein, hat eingeklammert ⟨tr.⟩: *in einem Text durch Klammern einschließen:* die Erklärung des Wortes wurde eingeklammert.

Einklang: ⟨in den Wendungen⟩ **in E. stehen mit etwas**

(mit etwas übereinstimmen): seine Worte und seine Taten stehen nicht miteinander in E.; **in E. bringen mit etwas** *(auf etwas abstimmen):* man muß versuchen, die eigenen Wünsche mit den Forderungen des Partners in E. zu bringen.

einkleben, klebte ein, hat eingeklebt ⟨tr.⟩: *(in etwas) kleben:* Briefmarken, Fotos in ein Album e.

einkleiden, kleidete ein, hat eingekleidet ⟨tr.⟩: *mit [neuer] Kleidung ausstatten:* seine Kinder neu e.; die Rekruten wurden eingekleidet *(erhielten ihre Uniform).*

einklemmen, klemmte ein, hat eingeklemmt: **1.** ⟨tr./rfl.⟩ *durch Klemmen verletzen:* ich habe ihm, mir den Finger an der Tür eingeklemmt. **2.** ⟨tr.⟩ *(zwischen zwei gegeneinanderdrükkende Teile) bringen, spannen:* das Monokel [ins Auge], einen Gegenstand in eine Vorrichtung e.; der Köter klemmte den Schwanz ein *(klemmte ihn zwischen die Beine).*

einknicken, knickte ein, hat/ist eingeknickt: **1.** ⟨tr.⟩ *mit einem Knick versehen; leicht knikken:* er hat die Streichhölzer eingeknickt. **2.** ⟨itr.⟩ *durch einen plötzlichen Knick zusammenklappen. -sacken:* ich bin vor Müdigkeit in den Beinen eingeknickt.

einkochen, kochte ein, hat eingekocht ⟨tr.⟩: *so lange kochen, bis die betreffende Sache haltbar gemacht ist:* Kirschen, Marmelade e.

einkommen, kam ein, ist eingekommen ⟨itr.⟩: **1.** *eingehen, eingenommen werden* /von Geld/: es kam mehr Geld durch die Steuererhöhung ein. **2.** *ins Ziel gelangen:* der Läufer kam als letzter ein.

Einkommen, das; -s, -: *Einnahmen in einem bestimmten Zeitraum; Gehalt, Lohn:* ein hohes monatliches E. haben.

einkreisen, kreiste ein, hat eingekreist ⟨tr.⟩: *in einem Kreis umzingeln:* Soldaten, ein Dorf, Wild e.

einkremen, kremte ein, hat eingekremt ⟨tr./rfl.⟩: *eincremen.*

Einkünfte, die ⟨Plural⟩: *Summe der Einnahmen:* seine E. waren im Jahre 1968 geringer als im Jahre 1967; E. aus Grundbesitz haben.

einladen, lädt ein, lud ein, hat eingeladen ⟨tr.⟩: **I.** *in ein Fahrzeug zum Transport bringen* /Ggs. ausladen/: Pakete, Kisten e. **II. a)** *als Gast zu sich bitten:* jmdn. zu sich, zum Geburtstag e. **b)** *(jmdn.) zur Teilnahme an etwas auffordern und (für ihn) bezahlen:* jmdn. ins Theater, zum Ball, zu einer Autofahrt e.

Einladung, die; -, -en.

Einlage, die; -, -n: **1.** *etwas, was in etwas hineingebracht wird:* eine Suppe mit E.; eine E. im Kragen (zur Versteifung); der Zahnarzt machte eine E. *(provisorische Füllung).* **2.** *stützende Unterlage für den Fuß, die in den Schuh eingelegt wird:* in den Sandalen kann er keine Einlagen tragen. **3.** *Darbietung, die als Unterbrechung in ein Programm eingeschoben wird:* ein Konzert mit tänzerischen Einlagen.

einlagern, lagerte ein, hat eingelagert ⟨tr.⟩: *in einem geeigneten Raum lagern:* Kartoffeln, Rüben e.; bildl.: in der Kohle waren glitzernde Kristalle eingelagert *(eingeschlossen).*

Einlaß ⟨in bestimmten Wendungen⟩ E. begehren / um E. bitten *(wünschen, eingelassen zu werden);* E. erhalten/ finden *(eingelassen werden);* sich (Dativ) E. verschaffen *(erreichen, daß man eingelassen wird).*

einlassen, läßt ein, ließ ein, hat eingelassen: **1.** ⟨tr.⟩ *jmdm. Zutritt gewähren:* er wollte niemanden e. **2.** ⟨tr.⟩ *eine Flüssigkeit in einen Behälter einlaufen lassen:* Wasser in die Wanne e. **3.** ⟨rfl.⟩ **a)** (abwertend) *mit jmdm., der es nicht wert ist, Kontakt aufnehmen:* wie konnte er sich nur mit diesem gemeinen Kerl e. **b)** *(bei etwas) mitmachen:* sich auf ein Abenteuer e.; sich nicht in ein Gespräch mit jmdm. e. *(mit jmdm. nicht diskutieren).*

Einlauf, der; -s, Einläufe: *Einführung von Wasser in den Darm zur Entleerung; Klistier:* die Krankenschwester machte bei dem Patienten einen E.

einlaufen, läuft ein, lief ein, hat/ist eingelaufen: **1.** ⟨itr.⟩ *hineinfließen:* das Wasser ist in die Wanne eingelaufen. **2.** ⟨itr.⟩ *hineinfahren* /Ggs. auslaufen/: das Schiff ist in den Hafen eingelaufen. **3.** ⟨itr.⟩ *eintreffen:* es sind viele Spenden, Beschwerden eingelaufen. **4.** ⟨itr.⟩ *(beim Waschen) kleiner werden, schrumpfen:* das Kleid ist beim Waschen eingelaufen. **5.** ⟨tr.⟩ *(neue Schuhe) durch Tragen bequemer machen:* er hat die Schuhe allmählich eingelaufen. ** (ugs.; abwertend) **jmdm. die Bude, das Haus, die Tür e.** *(jmdn. [in bestimmter Absicht] ständig aufsuchen).*

einleben, sich; lebte sich ein, hat sich eingelebt: *in neuer Umgebung heimisch werden:* er hat sich gut bei uns eingelebt.

einlegen, legte ein, hat eingelegt ⟨tr.⟩: **1.** *(in etwas) hineinlegen:* einen neuen Film in den Photoapparat e.; Sohlen in die Schuhe e. **2.** *in eine in bestimmter Weise zubereitete Flüssigkeit legen [und dadurch konservieren]:* Heringe, Gurken e. **3.** *als Verzierung einfügen:* in die Tischplatte war ein Muster eingelegt. **4.** *einfügen, einschieben:* zwischen die Szenen wurden Tänze eingelegt; bei starkem Verkehr Züge zur Entlastung e. **5.** ⟨als Funktionsverb⟩ ein gutes Wort für jmdn. e. *(sich bei jmdm. für jmdn. verwenden; jmdm. durch eine positive Aussage helfen);* Protest e. *(protestieren);* Beschwerde e. *(sich beschweren).*

einleiten, leitete ein, hat eingeleitet ⟨tr.⟩: **1.** *(ein Werk, eine Veranstaltung mit etwas) beginnen; eröffnen:* eine Feier mit Musik e. **2.** *(einen Vorgang) vorbereiten und in Gang setzen:* einen Prozeß, ein Verfahren gegen jmdn. e.

Einleitung, die; -, -en: *Teil, mit dem eine Veranstaltung, ein Werk o. ä. beginnt:* eine kurze E.; die E. eines Buches.

einlenken, lenkte ein, hat eingelenkt ⟨itr.⟩: **1.** *einbiegen:* er lenkte in die Seitenstraße ein. **2.** *nach anfänglicher Ablehnung zu gewissen Kompromissen bereit sein:* nach dieser scharfen Entgegnung lenkte er sofort wieder ein.

einleuchten, leuchtete ein, hat eingeleuchtet ⟨itr.⟩: *(jmdm.) verständlich, begreiflich sein:* es leuchtete mir ein, daß er wegen seiner vielen Arbeit nicht kommen konnte; ⟨häufig im 1. Partizip〉 *plausibel, überzeugend:* eine einleuchtende Erklärung.

einliefern, lieferte ein, hat eingeliefert 〈tr.〉: *einer entsprechenden Stelle zur besonderen Behandlung, zur Beaufsichtigung übergeben:* die Verletzten wurden ins Krankenhaus eingeliefert; jmdn. in eine Heilanstalt, ins Gefängnis e. **Einlieferung,** die; -, -en.

einlochen, lochte ein, hat eingelocht 〈tr.〉 (ugs.): *ins Gefängnis bringen:* der Dieb ist für drei Monate eingelocht worden.

einlösen, löste ein, hat eingelöst 〈tr.〉: *sich auszahlen, übergeben lassen; zurückkaufen:* einen Scheck, ein Pfand e.; bildl.: ein Versprechen e. *(wirklich tun, was man versprochen hat).*

einlullen, lullte ein, hat eingelullt 〈tr.〉 (ugs.): *jmds. Wachsamkeit (durch etwas) erlahmen lassen:* sie haben ihn mit schönen Worten eingelullt.

einmachen, machte ein, hat eingemacht 〈tr.〉: *(Gemüse, Obst) kochen und konservieren:* Bohnen, Kirschen e.

Einmachglas, das; -[e]s; Einmachgläser: *Gefäß für das Eingemachte* (siehe Bild).

Einmachglas

einmahnen, mahnte ein, hat eingemahnt 〈tr.〉 (Amtsspr.): *(ausstehende Leistungen) einfordern:* Schulden e.

einmal 〈Adverb〉: **1.** *ein einziges Mal, nicht zweimal oder mehrmals:* er war nur e. da; ich versuche es noch e. *(wiederhole den Versuch).* *** auf e.: a)** *(gleichzeitig):* sie kamen alle auf e. **b)** *(plötzlich):* auf e. stand sie auf und ging. **2. a)** *eines Tages, später:* er wird sein Verhalten e. bereuen. **b)** *einst, früher:* es ging ihm e. besser als heute; /formelhafter Anfang im Märchen/ es war e. **** nicht e.** *(selbst, sogar nicht; auch nicht):* nicht e. an seine Eltern schrieb er eine Karte.

einmalig 〈Adj.〉: **a)** 〈nicht adverbial〉 *nur ein einziges Mal vorkommend:* eine einmalige Zahlung. **b)** *großartig, unvergleichlich:* dieser Film ist e.

Einmarsch, der; -es, Einmärsche: *das Einmarschieren:* der E. der Truppen in die Stadt.

einmarschieren, marschierte ein, ist einmarschiert 〈itr.〉: *(in etwas) hineinmarschieren:* die Truppen sind gestern in die Stadt einmarschiert.

einmauern, mauerte ein, hat eingemauert 〈tr.〉: **1.** *in eine Wand mauern:* eine Kassette mit Schmuck e. **2.** *in einer Wand, Mauer befestigen:* die Haken müssen eingemauert werden.

einmeißeln, meißelte ein, hat eingemeißelt 〈tr.〉: *(Zeichen, Schrift) mit einem Meißel (in etwas) schlagen:* Ornamente in den Stein e.

einmengen, sich; mengte sich ein, hat sich eingemengt: *sich (an Angelegenheiten) beteiligen (die einen nichts angehen); sich einmischen:* du hättest dich nicht [in das Gespräch] e. sollen.

einmieten, sich; mietete sich ein, hat sich eingemietet: *sich gegen Zahlung von Miete Unterkunft verschaffen:* ich mietete mich in einer Pension ein.

einmischen, sich; mischte sich ein, hat sich eingemischt: *sich redend oder handelnd an etwas beteiligen, womit man eigentlich nichts zu tun hat:* die Erziehung der Kinder ist eure Sache, ich will mich da nicht e. **Einmischung,** die; -.

einmotten, mottete ein, hat eingemottet 〈tr.〉: *(Kleidung o. ä., was eine längere Zeit nicht gebraucht wird) mit einem Mittel gegen Motten schützen:* Pullover, Mäntel, Pelze e.

einmummeln, mummelte ein, hat eingemummelt 〈tr./rfl.〉 (ugs.): *fest in warme Kleider oder Decken hüllen:* die Mutter hatte die Kinder gut eingemummelt; sie legte sich auf die Couch und mummelte sich ein.

einmütig 〈Adj.〉: *völlig übereinstimmend, einstimmig:* die Abgeordneten stimmten e. dem Vorschlag zu. **Einmütigkeit,** die; -.

einnageln, nagelte ein, hat eingenagelt 〈tr.〉: *mit Nägeln (in etwas) befestigen:* ein Stück Blech in die Kiste e.

einnähen, nähte ein, hat eingenäht 〈tr.〉: **1.** *durch Nähen (in etwas) befestigen:* das Futter in den Rock e. **2.** *durch Nähen enger machen:* das Kleid an der Hüfte etwas e.

Einnahme, die; -, -n: **1.** *eingenommenes Geld; Verdienst* /Ggs. Ausgabe/: seine monatlichen Einnahmen schwanken. **2.** 〈ohne Plural〉 *das Einnehmen, Zusichnehmen:* die E. von Tabletten einschränken. **3.** 〈ohne Plural〉 *Eroberung:* bei der E. der Stadt wurde kein Widerstand geleistet.

einnehmen, nimmt ein, nahm ein, hat eingenommen 〈tr.〉: **1.** *(Geld) in Empfang nehmen, erhalten, verdienen:* wir haben heute viel eingenommen; er gibt mehr aus, als er einnimmt. **2.** *zu sich nehmen, essen:* Pillen, Tabletten e.; täglich werden drei Mahlzeiten eingenommen. **3.** *eine Fläche, einen Raum ausfüllen:* der Schrank nimmt viel Platz ein; das Bild nimmt die halbe Seite ein. *** seinen Platz e.** *(sich setzen, Platz nehmen).* **4.** *erobern, besetzen:* die Stadt, Festung konnte eingenommen werden. **5.** *(für sich) gewinnen:* durch seine Liebenswürdigkeit nahm er alle Gäste für sich ein; 〈im 1. Partizip〉 *gewinnend, anziehend:* sie hat ein einnehmendes Äußeres. **6.** 〈in Verbindung mit bestimmten Substantiven〉 *innehaben; besitzen:* er nimmt einen wichtigen Posten ein; er hat in dieser Frage keinen festen Standpunkt eingenommen; er hat eine abwartende Haltung eingenommen *(er hat sich abwartend verhalten).*

einnicken, nickte ein, ist eingenickt 〈itr.〉 (ugs.): *[über einer Tätigkeit] für kurze Zeit einschlafen:* er ist beim Lesen eingenickt.

einnisten, sich; nistete sich ein, hat sich eingenistet (ugs.; abwertend): *(jmdn.) besuchen und unerwünscht längere Zeit dort bleiben, wohnen:* ich nistete mich bei Verwandten ein; bildl.: diese Sitte hat sich seit kurzem eingenistet *(eingebürgert, festgesetzt).*

Einöde, die; -: *einsame Gegend.*

einölen, ölte ein, hat eingeölt 〈tr./rfl.〉: *mit Öl einreiben:* das Schloß e.; ich öle mich, ihn ein.

einordnen, ordnete ein, hat eingeordnet: **1.** 〈tr.〉 *in eine bestehende Ordnung einfügen:* die neuen Bücher in den Bücherschrank e. **2.** ⟨rfl.⟩ **a)** *sich einfügen, sich (einer Sache) anpassen:* sich in eine Gemeinschaft e. **b)** *auf eine vorgeschriebene Fahrbahn überwechseln:* der Fahrer muß sich rechtzeitig vor dem Abbiegen e.

einpacken, packte ein, hat eingepackt ⟨tr.⟩: *zum Transport (in etwas) packen; mit einer Hülle aus Papier o. ä. umwickeln und zu einem Paket machen:* er packte einen Anzug für die Reise ein; Geschenke e.

einpassen, paßte ein, hat eingepaßt: **1.** ⟨tr.⟩ *passend machen und (in etwas) einsetzen:* das Brett in den Schrank e. **2.** ⟨rfl.⟩ *sich (in etwas) einordnen, harmonisch einfügen:* ich habe mich schnell in die neue Umgebung eingepaßt.

einpauken, paukte ein, hat eingepaukt ⟨tr.⟩ (ugs.): *mühsam durch Pauken einprägen:* ich pauke mir, ihm die Vokabeln ein.

einpeitschen, peitschte ein, hat eingepeitscht: **1.** ⟨tr.⟩ *gewaltsam beibringen:* den jungen Leuten peitschte man die Treue zum Führer ein. **2.** ⟨itr.⟩ *(auf jmdn./etwas) mit der Peitsche einschlagen:* der Fuhrmann peitschte auf die Pferde ein.

einpflanzen, pflanzte ein, hat eingepflanzt ⟨tr.⟩: *in die Erde pflanzen:* im Herbst pflanzt man Rosen ein.

einpinseln, pinselte ein, hat eingepinselt ⟨tr.⟩: *(eine Flüssigkeit) mit einem Pinsel (auf etwas) auftragen:* die Haut mit einer Lösung e.

einplanen, plante ein, hat eingeplant ⟨tr.⟩: *in einen Plan einbeziehen:* Pannen waren nicht eingeplant.

einprägen, prägte ein, hat eingeprägt: **a)** ⟨tr.⟩ *nachdrücklich dafür sorgen, daß etwas im Gedächtnis haften bleibt; einschärfen:* du mußt dir diese Vorschrift genau e.; er hat den Kindern eingeprägt, nicht mit Fremden mitzugehen. **b)** ⟨rfl.⟩ *im Gedächtnis bleiben:* der Text prägt sich leicht ein.

einprägsam ⟨Adj.⟩: *leicht im Gedächtnis haftend, haftenbleibend:* ein einprägsamer Slogan.

einpressen, preßte ein, hat eingepreßt ⟨tr.⟩: *(Vertiefungen o. ä. in etwas) pressen:* Rillen in ein Blech e.

einpudern, puderte ein, hat eingepudert ⟨tr./rfl.⟩: *mit Puder bestreuen:* ich puderte [mir] mein Gesicht, mich ein.

einquartieren, quartierte ein, hat einquartiert ⟨tr.⟩: *(jmdm.) ein Quartier geben, zuweisen:* die Flüchtlinge wurden bei einem Bauern einquartiert. **Einquartierung,** die; -, -en.

einrahmen, rahmte ein, hat eingerahmt ⟨tr.⟩: *mit einem Rahmen einfassen:* ein Bild e.; bildl.: hohe Tannen rahmten das Haus ein *(umgaben das Haus).*

einrammen, rammte ein, hat eingerammt ⟨tr.⟩: *mit einem schweren Hammer in die Erde schlagen:* Pfähle e.

einrasten, rastete ein, ist eingerastet ⟨itr.⟩: *sich in eine Vorrichtung, in der es befestigt wird, bewegen:* das Fahrgestell war nicht eingerastet.

einräumen, räumte ein, hat eingeräumt ⟨tr.⟩: **1. a)** *(in etwas) stellen, legen, bringen:* die Möbel [ins Zimmer] e.; das Geschirr [in den Schrank] e. **b)** *mit Gegenständen ausstatten, versehen:* das Zimmer, den Schrank e. **2.** *(jmdm.) zugestehen, gewähren:* jmdm. ein Recht, eine gewisse Freiheit e.

einrechnen, rechnete ein, hat eingerechnet ⟨tr.⟩: *(in die Rechnung) einbeziehen:* die Fracht [mit] in den Preis e.

einreden, redete ein, hat eingeredet: **1.** ⟨tr.⟩ *(jmdn.) dazu überreden, etwas zu tun oder zu glauben:* er hatte ihr eingeredet, eine Aussage zu machen, die ihn entlasten sollte; er hat sich eingeredet, er hätte das verschuldet. **2.** ⟨itr.⟩ *ständig und eindringlich zu jmdm. sprechen:* er redete unablässig auf ihn ein.

einreiben, rieb ein, hat eingerieben: **a)** ⟨tr.⟩ *durch Reiben (in etwas) eindringen lassen, (auf etwas) auftragen:* Öl in die Haut e. **b)** ⟨tr./rfl.⟩ *reibend (mit etwas) bearbeiten:* ich rieb [mir] mein Gesicht, mich mit Creme ein.

einreichen, reichte ein, hat eingereicht ⟨tr.⟩: *(einer Behörde, einer Instanz etwas Schriftliches) zur Prüfung oder Bearbeitung übergeben:* eine Arbeit, einen Plan, Rechnungen e. *** einen Antrag e.** *(etwas beantragen);* **Klage e.** *(gegen jmdn. klagen);* **Beschwerde e.** *(sich beschweren).*

einreihen, reihte ein, hat eingereiht: **a)** ⟨rfl.⟩ *sich innerhalb einer geordneten Gruppe an einen bestimmten Platz stellen:* ich reihte mich noch in den Zug der Demonstranten ein. **b)** *einordnen:* Frauen in den Arbeitsprozeß e.

einreihig ⟨Adj.⟩: *mit nur einer Reihe von Knöpfen [versehen]:* eine einreihige Jacke.

Einreise, die; -, -n: *das ordnungsmäße Überschreiten der Grenze eines Landes* /Ggs. Ausreise/: die E. in ein Land beantragen; jmdm. die E. verweigern.

einreisen, reiste ein, ist eingereist ⟨itr.⟩: *ordnungsgemäß in ein Land reisen* /Ggs. ausreisen/.

einreißen, riß ein, hat/ist eingerissen: **1. a)** ⟨itr.⟩ *vom Rand aus einen Riß bekommen:* die Zeitung ist eingerissen. **b)** ⟨tr.⟩ *vom Rand aus einen Riß in etwas machen:* sie hat die Seite an der Ecke eingerissen. **2.** ⟨tr.⟩ *niederreißen, abbrechen:* er hat das alte Haus eingerissen. **3.** ⟨itr.⟩ *zur schlechten Gewohnheit werden, um sich greifen:* eine Unordnung ist eingerissen; wir wollen das nicht erst e. lassen.

einrenken, renkte ein, hat eingerenkt: **1.** ⟨tr.⟩ *(ein ausgerenktes Glied) wieder ins Gelenk drehen und in die richtige Lage bringen:* einen Arm, ein Bein e. **2.** ⟨tr.⟩ (ugs.): *(etwas, was zu einer Verstimmung geführt hat) in Ordnung bringen, bereinigen:* ich weiß nicht, ob ich das wieder e. kann, was ihr angestellt habt; ⟨auch rfl.⟩ zum Glück hat sich alles wieder eingerenkt *(ist alles wieder in Ordnung gebracht worden).*

einrennen, rannte ein, hat eingerannt (ugs.): **1.** ⟨tr.⟩ *aus einer Bewegung heraus unabsichtlich gegen etwas stoßen und es beschädigen, zerstören:* mit der Leiter die Glasscheibe e. *** jmdm. die Tür/das Haus e.** *(jmdn. ständig wegen etwas aufsuchen);* **offene Türen e.** *(etwas tun, was schon getan ist; Sinnloses tun).* **2.** ⟨rfl.⟩ *aus einer Bewegung heraus unabsichtlich gegen etwas stoßen und sich dabei (einen Körperteil) verletzen:* ich hätte mir bald den

Schädel an dem Pfahl eingerannt.

einrexen, rexte ein, hat eingerext (östr.): *einwecken:* Obst e.

einrichten, richtete ein, hat eingerichtet: **1.** ⟨tr.⟩ *mit Möbeln, Geräten ausstatten:* sie haben ihre Wohnung neu eingerichtet. **2.** ⟨tr.⟩ *nach bestimmten Gesichtspunkten gestalten, anordnen:* wir müssen es so e., daß wir uns um 17^h am Bahnhof treffen. **3.** ⟨tr.⟩ *zur öffentlichen Nutzung gründen; eröffnen:* in den Vororten werden Filialen der Bank eingerichtet. **4.** ⟨rfl.⟩ (ugs.) *sich (auf etwas) einstellen, vorbereiten:* sie hatte sich nicht auf einen längeren Aufenthalt eingerichtet. ** **sich e. müssen** *(sich einschränken müssen).*

Einrichtung, die; -, -en: **1.** ⟨ohne Plural⟩ *das Einrichten:* die E. einer Wohnung dauert längere Zeit. **2.** *Möbel, die zu einem Raum gehören:* eine geschmackvolle E. **3.** *etwas, was von einer Institution zur öffentlichen Nutzung geschaffen worden ist:* die sozialen Einrichtungen eines Landes, eines Betriebes; die Müllabfuhr ist eine nützliche E.

einrollen, rollte ein, hat/ist eingerollt: **1.** ⟨tr./rfl.⟩ *in Form einer Rolle zusammenlegen, einwickeln:* den Teppich e.; ich habe mir die Haare eingerollt; du rollst dich im Schlaf immer wie eine Katze ein. **2.** ⟨itr.⟩ *(in etwas) rollen:* der Zug ist in den Bahnhof gerollt.

einrosten, rostete ein, ist eingerostet ⟨itr.⟩: *sich allmählich stark mit Rost überziehen und unbrauchbar werden:* das Schloß der Tür war eingerostet; bildl.: er treibt regelmäßig Sport, um nicht einzurosten *(unbeweglich zu werden).*

einrücken, rückte ein, hat/ist eingerückt: **1.** ⟨itr.⟩ **a)** *einmarschieren, eindringen* /von Soldaten, Truppen o. ä./: die Truppen sind in den, im Nachbarstaat eingerückt. **b)** *(zum Militärdienst) eingezogen werden:* er ist zur Luftwaffe eingerückt. **2.** ⟨tr.⟩ *(Zeilen) mehr zur Mitte der Seite hin (als die anderen) beginnen lassen:* sie hat das Zitat eingerückt.

eins ⟨Kardinalzahl⟩: 1: e. und e. ist/macht zwei. ***e. sein: a)** *sich gleichzeitig ereignen:* Blitz und Donner waren e. **b)** *übereinstimmen:* die Liebenden waren in ihrem Denken und Handeln [völlig] e.; **mit jmdm. e. sein/werden** *(mit jmdm. einig sein/werden);* (ugs.) **auf e. heraus-/hinauskommen** *(dieselbe Wirkung haben):* das kommt alles auf e. heraus; **jmdm. ist alles e.** *(jmdm. ist alles gleichgültig).*

einsam ⟨Adj.⟩: **a)** *völlig allein, ohne Anschluß an andere:* sie lebt sehr e. **b)** *wenig von Menschen besucht:* eine einsame Gegend; der Bauernhof liegt völlig e. *(abgelegen).* **Einsamkeit,** die; -.

einsammeln, sammelte ein, hat eingesammelt ⟨tr.⟩: *sich von jedem einzelnen einer Gruppe geben lassen*: Ausweise, Schulhefte, Geld e.

einsargen, sargte ein, hat eingesargt ⟨tr.⟩: *(eine Leiche) in einen Sarg legen:* der verstorbene Bischof wurde feierlich eingesargt. * (ugs.) **laß dich e.!** *(mit dir ist nichts anzufangen).*

Einsatz, der; -es, Einsätze: **1.** *das Einsetzen:* der E. von Flugzeugen, Soldaten im Krieg; der Beruf verlangt den vollen E. *(die ganze Arbeitskraft)* der Persönlichkeit. **2.** *einsetzbarer Teil:* zu dem Topf gehört ein E. **3.** *bei einer Wette, einem Spiel eingezahlter Betrag:* er spielte sofort mit einem hohen E. **4.** Musik *das Beginnen, Einsetzen einer Stimme oder eines Instruments in einem musikalischen Werk:* die Einsätze waren ungenau; der Dirigent gab den E. *(das Zeichen zum Beginn)* zu spät.

einsaugen, sog/(auch:) saugte ein, hat eingesogen/(auch:) eingesaugt ⟨tr.⟩: *durch Saugen in sich aufnehmen:* das Baby sog die Milch ein.

einschalten, schaltete ein, hat eingeschaltet: **1.** ⟨tr.⟩ *durch Schalten in Gang setzen:* den Strom, die Maschine e. **2.** ⟨rfl.⟩ *(in eine Angelegenheit) eingreifen:* er schaltete sich in die Verhandlungen ein; ⟨auch tr.⟩ die Polizei zur Aufklärung eines Verbrechens e. *(der Polizei die Aufklärung eines Verbrechens übertragen).*

einschärfen, schärfte ein, hat eingeschärft ⟨tr.⟩: *(jmdn.) eindringlich (zu einem bestimmten Verhalten, zur Befolgung einer Vorschrift) anhalten; dringend (zu etwas) ermahnen:* einem Kind e., mit keinem Fremden mitzugehen.

einschätzen, schätzte ein, hat eingeschätzt ⟨tr.⟩: *beurteilen, bewerten:* er hatte die Lage völlig falsch eingeschätzt. **Einschätzung,** die; -, -en.

einschenken, schenkte ein, hat eingeschenkt ⟨tr.⟩: *jmdm. eingießen:* [jmdm.] Kaffee e.; ⟨auch itr.⟩ wenn er ausgetrunken hatte, schenkte sie ihm immer wieder ein.

einscheren, scherte ein, ist eingeschert ⟨itr.⟩: *sich beim Fahren wieder (in eine Reihe) einordnen:* das Schiff scherte in den Verband ein.

einschicken, schickte ein, hat eingeschickt ⟨tr.⟩: *[zur Verwertung, Prüfung] (an eine Stelle) schicken:* er hatte die Lösung des Rätsels an die Zeitung eingeschickt.

einschieben, schob ein, hat eingeschoben ⟨tr.⟩: *in etwas einfügen:* in den Aufsatz hat er noch einige Zitate eingeschoben.

Einschiebsel, das; -s, -: *kürzerer eingeschobener Text:* ein E. von fremder Hand.

einschießen, schoß ein, hat eingeschossen: **1.** ⟨tr.⟩ *(mit etwas, was geschossen, geworfen wird) zerstören:* mit dem Ball die Fensterscheibe e. **2.** ⟨tr./rfl.⟩ *durch wiederholtes Schießen sicher im Treffen machen:* ich schoß mich, mein Gewehr schnell ein. **3.** ⟨tr.⟩ *(in ein hartes Material) schießen und dadurch befestigen:* Dübel in Beton e.

einschiffen, schiffte ein, hat eingeschifft: **a)** ⟨tr.⟩ *auf ein Schiff bringen:* Truppen e. **b)** ⟨rfl.⟩ *sich zu einer Reise an Bord eines Schiffes begeben:* er schiffte sich in Genua nach Amerika ein.

einschlafen, schläft ein, schlief ein, ist eingeschlafen ⟨itr.⟩: **1.** *in Schlaf versinken, fallen:* sofort, beim Lesen e. **2.** *vorübergehend das Gefühl verlieren:* mein Bein ist beim Sitzen eingeschlafen. **3.** *[ruhig, ohne große Qualen] sterben:* sie ist friedlich eingeschlafen. **4.** (ugs.) *allmählich nachlassen, aufhören:* der Briefwechsel zwischen uns ist eingeschlafen; die Sache schläft mit der Zeit ein *(gerät in Vergessenheit).*

einschläfern, schläferte ein, hat eingeschläfert ⟨tr.⟩: **1.** *in Schlaf versetzen:* diese Musik schläfert mich ein. **2.** *sorglos und sicher machen:* diese Rede sollte nur die Gegner e.

einschlagen, schlägt ein, schlug ein, hat eingeschlagen: **1.** ⟨tr.⟩ *schlagend in etwas hineintreiben:* einen Nagel in die Wand e. **2.** ⟨tr.⟩ *durch Schlagen zerstören:* eine Tür e. **3.** ⟨itr.⟩ *(etwas) treffen und beschädigen oder zerstören:* der Blitz, die Bombe hat [in das Haus] eingeschlagen. **4.** ⟨itr.⟩ *(jmdn.) immerzu schlagen:* er hat ständig auf ihn eingeschlagen. **5.** ⟨tr.⟩ *mit Papier umwickeln, einpacken:* eine Ware e. **6.** ⟨itr.⟩ *eine entgegengestreckte Hand als Zeichen der Zustimmung ergreifen:* er bot mir die Hand, und ich schlug ein. **7.** ⟨tr.⟩ *(einen bestimmten Weg, in eine bestimmte Richtung) gehen:* sie schlugen den Weg nach Süden ein; bildl.: er will die technische Laufbahn e. **8. a)** ⟨itr.⟩ (ugs.) *sich gut einarbeiten:* der neue Mitarbeiter hat [gut] eingeschlagen. **b)** *Erfolg haben:* das neue Produkt schlägt ein. **9.** ⟨tr.⟩ *durch Umlegen des Stoffes nach innen kürzer machen:* die Ärmel e.

einschlägig ⟨Adj.; nicht prädikativ⟩ *zu etwas Bestimmtem gehörend, für etwas Bestimmtes in Frage kommend:* er kennt die einschlägige Literatur zu diesem Problem; diese Ware kann man in allen einschlägigen Geschäften erhalten.

einschleichen, sich; schlich sich ein, hat sich eingeschlichen: *sich heimlich und leise (in etwas) begeben:* die Diebe hatten sich in das Haus eingeschlichen; bildl.: einige Fehler haben sich in die Arbeit eingeschlichen *(sind unbemerkt in die Arbeit hineingekommen).*

einschleppen, schleppte ein, hat eingeschleppt ⟨tr.⟩: *(eine Krankheit o. ä.) [aus einem Gebiet] mitbringen und auf andere übertragen:* die Seuche wurde durch Reisende aus Indien eingeschleppt.

einschleusen, schleuste ein, hat eingeschleust ⟨tr.⟩: *(jmdn./etwas) unbemerkt (in etwas) hineinbringen:* Agenten, Spione, Opium e.

einschließen, schloß ein, hat eingeschlossen: **1. a)** ⟨tr.⟩ *(jmdn.) durch Abschließen der Tür daran hindern, einen Raum zu verlassen:* sie haben die Kinder eingeschlossen. **b)** ⟨rfl.⟩ *durch Abschließen der Tür niemanden zu sich hereinkommen lassen:* sie hat sich seit einigen Tagen in ihrem Zimmer eingeschlossen. **c)** ⟨tr.⟩ *zur Aufbewahrung in einen Behälter legen, den man abschließt:* Schmuck in einen Tresor e. **2.** ⟨tr./rfl.⟩ *mit erfassen, mit berücksichtigen:* Bedienung ist in dem Betrag eingeschlossen; jmdn. ins Gebet e. (für jmdn. mitbeten).

einschließlich: *(jmdn./etwas) mit einbegriffen:* **I.** ⟨Präp. mit Gen.⟩ /Ggs. ausschließlich/: die Kosten e. des Portos, der Gebühren; ⟨aber: ohne Flexionsendung vor starken Substantiven im Singular, wenn sie ohne Artikel und ohne adjektivisches Attribut stehen; im Plural dann mit Dativ⟩ e. Porto; e. Getränken. **II.** ⟨Adverb⟩ bis zum 20. März e.

einschlummern, schlummerte ein, ist eingeschlummert ⟨itr.⟩: *in Schlummer fallen, einschlafen:* er ist bei der Hitze schnell eingeschlummert.

einschmeicheln, sich; schmeichelte sich ein, hat sich eingeschmeichelt: *sich durch Schmeicheln beliebt, angenehm machen:* du kannst dich bei ihr durch kleine Aufmerksamkeiten e.

einschmieren, schmierte ein, hat eingeschmiert ⟨tr./rfl.⟩ (ugs.): *(mit Fett o. ä.) einreiben:* ich schmierte [mir] mein Gesicht, mich mit Fett ein.

einschmuggeln, schmuggelte ein, hat eingeschmuggelt ⟨tr.⟩: *durch Schmuggeln (in ein Land) hineinbringen:* Zigaretten in ein Land e.; bildl.: ich werde dich in die Versammlung e. *(unbemerkt hineinbringen).*

einschnappen, schnappte ein, ist eingeschnappt ⟨itr.⟩ **1.** *zufallen und sich dabei fest schließen:* das Schloß ist nicht sofort eingeschnappt; die Tür ist eingeschnappt. **2.** (ugs., abwertend) *sich beleidigt oder zurückgesetzt fühlen und deshalb böse mit jmdm. sein:* wenn man ihn einmal korrigiert, schnappt er gleich ein; ⟨häufig im 2. Partizip⟩ *beleidigt:* jetzt ist sie eingeschnappt, weil wir sie nicht mitnehmen.

einschneiden, schnitt ein, hat eingeschnitten /vgl. einschneidend/: **1.** ⟨itr.⟩ *scharf (in die Haut) dringen:* der Riemen schnitt in den Arm ein. **2.** ⟨tr.⟩ *mit dem Messer zerkleinern und in einen Behälter legen:* Apfelsinen und Äpfel e.

einschneidend ⟨Adj.⟩: *sich stark auswirkend, tiefgreifend:* einschneidende Änderungen, Maßnahmen.

Einschnitt, der; -[e]s, -e: *durch Schneiden erzeugte Öffnung:* mit dem Messer einen E. in die Haut machen; bildl.: ein E. *(Tal, Schlucht)* im Gebirge; ein entscheidender E. *(Änderung, Neuerung von Bedeutung)* im kulturellen Leben Amerikas.

einschnüren, schnürte ein, hat eingeschnürt ⟨tr.⟩: *durch Schnüren einengen:* der Gürtel schnürte ihn ein; bildl.: dieser traurige Anblick schnürte ihm das Herz ein *(machte ihm großen Kummer).*

einschränken, schränkte ein, hat eingeschränkt: **1.** ⟨tr.⟩ *auf ein geringeres Maß herabsetzen; reduzieren:* seine Ausgaben e. **2.** ⟨rfl.⟩ *bescheiden, sparsam leben:* sie müssen sich sehr e. **Einschränkung,** die; -, -en.

einschrauben, schraubte ein, hat eingeschraubt ⟨tr.⟩: *(in etwas) schrauben:* eine Birne in die Fassung e.

Einschreib[e]brief, der; -[e]s, -e: *Brief, dessen Eingang von der Post quittiert und registriert wird und dessen Empfang durch Unterschrift bestätigt werden muß.*

einschreiben, schrieb ein, hat eingeschrieben: **1.** ⟨tr./rfl.⟩ *[sich] in etwas schreiben, eintragen:* Einnahmen und Ausgaben in ein Heft e.; ich habe mich in die Liste der Teilnehmer eingeschrieben. **2.** ⟨tr.⟩ *bei der Post in eine Liste eintragen und dadurch versichern lassen:* er ließ den Brief e.; ein eingeschriebener Brief.

Einschreiben, das; -s, -: *bei der Post eingeschriebene Sendung:* einen Brief als E. schikken.

einschreiten, schritt ein, ist eingeschritten ⟨itr.⟩: *(gegen jmdn./etwas) vorgehen, hemmend* *(auf jmdn./etwas) einwirken:* die Polizei mußte gegen die randalierenden Jugendlichen, gegen den Handel mit Waffen e.

einschrumpfen, schrumpfte ein, ist eingeschrumpft ⟨itr.⟩: *(durch Trocknen) kleiner werden:* die Äpfel sind eingeschrumpft.

Einschub, der; -[e]s; Einschübe: *eingeschobener Zusatz, eingefügtes Stück:* es handelt sich hier um einen E. von fremder Hand.

einschüchtern, schüchterte ein, hat eingeschüchtert ⟨tr.⟩: *jmdn. in Angst versetzen und den Mut zu etwas nehmen:* wir ließen uns durch nichts e.; ein eingeschüchtertes Kind. **Einschüchterung,** die; -.

einschulen, schulte ein, hat eingeschult ⟨tr.⟩: *in die Grundschule aufnehmen:* er wurde mit sechs Jahren eingeschult. **Einschulung,** die; -, -en.

Einschuß, der; Einschusses, Einschüsse: *Stelle, wo eine Kugel eingedrungen ist:* das Auto wies an der Seite fast ein Dutzend Einschüsse auf.

einsegnen, segnete ein, hat eingesegnet ⟨tr.⟩: **a)** /ev./ *konfirmieren:* er wurde am Sonntag vor Ostern eingesegnet. **b)** /kath./ *(jmdn./etwas) segnen:* den Toten e.; ein Grab e. **Einsegnung,** die; -, -en.

einsehen, sieht ein, sah ein, hat eingesehen ⟨tr⟩: **1. a)** *zu der Überzeugung kommen, daß etwas, was man eigentlich nicht wahrhaben wollte, sich doch so verhält:* seinen Irrtum, seine Niederlage e. **b)** *begreifen, verstehen:* ich sehe ein, daß du unter diesen Umständen nicht kommen kannst. **2.** *(in etwas) suchend, prüfend lesen:* Akten, Briefe e.

Einsehen: ⟨in der Fügung⟩ ein E. haben: *Verständnis (für jmdn./etwas) haben und sich deshalb nachgiebig und freundlich zeigen:* eigentlich sollte er erst seine Aufgaben für die Schule machen, aber die Mutter hatte bei dem schönen Wetter ein E. und ließ ihn draußen spielen.

einseifen, seifte ein, hat eingeseift ⟨tr./rfl.⟩: **1.** *mit Seife, Seifenschaum bedecken:* der Frisör seifte [mir] das Gesicht ein; ich habe mich vor dem Rasieren eingeseift. **2.** (ugs.) *betrügen:* bei diesem Geschäft hast du ihn gehörig eingeseift.

einseitig ⟨Adj.⟩: **1. a)** *nur auf einer Seite [bestehend]:* er ist e. gelähmt; eine einseitige *(nur von einer Seite ausgehende)* Zuneigung. **b)** *auf eine Seite beschränkt, nicht vielseitig:* er ist nur e. interessiert; eine einseitige Begabung. **2.** *nur einen Gesichtspunkt berücksichtigend, nicht erschöpfend, subjektiv:* eine einseitige Beurteilung. **Einseitigkeit,** die; -.

einsenden, sandte / sendete ein, hat eingesandt/eingesendet ⟨tr.⟩: *[zur Verwertung, Prüfung] an eine zuständige Stelle schicken:* Unterlagen, Manuskripte e.

Einsendung, die; -, -en: **1.** *das Einsenden:* die E. der Proben erwies sich als überflüssig. **2.** *das Eingesandte, Zuschrift, bes. bei Redaktionen, Rundfunk, Fernsehen o. ä.:* es liefen sehr viele Einsendungen ein.

einsetzen, setzte ein, hat eingesetzt: **1.** ⟨tr.⟩ *als Teil in etwas setzen, hineinbringen, einfügen:* eine Fensterscheibe e.; einen Flicken in die Hose e.; Sträucher im Garten e. *(einpflanzen)*. **2.** ⟨tr.⟩ **a)** *ernennen, (für etwas) bestimmen:* einen Kommissar, Ausschuß e.; er wurde als Verwalter eingesetzt. **b)** *arbeiten lassen, in Aktion treten lassen:* jmdn. in einer neuen Abteilung e.; Polizei, Truppen, Flugzeuge e. **c)** *zusätzlich (für etwas) heranziehen; einschieben:* zur Entlastung des Verkehrs weitere Busse, Züge e. **3.** ⟨tr.⟩ **a)** *einen bestimmten Betrag anbieten, um den gespielt werden soll:* er hat fünf Mark eingesetzt. **b)** *aufs Spiel setzen; riskieren:* sein Leben e. **4.)** ⟨itr.⟩ *zu einem bestimmten Zeitpunkt beginnen:* bald setzte eine starke Kälte ein. **5.** ⟨rfl.⟩ *sich bemühen, etwas/jmdn. in etwas zu unterstützen:* er hat sich stets für dieses Projekt, für diesen Mann eingesetzt; ⟨auch tr.⟩ seine ganze Kraft (für etwas/jmdn.) e. *(voll und ganz [für etwas/jmdn.] tätig sein:* er setzte seine ganze Kraft für die Verwirklichung dieses Planes ein.

Einsicht, die; -, -en: *Erkenntnis:* er hat neue Einsichten gewonnen; er kam zu der E., daß seine Bemühungen erfolglos geblieben waren. * **zur E. kommen** *(vernünftig werden)*. ** **E. nehmen in etwas** *(etwas durchlesen oder durchsehen)*.

einsichtig ⟨Adj.⟩ **1.** *vernünftig, verständnisvoll:* er war e. und versprach, sich zu bessern. **2.** *[leicht] einzusehen und verständlich:* ein einsichtiger Grund; es ist nicht e., warum er die Prüfung nicht gemacht hat.

Einsiedler, der; -s, -: *jmd., der in der Einsamkeit völlig für sich allein lebt:* fromme Leute lebten früher oft als E.; bildl.: seit dem Tode seiner Frau ist er zum E. *(zu einem einsamen, abgekapselt lebenden Menschen)* geworden.

einsilbig ⟨Adj.⟩: *nur zu wenigen Äußerungen geneigt; wortkarg:* ein einsilbiger Mann; er antwortete sehr e. **Einsilbigkeit,** die; -.

einsinken, sank ein, ist eingesunken ⟨itr.⟩: **1.** *mit den Füßen (in weichen Untergrund) eindringen, so daß die Fortbewegung erschwert wird:* ich sank tief in den/dem Morast ein. **2.** *in sich zusammenfallen, einfallen:* das hölzerne Gerüst sank unter dem großen Gewicht ein.

einspannen, spannte ein, hat eingespannt ⟨tr.⟩ **1.** *(ein Zugtier) vor dem Wagen befestigen:* er hat heute den Schimmel eingespannt. **2.** (ugs.): *(zu etwas) heranziehen, (für etwas) arbeiten lassen:* er hat ihn für seine Pläne eingespannt; ⟨im 2. Partizip⟩ wir sind den ganzen Tag eingespannt *(haben den ganzen Tag zu tun)*.

einsparen, sparte ein, hat eingespart ⟨tr.⟩: *nicht brauchen und daher sparen [keine Ausgaben dafür haben]:* die Firma will eine Million Mark, Arbeitskräfte, Material e.; die eingesparte *(gewonnene)* Zeit wird abgezogen. **Einsparung,** die; -, -en.

einsperren, sperrte ein, hat eingesperrt ⟨tr.⟩: **a)** *in etwas sperren; in einen Raum bringen und dort einschließen:* den Hund in der Wohnung e. **b)** (ugs.) *in ein Gefängnis bringen:* einen Verbrecher e.

einspielen, spielte ein, hat eingespielt: **1.** ⟨rfl.⟩ *zur Gewohnheit werden und keine Schwierigkeiten mehr bereiten:* die neue Regelung hat sich gut eingespielt. * **aufeinander eingespielt sein** *(gut zusammenarbeiten).* **2.** ⟨rfl.⟩ *bei einem Spiel erst einige Zeit brauchen, bis man die höchste Form erreicht:* die Mannschaft mußte sich erst e. **3.** ⟨tr.⟩ *(die Ausgaben) wieder einbringen* /vom Film/: in wenigen Monaten spielte der Film die Kosten der Produktion ein.

einsprengen, sprengte ein, hat eingesprengt ⟨tr.⟩: *durch Spritzen mit Wasser feucht machen:* die Wäsche e.

einspringen, sprang ein, ist eingesprungen ⟨itr.⟩: *sich kurzfristig als Ersatz für jmdn. zur Verfügung stellen:* als er krank wurde, ist ein Sänger aus Frankfurt für ihn eingesprungen.

einspritzen, spritzte ein, hat eingespritzt ⟨tr.⟩: *durch eine Spritze o. ä. (in etwas) eindringen lassen:* ein Medikament in die Haut, Treibstoff in den Motor e. **Einspritzung,** die; -, -en.

Einspruch: ⟨in der Wendung⟩ E. erheben: *(gegen etwas) Einwände vorbringen, protestieren:* gegen ein Urteil Einspruch e.

einspurig ⟨Adj.⟩: *nur eine Spur aufweisend; mit, in nur einer Spur:* die Fahrbahn ist, verläuft hier e.

einst ⟨Adverb⟩: **a)** *früher, vor längerer Zeit:* e. stand hier ein Denkmal. **b)** *in ferner Zukunft:* du wirst es e. bereuen.

Einstand, der; -[e]s, Einstände: **1.** *meist feierlich begangener Beginn eines Arbeitsverhältnisses:* seinen E. feiern, geben. **2.** ⟨ohne Plural⟩ Sport *gleiches Ergebnis, unentschiedener Stand:* der Tennisspieler erzielte den E.

einstauben, staubte ein, ist eingestaubt ⟨itr.⟩: *durch Staub schmutzig werden:* die Stoffe waren stark eingestaubt.

einstecken, steckte ein, hat eingesteckt ⟨tr.⟩: **1. a)** *in etwas stecken:* er hat den Brief eingesteckt *(in den Briefkasten gesteckt).* **b)** *in die Tasche stecken, mitnehmen:* den Schlüssel e.; sich (Dativ) etwas Geld e. **2.** (ugs.) *hinnehmen:* die Mannschaft mußte eine schwere Niederlage e.

einstehen, stand ein, ist eingestanden ⟨itr.⟩: **a)** *sich verbürgen; (für jmdn./etwas) eintreten:* ich stehe dafür ein, daß er seine Sache gut macht; er wollte nicht für seine frühere Behauptung e. **b)** *die Folgen (von etwas) tragen, auf sich nehmen:* die Eltern müssen für den Schaden e., den ihre Kinder verursacht haben.

einsteigen, stieg ein, ist eingestiegen ⟨itr.⟩: **1. a)** *(in etwas) steigen*/Ggs. aussteigen/: in eine Straßenbahn, ein Auto e. **b)** (ugs.) *sich (an einem Unternehmen) beteiligen* /Ggs. aussteigen/: er ist mit einer hohen Summe in das Projekt eingestiegen; in die große Politik e. **2.** *heimlich (in etwas) klettern, um etwas zu stehlen:* ein Unbekannter ist während der Nacht in das Geschäft eingestiegen.

einstellen, stellte ein, hat eingestellt: **1.** ⟨tr.⟩ *(in etwas) hineinstellen, (an einen dafür bestimmten Platz) stellen:* Bücher [ins Regal] e. **2.** ⟨tr.⟩ *Arbeit, eine Stelle geben:* neue Mitarbeiter e. **3.** ⟨tr.⟩ *(mit etwas) [eine Zeit lang] aufhören:* die Produktion, die Arbeit e.; das Rauchen e. **4.** ⟨tr.⟩ *(ein Gerät) so richten, daß es nach Wunsch funktioniert:* das Radio leise e.; einen Photoapparat auf eine Entfernung e.; er hatte keine Lust mehr, Schlager zu hören, und stellte einen anderen Sender ein. **5.** ⟨rfl.⟩ *zu einem festgelegten Zeitpunkt kommen, sich einfinden:* er will sich um 8 Uhr bei uns e. **6.** ⟨rfl.⟩ **a)** sich *innerlich (auf etwas) vorbereiten:* sie hatten sich auf großen Besuch eingestellt. **b)** *sich (jmdm.) anpassen, sich (nach jmdm.) richten:* man muß sich auf sein Publikum e.

Einstellung, die; -, -en: **1.** *das Einstellen.* **2.** ⟨ohne Plural⟩ *Meinung, Ansicht, Verhalten:* wie ist deine E. zu diesen politischen Ereignissen?

Einstieg, der; -s, Einstiege: *Stelle (an einem Fahrzeug), an der man einsteigen kann* /Ggs. Ausstieg/: bei dieser Straßenbahn ist der E. hinten.

einstig ⟨Adj.; nur attributiv⟩: *früher, ehemalig:* der einstige Weltmeister.

einstimmen, stimmte ein, hat eingestimmt: **1.** ⟨itr.⟩ *sich (mit seiner Stimme an etwas) beteiligen:* in jmds. Lachen, Singen e.; bildl.: in jmds. Lob, Applaus e. *(sich an ihm beteiligen).* **2.** ⟨rfl./tr.⟩ *(sich) in seiner Stimmung (auf etwas) einstellen, vorbereiten:* ich habe mich, ihn auf den festlichen Abend eingestimmt.

einstimmig ⟨Adj.⟩: *mit allen Stimmen, einmütig:* der Präsident wurde e. gewählt; der Vorschlag fand einstimmige Billigung. **Einstimmigkeit,** die; -.

einstmals ⟨Adverb⟩ (geh.): **1.** *vor gewisser Zeit, früher:* ich habe dort e. gewohnt. **2.** *in Zukunft, künftig:* daran wirst du noch e. denken.

einstoßen, stößt ein, stieß ein, hat eingestoßen ⟨tr.⟩: **1. a)** *durch einen Stoß (in etwas) eindringen lassen:* den Spaten in die Erde e. **b)** *durch einen heftigen Stoß zerstören:* mit einem Brett das Fenster e. **c)** (ugs.) *sich durch einen Stoß (gegen etwas) verletzen:* er hat sich an dem Pfahl die Stirn eingestoßen. * **sich den Kopf/die Köpfe e.** *(wegen der Schwierigkeiten eines Problems fast verzweifeln).*

einstreichen, strich ein, hat eingestrichen ⟨tr.⟩: **1.** *(etwas) durch Streichen (auf etwas) auftragen:* die Tapete mit Kleister e. **2.** (ugs.; abwertend) *(eine Geldsumme, den Gewinn o. ä.) für sich allein nehmen:* ohne Skrupel strich er den ganzen Profit ein.

einstreuen, streute ein, hat eingestreut ⟨tr.⟩: *(etwas) streuend (auf, in etwas) verteilen:* den Platz mit Sand e.; bildl.: Bemerkungen in die Unterhaltung e. *(einfügen).*

einströmen, strömte ein, ist eingeströmt ⟨itr.⟩: *strömend wohin gelangen, eindringen:* Wasser strömte durch ein Leck in das Boot ein; bildl. (geh.): neue Kraft strömte in ihn ein.

einstudieren, studierte ein, hat einstudiert ⟨tr.⟩: *sich durch eingehende Beschäftigung geistig aneignen, lernen:* ich studierte eine Rolle, diese Sätze ein.

einstufen, stufte ein, hat eingestuft ⟨tr.⟩: *einordnen:* jmdn. in eine bestimmte Klasse, Gruppe e. **Einstufung,** die; -, -en.

einstürmen, stürmte ein, ist eingestürmt ⟨itr.⟩: *stürmend (auf jmdn.) eindringen:* ich stürmte mit dem Degen auf ihn ein; bildl.: viele Eindrücke stürmten auf mich ein.

Einsturz, der; -s, Einstürze: *das Einstürzen, Zusammenfallen:* beim E. der Ruine wurden zwei Menschen verletzt.

einstürzen, stürzte ein, ist eingestürzt ⟨itr.⟩: *in Trümmer zerfallen:* das baufällige Haus stürzte ein.

einstweilen ⟨Adverb⟩: *vorläufig, fürs erste, zunächst einmal:* e. arbeitete er in der Fabrik.

eintauchen, tauchte ein, hat/ist eingetaucht: **1.** ⟨tr.⟩: *(in eine Flüssigkeit) senken:* er hat die Feder in die Tinte eingetaucht. **2.** ⟨itr.⟩ *tauchend (unter die Wasseroberfläche) gelangen:* der Schwimmer ist in das Wasser eingetaucht; bildl.: die Gestalten sind in die Dunkelheit eingetaucht *(von ihr ganz aufgenommen worden, sind in sie eingegangen und unsichtbar geworden).*

eintauschen, tauschte ein, hat eingetauscht ⟨tr.⟩: *hingeben und dafür etwas von gleichem Wert erhalten, (gegen etwas) tauschen:* Briefmarken gegen andere e.; sie tauschten ihre Zigaretten gegen Brot ein.

einteilen, teilte ein, hat eingeteilt ⟨tr.⟩: **1.** *in Teile zerlegen, teilen, gliedern:* ein Buch in Kapitel e. **2.** *sinnvoll aufteilen:* er teilte sich (Dativ) seine Zeit, sein Geld gut ein; ich habe mir die Arbeit genau eingeteilt. **Einteilung,** die; -, -en

eintönig ⟨Adj.⟩ (abwertend): *keine Abwechslung bietend, gleichförmig, monoton:* ein eintöniges Leben; eine eintönige Gegend. **Eintönigkeit,** die; -.

Eintracht, die; -: *Zustand der Einmütigkeit, der Harmonie mit anderen:* in [Frieden und] E. leben.

einträchtig ⟨Adj.⟩: *friedlich, einmütig, in Harmonie mit anderen lebend:* e. beieinander sitzen. **Einträchtigkeit,** die; -.

eintragen, trägt ein, trug ein, hat eingetragen: **1. a)** ⟨tr.⟩ *in etwas schreiben:* einen Namen in eine Liste e. **b)** ⟨rfl.⟩ *sich einschreiben, seinen Namen in etwas schreiben:* er hat sich in das Buch der Stadt eingetragen. **2.** ⟨itr.⟩ *(für jmdn. einen Gewinn, Erfolg) ergeben:* sein Fleiß trug ihm Anerkennung ein.

einträglich ⟨Adj.⟩: *Gewinn oder Vorteil bringend; lohnend:* ein einträgliches Geschäft; diese Tätigkeit war für ihn sehr e. **Einträglichkeit,** die; -.

Eintragung, die; -, -en: **1.** *das Eingetragene:* die E. im Tagebuch war unleserlich. **2.** ⟨ohne Plural⟩ *das Eintragen:* die E. der Zinsen verzögerte sich.

einträufeln, träufelte ein, hat eingeträufelt ⟨tr.⟩: *(in etwas) tropfenweise fallen lassen:* ein Medikament ins Auge e.

eintreffen, trifft ein, traf ein, ist eingetroffen ⟨itr.⟩: **1.** *ankommen:* pünktlich e.; die Pakete sind eingetroffen. **2.** *entsprechend einer Voraussage oder Ahnung wahr werden:* alles ist eingetroffen, wie er es vermutet hatte.

eintreiben, trieb ein, hat eingetrieben ⟨tr.⟩: **1.** *einschlagen:* Pfähle in den Boden e. **2.** *einziehen, kassieren:* Schulden, Gelder e.

eintreten, tritt ein, hat/ist eingetreten: **1.** ⟨itr.⟩ *(einen Raum) betreten, hineingehen:* er war in das Zimmer eingetreten. **2.** ⟨itr.⟩ **a)** *(ein neues Stadium) erreichen:* die Verhandlungen sind in eine neue Phase eingetreten. **b)** ⟨als Funktionsverb⟩ /drückt den Beginn einer Handlung oder eines Geschehens aus, das über einen längeren Zeitraum andauert/: in ein Gespräch, in den Krieg, in Verhandlungen e. *(mit ihnen beginnen);* eine Stille war eingetreten *(es war still geworden);* eine Besserung ist eingetreten *(es ist besser geworden).* **c)** *sich ereignen:* der Tod war unerwartet eingetreten; wenn der Fall eintritt, daß er stirbt *(wenn er stirbt).* **3.** ⟨itr.⟩ *Mitglied werden* /Ggs. austreten/: er ist in eine Partei, einen Verein eingetreten. **4.** ⟨tr.⟩ *durch einen Tritt mit dem Fuß zerstören:* er hat die Tür eingetreten. **5.** ⟨itr.⟩ *sich (für jmdn./etwas) einsetzen:* er ist mutig für mich, seinen Glauben eingetreten.

eintrichtern, trichterte ein, hat eingetrichtert ⟨tr.⟩ (ugs.): *mit großer Mühe verständlich machen und einprägen:* einem Schüler Vokabeln e.; ich habe ihm eingetrichtert *(wiederholt gesagt, ihn ermahnt),* daß er sich gut benehmen soll.

Eintritt, der; -[e]s, -e: **1.** ⟨ohne Plural⟩ *das Eintreten:* beim E. in das Zimmer schwiegen alle plötzlich; bei Eintritt *(mit Beginn)* der Krise, der Pubertät. **2.** *[gegen eine Gebühr erhältliche] Berechtigung zum Besuch oder zur Besichtigung von etwas:* den E. ins Museum bezahlen; der E. ist frei *(kostet nichts).*

Eintrittsgeld, das; -[e]s, -er: *Betrag, mit dem man die Berechtigung zum Eintritt erwirbt:* sein E. entrichten.

Eintrittskarte, die; -, -n: *Karte, die zum Besuch oder zur Besichtigung von etwas berechtigt:* eine E. lösen, kaufen.

eintrudeln, trudelte ein, ist eingetrudelt ⟨itr.⟩ (ugs.): *ohne große Eile [verspätet] ankommen:* sie trudelte mit großer Verspätung ein.

einüben, übte ein, hat eingeübt ⟨tr.⟩: *durch Üben einprägen:* der Künstler übte das komplizierte Stück ein; ich übte mir vor dem Spiegel eine Grimasse ein.

einverleiben, verleibte ein, hat einverleibt ⟨tr.⟩: **1.** *in ein Ganzes hineinnehmen, einfügen:* er hat das Gebiet seinem Reich einverleibt. **2.** (scherzh.) *(etwas) essen, trinken:* ich habe mir drei Stück Kuchen einverleibt.

Einvernahme, die; -, -n (östr.): *Vernehmung vor Gericht, Verhör:* die E. des Zeugen.

Einvernehmen, das; -s: *Zustand, in dem Übereinstimmung, Einigkeit herrscht:* ein herzliches gutes E. erzielen; im E. mit *(in Zusammenarbeit, in Übereinstimmung mit, mit Billigung von).*

einverstanden: ⟨in der Verbindung⟩ e. sein mit jmdm./etwas: *keine Einwände gegen jmdn./etwas haben, einer Sache zustimmen:* er war mit dem Vorschlag e.

Einverständnis, das; -ses: *das Einverstandensein, Übereinstimmung:* sein E. erklären; im E. mit seinem Partner handeln.

Einwand, der; -[e]s, Einwände: *Äußerung einer abweichenden Auffassung:* ein berechtigter E.

Einwanderer, der; -s, -: *jmd., der einwandert oder eingewandert ist* /Ggs. Auswanderer/.

einwandern, wanderte ein, ist eingewandert ⟨itr.⟩: *sich in einem fremden Land niederlassen, um dort eine neue Heimat zu fin-*

den /Ggs. auswandern/: er ist 1848 eingewandert. **Einwanderung,** die; -, -en.

einwandfrei ⟨Adj.⟩: **a)** *zu keiner Beanstandung Anlaß gebend, ohne Fehler:* eine einwandfreie Ware; ein einwandfreies Verhalten; e. funktionieren. **b)** *eindeutig, zu keinem Zweifel Anlaß gebend:* es ist e. erwiesen, daß ...

einwärts ⟨Adverb⟩: *nach innen:* ein e. gebogener Stab.

einwechseln, wechselte ein, hat eingewechselt ⟨tr.⟩: *(Geld in eine andere Währung) eintauschen:* Dollars in Gulden e.

einwecken, weckte ein, hat eingeweckt ⟨tr.⟩: *in bestimmten Gläsern einkochen, konservieren:* Erbsen, Kirschen e.

Einweckglas, das; -[e]s, Einweckgläser: *Einmachglas.*

Einwegflasche, die; -, -n: *Flasche [für Bier], die nicht mehr zurückgegeben zu werden braucht, sondern nach Gebrauch weggeworfen werden kann.*

einweichen, weichte ein, hat eingeweicht ⟨tr.⟩: **a)** *(Wäsche) vor dem Waschen in eine bestimmte Lauge legen, damit sich der Schmutz löst:* Wäsche e. **b)** *in Wasser legen, damit es weich wird:* Erbsen, Brötchen e.

einweihen, weihte ein, hat eingeweiht ⟨tr.⟩: **1. a)** *im Rahmen einer Feier seiner Bestimmung übergeben:* ein Theater, eine Kirche e. **b)** (ugs., scherzh.) *zum erstenmal gebrauchen, tragen:* eine neue Handtasche e.; beim letzten Spaziergang hat sie ihr neues Kleid eingeweiht. **2.** *(ein Geheimnis) wissen lassen:* sie weihten ihn in ihre Pläne ein. **Einweihung,** die; -.

einweisen, wies ein, hat eingewiesen ⟨tr.⟩: **1.** *veranlassen, daß jmd. [zur Behandlung] an einen bestimmten Ort gebracht wird:* jmdn. ins Krankenhaus, in ein Heim e. **2.** *(jmdm.) an einem neuen Arbeitsplatz die nötigen Erklärungen zu seiner Arbeit geben:* der Chef hat ihn [in seine neue Arbeit] eingewiesen. **3.** *einem [Auto]fahrer, dem der Blick verstellt ist, durch Zeichen die Richtung angeben:* er wies ihn beim Parken in die Lücke ein. **Einweisung,** die; -, -en.

einwenden, wandte/wendete ein, hat eingewandt/eingewendet ⟨tr.⟩: *einen Einwand, Bedenken vorbringen:* gegen diesen Vorschlag hatte er nichts einzuwenden.

einwerfen, wirft ein, hat eingeworfen ⟨tr.⟩: **1.** *in etwas werfen:* eine Postkarte [in den Briefkasten] e. **2.** *durch Werfen zerbrechen:* ein Fenster e. **3.** *in einer Diskussion einen kurzen Einwand vorbringen:* eine kritische Bemerkung e.; er warf ein, daß...

einwickeln, wickelte ein, hat eingewickelt: **1.** ⟨tr.⟩ *in etwas wickeln, einpacken* /Ggs. auswickeln/: ein Geschenk in buntes Papier e.; einen Kranken in warme Decken e. **2.** ⟨tr.⟩: *durch geschicktes Reden für sich gewinnen:* sie hat ihn vollkommen eingewickelt.

einwilligen, willigte ein, hat eingewilligt ⟨itr.⟩: *(einer Sache) zustimmen, (mit etwas) einverstanden sein:* er willigte [in den Vorschlag] ein. **Einwilligung,** die; -, -en.

einwirken, wirkte ein, hat eingewirkt ⟨itr.⟩: *von (bestimmter) Wirkung sein, (eine bestimmte) Wirkung haben:* jede Angst wirkt ungünstig auf ihn ein. **Einwirkung,** die; -, -en.

Einwohner, der; -s, -: *jmd., der fest an einem Ort wohnt:* die Stadt hat zwei Millionen E.

Einwurf, der; -[e]s, Einwürfe: **1.** *kurzer Einwand:* ein berechtigter E. **2.** Sport *das Wieder-ins-Spiel-bringen des Balles:* die gegnerische Mannschaft hatte den E.

einzahlen, zahlte ein, hat eingezahlt ⟨tr.⟩: *(einen bestimmten Betrag) an eine Kasse o. ä. zahlen:* er zahlte seine Miete auf ein Konto ein. **Einzahlung,** die; -, -en.

einzäunen, zäunte ein, hat eingezäunt ⟨tr.⟩: *mit einem Zaun umgeben:* einen Garten e.

einzeichnen, zeichnete ein, hat eingezeichnet: **1.** ⟨tr.⟩ *durch Zeichnen eintragen:* Figuren in eine Skizze e. **2.** ⟨tr./rfl.⟩ *(seinen Namen) zum Zeichen der Teilnahme, Zustimmung in eine Liste o. ä. eintragen:* ich habe meinen Namen, mich in die Liste der Protestierenden eingezeichnet.

Einzel, das; -s, -: Tennis *Spiel eines einzelnen Spielers gegen einen anderen:* im letzten E. standen sich die beiden Favoriten gegenüber.

Einzelfall, der; -[e]s, Einzelfälle: *nur einmal sich ereignender Fall:* es handelt sich dabei nicht um einen E.

Einzelgänger, der; -s, -: *jmd., der sich von der Gemeinschaft absondert; Sonderling:* er ist ein E.

Einzelheit, die; -, -en: *einzelner Teil innerhalb eines größeren Ganzen, Detail:* interessante E.; er berichtete den Vorfall in allen Einzelheiten; auf Einzelheiten kann ich jetzt nicht weiter eingehen.

einzeln: I. ⟨Adj.; nicht prädikativ⟩ *einer für sich allein; von andern getrennt und abgesondert:* der einzelne [Mensch]; jeder einzelne; die Gäste kamen e. *(jeder für sich).* **II.** ⟨Indefinitpronomen und unbestimmtes Zahlwort⟩ *manche[s], einige[s]:* **einzelnes** ⟨Neutrum Singular⟩ einzelnes hat mir gefallen; **einzelne** ⟨Plural⟩ einzelne sagen, daß ...

Einzelzimmer, das; -s, -: *Zimmer für nur einen Gast:* wir mieteten zwei E.

einziehen, zog ein, hat/ist eingezogen: **1.** ⟨tr.⟩ *nach innen ziehen, zurückziehen:* den Kopf, die Fühler e.; der Hund hat den Schwanz eingezogen *(zwischen die Beine geklemmt).* **2.** ⟨tr.⟩ **a)** *(privaten Besitz) beschlagnahmen:* der Staat hat ihren Besitz eingezogen. **b)** *(Beträge, zu deren Zahlung man [gesetzlich] verpflichtet ist) kassieren; eintreiben:* Steuern e. * **Erkundigungen e.** *(sich erkundigen).* **3.** ⟨tr.⟩ *zum [Militär]dienst einberufen:* man hat einen weiteren Jahrgang eingezogen. **4.** ⟨itr.⟩ *einmarschieren; in einem feierlichen Zug hineingehen* /Ggs. ausziehen/: die Soldaten sind in die Stadt eingezogen; die Mannschaften ziehen in das Stadion ein. **5.** ⟨itr.⟩ *in eine Wohnung ziehen* /Ggs. ausziehen/: wir sind [in das neue Haus] eingezogen. **6.** ⟨itr.⟩ *eindringen:* die Salbe ist [in die Haut] eingezogen.

einzig: I. ⟨Adj.⟩ **a)** (verstärkend) *nur einmal vorhanden; nur einer:* ihre einzige Tochter; ein einziger überlebte; sie waren die einzigen *(alleinigen)* Zuschauer. **b)** *einmalig, unvergleichlich:* diese Leistung steht e. da. **II.** ⟨Adverb⟩ *allein, nur, ausschließlich:* e. er ist schuld.

einzigartig ⟨Adj.⟩: *einmalig, hervorragend:* eine einzigartige Leistung.

Einzug, der; -[e]s, Einzüge: **1.** *das Einziehen, Beziehen* /Ggs. Auszug/: der E. in eine neue Wohnung. **2.** *[feierliches] Hineingehen, Einmarschieren* /Ggs. Auszug/: der E. der Sieger in die Stadt.

einzwängen, zwängte ein, hat eingezwängt ⟨tr.⟩: *durch Zwang, Gewalt einengen:* der enge Kragen zwängte ihm den Hals, ihn ein; ⟨häufig im 2. Partizip⟩ er stand eingezwängt in der Straßenbahn. bildl.: starre Konventionen zwängten seinen Drang nach Freiheit ein.

Eis, das; -es: **a)** *gefrorenes Wasser* (siehe Bild): das E. schmilzt. * (ugs.) **etwas auf E. legen** *(etwas aufschieben, vorläufig nicht weiter bearbeiten):* der Plan wurde vorerst auf E. gelegt. **b)** *süße Speise, die in gefrorenem Zustand gegessen wird* (siehe Bild): E. am Stiel.

a) b)

Eis

Eisbein, das; -[e]s, -e: *gepökeltes und gekochtes Bein des Schweines:* E. mit Sauerkraut.

Eisen, das; -s, -: *leicht rostendes Metall:* die Tür ist aus E. * (ugs.) **ein heißes E.** *(eine heikle Sache);* **mehrere E. im Feuer haben** *(mehrere Möglichkeiten zur Erreichung eines Zieles haben);* (ugs.) **zum alten E. werfen** *(als unbrauchbar ausscheiden).*

Eisenbahn, die; -, -en: *mit einem Motor oder mit Dampf angetriebenes, auf Schienen fahrendes Verkehrsmittel, das weit[er] voneinander entfernt liegende Orte verbindet* (siehe Bild): er fuhr mit der E. nach Paris.

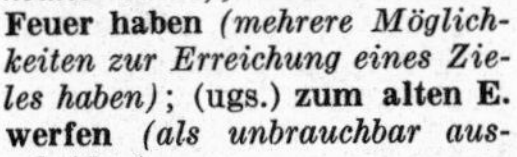

Eisenbahn

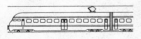

eisern ⟨Adj.⟩: **1.** ⟨nur attributiv⟩ *aus Eisen bestehend:* ein eisernes Geländer; der eiserne Vorhang *(feuersicherer Vorhang zwischen Bühne und Zuschauerraum im Theater).* * **der Eiserne Vorhang** *(Grenze zwischen kommunistischen und nichtkommunistischen Ländern in Europa);* **die eiserne Lunge** *(Apparat für künstliche Atmung).* **2. a)** *unerschütterlich:* ein eiserner Wille; e. schweigen. **b)** *unnachgiebig, unerbittlich:* eiserne Strenge; * **eine eiserne Ration** *(Vorrat für den Notfall).* **c)** *unermüdlich:* eiserner Fleiß; e. sparen, arbeiten.

Eisheiligen, die ⟨Plural⟩: *Tage mit kühler Witterung zwischen dem 12. und 14. Mai.*

Eishockey [...hɔki], das; -s: *mit Schlittschuhen auf dem Eis ausgetragener Sport zwischen zwei Mannschaften, bei dem eine Scheibe von den Spielern in das gegnerische Tor zu schlagen ist.*

eisig ⟨Adj.⟩: *sehr kalt:* ein eisiger Wind; bildl.: eisiges *(ablehnendes)* Schweigen.

eiskalt ⟨Adj.⟩: *sehr kalt, eisig:* ein eiskalter Raum; bildl.: jmdn. e. *(ungerührt, erbarmungslos)* anblicken.

Eislauf, der; -s: *Sportart, bei der man auf Schlittschuhen läuft.*

eislaufen, läuft eis, lief eis, ist eisgelaufen ⟨itr.⟩: *sich mit Schlittschuhen auf dem Eis bewegen.*

Eisschrank, der; -[e]s, Eisschränke: *Kühlschrank.*

Eiszeit, die; -, -en: *Zeitalter in der Geschichte der Erde, in dem große Gebiete ihrer Oberfläche mit Eis bedeckt waren.*

eitel ⟨Adj.⟩: **1. a):** *stark von seinen [vermeintlichen] Vorzügen überzeugt und bestrebt, sie zur Schau zu stellen:* ein eitler Mensch. **b)** *übertriebene Sorgfalt auf sein Äußeres verwendend:* das kleine Mädchen ist recht e. geworden. **2.** [unflektiert, nur attributiv] *rein:* es herrschte e. Freude. **Eitelkeit,** die; -.

Eiter, der; -s: *dicke gelbe Flüssigkeit, die sich bei einer Entzündung absondert:* in der Wunde hat sich E. gebildet.

eitern, eiterte, hat geeitert ⟨itr.⟩: *Eiter absondern:* die Wunde eitert.

eitrig ⟨Adj.; nicht adverbial⟩: *Eiter absondernd:* eine eitrige Wunde.

Eiweiß, das; -es, -e: **1.** ⟨ohne Plural⟩ *die das Eigelb umgebende Masse im Innern des Eis:* das E. zu einer steifen Masse schlagen; /als Maßangabe/: zwei E. in den Teig rühren. **2.** *Baustein aller Organismen:* am Aufbau der Eiweiße sind verschiedene Elemente beteiligt.

Ekel: **I.** der; -s: *Abscheu, Widerwille, Übelkeit erregendes Gefühl:* einen E. vor fettem Fleisch haben; sich voll E. von jmdm. abwenden. **II.** das, -s, - (ugs.): *widerliche Person, unangenehmer Mensch:* er ist ein E.

ekelerregend ⟨Adj.⟩: *das Gefühl von Ekel hervorrufend, ekelhaft:* ein ekelerregender Gestank.

ekelhaft ⟨Adj.⟩: *Abscheu, Widerwillen erregend, Ekel hervorrufend:* ein ekelhaftes Tier; eine ekelhafte Tat.

ekeln, ekelte, hat geekelt ⟨rfl./itr.⟩: **a)** *Ekel empfinden:* ich ekele mich davor. **b)** *jmdm. Ekel einflößen:* es ekelt mich/mir vor ihm.

Eklat [e'kla:], der; -s, -s: *Ereignis, das Aufsehen erregt:* die Aufführung der Oper endete mit einem E.

eklatant ⟨Adj.⟩: **a)** *offen[kundig], deutlich:* eine eklatante Niederlage. **b)** *viel Aufsehen erregend:* eine eklatante Entwicklung nehmen.

eklig ⟨Adj.⟩: *unangenehm und widerwärtig:* eine eklige Kröte.

Ekstase, die; -, -n: *rauschhafter Zustand, in dem jmd. der Kontrolle des normalen Bewußtseins entzogen ist; überschäumende Begeisterung:* mit seinem Spiel versetzte der Geiger das Publikum in E.; sie gerieten, kamen in E.

ekstatisch ⟨Adj.⟩: *von Ekstase bestimmt, in Ekstase:* in ekstatische Erregung geraten.

Ekzem, das; -s, -e: *juckende Entzündung der Haut.*

Elaborat, das; -s, -e (abwertend): *minderwertige schriftliche Arbeit:* dieses E. wimmelt von orthographischen Fehlern und Stilblüten.

Elan, der; -s: *Schwung, Begeisterung:* er ging mit großem E. an seine Aufgabe.

elastisch ⟨Adj.⟩: **1.** *dehnbar:* eine Uhr mit einem elastischen Armband. **2.** *nicht schwerfällig* *und plump, sondern federnd und kraftvoll gespannt:* ein elastischer Gang; er wirkt noch jung und e.

Elastizität, die; -: **1.** *Dehnbarkeit (eines Materials oder eines Gegenstandes):* dieser Hosenträger ist von außerordentlicher E. **2.** *Spannkraft:* er hat sich bis ins hohe Alter eine erstaunliche E. bewahrt.

Elch, der; -[e]s, -e: /ein Tier/ (siehe Bild).

Elch

Elefant, der; -en, -en: /ein Tier/ (siehe Bild).

Elefant

elegant ⟨Adj.⟩: **1.** *durch Vornehmheit, Geschmack* (in der Kleidung) *hervorstechend:* eine elegante Dame. **2.** *gewandt, geschickt:* eine elegante Verbeugung.

Eleganz, die; -: **a)** *vornehme, geschmackvolle Art:* sie trug Kleidung von auffallender E. **b)** *gewandte, geschickte Weise:* der Aufsatz besticht durch die E. des Stils.

elektrifizieren, elektrifizierte, hat elektrifiziert ⟨tr.⟩: *(eine bisher mit Dampf betriebene Eisenbahn) auf elektrischen Antrieb umstellen:* die Strecke zwischen Hannover und Hamburg ist inzwischen elektrifiziert worden.

Elektrifizierung, die; -, -en.

Elektriker, der; -s, -: *Fachmann, der für Arbeiten an elektrischen Anlagen zuständig ist.*

elektrisch ⟨Adj.⟩: **1.** *durch Elektrizität bewirkt:* elektrische Energie. **2.** *durch Elektrizität angetrieben:* ein elektrisches Gerät.

elektrisieren, elektrisierte, hat elektrisiert: **1.** ⟨tr.⟩ *einen elektrischen Strom durchleiten:* seine Hand wurde elektrisiert. **2.** ⟨rfl.⟩ *seinen Körper aus Unachtsamkeit mit elektrischem Strom (in einem schadhaften elektrischen Gerät o. ä.) in Kontakt bringen und dadurch einen leichten Schlag bekommen:* er hat sich an einer defekten Leitung elektrisiert; ⟨oft im 2. Partizip⟩ bildl.: als er ihn kommen sah, sprang er wie elektrisiert *(plötzlich, schnell)* auf. **3.** ⟨tr.⟩ *in eine spontane Begeisterung versetzen; entflammen:* diese Musik elektrisierte die jugendlichen Zuhörer.

Elektrizität, die; -: *Energieart, die auf der Anziehung oder Abstoßung von Elementarteilchen beruht.*

Element, das; -[e]s, -e: **1.** *grundlegender Bestandteil, Stoff:* Sauerstoff ist ein chemisches E. **2.** *Naturgewalt, z. B. Feuer, Wasser:* der Kampf mit den Elementen. **3.** *Bestandteil, Wesenszug:* die Elemente eines Baustils. **4.** *Grundzüge; Anfangskenntnisse:* er ist nicht über die Elemente der Mathematik hinausgekommen. **5.** *Umgebung, die jmdm. lieb ist:* der Haushalt war ihr E. ***[ganz] in seinem E. sein** *(sich in einer Situation o. ä. sehr wohl fühlen, weil sie einem entspricht).* **6.** ⟨Plural⟩ (abwertend): *Menschen, die wegen ihres Verhaltens von der Gesellschaft abgelehnt werden:* kriminelle, asoziale Elemente.

elementar ⟨Adj.⟩: **1.** *so gewaltig, ungestüm, daß man sich nicht widersetzen kann:* mit elementarer Gewalt. **2.** ⟨nicht adverbial⟩ *grundlegend; für den Anfang notwendig:* elementare Begriffe; er beherrscht nicht die elementarsten *(einfachsten)* Kenntnisse.

elend ⟨Adj.⟩: **a)** *von Kummer und Sorge bedrückt:* eine elende Lage. **b)** *armselig, ärmlich:* eine elende Unterkunft. **c)** (ugs.) *kränklich:* ein elendes Aussehen; sich e. fühlen. **d)** ⟨nur attributiv⟩ (ugs.; abwertend) *gemein, scheußlich:* ein elender Schurke.

Elend, das; -s: *Unglück, Not:* das E. der Armen; ein großer Teil der Bevölkerung lebte in E.

elendig[lich] ⟨Adj.⟩: *elend, jämmerlich:* e. sterben, umkommen.

elf ⟨Kardinalzahl⟩: 11: e. Personen; e. und eins ist/macht zwölf.

Elfenbein, das; -s: *Substanz der Zähne des Elefanten:* eine Kette aus E.

elfenbeinern ⟨Adj.; nur attributiv⟩: *aus Elfenbein [bestehend]:* eine elfenbeinerne Brosche.

Elfenbeinturm, der; -[e]s (geh.): *freiwillige Isolierung des Künstlers als Ausdruck der Flucht vor den Problemen der Gegenwart:* der Schriftsteller zog sich in einen, seinem E. zurück.

elfte ⟨Ordinalzahl⟩: 11.: der e. Mann.

eliminieren, eliminierte, hat eliminiert ⟨tr.⟩: **a)** *als Konkurrenten ausschalten, beseitigen [lassen]:* nach und nach wurden von der neuen Regierung alle in der Verwaltung sitzenden Anhänger der alten Regierung eliminiert. **b)** *aus einem größeren Komplex herauslösen, um es isoliert zu behandeln oder ganz auszuschließen:* wir haben dieses Problem zunächst eleminiert, um wenigstens in den anderen Fragen zu einer Einigung zu gelangen.

Elite, die; -, -n: *Auslese, die Besten; führende soziale Schicht:* die [geistige] E. eines Volkes.

Elixier. das; -[e]s, -e (geh.): *Trank, der eine übernatürliche Wirkung hat, bes. die Heilung von einer Krankheit herbeiführt.*

Ellbogen, der; -s, -: *Fortsatz des Knochens an der Elle:* ich stieß ihn heimlich mit dem E. an. * (ugs.) **seine E. gebrauchen/brauchen** *(sich rücksichtslos durchsetzen).*

Elle, die; -, -n: *Knochen an der Außenseite des unteren Arms.* * * (ugs.) **mit gleicher E. messen** *(ohne Unterschied behandeln).*

Ellenbogen, der; -s, -: *Ellbogen.*

Ellipse, die; -, -n: /eine Kurve/ (siehe Bild).

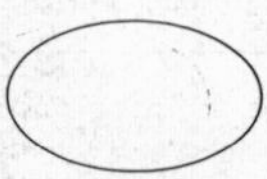

Ellipse

Eloquenz, die; - (geh.): *Beredsamkeit:* er trug seine Ansichten mit außerordentlicher E. vor.

Elster, die; -, -n: /ein Vogel/ (siehe Bild).

Elster

elterlich ⟨Adj.; nur attributiv⟩: *den Eltern gehörend, ihnen zukommend:* das elterliche Haus, die elterliche Erziehung.

Eltern, die ⟨Plural⟩: *Vater und Mutter:* die Eltern spielten mit ihren Kindern.

Elternhaus, das; -es, Elternhäuser: *Haus, in dem ein Kind unter der Obhut der Eltern aufwächst:* Schule und E. sind von großer Bedeutung für die Entwicklung eines Kindes.

Elternschaft, die; -: *Gesamtheit der Eltern von Schülern:* die E. des Gymnasiums ist dazu herzlich eingeladen.

Emaille [e'maljə], die; -, -n: *harter Überzug auf Gegenständen aus Metall o. ä.:* hier und da war die E. von der Badewanne abgesprungen.

Emanzipation, die; -: *Befreiung aus einem Zustand der Abhängigkeit:* für die E. der Frau kämpfen.

emanzipieren, sich; emanzipierte sich, hat sich emanzipiert: *sich aus einem Zustand der Abhängigkeit befreien:* in einigen Ländern haben sich die Frauen auch heute noch nicht emanzipiert; ⟨häufig im 2. Partizip⟩ die emanzipierte Frau.

Embargo, das; -s, -s: *staatliches Verbot der Ausfuhr:* ein E. verhängen.

Emblem [auch: ã'ble:m], das; -s, -e: *Sinnbild, [künstlerisch gestaltetes] Kennzeichen mit bestimmter, feststehender Bedeutung:* der Anker ist ein E. der Hoffnung; die Fassade des Schlosses war mit zahlreichen Emblemen geschmückt.

Embryo, der; -s, -s: *noch nicht geborenes Lebewesen.*

Emigrant, der; -en, -en: *jmd., der sein Land verlassen hat, um der Verfolgung auf Grund seiner Überzeugung, seiner Rasse o. ä. zu entgehen.*

Emigration, die; -: **a)** *das Emigrieren:* nur die rechtzeitige E. bewahrte ihn vor dem Tode. **b)** *das Ausland, in dem sich der Emigrant aufhält und wo er die für sein Schicksal charakteristischen Erfahrungen macht:* er lebte viele Jahre in der E.

emigrieren, emigrierte, ist emigriert ⟨itr.⟩: *aus politischen, religiösen, rassischen o. ä. Gründen (in ein anderes Land) auswandern:* er emigrierte in die Schweiz.

eminent ⟨Adj.⟩: *hervorragend, außerordentlich, äußerst:* diese Frage ist von eminenter Wichtigkeit; das ist e. wichtig für mich.

Emotion, die; -, -en: *seelische Erregung, Gefühl:* diese Untat löste unter der Bevölkerung starke Emotionen aus.

emotional ⟨Adj.⟩: *gefühlsmäßig:* eine emotionale Sprache; ein emotionales, aber nicht objektives Urteil; dieser Ausdruck ist e. gefärbt.

Empfang, der; -s, Empfänge: **1.** ⟨ohne Plural⟩ **a)** *das Empfangen, Entgegennehmen:* den E. einer Ware bestätigen. *** etwas in E. nehmen** *(etwas entgegennehmen).* **b)** *das Hören, Sehen einer Sendung:* ein gestörter, guter E. im Radio. **2.** ⟨ohne Plural⟩ *Begrüßung:* ein freundlicher E. **3.** *feierliche gesellschaftliche Veranstaltung von kürzerer Dauer [bei einer Person des öffentlichen Lebens]:* der E. beim Botschafter.

empfangen, empfängt, empfing, hat empfangen ⟨tr.⟩: **1. a)** *entgegennehmen, erhalten:* Geschenke e. **b)** ⟨als Funktionsverb⟩ Eindrücke e. *(angeregt werden);* Lob und Tadel e. *(gelobt und getadelt werden).* **2.** *eine Sendung im Radio, Fernsehen hören bzw. sehen:* dieser Sender ist nicht gut zu e. **3.** *(einen Gast) bei sich begrüßen:* jmdn. freundlich e.

Empfänger, der; -s, -: **1.** *jmd., der (etwas) empfängt:* der E. des Briefes war verzogen. **2.** *Gerät zum Empfangen ausgestrahlter Sendungen des Rundfunks; Radio:* den E. leiser stellen.

empfänglich: ⟨in der Verbindung⟩ e. sein für etwas: *für Eindrücke, Einflüsse zugänglich sein:* für die Schönheit der Natur e. sein. **Empfänglichkeit,** die; -.

Empfängnis, die; -: *das Schwangerwerden, die Befruchtung des Eis.*

Empfängnisverhütung, die; -: *Verhinderung der Empfängnis:* E. durch die Antibabypille.

empfehlen, empfiehlt, empfahl, hat empfohlen: **a)** ⟨tr.⟩ *(zu etwas) raten; (jmdm. etwas) als besonders vorteilhaft vorschlagen:* er empfahl mir, meinen Urlaub im Süden zu verbringen; der Arzt empfahl mir eine Kur in einem Moorbad. **b)** ⟨rfl.⟩ *ratsam sein:* es empfiehlt sich, einen Regenschirm mitzunehmen. **c)** ⟨rfl.⟩ (ugs.) *sich verabschieden:* nach einer halben Stunde empfahl er sich wieder.

empfehlenswert ⟨Adj.⟩: *von solcher Güte, daß man es empfehlen kann; zu empfehlen:* dieses billige Gerät ist weniger e.

Empfehlung, die; -, -en: **1. a)** *etwas, was man zur Anwendung auf einem bestimmten Gebiet oder in einer bestimmten Situation empfiehlt; Vorschlag, Rat:* auf Empfehlung des Arztes zur Kur reisen. **b)** *lobende Beurteilung, Fürsprache:* durch die E. eines Vorgesetzten wurde er befördert. **2.** (geh.) *Gruß:* bitte eine freundliche E. an ihre Eltern!; /am Ende eines Briefes/: mit den besten Empfehlungen!

empfinden, empfand, hat empfunden ⟨tr.⟩: **a)** *sinnlich wahrnehmen, spüren:* Durst, körperlichen Schmerz e. **b)** *von etwas im Gemüt bewegt werden; fühlen:* Ekel, Reue e.; Liebe für jmdn. e.

empfindlich ⟨Adj.⟩: **1. a)** *leicht auf Reize reagierend:* eine empfindliche Haut. **b)** *anfällig:* ein empfindliches Kind; gegen Hitze empfindlich sein. **2.** *von zartem Gemüt und daher seelisch leicht verletzbar; feinfühlig:* die empfindliche Natur eines Künstlers; er ist sehr e. *(ist leicht beleidigt).* **3.** ⟨nicht adverbial⟩ **a)** *fein reagierend:* das Barometer ist ein empfindliches Gerät. **b)** *leicht schmutzig werdend:* eine empfindliche Tapete; diese Farbe ist nicht so e. **4.** ⟨nicht prädikativ⟩ *spürbar, hart treffend; schmerzlich:* eine empfindliche Strafe.

empfindsam ⟨Adj.; nicht adverbial⟩: *feinfühlig und sich* *einfühlen, sich in jmdn./etwas hineinversetzen könnend:* ein empfindsamer Künstler; empfindsame Nerven besitzen. **Empfịndsamkeit,** die; -.

Empfịndung, die; -, -en: **a)** *Wahrnehmung durch den Tastsinn:* eine E. von Schmerz; das gelähmte Glied war ohne E. **b)** *seelische Regung, Gefühl:* eine echte E.; ihn bewegten die widersprechendsten Empfindungen.

Emphase, die; -, -n: *Nachdruck, Leidenschaft (in der Rede):* mit E. sprechen.

emphatisch ⟨Adj.⟩: *nachdrücklich, leidenschaftlich:* eine emphatische Erklärung abgeben.

empịrisch ⟨Adj.; nicht prädikativ⟩: *durch Erfahrung, Beobachtung gewonnen; auf Grund von Erfahrungen, Beobachtungen:* diese Ergebnisse wurden e. gewonnen.

empor ⟨Adverb⟩ (geh.): *in die Höhe, hinauf;* ⟨oft in Verbindung mit Verben⟩ emporblikken, emporkommen, emporziehen.

emporarbeiten, sich; arbeitete sich empor, hat sich emporgearbeitet: *sich durch Fleiß und gute Arbeit (in seiner beruflichen Position) verbessern:* er hat sich in diesem Unternehmen vom Lehrling zum Direktor emporgearbeitet.

Empore, die; -, -n: *Aufbau in Form einer Galerie (bes. in Kirchen):* auf der E. stand eine alte, kostbare Orgel.

empören, empörte, hat empört: **1.** ⟨rfl.⟩ *sich auflehnen, erheben, Widerstand leisten:* sich gegen eine Diktatur, ein Unrecht e. **2. a)** ⟨rfl.⟩ *sich erregen, entrüsten:* ich empörte mich über diese Ungerechtigkeit; ⟨häufig im 2. Partizip⟩ empört sein (über etwas): er war über sein Verhalten empört. **b)** ⟨tr.⟩ *wütend machen, erregen, entrüsten:* diese Behauptung empörte ihn; ⟨im 1. und 2. Partizip⟩ sein Benehmen war empörend *(war so, daß es Ärger, Unwillen hervorrief);* die empörten *(wütenden, erregten)* Zuschauer.

emporkommen, kam empor, ist emporgekommen ⟨itr.⟩: *sich hocharbeiten; hochkommen:* er wollte rasch in dieser Firma e.

Emporkömmling, der; -s, -e (abwertend): *jmd., der aus einer niedrigen sozialen Schicht rasch aufgestiegen und zu Reichtum gekommen ist.*

Empörung, die; -: **1.** *Aufstand, Erhebung:* die E. des Volkes wurde niedergeschlagen. **2.** *Erregung, Entrüstung:* er war voller E. über diese Ungerechtigkeit.

ẹmsig ⟨Adj.⟩: *rastlos tätig:* emsige Bienen; e. arbeiten.

Ẹnde, das; -s, -n: **1. a)** *Stelle, wo etwas aufhört*/Ggs. Anfang/: das E. des Zuges, der Straße. **b)** *Zeitpunkt, an dem etwas aufhört* /Ggs. Anfang/: das E. der Veranstaltung; E. Oktober *(die letzten Tage im Oktober);* sein E. *(seinen Tod)* nahen fühlen. *** letzten Endes** *(schließlich);* (ugs.) **am E. sein** *(sehr müde, erschöpft sein);* (ugs.) **das dicke E. kommt noch** *(die eigentlichen Schwierigkeiten stehen noch bevor);* **es geht mit jmdm. zu E.** *(jmd. liegt im Sterben).* **2.** (ugs.) **a)** *kleines Stück:* ein E. Draht. **b)** ⟨ohne Plural⟩ *Strecke:* das letzte E. mußte sie laufen.

ẹnden, endete, hat geendet ⟨itr.⟩: **a)** *eine Stelle erreichen, an der es nicht weitergeht:* der Weg endet hier. **b)** *nicht länger andauern, sondern aufhören; zu einem Abschluß kommen:* der Vortrag endete pünktlich.

ẹndgültig ⟨Adj.⟩: *für alle Zeit entschieden, nicht mehr zu ändern:* das ist noch keine endgültige Lösung. **Ẹndgültigkeit,** die; -.

ẹndigen, endigte, hat geendigt ⟨itr.⟩: *(mit einer Rede o. ä.) aufhören, enden, zum Ende kommen:* der Vortragende hat mit einem Aufruf zur Einigkeit geendet.

ẹndlich ⟨Adverb⟩: *schließlich; nach längerer Zeit, längerem Warten:* e. wurde das Wetter etwas freundlicher.

ẹndlos ⟨Adj.⟩: *sich sehr in die Länge ziehend:* eine endlose Straße; ein endloser Streit; etwas dauert e. lange. **Ẹndlosigkeit,** die; -.

Ẹndung, die; -, -en: *letzter Buchstabe oder letzte Silbe eines Wortes:* die E. -keit in „Sauberkeit".

Energie, die; -, -n: **1.** *Tatkraft, Schwung, Ausdauer:* große E. besitzen; nicht die nötige E. haben. **2.** Physik *Kraft, die Arbeit leisten kann:* elektrische E.; Energien nutzen.

enẹrgisch ⟨Adj.⟩: **a)** *tatkräftig entschlossen:* ein energischer Mann; e. handeln. **b)** *nachdrücklich:* energische Maßnahmen; ich habe mir diesen frechen Ton e. verbeten.

Enfant terrible [ãfãtɛ'ribl], das; - -, Enfants terribles [ãfãtɛ'ribl]: *jmd., der durch Naivität oder Ungeschicktheit seine Mitmenschen ständig in Verlegenheit bringt oder schockiert:* die Gäste sahen mit heimlicher Sorge einen jungen Mann ins Zimmer treten, der sich schon wiederholt als Enfant terrible betätigt hatte.

ẹng ⟨Adj.⟩: **1. a)** *schmal, räumlich sehr begrenzt:* ein enger Raum; enge Straßen. **b)** *dicht, gedrängt:* e. nebeneinander sitzen. **c)** *dem Körper fest anliegend:* ein enges Kleid; der Rock ist mir zu eng. **2.** *beschränkt:* einen engen Gesichtskreis haben. **3.** *nah, intim:* eine enge Freundschaft; e. mit jmdm. befreundet sein. *** in die engere Wahl kommen** *(als Bewerber ernsthaft in Betracht gezogen werden).*

Engagement [ãgaʒə'mã:], das -s, -s: **1.** *Anstellung, Verpflichtung [eines Künstlers]:* ein E. an der Oper erhalten. **2.** *innerliche Verpflichtung, Bindung:* das politische E.

engagieren [ãga'ʒi:rən], engagierte, hat engagiert: **1.** ⟨tr.⟩ *auf Grund eines Vertrages zur Erfüllung bestimmter künstlerischer oder anderer beruflicher Aufgaben verpflichten:* der Schauspieler wurde nach seinem Erfolg an ein größeres Theater engagiert; für das Fest wurden zusätzlich zwei Köche engagiert. **2.** ⟨rfl.⟩ *sich zu etwas bekennen und sich dafür einsetzen:* die Jugend ist heute wieder bereit, sich zu e.

Ẹnge, die; -: *Mangel an Raum oder an Möglichkeit, sich zu bewegen:* die E. einer kleinen Wohnung. *** jmdn. in die E. treiben** *(jmdn. dahin bringen, daß er keine ausweichende Antwort mehr geben kann).*

Ẹngel, der; -s, -: **a)** *überirdisches Wesen als Bote Gottes:* der E. der Verkündigung. * (ugs.) **die E. im Himmel singen hören** *(vorübergehend bei etwas sehr starke Schmerzen empfinden).* **b)**

Mensch von sanftem, gutmütigem Wesen, der andern durch seine Hilfe Gutes tut: du bist ein E., daß du mir die Arbeit abnimmst.

engherzig ⟨Adj.⟩: *in seinem Handeln durch Ängstlichkeit und kleinliche Bedenken bestimmt:* ein engherziger Mensch; er ist sehr e.; e. urteilen. **Engherzigkeit,** die; -.

Engpaß, der; Engpasses, Engpässe: *schmaler Durchgang, enge Durchfahrt:* die alte Brücke erwies sich immer mehr als E. für den wachsenden Verkehr; bildl.: in der Versorgung der Bevölkerung mit Gemüse entstand ein E. *(das Gemüse wurde knapp).*

en gros [ã'gro] ⟨Adverb⟩: *in großen Mengen:* Waren en gros einkaufen.

engstirnig ⟨Adj.⟩ (abwertend): *nicht fähig, über seinen beschränkten Gesichtskreis, Horizont hinaus zu sehen; ohne Bereitschaft, neue Gedanken aufzunehmen:* ein engstirniger Mensch; e. handeln.

Enkel, der; -s, -: *Kind des Sohnes oder der Tochter:* der Großvater liest den Enkeln ein Märchen vor.

Enklave, die; -, -n: *vom eigenen Gebiet eines Staates eingeschlossener Teil, der zu einem anderen Staat gehört.*

en masse [ã'mas] (ugs.): *in großer Anzahl, Menge:* er hat Geld en masse.

enorm ⟨Adj.⟩: **a)** ⟨nicht adverbial⟩ *in seiner Größe, seinem Ausmaß, seiner Kraft o. ä. über alles Gewohnte oder Erwartete hinausgehend:* ein enormer Aufwand; diese Leistung war e. **b)** ⟨verstärkend bei Adjektiven und Verben⟩ (ugs.) *sehr, äußerst:* das neue Gerät ist e. praktisch; die Preise sind e. gestiegen.

en passant [ãpa'sã]: *beiläufig, [so] nebenbei:* ganz en passant erwähnte er, daß er seine Schulden nicht bezahlen könne.

Ensemble [ã'sãbəl], das; -s, -s: *Gruppe von Künstlern, die gemeinsam auftreten:* einem E. angehören.

entarten, entartete, ist entartet ⟨itr.⟩: *von der normalen Art zum Schlechten hin abweichen:* wegen einer planlosen Zucht ist diese Rasse völlig entartet; ⟨häufig im 2. Partizip⟩ entartete Sitten. **Entartung,** die; -.

entäußern, sich; entäußerte sich, hat sich entäußert (geh.) ⟨mit Gen.⟩: *sich (von etwas) trennen, (etwas) weggeben:* warum hast du dich deines Vermögens entäußert?

entbehren, entbehrte, hat entbehrt: **a)** ⟨tr.⟩ *(auf etwas/jmdn.) verzichten; vermissen:* er kann ihn, seinen Rat nicht e.; er hat in seiner Kindheit viel e. müssen; ich entbehre den Kaffee sehr. **b)** (geh.) ⟨itr.; mit Gen.⟩ *ohne etwas Bestimmtes sein:* diese Behauptung entbehrt jeder Grundlage; seine übertriebene Angst entbehrt nicht einer gewissen Komik *(ist recht komisch).*

entbehrlich ⟨Adj.; nicht adverbial⟩: *nicht unbedingt nötig, so daß man darauf verzichten kann:* ein entbehrlicher Luxus.

Entbehrung, die; -, -en: *als unangenehm empfundener Mangel, fühlbare Einschränkung:* sie mußten viele Entbehrungen auf sich nehmen.

entbieten, entbot, hat entboten ⟨tr.⟩ (geh.): *sagen, mitteilen, übermitteln:* er hat uns seine herzlichen Grüße entboten.

entbinden, entband, hat entbunden: **1.** ⟨tr.⟩ *von einer Verpflichtung lösen, befreien:* jmdn. von einer Aufgabe, seinem Versprechen e. **2.** ⟨itr.⟩ *ein Kind gebären, zur Welt bringen:* seine Frau hat heute entbunden; ⟨auch tr.⟩ seine Frau ist heute von einem Jungen entbunden worden. **Entbindung,** die; -, -en.

entblättern, entblätterte, hat entblättert: **1.** ⟨tr.⟩ *die Blätter (von etwas) entfernen:* der Sturm hat die Bäume entblättert. **2.** ⟨rfl.⟩ *die Blätter verlieren:* die Bäume haben sich erst spät im im Herbst entblättert.

entblöden: ⟨in der Verbindung⟩ sich nicht e. (abwertend): *sich nicht scheuen:* du hast dich nicht entblödet, ihm nach diesem Vorfall noch die Hand zu geben.

entblößen, entblößte, hat entblößt ⟨tr.⟩: *(einen Körperteil) von seiner Bedeckung befreien:* den Oberkörper e.; ⟨häufig im 2. Partizip⟩ mit entblößtem Kopf *(ohne Kopfbedeckung)* stand er vor dem Grab.

entbrennen, entbrannte, ist entbrannt ⟨itr.⟩ (geh.): **1.** *ausbrechen, entstehen:* ein Krieg, ein heftiger Streit entbrannte. **2.** *heftig, leidenschaftlich (von etwas) ergriffen werden:* er entbrannte in ungestümer Liebe zu dieser Frau.

entdecken, entdeckte hat entdeckt ⟨tr.⟩: **1.** *als erster etwas finden, das der Wissenschaft und der Forschung dient:* einen Bazillus, einen neuen Stern e. **2.** *jmdn./etwas, was verborgen ist, vermißt wird, überraschend bemerken, gewahr werden:* einen Fehler e.; er hat ihn in der Menge entdeckt.

Entdecker, der; -s, -: *jmd., der etwas entdeckt, was für die Wissenschaft interessant ist.*

Entdeckung, die; -, -en: *das Entdecken:* die E. eines neuen Planeten; das Zeitalter der Entdeckungen; eine E. machen *(etwas entdecken).*

Ente, die; -, -n: **I.** /ein Vogel/ (siehe Bild). **II.** (ugs.) *falsche Meldung:* die Nachricht von einem geheimen Treffen der Minister erwies sich als eine E.

Ente I.

entehren, entehrte, hat entehrt ⟨tr.⟩: *(jmdm./einer Sache) die Ehre nehmen, rauben:* der Taugenichts hat den Namen seiner Mutter entehrt; ein Mädchen e. *(zum ersten Geschlechtsverkehr verführen).*

enteignen, enteignete, hat enteignet ⟨tr.⟩: **a)** *(jmdm.) durch Anordnung oder Gesetz sein Eigentum nehmen:* er wurde enteignet. **b)** *durch Anordnung oder Gesetz dem Eigentümer wegnehmen:* die Fabriken wurden enteignet. **Enteignung,** die; -, -en.

enteilen, enteilte, ist enteilt ⟨itr.⟩ (geh.): *in Eile weglaufen, sich rasch entfernen:* er ist, ohne sich zu verabschieden, enteilt; bildl.: die Stunden enteilten *(vergingen)* wie im Fluge.

enterben, enterbte, hat enterbt ⟨tr.⟩: *vom gesetzlich zuste-*

henden Erbe ausschließen: der Vater hatte seine Kinder enterbt.

entern, enterte, hat geentert ⟨tr.⟩: *(ein Schiff von einem anderen aus) erobern, gewaltsam in seinen Besitz bringen:* die Piraten enterten das Schiff auf hoher See.

entfachen, entfachte, hat entfacht ⟨tr.⟩ (geh.): *erregen, entfesseln:* einen Streit e.; ein Gefühl in jmdm. e.

entfahren, entfährt, entfuhr, ist entfahren ⟨itr.⟩: *unbeabsichtigt aus jmds. Mund kommen* /von Lauten, Worten o. ä./: vor Ärger entfuhr ihm ein derber Fluch.

entfallen, entfällt, entfiel, ist entfallen ⟨itr.⟩ 1. *(jmdm.) plötzlich aus dem Gedächtnis kommen:* der Name ist mir entfallen. 2. *(jmdm.) bei einer Teilung als Anteil zugesprochen werden:* vom Gewinn entfallen 500 Mark auf ihn. 3. *sich erübrigen, ausfallen, weil die Voraussetzungen für den betreffenden Fall nicht gelten:* dieser Punkt des Antrags entfällt. 4. (geh.) *aus der Hand fallen:* die Tasse war ihr entfallen.

entfalten, entfaltete, hat entfaltet: 1. ⟨tr./rfl.⟩ *auseinanderfalten:* die Pflanze entfaltet ihre Blätter; die Blüten haben sich entfaltet. 2. ⟨tr./rfl.⟩ *[voll] entwickeln; zeigen:* sein Können e.; sich beruflich nicht voll e. können; seine Begabung soll sich frei e. 3. ⟨tr.⟩ *(mit etwas) beginnen:* eine fieberhafte Tätigkeit e. **Entfaltung,** die; -.

entfärben, entfärbte, hat entfärbt: 1. ⟨tr.⟩ *(einer Sache) durch Anwendung chemischer Verfahren die Farbe entziehen:* sie ließ das grüne Kleid e. 2. ⟨rfl.⟩ (geh.) *seine Farbe verlieren:* im Herbst entfärben sich die Blätter.

entfernen, entfernte, hat entfernt /vgl. entfernt/: 1. ⟨tr.⟩: *fortschaffen; beseitigen:* ein Schild e.; Flecke e.; jmdn. aus seinem Amt e. 2. ⟨rfl.⟩ *weggehen, einen Ort verlassen:* er hat sich heimlich entfernt.; bildl.: er hat sich von der Wahrheit entfernt *(ist nicht bei der Wahrheit geblieben).*

entfernt ⟨Adj.⟩: 1. *weit fort von jmdm./etwas; abgelegen:* bis in die entferntesten Teile des Landes; der Ort liegt weit e. von der nächsten Stadt. 2. a) *weitläufig:* entfernte Verwandte; sie ist e. mit mir verwandt. b) *gering, schwach, undeutlich:* eine entfernte Ähnlichkeit haben; ich kann mich ganz e. daran erinnern.

Entfernung, die; -, -en: 1. *kürzester Abstand zwischen zwei Punkten:* die E. beträgt 100 Meter. 2. *das Entfernen, Beseitigen:* die E. der Trümmer; die E. aus dem Amt.

entfesseln, entfesselte, hat entfesselt ⟨tr.⟩: (geh.) *zu einem heftigen Ausbruch kommen lassen:* einen Aufruhr e.; entfesselte Naturgewalten.

entfetten, entfettete, hat entfettet ⟨tr.⟩: *von Fett befreien:* die Milch e.

Entfettungskur, die; -, -en: *Kur, bei der durch verminderte Aufnahme von Nahrung das Gewicht des Körpers herabgesetzt wird:* bei der E. nahm sie 10 Pfund ab.

entfliegen, entflog, ist entflogen ⟨itr.⟩: *fliegend entweichen:* das Bauer stand offen, und der Vogel war entflogen.

entfliehen, entfloh, ist entflohen ⟨itr.⟩: *die Flucht ergreifen, sich fliehend entfernen:* der Häftling war aus dem Gefängnis entflohen; bildl. (geh.): schnell entflieht *(vergeht)* die Zeit.

entfremden, entfremdete, hat entfremdet ⟨tr.⟩: *bewirken, daß ein enger Kontakt, eine enge Beziehung verloren geht; fremd machen:* durch den Umgang mit dieser Dame wurde er seiner Familie völlig entfremdet; etwas seinem [ursprünglichen, eigentlichen] Zweck e. *(etwas entgegen dem ursprünglichen Zweck verwenden).* **Entfremdung,** die; -.

entführen, entführte, hat entführt ⟨tr.⟩: *(jmdn.) gewaltsam fortschaffen:* ein Kind e.

Entführer, der; -s, -: *jmd., der eine Person entführt:* es gelang der Polizei, die E. bald zu verhaften.

Entführung, die; -, -en: *gewaltsames Wegschaffen, Wegführen (von Personen):* die E. der beiden Kinder des Präsidenten.

entgegen: I. ⟨Präp. mit Dativ⟩ *im Widerspruch, Gegensatz zu etwas:* e. seinem Versprechen schrieb er nicht gleich nach seiner Ankunft. II. ⟨Adverb⟩ *[in Richtung] auf jmdn./etwas hin/zu:* dem Feind e.; ⟨auch zusammengesetzt mit Verben⟩ entgegenlaufen, entgegengehen.

entgegenbringen, brachte entgegen, hat entgegengebracht ⟨tr.; in Verbindung mit bestimmten Substantiven⟩: jmdm. Vertrauen e. *(vertrauen);* einer Sache Interesse e. *(sich für etwas interessieren).*

entgegeneilen, eilte entgegen, ist entgegengeeilt ⟨itr.⟩: *sich (jmdm.) eilend aus der entgegengesetzten Richtung nähern:* die Kinder sind dem Vater entgegengeeilt.

entgegenfahren, fährt entgegen, fuhr entgegen, ist entgegenfahren ⟨itr.⟩: *sich (jmdm.) fahrend aus der entgegengesetzten Richtung nähern; (mit einem Fahrzeug) entgegenkommen:* ich fahre dir ein Stück mit dem Fahrrad entgegen.

entgegengehen, ging entgegen, ist entgegengegangen ⟨itr.⟩: *sich (jmdm.) gehend aus der entgegengesetzten Richtung nähern:* sie ging ihm bis zum Bahnhof entgegen; bildl.: schweren Zeiten e.

entgegengesetzt ⟨Adj.⟩: a) *sich an einem Ort befindend, der in völlig anderer Richtung liegt:* der Bahnhof liegt am entgegengesetzten Ende der Stadt. b) *umgekehrt:* sie liefen in entgegengesetzter Richtung. c) *gegenteilig, völlig verschieden:* bei der Diskussion wurden ganz entgegengesetzte Standpunkte vertreten.

entgegenhalten, hält entgegen, hielt entgegen, hat entgegenhalten ⟨tr.⟩: *(jmdm./einer Sache gegenüber) einwenden:* er hielt ihm, der Anschuldigung entgegen, daß er betrunken gewesen sei.

entgegenkommen, kam entgegen, ist entgegengekommen ⟨itr.⟩: 1. *auf jmdn. zukommen:* sie kam mir auf der Treppe entgegen; ⟨häufig im 1. Partizip⟩: das entgegenkommende Auto blendete ihn. 2. *Zugeständnisse machen, (auf jmds. Wünsche) eingehen:* wir wollen Ihnen e., indem wir Ihnen die Hälfte des Betrages zurückzahlen; ⟨häufig im 1. Partizip⟩ der Chef war sehr entgegenkommend und ließ mich am Geburtstag früher nach Hause gehen.

Entgegenkommen, das; -s: *sich in einer Handlung, einem Verhalten ausdrückende Freundlichkeit.*

entgegenlaufen, läuft entgegen, lief entgegen, ist entgegenlaufen ⟨itr.⟩: *sich (jmdm.) im Lauf aus der entgegengesetzten Richtung nähern:* der Junge lief der Mutter entgegen und umarmte sie.

entgegennehmen, nimmt entgegen, nahm entgegen, hat entgegengenommen ⟨tr.⟩: *(etwas, was von jmdm. gebracht wird) annehmen:* ein Geschenk, ein Paket e.; Glückwünsche, eine Bestellung e.

entgegensehen, sieht entgegen, sah entgegen, hat entgegengesehen ⟨itr.⟩: *(etwas) erwarten, mit dem Eintreffen (von etwas) rechnen:* er sah der Gefahr gelassen entgegen.

entgegensetzen, setzte entgegen, hat entgegengesetzt ⟨tr.⟩ /vgl. entgegengesetzt/: *in Widerstreit (zu etwas anderem) treten lassen:* der körperlichen Überlegenheit des Gegners hatte er nur seinen Mut entgegenzusetzen.

entgegenstehen, stand entgegen, hat entgegengestanden ⟨tr.⟩: *ein Widerspruch (zu etwas), ein Hindernis (für etwas) sein:* einer Beförderung steht seine mangelhafte Ausbildung entgegen.

entgegenstellen, stellte entgegen, hat entgegengestellt: **1.** ⟨tr.⟩ *(als anderes, Besseres) gegenüberstellen:* ihren Argumenten stellte er seine entgegen. **2.** ⟨tr./rfl.⟩ *in den Weg stellen:* dem Feind Truppen e.; Schwierigkeiten stellten sich ihm entgegen.

entgegentreten, tritt entgegen, trat entgegen, ist entgegengetreten ⟨itr.⟩: *energische Maßnahmen (gegen etwas) ergreifen; (etwas) bekämpfen:* Vorurteilen e.; man suchte noch nach einem wirksamen Mittel, um der Krankheit entgegenzutreten.

entgegenwirken, wirkte entgegen, hat entgegengewirkt ⟨itr.⟩ (geh.): *(gegen jmdn./etwas arbeiten:* er wirkte den Bestrebungen des Direktors entgegen.

entgegnen, entgegnete, hat entgegnet ⟨itr.⟩: *antworten, erwidern:* jmdm. etwas auf eine Frage e.; er entgegnete, daß er darauf nicht geachtet habe.

Entgegnung, die; -, -en: *Antwort, Erwiderung.*

entgehen, entging, ist entgangen ⟨itr.⟩: **a)** *sich einer drohenden Gefahr o. ä. entziehen:* dem Tod knapp e. **b)** ⟨in der Fügung⟩ sich (Dativ) etwas e. lassen *(die Gelegenheit, etwas Wichtiges, Interessantes wahrzunehmen) ungenützt vorübergehen lassen:* diesen Vorteil wollte er sich nicht e. lassen. **c)** *nicht bemerken:* das ist mir ganz entgangen.

entgeistert ⟨Adj.⟩: *sprachlos und sichtbar verstört durch etwas, was völlig unerwartet kommt:* entgeisterte Blicke; er starrte mich e. an.

Entgelt, das; -[e]s: *für eine Arbeit oder aufgewandte Mühe gezahlte Entschädigung:* er mußte gegen ein geringes E., ohne E. arbeiten.

entgelten, entgilt, entgalt, hat entgolten ⟨tr.⟩ (geh.): *(für etwas) eine Vergütung, Entschädigung leisten:* man hat mir meine Anstrengungen reichlich entgolten. *** jmdn. etwas entgelten lassen** *(jmdn. für etwas büßen lassen).*

entgleisen, entgleiste, ist entgleist ⟨itr.⟩: **1.** *aus dem Gleis springen:* der Zug ist entgleist. **2.** *sich taktlos, unanständig benehmen:* wenn er betrunken ist, entgleist er leicht. **Entgleisung,** die; -, -en.

entgleiten, entglitt ist entglitten (geh.) ⟨itr.⟩: *aus der Hand gleiten:* das Messer entglitt ihm, seiner Hand; bildl.: das Kind war ihrer Führung entglitten *(hatte sich ihrem Einfluß entzogen).*

enthaaren, enthaarte, hat enthaart ⟨tr.⟩: *Haare (von der Haut) entfernen:* vor der Operation wurde die Haut sorgfältig enthaart.

enthalten, enthält, enthielt, hat enthalten: **1.** ⟨tr.⟩ *zum Inhalt haben:* die Flasche enthält Alkohol; das Buch enthält alle wichtigen Vorschriften. *** in etwas enthalten sein:** *(in etwas vorhanden sein):* im Obst sind wertvolle Vitamine e. **2.** ⟨rfl.⟩ (geh.) *darauf verzichten, sich in einer bestimmten Form zu äußern:* ich enthalte mich eines Urteils; ich konnte mich nicht e., laut zu lachen. *** sich der Stimme e.** *(bei einer Wahl keine Stimme abgeben).*

enthaltsam ⟨Adj.⟩: *auf Genüsse weitgehend verzichtend; abstinent:* durch seine enthaltsame Lebensweise erreichte er ein hohes Alter. **Enthaltsamkeit,** die; -.

Enthaltung, die; -, -en: *[freiwilliger] Verzicht auf die Abgabe seiner Stimme bei einer Abstimmung:* bei der Abstimmung gab es viele Enthaltungen.

enthaupten, enthauptete, hat enthauptet ⟨tr.⟩ (geh.): *(jmdm.) den Kopf vom Rumpf trennen, abschlagen:* der Verbrecher wurde mit einem Beil enthauptet. **Enthauptung,** die; -, -en.

entheben, enthob, hat enthoben ⟨tr.; mit Gen.⟩: *(jmdm. sein Amt, seinen Posten o. ä.) nehmen, (von seinem Amt, Posten o. ä.) entbinden:* er ist sämtlicher Ämter enthoben worden.

enthemmen, enthemmte, hat enthemmt ⟨tr.⟩: *(jmdm.) alle Hemmungen und somit die Kontrolle über ihn selbst nehmen:* der Alkohol hat ihn völlig enthemmt. **Enthemmung,** die; -.

enthüllen, enthüllte, hat enthüllt ⟨tr.⟩: **1.** *durch Entfernen einer Hülle der Öffentlichkeit übergeben:* ein Denkmal e. **2.** (geh.) *etwas vor jmdm. nicht länger geheimhalten, sondern es ihm [im Vertrauen] mitteilen;* jmdm. ein Geheimnis, einen Plan e. **Enthüllung,** die; -, -en.

Enthusiasmus, der; -: *überschwengliche [schwärmerische] Begeisterung:* der E. des Publikums kannte keine Grenzen; mit jugendlichem E. traten sie für die neue Idee ein.

Enthusiast, der; -en, -en: *jmd., der von etwas leidenschaftlich begeistert ist.*

enthusiastisch ⟨Adj.⟩: *überschwenglich begeistert:* enthusiastischer Beifall; e. setzte er sich für den Bau einer Schule ein.

entjungfern, entjungferte, hat entjungfert ⟨tr.⟩ (veraltend): *mit einem Mädchen, das noch keinen Geschlechtsverkehr hatte, diesen zum ersten Mal vollziehen.*

entkernen, entkernte, hat entkernt ⟨tr.⟩: *den Kern (aus*

Früchten) entfernen: Kirschen, Pflaumen e.

entkleiden, entkleidete, hat entkleidet: **1.** (geh.) ⟨tr./rfl.⟩ *die Kleider ausziehen:* einen Kranken, ein Kind, sich e. **2.** (geh.) ⟨tr.; mit Gen.⟩ *jmdm./einer Sache etwas nehmen:* jmdn. seiner Macht, seines Amtes e.; das Gebäude wurde seines Schmuckes entkleidet.

entkommen, entkam, ist entkommen ⟨itr.⟩: *sich glücklich (einer Gefahr o. ä.) entziehen; fliehen können:* seinen Verfolgern e.; über die Grenze e.; er ist aus dem Gefängnis entkommen.

entkorken, entkorkte, hat entkorkt ⟨tr.⟩: *den Korken (aus einer Flasche) ziehen:* er hat mehrere Flaschen entkorkt.

entkräften, entkräftete, hat entkräftet ⟨tr.⟩: **1.** *von Kräften kommen lassen, seiner Kräfte berauben:* die Überanstrengung hat ihn völlig entkräftet. **2.** *widerlegen:* Beweise, einen Verdacht e.

entladen, entlädt, entlud, hat entladen: **1.** ⟨tr.⟩ *leeren, eine Ladung (von etwas) herunternehmen:* einen Wagen e. **2.** ⟨rfl.⟩: *losbrechen, heftig zum Ausbruch kommen:* ein Unwetter entlud sich; sein Zorn entlud sich auf uns.

entlang ⟨Präp.⟩: *an der Seite, am Rand (von etwas Langgestrecktem) hin:* ⟨bei Nachstellung mit Akk., selten Dativ⟩ die Straße, den Wald e.; ⟨bei Voranstellung mit Dativ, selten Gen.⟩ e. dem Fluß; ⟨Adverb⟩ am Ufer e.

entlarven, entlarvte, hat entlarvt ⟨tr./rfl.⟩: *den wahren Charakter einer Person, Sache, jmds. verborgene [üble] Absichten aufdecken:* jmds. Pläne e.; jmdn. als Betrüger e.; damit hat er sich selbst entlarvt.

entlassen, entläßt, entließ, hat entlassen ⟨tr.⟩: **1.** *(jmdm.) erlauben, etwas zu verlassen:* einen Gefangenen, die Schüler aus der Schule e. **2.** *nicht weiter beschäftigen, jmdm. kündigen:* einen Angestellten fristlos e.; jmdn. aus seinem Amt e. *(entfernen).* **Entlassung,** die; -, -en.

entlasten, entlastete, hat entlastet ⟨tr.⟩: **1. a)** *jmdm. etwas von seiner Arbeit abnehmen:* den Chef, einen Kollegen [bei der Arbeit] e. **b)** *die Beanspruchung von etwas mindern, verringern:* den Verkehr e.; das Herz e. **c)** *von seelischer Belastung frei machen, indem man sich einem anderen anvertraut:* sein Gewissen e. **2.** *durch seine Aussage teilweise von einer Schuld freisprechen:* einen Angeklagten e. **Entlastung,** die; -.

entlaufen, entläuft, entlief, ist entlaufen ⟨itr.⟩: *davonlaufen, fortlaufen:* der Hund war entlaufen.

entledigen, sich; entledigte sich, hat sich entledigt ⟨mit Gen.⟩ (geh.): *sich befreien (von etwas):* sich seiner Feinde, seiner Sorgen e.; sich eines Mantels e. *(seinen Mantel ausziehen);* sich eines Auftrags e. *(einen Auftrag ausführen).*

entleeren, entleerte, hat entleert ⟨tr.⟩: **1.** *leer machen:* einen Behälter e.; den Darm e. **2.** *seines eigentlichen Inhalts berauben; hohl werden lassen:* allzu häufige Verwendung hat dieses Wort mit der Zeit entleert. **Entleerung,** die; -, -en.

entlegen ⟨Adj.; nicht adverbial⟩: *von allem Verkehr weit entfernt:* eine entlegene Gegend.

entlehnen, entlehnte, hat entlehnt ⟨tr.⟩: *(aus einem sprachlichen, geistigen, fachlichen o. ä. Bereich in den anderen) übernehmen:* das Wort „Keller" ist aus dem Lateinischen entlehnt.

Entlehnung, die; -, -en: **1.** *das Entlehnen:* das Problem der E. deutscher Wörter aus anderen Sprachen. **2.** *das Entlehnte:* selten sind Entlehnungen aus dem Russischen.

entleihen, entlieh, hat entliehen ⟨tr.⟩: *(von einem andern) für sich leihen:* ich habe mir ein Buch von ihm entliehen.

entloben, sich; entlobte sich, hat sich entlobt: *die Verlobung lösen, rückgängig machen:* als ich von ihrer Untreue erfuhr, habe ich mich sofort entlobt. **Entlobung,** die; -, -en.

entlocken, entlockte, hat entlockt ⟨tr.⟩: *(jmdn.) durch Geschick dazu bringen, daß er etwas mitteilt oder sich in einer gewünschten Weise äußert:* jmdm. ein Geständnis e.; er entlockte ihm einen Blick des Einverständnisses.

entlohnen, entlohnte, hat entlohnt ⟨tr.⟩: *(jmdm.) den Lohn zahlen:* die Arbeiter wurden jede Woche entlohnt.

entmachten, entmachtete, hat entmachtet ⟨tr.⟩: *(jmdm.) seinen Einfluß nehmen; seiner Macht berauben:* die Regierung, einen Konzern e.

entmilitarisieren, entmilitarisierte, hat entmilitarisiert ⟨tr.⟩: *(ein Gebiet) von militärischen Einrichtungen befreien:* nach dem Krieg wurde das Land entmilitarisiert; ⟨auch im 2. Partizip⟩ eine entmilitarisierte Zone. **Entmilitarisierung,** die; -.

entmündigen, entmündigte, hat entmündigt ⟨tr.⟩: *(jmdm.) das Recht, die Gewalt entziehen, bestimmte juristische Handlungen auszuführen:* man hat den kranken Greis entmündigt. **Entmündigung,** die; -.

entmutigen, entmutigte, hat entmutigt ⟨tr.⟩: *(jmdm.) den Mut, das Selbstvertrauen nehmen:* der Mißerfolg hat ihn entmutigt; er ließ sich durch nichts e.

Entnahme, die; -: *das Entnehmen:* die E. von Wasser aus dem Fluß ist verboten.

entnehmen, entnimmt, entnahm, hat entnommen ⟨tr.⟩: **1.** *(aus einem Behälter o. ä., aus einer Menge gleichartiger Dinge einen Teil) herausnehmen:* der Kasse Geld e.; das Zitat einem Buch e. **2.** *(aus etwas) erkennen:* wie ich [aus] Ihrem Schreiben entnehme, wollen Sie Ihr Geschäft aufgeben.

entnerven, entnervte, hat entnervt ⟨tr.⟩: *nervlich erschöpfen; der Kraft, der Nerven berauben:* der lange Krieg hatte die Soldaten entnervt.

entpuppen, sich; entpuppte sich, hat sich entpuppt (ugs.): *sich überraschend (als etwas) erweisen:* er entpuppte sich als große musikalische Begabung; die Sache hat sich als Schwindel entpuppt.

enträtseln, enträtselte, hat enträtselt ⟨tr.⟩: *(etwas Rätselhaftes) verstehen, durchschauen:* dem Forscher war es gelungen, die unbekannte Schrift zu e.

entreißen, entriß, hat entrissen ⟨tr.⟩: *gewaltsam mit einer heftigen Bewegung wegnehmen:* er entriß ihr die Tasche; bildl.: der Tod hat ihm seine Kinder entrissen; etwas der Vergessenheit e. *(wieder ins Bewußtsein bringen)*; jmdn. seinen Träumen e. *(in die Wirklichkeit zurückführen)*.

entrichten, entrichtete, hat entrichtet ⟨tr.⟩: *(eine festgelegte Summe) [be]zahlen:* Steuern, eine Gebühr e.

entringen, entrang, hat entrungen: **1.** ⟨tr.⟩ *ringend ab-, wegnehmen:* nach kurzem Kampf entrang er dem Einbrecher das Messer; bildl.: sie hat ihm das Geheimnis endlich entrungen *(ihn nach längerem Bemühen veranlaßt, es ihr mitzuteilen)*. **2.** ⟨rfl.⟩ *sich ringend (aus etwas) befreien:* ich entrang mich seinen Armen; bildl.: ein Seufzer entringt sich ihm.

entrinnen, entrann, ist entronnen ⟨itr.⟩ (geh.): *entkommen, entfliehen:* er ist der Gefahr entronnen.

entrollen, entrollte, hat entrollt ⟨tr./rfl.⟩: *(etwas Zusammengerolltes) ausbreiten, entfalten, öffnen:* eine Fahne e.; bildl.: eine andere Welt entrollte sich vor seinen Augen.

entrosten, entrostete, hat entrostet ⟨tr.⟩: *von Rost befreien:* ein eisernes Gitter e.

entrücken, entrückte, hat entrückt ⟨tr.⟩ (geh.): *(in einen Zustand) versetzen (in dem man sich nicht mehr an dem Ort wähnt, an dem man sich befindet):* die Betrachtung des Gemäldes hat mich in eine andere Welt entrückt; ⟨häufig im 2. Part.⟩ in entrücktem Zustand; im Rausch waren wir der Wirklichkeit entrückt. **Entrückung,** die; -.

entrümpeln, entrümpelte, hat entrümpelt ⟨tr.⟩: *von Gerümpel befreien:* den Speicher, Keller e.

entrüsten, entrüstete, hat entrüstet: **a)** ⟨rfl.⟩ *seiner Empörung über etwas Ausdruck geben:* er hat sich über diese Zustände entrüstet. **b)** ⟨tr.⟩ *zornig machen:* deine Beschuldigung entrüstete sie sehr; ich war entrüstet über diese Ungerechtigkeit. **Entrüstung,** die; -.

entsaften, entsaftete, hat entsaftet ⟨tr.⟩: *(aus Früchten) Saft gewinnen:* Äpfel e.

entsagen, entsagte, hat entsagt ⟨itr.⟩ (geh.): *in einem schmerzlichen, aber freiwilligen Verzicht (etwas) aufgeben, was einem besonders lieb ist und worauf man eigentlich ein gewisses Recht hat:* der Herrschaft, den Freuden des Lebens, einer Gewohnheit e.; er hatte in seinem Leben e. gelernt. **Entsagung,** die; -, -en.

entschädigen, entschädigte, hat entschädigt ⟨tr.⟩: *(jmdm. für einen Schaden [für den man selbst verantwortlich ist]) einen angemessenen Ausgleich zukommen lassen, einen Ersatz geben:* jmdn. für einen Verlust e.

Entschädigung, die; -, -en: *angemessener Ausgleich, Ersatz für einen erlittenen Schaden:* eine E. erhalten.

entschärfen, entschärfte, hat entschärft ⟨tr.⟩: *die Vorrichtung zum Zünden (von Sprengkörpern) entfernen:* die Bombe wurde von einem Spezialisten entschärft; bildl.: die brisante politische Lage wurde durch eine Aussprache entschärft *(entspannte sich durch eine Aussprache)*. **Entschärfung,** die; -.

entscheiden, entschied, hat entschieden /vgl. entschieden/: **1. a)** ⟨tr.⟩ *(in einer Sache) ein Urteil fällen; zu einem abschließenden Urteil kommen:* das Gericht wird den Streit, den Fall e.; etwas von Fall zu Fall e. **b)** ⟨itr./tr.⟩ *bestimmen:* der Arzt entscheidet über die Anwendung dieses Medikaments; er soll e., was zu tun ist. **c)** ⟨tr./itr.⟩ *in einer bestimmten Richtung festlegen, den Ausschlag (für etwas) geben:* der erneute Angriff hat die Schlacht entschieden; das Los entscheidet; ⟨oft im 1. Partizip⟩ ein entscheidendes Ereignis. **2.** ⟨rfl.⟩ *nach [längerem] Prüfen oder kurzem Besinnen den Entschluß fassen, jmdn. oder etwas für seine Zwecke auszuersehen:* ich habe mich für ihn, für dieses Angebot entschieden; du mußt dich so oder so e. **3.** ⟨rfl.⟩ *sich herausstellen, zeigen:* morgen wird es sich e., wer recht behält.

Entscheidung, die; -, -en: **a)** *Lösung eines Problems durch eine hierfür zuständige Person oder Instanz:* eine klare gerichtliche E. **b)** *das Sichentscheiden für eine von mehreren Möglichkeiten:* einer E. ausweichen; die E. ist ihm schwergefallen.

entschieden ⟨Adj.⟩: **1.** *eine eindeutige Meinung vertretend, fest entschlossen [seine Ansicht vertretend]:* er war ein entschiedener Gegner dieser Richtung; etwas e. ablehnen. **2.** ⟨nicht prädikativ⟩ *eindeutig, klar ersichtlich:* das bedeutet einen entschiedenen Gewinn für die Sache; das geht e. zu weit. **Entschiedenheit,** die; -.

entschlafen, entschläft, entschlief, ist entschlafen ⟨itr.⟩ (geh.): *sanft sterben:* nach kurzem, schwerem Leiden ist er gestern sanft [im Herrn] e.

entschleiern, entschleierte, hat entschleiert ⟨tr./rfl.⟩ (geh.): *den Schleier entfernen und dadurch den Blick (auf etwas) freigeben:* die Frauen haben ihr Gesicht, sich entschleiert; bildl.: wir haben sein Geheimnis entschleiert.

entschließen, sich; entschloß sich, hat sich entschlossen /vgl. entschlossen/: *sich etwas überlegen und beschließen, etwas Bestimmtes zu tun:* sich rasch e.; ich habe mich entschlossen *(bin bereit)*, mit dir zu kommen; ⟨häufig im 2. Partizip⟩ er ist entschlossen, nicht nachzugeben *(er will unter keinen Umständen nachgeben)*. **Entschließung,** die; -, -en.

entschlossen ⟨Adj.⟩: *schnell zu einer Absicht gelangend und an ihr festhaltend; energisch:* ein entschlossener Mensch, Charakter; e. für etwas kämpfen; e. handeln. **Entschlossenheit,** die; -.

entschlüpfen, entschlüpfte, ist entschlüpft ⟨itr.⟩: *heimlich entkommen, entfliehen:* der Dieb konnte e.; bildl.: in dem hitzigen Gespräch ist ihm ein unanständiges Wort entschlüpft *(er hat es aus Versehen ausgesprochen)*.

Entschluß, der; Entschlusses, Entschlüsse: *durch Überlegung gewonnene Absicht, etwas Bestimmtes zu tun:* ein weiser, rascher E.; einen E. bereuen.

entschlüsseln, entschlüsselte, hat entschlüsselt ⟨tr.⟩: *in einen verständlichen Text umwandeln:* die von dem Satelliten übermittelten Daten wurden von einem Computer entschlüsselt; bildl.: ein Geheimnis e. *(aufdecken)*.

entschuldbar ⟨Adj.; nicht adverbial⟩: *von solcher Art, daß man es entschuldigen, verzeihen kann:* ein entschuldbarer Fehler.

entschuldigen, entschuldigte, hat entschuldigt: **1. a)** ⟨rfl.⟩ *(für etwas) um Nachsicht, Verständnis, Verzeihung bitten:* sich für eine Bemerkung, seine Vergeßlichkeit e. **b)** ⟨tr.⟩ *jmds. Fehlen mitteilen und begründen:* sie hat ihr Kind beim Lehrer entschuldigt. **2.** ⟨tr.⟩ *Nachsicht zeigen (für etwas):* ich kann dieses Verhalten nicht e.; entschuldigen Sie bitte die Störung; ⟨auch itr.⟩ /Höflichkeitsformel/ entschuldigen Sie bitte. **3.** ⟨tr.⟩ **a)** *verständlich, entschuldbar erscheinen lassen:* seine Krankheit entschuldigt seinen Mißmut. **b)** *begründen und rechtfertigen:* er entschuldigte sein Verhalten mit Nervosität.

Entschuldigung, die; -, -en: **1.** *Begründung und Rechtfertigung:* keine E. gelten lassen. **2.** *Mitteilung über das Fehlen in der Schule:* er gab bei dem Lehrer die E. ab. **3.** ⟨in der Wendung⟩ [ich bitte um] E.: *entschuldigen Sie bitte.*

entschwinden, entschwand, ist entschwunden ⟨itr.⟩: **1. a)** *sich (jmds. Blicken) entziehen:* lautlos war der Bettler [unseren Blicken] entschwunden. **b)** *sich jmds. Gedächtnis entziehen:* sein Name und seine Anschrift sind mir ganz entschwunden **2.** (geh.) *vergehen:* die Stunden mit dem Freund sind wie im Fluge entschwunden.

entsenden, entsandte /entsendete, hat entsandt/ entsendet ⟨tr.⟩ (geh.): *mit einem bestimmten Auftrag o. ä. an einen Ort senden:* der Staat entsandte eine Delegation zu dem Kongreß. **Entsendung,** die; -.

entsetzen, entsetzte, hat entsetzt: **a)** ⟨rfl.⟩ *in Schrecken, außer Fassung geraten:* alle entsetzten sich bei diesem Anblick. **b)** ⟨tr.⟩ *in Schrecken versetzen, aus der Fassung bringen:* dieser Anblick hat mich entsetzt; ich war darüber entsetzt.

Entsetzen, das; -s: *mit Grauen, Angst verbundener heftiger Schrecken:* ein lähmendes, furchtbares E.; bleich vor E. sein.

entsetzlich ⟨Adj.⟩: **1.** *Schrekken und Entsetzen erregend:* ein entsetzliches Unglück. **2.** (ugs.) *sehr [groß], stark;* /dient im allgemeinen der negativen Steigerung/: entsetzliche Schmerzen haben; er war e. müde; er sieht ihm e. ähnlich.

entseuchen, entseuchte, hat entseucht ⟨tr.⟩: *von Keimen, die eine Seuche verursachen, befreien:* bei einer Katastrophe ein Gebiet e. **Entseuchung,** die; -, -en.

entsichern, entsicherte, hat entsichert ⟨tr.⟩: *die Sicherung (einer Waffe) lösen und sie dadurch zum Schießen bereit machen:* eine Pistole, ein Gewehr e.

entsinnen, sich; entsann sich, hat sich entsonnen ⟨mit Gen.⟩: *sich (einer Person, einer Sache) erinnern:* ich kann mich dieser Sache nicht mehr e.; ich entsinne mich gern an diesen Tag.

entspannen, entspannte, hat entspannt: **a)** ⟨tr.⟩ *lockern, von einer Anspannung befreien:* den Körper, die Muskeln e. **b)** ⟨rfl.⟩ *sich körperlich und seelisch für kurze Zeit von seiner anstrengenden Tätigkeit ganz frei machen und auf diese Weise neue Kraft schöpfen:* sich im Urlaub, auf einem Spaziergang e. **c)** ⟨rfl.⟩ *sich beruhigen, friedlicher werden:* die Lage, die Stimmung hat sich entspannt. **Entspannung,** die; -.

entspinnen, sich; entspann sich, hat sich entsponnen: *sich entwickeln, allmählich entstehen:* nach dem Essen entspann sich ein lebhaftes Gespräch.

entsprechen, entspricht, entsprach, hat entsprochen /vgl. entsprechend/ ⟨itr.⟩: **a)** *angemessen sein; gleichkommen; übereinstimmen (mit etwas):* das entspricht [nicht] der Wahrheit, seinen Fähigkeiten, meinen Erwartungen; dieser Kunststoff entspricht in seinen Eigenschaften dem Holz. **b)** *(etwas) durch sein Handeln erfüllen:* den Wünschen, Anforderungen e.

entsprechend: I. ⟨Adj.⟩ **a)** *angemessen; [zu etwas] passend:* eine [dem Unfall] entsprechende Entschädigung erhalten. **b)** ⟨nur attributiv⟩ *zuständig, kompetent:* bei der entsprechenden Behörde anfragen. **II.** ⟨Präp. mit Dativ⟩ *gemäß, zufolge, nach:* e. seinem Vorschlag; seinem Vorschlag e.

entsprießen, entsproß, ist entsprossen ⟨itr.⟩ (geh.): *(aus etwas) hervorgehen, entstammen:* der ersten Ehe waren zwei Söhne entsprossen.

entspringen, entsprang, ist entsprungen ⟨itr.⟩: **1.** *als Quelle aus dem Boden kommen:* der Rhein entspringt in den Alpen. **2.** *stammen, sich erklären lassen:* aus dieser Haltung entspringt seine Fürsorge für andere.

entstammen, entstammte, ist entstammt ⟨itr.⟩: *stammen von jmdm. oder etwas:* einer vornehmen Familie e.; dieser Gedanke entstammt der Antike.

entstehen, entstand, ist entstanden ⟨itr.⟩: *ins Dasein treten, seinen Anfang nehmen; sich bilden, entwickeln:* aus Vorurteilen können Kriege e.; immer größere Pausen entstanden. **Entstehung,** die; -.

entstellen, entstellte, hat entstellt ⟨tr.⟩: **1.** *fast bis zur Unkenntlichkeit verunstalten, häßlich machen:* diese Verletzung entstellte ihn, sein Gesicht. **2.** *verändern, so daß etwas einen falschen Sinn erhält:* einen Text e.; einen Vorfall entstellt wiedergeben. **Entstellung,** die; -, -en.

entströmen, entströmte, ist entströmt ⟨itr.⟩: *strömend (aus etwas) austreten* /von Gasen, Flüssigkeiten/: eine große Menge Gas ist dem Behälter entströmt; bildl.: Klagen entströmten seinem Munde.

enttäuschen, enttäuschte, hat enttäuscht ⟨tr.⟩: *jmds. Hoffnungen oder Erwartungen nicht erfüllen und ihn dadurch betrüben:* er hat mich sehr enttäuscht; ihr Verhalten enttäuschte uns; ich will sein Vertrauen nicht e.; ⟨auch im 2. Partizip⟩ ich bin enttäuscht.

Enttäuschung, die; -, -en: *Nichterfüllung einer Hoffnung oder Erwartung:* eine bittere, schmerzliche E.; das war für ihn eine große E.

entthronen, entthronte, hat entthront ⟨tr.⟩: *vom Thron stoßen, absetzen:* einen König, Herrscher e.; bildl.: der Weltmeister wurde von seinem Rivalen entthront *(besiegt, geschlagen; verlor seinen Titel).*

entvölkern, entvölkerte, hat entvölkert ⟨tr.⟩: *[zum größten Teil] menschenleer machen:* der Krieg hatte das Land entvölkert; ⟨häufig im 2. Partizip⟩ eine entvölkerte Insel. **Entvölkerung,** die; -.

entwachsen, entwächst, entwuchs, ist entwachsen ⟨itr.⟩: *durch seine Entwicklung über ein bestimmtes Stadium hinaus sein, bestimmten Einflüssen nicht mehr unterliegen:* sie ist dem Elternhaus entwachsen.

entwaffnen, entwaffnete, hat entwaffnet ⟨tr.⟩: **1.** *(jmdm.) die Waffe[n] abnehmen:* die gefangenen Soldaten e. **2.** *durch sein entgegenkommendes Wesen in Erstaunen setzen und etwa bestehende Antipathien besiegen:* jmdn. durch seine Liebenswürdigkeit e.; seine Unbekümmertheit ist entwaffnend *(ist so, daß man eigentlich nichts gegen sie einwenden kann).* **Entwaffnung,** die; -.

entwarnen, entwarnte, hat entwarnt ⟨itr.⟩: *die Warnung der Bevölkerung vor Angriffen feindlicher Flugzeuge aufheben:* nach zwei Stunden der Angst wurde endlich entwarnt. **Entwarnung,** die; -, -en.

entwässern, entwässerte, hat entwässert ⟨tr.⟩: *(einer Sache) Wasser entziehen; trocken machen:* die Sümpfe wurden entwässert. **Entwässerung,** die; -.

entweder [auch: ęnt...] ⟨nur in Verbindung mit *oder*⟩ **entweder ... oder** ⟨Konj.⟩: /betont nachdrücklich, daß von [zwei] Möglichkeiten nur die eine oder andere besteht/: e. kommt mein Vater oder mein Bruder; e. er kommt heute, oder er kommt erst nächste Woche.

entweichen, entwich, ist entwichen ⟨itr.⟩: **a)** *strömen (aus etwas):* Dampf, Gas entweicht dem Behälter. **b)** *sich (aus etwas oder von jmdm.) entfernen, um sich in Sicherheit zu bringen oder die Freiheit zu erlangen:* aus dem Gefängnis e.

entweihen, entweihte, hat entweiht ⟨tr.⟩ (geh.): *die Weihe, Heiligkeit (von etwas) verletzen; schänden:* durch frevelhaftes Tun hat er das Heiligtum entweiht. **Entweihung,** die; -.

entwenden, entwendete, hat entwendet ⟨tr.⟩ (geh.): *wegnehmen und sich unbemerkt aneignen, stehlen:* Geld aus der Kasse, jmdm. ein Buch e.

entwerfen, entwirft, entwarf, hat entworfen ⟨tr.⟩: **a)** *in Umrissen zeichnend andeuten, skizzieren:* ein neues Modell, ein Gemälde e. **b)** *(etwas bisher nur Gedachtes) in eine schriftliche Form bringen [um es später noch einmal zu überarbeiten]:* einen Vortrag, einen Brief, eine Ansprache e. *** ein Bild von etwas e.** *(etwas eingehend und eindrucksvoll schildern):* er entwarf ein Bild von der Not der Bevölkerung.

entwerten, entwertete, hat entwertet ⟨tr.⟩: **a)** *für eine nochmalige Verwendung ungültig machen:* eine Eintrittskarte, Fahrkarte e. **b)** *den Wert (von etwas) mindern:* das Geld ist entwertet; Butter wird bei langer Lagerung in ihrem Nährwert entwertet.

entwickeln, entwickelte, hat entwickelt: **1.** ⟨rfl.⟩ *durch das Wirken bestimmter Kräfte allmählich entstehen, sich herausbilden:* aus der Raupe entwickelt sich der Schmetterling; das Werk hat sich aus bescheidenen Anfängen entwickelt. **2.** ⟨rfl.⟩ *Fortschritte machen:* sie hat sich schnell entwickelt; die Verhandlungen e. sich ausgezeichnet. **3.** ⟨rfl.⟩ *(zu etwas Neuem) werden, (in etwas anderes) übergehen:* das Dorf entwickelt sich zur Stadt; sich zu einer Persönlichkeit e. **4.** ⟨tr.⟩ *ausbilden, entstehen lassen:* das Feuer entwickelt Hitze; der Same entwickelt den Keim. **5.** ⟨tr.⟩ *(eine neue Art, einen neuen Typ) konstruieren, erfinden:* ein schnelleres Flugzeug e.; ein neues Verfahren, Heilmittel e. **6.** ⟨tr.⟩ *auseinandersetzen, darlegen:* einen Plan, einen Gedanken e. **7.** ⟨tr.⟩ *zeigen, erkennen lassen:* Geschmack, Talent, einen eigenen Stil e. **8.** ⟨tr.⟩ *durch Chemikalien (ein Bild auf einem Film) sichtbar werden lassen:* einen Film, ein Negativ e. **Entwicklung,** die -, -en.

entwinden, entwand, hat entwunden: **1.** ⟨tr.⟩ *gewaltsam aus der Hand drehen und dadurch ab-, wegnehmen:* nach heftigem Kampf konnte er dem Ganoven das Messer entwinden. **2.** ⟨rfl.⟩ *sich (aus etwas) befreien, indem man sich hin und her dreht:* ich habe mich seinem Zugriff entwunden; bildl.: er entwand *(entzog)* sich endlich ihrer dauernden Bevormundung.

entwirren, entwirrte, hat entwirrt ⟨tr.⟩: *(in Unordnung, Verwirrung Geratenes) ordnend auflösen:* nachdem die Katze mit dem Knäuel gespielt hatte, konnte ich es nicht mehr e.; bildl.: miteinander verschlungene Probleme e.

entwischen, entwischte, ist entwischt ⟨itr.⟩ (ugs.): *schnell und unauffällig weglaufen; einer Bedrohung, Ergreifung oder Bewachung (durch eine List) entkommen:* noch einmal wird er ihnen nicht e.; der Gefangene ist entwischt.

entwöhnen, entwöhnte, hat entwöhnt ⟨tr.⟩: **a)** *nicht mehr stillen:* einen Säugling e. **b)** ⟨in der Fügung⟩ einer Sache entwöhnt sein: *etwas nicht mehr gewöhnt sein:* sie sind jeder Disziplin entwöhnt.

entwürdigend ⟨Adj.⟩: *die Würde des Menschen verletzend:* in dem Lager herrschen entwürdigende Zustände.

Entwurf, der; -[e]s, Entwürfe: *etwas, was entworfen ist; Skizze, vorläufige Aufzeichnung:* der E. zu einem Drama, Gemälde; etwas im E. lesen; einen E. anfertigen, annehmen.

entwurzeln, entwurzelte, hat entwurzelt ⟨tr.⟩: *mit den Wurzeln aus der Erde reißen:* bei dem Unwetter wurden selbst kräftige Bäume entwurzelt; bildl.: durch die Vertreibung aus der Heimat ist er entwurzelt *(seiner vertrauten Umgebung entfremdet)* worden.

entzaubern, entzauberte, hat entzaubert ⟨tr.⟩ (geh.): *(jmdm./einer Sache) den Zauber nehmen, sich aus jmds. Bann lösen:* nach diesem Vorfall war die Geliebte für ihn entzaubert.

entziehen, entzog, hat entzogen: **1.** ⟨tr.⟩ **a)** *wegziehen:* sie entzog mir ihre Hand. **b)** *nicht mehr geben oder zuteil werden lassen:* jmdm. die Unterstützung e.; jmdm. das Vertrauen e. *(kein Vertrauen mehr zu jmdm. haben)*/ in bezug auf Personen des öffentlichen Lebens/; jmdm. den Alkohol e. *(Alkoholgenuß untersagen);* jmdm. die Nahrung e. *(jmdn. hungern lassen).* **c)** *fortnehmen, nicht länger lassen:* jmdm. den Führerschein e.; jmdm. die Möglichkeit e., sich zu betätigen; jmdm. das Wort e. *(untersagen, in seiner Rede fortzufahren).* **d)** *bewahren, (vor jmdm./etwas) schützen:* jmdn. der Wut der Menge e. **2.** ⟨rfl.⟩ **a)** (geh.) *sich lösen, sich* *(aus etwas) befreien:* sie entzog sich seiner Umarmung. **b)** (geh.) *sich zurückziehen, sich (von etwas/jmdm.) fernhalten:* sie entzog sich ihrer Umwelt. **c)** *(eine Aufgabe) nicht erfüllen:* er entzog sich seinen Pflichten. **d)** (geh.) *entgehen, entkommen:* sich einer Verhaftung durch die Flucht e. ** **etwas entzieht sich jmds. Kenntnis** *(etwas ist jmdm. nicht bekannt):* das kann ich nicht sagen, das entzieht sich meiner Kenntnis; (geh.) **sich jmds. Blicken e.** *(sich vor jmdm. verbergen).* **Entziehung,** die; -.

entziffern, entzifferte, hat entziffert ⟨tr.⟩: *(etwas schwer Lesbares) lesen:* eine Handschrift, einen Brief mühsam e.

entzücken, entzückte, hat entzückt ⟨tr.⟩ /vgl. entzückend/ (geh.): *erfreuen, begeistern, (jmdm.) gefallen:* der Anblick der köstlichen Speisen entzückte ihn.

Entzücken, das; -s (geh.): *Begeisterung, Freude, freudige Zustimmung:* zum E. der Zuschauer tanzten die Künstler weiter; die Musik versetzte ihn in helles E.

entzückend ⟨Adj.⟩: *überaus reizvoll und besonderen Gefallen erregend, sehr hübsch:* ein entzückendes Kind, Kleid; e. aussehen.

entzündbar ⟨Adj.; nicht adverbial⟩: *zu entzünden, zum Brennen fähig:* leicht (schwer) entzündbare Stoffe.

entzünden, entzündete, hat entzündet **1.** ⟨tr.⟩ **a)** *zum Brennen bringen, anzünden:* ein Streichholz, eine Zigarette e.; ⟨auch rfl.⟩ das Heu hat sich entzündet. **b)** (geh.) *erregen:* ihre Schönheit entzündete seine Leidenschaft; ⟨auch rfl.⟩ seine Phantasie entzündete sich an diesem Bild *(geriet durch dieses Bild in Bewegung).* **2.** ⟨rfl.⟩ *sich auf einen schädigenden Reiz hin schmerzend röten, anschwellen:* der Hals, die Wunde hat sich entzündet; ⟨oft im 2. Partizip⟩ entzündete Augen; **Entzündung,** die; -, -en.

entzwei ⟨Adj.; nur prädikativ⟩: *in Stücke gegangen, in einzelne Teile auseinandergefallen* /Ggs. ganz/: das Glas, der Teller ist e.

entzweigehen, ging entzwei, ist entzweigegangen ⟨itr.⟩: *[in Stücke] gehen, in einzelne Teile auseinanderfallen:* das Schaufenster, meine Brille ist entzweigegangen.

entzweischlagen, schlägt entzwei, schlug entzwei, hat entzweigeschlagen ⟨tr.⟩: *durch Schlagen zerstören:* er hat das kleine Regal entzweigeschlagen.

en vogue [ã'vɔg]: *beliebt, modern, in Mode:* es ist jetzt sehr en vogue, den Urlaub am Schwarzen Meer zu verbringen.

Enzian, der; -s, -e: /eine Pflanze/ (siehe Bild).

Enzian

Enzyklopädie, die; -, -n: *umfassendes [alphabetisches] Nachschlagewerk:* diese E. umfaßt 40 Bände.

ephemer ⟨Adj.; nicht adverbial⟩ (geh.): **a)** *[nur] einen Tag dauernd, kurzlebig, vorübergehend:* diese kleinen Fliegen haben ein ephemeres Leben; sein Interesse an der Sache war nur e. **b)** *eine nur vorübergehende [geringe] Bedeutung besitzend, von nur vorübergehender [geringer] Bedeutung:* die Buchhandlungen sind voll von der Produktion ephemerer Schriftsteller.

Epidemie, die; -, -n: *das massenhafte Auftreten einer ansteckenden Krankheit in einem bestimmten Gebiet; Seuche.*

epidemisch ⟨Adj.⟩: *in Form einer Epidemie [auftretend]:* die Krankheit breitete sich e. aus.

Epigone, der; -n, -n: *jmd., der ein Vorbild ohne eigene schöpferische Kraft nachahmt.*

Epik, die; -: *erzählende Dichtkunst:* die E. des Mittelalters.

Epiker, des; -s, -er: *jmd., der epische Werke verfaßt.*

Epilepsie, die; -: *Krankheit, bei der sich der Körper in plötzlichen Anfällen verkrampft.*

Epilog, der; -[e]s, -e: *Nachwort.*

episch ⟨Adj.⟩: *erzählend:* die epische Dichtung.

Episode, die; -, -n: **1.** *flüchtiges Erlebnis, nebensächliches Ereignis:* eine kurze, traurige E.; eine E. in seinem Leben. **2.** *in die Handlung eines Romans, Dramas o. ä. eingeschobenes Geschehen:* in die Erzählung sind skurrile Episoden eingestreut.

epochal ⟨Adj.⟩: *von großer Wirkung; großes Aufsehen erregend:* ein epochales Ereignis; eine epochale Erfindung.

Epoche, die; -, -n: *durch jmdn./etwas geprägter geschichtlicher, zeitlicher Abschnitt:* der Beginn, das Ende einer E.; eine E. des Aufschwungs begann. * **E. machen** *(einen neuen Zeitabschnitt einleiten):* dieses Werk machte E.

epochemachend ⟨Adj.⟩: *eine neue Epoche begründend; weltweit wirkend:* eine epochemachende Erfindung.

Epos, das; -, Epen: *längeres erzählendes Gedicht.*

Equipe [e'kɪp], die; -, -n: Sport *Mannschaft; Team.*

er ⟨Personalpronomen⟩ /vertritt ein männliches Substantiv im Singular/: er ist krank; er (der Bleistift) ist gespitzt.

erachten, erachtete, hat erachtet ⟨tr.⟩ (geh.): *(für etwas) halten; [be]finden:* ich erachte dies für eine übertriebene Forderung; jmdn. einer Ehrung für würdig e.

Erachten: ⟨in der Fügung⟩ meines Erachtens *(meiner Meinung nach):* meines Erachtens ist dies nicht nötig.

erarbeiten, erarbeitete, hat erarbeitet ⟨tr.⟩: **1.** *durch Arbeit erwerben, schaffen:* mit viel Mühe habe ich mir ein kleines Vermögen erarbeitet. **2.** *sich durch intensives Studium geistig aneignen:* du hast dir ein umfassendes Wissen erarbeitet. **3.** *ausarbeiten, entwerfen:* ein Ausschuß soll die Richtlinien e.

erbarmen, sich; erbarmte sich, hat sich erbarmt ⟨mit Gen.⟩: *sich (jmds.) aus Mitleid annehmen:* ich erbarmte mich des verletzten Hundes.

Erbarmen, das; -s: *Mitleid mit der Absicht zu helfen:* ich hatte mit dem Unglücklichen E. * (ugs.) **zum E.** *(sehr schlecht).*

erbärmlich ⟨Adj.⟩: **1. a)** *heruntergekommen und armselig [so daß man lebhaftes Mitgefühl mit dem Betreffenden hat]:* er lebt in erbärmlichen Verhältnissen; das

Gebäude befindet sich in einem erbärmlichen Zustand. **b)** *in seiner Qualität sehr schlecht:* eine erbärmliche Leistung, Arbeit. **c)** (abwertend) *moralisch minderwertig [und unverschämt]:* ihr Freund war nur ein erbärmlicher Lump; das ist eine erbärmliche Gemeinheit. **2.** ⟨nicht prädikativ⟩ (ugs.) *sehr groß, stark; sehr:* sie hatte erbärmliche Angst; wir froren [ganz] e.

erbarmungslos ⟨Adj.⟩: *ohne Erbarmen:* diese Gefangenen wurden e. gepeinigt.

erbauen, erbaute, hat erbaut: **1.** ⟨tr.⟩ *(ein größeres, bedeutendes Gebäude) errichten [lassen]:* die Kirche wurde in fünf Jahren erbaut. **2. a)** ⟨tr.⟩ *(das Gemüt) erheben, erfreuen:* solche religiöse Literatur erbaut ihn; ⟨auch rfl.⟩ an dieser Musik kann man sich e. **b)** ⟨in der Fügung⟩ von etwas nicht erbaut sein: *von etwas nicht begeistert sein, über etwas nicht glücklich sein:* von dieser Nachricht wird er nicht erbaut sein.

Erbauer, der; -s, -: *jmd., der etwas erbaut [hat]:* der E. der Kirche; bildl.: die E. *(Gründer)* des sozialistischen Staates.

erbaulich ⟨Adj.⟩: *erhebend, von besinnlichem Einfluß auf das Gemüt:* eine erbauliche Predigt; dieses Resultat ist nicht gerade e. *(erfreulich)*.

Erbauung, die; -: *besinnlicher Einfluß auf das Gemüt:* zu seiner E. ging er in das Konzert.

Erbe: I. das; -s: *Vermögen, das jmd. nach seinem Tode hinterläßt und das einer Person zufälllt, die gesetzlich dazu berechtigt ist:* sein E. antreten; auf sein E. [nicht] verzichten. **II.** der; -n, -n: *jmd., der etwas erbt oder erben wird:* der alleinige E.; jmdn. als Erben einsetzen.

erben, erbte, hat geerbt ⟨tr.⟩: **1.** *jmds. Eigentum nach dessen Tod erhalten:* der Sohn hat Geld und Häuser geerbt. **2.** *als Veranlagung von den Vorfahren mitbekommen:* dieses Talent hat er von seinem Großvater geerbt.

erbeuten, erbeutete, hat erbeutet ⟨tr.⟩: *durch Raub, Plünderung, Einbruch in den Besitz (von etwas) gelangen und (es) mitnehmen; als Beute erwerben:* Waffen, Pelze e.

erbitten, erbat, hat erbeten ⟨tr.⟩: *bittend (für sich) zu erhalten suchen, (um etwas für sich) bitten:* er erbat die Genehmigung zum Bau einer Garage; ich habe mir eine längere Bedenkzeit erbeten.

erbittert ⟨Adj.⟩: *sehr heftig, mit äußerstem Einsatz:* es entstand ein erbitterter Kampf.

erblassen, erblaßte, ist erblaßt ⟨itr.⟩: *blaß, bleich werden:* bei diesem schrecklichen Anblick erblaßte er. * **vor Neid erblassen** *(sehr neidisch sein)*.

erbleichen, erbleichte, ist erbleicht ⟨itr.⟩ (geh.): *bleich, blaß werden:* bei diesen Vorwürfen erbleichte er und begann zu zittern.

erblich ⟨Adj.⟩: *durch Vererbung übertragbar:* diese Eigenschaften sind nicht e.; e. *(von der Vererbung her)* belastet sein.

erblicken, erblickte, hat erblickt ⟨tr.⟩ (geh.): **1.** *mit den Augen wahrnehmen:* am Horizont erblickten sie die Berge; sie erblickte sich im Spiegel. **2.** *(in jmdm./etwas) zu erkennen glauben:* hierin erblickte er den eigentlichen Fortschritt, die wichtigste Aufgabe.

erblinden, erblindete, ist erblindet ⟨itr.⟩: *blind werden:* er war nach dem Unfall auf einem Auge erblindet. **Erblindung,** die; -.

erblühen, erblühte, ist erblüht ⟨itr.⟩: *zum Blühen gelangen, aufblühen:* einige Pflanzen erblühen nur nachts; bildl. (geh.): er war zu einem schönen Jüngling erblüht *(hatte sich zu ihm entwickelt)*.

erbosen, erboste, hat erbost **1.** ⟨itr.⟩ *zornig, böse machen:* dieser Gedanke hat ihn, mich sehr erbost. **2.** ⟨rfl.⟩ *zornig, böse werden:* ich habe mich über dein empörendes Benehmen erbost; ⟨häufig im 2. Part.⟩ er schrie mich erbost an.

erbrechen, erbricht, erbrach, hat erbrochen: **1.** ⟨tr.⟩ *aufbrechen, gewaltsam öffnen:* der Brief war erbrochen worden. **2.** ⟨tr./itr./rfl.⟩ *aus Übelkeit den Mageninhalt durch den Mund wieder von sich geben:* er hat das ganze Essen erbrochen.

erbringen, erbrachte, hat erbracht ⟨tr.⟩: **a)** *als Ergebnis bringen:* die Versteigerung erbrachte einen großen Gewinn. **b)** *(Gefordertes) herbeischaffen, vorlegen:* einen geforderten Betrag e.; ⟨als Funktionsverb⟩ für diese Behauptung müssen Sie erst den Beweis/Nachweis e.

Erbschaft, die; -, -en: *Erbe:* eine E. antreten, ausschlagen.

Erbschleicher, der; -s, -: *jmd., der ein Erbe unrechtmäßig oder auf nicht ganz korrekte Art an sich bringt.*

Erbse: a) /eine Pflanze/ (siehe Bild). **b)** *als Gemüse verwendeter kugelförmiger grüner oder gelber Samen:* als Gemüse gab es grüne Erbsen.

Erbse a)

Erdbeere, die; -, -n: /eine rote Beere/ (siehe Bild).

Erdbeere

Erdboden: ⟨in den Wendungen⟩ **wie vom E. verschluckt** *(ganz plötzlich verschwunden);* **etwas dem E. gleichmachen** *(etwas völlig zerstören);* **vom E. verschwinden** *(vernichtet werden)* **jmd. wäre am liebsten in den E. versunken/jmd. hätte [am liebsten] in den E. versinken mögen** *(jmd. wäre am liebsten aus Scham schnell verschwunden)*.

Erde, die; -: **1.** *Stoff, aus dem [fruchtbares] Land besteht:* feuchte E.; E. in einen Blumentopf füllen. **2.** *Fußboden, Grund, auf dem man steht:* etwas von der E. aufnehmen; weil kein Bett frei war, mußte er auf der E. schlafen. **3.** *der von Menschen bewohnte Planet:* die Bevölkerung der E.; die E. dreht sich um die Sonne.

erdenklich ⟨Adj.; nur attributiv⟩: *denkbar, möglich:* ich gab mir alle erdenkliche Mühe, ihn zufriedenzustellen.

erdichten, erdichtete, hat erdichtet ⟨tr.⟩: *sich in der Phantasie vorstellen; erfinden:* diese Krankheit hat er erdichtet. **Erdichtung,** die; -.

erdig ⟨Adj.⟩: **a)** *aus Erde bestehend, mit den Eigenschaften* *der Erde behaftet:* erdige Stoffe; einen erdigen Geschmack haben. **b)** *von Erde überzogen, mit ihr bedeckt:* erdige Rüben.

Erdnuß, die; -, Erdnüsse: /eine Frucht/ (siehe Bild).

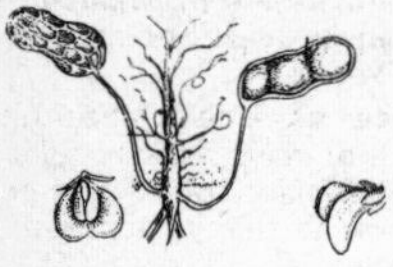

Erdnuß

Erdöl, das; -s, -e: *im Inneren der Erde vorkommendes Öl.*

erdolchen, erdolchte, hat erdolcht ⟨tr.⟩: *mit einem Dolch töten:* bei dem Attentat wurde der Minister von hinten erdolcht.

erdreisten, sich; erdreistete sich, hat sich erdreistet (geh.): *so dreist sein:* würdest du dich e., deinen Lehrer mit du anzureden?

erdrosseln, erdrosselte, hat erdrosselt ⟨tr.⟩: *erwürgen:* der Täter hat die Frau mit einem Strick erdrosselt; ⟨auch rfl.⟩ der Häftling versuchte sich in seiner Zelle zu e.; bildl.: (geh.) alle Freude war erdrosselt *(beseitigt, unterbunden)* worden.

erdrücken, erdrückte, hat erdrückt ⟨tr.⟩: **1.** *zu Tode drükken:* zehn Menschen wurden auf einem Ausflug von einer Lawine erdrückt. **2.** *(jmdn). übermäßig belasten:* seine Schulden, Sorgen erdrückten ihn.

erdulden, erduldete, hat erduldet ⟨tr.⟩: *(Schweres oder Schreckliches) [mit Geduld und Tapferkeit] auf sich nehmen oder über sich ergehen lassen:* Leid, Schmerzen, Erniedrigungen e.; er hat in seinem kurzen Leben viel e. müssen.

ereifern, sich; ereiferte sich, hat sich ereifert: *sich leidenschaftlich erregen, heftig werden:* er hat sich bei dem Gespräch über nebensächliche Dinge ereifert.

ereignen, sich; ereignete sich, hat sich ereignet: *als etwas Bemerkenswertes innerhalb eines überschaubaren Zeitraumes in Erscheinung treten, geschehen:* gestern ereigneten sich in der Stadt 20 Unfälle; es hat sich nichts Besonderes ereignet.

Ereignis, das; -ses, -se: *etwas, was den normalen alltäglichen Ablauf als etwas Bemerkenswertes unterbricht:* ein historisches E. *** ein freudiges E.** *(die Geburt eines Kindes).*

ereilen, ereilte, hat ereilt ⟨tr.⟩ (geh.): *schnell, überraschend erreichen, treffen:* die Nachricht vom Tod seiner Mutter ereilte ihn kurz vor der Abfahrt; der Tod hat sie ereilt *(sie ist unerwartet gestorben).*

Eremit, der; -en, -en: *Einsiedler.*

ererbt ⟨Adj.; nicht adverbial⟩: **1.** *als [materielles] Erbe hinterlassen:* ein ererbtes Vermögen. **2.** *als Veranlagung von den Vorfahren mitbekommen:* ererbte Krankheiten.

erfahren: I. erfahren, erfährt, erfuhr, hat erfahren ⟨tr.⟩: **1.** *(von etwas) Kenntnis erhalten:* etwas durch jmdn., durch Zufall e. **2.** *erleben, zu spüren bekommen:* sie hat viel Leid, aber auch viel Gutes erfahren; ⟨häufig in der Rolle eines Funktionsverbs⟩ das Buch soll eine Überarbeitung e. *(soll überarbeitet werden)*; der Verlag wird eine beträchtliche Erweiterung e. *(wird beträchtlich erweitert werden).* **II.** ⟨Adj.; nicht adverbial⟩: *Erfahrung, Routine habend; versiert:* ein erfahrener Arzt; er ist auf seinem Gebiet sehr e.

Erfahrung, die; -, -en: **1.** *bei der praktischen Arbeit erworbene Kenntnis, Routine:* er hat viel E. **2.** *das Erleben, Erlebnis [durch das man klüger wird]:* das weiß ich aus eigener E.; ich habe mit ihm schlechte Erfahrungen gemacht. **** etwas in E. bringen** *(durch Nachforschen etwas Bestimmtes erfahren):* er versuchte in E. zu bringen, wo sie wohnt.

erfahrungsgemäß ⟨Adverb⟩: *der Erfahrung nach:* e. beansprucht diese Arbeit immer mehr Zeit, als man denkt.

erfassen, erfaßte, hat erfaßt ⟨tr.⟩: **1. a)** *erreichen, packen:* der Radfahrer wurde von der Straßenbahn erfaßt und zur Seite geschleudert. **b)** *als heftige Empfindung (von jmdm.) Besitz ergreifen; überkommen:* Angst, Furcht erfaßte ihn. **2.** *verstehen, begreifen:* etwas mit dem Gefühl e.; er erfaßt den Zusammenhang nicht. **3. a)** *in einem Verzeichnis aufführen, festhalten; registrieren:* die Statistik soll alle Personen über 65 Jahre e. **b)** *einbeziehen, berücksichtigen:* die Versicherung erfaßt auch die Angestellten.

erfechten, erficht, erfocht, hat erfochten ⟨tr.⟩ (geh.): *durch Kampf (zu etwas) gelangen; erkämpfen:* die Mannschaft hat einen großartigen Sieg erfochten.

erfinden, erfand, hat erfunden; ⟨tr.⟩: **1.** *durch Forschen und Experimentieren (etwas Neues) hervorbringen:* er hat einen neuen Motor erfunden. **2.** *durch Phantasie hervorbringen; ausdenken:* diese Ausrede hat er erfunden; die Handlung des Romans ist frei erfunden.

Erfinder, der; -s, -: *jmd., der etwas erfindet.*

erfinderisch ⟨Adj.⟩: *immer eine Lösung findend, reich an Einfällen:* ein erfinderischer Geist; er ist e. [veranlagt].

Erfindung, die; -, -en: **1.** ⟨ohne Plural⟩ *das Erfinden, Hervorbringen:* die E. dieser Maschine bedeutet einen großen Fortschritt. **2.** *etwas, was erfunden; neu entwickelt ist:* der neue Motor ist eine bahnbrechende E. *** eine E. machen** *(etwas erfinden).* **3.** *etwas, was ausgedacht ist und nicht auf Wahrheit beruht:* diese Behauptung ist eine reine E.

Erfolg, der; -s, -e: *positives Ergebnis, das man mit einer Bemühung erzielt:* das Experiment führte zum E.; die Aufführung war ein großer E.; er war immer unfreundlich und mürrisch, mit dem E. *(die Folge war)*, daß keiner mehr mit ihm sprach.

erfolgen, erfolgte, ist erfolgt ⟨itr.⟩: **1.** *als Folge (von etwas) geschehen:* der Tod erfolgte wenige Stunden nach dem Unfall. **2.** ⟨als Funktionsverb⟩ /drückt aus, daß etwas vollzogen wird/: die Preisverleihung erfolgt im Rahmen einer Feier *(der Preis wird im Rahmen einer Feier verliehen)*; es erfolgt keine weitere Benachrichtigung *(man wird nicht noch einmal benachrichtigt).*

erfolglos ⟨Adj.⟩: *ohne Erfolg, ohne positives Ergebnis; vergeblich:* alle Versuche waren e.

erfolgreich ⟨Adj.⟩: **a)** *sich durch viele Erfolge auszeichnend:* ein erfolgreicher Mann; eine erfolgreiche Laufbahn. **b)** *ein positives Ergebnis aufweisend:* ein erfolgreiches Experiment; eine erfolgreiche Politik.

erforderlich ⟨Adj.; nicht adverbial⟩: *für einen bestimmten Zweck notwendig:* die erforderlichen Mittel bereitstellen; für die Teilnahme an der Expedition ist eine Untersuchung e.

erfordern, erforderte, hat erfordert ⟨tr.⟩: *zu seiner Verwirklichung notwendig machen, verlangen:* das Projekt erfordert viel Geld; das Studium erfordert mehrere Jahre.

Erfordernis, das; -ses, -se: *erforderliche Bedingung, Voraussetzung:* eine gewisse Reife ist ein wichtiges E. für diese Tätigkeit.

erforschen, erforschte, hat erforscht ⟨tr.⟩: *wissenschaftlich genau untersuchen:* den Weltraum e.; historische Zusammenhänge e.; sein Gewissen e. *(prüfen).* **Erforschung,** die; -.

erfragen, erfragte, hat erfragt ⟨tr.⟩: *durch Fragen feststellen:* ich erfragte ihre Adresse.

erfreuen, erfreute, hat erfreut: **1. a)** ⟨tr.⟩ *(jmdm.) Freude bereiten, machen:* jmdn. mit einem Geschenk e.; sein Besuch hat ihn sehr erfreut. **b)** ⟨rfl.⟩ *sich (durch etwas) in angenehme Stimmung versetzen:* sie erfreute sich am Anblick der Blumen. **2.** ⟨rfl.; mit Gen.⟩ (geh.) *(etwas) genießen, in glücklichem Besitz (von etwas) sein:* er erfreut sich großer Beliebtheit; sie erfreute sich trotz ihres Alters bester Gesundheit *(gesundheitlich ging es ihr trotz ihres Alters sehr gut).*

erfreulich ⟨Adj.⟩: *angenehm und eine gewisse Freude verursachend:* eine erfreuliche Mitteilung; das ist nicht gerade e.

erfreulicherweise ⟨Adverb⟩: *zum Glück:* e. habe ich ihn unterwegs getroffen.

erfrieren, erfror, ist erfroren ⟨itr.⟩: *durch Frost sterben:* er wurde erfroren aufgefunden; die Finger sind erfroren *(abgestorben);* viele Pflanzen sind erfroren *(durch Frost eingegangen).*

erfrischen, erfrischte, hat erfrischt: **1.** ⟨rfl.⟩ *sich frisch machen, sich durch Kühlung erquicken:* du kannst dich im Badezimmer e. **2.** ⟨tr./itr.⟩ *(auf jmdn.) belebend, anregend wirken:* dieses Getränk wird dich e.; Obst erfrischt sehr; ⟨häufig auch im 1. Partizip⟩ ein erfrischendes Bad nehmen; bildl.: er besitzt einen erfrischenden Humor.

Erfrischung, die; -, -en: **1.** ⟨ohne Plural⟩ *das Erfrischen:* zur E. der Gäste stand ein Schwimmbad zur Verfügung. **2.** *erfrischendes Getränk, erfrischende Speise:* an Erfrischungen reichte man Bier, Limonade und Eis.

erfüllen, erfüllte, hat erfüllt: **1.** ⟨tr.⟩ *sich (in einem Raum) ausbreiten:* Lärm erfüllte das Haus, die Straßen. **2.** ⟨tr.⟩ *(einer Bitte, Forderung) entsprechen, (einen Wunsch) befriedigen:* eine Bitte, Pflicht e.; er hat seine Aufgabe zur Zufriedenheit erfüllt. **3.** ⟨tr.⟩ **a)** *beschäftigen, in Anspruch nehmen:* die neue Aufgabe erfüllt ihn ganz. **b)** *(jmdn.) völlig beherrschen:* die Leistung des Kindes erfüllte die Eltern mit Stolz. **4.** ⟨rfl.⟩ *eintreffen, Wirklichkeit werden:* mein Wunsch, seine Prophezeiung hat sich erfüllt. **Erfüllung,** die; -.

ergänzen, ergänzte, hat ergänzt: **1.** ⟨tr.⟩ *vervollständigen; (einer Sache etwas) hinzufügen, nachtragen:* eine Liste, einen Satz, eine Sammlung e. **2.** ⟨rzp.⟩ *sich in seinen Eigenschaften ausgleichen:* Mann und Frau ergänzen sich. **Ergänzung,** die; -, -en.

ergattern, ergatterte, hat ergattert ⟨tr.⟩ (ugs.): *mit List, Ausdauer und Geschick bekommen, sich verschaffen:* er hat noch einen Platz, eine Eintrittskarte ergattert.

ergaunern, ergaunerte, hat ergaunert ⟨tr.⟩ (ugs.): *sich durch Betrug, Schwindel verschaffen:* dieses Vermögen hast du [dir] ergaunert.

ergeben: I. ergeben, ergibt, ergab, hat ergeben: **1. a)** ⟨itr.⟩ *zur Folge haben:* die verschiedenen Waren ergeben eine Rechnung von 80 Mark; die Untersuchung ergab keinen Beweis seiner Schuld. **b)** ⟨rfl.⟩ *als Folge entstehen, zustande kommen:* aus der veränderten Lage ergeben sich ganz neue Probleme. **2.** ⟨rfl.⟩ **a)** *sich hingeben:* er hat sich ganz dem Willen seines Freundes ergeben. **b)** *sich widerstandslos fügen:* sich in sein Schicksal e. **c)** *kapitulieren:* die Truppen haben sich ergeben. **II.** ⟨Adj.⟩ **a)** ⟨meist Prädikativ⟩ *(jmdm.) demütig zugeneigt:* er ist ihm bedingungslos, blind e. **b)** *devot:* sein Verhalten war so e., daß es peinlich war; er verneigte sich e.

Ergebenheit, die; -: *das Ergebensein:* er diente seinem Herrn mit blinder E.

Ergebnis, das; -ses, -se: *das, was sich als Folge aus etwas ergibt; Resultat, Ertrag:* ein gutes, negatives E.; das E. einer mathematischen Aufgabe; die Verhandlungen führten zu keinem E.

ergebnislos ⟨Adj.⟩: *ohne Ergebnis [bleibend]:* ein ergebnisloser Versuch; die Verhandlung wurde e. abgebrochen.

ergehen, erging, ist/hat ergangen: **1.** ⟨itr.⟩ *erlassen, verfügt, verordnet werden:* eine Anweisung ist ergangen; ein [gerichtliches] Urteil e. lassen. *** etwas über sich e. lassen** *(etwas geduldig mit sich geschehen lassen):* er hat die Untersuchung über sich e. lassen. **2.** ⟨itr.⟩ *(jmdm.) als eine bestimmte Erfahrung zuteil werden:* es ist ihm dort nicht besser ergangen als den anderen. **3.** ⟨rfl.⟩ *sich langatmig äußern:* er hat sich in langen Reden über diese Sache ergangen.

ergiebig ⟨Adj.; nicht adverbial⟩: *reiche Erträge bringend; für einen bestimmten Zweck sehr brauchbar und von großem Nutzen:* ein ergiebiges Vorkommen an Kohle; das Thema war nicht sehr e.

ergießen, sich; ergoß sich, hat sich ergossen: *in großer Menge fließen:* dunkles Blut ergoß sich aus der Wunde; der Inhalt der Flasche hat sich über den Tisch ergossen; bildl.: ein Strom von Pilgern ergoß sich durch die Straßen.

erglühen, erglühte, ist erglüht ⟨itr.⟩ (geh.): *rot und glänzend werden:* ihre Wangen erglühten in der Hitze; bildl.: er war in Liebe für sie erglüht *(hatte sich heftig in sie verliebt).*

ergo ⟨Adverb⟩ (veraltend): *folglich, also:* du hast den Schaden verursacht, e. mußt du dafür aufkommen.

ergötzen, ergötzte, hat ergötzt ⟨tr./rfl.⟩ (geh.): *(jmdm.)*

Vergnügen bereiten; erfreuen, amüsieren: das Kind ergötzte durch sein Spiel die Erwachsenen; diese Geschichte hat mich sehr ergötzt; ich ergötzte mich an dem Anblick.

Ergötzen: ⟨in der Fügung⟩ zum E.: *zur Erheiterung:* zum E. sämtlicher Zuschauer.

ergötzlich ⟨Adj.⟩: *Vergnügen bereitend:* eine ergötzliche Anekdote.

ergrauen, ergraute, ist ergraut ⟨itr.⟩: *graue Haare bekommen:* er ist sehr früh ergraut; ⟨häufig im 2. Partizip⟩ ein in Ehren ergrauter *(alt gewordener)* Lehrer.

ergreifen, ergriff, hat ergriffen ⟨tr.⟩: **1.** *zupacken und festhalten:* eine Hand, ein Seil e. **2.** *als [plötzliche] Empfindung (in jmds. Bewußtsein) dringen und (ihn) ganz erfüllen:* Angst, Begeisterung ergriff sie. **3.** *(jmds. Gemüt) im Innersten bewegen, (jmdm.) nahegehen:* sein Schicksal hat sie tief ergriffen; ⟨häufig im 1. Partizip⟩ eine ergreifende Szene; ⟨häufig im 2. Partizip⟩ die Zuhörer waren tief ergriffen. **4.** ⟨in der Rolle eines Funktionsverbs⟩ /drückt den Entschluß zu etwas aus/: einen Beruf e. *(wählen);* die Flucht e. *(fliehen);* die Initiative e. *(zu handeln beginnen).* **Ergreifung,** die; -.

Ergriffenheit, die; -.: *das Ergriffensein:* eine ehrfürchtige E. vor der Philosophie.

ergründen, ergründete, hat ergründet ⟨tr.⟩: *eine Sache bis zum Ursprung, in alle Einzelheiten erforschen:* die Ursache von etwas, ein Geheimnis e. **Ergründung,** die; -.

Erguß, der; Ergusses, Ergüsse: **1.** *Bluterguß:* sich einen E. am Knie zuziehen. **2.** (geh.) *Ausbruch (von Gefühlen o. ä.):* ein hemmungsloser E. seiner Phantasie.

erhaben ⟨Adj.⟩: **1.** ⟨nur attributiv⟩ *durch seine Großartigkeit feierlich stimmend:* ein erhabener Anblick; ein erhabener Gedanke. **2.** ⟨nicht attributiv⟩ *sich nicht mehr von etwas berühren lassend:* er fühlte sich über alles e.; über solche kleinliche Kritik muß man e. sein. **Erhabenheit,** die; -.

erhalten, erhält, erhielt, hat erhalten: **1.** ⟨itr.⟩ **a)** *bekommen:* ein Paket, eine Nachricht e. **b)** *(etwas Unangenehmes) erteilt bekommen:* einen Tadel, eine Strafe e.; (ugs.) er erhielt fünf Jahre Gefängnis. **c)** *(eine bestimmte Vorstellung) gewinnen:* einen falschen Eindruck von etwas e. **d)** *ein Endprodukt (aus etwas) gewinnen:* Teer erhält man aus Kohle. **2.** ⟨tr.⟩ *dafür sorgen, daß (jmd./etwas) in seinem Zustand weiterbesteht:* jmdn. künstlich am Leben e.; ein Gebäude e.; du mußt versuchen, dir deine Gesundheit zu e. **3.** ⟨tr.⟩ *versorgen, für (jmds.) Unterhalt sorgen:* mit seinem Verdienst konnte er die Familie kaum e.

erhältlich: ⟨in der Verbindung⟩ e. sein: *im Handel zu haben sein:* der neue Artikel ist noch nicht in allen Geschäften e.

Erhaltung, die; -: **1.** *Sicherung des weiteren Bestehens:* die E. aussterbender Tiere durch den Menschen stößt auf große Schwierigkeiten. **2.** *Versorgung mit Nahrungsmittel o. ä.:* die E. der Flüchtlinge.

erhängen, sich; erhängte sich, hat sich erhängt: *Selbstmord begehen, indem man sich an einem Strick mit um den Hals gelegter Schlinge aufhängt und dadurch die Zufuhr von Luft unterbindet:* er hatte sich unter dem Dach an einem Balken erhängt.

erhärten, erhärtete, hat erhärtet ⟨tr.⟩: *durch Argumente untermauern, bekräftigen:* eine Behauptung e. **Erhärtung,** die; -.

erhaschen, erhaschte, hat erhascht ⟨tr.⟩: *durch Greifen, Schnappen o. ä. fangen:* der Vogel erhaschte den Käfer im Flug; bildl.: er erhaschte nur noch einen Blick auf das Mädchen *(konnte sie nur noch ganz kurz sehen).*

erheben, erhob, hat erhoben /vgl. erhebend/: **1.** ⟨tr.⟩ *in die Höhe heben:* die Hand zum Schwur e.; sie erhoben ihr Glas, um auf die Gesundheit des Jubilars zu trinken. **2.** ⟨rfl.⟩ **a)** *(von einem Sitz oder Bett) aufstehen:* das Publikum erhob sich dem greisen Künstler zu Ehren von den Plätzen; während der Ferien erhoben sie sich erst gegen Mittag. **b)** *in die Höhe ragen:* in der Ferne erhebt sich ein Gebirge. **3.** ⟨rfl.⟩ *einen Aufstand machen, sich empören:* das Volk erhob sich gegen die Diktatur. **4.** ⟨tr.⟩ *(einer Sache) einen höheren Rang geben:* der Ort wurde zur Stadt erhoben. **5.** ⟨tr.⟩ *(einen bestimmten Betrag für etwas) verlangen:* der Verein erhebt einen monatlichen Beitrag von 5 Mark. **6.** ⟨als Funktionsverb⟩ /drückt eine Äußerung, das Vorbringen von etwas aus/: Einspruch gegen jmds. Forderungen e.; er erhob Anspruch auf sein Erbe *(beanspruchte sein Erbe).*

erhebend ⟨Adj.; nicht adverbial⟩: *in eine feierliche Stimmung versetzend; großartig:* ein erhebendes Gefühl; ein erhebender Augenblick.

erheblich ⟨Adj.⟩: *beträchtlich, durch sein Ausmaß bedeutend:* er muß erhebliche Steuern zahlen; die Preise wurden e. erhöht.

Erhebung, die; -, -en: **1.** *sich aus der Ebene erhebende Form im Gelände:* der Montblanc ist die höchste E. *(der höchste Berg)* Europas. **2.** *das Erheben:* die E. von Steuern. **3.** *Aufstand:* die E. des Volkes gegen die Diktatur. ** **über etwas Erhebungen anstellen** *(etwas [statistisch, wissenschaftlich] untersuchen).*

erheitern, erheiterte, hat erheitert ⟨tr.⟩ *heiter, lustig stimmen:* seine Späße erheiterten das Publikum; ⟨oft im 1. Partizip⟩ eine erheiternde Episode; sein Vorschlag hat etwas Erheiterndes *(über seinen Vorschlag muß man lachen).* **Erheiterung,** die; -.

erhellen, erhellte, hat erhellt: **1.** ⟨tr.⟩ *hell machen:* die Lampe erhellte den Raum nur spärlich; bildl.: dieser Vergleich erhellt *(klärt, verdeutlicht)* das ganze Problem. **2.** ⟨rfl.⟩ *hell werden:* sein Gesicht erhellte sich bei dieser guten Nachricht.

erhitzen, erhitzte, hat erhitzt ⟨tr./rfl.⟩: *großer Hitze aussetzen:* der Physiker erhitzte das Metall, bis es schmolz; bildl.: ich habe mich in dieser Diskussion ziemlich erhitzt *(erregt, ereifert).*

erhoffen, erhoffte, hat erhofft ⟨tr./itr.⟩: *(auf etwas) hoffen:* der Kranke erhoffte Genesung von seinem Leiden; bei diesem Geschäft erhoffe ich mir einen hohen Gewinn.

erhöhen, erhöhte, hat erhöht: **1.** ⟨tr.⟩ *höher machen:* einen Damm e. **2.** ⟨tr./rfl.⟩ *steigern, heraufsetzen:* der starke Erfolg bei den Wahlen erhöhte das Ansehen der Partei; die Preise erhöhen sich jährlich um zehn Prozent; ⟨oft im 2. Partizip⟩ er hat erhöhte Temperatur *(leichtes Fieber)*. **Erhöhung,** die; -, -en.

erholen, sich; erholte sich, hat sich erholt: **a)** *(durch Krankheit oder anstrengende Tätigkeit) verlorene Kräfte wiedererlangen:* er hat sich im Urlaub gut erholt; ⟨im 2. Partizip⟩ er sieht sehr erholt aus. **b)** *(etwas, was einen aus der Fassung gebracht hat) überwinden:* ich kann mich von dem Schreck noch gar nicht e.

erholsam ⟨Adj.⟩: *der Erholung dienend, Erholung bewirkend, für die Erholung förderlich:* wir wünschen euch einen erholsamen Urlaub.

Erholung, die; -: *Wiedererlangung verlorener Kräfte:* der Urlaub dient der E.

erhören, erhörte, hat erhört ⟨tr.⟩ (geh.): **1.** *erfüllen:* Gott hat seine Bitten erhört. **2.** *seine Einwilligung zur Heirat geben* /von weiblichen Personen/: schließlich hat die Prinzessin den Grafen doch erhört. **Erhörung,** die; -.

erinnern, erinnerte, hat erinnert: **1.** ⟨rfl.⟩ *(jmdn./etwas) im Gedächtnis bewahrt haben und sich (der betreffenden Person oder Sache) wieder bewußt werden:* ich erinnere mich noch an ihn, an diesen Vorfall. **2.** ⟨tr.⟩ *veranlassen, an (jmdn./etwas) zu denken, (jmdn./etwas) nicht zu vergessen:* jmdn. an einen Termin, an sein Versprechen e. **3.** ⟨tr.⟩ *(jmdm. jmdn./etwas) durch seine Ähnlichkeit ins Bewußtsein, Gedächtnis bringen:* sie erinnert mich an meine Tante.

Erinnerung, die; -, -en: **1.** ⟨ohne Plural⟩ *Fähigkeit, sich an etwas zu erinnern:* meine E. setzt hier aus. **2.** ⟨ohne Plural⟩ *Besitz aller Eindrücke, die man in sich aufgenommen hat; Gedächtnis:* ich versuchte, mir sein Gesicht in die E. zurückzurufen. **3.** *Eindruck, an den man sich erinnert:* bei dem Gedanken an seine Flucht wurden schreckliche Erinnerungen in ihm wach. **4.** ⟨ohne Plural⟩ *Gedenken, Andenken:* er behielt ihn in guter E.; ein Denkmal zur E. an die Opfer des Krieges.

erjagen, erjagte, hat erjagt ⟨tr.⟩: *auf den Erwerb (von etwas) hartnäckig bedacht sein:* Reichtum, Ruhm e.

erkalten, erkaltete, ist erkaltet ⟨itr.⟩: *kalt werden:* die aufgetragenen Speisen waren in der Zwischenzeit längst erkaltet; bildl.: ihre Liebe zu ihm ist nach kurzer Zeit erkaltet *(erloschen, hat aufgehört)*.

erkälten, sich; erkältete sich, hat sich erkältet: *eine Erkältung bekommen:* ich habe mich im Zug erkältet.

Erkältung, die; -, -en: *durch Kälte oder plötzliche Abkühlung hervorgerufene und mit Schnupfen und Husten verbundene Erkrankung der Atmungsorgane:* eine leichte, schwere E.; sich (Dativ) eine E. zuziehen, holen.

erkämpfen, erkämpfte, hat erkämpft ⟨tr.⟩: *durch Kampf, durch entschiedenes Sicheinsetzen erreichen:* einen Sieg e.; ich habe mir diesen Erfolg mühsam erkämpft.

erkaufen, erkaufte hat erkauft ⟨tr.⟩: **1.** (geh.) *(unter großen Mühen, indem man einen Nachteil in Kauf nimmt) für sich gewinnen, erlangen:* die Flüchtlinge hatten ihre Freiheit teuer erkauft. **2.** *durch Bestechung erringen, sich verschaffen:* die Mannschaft hat den Sieg durch Zahlung von Geld an den Schiedsrichter erkauft; ich habe mir sein Schweigen erkauft.

erkennbar ⟨Adj.; nicht adverbial⟩: *in seiner Gestalt sichtbar, wahrnehmbar:* das andere Ufer des Flusses war durch Nebel nur schwer e.

erkennen, erkannte, hat erkannt: **1.** ⟨tr.⟩ *so deutlich sehen, daß man weiß, wen oder was man vor sich hat:* in der Dämmerung konnte man die einzelnen Personen, die Farben nicht e. **2.** ⟨tr.⟩ **a)** *auf Grund bestimmter Merkmale feststellen:* der Täter wurde an seiner Kleidung erkannt; der Arzt hatte die Krankheit sofort erkannt. **b)** *Klarheit (über jmdn./etwas) gewinnen:* einen Freund erkennt man oft erst, wenn man in Not gerät; die Bedeutung dieses Buches wurde zunächst kaum erkannt; er erkannte seinen Irrtum *(sah seinen Irrtum ein)*. **3.** ⟨itr.⟩ *ein bestimmtes Urteil fällen [und das Maß der Strafe festlegen]:* das Gericht erkannte auf Freispruch, auf drei Jahre Gefängnis.

erkenntlich: ⟨in der Fügung⟩ sich e. zeigen: *seinen Dank für eine Gefälligkeit durch eine andere Gefälligkeit ausdrücken:* mit ihrem Geschenk wollte sie sich für unsere Hilfe e. zeigen.

Erkenntnis, die; -, -se: **1.** *etwas, was man durch geistige Verarbeitung von Eindrücken und Erfahrungen gewinnt; Einsicht:* eine wichtige E.; neue Erkenntnisse der Forschung; er kam zu der E., daß es besser sei nachzugeben. **2.** ⟨ohne Plural⟩ *das Erkennen, Fähigkeit des Erkennens:* bei diesen Fragen stößt man an die Grenzen der menschlichen E.

Erker, der; -s, -: *vorspringender Teil an Gebäuden* (siehe Bild).

Erker

erklären, erklärte, hat erklärt /vgl. erklärt/: **1. a)** ⟨tr.⟩ *(jmdm. etwas) [was er nicht versteht] deutlich machen, in den Einzelheiten auseinandersetzen:* einen Text, Zusammenhänge e. **b)** ⟨tr.⟩ *deuten, begründen:* ich wußte nicht, wie ich mir sein plötzliches Verschwinden e. sollte; er versuchte, ihr ungewöhnliches Verhalten psychologisch zu e. **c)** ⟨rfl.⟩ *seine Begründung (in etwas) finden:* der hohe Preis des Buches erklärt sich aus der geringen Auflage. **2.** ⟨tr.⟩ *äußern, [offiziell] mitteilen:* der Minister erklärte, er werde zu Verhandlungen nach Amerika fliegen; ⟨meist in bestimmten Fügungen⟩ seinen Rücktritt e. *(zurücktreten)*; jmdm. den Krieg e. *(mit jmdm. einen Krieg beginnen)*; ⟨rfl.; in Verbindung mit bestimmten Adjektiven⟩ sich einverstanden e. *(einverstanden sein)*; sich bereit e. *(bereit sein)*. **3.** ⟨tr./rfl⟩ *[amtlich] bezeichnen als:* jmdn. für tot e.; die alten Ausweise wurden für ungültig erklärt; der Beamte erklärte sich für unsere Angelegenheit nicht zuständig.

erklärlich ⟨Adj.; nicht adverbial⟩: *sich aus etwas erklären lassend:* ihr Verhalten ist durchaus e., wenn man ihre Situation bedenkt.

erklärt ⟨Adj.; nur attributiv⟩: *sich deutlich zu erkennen gebend, entschieden:* er ist ein erklärter Gegner, Feind der Abrüstung.

Erklärung, die; -, -en: 1. *das Erklären (von etwas durch etwas); Deutung, Begründung:* diese Stelle im Text bedarf keiner weiteren E.; ich habe keine E. für sein Verhalten *(ich kann mir sein Verhalten nicht erklären).* 2. *offizielle Äußerung, Mitteilung:* eine eidesstattliche E. abgeben; die E. einer Regierung, eines Ministers.

erklecklich ⟨Adj.⟩ (ugs.): *erheblich, groß, beachtlich:* bei diesem Geschäft hat er einen erklecklichen Gewinn einstreichen können.

erklimmen, erklomm, hat erklommen ⟨tr.⟩: *mühsam (auf etwas) klettern:* den Berg konnte er nur mühsam e. bildl.: er hat die höchste Position im Betrieb erklommen *(erreicht).*

erklingen, erklang, ist erklungen ⟨itr.⟩: *ertönen:* ein Lied, die Gläser beim Anstoßen e. lassen.

erkranken, erkrankte, ist erkrankt ⟨itr.⟩: *krank werden, (von einer Krankheit) befallen werden:* sie ist an Grippe erkrankt. **Erkrankung,** die; -, -en.

erkühnen, sich; erkühnte sich, hat sich erkühnt (geh.): *so kühn sein:* ich hätte mich nie erkühnt, in einem solchen Ton mit dem Minister zu reden.

erkunden, erkundete, hat erkundet ⟨tr.⟩: *nachforschen, auskundschaften:* militärische Geheimnisse, ein Gelände e.

erkundigen, sich; erkundigte sich, hat sich erkundigt: *jmdn. nach etwas fragen, jmdn. um Auskunft bitten:* er hat sich nach dem Programm erkundigt. **Erkundigung,** die; -, -en.

Erlagschein, der; -[e]s, -e (östr.): *Zahlkarte.*

erlahmen, erlahmte, ist erlahmt ⟨itr.⟩: a) *(durch körperliche Anstrengung) müde und schwach werden:* vom schweren Tragen erlahmt mir der Arm. b) *in seiner Intensität nachlassen:* sein Eifer war bald erlahmt; das Interesse des Publikums erlahmte immer mehr.

erlangen, erlangte, hat erlangt ⟨tr.⟩: *durch Anstrengung oder nach einer gewissen Zeit erreichen, gewinnen, bekommen:* sein Buch hat eine große Bedeutung erlangt; er erlangte eine wichtige Position; er war froh, endlich Gewißheit über seine Krankheit zu erlangen. **Erlangung,** die; -.

Erlaß, der; des Erlasses, die Erlasse: 1. *von einer Behörde oder höheren Stelle ausgehende Anordnung:* ein amtlicher E.; ein E. des Ministers. 2. *Befreiung von einer unangenehmen Verpflichtung; Nachlaß:* der E. einer Strafe, Schuld.

erlassen, erließ, hat erlassen ⟨tr.⟩: 1. *amtlich anordnen:* ein Gesetz, eine Verordnung e. 2. *(jmdn. von einer unangenehmen Verpflichtung) entbinden, für frei (von einer Strafe) erklären:* ihm wurde die Steuer, der Rest der Strafe erlassen.

erlauben, erlaubte, hat erlaubt: 1. ⟨tr.⟩ *(jmdm.) die Zustimmung (zu einem geplanten Tun) geben:* meine Eltern haben es erlaubt; ich habe ihm erlaubt, die Reise mitzumachen. 2. ⟨itr.⟩ *in die Lage setzen, (etwas zu tun):* der Termin der Arbeit erlaubt es nicht, jetzt in Urlaub zu gehen; seine Mittel erlauben es ihm, sich einen Anwalt zu nehmen. 3. ⟨rfl.⟩ a) *sich die Freiheit nehmen (etwas [nicht Erwartetes] zu tun):* solche Frechheiten, Scherze darfst du dir nicht noch einmal e. b) *sich leisten:* ich kann mir diese teure Anschaffung nicht e.

Erlaubnis, die; -: *Bestätigung, daß jmd. etwas tun darf; Zustimmung, Genehmigung:* jmdm. die E. zu etwas verweigern, geben; ihm ist die E. erteilt worden, zu unterrichten.

erlaucht ⟨Adj.; nur attributiv⟩ (geh.): *würdig, erhaben:* eine Versammlung erlauchter Häupter.

erläutern, erläuterte, hat erläutert ⟨tr.⟩: *(etwas Kompliziertes) durch größere Ausführlichkeit, durch Beispiele o. ä. näher erklären und verständlich machen:* einen Text, eine graphische Zeichnung e.; ⟨im 1. Partizip⟩ erläuternde Zusätze, Anmerkungen.

Erle, die; -, -n: /ein Baum/ (siehe Bild).

Erle

erleben, erlebte, hat erlebt 1. a) ⟨tr.⟩ *(durch etwas) betroffen und in seiner Empfindung beeindruckt werden:* er hat Schreckliches erlebt; eine Überraschung, Enttäuschungen e. b) ⟨itr.⟩ *(an einem Geschehen) teilnehmen und (es) auf sich wirken lassen:* das Publikum erlebte eine außergewöhnliche Aufführung. 2. ⟨itr.⟩ *an sich erfahren:* die Industrie erlebte einen neuen Aufschwung; das Buch erlebte die zehnte Auflage *(wurde zum zehnten Mal aufgelegt).* 3. ⟨itr.⟩ *(zu einer bestimmten Zeit) [noch] leben:* er möchte das Jahr 2000 noch e.

Erlebnis, das; -ses, -se: *Geschehen, an dem jmd. beteiligt war und durch das er stark und nachhaltig beeindruckt wurde:* die Ferien auf dem Land waren ein schönes E. für die Kinder; auf ihrer Reise hatten sie einige aufregende Erlebnisse.

erledigen, erledigte, hat erledigt ⟨tr.⟩ /vgl. erledigt/: *ausführen, zu Ende führen:* er wollte erst seine Arbeit e.; die Bestellung wurde sofort erledigt.

erledigt ⟨Adj.; nicht attributiv⟩: (ugs.) *nach großer Anstrengung völlig erschöpft:* ich bin [völlig] e.; sie kam ganz e. heim.

Erledigung, die; -: *das Erledigen:* die E. dieser Arbeit ist dringend.

erlegen, erlegte, hat erlegt ⟨tr.⟩ (geh.): *(Wild) als Beute mit dem Gewehr töten:* auf der Jagd wurden Hasen und Rehe erlegt. **Erlegung,** die; -.

erleichtern, erleichterte, hat erleichtert /vgl. erleichtert/: 1. ⟨tr.⟩ a) *leichter machen:* um sein Gepäck zu e., aß er fast seinen ganzen Proviant auf. b) *bequemer machen, vereinfachen:* ein neues Verfahren erleichtert ihnen die Arbeit; du mußt versuchen, dir das Leben zu e. **2.** ⟨rfl./tr.⟩ *(sich, sein Inneres) von einer seelischen Belastung befreien:* er hat sich, sein Gewissen, sein Herz in einer Aussprache erleichtert. **3.** ⟨tr.⟩ (ugs.; scherzh.) **a)** *(jmdm. Geld oder einen Gegenstand von gewissem Wert) [durch Bitten] abnehmen:* sie erleichterte ihre Mutter um fünfzig Mark und um einige Kleider. **b)** *stehlen:* in Hotels hatte sie die Gäste um Schmuck und Bargeld erleichtert.

erleichtert ⟨Adj.; nicht attributiv⟩: *von einer Sorge oder Angst wieder befreit:* sie war e., als sie hörte, daß ihrem Kind nichts bei dem Unfall passiert war; er atmete e. auf.

erleiden, erlitt, hat erlitten ⟨tr.⟩: **1.** (geh.) *Leiden körperlicher oder seelischer Art ausgesetzt sein, die einem von anderen bewußt zugefügt werden:* es ist kaum zu fassen, was sie alles in diesem Hause e. mußte. **2.** *(Schaden) zugefügt bekommen:* die Truppen erlitten schwere Verluste; eine Niederlage e. **3.** ⟨als Funktionsverb⟩ Demütigungen e. *(gedemütigt werden);* Spott e. *(verspottet werden).*

erlernbar ⟨Adj.; nicht adverbial⟩: *so, daß man es erlernen kann; (leicht, schwer) zu erlernen:* diese Sprache ist für uns leicht e. **Erlernbarkeit,** die; -.

erlernen, erlernte, hat erlernt ⟨tr.⟩: *sich mit einer bestimmten Sache so lange und so intensiv beschäftigen, bis man sie beherrscht:* einen Beruf, ein Handwerk e.; er wollte das Reiten e.

erlesen: I. ⟨Adj.⟩ (geh.): *ausgezeichnet, hervorragend, vorzüglich:* einen erlesenen Geschmack haben; erlesene Speisen. **II.** erliest, erlas, hat erlesen ⟨tr.⟩ (geh.; veralt.): *aussuchen, auswählen:* ich habe ihn [mir] zu meinem besten Freund erlesen.

erleuchten, erleuchtete, hat erleuchtet ⟨tr.⟩: *hell werden lassen, erhellen:* ein Blitz erleuchtete das Dunkel; bildl. (geh.): der Himmel möge seinen Geist erleuchten *(ihm Einsicht, Verstand geben).* **Erleuchtung,** die; -, -en.

erliegen, erlag, ist erlegen ⟨itr.⟩: **a)** *(gegen jmdn./etwas) mit seinen Kräften nicht ausreichen, (von jmdm./etwas) besiegt werden:* dem Feind, seiner Leidenschaft e.; er ist seinen Verletzungen erlegen *(an seinen Verletzungen gestorben).* * **zum E. kommen** *(zum Stillstand kommen, zusammenbrechen):* durch den starken Schneefall kam der Verkehr in einigen Orten zum E. **b)** ⟨als Funktionsverb⟩ einer Täuschung e. *(sich täuschen);* einer Verlockung e. *(sich verlocken lassen).*

Erlös, der; -es, -e: *Einnahme aus einem Verkauf, finanzieller Ertrag:* einen Teil des Erlöses für sein Auto verwendet er, um seine Schulden zu bezahlen; der E. der Veranstaltung war für die Armen bestimmt.

erlöschen, erlischt, erlosch, ist erloschen ⟨itr.⟩ (geh.): *zu brennen, zu leuchten aufhören:* das Feuer, Licht ist erloschen; bildl.: meine letzten Hoffnungen waren erloschen *(geschwunden).*

erlösen, erlöste, hat erlöst ⟨tr.⟩: **1.** *befreien:* man tötete das Tier und erlöste es dadurch von seinen Qualen; Gott hat die Menschen erlöst. **2.** (geh.) *(Geld) einnehmen:* der Betrag, den man durch den Verkauf des Hauses erlöste.

Erlöser, der; -s, -: Rel. *jmd., der [die Menschen] erlöst [hat]:* Christus, der E. der Menschen.

Erlösung, die; -: *das Erlösen, Befreiung:* die E. von großen Schmerzen. **E. finden** *(erlöst werden).*

erlügen, erlog, hat erlogen ⟨tr.⟩: *erfinden:* er erlog eine Geschichte zu seiner Entschuldigung; ⟨häufig im 2. Partizip⟩ ein erlogener Bericht. * (ugs.) **das ist erstunken und erlogen** *(das ist ganz und gar unwahr).*

ermächtigen, ermächtigte, hat ermächtigt ⟨tr.⟩: *(jmdm.) ein besonderes Recht, eine Vollmacht erteilen:* die Regierung ermächtigte den Botschafter, offizielle Verhandlungen zu führen; dazu ist er nicht ermächtigt. **Ermächtigung,** die; -, -en.

ermahnen, ermahnte, hat ermahnt ⟨tr.⟩: *jmdn. mit eindringlichen Worten an eine bestimmte Pflicht, an ein bestimmtes Verhalten erinnern:* mehrmals wurde er zur Pünktlichkeit, zur Vorsicht ermahnt; sie ermahnten die Kinder, ruhig zu sein. **Ermahnung,** die; -, -en.

ermangeln, ermangelte, hat ermangelt ⟨itr.; mit Gen.⟩ (geh.): *(eine Sache) entbehren:* sein Urteil ermangelt des Verständnisses; er ermangelte jedes Sinnes für Gemütlichkeit.

Ermang[e]lung: ⟨in der Fügung⟩ in E.: *mangels:* in E. der Bestecke aßen sie mit den Fingern; in E. eines Besseren.

ermannen, sich; ermannte sich, hat sich ermannt: *sich aufraffen, den Mut (zu etwas) haben:* nach längerem innerem Kampf hatte ich mich zu dieser Tat ermannt.

ermäßigen, ermäßigte, hat ermäßigt ⟨tr.⟩: *(Kosten o. ä.) senken, herabsetzen:* für Familienmitglieder wurden die Beiträge ermäßigt; ein Angebot zu stark ermäßigten Preisen. **Ermäßigung,** die; -, -en.

ermatten, ermattete, hat/ist ermattet ⟨itr.⟩: **1.** *matt, schwach werden; (bei etwas) an Kraft verlieren:* er war von den Anstrengungen der Arbeit völlig ermattet; bildl.: sein Interesse ermattete *(schwand)* immer mehr. **2.** *matt, schwach machen:* die großen Anstrengungen haben ihn ermattet.

ermessen, ermißt, ermaß, hat ermessen ⟨tr.⟩: *in seinem Ausmaß, seiner Bedeutung erfassen und einschätzen:* die Arbeit ist noch gar nicht zu e.; du kannst daran e., wie wertvoll mir diese Kritik ist.

Ermessen: ⟨in bestimmten Wendungen⟩ **etwas in jmds. E. stellen** *(etwas jmds. Entscheidung überlassen);* **nach menschlichem E.** *(aller Wahrscheinlichkeit nach, soweit man es beurteilen kann).*

ermitteln, ermittelte, hat ermittelt ⟨tr.⟩: *durch geschicktes Nachforschen feststellen, herausfinden:* den Täter e.; es läßt sich nicht e., ob und wann sie hier angekommen sind. **Ermittlung,** die; -, -en.

ermöglichen, ermöglichte, hat ermöglicht ⟨tr.⟩: *möglich machen:* sein Onkel hatte ihm das Studium ermöglicht; die veränderte politische Situation ermöglichte die Aufnahme diplomatischer Beziehungen.

ermorden, ermordete, hat ermordet ⟨tr.⟩: *vorsätzlich töten:* aus Eifersucht hat er seine Frau ermordet; weil er ihnen im Wege stand, wurde er heimtükkisch ermordet. **Ermordung,** die; -, -en.

ermüden, ermüdete, hat/ist ermüdet: **1.** ⟨itr.⟩ *müde, matt, schläfrig werden:* auf der langen Fahrt sind die Kinder ermüdet; ⟨häufig im 2. Partizip⟩ ganz ermüdet kamen wir abends an. **2.** ⟨tr.⟩ *müde, matt, schläfrig machen:* die schlechte Strecke hat den Fahrer schnell ermüdet; ⟨häufig im 1. Partizip⟩ sein Vortrag war ermüdend; eine ermüdende Arbeit. **Ermüdung,** die; -.

ermuntern, ermunterte, hat ermuntert ⟨tr.⟩: *(jmdm. durch Worte oder Beispiel) Mut oder Lust (zu etwas) geben:* jmdn. zu einer Arbeit, zu einem Spaziergang e.; diese Versprechungen ermunterten niemanden mehr [zu großen Taten]; ⟨auch im 1. Partizip⟩ er blickte ihn ermunternd an. **Ermunterung,** die; -, -en.

ermutigen, ermutigte, hat ermutigt ⟨tr.⟩ /Ggs. entmutigen/: *(jmdm.) Mut machen; (jmdn. zu etwas) den Antrieb geben oder (ihn in seinen Absichten) bestärken:* der Professor hat ihn zur Bearbeitung dieses Themas ermutigt; ⟨oft im 1. Partizip⟩ ermutigende Worte, Blicke. **Ermutigung,** die; -, -en.

ernähren, ernährte, hat ernährt ⟨tr.⟩: **1.** *mit Nahrung [regelmäßig] versorgen:* das Kind muß noch mit der Flasche ernährt werden; ⟨auch rfl.⟩ er ernährt sich hauptsächlich von Obst. **2.** *für jmds. Lebensunterhalt sorgen:* er hat eine große Familie zu e.; ⟨auch rfl.⟩ von dieser Tätigkeit kann er sich kaum e. **Ernährung,** die; -.

ernennen, ernannte, hat ernannt ⟨tr.⟩: *(jmdm. ein bestimmtes Amt) übertragen, (als etwas) einsetzen, (zu etwas) bestimmen:* jmdn. zum Nachfolger, Botschafter, Minister e. **Ernennung,** die; -, -en.

erneuern, erneuerte, hat erneuert ⟨tr.⟩: **1.** *durch Neues ersetzen, gegen Neues auswechseln:* den Fußboden, die Reifen des Autos e. **2. a)** *etwas fast Vergessenes neu wirksam werden lassen:* ihre Freundschaft wurde jetzt erneuert. **b)** *ein weiteres Mal für gültig erklären; verlängern; wiederholen:* einen Paß, einen Vertrag, eine Einladung e. **Erneuerung,** die; -, -en.

erneut ⟨Adj.; nicht prädikativ⟩: *von neuem, wieder [unternommen, auftretend]:* ein erneuter Versuch; es kam zu erneuten Zusammenstößen zwischen beiden Parteien; er versuchte e. zu fliehen.

erniedrigen, erniedrigte, hat erniedrigt ⟨tr./rfl.⟩: *moralisch herabsetzen:* diese Arbeit erniedrigte ihn [zur Maschine]; durch eine solche Tat würdest du dich selbst e. **Erniedrigung,** die; -, -en.

ernst ⟨Adj.⟩: **1.** *von Ernst, Nachdenklichkeit ergriffen; nicht heiter oder fröhlich:* ein ernstes Gesicht; ein ernster Mensch; sie wurde plötzlich e. *(lachte plötzlich nicht mehr)*. **2.** *eindringlich, gewichtig, bedeutungsvoll:* die Kinder erhielten ernste Ermahnungen; ernste Bedenken sprachen gegen seine Entscheidung. **3.** *wirklich so gemeint, aufrichtig:* es ist seine ernste Absicht, uns auf seine nächste Reise mitzunehmen. **4.** *sehr gefahrvoll; zur Besorgnis Anlaß gebend:* eine ernste Situation; sein Zustand ist e.

Ernst, der; -es: **1.** *strenge Gesinnung, nicht oberflächliche oder scherzhafte Einstellung:* die Ärzte gingen mit großem E. an ihre schwierige Aufgabe; das ist mein voller E. *(das meine ich wirklich so)*. * **mit etwas E. machen** *(etwas wahr machen)*. **2.** *Bedrohlichkeit, Gefährlichkeit:* jetzt erkannte er den E. der Lage. **3.** *Bedeutung, Gewichtigkeit:* der E. seiner Rede übertrug sich auf die Hörer; Ostern kommt er in die Schule, dann beginnt für ihn der E. *(die rauhe Wirklichkeit)* des Lebens.

Ernstfall, der; -[e]s, Ernstfälle: *Zeitpunkt, in dem ein nur für möglich gehaltenes [gefährliches] Ereignis tatsächlich eintritt:* sich, alles für den E. vorbereiten; im E.; mit dem E. rechnen.

ernsthaft ⟨Adj.; nicht prädikativ⟩: **1.** *nicht scherzend oder zum Scherzen aufgelegt, sondern sachlich, allen Spaß beiseite lassend:* ein ernsthafter Charakter; e. mit jmdm. sprechen. **2.** *eindringlich, gewichtig, bedeutungsvoll:* eine ernsthafte Mahnung; ernsthafte Mängel. **3.** *wirklich so gemeint, aufrichtig:* ein ernsthaftes Angebot. **4.** *sehr, stark:* er fühlte sich e. angegriffen.

ernstlich ⟨Adj.; nicht prädikativ⟩: **1.** *gewichtig, bedeutungsvoll; eindringlich:* ernstliche Bedenken hielten ihn davon ab, sofort zuzusagen; sie wurden e. ermahnt. **2.** *wirklich so gemeint, aufrichtig:* sie hatte e. die Absicht zu kommen. **3.** *sehr, gefährlich:* sie ist e. krank.

Ernte, die; -, -n: **1.** *das Ernten:* die E. hat begonnen; Kinder helfen in den Ferien bei der E. **2.** *auf dem Feld oder im Garten geerntete Früchte:* es gab dieses Jahr reiche Ernten an Getreide und Obst; das Unwetter vernichtete die E.

ernten, erntete, hat geerntet ⟨tr.⟩: *(die reifen Früchte des Feldes oder Gartens) einsammeln und einbringen:* Weizen, Obst, Kartoffeln e.; bildl.: Undank e. *(keinen Dank erhalten)*; der Dirigent erntete *(bekam)* riesigen Applaus.

ernüchtern, ernüchterte, hat ernüchtert ⟨tr.⟩: *aus dem Rausch der Begeisterung oder Illusion in die Realität zurückholen:* ihre kühle Begrüßung ernüchterte uns; nach dem heftigen Streit war er ernüchtert. **Ernüchterung,** die; -.

Eroberer, der; -s, -: *jmd., der (eine Stadt, ein Land) erobert [hat]:* die E. hielten das Volk in Knechtschaft.

erobern, eroberte, hat erobert ⟨tr.⟩: **1.** *(fremdes Gebiet) durch eine militärische Aktion gewinnen, an sich bringen:* der Feind konnte zwei wichtige Städte e. **2.** *(für sich) gewinnen:* der Minister eroberte sich (Dativ) die Sympathien der Bevölkerung. **Eroberung,** die; -, -en.

eröffnen, eröffnete, hat eröffnet: **1.** ⟨tr.⟩ *der Öffentlichkeit, dem Publikum zugänglich machen:* ein Geschäft, eine Ausstellung e. **2.** ⟨tr.⟩ *(mit etwas) beginnen:* einen Kongreß, eine Diskussion e. **3.** ⟨tr.⟩ *(jmdm. etwas Unerwartetes) mitteilen:* der Sohn eröffnete den Eltern seine Absicht, das Studium abzubrechen. 4. ⟨rfl.⟩ *sich (jmdm. als Möglichkeit) bieten:* nach dieser Prüfung eröffnen sich ihm bessere Aussichten in seinem Beruf. **Eröffnung,** die; -, -en.

erörtern, erörterte, hat erörtert ⟨tr.⟩: *(über etwas, was geklärt werden muß) miteinander sprechen, diskutieren:* eine Frage, einen Fall e.; neue Möglichkeiten e. *(untersuchen);* ein Problem wissenschaftlich e. *(abhandeln).* **Erörterung,** die; -, -en.

Erotik, die; -: *Bereich der sinnlichen Liebe, des Geschlechtlichen:* die Funktion der E. in der Ehe.

erotisch ⟨Adj.⟩: *die Liebe betreffend:* erotische Beziehungen; erotische Literatur; im erotischen Bereich.

erpicht: ⟨in der Verbindung⟩ auf etwas e. sein: *auf etwas begierig, versessen sein:* der Reporter war immer auf Sensationen e.

erpressen, erpreßte, hat erpreßt ⟨tr.⟩: 1. *(jmdn.) durch Androhung von Gewalt (zu etwas) zwingen:* die Entführer des Kindes haben die Eltern zu einem hohen Lösegeld erpreßt. 2. *durch Androhung von Gewalt (von jmdm.) erhalten:* Geld, eine Unterschrift e.; das Geständnis war nur erpreßt. **Erpressung,** die; -, -en.

erproben, erprobte, hat erprobt ⟨tr.⟩: *einer Probe unterziehen, prüfen:* die Techniker hatten das Auto in harten Tests erprobt; seine eigenen Kräfte e. **Erprobung,** die; -, -en.

erquicken, erquickte, hat erquickt ⟨tr./rfl.⟩: *(jmdm.) neue Kraft geben; beleben, stärken:* das Getränk hatte ihn erquickt; sie erquickten sich an einem kühlen Bad; ⟨häufig im 1. Partizip⟩ ein erquickender Schlaf.

erquicklich ⟨Adj.⟩: *belebend, erfrischend, angenehm, erfreulich:* am Abend empfanden wir die Kühle als recht e.; diese Nachrichten sind weniger e.

Erquickung, die; -, -en: 1. ⟨ohne Plural⟩ *das Erquicken:* zu unserer E. duschten wir uns. 2. *das Erquickende:* eine E., Erquickungen zu sich nehmen.

erraten, errät, erriet, hat erraten ⟨tr.⟩: *(etwas Unbekanntes) durch Raten herausfinden:* du hast meinen Wunsch erraten; das ist nicht schwer zu e.

errechnen, errechnete, hat errechnet ⟨tr.⟩: *durch Rechnen ermitteln:* der Computer errechnete die Stärke des Gegners an Hand einer Statistik.

erregbar ⟨Adj.⟩: *zur Erregung zu bringen:* nach der Anstrengung des Tages ist sie meist leicht e. **Erregbarkeit,** die; -.

erregen, erregte, hat erregt: 1. ⟨tr./rfl.⟩ *(jmds. Gefühl) in heftige Bewegung bringen; aufregen:* ihn erregt jede Kleinigkeit; sie erregte sich darüber so sehr, daß es ihr Herz angriff; ⟨häufig im 1. Partizip⟩ ein erregendes Schauspiel; ⟨häufig im 2. Partizip⟩ eine erregte Diskussion; man versuchte, die erregte Menge zu beruhigen. 2. ⟨als Funktionsverb⟩: jmds. Neugier e. *(jmdn. neugierig machen);* Aufsehen e. *(auffallen);* Anstoß e. *(unangenehm auffallen; sich den Unwillen anderer zuziehen).*

Erreger, der; -s, -: *Keim, der Krankheiten o. ä. hervorruft:* Infektionen werden durch eine besondere Art von Erregern hervorgerufen.

Erregtheit, die; -: *Erregung:* er konnte seine E. nicht verbergen.

Erregung, die; -: 1. *das Erregen:* die E. öffentlichen Ärgernisses durch unzüchtige Handlungen. 2. *Aufregung, Entrüstung:* seine E. nicht verbergen können; in E. versetzen, geraten.

erreichen, erreichte, hat erreicht ⟨tr.⟩: 1. *mit dem ausgestreckten Arm an etwas reichen, um etwas zu ergreifen:* sie erreichte das oberste Regal, ohne auf die Leiter steigen zu müssen. 2. *(mit jmdm.) in [telefonische] Verbindung treten; antreffen:* unter welcher Nummer kann ich Sie e.?; du warst gestern nirgends zu e. 3. *(zu jmdm., an ein Ziel, eine Grenze) gelangen:* mein letzter Brief hat ihn nicht mehr vor seiner Abfahrt erreicht; der kleine Ort ist nur mit dem Auto zu e.; sie mußten sich beeilen, um den Zug zu e.; er hat ein hohes Alter erreicht *(er ist sehr alt geworden).* 4. *durchsetzen, gegen Widerstände verwirklichen:* er hat alles erreicht, was er wollte; bei ihm wirst du [damit] nichts e.

erretten, errettete, hat errettet ⟨tr.⟩ (geh.): *retten:* der Arzt hat mich vom Tode errettet.

errichten, errichtete, hat errichtet ⟨tr.⟩: *bauen, aufstellen:* ein Gebäude e.; eine Tribüne, ein Denkmal e. **Errichtung,** die; -.

erringen, errang, hat errungen ⟨tr.⟩: *(um etwas) kämpfen und (es) schließlich erreichen, gewinnen:* er errang den ersten Preis; die Partei konnte weitere Sitze im Parlament e.; sie wollten die errungene Freiheit verteidigen.

erröten, errötete, ist errötet ⟨itr.⟩: *im Gesicht rot werden und dadurch seine Verwirrung zeigen:* vor Scham, Verlegenheit e.; sie errötete tief, leicht.

Errungenschaft, die; -, -en: *etwas, was durch große Anstrengung erreicht wurde und einen Fortschritt bedeutet:* eine E. der Forschung; die Fabrik ist mit den neuesten Errungenschaften der Technik ausgestattet.

Ersatz, der; -es: *Person oder Sache, die an die Stelle einer nicht mehr vorhandenen oder nicht mehr geeigneten Person oder Sache tritt:* für den erkrankten Sänger mußte ein E. gefunden werden; er bot ihm ein neues Buch als E. für das beschädigte an; er muß für den Verlust E. leisten *(er muß den Verlust ersetzen).*

ersaufen, ersäuft, ersoff, ist ersoffen ⟨itr.⟩: 1. (derb) *ertrinken:* die Tiere sind in dem reißenden Fluß ersoffen. 2. *sich mit Wasser füllen* /von Schächten, Bergwerken o. ä./: die Grube ist nach dem Einbruch des Wassers ersoffen.

ersäufen, ersäufte, hat ersäuft ⟨tr.⟩ (derb): *ertränken:* er hat die jungen Katzen im Weiher ersäuft.; bildl.: seine Sorgen in Schnaps e. *(sie damit betäuben, zu vergessen versuchen).*

erschaffen, erschuf, hat erschaffen ⟨tr.⟩ (geh.): *schaffen, entstehen lassen:* Gott hat Himmel und Erde erschaffen; man hat diese Stadt in der Wüste aus dem Nichts erschaffen. **Erschaffung,** die; -.

erschallen, erschallte / (geh.:) erscholl, ist erschallt/ (geh.:) erschollen ⟨itr.⟩: *laut ertönen:* ein allgemeines Gelächter erschallte.

erschaudern, erschauderte, ist erschaudert ⟨itr.⟩ (geh.): *schaudern:* vor Angst e.

erschauern, erschauerte, ist erschauert ⟨itr.⟩ (geh.:) *von einem Schauer ergriffen werden:* vor Kälte, Erregung e.

erscheinen, erschien, ist erschienen ⟨itr.⟩: **1. a)** *sich einfinden, wo man erwartet wird:* er ist heute nicht zum Dienst erschienen. **b)** *(in jmds. Blickfeld) treten:* der Vater erschien in der Tür und forderte die Kinder auf, leise zu sein; die Küste erschien am Horizont. **2.** *als Buch, Zeitung o. ä. herausgebracht werden [und in den Handel kommen]:* sein neuer Roman erscheint im Herbst; die Zeitschrift erscheint einmal im Monat. **3.** *sich (jmdm.) in einer bestimmten Weise darstellen:* es erscheint mir merkwürdig, daß er plötzlich seinen Plan wieder aufgegeben hat; seine Erklärung erscheint mir unverständlich. **Erscheinung,** die; -, -en.

erschießen, erschoß, hat erschossen ⟨tr.⟩: *mit der Schußwaffe töten:* einige Aufständische wurden erschossen; sie haben die Flüchtenden erschossen; ⟨auch rfl.⟩ sich e. *(mit einer Schußwaffe Selbstmord begehen).* **Erschießung,** die; -, -en.

erschlaffen, erschlaffte, ist erschlafft ⟨itr.⟩: *schlaff werden:* die Arme des Sterbenden erschlafften; bildl.: seine Widerstandskraft ist durch den Alkoholgenuß mehr und mehr erschlafft.

erschlagen, erschlägt, erschlug, hat erschlagen ⟨tr.⟩: **a)** *(mit einem harten Gegenstand) töten:* er hatte sein Opfer mit einem Hammer erschlagen; der Gesuchte wurde erschlagen aufgefunden. **b)** *durch Herabstürzen töten:* Dachziegel, die sich durch den Sturm gelöst hatten, erschlugen einen Passanten; der Bauer wurde vom Blitz erschlagen *(durch Blitzschlag getötet).* ** (ugs.) **erschlagen sein: a)** *(sehr müde, erschöpft sein):* nach der langen Reise waren wir ganz erschlagen. **b)** *(fassungslos, völlig verwirrt sein):* er war geradezu erschlagen, als er den Brief gelesen hatte.

erschleichen, erschlich, hat erschlichen ⟨tr.⟩: *zu Unrecht oder auf unmoralischem Wege heimlich erwerben, sich verschaffen:* durch dein devotes Verhalten hast du [dir] diesen Posten erschlichen; ein Erbe, jmds. Vertrauen e. **Erschleichung,** die; -

erschließen, erschloß, hat erschlossen: **1.** ⟨tr.⟩: **a)** *zugänglich machen:* einzelne Gebiete Afrikas sind noch nicht erschlossen. **b)** *nutzbar machen:* es wurden neue Möglichkeiten zur Gewinnung von Energie erschlossen. **2.** ⟨rfl.⟩ *verständlich werden:* diese Dichtung erschließt sich nur sehr schwer. **3.** ⟨tr.⟩ *durch logischen Schluß ermitteln, folgern:* der ursprüngliche Text mußte aus den verschiedenen Überlieferungen erschlossen werden. **Erschließung,** die; -, -en.

erschöpfen, erschöpfte, hat erschöpft: **1.** ⟨tr.⟩ *völlig, ganz, bis zum Ende behandeln, erörtern:* als der Redner das eine Thema erschöpft hatte, behandelte er ein anderes; ⟨häufig im 1. Partizip⟩ eine erschöpfende *(vollständige, gründliche)* Auskunft erteilen. **2. a)** ⟨tr.⟩ *bis ans Ende der Kraft ermüden:* die harte körperliche Arbeit hatte ihn völlig erschöpft; dieser anstrengende Lauf hat mich ganz erschöpft; ⟨häufig im 2. Partizip⟩ in völlig erschöpftem Zustand; erschöpft nach Hause kommen. **b)** ⟨itr.⟩ *völlig aufbrauchen, nutzen:* er hatte seine letzten Reserven an Kraft erschöpft. **3.** ⟨rfl.⟩ *(mit etwas) nicht aufhören, (etwas) dauernd wiederholen:* der Bettler erschöpfte sich in Verwünschungen gegen die Reichen. **4.** ⟨rfl.⟩ *lediglich (in etwas) bestehen:* seine Aufgabe erschöpft sich im Entleeren der Aschenbecher.

Erschöpfung, die; -, -en: *Zustand, in dem man durch große Anstrengungen am Ende seiner Kräfte ist:* sie arbeiteten bis zur völligen E.; sie ist vor E. umgefallen.

erschrecken: I. erschrickt, erschrak, ist erschrocken ⟨itr.⟩: *einen Schrecken bekommen:* er erschrak, als er einen Knall hörte; ich bin bei der Nachricht furchtbar erschrocken; erschrocken sprang sie auf. **II.** erschreckte, hat erschreckt ⟨tr.⟩: *(jmdn.) in Angst versetzen:* die Explosion erschreckte die Bevölkerung; diese Nachricht hat uns furchtbar erschreckt; ⟨häufig im 1. Partizip⟩ die Seuche nimmt erschreckende *(beängstigende) Ausmaße an.*

erschüttern, erschütterte, hat erschüttert ⟨tr.⟩: **1.** *in zitternde, schwankende Bewegung bringen:* die Explosion erschütterte alle Häuser im Umkreis; bildl.: schwere Unruhen erschütterten den Staat. **2.** *im Innersten ergreifen und in Trauer versetzen:* der Tod des Kollegen hat uns tief erschüttert. **Erschütterung,** die; -, -en.

erschweren, erschwerte, hat erschwert ⟨tr.⟩: *(ein Tun oder Vorhaben) durch Widerstand oder Hindernisse schwierig und mühevoll machen:* seine unnachgiebige Haltung erschwert die Verhandlungen; durch Glatteis wird das Fahren sehr erschwert.

Erschwernis, die; -, -se: *[zusätzliche] Schwierigkeiten, Mühsal:* er nahm alle Erschwernisse der Reise in Kauf.

Erschwerung, die; -, -en: *das Erschweren:* die E. der Verhandlungen, der Einreise.

erschwindeln, erschwindelte, hat erschwindelt ⟨tr.⟩ (ugs.): *durch Betrug erwerben:* sein Vermögen hat [sich] der alte Gauner erschwindelt.

erschwinglich ⟨Adj.; nicht adverbial⟩: *eine Summe erfordernd, die man noch bezahlen kann:* kaum erschwingliche Preise; die Kosten für einen Urlaub sind dort noch e.

ersehen, ersieht, ersah, hat ersehen: **1.** ⟨tr.⟩ *erkennen, entnehmen:* aus ihrem Brief konnte man nicht e., was sie eigentlich wollte. **2.** ⟨rfl.⟩ (veralt.) *auswählen, ausersehen:* ich habe sie mir zur Braut ersehen.

ersetzen, ersetzte, hat ersetzt ⟨tr.⟩: **1. a)** *an die Stelle (einer nicht mehr vorhandenen oder ungeeigneten Person oder Sache) setzen:* in der zweiten Halbzeit wurde in beiden Mannschaften je ein Spieler ersetzt; seine mangelnde Begabung ersetzt er durch großen Fleiß *(gleicht er durch großen Fleiß aus).* **b)** *an die Stelle (einer nicht mehr vorhandenen oder ungeeigneten Person oder Sache) treten:* sein Onkel mußte ihm jetzt den Vater e. **2.** *(einen erlittenen Schaden) ausgleichen, (für den beschädigten Gegenstand) einen neuen geben:* Sie müssen mir den

Iantel e., den mir Ihr Hund errissen hat.

ersichtlich ⟨Adj.⟩: *erkennbar, deutlich:* aus dem Schreiben ist eine Auffassung klar e.; ohne ersichtlichen Grund begann er zu weinen.

ersinnen, ersann, hat ersonnen ⟨tr.⟩ (geh.): *ausdenken, erfinden:* sie hatte wieder eine Ausrede ersonnen, um das Haus verlassen zu können.

erspähen, erspähte, hat erspäht ⟨tr.⟩: *durch angestrengtes Sehen, Schauen in einer größeren Entfernung erblicken:* in den Wolken erspähten sie ein Flugzeug; er hatte mich erspäht und kam sofort auf mich zu.

ersparen, ersparte, hat erspart ⟨tr.⟩: **1.** *durch Sparen zusammentragen, erwerben:* einige tausend Mark e.; er hat sich (Dativ) ein kleines Haus erspart. **2.** *(etwas Unangenehmes von jmdm.) fernhalten:* ich möchte ihm die Aufregungen, den Ärger e.; es bleibt einem nichts erspart *(man muß auch das noch erledigen oder ertragen);* die neue Einteilung erspart *(erübrigt)* viel Arbeit.

Ersparnis, die; -, -se: **a)** *das Ersparen; Einsparung:* der neue Entwurf bringt eine E. von mehreren tausend Mark. **b)** ⟨Plural⟩ *ersparte Summe:* er besitzt beträchtliche Ersparnisse; er hat alle seine Ersparnisse verloren.

Ersparung, die; -, -en: *das Ersparen.*

ersprießlich ⟨Adj.⟩: *einigen Nutzen oder Gewinn bringend:* eine ersprießliche Zusammenarbeit; was wir hier tun, ist alles nicht sehr e.

erst ⟨Adverb⟩: **1.** *zuerst, zunächst:* e. kommt er an die Reihe, danach die andern; du mußt ihn e. näher kennenlernen, um ihn zu beurteilen; /abgeschwächt/ wenn du e. einmal so alt bist wie wir, wirst du anders darüber denken; wären wir e. schon zu Hause! **2. a)** *nicht eher als:* er will e. morgen abreisen; ich schreibe ihm e. nach dem Fest wieder. **b)** *nicht mehr als:* ich habe e. dreißig Seiten in dem Buch gelesen. **3.** *um wieviel mehr, aber:* sie ist sowieso schon unfreundlich, aber e., wenn sie schlechte Laune hat!; nun e. recht *(nun gerade)!*

erstarken, erstarkte, ist erstarkt ⟨itr.⟩: *stark werden, an Stärke zunehmen:* nach der Krankheit erstarkte sein Körper wieder; bildl.: die katholische Kirche erstarkte durch diese Beschlüsse.

erstarren, erstarrte, ist erstarrt ⟨itr.⟩: **1.** *vor Kälte steif, unbeweglich werden:* meine Finger sind ganz erstarrt. **2. a)** *plötzlich eine starre Haltung annehmen:* er war vor Schreck erstarrt; sie erstarrten in Ehrfurcht *(waren von großer Ehrfurcht ergriffen).* **b)** *nicht mehr mit Leben erfüllt sein und sich (auf etwas) reduzieren:* ihre Briefe waren zur bloßen Form erstarrt; das gesellschaftliche Leben war in Konventionen erstarrt. **Erstarrung,** die; -, -en.

erstatten, erstattete, hat erstattet ⟨tr.⟩: **1.** *(entstandene Unkosten) durch einen entsprechenden Geldbetrag ausgleichen; zurückzahlen, ersetzen:* Unkosten, Auslagen werden erstattet. **2.** ⟨als Funktionsverb⟩ Bericht e. *(in sachlicher Form über etwas berichten);* Anzeige e. *(jmdn./etwas anzeigen);* Meldung e. *(etwas melden).*

Erstaufführung, die; -, -en: *erste Aufführung eines Theaterstückes oder Films, Premiere:* die E. eines Schauspiels, einer Oper.

erstaunen, erstaunte, hat/ist erstaunt ⟨itr.⟩: **1.** *jmds. Vorstellungen, Erwartungen übertreffen oder nicht entsprechen und dadurch Bewunderung oder leichtes Befremden in ihm auslösen:* seine großen Erfolge haben uns erstaunt; ihre Unfreundlichkeit erstaunte mich nicht weiter. **2.** *von etwas Unvermutetem oder Eindrucksvollem zum Staunen gebracht werden:* er war über den Luxus der Einrichtung erstaunt; ⟨häufig im 2. Partizip⟩ sie blickte mich erstaunt an.

Erstaunen, das; -s: *das Erstauntsein, Verwunderung:* zu meinem großen E. kam er früher als verabredet; in E. setzen, geraten.

erstaunlich ⟨Adj.; nicht adverbial⟩: **1.** *Erstaunen oder Bewunderung hervorrufend:* eine erstaunliche Begebenheit; seine Leistungen sind e. **2. a)** *sehr groß:* ein Flugzeug mit einer erstaunlichen Geschwindigkeit. **b)** ⟨verstärkend bei Adjektiven⟩ *sehr:* die Wirtschaft hat sich e. schnell wieder erholt.

Erstausgabe, die; -, -en: *erste Ausgabe* /von Büchern o. ä./: die E. dieses bedeutenden Werkes.

erste ⟨Ordinalzahl⟩: 1.: *in einer Reihe oder Folge den Anfang bildend:* die e. Etage; den ersten Schritt zur Versöhnung tun; am ersten Juli; am Ersten [des Monats] gibt es Geld; das e. Grün *(die ersten Blätter im Frühjahr);* er war der E. *(der beste Schüler)* der Klasse; das e. *(beste)* Hotel am Ort. *** fürs e.** *(zunächst, vorläufig);* **der/die/das e. beste** *(der/die/das zunächst sich Anbietende):* er ergriff die e. beste Gelegenheit.

erstechen, ersticht, erstach, hat erstochen ⟨tr.⟩: *durch Stechen (mit einer spitzen Waffe) töten:* er hat seinen Freund mit einem Messer erstochen.

erstehen, erstand, hat erstanden ⟨tr.⟩: *[mit Glück, Mühe] käuflich erwerben:* er hat noch drei Eintrittskarten erstanden; das Buch habe ich billig im Antiquariat erstanden.

ersteigen, erstieg, hat erstiegen ⟨tr.⟩: *(auf etwas) steigen; erklimmen:* die Bergsteiger haben den Gipfel in drei Tagen erstiegen.

ersteigern, ersteigerte, hat ersteigert ⟨tr.⟩: *(auf einer Versteigerung) erwerben:* er hat einige wertvolle Briefmarken auf der Auktion ersteigert. **Ersteigerung,** die; -, -en:

Ersteigung, die; -, -en: *das Ersteigen.*

erstellen, erstellte, hat erstellt ⟨tr.⟩ (Papierdt.): **a)** *bauen, errichten:* ein Gebäude, Wohnungen e. **b)** *anfertigen:* ein Gutachten, eine Kartei, einen Plan e.

ersticken, erstickte, hat/ist erstickt: **1.** ⟨itr.⟩ *durch Mangel an Luft, an Sauerstoff sterben:* ich wäre fast an einer Gräte erstickt; die Luft ist zum E. *(sehr schlecht).* **2.** ⟨tr.⟩ *durch Hemmen der Atmung, Entziehen der Luft töten:* Sie hat das Kind mit einem Kissen erstickt; sie erstickten *(löschten)* die Flammen mit einer Decke.

erstklassig ⟨Adj.⟩: *ausgezeichnet, von der besten Qualität:* eine erstklassige Arbeit; Unterkunft und Verpflegung waren e.

erstmalig ⟨Adj.; nicht adverbial⟩: *zum erstenmal [geschehend/stattfindend]:* die erstmalige Erwähnung des Ortes in einer Urkunde von 1132.

erstmals ⟨Adverb⟩: *zum ersten Mal:* vor kurzer Zeit ist uns dieser Versuch e. gelungen.

erstrangig ⟨Adj.⟩: *die erste Stelle einnehmend; bedeutend, wichtig:* die Erstellung von Wohnungen ist ein erstrangiges Problem; das war eine erstrangige (*hervorragende, vorzügliche)* Aufführung der Oper.

erstreben, erstrebte, hat erstrebt ⟨tr.⟩: *zu erreichen, erhalten suchen:* er erstrebt einen leitenden Posten; sie erstreben Freiheit und Wohlstand für alle.

erstrebenswert ⟨Adj.⟩: *so beschaffen, daß man es gerne erreichen, haben möchte:* ein eigenes Haus ist eine erstrebenswerte Sache; eine Arbeit, wie er sie hat, finde ich nicht sehr e.

erstrecken, sich; erstreckte sich, hat sich erstreckt: **1.** *eine bestimmte räumliche oder zeitliche Ausdehnung haben:* der Wald erstreckt sich bis zur Stadt; seine Forschungen erstrecken sich über zehn Jahre; **2.** *sich auf einen bestimmten Bereich ausdehnen, sich (auf etwas) beziehen:* seine Aufgabe erstreckt sich nur auf die Planung.

erstürmen, erstürmte, hat erstürmt ⟨itr.⟩: **1.** *im Sturm erobern, stürmend einnehmen:* die Soldaten erstürmten die feindlichen Stellungen. **2.** (geh.) *rasch besteigen:* die Bergsteiger haben den Gipfel erstürmt.

ersuchen, ersuchte, hat ersucht ⟨tr.⟩: *(jmdn.) höflich und nachdrücklich (um etwas) bitten:* jmdn. um eine Aussprache e.; wir ersuchen Sie, den Betrag sofort zu überweisen.

Ersuchen, das; -s: *Bitte, Aufforderung:* ein E. an jmdn. richten; auf sein E. [hin] wurde er versetzt.

ertappen, ertappte, hat ertappt ⟨tr.⟩: *bei heimlichem oder verbotenem Tun überraschen:* der Dieb wurde auf frischer Tat ertappt; ⟨auch rfl.⟩ er ertappte sich bei dem Wunsch, von zu Hause fortzulaufen.

erteilen, erteilte, hat erteilt ⟨als Funktionsverb⟩ /drückt aus, daß man jmdm. etwas offiziell zuteil werden oder zukommen läßt/: jmdm. eine Abfuhr e. *(jmdn. schroff abweisen);* jmdm. eine Genehmigung e. *(jmdm. etwas genehmigen);* jmdm. einen Auftrag e. *(jmdn. mit etwas beauftragen).*

ertönen, ertönte, ist ertönt ⟨itr.⟩: *hörbar werden:* es ertönte zarte Musik; plötzlich ertönte ein Schrei.

Ertrag, der; -[e]s, Erträge: **a)** *bestimmte Menge von Produkten, die in bestimmten Abständen in der Landwirtschaft als Ergebnis erzielt wird:* gute Erträge; der E. eines Ackers. **b)** *Einnahme, Gewinn:* seine Häuser bringen einen guten E.

ertragen, erträgt, ertrug, hat ertragen ⟨tr.⟩: *(etwas Quälendes, Bedrückendes oder Lästiges) hinnehmen/aushalten, ohne sich dagegen aufzulehnen oder sich davon überwältigen zu lassen:* er mußte furchtbare Schmerzen e.; ich weiß nicht, wie ich diese Ungewißheit e. soll.

erträglich ⟨Adj.⟩ **a:)** *so beschaffen, daß es sich aushalten läßt:* die Schmerzen sind e.; man muß versuchen, ihr Leben erträglicher zu gestalten. **b)** *nicht besonders schlecht oder übel, wenn auch nicht gerade besonders gut, mittelmäßig:* er möchte ein erträgliches Auskommen haben; es ging ihm e.

ertragreich ⟨Adj.⟩: *reichen Gewinn bringend, reich an Erträgen, ergiebig:* eine ertragreiche Ernte; das Geschäft war sehr e.

ertränken, ertränkte, hat ertränkt ⟨tr./rfl.⟩: *durch Untertauchen im Wasser töten:* sie hat die jungen Katzen im See ertränkt; er hat sich ertränkt; bildl.: seine Sorgen im Alkohol e.

erträumen, sich; erträumte sich, hat sich erträumt ⟨itr.⟩: *sich (so) wünschen (wie man es sich im Traum vorstellt):* ich erträumte mir einen Bungalow am Meer.

ertrinken, ertrank, ist ertrunken ⟨itr.⟩: *durch einen Unglücksfall im Wasser ums Leben kommen:* das Kind ist beim Baden ertrunken; jmdn. vor dem Tod des Ertrinkens retten.

ertüchtigen, ertüchtigte, hat ertüchtigt ⟨tr./rfl.⟩: *(durch Übung) zu einer besonderen Leistung fähig machen:* ich habe ihn, mich durch Dauerläufe körperlich ertüchtigt. **Ertüchtigung,** die; -, -en.

erübrigen, erübrigte, hat erübrigt: **1.** ⟨tr.⟩ *durch Sparsamkeit gewinnen, übrigbehalten:* ich habe diesmal einen größeren Betrag erübrigt; für etwas [keine] Zeit e. können *(Zeit haben).* **2.** ⟨rfl.⟩ *überflüssig sein:* weitere Nachforschungen erübrigen sich; das hat sich jetzt alles erübrigt *(das ist jetzt alles nicht mehr nötig).*

erwachen, erwachte, ist erwacht ⟨itr.⟩: **a)** *wach werden:* als er erwachte, war es schon Tag; er erwachte erst nach mehreren Tagen aus der Bewußtlosigkeit. **b)** *sich (in jmdm.) regen, erheben:* sein Ehrgeiz ist plötzlich erwacht.

erwachsen: I. erwachsen, erwächst, erwuchs, ist erwachsen ⟨tr.⟩: *als Folge von etwas allmählich entstehen:* daraus kann ihm nur Schaden e.; aus dieser Erkenntnis erwuchs die Forderung nach härteren Maßnahmen. **II.** ⟨Adj.; nicht adverbial⟩: *dem Jugendalter entwachsen; volljährig:* die Kinder sind e.; sie haben drei erwachsene Töchter; er benimmt sich schon sehr e. *(wie ein Erwachsener).*

Erwachsene, der und die; -n, -n ⟨aber: [ein] Erwachsener, Plural: Erwachsene⟩: *dem Jugendalter entwachsener Mensch:* ein Film nur für Erwachsene; sie benehmen sich wie Erwachsene.

erwägen, erwog, hat erwogen ⟨tr.⟩: *durchdenken und auf alle möglichen Konsequenzen hin prüfen:* eine Möglichkeit ernstlich e.; er erwog, den Vertrag zu kündigen. **Erwägung,** die; -, -en.

erwählen, erwählte, hat erwählt ⟨tr.⟩ (geh.): *aussuchen, bestimmen, auswählen:* er erwählte die Hauptstadt zu seinem Wohnort; ich habe sie [mir] zur Frau erwählt.

erwähnen, erwähnte, hat erwähnt ⟨tr.⟩: *nur kurz (von etwas) sprechen, beiläufig nennen:* er hat die letzten Ereignisse mit keinem Satz erwähnt; er hat dich lobend in seinem Brief erwähnt. **Erwähnung,** die; -, -en.

erwarten, erwartete, hat erwartet ⟨tr.⟩: **1.** *jmds. Kommen oder dem Eintreffen von etwas mit Spannung entgegensehen:* ich erwarte Sie um 9 Uhr am Flugplatz; ein Paket e.; ein Kind e. *(schwanger sein).* **2.** *(ein kommendes Ereignis) für sehr wahrscheinlich halten; (mit etwas) rechnen:* etwas Ähnliches hatte ich erwartet; es ist wider E. *(überraschenderweise)* gut gegangen. **Erwartung,** die; -, -en.

erwärmen, erwärmte, hat erwärmt: **1.** ⟨tr.⟩ *warm machen:* die Sonne erwärmt die Erde und das Wasser; bildl.: er versuchte die Partei für seine Sache zu e. *(zu begeistern, zu interessieren).* **2.** ⟨rfl.⟩ *warm werden:* das Wasser hat sich im Laufe des Tages erwärmt; bildl.: ich konnte mich für seine Ideen nicht e. *(begeistern).* **Erwärmung,** die; -.

erwecken, erweckte, hat erweckt ⟨tr.⟩ (geh.): *wach machen, wecken:* der Knall erweckte mich aus tiefem Schlaf; bildl.: einen Toten zum Leben e. *(ihn wieder lebendig machen);* Mitleid, Hoffnung, Interesse, Mißtrauen e. *(erregen).*

erwehren, sich; erwehrte sich, hat sich erwehrt (geh.): *(jmdn./etwas von sich) abwehren, fernhalten:* ich habe mich tapfer seines Angriffes erwehrt; ich konnte mich des Eindrucks nicht e., daß er log.

erweichen, erweichte, hat/ist erweicht: **1.** ⟨tr.⟩ *weich machen:* die Hitze hat das Wachs erweicht; bildl.: er hat mein Herz erweicht *(mich gerührt, milde gestimmt);* ich habe ihn schließlich noch e. *(umstimmen)* können **2.** ⟨itr.⟩ *weich werden:* der Asphalt ist in der Sonne erweicht; bildl.: sein starrer Sinn ist im Laufe der Zeit erweicht *(milder geworden).*

erweisen, erwies, hat erwiesen: **1. a)** ⟨rfl.⟩ *sich herausstellen, sich zeigen als:* er erwies sich als Betrüger; ihre Behauptung erwies sich als wahr. **b)** ⟨tr.⟩ *nachweisen; den Beweis (für etwas) liefern:* der Prozeß hat seine Unschuld erwiesen; ⟨oft im 2. Partizip⟩ es ist noch nicht erwiesen, ob er recht hatte. **2.** ⟨in Verbindung mit bestimmten Substantiven⟩ /drückt aus, daß man jmdm. etwas zuteil werden läßt, was eine Hilfe für ihn bedeutet oder die persönliche Achtung ihm gegenüber zum Ausdruck bringt/: jmdm. einen Dienst, eine Gunst e.; wir danken Ihnen für das uns erwiesene Vertrauen.

erweitern, erweiterte, hat erweitert ⟨tr.⟩: *ausdehnen, vergrößern:* seinen Horizont, seine Kenntnisse, die Produktion e. **Erweiterung,** die; -, -en.

Erwerb, der; -s: **1. a)** *Tätigkeit, durch die man seinen Lebensunterhalt verdient:* seinem E. nachgehen. **b)** *Kauf:* der E. eines Grundstückes. **2.** *Verdienst:* von seinem E. leben.

erwerben, erwirbt, erwarb, hat erworben ⟨tr.⟩: **a)** *durch Arbeit in den Besitz (von etwas) gelangen:* er hat ein beträchtliches Vermögen erworben; bildl.: durch seine Tat hat er sich (Dativ) großen Ruhm erworben *(hat er großen Ruhm erlangt).* **b)** *sich aneignen:* er hatte sein Wissen durch Lektüre erworben. **c)** *(etwas) nach Verhandlungen durch Kauf gewinnen:* das Museum hat drei wertvolle Gemälde erworben; ein noch unbekannter Verlag hat die Rechte für das Buch erworben.

erwerbslos ⟨Adj.; nicht adverbial⟩: *arbeitslos und ohne Einkommen:* nach dem Krieg waren viele lange Zeit e.

erwerbstätig ⟨Adj.; nicht adverbial⟩: *für den Lebensunterhalt tätig; berufstätig:* immer mehr Frauen sind heute e.

Erwerbung, die; -, -en: **1.** *das Erwerben:* die E. eines Hauses. **2.** *etwas, was man erworben hat:* das Museum zeigt seine neuen Erwerbungen.

erwidern, erwiderte, hat erwidert: **1.** ⟨itr.⟩ *antworten, entgegnen:* er wußte nichts zu e.; sie erwiderte, daß sie das nicht glauben könne. **2.** ⟨tr.⟩ *(auf etwas) in gleicher Weise reagieren:* jmds. Gefühle, Gruß e.; sie haben den Besuch erwidert. **Erwiderung,** die; -, -en.

erwirken, erwirkte, hat erwirkt ⟨tr.⟩: *durch Bemühung, Bitten erreichen, erlangen:* ich habe die Erlaubnis erwirkt, ihn im Gefängnis zu besuchen.

erwischen, erwischte, hat erwischt ⟨tr.⟩ (ugs.): **a)** *gerade noch ergreifen können:* er hat den Dieb am Ärmel erwischt. **b)** *(einen Gesuchten, Verfolgten) verhaften:* die Polizei erwischte den Verbrecher, als er in ein Auto steigen wollte. **c)** *gerade noch erreichen:* ich habe den Zug noch erwischt; ich erwischte ihn gerade, als er fortgehen wollte. **d)** *bei verbotenem Tun überraschen, ertappen:* wir erwischten ihn, als er gerade Geld aus der Kasse entwendete. **e)** *(etwas Begehrtes) durch Geschicklichkeit bekommen:* dank unserer Pünktlichkeit hatten wir gute Plätze erwischt. ** (ugs.) **jmdn. hat es erwischt:** **a)** *jmd. ist krank geworden, hat sich schwer verletzt:* vorige Woche hatte ich die Grippe, jetzt hat es ihn erwischt. **b)** *jmd. ist verunglückt, gestorben:* bei dem Flugzeugabsturz hat es siebzehn Personen erwischt.

erwünscht ⟨Adj.; nicht adverbial⟩: **a)** *dem Wunsch entsprechend, gewünscht:* die ärztliche Behandlung hatte die erwünschte Wirkung. **b)** *willkommen:* nicht erwünschte Gäste störten die Feier; Sie sind hier sehr e.

erwürgen, erwürgte, hat erwürgt ⟨tr.⟩: *durch Würgen (jmds.) Atmung unterbinden und dadurch töten:* er war mit einer Krawatte erwürgt worden; bildl.: der Diktator hat jede Kritik erwürgt *(unterdrückt, mit Gewalt verhindert).*

Erz, das; -es, -e: **1.** *natürlich vorkommende Mischung von Mineralien, die ein Metall enthält:* E. abbauen, schmelzen. **2.** (veralt.; geh.): *Metall[mischung]:* Denkmäler aus E.

erzählen, erzählte, hat erzählt ⟨tr.⟩: **a)** *(etwas Geschehenes oder frei Erfundenes) anschaulich und auf unterhaltsame Art in Worten wiedergeben, schildern:* eine Geschichte e.; er hat nie viel von Ihnen erzählt. **b)** *in vertraulicher Unterhaltung mitteilen:* ihm kann man alles e., was einen innerlich beschäftigt.

Erzähler, der; -s, -: *jmd., der erzählt:* er ist ein guter E., der Autor als E. des Romans.

Erzählung, die; -, -en: **1.** ⟨ohne Plural⟩ *das Erzählen:* sie hörte aufmerksam seiner E. zu. **2.**

Form der erzählenden Dichtung: er schrieb mehrere Erzählungen.

erzeugen, erzeugte, hat erzeugt ⟨tr.⟩: **1.** *entstehen lassen, hervorrufen:* durch seine lebendige Darstellung erzeugte er großes Interesse bei den Schülern. **2.** *durch bestimmte Arbeitsvorgänge gewinnen; produzieren:* Waren, Maschinen e.

Erzeuger, der; -s, -: **1.** *jmd., der etwas erzeugt, produziert:* sie beziehen Kartoffeln, Gemüse, Eier direkt vom E. **2.** *leiblicher Vater eines Kindes:* der E. muß für den Lebensunterhalt des Kindes sorgen.

Erzeugnis, das; -ses, -se: *Produkt, Ware:* landwirtschaftliche Erzeugnisse; diese Vase ist ein deutsches E.

Erzeugung, die; -: *das Erzeugen, Produktion:* die E. von Elektrizität, Energie.

Erzfeind, der; -[e]s, -e: *Feind, den man seit langem erbittert bekämpft:* die beiden politischen Kontrahenten waren Erzfeinde.

erziehen, erzog, hat erzogen ⟨tr.⟩: *im jugendlichen Alter jmds. Charakter bilden, seine Fähigkeiten entwickeln und ihn fördern:* ein Kind e.; er wurde in einem Internat erzogen; jmdn. zur Sparsamkeit e.

Erzieher, der; -s, -: *Person, die die Persönlichkeit junger Menschen bildet und ihnen gültige Werte vermittelt:* er ist der geborene E.

erzieherisch ⟨Adj.⟩: **a)** *auf die Erziehung bedacht und ihr dienend:* die erzieherischen Maßnahmen blieben wirkungslos. **b)** *sich auf die Erziehung beziehend:* eine erzieherische Fragestellung; eine erzieherische Schwierigkeit.

Erziehung, die; -: *Formung der Persönlichkeit der jungen Menschen nach bestimmten Vorstellungen oder Gesichtspunkten:* sie haben ihre Kinder eine gute E. gegeben; die musische E. steht in diesen Schulen an erster Stelle.

erzielen, erzielte, hat erzielt ⟨tr.⟩: *(ein bestimmtes Ziel) erreichen:* trotz langer Verhandlungen wurde keine Einigkeit erzielt; dieser Wagen hat eine hohe Geschwindigkeit erzielt.

erzittern, erzitterte, ist erzittert ⟨itr.⟩: *ins Zittern geraten:* die explodierende Granate ließ das Haus e.; bildl. (geh.): als er sie küßte, erzitterte sie *(war sie stark erregt).*

erzürnen, erzürnte, hat/ist erzürnt: **1.** ⟨tr.⟩ *zornig machen:* ihr freches Benehmen hat ihn sehr erzürnt; ⟨häufig im 2. Partizip⟩ er war sehr erzürnt, als er das hörte; der erzürnte Vater. **2.** ⟨rfl.⟩ *zornig werden:* du hast dich bei der Diskussion sehr erzürnt.

erzwingen, erzwang, hat erzwungen ⟨tr.⟩: *durch Zwang, trotzige Beharrlichkeit erreichen:* eine Entscheidung, Genehmigung e.; das Geständnis war erzwungen worden.

es ⟨Personalpronomen⟩: **1.** /vertritt ein sächliches Substantiv im Singular/: es (das Mädchen) ist krank; es (das Buch) wird dir gefallen; du hast es (das Mädchen) gekannt. **2.** /steht als Subjekt unpersönlicher oder unpersönlich gebrauchter Verben/: es regnet; es klopft.

Esche, die; -, -n: *Laubbaum mit hartem, elastischem Holz.*

Esel, der: -s, -: /ein Tier/ (siehe Bild); /als Schimpfwort/ (ugs.): du [alter] E.!

Esel

Eselsbrücke, die; -, -n (Schülerspr.): *Hilfe, Trick, durch den man etwas leichter verstehen oder behalten kann:* der Lehrer baute dem begriffsstutzigen Schüler eine E.

1.

2.

Eselsohr

Eselsohr, das; -[e]s, -en: **1.** *Ohr eines Esels* (siehe Bild). **2.** *umgeknickte Ecke einer Buch-, Heftseite* (siehe Bild): die Eselsohren dienten ihm dazu, die interessanten Stellen des Buches zu kennzeichnen.

Eskalation, die; -, -en: *stufenweise Steigerung (bes. vom Einsatz immer stärkerer militärischer oder politischer Mittel) zur Erreichung eines bestimmten Zieles:* eine E. des Krieges, der atomaren Rüstung.

eskalieren, eskalierte, hat eskaliert ⟨tr.⟩: *stufenweise steigern, zur Eskalation bringen:* der Gegner hat den Konflikt, den Krieg eskaliert.

Eskapade, die; -, -n (geh.): *mutwilliger Streich, Seitensprung:* er finanzierte seine nächtlichen Eskapaden mit dem Geld seines Vaters.

eskortieren, eskortierte, hat eskortiert ⟨tr.⟩: *(jmdm. oder einer Sache) militärisches oder polizeiliches Geleit geben (zum Schutz, zur Bewachung oder um damit eine Ehrung zum Ausdruck zu bringen):* berittene Soldaten eskortierten die Kutsche der Königin; der Wagen mit den Gefangenen wurde von drei Polizisten auf Motorrädern eskortiert.

Espe, die; -, -n: *Zitterpappel.*

Espenlaub: ⟨in der Wendung⟩ zittern wie E.: *heftig zittern:* vor Kälte, Erregung zitterte das Kind wie E.

Espresso: I. der; -[s], -s und Espressi: *in einer Maschine schnell zubereiteter, starker, schwarzer, bitterer Kaffee:* er schlürfte einen E. **II.** das; -[s], -s: *kleines Lokal, in dem das gleichnamige Getränk (neben anderem) verabreicht wird:* das E. war ein beliebter Treffpunkt von Künstlern und Studenten.

Esprit [ɛsˈpriː], der; -s: *[Reichtum an] Geist, Scharfsinn:* ein Dialog voller E.

Essay [ˈɛse], der und das; -s, -s: *kürzere, leicht verständliche, aber geistreiche Abhandlung:* er hat einen längeren E. über diesen Maler geschrieben.

eßbar ⟨Adj.; nicht adverbial⟩: *zum Essen geeignet [und nicht schädlich]:* eßbare Pilze; er konnte nirgends etwas Eßbares finden.

essen, ißt, aß, hat gegessen: **a)** ⟨tr.⟩ *als Nahrung zu sich nehmen:* einen Apfel e.; er ißt kein Fleisch. **b)** ⟨itr.⟩ *Nahrung zu* *sich nehmen:* im Restaurant e.; ich habe noch nicht zu Mittag gegessen; heute abend werde ich warm e.

Essen, das; -s, -: **1.** *Speise, die für eine Mahlzeit zubereitet ist:* das E. kochen, das E. schmeckte uns nicht; warmes, kaltes E. **2. a)** *Einnahme einer Mahlzeit:* ich lud ihn zum E. ein; mit dem E. pünktlich anfangen. **b)** *größere Mahlzeit mit offiziellem oder festlichem Charakter:* der Minister gab ein E.; im Anschluß an die Trauung findet ein E. statt.

Essenz, die; -, -en: **1.** *konzentrierte, meist alkoholische Lösung, bes. zur Verfeinerung des Geschmacks von Nahrungsmitteln:* in der Flasche befand sich eine stark duftende E. **2.** ⟨ohne Plural⟩ *das Wesentliche, Kern, wichtigster Punkt:* die E. dieses Problems betrifft ein anderes Gebiet.

Esser, der; -s, -: *jmd., der ißt:* er ist ein guter, tüchtiger E. *(ißt viel).*

Essig, der; -s: *saure Flüssigkeit zum Würzen und Konservieren:* Gurken in E. einlegen. * (ugs.) **mit etwas ist es E.** *(mit etwas ist es aus, etwas findet nicht statt):* bei diesem schlechten Wetter ist es mit unserem Ausflug E.

Eßlöffel, der; -s, -: *größerer Löffel bes. zum Essen der Suppe:* einen E. [voll] Essig in die Suppe geben.

Establishment [is'tɛblɪʃmənt], das; -s, -s: *von bürgerlichen Grundsätzen bestimmte führende Schicht der Gesellschaft:* Gammler und Hippies sind für das E. ein ständiges Ärgernis.

Estrich, der; -s, -e: **1.** *aus gewaschenem Sand, Kies o. ä. und Zement oder Gips in Verbindung mit Wasser hergestellter Belag ohne Fugen für Fußböden:* die Arbeiter verlegten in der Halle den E. **2.** (schweiz.) *Dachboden:* sie mußte die Wäsche auf den E. hängen.

etablieren, etablierte, hat etabliert /vgl. etabliert/: **1.** ⟨tr.⟩ (geh.) *einrichten, gründen:* der Arzt wird seine Praxis in einer anderen Stadt e. **2.** ⟨rfl.⟩ *sich niederlassen, sich festsetzen:* ich habe mich in einem ziemlich teuren Hotel etabliert; die Firma hat sich in der Stadt neu etabliert.

etabliert ⟨Adj.⟩: **a)** *zum Establishment gehörend:* der etablierte Bürger. **b)** *herhömmlich, überkommen:* gegen die etablierte Ordnung rebellieren.

Etablissement [etablɪs(ə)'mã:], das; -s, -s: **1. a)** (veralt.; geh.) *kleineres, gepflegtes Hotel oder Restaurant für gehobene Ansprüche:* auf seinen Reisen nächtigte er in den teuersten Etablissements. **b)** (abwertend) *[in der äußeren Aufmachung vornehmes] zweifelhaften Vergnügungen dienendes Lokal; Bordell:* die Damen in diesem E. erhalten Besuch von renommierten Persönlichkeiten. **2.** (veralt.) *Unternehmen, Betrieb:* er hat ein ansehnliches E. aufgebaut.

Etage [e'ta:ʒə], die; -, -n: *Stockwerk:* sie wohnen in der ersten E.

Etappe, die; -, -n: **1. a)** *Teil einer Strecke:* eine anstrengende E.; eine Strecke in Etappen zurücklegen. **b)** *Zeitabschnitt:* eine kurze, lange E.; diese Erfindung leitet eine neue E. *(ein neues Stadium)* in der technischen Entwicklung ein.

Etat [e'ta:], der; -s, -s: *Haushaltsplan; Geldmittel, die über einen begrenzten Zeitraum für bestimmte Zwecke zur Verfügung stehen:* in der letzten Sitzung des Parlaments wurde über den E. beraten; (scherzh.) das geht über meinen E. *(die Ausgaben sind zu hoch für mich).*

Ethik, die; -: *das sittliche Wollen und Handeln des Menschen hinsichtlich der jeweiligen Situation untersuchende praktische Philosophie.*

ethisch ⟨Adj.⟩: **a)** *die Ethik betreffend:* ein ethisches Problem. **b)** *sittlich, moralisch:* eine klare ethische Einstellung haben.

Ethos, das; -: *die moralische Gesinnung als Ganzes:* das religiöse E.

Etikett, das; -s, -e[n] und -s: *Zettel, der zur Kennzeichnung oder Auszeichnung von Waren o. ä. aufgeklebt oder angehängt wird:* Flaschen mit Etiketten versehen; das E. ist inzwischen abgegangen.

Etikette, die; -, -n: *Gesamtheit der [in einem bestimmten Rahmen geltenden] gesellschaftlichen Umgangsformen; feine Sitte [am Hofe]:* mit ihrem ungezwungenen Betragen verstieß die junge Gräfin wiederholt gegen die E.

etikettieren, etikettierte, hat etikettiert ⟨tr.⟩: *(Waren) mit einem Etikett versehen:* die Auslagen im Schaufenster e.; bunt etikettierte Flaschen; bildl.: jmdn. als Querulanten e. *(in voreiliger und vereinfachender Weise als Querulanten bezeichnen).*

etliche ⟨Indefinitpronomen und unbestimmtes Zahlwort⟩: **1.** ⟨Plural⟩ (veraltend) *eine Anzahl (von Personen oder Sachen), einige:* e. Personen mußten die Versammlung verlassen; ich wohne hier seit etlichen Jahren. **2.** (ugs.) *eine große Anzahl (von Personen oder Sachen), ziemlich viel:* der Unfall hat mich etliches gekostet; es dauerte noch etliche Stunden, bis er kam.

etlichemal ⟨Adverb⟩: *einigemal:* er hat e. an der Haustür geklingelt.

Etui [ɛt'vi:], das; -s, -s: *kleiner, flacher Behälter:* ein E. für die Brille; Zigarren in ein E. stecken.

etwa ⟨Adverb⟩: **1.** *mit mehr oder weniger Genauigkeit, ungefähr:* er mag e. dreißig Jahre alt sein. **2.** *zum Beispiel:* wenn du dein Einkommen e. mit dem deines Freundes vergleichst, so kannst du ganz zufrieden sein; auf ihrer Tournee werden sie sicher einige wichtige Städte, wie e. München, Köln, Hamburg, besuchen. **3.** ⟨in Frage- und Konditionalsätzen⟩ *vielleicht, womöglich:* er ist doch nicht e. krank?; wenn er e. glaubt, damit durchzukommen, so hat er sich geirrt. **4.** ⟨in Verbindung mit *nicht*⟩ *durchaus nicht, auf keinen Fall* /verstärkt die verneinte Aussage/: ich habe deine Angelegenheit nicht e. vergessen, sondern nur noch keine Zeit gehabt, mich näher damit zu befassen.

etwas ⟨Indefinitpronomen⟩: **a)** *ein bißchen, ein wenig* /bezeichnet eine kleine, nicht näher bestimmte Menge von etwas/: er nahm e. Salz. **b)** *irgendeine Sache, irgendein Ding o. ä.* /bezeichnet eine nicht näher bestimmte Sache o. ä./: er wird ihm schon e. schenken; er kauft e., was ihr Freude macht; e. Schönes. * **e. gelten** *(für bedeutend, wichtig gehalten werden):* sein Wort gilt e. bei ihnen.

Etymologie, die; -, -n: **1.** ⟨ohne Plural⟩ *Lehre von der Herkunft der Wörter:* die E. als wissenschaftliche Disziplin. **2.** *[Angabe der] Herkunft eines Wortes:* zu diesem Wort gibt es verschiedene Etymologien.

euer ⟨Possessivpronomen⟩ /bezeichnet ein Besitz- oder Zugehörigkeitsverhältnis angeredeter vertrauter Personen/: euer Haus ist zu klein; in eu[e]ren Betten schläft es sich gut.

Eule, die; -, -n: /ein Vogel/ (siehe Bild).* (geh.) **Eulen nach Athen tragen** *(etwas Überflüssiges tun).*

Eule

Eunuch, der; -en, -en: *kastrierter Mann als Wächter des Harems.*

Euter, das; -s, -: *Drüse bei weiblichen Säugetieren, die Milch abgibt:* das E. der Kuh war geschwollen.

evakuieren, evakuierte, hat evakuiert ⟨tr.⟩: **1. a)** *(die Bevölkerung) aus einem [bedrohten] Gebiet wegbringen:* wegen der Überschwemmung mußte die Bevölkerung evakuiert werden. **b)** *(ein [bedrohtes] Gebiet) von Menschen räumen:* einen Ort e. **2.** *ein Vakuum (in etwas) herstellen:* der Behälter wurde evakuiert. **Evakuierung,** die; -, -en.

evangelisch ⟨Adj.⟩: *zu den auf die Reformation zurückgehenden Kirchen gehörend, protestantisch:* sie gehörte zur evangelischen Kirche; er ist e.

Evangelium, das; -s, Evangelien: **1.** ⟨ohne Plural⟩ *christliche Lehre:* das E. predigen; bildl. (ugs.): die Worte des Professors waren für ihn das/ein E. *(er vertraute, glaubte ihnen blind).* **2.** *eine der vier Schriften über das Leben Christi:* das Evangelium des Markus.

Eventualität, die; -, -en: *Möglichkeit, eventuell eintretender Fall:* er rechnete mit allen Eventualitäten.

eventuell ⟨Adj.⟩: *möglicherweise [eintretend], unter Umständen [möglich]:* eventuelle Beschwerden sind an die Direktion zu richten; e. komme ich früher.

Evergreen ['ɛvərgri:n], der und das; -s; -s: *Schlager o. ä., der nicht mehr neu, aber noch beliebt ist:* in der Sendung wurden viele Evergreens gespielt.

evident ⟨Adj.⟩ (geh.): *offenkundig, ersichtlich, überzeugend, offenbar:* er machte einen evidenten Fehler.

Evolution, die; -, -en: *Entfaltung, allmählich fortschreitende Entwicklung:* die E. im gesellschaftlichen Leben hemmen.

ewig ⟨Adj.⟩: **1. a)** *zeitlich unendlich, unvergänglich:* das ewige Leben. **b)** *immer bestehend:* sie gelobten sich ewige Treue; zum ewigen Andenken! **2.** (ugs.) **a)** ⟨nicht prädikativ⟩ *sich immer wiederholend; dauernd, nicht endend:* sie lebte in ewiger Angst um ihre Kinder; ich habe das ewige Einerlei satt; soll das e. so weitergehen? **b)** ⟨nur adverbial⟩ *sehr lange:* ich habe ihn e. nicht gesehen.

Ewigkeit, die; -, -en: **1.** ⟨ohne Plural⟩ *das, was jenseits der Zeit, jenseits dieses Lebens liegt; das Ewige, Unwandelbare:* von E. zu E. **2.** *zeitliche Unendlichkeit:* heute baut man nicht mehr für die E.; die Minuten dehnten sich zu Ewigkeiten. * **in alle E.** *(für immer);* (ugs.) **eine E.** *(sehr lange Zeit).*

exakt ⟨Adj.⟩: *genau:* eine exakte Beschreibung; er war nicht in der Lage, mir e. zu antworten. **Exaktheit,** die; -.

exaltiert ⟨Adj.⟩ (geh.; abwertend): *überspannt, überschwenglich:* ihr Wesen ist mir zu e.

Examen, das; -s, - und Examina: *Prüfung:* ein schweres E.; er hat das E. bestanden.

examinieren, examinierte, hat examiniert ⟨tr.⟩: **1.** (geh.) *prüfen:* der Kandidat wurde examiniert. **2.** *untersuchen:* die Polizei hat meine Taschen gründlich examiniert.

exekutieren, exekutierte, hat exekutiert ⟨tr.⟩: *(an jmdm.) ein Urteil vollstrecken; hinrichten:* die Deserteure wurden exekutiert.

Exekutive, die; -: *Gesamtheit der Personen und Einrichtungen, die die staatliche Gewalt in Regierung und Verwaltung ausüben:* in der parlamentarischen Demokratie sind E. und Legislative getrennt.

Exempel, das; -s, - (veraltend): *Beispiel:* er erläuterte seine Theorie an einem E.; zum E. *(zum Beispiel).* * **ein E. statuieren** *(ein warnendes Beispiel geben);* **die Probe aufs E. machen** *(etwas durch Ausprobieren als richtig zu beweisen suchen).*

Exemplar, das; -s, -e: *einzelnes Stück einer Serie, einer Menge gleicher Dinge:* die ersten tausend Exemplare des Buches waren schon verkauft.

exemplarisch ⟨Adj.⟩: **1.** *als Beispiel, Muster dienend:* ein für die weitere Entwicklung exemplarisches Ereignis. **2.** *vorbildlich, mustergültig:* sein Vortrag war von exemplarischer Klarheit. **3.** *warnend, abschreckend:* er wurde für dieses geringfügige Vergehen e. bestraft.

exerzieren, exerzierte, hat exerziert: **1.** ⟨itr.⟩ *militärische Übungen machen:* die Truppe hat den ganzen Tag exerziert. **2.** (ugs.) ⟨itr./tr.⟩ *(mit jmdm.) üben:* der Vater hat die neuen Rechenaufgaben mehrere Stunden mit ihm exerziert.

Exil, das; -s, -e: *Verbannung[sort]:* der gestürzte Monarch zog sich ins E. zurück.

existent ⟨Adj.; nicht adverbial⟩ *existierend, vorhanden:* für ihn waren irgendwelche Vorschriften anscheinend nicht e.

Existentialismus, der; -: *auf das Diesseits bezogene Richtung der modernen Philosophie, die von der Existenz des Menschen ausgeht.*

Existentialist, der; -en, -en: *Anhänger des Existentialismus.*

existentialistisch ⟨Adj.⟩: *den Existentialismus betreffend, von ihm geprägt.*

existentiell ⟨Adj.⟩: *das menschliche Dasein betreffend:* existentielle Probleme des Menschen.

Existenz, die; -, -en: **1.** ⟨ohne Plural⟩ **a)** *Vorhandensein in der Realität:* die E. eines Staates. **b)** *Leben, Dasein:* eine armselige

E.; viele kleine Betriebe kämpfen heute um ihre E. **2.** (abwertend) *Mensch:* es gibt seltsame Existenzen. * (ugs.) **eine verkrachte E.** *(jmd., der im Leben gescheitert ist).* **3.** ⟨ohne Plural⟩ *materielle Grundlage für den Lebensunterhalt:* eine E. haben; ich baue mir eine neue E. auf.

existieren, existierte, hat existiert ⟨itr.⟩: **1.** *in bestimmter Weise vorhanden sein:* diese Person existiert nur in deinen Träumen; das alte Haus existiert noch. **2.** *von einem [geringen] Geldbetrag leben, damit auskommen*/oft in Verbindung mit *können*/: von zweihundert Mark im Monat kann man kaum e.; sie hat wenigstens das Notwendigste, um e. zu können.

exklusiv ⟨Adj.⟩: *auf bestimmte Personen beschränkt, nur wenigen zugänglich:* sie verkehrt nur in exklusiven Kreisen.

Exkremente, die ⟨Plural⟩: *Ausscheidungen, Kot.*

Exkurs, der; -es, -e: *einer [wissenschaftlichen] Abhandlung beigefügte kürzere Ausarbeitung; Anhang:* in das Buch war ein längerer politischer E. eingeschoben.

Exkursion, die; -, -en: *Ausflug zu wissenschaftlichen oder pädagogischen Zwecken:* die Studenten unternahmen eine botanische E. in den Bienwald.

Exmatrikulation, die; -, -en: *Streichung aus der Liste der eine Hochschule besuchenden Studenten* /Ggs. Immatrikulation/: die E. beantragen.

exmatrikulieren, exmatrikulierte, hat exmatrikuliert ⟨tr./rfl.⟩: *aus der Liste der eine Hochschule besuchenden Studenten streichen*/Ggs. immatrikulieren/: man hat ihn zwangsweise exmatrikuliert; ich wollte die Universität wechseln und exmatrikulierte mich.

exorbitant ⟨Adj.⟩ (geh.; veraltend): *ganz außerordentlich, maßlos:* er hat ein exorbitantes Wissen; seine Erfolge sind e.

Exot, der; -en, -en: *Mensch, Tier, Pflanze aus einem fremden Land:* er setzte einige Exoten in sein Aquarium ein.

exotisch ⟨Adj.⟩: *aus einem fremden Land stammend, fremdländisch:* in dem Film erklang exotische Musik.

Expander, der; -s, -: *Gerät zur Kräftigung bes. der Armmuskeln* (siehe Bild): die Boxer trainierten eifrig mit Expandern.

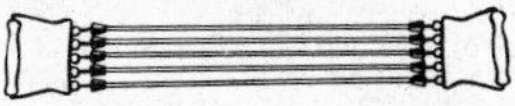

Expander

Expansion, die; -, -en: *Erweiterung des Macht- oder Einflußbereiches:* eine politische, wirtschaftliche E. betreiben; der Drang nach E. trieb das Land in den Krieg.

expansiv ⟨Adj.⟩: *sich ausdehnend, sich ausweitend; auf Expansion bedacht oder gerichtet:* dieser Staat betreibt eine expansive Politik; das Unternehmen ist auf vielen Gebieten e.

Expedition, die; -, -en: **I.** *Reise, die von einer Gruppe von Menschen zur Erforschung eines unbekannten Gebietes unternommen wird:* eine E. zum Nordpol; an einer E. teilnehmen. **II.** *Abteilung einer Firma, die für den Versand von Waren zuständig ist.*

Experiment, das; -[e]s, -e: **a)** *wissenschaftlicher Versuch:* ein E. durchführen; das E. ist gelungen. **b)** *gewagter Versuch, mit einem Risiko verbundenes Unternehmen:* das ist ein E.; wir wollen keine Experimente machen *(uns auf kein Risiko einlassen).*

experimentell ⟨Adj.; nicht prädikativ⟩: *auf Experimenten beruhend, mit Hilfe von Experimenten [erfolgend]:* der Wissenschaftler bemühte sich um eine experimentelle Bestätigung seiner Theorie.

experimentieren, experimentierte, hat experimentiert ⟨itr.⟩: *Experimente machen, Versuche anstellen:* er experimentierte mit verschiedenen chemischen Flüssigkeiten; man sollte bei der Erziehung von Kindern nicht allzu unbedenklich e.

Experte, der; -n, -n: *Sachverständiger, Kenner:* in dieser schwierigen Frage sind sich selbst die Experten nicht einig.

Expertise, die; -, -n: *Gutachten eines oder mehrerer Experten:* der bekannte Mediziner fertigte eine E. über die Unschädlichkeit des Schlafmittels aus.

explodieren, explodierte, ist explodiert ⟨itr.⟩: **1.** *durch übermäßigen Druck von innen plötzlich unter lautem Geräusch zerspringen:* eine Mine, eine Bombe ist explodiert. **2.** *plötzlich in Zorn ausbrechen:* er explodierte, weil er ungerecht behandelt wurde.

Explosion, die; -, -en: **1.** *heftiges lautes Zerplatzen durch übermäßigen Druck von innen:* die E. einer Bombe. **2.** *heftiger, lauter Zornesausbruch:* die gespannte Stimmung ließ eine baldige E. ahnen.

explosiv ⟨Adj.⟩: **1.** *leicht explodierend:* Dynamit ist ein explosiver Stoff. **2. a)** *zu Gefühlsausbrüchen neigend:* ein explosiver Charakter. **b)** *spannungsgeladen:* eine explosive Stimmung.

Exponent, der; -en, -en: **1.** Math. *hoch stehende Zahl einer Potenz, die angibt, wie oft eine zu potenzierende Größe als Faktor stehen soll.* **2.** *bes. stark hervortretender Repräsentant einer Gruppe, einer Partei, einer bestimmten Richtung usw.:* er ist der bedeutendste E. der fortschrittlichen Kräfte in seiner Partei.

exponieren, sich; exponierte sich, hat sich exponiert: *sich der Gefahr, der Kritik aussetzen:* du solltest dich nicht immer so e. ⟨häufig im 2. Partizip⟩ eine exponierte Stellung; er suchte einen Posten, auf dem er weniger e. war.

Export, der; -[e]s, -e: *Ausfuhr von Waren, Gütern ins Ausland* /Ggs. Import/: den E. fördern.

Exporteur [ɛkspɔr'tø:r], der; -s, -e: *jmd., der gewerbsmäßig Waren aus dem Inland ausführt; auf diesem Gebiet tätige Firma* /Ggs. Importeur/: das Unternehmen ist der größte E. für Kraftfahrzeuge.

exportieren, exportierte, hat exportiert ⟨tr.⟩: *(Waren) ausführen*/Ggs. importieren/: dieses Land exportiert landwirtschaftliche Produkte.

Exposé, das; -s, -s: **a)** *Bericht, Denkschrift; zusammenfassende Übersicht:* die Ergebnisse der Tagung wurden in einem knappen E. niedergelegt. **b)** *Entwurf, Plan; Skizze (bes. für ein Drehbuch):* der Autor legte das E. eines Dramas vor.

Expreß, der; Expresses, Expreßzüge (veraltend): *Schnellzug:* wir lösten den Zuschlag und fuhren mit dem E.

Expressionismus, der; -: *Richtung in der Kunst des frühen 20. Jahrhunderts, die sich nicht der Umwelt zuwendet, sondern unter freier Benutzung der äußeren Gegebenheiten innerlich erkannte Wahrheiten zum Ausdruck bringen will.*

expressiv ⟨Adj.⟩ (geh.): *ausdrucksvoll:* eine expressive Darstellung des Leidens.

exquisit ⟨Adj.⟩ (geh.): *erlesen, ausgesucht, vorzüglich:* man reichte exquisite Speisen.

extemporieren, extemporierte, hat extemporiert ⟨itr.⟩ (geh.): *aus dem Stegreif reden, schreiben, musizieren o. ä.:* nur wenige bemerkten, daß der Schauspieler an dieser Stelle extemporierte.

extra ⟨Adverb⟩: **1.** *gesondert, für sich:* etwas e. einpacken; meine Ansicht darüber schreibe ich dir noch e. **2.** *über das Übliche hinaus:* es kostet noch etwas e. **3.** *eigens; ausschließlich zu einem bestimmten Zweck:* e. deinetwegen habe ich es getan.

Extrakt, der; -[e]s, -e: **1.** *Auszug aus pflanzlichen, tierischen Stoffen:* ein E. aus Kräutern, Rindfleisch. **2.** *das Wesentliche (aus Büchern o. ä.):* der E. des Romans.

Extras, die ⟨Plural⟩: *Teile des Zubehörs (bes. an Personenkraftwagen), die über die übliche serienmäßige Ausrüstung hinausgehen:* der Wagen hat viele modische E.

Extratour [...tu:r], die; -, -en (ugs.): *eigensinniges und eigenwilliges Verhalten oder Vorgehen innerhalb einer Gruppe oder Gemeinschaft:* seine ständigen Extratouren können wir nicht länger dulden.

extravagant [auch: ...gant] ⟨Adj.⟩: *in seiner äußeren Erscheinung, in seinen Gewohnheiten und Ansichten ungewöhnlich ausgefallen:* eine extravagante Aufmachung; sie ist e. gekleidet; sein Lebensstil ist mir allzu e.

Extravaganz, die; -, -en: *ausgefallenes Verhalten oder Tun; Überspanntheit:* ich kann mir solche kostspieligen Extravaganzen nicht leisten.

Extrawurst: ⟨in der Wendung⟩ jmdm. eine E. braten (ugs.): *für jmdn. eine Ausnahme machen, jmdn. bevorzugt behandeln.*

extrem ⟨Adj.⟩: **a)** ⟨nicht adverbial⟩ *bis an die äußerste Grenze gehend:* extreme Temperaturen. **b)** *übertrieben, radikal:* er hat extreme Ansichten.

Extrem, das; -s, -e: *höchster Grad oder äußerste Grenze, die in einer Haltung, einer Einstellung, in Gefühlen o. ä. erreicht werden kann; Übertreibung:* seine ausgelassene Stimmung kann sehr schnell ins andere E. umumschlagen. *** von einem E. ins andere fallen** *([fortwährend] in einander entgegengesetzte Übertreibungen geraten).*

Extremitäten, die ⟨Plural⟩: *Gliedmaßen, Arme und Beine.*

exzellent ⟨Adj.⟩ (geh.): *hervorragend, ausgezeichnet, vortrefflich:* das war ein exzellentes Essen.

Exzellenz, die; -, -en: /Titel und Anrede im diplomatischen Verkehr/: Seine E., der französische Botschafter; hatten Eure E. eine angenehme Reise?

exzentrisch ⟨Adj.⟩: **1.** *vom Mittelpunkt abweichend, nicht den gleichen Mittelpunkt besitzend:* in einer exzentrischen Bahn verlaufen. **2.** *im Auftreten und Verhalten stark vom Üblichen abweichend, überspannt:* vor allem Stars sind e.

Exzeß, der; Exzesses, Exzesse: *Ausschreitung, Ausschweifung:* es kam zu wilden Exzessen; etwas bis zum E. *(bis zur Maßlosigkeit)* betreiben.

exzessiv ⟨Adj.⟩: *maßlos, unmäßig, ausschweifend:* seine exzessive Lebensweise wird ihn noch zugrunde richten.

F

Fabel, die; -, -n: *[kurze] von Tieren handelnde Geschichte mit belehrendem Inhalt:* die F. vom Fuchs und dem Raben.

fabelhaft ⟨Adj.⟩: *wunderbar, großartig:* er hat eine fabelhafte Stellung; seine Wohnung ist f. eingerichtet.

Fabrik, die; -, -en: *Gebäude ei[nes] Betriebes der Industrie, i[n] dem bestimmte Produkte herge[stellt] werden.*

Fabrikant, der; -en, -en: *Be[sitzer] einer Fabrik.*

Fabrikat, das; -[e]s, -e: *[be]stimmtes] Erzeugnis der Industrie.*

Fabrikation, die; -, -en: *Erzeugung, Herstellung in einer Fabrik:* die F. dieses chemischen Produktes wurde wegen des schlechten Absatzes eingestellt.

fabrizieren, fabrizierte, hat fabriziert ⟨tr.⟩: *mit einfachen Mitteln herstellen, basteln:* die Kinder haben ihr Spielzeug selbst fabriziert.

fabulieren fabulierte, hat fabuliert ⟨itr.⟩: *sehr phantasievoll erzählen, (etwas) erfinden:* sie fabulierte in ihren Briefen von allen möglichen Krankheiten.

Fach, das; -[e]s, Fächer: **1.** *abgeteilter Raum (in einem Schrank, Behälter o. ä.):* ein F. im Schrank, in der Handtasche. **2.** *Gebiet des Wissens, einer praktischen Tätigkeit:* er studiert das F. Geschichte; er beherrscht sein F.

Facharbeiter, der; -s, -: *Arbeiter, der über eine abgeschlossene Ausbildung in einem bestimmten Beruf verfügt:* F. werden wesentlich besser bezahlt als ungelernte Arbeitskräfte.

Fächer

Facharzt, der; -es, Fachärzte: *Arzt, der sich auf ein bestimmtes Gebiet der Medizin spezialisiert hat:* Sie würden besser einen F. für Hals-, Nasen-, Ohrenkrankheiten konsultieren.

Fächer, der; -s, -: *Gegenstand, den man in der Hand hin und her bewegt und sich damit kühlt* (siehe Bild).

Fachgebiet, das; -[e]s, -e: *spezielles Gebiet als Teil eines wissenschaftlichen Faches:* sein F. ist die physikalische Chemie.

Fachgeschäft, das; -[e]s, -e: *Geschäft, das nur bestimmte Waren verkauft:* ein F. für optische Geräte.

fachkundig ⟨Adj.⟩: *fachmännisch, von einem Fach etwas verstehend:* die Zuschauer des Boxkampfes erwiesen sich als wenig f.

fachlich ⟨Adj.; nicht prädikativ⟩: *ein bestimmtes Fach betreffend:* er hat ein großes fachliches Wissen.

Fachmann, der; -[e]s, Fachleute und Fachmänner: *jmd., der in einem bestimmten Fach ausgebildet ist und entsprechende Kenntnisse hat.*

fachmännisch ⟨Adj.; nicht prädikativ⟩: *sachkundig, als Fachmann:* etwas f. reparieren.

Fachrichtung, die; -, -en: *Fach an der Universität oder Hochschule:* die philosophische Fakultät hat mehrere Fachrichtungen.

Fachschule, die; -, -n: *freiwillig besuchte Schule [mit teils staatlichem, teils kommunalem oder privatem Charakter], die nach längerer Erfahrung in einem Beruf zur Fortbildung besucht wird:* nach erfolgreichem Besuch einer F. ist es unter Umständen möglich, eine Hochschule zu besuchen.

fachsimpeln, fachsimpelte, hat gefachsimpelt ⟨itr.⟩ (abwertend): *sich [zum Ärger anderer Anwesender] lange, mit Ausdauer über seine beruflichen Interessen unterhalten:* er fachsimpelte den ganzen Abend mit seinen Freunden.

Fachwerk, das; -[e]s: *zur Herstellung von Hauswänden dienendes Gerüst aus hölzernen Balken* (siehe Bild): schönes F. zierte die Wände des alten Bauernhofes.

Fachwerk

Fackel, die; -, -n: *Stab [aus Holz] mit einer brennbaren Schicht am oberen Ende* (siehe Bild).

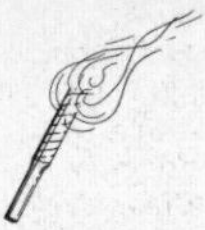

Fackel

fackeln, fackelte, hat gefackelt ⟨itr.⟩ (ugs.): *zögern:* er hat nicht lange gefackelt und ihm eine Ohrfeige gegeben.

fade ⟨Adj.⟩: **a)** *ohne Geschmack, schlecht gewürzt:* die Suppe ist sehr f. **b)** (ugs.) *langweilig, geistlos:* ein fader Mensch; er redet immer nur fades Zeug.

Faden, der; -s, Fäden: *Gebilde aus gesponnenen Fasern:* zum Nähen braucht man Nadel und F. *** den F. verlieren** *(beim Sprechen [plötzlich, vorübergehend] nicht mehr wissen, wie man das Thema weiterführen soll, was man sagen wollte).*

fadenscheinig ⟨Adj.⟩ (abwertend): *leicht durchschaubar; nicht glaubwürdig:* ein fadenscheiniger Grund.

Fagott, das; -[e]s, -e: /ein Blasinstrument/ (siehe Bild).

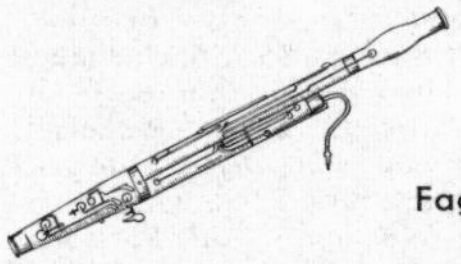

Fagott

fähig ⟨Adj.⟩: *begabt, tüchtig:* ein fähiger Beamter; f. sein *(in der Lage, imstande sein);* er ist zu dieser Tat, dieses Verbrechens fähig *(es ist ihm zuzutrauen).*

Fähigkeit, die; -, -en: *besondere Begabung, Befähigung:* er hat große schöpferische Fähigkeiten. *** die F. haben** *(fähig, in der Lage sein):* er hat nicht die F. zuzuhören.

fahl ⟨Adj.⟩: *bleich, ohne Farbe:* ein fahles Gesicht; der Himmel war f.

fahnden, fahndete, hat gefahndet ⟨itr.⟩: *zu finden suchen:* nach einem Verbrecher f. **Fahndung,** die; -, -en.

Fahne, die; -, -n: *an einer Stange befestigtes Tuch in den Farben, mit den Zeichen eines Landes, Vereins o. ä.:* ein Gebäude mit Fahnen schmücken; die F. weht, flattert im Wind. * (ugs.) **eine F. haben** *(nach Alkohol riechen).*

Fahneneid, der; -[e]s, -e: *Eid, mit dem sich der Soldat zur Treue verpflichtet:* nachdem die Rekruten den F. geschworen hatten, wurde die Nationalhymne gespielt.

Fahnenflucht, die; -: *das unerlaubte Verlassen einer militärischen Einheit, um sich dem Wehrdienst zu entziehen:* F. wird während eines Krieges meist mit dem Tode bestraft.

Fähnrich, der; -s, -e: *Anwärter auf den Rang eines Offiziers:* ein F. der Bundeswehr hat den Dienstgrad eines Feldwebels.

Fahrausweis, der; -es -e: *Karte, Schein, der zum Benutzen eines öffentlichen Verkehrsmittels berechtigt; Fahrschein:* bitte die Fahrausweise vorzeigen!

Fahrbahn, die; -, -en: *Teil der Straße, auf dem die Fahrzeuge fahren:* die F. überqueren.

fahrbereit ⟨Adj.⟩: *sich in einem solchen Zustand befindend, daß man gleich damit fahren könnte:* der Wagen ist f.

Fähre, die; -, -n: *Schiff, mit dem Fahrzeuge und Personen über einen Fluß o. ä. übergesetzt werden können.*

fahren, fährt, fuhr, hat/ist gefahren: **1. a)** ⟨itr.⟩ *sich auf Rädern fortbewegen:* das Auto, der Zug ist schnell gefahren. **b)** ⟨itr.⟩ *ein Fahrzeug, Verkehrsmittel benutzen:* er ist mit der Eisenbahn gefahren. **c)** ⟨itr.⟩ *sich mit einem Fahrzeug, Verkehrsmittel an einen bestimmten Ort begeben:* er ist nach Frankfurt gefahren. **d)** ⟨itr.⟩ *ein Fahrzeug führen:* er ist bis jetzt immer gut gefahren. **e)** ⟨tr.⟩ *(ein bestimmtes Fahrzeug) besitzen:* er hat einen Mercedes gefahren. **2.** ⟨itr.⟩ *mit der Hand eine Bewegung machen:* er ist dem Kind, sich mit der Hand durchs Haar gefahren.

Fahrer, der; -s, -: *jmd., der ein Fahrzeug führt:* der F. eines Autos.

Fahrerflucht, die; -: *absichtliches Weiterfahren nach einem selbstverschuldeten Unfall, ohne sich um die Folgen zu kümmern:* er wurde wegen F. bestraft.

Fahrgast, der; -s, Fahrgäste: *jmd., der in einem öffentlichen Verkehrsmittel fährt:* die Fahrgäste der Straßenbahn.

Fahrgeld, das; -[e]s, -er: *Betrag, den man für die Benutzung* *eines öffentlichen Verkehrsmittels bezahlen muß.*

Fahrgestell, das; -[e]s, -e: **1.** *mit den Rädern verbundenes Gestell eines Kraftfahrzeugs, auf dem der Aufbau montiert ist:* für den starken Motor ist das F. des Rennwagens zu leicht. **2.** *Fahrwerk:* das F. einziehen, ausfahren; bildl. (ugs.; scherzh.): das Mannequin hatte ein tolles F. *(sehr schöne Beine).*

fahrig ⟨Adj.⟩ (abwertend): *unruhig und hastig (in seinen Bewegungen):* fahrige Bewegungen; er ist sehr f.

Fahrkarte, die; -, -n: *Ausweis, der zum Fahren [mit der Eisenbahn] berechtigt.*

fahrlässig ⟨Adj.⟩: *die nötige Vorsicht nicht beachtend [und dadurch Schaden verursachend]:* sein Handeln war sehr f. **Fahrlässigkeit,** die; -, -en.

Fahrlehrer, der; -s, -: *jmd., der Unterricht im Autofahren gibt.*

Fahrplan, der; -[e]s, Fahrpläne: *Plan, der die Zeiten von Ankunft und Abfahrt der Züge o. ä. enthält.*

fahrplanmäßig ⟨Adj.⟩: *mit dem Fahrplan übereinstimmend:* fahrplanmäßige Ankunft; der Zug fuhr f. um 11.31 Uhr ab.

Fahrpreis, der; -es, -e: *zu entrichtender Preis für die Benutzung eines öffentlichen Verkehrsmittels (außer Flugzeugen):* Kinder fahren bei der Eisenbahn für den halben F.

Fahrprüfung, die; -, -en: *Prüfung zur Erlangung des Führerscheins:* die ältere Dame ist bei der F. schon mehrmals durchgefallen.

Fahrrad, das; -[e]s, Fahrräder: /ein Fahrzeug/ (siehe Bild).

Fahrrad

Fahrrinne, die; -, -n: *Rinne mit ausreichender Tiefe in einem sonst flacheren Gewässer, die von Schiffen befahren werden kann:* die F. wurde ausgebaggert.

Fahrschein, der; -[e]s, -e: *Schein, der zum Fahren mit der Straßenbahn o. ä. berechtigt.*

Fahrschule, die; -, -n: *Unterrichtsstätte, in der man das Fahren eines Kraftfahrzeugs lernen kann:* eine F. besuchen.

Fahrschüler, der; -s, -: **1.** *Schüler, der den Weg zwischen Wohnung und Schule mit einem öffentlichen Verkehrsmittel zurücklegt:* im Winter haben sich die F. am Morgen oft verspätet. **2.** *jmd., der sich an einer Fahrschule auf die Fahrprüfung vorbereitet:* der Fahrlehrer versuchte den aufgeregten F. zu beruhigen.

Fahrstrecke, die; -, -n: *Entfernung, die ein Fahrzeug zwischen zwei bestimmten Punkten zurücklegt:* die F. betrug genau 200 Kilometer.

Fahrstuhl, der; -[e]s, Fahrstühle: *Aufzug, Lift:* bitte benutzen Sie den F.!

Fahrt, die; -, -en: **a)** ⟨ohne Plural⟩: *das Fahren:* während der F. ist die Unterhaltung mit dem Fahrer verboten. *** in F. kommen** *(in heftige Erregung, Schwung kommen):* nach einigen Gläschen Wein kam er in F. **b)** *Reise:* eine F. nach München. **c)** *Wanderung junger Leute [mit Zelten]:* ihre F. dauerte mehrere Wochen. *** auf F. gehen** *(eine Wanderung [mit Zelten] unternehmen):* im Sommer gehen sie immer auf F.

Fährte, die; -, -n: *Spur der Tritte (bestimmter Tiere im Boden):* die F. des Fuchses verfolgen. *** auf der richtigen/falschen F. sein** *(die richtige/falsche Spur verfolgen):* die Polizei war auf der falschen F.

Fahrtrichtung, die; -, -en: *Richtung, in der sich ein Fahrzeug bewegt:* die Änderung der F. wird durch den Blinker angezeigt.

Fahrwasser, das; -s: *von Schiffen befahrener Teil von Gewässern:* man hielt das F. frei. *** in jmds. F. geraten/segeln** *(jmds. Ansichten und Ziele als eigene haben);* **in seinem / im richtigen F. sein** *(etwas mit Eifer betreiben, was man gut beherrscht oder gerne mag).*

Fahrwerk, das; -[e]s, -e: *Gestell bei Flugzeugen, an dem die Räder befestigt sind* (siehe Bild): das F. einziehen, ausfahren.

Fahrzeit, die; -, -en: *Zeitraum, den ein Fahrzeug für eine bestimmte Fahrstrecke benötigt:* der Zug konnte wegen des Nebels die planmäßige F. nicht einhalten.

Fahrzeug, das; -s, -e: *etwas, mit dem man fahren und mit dem man fahrend Menschen und Lasten befördern kann.*

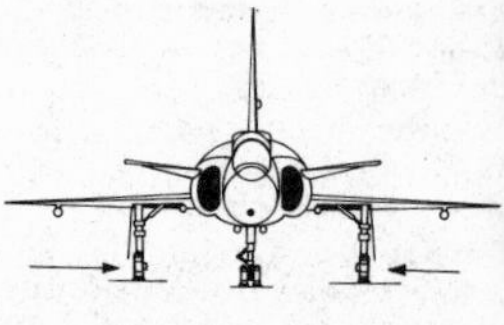

Fahrwerk

Faible ['fɛ:bəl], das; -[s], -s (geh.): *Vorliebe, Neigung:* sie hat ein F. für Marzipan.

fair [fɛ:r] ⟨Adj.⟩: *anständig, gerecht in seinem Verhalten gegenüber anderen:* ein fairer Kampf; sein Spiel war f.

Fairneß ['fɛ:rnɛs], die; -: *anständiges Verhalten:* er hat große F. gezeigt.

Fair play ['fɛə'plɛɪ], das; - -: Sport *faires sportliches Verhalten:* die Regeln des Fair play beachten.

Fait accompli [fɛtakõ'pli], das; - -, -s -s [fɛzakõ'pli] (geh.): *vollendete Tatsache:* auf diese Weise hat der Präsident die Regierung vor ein Fait accompli gestellt.

Fakir [östr.: Fakir], der; -s, -e: *indischer Gaukler, Asket:* der F. ertrug lächelnd die größten Schmerzen.

Faksimile, das; -s, -s: *getreue Nachbildung einer Vorlage, bes. einer wertvollen alten Handschrift, einer Urkunde o. ä.:* die alte Handschrift wurde als F. herausgegeben.

faktisch ⟨Adj.; nicht prädikativ⟩: *tatsächlich, in Wirklichkeit:* trotz der Reformen gab es f. keine Änderungen.

Faktor, der; -s, -en: **1.** Math. *Zahl, die mit [einer] anderen multipliziert wird:* eine Zahl in ihre Faktoren zerlegen. **2.** *Umstand; mitbestimmende Ursache, Kraft:* seine Entscheidung hängt von mehreren Faktoren ab.

Faktotum, das; -s, -s und Faktoten (scherzh.): *jmd., der alles* *besorgt, der zu allem zu gebrauchen ist:* der Hausmeister war das F. des Betriebes.

Faktum, das; -s, Fakten: *nachweisbare Tatsache, tatsächliches Ereignis:* ein geschichtlich, politisch einmaliges F.; in seinem Vortrag stützte er sich auf Fakten.

Fakultät, die; -, -en: *wissenschaftliche Richtung; Abteilung einer Hochschule.*

fakultativ ⟨Adj.⟩: *der freien Wahl überlassen* /Ggs. obligatorisch/: die Vorlesung ist f.

Falke, der; -n, -n: /ein Vogel/ (siehe Bild).

Fall, der; -[e]s, Fälle: **1.** ⟨ohne Plural⟩ *Sturz, das Fallen:* er hat sich beim F. schwer verletzt. * **etwas zu F. bringen** *(die Ausführung von etwas verhindern):* er hatte seinen Plan zu F. gebracht. **2.** *Sache, Angelegenheit:* dieser Prozeß ist ein schwieriger F. **3.** *das Auftreten, Vorkommen [von Krankheiten]:* Fälle von schweren Erkrankungen. * **auf jeden F.** *(ganz bestimmt, was auch geschieht):* wir kommen auf jeden F.

Fallbeil, das; -[e]s, -e: *Guillotine.*

Falle, die; -, -n: *Vorrichtung zum Fangen von Tieren:* eine F. aufstellen; Mäuse mit der F. fangen. * **jmdm. eine F. stellen** *(jmdn. hereinzulegen suchen);* **in eine F. gehen** *(in einen Hinterhalt geraten).*

fallen, fällt, fiel, ist gefallen ⟨itr.⟩: **1. a)** *sich (durch sein Gewicht) rasch abwärts bewegen:* die Tasse ist vom Tisch gefallen. **b)** *stürzen:* das Kind ist gefallen. **2. a)** *niedriger werden, sinken:* die Temperatur, das Barometer *fällt.* **b)** *(im Wert) geringer werden:* die Preise sind gefallen. **3.** *sein Leben im Kampf, Krieg verlieren:* er ist im letzten Krieg gefallen. ** **in Ohnmacht f.** *(ohnmächtig werden);* **in Schlaf f.** *(plötzlich, schnell einschlafen).*

fällen, fällte, hat gefällt ⟨tr.⟩: **1.** *einen Baum zum Fallen bringen, umhauen:* er hat die Eiche mit der Axt gefällt; bildl.: er fiel um, als hätte der Blitz ihn gefällt; * **das Lot auf eine Linie o. ä. f.** *(eine Senkrechte auf einer Linie konstruieren).* **2.** ⟨als Funktionsverb⟩ ein Urteil/eine Entscheidung f. *(nach seiner Überzeugung urteilen, entscheiden).*

fallenlassen, läßt fallen, ließ fallen, hat fallenlassen/fallengelassen ⟨tr.⟩: **1.** *aufgeben, (von etwas) ablassen, zurücktreten:* seinen ursprünglichen Plan ließ er fallen. **2.** *sich (von jmdm.) abwenden, lossagen:* nachdem der Sohn ein Verbrechen begangen hatte, ließ der Vater ihn fallen. **3.** *beiläufig, am Rande bemerken, äußern:* er ließ einige Andeutungen über den Kauf des Gemäldes fallen.

fällig ⟨Adj.; nicht adverbial⟩: **a)** *(zu einem bestimmten Zeitpunkt) zahlbar, zu zahlen:* der fällige Betrag; die Miete ist am ersten Tag des Monats f. **b)** *nötig:* den fälligen Dank abstatten; eine Renovierung der Wohnung ist f. **Fälligkeit,** die; -.

Fallobst, das; -[e]s: *Obst, das vor der Ernte vom Baum herabgefallen ist:* wir sammelten das F. auf.

Fallout [fɔ:l''aʊt], der; -s, -s (fachspr.): *radioaktiver Niederschlag aus Kern[waffen]explosionen:* den F. messen.

Fallreep, das; -[e]s, -e: *schräge Treppe, die an die Bordwand gehängt wird, damit Personen bequem von einem Boot aus an Bord des Schiffes gelangen können* (siehe Bild).

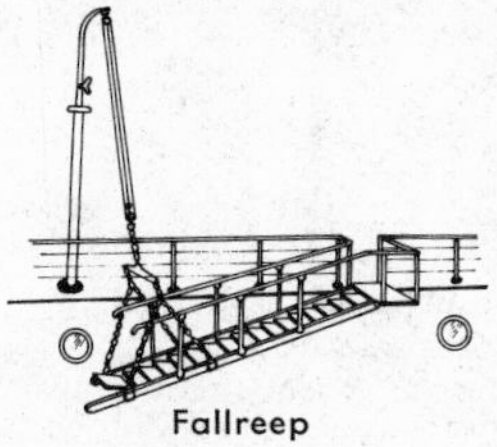

Fallreep

falls ⟨Konj.⟩: *für den Fall, daß; wenn:* f. du Lust hast, kannst du mitgehen.

Fallschirm, der; -[e]s, -e: *Gerät, mit dessen Hilfe man aus einem Flugzeug abspringen oder Lasten langsam zur Erde fallen lassen kann* (siehe Bild).

Fallschirmspringer, der; -s, -: **a)** *Angehöriger einer militärischen Truppe, die sich auf das Abspringen mit dem Fallschirm aus dem Flugzeug spezialisiert hat.* **b)** *jmd., der das Abspringen mit dem Fallschirm aus dem Flugzeug als Sport betreibt.*

Fallschirm

Fallstrick, der; -[e]s, -e: *Handlung, durch die man jmdn. betrügen, hereinlegen will; Hinterhalt:* das sind ja gemeine Fallstricke. * (geh.) **jmdm. Fallstricke legen** *(jmdm. Fallen stellen).*

fallweise ⟨Adverb⟩ (östr.): **a)** *gegebenenfalls, in einzelnen Fällen:* die Genehmigung wird nur f. gewährt. **b)** *gelegentlich:* er arbeitet nur f.

falsch ⟨Adj.⟩: **1. a)** *verkehrt, nicht richtig:* ein falsches Wort gebrauchen; die Antwort ist f.; f. singen; falsche *(nicht angebrachte)* Bescheidenheit. **b)** ⟨nicht adverbial⟩ *nicht echt; nachgebildet:* falsche Zähne; falsche Haare; falsches *(gefälschtes)* Geld. **2.** *unaufrichtig, tückisch:* ein falscher Mensch; er ist f.

fälschen, fälschte, hat gefälscht ⟨tr.⟩: *in betrügerischer Absicht etwas nachbilden, um es als echt auszugeben:* Geld, eine Unterschrift f.; ein gefälschtes Gemälde.

Fälscher, der; -s, -: *jmd., der fälscht, eine Fälschung begeht.*

Falschgeld, das; -[e]s: *gefälschtes Geld.*

fälschlich ⟨Adj.; nicht prädikativ⟩: *nicht richtig, irrtümlich:* eine fälschliche Behauptung; er wurde f. beschuldigt.

Falschmünzer, der; -s, -: *jmd., der Falschgeld herstellt:* die F. wurden auf frischer Tat ertappt.

Falschspieler, der; -s, -: *jmd., der beim [Karten]spiel betrügt:* der F. hatte ein As im Ärmel versteckt.

Fälschung, die; -, -en: **1.** *das Fälschen:* die F. des Bildes. **2.** *gefälschter Gegenstand, etwas Gefälschtes:* dieses Bild ist eine F.

Faltboot, das; -[e]s, -e: *aus einem hölzernen Gerüst mit darübergespannter Haut aus Gummi o. ä. bestehendes Paddelboot, das sich zerlegen und handlich* *verpacken läßt:* wir paddelten mit unserem F. am Ufer entlang.

Falte, die; -, -n: **1.** *Knick, der beim Bügeln oder durch Druck in einem Stoff entsteht:* das Kleid hat Falten. **2.** *(durch das Altern entstandene) Linie in der Haut des Gesichtes; Runzel:* sie hat schon viele Falten; Falten des Zorns zeigten sich auf seiner Stirn.

falten, faltete, hat gefaltet ⟨tr.⟩: *sorgfältig zusammenlegen:* einen Brief, eine Zeitung f. * **die Hände f.** *(die Hände [zum Beten] zusammenlegen).*

Falter, der; -s, -: *Schmetterling.*

faltig ⟨Adj.⟩: *mit vielen Falten; runzlig:* ein faltiges Gesicht.

Falz, der; -es, -e: **1. a)** *Stelle, an der Papier gefaltet ist.* **b)** *die beiden Rillen als Übergang vom Rücken zum Deckel eines Buches.* **c)** *in Büchern eingehefteter Streifen aus Papier oder Leinen, an den ein einzelnes Blatt angeklebt ist:* die graphische Übersicht war am Ende des Buches an einem F. angeklebt. **2.** *durch Pressen umgebogener Ränder von Blechen entstandene Verbindung:* der F. der Dose war selbst bei diesem hohen Druck nicht aufgegangen **3.** *ausgesparte Stellen zur Verbindung von Materialien:* er fräste Falze in die Bretter.

falzen, falzte, hat gefalzt ⟨tr.⟩: **1.** *[Papier] falten:* die Bogen werden in der Maschine gefalzt. **2.** *umgebogene Ränder von Blechen durch Pressen verbinden:* die Dose war an der Seite gefalzt. **3.** *(Stellen zur Verbindung von Materialien) aussparen:* die einzelnen Teile des Schrankes wurden maschinell gefalzt.

familiär ⟨Adj.⟩: **1.** ⟨nicht prädikativ⟩ *die Familie betreffend:* familiäre Sorgen, Pflichten. **2.** *vertraut:* sie redeten in familiärem Ton miteinander.

Familie, die; -, -n: **a)** *Gemeinschaft von Eltern und Kindern:* eine F. mit vier Kindern; eine F. gründen *(heiraten)*; er hat eine große F. *(viele Kinder).* **b)** *alle, die verwandtschaftlich zusammengehören; Sippe:* das Haus ist schon seit zweihundert Jahren im Besitz der F.

Familienleben, das; -s: *Leben in der Familie:* Sinn für das F. haben; ein gutes F. führen.

Familienname, der; -ns, -n: *Name einer Familie, der von den Eltern auf die Kinder vererbt wird:* sein F. ist Meyer.

famos ⟨Adj.⟩ (ugs.): *so geartet, daß man daran Vergnügen findet:* sie ist ein famoses Mädchen; das ist eine famose Idee.

Fan [fɛn], der; -s, -s: *begeisterter Anhänger* /bezogen auf Künstler, Musik, Sport/: viele Fans kamen, um die Band zu hören.

Fanal, das; -s, -e (geh.): *deutlich sichtbares Zeichen [das etwas ankündigt]:* dieser Aufstand wurde zum F. der Revolution.

Fanatiker, der; -s, -: *jmd., der einer Idee oder einer Sache mit Leidenschaft anhängt, sie mit [rücksichtslosem] Eifer vertritt.*

fanatisch ⟨Adj.⟩: *sich leidenschaftlich und rücksichtslos für etwas einsetzend; von etwas besessen:* ein fanatischer Anhänger des Fußballs; f. für eine Idee kämpfen.

Fanatismus, der; -: *unduldsamer, leidenschaftlicher Einsatz für etwas:* er ließ sich von dem blinden F. ringsum anstecken.

Fanfare, die; -, -n: **a)** /ein Blasinstrument/ (siehe Bild):

Fanfare a)

auf der F. blasen. **b)** *auf dem gleichnamigen Blasinstrument erzeugtes Signal:* zur Eröffnung der Veranstaltung ertönten helle Fanfaren.

Fang, der; -[e]s, Fänge: **1. a)** ⟨ohne Plural⟩ *das Fangen:* der F. von Fischen. **b)** ⟨ohne Plural⟩ *etwas, was man gefangen hat; Beute:* der Fischer hat seinen F. nach Hause getragen. * (ugs.) **einen guten F. machen** (etwas günstig bekommen). **2.** ⟨Plural⟩ *Füße des Raubvogels:* die Fänge des Adlers.

fangen, fängt, fing, hat gefangen: **1.** ⟨tr.⟩ *(ein Tier, einen Menschen) [verfolgen und] ergreifen:* einen Dieb f.; Fische f. *(fischen).* **2.** ⟨tr.⟩ *etwas, was geworfen wird, mit der Hand ergreifen, auffangen:* einen Ball f. **3.** ⟨rfl.⟩ *wieder ins Gleichgewicht kommen; die Balance wiedergewinnen:* fast wäre er gestürzt, aber er fing sich im letzten Augenblick; b i l d l.: er hat sich wieder gefangen *(sein seelisches Gleichgewicht wiedergewonnen).*

Fangfrage, die; -, -n: *verfängliche Frage, durch die man jmdn. mit List dazu bringt, etwas gegen seinen Willen einzugestehen, auszuplaudern, sich zu verraten:* er stellte den Jungen Fangfragen, um den Übeltäter festzustellen.

Fangschuß, der; Fangschusses, Fangschüsse: *das Töten von angeschossenem oder krankem Wild durch einen meist aus geringer Entfernung abgegebenen Schuß:* der Jäger gab dem verletzten Reh den F.

Farbband, das; -[e]s, Farbbänder: *mit einem Farbstoff getränktes Band zur Erzeugung von Schrift in einer [Schreib]maschine:* die Sekretärin mußte ein neues F. einlegen.

Farbe, die; -, -n: *vom Auge wahrgenommene Tönung von etwas:* die F. des Kleides ist rot. * **F. bekennen** *(seine Einstellung zu etwas nicht mehr länger verschweigen).*

färben, färbte, hat gefärbt: **a)** ⟨tr.⟩ *farbig machen; mit einer Farbe versehen:* zu Ostern Eier bunt f.; sie hat sich die Haare gefärbt. **b)** ⟨rfl.⟩ *eine bestimmte Farbe bekommen:* die Blätter der Bäume färben sich *(werden)* gelb.

farbenblind ⟨Adj.; nicht adverbial⟩: *unfähig, Farben richtig zu erkennen:* da er f. war, konnte er rot und grün nicht unterscheiden.

farbenprächtig ⟨Adj.⟩: *reich an Farben, sehr farbig:* ein farbenprächtiges Gemälde.

Färberei, die; -, -en: *Betrieb, in dem Tuche o. ä. gefärbt werden:* sie brachte das Kleid in die F.

Farbfernsehen, das; -s: *Fernsehen in Farbe:* die Einführung des Farbfernsehens stellte die Sender vor große Probleme.

Farbfilm, der; -[e]s, -e: **a)** *Film in Farbe:* der F. war unter großem Aufwand hergestellt worden. **b)** *Film, von dem farbige Abzüge hergestellt werden können:* einen F. in die Kamera einlegen.

farbig ⟨Adj.⟩: *eine oder mehrere Farben habend; bunt; nicht weiß:* ein farbiger Druck; die farbige Bevölkerung *(die Neger).*

färbig ⟨Adj.⟩ (östr.): *farbig.*

Farbige, der; -n, -n: ⟨aber: [ein] Farbiger; Plural: Farbige⟩: *Mensch mit nicht weißer Hautfarbe:* Ausschreitungen gegen F. sind in diesem Land leider sehr häufig.

farblos ⟨Adj.⟩: *ohne Farbe; nicht gefärbt:* eine farblose Flüssigkeit; bildl.: seine Darstellung war sehr f. *(nicht lebendig).*

Farblosigkeit, die; -.

Farbstift, der; -[e]s, -e: *Buntstift.*

Farbstoff, der; -[e]s, -e: *Mittel zum Färben:* man unterscheidet natürliche und künstliche Farbstoffe.

Färbung, die; -, -en: *Art, in der etwas gefärbt ist; Tönung:* der Stein, die Federn des Vogels haben eine schöne F.

Farce ['farsə], die; -, -n: **1.** *leeres, nichtssagendes Getue:* die Wahl wurde wegen der vorherigen Absprache zu einer F. **2.** *Posse; derber, satirischer Schwank:* die F. als selbständige Gattung des Schauspiels.

Farm, die; -, -en: **1.** *landwirtschaftlicher [Groß]betrieb* /bes. in Amerika und Afrika/: inmitten der riesigen Felder stand eine F. **2.** *Hof für die Zucht von Geflügel oder Pelztieren:* eine speziell für die Zucht von Hühnern eingerichtete F.

Farmer, der; -s, -: *Besitzer eines landwirtschaftlichen [Groß]betriebes* /bes. in Amerika und Afrika/: während der Dürre verließen viele Farmer ihren Besitz.

Fasan, der; -[e]s, -e: /ein Vogel/ (siehe Bild): zum Mittagessen gab es einen köstlich zubereiteten F.

Fasan

Fasching, der; -s: *Karneval.*

Faschismus, der; -: *terroristische politische Bewegung, die eine kapitalistische, nationalistische und gegen die Linke gerichtete Ideologie vertritt:* der Kampf gegen den F. forderte viele Opfer.

faseln, faselte, hat gefaselt ⟨itr./tr.⟩ (ugs.): *töricht, unüberlegt daherreden:* er verstand nichts von Kunst, faselte aber ständig darüber; was faselst du da?; Unsinn f.

Faser, die; -, -n: *dünnes, feines Gebilde, aus dem Fäden, Gewebe hergestellt werden können:* der Stoff ist aus künstlichen Fasern hergestellt.

fasern, faserte, hat gefasert ⟨itr.⟩: *sich in Fasern auflösen:* dieser Stoff fasert sehr.

Faß, das; Fasses, Fässer: *großer Behälter aus Holz oder Metall*

Faß

(siehe Bild): das Wasser läuft in ein F.; /als Maßangabe/ sie kauften 3 F. Bier.

Fassade, die; -, -n: *vordere Seite (eines Gebäudes):* das Haus hat eine schöne F.

fassen, faßt, faßte, hat gefaßt /vgl. gefaßt/: **1.** ⟨tr.⟩ *ergreifen und festhalten:* jmdn. am Arm, an der Hand f.; den Dieb f. **2.** ⟨itr.⟩ *(als Inhalt) aufnehmen können:* das Gefäß faßt einen Liter Flüssigkeit. **3.** ⟨als Funktionsverb⟩ einen Plan f. *(etwas Bestimmtes planen);* einen Entschluß f. *(sich zu etwas entschließen).*

faßlich ⟨Adj.⟩: *so, daß es verstanden wird; verständlich:* eine leicht faßliche Geschichte; ein Thema f. darstellen.

Fasson [fa'sõ:], die; -, -s: *Form:* das Kleid hat keine gute F.

Fassung, die; -, -en: **1.** *Vorrichtung zum Festschrauben oder Festklemmen elektrischer Birnen, Röhren o. ä.:* eine Glühbirne in die F. schrauben. **2.** *Einfassung:* der Diamant steckte in einer wertvollen F. **3.** ⟨ohne Plural⟩ *Selbstbeherrschung, innere Haltung, Besonnenheit:* seine F. bewahren, verlieren; jmdn. aus der F. bringen. **4. a)** *ausgearbeitete Gestalt und Form eines literarischen, künstlerischen o. ä. Werkes:* die zweite F. eines Romans; die Ergebnisse der schwierigen Forschungen wurden in einer verständlichen F. veröffentlicht. **b)** *Version:* es gibt verschiedene Fassungen über den Verlauf der Schlägerei.

fassungslos ⟨Adj.⟩: *erschüttert und völlig verwirrt:* sie machte ein fassungsloses Gesicht; f. sah sie ihn an.

Fassungsvermögen, das; -s: **1.** *Menge, die ein Raum aufnehmen kann:* das F. dieses Kessels beträgt 50 Liter. **2.** *Fähigkeit, etwas zu begreifen:* ein solches Problem übersteigt das F. eines Kindes.

fast ⟨Adverb⟩: *beinahe:* er ist mit seiner Arbeit f. fertig; f. hätte sie den Zug nicht mehr erreicht *(sie hat ihn gerade noch erreicht).*

fasten, fastete, hat gefastet ⟨itr.⟩: *(für eine bestimmte Zeit) wenig oder nichts essen:* weil sie zu dick ist, will sie eine Woche f.

Fastenzeit, die; -: *von der Kirche gebotene Zeit des Fastens.*

Fastnacht, die; -: *Tag vor der beginnenden Fastenzeit, an dem der Karneval seinen Höhepunkt erreicht.*

Faszination, die; -, -en: *faszinierende Wirkung:* die Dame strahlte eine eigenartige F. [auf ihn] aus.

faszinierend ⟨Adj.⟩: *von sehr großem Reiz; fesselnd:* eine faszinierende Persönlichkeit; sein Spiel war f.

fatal ⟨Adj.⟩: *sehr unangenehm, peinlich:* seine Situation war sehr f.

Fatalismus, der; -: *völlige Ergebenheit in die Macht des Schicksals:* in seinem F. versuchte er sich nicht gegen das ihm zugefügte Unrecht zu wehren.

fatalistisch ⟨Adj.⟩: *von der Unabänderlichkeit des Schicksals überzeugt; dem Schicksal gegenüber resignierend:* er hat eine fatalistische Einstellung.

Fata Morgana, die; - -, - Morganen und - Morganas: *durch Spiegelung der Luft entstehendes Trugbild:* in der Wüste wurden die Forscher von einer Fata Morgana genarrt; bildl.: das Ungeheuer in dem See erwies sich als eine Fata Morgana

(Täuschung der Sinne, Einbildung).

fauchen, fauchte, hat gefaucht ⟨itr.⟩: *zischende Laute ausstoßen* /von bestimmten Tieren/: die Katze fauchte wütend.

faul ⟨Adj.⟩: **I.** *verdorben; ungenießbar geworden:* faule Äpfel; bildl. (ugs.): diese Sache ist f. *(nicht in Ordnung, nicht einwandfrei).* **II.** *nicht gern arbeitend; bequem, nicht fleißig:* er ist ein fauler Mensch; er saß f. im Sessel, während die anderen arbeiteten.

faulen, faulte, ist gefault ⟨itr.⟩: *durch Fäulnis verderben, ungenießbar werden.*

faulenzen, faulenzte, hat gefaulenzt ⟨itr.⟩: *nicht arbeiten; ohne etwas zu tun den Tag verbringen:* er hat während der ganzen Ferien gefaulenzt.

Faulenzer, der; -s, - (abwertend): *jmd., der nichts arbeitet oder nur wenig arbeiten will.*

Faulheit, die; -: *das Faulsein; Bequemlichkeit:* alle ärgern sich über seine F.

faulig ⟨Adj.⟩: *nach Fäulnis riechend; von Fäulnis befallen:* ein fauliger Geruch; das Wasser war f.

Fäulnis, die; -: *das Faulen, Faulwerden:* ein Teil des Obstes war durch F. zerstört.

Faulpelz, der; -es, -e (scherzh.): *jmd., der träge und faul ist, nicht arbeitet.*

Faultier, das; -[e]s, -e: /ein Tier/ (siehe Bild); /als Schimpfwort/ (ugs.): du F. *(Faulpelz).*

Fauna, die; -, Faunen: Biol. *Gesamtheit der in einem bestimmten Gebiet lebenden Tiere:* die F. Afrikas.

Faust, die; -, Fäuste: *fest geschlossene Hand* (siehe Bild): er schlug mit der F. gegen die Tür. *** auf eigene F.** *(selbständig; ohne jmdn. zu Rate zu ziehen):* er hat in der schwierigen Situation auf eigene F. gehandelt.

Faust

faustdick ⟨Adj.; verstärkend bei Substantiven und Verben⟩ (ugs.): *sehr [stark]:* das ist eine faustdicke Lüge; f. auftragen. *** es f. hinter den Ohren haben** *(sehr raffiniert, gerissen sein).*

fausten, faustete, hat gefaustet ⟨tr.⟩: *(den Ball) mit der Faust schlagen:* der Torwart konnte den Ball nicht weit genug ins Feld fausten.

Fausthandschuh, der; -[e]s, -e: *Handschuh, bei dem außer dem Daumen keine Finger ausgearbeitet sind.*

Faustkampf, der; -[e]s, Faustkämpfe: *Boxkampf.*

Faustrecht, das; -[e]s: *das Sich-selbst-Helfen unter Anwendung von Gewalt:* da ihm auch die Behörde nicht helfen konnte, machte er schließlich vom F. Gebrauch.

Faustregel, die; -, -n: *einfache (auf Erfahrung gegründete) Regel:* es ist eine F., daß man bei Glatteis langsam fahren muß.

Fauxpax [fo'pa], der; - [fo'pa(s)], - [fo'pas] (geh.): *Verstoß gegen allgemein anerkannte gesellschaftliche Sitten und Gebräuche:* einen groben F. begehen.

Favorit, der; -en, -en: *jmd., dem bei einem [sportlichen] Wettkampf, Wettbewerb o. ä. die größten Chancen für einen Erfolg gegeben werden:* er ist der F. in diesem Rennen.

favorisieren, favorisierte, hat favorisiert ⟨tr.⟩: *zum Favoriten erklären:* nach diesen Siegen darf man unsere Mannschaft [hoch] f.; ⟨häufig im 2. Partizip⟩ das favorisierte Team unterlag überraschend.

Faxen, die ⟨Plural⟩ (ugs.): *Späße, Dummheiten:* er hat immer F. im Kopf.

Fazit, das; -s: *Ergebnis, Summe:* das F. der Untersuchungen war in beiden Fällen gleich. *** das F. ziehen** *(das Ergebnis zusammenfassen):* er muß jetzt das F. aus seinen Erfahrungen ziehen.

Februar, der; -[s]: *zweiter Monat des Jahres.*

fechten, ficht, focht, hat gefochten ⟨itr.⟩: *mit einer bestimmten Waffe in sportlichem Wettkampf miteinander kämpfen:* diese Studenten fechten mit Säbeln.

Fechter, der; -s, -: *jmd., der das Fechten als Sport betreibt.*

Feder, die; -, -n: **1.** *Gebilde, das in großer Zahl den Körper der Vögel bedeckt* (siehe Bild). **2.** *spitzer Gegenstand aus Metall, der Teil eines Gerätes zum Schreiben ist* (siehe Bild). **3.** *elastisches Gebilde aus gebogenem Metall, durch das eine Spannung erzeugt werden kann* (siehe Bild).

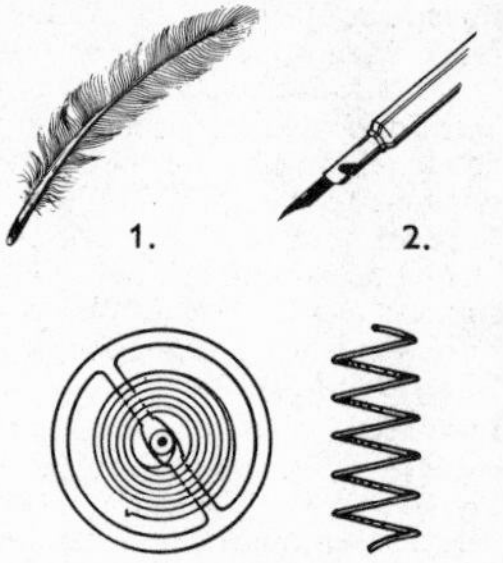

Feder

Federball, der; -[e]s, Federbälle: **1.** *kleiner, mit Federn versehener Ball* (siehe Bild): Federbälle mit echten Federn sind bei Turnieren vorgeschrieben. **2.** ⟨ohne Plural⟩ *dem Tennis verwandtes Ballspiel, bei dem der gleichnamige Ball von den Spielern mit einem Schläger über ein Netz geschlagen wird:* F. spielen.

Federball 1.

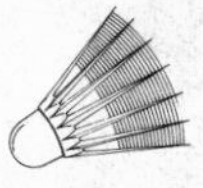

Federbett, das; -[e]s, -en: *mit Federn gefülltes Deckbett:* ich deckte mich mit dem F. zu.

Federfuchser, der; -s, - (abwertend): **a)** *kleinlicher Mensch, Bürokrat:* dieser Beamte ist ein richtiger F. **b)** *Schriftsteller:* er ist kein Dichter, sondern ein F.

Federhalter, der; -s, -: *Stiel, in den zum Schreiben eine Feder eingesetzt wird:* er nahm einen F. und tauchte die Feder in die Tinte.

Federlesen: ⟨in der Wendung⟩ nicht viel Federlesens mit jmdm./etwas machen: *mit jmdm./etwas rasch, ohne großen Aufwand an Zeit und Mühe fertig werden.*

federn, federte, hat gefedert ⟨itr.⟩: *bei einer Belastung nach-*

geben und danach wieder in die alte Lage zurückkehren: die Matratzen federn gut; ⟨im 2. Partizip⟩ der Sitz ist gut gefedert *(ist sehr elastisch).*

Federstrich, der; -[e]s, -e: *Strich mit einer Feder:* er entwarf das Bild mit wenigen Federstrichen. * **[nicht] mit einem/durch einen F.** (*[nicht] ohne weiteres, [nicht] mit Leichtigkeit)*: seine Beleidigungen kann er nicht mit einem F. aus der Welt schaffen.

Fee, die; -, -n: *weibliche Gestalt aus dem Märchen, die Gutes oder Böses bewirkt.*

Fegefeuer, das; -s: Rel. kath *Bezeichnung für den fiktiven Ort zwischen Himmel und Hölle, an dem die Seelen ihre Sünden büßen, um danach in den Himmel aufgenommen zu werden:* für die armen Seelen im F. beten.

fegen, fegte, hat gefegt ⟨tr.⟩ (bes. nordd.): **a)** *mit einem Besen säubern:* er hat die Straße gefegt. **b)** *mit dem Besen entfernen:* sie hat den Schmutz aus dem Zimmer gefegt.

Fehde, die; -, -n (geh.): *Streit, Feindschaft:* ihre F. dauerte mehrere Jahre.

Fehdehandschuh: ⟨in den Wendungen⟩ (geh.) **jmdm. den F. hinwerfen** *(jmdn. zum Kampf herausfordern);* (geh.) **den F. auf nehmen/aufheben** *(die Herausforderung zum Kampf annehmen).*

fehl: ⟨in der Verbindung⟩ f. am Platz[e]/Ort[e] sein: *nicht angebracht, deplaciert sein:* sein Spott war in dieser ernsthaften Diskussion f. am Platze.

fehlen, fehlte, hat gefehlt ⟨itr.⟩: **1. a)** *nicht anwesend, nicht vorhanden sein:* er fehlte unter den Gästen. **b)** *mangeln:* es fehlt ihm an Zeit, Geld *(er hat nicht genug Zeit, Geld).* **2.** *entbehrt, vermißt werden:* die Mutter fehlt ihnen sehr. * **jmdm. fehlt etwas** *(jmd. ist krank, bekümmert o. ä.):* was fehlt dir denn? Mir fehlt nichts.

Fehler, der; -s, -: **1. a)** *etwas, was falsch ist, was von der richtigen Form abweicht:* er macht beim Schreiben viele F.; in dem Gewebe, dem Material sind einige F. *(fehlerhafte, schlechte Stellen).* **b)** *falsches Verhalten:* einen F. wiedergutmachen; es war ein F. *(es war falsch)*, so schnell zu handeln. **2.** *schlechte Eigenschaft:* er hat viele F. und Eigenarten.

fehlerhaft ⟨Adj.⟩: *Fehler aufweisend; nicht einwandfrei:* fehlerhaftes Material.

fehlerlos ⟨Adj.⟩: *ohne Fehler:* er schreibt f.

Fehlgeburt, die; -, -en: *vorzeitige Geburt, bei der das Kind nicht lebt.*

fehlgehen, ging fehl, ist fehlgegangen ⟨itr.⟩: *sein Ziel verfehlen, einen falschen Weg einschlagen:* der Schuß ging fehl; wenn ihr den Straßenbahnschienen folgt, dann könnt ihr gar nicht f.; bildl. (geh.): ich hoffe, daß ich mit meiner Annahme nicht fehlgehe *(mich nicht irre).*

Fehlgriff, der; -[e]s, -e: *falsche Maßnahme:* diesen F. hätte er vermeiden müssen.

Fehlschlag, der; -[e]s, Fehlschläge: **a)** *Schlag, der sein Ziel verfehlt:* aus dem F. des Verteidigers entwickelte sich ein Tor für die gegnerische Mannschaft **b)** *Mißerfolg:* dieses Unternehmen war von Anfang an ein F.

fehlschlagen, schlägt fehl, schlug fehl, ist fehlgeschlagen ⟨itr.⟩: *keinen Erfolg haben; mißlingen:* alle Versuche zur Rettung des Verunglückten schlugen fehl.

Fehltritt, der; -[e]s, -e: *[sittliches] Vergehen, Verfehlung:* nach diesem F. wurde das Mädchen von der Familie verstoßen.

Fehlurteil, das; -[e]s, -e: *falsches Urteil:* der Prozeß endete mit einem F.

Fehlzündung, die; -, -en: *einen Knall verursachende Zündung des Gemisches von Kraftstoff und Luft in Verbrennungsmotoren zu einem nicht vorgesehenen Zeitpunkt:* der defekte Motor erzeugte eine F. nach der anderen; bildl. (ugs.): das war eine seiner üblichen Fehlzündungen *(falschen Schlüsse, irrigen Gedanken).*

Feier, die; -, -n: *Fest, mit dem man ein besonderes Ereignis begeht:* zu seinem Jubiläum fand eine große F. statt.

Feierabend, der; -s, -e: **a)** *Ende der Arbeitszeit:* in diesem Betrieb ist um fünf Uhr F. **b)** *Zeit am Abend nach der Arbeit:* er verbringt seinen F. mit Lesen.

feierlich ⟨Adj.⟩: *festlich; würdevoll:* ein feierlicher Augenblick; es herrschte feierliche Stille; die Trauung war sehr f.; er versprach f. *(mit Ernst, nachdrücklich)*, ihnen immer zu helfen.

feiern, feierte, hat gefeiert ⟨tr.⟩: **1.** *festlich begehen:* einen Geburtstag, eine Verlobung f. **2.** *(durch lebhaften Beifall) ehren:* der Sänger, Sieger, Sportler wurde sehr gefeiert.

Feiertag, der; -s, -e: *gesetzlich festgelegter Tag, an dem nicht gearbeitet wird:* der 1. Mai ist ein F.; ein kirchlicher, gesetzlicher, hoher F.

feige ⟨Adj.⟩: *ohne Mut; ängstlich:* er ist ein feiger Mensch; er hat sich f. versteckt.

Feige, die; -, -n: /eine Frucht/ (siehe Bild).

Feige

Feigheit, die; -: *Ängstlichkeit; das Fehlen von Mut.*

Feigling, der; -s, -e (abwertend): *jmd., der feige ist:* er ist ein großer F.

feilbieten, bot feil, hat feilgeboten ⟨tr.⟩ (geh.): *zum Verkauf anbieten:* die Händler boten Teppiche feil.

Feile, die; -, -n: *Werkzeug zum Bearbeiten von Metall oder Holz* (siehe Bild).

Feile

feilen, feilte, hat gefeilt ⟨itr.⟩: *mit einer Feile bearbeiten:* er hat an dem Schlüssel so lange gefeilt, bis er paßte; bildl.: er feilt lange an seinem Stil *(sucht ihn zu verbessern).*

feilschen, feilschte, hat gefeilscht ⟨itr.⟩ (abwertend): *hartnäckig um einen niedrigeren Preis handeln:* bei allen Käufen versucht er zu f.

fein ⟨Adj.⟩: **1.** *dünn; nicht grob:* feines Gewebe; ihre Haare sind sehr f.; du mußt den Kaffee f. mahlen. 2. *gut; von hoher Qualität:* das war ein feines Essen. 3. *empfindlich; exakt:* er hat ein feines Gehör; ein Instrument f. einstellen. 4. *gebildet; vornehm (in seinem Denken):* er ist ein feiner Mensch; sein Benehmen war nicht f. 5. (ugs.) *schön:* das ist eine feine Sache; es ist f., daß ihr gekommen seid; das hast du f. gemacht.

feind: ⟨in der Verbindung⟩ (geh.) jmdm./einer Sache f. sein/bleiben/werden: *jmds./einer Sache Feind sein/bleiben/werden.*

Feind, der; -es, -e: **a)** *jmd., der einem anderen übel gesinnt ist; Gegner:* er ist seit langem sein F.; bildl.: er ist ein F. des Alkohols. **b)** *die gegnerischen Truppen:* der F. steht vor der Hauptstadt.

feindlich ⟨Adj.; nur attributiv⟩: **a)** *gegnerisch:* ein feindliches Land; feindliche Truppen. **b)** *nicht freundlich gesinnt; feindselig:* eine feindliche Haltung einnehmen.

Feindschaft, die; -, -en: *feindliche Einstellung, Gesinnung:* sie lebten miteinander in F.

feindselig ⟨Adj.⟩: *voll Haß und Feindschaft; feindlich gesinnt:* er schaute seinen Gegner mit feindseligen Blicken an.

Feindseligkeit, die; -, -en: 1. ⟨ohne Plural⟩ *Feindschaft, feindliche Gesinnung:* sein Benehmen mir gegenüber war voller F. 2. ⟨Plural⟩ *kriegerische Handlungen:* die Truppen eröffneten noch in der Nacht die Feindseligkeiten.

feinfühlig ⟨Adj.⟩: *fein empfindend; sensibel:* er ist ein sehr feinfühliger Mensch. **Feinfühligkeit,** die; -.

Feinheit, die; -, -en: 1. ⟨ohne Plural⟩ *zarte, zierliche Beschaffenheit:* die F. einer Schnitzerei, eines Schmuckstücks. 2. *feinster Unterschied, Nuance:* die [letzten] Feinheiten in der Aussprache beobachten. 3. ⟨ohne Plural⟩ *vornehme Art:* vor lauter F. sprach sie ganz leise.

Feinkost, die; -: *feine Lebens- und Genußmittel, Delikatessen:* ein Geschäft, das sich auf F. spezialisiert hat.

Feinschmecker, der; -s, -: *jmd., der einen erlesenen Geschmack in bezug auf Speisen hat:* die F. ließen sich die Schnecken schmecken; bildl.: ein literarischer F.

Feinschnitt, der; -[e]s: *Tabak [zum Rauchen in der Pfeife], der sehr fein geschnitten ist:* er stopfte sich seine Pfeife mit F.

feist ⟨Adj.⟩: *dick, fett und dabei fest:* der Wirt hatte ein feistes Gesicht; bildl.: sein feistes Grinsen widerte mich an.

feixen, feixte, hat gefeixt ⟨itr.⟩ (ugs.): *sich mit boshaftem, schadenfrohem Grinsen lustig machen über jmdn.:* die Schüler feixten hinter dem Rücken des Lehrers.

Feld, das; -[e]s, -er: 1. *für den Anbau genutzter Boden; Acker:* die Bauern arbeiten auf dem F. 2. ⟨ohne Plural⟩ *Bereich:* das F. der Wissenschaft, der Forschung. ** **etwas ins F. führen** *(etwas als Argument anführen);* **das F. behaupten** *(sich nicht verdrängen lassen);* **das F. räumen** *(sich zurückziehen);* **im Felde stehen** *(im Krieg sein).*

Feldbett, das; -[e]s, -en: *flaches, nicht gepolstertes Bett, das sich zusammenklappen läßt:* die Soldaten schliefen in ihren großen Zelten auf Feldbetten.

Feldflasche, die; -, -n: *flache Flasche aus Metall:* die Soldaten füllten sich ihre Feldflaschen mit Wasser.

Feldfrucht, die; -, Feldfrüchte: *durch Ackerbau gewonnenes Produkt:* Kartoffeln und Rüben sind Feldfrüchte.

Feldherr, der; -n, -[e]n (veralt.): *Führer, Befehlshaber eines Heeres:* in der Heimat wurde dem siegreichen Feldherrn ein begeisterter Empfang bereitet.

Feldhuhn, das; -[e]s, Feldhühner: *Rebhuhn.*

Feldjäger, der; -s, -: *Angehöriger der Bundeswehr mit den Aufgaben eines Polizisten:* F. regelten während des Manövers den Verkehr.

Feldsalat, der; -[e]s: /eine Pflanze/ (siehe Bild): im Winter aßen wir oft F.

Feldstecher, der; -s, -: *größeres Fernglas:* wir beobachteten das Wild durch den F.

Feldwebel, der; -s, -: *Soldat im Rang eines Unteroffiziers:* der F. führt eine Gruppe von Soldaten.

Feldweg, der; -[e]s, -e: *Weg, der durch Felder, Äcker führt:* sie gingen über einen F.

Feldzug, der; -[e]s, Feldzüge: *größeres kriegerisches Unternehmen:* einen F. gegen ein Nachbarland führen; bildl.: zum F. *(zu einer Kampagne, Aktion)* gegen die Armut aufrufen.

Felge, die; -, -n: 1. *Teil des Rades, auf dem der Reifen sitzt:* bei dem Unfall wurden die Felgen verbogen. 2. *Übung an Reck, Barren, Ringen oder beim Bodenturnen* (siehe Bild): er machte eine F. rückwärts.

Felge

Fell, das; -[e]s, -e: *dicht behaarte Haut (bestimmter Tiere):* er hat dem toten Hasen das F. abgezogen. * (ugs.) **ein dickes F. haben** *(nicht empfindlich sein):* er hat so ein dickes F., man kann ihn nicht aus der Ruhe bringen.

Fels, der; -en: *hartes Gestein:* beim Graben stießen sie auf F.

Felsen, der; -s, -: *großer Block aus hartem Gestein:* sie kletterten auf einen F.

felsenfest ⟨Adj.⟩: *(in seiner Überzeugung) ganz fest; nicht zu erschüttern:* er war f. überzeugt, alles richtig gemacht zu haben.

felsig ⟨Adj.⟩: *aus hartem Gestein bestehend; mit vielen Felsen:* eine felsige Küste; das Gelände ist sehr f.

feminin ⟨Adj.⟩: **a)** *zum weiblichen Geschlecht gehörend, für das weibliche Geschlecht typisch;* die Art ihres Ganges ist nicht sehr f. **b)** (abwertend) *weibisch:* er ist ein femininer Typ.

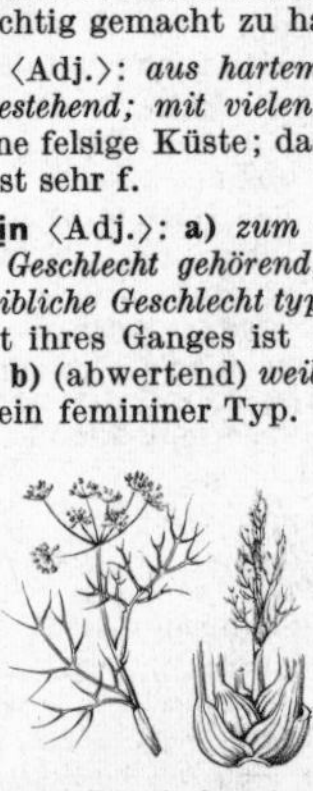

Fenchel

Fẹnchel, der; -s: /eine Heil- und Gewürzpflanze/ (siehe Bild S. 240): die Hausfrau würzte den Teig für die Lebkuchen mit F.

Fẹnster, das; -s, -: **1.** *Öffnung in der Wand von Gebäuden, Fahrzeugen o. ä., die durch eine oder mehrere Glasscheiben verschlossen ist* (siehe Bild): das

1.

Fenster

Zimmer hat zwei F.; er schaut zum F. hinaus; die F. *(Fensterscheiben)* müssen geputzt werden. **2.** (ugs.) *Schaufenster; Auslage eines Geschäftes:* ein Buch aus dem F. holen.

Fẹnsterbrett, das; -[e]s, -er: *innen oder außen angebrachtes, waagrechtes Brett unterhalb des Fensters:* auf dem F. standen einige Blumen.

Fẹnsterladen, der; -s, Fensterläden: *[hölzerne] Vorrichtung, mit der Fenster von außen verschlossen werden.*

Fẹnsterleder, das; -s, -: *Lappen aus Leder zum Putzen der Fenster:* das F. auswringen.

Fẹnsterputzer, der; -s, -: *jmd., der Fenster putzt* /Berufsbezeichnung/.

Fẹnsterscheibe, die; -, -n: *Scheibe aus Glas in einem Fenster:* die Fensterscheiben sind sehr schmutzig.

Fe̲rien, die ⟨Plural⟩: **a)** *Zeit von mehreren Tagen oder Wochen, in der Schule, Universität u. a. öffentliche Einrichtungen geschlossen sind, nicht arbeiten:* das Theater hat im Sommer F.; die F. beginnen bald. **b)** *Urlaub; Zeit der Erholung:* er braucht dringend F.

Fẹrkel, das; -s, -: *junges Schwein.*

fẹrn ⟨Adj.⟩: **1.** *(räumlich) weit entfernt* /Ggs. nah/: er erzählte von fernen Ländern. **2. a)** *lange vergangen; der Vergangenheit angehörend:* das ist eine Geschichte aus fernen Tagen. **b)** *(zeitlich) weit entfernt:* diese Pläne wird man erst in ferner Zukunft verwirklichen können.

fẹrnbleiben, blieb fern, ist ferngeblieben ⟨itr.⟩: *nicht hingehen (zu etwas), nicht teilnehmen (an etwas):* er ist dem Unterricht ferngeblieben.

Fẹrne, die; -, -n: *große räumliche oder zeitliche Entfernung; Abstand* /Ggs. Nähe/: in der F. war ein Schuß zu hören; das Vorhaben ist in weite F. gerückt.

fẹrner ⟨Adverb⟩: *außerdem, ebenfalls:* die Kinder brauchen neue Mäntel, f. Kleider und Schuhe.

fẹrnerhin ⟨Adverb⟩: **1.** *in Zukunft:* man versprach ihm, daß er f. nicht gestört würde. **2.** *außerdem; ferner:* der Apparat hat f. den Vorteil, daß er leicht zu bedienen ist.

Fẹrnfahrer, der; -s, -: *jmd., der einen Lastkraftwagen im Fernverkehr fährt* /Berufsbezeichnung/.

fẹrngelenkt ⟨Adj.⟩: *von Einrichtungen gelenkt, die sich nicht in dem fahrenden oder fliegenden Objekt befinden:* ferngelenkte Raketen.

Fẹrngespräch, das; -s, -e: *Telefongespräch, das über den Bereich des eigenen Ortes hinausgeht* /Ggs. Ortsgespräch/.

Fẹrnglas, das; -es, Ferngläser: *optisches Gerät zum genaueren Erkennen entfernter Objekte:* der Jäger beobachtet die Tiere mit dem F. (siehe Bild).

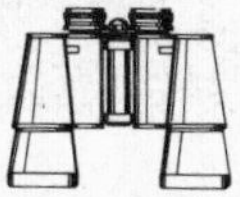

Fernglas

fẹrnhalten, hält fern, hielt fern, hat ferngehalten ⟨tr./rfl.⟩: *nicht in die Nähe kommen lassen; verhindern, daß jmd. oder etwas mit jmdm. oder einer Sache in Berührung kommt:* sie hat den Kranken von den Kindern ferngehalten; sie hat sich lange Zeit von den anderen ferngehalten *(keine Beziehung aufgenommen)*.

Fẹrnheizung, die; -, -en: *Heizungssystem, das von einem zentralen Werk eine große Zahl auch entfernt gelegener Gebäude beheizt:* dieser ganze Stadtteil ist an die F. angeschlossen.

Fẹrnlicht, das; -[e]s: *sehr helles Licht an Kraftfahrzeugen, das in die Ferne gerichtet ist und eine weite Sicht gewährt:* das F. einschalten.

fẹrnliegen, lag fern, hat ferngelegen ⟨itr.⟩: *nicht in den Sinn kommen, (etwas) nicht erwägen:* der Gedanke, ihn zu schädigen, lag mir fern.

Fẹrnrohr, das; -s, -e: *größeres optisches Gerät, mit dem weit entfernte Objekte erkannt werden können* (siehe Bild): sie betrachteten die Sterne durch das F.

Fernrohr

Fẹrnschreiber, der; -s, -: *elektrisches Gerät zur schriftlichen Übermittlung und Aufzeichnung von Nachrichten:* die Nachricht vom Tod des Präsidenten lief über die F.

Fẹrnsehapparat, der; -[e]s, -e: *Gerät, mit dem man Sendungen des Fernsehens empfangen kann.*

fẹrnsehen, sieht fern, sah fern, hat ferngesehen ⟨itr.⟩: *Sendungen im Fernsehen ansehen, verfolgen:* er sah den ganzen Abend fern.

Fẹrnsehen, das; -s: *technische Einrichtung, die Bild und Ton sendet; Television:* das F. zeigt heute einen Kriminalfilm.

Fẹrnseher, der; -s, -: **a)** (ugs.) *Fernsehapparat.* **b)** *jmd., der einen Fernsehapparat besitzt.*

Fẹrnsehsendung, die; -, -en: *Sendung im Fernsehen:* diese F. ist eine Wiederholung.

Fẹrnsprechbuch, das; -[e]s, Fernsprechbücher: Amtsspr. *Telefonbuch:* aus dem F. entnahm ich seine Adresse, Telefonnummer.

Fẹrnsprecher, der; -s, -: *Telefon.*

fẹrnstehen, stand fern, hat ferngestanden ⟨itr.⟩ (geh.): *ohne Beziehung (zu jmdm./etwas) sein:* ich stand ihr, diesen Bestrebungen seit langem fern.

Fẹrnstudium, das; -s, Fernstudien: *Studium, das [neben einer beruflichen Tätigkeit] ohne Anwesenheit am Ort der Hochschule durch Zusenden des Lehrstoffes durchgeführt wird:* er hat sein Diplom durch ein F. erworben.

Fẹrnverkehr, der; -[e]s: **1.** *Gesamtheit der über das örtliche*

Netz hinausgehenden Telefongespräche: der F. kam wegen der Überlastung des Netzes zum Erliegen. **2.** *Verkehr von Fahrzeugen über größere Entfernungen:* die Straße wird durch den F. stark belastet.

Fernweh, das; -s: *Sehnsucht nach der Ferne:* immer wieder wurde er vom F. gepackt.

Ferse, die; -, -n: **a)** *hinterer Teil des Fußes* (siehe Bild). **b)** *Teil des Strumpfes:* der Strumpf hat ein Loch an der F.

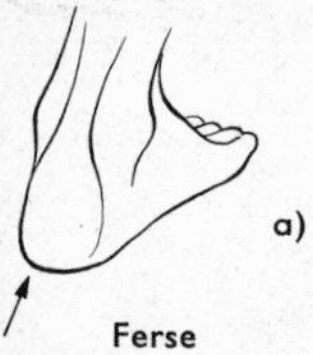

Ferse

Fersengeld: ⟨in der Wendung⟩ F. geben (ugs.): *sich in großer Eile davonmachen, fliehen:* als der Dieb sah, daß ihn ein Polizist beobachtete, gab er F.

fertig ⟨Adj.⟩: **1.** *abgeschlossen, vollendet:* er lieferte die fertige Arbeit ab; das Haus ist f. **2.** ⟨nur adverbial⟩ *zu Ende:* du mußt erst f. essen; er ist noch rechtzeitig f. geworden *(hat seine Arbeit rechtzeitig beendet).* **3.** ⟨nicht attributiv⟩ *bereit:* sie sind f. zur Abfahrt; bist du endlich f., daß wir gehen können? * (ugs.) **f. sein** *(erschöpft, sehr müde sein):* er ist völlig f.; (ugs.) **mit etwas f. werden** *(etwas bewältigen, schaffen):* er ist mit seiner schwierigen Aufgabe f. geworden; (ugs.) **mit jmdm. f. werden** *(sich jmdm. gegenüber durchsetzen, seiner Herr werden):* sie wird mit ihren Kindern nicht f.

fertigbekommen, bekam fertig, hat fertigbekommen ⟨tr.⟩ (ugs.): *fertigbringen.*

fertigbringen, brachte fertig, hat fertiggebracht ⟨itr.⟩: *erreichen; zustande bringen:* er hat es fertiggebracht, den Posten zu bekommen; er bringt es nicht fertig *(vermag es nicht),* den Bettler wegzuschicken.

fertigen, fertigte, hat gefertigt ⟨tr.⟩ (geh.): *herstellen:* sie fertigen Spielzeug in ihrer Fabrik.

Fertighaus, das; -es, Fertighäuser: *[kleineres Wohn]haus, dessen sämtliche Teile in einer Fabrik hergestellt und erst an Ort und Stelle zusammengefügt werden:* ein F. läßt sich in wenigen Tagen errichten.

Fertigkeit, die; -, -en: *Geschicklichkeit (beim Ausführen bestimmter Arbeiten):* er hat große F. im Malen.

fertigkriegen, kriegte fertig, hat fertiggekriegt ⟨tr.⟩ (ugs.): *fertigbringen.*

fertigmachen, machte fertig, hat fertiggemacht: **1.** ⟨tr.⟩ *beenden; zu Ende bringen:* er muß die begonnene Arbeit f. **2.** ⟨tr.⟩ *vorbereiten:* das Kind zur Abreise f. **3.** ⟨itr.⟩ (ugs.) *erschöpfen, sehr ermüden:* der Marsch hat sie ganz fertiggemacht. **4.** ⟨tr.⟩ (ugs.) *scharf zurechtweisen; tadeln:* er wurde wegen des Fehlers von seinem Chef fertiggemacht.

fertigstellen, stellte fertig, hat fertiggestellt ⟨tr.⟩: *die Herstellung (von etwas) abschließen:* das Haus muß bis zum Ende des Monats fertiggestellt sein.

fesch ⟨Adj.⟩ (ugs.): *hübsch, flott, schick:* ein fesches Mädchen; er sah in dem neuen Anzug sehr f. aus. * (östr.; ugs.) **f. sein** *(nett, freundlich sein):* sei doch so f. und hilf mir in den Mantel!

Fessel, die; -, -n: **I.** *Kette, Strick o. ä., womit jmd. [an etwas] gefesselt ist* (siehe Bild): der Gefangene hatte Fesseln an Händen und Füßen. **II.** *Teil des Beines zwischen Fuß und Wade* (siehe Bild): sie hat schlanke Fesseln.

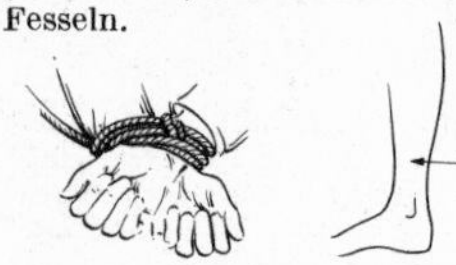

I. II.

Fessel

fesseln, fesselte, hat gefesselt ⟨tr.⟩: **1. a)** *an den Händen [und Füßen] binden:* der Verbrecher wurde gefesselt und ins Gefängnis gebracht. **b)** *(mit einem Strick o. ä.) fest an etwas binden, so daß keine Bewegung möglich ist:* sie fesselten den Gefangenen an einen Baum. * **ans Bett gefesselt sein** *(wegen Krankheit im Bett liegen müssen):* er war lange ans Bett gefesselt. **2.** *jmds. ganze Aufmerksamkeit auf sich lenken; Spannung wecken:* der Vortrag fesselte die Zuhörer; ⟨häufig im 1. Partizip⟩ *spannend; großes Interesse weckend:* ein fesselndes Buch.

fest ⟨Adj.⟩: **1.** *nicht flüssig; hart:* Metall ist ein fester Stoff; das Wachs ist f. geworden. **2.** *haltbar; stabil:* feste Schuhe; das Material ist sehr f. **3.** *nicht locker:* den Schuh f. binden. **4.** *sicher; nicht zu erschüttern:* eine feste *(bindende)* Zusage; ein festes Versprechen; sich etwas f. vornehmen; er ist f. *(für die Dauer)* angestellt.

Fest, das; -[e]s, -e: **1.** *[größere] gesellschaftliche Veranstaltung:* nach dem Einzug in das neue Haus gaben sie ein großes F. **2.** *kirchlicher Feiertag:* die Kirche feiert mehrere Feste im Laufe des Jahres.

festfahren, fährt fest, fuhr fest hat/ist festgefahren: **a)** ⟨itr.⟩ *beim Fahren steckenbleiben:* das Auto ist im Schnee festgefahren; bildl.: die Verhandlungen sind festgefahren *(machen keine Fortschritte mehr).* **b)** ⟨rfl.⟩ *beim Fahren steckenbleiben:* der Lastkraftwagen hat sich im Schlamm festgefahren; bildl. (ugs.): ich habe mich bei der Prüfung festgefahren *(habe nicht mehr weitergewußt).*

festhalten, hält fest, hielt fest, hat festgehalten: **1.** ⟨tr.⟩ *nicht loslassen; mit der Hand halten:* sie hielt das Kind am Arm fest. **2.** ⟨rfl.⟩ *sich an etwas halten (um nicht zu fallen):* sie hielten sich am Geländer fest; in der Straßenbahn mußt du dich f. **3.** ⟨itr.⟩ *nicht aufgeben; (bei etwas) bleiben:* er hält an seiner Meinung, Überzeugung fest.

festigen, festigte, hat gefestigt ⟨tr./rfl.⟩: *stärken; fester machen:* der Aufenthalt in den Bergen festigte seine Gesundheit; durch den Erfolg festigte sich seine Position.

Festigkeit, die; -: **1.** *Härte, Dichte, feste Beschaffenheit:* Beton besitzt eine hohe Festigkeit. **2.** *standhaftes, entschlossenes Verhalten, Sicherheit:* die F. seines Charakters, Glaubens.

Festigung, die; -: *das Festigen; Stärkung:* die F. der gegenseitigen Beziehungen.

Fẹstival, das; -s, -s: *festliche Veranstaltung mit besonderen künstlerischen Darbietungen:* ein F. des modernen Theaters.

fẹstklemmen, klemmte fest, hat/ist festgeklemmt: **1.** ⟨tr.⟩ *[mit Klammern o. ä.] befestigen:* er hat das Kabel an der Batterie festgeklemmt. **2.** ⟨itr.⟩ *so klemmen, daß es sich nicht mehr bewegt; eingeklemmt sein:* das Ventil klemmt fest, ist festgeklemmt.

Fẹstland, das; -[e]s: *festes Land* /im Gegensatz zu den Inseln/: das europäische F.

fẹstlegen, legte fest, hat festgelegt: **a)** ⟨tr.⟩ *verbindlich beschließen, bestimmen:* sie legten den Tag für ihre Reise fest. **b)** ⟨rfl.⟩ *sich binden; sich endgültig entscheiden:* er hat sich durch seine Unterschrift festgelegt.

fẹstlich ⟨Adj.⟩: *einem Fest angemessen; glanzvoll:* ein festliches Kleid; die Veranstaltung war sehr f.

fẹstliegen, lag fest, hat festgelegen ⟨itr.⟩: **1.** *sich [auf einem Untergrund] festgefahren haben und nicht mehr weiterkommen:* das Schiff liegt außerhalb der Fahrrinne fest. **2.** *fest abgemacht, festgesetzt sein:* der Termin für diese Konferenz hat schon lange festgelegen.

fẹstmachen, machte fest, hat festgemacht: **1.** ⟨tr.⟩ *fest anbringen, binden (an etwas):* das Boot am Ufer f.; sie machte den Hund an der Kette fest. **2.** ⟨tr.⟩ *fest vereinbaren:* einen Termin f. **3.** ⟨itr.⟩ *anlegen* /von Schiffen/: die Jacht hat im Hafen festgemacht.

fẹstnageln, nagelte fest, hat festgenagelt ⟨tr.⟩ (ugs.): *jmdn. zwingen, bei einer eingenommenen Haltung zu bleiben:* man hat ihn auf sein Versprechen festgenagelt.

Fẹstnahme, die; -, -n: *das Festnehmen.*

fẹstnehmen, nimmt fest, nahm fest, hat festgenommen ⟨tr.⟩: *verhaften:* die Polizei nahm den Verbrecher fest.

fẹstschnallen, schnallte fest, hat festgeschnallt ⟨tr./rfl.⟩: *mit einem Gurt o. ä. festmachen:* die Schier f.; der Fahrer des Autos schnallt sich am Sitz fest.

fẹstschrauben, schraubte fest, hat festgeschraubt ⟨tr.⟩: *durch Schrauben befestigen:* die Bretter eines Regals f.

Fẹstschrift, die; -, -en: *zu einem festlichen Anlaß herausgegebenes, mehrere Abhandlungen enthaltendes Buch:* zum bevorstehenden Geburtstag des berühmten Forschers wurde eine F. herausgegeben.

fẹstsetzen, setzte fest, hat festgesetzt: **1.** ⟨tr.⟩ *bestimmen, vereinbaren:* sie setzten einen Tag für ihre Reise fest. **2.** ⟨rfl.⟩ *haftenbleiben:* der Schnee setzt sich an den Schiern, der Schmutz an den Schuhen fest. **3.** ⟨tr.⟩ *in Haft nehmen; verhaften:* einige der Demonstranten wurden vorübergehend festgesetzt. **Fẹstsetzung,** die; -, -en.

fẹstsitzen, saß fest, hat festgesessen ⟨itr.⟩: **1.** *fest haftenbleiben:* er schlug mit dem Hammer auf den Nagel, bis er im Brett festsaß. **2.** *sich (auf/in etwas) festgefahren haben und nicht mehr weiterkommen:* das Schiff saß [auf dem Grund] fest; bildl.: wir haben mehrere Stunden wegen Nebels auf dem Flughafen festgesessen.

Fẹstspiele, die ⟨Plural⟩: *sich [jährlich] wiederholende zusammenhängende Folge festlicher Aufführungen von Schauspielen, Filmen, Werken der Musik an einem bestimmten Ort:* er möchte in diesem Jahr die Salzburger F. besuchen.

fẹststehen, stand fest, hat festgestanden ⟨itr.⟩: *sicher, gewiß sein:* es steht fest, daß er morgen kommt; der Termin steht noch nicht genau fest *(er ist noch nicht endgültig).*

fẹststellen, stellte fest, hat festgestellt: **1.** ⟨tr.⟩ *ermitteln; ausfindig machen:* man hat seinen Geburtsort nicht f. können. **2.** ⟨tr.⟩ *bemerken:* er stellte plötzlich fest, daß sein Portemonnaie nicht mehr da war. **3.** ⟨itr.⟩ *mit Entschiedenheit sagen, zum Ausdruck bringen:* ich möchte feststellen, daß dies nicht zutrifft.

Fẹsttag, der; -[e]s, -e: *Tag den man zu jmds./einer Sache Ehren festlich begeht:* sein Geburtstag wurde immer wie ein F. begangen.

Fẹstung, die; -, -en: **a)** *befestigte Anlage zur Verteidigung:* bei der Eroberung war die F. zerstört worden. **b)** *(hist.) Haft in einer befestigten Anlage:* er wurde zu mehreren Jahren F. verurteilt.

Fẹstwoche, die; -, -n: *Woche, in der Festspiele stattfinden:* alle Veranstaltungen der vergangenen Festwochen waren gut besucht.

Fẹstzug, der; -[e]s, Festzüge: *Umzug von geschmückten Wagen, Gruppen von Personen o. ä. bei einem Fest:* ein F. zog durch die Straßen.

Fẹte, die; -, -n (ugs.; scherzh.): *Party, Fest:* an seinem Geburtstag feierte/gab er eine F.

Fetịsch, der; -es, -e: *mit magischer Kraft erfüllter Gegenstand:* die Eingeborenen hatten Fetische, die sie verehrten.

fẹtt ⟨Adj.⟩: **1.** *viel Fett enthaltend:* das Fleisch ist sehr f. **2.** *dick; gut genährt:* ein fettes Schwein. **3.** *üppig, kräftig:* fettes Gras; eine fette Weide.

Fẹtt, das; -[e]s, -e: **a)** *im Körper von Menschen und Tieren vorkommendes weiches Gewebe:* die Gans hat viel F. **b)** *aus tierischen und pflanzlichen Zellen gewonnenes Nahrungsmittel:* der Arzt empfahl ihm, tierische Fette zu meiden.

Fẹttauge, das; -s, -n: *Tropfen von Fett, der auf einer flüssigen Speise schwimmt:* auf dieser dünnen Suppe konnte man nur wenige Fettaugen entdecken.

fẹtten, fettete, hat gefettet: **1.** ⟨tr.⟩ *einfetten:* das Lager einer Maschine f. **2.** ⟨itr.⟩ **a)** *Fett durchlassen:* das Papier, in das die Butter eingewickelt war, fettete. **b)** *viel Fett enthalten* /von Salben o. ä./: eine fettende Salbe; diese Creme fettet nicht.

Fẹttfleck, der; -[e]s, -e: *durch Fett hervorgerufener Fleck:* einen F. auf die Zeitung machen.

fẹttgedruckt ⟨Adj.⟩: *in dicken Buchstaben gedruckt:* fettgedruckte Überschriften.

fẹttig ⟨Adj.⟩: *in unerwünschter oder unangenehmer Weise mit Fett durchsetzt; mit Fett bedeckt, beschmutzt, schmierig;* fettiges Papier; die Haare waren f. geworden.

Fẹttnäpfchen: ⟨in den Wendungen⟩ (ugs.) **bei jmdm. ins F. treten/sich ins F. setzen** *(bei jmdm. unbeabsichtigt eine heikle Sache berühren und dadurch seinen Unwillen erregen, ihn kränken).*

Fetzen, der; -s, -: *abgerissenes Stück (Stoff, Papier o. ä.):* F. von Papier lagen auf dem Boden.

feucht ⟨Adj.⟩: *ein wenig naß; ein wenig mit Wasser o. ä. bedeckt:* die Wäsche ist noch f.; feuchte *(Feuchtigkeit enthaltende)* Luft.

feuchtfröhlich ⟨Adj.⟩ (ugs.; scherzh.): *durch den Genuß von Alkohol fröhlich, beschwingt:* einen feuchtfröhlichen Abend haben.

Feuchtigkeit, die; -: *das Feuchtsein; leichte Nässe:* die F. der Luft, des Bodens war gering.

feudal ⟨Adj.⟩: *vornehm, herrschaftlich:* eine feudale Wohnung haben; f. leben.

Feudalismus, der; -: *Herrschafts- und Gesellschaftsordnung unter Führung des privilegierten Adels.*

Feuer, das; -s, -: **1. a)** *sichtbarer Vorgang der Verbrennung, bei dem sich Flammen und Hitze entwickeln:* das F. im Ofen brennt gut. *** F. fangen: a)** *von einem Brand erfaßt werden:* bei dem Unfall hatte das Auto F. gefangen. **b)** (ugs.) *sich verlieben:* er fängt leicht F.; **für jmdn./etwas die Hand ins F. legen** *(sich für jmdn./etwas verbürgen):* für seine Zuverlässigkeit lege ich die Hand ins F.; **jmdm./für jmdn. die Kastanien aus dem F. holen** *(für jmdn. eine unangenehme Aufgabe ausführen, wovon nur der andere einen Vorteil hat);* (ugs.) **F. und Flamme sein** *(sehr begeistert sein):* als er von dem Plan erfuhr, war er sofort F. und Flamme. **b)** *Brand:* das F. vernichtete mehrere Häuser. **2.** ⟨ohne Plural; in bestimmten Verwendungen⟩ *das Schießen:* die Feinde haben das F. eröffnet *(zu schießen begonnen).*

Feuerbestattung, die; -, -en: *Bestattung der Toten durch Verbrennen:* Feuerbestattungen finden in einem Krematorium statt.

Feuereifer, der; -s (ugs.): *großer Eifer, Schwung (bei einer Tätigkeit):* er hat sich mit F. an die Arbeit gemacht.

feuerfest ⟨Adj.⟩: *durch Feuer oder große Hitze nicht zu zerstören, gegen Feuer oder große Hitze unempfindlich:* feuerfestes Geschirr.

feuergefährlich ⟨Adj.⟩: *leicht zu entzünden:* feuergefährliche Stoffe dürfen nicht in der Garage gelagert werden.

Feuerleiter, die; -, -n: *meist außen an Gebäuden angebrachte Leiter, über die sich die Bewohner bei Gefahr ins Freie retten können:* bei dem Brand flüchteten die Gäste über die F.

Feuerlöscher, der; -s, -: *Gerät zum Löschen von [kleineren] Bränden* (siehe Bild): er bekämpfte den Brand in der Wohnung mit einem F.

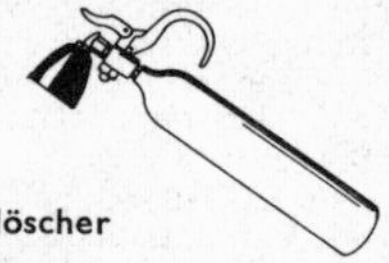

Feuerlöscher

Feuermelder, der; -s, -: *Vorrichtung, über die bei Gefahr die Feuerwehr schnell benachrichtigt werden kann:* als der Brand ausbrach, schlug er die Scheibe des Feuermelders ein und drückte auf den Knopf.

feuern, feuerte, hat gefeuert: **1.** ⟨itr.⟩ *schießen:* die Soldaten feuerten ohne Unterbrechung. **2.** ⟨tr.⟩ (ugs.) *schleudern, werfen:* die Kinder feuerten ihre Schultaschen in die Ecke. **3.** ⟨tr.⟩ (ugs.) *entlassen; hinauswerfen:* er ist nach dem Skandal [aus dem Amt] gefeuert worden.

Feuerprobe: ⟨in der Wendung⟩ die F. bestehen: *sich unter schwierigen Bedingungen bewähren:* das Auto hat bei diesen harten Tests seine F. bestanden.

feuerrot ⟨Adj.⟩: *rot wie Feuer:* sie trug ein feuerrotes Kleid; vor Scham wurde er f. im Gesicht.

Feuertaufe, die; -, -n: *erste Gelegenheit, sich zu bewähren:* der Fahrer bestand bei diesem Rennen seine F. mit Bravour.

Feuerüberfall, der; -[e]s, Feuerüberfälle: *plötzlich einsetzender Beschuß aus Gewehren, Geschützen o. ä.:* bei dem F. wurden viele Soldaten getötet und verwundet.

Feuerwaffe, die; -, -n: *Waffe zum Schießen, bei der das Geschoß durch Gase angetrieben wird, die nach dem Zünden des Pulvers entstehen:* ein Verbot des öffentlichen Verkaufs von Feuerwaffen beantragen.

Feuerwehr, die; -, -en: *Mannschaft, die Brände bekämpft und die dazugehörende Ausrüstung.*

Feuerwerk, das; -s, -e: *durch das Abschießen von bestimmten explosiven Stoffen hervorgebrachte farbige Effekte am dunklen Himmel:* das Fest endete mit einem F.

Feuerzangenbowle, die; -, -n: *heißes Getränk aus Rotwein und Rum, bei dem ein Kegel aus Zucker in einem Halter (Zange) mit Rum übergossen und angezündet wird:* an den langen Abenden im Winter machten wir uns oft eine F.

Feuerzeug, das; -s, -e: *kleines Gerät zum Entzünden einer Flamme:* er zündete seine Zigarette mit einem F. an.

Feuilleton [fœj(e)tõ:], das; -s, -s: **1. a)** *unterhaltender Teil einer Zeitung oder Zeitschrift mit kulturellen, literarischen o. ä. Beiträgen:* der Redakteur schrieb für das F. der Zeitung einen Bericht über den Stand der Weltraumfahrt. **b)** *unterhaltende Sendung im Rundfunk oder Fernsehen mit kulturellen, literarischen o. ä. Beiträgen:* im F. wurde eine Rezension des Romans gesendet. **2.** *kleinerer journalistischer oder literarischer Beitrag in unterhaltendem Stil:* der Schriftsteller schrieb ein spritziges F.

feurig ⟨Adj.⟩: **1.** (geh.) *glühend:* feurige Kohlen. **2.** *feuerrot:* er trug eine feurige Krawatte. **3.** *voller Temperament, lebhaft:* er war ein feuriger Liebhaber.

Fiasko, das; -s, -s: **a)** *großer Mißerfolg:* mit diesem Stück erlebte der junge Schriftsteller ein F. **b)** (ugs.) *Katastrophe:* wenn man uns das Geld nicht bald überweist, gibt es ein großes F.

Fibel, die; -, -n: **a)** *Lesebuch [mit Bildern] für Kinder, die lesen lernen:* die Kinder blättern in ihren bunten Fibeln. **b)** *kleines Buch, in dem für ein bestimmtes Gebiet Anleitungen, Informationen o. ä. gegeben werden:* eine F. für Fahrschüler über Fragen der Vorrfahrt.

Fichte, die; -, -n: /ein Baum/ (siehe Bild S. 245).

ficken, fickte, hat gefickt (derb): **a)** ⟨tr.⟩ *(mit einer Frau) den Geschlechtsakt vollziehen:* er hat sie gefickt. **b)** ⟨itr.⟩ *den Geschlechtsakt vollziehen:* er hat mit dem Mädchen gefickt; sie haben miteinander gefickt.

Fichte

fidel ⟨Adj.⟩ (ugs.): *lustig, vergnügt, munter:* dein Freund ist ein ganz fideler Bursche.

Fidibus, der; - und -ses, - und -se (scherzh.): *[gefalteter] Streifen aus Papier oder Span zum Anzünden [der Pfeife]:* er machte sich einen F. und zündete sich damit seine Pfeife an.

Fieber, das; -s: *Temperatur des Körpers, die höher ist als normal* /als Anzeichen einer Krankheit/: er hat hohes F.

fieberhaft ⟨Adj.; nicht prädikativ⟩ *eifrig und mit großer Eile:* sie arbeiteten f. an ihrer Aufgabe.

fiebern, fieberte, hat gefiebert ⟨itr.⟩: **1.** *Fieber haben:* der Kranke fiebert seit zwei Tagen. **2.** *(vor Erwartung) sehr aufgeregt sein:* die Kinder fieberten jedesmal vor Erwartung am Tage vor ihrem Geburtstag.

Fieberthermometer, das; -s, -: *Thermometer zum Messen des Fiebers:* die Krankenschwester klemmte dem Patienten ein F. unter die Achsel.

fiebrig ⟨Adj.⟩: *mit Fieber verbunden:* eine fiebrige Erkrankung.

fies ⟨Adj.⟩ (ugs.; abwertend): *gemein, abstoßend, schlecht:* der Kerl hat einen fiesen Charakter.

fifty-fifty ['fɪftɪ'fɪftɪ]: ⟨in den Wendungen⟩ (ugs.) **f. machen** *(etwas in zwei gleichen Teilen unter sich teilen):* bei dem Geschäft machen wir beide f.; (ugs.) **etwas steht f./geht f. aus** *(etwas steht unentschieden/geht unentschieden aus):* es ist noch nicht entschieden, die Sache steht noch f.

Fight [faɪt], der; -s, -s: **a)** *das Fighten:* erst durch einen bedingungslosen F. in der letzten Runde konnte sich der Boxer den Sieg sichern. **b)** *[Box]kampf:* bei seinem letzten F. hat er sich eine Verletzung zugezogen.

fighten ['faɪtən], fightete, hat gefightet ⟨itr.⟩: *ohne Rücksicht auf die eigene Deckung verbissen und ungestüm den Gegner beim Boxen bedrängen:* obwohl der Boxer erbittert fightete, konnte er keine vorzeitige Entscheidung erzwingen.

Fighter ['faɪtər], der; -s, -: *ohne Rücksicht auf die eigene Deckung verbissen und ungestüm den Gegner bedrängender Boxer:* dieser F. ist nur sehr schwer in die Defensive zu drängen.

Figur, die; -, -en: **1.** *Wuchs (des menschlichen Körpers); äußere Erscheinung:* sie hat eine gute F. * **eine gute, schlechte F. machen** *(einen guten, schlechten Eindruck machen):* er hat bei seinem ersten Auftreten keine gute F. gemacht. **2.** *[künstlerische] plastische Darstellung von einem Menschen oder Tier:* dieser Künstler schafft Figuren aus Holz und Stein. **3.** *Gebilde aus Linien oder Flächen:* er malte Figuren aufs Papier.

Fiktion, die; -, -en: *etwas, was man sich einbildet, den Tatsachen nicht entspricht; Erfindung, Erdichtung:* das Bild, das sie sich von der Welt machte, war eine reine F.

fiktiv ⟨Adj.⟩: *erfunden, erdacht, erdichtet:* er schildert in dem Roman ein fiktives Geschehen.

Filet [fi'le:], das; -s, -s: **a)** *zartes Fleisch von der Lende des Rindes oder Schweines:* zum Essen gab es gebratenes F. mit Champignons und Ananas auf Toast. **b)** *Stück Fisch ohne Gräten und Haut:* das F. wurde paniert und gebraten. **c)** *Fleisch von der Brust (des Geflügels):* das F. des Puters schmeckte ausgezeichnet.

Filiale, die; -, -n: *kleineres Geschäft, Unternehmen o. ä., das zu einem größeren entsprechenden Geschäft oder Unternehmen gehört; Zweigstelle:* dieses Geschäft hat noch eine F. in einem anderen Teil der Stadt.

Film, der; -[e]s, -e: **1.** *zu einer Rolle aufgewickelter Streifen aus einem bestimmten Material für photographische Aufnahmen:* er kauft einen neuen F. für seinen Photoapparat. **2.** *mit der Filmkamera aufgenommenes Stück oder Spiel, das in einem Kino vorgeführt wird:* in diesem F. spielen bekannte Schauspieler. **3.** *dünne Schicht, die die Oberfläche von etwas bedeckt:* das Glas war mit einem dünnen F. von Öl bedeckt.

filmen, filmte, hat gefilmt: **1.** ⟨tr./itr.⟩ *(einen Vorgang, ein Geschehen) mit der Kamera aufnehmen:* das Fußballspiel wurde gefilmt; er filmt gern. **2.** ⟨itr.⟩ *bei einem Film mitwirken:* dieser Schauspieler filmt häufig im Ausland.

Filmfestspiele, die ⟨Plural⟩: *Wettbewerb, bei dem aus den gezeigten Filmen die besten ausgewählt und ausgezeichnet werden:* die F. wurden feierlich eröffnet.

Filmkamera, die; -, -s: *Kamera zum Filmen:* bei der Aufnahme surrten die Filmkameras.

Filmschauspieler, der; -s, -: *Schauspieler beim Film:* in diesem Film spielen einige bekannte F. mit. **Filmschauspielerin,** die; -, -nen.

Filmstar, der; -s, -s: *berühmter Filmschauspieler, berühmte Filmschauspielerin:* der attraktive F. erhielt hohe Gagen.

Filou [fi'lu:], der; -s, -s (scherzh.): *Betrüger, Spitzbube, Schelm:* dieser F. hat uns übers Ohr gehauen.

Filter, der; -s, -: **a)** *Vorrichtung, mit deren Hilfe feste Stoffe von Flüssigkeiten oder Gasen getrennt werden:* eine Zigarette mit F. **b)** *Vorrichtung, durch die bestimmte Strahlen von etwas ferngehalten werden:* bei Sonne und Schnee muß man mit einem F. photographieren.

filtern, filterte, hat gefiltert ⟨tr.⟩: **a)** *Flüssigkeit durch einen Filter laufen lassen und so von festen Bestandteilen trennen:* Kaffee, Tee f. **b)** *(Licht) durch einen Filter gehen lassen und dadurch unerwünschte Bestandteile entfernen:* durch das Glas werden die Strahlen gefiltert.

Filterpapier, das; -s: *Papier, das beim Filtern von Flüssigkeiten verwendet wird:* ein [Blatt] F. in den Filter legen.

Filterzigarette, die; -, -n: *Zigarette, deren Rauch durch einen am Mundstück befindlichen Filter gereinigt wird:* aus gesundheitlichen Gründen rauchte er nur noch Filterzigaretten.

filtrieren, filtrierte, hat filtriert ⟨tr.⟩: *mit einem Filter reinigen:* eine chemische Lösung f.

Filz, der; -es, -e: *dicker Stoff aus gepreßten Fasern:* ein aus F. hergestellter Hut.

filzen, filzte, hat/ist gefilzt: **1.** ⟨itr.⟩ *wie Filz werden* /von Stoffen/: nach der ersten Wäsche ist/hat die Wolle gefilzt. **2.** ⟨tr.⟩ (ugs.) **a)** *durchsuchen:* der Aufseher hat den Gefangenen gefilzt. **b)** *stehlen:* er hat mir meine Uhr gefilzt.

Fimmel, der; -s, - (ugs.): *übertriebenes Interesse für etwas; Tick, Spleen:* im Alter bekam sie den F., sich jugendlich zu kleiden.

Finale, das; -s, -: **1.** *letzter Satz eines Musikstücks:* das F. einer Sinfonie; bildl.: die politische Veranstaltung erlebte ein turbulentes F. *(Ende).* **2.** *abschließender Kampf bei einem sportlichen Wettbewerb, in dem der endgültige Sieger ermittelt wird:* die Mannschaft hat sich für das F. qualifiziert.

Finanzamt, das; -[e]s, Finanzämter: **1.** *unterste Behörde zum Festsetzen und Einziehen der Steuern.* **2.** *Gebäude, in dem die gleichnamige Behörde untergebracht ist:* das F. mußte umgebaut werden.

Finanzen, die ⟨Plural⟩: **a)** *Einkünfte des Staates oder einer Körperschaft:* die F. der Gemeinde waren geordnet. **b)** (ugs.) *Vermögen, Barschaft:* mit meinen F. steht es schlecht.

finanziell ⟨Adj.; nicht prädikativ⟩: *das Geld, Vermögen betreffend:* er hat finanzielle Schwierigkeiten.

finanzieren, finanzierte, hat finanziert ⟨tr.⟩: *(für etwas) das erforderliche Geld zur Verfügung stellen:* dieses Projekt hat der Staat finanziert. **Finanzierung,** die; -, -en.

Finanzminister, der; -s, -: *Minister für die Finanzen eines Staates:* der F. schied aus dem Kabinett aus.

Findelkind, das; -[e]s, -er: *von seinen Eltern ausgesetztes kleines Kind:* das F. wurde in ein Waisenhaus eingeliefert.

finden, fand, hat gefunden: **1. a)** ⟨tr.⟩ *zufällig oder durch Suchen oder Überlegen entdecken:* ein Geldstück, den verlorenen Schlüssel, einen Fehler f. **b)** ⟨rfl.⟩ *wieder entdeckt werden; zum Vorschein kommen:* das gesuchte Buch hat sich jetzt gefunden. * **das wird sich [alles] f.** *(das wird sich [alles] herausstellen; das wird [alles] in Ordnung kommen).* **2.** ⟨itr./rfl.⟩ *halten (für etwas), der Meinung sein:* sie findet sich schön; ich finde, daß er recht hat. ** **keinen Schlaf f.** *(nicht einschlafen können);* **Hilfe f.** *(in einer Handlung o. ä. unterstützt werden);* **keine Ruhe f.** *(ruhelos sein und bleiben).*

Finder, der; -s, -: *jmd., der etwas, was ein anderer verloren hat, findet:* der F. wird belohnt.

Finderlohn, der; -s: *Belohnung, die der Finder eines verlorenen Gegenstandes vom Eigentümer bekommt.*

findig ⟨Adj.; nicht adverbial⟩: *klug und gewitzt:* er ist ein findiger Kopf *(Mensch).*

Finesse, die; -, -n: **a)** *Feinheit:* ein Radio mit den letzten technischen Finessen. **b)** *Kniff, Kunstgriff:* dieser ausgekochte Profi beherrscht alle Finessen des Fußballspieles.

Finger, der; -s, -: *eines der fünf beweglichen Glieder der Hand des Menschen* (siehe Bild): die Hand hat fünf F. * (ugs.; abwertend) **keinen F. rühren/krumm machen** *(bei einer Arbeit nicht helfen);* (ugs.) **die F. von etwas lassen** *(sich auf etwas nicht einlassen);* (ugs.) **sich** (Dativ) **etwas an den fünf Fingern abzählen können** *(etwas ohne große Überlegung einsehen, sich leicht vorstellen können):* daß er dich nach euerem Streit nicht mehr grüßen würde, hättest du dir an den fünf Fingern abzählen können.

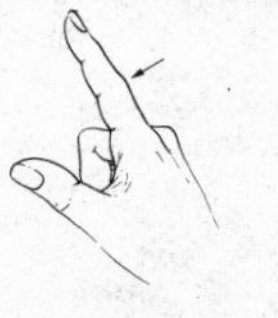

Finger

Fingerabdruck, der; -[e]s, Fingerabdrücke: *Abdruck eines Fingers:* dem Einbrecher wurden Fingerabdrücke abgenommen.

fingerfertig ⟨Adj.⟩: *geschickt mit den Fingern (bei einer Tätigkeit, zu der man bes. die Finger gebraucht):* der Zauberer war sehr f. **Fingerfertigkeit,** die; -.

Fingerhut, der; -[e]s, Fingerhüte: **1.** *kleine Kappe aus Metall oder Kunststoff zum Schutz des Mittelfingers beim Nähen* (siehe Bild). **2.** ⟨ohne Plural⟩ /eine Pflanze/ (siehe Bild): die Bedeutung des Fingerhutes in der Pharmazie.

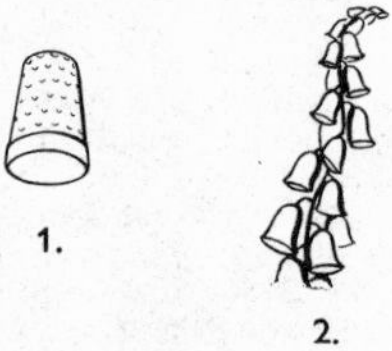

Fingerhut

Fingernagel, der; -s, Fingernägel: *flaches Gebilde aus Horn auf den Spitzen der Finger:* sie lackierte sich die F. * (ugs.) **nicht das Schwarze unter dem F.** *(gar nichts):* er gönnte ihm nicht das Schwarze unter dem F.

Fingerspitzengefühl, das; -s: *feines Gefühl; Einfühlungsvermögen im Umgang mit Menschen und Dingen:* für diese schwierige Aufgabe fehlt ihm das F.

Fingerzeig, der; -[e]s, -e: *Hinweis, Wink:* er gab ihm einen nützlichen F., der zur Aufklärung des Falles führte.

fingieren, fingierte, hat fingiert ⟨tr.⟩: *vortäuschen:* der Angestellte hatte den Überfall fingiert; ⟨häufig im 2. Partizip⟩ ein fingiertes Schreiben.

Finish ['fɪnɪʃ], das; -s, -s: **1.** *letzter Schliff, feine Verarbeitung als letzte Phase der Herstellung:* ein elegantes Auto von erlesenem F.; das F. bei der Fabrikation von Tuchen. **2. a)** *letzte, entscheidende Phase bei sportlichen Wettkämpfen:* im F. gelang es dem Rennfahrer, sich nach vorn zu schieben. **b)** *[End]spurt:* der Läufer verfügte über ein erstaunliches F.

Fink, der; -en, -en: /ein Vogel/ (siehe Bild S. 247).

finster ⟨Adj.⟩: **1.** *sehr dunkel:* draußen war finstere Nacht. **2.** *düster, unheimlich:* er macht ein finsteres Gesicht; ein finsterer Bursche.

Fink

Finsternis, die; -: *tiefe, undurchdringliche Dunkelheit:* er fürchtete sich in der F. des Waldes.

Finte, die; -, -n: *Vorwand; List, mit der man jmdn. zu täuschen sucht:* er versuchte seine Gegner mit einer F. zu täuschen.

Firlefanz, der; -es (ugs.; abwertend): **1.** *überflüssiges Beiwerk, wertloses Zeug:* an den Buden auf dem Markt gab es kitschige Andenken und anderen F. zu kaufen. **2.** *Torheit, Possen:* diesen F. werden wir ihr schon austreiben.

firm: ⟨in der Verbindung⟩ in etwas f. sein: *in einem Fachgebiet beschlagen, sicher, geübt sein:* auf dem Gebiet der Datenverarbeitung ist er f.

Firma, die; -, Firmen: *Geschäft; Unternehmen der Wirtschaft, Industrie* (Abk.: Fa.).

Firmament, das; -[e]s (geh.): *Himmel[sgewölbe]:* die Sterne am F. strahlten hell und klar.

firmen, firmte, hat gefirmt ⟨tr.⟩: *(jmdm.) das Sakrament der Firmung spenden:* der Bischof firmte die Kinder.

firmieren, firmierte, hat firmiert ⟨itr.⟩: *einen bestimmten Namen führen (und mit ihm unterzeichnen)* /von Firmen o. ä./: das Unternehmen firmierte unter verschiedenen Namen.

Firmung, die; -, -en: *von einem Bischof gespendetes Sakrament in der katholischen Kirche, das durch Auflegen der Hand, Salbung mit Öl und einem leichten Schlag auf die Wange vollzogen wird und den Glauben stärken soll:* die F. spenden, empfangen.

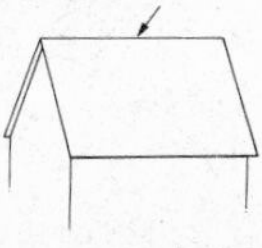

First 1.

Firnis, der; -ses, -se: *schnell trocknendes Öl, mit dem Bilder o. ä. zu deren Schutz angestrichen werden:* der F. bewahrt das Bild vor Verschmutzung; bildl. (geh.): sein vornehmes Benehmen erwies sich als F. *(Schein, Fassade).*

First, der; -[e]s, -e: **1.** *oberste Kante des Daches* (siehe Bild). **2.** (geh.) *Kamm eines Gebirges.*

Fisch, der; -es, -e: *im Wasser lebendes Tier mit Kiemen, Schwimmblase und Flossen* (siehe Bild).

Fisch

fischen, fischte, hat gefischt ⟨tr./itr.⟩: *Fische fangen:* sie fischen [Heringe] mit Netzen.

Fischer, der; -s, -: *jmd., dessen Beruf das Fangen von Fischen ist* /Berufsbezeichnung/: die F. sind mit ihren Schiffen auf dem Meer.

Fischerei, die; -: *das Fangen und Hegen von Fischen:* er war ein Fachmann auf dem Gebiet der F.

Fischfang, der; -[e]s: *das Fangen von Fischen:* auf F. gehen.

Fischzucht, die; -: *Aufzucht von Fischen:* die F. in Teichen.

Fischzug, der; -[e]s, Fischzüge: *Fischfang mit dem Netz:* die Fischer gingen auf einen neuen F.; bildl. (ugs.): ein [guter] F. *(ein gewinnbringendes Unternehmen).*

Fisimatenten, die ⟨Plural⟩: **1.** (ugs.) *[lächerliche] Umstände:* mache nicht so viele F. und gib ihm sein Geld zurück. **2.** *leere Flausen, lose Streiche:* die übermütigen Schüler hatten nur F. im Kopf.

Fiskus, der; -: *Staatskasse:* da keine Erben vorhanden waren, fiel das Vermögen an den F.

Fisolen, die ⟨Plural⟩ (östr.): *grüne Bohnen.*

Fistelstimme, die; -, -n: *unnatürlich hohe, schrille Stimme.*

fit ⟨Adj.; nicht attributiv⟩ (ugs.): *in gutem körperlichem, gesundheitlichem Zustand:* in seinem Beruf muß er immer f. sein.

Fittich, der; -[e]s, -e (geh.): *Flügel (eines Vogels):* der Falke breitete seine Fittiche aus. ***jmdn. unter seine Fittiche nehmen** *(jmdn. in seine Obhut nehmen, jmdn. betreuen).*

fix ⟨Adj.⟩ (ugs.): *schnell und wendig:* er arbeitet sehr f. ** (ugs.) **fix und fertig sein** *(völlig erschöpft sein);* (ugs.) **jmdn. fix und fertig machen** *(jmdn. ruinieren, vernichten).*

fixieren, fixierte, hat fixiert ⟨tr.⟩: **1. a)** *schriftlich in verbindlicher Form formulieren:* das Ergebnis der Verhandlungen wurde im Protokoll fixiert. **b)** *festlegen, verbindlich bestimmen:* seine Gedanken waren ausschließlich auf dieses Motiv fixiert. **2. a)** *befestigen, festmachen:* das Gestell wurde mit Klammern fixiert. **b)** *(einen entwickelten Film) unempfindlich gegen den Einfluß von Licht machen.* **c)** *(Zeichnungen, Bilder, die leicht verwischen) durch Besprühen mit einem schnell trocknenden Mittel haltbar, beständig machen:* der Maler fixierte das Bild. **3.** *scharf und ohne seinen Blick abzuwenden ansehen, anstarren:* der Richter setzte seine Brille auf und fixierte den Angeklagten.

Fixstern, der; -[e]s, -e: *Stern, der selbst leuchtet und sich scheinbar nicht bewegt:* im Altertum war man der Ansicht, Fixsterne würden ihre Stellung am Himmel nicht verändern.

Fixum, das; -s, Fixa: *festes Gehalt, festes Einkommen:* als Vertreter erhalten Sie ein F. und zusätzlich noch Spesen.

Fjord, der; -[e]s, -e: *schmale Meeresbucht in Skandinavien, die tief ins Land einschneidet:* links und rechts des Fjords türmten sich hohe Felsen.

flach ⟨Adj.⟩: **1.** *eine Fläche bildend; eben:* flaches Gelände; er mußte sich f. hinlegen *(so, daß der Körper ganz waagerecht liegt).* **2.** *niedrig; von geringer Höhe:* ein flacher Bau; sie trägt flache Absätze. **3.** *nicht sehr tief:* ein flaches Gewässer; ein flacher Teller.

Fläche, die; -, -n: **1.** *Gebiet mit einer Ausdehnung in Länge und Breite; ebener Bereich:* eine F. von 1000 Quadratmetern. **2.** *[glatte] Seite, Oberfläche (eines Gegenstandes):* er hat die Flächen des Schrankes farbig gestrichen.

Flächenmaß, das; -es, -e: *Einheit zum Messen von Flächen:* der Morgen ist ein F.

flachfallen, fällt flach, fiel flach, ist flachgefallen ⟨itr.⟩ (ugs.): *nicht stattfinden, ausfallen, hinfällig werden:* wegen des Regens fiel die Veranstaltung flach.

Flachs, der; -es: **1.** /eine Pflanze/ F. spinnen **2.** (ugs.) *Unsinn:* F. machen.

flachsen, flachste, hat geflachst ⟨itr.⟩ (ugs.): *scherzen, im Scherz Unsinn reden:* was er sagte, war nicht ernst gemeint, er hat nur geflachst.

flackern, flackerte, hat geflakkert ⟨itr.⟩: *unruhig brennen, zucken* /von einer Flamme/: die Kerzen flackerten im Wind.

Fladen, der; -s, -: *flacher und breiter Kuchen:* einen F. mit Pflaumen belegen.

Flagge, die; -, -n: *Fahne* /bes. auf Schiffen/ (siehe Bild).

Flagge

flaggen, flaggte, hat geflaggt ⟨itr.⟩: *Fahnen hissen:* wegen des Feiertages hatten die öffentlichen Gebäude geflaggt.

Flaggschiff, das; -[e]s, -e: **1.** *repräsentativstes Schiff einer Flotte:* das neue Schiff wurde das F. der Flotte. **2.** *die Flagge des Admirals führendes Schiff.*

flagrant ⟨Adj.⟩: *offenkundig, ins Auge fallend:* ein besonders flagranter Verstoß gegen das internationale Abkommen.

Flair [flɛ:r], das; -s (geh.): *[eigentümliche] Atmosphäre, Fluidum:* der Betrüger umgab sich mit dem F. eines seriösen Kaufmanns.

flambieren, flambierte, hat flambiert ⟨tr.⟩ (geh.): *(Speisen) mit entzündbarem Alkohol übergießen und brennend servieren:* der Pudding wurde mit Rum übergossen und am Tisch flambiert.

Flamme, die; -, -n: *leuchtende Erscheinung, die bei der Verbrennung von Holz, Kohle usw. entsteht:* die F. der Kerze brennt ruhig. * **in Flammen aufgehen** *(plötzlich und vollständig verbrennen):* das Dorf ging in Flammen auf; **ein Raub der Flammen werden** *(völlig verbrennen, niederbrennen):* das Gebäude wurde ein Raub der Flammen.

flammend ⟨Adj.⟩: *leidenschaftlich, erregt:* er hielt eine flammende Rede. ** **f. rot** *(feuerrot):* sie wurde f. rot.

Flammenmeer, das; -[e]s, -e: *große brennende Fläche:* der Wald war ein F.

Flanell, der; -s, -e: *leicht angerauhter Stoff [aus Wolle]:* er kaufte sich einen Anzug aus grauem F.

flanieren, flanierte, hat/ist flaniert ⟨itr.⟩ (geh.): *sich (wo) herumtreiben; müßig schlendern:* die jungen Leute sind am Abend durch den Park flaniert; die Mädchen sind/haben längere Zeit flaniert.

Flanke, die; -, -n: **1.** *Seite, seitliche Begrenzung:* an der F. des Berges vorbei führte der Weg in die Wildnis; die gesamte Armee griff den Gegner an der linken Flanke an. **2.** *weicher seitlicher Teil des Rumpfes* /von Tieren/: das ermattete und verängstigte Pferd stand mit zitternden Flanken vor dem Stier. **3.a)**/ Übung beim Turnen/ (siehe Bild); der Turner machte eine F. über den Barren. **b)** bes. Fußball *Zuspielen des Balles durch die Luft von der Seite her:* der Spieler schlug eine hohe F. vor das Tor.

Flanke 3. a)

flanken, flankte, hat geflankt ⟨itr./tr.⟩: bes. Fußball *den Ball von der Seite her durch die Luft zuspielen:* der Verteidiger flankte [den Ball] von links vor das Tor.

flankieren, flankierte, hat flankiert ⟨tr.⟩: *zu beiden Seiten (von jmdm./etwas) stehen, gehen:* viele Neugierige flankierten den Ausgang des Gebäudes.

Flansch, der; -[e]s, -e: *verbreitertes Ende von Rohren, an dem sie zusammengefügt werden:* die Rohre waren durch einen F. miteinander verbunden.

Flasche, die; -, -n: *meist aus Glas hergestelltes Gefäß zum Aufbewahren von flüssigen Stoffen* (siehe Bild).

Flasche

Flaschenbier, das; -[e]s, -e: *in Flaschen abgefülltes Bier:* das Geschäft führt verschiedene Flaschenbiere.

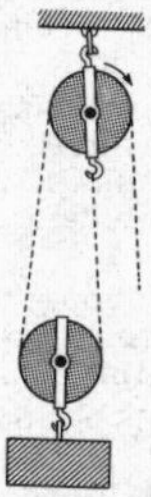

Flaschenzug

Flaschenpost, die; -, -en: *verschlossene Flasche mit einer Nachricht, die zur Beförderung ins Wasser geworfen wird:* am Strand fand er eine angeschwemmte F.

Flaschenzug, der; -s, Flaschenzüge: *Vorrichtung zum Heben von Lasten* (siehe Bild).

flatterhaft ⟨Adj.⟩ (abwertend): *unbeständig und oberflächlich:* sie ist sehr f.

flattern, flatterte, ist/hat geflattert ⟨itr.⟩: **1.** *mit schnellen Bewegungen der Flügel [aufgeregt hin und her] fliegen:* Schmetterlinge sind um die Blüten geflattert; bildl.: die Blätter der Bäume flatterten zur Erde *(fielen, von der Luft hin und her bewegt, zu Boden).* **2.** *im Wind wehen; heftig hin und her bewegt werden:* eine Fahne hat auf dem Dach geflattert.

flau ⟨Adj.⟩ (ugs.): *schwach, leicht übel:* er hat ein flaues Gefühl im Magen; ihm ist, wird f.

Flaum, der; -[e]s: **a)** *die weichen, zarten Federn unter dem eigentlichen Gefieder der Vögel.* **b)** *die ersten, feinen Haare des Säuglings; die ersten feinen Barthaare des Jünglings.*

Flausch, der; -[e]s, -e: *weiches Gewebe aus Wolle:* ein Mantel aus dickem F.

flauschig ⟨Adj.⟩: *weich wie Flausch:* sie hüllte sich in ihren flauschigen Bademantel.

Flausen, die ⟨Plural⟩ (ugs.; abwertend) **1.** *törichte Einfälle, Dummheiten:* er hat nichts als F. im Kopf. **2.** *Ausflüchte:* nun machen Sie keine F., und sagen Sie endlich die Wahrheit!

Flaute, die; -, -n: **a)** *sehr geringe Bewegung der Luft, Windstille:* wegen der F. konnten sie nicht segeln. **b)** *Zeit, in der die Wirtschaft keinen oder nur geringen Absatz hat:* in der Wirtschaft herrscht seit einiger Zeit eine F.

Fläz, der; -es, -e (ugs.; abwertend): *plumper, flegelhafter Mensch; Lümmel:* er hat sich wie ein F. benommen.

fläzen, sich; fläzte sich, hat sich gefläzt (ugs.; abwertend): *sich in nachlässiger Haltung halb setzen, halb legen:* gähnend fläzte er sich auf das Sofa.

Flechte, die; -, -n: **1.** *Ausschlag der Haut in Form von Krusten oder Schuppen:* er hatte eine nasse F. am Hals. **2.** *den Boden bewachsende Algen oder Pilze:* das Rentier ernährt sich hauptsächlich von Flechten. **3.** (veraltend) *Zopf:* das Mädchen hatte lange blonde Flechten.

flechten, flicht, flocht, hat geflochten ⟨tr.⟩: *mehrere Stränge aus biegsamem Material ineinanderschlingen:* einen Korb, Kranz f.; die Haare zu Zöpfen f.

Fleck, der; -[e]s, -e: **a)** *ververschmutzte Stelle:* das Tischtuch hat mehrere Flecke. **b)** *Stelle, die eine andere Farbe hat als ihre Umgebung:* das Pferd hat einen weißen F. auf der Stirn. ** **nicht vom F. kommen** *(nicht vorankommen [mit etwas]):* heute bin ich nicht vom F. gekommen mit meiner Arbeit.

fleckig ⟨Adj.⟩: *von Flecken beschmutzt:* die fleckige Tischdecke mußte gewaschen werden.

Fledermaus, die; -, Fledermäuse: /ein Tier/ (siehe Bild).

Fledermaus

Flegel, der; -s, - (abwertend): *grober, ungezogener Bursche:* er hat sich benommen wie ein F.

Flegelei, die; -, -en: *flegelhafte Ungezogenheit, Frechheit:* der Rowdy beging eine F. nach der anderen.

flegelhaft ⟨Adj.⟩ (abwertend): *sehr ungezogen; wie ein Flegel:* er ist ein flegelhafter Bursche; sein Benehmen war f. **Flegelhaftigkeit,** die; -.

flegeln, sich; flegelte sich, hat sich geflegelt (ugs.; abwertend): *sich in nachlässiger Haltung setzen:* er flegelte sich in einen Sessel und legte die Füße auf den Tisch.

flehen, flehte, hat gefleht ⟨itr.⟩ (geh.): *demütig bitten:* der Gefangene flehte um sein Leben; ⟨häufig im 1. Partizip⟩ sie blickte ihn flehend an.

flehentlich ⟨Adj.; nicht prädikativ⟩ (geh.): *mit Flehen; inständig:* eine flehentliche Bitte.

Fleisch, das; -[e]s: **1.** *aus Muskeln bestehende weiche Teile des menschlichen und tierischen Körpers:* er hat sich mit dem Messer tief ins F. geschnitten. * (ugs.) **sich ins eigene F. schneiden** *(sich selber schaden):* mit diesem Verhalten schneidest du dir ins eigne F. **2. a)** *eßbare Teile des tierischen Körpers:* das Essen bestand aus F., Kartoffeln und Gemüse. **b)** *weiche, eßbare Teile von Früchten:* das F. der Pfirsiche ist sehr saftig.

Fleischbrühe, die; -, -n: *durch Auskochen von Fleisch hergestellte Brühe:* der Kranke bekam jeden Tag eine kräftigende F.

Fleischer, der; -s, -: *jmd., der Vieh schlachtet, das Fleisch verarbeitet und verkauft* /Berufsbezeichnung/.

Fleischerei, die; -, -en: *Laden eines Fleischers [mit den Räumen zum Schlachten]:* wir kauften in der F. Wurst und Speck.

Fleischhauer, der; -s, - (östr.): *Fleischer.*

fleischig ⟨Adj.; nicht adverbial⟩: **a)** *dick; viel Fleisch habend:* er hat sehr fleischige Arme. **b)** *viel weiche Substanz habend:* diese Früchte sind sehr f.

Fleischwolf, der; -[e]s, Fleischwölfe: *Gerät zum Durchdrehen von Fleisch:* die Hausfrau drehte das Schweinefleisch durch den F.; bildl. (ugs.): der Unteroffizier drehte den Rekruten durch den F. *(setzte ihm mit militärischem Drill hart zu).*

Fleiß, der; -es: *strebsames Arbeiten; Arbeitsamkeit:* sein F. ist sehr groß; durch F. hat er sein Ziel erreicht.

fleißig ⟨Adj.⟩: *unermüdlich tätig; viel arbeitend:* er ist ein sehr fleißiger Mensch; das ist eine fleißige *(großen Fleiß beweisende)* Arbeit.

flektieren, flektierte, hat flektiert ⟨tr.⟩: *ein Wort in seinen Formen abwandeln; beugen:* ein Substantiv, Adjektiv f.

flennen, flennte, hat geflennt ⟨itr./tr.⟩ (ugs.; abwertend): *weinen:* das kleine Mädchen fiel hin und fing sogleich zu f. an.

fletschen, fletschte, hat gefletscht: ⟨in der Verbindung⟩ die Zähne f.: *drohend die Zähne zeigen:* der Hund, der Löwe fletschte die Zähne.

flexibel ⟨Adj.⟩: **1.** *biegsam; nicht steif:* das Buch hat einen flexiblen Einband. **2.** *anpassungsfähig; beweglich:* bei den Verhandlungen blieb er sehr f.

Flexibilität, die; -.

flicken, flickte, hat geflickt ⟨tr.⟩: *(etwas, was schadhaft geworden ist) ausbessern; wieder ganz machen:* eine zerrissene Hose, Wäsche f.

Flicken, der; -s, -: *kleines Stück Stoff, Leder o. ä., das zum Ausbessern von etwas gebraucht wird:* seine Hose hatte mehrere Flicken *(war geflickt).*

Flickwerk, das; -[e]s: *schlechte Arbeit, Stümperei:* das Buch eines so wenig qualifizierten Schreibers mußte F. bleiben.

Flickwort, das; -[e]s, Flickwörter: *als Füllsel eingeschobenes unbedeutendes Wort:* er bediente sich häufig solcher Flickwörter wie „nur" und „wohl".

Flickzeug, das; -[e]s: *zum Flicken des [Fahrrad]schlauches* *erforderliches Material:* er nahm das F. aus der Tasche hinter dem Sattel und machte sich an das Ausbessern des Schlauches.

Flieder, der; -s: /eine Pflanze/ (siehe Bild): im Garten blühte weißer und lila F.

Flieder

Fliege, die; -, -n: **1.** /ein Insekt/ (siehe Bild). **2.** *steife Schleife, die an Stelle einer Krawatte getragen wird* (siehe Bild).

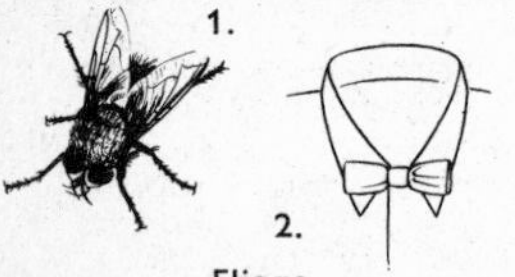

Fliege

fliegen, flog, ist/hat geflogen: **1.** ⟨itr.⟩ *sich (mit Flügeln oder durch die Kraft eines Motors) in der Luft fortbewegen:* die Vögel sind nach Süden geflogen; die Flugzeuge fliegen sehr hoch. **2.** ⟨itr.⟩ *mit einem Flugzeug reisen:* er ist nach Amerika geflogen. **3.** ⟨tr.⟩ *(ein Flugzeug o. ä.) führen:* er sucht den Piloten, der das Flugzeug geflogen hat. **4.** ⟨itr.⟩ *sich (durch einen Anstoß) in der Luft fortbewegen:* Blätter, Steine sind durch die Luft geflogen. **5.** ⟨itr.⟩ *sich flatternd hin und her bewegen; wehen:* die Fahnen sind im Wind geflogen. * **in fliegender Eile/Hast** *(sehr eilig/hastig):* in fliegender Eile packte sie ihre Koffer. **6.** ⟨itr.⟩ (ugs.) *hinausgewiesen, entlassen werden:* nach dem Skandal ist er [aus seiner Stellung] geflogen.

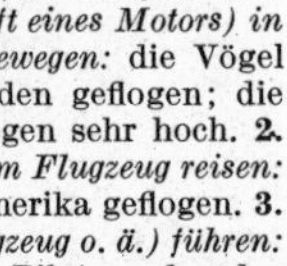

Fliegenpilz

Fliegenfänger, der; -s, -: *schmaler Streifen aus Papier o. ä. mit klebender Oberfläche zum Fangen von kleineren Insekten:* in der Küche hing ein F. von der Decke.

Fliegenpilz, der; -es, -e: /ein giftiger Pilz/ (siehe Bild).

Flieger, der; -s, -: **1. a)** *jmd., der ein Flugzeug fliegt; Pilot:* die abgeschossenen F. konnten sich mit dem Fallschirm retten. **b)** (ugs.) *Angehöriger der Luftwaffe:* schon als kleiner Junge wollte er zu den Fliegern. **2.** *Tier, das fliegen kann:* Fasane sind schlechte F. **3.** (ugs.) *Flugzeug:* der Himmel war schwarz von Fliegern. **4. a)** *Radrennfahrer bei Rennen auf der Bahn, die erst im Sprint entschieden werden:* der F. fing seinen Rivalen auf den letzten Metern ab. **b)** *Rennpferd in Rennen über eine Distanz von 1000 bis 1400 Meter.*

Fliegeralarm, der; -[e]s, -e: *Warnung der Bevölkerung vor einem Angriff durch feindliche Flugzeuge:* bei F. rannten wir in den Bunker.

fliehen, floh, ist geflohen ⟨itr.⟩: *aus Furcht heimlich und in großer Eile einen bestimmten Ort verlassen:* sie flohen vor den Feinden aus der Stadt.

Fliehkraft, die; -, Fliehkräfte: *bei einer drehenden Bewegung auftretende, nach außen gerichtete Kraft:* die F. eines rotierenden Körpers.

Fliese, die; -, -n: *kleine Platte zum Verkleiden von Wänden oder als Belag für Fußböden:* der Fußboden im Badezimmer war mit Fliesen aus gebranntem Ton ausgelegt.

Fließband, das; -[e]s, Fließbänder: *langsam laufendes Band in der Fabrik, auf dem ein Gegenstand in einzelnen Arbeitsgängen stufenweise hergestellt wird:* in diesem Betrieb wird am F. gearbeitet.

fließen, floß, ist geflossen ⟨itr.⟩ /vgl. fließend/: *sich gleichmäßig fortbewegen, strömen* /von flüssigen Stoffen, bes. Wasser/: ein Bach fließt durch die Wiesen; Blut floß aus der Wunde *(kam aus der Wunde heraus)*; ein Zimmer mit fließendem Wasser *(mit Anschluß an die Wasserleitung)*; bildl.: die Arbeit fließt gut *(geht gut voran)*.

fließend ⟨Adj.⟩: **1.** ⟨nicht prädikativ⟩ *ohne Stocken, Schwierigkeiten:* das Kind liest schon f.; er spricht f. Englisch. **2.** *ohne feste Abgrenzung:* die Grenzen sind f.

flimmern, flimmerte, hat/ist geflimmert: **1.** ⟨itr.⟩ *zitternd, unruhig glänzen:* die Sterne haben am nächtlichen Himmel geflimmert; (ugs.) diese Reihe ist zwei Jahre über den Bildschirm geflimmert *(im Fernsehen gesendet worden)*. **2.** ⟨tr.⟩ (landsch.) *blank putzen:* der Soldat hat seine Stiefel geflimmert.

flink ⟨Adj.⟩: *schnell und geschickt:* sie arbeitet mit flinken Händen.

Flinte, die; -, -n: *Gewehr [für die Jagd]:* der Jäger lud seine F. * **die F. ins Korn werfen** *(entmutigt von etwas Abstand nehmen)*; (ugs.) **jmdm. vor die F. kommen** *(in jmds. Nähe kommen und von ihm angegriffen werden können)*.

Flirt [flœrt], der; -s, -s: *Liebelei, kokettes, harmloses Spiel mit der Liebe:* ihre große Liebe hatte mit einem kleinen F. begonnen.

flirten [auch: 'flø:rtən], flirtete, hat geflirtet ⟨itr.⟩: *sich mit einer Person des anderen Geschlechts unterhalten und scherzend seine Zuneigung zu erkennen geben:* die beiden flirteten den ganzen Abend miteinander.

Flittchen, das; -s, - (ugs.; abwertend): *Mädchen ohne feste sittliche Grundsätze, das sich ziemlich wahllos mit Männern abgibt:* sie hatte nie ein richtiges Zuhause gehabt und war schon früh zum F. geworden.

Flitter, der; -s, -: *glitzernder Schmuck, den man auf Kleider näht:* zum Maskenball trug sie ein Kostüm mit aufgenähtem F.; bildl.: ihr ganzer Schmuck war F. *(wertloses, unechtes Zeug)*.

Flitterwochen, die ⟨Plural⟩: *erste Wochen einer Ehe:* ihre F. verbrachten die jungen Eheleute im Gebirge.

flitzen, flitzte, ist geflitzt ⟨itr.⟩ (ugs.): **a)** *schnell laufen; rennen:* er flitzte über die Straße. **b)** *schnell fahren; rasen:* er flitzte mit seinem schnellen Wagen über die Autobahn.

Flocke, die; -, -n: **a)** *kleines Teilchen von einer leichten Materie:* Flocken von Wolle lagen auf dem Boden. **b)** *Schneeflocke:* es schneite den ganzen Tag dicke Flocken.

Floh, der; -s, Flöhe: *kleines Insekt, das sich hüpfend fortbewegt und Blut saugend auf anderen Tieren lebt* (siehe Bild).

Floh

flöhen, flöhte, hat geflöht: **1.** ⟨tr./rfl.⟩ *(das Fell eines Tieres, sich) nach Flöhen absuchen und diese vernichten:* der Hirt flöhte seinen Hund; die Affen haben sich geflöht; bildl. (ugs.; scherzh.): der Zöllner hat den Schmuggler geflöht *(gründlich durchsucht).* **2.** ⟨tr.⟩ (ugs.; scherzh.) *schröpfen, ausnehmen; (jmdm.) durch listiges Vorgehen sein Geld abnehmen:* die Halunken haben mich gestern beim Poker ganz schön geflöht.

Flor, der; -s, -e: **I.** ⟨ohne Plural⟩ (geh.) *Blüte, Fülle von Blüten:* der Frühling mit seinem zarten, duftenden F.; bildl.: der Handel steht in vollem F. **II. 1.** *feines, zartes, durchsichtiges Gewebe:* ein festliches Kleid aus F.; bildl. (geh.): die Landschaft lag unter einem feinen Flor *(Schleier)* von Nebel. **2.** *schmale schwarze, am Arm getragene Binde oder am Revers befestigtes Band zum Zeichen der Trauer:* nach dem Tode seines Vaters trug er einen F. **3.** *Fasern an der Oberfläche* /bei Samt, Plüsch oder Teppichen/: der Teppich hatte einen dichten F.

Flora, die; -, Floren: Biol. *Gesamtheit der in einem bestimmten Gebiet wachsenden Pflanzen:* die üppige F. der Tropen.

Florett, das; -s, -e: *Waffe zum Fechten mit biegsamer Klinge* (siehe Bild).

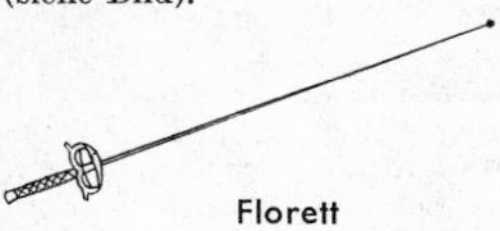
Florett

florieren, florierte, hat floriert ⟨itr.⟩ (geh.): *blühen, gedeihen* /von Geschäften o. ä./: nach dem Tode des Inhabers florierte das Geschäft nicht mehr; ⟨häufig im 1. Partizip⟩ ein gut florierender Betrieb.

Floskel, die; -, -n: *nichtssagende Worte; Redensart:* seine Ansprache enthielt viele Floskeln.

Floß, das; -es, Flöße: **1.** *Wasserfahrzeug aus zusammengebundenen Baumstämmen o. ä.* (siehe Bild): als Kinder haben wir uns oft kleine Flöße gebaut. **2.** *kleiner schwimmender Körper, der den Angelhaken mit dem Köder in einer bestimmten Tiefe hält und den Biß des Fisches anzeigt:* seit Stunden trieb das F. ruhig auf dem Wasser.

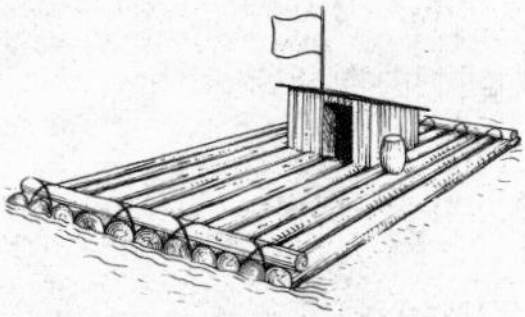
Floß 1.

Flosse, die; -, -n: *Organ, mit dem sich Fische und bestimmte andere im Wasser lebende Tiere fortbewegen.*

Flöte, die; -, -n: /ein Blasinstrument/ (siehe Bild).

Flöte

flöten, flötete, hat geflötet ⟨itr.⟩: *den Tönen einer Flöte ähnliche Laute erzeugen:* er flötete [ein Lied] vor sich hin; bildl.: (scherz.): „Die Freude ist ganz meinerseits"! flötete sie *(sprach sie mit einschmeichelnder Stimme).*

flötengehen, ging flöten, ist flötengegangen ⟨itr.⟩ (ugs.): *verlorengehen:* bei diesem riskanten Unternehmen sind ihm seine ganzen Ersparnisse flötengegangen.

Flötenton, der; -[e]s, Flötentöne: *Ton einer Flöte:* helle Flötentöne. ** (ugs.) **jmdm. die Flötentöne beibringen** *(jmdn. eindringlich zurechtweisen, belehren; jmdm. gutes Benehmen beibringen):* dir werde ich [schon] die Flötentöne beibringen.

flott ⟨Adj.⟩ (ugs.): **1.** *schnell, flink:* eine flotte Bedienung; er arbeitet sehr f.; die Kapelle spielte flotte *(schwungvolle)* Musik. **2.** *schick:* ein flotter Hut.

Flotte, die; -, -n: **a)** *alle Schiffe, die einem Land oder einem privaten Eigentümer gehören:* die englische F.; dieser Reeder hat eine große F. **b)** *größere Anzahl von Schiffen, Booten o. ä.:* eine F. von Fischerbooten verließ den Hafen.

Flottille, die; -, -n: *Verband kleinerer [Kriegs]schiffe.*

flottmachen, machte flott, hat flottgemacht ⟨tr.⟩: *fahrbereit machen* /von Schiffen/: man konnte den auf Grund gelaufenen Tanker nicht wieder f.; bildl. (ugs.): der resolute Direktor machte das Unternehmen wieder flott *(leistungsfähig).*

Flöz, das; -es, -e: *Mineralien enthaltende Gesteinsschicht, deren Abbau sich lohnt:* die Kohle dieses sehr ergiebigen Flözes erwies sich als minderwertig.

Fluch, der; -[e]s, Flüche: **1.** *im Zorn gesprochenes böses Wort [mit dem man jmdn. oder etwas verwünscht]:* mit einem kräftigen F. verließ er das Haus. **2.** ⟨ohne Plural⟩ *Unheil, Verderben:* ein F. liegt über dieser Familie.

fluchen, fluchte, hat geflucht ⟨itr.⟩: *mit heftigen oder derben Ausdrücken schimpfen:* die Soldaten fluchten über das schlechte Essen, das man ihnen gab.

Flucht, die; -: *eiliges Flüchten (vor einer Gefahr o. ä.):* er rettete sich durch eine schnelle F. * **[vor jmdm./etwas] die F. ergreifen** *([vor jmdm./etwas] davonlaufen, fliehen):* als die Kinder den großen Hund sahen, ergriffen sie die F.; **jmdn. in die F. schlagen** *(jmdn. besiegen und damit erreichen, daß der andere flieht):* er hat alle seine Gegner in die F. geschlagen; **auf der F.** *(während des Flüchtens):* er wurde auf der F. erschossen.

fluchtartig ⟨Adj.: nicht prädikativ⟩: *in großer Eile; sehr schnell:* als es zu regnen begann, verließen sie f. den Park.

flüchten, flüchtete, ist/hat geflüchtet ⟨itr./rfl.⟩: *(vor einer Gefahr) davonlaufen; sich in Sicherheit bringen:* als die fremden Soldaten kamen, flüchteten die Bewohner der Stadt; sie sind vor dem Gewitter in ein nahes Gebäude geflüchtet; die Kinder haben sich aus Furcht zur Mutter geflüchtet.

flüchtig ⟨Adj.⟩: **1.** ⟨nicht adverbial⟩ *flüchtend; geflüchtet:* der flüchtige Verbrecher wurde wieder gefangen. 2. ⟨nicht prädikativ⟩ *schnell; kurz:* ein flüchtiger Blick; er hat die Bilder nur f. angesehen. 3. *oberflächlich:* er arbeitet sehr f. 4. ⟨nur attributiv⟩ *vergänglich; von kurzer Dauer:* flüchtige Augenblicke des Glücks.

Flüchtling, der; -s, -e: *jmd., der vor jmdm. oder etwas flieht oder geflohen ist:* ein politischer F.

Flug, der; -[e]s, Flüge: 1. *das Fliegen; Fortbewegung in der Luft* /von bestimmten Tieren, von Flugzeugen u. ä./: er beobachtete den F. der Vögel, der Flugzeuge. 2. *Reise im Flugzeug o. ä.:* sie buchten einen F. nach Amerika. ** [**wie**] **im Flug**[**e**] *(sehr schnell):* die Zeit des Urlaubs verging wie im F.

Flugblatt, das; -[e]s, Flugblätter: *Nachricht, Aufruf o. ä. auf einem einzelnen Blatt, das in großen Mengen verteilt wird:* sie warfen Flugblätter aus dem Flugzeug.

Flügel, der; -s, -: 1. *Organ zum Fliegen:* /bei Vögeln und Insekten/ (siehe Bild): ein Schmetterling mit gelben Flügeln. 2. (ugs.) *Tragfläche eines Flugzeuges.* 3.

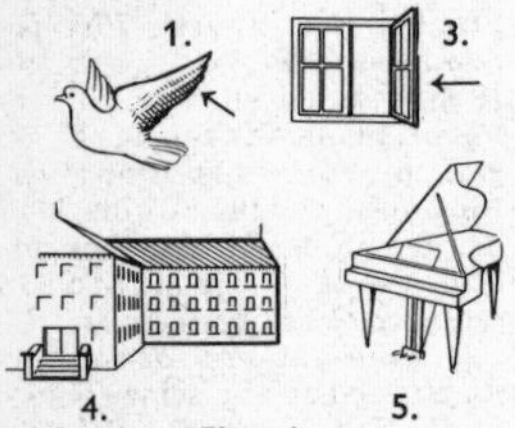

Flügel

beweglicher Teil eines Ganzen (siehe Bild): er öffnet die Flügel des Fensters, der Tür, des Altars; die Flügel *(beide Hälften)* der Lunge. 4. *seitlicher Teil eines Gebäudes* (siehe Bild): sein Zimmer lag im linken F. des Krankenhauses. 5. *Klavier, bei dem die Saiten horizontal angeordnet sind* (siehe Bild).

Flügeltür, die; -, -en: *aus zwei oder mehreren Teilen bestehende Tür, die sich nach innen oder außen öffnen läßt:* die beiden großen Zimmer waren durch eine F. verbunden.

flügge ⟨Adj.; nicht adverbial⟩: *zum Fliegen fähig* /von Vögeln/: nach einigen Tagen waren die jungen Sperlinge f. und verließen das Nest; bildl.: kaum sind die Kinder f. *(selbständig, erwachsen)* streben sie auch schon aus dem Haus.

Flughafen, der; -s, Flughäfen: *Gelände und dazugehörende Gebäude und technische Einrichtungen, wo Flugzeuge aus aller Welt landen und starten.*

Flugplatz, der; -es, Flugplätze: **a)** *für den privaten Verkehr nicht zugelassener Platz, auf dem Flugzeuge landen und starten:* militärische Flugplätze. **b)** *kleineres Gelände für den allgemeinen Flugverkehr.*

flugs ⟨Adverb⟩ (veraltend): *sofort, schnell:* er kam auf ihren Anruf f. herbei.

Flugzeug, das; -s, e: *ein Luftfahrzeug* (siehe Bild): er ist mit dem F. nach Amerika geflogen.

Flugzeug

Fluidum, das; -s: *Wirkung, die von einer Person oder Sache ausgeht und die eine bestimmte Atmosphäre schafft:* diese Stadt hat ein besonderes F.

Fluktuation, die; -, -en (geh.): *häufiges Schwanken in der Zahl von Personen oder Dingen, häufige Änderung (von etwas, in etwas):* die F. von Arbeitskräften kann durch eine Angleichung der Löhne verhindert werden; die F. der Preise.

fluktuieren, fluktuierte, hat fluktuiert ⟨itr.⟩ (geh.): *schnell wechseln, schwanken:* die Preise für Erdöl fluktuieren kaum.

Flunder, die; -, -n: /ein mit der Scholle verwandter Fisch/: platt wie eine F.

flunkern, flunkerte, hat geflunkert ⟨itr.⟩ (ugs.): *(beim Erzählen) nicht ganz bei der Wahrheit bleiben; schwindeln:* man kann nicht alles glauben, was er sagt, denn er flunkert gerne.

fluoreszieren, fluoreszierte, hat fluoresziert ⟨itr.⟩: *beim Anstrahlen leuchten:* die Farben auf den Verkehrszeichen fluoreszieren; ⟨häufig im 1. Partizip⟩ fluoreszierende Flüssigkeiten.

Flur, der; -s, -e: *Gang, der die einzelnen Räume einer Wohnung oder eines Gebäudes miteinander verbindet:* er wartete auf dem F., bis er ins Zimmer gerufen wurde.

Fluß, der; Flusses, Flüsse: 1. *größeres fließendes Gewässer* (siehe Bild): sie badeten in einem F. 2. *das ununterbrochene Fließen:* der F. der Rede, des Straßenverkehrs.

Fluß 1.

Flußbett, das; -[e]s, -en: *Vertiefung im Boden, in der ein Fluß fließt:* der reißende Strom hat sich ein neues F. gegraben.

flüssig ⟨Adj.⟩: 1. ⟨nicht adverbial⟩ *nicht fest; so beschaffen, daß es fließt:* flüssige Nahrung; die Butter ist durch die Wärme f. geworden. 2. *ohne Stocken; fließend:* er schreibt und spricht sehr f. 3. ⟨in bestimmten Verwendungen⟩: flüssiges *(verfügbares)* Kapital.

Flüssigkeit, die; -, -en: *ein Stoff in flüssigem Zustand:* in der Flasche war eine helle F.

Flußpferd, das; -[e]s, -e: /ein Tier/ (siehe Bild).

Flußpferd

flüstern, flüsterte, hat geflüstert ⟨itr./tr.⟩: *mit leiser Stimme sprechen:* er flüstert immer; sie hat ihm etwas ins Ohr geflüstert.

Flut, die; -, -en: 1. ⟨ohne Plural⟩ *das Ansteigen des Meeres, das auf die Ebbe folgt:* sie badeten bei F. 2. ⟨Plural⟩ *[tiefes] strömendes Wasser:* viele Tiere waren in den Fluten umgekommen. * **eine F. von etwas** *(eine große Menge von etwas):* er bekam eine F. von Briefen.

fluten, flutete, hat/ist geflutet: 1. ⟨itr.⟩ (geh.) *heftig strömen, fließen:* das Wasser ist bei der Überschwemmung in unsere Keller geflutet; bildl.: helles Licht flutete *(drang)* in das Zimmer; auf der Straße flutete der Verkehr. 2. ⟨tr.⟩ *(in etwas) Wasser strömen lassen, unter Wasser setzen:* das U-Boot hatte seine Tanks geflutet; die Docks f.

Flutlicht, das; -[e]s: *von sehr hellen Scheinwerfern an hohen Masten breit ausgestrahltes Licht zum Erhellen von Plätzen, Flächen:* das Fußballspiel fand unter F. statt.

Föderation, die; -, -en: *Verband, Verbindung, Bündnis, Bund* /bes. von Staaten/: die einzelnen Staaten schlossen sich zu einer F. zusammen.

Fohlen, das; -s, -: *junges Pferd* (siehe Bild).

Fohlen

Föhn, der; -[e]s, -e: *warmer, trockener Wind von den Hängen der Alpen:* bei F. bekommt sie immer Kopfschmerzen.

Föhre, die; -, -n (landsch.): *Kiefer* (Baum).

Folge, die; -, -n: 1. *Auswirkung, Ergebnis (einer Handlung):* sein Leichtsinn hatte schlimme Folgen. *** etwas hat zur F.** *(etwas führt zu etwas):* seine Krankheit hatte eine Verzögerung der Arbeit zur F.; **die Folgen tragen müssen** *(für etwas zur Verantwortung gezogen werden):* du wirst für dein unvorsichtiges Verhalten die Folgen tragen müssen. 2. *das Aufeinanderfolgen; Reihe:* es kam zu einer ganzen F. von Unfällen; in rascher F. erschienen mehrere Romane dieses Autors. **** einer Sache F. leisten** *(etwas befolgen):* er leistete der Aufforderung nicht F.

folgen, folgte, ist/hat gefolgt: ⟨itr.⟩ 1. *jmdm., einer Sache nachgehen; hinter jmdm., einer Sache hergehen:* er ist dem Vater ins Haus gefolgt; er folgte den Spuren im Schnee; er folgte ihnen mit den Augen. 2. *zuhören:* sie sind aufmerksam seinem Vortrag gefolgt. *** jmdm., einer Sache f. können** *(jmdn., etwas verstehen):* er konnte den Ausführungen des Redners nicht f. 3. *sich anschließen: [unmittelbar] nach etwas kommen:* dem kalten Winter ist ein schönes Frühjahr gefolgt; ⟨häufig im 1. Partizip⟩ die dem Sommer folgende Jahreszeit ist der Herbst. 4. *sich aus etwas ergeben; aus etwas hervorgehen:* aus seinem Brief folgte, daß er sich geärgert hatte. 5. *sich von etwas leiten lassen:* sie ist immer ihrem Gefühl gefolgt. 6. *gehorchen:* die Kinder haben der Mutter immer gefolgt.

folgendermaßen ⟨Adverb⟩: *auf folgende Art und Weise:* der Unfall hat sich f. ereignet.

folgenschwer ⟨Adj.; nicht adverbial⟩: *entscheidende, schwerwiegende Folgen habend:* er hat einen folgenschweren Fehler gemacht.

folgerichtig ⟨Adj.⟩: *der Logik entsprechend, konsequent:* er konnte ein Problem nicht f. bis zu Ende durchdenken.

folgern, folgerte, hat gefolgert ⟨tr.⟩: *schließen, den Schluß ziehen:* aus seinen Worten folgerte man, daß er zufrieden sei mit der Arbeit. **Folgerung,** die; -, -en.

folglich ⟨Adverb⟩: *darum; aus diesem Grunde:* es regnet, f. müssen wir zu Hause bleiben.

folgsam ⟨Adj.⟩: *sich den Wünschen der Erwachsenen ohne Widerspruch fügend; gehorsam:* die Kinder waren sehr f. **Folgsamkeit,** die; -.

Folie, die; -, -n: *aus Metall oder einem Kunststoff in mehr oder weniger breiten Bahnen hergestelltes sehr dünnes Material.*

Folter, die; -, -n: 1. (hist.) *Gerät oder Instrument, mit dem jmd. gefoltert wird:* der Ketzer starb auf der F. *** jmdn. auf die F. spannen** *(jmdn. in qualvolle Spannung versetzen).* 2. (hist.) *das Foltern:* die Hexe starb bei der F.; bildl. das lange Warten wurde für ihn zu einer F. *(Qual).*

foltern, folterte, hat gefoltert ⟨tr.⟩: *mißhandeln, quälen, um Geständnisse zu erzwingen:* die Gefangenen wurden gefoltert; bildl.: die Angst folterte ihn. **Folterung,** die; -, -en.

Fön, der; -s, -e: *elektrisches Gerät zum Trocknen der Haare* (siehe Bild).

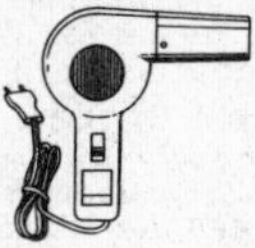

Fön

Fond [fõ:], der; -s, -s: *hintere Sitze in einem Wagen:* wir setzten uns in den F. der Taxe.

Fonds [fõ:], der; -, -: *Reserve, Vorrat an Geld oder Vermögen; für bestimmte Zwecke bereitgestellte Mittel:* aus diesem F. der Industrie werden Stipendien gezahlt; bildl. (geh.): er schöpfte sein Wissen aus dem reichen F. *(Schatz, Vorrat)* seiner Erfahrung.

Fondue [fõ'dy:], das; -s: **a)** *Gericht, bei dem kleine Stücke Brot in eine durch Erhitzen flüssig gehaltene Mischung von Weißwein, Käse und Gewürzen getaucht und dann verzehrt werden:* beim F. gibt es viele Abwandlungen und Spezialitäten. **b)** *Gericht, bei dem kleine Stücke bes. von Rind- oder Kalbfleisch in siedendes Fett getaucht, so gegart und dann mit verschiedenen Gewürzen verzehrt werden:* zu dem F. gab es delikate Soßen.

Fontäne, die; -, -n: *Springbrunnen* (siehe Bild).

Fontäne

foppen, foppte, hat gefoppt ⟨tr.⟩ (ugs.): *im Scherz etwas sagen, was nicht stimmt, und einen anderen damit irreführen:* er foppt gerne andere.

forcieren, forcierte, hat forciert ⟨tr.⟩: *beschleunigen; mit größerer Energie betreiben:* das Tempo der Arbeit mußte forciert werden, damit sie rechtzeitig fertig wurden.

Förderer, der; -s, -: *jmd., der eine Person oder Sache durch [finanzielle] Unterstützung för-*

dert; Mäzen: er ist ein großer F. der Kunst.

förderlich ⟨Adj.⟩: *so beschaffen, daß es jmdn. oder etwas fördert; nützlich:* der Aufenthalt im Ausland war für ihn sehr f.

fordern, forderte, hat gefordert: **1.** ⟨tr.⟩ *mit Nachdruck verlangen; haben wollen:* er forderte die Bestrafung der Täter; er hat 100 Mark für seine Arbeit gefordert. **2.** ⟨tr./rfl.⟩ *von jmdm./sich eine Leistung verlangen, die alle Kräfte beansprucht:* der Mensch wird vom Alltag gefordert; du mußt dich f.! **Forderung,** die; -, -en.

fördern, förderte, hat gefördert ⟨tr.⟩: **1.** *in seiner Entfaltung, bei seinem Vorankommen unterstützen:* er hat viele junge Künstler gefördert. **2.** *(aus dem Innern der Erde) gewinnen:* in dieser Gegend wird Kohle gefördert. **Förderung,** die; -.

Forelle, die; -, -n: /ein Fisch/ (siehe Bild).

Forelle

Form, die; -, -en: **1.** *Art der Gestaltung; Gestalt; Fasson:* das Gefäß hat eine schöne F., hat die F. einer Kugel; die Formen *(der Bau)* des menschlichen Körpers; die F. dieses Gedichtes ist die Ballade. *** etwas nimmt feste Formen an** *(etwas festigt sich, bekommt eine bestimmte Form):* ihre Pläne haben inzwischen feste Formen angenommen; **etwas nimmt gefährliche Formen an** *(etwas wird gefährlich):* der Streit nahm plötzlich gefährliche Formen an. **2.** ⟨in bestimmten Verwendungen⟩ gute Formen *(ein gutes Benehmen)* haben; die F. wahren, der F. genügen *(sich nach den Vorschriften des Anstandes verhalten);* in aller F. *(so, wie es der Anstand gebietet; förmlich):* er hat sich in aller F. entschuldigt. **3.** *Gefäß, in das eine weiche Masse gegossen wird, damit sie darin die gewünschte feste Gestalt bekommt:* sie hat den Kuchenteig in eine F. gefüllt. **4.** ⟨in bestimmten Verwendungen⟩ der Sportler war heute gut in F. *(war in guter körperlicher Verfassung).*

formal ⟨Adj.⟩ *die Form betreffend:* seine Arbeit bereitet ihm manche formale Schwierigkeiten.

Formalien, die ⟨Plural⟩: *die Form betreffende Vorschriften, Formalitäten:* die notwendigen F. einer Vereinsgründung.

Formalismus, der; -: *Bevorzugung der Form vor dem Inhalt, Überbewertung des rein Formalen, Äußerlichen:* viele Sitten und Gewohnheiten unserer Gesellschaft sind zu leerem F. erstarrt.

Formalität, die; -, -en: **a)** *behördliche Vorschrift:* vor seinem Aufenthalt im Ausland mußte er viele Formalitäten erledigen. **b)** *Äußerlichkeit; etwas, was nur der Form wegen geschieht:* sie hielten sich nicht mit Formalitäten auf.

Format, das; -[e]s, -e: **1.** *bestimmte [festgelegte] Form, Größe:* das Buch, Bild hat ein großes F. **2.** ⟨ohne Plural⟩ *Bedeutung, Rang:* er ist ein Künstler von großem F.; dieser Mann hat kein F. *(ist keine Persönlichkeit).*

Formation, die; -, -en: **1.** *gegliederter [militärischer] Verband:* die Soldaten marschierten in geschlossener F.; größere Formationen des Heeres; die Mannschaft trat in folgender F. *(Aufstellung)* an. **2.** (geh.) *Bildung, Gestaltung:* die F. gesellschaftlicher Gruppen. **3. a)** *Zeitabschnitt in der Erdgeschichte:* die Versteinerungen ließen auf eine frühe F. schließen. **b)** *geologische Schichtung:* die F. eines Gebirges. **4.** *durch gleiche Bedingungen am Standort gekennzeichnete vegetative Einheit:* die F. der Steppe.

Formel, die; -, -n: **1.** *fester sprachlicher Ausdruck, feste Formulierung für etwas Bestimmtes:* die F. des Eides sprechen. **2.** *Folge von Zeichen (Buchstaben, Zahlen), die etwas Bestimmtes bezeichnen:* es gibt Formeln in der Chemie, der Physik und der Mathematik; die F. für Wasser ist H_2O. *** etwas auf eine einfache F. bringen** *(etwas in einfacher Form ausdrücken):* es ist schwierig, diese Vorgänge auf eine einfache F. zu bringen.

formelhaft ⟨Adj.⟩: *in der Art einer festen Formel gleichend:* formelhafte Wendungen, Ausdrücke.

formell ⟨Adj.⟩: *sich streng an die Formen haltend; förmlich, unpersönlich:* eine formelle Begrüßung; er ist immer sehr f.

formen, formte, hat geformt ⟨tr.⟩: *(einer Sache) eine bestimmte Form geben; bilden:* sie formten Gefäße aus Ton; bildl.: die schweren Erlebnisse haben sein Wesen geformt.

Formfehler, der; -s, -: *Verstoß gegen die vorgeschriebene [gesellschaftliche] Form:* wegen eines Formfehlers war die Abstimmung ungültig.

formieren, formierte, hat formiert ⟨rfl./tr.⟩: *in einer bestimmten Form aufstellen:* die Studenten formierten sich zu einem großen Festzug; die Mannschaft wurde vom Trainer neu formiert; bildl.: in fast jeder Epoche formieren *(bilden)* sich neue Ideen. **Formierung,** die; -, -en.

förmlich ⟨Adj.⟩: **1.** *streng die gesellschaftlichen Formen beachtend; steif, unpersönlich:* das war eine förmliche Begrüßung; er verabschiedete sich sehr f. **2.** ⟨nicht prädikativ⟩ *regelrecht:* eine förmliche Angst ergriff ihn; er erschrak f., als er den Kranken sah. **Förmlichkeit,** die; -, -en.

formlos ⟨Adj.⟩: *ohne feste Gestalt oder Form:* der Schneemann war zu einem formlosen Klumpen geschmolzen. **Formlosigkeit,** die; -.

Formsache, die; -, -n: *Äußerlichkeit, Formalität:* der Antrag auf Erteilen einer solchen Genehmigung ist eine reine F.

Formular, das; -s, -e: *[von einer Behörde ausgegebenes] Blatt, auf dem bestimmte Fragen schriftlich zu beantworten sind:* er mußte bei seiner Anmeldung ein F. ausfüllen.

formulieren, formulierte, hat formuliert ⟨tr.⟩: *in sprachliche Form bringen; in Worten ausdrücken:* er hat seine Fragen klar formuliert.

Formung, die; -: **1.** *Gestaltung der äußeren Form:* die künstlerische F. eines Romans. **2.** *Bildung, Prägung, Erziehung:* die F. und Verfeinerung der Persönlichkeit.

forsch ⟨Adj.⟩: *frisch, schneidig, unternehmend:* ein forscher junger Mann.

forschen, forschte, hat geforscht ⟨itr.⟩: *durch intensives*

Bemühen zu erkennen oder zu finden suchen: er forschte nach den Ursachen des Unglücks; die Polizei forschte nach den Tätern; ⟨häufig im 1. Partizip⟩ er sah mit forschendem Blick in die Ferne.

Forscher, der; -s, -: *jmd., der auf einem bestimmten Gebiet [wissenschaftliche] Forschung betreibt:* er war einer der größten Forscher seiner Zeit.

Forschung, die; -, -en: **a)** *das Arbeiten an wissenschaftlichen Erkenntnissen; das Forschen:* seine Forschungen beschäftigten ihn viele Jahre. **b)** *die forschende Wissenschaft:* in den letzten Jahren machte die F. große Fortschritte.

Forst, der; -es, -e (auch: -en): *Wald, der wirtschaftlich genutzt wird.*

Förster, der; -s, -: *Beamter, der mit der Pflege des Waldes beauftragt ist* /Berufsbezeichnung/ (siehe Bild).

Förster

Försterei, die; -, -en: *Haus mit Wohnung und Dienststelle eines Försters:* die alte F. mitten im Wald.

Forsthaus, das; -es, Forsthäuser: *Försterei.*

fort ⟨Adverb⟩: *nicht anwesend; nicht da; [von einem Ort] weg:* die Kinder sind f. *(sind weggegangen, nicht zu Hause);* wir müssen morgen f. von hier; ⟨häufig in Verbindung mit Verben⟩ fortgehen; fortlaufen; fortwerfen. **** in einem f.** *(ununterbrochen, ohne aufzuhören):* er spricht in einem f.; **und so f.** (Abk.: usf.) *(und so weiter):* zum Obst gehören Äpfel, Birnen, Trauben usf.

Fort [fo:r], das; -s, -s: *befestigte und räumlich begrenzte Anlage zur Verteidigung:* die Indianer griffen das F. an.

fortbewegen, bewegte fort, hat fortbewegt ⟨rfl./tr.⟩ *vorwärtsbewegen; von einer Stelle entfernen:* der Kranke kann sich nur mit Stöcken f.; er versuchte den schweren Stein fortzubewegen. **Fortbewegung,** die; -.

fortbilden, bildete fort, hat fortgebildet ⟨rfl./tr.⟩: *(seine/ jmds. Bildung) vervollkommnen, weiterbilden:* ich habe mich durch den Besuch einer Fachschule fortgebildet; die Angestellten wurden in speziellen Kursen fortgebildet. **Fortbildung,** die; -.

fortbringen, brachte fort, hat fortgebracht: **1.** ⟨tr.⟩ *an einen anderen Ort bringen:* man hat alle Sachen aus dem Lager fortgebracht. **2.** ⟨tr.⟩ *von der Stelle bringen:* die Frau konnte den schweren Karren kaum f.; bildl. (ugs.): wir konnten die Blumen auf dem zugigen Balkon nicht f. *(zum Gedeihen bringen).* **3.** ⟨rfl.⟩ (ugs.): *leben:* mit diesem niedrigen Gehalt kann ich mich nur kümmerlich f.

fortdauern, dauerte fort, hat fortgedauert ⟨itr.⟩: *eine lange Dauer haben; anhalten:* das schlechte Wetter dauert fort.

fortfahren, fährt fort, fuhr fort, ist/hat fortgefahren ⟨itr.⟩: **1.** *(mit einem Fahrzeug) einen Ort verlassen; abreisen:* er ist gestern mit dem Auto fortgefahren. **2.** *(nach einer Unterbrechung) wieder beginnen:* nach einer kurzen Pause fuhr er fort zu erzählen.

fortfallen, fällt fort, fiel fort, ist fortgefallen ⟨itr.⟩: *wegfallen.*

fortführen, führte fort, hat fortgeführt ⟨tr.⟩: *fortsetzen, weiterführen [was ein anderer begonnen hat]:* der Sohn führt das Geschäft des Vaters fort. **Fortführung,** die; -, -en.

Fortgang, der; -[e]s: **1.** (geh.) *das Verlassen, Weggehen:* nach dem F. aus dieser Stadt wurde er nirgends mehr so recht heimisch. **2.** *weitere, Entwicklung:* der F. einer Arbeit. *** seinen F. nehmen** *(weitergehen):* die Untersuchung nahm ihren F.; **einen langsamen/schleppenden o. ä. F. nehmen** *(nur langsam o. ä. weitergehen):* die Besprechungen nahmen nur einen langsamen F.

fortgehen, ging fort, ist fortgegangen ⟨itr.⟩: *einen Ort verlassen; sich entfernen; weggehen:* er war fortgegangen, ohne sich zu verabschieden.

Fortgeschrittene, der; -n, -n ⟨aber: [ein] Fortgeschrittener, Plural: Fortgeschrittene⟩: *jmd., der mit den Grundlagen eines Gebietes völlig vertraut ist, auf einem Gebiet Fortschritte gemacht hat:* dieser Kurs ist nur für F., nicht für Anfänger.

fortgesetzt ⟨Adj.; nicht prädikativ⟩: *andauernd, immer wieder:* er stört den Unterricht f. durch sein Schwätzen.

fortkommen, kam fort, ist fortgekommen ⟨itr.⟩: **1. a)** *sich (von einem Ort) entfernen:* er wollte schnell von hier f., um in einer anderen Gegend sein Glück zu versuchen. **b)** *abhanden kommen, verlorengehen:* mir ist schon wieder Geld fortgekommen. **2.** *vorwärts kommen, seinen Weg fortsetzen:* die Karawane konnte in der großen Hitze nur langsam fortkommen; bildl.: er kam in seinem Beruf gut fort *(hatte Erfolg);* die Blumen kommen gut fort *(gedeihen).*

Fortkommen, das; -s: **1.** *das [berufliche] Vorwärtskommen:* er hatte nur ein mühsames F. in seinem Beruf. **2.** *Auskommen, Lebensführung:* sein Verdienst sichert ihm ein gutes F.

fortlaufen, läuft fort, lief fort, ist fortgelaufen ⟨itr.⟩: *weglaufen; sich schnell von einem Ort entfernen:* aus Angst vor einer Strafe sind die Kinder fortgelaufen.

fortpflanzen, pflanzte fort, hat fortgepflanzt ⟨rfl.⟩: **1.** *sich vermehren; Nachkommen hervorbringen:* manche Tiere pflanzen sich in der Gefangenschaft nicht fort. **2.** *sich verbreiten:* das Licht pflanzt sich schnell fort. **Fortpflanzung,** die; -.

fortschicken, schickte fort, hat fortgeschickt ⟨tr.⟩: **1.** *auffordern, einen Ort zu verlassen; wegschicken:* er schickte den Bettler fort. **2.** *(mit der Post) an einen anderen Ort senden; absenden:* er hat die Briefe bereits fortgeschickt.

fortschreiten, schritt fort, ist fortgeschritten ⟨itr.⟩: *Fortschritte machen; sich weiterentwickeln:* die Arbeit schreitet gut fort; die Krankheit ist bei ihm schon weit fortgeschritten; ⟨häufig im 1. Partizip⟩ man erkennt den fortschreitenden *(zunehmenden)* Verfall des Körpers.

Fortschritt, der; -[e]s, -e: *Weiterentwicklung; das Wachsen:* der F. der Technik. * **Fortschritte machen** *(vorankommen; besser werden):* er macht gute Fortschritte in der Schule.

fortschrittlich ⟨Adj.⟩: *für den Fortschritt eintretend; modern:* er ist ein fortschrittlicher Mensch; er denkt sehr f.

fortsetzen, setzte fort, hat fortgesetzt ⟨tr.⟩ /vgl. fortgesetzt/: *(eine begonnene Tätigkeit) nach einer Unterbrechung wiederaufnehmen, beginnen:* nach einer kurzen Pause setzte er seine Arbeit fort.

Fortsetzung, die; -, -en: **1.** *das Fortsetzen:* man beschloß die F. des Gesprächs. **2.** *fortsetzender Teil eines in einzelnen Teilen hintereinander veröffentlichten Werkes:* der Roman erscheint in der Illustrierten in Fortsetzungen; F. folgt *(Hinweis auf die F. in der nächsten Ausgabe einer Zeitung).*

fortwährend ⟨Adj.; nicht prädikativ⟩: *dauernd; anhaltend; ständig:* das fortwährende Reden störte sie; es regnete f.

fortziehen, zog fort, hat/ist fortgezogen: **1.** ⟨tr.⟩ *ziehend entfernen:* er zog ihr das Kissen unter dem Kopf fort; er hat sie vom Schaufenster fortgezogen. **2.** ⟨itr.⟩ *seinen Wohnsitz, Aufenthaltsort an einen anderen Ort verlegen; umziehen:* unsere Nachbarn sind gestern fortgezogen.

Forum, das; -s, Foren: **1.** *Gremium, das über etwas entscheidet:* er ließ ein F. von Fachleuten über seine Erfindung urteilen. **2.** *öffentliche Diskussion, Aussprache:* die Parteien veranstalteten vor der Wahl ein politisches F.

Foto /Kurzform von Photographie und Photoapparat/(ugs.): **I.** das; -s, -s: *photographische Aufnahme.* **II.** der; -s, -s: *Photoapparat.*

foto..., Foto...: vgl. photo..., Photo...

Foul [faʊl], das; -s, -s: Sport *gegen die Regeln verstoßende Behinderung:* der Verteidiger brachte den Stürmer durch ein grobes F. zu Fall.

foulen [ˈfaʊlən], foulte, hat gefoult ⟨tr./itr.⟩: Sport *[den Gegner] regelwidrig behindern:* der Spieler foulte [den Torwart] und wurde vom Platz gestellt.

Foyer [foaˈjeː], das; -s, -s (geh.): *großer, besonders ausgestatteter Vorraum, Wandelhalle:* im F. des Theaters plauderten wir angeregt über die Aufführung.

Frachtbrief, der; -[e]s, -e: *Dokument mit Angaben über die Fracht, das eine Sendung begleitet:* einen F. ausstellen.

Frack, der; -[e]s, Fräcke: /ein Kleidungsstück/ (siehe Bild): er trug bei der Hochzeit einen F.

Frack

Frage, die; -, -n: **1.** *Äußerung, mit der man sich an jmdn. wendet, um eine Antwort zu erhalten:* er konnte die Fragen des Lehrers nicht beantworten. * **jmdm. eine F. stellen/an jmdn. eine F. richten** *(jmdn. etwas fragen);* **in F. kommen** *(in Betracht kommen; geeignet sein (für etwas)):* er kommt für dieses Amt nicht in F.; **etwas in F. stellen** *(etwas gefährden):* das schlechte Wetter stellt den Ausflug in F.; **ohne F.** *(ohne Zweifel):* das war ohne F. eine große Leistung. **2.** *Thema; Problem; Angelegenheit (die besprochen werden muß):* sie diskutierten über politische Fragen.

Fragebogen, der; -s, -: *[amtliches] Formular, das bestimmte Fragen enthält, die beantwortet werden sollen:* man gab ihm einen F., den er ausfüllen sollte.

fragen, fragte, hat gefragt: **1.** ⟨tr.⟩ *sich mit einer Frage an jmdn. wenden; eine Frage an jmdn. richten:* er fragte, ob er nach Hause gehen dürfe. **2.** ⟨rfl.⟩ *sich etwas überlegen, sich die Frage stellen:* er fragte sich, wie er sein Ziel am schnellsten erreichen könne. 3. ⟨itr.⟩ *sich um jmdn./etwas nicht kümmern* ⟨nur verneinend⟩: der Vater fragt überhaupt nicht nach seinen Kindern. * **etwas ist/wird gefragt** *(etwas wird verlangt, gekauft):* Badeanzüge sind im Sommer sehr gefragt.

Fragestellung, die; -, -en: **a)** *Form einer Frage; Art, wie gefragt wird:* deine Frage läßt sich nicht beantworten, weil die F. selbst falsch ist. **b)** *Problem, [wissenschaftliche, philosophische o. ä.] Frage:* aus diesem Text ergeben sich verschiedene Fragestellungen.

fraglich ⟨Adj.⟩: **1.** ⟨nicht adverbial⟩ *unsicher, ungewiß:* es ist noch sehr f., ob wir kommen können. **2.** ⟨nur attributiv⟩ *in Frage kommend, betreffend:* zu der fraglichen Zeit war er nicht zu Hause.

fraglos ⟨Adverb⟩: *ohne Frage, bestimmt, sicher:* die Landung auf dem Mond war f. ein epochemachendes Ereignis.

Fragment, das; -[e]s, -e: *nicht vollendetes Kunstwerk; Bruchstück:* sein letzter Roman ist F. geblieben.

fragmentarisch ⟨Adj.⟩: *in Form eines Fragments, nicht vollständig:* die fragmentarische Überlieferung des alten Textes.

fragwürdig ⟨Adj.⟩: *zu Bedenken Anlaß gebend; zweifelhaft; verdächtig:* die Angelegenheit kam ihm sehr f. vor; sie betraten ein fragwürdiges Lokal.

Fraktion, die; -, -en: *Gesamtheit der Abgeordneten einer Partei im Parlament:* die F. stimmte geschlossen gegen diesen Antrag.

frank: ⟨in der Fügung⟩ f. und frei (ugs.): *ganz offen, aufrichtig:* er hat seine Schuld f. und frei zugegeben.

Franken, der; -s, -: /Einheit des Geldes in der Schweiz (100 Rappen)/: der Eintritt kostet zwei F.

frankieren, frankierte, hat frankiert ⟨tr.⟩: *(einen Brief, ein Paket o. ä., was man mit der Post verschicken will) mit Briefmarken versehen:* er frankierte die Briefe und brachte sie zur Post.

Fransen, die ⟨Plural⟩: *viele einzelne Fäden (als Saum von Textilien):* sorgsam bürstete die Hausfrau die F. des echten Teppichs; bildl. (ugs.): kämm dir doch mal die F. *(Haare)* aus der Stirn!

Franzbranntwein, der; -s: *aus nicht reinem, verdünntem Alkohol bestehendes Mittel zum Einreiben:* die Verkäuferin rieb sich am Abend ihre müden Beine mit F. ein.

frappant ⟨Adj.⟩: *auffallend, überraschend, treffend:* die Fälschung und das Original waren von frappanter Ähnlichkeit.

frappieren, frappierte, hat frappiert ⟨tr.⟩ (geh.): *verblüffen, überraschen:* diese Nachricht hat mich sehr frappiert; ⟨häufig im 1. Partizip⟩ die Mannschaft errang einen frappierenden Sieg.

Fräse, die; -, -n: **1.** *Maschine, mit der man Profile, Nuten, Gewinde, Falze o. ä. in Holz, Metall, Kunststoff o. ä. schneidet:* es gibt Fräsen zur Bearbeitung von Holz und Metall. **2.** *landwirtschaftliches Gerät zum Lokkern und Mischen des Bodens:* der Gärtner bearbeitete das Beet mit der F.

fräsen, fräste, hat gefräst ⟨tr.⟩: **1.** *mit der Fräse (Profile, Nuten, Gewinde, Falze o. ä. in Holz, Metall o. ä.) schneiden:* der Schreiner fräste eine Nut in den Balken. **2.** *(den Boden) mit der Fräse bearbeiten:* der Gärtner fräste das Beet.

Fraß, der; -es: **1.** (derb; abwertend) *schlechtes Essen, das nicht schmeckt:* ein abscheulicher F. aus süßen Kartoffeln und verschimmeltem Brot. **2.** *Nahrung (von Tieren):* den Löwen große Mengen Fleisch als F. vorwerfen. *(derb) **jmdm. etwas zum F. hin-, vorwerfen** *(es ihm lieblos übergeben, preisgeben, opfern).* **3.** *durch das [Ab]fressen von Pflanzen angerichteter Schaden:* die Sträucher sind durch F. eingegangen.

Fratze, die; -, -n (abwertend): **a)** *häßliches, verzerrtes Gesicht:* er hatte die brutale F. eines Verbrechers. * **[jmdm.] Fratzen schneiden** *(das Gesicht zu Grimassen verziehen [um jmdn. zu ärgern o. ä.]).* **b)** (ugs.) *Gesicht:* ich kann deine F. nicht mehr sehen; (scherzh.) das Mädchen hat eine hübsche F.

Frau, die; -, -en: **1.** *erwachsene weibliche Person:* auf der Straße gingen drei Frauen. **2.** *Ehefrau:* er brachte seiner Frau Blumen mit; Herr Müller und F. **3.** ⟨in der Anrede⟩ guten Tag, F. Müller!; gnädige F.

Frauenarzt, der; -es, Frauenärzte: *Facharzt für Frauenkrankheiten:* sie ließ sich vor der Entbindung von einem F. untersuchen.

Fräulein, das; -s, - /Abk.: Frl./: **1.** *nicht verheiratete weibliche Person:* in dieser Wohnung wohnt ein älteres F. **2.** ⟨in der Anrede⟩ guten Tag, F. Müller!; gnädiges F. **3.** ⟨Anrede für eine Verkäuferin, Kellnerin⟩: F., bitte zahlen!

fraulich ⟨Adj.⟩: *der Art einer [gereiften] Frau entsprechend:* sie kleidete sich betont f.

frech ⟨Adj.⟩: *ungezogen; unverschämt:* eine freche Antwort; er war sehr f. zu seiner Mutter; er lachte f.

Frechdachs, der; -es, -e (scherzh.): *ungezogenes, freches Kind, [junger] Mensch:* der Junge, das Mädchen war ein richtiger kleiner F.

Frechheit, die; -, -en: **a)** ⟨ohne Plural⟩ *freches Benehmen:* seine F. muß bestraft werden. **b)** *freche Handlung oder Äußerung:* solche Frechheiten darfst du dir nicht gefallen lassen.

frei ⟨Adj.⟩: **1.** *unabhängig; nicht gebunden:* er ist ein freier Mann; ein freier *(nicht fest angestellter)* Mitarbeiter; er kann völlig f. arbeiten. **2.** *nicht behindert; nicht beeinträchtigt:* er ist f. von Sorgen; der Gefangene ist wieder f. *(wieder in Freiheit; entlassen).* **3.** ⟨nicht adverbial⟩ *verfügbar; nicht besetzt:* dieser Platz ist noch f.; er hat heute einen freien Tag *(braucht nicht zu arbeiten).* **4.** *nicht begrenzt, offen:* mitten in der Stadt ist ein freier Platz; sie übernachteten auf freiem Feld; das Haus steht ganz f. *(es grenzen keine anderen Häuser daran).* * **im Freien** *(draußen):* er hat sich den ganzen Tag im Freien aufgehalten.

Freibad, das; -[e]s, Freibäder: *Schwimmbad, das sich unter freiem Himmel befindet.*

Freibrief, der; -[e]s, -e: *Rechtfertigung (für etwas), Erlaubnis (zu etwas sonst nicht Üblichem, nicht Erwünschtem):* Liebe ist kein F. für Torheiten. * **jmdm. einen F. ausstellen** *(jmdn. in etwas, wozu er sonst nicht befugt wäre, völlig frei entscheiden lassen).*

Freidenker, der; -s, -: *durch keine Weltanschauung gebundene Person:* die F. werden von den Kirchen heftig bekämpft.

Freigabe, die; -, -n: **1.** *das Freigeben (aus der Haft, Gefangenschaft o. ä.):* die F. der politischen Häftlinge. **2.** *das Aufheben einer einschränkenden Maßnahme, Verordnung oder Bindung:* die F. des Films erfolgte mit der Auflage, einige Szenen zu schneiden; der F. des Profis stand nichts mehr im Wege.

freigeben, gibt frei, gab frei, hat freigegeben: **1.** ⟨tr.⟩ *aus der Haft, Gefangenschaft o. ä. entlassen:* die Kriegsgefangenen wurden nach langen Verhandlungen freigegeben. **2.** ⟨tr.⟩ *von einer einschränkenden Maßnahme, Verordnung oder Bindung befreien:* der Polizist gab die Kreuzung für den Verkehr frei; der Film wurde nicht freigegeben. **3.** ⟨itr./tr.⟩ *(für kürzere Zeit) von der Arbeit, Schule befreien:* den Schülern [eine Stunde, ein paar Tage] f.

freigebig ⟨Adj.⟩: *gerne bereit, anderen etwas zu geben; großzügig:* er ist ein sehr freigebiger Mensch. **Freigebigkeit,** die; -.

freihalten, hält frei, hielt frei, hat freigehalten ⟨tr.⟩: **1.** *in einem Lokal (für jmdn.) bezahlen:* ich werde euch heute f. **2.** *belegen, reservieren:* kannst du mir einen Platz f.?

freihändig ⟨Adj.; nicht prädikativ⟩: *ohne sich mit der Hand festzuhalten:* er fährt f. [auf dem Fahrrad].

Freiheit, die; -, -en: **1.** ⟨ohne Plural⟩ *das Freisein von Abhängigkeit oder Zwang:* sie fordern die F. der Presse; sie kämpften für ihre F. **2.** ⟨ohne Plural⟩ *Möglichkeit, sich frei und ungehindert zu bewegen:* dem Gefangenen die F. wiedergeben. * **wieder in F. sein** *(aus der Gefangenschaft entlassen sein):* nach langer Haft ist er endlich wieder in F. **3.** *Recht (das man jmdm. einräumt oder das sich jmd. nimmt):* er nimmt sich die F., zu kommen und zu gehen, wann er will; er genießt als Künstler viele Freiheiten.

freiheitlich ⟨Adj.⟩: *von der Freiheit bestimmt, Freiheit erstrebend:* eine freiheitliche Verfassung.

Freiheitsliebe, die; -: *große Wertschätzung der persönlichen und politischen Freiheit:* dieses Volk ist wegen seiner großen F. bekannt.

Freiheitsstrafe, die; -, -n: *Strafe, bei der jmdm. seine persönliche Freiheit entzogen wird, indem er ins Gefängnis o. ä. kommt:* der Dieb wurde zu einer F. von einigen Wochen verurteilt.

Freiherr, der; -n, -[e]n: *unter dem Grafen stehender Adliger und dessen Titel.*

Freikarte, die; -, -n: *kostenlos abgegebene Eintrittskarte:* die ausländischen Gäste erhielten Freikarten für das Konzert.

freilassen, läßt frei, ließ frei, hat freigelassen ⟨tr.⟩: *aus der Gefangenschaft entlassen; die Freiheit wiedergeben:* die Gefangenen wurden freigelassen; er hat den Vogel wieder freigelassen. **Freilassung,** die; -, -en.

Freilauf, der; -s, Freiläufe: *Vorrichtung am Fahrrad, an Motorfahrzeugen u. a., die dazu dient, die Verbindung zwischen Antrieb und Rädern auszuschalten.*

freilich ⟨Adverb⟩: **1.** *allerdings, aber:* er ist ein guter Arbeiter, f. nur auf seinem engen Fachgebiet. **2.** (landsch.; ugs.) *ja, selbstverständlich, natürlich:* „Du kommst doch morgen?" „Ja f., gern."

freimachen, machte frei, hat freigemacht: **1.** ⟨tr.⟩ *durch Aufkleben von Briefmarken die Gebühr (für Sendungen, die durch die Post befördert werden) im voraus entrichten:* er hat den Brief freigemacht. **2.** ⟨rfl.⟩ *sich [freie] Zeit nehmen:* bei dem starken Andrang konnte sich der Verkäufer nur kurze Zeit f.

Freimarke, die; -, -n: *Briefmarke.*

freimütig ⟨Adj.⟩: *offen, aufrichtig:* in einer freimütigen Aussprache bereinigten wir alle Differenzen.

freischwimmen, sich; schwamm sich frei, hat sich freigeschwommen: *15 Minuten ohne Unterbrechung schwimmen:* stolz erzählten die Mädchen zu Hause, daß sie sich freigeschwommen hätten.

freisprechen, spricht frei, sprach frei, hat freigesprochen ⟨tr.⟩: *in einem gerichtlichen Urteil feststellen, daß jmd., der angeklagt war, nicht schuldig ist oder daß seine Schuld nicht bewiesen werden kann:* der Angeklagte wurde freigesprochen.

Freispruch, der; -[e]s, Freisprüche: *gerichtliches Urteil, durch das ein Angeklagter freigesprochen wird.*

freistehen, stand frei, hat freigestanden ⟨itr.⟩: *jmds. Entscheidung überlassen sein:* es steht jedem frei, wie er seine Freizeit verbringt.

freistellen, stellte frei, hat freigestellt ⟨tr.⟩: *(jmdm.) die Entscheidung überlassen:* man stellte ihm frei, in München oder in Berlin zu studieren.

Freistil, der; -s: **1.** *Art des Ringens, bei der Griffe vom Scheitel bis zur Hüfte, an den Beinen und Beinstellen erlaubt sind.* **2.** *das Kraulen:* über 100 Meter F. wurde ein neuer Rekord aufgestellt.

Freistoß, der; -es, Freistöße: *im Fußball gegen die eine Regel mißachtende Mannschaft als Strafe verhängter unbehinderter Schuß:* nach dem Foul pfiff der Schiedsrichter einen F.

Freitag, der; -s, -e: *sechster Tag der mit dem Sonntag beginnenden Woche.*

Freitod, der; -[e]s, -e: *Tod, durch den man aus eigenem Entschluß sein Leben beendet; Selbstmord.*

Freiübungen, die ⟨Plural⟩: Turnen *[leichte] Übungen ohne Gerät zum Lockern des Körpers:* am Morgen machten wir nach dem Aufstehen einige F. bei offenem Fenster.

Freiwild, das; -[e]s: *der Verfolgung und üblen Behandlung durch andere schutzlos ausgesetzter Mensch:* die Juden waren oft F. für die Christen.

freiwillig ⟨Adj.⟩: *aus eigenem freiem Willen; ohne Zwang:* er hat f. auf einen Teil seines Gewinns verzichtet.

Freiwillige, der; -n, -n ⟨aber: [ein] Freiwilliger, Plural: Freiwillige⟩: *jmd., der sich freiwillig zu einer Aufgabe (bes. zum Militär) meldet:* die Freiwilligen erhielten ein hohes Handgeld.

Freiwurf, der; -[e]s, Freiwürfe: *im Handball gegen die eine Regel mißachtende Mannschaft als Strafe verhängter unbehinderter Wurf:* der gefoulte Spieler führte den F. selbst aus.

Freizeit, die; -: *Zeit, in der man nicht zu arbeiten braucht, über die man frei verfügen kann:* er liest viel in seiner F.

Freizügigkeit, die; -: **1.** *demokratisches Grundrecht, das es dem Bürger überläßt, sich seinen Wohn- und Arbeitsort innerhalb des Staatsgebiets frei zu wählen:* in einigen Staaten ist die F. eingeschränkt. **2.** *Großzügigkeit:* er handelte mit größter F.

fremd ⟨Adj.⟩: **1.** *unbekannt; nicht vertraut:* ein fremder Mann sprach ihn an; er ist f. in dieser Stadt. **2.** ⟨nur attributiv⟩ *von anderer Herkunft:* fremde Völker; eine fremde Sprache. **3.** ⟨nur attributiv⟩ *einem anderen gehörend; einen anderen betreffend:* fremdes Eigentum; das ist eine fremde Angelegenheit. **4.** *ungewohnt:* das ist ein fremder Ton an ihm; in der neuen Frisur sieht sie ganz f. aus.

fremdartig ⟨Adj.⟩: *ungewöhnlich; fremd wirkend:* der Unbekannte hatte ein fremdartiges Aussehen. **Fremdartigkeit,** die; -, -en.

Fremde: I. der; -n, -n ⟨aber: [ein] Fremder, Plural: Fremde⟩: **a)** *jmd., der an einem Ort fremd ist, der an diesem Ort nicht wohnt:* im Sommer kommen viele Fremde in die Stadt. **b)** *jmd., den man nicht kennt; Unbekannter:* die Kinder fürchteten sich vor dem Fremden. **II.** die; - (geh.): *Land fern der Heimat; weit entferntes Ausland:* er lebte lange in der F.; er ist aus der F. heimgekehrt.

Fremdenführer, der; -s, -: *jmd., dessen Aufgabe es ist, Touristen die Sehenswürdigkeiten einer Stadt o. ä. zu zeigen und zu erläutern.*

Fremdenverkehr, der; -s: *Gesamtheit des [Reise]verkehrs aus gesundheitlichen, geschäftlichen, kulturellen o. ä. Gründen:* der F. an der See nahm immer mehr zu.

Fremdenzimmer, das; -s, -: *Zimmer in privaten Häusern oder kleineren Gasthäusern, das an Reisende, Urlauber o. ä. vermietet wird:* von den Fremdenzimmern hatte man einen herrlichen Blick auf die Berge.

fremdgehen, ging fremd, ist fremdgegangen ⟨itr.⟩ (ugs.): *der ehelichen Treue widersprechende Beziehungen unterhalten:* er ist mit einem Flittchen fremdgegangen.

Fremdkörper, der; -s, -: *in den Körper, Organismus einge-*

drungenes kleines Teilchen: ein F. mußte aus seinem Auge entfernt werden.

fremdländisch ⟨Adj.⟩: *aus einem fremden Land stammend:* es wurden viele fremdländische Arbeitskräfte angeworben.

Fremdsprache, die; -, -n: *fremde Sprache, die man sich durch Lernen aneignet* /Ggs. Muttersprache/: er lernt in der Schule zwei Fremdsprachen.

Fremdwort, das; -[e]s, Fremdwörter: *aus einer fremden Sprache übernommenes Wort.*

frenetisch ⟨Adj.⟩ (geh.): *rasend, tobend, leidenschaftlich:* mit frenetischem Applaus dankte das Publikum dem Künstler.

frequentieren, frequentierte, hat frequentiert ⟨tr.⟩ (geh.): *[häufig] besuchen, (in etwas) verkehren:* wir frequentierten nur die besten Hotels; ⟨häufig im 2. Partizip⟩ eine stark frequentierte Messe.

Frequenz, die; -, -en: Physik *Zahl von Schwingungen in einer bestimmten Zeit:* die jeweilige F. eines Senders.

Fressalien, die ⟨Plural⟩ (derb): *Lebensmittel:* in der Hitze sind uns alle unsere F. schlecht geworden.

Fresse, die; -, -n (derb): **1.** *Mund:* deine F. ist noch ganz dreckig. * **die F. halten** *(schweigen, still sein);* **die große F. haben** *(prahlen, großtun).* **2.** *Gesicht:* vor Wut hat er ihm in die F. gehauen, geschlagen. * **jmdm. die F. polieren** *(jmds. Gesicht durch Schläge übel zurichten).*

fressen, frißt, fraß, hat gefressen: **1.** ⟨itr./tr.⟩ *feste Nahrung zu sich nehmen* /von Tieren/: die Tiere f. [Heu]; /in bezug auf den Menschen/ (derb): er frißt *(ißt gierig)* den ganzen Tag. * (ugs.) **jmdn. gefressen haben** *(jmdn. nicht leiden können);* (ugs.) **etwas gefressen haben** *(etwas begriffen haben):* endlich hat er die grammatischen Regeln gefressen. **2.** ⟨tr.⟩ (ugs.) *verbrauchen, verschlingen:* der Motor frißt viel Benzin. **3.** ⟨itr.⟩ *angreifen; zerstören:* Rost frißt am Eisen.

Fressen, das; -s: **1.** *Futter (von Tieren):* der Katze ihr F. geben. **2.** (derb) *Essen, Speise:* das F. in der Kneipe wird immer schlechter. * (ugs.) **etwas ist ein gefundenes F. für jmdn.** *(etwas ist für jmdn. eine sehr angenehme, willkommene Sache, um es gegen jmdn. ausnutzen zu können):* dieser Lapsus war ein gefundenes F. für seine Gegner.

Freude, die; -, -n: **1.** ⟨ohne Plural⟩ *das Frohsein; Gefühl innerer Heiterkeit:* ihre F. über den Besuch war groß; die Kinder lachten vor F.; er hat keine F. an dieser Arbeit *(macht diese Arbeit nicht gern).* * **jmdm. eine F. machen/bereiten** *(jmdn. mit etwas erfreuen):* er wollte ihr mit den Blumen eine F. machen. **2.** ⟨Plural⟩ *etwas, was jmdn. erfreut; was er genießt:* er wollte die Freuden des Lebens genießen.

Freudenmädchen, das; -s, - (veralt.): *Prostituierte.*

freudestrahlend ⟨Adj.⟩: *vor Freude strahlend, freudig:* f. berichtete er uns von seinem großen Erfolg.

freudig ⟨Adj.⟩: **a)** *voll Freude, froh:* die Kinder waren in freudiger Erwartung; er wurde von allen f. begrüßt. **b)** ⟨nicht adverbial⟩ *Freude bereitend:* eine freudige Nachricht bringen; sie gratulierten zum freudigen Ereignis *(zur Geburt eines Kindes).*

freudlos ⟨Adj.⟩: *ohne Freude, traurig:* nach dem Tod seiner Frau führte der Rentner ein freudloses Leben.

freuen, freute, hat gefreut: **a)** ⟨rfl.⟩ *Freude empfinden:* er freute sich, daß sie gekommen waren; sie hat sich über die Blumen gefreut; er freut sich an seinem Besitz; die Kinder freuen sich auf Weihnachten *(erwarten Weihnachten voll Freude).* **b)** ⟨itr.⟩ *(jmdm.) Freude bereiten, (jmdn.) erfreuen:* die Anerkennung freute ihn.

Freund, der; -es, -e: **a)** *jmd., der einem in Freundschaft zugetan ist, der jmdm. nahesteht:* er war mein F. **b)** *Mann, der mit einem Mädchen befreundet ist; Liebhaber:* sie hat einen F. **c)** *jmd., der etwas besonders schätzt, der für etwas besonderes Interesse hat:* er ist ein F. der Oper, der modernen Malerei. **Freundin,** die; -, -nen.

freundlich ⟨Adj.⟩: **a)** *liebenswürdig und entgegenkommend:* er ist immer sehr f.; würden Sie so f. sein, mir zu helfen? **b)** *angenehm:* an der See herrschte freundliches Wetter; die Farben des Kleides sind sehr f. *(hell und dadurch ansprechend).* **Freundlichkeit,** die; -.

Freundschaft, die; -, -en: *durch gegenseitige Zuneigung entstandene Verbundenheit:* ihre F. dauerte ein ganzes Leben lang.

freundschaftlich ⟨Adj.; nicht prädikativ⟩: *in Freundschaft:* sie haben freundschaftliche Beziehungen *(sind miteinander befreundet);* er war ihm f. zugetan.

Frevel, der; -s, - (geh.): *frevelhafte Handlung:* durch diesen unerhörten F. wurde die Kirche entweiht.

frevelhaft ⟨Adj.⟩ (geh.): *schändlich, verwerflich:* eine frevelhafte Tat begehen; sein Leichtsinn ist f.

freveln, frevelte, hat gefrevelt ⟨itr.⟩ (geh.): *(an etwas) einen Frevel begehen:* er hat schwer gegen die Gesetze gefrevelt.

Friede, der; -ns und **Frieden,** der; -s: **a)** *Zustand von Ruhe und Sicherheit; Zeit, in der kein Krieg herrscht:* der F. dauerte nur wenige Jahre; den Frieden sichern. **b)** *Zustand der Eintracht:* in dieser Familie herrscht kein F.; er versuchte zwischen den Streitenden Frieden zu stiften *(sie zu versöhnen).*

Friedensvertrag, der; -[e]s, Friedensverträge: *Vertrag, durch den der Kriegszustand zwischen Staaten beendet und der normale, friedliche Zustand wiederhergestellt wird:* die Sieger diktierten dem besiegten Staat einen F.

friedfertig ⟨Adj.⟩: *verträglich; nicht zum Streiten neigend:* er ist ein sehr friedfertiger Mensch.

Friedhof, der; -s, Friedhöfe: *Ort, an dem die Toten beerdigt werden:* der Verstorbene wurde auf dem F. des Dorfes beerdigt.

friedlich ⟨Adj.⟩: **1. a)** *dem Frieden dienend:* die friedliche Nutzung der Kernenergie, **b)** *durch Frieden gekennzeichnet:* die friedliche Koexistenz der Völker. **2.** *still, ruhig:* über dem Wald lag eine friedliche Stille; der Greis ist f. eingeschlafen *(sanft, ohne Todeskampf gestorben).*

friedliebend ⟨Adj.⟩: *den Frieden liebend:* alle friedliebenden Völker sollten diesem Vertrag zustimmen.

frieren, fror, hat/ist gefroren ⟨itr.⟩: 1. *Kälte empfinden:* sie friert sehr leicht; es fror ihn an den Händen. 2. a) *unter den Gefrierpunkt sinken* /von der Temperatur/: heute nacht hat es gefroren. b) *zu Eis werden, erstarren:* der Boden, das Wasser ist gefroren.

frigid[e] ⟨Adj.⟩: *zur geschlechtlichen Hingabe nicht fähig* /von Frauen/: die Ehe scheiterte, weil sie f. war.

Frikadelle, die; -, -n: *flacher, in der Pfanne gebratener Kloß aus Hackfleisch:* Frikadellen kann man auch kalt essen.

Frikassee, das; -s, -s: *Gericht aus kleinen [Fleisch]stücken in einer Soße:* aus einem gekochten Huhn ein F. [zu]bereiten.

frisch ⟨Adj.⟩: 1. *erst vor kurzer Zeit hergestellt oder geerntet; nicht alt:* frisches Brot, Obst; die Waren sind f. 2. *sauber; noch nicht benutzt:* ein frisches Hemd anziehen; die Handtücher sind f. 3. ⟨nicht adverbial⟩ *kühl:* es weht ein frischer Wind; heute ist es sehr f. draußen. 4. *gesund, munter:* ein frisches Mädchen; sie hat ein frisches Aussehen; er fühlt sich wieder f.

Frische, die; -: 1. a) *Munterkeit, Lebhaftigkeit:* der Jubilar beging seinen Geburtstag in voller körperlicher und geistiger F. b) *frische Beschaffenheit:* ein Gesicht voll natürlicher F. 2. *[erfrischende] Kälte, Kühle:* die F. der klaren Winternacht tat unseren erhitzten Köpfen gut.

Friseur [fri'zø:r], der; -s, -e: *jmd., der anderen die Haare wäscht, schneidet, frisiert o. ä.* /Berufsbezeichnung/. **Friseuse** [friz'ø:zə], die; -, -n.

frisieren, frisierte, hat frisiert: 1. ⟨rfl./tr.⟩ *die Haare kämmen, eine Frisur machen:* du mußt dich noch f.; sich beim Friseur f. lassen; die Mutter hat ihre Tochter frisiert. 2. ⟨tr.⟩ (ugs.) *verändern, beschönigen, um etwas vorteilhafter erscheinen zu lassen:* man hat die Nachricht frisiert.

Frist, die; -, -en: *Zeitraum (in dem oder nach dem etwas geschehen soll:)* er gab ihm eine F. von 8 Tagen für seine Arbeit; nach einer F. von einem Monat muß er bezahlen.

fristen, fristete, hat gefristet: ⟨in der Wendung⟩ sein Leben f. *([sein Dasein] mit Mühe erhalten):* er fristete sein Leben in ärmlichen Verhältnissen.

fristlos ⟨Adj.⟩: *ohne Frist, ab sofort:* er wurde f. entlassen; eine fristlose Kündigung.

Frisur, die; -, -en: *Form, in der man die Haare trägt:* sie hat eine moderne F.

frivol ⟨Adj.⟩: a) *leichtfertig; ohne Bedenken:* er hat f. gehandelt. b) *das sittliche Empfinden verletzend; schlüpfrig:* frivole Witze.

Frivolität, die; -, -en: a) ⟨ohne Plural⟩ *frivole Haltung:* sie antwortete ihm mit einem Anstrich von F. b) *frivoles Wort, frivoler Witz, frivole Handlung:* seine ständigen Frivolitäten sind mir peinlich.

froh ⟨Adj.⟩: *von einem Gefühl der Freude erfüllt; innere Freude widerspiegelnd:* frohe Menschen, Gesichter; sie ist f. *(glücklich, dankbar)*, daß die Kinder gesund zurückgekehrt sind.

fröhlich ⟨Adj.⟩: *vergnügt, in froher Stimmung:* fröhliche Gesichter; sie lachten f.; fröhliche Weihnachten, Ostern! /Wunschformel/. **Fröhlichkeit,** die; -.

frohlocken, frohlockte, hat frohlockt ⟨itr.⟩: *sich [heimlich] über den Schaden eines anderen freuen:* er frohlockte über die Niederlage seines Gegners.

fromm, frommer/frömmer, frommste/frömmste ⟨Adj.⟩: *vom Glauben an Gott erfüllt:* er ist ein sehr frommer Mensch. *** ein frommer Wunsch** *(eine Illusion):* es ist ein frommer Wunsch, zu hoffen, daß wir bald mit der Arbeit fertig werden.

Frömmigkeit, die; -: *das Frommsein, Glauben:* er ist ein Mensch ohne F.

Fron, die; - (geh.): *Härte, Mühsal, Plage durch schwere körperliche (auch geistige) Arbeit:* die Arbeit auf dem Bau wurde zu einer F. für den schmächtigen jungen Mann.

frönen, frönte, hat gefrönt ⟨itr.⟩: *sich (einer Leidenschaft) ergeben:* einem Laster, einer Leidenschaft f.

Fronleichnam, der; -[e]s: *katholischer Feiertag am zweiten Donnerstag nach Pfingsten:* zu F. waren die Straßen, durch die die Prozession ziehen sollte, festlich geschmückt.

Front, die; -, -en: 1. a) *vordere Seite (eines Gebäudes):* die F. des Hauses ist 10 Meter lang. b) *vordere Linie einer Truppe, die angetreten ist:* vor die F. treten. 2. *vorderste Linie (der kämpfenden Truppe):* an der F. kämpfen.

frontal ⟨Adj.; nicht prädikativ⟩: *mit/an der vorderen Seite; von vorn kommend:* ein frontaler Angriff; die Autos stießen f. zusammen.

Frosch, der; -[e]s, Frösche: *am Wasser, im Gras lebendes Tier* (siehe Bild).

Frosch

Froschmann, der; -[e]s, Froschmänner: *Taucher mit besonderer Ausrüstung, der unter Wasser bestimmte Arbeiten ausführt, Hilfe leistet* (siehe Bild).

Froschmann

Frost, der; -es, Fröste: *Temperatur unter dem Gefrierpunkt:* draußen herrscht strenger Frost *(ist es sehr kalt).*

Frostbeule, die; -, -n: *durch Frost entstandene Beule (bes. an Händen und Füßen):* Frostbeulen an den Füßen haben; bildl. (landsch.; scherzh.): sie ist eine richtige F. *(ein gegen Kälte äußerst empfindlicher Mensch).*

frösteln, fröstelte, hat gefröstelt ⟨itr.⟩: *vor Kälte leicht zittern:* sie fröstelte in ihrem dünnen Kleid.

frostig ⟨Adj.⟩: *sehr kalt:* heute herrscht frostiges Wetter; bildl.: er wurde sehr f. *(unfreundlich, abweisend)* begrüßt.

Frostschutzmittel, das; -s, -: *Mittel zum Schutz gegen Schäden, die durch Frost hervorgerufen werden:* F. in den Kühler eines Autos gießen.

Frottee, das; -s: *dicker, weicher Stoff aus Baumwolle mit Schlingen in der Form von Maschen, der Wasser rasch aufsaugt:* ein Bademantel, Handtuch aus F.

frottieren, frottierte, hat frottiert ⟨tr./rfl.⟩: *(jmdm.) mit einem Tuch [aus Frottee] den Körper [abtrocknen und] gut abreiben:* sie hat das Baby, ich habe mich nach dem Baden gut frottiert.

frotzeln, frotzelte, hat gefrotzelt ⟨tr.⟩ (ugs.): *mit spöttischen Bemerkungen necken:* er wurde von seinen Kameraden häufig gefrotzelt.

Frucht, die; -, Früchte: **1.** *eßbares Produkt bestimmter Pflanzen (bes. von Bäumen und Sträuchern).* **2.** *Ergebnis, Erfolg:* die Früchte des Fleißes ernten; das Buch ist eine F. langjähriger Arbeit.

fruchtbar ⟨Adj.; nicht adverbial⟩: *Frucht tragend; ertragreich:* das Land ist sehr f.; fruchtbarer Boden. **Fruchtbarkeit,** die; -.

fruchten, fruchtete, hat gefruchtet ⟨itr.⟩: *(jmdm.) nutzen, helfen; Erfolg haben:* die Ermahnungen des Vaters haben bei seiner Tochter nicht gefruchtet.

fruchtlos ⟨Adj.⟩: *keinen Erfolg bringend, vergeblich:* seine Bitten blieben f., sie ließ sich nicht umstimmen. **Fruchtlosigkeit,** die; -.

frugal ⟨Adj.⟩: *einfach, schlicht, kärglich* /von Speisen/: in dem ländlichen Gasthaus nahmen wir ein frugales Abendessen zu uns.

früh: **I.** ⟨Adj.⟩ **a)** *am Beginn eines bestimmten Zeitraumes liegend:* am frühen Morgen; in früher Jugend. **b)** *zeitig:* er steht f. auf. **II.** ⟨Adverb⟩ *morgens; am Morgen:* heute f.; um sechs Uhr f. * **von f. bis spät** *(den ganzen Tag, unentwegt):* sie arbeitet von f. bis spät.

Frühaufsteher, der; -s, -: *jmd., der regelmäßig morgens schon zu früher Stunde aufsteht:* Bäcker sind F.

früher: **I.** ⟨Adj.; nur attributiv⟩ **a)** *vergangen:* in früheren Zeiten. **b)** *einstig, ehemalig:* der frühere Eigentümer des Hauses; frühere Freunde. **II.** ⟨Adverb⟩ **a)** *einst, ehemals:* alles sieht noch aus wie f.; f. ging es ihm besser. **b)** ⟨in Verbindung mit einer Zeitangabe⟩ /vor einem festgelegten Zeitpunkt/ *davor, vorher:* er kam 3 Stunden f. zurück.

frühestens ⟨Adverb⟩: *nicht vor (einem bestimmten Zeitpunkt):* er kommt f. morgen; er kann f. um 12 Uhr *(nicht vor 12 Uhr)* zu Hause sein.

Frühgeburt, die; -, -en: **1.** *vorzeitige Geburt:* die Frau hatte eine F. **2.** *Neugeborenes von weniger als 2500 g Gewicht:* die Frühgeburten liegen im Brutkasten.

Frühjahr, das; -s: *Frühling.*

Frühling, der; -s: *Jahreszeit zwischen Winter und Sommer* /im Kalender festgelegt auf die Zeit vom 20. März bis 20. Juni/.

frühreif ⟨Adj.⟩: *körperlich, geistig über sein Alter hinaus entwickelt* /von Kindern/: sie ist ein frühreifes Mädchen.

Frühschoppen, der; -s, -: *geselliges Beisammensein in einer Gaststätte am Vormittag, bei der Alkohol getrunken wird:* an den Sonntagen gingen wir regelmäßig zum F.

Frühstück, das; -s: *erste Mahlzeit am Tag:* ein kräftiges F.

frühstücken, frühstückte, hat gefrühstückt ⟨itr.⟩: *das Frühstück einnehmen:* wir wollen jetzt f.; er hat ausgiebig gefrühstückt.

frühzeitig ⟨Adj.⟩: *besonders früh; vorzeitig:* eine frühzeitige Bestellung der Karten; er ist f. aufgebrochen.

Frustration, die; -, -en (geh.): *Erlebnis der Enttäuschung wegen mangelnder Befriedigung:* die Arbeit am Fließband führt häufig zu Frustrationen.

frustrieren, frustrierte, hat frustriert ⟨tr.⟩ (geh.): *enttäuschen, nicht befriedigen:* diese Kritiken frustrierten den Regisseur.

Fuchs, der; -es, Füchse: **1.** *kleineres Raubtier* (siehe Bild). * (ugs.) **ein [schlauer] F.** *(ein besonders listiger, schlauer Mensch).* **2.** *Pferd mit rötlichbraunem Fell.*

1\. Fuchs

fuchsen, fuchste, hat gefuchst ⟨tr.⟩ (ugs.): *sehr ärgern:* es fuchste ihn, daß ich sein Geheimnis entdeckt hatte.

Fuchsschwanz, der; -es, Fuchsschwänze: /eine Säge/ (siehe Bild).

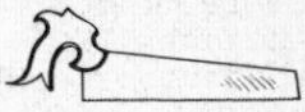

Fuchsschwanz

Fuchtel: ⟨in der Wendung⟩ unter jmds. F. stehen (ugs.): *in jmds. Gewalt sein, jmdm. ergeben sein:* der Pantoffelheld steht unter der F. seiner Frau.

fuchteln, fuchtelte, hat gefuchtelt ⟨itr.⟩ (ugs.): *(etwas) schnell, erregt in der Luft hin und her bewegen:* aufgeregt fuchtelte der Polizist mit den Armen.

fuchtig ⟨Adj.⟩ (ugs.): *sehr ärgerlich:* er wird sehr leicht f.

Fug: ⟨in der Fügung⟩ mit F. und Recht: *mit vollem Recht:* eine solche Behauptung darf man mit F. und Recht bezweifeln.

Fuge, die; -, -n: **I.** *schmaler Raum zwischen zwei [zusammengefügten] Teilen; Spalte:* er versucht die Fugen in der Wand zu schließen. **II.** *streng aufgebautes Musikstück mit mehreren Stimmen.*

fügen, fügte, hat gefügt: **1.** ⟨rfl.⟩ *gehorchen; sich anpassen:* nach anfänglichem Widerstand fügte er sich. * **es fügt sich** *(das Geschehen bringt es mit sich):* es fügte sich, daß wir uns an der Ecke trafen. **2.** ⟨tr.⟩ *machen, daß etwas an/auf/zu etwas kommt:* einen Satz an den anderen f.; einen Stein auf den anderen f.

fügsam ⟨Adj.⟩: *leicht zu leiten; gehorsam, folgsam:* die Kinder sind sehr f. **Fügsamkeit,** die; -.

Fügung, die; -, -en: *schicksalhaftes Geschehen:* es war wie eine F., daß er nicht mit dem abgestürzten Flugzeug geflogen war.

fühlbar ⟨Adj.⟩: *spürbar, merklich:* in seinem Befinden trat eine fühlbare Besserung ein.

fühlen, fühlte, hat gefühlt/(nach vorangehendem Infinitiv auch) hat ... fühlen: **1.** ⟨tr.⟩ *durch Betasten oder Berühren feststellen:* man konnte die Beule am Kopf f. **2. a)** *(körperlich) empfinden; verspüren:* er fühlte heftige Schmerzen im Bein; er hat seine Kräfte wachsen fühlen. **b)** *seelisch empfinden, spüren:* sie fühlten Abneigung, Mitleid. **3.** ⟨rfl.⟩ **a)** *sich (in einem bestimmten inneren Zustand) befinden:* sie fühlt sich glücklich, krank. **b)** *sich halten für:* er fühlte sich schuldig, verantwortlich.

Fühler, der; -s, -: *Organ zum Tasten, z. B. bei Insekten und Schnecken:* die Schnecke hat zwei F. * (ugs.) **die F. ausstrecken** *(sich vorsichtig erkundigen, etwas zu erfahren suchen).*

Fühlung, die; -: *Kontakt, Verbindung, Beziehung:* auch nach dem Abitur blieb er mit seinen Lehrern in F.; mit jmdm. F. behalten.

Fühlungnahme, die; -: *Aufnahme von Kontakten, Verbindungen:* nach persönlicher F. mit den zuständigen Stellen wurde die Angelegenheit schnell geregelt.

Fuhre, die; -, -n: *Ladung eines Wagens:* er kaufte eine F. Holz.

führen, führte, hat geführt: **1.** ⟨tr.⟩ *(auf einem Weg) geleiten:* einen Fremden durch die Stadt f.; einen Blinden f. **2.** ⟨tr.⟩ *leiten:* ein Geschäft, eine Firma f.; ein Heer f. *(befehligen).* **3.** ⟨itr.⟩ *(in einem Wettbewerb o. ä.) an erster Stelle sein:* er führte bei dem Rennen; ⟨häufig im 1. Partizip⟩ diese Zeitung ist führend in Deutschland; eine führende *(wichtige)* Rolle spielen. **4.** ⟨tr.⟩ *steuern, lenken:* ein Fahrzeug, Flugzeug f. **5.** ⟨itr.⟩ *sich in eine bestimmte Richtung erstrecken:* die Straße führt in die Stadt; die Brücke führt über den Fluß. * **etwas führt zu nichts** *(etwas hat keinen Erfolg).* **6.** ⟨tr.⟩ *(eine bestimmte Ware) zum Verkauf vorrätig haben:* das Geschäft führt diese Ware nicht. **7.** ⟨als Funktionsverb⟩: Klage f. *(klagen),* einen Beweis f. *(beweisen),* Verhandlungen f. *(verhandeln),* die Aufsicht f. *(beaufsichtigen).* **8.** ⟨rfl.⟩ *sich (in bestimmter Weise) betragen:* er hat sich während seiner Lehrzeit gut geführt.

Führer, der; -s, -: **1.** *jmd., der eine Gruppe von Personen führt:* der F. einer Gruppe von Wanderern, Touristen. **2.** *Buch, das Informationen gibt, z. B. über eine Stadt, ein Museum o. ä.:* sie kauften einen F. durch Paris.

Führerschein, der; -s, -e: *behördliche Erlaubnis zum Führen eines Kraftfahrzeugs.*

Fuhrmann, der; -[e]s, Fuhrmänner und Fuhrleute: *jmd., der ein Fuhrwerk fährt:* den Fuhrleuten den Lohn auszahlen; er fluchte wie ein F. *(er fluchte heftig, derb).*

Fuhrpark, der; -s, -s: *alle Fahrzeuge eines Betriebes, eines Besitzers.*

Führung, die; -, -en: **1.** *Leitung:* der Sohn hat die F. des Geschäftes übernommen. * **die F. haben** *(bei einem Wettkampf an erster Stelle sein):* dieser Läufer hatte von Anfang an die F. **2.** *Besichtigung mit Erläuterungen:* die nächste F. durch das Schloß findet um 15 Uhr statt.

Fuhrwerk, das; -s, -e: *von einem oder mehreren Zugtieren gezogener Wagen.*

Fülle, die; -: *große Menge, Vielfalt:* es gibt eine F. von Waren im Kaufhaus. * **in Hülle und F.** *(in großer Menge).*

füllen, füllte, hat gefüllt: **1. a)** ⟨tr.⟩ *vollmachen [mit]:* einen Sack mit Kartoffeln f.; die Schokolade ist gefüllt *(hat eine Füllung).* **b)** ⟨rfl.⟩ *voll werden:* der Sack füllte sich. **2.** ⟨tr.⟩ *gießen, schütten (in ein Gefäß):* Milch in eine Flasche, Kohle in einen Sack f. **3.** ⟨tr.⟩ *(Platz) einnehmen, beanspruchen:* der Aufsatz füllte viele Seiten.

Füllen, das; -s, -: *neugeborenes Pferd:* das F. lief noch unsicher.

Füller, der; -s, -: *Füllfederhalter.*

Füllfederhalter, der; -s, -: *Gerät zum Schreiben, das eine an ihm befestigte Feder von selbst mit Tinte versorgt:* er füllte seinen F. mit schwarzer Tinte.

füllig ⟨Adj.⟩: *dick und rundlich; von vollen Formen:* eine füllige Dame; sie ist etwas f. geworden.

Füllung, die; -, -en: **a)** *etwas, womit etwas gefüllt ist:* die F. der Schokolade. **b)** *das Füllen:* die F. des Behälters war schwierig.

fulminant ⟨Adj.⟩ (geh.): *prächtig, glänzend, ausgezeichnet:* bei der Ausstellung hatte der Maler einen fulminanten Erfolg.

fummeln, fummelte, hat gefummelt ⟨itr.⟩ (ugs.): **1.** *sich (an etwas) zu schaffen machen, mit den Händen (etwas) betasten:* er fummelt an dem Schloß, an seiner Krawatte. **2.** Fußball (abwertend) *(zu lange und zu oft) dribbeln:* der Stürmer fummelte zu lange und vergab so eine große Chance.

Fund, der; -[e]s, -e: *gefundener Gegenstand:* ein F. aus alter Zeit; einen F. *(eine Entdeckung)* machen.

Fundament, das; -[e]s, -e: *[unter der Oberfläche des Bodens liegende] Mauern, die ein Gebäude tragen:* das F. des Hauses.

fundamental ⟨Adj.⟩: *grundlegend, schwerwiegend:* zwischen diesen beiden Theorien besteht ein fundamentaler Unterschied.

Fundgrube, die; -, -n: *etwas, was reich an Schätzen, wertvollen Dingen ist:* dieses Kochbuch ist eine wahre F. für Feinschmekker.

fundieren, fundierte, hat fundiert ⟨tr.⟩: **1.** *finanziell sicherstellen:* Anleihen f. **2.** (geh.) *[be]gründen, untermauern:* der Forscher hat die Ergebnisse wissenschaftlich fundiert; ⟨häufig im 2. Partizip⟩ ein fundiertes *(solides, sicheres)* Wissen besitzen.

Fundus, der; -, -: **1.** *Gesamtheit der vorhandenen Requisiten eines Theaters o. ä.:* die Dekoration dieses Stückes konnte aus dem F. bestritten werden. **2.** ⟨ohne Plural⟩ (geh.) *Grundlage, Bestand; vorhandene, zur Verfügung stehende Mittel:* er schöpfte bei diesem Vortrag aus seinem immensen F. an Erfahrung und Kenntnissen.

fünf ⟨Kardinalzahl⟩: 5: f. Personen; die f. Sinne. * (ugs.) **sich** (Dativ) **etwas an den f. Fingern abzählen können** *(etwas ohne große Überlegung einsehen, sich leicht vorstellen können);* (ugs.) **f. gerade sein lassen** *(etwas nicht so genau nehmen);* (ugs.) **seine f. Sinne zusammennehmen** *(aufpassen; sich konzentrieren).*

fünfte ⟨Ordinalzahl⟩: 5.: der f. Mann.

fünfzig ⟨Kardinalzahl⟩: 50: f. Personen.

Funk, der; -s: **1.** *Rundfunk:* die Beeinflussung der Bevölkerung durch F. und Fernsehen. **2. a)**

Übermittlung von Nachrichten durch Ausstrahlen und Empfangen elektrisch erzeugter Wellen von hoher Frequenz: die Streifenwagen wurden von der Zentrale über F. verständigt. **b)** *Einrichtung zur Übermittlung von Nachrichten durch elektrisch erzeugte Wellen von hoher Frequenz:* heute sind alle größeren Schiffe mit F. ausgestattet.

Funke, der; -ns, -n und Funken, der; -s, -: *glimmendes, glühendes Teilchen, das sich von einer brennenden Materie löst und durch die Luft fliegt:* bei dem Brand flogen Funken durch die Luft.

funkeln, funkelte, hat gefunkelt ⟨itr.⟩: *glitzernd leuchten, einen strahlenden Glanz haben:* die Sterne, die Gläser funkelten.

funkelnagelneu ⟨Adj.; nicht adverbial⟩ (ugs.): *noch ganz neu:* ein funkelnagelneues Auto.

Funken, der; -s, -n: *Funke.*

Funker, der; -s ,-: *jmd., der für das Funken ausgebildet ist* /Berufsbezeichnung/: der F. sendet Notrufe aus.

Funktion, die; -, -en: **a)** *Amt, Aufgabe [in einem größeren Ganzen]:* er hat die F. eines Kassierers; er erfüllt seine F. gut. **b)** *Tätigkeit, das Arbeiten:* die F. des Herzens, der inneren Organe war in Ordnung. * **in F. treten** *(zu arbeiten beginnen).*

Funktionär, der; -s, -e: *jmd., der im Auftrag einer Partei, einer bestimmten Organisation arbeitet.*

funktionieren, funktionierte, hat funktioniert ⟨itr.⟩: *[ordnungsgemäß] arbeiten:* wie funktioniert diese Maschine?; der Apparat funktioniert wieder.

Funsel, Funzel, die; -, -n (ugs.; abwertend): *schlecht brennende und wenig Licht gebende Lampe:* bei dem Licht dieser F. verdirbt man sich ja die Augen.

für ⟨Präp. mit Akk.⟩: **a)** /bezeichnet den bestimmten Zweck/: er arbeitet f. sein Examen. **b)** /bezeichnet den Empfänger, die Bestimmung/: das Buch ist f. dich. **c)** /drückt aus, daß jmd./etwas durch jmdn./etwas vertreten wird/: er springt f. den kranken Kollegen ein. **d)** /drückt ein Verhältnis aus/: f. den Preis ist der Stoff zu schlecht. **e)** /bei der Nennung eines Preises, Wertes/: er hat ein Haus f. viel Geld gekauft. **f)** /bei der Nennung eines Grundes/: f. seine Frechheit bekam er eine Strafe. **g)** /bei der Nennung einer Dauer/: er geht f. zwei Jahre nach Amerika.

Für: ⟨in der Fügung⟩ das F. und [das] Wider: *der Vor- und Nachteil; die Argumente, die dafür oder dagegen sprechen:* das F. und [das] Wider einer Sache abwägen.

Furche, die; -, -n: *[mit dem Pflug hervorgebrachte] Vertiefung im Boden:* die Furchen im Acker.

Furcht, die; -: *Gefühl, bedroht zu sein; Angst:* große F. haben; seine F. überwinden; die F. vor Strafe.

furchtbar ⟨Adj.⟩: **1.** *(in seinen Folgen) schrecklich:* ein furchtbares Unwetter, Verbrechen; die Wunde war f. anzusehen. **2.** (ugs.) ⟨verstärkend bei Adjektiven und Verben⟩ *sehr:* es war f. nett, daß sie mir geholfen haben.

fürchten, fürchtete, hat gefürchtet: **a)** ⟨tr./rfl.⟩ *Furcht haben (vor jmdm./etwas):* er fürchtet den Tod; er fürchtet sich vor dem Hund. **b)** ⟨tr.⟩ *die Befürchtung haben:* er fürchtete, zu spät zu kommen. **c)** ⟨itr.⟩ *in Sorge sein (um jmdn./etwas):* sie fürchtete für seine Gesundheit.

fürchterlich ⟨Adj.⟩: **a)** *sehr schlimm, schrecklich:* fürchterliche Schmerzen; ein fürchterliches Unglück; der Lärm war f. **b)** ⟨verstärkend bei Adjektiven und Verben⟩ *sehr:* sie hat sich f. aufgeregt; es war f. kalt.

furchtlos ⟨Adj.⟩: *ohne Furcht:* ein furchtloser Mensch. **Furchtlosigkeit,** die; -.

furchtsam ⟨Adj.⟩: *ängstlich; voll Furcht:* ein furchtsames Kind; er blickte sich f. um.

Furie, die; -, -n (geh.): *wütendes Weib:* in ihrer Eifersucht wurde sie zur F.

furios ⟨Adj.⟩ (geh.): *wild, stürmisch, leidenschaftlich:* in einem furiosen Endspurt konnte der Läufer seine Gegner überholen.

Furnier, das; -s, -e: *dünne Schicht aus Holz, die auf anderes, minderwertiges Holz geleimt wird:* das F. der Möbel war aus Eiche.

furnieren, furnierte, hat furniert ⟨tr.⟩: *(auf etwas, was aus Holz besteht) ein Furnier leimen:* Eiche auf weniger wertvolles Holz f.; einen Tisch f.; ⟨häufig im 2. Partizip⟩ ein furnierter Schrank.

Furore: ⟨in der Wendung⟩ F. machen: *überall großes Aufsehen erregen; großen Anklang finden:* damals hat der Minirock F. gemacht.

Fürsorge, die; -: *Pflege; Hilfe, die man jmdm. zuteil werden läßt; Betreuung:* nur durch ihre F. ist der Kranke wieder gesund geworden.

fürsorglich ⟨Adj.⟩: *liebevoll um jmdn./etwas besorgt:* eine fürsorgliche Mutter; etwas f. *(sorgsam)* behandeln.

Fürsprache, die; -: *das Eintreten für einen anderen; Empfehlung:* jmdn. um seine F. bitten.

Fürsprecher, der; -s, -: **1.** *jmd., der für jmdn. Fürsprache einlegt:* der Geistliche fand in dem Politiker einen eifrigen F. **2.** (schweiz.) *Rechtsanwalt.*

Fürst, der; -en, -en: *Angehöriger des hohen Adels:* die Fürsten dieses Geschlechtes sind in einer Gruft beigesetzt; (ugs.) wir lebten wie die Fürsten *(üppig).*

fürstlich ⟨Adj.⟩: **1.** *einem Fürsten gehörend, ihn betreffend:* das fürstliche Schloß. **2.** *üppig, reichlich:* der Filmstar gab dem Kellner ein fürstliches Trinkgeld.

Furt, die; -, -en: *seichte Stelle eines Flusses, die das Überqueren gestattet:* durch die F. gelangten wir ohne Mühe zum anderen Ufer.

Furunkel, der; -s, -: *eitriges Geschwür:* er hatte einen dicken F. hinter dem Ohr.

fürwahr ⟨Adverb⟩: *tatsächlich, wahrhaftig* /bekräftigt eine Aussage/: Klaus ist f. ein beliebter Lehrer.

Furz, der; -es, Fürze (derb): *abgehende Blähung:* einen F. lassen; bildl.: einen F. *(Unsinn, Flausen)* im Kopf haben. * **aus einem F. einen Donnerschlag machen** *(etwas maßlos übertreiben).*

furzen, furzte, hat gefurzt ⟨itr.⟩ (derb): *einen Furz lassen:* der Flegel hat laut gefurzt.

Fusel, der; -s, - (abwertend): *schlechter Schnaps.*

Fusion, die; -, -en: *Zusammenschluß, Verschmelzung:* von der F. der beiden Unternehmen versprachen sich die Besitzer einen wirtschaftlichen Aufschwung.

Fuß, der; -es, Füße: **1.** *unterster Teil des Beines* (siehe Bild): im Schnee bekam er kalte Füße. *** auf eignen Füßen stehen** *(selbständig sein);* **jmdn. auf freien F. setzen** *(jmdn. aus der Gefangenschaft entlassen);* **etwas**

1. Fuß

hat Hand und F. *(etwas ist sinnvoll):* sein Vorschlag hatte Hand und F.; **auf großem F. leben** *(großen Aufwand treiben, verschwenderisch leben).* **2.** *Teil, auf dem ein Gegenstand steht:* die Füße des Schrankes. **3.** ⟨ohne Plural⟩ *Stelle, an der ein Berg oder ein Gebirge sich aus dem Gelände erhebt:* eine Siedlung am Fuße des Berges.

Fußball, der; -[e]s, Fußbälle: **1.** *im Fußballspiel verwendeter Ball.* **2.** ⟨ohne Plural⟩ /Sportart des Fußballspiels/.

Fußballspiel, das; -[e]s, -e: *Spiel von zwei Mannschaften mit je elf Spielern, bei dem der Ball mit dem Fuß, Kopf oder Körper möglichst oft in das Tor des Gegners geschossen werden soll.*

Fußboden, der; -s, Fußböden: *untere, begehbare Fläche eines Raumes:* ein F. aus Stein.

Fussel, die; -, -n und der; -s, -[n] (ugs.): *kleiner Faden o. ä., der sich irgendwo störend festgesetzt hat:* an deiner Jacke hängen viele Fusseln.

fusselig ⟨Adj.⟩ (ugs.): *mit Fusseln bedeckt, voller Fusseln:* seine schwarze Hose war ganz f. **** sich den Mund f. reden** *(lange und eindringlich auf jmdn. einreden, um ihn zu überreden)*: der Vertreter hat sich den Mund f. geredet, aber ich habe ihm nichts abgekauft.

fusseln, fusselte, hat gefusselt ⟨itr.⟩: *so beschaffen sein, daß sich leicht Fäden o. ä. davon lösen:* der Stoff fusselt sehr.

fußen, fußte, hat gefußt ⟨itr.⟩: *sich gründen, stützen (auf etwas):* diese Theorie fußt auf genauen Untersuchungen.

Fußende, das; -s, -n: *Ende (des Bettes o. ä.), auf dem die Füße liegen:* er legte ihr wegen ihrer kalten Füße ein Heizkissen an das F. des Bettes.

Fußgänger, der; -s, -: *jmd., der auf der Straße zu Fuß geht.*

Fußgeher, der; -s, - (östr.): *Fußgänger.*

Fußmatte, die; -, -n: **a)** *Matte, an der man sich die Schuhe säubert:* vor dem Eingang zu der Wohnung lag eine F. **b)** *Matte als Belag für den Boden eines Autos:* bunte Fußmatten, passend zu der Farbe des Polsters.

Fußnote, die; -, -n: *Anmerkung, die unter dem Text einer gedruckten Seite steht.*

Fuß[s]tapfen: ⟨in der Wendung⟩ in jmds. F. treten: *jmdm. [den man sich zum Vorbild genommen hat] nachfolgen, nacheifern:* er ist in die F. seines Vaters getreten und auch Lehrer geworden.

Fußtritt, der; -[e]s, -e: *Tritt mit dem Fuß:* mit einem F. stieß er die Tür zu; bildl.: an Stelle von Dank bekam er Fußtritte *(wurde er geschmäht).*

futsch: ⟨in der Verbindung⟩ f. sein (ugs.): *weg, verschwunden, verloren sein:* sein ganzes Geld ist f.

Futter, das; -s: **I.** *Nahrung der Tiere:* den Hühnern F. geben. **II.** *Stoff auf der Innenseite von Kleidungsstücken.*

Futteral, das; -s, -e: *aus einer Hülle bestehender Behälter für Gegenstände, die leicht beschädigt werden können:* ein gefüttertes, ledernes F. für die Brille.

Futterkrippe, die; -, -n: *Krippe, aus der Tiere ihr Futter fressen:* die Pferde fraßen ihren Hafer aus Futterkrippen; bildl. (ugs.): den Opportunisten ging es nur darum, an die Futterkrippen *(in einträgliche Positionen)* zu gelangen.

futtern, futterte, hat gefuttert ⟨tr./itr.⟩: (ugs.) *(mit großem Appetit) essen:* die Kinder haben die ganze Schokolade gefuttert.

füttern, fütterte, hat gefüttert ⟨tr.⟩: **I. a)** *(einem Tier) Futter geben:* er füttert die Vögel im Winter. **b)** *(einem Kind, einem hilflosen Kranken) Nahrung geben:* das Baby, der Kranke muß gefüttert werden. **c)** *(als Futter, Nahrung) geben:* sie füttern ihre Schweine mit Kartoffeln; das Baby wird mit Brei gefüttert. **II.** *(ein Kleidungsstück) mit Futter versehen:* der Schneider hat den Mantel gefüttert. **Fütterung,** die; -, -en.

Futurologie, die; -: *Wissenschaft, die sich mit der voraussichtlichen zukünftigen Entwicklung der Menschheit und bes. ihrer Technik befaßt.*

G

Gabe, die; -, -n: **1.** *Geschenk:* er verteilte die Gaben; er gab dem Bettler eine kleine G. *(Almosen).* **2.** *Begabung:* er hat die G. der Rede.

Gabel, die; -, -n: *Gerät zum Essen* (siehe Bild).

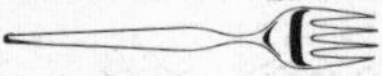

Gabel

Gabelfrühstück, das; -s, -e (geh.): *reichhaltiges, meist warmes zweites Frühstück.*

gabeln, sich; gabelte sich, hat sich gegabelt: *sich verzweigen; in mehrere Richtungen auseinandergehen:* der Weg gabelt sich hinter der Brücke.

gackern, gackerte, hat gegackert ⟨itr.⟩: *helle, kurze Töne in rascher Folge ausstoßen* /vom Huhn/: die Henne gackert, wenn sie ein Ei gelegt hat.

gaffen, gaffte, hat gegafft (abwertend) ⟨itr.⟩: *neugierig, aufdringlich starren:* beim Unfall standen die Leute gaffend herum.

Gag [gæg], der; -s, -s: *witziger Einfall in Theater, Film o. ä.*

Gage ['ga:ʒə], die; -, -n: *Gehalt, Honorar eines Künstlers.*

gähnen, gähnte, hat gegähnt ⟨itr.⟩: **1.** *vor Müdigkeit oder Langeweile den Mund weit öffnen und dabei tief atmen:* er gähnte laut. **2.** *erschreckend tief hinabreichen; klaffen:* ein Abgrund gähnte vor ihnen; ⟨im 1. Partizip⟩ *auffallend schwach* *besucht* /in bezug auf Veranstaltungen/: im Saal war gähnende Leere.

Gala, die; -: *für einen besonderen Anlaß vorgeschriebener festlicher Anzug; festliche Kleidung:* beim Empfang in G. erscheinen. * (ugs.; scherzh.) **sich in G. werfen** *(sich dem [festlichen] Anlaß entsprechend anziehen).*

Galan, der; -s, -e (ugs.; scherzh.): *Liebhaber:* sie geht mit ihrem G. spazieren.

galant ⟨Adj.⟩ (geh.): *einer Dame gegenüber sehr höflich:* er bot ihr g. den Arm.

Galanterie, die; -, -n (geh.): *galantes Benehmen; galante Geste:* mit G. führt er seine Dame zum Tanz.

Galavorstellung, die; -, -en: *festliche Vorstellung in einem Theater zu Ehren hoher Persönlichkeiten:* bei der G. in der Oper war die gesamte Prominenz anwesend.

Galeerensträfling, der; -s, -e (hist.): *Verbrecher, der zum Rudern auf ein Kriegsschiff verurteilt war:* aussehen, arbeiten wie ein G.

Galerie, die; -, -n: **1.** *höher gelegener, nach einer Seite offener Gang an der Fassade eines Gebäudes, in einem großen Saal o. ä., der nach außen durch Säulen oder ein Geländer abgegrenzt ist:* der Hof des alten Schlosses wird von einer G. umsäumt. **2.** *oberster Rang in einem Theater:* die G. ist voll besetzt; (ugs.) die G. *(das Publikum auf dem obersten Rang)* pfiff und tobte. **3.** *langgestreckter, repräsentativer Raum in einem Schloß:* der Graf führte seine Gäste durch die G. **4.** *Sammlung, Ausstellung von Bildern:* in der Städtischen G. ist eine Ausstellung von mittelalterlichen Gemälden. **5.** (scherzh.) *größere Zahl (von aneinandergereihten Dingen):* sie hat eine G. schöner Kleider im Schrank hängen.

Galgen, der; -s, - (hist.): *Gerüst, an dem man einen zum Tode Verurteilten erhängte* (siehe Bild): am G. hängen; bildl.: das wird ihn noch an den G. bringen *(ein schlechtes Ende mit ihm nehmen).*

Galgen

Galgenfrist, die; -, -en (ugs.): *kurzer Aufschub, der jmdm. vor einer entscheidenden Angelegenheit gewährt wird:* ich erhielt eine G. von drei Tagen, damit ich mich hier ein wenig umschauen konnte.

Galgenhumor, der; -s: *Humor trotz einer unerfreulichen, mißlichen Lage:* sein G. war schon etwas makaber.

Galle, die; -, -n: **1.** *von der Leber ausgeschiedenes Sekret:* die G. ist besonders für die Verdauung der Fette wichtig. * (ugs.) **jmdm. läuft die G. über** *(jmd. wird wütend).* **2.** (ugs.) *Gallenblase:* sie wurde an der G. operiert.

Gallenblase, die; -, -n: *Organ im Körper, in dem sich das von der Leber ausgeschiedene Sekret sammelt.*

Gallert, das; -[e]s, -e: *Gallerte.*

Gallerte, die; -, -n: *leicht durchsichtige, steife Masse, die aus dem abgekühlten Saft von gekochtem Fleisch, Knochen o. ä. hergestellt ist und bei der kleinsten Bewegung zittert.*

gallig ⟨Adj.⟩: *böse, unfreundlich:* eine gallige Bemerkung.

Galopp, der; -s, -s und -e: *springender Lauf des Pferdes:* er ritt im G. davon.

galoppieren, galoppierte, hat/ist galoppiert ⟨itr.⟩: *im Galopp reiten, laufen:* der Reiter, das Pferd galoppierte; ein Reiter ist über das Feld galoppiert; das Pferd hatte/war galoppiert und wurde deshalb disqualifiziert; bildl.: sein Herz galoppierte vor Freude. * (ugs.) **galoppierende Schwindsucht** *(das letzte, schnell zum Tode führende Stadium der Lungentuberkulose).*

Gamasche, die; -, -n: /ein Kleidungsstück/ (siehe Bild).

Gamasche

gammeln, gammelte, hat gegammelt ⟨itr.⟩ (ugs.; abwertend): *die Zeit nutzlos und untätig verbringen.*

Gammler, der; -s, -: *junger Mann, der sein Äußeres bewußt und in provozierender Absicht vernachlässigt und keine feste Arbeit hat.*

gang: ⟨in der Wendung⟩ g. und gäbe sein: *häufig vorkommen; allgemein üblich sein:* solche Ausdrücke sind hier g. und gäbe.

Gang, der; -es, Gänge: **1.** ⟨ohne Plural⟩ *Art des Gehens:* er erkannte ihn an seinem Gang. **2.** ⟨ohne Plural⟩ *das Gehen:* ein G. durch den Park. * **einen G. machen** *(gehen).* **3.** ⟨ohne Plural⟩ *Bewegung der einzelnen Teile der Maschine:* der Motor hat einen ruhigen G. * **etwas in G. bringen** *(bewirken, daß etwas beginnt):* er brachte die Verhandlungen in G.; **etwas in G. halten** *(verhindern, daß etwas zum Stillstand kommt):* die Maschinen müssen Tag und Nacht in G. gehalten werden.; **in G. kommen** *(beginnen):* die Verhandlungen kamen endlich in G. **4.** ⟨ohne Plural⟩ *Verlauf:* der G. der Geschichte. **5.** *schmaler, langer, an beiden Seiten abgeschlossener Weg; Korridor:* zu seinem Zimmer kommt man durch einen langen Gang. **6.** *jeweils besonders aufgetragenes Gericht, Speise eines größeren Mahles:* das Essen beim Botschafter hatte vier Gänge. **7.** *Stufe der Übersetzung eines Getriebes bei einem Kraftfahrzeug:* er fährt auf der Autobahn im vierten G.

gangbar: ⟨in der Fügung⟩ ein gangbarer Weg: *Methode, die so beschaffen ist, daß sie auch verwirklicht werden kann:* jmdm. einen gangbaren Weg zeigen.

Gängelband: ⟨in der Wendung⟩ jmdn. am G. führen/haben/halten: *gängeln:* sie hat ihn schon ganz am G.

gängeln, gängelte, hat gegängelt ⟨tr.⟩ (ugs.): *jmdm. in unangenehmer Weise dauernd vorschreiben, wie er sich zu verhalten hat:* der junge Mann wollte sich nicht länger von seiner Mutter g. lassen.

gängig ⟨Adj.; nicht adverbial⟩: **1.** *allgemein bekannt:* eine gängige Meinung. **2.** *oft gekauft; leicht zu verkaufen:* eine gängige Ware.

Gangster ['gɛŋstər], der; -s, -: *Verbrecher [der zu einer organisierten Bande gehört].*

Gangway ['gæŋweɪ], die; -, -s: *bewegliche Brücke zum Besteigen eines Schiffes oder Flugzeuges:* am Fuß der G. wurde der hohe Gast von einer Abordnung der Regierung empfangen.

Ganove, der; -n, -n (abwertend): *Betrüger, Gauner.*

Gans, die; -, Gänse: /ein Vogel/ (siehe Bild): die Gänse schnattern; /als Schimpfwort für Mädchen/ die dumme G. kichert die ganze Zeit.

Gans

Gänsehaut, die; -: *durch Kälte oder psychische Faktoren verursachte vorübergehende Veränderung der Haut, bei der sich die an den Haarbälgen der Haare ansetzenden Muskeln zusammenziehen und dadurch die Haarbälge wie ganz kleine Höcker hervortreten lassen, so daß die Haut der einer gerupften Gans ähnlich sieht:* er hat vor Kälte eine G. bekommen. * **jmdm. läuft eine G. über den Rücken** *(jmdm. schaudert):* bei dem spannenden Kriminalfilm lief ihm eine G. über den Rükken.

Gänsemarsch: ⟨in der Fügung⟩ im G.: *hintereinander:* die Kinder gingen im G. durch den tiefen Schnee.

Gänserich, der; -s, -e: *männliche Gans:* von einem bösen G. gezwickt werden.

ganz ⟨Adj.⟩: **1.** ⟨nur attributiv⟩ *gesamt:* er kennt g. Europa; die Sonne hat den ganzen Tag geschienen. **2.** ⟨nicht prädikativ⟩ *vollkommen:* es war g. still. * **g. und gar** *(vollständig, vollkommen):* das verstehe ich g. und gar; **voll und g.** *(ohne jede Einschränkung):* ich unterstütze deine Pläne voll und g. **3.** (ugs.) *heil, unbeschädigt, nicht entzwei:* sie hat kein ganzes Paar Strümpfe mehr; beim Sturm ist kein Fenster g. geblieben. **4.** ⟨einschränkend bei Adjektiven, die ausdrücken, daß etwas gut ist⟩: *ziemlich, aber nicht ausreichend:* der neue Nachbar ist ganz nett.

Gänze, die; - (geh.): *Gesamtheit, Ganzheit:* etwas in seiner G. erfassen. * (südd.; östr.) **zur G.** *(völlig, ganz):* das Material wurde zur G. aufgebraucht.

Ganzheit, die; -, -en: *das einheitliche, in sich geschlossene Ganze; Gesamtheit:* er vereinigt zwei Methoden zu einer G.

ganzheitlich ⟨Adj.⟩: Pädagogik *von einer Gesamtheit, Ganzheit und nicht von einzelnen Elementen ausgehend, darauf beruhend:* eine ganzheitliche Methode entwickeln; ganzheitlicher Unterricht.

gänzlich ⟨Adj.; nicht prädikativ⟩: *völlig, vollkommen, ganz:* er hat es g. vergessen; zwei g. verschiedene Meinungen.

ganztägig ⟨Adj.⟩: *den ganzen Tag hindurch:* das Geschäft ist g. geöffnet; seine Frau arbeitet g. *(ist den ganzen Tag beruflich tätig).*

gar I. ⟨Adj.⟩: *genügend gekocht, gebraten oder gebacken:* die Kartoffeln sind gar. **II.** ⟨Adverb⟩ **a)** ⟨verstärkend bei Vermutungen, Befürchtungen o. ä.⟩ *etwa, vielleicht:* ist sie g. schon verlobt? **b)** ⟨verstärkend bei einer Behauptung⟩ *ja wirklich:* er tut g., als ob ich ihn beleidigt hätte. **c)** ⟨in Verbindung mit *kein* oder *nicht*⟩ *absolut:* er hat gar kein Interesse; das ist gar nicht wahr.

Garage [ga'ra:ʒə], die; -, -n: *Raum, in dem man ein Kraftfahrzeug einstellen kann.*

garagieren [gara'ʒi:rən], garagierte, hat garagiert ⟨tr.⟩ (östr.; schweiz.): *(ein Fahrzeug) [für längere Zeit] in die Garage stellen.*

Garant, der; -en, -en: *jmd./etwas, was für etwas Bestimmtes garantieren kann:* ein Garant für Frieden und Sicherheit.

Garantie, die; -, -n: *Versicherung, daß man für etwas aufkommt, daß etwas den Abmachungen entspricht:* die Firma leistet für den Kühlschrank ein Jahr G. * **unter G.** *(ganz sicher):* du bekommst unter G. einen Schnupfen, wenn du deinen Rock nicht anziehst.

garantieren, garantierte, hat garantiert ⟨tr./itr.⟩: *versichern, daß etwas den Anforderungen entspricht; Garantie geben:* wir garantieren [für] die gute Qualität der Ware.

Garaus: ⟨in der Wendung⟩ jmdm. den G. machen (derb): *jmdn. töten, umbringen:* Verbrecher hätten ihm beinahe den G. gemacht.

Garbe, die; -, -n: **1.** *Bündel geschnittener und gleichmäßig zusammengelegter Halme von Getreide* (siehe Bild). **2.** *größere Anzahl von schnell aufeinanderfolgenden Schüssen:* eine G. abfeuern.

1.

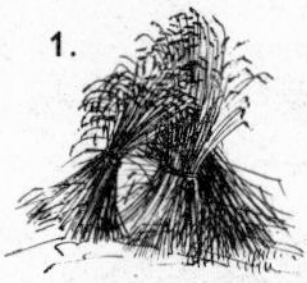

Garbe

Garçonnière [garsɔni'ɛ:r], die; -, -n (östr.): *aus einem Zimmer bestehende Wohnung:* alleinstehende Dame sucht eine zentral gelegene G.

Garde, die; -, -n: **a)** *repräsentatives Regiment, bes. Leibwache eines Herrschers:* der König schreitet die G. ab. **b)** (ugs.) *Gruppe bewährter Leute:* er hat sich mit einer G. bewährter Fachleute umgeben. * **die alte G.** *(Gruppe von Menschen, die sich durch lange und gut bewährte Zusammenarbeit ausgezeichnet haben und den Grundstock in einem Betrieb, in einer Gemeinschaft bilden):* er gehört zur alten G.

Garderobe, die; -, -n: **1.** *abgeteilte Stelle im Foyer eines Theaters o. ä., bei der man Mäntel o. ä. ablegen kann.* **2.** *Raum, in dem sich ein Künstler für eine Vorstellung umkleiden kann.* **3.** ⟨ohne Plural⟩ *gesamte Kleidung, die jmd. besitzt:* sie beneidete die Freundin um ihre G.

Garderobiere [gardərobi'ɛ:rə], die; -, -n: **1.** *Frau, die im Foyer von Theatern o. ä. Mäntel und andere [zur Garderobe gehörende] Gegenstände der Besucher aufbewahrt:* die G. nahm unsere Regenschirme in Empfang und reichte uns eine Marke dafür. **2.** *Angestellte beim Theater, die den Künstlerinnen die Garderobe richtet und ihnen beim An- und Auskleiden behilflich ist:* die Schauspielerin rief aufgeregt nach der G.

Gardine, die; -, -n: *Vorhang aus leichtem Stoff für die Fenster:* die Gardinen aufhängen. * (ugs.) **hinter schwedischen Gardinen** *(im Gefängnis).*

Gardinenpredigt, die; -, -en (ugs.): *vorwurfsvolle Rede, die eine verärgerte Ehefrau an ihren Mann richtet:* als er nach Hause kam, empfing sie ihn mit einer G.

garen, garte, hat gegart ⟨tr./ itr.⟩: *gar werden [lassen]:* der Reis gart auf kleiner Flamme besser; den Fisch in der Pfanne langsam g.

gären, gärte/gor, ist/hat gegärt/gegoren ⟨itr.⟩: *sich in bestimmter Weise durch chemische Zersetzung verändern:* der Wein hat gegoren; der Saft ist gegoren *(nicht mehr zu trinken);* bildl.: vor dem Aufstand hatte es schon lange im Volk gegärt *(war man schon lange im Volk unzufrieden und unruhig).*

Garn, das; -[e]s, -e: *Faden, der aus Fasern gesponnen ist:* sie kaufte eine Rolle G. ** **jmdm. ins G. gehen** *(auf jmds. List hereinfallen).*

garnieren, garnierte, hat garniert ⟨tr.⟩: **a)** *(eine Speise) verzieren:* eine kalte Platte mit Gemüse g. **b)** (ugs.; scherzh.) *[übertrieben] schmücken, reichlich ausstatten:* sie hat ihren Hut mit Schleifchen und Blüten garniert; bildl.: eine mit lustigen Sätzen garnierte Rede.

Garnison, die; -, -en: **a)** *Truppe, die sich an einem bestimmten festen Standort aufhält:* zu einer bestimmten G. gehören. **b)** *fester Standort, Unterkunft einer Truppe:* die G. verlassen, betreten.

Garnitur, die; -, -en: **1.** *mehrere zusammengehörende und zusammenpassende Stücke, die einem bestimmten Zweck dienen:* eine G. Wäsche. **2.** (ugs.) *Gruppe von Menschen, die innerhalb eines Ensembles, einer Mannschaft o. ä. ein bestimmtes Niveau in der Leistung hat:* die Mannschaft mußte wegen Verletzungen mit der zweiten G. antreten; das Theater bestreitet sein Gastspiel mit der ersten G.

garstig ⟨Adj.⟩: **a)** *abscheulich, häßlich:* ein garstiger Geruch. **b)** *ungezogen, lästig:* ein garstiges Kind.

Garten, der; -s, Gärten: *[kleines] Stück Land, in dem Gemüse, Obst oder Blumen gepflanzt werden* /oft in Verbindung mit einem Haus/.

Gartenzwerg, der; -[e]s, -e: *kleiner Zwerg aus Ton o. ä., der als Zierde in manchen Gärten steht:* eine Gruppe kitschiger Gartenzwerge.

Gärtner, der; -s, -: *jmd., der beruflich Pflanzen züchtet und betreut.*

Gärtnerei, die; -, -en: *Betrieb eines Gärtners.*

Gärung, die; -: *das Gären:* die G. des Weines.

Gas, das; -es, -e: *unsichtbarer Stoff in der Form wie Luft:* giftige Gase. * **Gas geben** *([beim Auto] die Geschwindigkeit [stark] erhöhen).*

gasförmig ⟨Adj.⟩: *die Form und die Eigenschaften von Gas besitzend:* Stoffe können fest, flüssig oder g. sein.

Gashahn, der; -[e]s, Gashähne, *Hahn, mit dem man das Gas auf- oder abdrehen kann:* den G. sofort abdrehen, wenn die Flamme erloschen ist. * (ugs.) **den G. aufdrehen** *(Selbstmord durch Einatmen von giftigem Gas begehen).*

Gasherd, der; -[e]s, -e: *mit Gas betriebener Herd:* auf einem G. kochen.

Gasmaske, die; -, -n: *Maske, die über das Gesicht gezogen wird und durch Filtern der eingeatmeten Luft vor der Einwirkung giftiger oder erstickender Gase schützt* (siehe Bild).

Gasmaske

Gasse, die; -, -n: *schmale Straße zwischen zwei Reihen von Häusern.*

Gassenhauer, der; -s, - (veralt.): *viel gesungenes, meist aber nur kurzlebiges Lied mit einem humorvollen bis derben Text und einer flotten, oft auch banalen Melodie.*

Gassenjunge, der; -n, -n (abwertend): *ungezogener Junge, der sich auf den Gassen herumtreibt:* ein G. hat das Fenster eingeworfen.

Gast, der; -es, Gäste: **a)** *jmd., der von jmdm. eingeladen wurde:* wir haben heute abend Gäste; **b)** *Künstler, der vorübergehend an einem fremden Ort wirkt:* der Schauspieler tritt als G. auf. **c)** *jmd., der sich an einem Ort nur vorübergehend aufhält:* der Wirt begrüßt seine Gäste.

Gastarbeiter, der; -s, -: *ausländischer Arbeiter, der vorübergehend außerhalb seines Landes sein Geld verdient:* die Gastarbeiter fahren zu Weihnachten in ihre Heimat.

Gästehaus, das; -es, Gästehäuser: *zu einer Organisation, einem Hotel o. ä. gehörendes Haus, in dem die Gäste untergebracht werden:* die ausländischen Besucher wohnten im G.

Gästehaus, das; -es, Gästehäuser: *Haus, das für die Unterbringung von Gästen vorgesehen ist* /bei größeren Unternehmen, Heimen o. ä./: wir übernachteten im Gästehaus.

gastfreundlich ⟨Adj.⟩: *gern bereit, Gäste zu empfangen und zu bewirten:* eine gastfreundliche Familie. **Gastfreundlichkeit,** die; -.

Gastgeber, der; -s, -: *jmd., bei dem man Gast ist:* der G. erwartet seine Gäste an der Haustür.

Gasthaus, das; -es, Gasthäuser: *Haus ohne größeren Komfort, in dem man gegen Bezahlung essen [und übernachten] kann.*

Gasthof, der; -[e]s, Gasthöfe: *größeres Gasthaus auf dem Lande:* in einem G. essen.

gastieren, gastierte, hat gastiert ⟨itr.⟩: *an einer fremden Bühne als Gast auftreten:* er gastierte als Hamlet in Berlin.

gastlich ⟨Adj.⟩: *behaglich, gemütlich für den Gast:* er fühlte sich in dem gastlichen Haus sehr wohl. **Gastlichkeit,** die; -.

Gastronom, der; -en, -en: *Angestellter oder Besitzer einer Gaststätte.*

Gastronomie, die; -: *Gewerbe, das sich mit der Betreuung und Verpflegung der Besucher von Gaststätten, Restaurants, Hotels o. ä. befaßt.*

Gastspiel, das; -[e]s, -e: *Aufführung, die von einem Künstler oder Ensemble an einer fremden Bühne geboten wird:* sie geben in allen größeren Städten des Landes ein G.

Gaststätte, die; -, -n: *Unternehmen, in dem man Essen und*

Getränke gegen Bezahlung erhalten kann, Restaurant.

Gaststube, die; -, -n: *Raum in einem Gasthaus, in dem die Gäste bewirtet werden:* in einer gemütlichen G. ein Glas Bier trinken.

Gastwirt, der; -[e]s, -e: *jmd., der eine Gaststätte besitzt oder führt.*

Gastwirtschaft, die; -, -en: *[einfache, ländliche] Gaststätte.*

Gaszähler, der; -s, -: *Gerät, das den Verbrauch von Gas mißt.*

Gatte, der; -n, -n (geh.): **1.** *Ehemann:* sie besuchte in Begleitung ihres Gatten das Konzert. **2.** ⟨Plural⟩ *Eheleute:* beide Gatten stammen aus München.

Gatter, das; -s, -: *Zaun, Tür aus breiten Latten:* die Schafe werden in ein G. gesperrt.

Gattin, die; -, -nen (geh.): *Ehefrau:* darf ich Sie und Ihre G. zum Essen einladen?

Gattung, die; -, -en: *Gruppe von Dingen, Lebewesen, die wichtige Merkmale oder Eigenschaften gemeinsam haben:* eine G. in der Dichtung ist das Drama; die Kuh gehört zur G. der Säugetiere.

Gaudi, die; - (südd.; östr.; ugs.): *Spaß, Gaudium:* das war eine G.!

Gaudium, das; -s (ugs.): *Spaß:* zum G. aller erzählte er derbe Witze.

Gaukelei, die; -, -en (abwertend): *etwas, was in verführerischer Weise eine Tatsache vortäuscht:* er hat die G. durchschaut.

gaukeln, gaukelte, ist gegaukelt ⟨itr.⟩: *schwankend durch die Luft gleiten:* Schmetterlinge gaukeln von Blume zu Blume.

Gaul, der; -[e]s, Gäule (abwertend): *[altes, schwaches] Pferd.*

Gaumen, der; -s, -: *obere Wölbung im Innern des Mundes:* er hatte Durst, sein G. war ganz trocken.

Gauner, der; -s, - (abwertend): *[schlauer] Betrüger, Schwindler.*

Gaunerei, die; -, -en (abwertend): *üble, bes. betrügerische Handlung:* er begeht eine G. nach der anderen.

Gaze ['ga:zə], die; -, -n: *weicher, sehr locker gewebter, durchsichtiger Stoff:* eine Wunde mit G. verbinden.

Gazelle, die; -, -n: /ein Tier/ (siehe Bild).

Gazelle

Gebäck, das; -[e]s, -e: *[kleine, süße] gebackene Speise* (z. B. Keks) (siehe Bild): zum Tee aßen wir G.

Gebäck

Gebälk, das; -[e]s: *Gesamtheit der Balken* /bes. bei einem Dachstuhl/: das alte G. ächzte. * (ugs.) **es kracht/knistert im G.** *(es gibt interne Schwierigkeiten):* in diesem Betrieb kracht es im G.

Gebärde, die; -, -n: *Bewegung der Arme oder des ganzen Körpers, die eine Empfindung o. ä. ausdrückt:* er machte eine drohende G., als wollte er mich angreifen.

gebärden, sich; gebärdete sich, hat sich gebärdet (abwertend): *sich in einer bestimmten auffälligen Weise verhalten:* er gebärdet sich, als ob er verrückt wäre.

Gebaren, das; -s: *auffälliges Benehmen:* er fiel durch sein sonderbares G. auf.

gebären, gebar, hat geboren ⟨tr.⟩ /vgl. geboren/: *(ein Kind) zur Welt bringen:* die Frau hat zwei Kinder geboren; er wurde im Jahre 1950 in München geboren.

Gebärmutter, die; -: Med. *Organ im weiblichen Körper, in dem sich das befruchtete Ei zur weiteren Entwicklung festsetzt.*

Gebein, das; -[e]s, -e (geh.): **a)** *Körper, Glieder des Menschen:* Schreck fuhr ihm durch das G.; vor Angst zitterten seine Gebeine. **b)** ⟨Plural⟩ *Skelett, Knochen eines Toten:* erst nach Jahren fand man die Gebeine des Vermißten.

Gebell, das; -s: *[lange andauerndes] als unangenehm empfundenes Bellen:* das G. des Hundes schreckte sie zurück.

Gebäude, das; -s, -: *größerer Bau, in dem meist Büros, Schulen, Wohnungen o. ä. untergebracht sind:* das neue G. des Theaters wird im nächsten Jahr fertiggestellt.

geben, gibt, gab, hat gegeben: **1.** ⟨tr.⟩ *(jmdm.) reichen, aushändigen, überreichen:* der Lehrer gibt dem Schüler das Heft; jmdm. zu essen geben. **2.** ⟨rfl.⟩ *sich in einer bestimmten Weise benehmen:* er gibt sich, wie er ist; er gibt sich *(tut)* gelassen. **3.** ⟨in der Fügung⟩ es gibt jmdn./etwas: *jmd./etwas kommt vor, ist vorhanden:* es gibt heute weniger Bauern als vor zwanzig Jahren. **4.** ⟨als Funktionsverb⟩: einen Bericht geben über etwas *(über etwas berichten);* einen Befehl g. *(etwas befehlen);* [eine] Antwort g. *(antworten);* [eine] Auskunft g. *(etwas, wonach man gefragt wurde, mitteilen);* einen Rat g. *(raten);* ein Versprechen g. *(versprechen);* die Erlaubnis g. *(erlauben);* eine Garantie g. *(garantieren);* einen Stoß g. *(stoßen);* einen Kuß geben *(küssen):* ein Fest, Konzert, eine Party g. *(ein Fest, Konzert, eine Party veranstalten);* die Räuber von Schiller g. *(aufführen).*

Gebet, das; -[e]s, -e: *an Gott gerichtete Bitte, Worte der Dankbarkeit:* er faltete seine Hände und sprach ein G. * (ugs.) **jmdn. ins G. nehmen** *(jmd. wegen wiederholter Verfehlungen eindringlich zurechtweisen; jmdm. Vorhaltungen machen).*

Gebetbuch, das; -[e]s, Gebetbücher: Rel. kath. *kleines Buch mit einer Sammlung der verschiedensten Gebete.*

Gebiet, das; -[e]s, -e: **1.** *Fläche von bestimmter Ausdehnung:* weite Gebiete des Landes sind überschwemmt. **2.** *Bereich, Fach:* dieses Land ist auf wirtschaftlichem G. führend.

gebieten, gebot, hat geboten (geh.): **1.** ⟨tr.⟩ *befehlen, verlangen:* er gebot Ruhe. **2.** ⟨in der Fügung⟩ etwas ist geboten: *etwas ist erforderlich, nötig:* für das kranke Kind ist rasche Hilfe dringend geboten.

gebieterisch ⟨Adj.⟩: *befehlend, herrisch:* er rief ihn in gebieterischem Ton zu sich.

Gebilde, das; -s, -: *etwas, was in nicht näher bestimmter Weise gestaltet, geformt ist:* diese Wolken waren feine, luftige Gebilde.

gebildet ⟨Adj.⟩: *großes Wissen, Bildung [und feine Umgangsformen] habend:* ein gebildeter Mann.

Gebinde, das; -s, - (geh.): *kunstvoll aus Zweigen, Blumen o. ä. Gebundenes:* ein prächtiges G. schmückte die festliche Tafel.

Gebirge, das; -s, -: *zusammenhängende Gruppe von hohen Bergen:* auch dieses Jahr fahren wir ins G.

gebirgig ⟨Adj.; nicht adverbial⟩: *mit vielen hohen Bergen:* eine gebirgige Gegend.

Gebiß, das; Gebisses, Gebisse: **a)** *die Kiefer mit den Zähnen.* **b)** *vollständiger Zahnersatz:* sie muß leider schon ein Gebiß tragen.

Gebläse, das; -s, -: **a)** *Anlage, die mit einem starken Luftstrom Heu, Stroh o. ä. befördert.* **b)** *elektrisch betriebene Vorrichtung, die einen Luftstrom erzeugt:* das G. einer Orgel.

geblümt ⟨Adj.⟩: *mit Blümchen verziert, gemustert:* den Kaffee aus einer rosa geblümten Tasse trinken.

geboren ⟨Adj.; nur attributiv⟩: **1.** /zur Angabe des Mädchennamens bei einer verheirateten Frau/ (Abk.: geb.): Frau Marie Berger, geb. Schröder; sie ist eine geborene Schröder. **2.** *von Natur aus zu etwas begabt:* er ist ein geborener Schauspieler. *** zu etwas geboren sein** *(alle Anlagen zu etwas haben).*

geborgen: ⟨in der Fügung⟩ sich g. fühlen: *sich gut beschützt, sicher fühlen:* sie fühlt sich bei ihm g. **Geborgenheit,** die; -.

Gebot, das; -[e]s, -e: *göttliches, moralisches Gesetz:* im Konfirmandenunterricht lernte er die Zehn Gebote; Nächstenliebe ist das oberste Gebot seines Handelns. *** etwas ist das G. der Stunde** *(etwas ist jetzt gerade am dringendsten, notwendigsten):* Besonnenheit ist das G. der Stunde.

Gebrauch, der; -s, Gebräuche: **1.** ⟨ohne Plural⟩ *Benützung, Verwendung, Anwendung:* vor allzu häufigem G. des Medikamentes wird gewarnt. *** von etwas G. machen** *(etwas ausnützen, gebrauchen):* er macht von seinem Recht G.; **etwas in G. nehmen** *(etwas zu verwenden beginnen).* **2.** ⟨nur Plural⟩ *Sitten, Bräuche:* im Dorf gibt es noch viele alte Gebräuche.

gebrauchen, gebrauchte, hat gebraucht ⟨tr.⟩/vgl. gebraucht/: *benutzen, verwenden, anwenden:* Werkzeuge richtig gebrauchen; er gebraucht gern Beispiele, um etwas zu erklären.

gebräuchlich ⟨Adj.; nicht adverbial⟩: *üblich, allgemein verwendet:* ein gebräuchliches Sprichwort. **Gebräuchlichkeit,** die; -.

Gebrauchsanweisung, die; -, -en: *Anleitung, wie man etwas gebrauchen, anwenden soll:* vor der Benutzung des Gerätes die G. lesen.

gebrauchsfertig ⟨Adj.⟩: *völlig fertig für den Gebrauch:* eine Ware g. herstellen, liefern.

Gebrauchsgegenstand, der; -[e]s, Gebrauchsgegenstände: *Gegenstand für den täglichen Gebrauch:* Kamm, Löffel, Bleistift sind Gebrauchsgegenstände.

gebraucht ⟨Adj.; nicht adverbial⟩: *bereits benutzt; nicht mehr neu, frisch:* das Handtuch ist schon g.

Gebrauchtwagen, der; -s, -: *ein zum Verkauf bestimmtes Auto, das von einem früheren Besitzer bereits gekauft wurde.*

gebrechen, gebricht, gebrach ⟨itr.⟩ (geh.): *fehlen, mangeln:* es gebricht, gebrach ihm am nötigen Ernst.

Gebrechen, das; -s, -: *dauernder Schaden der Gesundheit oder des Körpers:* er wurde in der Kur von seinen G. geheilt; die G. des Alters.

gebrechlich ⟨Adj.; nicht adverbial⟩: *durch Alter körperlich schwach:* er ist alt und g. **Gebrechlichkeit,** die; -.

gebrochen ⟨Adj.⟩: **a)** ⟨nicht attributiv⟩ *vollkommen mutlos; sehr niedergeschlagen:* sie stand ganz g. am Grab ihres Mannes. **b)** ⟨nicht prädikativ⟩ *holprig, nicht fließend* /von einer Sprache/: er spricht g. Englisch; sich in gebrochenem Deutsch unterhalten.

Gebrüll, das; -[e]s: *[lange andauerndes] als unangenehm empfundenes Brüllen:* das G. der hungrigen Rinder; (abwertend) das G. der begeisterten Menge; das G. *(laute Weinen und Schreien)* des bestraften Kindes.

Gebrumm, das; -s: *[länger andauerndes] Brummen:* das G. der Motoren, der Fliegen.

Gebühr, die; -, -en: *Betrag, der für öffentliche Leistungen zu bezahlen ist:* die G. für einen neuen Paß beträgt 5 Mark. *** nach G.** *(angemessen):* seine Arbeit wird nach G. bezahlt; **über G.** *(sehr, übertrieben):* sein neuer Roman wurde über G. gelobt.

gebühren, gebührte, hat gebührt ⟨itr.⟩ /vgl. gebührend/: *zustehen; angemessen sein (für jmdn.):* für seinen Fleiß gebührt ihm eine gute Note.

gebührend ⟨Adj.⟩ *angemessen; seinem Rang, Verdienst entsprechend:* der Gast wurde mit der [ihm] gebührenden Achtung begrüßt.

gebührenfrei ⟨Adj.⟩: *kostenlos:* die Auskunft ist g.

gebührenpflichtig ⟨Adj.⟩: *mit einer Gebühr verbunden; nicht kostenlos:* das Ausstellen eines Reisepasses ist g.

Geburt, die; -, -en: *das Heraustreten des Kindes aus dem Leib der Mutter; Entbindung:* die Frau hat die G. ihres Kindes gut überstanden.

Geburtenkontrolle, die; -: *von den Eltern geplante Beschränkung der Zahl ihrer Kinder.*

Geburtenreg[e]lung, die; -: *Geburtenkontrolle.*

gebürtig ⟨Adj.; nicht adverbial⟩: *geboren (in), stammend (aus):* er ist aus Berlin g.; er ist gebürtiger Schweizer.

Geburtsfehler, der; -s, -: *angeborener organischer oder körperlicher Schaden.*

Geburtstag, der; -[e]s, -e: *Jahrestag der Geburt:* er feiert seinen 50. Geburtstag.

Geburtsurkunde, die; -, -n: *amtliche Bescheinigung über die Geburt.*

Gebüsch, das; -es, -e: *mehrere dicht beisammenstehende Büsche:* sich im G. verstecken.

Geck, der; -en, -en: *eitler junger Mann, der ein geziertes Benehmen hat und übertriebenen Wert auf Mode legt:* er kleidet sich wie ein G.

geckenhaft ⟨Adj.⟩: *sich wie ein Geck benehmend; wie ein Geck:* sich g. kleiden.

Gedächtnis, das; -ses: **1.** *Fähigkeit, sich an etwas zu erinnern:* er hat ein gutes G. **2.** *Erinnerung:* die Erlebnisse seiner Jugend sind ihm deutlich im G. geblieben. ** **zum G. an jmdn./etwas** *(zum Andenken an jmdn./etwas).*

Gedächtnisschwund, der; -[e]s: *Schwächung oder Verlust der Fähigkeit, sich an etwas zu erinnern:* an G. leiden.

Gedächtnisstütze, die; -, -n: *Trick, Hilfsmittel, mit dem man sich etwas leichter merken, ins Gedächtnis zurückrufen kann:* kurze Notizen dienen ihm als G.

Gedanke, der; -ns, -n: *etwas, was gedacht wird; Vorstellung, Plan, Idee:* das war ein kluger G. * **seine Gedanken sammeln** *(sich konzentrieren);* **seine Gedanken beisammenhaben** *(konzentriert sein);* **sich über/etwas/ jmdn. Gedanken machen** *(sich einer Sache / jmds. wegen sorgen):* er macht sich Gedanken über seinen Sohn, weil er lange nicht mehr geschrieben hat; er macht sich Gedanken wegen seiner Dummheiten; **sich mit dem Gedanken tragen** *(etwas vorhaben, beabsichtigen):* er trägt sich mit dem Gedanken, den Beruf zu wechseln; **mit einem Gedanken spielen** *(etwas als möglich erwägen):* er spielt mit dem Gedanken, dieses Grundstück zu kaufen.

Gedankenaustausch, der; -[e]s, -e: *Austausch von Ideen, Meinungen, Gedanken:* ein reger, fruchtbarer G.

Gedankengang, der; -[e]s, Gedankengänge: *Abfolge von Gedanken, die zu einem bestimmten Resultat führt:* ein logischer G.

Gedankengut, das; -[e]s: *alle Ideen, Gedanken einer bestimmten Person, einer bestimmten Zeit o. ä.:* das G. des Christentums.

gedankenlos ⟨Adj.⟩: **1.** *unbedacht, unüberlegt; ohne daran zu denken, daß man mit seinen Worten o.ä. jmdn. verletzen kann:* es war sehr g. von dir, ihr dies in dieser Situation zu erzählen. **2.** ⟨nicht prädikativ⟩ *zerstreut, in Gedanken:* er ging ganz g. über die Straße. **Gedankenlosigkeit,** die; -.

Gedankenstrich, der; -s, -e: *Satzzeichen, das eine Pause oder einen eingeschobenen Teil im Satz kennzeichnet* (Zeichen: —).

gedankenvoll ⟨Adj.⟩ (geh.): *nachdenklich, in Gedanken versunken:* g. dasitzen.

Gedankenwelt, die; - (geh.): *Gesamtheit der Gedanken und Ideen:* die G. kleiner Kinder.

gedanklich ⟨Adj.; nicht prädikativ⟩: *das Denken betreffend:* er hat das Buch g. noch nicht verarbeitet.

Gedärm, das; -[e]s, -e: *Eingeweide.*

Gedärm, das; -s, -e: *Gesamtheit der Därme:* das G. von einem geschlachteten Schwein.

Gedeck, das; -[e]s, -e: **a)** *Geräte, die eine Person zum Essen braucht; Teller und Besteck:* ein G. für den Gast auflegen. **b)** *auf der Speisekarte festgelegte Folge von Speisen:* er bestellte im Restaurant zwei Gedecke.

Gedeih: ⟨in der Fügung⟩ auf G. und Verderb: *ohne Rücksicht auf sich später einstellende angenehme oder unangenehme Folgen:* auf G. und Verderb mit jmdm. verbunden sein; jmdm. auf G. und Verderb *(völlig, ganz)* ausgeliefert sein.

gedeihen, gedieh, ist gediehen ⟨itr.⟩: *[gut] wachsen, sich [gut] entwickeln:* diese Pflanze gedeiht nur bei viel Sonne; das neue Haus ist schon weit gediehen *(der Bau des Hauses ist gut vorangekommen).*

gedenken, gedachte, hat gedacht ⟨itr.⟩ (geh.): **1.** ⟨mit Gen.⟩ *(an jmdn.) in ehrfürchtiger Weise denken:* er gedachte seines toten Vaters. **2.** *beabsichtigen:* was gedenkst du jetzt zu tun?

Gedenkfeier, die; -, -n: *am Jahrestag eines bestimmten Ereignisses stattfindende Feier:* eine G. veranstalten.

Gedenkmünze, die; -, -n: *nicht zum Zahlen verwendbare Münze zur Erinnerung an ein Ereignis oder eine Persönlichkeit:* nach dem Tod des Präsidenten wurde eine G. mit seinem Bild geprägt.

Gedenkstätte, die; -, -n: *Stätte, die zur Erinnerung an ein Ereignis oder eine Person angelegt ist:* eine G. für die Opfer des Krieges.

Gedicht, das; -[e]s, -e: *sprachliches Kunstwerk in Versen, Reimen oder in besonderem Rhythmus:* der Dichter veröffentlichte einen Band Gedichte.

gediegen ⟨Adj.⟩: **a)** *gut, solide, verläßlich:* er hat eine gediegene Ausbildung; ein gediegener Charakter. **b)** *geschmackvoll; sorgfältig hergestellt:* gediegener Schmuck; gediegene Möbel. **Gediegenheit,** die; -.

gedient ⟨Adj.; nur attributiv⟩: *militärisch ausgebildet:* ein gedienter Soldat.

Gedränge, das; -s: *dichte, drängelnde Menschenmenge:* in der Straßenbahn war ein großes Gedränge.

gedrängt ⟨Adj.⟩: *knapp; kurz zusammengefaßt:* eine gedrängte Schreibweise; eine gedrängte Übersicht über die Geschichte des Mittelalters.

gedrückt ⟨Adj.⟩: *niedergeschlagen:* nach der Niederlage war die Stimmung der Mannschaft sehr g.

gedrungen ⟨Adj.⟩: *nicht sehr groß und ziemlich breit gebaut:* der Mann hat eine gedrungene Gestalt.

Geduld, die; -: *ruhiges und beherrschtes Ertragen von etwas, was unangenehm ist oder sehr lange dauert; Ausdauer:* der Lehrer hat sehr viel G. mit dem schlechten Schüler; er trug seine Krankheit mit viel G.

gedulden, sich; geduldete sich, hat sich geduldet: *geduldig warten:* du mußt dich noch ein bißchen g.

geduldig ⟨Adj.⟩: *Geduld habend, mit Ruhe:* er hörte mir g. zu.

Geduldsfaden: ⟨in der Wendung⟩ jmdm. reißt der G. (ugs.): *jmd. verliert die Geduld:* das geht so lange weiter, bis mir mal der G. reißt.

Geduldsprobe, die; -, -n: *etwas, was große Anforderungen an jmds. Geduld stellt:* das Warten war für mich eine harte G.* **jmdn. auf eine [harte] G. stellen** *(jmds. Geduld sehr in Anspruch nehmen).*

Geduld[s]spiel, das; -[e]s, -e: *Spiel, bei dem man sehr viel Geduld haben muß:* bei einem G. lernt das Kind, sich zu konzentrieren; bildl.: diese Arbeit ist ein richtiges G.

geeignet ⟨Adj.⟩: *passend; zu einer bestimmten Aufgabe fähig:*

der Betrieb sucht einen geeigneten Mitarbeiter für die Werbung.

Gefahr, die; -, -en: *drohender Schaden, drohendes Unheil:* die Kälte ist eine große G. für die Pflanzen. * **jmd. läuft G.** *(für jmdn. besteht die G., daß ...):* die Partei läuft G., ihre Wähler zu verlieren.

gefährden, gefährdete, hat gefährdet ⟨tr.⟩ /vgl. gefährdet/: *(jmdn.) in Gefahr bringen:* der Fahrer des Omnibusses gefährdete die Fahrgäste durch sein unvorsichtiges Fahren.

gefährdet ⟨Adj.⟩: *in Gefahr, bedroht:* das Unternehmen ist wegen der schlechten Konjunktur gefährdet.

Gefährdung, die; -: *das Gefährden, das Gefährdetsein:* die G. der öffentlichen Sicherheit.

gefährlich ⟨Adj.⟩: **a)** *mit Gefahr verbunden, Gefahr bringend:* an der gefährlichen Kurve sind schon viele Unfälle geschehen; der Verbrecher ist für seine Mitmenschen gefährlich. **b)** *gewagt; in seinen Folgen mit Gefahr verbunden:* er ließ sich auf dieses gefährliche Unternehmen nicht ein.

gefahrlos ⟨Adj.⟩: *nicht mit Gefahr verbunden; ungefährlich:* der Weg auf diesen Berg ist ganz g.

Gefährt, das; -[e]s, -e (abwertend): *Fahrzeug:* ein seltsames G.

Gefährte, der; -n, -n (geh.): *Kamerad.* Vgl. Lebensgefährte, Spielgefährte.

Gefälle, das; -s, -: *Höhenunterschied, Grad der Neigung:* das Gelände hat ein starkes G.; das G. des Wassers wird zur Erzeugung von elektrischem Strom ausgenutzt; bildl.: das soziale G. in der Bevölkerung *(der Unterschied in der sozialen Stellung).*

gefallen, gefällt, gefiel, hat gefallen ⟨itr.⟩: *zusagen; in Aussehen, Eigenschaften o. ä. für jmdn. angenehm sein:* dieses Bild gefällt mir; das Mädchen hat ihm sehr [gut] gefallen; ⟨auch rfl.⟩ (abwertend) er gefiel sich in der Rolle des Helden. * **sich etwas g. lassen** *(etwas ohne Aufbegehren geschehen lassen, hinnehmen):* diese Beleidigung darfst du dir nicht g. lassen.

Gefallen: I. der; -s, -: *Gefälligkeit, Freundschaftsdienst:* er hat mir den G. erwiesen, den Brief zur Post mitzunehmen. **II.** das; -s: *persönliche Freude (an etwas, was man als angenehm empfindet):* sein G. an diesem Hobby dauerte nicht lange. * **G. finden/haben an jmdm./etwas** *(jmdn./etwas sehr gern haben; sich an jmdm./etwas freuen):* er findet kein G. am Fußballspiel.

Gefallene, der; -n, -n ⟨aber: [ein] Gefallener; Plural: Gefallene⟩: *Soldat, der im Krieg sein Leben verloren hat:* ein Denkmal für die Gefallenen des letzten Krieges.

gefällig ⟨Adj.⟩: **a)** *gern bereit, einen Gefallen zu tun; hilfsbereit:* er ist sehr g. und gibt immer Auskunft, wenn man etwas fragt. **b)** *angenehm in Aussehen und Benehmen; hübsch:* sie hat ein gefälliges Wesen; sie ist g. gekleidet.

Gefälligkeit, die; -, -en: *kleiner, aus Freundlichkeit erwiesener Dienst:* jmdm. eine G. erweisen.

gefälligst ⟨Adverb⟩: /als Ausdruck des Unwillens und emotionale Verstärkung eines Vorwurfs/: *paß g. auf!*

Gefallsucht, die; - (abwertend): *starker Drang, allgemein Anklang zu finden, zu gefallen:* ihre G. stößt viele ab.

Gefangene, der; -n, -n ⟨aber: [ein] Gefangener; Plural: Gefangene⟩: **a)** *jmd., der im Krieg gefangengenommen wurde:* die Gefangenen kehrten heim. **b)** *Häftling:* der G. wurde aus dem Gefängnis entlassen.

Gefangenenlager, das; -s, -: *Lager für Kriegsgefangene:* aus dem G. ausbrechen.

gefangenhalten, hält gefangen, hielt gefangen, hat gefangengehalten ⟨tr.⟩: *in Gefangenschaft halten; nicht freilassen:* er wurde nach dem Krieg noch vier Jahre gefangengehalten.

Gefangennahme, die; -: *Festnahme (eines feindlichen Soldaten):* die G. von zwei Soldaten wurde gemeldet.

gefangennehmen, nimmt gefangen, nahm gefangen, hat gefangengenommen ⟨tr.⟩: **1.** *(einen Soldaten) im Krieg festnehmen:* einen Soldaten g. **2.** *sehr begeistern, beeindrucken:* diese Musik hat mich ganz gefangengenommen.

Gefangenschaft, die; -: *Situation eines Soldaten, der vom Feind gefangengehalten wird:* er ist in G. geraten.

Gefängnis, das; -ses, -se: *Gebäude, in dem Häftlinge ihre Strafen abbüßen:* das G. wird bewacht.

Gefäß, das; -es, -e: *kleinerer Behälter:* er holte in einem G. Wasser.

gefaßt ⟨Adj.⟩: *in einer schwierigen, schicksalhaften Situation nach außen hin ruhig, beherrscht:* der Angeklagte hörte g. das Urteil des Gerichts; sie war ganz g., als sie die Nachricht vom Tod ihres Mannes erhielt. * **sich auf etwas g. machen [müssen]** *(mit etwas Unangenehmem rechnen [müssen]):* wir müssen uns auf das Schlimmste g. machen. **Gefaßtheit,** die; -.

Gefecht, das; -[e]s, -e: *kleinerer militärischer Kampf:* an der Grenze gab es ein blutiges G. * **etwas ins G. führen** *(etwas als Argument vorbringen):* er konnte bei der Verhandlung wichtige Gründe ins G. führen; **außer G. setzen** *([durch eine schnelle, plötzliche Maßnahme] bewirken, daß jmd. nicht mehr kämpfen kann):* er hat seinen Gegner gleich am Anfang der Diskussion mit überzeugenden Argumenten außer G. gesetzt; **in der Hitze des Gefechts** *(unabsichtlich, in der Eile, Aufregung):* in der Hitze des Gefechts hat er dies übersehen.

gefeit: ⟨in der Verbindung⟩ g. sein gegen etwas (geh.): *geschützt sein vor etwas:* durch die Impfung ist er gegen Grippe g.

Gefieder, das; -s: *alle Federn eines Vogels:* der Hahn hat ein buntes G.

Gefilde, die ⟨Plural⟩ (dicht.): *Gegend, Ort:* die vertrauten G. verlassen.

Geflecht, das; -[e]s, -e: *etwas, was durch Flechten hergestellt wurde:* sie bastelte ein G. aus Bast, Stroh.

geflissentlich ⟨Adj.⟩: *absichtlich; so, daß es auch nach außen sichtbar ist:* er vermeidet es g., mit seinem Rivalen zu sprechen.

Geflügel, das; -s: *alle Vögel, die der Mensch als Haustier hält* (siehe Bild): Hühner, Gänse, Enten gehören zum G.

Geflügel

geflügelt: ⟨in der Fügung⟩ ein geflügeltes Wort: *Ausspruch einer berühmten Persönlichkeit; Zitat aus der Dichtung, das sprichwörtlich geworden ist:* geflügelte Worte sammeln, veröffentlichen.

Geflüster, das; -s: *[dauerndes] Flüstern, leises Sprechen:* in der Klasse gab es ein lebhaftes G.

Gefolge, das; -s: *alle Personen, die eine Person von hohem Rang begleiten:* im G. des Präsidenten waren mehrere Minister; der König trat mit großem G. auf. * **etwas hat etwas im G.** *(etwas hat etwas zur Folge, verursacht etwas):* Kriege haben oft politische Veränderungen im G.

Gefolgschaft, die; -, -en: *alle Anhänger (von jmdm.):* sie gehören zu seiner G.

gefräßig ⟨Adj.⟩ (abwertend): *übermäßig viel essend.* **Gefräßigkeit,** die; -.

Gefreite, der; -n, -n ⟨aber: [ein] Gefreiter, Plural: Gefreite⟩: *um einen Dienstgrad beförderter einfacher Soldat:* Gefreiter X. meldet sich.

gefrieren, gefror, ist gefroren ⟨itr.⟩: *infolge von Kälte erstarren; zu Eis werden:* der Regen gefror augenblicklich zu Eis.

Gefrierfleisch, das; -[e]s: *durch Gefrieren konserviertes Fleisch.*

Gefrierpunkt, der; -[e]s, -e: *Temperatur, bei der eine Flüssigkeit gefriert:* der G. von Wasser liegt bei 0°Celsius.

Gefrorene, das; -n ⟨aber: Gefrorenes⟩ (südd.; östr.): *süße Speise, die in gefrorenem Zustand gegessen wird:* zum Nachtisch Gefrorenes bestellen.

Gefüge, das; -s, -: *innerer Aufbau, Struktur:* das wirtschaftliche und soziale G. eines Staates.

gefügig ⟨Adj.⟩ (abwertend): *sich dem Willen eines andern beugend; willig:* er war ein gefügiges Werkzeug der Partei. * **sich jmdn. g. machen** *(jmdn. nach anfänglichem Widerstand dazu bringen, daß er sich willig unterordnet):* er hat ihn durch Erpressung g. gemacht. **Gefügigkeit,** die; -.

Gefühl, das; -[e]s, -e: **1.** ⟨ohne Plural⟩ *Wahrnehmung durch den [Tast]sinn:* vor Kälte kein G. in den Fingern haben. **2.** *seelische Regung, Empfindung.* ein G. der Freude; es ist ein herrliches G., im Meer zu schwimmen; er zeigte nie seine Gefühle. * **seinen Gefühlen freien Lauf lassen** *(sich nicht zurückhalten, sondern ohne Hemmung zeigen, was man denkt und fühlt);* **mit gemischten Gefühlen** *(nicht unbedingt mit Freude):* er nahm die Nachricht vom Besuch seiner Tante mit gemischten Gefühlen auf; (ugs.) **das höchste der Gefühle** *(das Höchste, was man erreichen kann):* wenn du für dieses alte Auto 1000 Mark bekommst, so ist das das höchste der Gefühle; **ein G. für etwas haben** *(die Fähigkeit haben, sich in etwas einzufühlen):* der Dirigent hat ein gutes G. für Rhythmus. **3.** ⟨ohne Plural⟩ *Ahnung; undeutlicher Eindruck:* er hatte das G., als sei er nicht allein im Zimmer. * **etwas im G. haben** *(etwas instinktiv wissen):* er hat es im G., wie schnell er auf einer nassen Straße fahren darf.

gefühllos ⟨Adj.⟩: **1.** *mit dem Tastsinn nichts fühlen könnend:* seine Hand war vor Kälte steif und g. **2.** *ohne Mitgefühl, herzlos:* ein gefühlloser Mensch; wie kannst du nur so g. sein. **Gefühllosigkeit,** die; -.

Gefühlsduselei, die; -, -en (abwertend): *übertriebene Sentimentalität.*

gefühlsmäßig ⟨Adj.⟩: *einem inneren Gefühl folgend; durch Fühlen, Empfinden bedingt:* seine Abneigung gegen ihn ist g.; er hat sich g. so entschieden.

Gefühlsmensch, der; -en, -en: *jmd., der sich in seinem Handeln stark vom Gefühl beeinflussen läßt.*

gefühlvoll ⟨Adj.⟩: **a)** *tiefer Empfindungen, Gefühle fähig, empfindsam:* sie ist sehr g. und sorgt sich um ihre Mitmenschen. **b)** (abwertend) *sentimental:* ein gefühlvolles Gedicht.

gegebenenfalls ⟨Adverb⟩: *wenn es notwendig, passend ist; wenn der betreffende Fall eintritt; eventuell:* g. muß auch die Polizei eingesetzt werden; ich nenne dir einen Arzt, an den du dich g. wenden kannst.

Gegebenheiten, die ⟨Plural⟩: *Tatsachen, Zustände, mit denen man rechnen muß und von denen das Tun des Menschen bestimmt wird:* man muß beim Bau eines Hauses die natürlichen G. der Landschaft berücksichtigen.

gegen: **I.** ⟨Präp. mit Akk.⟩: **1.** *wider* /bezeichnet einen Gegensatz, Widerstand, eine Abneigung/: g. jmdn. kämpfen; die Polizei schreitet g. die rücksichtslosen Autofahrer ein; die Opposition stimmte im Parlament g. den Antrag; ein Medikament g. Husten; eine Versicherung g. Feuer *(zum Schutz gegen Schaden durch Feuer).* **2.** (geh.) *gegenüber* /bezeichnet eine Beziehung zu jmdm. oder etwas/: der Chef ist freundlich g. seine Mitarbeiter; er war taub g. meine Bitten. **3.** *im Verhältnis (zu jmdm./etwas); verglichen (mit jmdm./etwas)* /drückt einen Vergleich aus/: g. ihn ist er sehr klein; was bin ich g. diesen berühmten Mann? **4.** (landsch.) /bezeichnet eine räumliche oder zeitliche Annäherung an ein Ziel oder einen Zeitpunkt/: er wandte sich g. das Haus *(dem Haus zu).* **II.** ⟨Adverb⟩ *ungefähr:* g. 1000 Menschen befanden sich im Saal; es war schon g. *(nahezu)* Mitternacht, als er zu Bett ging.

Gegenbesuch, der; -[e]s, -e: *Besuch bei jmdm., der einen selbst bereits besucht hat:* einen G. machen.

Gegenbeweis, der; -es, -e: *Beweis, der eine Meinung widerlegt:* etwas als G. anführen.

Gegend, die; -, -en: *bestimmtes, aber nicht näher abgegrenztes Gebiet:* eine schöne G. *(Landschaft);* durch die G. spazieren *(ohne bestimmtes Ziel spazieren);* er lebt jetzt in der G. *(Nähe)* von Hamburg; ein Haus in einer vornehmen G. *(einem vornehmen Teil)* von Paris; die ganze G. spricht *(alle Einwohner sprechen)* von dem Ereignis; er hat Schmerzen in der G. der Niere *(ungefähr da, wo sich die Niere befindet)*.

Gegendienst, der; -[e]s, -e: *Gefälligkeit, die man aus Dank für eine erwiesene Gefälligkeit erwidert:* jmdm. einen G. leisten.

gegeneinander ⟨Adverb⟩: *einer gegen den andern:* g. kämpfen; sie sind nett und freundlich g. *(zueinander)*; ⟨auch zusammengesetzt mit Verben⟩ gegeneinanderstellen, gegeneinanderstoßen.

Gegenfrage, die; -, -n: *Frage an jmdn., der eigentlich eine Antwort auf seine eben gestellte Frage erwartet:* um nicht antworten zu müssen, kam er sofort mit einer G.

Gegengewicht, das; -[e]s, -e: *etwas, was einer Sache in [beinahe] gleicher Stärke entgegenwirkt, um ihre Wirkung abzuschwächen oder auszuschalten:* ein wirksames G. zu etwas schaffen; ein wenig Sport ist das beste G. *(der beste Ausgleich)* für eine vorwiegend geistige Betätigung.

Gegenleistung, die; -, -en: *Leistung, mit der eine empfangene Leistung ausgeglichen wird:* er verlangte keine G. für seine Hilfe.

Gegenliebe, die; -: **a)** *Liebe, die man von einem geliebten Menschen erwartet:* er fand bei ihr keine G. **b)** *Zustimmung, Beifall, Anklang:* er stieß mit seinem Vorschlag auf wenig G.

Gegenmaßnahme, die; -, -n: *Maßnahme, die etwas Unerwünschtes verhindern soll:* Gegenmaßnahmen treffen, anordnen.

Gegenprobe, die; -, -n: *[nochmalige] Überprüfung von etwas Errechnetem, Festgestelltem in anderer oder entgegengesetzter Weise:* eine G. machen.

Gegensatz, der; -es, Gegensätze: *etwas, was einem anderen völlig entgegengesetzt ist:* der G. von „kalt" ist „warm"; zwischen den beiden Parteien besteht ein tiefer G. *(ihre Auffassungen stehen sich schroff gegenüber)*.

gegensätzlich ⟨Adj.⟩: *einen Gegensatz bildend; ganz verschieden:* die beiden Parteien vertreten gegensätzliche Ansichten.

Gegensätzlichkeit, die; -, -en.

Gegenschlag, der; -[e]s, Gegenschläge: *[schnell durchgeführte] Aktion, die gegen jmdn. gerichtet ist, der vorher angegriffen hat:* einen G. vorbereiten; die Mannschaft holte zum G. aus.

gegenseitig ⟨Adj.⟩: **a)** *einer für den anderen und umgekehrt; wechselseitig:* sie helfen sich g. bei den Schulaufgaben. **b)** *beide Seiten betreffend:* sie schlossen den Vertrag im gegenseitigen Einverständnis. **Gegenseitigkeit,** die; -.

Gegenspieler, der; -s, -: **1. a)** *jmd., der einem andern ständig entgegenwirkt, um ihn nicht aufkommen zu lassen:* er konnte alle seine G. ausschalten. **b)** Sport *Spieler der gegnerischen Mannschaft, der auf Grund des Platzes, den er auf dem Spielfeld einnimmt, zum unmittelbaren Gegenüber wird:* seinen G. gut decken. **c)** *Gestalt auf der Bühne, die zum Helden einen Kontrast darstellt:* der G. war in der Aufführung etwas schwach gezeichnet. **2.** *etwas, was (einer vollkommen anders gearteten Sache) entgegenwirkt:* der Muskel hat einen wirksamen G. am Unterarm.

Gegenstand, der; -[e]s, Gegenstände: **1.** *nicht näher bezeichneter Körper:* ein schwerer, runder G.; auf dem Tisch lagen verschiedene Gegenstände. **2.** ⟨ohne Plural⟩ *etwas, womit man sich beschäftigt; Thema:* als G. seines Vortrags wählte er ein Problem aus der modernen Literatur.

gegenständlich ⟨Adj.⟩: *so, daß man es sich vorstellen kann; konkret; anschaulich:* er malt nicht abstrakt, sondern g.; einen komplizierten Vorgang g. darstellen.

gegenstandslos ⟨Adj.; nicht adverbial⟩: **a)** *überflüssig; nicht [mehr] notwendig:* nachdem die Verbesserungen vorgenommen wurden, waren seine Einwände g. geworden. **b)** *grundlos:* gegenstandslose Verdächtigungen; seine Befürchtungen waren ganz g.

Gegenstimme, die; -, -n: **1.** *sich gegen etwas aussprechende Stimme bei einer Abstimmung:* der Antrag wurde ohne G. angenommen. **2.** Musik *Melodie, die zur führenden Melodie einen Kontrast bildet:* die G. singen.

Gegenstück, das; -[e]s, -e: **1.** *jmd./etwas, was jmdm./einer Sache in einem anderen Bereich entspricht, vollkommen gleicht:* es gibt kein ausländisches G. zu diesem Roman. **2.** *etwas, was das Gegenteil von etwas ist:* die Demokratie ist das G. zur Diktatur.

Gegenteil, das; -[e]s, -e: *etwas, was den genauen Gegensatz zu etwas darstellt:* er behauptete das G.; mit deinem dauernden Schimpfen erreichst du nur das G.; ⟨auch auf Personen bezogen⟩ er ist ganz das G. von seinem Vater *(er ist ganz anders als sein Vater)*.

gegenteilig ⟨Adj.⟩: *das Gegenteil bildend; entgegengesetzt:* gegenteilige Behauptungen; das Mittel hatte gerade gegenteilige Wirkung.

gegenüber ⟨Präp. mit Dativ⟩: **1.** *auf der entgegengesetzten Seite von etwas* /räumlich/: die Schule steht g. der Kirche; Mannheim liegt g. von Ludwigshafen; seine Verlobte wohnt schräg g. *(etwas weiter links oder rechts auf der anderen Seite der Straße)*. **2.** *in bezug (auf jmdn.):* er ist dem Lehrer g. sehr höflich; seinem Vater g. *(zu seinem Vater)* wagt er das nicht zu sagen. **3.** *verglichen (mit jmdm./etwas); im Vergleich (zu jmdm./etwas):* seinen Kameraden g. ist er noch sehr klein; g. den vergangenen Jahren hatten wir dieses Jahr viel Schnee.

Gegenüber, das; -s: *jmd. der sich jmdm. gegenüberbefindet:* ihr G. war ein älterer Herr.

gegenüberliegen, lag gegenüber, hat gegenübergelegen ⟨itr.⟩: *auf der entgegengesetzten Seite (von etwas) liegen:* die beiden Häuser liegen einander [schräg] gegenüber; ⟨häufig im 1. Partizip⟩ auf der gegenüberliegenden Seite der Straße.

gegenübersitzen, saß gegenüber, hat gegenübergesessen ⟨itr.⟩: *gegenüber (von jmdm.) sitzen:* am Tisch einer älteren Dame g.

gegenüberstehen, stand gegenüber, hat gegenübergestanden ⟨itr.⟩: **a)** *gegenüber (von jmdm./etwas) stehen:* jmdm. Auge in Auge g.; bildl.: im Parlament steht der konservativen

Partei eine äußerst fortschrittliche gegenüber. **b)** *sich (einer Sache, einer Person gegenüber in bestimmter Weise) verhalten:* einem Plan kritisch, feindlich, ablehnend g.; er stand seinem neuen Partner nicht allzu freundlich gegenüber.

gegenüberstellen, stellte gegenüber, hat gegenübergestellt ⟨tr.⟩: **a)** *nebeneinanderstellen, in Beziehung bringen, um vergleichen zu können:* zwei Werke eines Dichters g. **b)** *(zwei Gegner) zu einer Begegnung zusammenbringen, um eine Entscheidung herbeizuführen:* dem Angeklagten wurde vor Gericht ein Zeuge gegenübergestellt. **Gegenüberstellung,** die; -, -en.

gegenübertreten, tritt gegenüber, trat gegenüber, ist gegenübergetreten ⟨itr.⟩: **a)** *(vor jmdm. in bestimmter Weise) auftreten:* ich weiß nicht, wie ich diesem Menschen g. soll; bildl.: er ist mutig seinem Schicksal gegenübergetreten. **b)** (geh.) *(jmdn. in bestimmter Weise) behandeln:* er war verletzt, als sie ihm so abweisend gegenübertrat.

Gegenverkehr, der; -s: *Verkehr in entgegengesetzter Richtung:* auf der Autobahn ist kein G.; bei G. muß man die Scheinwerfer abblenden.

Gegenvorschlag, der; -[e]s, Gegenvorschläge: *(von jmd. anderem gemachter) Vorschlag, der entgegengesetzt oder anders geartet ist:* keiner ging auf den G. des Herrn X ein.

Gegenwart, die; -: **1.** *Zeit, in der wir gerade leben:* die Kunst der G. **2.** *Anwesenheit:* seine G. ist nicht erwünscht. * **in jmds. G.** *(während jmd. anwesend ist):* der Schüler wurde in G. der ganzen Klasse gelobt.

gegenwärtig ⟨Adj.⟩: **1.** ⟨nicht prädikativ⟩ *jetzt; in der Gegenwart [vorkommend]; augenblicklich:* die gegenwärtige Lage; er ist g. im Urlaub. **2.** ⟨nur prädikativ⟩ *anwesend:* der Vorsitzende war bei der Sitzung nicht g. ** **etwas g. haben** *(sich an etwas genau erinnern können);* **jmdm. ist etwas g.** *(jmd. kann sich an etwas erinnern).*

Gegenwert, der; -[e]s, -e: *Wert, der dem einer bestimmten Sache entspricht:* jmdm. etwas als G. anbieten.

Gegenwind, der; -[e]s: *Wind, der aus entgegengesetzter Richtung kommt:* er hatte beim Laufen starken G.

gegenzeichnen, zeichnete gegen, hat gegengezeichnet ⟨tr.⟩: *zur Kontrolle als zweiter unterschreiben:* der Vertrag muß noch gegengezeichnet werden.

Gegner, der; -s, -: **1.** *jmd., der gegen jmdn./etwas eingestellt ist und ihn/es bekämpft:* er wollte den G. mit Argumenten überzeugen; ein G. der Diktatur; der G. wurde in die Flucht geschlagen. **2.** *gegenüberstehender Sportler oder gegenüberstehende Mannschaft:* der G. war für uns viel zu stark.

gegnerisch ⟨Adj.; nur attributiv⟩: *der Partei des Gegners angehörend; vom Gegner, Feind ausgehend:* die gegnerische Mannschaft läuft auf das Spielfeld; der gegnerische Angriff konnte abgewehrt werden.

Gehabe, das; -s: *geziertes, unnatürliches, aufdringliches Gebaren:* ihr eigenartiges G. war sehr auffällig.

Gehaben, das; -s: **a)** *Gebaren:* sein ganzes G. ist mit dem Alter anders geworden. **b)** *Gehabe.*

Gehackte, das; -n ⟨aber: Gehacktes⟩: *Hackfleisch.*

Gehalt: I. das; -[e]s, Gehälter: *regelmäßige [monatliche] Bezahlung der Beamten und Angestellten:* ein G. beziehen; die Gehälter werden erhöht. **II.** der; -[e]s, -e: **1.** *gedanklicher, ideeller Inhalt:* der G. einer Dichtung. **2.** *Anteil eines Stoffes in einer Mischung:* der G. an Gold in diesem Erz ist gering.

gehaltlos ⟨Adj.; nicht adverbial⟩: *ohne tieferen ideellen Gehalt:* ein gehaltloser Film.

Gehaltserhöhung, die; -, -en: *Erhöhung des Gehalts:* um eine G. bitten.

Gehaltszulage, die; -, -en: *Gehaltserhöhung.*

gehaltvoll ⟨Adj.; nicht adverbial⟩: *von großem (materiellem oder ideellem) Gehalt:* die Nahrung ist g.; ein gehaltvoller Roman.

gehandikapt [gəˈhɛndikɛpt] ⟨Adj.⟩: *behindert, benachteiligt:* ein stark gehandikapter Spieler; er war durch seine Verletzung etwas g.

Gehänge, das; -s, - (abwertend): *auffallender, hängender Schmuck:* an ihren Ohren baumelte ein eigenartiges G.

gehässig ⟨Adj.⟩ (abwertend): *in bösartiger Weise feindlich gesinnt:* g. über jmdn. sprechen. **Gehässigkeit,** die; -, -en.

Gehäuse, das; -s, -: *feste Hülle:* das G. der Uhr, eines Apparates; das G. *(Kerngehäuse)* aus dem Apfel schneiden.

Gehege, das; -s, -: *umzäunte Stelle, Gebiet für Tiere:* ein G. für Affen im Zoo; in einem G. im Wald werden Rehe gehalten. * (ugs.) **jmdm. ins G. kommen** *(jmdn. in seinen Plänen o. ä. durch eigenes Handeln stören).*

geheim ⟨Adj.⟩: *nicht öffentlich bekannt; verborgen:* es fanden geheime Verhandlungen statt; ein geheimer Wunsch; eine geheime Wahl *(Wahl, bei der die Meinung des einzelnen Wählers nicht bekannt wird).* * **im geheimen** *(von anderen nicht bemerkt):* das Fest wurde ganz im geheimen vorbereitet.

geheimhalten, hält geheim, hielt geheim, hat geheimgehalten ⟨tr.⟩: *verhindern, daß etwas allgemein bekannt wird; nicht verraten:* das Ergebnis der Verhandlungen wurde geheimgehalten. **Geheimhaltung,** die; -.

Geheimnis, das; -ses, -se: **1.** *etwas, was geheim bleiben soll:* ein G. verraten. * **jmdn. in ein G. einweihen** *(jmdm. im Vertrauen etwas Geheimes sagen);* **ein offenes G.** *(etwas, was offiziell geheimgehalten wird, aber bereits allgemein bekannt ist).* **2.** *etwas, was nicht erklärt werden kann:* die Geheimnisse *(unerforschten Tatsachen)* der Natur.

Geheimniskrämer, der; -s, - (ugs.; abwertend): *jmd., der geheimnisvoll tut:* sei nicht so ein G., erzähl doch!

Geheimniskrämerei, die; -, -en (ugs.; abwertend): *geheimnisvolles Getue:* diese G. ist mir unverständlich.

Geheimnistuerei, die; -, -en (ugs.; abwertend): *Geheimniskrämerei.*

geheimnisvoll ⟨Adj.⟩: *unerklärlich, rätselhaft:* eine geheimnisvolle Angelegenheit; er tat sehr g. *(sehr wichtig).*

Geheimratsecken, die; ⟨Plural⟩ (ugs.; scherzh.): *durch Ausfall von Haaren entstandene Ecken oberhalb der Schläfen des Mannes* (siehe Bild).

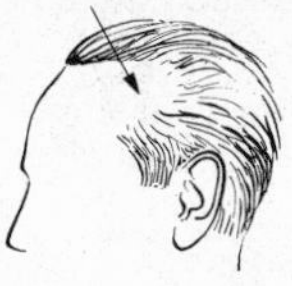

Geheimratsecken

Geheimschrift, die; -, -en: *verschlüsselte Schrift, die nur von Eingeweihten entziffert werden kann:* der Schüler schrieb in G. einen Brief an seinen Freund.

Geheiß: ⟨in der Fügung⟩ auf [jmds.] G.: *auf [jmds.] Befehl, Aufforderung:* er tat es auf G. seines Vorgesetzten.

gehen, ging, ist gegangen ⟨itr.⟩: **1.** *sich in aufrechter Haltung auf den Füßen fortbewegen:* über die Straße g.; er muß auf Krücken g. * **mit jmdm. g.** *(mit jmdm. vom anderen Geschlecht eng befreundet sein).* **2. a)** *sich (zu einem bestimmten Zweck) an einen Ort begeben:* schwimmen, tanzen g. **b)** *regelmäßig besuchen:* das Kind geht noch nicht zur Schule. **3. a)** *sich von einem Ort entfernen:* ich muß jetzt leider g. **b)** *seine berufliche Stellung aufgeben:* er hat gekündigt und wird nächsten Monat g. **c)** *[laut Fahrplan] abfahren:* der nächste Zug geht erst in zwei Stunden. **4.** *in Gang sein, funktionieren; verlaufen:* die Uhr geht richtig; es geht alles wie geplant. * (ugs.) **etwas geht wie am Schnürchen** *(etwas verläuft tadellos);* **vor sich g.** *(gerade stattfinden):* was geht hier vor sich? *(was ist hier los?; was geschieht hier?).* **5.** *möglich sein:* das wird nur schwer g.; das geht bestimmt nicht. **6.** *sich (bis zu einem bestimmten Punkt) ausdehnen:* sein kleiner Bruder geht ihm nur bis zur Schulter. * **jmdm. über alles g.** *(für jmdn. das Höchste, Wertvollste sein).* **7.** *sich (in einem bestimmten seelischen oder körperlichen Zustand) befinden:* es geht ihm nach der Kur wieder besser; Wie geht es Ihnen? **8.** *sich (um jmdn./etwas) handeln:* es geht um meine Familie; das geht gegen dich *(das ist gegen dich gerichtet).* **9.** ⟨als Funktionsverb⟩ /drückt den Beginn eines Zustands oder Vorgangs aus/: in die Hocke g. *(sich hocken);* an die Arbeit g. *(zu arbeiten beginnen);* auf Reisen g. *(verreisen).*

gehenlassen, läßt gehen, ließ gehen, hat gehen[ge]lassen: **1.** ⟨rfl.⟩ *sich nicht beherrschen, nachlässig sein:* zu Hause läßt er sich einfach gehen. **2.** ⟨itr.⟩ (ugs.) *in Ruhe lassen:* laß den Hund endlich gehen.

geheuer: ⟨in der Verbindung⟩ nicht g. sein: *unheimlich, nicht ganz sicher sein:* die ganze Sache war mir nicht g.; so allein nachts im Wald war es nicht ganz g.

Gehilfe, der; -n, -n: **a)** (geh.): *jmd., der einem anderen bei etwas hilft:* sein Bruder war ihm bei seiner schwierigen Arbeit ein verläßlicher G.; (abwertend) der Verbrecher hatte bei dem Überfall noch zwei Gehilfen *(Komplicen).* **b)** *jmd., der die Lehrzeit erfolgreich mit einer Prüfung abgeschlossen hat* /bes. von kaufmännischen Berufen/.

Gehirn, das; -[e]s, -e: **1.** *weiche Masse im Innern des Kopfes, in der das Bewußtsein seinen Sitz hat:* er zog sich bei dem Unfall eine Verletzung des Gehirns zu. **2.** (ugs.) *Verstand:* er hatte verschiedene Pläne in seinem G. * **sein G. anstrengen** *(scharf nachdenken).*

Gehirnerschütterung, die; -, -en: *gewaltsame Erschütterung des Gehirns, zum Teil verbunden mit Bewußtlosigkeit und Erbrechen:* eine G. haben.

Gehirnwäsche, die; -, -n: *gewaltsame Veränderung der Urteilskraft und der [politischen] Einstellung eines Menschen durch starken physischen und psychischen Druck:* einer G. ausgesetzt sein.

gehoben ⟨Adj.⟩: **1.** ⟨nicht adverbial⟩ *sozial auf einer höheren Stufe stehend; leitend:* eine gehobene Position bei einem Ministerium haben. **2.** *sich über das Alltägliche erhebend; festlich, froh gestimmt:* bei der Feier herrschte eine gehobene Stimmung; eine gehobene Sprache, Rede.

Gehöft, das; -[e]s, -e (geh.): *Bauernhof.*

Gehölz, das; -es, -e: *kleines, dicht von Bäumen und Sträuchern bestandenes Stück Land; kleiner Wald:* der Weg führt an einem G. vorbei; durch das niedere G. kriechen.

Gehör, das; -s: *Fähigkeit, Töne durch die Ohren wahrzunehmen:* er hat ein gutes G.; das G. verlieren, ein gutes musikalisches G. *(ein Gehör, das musikalisches Verständnis ermöglicht).* ** **sich** (Dativ) **G. verschaffen** *(dafür sorgen, daß man angehört wird);* **etwas zu G. bringen** *(etwas vortragen);* **um G. bitten** *(darum bitten, daß man angehört, beachtet wird);* **jmdm. G. schenken** *(jmdn. anhören; auf seine Bitten o. ä. eingehen);* **G. finden** *(mit seinen Bitten o. ä. bereitwillig gehört werden).*

gehorchen, gehorchte, hat gehorcht ⟨itr.⟩: *so handeln, wie es eine höhergestellte Person will, befiehlt:* das Kind gehorchte den Eltern; einem Befehl g.

gehören, gehörte, hat gehört ⟨itr.⟩ **1.** ⟨mit Dativ⟩ *von jmdm. rechtmäßig erworben sein; jmds. Eigentum sein:* das Buch gehört mir; bildl.: dem Kind gehört ihre ganze Liebe. **2.** *(an einer bestimmten Stelle den richtigen Platz haben, passend sein:* das Fahrrad gehört nicht in die Wohnung; diese Frage gehört nicht hierher; die Kinder gehören abends um neun ins Bett *(sollen um neun im Bett sein).* * **zu etwas/jmdm. g.** *(Teil von etwas/jmdm. sein):* der Junge gehört nicht zu unserer Familie; er gehört zu den besten Spielern seiner Mannschaft; **etwas gehört zu etwas dazu** *(etwas ist für etwas Voraussetzung):* es gehört viel Mut dazu, diese Aufgabe zu übernehmen; da gehört etwas dazu, sich so zu benehmen!; **etwas gehört sich** [**nicht**] *(etwas ziemt sich [nicht]; etwas entspricht [nicht] den üblichen Regeln von Sitte und Anstand):* es gehört sich, älteren Leuten den Platz anzubieten.

gehörig ⟨Adj.⟩: **1.** ⟨nur attributiv⟩ *angemessen, geziemend:* der Sache wurde nicht die gehörige Aufmerksamkeit geschenkt; der gehörige Respekt. **2.** (ugs.) ⟨verstärkend bei Substantiven und Verben⟩ *sehr; tüchtig, dem Anlaß entsprechend [hoch oder groß]:* eine gehörige Strafe; jmdm. g. die Meinung sagen.

gehörnt: ⟨in der Fügung⟩ ein gehörnter Ehemann (veraltend; scherzh.): *Ehemann, der von seiner Frau mit einem anderen Mann betrogen worden ist.*

gehorsam ⟨Adj.⟩: **a)** *sich dem Willen eines Vorgesetzten unterordnend:* der Beamte war immer ein gehorsamer Diener des Staates. **b)** *die Anordnungen der Erwachsenen, Eltern willig befolgend; folgsam; brav:* Kinder müssen lernen, g. zu sein.

Gehorsam, der; -s: *das Gehorchen; Unterordnung unter den Willen der Vorgesetzten:* die Soldaten sind zu unbedingtem G. verpflichtet; jmdm. den G. verweigern *(nicht mehr gehorchen).*

Gehsteig, der; -[e]s, -e: *Bürgersteig.*

Gehweg, der; -[e]s, -e: *Bürgersteig.*

Geier, der; -s, -: /ein Vogel/ (siehe Bild).

Geier

Geifer, der; -s: **a)** *(aus dem Mund fließender) meist schäumender Speichel:* vom Maul des Pferdes tropfte der G. **b)** (geh.; abwertend) *gehässiges, wütendes Reden:* die wahre Begebenheit ist durch Haß und G. entstellt.

geifern, geiferte, hat gegeifert ⟨itr.⟩: **a)** *Speichel aus dem Mund fließen lassen:* Kinder geifern häufig, wenn sie Zähne bekommen. **b)** (geh.; abwertend) *schimpfen, sich abfällig und gehässig äußern:* er geiferte gegen alles Moderne in der Kunst.

Geige, die; -, -n: /ein Musikinstrument/ (siehe Bild). *** die erste G. spielen** *(die führende Rolle innehaben);* **die zweite G. spielen** *(geringeren Einfluß als der Leiter, Vorgesetzte, Chef o. ä. haben).*

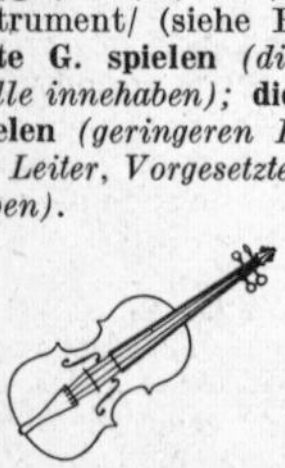

Geige

Geiger, der; -s, -: *Musiker, der in einem Orchester Geige spielt:* ein G. ist wegen Krankheit ausgefallen.

geil ⟨Adj.⟩: **1. a)** *[allzu] üppig wachsend* /von Pflanzen/: die geilen Triebe einer Pflanze. **b)** *fett, [zu] stark gedüngt* /vom Boden/: auf einem geilen Boden wächst das Getreide zu schnell. **2.** (abwertend) *gierig nach geschlechtlicher Befriedigung, lüstern:* jmdn. g. anstarren. **Geilheit,** die; -.

Geisel, die; -, -n: *Gefangener, der mit seinem Leben für die Erfüllung bestimmter Forderungen bürgt:* die Feinde haben sämtliche Geiseln erschossen.

Geiß, die; -en (südd.; östr.; schweiz.): *weibliche Ziege.*

Geißel, die; -, -n: **1. a)** (veralt.) *Stock, an dem zahlreiche Riemen und Schnüre befestigt sind:* jmdn. mit der G. züchtigen; bildl. (geh.): jmdn. von der G. *(Plage)* seiner schweren Krankheit heilen. **b)** (südd.; östr.; schweiz.) *Peitsche:* der Kutscher treibt das Pferd mit der G. an. **2.** Biol. *kleiner Faden, mit dem sich Bakterien fortbewegen.*

geißeln, geißelte, hat gegeißelt: **a)** ⟨tr./rfl.⟩ *[aus religiöser Askese] mit einer Geißel heftig schlagen:* Christus ist gegeißelt worden; der Mönch geißelte sich, den Novizen. **b)** ⟨tr.⟩ (geh.) *anprangern, scharf kritisieren:* er hat die schlechten Zustände gegeißelt.

Geist, der; -[e]s, -er: **1. a)** ⟨ohne Plural⟩ *Bewußtsein; Fähigkeit, zu denken; Verstand:* der menschliche G.; sein lebendiger G. brachte viele neue Ideen hervor; sein G. wird durch diese Arbeit nicht befriedigt; den G. anstrengen *(nachdenken);* ein Mann von G. *(von hohem intellektuellem Niveau).* *** im G.** *(in Gedanken, nicht wirklich):* im G. stellte er sich schon seine Reise vor; (geh.) **den G. aufgeben** *(sterben).* **b)** *Mensch mit außergewöhnlicher künstlerischer oder intellektueller Begabung:* ein genialer, schöpferischer G. **2.** ⟨ohne Plural⟩: *Gesinnung, Sinn; geistige Haltung: grundsätzliche Einstellung gegenüber jmdm./etwas:* es herrschte ein G. der Kameradschaft; der G. der Freiheit; der G. der Zeit. **3.** *unsichtbares Wesen, Gespenst:* der G. des Toten erschien ihm. *** von allen guten Geistern verlassen sein** *(völlig töricht, konfus, aller Vernunft beraubt sein* /in bezug auf eine Handlung/).

Geistergeschichte, die; -, -n: *gruselige Geschichte über den Spuk von Geistern oder ähnliche unheimliche Erscheinungen:* jmdm. eine G. erzählen.

geisterhaft ⟨Adj.⟩: *gespenstisch:* eine geisterhafte Erscheinung.

geistern, geisterte, ist gegeistert ⟨itr.⟩: *sich huschend wie ein Geist bewegen; spuken:* der ermordete Graf geistert durch das verwunschene Schloß; bildl.: bunte Erinnerungen geistern durch sein Gehirn.

Geisterstunde, die; -: *die Stunde nach Mitternacht, in der die Geister umgehen.*

geistesabwesend ⟨Adj.⟩: *zerstreut; ohne dabei zu denken:* g. stand er am Fenster.

Geistesblitz, der; -es, -e (ugs.): *plötzlicher guter Einfall.*

Geistesgegenwart, die; -: *Fähigkeit, bei überraschenden Vorfällen nicht verwirrt zu sein und entschlossen handeln zu können:* durch seine G. rettete er das Kind; die G. nicht verlieren.

geistesgegenwärtig ⟨Adj.⟩: *bei nicht vorhergesehenen Vorfällen entschlossen und gefaßt:* g. handeln.

geistesgestört ⟨Adj.⟩: *infolge einer krankhaften Störung des Verstandes oder Gemüts [zeitweise] nicht mehr fähig zu normalem Denken und Handeln:* er ist g. und muß in einer Anstalt leben. **Geistesgestörtheit,** die; -.

geisteskrank ⟨Adj.⟩: *[infolge einer Erkrankung des Gehirns] nicht mehr fähig, normal zu denken und zu handeln.* **Geisteskrankheit,** die; -, -en.

geistesschwach ⟨Adj.⟩: *leicht schwachsinnig:* ein geistesschwaches Kind.

geistesverwandt ⟨Adj.; nicht adverbial⟩: *auf Grund gleicher oder ähnlicher Anschauungen innerlich verwandt:* zwei geistesverwandte Künstler.

Geisteswissenschaften, die ⟨Plural⟩: *Gesamtheit der Wissenschaften, die sich mit den verschiedenen Gebieten der Kultur* *beschäftigen:* Germanistik gehört zu den G.

Geisteszustand, der; -[e]s: *gesundheitlicher Zustand des Geistes:* der Verbrecher wurde auf seinen G. hin untersucht.

geistig ⟨Adj.⟩: **1.** ⟨nicht prädikativ⟩ *den Geist, Verstand betreffend:* geistige Arbeit; geistige Fähigkeiten; das Kind ist g. zurückgeblieben. * **geistiges Eigentum** *(eigene Gedanken, Ideen, die urheberrechtlich geschützt sind).* **2.** ⟨nur attributiv⟩ *alkoholisch:* geistige Getränke.

geistlich ⟨Adj.; nur attributiv⟩: *die Religion betreffend:* geistliche Lieder; der geistliche Stand; der geistliche Herr *(Pfarrer).*

Geistliche, der; -n, -n ⟨aber: [ein] Geistlicher, Plural: Geistliche⟩: *Pfarrer, Priester.*

geistlos ⟨Adj.⟩: *dumm und langweilig; ohne Einfälle:* er machte nur geistlose Bemerkungen; seine Witze sind g.

geistreich ⟨Adj.⟩: *viel Geist und Witz zeigend, einfallsreich:* eine geistreiche Unterhaltung.

geisttötend ⟨Adj.; nicht adverbial⟩: *eintönig, öde, langweilig, ohne größere geistige Anforderungen:* eine geisttötende Arbeit.

geistvoll ⟨Adj.⟩: *geistreich:* eine geistvolle Rede.

Geiz, der; -es (abwertend): *übertriebene Sparsamkeit:* vor lauter G. hungert er.

geizen, geizte, hat gegeizt ⟨itr.⟩: *in übertriebener Weise an seinem Besitz festhalten; übertrieben sparsam sein:* er geizt mit jedem Pfennig; bildl.: er geizt mit seinem Lob *(er lobt selten).*

Geizhals, der; -es, Geizhälse (abwertend): *geiziger Mensch.*

geizig ⟨Adj.⟩ (abwertend): *sehr darauf bedacht, daß sich der eigene Besitz nicht verringert; übertrieben sparsam:* er ist sehr g., er wird dir nichts schenken.

Geizkragen, der; -s, Geizkragen (ugs.; abwertend): *geiziger Mensch.*

Gejammer, das; -s (abwertend): *[lange andauerndes] Jammern:* täglich muß man sich dasselbe G. anhören.

gekonnt ⟨Adj.⟩: *[in der technischen, handwerklichen Ausführung] von hohem Können zeugend; gut gemacht:* die Mannschaft zeigte ein sehr gekonntes Spiel; die Bilder des Künstlers sind g.

Gekröse, das; -s, -: **a)** *in Falten liegendes Gedärm bes. beim Kalb und Lamm (aus dem ein bestimmtes Gericht zubereitet werden kann).* **b)** *Haut, an der der Dünndarm befestigt ist* /bei allen Wirbeltieren/.

gekünstelt ⟨Adj.⟩: *in verkrampfter Weise bemüht, angenehm oder originell zu erscheinen; nicht natürlich:* sie benimmt sich in Gesellschaft immer so g.; ein gekünsteltes Lächeln.

Gelächter, das; -s: *[anhaltendes] lautes Lachen:* die Zuhörer brachen in schallendes G. aus.

gelackmeiert ⟨Adj.⟩ (ugs.; scherzh.): *betrogen, hintergangen, hineingelegt:* sich g. fühlen; g. sein.

geladen: ⟨in der Verbindung⟩ g. sein (ugs.): *zornig, wütend, gereizt sein:* sprich heute nicht mit ihm, er ist sehr g.

Gelage, das; -s, - (abwertend): *üppiges und übermäßiges Essen und Trinken in größerem Kreis:* ein wüstes G. fand statt.

Gelände, das; -s: **a)** *Landschaft, Fläche in ihrer natürlichen Beschaffenheit:* ein hügliges G.; das ganze G. ist mit Büschen bewachsen. **b)** *größeres Grundstück, das einem bestimmten Zweck dient:* das G. der Fabrik, des Bahnhofs.

Geländer, das; -s, -: *Vorrichtung zum Schutz vor dem Abstürzen und zum Festhalten bei Treppen, Brücken o. ä., ähnlich einem Zaun* (siehe Bild): sie beugte sich über das G. und schaute ins Wasser.

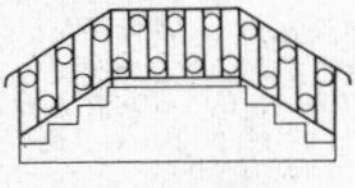

Geländer

gelangen, gelangte, ist gelangt: **1.** ⟨itr.⟩ *(ein bestimmtes Ziel) erreichen; (an ein bestimmtes Ziel) kommen:* der Brief gelangte nicht in seine Hände; durch diese Straße gelangt man zum Bahnhof. **2.** ⟨als Funktionsverb in Verbindung mit *zu*⟩ **a)** /drückt aus, daß ein angestrebter Zustand erreicht wird/ zu Ansehen g. *(angesehen, berühmt werden);* zur Erkenntnis g. *(erkennen);* zur Blüte g. *(einen Höhepunkt erreichen):* das geistliche Lied gelangte im 17. Jahrhundert zur Blüte. **b)** /dient zur Umschreibung des Passivs/ zum Druck g. *(gedruckt werden);* zur Aufführung g. *(aufgeführt werden);* zur Auszahlung g. *(ausgezahlt werden).*

Gelaß, das; Gelasses, Gelasse (geh.): *enger Raum:* jmdn. in ein dunkles G. einschließen.

gelassen ⟨Adj.⟩: *beherrscht, ruhig, gefaßt; das seelische Gleichgewicht bewahrend:* er nahm die traurige Nachricht g. auf. **Gelassenheit,** die; -.

Gelatine [ʒelaˈtiːnə], die; -: *pulveriger oder zu dünnen Blättern gepreßter Stoff, der sich in aufgelöstem Zustand zu Gallerte verdickt und daher zum Dickerund Festermachen von Marmeladen, Cremes o. ä. verwendet wird.*

geläufig ⟨Adj.⟩: **1.** ⟨nicht adverbial⟩ *(durch häufigen Gebrauch, weite Verbreitung) gut bekannt, vertraut:* einen sehr geläufigen Namen haben; der Ausdruck ist mir nicht g. **2.** ⟨nicht prädikativ⟩ *flüssig, fließend:* sich in geläufigem Englisch unterhalten; sie spricht Französisch schon recht geläufig. ** **eine geläufige Zunge haben** *(sehr redegewandt sein).* **Geläufigkeit,** die; -.

gelaunt ⟨Adj.; in Verbindung mit einer näheren Bestimmung⟩: *in einer bestimmten Stimmung, Laune seiend:* er ist gut g.; ein immer schlecht gelaunter Kerl; wie ist er heute g.?

gelb ⟨Adj.⟩: *in der Farbe einer Zitrone ähnlich:* sie hatte eine gelbe Bluse an.

gelblich ⟨Adj.⟩: *leicht gelb getönt:* ein gelbliches Licht.

Gelbsucht, die; -: *Erkrankung der Leber oder Gallenblase, bei der sich die Haut und das Weiße in den Augen gelb färbt:* die G. haben.

Geld, das; -[e]s, -er: **1.** ⟨ohne Plural⟩: *vom Staat herausgegebenes Mittel zum Zahlen in Form von Münzen und Banknoten:* G. verdienen; G. vom Konto abheben. * **zu G. kommen** *(reich werden);* **das G. zum Fenster hinauswerfen** *(verschwenderisch sein);* (ugs.) **im G. schwimmen/G. wie**

Heu haben *(übermäßig reich sein).* **2.** ⟨Plural⟩: *[zu einem bestimmten Zweck zur Verfügung gestellte] größere Geldsumme:* die Straße wird mit staatlichen Geldern gebaut.

Geldbeutel, der; -s, - (landsch.): *Portemonnaie:* er hat seinen G. verloren; bildl. (ugs.): einen großen, dicken, vollen G. *(viel Geld)* haben; tief in den G. greifen *(viel Geld ausgeben)* müssen.

Geldbörse, die; -, -n (landsch.): *Portemonnaie.*

geldgierig ⟨Adj.⟩: *gierig nach Geld:* ein geldgieriger Geschäftsmann.

Geldmittel, die ⟨Plural⟩: *Geld, das für bestimmte öffentliche Aufgaben zur Verfügung steht:* für den Bau der neuen Schule wurden die nötigen G. bewilligt.

Geldstrafe, die; -, -n: *eine sich auf eine bestimmte Summe Geldes belaufende Strafe, die wegen eines [kleineren] Vergehens verhängt wird:* er bekam eine hohe G.

Geldstück, das; -[e]s, -e: *Münze* (siehe Bild).

Geldstück

Geldsumme, die; -, -n: *Summe von Geld:* eine größere G. aufbringen müssen.

Geldwert, der; -[e]s: **a)** *durch eine bestimmte Summe Geldes ausgedrückter Wert eines Gegenstandes:* das Gemälde wird auf einen ungeheueren G. geschätzt. **b)** *Wert der Währung eines bestimmten Landes:* der G. ist dadurch bedeutend gestiegen.

Gelee [ʒe'le:], der oder das; -s, -s: **1. a)** *durchsichtige, aus dem Saft von Früchten und Zucker hergestellte Marmelade:* aus unreifen Äpfeln ein[en] G. kochen. **b)** *Gallerte aus dem mit Gelatine versetzten Saft, in dem Fleisch oder Fisch gekocht wurde:* Aal. Hering in G. **c)** *steife, mit viel Gelatine zubereitete Süßspeise.* **2.** *Hautcreme ohne Fett bes. zur Pflege der Hände.*

gelegen ⟨Adj.; nicht adverbial⟩: **1.** *zu einem günstigen Zeitpunkt; passend:* zu gelegener Zeit; sein Besuch ist mir jetzt nicht g. * **etwas kommt jmdm. g.** *(etwas geschieht zu einem Zeitpunkt, der für jmdn. günstig ist).* **2.** ⟨in Verbindung mit einer näheren Bestimmung⟩ *liegend* /räumlich/: die Stadt ist an der Mündung des Flusses g.; ein ruhig gelegenes Haus.

Gelegenheit, die; -, -en: **1.** *günstige Umstände für die Ausführung von etwas Geplantem:* eine G. suchen, nützen, verpassen; jmdm. G. geben, etwas zu tun. * **bei G.** *(wenn es sich gerade ergibt, gelegentlich).* **2.** *Anlaß:* mir fehlt ein Kleid für besondere Gelegenheiten.

Gelegenheitskauf, der; -[e]s, Gelegenheitskäufe: **a)** *spontaner Kauf, der sich durch eine besonders günstige Gelegenheit ergibt:* durch einen G. zu einer besonders preiswerten Waschmaschine kommen. **b)** *Gegenstand, den man zufällig zu einem günstigen Preis bekommen hat:* der neue Kühlschrank ist ein G.

gelegentlich ⟨Adj.⟩: **a)** ⟨nicht prädikativ⟩ *bei passenden Umständen geschehend:* ich werde dich g. besuchen. **b)** ⟨nur adverbial⟩ *manchmal:* er trinkt g. ein Glas Bier.

gelehrig ⟨Adj.⟩: *schnell eine bestimmte Fertigkeit erlernend:* der Hund ist sehr g. * (ironisch) **ein gelehriger Schüler sein** *(sehr schnell die Gewohnheiten o. ä. eines anderen annehmen).*

gelehrsam ⟨Adj.⟩: *gelehrig:* ein gelehrsamer Schüler.

Gelehrsamkeit, die; -: *große, meist wissenschaftlich fundierte Bildung, verbunden mit einer regen geistigen Betätigung:* die G. der Mönche dieses Klosters ist sehr bekannt.

gelehrt ⟨Adj.⟩: **a)** *wissenschaftlich gründlich gebildet:* ein gelehrter Mann. **b)** *auf wissenschaftlicher Grundlage beruhend:* ein gelehrtes Buch. **c)** *wegen wissenschaftlicher Ausdrucksweise schwer verständlich:* er drückt sich sehr g. aus.

Gelehrte, der; -n, -n ⟨aber: [ein] Gelehrter, Plural: Gelehrte⟩: *gelehrter Mann, Wissenschaftler:* ein berühmter Gelehrter.

Geleise, das; -s, - (geh.): *Gleis.*

Geleit, das; -[e]s: *Begleitung von Personen zu deren Schutz oder Ehrung:* der Gast wurde mit großem G. zum Flughafen gebracht. * (geh.) **jmdm. das letzte G. geben** *(jmdn. feierlich beerdigen, an jmds. Beerdigung teilnehmen).*

geleiten, geleitete, hat geleitet ⟨tr.⟩ (geh.): *(jmdn.) begleiten, um ihn zu schützen oder zu ehren:* einen Blinden sicher über die Straße g.; sie geleiteten den Verstorbenen zur letzten Ruhe *(trugen ihn zu Grabe).*

Geleitwort, das; -[e]s, -e: *meist vorangestellte, vom Verfasser selbst geschriebene Einführung in sein Werk:* im G. bedankt er sich bei allen, die ihm geholfen haben.

Geleitzug, der; -[e]s, Geleitzüge: *von Kriegsschiffen begleiteter Verband von Handelsschiffen; Konvoi:* die Schiffe fuhren im G.

Gelenk, das; -[e]s, -e: **a)** *bewegliche Verbindung zwischen Knochen:* das G. ist geschwollen, entzündet. **b)** *bewegliche Verbindung zwischen Teilen einer Maschine:* das G. muß geölt werden.

gelenkig ⟨Adj.⟩: *[leicht] beweglich, gewandt, flink:* er sprang g. über den Zaun. **Gelenkigkeit,** die; -.

gelernt ⟨Adj.; nur attributiv⟩: *vollständig für ein Handwerk o. ä. ausgebildet:* er ist [ein] gelernter Mechaniker.

Geliebte: I. die; -n, -n ⟨aber: viele Geliebte⟩: **a)** (abwertend) *Frau, die mit einem Mann ein Verhältnis hat:* seine G. hat ihn verlassen. **b)** (geh.) *geliebte Frau, geliebtes Mädchen* /in der Anrede/. **II.** der; -n, -n ⟨aber: [ein] Geliebter, Plural: Geliebte⟩: **a)** (abwertend) *Mann, der mit einer Frau ein Verhältnis hat:* der heimliche G. seiner Frau. **b)** (geh.) *geliebter Mann* /in der Anrede/.

gelieren [ʒe'li:rən], gelierte, hat geliert ⟨itr.⟩: *zu Gelee werden:* der Saft geliert nicht.

gelinde ⟨Adj.⟩: *sanft, mild; nicht stark:* mit einer gelinden Strafe davonkommen; (ugs.) das war, g. *(schonend, vorsichtig)* gesagt, sehr kühn.

gelingen, gelang, ist gelungen ⟨itr.⟩ /vgl. gelungen/: *mit Erfolg zustande kommen, glücken, geraten:* die Arbeit ist ihm gut gelungen; es gelang mir nicht, ihn zu überzeugen; ⟨häufig im 2. Partizip⟩ eine gelungene Aufführung.

gell ⟨Adj.⟩ (geh.): *laut gellend:* ein geller Schrei.

gẹllen, gellte, hat gegellt ⟨itr.⟩: *laut und durchdringend ertönen:* das Geschrei gellte mir in den Ohren; ⟨häufig im 1. Partizip⟩ ein gellendes Lachen.

geloben, gelobte, hat gelobt ⟨tr.⟩: *feierlich versprechen:* jmdm. Treue g.; ich habe mir gelobt *(fest vorgenommen)*, nicht mehr zu trinken.

Gelöbnis, das; -ses, -se (geh.): *feierliches Versprechen:* er hat sein G. vergessen.

gelöst ⟨Adj.⟩: *entspannt, ungezwungen:* wir befanden uns in gelöster Stimmung; sie wirkt heute so g.

Gẹlse, die; -, -n (östr.): *Schnake:* von Gelsen gestochen werden.

gẹlt ⟨Interj.⟩ (südd.; östr.; ugs.): *nicht wahr?:* da staunst du, g.?

gẹlten, gilt, galt, hat gegolten ⟨itr.⟩: 1. *gültig sein:* diese Briefmarke gilt nicht mehr. *** etwas [nicht] g. lassen** *(etwas [nicht] anerkennen).* 2. *wert sein:* sein Wort gilt [nicht] viel. 3. *betrachtet, angesehen werden:* er gilt als reich, als guter Kamerad; es gilt als sicher, daß er kommt. 4. *(für jmdn.) bestimmt sein:* der Vorwurf hat ihm gegolten, nicht dir. **** es gilt** *([in dieser Situation] muß man, ist es nötig):* jetzt gilt es, Zeit zu gewinnen.

Gẹltung: ⟨in bestimmten Wendungen⟩ **G. haben** *(gültig sein);* **etwas zur G. bringen** *(etwas vorteilhaft wirken lassen);* **zur G. kommen** *(vorteilhaft wirken):* in diesem Licht kommt dein Schmuck erst recht zur G.

Gelụ̈bde, das; -s, - (geh.): *durch einen Eid bekräftigtes Gelöbnis:* in seiner Not tat er ein G.; das G. brechen.

gelụngen ⟨Adj.⟩ (ugs.): *durch eine originelle, extravagante Art großen Anklang findend; drollig, seltsam:* er trug ein gelungenes Kostüm.

Gelụ̈st, das; -[e]s, -e (geh.): *plötzlich aufkommende Lust (etwas zu tun [was Genuß bringt]):* sie verspürte plötzlich ein G. nach Eis; er hatte das G., ihr einen Brief zu schreiben.

gelụ̈sten, gelüstete, hat gelüstet ⟨itr.⟩ (geh.): *nach (etwas) Verlangen haben; Lust haben, verspüren:* es gelüstete sie nach etwas Süßem; es gelüstete ihn, den Leuten seine Meinung zu sagen.

Gemach, das; -[e]s, Gemächer (geh.): *schön ausgestattetes Zimmer:* sie verläßt nur selten ihre Gemächer; bildl. (scherzh.): sich in seine Gemächer zurückziehen *([an diesem Tag] für niemanden mehr zu sprechen sein).*

gemächlich [auch: gemạ̈ch-lich] ⟨Adj.⟩: *ruhig, bequem, gemütlich; ohne Eile:* ein gemächlicher Spaziergang. **Gemächlichkeit** [auch: Gemạ̈ch...], die; -.

Gemahl, der; -s, -e (geh.): *Ehemann.*

Gemahlin, die; -, -nen (geh.): *Ehefrau.*

gemahnen, gemahnte, hat gemahnt ⟨tr./itr.⟩ (geh.): *erinnern:* seine Worte gemahnen [uns] an unsere Pflichten.

Gemälde, das; -s, -: *künstlerisch gemaltes Bild:* ein G. an die Wand hängen.

gemäß ⟨Präp. mit Dativ⟩: *entsprechend, angemessen:* dem Vertrag, seinem Wunsche g.; ⟨selten⟩ g. dem Vertrag, seinem Wunsche.

gemäßigt ⟨Adj.⟩: **a)** *maßvoll; nicht radikal:* eine gemäßigte Politik betreiben. **b)** *ausgeglichen; nicht extrem:* ein gemäßigtes Klima.

Gemäuer, das; -s, - (geh.): *dicke, alte [oft verfallene] Mauern:* das G. eines alten Klosters; ein allmählich abbröckelndes G.

Gemẹcker, das; -s (abwertend): **a)** (ugs.) *länger andauerndes oder häufig wiederkehrendes Nörgeln und Schimpfen:* sein ewiges G. kenne ich nun schon zur Genüge. **b)** *anhaltendes Meckern:* das G. der Ziegen; bildl.: den ganzen Tag hört man ihr albernes G. *(meckerndes Lachen).*

gemein ⟨Adj.⟩: **a)** *niederträchtig:* ein gemeiner Betrüger; er hat g. gehandelt. **b)** *unverschämt, frech; unanständig:* jmdm. einen gemeinen Streich spielen; gemeine Redensarten. **** etwas [mit jmdm./etwas] g. haben** *(eine gemeinsame Eigenschaft haben, in bestimmter Weise zusammengehören):* die beiden Verlage haben nur g., daß sie den gleichen Namen haben; ich will nichts mit ihm g. haben *(ich will nichts mit ihm zu tun haben).*

Gemeinde, die; -, -n: 1. *unterster politischer oder kirchlicher Bezirk mit eigener Verwaltung:* wir wohnen in der gleichen G.; die beiden Gemeinden grenzen aneinander. 2. *die Einwohner, Angehörigen eines solchen Bezirks:* er hat das Vertrauen der G. 3. *die Teilnehmer eines Gottesdienstes:* die G. sang einen Choral.

Gemeinderat, der; -s, Gemeinderäte: 1. *die von den Angehörigen einer Gemeinde gewählte Vertretung:* der G. hält seine Sitzungen im Rathaus. 2. *Mitglied der gewählten Vertretung:* wir haben zwei neue Gemeinderäte.

Gemeindeschwester, die; -, -n: *von der Gemeinde oder von der Kirche eingesetzte Krankenschwester, die sich der Kranken, Alten und Bedürftigen annimmt.*

gemeingefährlich ⟨Adj.⟩: *eine Gefahr für die Allgemeinheit bildend:* ein gemeingefährlicher Verbrecher.

Gemeingut, das; -[e]s (geh.): *etwas, was jeder einzelne einer größeren Gemeinschaft als seinen [geistigen] Besitz bezeichnen kann:* die Anlagen des Parks sind G. aller Bewohner dieser Stadt; das Lied ist G. des ganzen Volkes.

Gemeinheit, die; -, -en: **a)** ⟨ohne Plural⟩ *gemeine, niederträchtige Gesinnung:* seine Gemeinheit stößt mich ab. **b)** *gemeine Handlung, gemeine Worte:* er ist zu jeder G. fähig.

gemeinnützig ⟨Adj.⟩: *dem allgemeinen Nutzen dienend:* das Geld wird für gemeinnützige Zwecke verwendet.

Gemeinplatz, der; -es, Gemeinplätze: *allgemeine, nichtssagende Redensart:* er redet fast nur in Gemeinplätzen.

gemeinsam ⟨Adj.; nicht prädikativ⟩: 1. *mehreren Personen oder Sachen [an]gehörend:* unser gemeinsamer Garten; die beiden Häuser haben einen gemeinsamen Hof. 2. *zusammen, miteinander; von mehreren zusammen unternommen:* wir gingen g. ins Theater.

Gemeinschaft, die; -, -en: **1.** ⟨ohne Plural⟩ *das Zusammensein, das Zusammenleben:* mit jmdm. in G. leben; eheliche G. **2.** *Gruppe von Personen, die durch gemeinsame Gedanken, Ideale o. ä. verbunden sind:* eine G. bilden; einer G. angehören.

gemeinschaftlich ⟨Adj.; nicht prädikativ⟩: *mehreren Personen gehörend; von mehreren gemeinsam durchgeführt:* das Haus ist unser gemeinschaftlicher Besitz; ein gemeinschaftlicher Spaziergang; etwas g. verwalten.

Gemeinschaftsschule, die; -, -n: *nicht an eine Konfession gebundene Grund- und Hauptschule.*

gemeinverständlich ⟨Adj.⟩: *so abgefaßt, daß jeder es verstehen kann:* sein Vortrag war g.; eine gemeinverständliche Abhandlung.

Gemeinwohl, das; -s: *das Wohl[ergehen] eines jeden einzelnen innerhalb einer Gemeinschaft:* die neue Einrichtung dient dem G.

Gemenge, das; -s, -: **1. a)** *aus verschiedenen Stoffen bestehendes Gemisch:* ein G. aus mehreren Säuren. **b)** *gemischte Saat, damit auf einem Feld zugleich verschiedene Früchte wachsen:* ein G. aus Gerste und Hafer. **2.** (geh.) *buntes Durcheinander:* er mischte sich in das G. des Jahrmarkts.

gemessen ⟨Adj.⟩: **a)** *langsam und würdevoll:* er kam mit gemessenen Schritten daher. **b)** *würdevoll, zurückhaltend:* sein Benehmen war ernst und g. **c)** ⟨nur attributiv⟩ *angemessen, geziemend:* er folgte uns in gemessenem Abstand.

Gemetzel, das; -s, -: *grausames Morden:* ein furchtbares, blutiges G.

Gemisch, das; -es, -e: *etwas, was durch das [Sich-]Vermischen von festen, flüssigen oder gasförmigen Stoffen entsteht:* ein G. aus Öl und Benzin; bildl.: ein G. aus Freude und Hoffnung.

gemischt ⟨Adj.; nicht adverbial⟩: **1.** *aus männlichen und weiblichen Mitgliedern bestehend:* ein gemischter Chor; in einer gemischten Klasse unterrichten. **2.** *sich nicht nur aus den oberen oder gebildeten Schichten der Bevölkerung zusammensetzend:* eine gemischte Gesellschaft; das Publikum war recht g. ** **mit gemischten Gefühlen** *(von einer Sache nicht ganz überzeugt, nicht recht zufrieden, nicht sehr begeistert);* (abwertend) **es wird g./geht g. zu** *(es wird unfein/es geht unfein, turbulent, nicht sehr gesittet zu in einer Gesellschaft).*

Gemischtwarenhandlung, die; -, -en (veralt.): *kleinerer Laden, in dem es neben Lebensmitteln auch andere Artikel für den täglichen Gebrauch zu kaufen gibt.*

Gemme, die; -, -n: *Edelstein, in den vertieft ein Bild geschnitten ist.*

Gemse, die; -, -n: /ein Tier/ (siehe Bild).

Gemse

Gemurmel, das; -s: *[lange] andauerndes, gleichförmiges Murmeln:* in der Klasse herrscht erregtes G.

Gemüse, das; -s, -: /Pflanzen, die als Nahrung zubereitet werden, z. B. Kohl/ (siehe Bild): G. anbauen, kochen; heute mittag gibt es G.

Gemüse

Gemüt, das; -s, -er: **a)** ⟨ohne Plural⟩ *seelische Empfindung, fühlendes Herz:* sie hat ein kindliches, liebevolles G. * (ugs.) **sich etwas zu Gemüte führen** *(etwas Gutes mit Genuß essen oder trinken).* **b)** *Mensch als empfindendes Wesen:* er ist ein ängstliches G.; der Vorfall beunruhigte die Gemüter.

gemütlich ⟨Adj.⟩: **a)** *behaglich, bequem:* ein gemütliches Zimmer; wir plauderten g. miteinander. **b)** *ruhig, umgänglich, freundlich:* ein gemütlicher Beamter saß am Schalter. **Gemütlichkeit,** die; -.

gemütskrank ⟨Adj.⟩: *psychisch krank:* die drückende Einsamkeit machte ihn schließlich g.

Gemütsmensch, der; -en, -en: (ugs.): *jmd., der alles in größter Gemütsruhe erledigt und sich durch nichts aus der Fassung bringen läßt:* du bist wirklich ein G., daß du dich immer noch nicht angemeldet hast!

Gemütsruhe: ⟨in der Fügung⟩ in aller G. (ugs.): *[trotz Unruhe o. ä.] mit größter Gelassenheit, ohne Eile:* er frühstückte in aller G.

genau: **I.** ⟨Adj.⟩: **a)** *einwandfrei stimmend, zuverlässig, exakt:* eine genaue Waage; genaue Angaben machen; sich g. an etwas erinnern; das ist g. das gleiche; haben Sie genaue Zeit? *(können Sie mir genau sagen, wie spät es ist?)* **b)** ⟨nicht prädikativ⟩ *sorgfältig:* das mußt du g. unterscheiden; er arbeitet sehr g. * **es mit etwas [nicht] g. nehmen** *(auf die korrekte Einhaltung, Erfüllung einer Sache [nicht] sehr bedacht):* er nimmt es mit der Wahrheit nicht so g. **II.** ⟨Adverb⟩: **a)** *gerade, eben [noch]:* er kam g. zur rechten Zeit; das reicht g. [noch] für zwei Personen. **b)** (verstärkend) *gerade, eben:* g. das wollte ich sagen. **Genauigkeit,** die; -.

genauso ⟨Adverb⟩: *[genau] in der gleichen Weise:* er hat es g. gemacht wie sein Chef; g. muß man auch bei dieser Sache verfahren.

Gendarm [ʒan'darm], der; -en, -en: **a)** (veralt.) *Polizist.* **b)** (östr.) *Polizist auf dem Lande.*

Gendarmerie [ʒandarmə'ri:] die; - (veralt.): **a)** *für einen bestimmten Bezirk auf dem Lande zuständige Gruppe von Polizisten:* bei der großen Schlägerei auf dem Schützenfest mußte die G. eingreifen. **b)** *polizeiliche Dienststelle auf dem Lande:* die G. befindet sich am anderen Ende des Dorfes.

Genealogie, die; -: *Wissenschaft, die sich mit der Abstammung von Familien und Geschlechtern beschäftigt.*

genehm: ⟨in der Verbindung⟩ jmdm. g. sein (geh.): *jmdm. willkommen, passend, angenehm sein:* die vorgeschlagene Zeit war ihr nicht g.

genehmigen, genehmigte, hat genehmigt ⟨tr.⟩: *erlauben, (einer Sache) zustimmen:* man hat seinen Antrag, sein Gesuch genehmigt. * (ugs.) **sich** (Dativ) **einen g.** *(ein Glas Bier o. ä. trinken).*

Genehmigung, die; -, -en: *Erlaubnis, Zustimmung:* du brauchst eine schriftliche G. [der Polizei]; etwas ohne G. tun.

geneigt: ⟨in der Verbindung⟩ g. sein: *bereit sein, die Absicht haben:* ich bin [nicht] g., auf seinen Vorschlag einzugehen. **Geneigtheit,** die; -.

General, der; -s, -e und Generäle: /hoher Offizier/.

Generaldirektor, der; -s, -en: *oberster Direktor eines großen Unternehmens der Wirtschaft.*

generalisieren, generalisierte, hat generalisiert ⟨tr.⟩ (geh.): *verallgemeinern:* du darfst diesen Vorfall nicht g.

Generalprobe, die; -, -n: *die letzte große Probe vor der Premiere.*

Generalstab, der; -[e]s, Generalstäbe: *aus Offizieren bestehendes zentrales Gremium zur Unterstützung des obersten Befehlshabers.*

Generalstreik, der; -s, -s: *Streik aller Arbeiter und Angestellten eines Landes:* den G. ausrufen.

Generation, die; -, -en: *alle Angehörigen einer Altersstufe:* die G. der Eltern; die junge G.

generell ⟨Adj.⟩: *[ohne Unterschied] alle[s] betreffend, alle[s] umfassend, allgemein:* eine generelle Lösung finden; etwas g. verbieten.

generös ⟨Adj.⟩ (geh.): *großzügig, edel, freigebig:* der Chef war zu Weihnachten sehr g.; ein generöses Geschenk. **Generosität,** die; -.

genesen, genas, ist genesen ⟨itr.⟩ (geh.): *gesund werden:* er ist endlich von seiner langen Krankheit genesen; kaum genesen, begann er wieder zu arbeiten. **Genesung,** die; -.

genial ⟨Adj.⟩: **a)** *mit einer hohen schöpferischen Begabung ausgestattet:* ein genialer Dichter; er schreibt g. **b)** *von einer hohen schöpferischen Begabung zeugend:* eine geniale Erfindung; (ugs.) ein genialer *(sehr guter)* Einfall. **Genialität,** die; -.

Genick, das; -s, -e: *Nacken:* ein steifes G. haben; wenn du von der Leiter fällst, wirst du dir das G. brechen *(wirst du tödlich verunglücken).* * **etwas bricht jmdm. das G.** *(an etwas scheitert jmd. [und daran geht er auch zugrunde]):* sein Leichtsinn brach ihm das G.

Genie [ʒe'ni:], das; -s, -s: **a)** ⟨ohne Plural⟩ *hohe schöpferische Begabung:* sein G. wurde lange Zeit verkannt. **b)** *Mensch mit einer hohen schöpferischen Begabung:* er ist in seinem Fach ein wahres G.

genieren [ʒe'ni:rən], genierte, hat geniert: **1.** ⟨rfl.⟩ *sich (vor jmdm.) gehemmt, unsicher fühlen; nicht den Mut (zu etwas) haben:* er genierte sich, sie anzusprechen; du brauchst dich vor mir nicht zu g. **2.** ⟨itr.⟩ *stören:* das geniert mich wenig.

genießbar ⟨Adj.⟩: *[noch] eßbar oder trinkbar:* diese Wurst, diese Milch ist nicht mehr g.; bildl. (ugs.): der Chef ist heute nicht g. *(nicht zu ertragen, weil er schlecht gelaunt ist).*

genießen, genoß, hat genossen ⟨tr.⟩: **1.** *mit Vergnügen, Befriedigung zu sich nehmen oder auf sich wirken lassen:* eine gute Speise g.; er genoß die herrliche Aussicht. **2.** *(einer Sache) teilhaftig werden; erhalten:* sie hat eine gründliche Ausbildung genossen; er genießt *(hat)* unser Vertrauen.

Genießer, der; -s, -: *jmd., der fähig ist, etwas mit Vergnügen zu genießen:* er ist ein G.; ein stiller G. *(jmd., der still für sich genießt, ohne daß es andere merken).*

genießerisch ⟨Adj.⟩: *(etwas) mit größtem Behagen genießend, voll Genuß:* ein genießerischer Schluck; sich während des Essens g. zurücklehnen.

Genitalien, die; ⟨Plural⟩: *Geschlechtsorgane:* die männlichen G.; die G. der Frau.

Genius, der; -, Genien (geh.): **1.** *personifizierte schöpferische Kraft als guter Geist, der dem Menschen zu großen Taten verhilft, ihn beschützt o. ä.:* ein guter G. hat ihm die Idee eingegeben. **2.** ⟨ohne Plural⟩ **a)** *Fähigkeit, Geniales zu schaffen:* dem G. des Dichters huldigen. **b)** *Mensch mit der Fähigkeit, Geniales zu schaffen:* Shakespeare ist der große G. der englischen Literatur.

Genosse, der; -n, -n: **1. a)** *Mitglied einer sozialistischen Partei.* **b)** /als Teil der Anrede zwischen Mitgliedern einer sozialistischen Partei/: G. Vorsitzender; G. Müller. **2.** (oft abwertend, veraltend) *Gefährte, Freund:* er trifft sich jeden Mittwoch mit seinen Genossen in der Kneipe.

Genossenschaft, die; -, -en: *Zusammenschluß mehrerer Personen zu einem bestimmten [wirtschaftlichen] Zweck:* eine G. gründen; einer G. beitreten.

Genre [ʒã:r], das; -s, -s (geh.): *Gattung, Wesen, Art:* ein G. in der Literatur zu weiteren Möglichkeiten entwickeln; das zweifelhafte G. eines Lokals.

Genrebild, [ʒã:r...], das; -[e]s, -er: *Darstellung einer Szene aus dem Alltag im Bild oder in einem kurzen Stück Prosa.*

Gentleman ['dʒɛntlmən], der; -s, Gentlemen: *ritterlicher, sehr kultivierter Mann mit gepflegtem Äußeren und einwandfreiem Benehmen:* er ist ein vollkommener G.

gentlemanlike ['dʒɛntlmənlaɪk] ⟨Adj.; nicht attributiv⟩: *nach Art eines Gentlemans; kultiviert, ritterlich und einwandfrei im Benehmen:* was du hier machst, ist nicht g.

genug ⟨Adverb⟩: *genügend, ausreichend:* ich habe g. Geld, Geld g.; der Schrank ist groß g.; ich habe lange g. gewartet *(ich will nicht länger warten);* jetzt habe ich g. [davon]! *(jetzt ist es mit meiner Geduld zu Ende!; jetzt bin ich es überdrüssig).*

Genüge: ⟨in den Wendungen⟩ **zur G.** *(völlig hinreichend):* ich kenne die Verhältnisse zur G.; (geh.) **einer Sache G. tun/leisten** *(einer Sache den Anforderungen entsprechend nachkommen, sie in zufriedenstellender Weise behandeln);* (geh.) **an einer Sache G. finden** *([reichlich] genug haben mit etwas, sich mit etwas zufriedengeben).*

genügen, genügte, hat genügt ⟨itr.⟩: *genug sein, ausreichen:* dies genügt für unsere Zwecke; zwei Zimmer genügen mir [nicht]; ⟨häufig vom 1. Partizip⟩ seine Leistungen waren nicht genügend.

genügsam ⟨Adj.⟩: *anspruchslos, mit wenigem zufrieden:* er ist sehr g. [im Essen].

Genugtuung, die; -, -en: **1.** ⟨ohne Plural⟩ *tiefe innere Befriedigung:* etwas mit G. vernehmen. **2.** *Wiedergutmachung (eines zugefügten Unrechts):* für etwas G. verlangen.

Genuß, der; Genusses, Genüsse: **1.** *Freude, Wohlbehagen:* dieses Konzert war ein besonderer G.; ein Buch mit G. lesen. **2.** ⟨ohne Plural⟩ *Aufnahme von Nahrung u. ä.:* er ist nach dem G. von altem Fleisch krank geworden. ** **in den G. von etwas kommen** *(an einer Vergünstigung o. ä. teilhaben):* er kam in den G. einer Rente.

genüßlich ⟨Adj.⟩: **1.** *genießerisch:* ein genüßliches Seufzen bei einem Schluck Bier. **2.** ⟨nur attributiv⟩ *Genuß, Freude bereitend:* sich zu Hause einen genüßlichen Abend machen.

Genußmittel, das; -s, -: *Speise oder Getränk, das gut schmeckt und anregend wirkt, ohne nahrhaft zu sein:* Kaffee und Tee sind G.

Geograph, der; -en, -en: *jmd., der Geographie studiert [hat].*

Geographie, die; -: *Teil der Naturwissenschaften, der sich mit den Problemen der räumlichen Ordnung der Erde befaßt:* G. studieren.

geographisch ⟨Adj.⟩: *auf der Geographie beruhend, von der Geographie her betrachtet, zur Geographie gehörend:* eine günstige geographische Lage; ein geographisches Problem.

Geologe, der; -n, -n: *jmd., der Geologie studiert [hat].*

Geologie, die; -: *Teil der Naturwissenschaften, der sich mit dem Aufbau der Erde und ihren Veränderungen im Inneren und an der Oberfläche befaßt.*

geologisch ⟨Adj.⟩: *die Geologie betreffend, zur Geologie gehörend, auf der Geologie beruhend:* eine geologische Karte.

Geometer, der; -s, -: *Ingenieur mit einer speziellen Ausbildung, der das Land vermißt* /Berufsbezeichnung/: als G. arbeiten.

Geometrie, die; -: *Teil der Mathematik, der sich mit den ebenen und räumlichen Gebilden beschäftigt:* die nächste Stunde haben wir G.

geometrisch ⟨Adj.⟩: **1.** *die Geometrie betreffend; auf Gesetzen der Geometrie beruhend:* die geometrische Lösung einer Aufgabe. **2.** *Formen aufweisend, die der Geometrie entlehnt sind:* der geometrische Stil von Vasen früher Kulturen.

Gepäck, das; -s: *in Koffern u. ä. verpackte Ausrüstung für eine Reise* (siehe Bild): das G. aufgeben, versichern.

Gepäck

Gepäckträger, der; -s, -: **a)** *Angestellter in einem Bahnhof, der auf Wunsch den Fahrgästen gegen Bezahlung das Gepäck trägt:* nach einem G. rufen. **b)** *Vorrichtung am Fahrrad, Motorrad, Auto zum Transport von Gegenständen:* die Tasche im G. einklemmen.

Gepflogenheit, die; -, -en: *bewußt gepflegte Gewohnheit:* das entspricht nicht unseren Gepflogenheiten.

Gepräge, das; -s: *kennzeichnendes Aussehen, Eigenart:* eine Stadt von altertümlichem G.; der große Staatsmann gab seiner Zeit das G.

gerade: **I.** ⟨Adj.⟩: **1.** *in immer gleicher Richtung verlaufend, nicht gekrümmt:* eine g. Linie. **2.** *aufrecht:* g. gewachsen sein; bildl.: er ist ein g. *(aufrichtiger, offener)* Mensch. ** **eine g. Zahl** *(eine durch 2 teilbare Zahl)*; (ugs.) **fünf g. sein lassen** *(es nicht sehr genau nehmen mit etwas)*. **II.** ⟨Adverb⟩: **1.** ⟨temporal⟩: **a)** *in diesem Augenblick:* er ist g. hier. **b)** *unmittelbar vorher:* er ist g. hinausgegangen. **2.** ⟨modal⟩: **a)** (verstärkend) *genau, eben:* g. dies will ich sagen; g. *(ausgerechnet)* heute muß es regnen. **b)** *genau, eben [noch]:* er kam g. zur rechten Zeit; das reicht g. [noch] für zwei Personen. **c)** *erst recht:* nun werde ich es g. tun!

Gerade, die; -, -n: **1.** *gerade [an beiden Seiten nicht begrenzte] Linie:* eine G. zeichnen. **2.** *gerader Teil einer Rennstrecke:* auf der Geraden kann er seine Geschwindigkeit erhöhen. **3.** *in gerader Richtung nach vorn ausgeführter Stoß mit der Faust* /beim Boxen/: jmdn. mit einer rechten Geraden treffen.

geradeaus ⟨Adverb⟩: *ohne die Richtung zu ändern:* g. fahren.

geradebiegen, biegt gerade, hat geradegebogen ⟨tr.⟩: *etwas Gebogenes, Verbogenes in gerade Form bringen:* einen Draht g.; bildl. (ugs.): wir werden die Sache schon g. *(in Ordnung bringen)*.

geradeheraus ⟨Adverb⟩: *offen, ohne Umschweife:* etwas g. sagen.

gerade[n]wegs ⟨Adverb⟩: *direkt, ohne Umweg:* er ging g. nach Hause; bildl.: er ging g. *(ohne Umschweife)* auf sein Ziel los.

gerädert: ⟨in der Verbindung⟩ [wie] g. sein (ugs.): *erschöpft, abgespannt, zerschlagen sein:* er war nach dem langen Marsch wie g.

geradeso ⟨Adverb⟩: *ebenso.*

geradestehen, stand gerade, hat geradegestanden ⟨itr.⟩: *aufrecht stehen.* * (ugs.) **nicht mehr g. können** *(betrunken sein)*; **für etwas g.** *(für etwas die Verantwortung übernehmen)*: wir sind rechtzeitig zu Hause, dafür stehe ich gerade.

geradezu ⟨Adverb⟩: **a)** *direkt; ausdrücklich:* man muß das g. als Betrug bezeichnen. **b)** *wirklich* /verstärkend/: das ist ja g. fürchterlich! ** **g. sein** *([in verletzender Weise] offen sein und seine Meinung sagen)*: er ist immer sehr g.

geradlinig ⟨Adj.⟩: *gerade verlaufend:* eine geradlinige Front von Häusern; bildl.: ein g. *(klar und aufrichtig)* denkender Mensch.

gerammelt: ⟨in der Fügung⟩ g. voll (ugs.): *übermäßig mit Menschen gefüllt:* das Lokal, die Straßenbahn war g. voll.

Gerät, das; -[e]s, -e: *[beweglicher] Gegenstand, mit dessen Hilfe etwas bearbeitet, bewirkt oder hergestellt wird:* die Geräte instand halten; ein elektrisches G. anschließen.

geraten, gerät, geriet, ist geraten ⟨itr.⟩: **1.** *gelingen:* alles, was er tat, geriet ihm gut; der Kuchen ist heute nicht geraten. **2. a)** *ohne Absicht an eine Stelle kommen:* in einen Sumpf g. **b)** ⟨als Funktionsverb⟩ *in eine* *bestimmte Lage, einen bestimmten Zustand kommen:* in Not, in Verlegenheit g.; in Brand g. *(zu brennen anfangen);* in Vergessenheit g. *(vergessen werden).*

Geräteturnen, das; -s: *Turnen an Geräten (z. B. Barren, Reck, Pferd):* sich beim G. verletzen.

Geratewohl: ⟨in der Fügung⟩ aufs G.: *in der Hoffnung, daß es gelingt; auf gut Glück:* etwas aufs G. versuchen.

Geräucherte, das; -n ⟨aber: Geräuchertes⟩: *geräuchertes Fleisch.*

geraume: ⟨in den Fügungen⟩ **eine g. Zeit/Weile** *(eine längere Zeit):* eine g. Zeit verging, bis er endlich wiederkam; **nach geraumer Zeit** *(nach längerer Zeit):* nach geraumer Zeit tauchte er plötzlich wieder auf.

geräumig ⟨Adj.⟩: *viel Platz, Raum bietend:* eine geräumige Wohnung.

Geräusch, das; -[e]s, -e: *unbestimmter [aus mehreren Tönen gemischter] Schall:* ein kratzendes, gedämpftes G.

Geräuschkulisse, die; -: *andauernde, aus dem Hintergrund kommende Geräusche (Musik, Straßenlärm u. ä.), die nur unvollkommen ins Bewußtsein dringen:* er hört beim Arbeiten stets Musik, weil er diese G. braucht.

geräuschlos ⟨Adj.⟩: *kein Geräusch verursachend, nicht hörbar:* g. eintreten.

gerben, gerbte, hat gegerbt ⟨tr.⟩: *(Häute) zu Leder verarbeiten:* Häute g.; * (ugs.) **jmdm. das Fell g.** *(jmdn. verprügeln).*

Gerber, der; -s, -: *Handwerker, der Häute und Felle zu Leder verarbeitet* /Berufsbezeichnung/.

gerecht ⟨Adj.⟩: **a)** *dem Recht und den allgemeinen Auffassungen vom Recht entsprechend; auf einem Recht beruhend:* etwas g. beurteilen; eine gerechte Strafe erhalten; gerechte Forderungen stellen. **b)** *nach dem Recht denkend oder handelnd:* ein gerechter Richter. * **jmdm./einer Sache g. werden** *(jmdn./etwas angemessen beurteilen);* **einer Aufgabe, einem Anspruch g. werden** *(eine Aufgabe, einen Anspruch erfüllen [können]).*

Gerechtigkeit, die; -: *Gerechtsein, gerechtes Verhalten:* die G. des Richters. * **jmdm. G. zuteil werden lassen** *(jmdn. gerecht behandeln).*

Gerede, das; -s (abwertend): *nichtssagendes Reden:* das ist nur dummes G. * **jmdn. ins G. bringen** *(schuld daran sein, daß Nachteiliges über jmdn. geredet wird).*

gereichen, gereichte, hat gereicht ⟨Funktionsverb⟩ (geh.): jmdm. zum Vorteil /Nachteil/ Nutzen/ Schaden g. *(für jmdn. vorteilhaft, nachteilig, nützlich, schädlich sein);* jmdm. zum Trost g. *(für jmdn. tröstlich sein);* jmdm. zum Lob/zur Ehre g. *(für jmdn. als Lob/Ehre gewertet werden).*

gereift ⟨Adj.⟩: *in seiner Entwicklung zum Abschluß gekommen:* ein gereifter Mann.

gereizt ⟨Adj.⟩: *durch etwas Unangenehmes erregt, verärgert:* in gereizter Stimmung sein.

Gereiztheit, die; -.

gereuen, gereute, hat gereut ⟨itr.⟩ (geh.): *(bei jmdm.) Reue hervorrufen:* hoffentlich wird es dich nicht g., das gesagt zu haben.

Gericht, das; -[e]s, -e: **I.** *öffentliche Institution, die Verstöße gegen die Gesetze bestraft und Streitigkeiten schlichtet* (siehe Bild): jmdn. bei[m] G. verklagen; eine Sache vor das G. bringen. * **vor G. stehen** *(angeklagt sein);* **mit jmdm. scharf ins G. gehen** *(jmdn. streng zurechtweisen).* **II.** *zubereitete Speise* (siehe Bild): ein G. auftragen.

I. II.

Gericht

gerichtlich ⟨Adj.; nicht prädikativ⟩: *das öffentliche Gericht betreffend, zu ihm gehörend:* eine gerichtliche Entscheidung; jmdn. g. bestrafen.

Gerichtsvollzieher, der; -s, -: *Beamter, der gerichtliche Urteile zugunsten eines Gläubigers vollstreckt:* der G. hat die Möbel gepfändet.

gerieben ⟨Adj.⟩ (ugs.): *geschickt und schlau seinen Vorteil wahrend, gerissen:* er ist ein geriebener Bursche.

gering ⟨Adj.⟩: **1.** *wenig, klein, niedrig:* nur geringe Einkünfte haben; die Kosten sind [nicht] g. * **nicht im geringsten** *(überhaupt nicht):* er kümmerte sich nicht im geringsten darum; **kein Geringerer als ...** *(ein so bedeutender Mann wie ...):* das hat kein Geringerer als Goethe geschrieben. **2.** *gewöhnlich; sozial niedrig gestellt:* von geringer Herkunft sein.

geringfügig ⟨Adj.⟩: *unbedeutend, nicht ins Gewicht fallend:* er hatte nur geringfügige Verletzungen.

geringschätzig ⟨Adj.⟩: *verächtlich, in herabsetzender Weise:* eine geringschätzige Bemerkung; jmdn. g. behandeln.

Geringschätzung, die; -: *Einstellung, Haltung einer Person oder Sache gegenüber, die erkennen läßt, daß man sie nicht hochschätzt, sie verachtet:* jmdn./etwas mit G. betrachten, behandeln.

gerinnen, gerann, ist geronnen ⟨itr.⟩: *zusammengehen, (in Form von Klumpen und Flocken) fest werden:* saure Milch gerinnt beim Kochen; ⟨häufig im 2. Partizip⟩ geronnenes Blut.

Gerinnsel, das; -s, -: *kleiner Klumpen einer geronnenen Flüssigkeit, bes. von Blut:* im Gehirn hatte sich ein G. festgesetzt.

Gerippe, das; -s, -: *Skelett von toten Menschen oder Tieren:* in dem alten Keller hat man ein G. gefunden; bildl.: das G. *(die tragende Konstruktion)* eines Schiffes.

gerissen ⟨Adj.⟩ (ugs.): *überaus schlau und verschlagen:* ein gerissener Betrüger.

Germ, (bayr.:) der; -s, (östr.:) die; -: *Hefe.*

Germanist, der; -en, -en: *jmd., der Germanistik studiert [hat].*

Germanistik, die; -: *Teil der Geisteswissenschaften, der sich mit der deutschen Sprache und Literatur beschäftigt:* G. studieren.

gern[e], lieber, am liebsten ⟨Adverb⟩: *bereitwillig, mit Vergnügen; mit Vorliebe:* g. lesen; ich helfe Ihnen g.; er geht g. früh schlafen; das kannst du g. tun. * **jmdn. g. haben** *(Zuneigung zu jmdm. empfinden);* **etwas g. haben** *(Gefallen an etwas finden):* ich habe es g., wenn das Radio leise spielt.

Gernegroß, der; -, -e (ugs.): *jmd., der mehr sein möchte als er ist* /bes. von kleinen Kindern/: er ist ein [kleiner] G., spielt immer den G.

Geröll, das; -s: *Ansammlung loser Steine:* der Bach fließt durch G.

Gerste, die; -: /eine Getreideart/ (siehe Bild).

Gerste

Gerstenkorn, das; -[e]s, Gerstenkörner: 1. *einzelnes Korn der Gerste:* die Spatzen stürzen sich auf die verstreuten Gerstenkörner. 2. *kleine eitrige Entzündung am Lid:* ein G. haben.

Gerte, die; -, -n: *dünner, biegsamer Stock:* sich eine G. schneiden; sie ist schlank wie eine G.

gertenschlank ⟨Adj.⟩: *sehr schlank:* ein gertenschlankes Mädchen.

Geruch, der; -[e]s, Gerüche: 1. ⟨ohne Plural⟩ *Fähigkeit zu riechen:* einen feinen G. haben. 2. *Art, wie etwas riecht:* Zwiebeln haben einen scharfen G.

geruchlos ⟨Adj.⟩: *ohne Geruch:* dieses Mittel ist völlig g.

Gerücht, das; -[e]s, -e: *unter den Leuten verbreitete, nicht erwiesene Nachricht:* das ist nur ein G.; es geht das G., daß er wieder heiraten wolle.

geruhen, geruhte, hat geruht ⟨itr.⟩ (veralt.; geh.): *sich voller Huld herablassen; bereit, geneigt sein:* die Gräfin geruht, heute abend ein Fest zu geben; (scherzh.; iron.) wann geruhst du endlich, mir die Wahrheit zu sagen?

geruhsam ⟨Adj.⟩: *ruhig, nicht von Eile getrieben, behaglich:* ein geruhsamer Abend.

Gerümpel, das; -s: *alte, wertlose Gegenstände:* das G. aus der Wohnung entfernen.

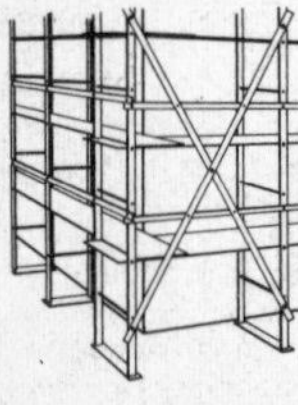

Gerüst

Gerüst, das; -[e]s, -e: *Gestell aus Stangen, Brettern, Balken o. ä., mit Hilfe dessen ein Bau errichtet oder ausgebessert wird* (siehe Bild): ein G. aufstellen.

gerüttelt (veralt.): ⟨in den Fügungen⟩ **ein gerüttelt[es] Maß [an]** *(sehr viel):* er hatte ein gerüttelt[es] Maß [an] Leid zu ertragen; **g. voll** *(ganz voll; so, daß nichts mehr Platz hat):* der Sack ist g. voll.

gesalzen ⟨Adj.; nicht adverbial⟩ (ugs.): **a)** *übermäßig hoch:* eine gesalzene Rechnung bekommen. **b)** *derb:* ein gesalzener Witz; jmdm. einen gesalzenen *(deutlichen)* Brief schreiben.

gesamt ⟨Adj.; nur attributiv⟩: *alle[s] ohne Ausnahme umfassend; vollständig, ganz:* die gesamte Bevölkerung.

Gesamtausgabe, die; -, -n: *Ausgabe, die alle Werke eines Dichters umfaßt.*

Gesamteindruck, der; -[e]s, Gesamteindrücke: *Eindruck des Gesamten ohne Berücksichtigung einzelner Erscheinungen:* obwohl mir dies und jenes überhaupt nicht gefiel, war der G. der Ausstellung doch recht gut.

gesamthaft ⟨Adverb⟩ (schweiz.): *insgesamt, im ganzen:* der Vorschlag ist g. gesehen recht gut.

Gesamtheit, die; -: *als Einheit erscheinende Menge von Personen, Dingen, Vorgängen o. ä.; das Ganze:* die G. der Einwohner.

Gesamtschule, die; -, -n: *Schule, in der mehrere der bisher getrennten Schulen (z. B. Grundschule, Realschule, Gymnasium) zu einer Einheit zusammengefaßt sind.*

Gesandte, der; -n, -n ⟨aber: [ein] Gesandter, Plural: Gesandte⟩: *Diplomat, der im Rang unter dem Botschafter steht.*

Gesandtschaft, die; -, -en: *[ständige] Vertretung eines Staates im Ausland.*

Gesang, der; -[e]s, Gesänge: 1. ⟨ohne Plural⟩ *das Singen:* froher G. ertönte; der G. der Vögel. 2. *Lied:* geistliche, weltliche Gesänge.

Gesangbuch, das; -s, Gesangbücher: *Sammlung geistlicher Lieder für Gottesdienste.*

Gesangverein, der; -[e]s, -e: *Verein, in dem gemeinsamer Gesang betrieben wird:* der G. der Stadt erfreute die Zuhörer durch Volkslieder.

Gesäß, das; -es, -e: *Teil des Körpers, auf dem man sitzt.*

Geschäft, das; -[e]s, -e: 1. *gewerbliches Unternehmen mit einem oder mehreren Räumen, in denen etwas verkauft wird:* ein G. eröffnen; das G. ist heute geschlossen. 2. **a)** *Aufgabe; Tätigkeit, die einen bestimmten Zweck verfolgt:* er hat viele Geschäfte zu erledigen. **b)** *Handel, abgeschlossener Verkauf:* die Geschäfte gehen gut. * **ein [gutes] Geschäft [mit etwas] machen** *(an etwas [gut] verdienen).*

geschäftig ⟨Adj.⟩: *unentwegt tätig:* ein geschäftiger Diener; g. hin und her laufen. **Geschäftigkeit,** die; -.

geschäftlich ⟨Adj.⟩: *die Angelegenheiten eines gewerblichen Unternehmens oder einen abgeschlossenen Handel betreffend:* geschäftliche Dinge besprechen; mit jmdm. g. verhandeln; er hat hier g. zu tun.

Geschäftsfreund, der; -[e]s, -e: *jmd., mit dem man ständig in guter geschäftlicher Verbindung steht:* für alle seine Geschäftsfreunde hatte er zu Weihnachten ein schönes Geschenk.

Geschäftsführer, der; -s, -: *Angestellter, der ein Unternehmen verantwortlich leitet.*

Geschäftsführung, die; -, -en: **a)** *Leitung eines Unternehmens:* für unbestimmte Zeit die G. übernehmen. **b)** *Gruppe von Personen, die gemeinsam ein Unternehmen leiten:* die G. hat folgendes beschlossen.

Geschäftskosten: ⟨in der Fügung⟩ auf G.: *so, daß es der Betrieb, das Unternehmen finanziell zu tragen hat:* er machte seine Reise auf G.

Geschäftsmann, der; -s, Geschäftsleute: *Kaufmann:* er ist ein schlechter G.

Geschäftsreise, die; -, -n: *Reise, um Geschäftliches, Dienstliches zu erledigen:* eine G. machen; auf G. sein.

Geschäftsstelle, die; -, -n: *Stelle, Büro einer Institution, wo die laufenden Geschäfte erledigt und Kunden bedient werden.*

die G. des Vereins befindet sich im Rathaus.

geschäftstüchtig ⟨Adj.⟩: *geschickt im Erreichen eines Gewinns:* dein Freund ist sehr g.

geschehen, geschieht, geschah, ist geschehen ⟨itr.⟩: **1.** *sich ereignen; eintreten und vor sich gehen; passieren:* es ist ein Unglück geschehen; das geschieht *(das tut man)* zu deinem Besten. * **etwas g. lassen** *(einen Vorgang, ein Ereignis dulden)*: er ließ es g., daß sie abreiste; **es ist um jmdn. g.** *(jmd. ist dem Einfluß von jmdm. erlegen)*: als er sie sah, da war es um ihn geschehen; **es ist um etwas g.** *(etwas ist dahin, verloren)*: als die Kinder nach Hause kamen, war es um seine Ruhe g. **2.** *(jmdm.) zustoßen, widerfahren, passieren:* ihm ist Unrecht g.; das geschieht dir ganz recht *(das hast du verdient)*; dem Kind ist bei dem Unfall nichts geschehen.

Geschehen, das; -s (geh.): *alles, was sich innerhalb einer bestimmten Zeit zuträgt, ereignet:* das politische G. der letzten zehn Jahre.

Geschehnis, das; -ses, -se (geh.): *Ereignis.*

gescheit ⟨Adj.⟩: *klug:* ein gescheiter Junge; ein gescheiter Einfall; er ist sehr g. * **du bist wohl nicht ganz, recht gescheit!** *(du bist wohl nicht bei Verstand!)*.

Geschenk, das; -[e]s, -e: *Gegenstand, den man jmdm. gibt, schenkt, um ihm eine Freude zu machen:* ein G. überreichen.

Geschenkpackung, die; -, -en: *bes. schöne Verpackung, in der eine Ware, die als Geschenk gedacht ist, verkauft wird:* eine G. Zigaretten, Pralinen.

Geschichte, die; -, -n: **1. a)** ⟨ohne Plural⟩ *politische oder kulturelle Entwicklung, Folge von Ereignissen:* die G. des römischen Reiches, der Musik; G. studieren. **b)** *wissenschaftliche Darstellung einer Entwicklung:* er hat eine G. des Dreißigjährigen Krieges geschrieben. **2.** *Bericht, Erzählung:* die G. von Robinson Crusoe; eine spannende G. erzählen. **3.** (ugs.) *Vorfall; Angelegenheit, Sache:* er hat von der ganzen G. nichts gewußt; das sind alte Geschichten *(längst bekannte Tatsachen)*. * (ugs.) **mach keine Geschichten!** *(mach keine Dummheiten!)*.

geschichtlich ⟨Adj.⟩: *die politische oder kulturelle Entwicklung betreffend:* ein geschichtliches Ereignis.

Geschick: I. das; -[e]s, -e: *Schicksal:* ihn traf ein schweres G. **II.** das; -[e]s: *Geschicklichkeit.* etwas mit großem G. tun; [kein] G. zu etwas haben.

Geschicklichkeit, die; -: *Fertigkeit, besondere Gewandtheit (in bestimmten Dingen):* alle bewunderten seine G. bei den Verhandlungen.

geschickt ⟨Adj.⟩: *Geschicklichkeit zeigend; gewandt:* ein geschickter Handwerker; etwas g. einrichten.

Geschirr, das; -s, -e: **I.** *Gefäße aus Porzellan o. ä. im Haushalt* (siehe Bild): das G. abwaschen, spülen. **II.** *Riemen, mit denen Zugtiere vor den Wagen gespannt werden* (siehe Bild): dem Pferd das G. anlegen. * (ugs.) **sich tüchtig ins G. legen** *(angestrengt arbeiten)*.

Geschirr

Geschirrspülmaschine, die; -, -en: *elektrisch betriebene Maschine, die automatisch das Geschirr spült.*

Geschlecht, das; -[e]s, -er: **1.** *die beiden Formen, männlich oder weiblich, nach denen sich Lebewesen unterscheiden:* junge Leute beiderlei Geschlechts. * (ugs.) **das schwache, schöne G.** *(die Frauen)*; **das starke G.** *(die Männer)*. **2.** *Gattung, Stamm, [alte]Familie:* das G. der Hohenstaufen. **3.** *Generation:* die kommenden Geschlechter.

geschlechtlich ⟨Adj.⟩: *das Geschlecht betreffend, sexuell:* geschlechtliche Fragen; mit jmdm. g. verkehren.

Geschlechtsakt, der; -[e]s, -e: *geschlechtliche Vereinigung von Mann und Frau.*

Geschlechtskrankheit, die; -, -en: *schwere ansteckende Krankheit, die meist durch Geschlechtsverkehr übertragen wird.*

Geschlechtsorgane, die ⟨Plural⟩: *Organe, die der geschlechtlichen Fortpflanzung dienen.*

Geschlechtsteil, das; -s, -e: *äußeres Organ, das der Fortpflanzung dient.*

Geschlechtsverkehr, der; -s: *[wiederholte] geschlechtliche Vereinigung von Mann und Frau:* mit jmdm. G. haben.

geschlossen ⟨Adj.⟩: **a)** ⟨nur adverbial⟩ *einheitlich, ohne Ausnahme:* sie stimmten g. für die neue Verfassung. **b)** ⟨nur attributiv⟩ *zusammenhängend [gebaut]:* eine geschlossene Ortschaft. ** **geschlossene Gesellschaft** *(nicht allgemein zugängliche Veranstaltung in einem öffentlichen Lokal)*. **Geschlossenheit,** die; -.

Geschmack, der; -s: **1. a)** *Fähigkeit, etwas zu schmecken:* er hat wegen seines Schnupfens keinen G. **b)** *Art, wie etwas schmeckt:* die Suppe hat einen kräftigen G. **2.** *Fähigkeit zu ästhetischem Urteil:* einen guten G. haben. **3.** *das, was jmd. schön findet; Richtung, Art des Geschmacks:* das ist nicht mein, nach meinem G.; über den G. läßt sich [nicht] streiten. * **G. an etwas finden** *(an etwas Gefallen finden)*; **auf den G. kommen** *(allmählich das Angenehme an etwas herausfinden und nun immer genießen wollen)*: nachdem er einige Zigaretten geraucht hatte, war er auf den G. gekommen.

geschmacklos ⟨Adj.⟩: **1.** *keinen Sinn für Schönheit erkennen lassend, ohne [künstlerischen] Geschmack:* ein geschmackloses Bild; sie war g. gekleidet. **2.** *unfein, taktlos:* ich finde seine Antwort g. **Geschmacklosigkeit,** die; -.

Geschmack[s]sache: ⟨in der Fügung⟩ das ist G.: *darüber kann man verschiedener Ansicht sein, je nach dem persönlichen Geschmack.*

Geschmacksverirrung, die; -, -en (ugs.): *Mangel an gutem Geschmack; etwas, was äußerst* *geschmacklos ist:* diese Äußerung ist eine arge G.

geschmackvoll ⟨Adj.⟩: *den Sinn für Schönheit erkennen lassend, mit [künstlerischem] Geschmack:* eine geschmackvolle Ausstattung; das Schaufenster ist g. dekoriert.

Geschmeide, das; -s, - (geh.): *kostbarer Schmuck:* ein goldenes G. mit funkelnden Edelsteinen.

geschmeidig ⟨Adj.⟩: *schmiegsam, elastisch; gewandt:* dieses Leder ist g.; geschmeidige Glieder haben.

geschniegelt ⟨Adj.⟩ (ugs.): **a)** *fein gekleidet und zurechtgemacht:* ein geschniegelter junger Mann. * **g. und gebügelt** *(äußerst fein zurechtgemacht)*: g. und gebügelt geht er am Sonntag zur Kirche.

Geschöpf, das; -[e]s, -e: *Lebewesen; geschaffenes Wesen:* alle Geschöpfe müssen sterben; der Dichter liebt seine Geschöpfe *(die Personen in seinen Werken)*.

Geschoß, das; Geschosses, Geschosse: **I.** *aus einer Waffe geschossener, meist länglicher Körper:* das G. traf ihn am Arm. **II.** *der alle auf gleicher Höhe liegenden Räume umfassende Teil eines Gebäudes; Stockwerk:* er wohnt im vierten G.; in einem der oberen Geschosse.

geschraubt ⟨Adj.⟩: *im Ausdruck gewollt gewählt und umständlich:* das Buch hat einen geschraubten Stil; er drückte sich sehr g. aus.

Geschrei, das; -s: *längere Zeit andauerndes Schreien:* man hörte lautes G. * (ugs.) **viel G. um etwas machen** *(unnötig viel über etwas reden)*.

Geschütz, das; -es, -e: *fahrbare oder fest montierte schwere Schußwaffe* (siehe Bild).

Geschütz

Geschwader, das; -s, -: *Verband von Kriegsschiffen oder Kampfflugzeugen:* ein G. von Flugzeugen zieht über die Stadt hinweg.

Geschwätz, das; -es (ugs.; abwertend): *nichtssagendes, überflüssiges Reden:* das ist nur leeres, dummes G.

geschwätzig ⟨Adj.⟩ (abwertend): *viel und in aufdringlicher Weise redend:* eine geschwätzige alte Frau.

geschweige ⟨Konj.; oft in der Verbindung mit *denn*⟩: *erst recht nicht:* ich kann kaum gehen, g. [denn] Treppen steigen; so etwas sagt man nicht, g. [denn], daß man es täte.

geschwind ⟨Adj.⟩ (landsch.): *schnell, rasch:* komm g.!; das geht nicht so g.

Geschwindigkeit, die; -, -en: *Schnelligkeit; Verhältnis der Zeit zu dem in ihr zurückgelegten Weg:* die G. erhöhen; das Auto fuhr mit einer G. von 150 km in der Stunde.

Geschwister, die ⟨Plural⟩: *Kinder gleicher Eltern, meist beiderlei Geschlechts:* meine G. gehen noch zur Schule.

geschwollen ⟨Adj.⟩: *im Ausdruck überflüssig kompliziert, hochtrabend, schwülstig:* sein Stil ist g.; er redet immer so g.

Geschworene, der; -n, -n ⟨aber: [ein] Geschworener, Plural: Geschworene⟩: *Mitglied eines Schwurgerichts, der kein Jurist ist.*

Geschwulst, die; -, Geschwülste: *krankhafte Anschwellung oder Wucherung von Gewebe im Körper:* eine G. operieren.

Geschwür, das; -s, -e: *[eitrige] Entzündung, bei der Gewebe zerstört wird:* das G. mußte geschnitten werden.

Geselchte, das; -n ⟨aber: Geselchtes⟩ (bayr.; östr.): *geräuchertes Schweinefleisch.*

Geselle, der; -n, -n: **1.** *Handwerker, der seine Lehre mit einer Prüfung abgeschlossen hat:* der Meister beschäftigt zwei Gesellen. **2.** (meist abwertend) *Bursche, [junger] Mann:* ein wüster, langweiliger G.

gesellen, sich; gesellte sich, hat sich gesellt (geh.): *sich (jmdm./einer Sache) anschließen:* er gesellte sich zu anderen jungen Leuten; zu all dem Unglück gesellte sich noch eine schwere Krankheit.

gesellig ⟨Adj.⟩: **a)** *sich leicht und gern an andere anschließend:* ein geselliger Mensch; g. leben. **b)** *in zwangloser Gesellschaft stattfindend; unterhaltsam:* ein geselliger Abend.

Geselligkeit, die; -, -en: **a)** ⟨ohne Plural⟩ *gesellschaftlicher Umgang:* er liebt die G. **b)** *geselliges Beisammensein:* eine G. veranstalten.

Gesellschaft, die; -, -en: **1. a)** ⟨ohne Plural⟩ *Umgang, Begleitung:* man sah sie in [der] G. von zwei Herren. * **jmdm. G. leisten** *(bei jmdm. sein und ihn unterhalten)*. **b)** *geselliges, festliches Beisammensein:* eine G. geben. **c)** *Kreis von Menschen:* eine gemischte *(sehr unterschiedlich zusammengesetzte)* G.; (ugs.) das ist eine langweilige G. **2.** ⟨ohne Plural⟩ *die unter bestimmten Verhältnissen und Formen zusammenlebenden Menschen:* die bürgerliche G. **3.** *Vereinigung mit bestimmten Zwecken:* eine wissenschaftliche G. * **G. mit beschränkter Haftung** (Abk.: GmbH /bestimmte Form eines wirtschaftlichen Unternehmens/).

gesellschaftlich ⟨Adj.; nicht prädikativ⟩: *die Gesellschaft betreffend, in der Gesellschaft üblich:* die gesellschaftlichen Formen beachten; politische und gesellschaftliche Verhältnisse.

Gesellschaftsreise, die; -, -n: *organisierte Reise einer Gruppe:* das Reisebüro führt eine G. nach Griechenland durch.

Gesellschaftsschicht, die; -, -en: *Gruppe von höherem oder niederem Rang, die sich im Zusammenleben der Menschen herausgebildet hat:* zur gehobenen G. gehören.

Gesellschaftsspiel, das; -s, -e: *Spiel, das zur geselligen Unterhaltung dient.*

Gesetz, das; -es, -e: **1.** *[vom Staat erlassene] rechtlich bindende Vorschrift:* ein G. beschließen; gegen ein G. verstoßen. **2.** *festes Prinzip, das das Verhalten oder den Ablauf von etwas bestimmt:* die Gesetze der Natur; das G. der Serie; nach dem G. von Angebot und Nachfrage.

Gesetzeskraft, die; -: *gesetzliche Gültigkeit:* der Entwurf hat bereits G.

gesetzgebend ⟨Adj.⟩: *[auf Grund der Verfassung] Gesetze erlassend:* die gesetzgebende Versammlung.

gesẹtzlich ⟨Adj.⟩: *dem Gesetz entsprechend, vom Gesetz bestimmt:* die Eltern sind die gesetzlichen Vertreter des Kindes; ich bin g. zu dieser Abgabe verpflichtet.

gesẹtzmäßig ⟨Adj.⟩: *einem inneren Gesetz folgend:* eine gesetzmäßige Entwicklung; etwas läuft g. ab. **Gesẹtzmäßigkeit,** die; -, -en.

gesẹtzt ⟨Adj.⟩: *reif, ruhig:* für seine Jugend wirkt er überraschend g.; in gesetztem Alter *(nicht mehr ganz jung)* sein.

gesẹtzwidrig ⟨Adj.⟩: *gegen das Gesetz verstoßend:* eine gesetzwidrige Handlung. **Gesẹtzwidrigkeit,** die; -, -en.

Gesịcht, das; -s, -er: **1.** *vordere Seite des Kopfes:* ein ovales G.; das G. abwenden. * **jmdm. etwas ins G. sagen** *(seine Kritik an jmdm. dem Betreffenden selbst sagen; und es nicht hinter seinem Rücken, nicht heimlich tun);* **das G. wahren** *(so tun, als ob alles in Ordnung sei);* **sein G. verlieren** *(sein Ansehen verlieren);* **den Dingen ins G. sehen** *(etwas realistisch einschätzen).* **2.** *Miene:* ein freundliches, böses G. zeigen, machen. * **ein langes G. machen** *(enttäuscht blicken).*

Gesịchtsausdruck, der; -[e]s: *Ausdruck, Mienenspiel des Gesichtes auf Grund einer bestimmten seelischen Verfassung:* sein G. veränderte sich plötzlich.

Gesịchtsfeld, das; -es: *Blickfeld.*

Gesịchtskreis, der; -es, -e: *geistiger Horizont; Kreis, den man von seinem geistigen Standpunkt aus überblickt:* er konnte seinen G. erweitern.

Gesịchtsmaske, die; -, -n: **a)** *Maske für das Gesicht:* auf dem Ball mußte jeder eine G. tragen. **b)** *kosmetisches Mittel, das man auf das Gesicht dick aufträgt und bis zum Erstarren wirken läßt, damit die Haut besser durchblutet und wieder straffer wird:* eine G. aus Quark und Honig auftragen.

Gesịchtspunkt, der; -[e]s, -e: *Möglichkeit, eine Sache anzusehen und zu beurteilen:* das ist ein neuer G.; er geht von einem politischen G. aus.

Gesịchtswasser, das; -s, Gesichtswässer: *in flüssiger Form verwendetes kosmetisches Mittel, zur Pflege und Reinigung des Gesichts:* einen Bausch Watte mit G. befeuchten.

Gesịchtswinkel, der; -s, -: *Blickwinkel.*

Gesịchtszüge, die ⟨Plural⟩: *bestimmte Züge, die ein Gesicht prägen:* die verbitterten G. der Frau.

Gesịms, das; -es, -e: *waagerecht verlaufender Vorsprung an einer Mauer.*

Gesịnde, das; -s (veralt.): *Gesamtheit der Knechte und Mägde bes. auf einem Bauernhof.*

Gesịndel, das; -s (abwertend): *Menschen, die man verachtet; Pack:* ich kann dieses G. nicht ausstehen.

gesịnnt ⟨Adj.; in Verbindung mit einer näheren Bestimmung⟩: *eine bestimmte Gesinnung habend; (jmdm. gegenüber) in bestimmter Weise eingestellt sein:* er ist sozial g.; jmdm. freundlich g. sein.

Gesịnnung, die; -, -en: *charakterliche Haltung des Menschen, Denkweise:* von anständiger G. sein; jmdm. feindliche G. zeigen; seine [politische] G. wechseln.

gesịnnungslos ⟨Adj.⟩ (abwertend): *keinem moralisch-sittlichen Grundsatz verpflichtet:* ein gesinnungsloser Lump. **Gesịnnungslosigkeit,** die; -.

Gesịnnungslump, der; -en, -en (ugs.; abwertend): *jmd., der seine Gesinnung der jeweiligen Lage anpaßt, um sich einen Vorteil zu verschaffen.*

gesịttet ⟨Adj.⟩: *sich gut benehmend, wohlerzogen, brav:* die Kinder gingen recht g. vor ihren Eltern.

Gesọ̈ff, das; -s (derb; abwertend): *schlechtes Getränk:* dieses G. kannst du selber trinken!

gesọnnen: ⟨in der Verbindung⟩ g. sein: *die Absicht haben, gewillt sein:* ich bin nicht g., meinen Plan aufzugeben.

Gesọttene, das; -n ⟨aber: Gesottenes⟩ (veralt.): *gesottenes Fleisch:* heute gibt es Gesottenes mit Gemüse.

Gespạnn, das; -[e]s, -e: *Wagen mit einem oder mehreren davorgespannten Zugtieren:* ein G. mit vier Pferden; bildl. (scherzh.): die beiden Freunde geben ein eigenartiges G. ab.

gespạnnt ⟨Adj.⟩: **1.** *voller Erwartung den Ablauf eines Geschehens verfolgend; neugierig:* ich bin g., ob es ihm gelingt; wir sahen dem Spiel g. zu. **2.** *kritisch; leicht in Streit übergehend:* die politische Lage ist g.; gespannte Beziehungen. * **mit jmdm. auf gespanntem Fuß stehen** *(jmdm. feindselig gegenüberstehen).*

Gespẹnst, das; -es, -er: *umgehender Geist [eines Toten]:* er glaubt an Gespenster; bildl.: das G. *(die drohende Gefahr)* des Krieges.

gespẹnsterhaft ⟨Adj.⟩: *unheimlich, an ein Gespenst erinnernd:* eine gespensterhafte Erscheinung.

gespẹnstisch ⟨Adj.⟩: *unheimlich; düster drohend:* eine gespenstische Nacht, Erscheinung.

Gespịnst, das; -es, -e: *gesponnenes Garn; [lockeres] Gewebe:* ein feines, grobes G.; bildl.: ein G. von Lüge und Betrug.

Gespọ̈tt, das; -[e]s: **a)** *Gegenstand des Spottes:* zum G. der Leute werden. **b)** *Spott:* sein G. mit jmdm. treiben.

Gespräch, das; -s, -e: *mündlicher Austausch von Gedanken zwischen zwei oder mehreren Personen:* ein G. führen; an einem G. teilnehmen.

gesprächig ⟨Adj.⟩: *zum Reden, Erzählen aufgelegt, sich gern unterhaltend:* er ist [heute] nicht sehr g.

Gesprächspartner, der; -s, -: *Partner bei einem Gespräch:* sein G. fühlte sich über alles erhaben.

Gesprächsstoff, der; -[e]s, -e: *Thema, worüber man sich unterhält:* den beiden fehlt es nie an G.

gesprächsweise ⟨Adverb⟩: *im, durch ein Gespräch:* er hat die Neuigkeit g. erfahren.

gespreizt ⟨Adj.⟩: *affektiert, gekünstelt, geschwollen:* er redet immer so g.

gesprẹnkelt ⟨Adj.⟩: *mit vielen kleinen Tupfen versehen:* eine blau gesprenkelte Krawatte.

Gespür, das; -s: *Fähigkeit, etwas im voraus zu ahnen; Gefühl:* er hat ein feines G. für finanziell lohnende Geschäfte.

Gestade, das; -s, - (geh.): *Ufer, Küste:* die G. des Meeres, des Flusses, des Sees.

Gestalt, die; -, -en: **1. a)** ⟨ohne Plural⟩ *äußere Erscheinung:* er hat eine kräftige G. **b)** *nicht genau erkennbares Lebewesen:* auf dem Hof stand eine dunkle G. **2. a)** *Persönlichkeit:* eine der großen Gestalten des Abendlandes. **b)** *von einem Dichter geschaffene Figur:* die G. des Hamlet. **3.** *Form eines Gegenstandes:* die Wurzel hat die G. eines Sternes. *** G. annehmen** *(feste Formen gewinnen):* der Plan nimmt allmählich G. an.

gestalten, gestaltete, hat gestaltet: **a)** ⟨tr.⟩ *(einer Sache) eine bestimmte Form, ein bestimmtes Aussehen geben:* einen Stoff literarisch g.; der Park wurde völlig neu gestaltet. **b)** ⟨rfl.⟩ *eine bestimmte Form annehmen:* das Fest gestaltete sich ganz anders, als wir erwartet hatten; in der Zukunft wird sich manches anders g. *(wird manches anders aussehen).* **Gestaltung,** die; -.

gestaltlos ⟨Adj.⟩: *keine bestimmte äußere oder innere Gestalt, Form besitzend; ohne Gestalt, Form:* ein gestaltloses Durcheinander; seine Pläne sind vorläufig noch etwas g.

geständig: ⟨in der Verbindung⟩ g. sein: *[etwas] zugeben, gestehen:* der Angeklagte ist g.

Geständnis, das; -ses, -se: *das Gestehen, Bekennen; Erklärung, mit der man eine Schuld zugibt:* jmdm. ein G. machen *(jmdm. etwas gestehen);* ein G. ablegen *(eine Schuld [vor dem Richter] gestehen).*

Gestank, der; -s (abwertend): *übler Geruch:* ein abscheulicher G.; der G. war nicht mehr zu ertragen.

gestatten, gestattete, hat gestattet: **a)** ⟨tr.⟩ *erlauben, bewilligen:* er gestattete mir, die Bibliothek zu benutzen; Rauchen nicht gestattet!; ⟨auch rfl.⟩ er gestattete sich gewisse Freiheiten. **b)** ⟨itr.⟩ *die Möglichkeit geben:* mein Einkommen gestattet mir keine großen Reisen.

Geste, die; -, -n: **1.** *Bewegung der Hände oder Arme, die die Rede begleitet oder auch ersetzt:* er sprach mit lebhaften Gesten; sie machte eine zustimmende G. **2.** *Handlung oder Mitteilung, die etwas indirekt ausdrücken soll:* dieser Brief war nur eine höfliche G.

gestehen, gestand, hat gestanden ⟨tr.⟩: *zugeben, bekennen:* er hat das Verbrechen gestanden; er gestand ihr seine Liebe; ⟨auch itr.⟩ der Angeklagte hat gestanden.

Gestein, das; -s, -e: *die festen Bestandteile in der Erde; Masse aus Stein.*

Gestell, das; -s, -e: **a)** *Aufbau aus Stangen, Brettern o. ä., auf den man etwas stellen oder legen kann:* die Flaschen liegen auf einem G. **b)** *fester Rahmen:* das G. der Maschine.

gestern ⟨Adverb⟩: **1.** *einen Tag vor heute:* ich habe ihn g. gesehen; g. abend. **2.** *früher:* die Mode von g.; (ugs.) er ist nicht von g. *(er hat Erfahrung, weiß Bescheid).*

gestiefelt: ⟨in der Fügung⟩ g. und gespornt (ugs.; scherzh.): *fertig angezogen und bereit zum Weggehen.*

Gestik, die; -: *Gesamtheit der Gesten als Ausdruck seelischer Vorgänge.*

gestikulieren, gestikulierte, hat gestikuliert ⟨itr.⟩: *mit Händen und Armen lebhafte Gebärden machen:* die Leute gestikulieren und reden aufgeregt durcheinander.

Gestirn, das; -[e]s, -e (geh.): *leuchtender Körper am Himmel:* der Lauf der Gestirne.

gestirnt: ⟨in der Fügung⟩ der gestirnte Himmel (geh.): *der mit Sternen bedeckte Himmel.*

Gesträuch, das; -[e]s, -e (geh.): *Gebüsch.*

gestreift ⟨Adj.⟩: *mit Streifen versehen:* der Tiger hat ein gestreiftes Fell.

gestrichelt ⟨Adj.⟩: *aus kurzen Strichen bestehend:* eine gestrichelte Linie.

gestrig ⟨Adj.; nur attributiv⟩: *am vorangegangenen Tage gewesen; von gestern:* es stand in der gestrigen Zeitung; unser gestriges Gespräch.

Gestrüpp, das; -s, -e: *Sträucher, deren Zweige wild durcheinanderwachsen:* vor dem Wald wuchs niedriges G.; bildl.: ein G. *(eine verworrene Menge)* von Paragraphen.

Gestüt, das; -[e]s, -e: *anerkannte Zuchtstätte für Pferde:* der Hengst kommt aus einem berühmten G.

Gesuch, das; -s, -e: *Antrag schriftlich abgefaßte Bitte [an eine Behörde]:* ein G. einreichen ablehnen.

gesucht ⟨Adj.⟩: **a)** *unnatürlich, gezwungen, gekünstelt:* sich g. ausdrücken. **b)** *begehrt:* dieses Präparat ist sehr g.

gesund, gesünder, gesündeste ⟨Adj.⟩: **1. a)** *frei von Krankheiten:* ein gesundes Kind; gesunde Zähne haben; g. sein, werden **b)** *natürlich, normal:* er hat gesunde Anschauungen. **2.** *die Gesundheit fördernd:* gesunde Luft; Wandern ist g.

Gesundbrunnen, der; -s (geh.): *etwas, was jmdn. gesund macht oder gesund erhält:* tägliche Gymnastik am Morgen ist für sie ein G.

gesunden, gesundete, ist gesundet ⟨itr.⟩ (geh.): *gesund werden:* nach der schweren Krankheit ist er schnell wieder gesundet; bildl.: durch diese Maßnahmen wird die Wirtschaft des Landes g.

Gesundheit, die; -: *das Gesundsein, Wohlbefinden:* du mußt etwas für deine [angegriffene] G. tun.

gesundheitlich ⟨Adj.; nicht prädikativ⟩: *die Gesundheit betreffend:* er hat gesundheitlichen Schaden erlitten; es geht ihm g. nicht gut.

Gesundheitsrücksichten: ⟨in der Fügung⟩ aus G.: *aus Rücksicht auf die angegriffene Gesundheit:* aus G. legte er sein Amt nieder.

Gesundheitszustand, der; -[e]s: *der augenblickliche Zustand von jmds. Gesundheit:* sein G. ist sehr bedenklich.

gesundstoßen, sich; stößt sich gesund, stieß sich gesund, hat sich gesundgestoßen (ugs.; abwertend): *sich wieder eine gesunde finanzielle Grundlage verschaffen, sich ausgiebig bereichern:* die Firma hat sich mit diesem Artikel gesundgestoßen.

Getöse, das; -s: *starkes, länger andauerndes Tosen; großer Lärm:* das G. des Wassers, der Maschinen.

getragen ⟨Adj.⟩: *langsam und feierlich:* eine getragene Melodie

Getränk, das; -[e]s, -e: *zum Trinken zubereitete Flüssigkeit*

ietränke verkaufen; er bat um in erfrischendes G.

ietrauen, sich; getraute sich, at sich getraut: *den Mut haen (etwas zu tun):* ich getraue nich nicht, ihn anzureden.

ietreide, das; -s: /alle Pflanen, die angebaut werden, um us den Körnern Mehl u. ä. zu ewinnen/: das G. wird reif; Veizen ist ein wichtiges G.

ietreu ⟨Adj.⟩ (geh.): **1.** *treu:* g. is in den Tod. * **einer Sache g.** *einer Sache gemäß, entsprehend):* seinem Vorsatz, Entchluß g. handeln; etwas der Vahrheit g. berichten. **2.** *der Vahrheit, Wirklichkeit entprechend:* eine getreue Wiederabe.

ietriebe, das; -s, -: *Vorrichung in Maschinen und Fahrzeuen, die Bewegungen überträgt:* as G. des Autos.

ietrost ⟨Adj.; nicht attributiv⟩: *vertrauensvoll, ruhig, ohne twas fürchten zu müssen:* du annst g. zu ihm gehen.

ietto, das; -s, -s (hist.): *abgechlossener Teil einer Stadt, in em Juden wohnen.*

ietue, das; -s (abwertend): *unatürliches, etwas eigenartiges 'erhalten:* ich habe genug von iesem dummen G.; eine Sache hne viel G. *(ohne viel Aufheens davon zu machen)* erledien.

ietümmel, das; -s: *erregtes)urcheinander von Menschen:* as G. eines Kampfes, eines Fetes.

ieviert, das; -[e]s, -e (geh.): *twas, was viereckig ist:* ein von ohen Mauern umgebenes G.; ehn Meter im G. *(eine quaratische Fläche mit zehn Meter ıngen Seiten).*

iewächs, das; -es, -e: **1.** *Pflane:* in seinem Garten gibt es eltene Gewächse. **2.** *Geschwulst:* in bösartiges G.

iewächshaus, das; -es, Geächshäuser: *Treibhaus.*

iewählt ⟨Adj.⟩: *gehoben, vorehm* /in bezug auf die Sprache/: r drückt sich sehr g. aus.

iewahr: ⟨in der Verbindung⟩ . werden (geh.): *bemerken, erennen:* zu spät wurde er g., daß r seine Tasche vergessen hatte; r wurde seines Freundes erst ., als dieser vor ihm stand.

Gewähr, die; -: *Garantie, Sicherheit:* G. für etwas bieten, leisten; die Angaben erfolgen ohne G. [für die Richtigkeit].

gewahren, gewahrte, hat gewahrt ⟨itr.⟩ (geh.): *wahrnehmen, bemerken; [unvermutet] erblikken:* da gewahrte er ein Licht in der Ferne.

gewähren, gewährte, hat gewährt ⟨tr.⟩: **a)** *(jmdm. etwas Gewünschtes o. ä.) großzügig geben, bewilligen:* die Bank gewährte dem Unternehmen einen hohen Kredit; er gewährte *(gab, bot)* den Flüchtlingen Unterkunft und Schutz. **b)** (geh.) *(jmds. Wunsch o. ä.) nachkommen, erfüllen:* er hat ihm die Bitte gewährt. ** **jmdn. g. lassen** *(jmdn. bei seinem Tun nicht stören, nicht hindern).*

gewährleisten, gewährleistete, hat gewährleistet ⟨tr.⟩: *garantieren, sichern, verbürgen:* die Sicherheit g. **Gewährleistung,** die; -.

Gewahrsam: ⟨in bestimmten Wendungen⟩ **etwas in G. haben/halten/nehmen** *(etwas verwahren, sicher aufbewahren);* **jmdn. in G. nehmen/setzen** *(jmdn. in Haft nehmen, verhaften);* **in [polizeilichem] G. sein** *(in Haft sein).*

Gewährsmann, der; -[e]s, Gewährsmänner und Gewährsleute: *Bürge; jmd., auf dessen Aussage man sich berufen kann:* er ist mein G.

Gewährung, die; -: *das Gewähren, Bewilligung:* die G. eines Kredites.

Gewalt, die; -, -en: **1.** *Macht und Befugnis, Recht und die Mittel, über jmdn./etwas zu bestimmen, zu herrschen:* die elterliche, staatliche G.; G. über jmdn. haben. * **sich in der G. haben** *(sich beherrschen [können]).* **2.** ⟨ohne Plural⟩ *rücksichtslos angewandte Macht; unrechtmäßiges Vorgehen; Zwang:* G. leiden müssen; in diesem Staat geht G. vor Recht; bildl.: der Wahrheit G. antun *(die Wahrheit verfälschen).* **3.** ⟨ohne Plural⟩ *körperliche Kraft; Anwendung physischer Stärke:* er öffnete die Tür mit G.; der Betrunkene wurde mit G. aus der Gaststätte gebracht. * **mit aller G.** *(unbedingt; unter allen Umständen):* er wollte mit aller G. Leiter des Unternehmens werden. **4.** *elementare Kraft; Stärke, Heftigkeit:* die G. des Sturmes, der Wellen; den Gewalten des Unwetters trotzen; bildl.: von der G. einer Idee, einer Leidenschaft erfaßt werden.

Gewaltakt, der; -[e]s, -e: *etwas, was gewaltsam durchgeführt wird:* die Besetzung des Landes war ein G. des Militärs.

gewaltig ⟨Adj.⟩: **1.** *über eine große Macht verfügend:* er war der gewaltigste Herrscher in Europa. **2.** (ugs.) **a)** *sehr groß, sehr stark, mächtig:* ein gewaltiger Felsen; er hat gewaltige Schmerzen; der Fortschritt ist g.; er hat einen gewaltigen Hunger. **b)** ⟨verstärkend bei Adjektiven und Verben⟩ *sehr:* er hat sich g. angestrengt.

Gewaltmaßnahme, die; -, -n: *mit aller Gewalt durchgeführte Maßnahme:* Gewaltmaßnahmen gegen die zunehmende Kriminalität treffen.

gewaltsam ⟨Adj.; nicht prädikativ⟩: **1.** *unter Anwendung physischer Kraft [durchgeführt]:* er öffnete g. die Tür. **2.** *mit Zwang [durchgeführt]; rücksichtslos:* der Streik wurde g. unterdrückt. ** **einen gewaltsamen Tod sterben** *(auf nicht natürliche Weise sterben).* **Gewaltsamkeit,** die; -.

Gewalttat, die; -, -en: *mit roher Gewalt durchgeführte Tat:* Verbrecher, die zu Gewalttaten neigen.

gewalttätig ⟨Adj.⟩: *seinen Willen mit [roher] Gewalt durchsetzend; roh, brutal, rücksichtslos:* er ist ein gewalttätiger Mensch. **Gewalttätigkeit,** die; -, -en.

Gewand, das; -[e]s, Gewänder (geh.): *[festliche] Kleidung; langes [festliches] Kleidungsstück:* ein prächtiges, wallendes G.; bildl.: das Buch erscheint in einem neuen G. *(in einer neuen Aufmachung).*

gewandt ⟨Adj.⟩: *sicher und geschickt; wendig:* er hat ein gewandtes Auftreten; er ist sehr g. und weiß mit Menschen umzugehen. **Gewandtheit,** die; -.

gewärtig: ⟨in der Fügung⟩ (einer Sache) g. sein (geh.): *[etwas] erwarten; [auf etwas] gefaßt sein:* er war des Äußersten an Schikane g.; er war g., von ihr angesprochen zu werden; ⟨gelegentlich auch ohne *sein*⟩ sie hatte seit Wochen in Angst gelebt, stets g. des brutalsten Überfalls.

gewärtigen, gewärtigte, hat gewärtigt ⟨tr.⟩ (geh.; veralt.): **1.** *erwarten:* er ist enttäuscht, weil er zu viel gewärtigt hat. **2.** *(auf etwas) gefaßt sein:* man muß leider das Schlimmste g.

Gewäsch, das; -es (ugs.; abwertend): *dummes Gerede:* das ganze ist [ein] leeres G.

Gewässer, das; -s, -: **1.** *Ansammlung von [stehendem] Wasser, deren Größe nicht näher bestimmt ist:* ein stilles, mit Schilf fast zugewachsenes G. **2.** ⟨Plural⟩ /zusammenfassende Bezeichnung für Flüsse, Kanäle, Seen u. ä./: Finnland hat viele G.

Gewebe, das; -s, -: **1.** *Stoff aus kreuzförmig gewebten Fäden:* ein feines, leinenes G. **2.** *Verband von Zellen mit gemeinsamer Aufgabe und gleichem Bau* /bei Pflanzen, Tieren und beim Menschen/: viele Krankheiten zerstören das G. des Körpers.

geweckt ⟨Adj.⟩: *aufgeweckt.*

Gewehr, das; -s, -e: *Schußwaffe mit langem Lauf* (siehe Bild): das G. laden.

Gewehr

Geweih, das; -[e]s, -e: /Gebilde auf der Stirn des Hirsches/ (siehe Bild): der Hirsch hatte sein G. abgeworfen.

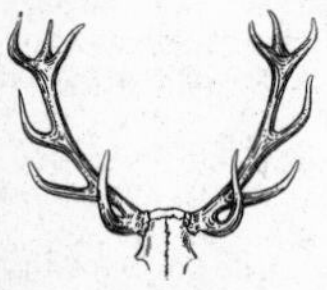

Geweih

Gewerbe, das; -s, -: *auf Erwerb ausgerichtete berufsmäßige Tätigkeit:* ein G. ausüben.

gewerblich ⟨Adj.; nicht prädikativ⟩: *als Gewerbe [amtlich zugelassen], zum Gewerbe gehörig:* ein gewerblicher Betrieb; etwas g. betreiben.

gewerbsmäßig ⟨Adj.; nicht prädikativ⟩: *auf regelmäßigen Erwerb ausgerichtet; wie ein Gewerbe [betrieben]:* gewerbsmäßige Bettelei; einen Handel g. betreiben.

Gewerkschaft, die; -, -en: *Organisation der Arbeitnehmer zur Durchsetzung ihrer [sozialen] Interessen:* er ist Mitglied der G.

Gewerkschaft[l]er, der; -s, -: *Mitglied einer Gewerkschaft [mit besonderen führenden Aufgaben]:* eine Versammlung eifriger G.

gewerkschaftlich ⟨Adj.; nicht prädikativ⟩: *zur Gewerkschaft gehörig, die Gewerkschaft betreffend:* das gewerkschaftliche Denken; einen Betrieb g. *(durch die Gewerkschaft)* organisieren.

gewichst ⟨Adj.⟩ (ugs.): *gewiegt.*

Gewicht, das; -[e]s, -e: **1. a)** ⟨ohne Plural⟩ *Größe der Kraft, mit der ein Körper auf seine Unterlage drückt oder nach unten zieht; Schwere, Last eines Körpers:* das Paket hatte ein G. von 3 kg. **b)** *Körper mit einer bestimmten Schwere* (siehe Bild): er legte drei Gewichte auf die Waage. **2.** *Bedeutung, Wichtigkeit:* dieser Vorfall hat kein G., ist ohne G.; er legt großes G. *(großen Wert)* auf gute Umgangsformen.

1. b)

Gewicht

gewichtig ⟨Adj.⟩: *bedeutend, wichtig:* er hat gewichtige *(schwerwiegende, ernste)* Gründe für diese Ansicht; er tat sehr g. **Gewichtigkeit,** die; -.

Gewichtsklasse, die; -, -n: *nach dem Körpergewicht eingeteilte Klasse von Sportlern* /beim Boxen, Ringen, Judo o. ä./: einer bestimmten G. angehören.

gewieft ⟨Adj.⟩ (ugs.): *schlau, gerissen:* ein gewiefter Bursche; g. sein.

gewiegt ⟨Adj.⟩ (ugs.): *durch Erfahrung geschickt und mit allen Kniffen vertraut; schlau, durchtrieben:* ein gewiegter Rechtsanwalt.

gewillt: ⟨in der Verbindung⟩ g. sein: *entschlossen, willens sein:* er war g., seinen Plan in die Tat umzusetzen.

Gewinde, das; -s, -: *an einer Schraube oder in der Mutter einer Schraube fortlaufende eingeschnittene Rille* (siehe Bild).

Gewinde

Gewinn, der; -s, -e: **1.** *mate rielle Bereicherung; Verdiens Überschuß:* das Unternehme arbeitet mit G.; bildl.: die Buch wirst du mit G. *(mit gro ßem Nutzen; mit innerer Berei cherung)* lesen. **2. a)** *Los, das ge winnt; Treffer:* jedes Los ist ei G. **b)** *das, was durch Glück ge wonnen werden kann; als Prei ausgesetzter Gegenstand oder Be trag:* die Gewinne wurden ver teilt, ausgezahlt.

Gewinnbeteiligung, die; -, -en: *Beteiligung am Gewinn ei nes Geschäftes, Unternehmens* von den Arbeitern und Ange stellten wird G. gefordert.

gewinnen, gewann, hat ge wonnen: **1.** ⟨tr.⟩ *(einen Kampf zu seinen Gunsten, für sich ent scheiden; in etwas Sieger sein* ein Spiel, einen Kampf, Proze g.; er gewann den 100-m-Lau *(wurde Erster);* ⟨auch itr.⟩ e hat [in diesem Spiel] hoch ge wonnen. **2. a)** ⟨tr.⟩ *durch eigen Anstrengungen und zugleic durch günstige Umstände erwer ben, erlangen, bekommen:* eine Vorteil, Vorsprung g.; Reich tümer g.; großes Ansehen, jmds Gunst, Einblick in etwas g. **b** ⟨tr./itr.⟩ *durch Glück erlangen bekommen:* er hat im Lotto [10 Mark] gewonnen; bei der Ver losung ein Auto g.; jedes Los ge winnt *(jedes Los ist ein Treffer bringt einen Preis).* **c)** ⟨itr.⟩ *er halten, bekommen:* diese Angele genheit gewinnt durch diese Vorfall ein ganz neues Aussehen eine besondere Bedeutung. **d** ⟨itr.⟩ *(an etwas) zunehmen:* da Flugzeug gewann an Höhe; e hat an Ansehen gewonnen; da Problem gewinnt an Klarhei *(wird klarer);* durch den Rah men hat das Bild sehr gewonne *(ist das Bild eindrucksvolle schöner geworden).* **3.** ⟨tr. *(jmdn.) überreden, dazu bringen sich an etwas zu beteiligen ode sich für etwas einzusetzen:* di Firma hat mehrere Fachleut für das neue Projekt gewonnen sie haben einen bekannten Pro fessor für diesen Abend als Red ner gewonnen; du hast ihn zun Freund gewonnen *(er ist dei Freund geworden);* ⟨häufig in 1. Partizip⟩ er hat gewinnend *(sympathische, einnehmende)* Umgangsformen. * **jmdn. für sich g.** *(jmds. Sympathien erwerben; jmdn. für sich einnehmen).* **4.** ⟨tr.⟩ *aus der Erde herausholen, fördern:* Kohlen g.; Saft aus Äpfeln g. *(herstellen).* **5.** ⟨itr.⟩ (geh.) *mit Mühe erreichen:* das Schiff gewann den rettenden Hafen. * (geh.) **das Weite g.** *(fliehen).*

Gewịnnspanne, die; -, -n: *Differenz zwischen den Preisen, zu welchen ein Artikel gekauft und wieder verkauft wird:* eine große G.

Gewịnnsucht, die; - (abwertend): *Bestreben, aus allem einen möglichst hohen Gewinn zu erzielen:* die G. mancher Geschäftsleute ist abstoßend.

gewịnnsüchtig ⟨Adj.⟩ (abwertend): *von Gewinnsucht angetrieben, besessen:* gewinnsüchtige Geschäftsleute.

Gewịnnung, die; -: *das Gewinnen (von bestimmten Stoffen):* die G. von Erz, Salz, Gummi.

Gewịrr, das; -[e]s: *wirres Durcheinander:* ein G. von Straßen und Gassen; ein G. von Stimmen.

gewịß: I. ⟨Adj.⟩: **1.** ⟨nicht attributiv⟩ *ohne jeden Zweifel; gesichert; sicher:* seine Niederlage, Bestrafung ist g.; er war sich seines Erfolges g. *(war von seinem Erfolg überzeugt);* so viel ist g. *(steht fest),* daß wir dieses Jahr nicht verreisen können; etwas als g. *(gesichert)* ansehen. **2.** ⟨nur attributiv⟩ **a)** *nicht näher bezeichnet; nicht genauer bestimmt:* ich habe ein gewisses Gefühl, als ob...; aus einem gewissen Grunde möchte ich zu dieser Frage nicht Stellung nehmen; in gewissen Kreisen spricht man über diese Vorgänge. **b)** *nach Menge oder Art bestimmt und begrenzt; nicht allzu groß:* eine gewisse Distanz einhalten; sein Buch erregte ein gewisses Aufsehen. **II.** ⟨Adverb⟩: *sicherlich, wahrscheinlich; sicher; auf jeden Fall; ohne jeden Zweifel:* g. hast du recht, aber wir können es doch noch einmal überprüfen; er wird g. bald kommen.

Gewịssen, das; -s: *sittliches Bewußtsein von Gut und Böse:* er hat ein sehr kritisches G. * **ein schlechtes G. haben** *(sich schuldig fühlen; sich Vorwürfe machen);* **jmdn. auf dem G. haben** *(schuld an jmds. Tod sein).*

gewịssenhaft ⟨Adj.⟩: *mit großer Genauigkeit und Sorgfalt vorgehend; verantwortungsvoll und sorgfältig:* ein gewissenhafter Beamter; g. arbeiten. **Gewịssenhaftigkeit,** die; -.

gewịssenlos ⟨Adj.⟩: *ohne jedes sittliche Empfinden für Gut und Böse [seiend]; skrupellos:* ein gewissenloser Verbrecher; g. handeln. **Gewịssenlosigkeit,** die; -.

Gewịssensbisse, die ⟨Plural⟩: *quälendes Bewußtsein, unrecht gehandelt zu haben; Bewußtsein, schuld an etwas zu sein:* heftige G. haben.

Gewịssensfrage, die; -: *schwierige Frage, die man nach dem eigenen Gewissen entscheiden muß:* bei einer G. kann einem niemand helfen.

Gewịssenskonflikt, der; -[e]s, -e: *Konflikt, in den man gerät, wenn man eine notwendige Entscheidung mit dem Gewissen nicht vereinbaren kann:* einem G. ausweichen.

gewịssermạßen ⟨Adverb⟩: *sozusagen, gleichsam, soviel wie:* er war g. nur Helfer.

Gewịßheit, die; -: *sichere Kenntnis (von etwas); nicht zu bezweifelndes Wissen; Sicherheit:* es war keine G. über den Vorfall zu erlangen; ich muß G. darüber bekommen, ob er uns betrügt oder nicht; man kann mit G. *(ohne jeden Zweifel)* sagen, daß er überaus intelligent ist; sich G. *(Klarheit)* über etwas verschaffen; ich habe die G. *(ich bin der festen Überzeugung, Meinung),* daß sie uns betrügen wollen.

Gewịtter, das; -s, -: *vorübergehendes Unwetter mit Blitz, Donner [und heftigen Niederschlägen]:* ein schweres, nächtliches G.; bildl.: ein häusliches G. *(ein häuslicher Streit).*

Gewịtterwolke, die; -, -n: *dunkle, schwere Wolke, die ein Gewitter ankündigt:* schwarze Gewitterwolken bildeten sich im Westen.

gewịttrig ⟨Adj.⟩: *dumpf und schwül, wie vor dem Gewitter:* ein gewittriger Nachmittag; bildl.: eine gewittrige Atmosphäre.

gewịtzigt: ⟨in der Wendung⟩ durch Erfahrung g. sein: *durch Erfahrung schlau geworden sein.*

gewịtzt ⟨Adj.⟩: *mit praktischem Verstand begabt, schlau:* ein gewitzter Geschäftsmann.

gewo̲gen ⟨Adj.⟩ (geh.): *zugetan, freundlich gesinnt:* ein mir sehr gewogener Mann; jmdm. g. sein, bleiben; sich jmdm. g. zeigen.

gewö̲hnen, gewöhnte, hat gewöhnt ⟨tr./rfl.⟩: *(jmdm./sich etwas) zur Gewohnheit machen; (mit jmdm.) vertraut machen:* ein Kind an Sauberkeit g.; sie konnte sich nicht an die Kälte g.; ⟨häufig im 2. Partizip in Verbindung mit *sein*⟩ das Kind ist daran gewöhnt, sich regelmäßig die Zähne zu putzen; er ist an schwere Arbeit gewöhnt *(er hat schon oft schwer arbeiten müssen, so daß ihm schwere Arbeit nicht fremd ist).*

Gewo̲hnheit, die; -, -en: *das, was man immer wieder tut, so daß es schon selbstverständlich ist; zur Eigenschaft gewordene Handlungsweise; übliches Verhalten:* er hat die üble G. zu schnarchen; die Macht der G.; mit einer G. brechen.

gewo̲hnheitsgemäß ⟨Adj.⟩ (geh.): *gewohnheitsmäßig.*

gewo̲hnheitsmäßig ⟨Adj.⟩: *durch alte Gewohnheit verursacht; aus Gewohnheit:* die gewohnheitsmäßige Überprüfung von Rechnungen; etwas g. tun.

Gewo̲hnheitsmensch, der; -en, -en: *Mensch, der von einem geregelten, seinen Gewohnheiten entsprechenden Tagesablauf abhängig ist.*

Gewo̲hnheitsrecht, das; -[e]s, -e: *ungeschriebenes Recht, das durch eine längere Tradition Gültigkeit erlangt hat:* das G. brechen.

Gewo̲hnheitstier, das; -[e]s, -e (ugs.; scherzh.): *Gewohnheitsmensch.*

Gewo̲hnheitsverbrecher, der; -s, -: *Verbrecher, der aus einem bestimmten Drang heraus immer wieder Verbrechen begeht:* ein gefährlicher G.

gewö̲hnlich ⟨Adj.⟩: **1.** *alltäglich, üblich; nicht von besonderer Art:* unsere gewöhnliche Beschäftigung; ein Mensch wie er findet sich im gewöhnlichen Leben nur schwer zurecht; [für] g. *(im allgemeinen)* kommt er um sieben. **2.** *in seinem Erscheinen oder Auftreten niedriges Niveau* *verratend; gemein, unfein, ordinär:* ein äußerst gewöhnlicher Mensch; er benahm sich sehr g.

gewohnt ⟨Adj.⟩: *bekannt, vertraut; nicht fremd:* die gewohnte Arbeit, Umgebung; in gewohnter Weise; ⟨häufig in Verbindung mit *sein*⟩ er war es g. *(es war eine feste Gewohnheit von ihm),* pünktlich zu kommen; er ist schwere Arbeit g. *(es ist für ihn nichts ungewöhnliches, schwer arbeiten zu müssen).*

Gewöhnung, die; -: *das Sichgewöhnen:* die G. an eine neue Umgebung.

Gewölbe, das; -s, -: **1.** *gewölbte Decke eines Raumes:* das G. der Kapelle wird von acht Säulen getragen. **2.** *Raum unter der Erde mit gewölbter Decke:* ein dunkles, bombensicheres G.

Gewühl, das; -s: *wirres Durcheinander; Getümmel:* er verschwand im G. der Tanzenden.

gewürfelt ⟨Adj.⟩: *kariert:* gewürfelte Kissenbezüge.

Gewürz, das; -es, -e: *[aus Pflanzen gewonnenes] Mittel, mit dem man Speisen einen bestimmten Geschmack gibt:* ein scharfes G.

Gewürzpflanze, die; -, -n: *Pflanze, aus der ein Gewürz gewonnen wird:* der Fenchel ist eine G.

gezackt ⟨Adj.⟩: *mit Zacken versehen:* ein gezacktes Blatt.

Gezänk, das; -s (abwertend): *aufgeregtes Streiten, Zanken:* das G. alter Weiber.

Gezeiten, die ⟨Plural⟩: *Ebbe und Flut; das Steigen und Fallen des Meeres:* der Wechsel der G.

Gezeter, das; -s (abwertend): *lautes Gejammer:* über etwas ein G. anstimmen.

geziemen, geziemte, hat geziemt ⟨itr.⟩ /vgl. geziemend/ (geh.): *(jmdm.) auf Grund seiner Stellung, Eigenschaften o. ä. zukommen:* es geziemt dir nicht, hier mitzureden. *** es geziemt sich** [**nicht**] *(es gehört sich [nicht]):* höflich antworten, wie es sich für ein gut erzogenes Kind geziemt.

geziemend ⟨Adj.⟩ (geh.): *[für einen bestimmten Fall] angebracht; gebührend, schicklich:* für etwas die geziemenden Worte finden.

geziert ⟨Adj.⟩ (abwertend): *unnatürlich, sich zierend:* sich g. benehmen. **Geziertheit,** die; -.

Gezwitscher, das; -s: *das Zwitschern:* das G. der Vögel.

gezwungenermaßen ⟨Adverb⟩: *unter einem bestimmten Zwang:* ich habe es g. dann doch getan.

Gicht, die; -: *rheumatische Krankheit, die mit starken Schmerzen in den Gliedern verbunden ist:* von der G. gekrümmte Finger.

gicksen, gickste, hat gegickst (landsch.): **1.** ⟨itr.⟩ *in hohen, sich überschlagenden Tönen sprechen:* vor Vergnügen gickste sie. **2.** ⟨tr.⟩ *stoßen, (mit etwas) stechen:* ich gickste ihn in die Seite.

Giebel, der; -s, -: **a)** *dreieckige Wand unter Dächern* (siehe Bild): der G. hatte keine Fenster. **b)** *dreieckige Fläche über Fenstern, Türen o. ä.* (siehe Bild): der G. über dem Portal war verziert.

a) b)

Giebel

Gier, die; -: *heftige, ungezügelte Begierde:* seine G. nicht bezähmen können.

gierig ⟨Adj.⟩: *von Gier erfüllt:* gierige Blicke; etwas g. verschlingen.

gießen, goß, hat gegossen: **1.** ⟨tr.⟩ *(eine Flüssigkeit) durch Neigen des Behälters aus diesem fließen lassen:* Tee in die Tasse g.; ⟨auch itr.⟩ ich habe mir den Kaffee aufs Kleid gegossen. **2.** ⟨tr.⟩ *begießen:* Blumen, die Beete g. **3.** ⟨tr.⟩ **a)** *(eine geschmolzene Masse) in eine Form fließen lassen:* Eisen, Blei g. **b)** *(etwas) herstellen, indem man eine geschmolzene Masse in eine Form fließen läßt:* Kugeln, Glokken g.; eine Statue aus Metall g. **4.** ⟨itr.⟩ (ugs.) *sehr stark regnen:* es gießt in Strömen.

Gießerei, die; -, -en: *Betrieb, in dem aus Metall verschiedene Gegenstände gegossen werden:* in einer G. arbeiten.

Gießkanne, die; -, -n: *Gefäß, mit dem man Pflanzen gießt* (siehe Bild).

Gießkanne

Gift, das; -[e]s, -e: *Stoff, der im Körper eine schädliche oder tödliche Wirkung hervorruft:* ein sofort wirkendes, schleichendes G.; sie hat G. genommen *(hat sich vergiftet);* bildl. (ugs.): zu kleine Buchstaben sind G. *(äußerst schädlich)* für die Augen. * (ugs.) **darauf kannst du G. nehmen!** *(das wird ganz sicher eintreten);* (ugs.) **G. und Galle speien/spucken** *(äußerst wütend und heftig sein).*

giften, sich; giftete sich, hat sich gegiftet (ugs.): *sich sehr ärgern:* ich giftete mich über alle Maßen.

Giftgas, das; -es, -e: *giftiges Gas mit einer schädlichen Wirkung auf alles Lebende.*

giftgrün ⟨Adj.⟩: *von greller grüner Farbe:* ein giftgrünes Kleid.

giftig ⟨Adj.⟩: **1.** *Gift enthaltend:* giftige Pflanzen, Pilze. **2.** (ugs.) **a)** *boshaft, haßerfüllt:* giftige Blicke; er wird leicht g. in seinen Reden. **b)** *grell:* ein giftiges Grün. **Giftigkeit,** die; -.

Giftpflanze, die; -, -n: *Pflanze, die wegen ihrer giftigen Stoffe für Mensch und Tier schädlich ist.*

Giftschlange, die; -, -n: *Schlange, deren Biß durch die Ausscheidung giftiger Stoffe tödlich sein kann:* von einer G. gebissen werden.

Gigant, der; -en, -en (geh.): **1.** (veralt.) *Riese.* **2.** **a)** *jmd., der auf einem Gebiet Ungeheures leistet oder geleistet hat:* die Giganten des Schisports. **b)** *etwas von ungeheurem Ausmaß:* die neuen Tanker sind die Giganten der Meere.

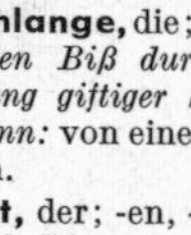

Gimpel

gigantisch ⟨Adj.⟩: *riesig, gewaltig; von ungeheurem Ausmaß:* ein gigantisches Unternehmen.

Gilde, die; -, -n: **1.** (hist.) *Zusammenschluß von Kaufleuten, Handwerkern o. ä., um nach außen die gemeinsamen Interessen zu vertreten:* die G. der Weber. 2. (scherzh.) *Gruppe von Leuten mit gleichen Absichten, Interessen o. ä.:* er gehört zur G. der Besserwisser.

Gimpel, der; -s, -: 1. /ein Vogel/ (siehe Bild S. 292). 2. (abwertend) *eitler, aber sehr einfältiger Mensch:* dieser junge G. wird von niemandem ernst genommen.

Gipfel, der; -s, -: 1. *oberer Teil, Spitze eines Berges:* einen G. besteigen. 2. *Höhepunkt:* er war damals auf dem G. seines Ruhmes. * (ugs.) **das ist der G.!** *(das ist die größte Frechheit!).*

Gipfelkonferenz, die; -, -en: *Konferenz, bei der sich die Spitzen der Regierungen verschiedener Staaten zu einem entscheidenden Gespräch treffen:* die G. der arabischen Staaten.

Gipfelkreuz, das; -es, -e: *Kreuz auf dem Gipfel eines Berges:* unter dem G. machten sie eine kurze Rast.

gipfeln, gipfelte, hat gegipfelt ⟨itr.⟩: *seinen Höhepunkt erreichen, finden:* seine Rede gipfelte in der Feststellung, daß . . .

Gipfeltreffen, das; -s, -: *Gipfelkonferenz.*

Gips, der; -es, -e: *graues oder weißes Pulver, das mit Wasser gemischt und dann geformt wird, sowie die daraus durch Trockenwerden entstandene harte Masse:* etwas mit G. verschmieren; den Arm in G. *(in einem Gipsverband)* tragen.

gipsen, gipste, hat gegipst ⟨tr.⟩: *mit Gips ausbessern:* die rissige Mauer g.; (ugs.) das Bein g. *(dem Bein einen Gipsverband anlegen).*

Gipskopf, der; -[e]s, Gipsköpfe (ugs.; abwertend): *jmd., der schwer von Begriff ist; dummer, schwerfälliger Mensch:* dieser G. hat schon wieder das falsche Buch gebracht!

Gipsverband, der; -[e]s, Gipsverbände: *durch erhärteten Gips starrer Verband, der eine ruhige Lage und damit eine vollkommene Heilung ermöglicht:* jmdm. am gebrochenen Arm einen G. anlegen.

Giraffe [südd.; östr. : ʒi'rafə], die; -, -n: /ein Tier/ (siehe Bild).

Girl [gœrl], das; -s, -s (ugs.): **a)** *junge Tänzerin in einem Ballett, Varieté o. ä.:* die Girls haben heute wunderbar getanzt. **b)**

Giraffe

junges Mädchen: ein sportliches G.; heute trifft er sich mit seinem G. *(seiner Freundin).*

Girlande, die; -, -n: *bandförmiges Geflecht aus Laub, Blumen oder buntem Papier* (siehe Bild): die Straßen waren mit Girlanden geschmückt.

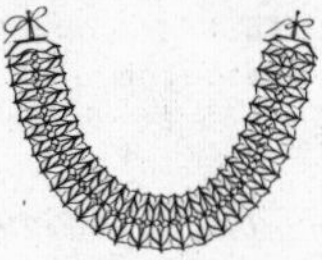

Girlande

Girokonto ['ʒi:rokɔnto], das; -s, Girokonten: *Konto, von dem man Zahlungen überweisen und auf dem man Zahlungen empfangen kann:* ein G. eröffnen.

girren, girrte, hat gegirrt ⟨itr.⟩: **a)** *lockende hohe Töne von sich geben* /von Vögeln/: die Tauben girrten. **b)** *in hohen schmeichlerischen Tönen (zu einem Mann) sprechen* /in bezug auf Frauen/: sie konnte noch so kokett g., er zeigte nicht das geringste Interesse für sie.

Gischt, der; -es, (auch:) die; -: *Schaum von wild bewegtem Wasser:* der weiße G. des Meeres wird von den Felsen zurückgeworfen.

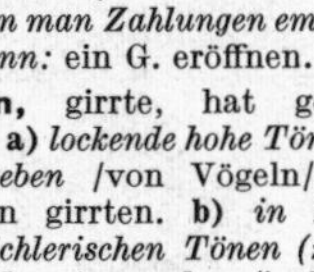

Gitter

Gitter, das; -s, -: *Vorrichtung zum Absperren* (siehe Bild): ein Haus mit Gittern vor den Fenstern. * (ugs.) **hinter Gittern** *(im Gefängnis).*

Gitterbett, das; -[e]s, -en: *kleines, mit einem Gitter versehenes Bett für Kinder:* das kleine Mädchen ist aus dem G. herausgeklettert.

Glacéhandschuh, [gla'se:...], der; -s, -e: *Handschuh aus einem bes. feinen Leder, das aus dem Fell junger Ziegen oder Lämmer hergestellt wird:* Glacéhandschuhe tragen; * (ugs.) **jmdn. mit Glacéhandschuhen anfassen/angreifen [müssen]** *(jmdn. äußerst vorsichtig behandeln [müssen]).*

Gladiator, der; -s, -en (hist.): *Teilnehmer an den öffentlichen Spielen im alten Rom, bei denen es oft um Leben und Tod ging.*

Gladiole, die; -, -n: /eine Blume/ (siehe Bild).

Glanz, der; -es: 1. *Licht, das bestimmte Körper reflektieren:* der G. der Sterne, des Goldes; sein seidiger G. 2. *strahlende Kraft:* der G. der Jugend, der Schönheit, des Ruhmes. * (ugs.) **mit G.** *(sehr gut, hervorragend):* er hat sein Examen mit G. bestanden.

Gladiole

glänzen, glänzte, hat geglänzt ⟨itr.⟩: 1. *Glanz ausstrahlen; leuchten:* die Sterne glänzen am Himmel; das Gold glänzt in der Sonne; seine Augen glänzten vor Freude. 2. *in Bewunderung erregender Weise hervorragen:* er glänzte unter seinen Kameraden durch sein Wissen; ⟨häufig im 1. Partizip⟩ er hat glänzende *(hervorragende, ausgezeichnete)* Zeugnisse erhalten. * (ugs.) **durch Abwesenheit g.** *(nicht dasein).*

Glanzleistung, die; -, -en (ugs.): *außergewöhnlich große Leistung:* die G. eines Sportlers, Schauspielers.

Glanzlicht, das; -[e]s, -er: *Höhepunkt in einer künstleri-*

schen Darbietung: der dritte und fünfte Akt waren die Glanzlichter der Vorstellung.

glanzlos ⟨Adj.⟩: **a)** *keinen Glanz aufweisend:* sein Haar ist g. **b)** *sich durch nichts Besonderes oder Außergewöhnliches auszeichnend:* eine vollkommen glanzlose Leistung; das Fest verlief g.

Glanznummer, die; -, -n: *Nummer, die innerhalb des Programms einen Höhepunkt darstellt:* die G. beim Varieté.

glanzvoll ⟨Adj.⟩: *voll von Ruhm und Ansehen; hervorragend, ausgezeichnet:* ein glanzvoller Sieg; eine glanzvolle Laufbahn.

Glanzzeit, die; -, -en: *Zeit, in der jmd. seine höchsten Leistungen vollbringt oder vollbracht hat:* seine G. hat er längst überschritten.

Glas, das; -es, Gläser: **1.** ⟨ohne Plural⟩ *durch Zusammenschmelzung entstandener harter, leicht zerbrechlicher durchsichtiger Stoff:* farbiges, trübes G.; G. blasen, schleifen. **2.** *gläsernes Gefäß:* sein G. erheben, leeren; sie hatte zehn Gläser Marmelade eingemacht; /als Maßangabe/ er hatte fünf G. Bier zu bezahlen. **3.** *Fernglas o. ä.:* mit einem G. etwas in der Ferne sehen.

glasartig ⟨Adj.⟩: *wie Glas aussehend:* eine glasartige Masse.

Glasbläser, der; -s, -: *jmd., der Gegenstände aus geblasenem Glas herstellt* /Berufsbezeichnung/.

Glaser, der; -s, -: *Handwerker, der in die Fenster Glas einsetzt und Bilder rahmt* /Berufsbezeichnung/: der G. setzte eine neue Fensterscheibe ein. * (ugs. scherzh.) **dein Vater ist wohl G.?** *(du bist nicht durchsichtig*/zu jmdm., der einem die Sicht auf jmdn./etwas versperrt/).

Glaserei, die; -, -en: **a)** ⟨ohne Plural⟩ *das Handwerk des Glasers:* die G. lernen. **b)** *Betrieb, Werkstatt eines Glasers:* in einer G. arbeiten.

gläsern ⟨Adj.⟩: **1.** ⟨nur attributiv⟩ *aus Glas hergestellt:* eine gläserne Tür. **2. a)** *kalt und starr* /von den Augen/: ein gläserner Blick. **b)** *helltönend, klirrend:* etwas klingt g.

Glashaus, das; -es, Glashäuser: *Treibhaus.*

glasieren, glasierte, hat glasiert ⟨tr.⟩: *mit einer Glasur überziehen:* eine Vase aus Ton g.; einen Kuchen g.

glasig ⟨Adj.⟩: **a)** *trüben, feuchten Schimmer habend*/in bezug auf die Augen/: mit glasigen Augen starrte der Betrunkene ins Leere. **b)** *wie Glas aussehend:* er aß glasige Früchte.

Glasmalerei, die; -, -en: **1.** ⟨ohne Plural⟩ *Kunst, Glas zu bemalen oder Bilder aus buntem Glas herzustellen:* ein Musterbeispiel französischer G. **2.** *Bild aus bemaltem oder buntem Glas:* die berühmten alten Glasmalereien in der Klosterkirche.

Glaspalast, der; -[e]s, Glaspaläste (scherzh.): *modernes Gebäude mit riesigen Glasfenstern:* im Sommer wird es in diesem G. unerträglich heiß.

Glasscheibe, die; -, -n: *für ein Fenster, ein Bild o. ä. zugeschnittene Platte aus Glas:* die G. der Tür ist gesprungen.

Glasscherbe, die; -, -n: *Scherbe aus Glas:* sich an einer G. schneiden.

Glasur, die; -, -en: *wie Glas aussehender glänzender Überzug:* die G. an der Vase ist abgesprungen; der Kuchen war mit einer hellen G. überzogen.

glatt ⟨Adj.⟩: **1.** *von allen Unebenheiten frei; ganz eben:* eine glatte Fläche; das Parkett ist g. **2.** ⟨nicht prädikativ⟩ *mühelos, einfach; ohne Komplikationen:* eine glatte Landung; die Operation ist g. verlaufen. **3.** ⟨nicht prädikativ⟩ (ugs.) *eindeutig:* eine glatte Lüge; das hätte ich g. *(völlig)* vergessen; das sagte er mir g. *(ohne zu zögern, ohne sich zu scheuen)* ins Gesicht. **4.** (abwertend) *allzu gewandt:* ein glatter Mensch; seine glatte Art ist mir unangenehm.

Glätte, die; -: **1.** *das Glattsein, das Ebensein:* die G. der Wasseroberfläche, des Eises. **2.** (abwertend) *allzu große Gewandtheit:* die G. seines Auftretens verdeckt vieles.

Glatteis, das; -es: *glatte gefrorene Schicht, die bei leichten Niederschlägen Straßen und Wege überzieht:* bei G. muß gestreut werden. * (ugs.) **jmdn. aufs G. führen** *(jmdn. durch bewußt irreführende Fragen und Behauptungen dorthin bringen, wo es heikel oder gefährlich für ihn wird):* er konnte mich nicht aufs G. führen, weil ich sofort seine Absicht durchschaut habe.

glätten, glättete, hat geglättet: **1.** ⟨tr.⟩ *glattmachen:* die Falten des Kleides g. **2.** ⟨rfl.⟩ *glatt werden:* die Wogen der See glätten sich.

glatthobeln, hobelte glatt, hat glattgehobelt ⟨tr.⟩: *so hobeln, daß die Oberfläche glatt ist:* er muß das Brett zunächst g.

glattlegen, legte glatt, hat glattgelegt ⟨tr.⟩: *so legen, daß es ohne Falten und geglättet daliegt:* die Bettwäsche g.

glattmachen, machte glatt, hat glattgemacht ⟨tr.⟩: *ebnen, glätten:* die Bettdecke g.

glattstreichen, strich glatt, hat glattgestrichen ⟨tr.⟩: *durch Streichen glätten:* das zerknüllte Papier g.

glattweg ⟨Adverb⟩: *einfach, ohne Bedenken, ohne weiteres:* sie hat die Kritik g. ignoriert.

glattziehen, zog glatt, hat glattgezogen ⟨tr.⟩: *(bei etwas) durch Ziehen die Falten entfernen; durch Ziehen glätten:* die Bettdecke g.

Glatze, die; -, -n: *haarlose Stelle am Kopf, Kahlkopf:* eine G. bekommen, haben.

glatzköpfig ⟨Adj.⟩: *kahlköpfig, ohne Haare:* g. sein.

Glaube, der; -ns: *gefühlsmäßige, nicht zu beweisende Überzeugung:* blinder, christlicher, [felsen]fester, starker, unerschütterlicher G.; * **den Glauben an etwas/jmdn. verlieren.** *(von etwas/jmdm. enttäuscht worden sein und von seiner Kraft o. ä. nicht mehr überzeugt sein);* **im guten/in gutem Glauben** *(in der Annahme, daß es richtig sei);* **jmdm. Glauben schenken** *(jmdm. glauben);* **auf Treu und Glauben** *(ungeprüft, ohne Bedenken).*

glauben, glaubte, hat geglaubt: **1.** ⟨tr.⟩ **a)** *annehmen, vermuten:* wir g., daß er krank ist. **b)** *für wahr halten:* er glaubte [ihm] seine Entschuldigung nicht. **2.** ⟨itr.⟩: *bauen (auf jmdn./etwas) vertrauen (auf jmdn./etwas):* an Gott g.; jmdm g. ** (ugs.) **dran g. müssen** *(sterben müssen):* er hat im Krieg auch dran g. müssen.

Glaubensbekenntnis, das; -ses, -se: **a)** *Bekenntnis zu einer Konfession:* was für ein G. hat er? **b)** *Gebet, mit dem man sich zum christlichen Glauben bekennt:* das G. sprechen.

Glaubensfrage, die; -: *Frage, die nur nach der persönlichen religiösen Einstellung des einzelnen entschieden werden kann:* die Auferstehung Christi ist eine reine G.

Glaubensfreiheit, die; -: *Freiheit in bezug auf Wahl und Ausübung des religiösen Glaubens:* ein Land, in dem G. herrscht.

Glaubenssache, die; -: *Angelegenheit, die im engen Zusammenhang mit der religiösen Einstellung steht:* das läßt sich nicht beweisen, es ist reine G.

glaubhaft ⟨Adj.⟩: *einleuchtend, überzeugend:* eine glaubhafte Entschuldigung; etwas g. darstellen; etwas klingt g.

gläubig ⟨Adj.⟩: **1.** *fromm, religiös:* ein gläubiger Christ; g. sein. **2.** ⟨nicht prädikativ⟩ *ergeben, vertrauensselig, nicht zweifelnd:* alles g. hinnehmen.

Gläubige, der; -n, -n ⟨aber: [ein] Gläubiger, Plural: Gläubige⟩: *gläubiger Mensch:* am Sonntag versammeln sich die Gläubigen in der Kirche.

Gläubiger, der; -s, -: *jmd., der Forderungen an einen Schuldner hat:* seine G. befriedigen und alle Schulden bezahlen.

Gläubigkeit, die; -: *überzeugte Hingabe an den Glauben:* seine G. bewahrte ihn vor der Verzweiflung.

glaublich: ⟨in der Fügung⟩ es/das ist kaum g.: *es/das ist kaum zu glauben:* es ist kaum g., wie er sich betragen hat.

glaubwürdig ⟨Adj.⟩: *vertrauenswürdig, glaubhaft:* eine glaubwürdige Aussage; dieser Zeuge ist g. **Glaubwürdigkeit,** die; -.

gleich: **I.** ⟨Adj.⟩ *nicht verschieden, in allen Merkmalen übereinstimmend:* die gleiche Farbe, Wirkung; das gleiche Ziel haben; g. alt, groß sein. * (ugs.) **etwas ist jmdm. g.** *(etwas ist jmdm. gleichgültig).* **II.** ⟨Partikel⟩: **1.** ⟨Adverb⟩ *sofort, bald:* ich komme g. **2.** ⟨Präp. mit Dativ⟩ (geh.) *entsprechend, wie:* g. einem roten Ball ging die Sonne unter.

gleichaltrig ⟨Adj.⟩: *ebenso alt, gleich alt, von gleichem Alter:* zwei gleichaltrige Kinder.

gleichartig ⟨Adj.⟩: *von gleicher Art, sehr ähnlich:* zwei gleichartige Fälle von Kinderlähmung.

gleichbedeutend: ⟨in der Verbindung⟩ mit etwas g. sein: *das gleiche bedeuten wie etwas:* das ist g. mit einer Zustimmung.

gleichberechtigt ⟨Adj.⟩: *rechtlich gleichgestellt, mit gleichen Rechten ausgestattet:* Fußgänger sind gleichberechtigte Verkehrsteilnehmer; Weiße und Farbige sind g.

Gleichberechtigung, die; -: *das Zugestehen von gleichen Rechten (für jmdn.):* um die G. [der Frau] kämpfen.

gleichbleiben, blieb gleich, ist gleichgeblieben ⟨itr./rfl.⟩: *sich nicht ändern, unverändert bleiben:* die Prüfungsbedingungen bleiben gleich; du bist dir in Glück und Unglück gleichgeblieben; kürzere Arbeitszeit bei gleichbleibendem Lohn.

gleichen, glich, hat geglichen ⟨itr./rzp.⟩: *gemeinsame Eigenschaften haben, jmdm. sehr ähneln:* die Brüder g. sich, einander wie ein Ei dem andern; er gleicht seinem Bruder aufs Haar.

gleichermaßen ⟨Adverb⟩: *in gleichem Maße, ebenso, genauso:* als Architekt und Konstrukteur hatte er g. Erfolg; Presse und Rundfunk waren g. daran beteiligt.

gleichfalls ⟨Adverb:⟩ *ebenfalls, auch:* der Mann blieb g. stehen; danke, g. *(ich wünsche Ihnen das gleiche)!*

gleichförmig ⟨Adj.⟩: *unverändert, ohne Abwechslung, eintönig und einförmig:* der gleichförmige Rhythmus; eine gleichförmige Bewegung; ein gleichförmiges Leben; die gleichförmige Kost.

gleichgesinnt ⟨Adj.⟩: *von gleicher Gesinnung, gleiche Gedanken und Wünsche habend:* gleichgesinnte Freunde.

gleichgestellt ⟨Adj.⟩: *die gleiche Stellung in bezug auf Rang, Ansehen, Behandlung o. ä. einnehmend:* ein mir gleichgestellter Beamter.

Gleichgewicht, das; -s: *ausbalancierter Zustand eines Körpers, in dem sich die entgegengesetzt wirkenden Kräfte aufheben; Balance:* die Balken sind im G.; bildl.: auf das politische G. bedacht sein; das seelische G. wiederherstellen.

gleichgültig ⟨Adj.⟩: **1.** *teilnahmslos, nicht interessiert:* ein gleichgültiger Schüler. **2.** *unwichtig, bedeutungslos:* über gleichgültige Dinge sprechen; er war ihr nicht g.

Gleichheit, die; -: **a)** *Übereinstimmung (in bezug auf Beschaffenheit, Zusammensetzung, Aussehen o. ä.):* die G. ihrer Empfindungen, Worte. **b)** *gleiche Stellung; gleiche Rechte:* die G. aller Menschen.

gleichkommen, kam gleich, ist gleichgekommen ⟨itr.⟩: *gleichwertig sein:* an Fleiß kam mir keiner gleich.

gleichlautend ⟨Adj.⟩: *aus demselben Wortlaut bestehend; mit denselben Worten:* die Nachricht wurde g. auch der Öffentlichkeit verkündet.

gleichmachen, machte gleich, hat gleichgemacht ⟨tr.⟩: *angleichen, anpassen, nivellieren:* sie lehnten eine Weltanschauung, die alles gleichmacht, ab. * **dem Erdboden g.** *(völlig zerstören).*

Gleichmaß, das; -es: **a)** (geh.) *ausgewogenes Verhältnis:* das G. in der Politik gefährden. **b)** *ruhiger, gleichmäßiger Ablauf:* aus dem G. der Bewegungen geraten.

gleichmäßig ⟨Adj.:⟩ *regelmäßig, beständig; in gleicher Weise erfolgend, fortbestehend:* ein gleichmäßiger Puls; die Beute g. verteilen. **Gleichmäßigkeit,** die; -.

Gleichmut, der; -s: *Gelassenheit, innere Ausgeglichenheit, Fassung:* mit stoischem G. alles ertragen.

gleichmütig ⟨Adj.⟩: *gleichgültig und gelassen:* eine Nachricht g. aufnehmen.

gleichnamig ⟨Adj.; nur attributiv⟩: *den gleichen Namen tragend:* ein Musikstück nach der gleichnamigen Oper. * **gleichnamige Brüche** *(Brüche mit dem gleichen Nenner).*

Gleichnis, das; -ses, -se: *Erzählung, die einem anderen Sachverhalt in vereinfachender, anschaulicher Weise ähnlich ist und dadurch lehrreich sein soll:* er erläuterte die Situation durch ein G.

gleichrangig 〈Adj.〉: *von gleichem Rang:* der Minister und der Staatssekretär sind nicht g.; gleichrangige Straßen.

gleichsam 〈Adverb〉: *sozusagen, wie, gewissermaßen:* sein Brief ist g. eine Anklage.

gleichschalten, schaltete gleich, hat gleichgeschaltet 〈tr.〉: **a)** *(verschiedene Arten des elektrischen Stroms) einander angleichen.* **b)** *[unter Zwang] angleichen:* die beiden Ämter wurden gleichgeschaltet. **c)** *(einer Gruppe von Menschen) die gleiche Einstellung aufzwingen:* die Bevölkerung des Landes wurde gleichgeschaltet.

Gleichschritt, der; -[e]s: *Art des Gehens, Marschierens, bei der sich Länge und Rhythmus der Schritte nicht ändern* /bes. beim Marschieren in einer geschlossenen Reihe/: G. halten; im G., marsch! /Kommando, im Gleichschritt zu marschieren/.

gleichsehen, sieht gleich, sah gleich, hat gleichgesehen 〈itr.〉: *gleichen:* er sieht seinem Vater gleich. * (ugs.) **etwas sieht jmdm. gleich** *(etwas ist typisch für jmdn.):* das sieht ihm wieder einmal gleich!

gleichsetzen, setzte gleich, hat gleichgesetzt 〈tr.〉: *gleichstellen:* die Ziele von Kirche und christlicher Religion lassen sich nicht immer g.; er setzt Kritik mit Ablehnung gleich.

gleichstellen, stellte gleich, hat gleichgestellt 〈tr.〉: *in gleicher Weise behandeln:* die Arbeiter wurden den Angestellten gleichgestellt.

gleichtun, tat gleich, hat gleichgetan 〈itr.〉: *das gleiche (wie jmd.) leisten:* wir konnten es ihm an Tüchtigkeit nicht g.

Gleichung, die; -, -en: *Gleichsetzung mathematischer Größen:* eine G. mit mehreren Unbekannten; die G. geht auf.

gleichviel [auch: gleichviel] 〈Adverb〉: *einerlei, wie dem auch sei, ohne Rücksicht darauf:* ich tu's, g. ob es Zweck hat oder nicht; er bestieg den Bus, um fortzufahren, g. wohin.

gleichwertig 〈Adj.〉: *ebensoviel wert, von gleichem Wert:* gleichwertige Gegner.

gleichwie [auch: gleichwie] 〈Konj.〉: *nicht anders als, wie:* etwas mit neuen Augen ansehen, g. zum ersten Mal.

gleichwohl [auch: gleichwohl] 〈Adverb〉: *dennoch, trotzdem, doch:* g. spricht manches gegen ihn.

gleichzeitig 〈Adj.〉: *zur gleichen Zeit [stattfindend]:* eine gleichzeitige Überprüfung aller Teile; g. losrennen. * **g. ... und** *(sowohl ... als auch):* der Raum ist g. Eß- und Schlafzimmer.

gleichziehen, zog gleich, hat gleichgezogen 〈itr.〉: **a)** *das gleiche (wie jmd./etwas) leisten:* er konnte beim Training mit den anderen nicht g. **b)** *sich (jmdm./einer Sache) angleichen:* in einigen Jahren werden die Preise in den beiden Ländern g.

Gleis, das; -es, -e: *mit Schienen angelegte Fahrbahn für [Eisen]bahnen:* die Gleise überqueren; bildl.: die Politik bewegte sich in ausgefahrenen Gleisen; auf ein falsches G. geraten; aus dem G. *(aus der Bahn)* geworfen werden. * **etwas ins rechte G. bringen** *(etwas in Ordnung bringen).* * **etwas auf ein totes G. schieben** *(etwas nicht benutzen, zurückstellen).*

gleißen, gleißte, hat gegleißt 〈itr.〉 (dicht.): *hell schimmern, glänzen:* Edelsteine gleißen an ihren Fingern.

gleiten, glitt, ist geglitten 〈itr.〉: **1.** *sich leicht und gleichmäßig auf einer Fläche fortbewegen, rutschen:* Schlitten gleiten über das Eis, Segelboote gleiten in die Bucht. **2.** (geh.) *schwebend fliegen:* Adler gleiten durch die Luft. ** **gleitende Arbeitszeit** *(Arbeitszeit, deren Beginn und Ende für den Arbeitnehmer variabel ist, wobei jedoch die gesamte Arbeitszeit in einem bestimmten Zeitraum abgeleistet werden muß).*

Gleitflug, der; -s, Gleitflüge: *schwebender Flug ohne Antrieb:* das Segelflugzeug ging im G. nieder.

Gletscher, der; -s, -: *große zusammenhängende Masse von Eis im Gebirge.*

Gletscherbrand, der; -[e]s: *starker Sonnenbrand, den man auf hohen Bergen bekommen kann:* ein Mittel gegen G. kaufen.

Glied, das; -[e]s, -er: **1. a)** *[beweglicher] Teil eines Ganzen:* das G. eines Fingers, einer Kette, eines Satzes; er ist ein nützliches G. der Gesellschaft; der Schreck fuhr mir in die Glieder *(ich habe mich sehr erschreckt);* vor Schmerzen kein G. rühren können. * **das männliche G.** *(Penis).* **b)** *Teil des menschlichen Körpers:* gesunde, heile, krumme Glieder. **2.** *eine von mehreren, hintereinander angetretenen Reihen einer Mannschaft:* im ersten G., in Reih und G. stehen.

gliederlahm 〈Adj.〉: *(wegen Müdigkeit, eintöniger Beschäftigung o.ä.) in den Gliedern schwer beweglich, steif:* nach der langen Fahrt war ich richtig g.

gliedern, gliederte, hat gegliedert 〈tr.〉: *ordnen, einteilen:* ein Buch in 20 Kapitel g.; der Vortrag war gut, schlecht gegliedert.

Gliederpuppe, die; -, -n: *Puppe mit beweglichen Gelenken:* mit einer G. spielen.

Gliederung, die; -, -en: *das Gliedern; Einteilung:* die G. des Vortrages, des Buches.

Gliedmaßen, die 〈Plural〉: *Extremitäten, Arme und Beine:* die vorderen, hinteren G. des Hundes.

glimmen, glomm/glimmte, hat geglommen/geglimmt 〈itr.〉: *schwach glühen:* Kohlen glimmen unter der Asche; bildl.: in seinen Augen glomm Haß.

glimmern, glimmerte, hat geglimmert 〈itr.〉 (dicht.): *leicht schimmern:* der Mond spiegelt sich glimmernd im See.

glimpflich 〈Adj.; nicht prädikativ〉: **1.** *ohne schwere Folgen [abgehend]:* g. davonkommen, verlaufen; ein glimpflicher Ausgang. **2.** *nachsichtig, rücksichtsvoll:* g. mit jmdm. umgehen.

glitschig 〈Adj.〉: *feucht und glatt; schlüpfrig:* der Boden ist g.

glitzern, glitzerte, hat geglitzert 〈itr.〉: *funkeln, glänzend aufblitzen:* Eis, Schnee glitzert.

global 〈Adj.〉: **1.** *die ganze Erde betreffend:* eine globale Lösung der politischen Krisen. **2.** *umfassend, allgemein:* man kann nicht ein ganzes Volk g. verurteilen.

Globetrotter ['glo:ptrɔtər], der; -s, -: *jmd., der durch die* *ganze Welt zieht und ein unstetes Leben führt.*

Globus, der; - und -ses, -se: *verkleinerte Nachbildung der Erde in Form einer Kugel* (siehe Bild).

Globus

Glocke, die; -, -n: **1. a)** *Gegenstand aus Metall zum Läuten* (siehe Bild): die Glocken läuten. *** etwas an die große G. hängen** *(etwas Unangenehmes oder Privates überall erzählen)*; **wissen, was die G. geschlagen hat** *(erkennen wie ernst die Lage ist)*. **b)** (landsch.) *Klingel, Schelle:* wenn die G. schellt, beginnt der Unterricht. **2.** *glockenförmiger Gegenstand:* der Käse liegt unter der G.

Glocke 1. a)

Glockenblume, die; -, -n: /eine Blume/ (siehe Bild).

Glockenblume

Glockengießer, der; -s, -: *Handwerker, der Glocken herstellt:* bei einem G. in die Lehre gehen.

glockenhell ⟨Adj.⟩ (geh.): *hell klingend, mit hellem Klang:* ein glockenhelles Lachen.

glockenrein ⟨Adj.⟩ (geh.): *hell und klar tönend:* mit glockenreiner Stimme singen.

Glockenspiel, das; -[e]s, -e: **a)** *kleines, aus verschiedenen Glocken bestehendes Werk, das, durch einen bestimmten Mechanismus angetrieben, eine bestimmte Melodie erzeugt; auch die Melodie selbst:* das G. auf dem Kirchturm muß repariert werden; das Salzburger G. **b)** *Musikinstrument, das aus verschiedenen langen Stäben besteht, die, mit einem Hammer angeschlagen, helle Töne hervorbringen:* das G. im Orchester.

glockig ⟨Adj.⟩: *sich nach unten wie eine Glocke erweiternd:* ein g. geschnittenes Kleid.

Gloria, das; -s: *Teil der katholischen Messe, der zum Lob und Preis Gottes gesprochen oder gesungen wird:* das G. war schon vorüber, als er die Kirche betrat. ****** (ugs.; scherzh.) **mit Glanz und G.** *(äußerst wirkungsvoll/* meist im negativen Sinn/) er wurde mit Glanz und G. aus dem Zimmer befördert.

Glorie, die; -, -n (geh.): **1.** (selten) *Heiligenschein:* der Engel erschien ihm in einer G.; bildl.: er steht immer nur in der G. seines berühmten Bruders *(kommt neben ihm nicht zur Geltung)*. **2.** ⟨ohne Plural⟩ *ruhmvoller Glanz, der (von jmdm./etwas) ausgeht:* die G. des Reiches ist erloschen.

Glorienschein, der; -[e]s, -e (geh.): *Heiligenschein:* der Künstler stellte Maria und Joseph mit einem G. dar; bildl.: für ihn hat diese Vergangenheit keinen G. *(er glorifiziert die Vergangenheit nicht)*.

glorifizieren, glorifizierte, hat glorifiziert ⟨tr.⟩: *verherrlichen:* ich will die Tat nicht g.

Gloriole, die; -, -n (geh.): *Heiligenschein:* die Heiligen waren mit einer weißen G. dargestellt; bildl.: er umgibt sich mit der G. *(dem Nimbus)* der Gerechtigkeit.

glorios ⟨Adj.⟩: *großartig, glanzvoll* /oft ironisch/: eine glorriose Idee.

glorreich ⟨Adj.⟩: *glanzvoll, ruhmreich, herrlich, glorios:* eine glorreiche Vergangenheit; der glorreiche Feldherr.

Glossar, das; -s, -e: *alphabetisch geordnete Sammlung von Wörtern, die in einem bestimmten Werk vorkommen:* ein G. zu einer mittelalterlichen Dichtung.

Glosse, die; -, -n: **1.** *spöttischer Kommentar:* die beste G. in dieser Zeitung; seine Glossen über etwas machen. **2.** [auch: Glosse] Sprachw. *Erklärung einer schwierigen Textstelle:* die althochdeutschen Glossen.

glossieren, glossierte, hat glossiert ⟨tr.⟩: **a)** *einen [ironischen oder spöttischen] Kommentar (zu etwas) geben:* in allen Zeitungen wurde das Ereignis glossiert. **b)** *(einen Text) mit Erklärungen schwieriger Wörter oder Stellen versehen:* einen glossierten Text untersuchen.

glotzen, glotzte, hat geglotzt ⟨itr.⟩ (abwertend): *[mit dummer Miene] starren:* glotz nicht so blöd!

Glück, das; -[e]s: **1.** *zufälliger günstiger Umstand, Gunst des Schicksals, gutes Geschick, Fortuna* /Ggs. Pech/: großes, blindes, launisches G.; das G. lacht, winkt jmdm., ist jmdm. hold; G. [bei den Frauen] haben; ein G., daß du da bist; mehr G. als Verstand haben; G. wünschen; du kannst von G. sagen, daß nichts Schlimmeres passiert ist. *** auf gut G.** *(ohne die Gewißheit, daß es Erfolg, Zweck hat)*. **2.** *Zustand froher Zufriedenheit:* das häusliche, ungetrübte, unverdiente G.; sein G. genießen; etwas bringt G.; jmdn. zu seinem G. zwingen. *** zum G.** *(glücklicherweise, Gott sei Dank!)*; **sein G. machen** *(erfolgreich sein)*; **sein G. versuchen** *(etwas in der Hoffnung auf Erfolg beginnen)*.

Glucke, die; -, -n: *Henne, die brütet oder ihre Jungen führt* (siehe Bild): die Küken verstecken sich unter den Flügeln der G.

Glucke

glücken, glückte, ist geglückt ⟨itr.⟩: *gelingen, nach Wunsch gehen:* alles glückt ihm; das Bild will mir nicht g.

gluckern, gluckerte, hat gegluckert ⟨itr.⟩: *als in Bewegung befindliche Flüssigkeit ein leises, dunkel klingendes Geräusch hervorbringen:* den Wein ins Glas g. lassen.

glücklich: I. ⟨Adj.⟩ **1.** *beglückt, von tiefer Freude erfüllt:* ein glückliches Paar; glückliche Tage; eine glückliche Zeit; jmdn. g. machen. **2.** *erfolgreich, vom Glück begünstigt:* der glückliche Gewinner. *** eine glückliche Hand haben** *(etwas geschickt, gut an-*

fassen, wodurch es gelingt). **3.** ⟨nicht prädikativ⟩ *ohne Störung verlaufend, gut:* eine glückliche Reise; g. landen, wiederkehren, enden. **4.** *günstig:* ein glücklicher Zufall; ein glücklicher Gedanke; etwas nimmt einen glücklichen Verlauf. **II.** ⟨Adverb⟩ *nun endlich:* hast du es g. geschafft?

glücklicherweise ⟨Adverb⟩: *zum Glück, erfreulicherweise:* g. wurde niemand verletzt.

glückselig ⟨Adj.⟩: *äußerst glücklich:* eine g. lächelnde Braut.

glucksen, gluckste, hat gegluckst ⟨itr.⟩: *gluckern:* das Wasser sprudelt glucksend aus der Quelle; bildl.: ein vergnügt glucksendes Lachen.

Glücksfall, der; -[e]s, Glücksfälle: *günstiger Umstand:* ein G. tritt ein; etwas als einen G. betrachten.

Glücksgüter: ⟨in der Wendung⟩ [nicht] mit G. gesegnet sein: *reich/arm an materiellem Besitz sein:* er ist mit Glücksgütern gesegnet.

Glückspilz, der; -es, -e: *jmd., der Glück hat, dem der Erfolg leicht zufällt:* so ein G.!

Glücksritter, der; -s, -: *jmd., der sich gern auf Abenteuer einläßt und sich dabei auf sein Glück verläßt:* er ging unter die G.

Glück[s]sache: ⟨in der Fügung⟩ etwas ist G.: *etwas hängt vom glücklichen Zufall ab:* das ist [reine] G.

Glücksspiel, das; -[e]s, -e: *Spiel, bei dem Gewinn und Erfolg nur vom Zufall abhängen.*

Glückssträhne, die; -, -n: *Reihe glücklicher oder erfolgreicher Zufälle, von denen jmd. in kürzester Zeit betroffen wird:* er wurde von einer G. erfaßt.

glückstrahlend ⟨Adj.⟩: *strahlend vor Glück:* ein glückstrahlendes Lächeln.

Glückwunsch, der; -es, Glückwünsche: *guter Wunsch aus Anlaß eines besonderen Ereignisses; Gratulation:* herzlichen G.!; die besten Glückwünsche zum Geburtstag!

Glückwunschadresse, die; -, -n: *Schreiben einer Gruppe an hochgestellte Persönlichkeiten oder politische Institutionen, das einen Glückwunsch zum Inhalt hat:* eine G. an jmdn. richten.

Glühbirne, die; -, -n: *elektrischer Leuchtkörper* (siehe Bild).

Glühbirne

glühen, glühte, hat geglüht ⟨itr.⟩: **1.** *ohne Flamme [rot] leuchtend brennen:* Kohlen, Öfen glühen; das Eisen glüht im Feuer. *** wie auf glühenden Kohlen sitzen** *(weil man nur wenig Zeit hat oder weil es einem peinlich ist, ungeduldig auf die Beendigung von etwas warten);* bildl.: vor Erregung, Eifer g.; in glühenden Farben; die glühende Sonne; Berge glühen in der Abendsonne; ⟨im 1. Partizip⟩ *leidenschaftlich:* glühende Blikke; ein glühender Anhänger, Verehrer Mozarts; mit glühenden Worten. **2.** *vor Hitze rot sein:* Wangen glühen; das Gesicht glüht vor Hitze, Fieber.

Glühlampe, die; -, -n: *Glühbirne.*

Glühstrumpf, der; -[e]s, Glühstrümpfe: *aus einem bestimmten mit einer Lösung getränkten Material bestehender Teil einer bes. beim Camping verwendeten Lampe, der durch brennendes Gas zum Glühen gebracht wird.*

Glühwein, der; -s, -e: *heißer, gewürzter und gesüßter Wein.*

Glut, die; -: **1.** *glühende Masse:* im Ofen ist noch ein wenig G. **2.** *sehr große Hitze:* eine furchtbare G. liegt über der Stadt. **3.** *leidenschaftliches Gefühl; tiefe Empfindung (für jmdn.):* die G. seiner Begeisterung, Liebe.

Gluthitze, die; -: *große Hitze:* bei dieser G. kann man nicht mehr arbeiten.

glutrot ⟨Adj.⟩: *glühend rot:* einen glutroten Kopf bekommen.

Gnade, die; -: **1.** *Güte, Gunst, Wohlwollen:* jmdm. eine G. erweisen, gewähren. *** jmdn. in Gnaden wieder aufnehmen** *(mit jmdm. wieder freundschaftlich verkehren und ihm nichts mehr nachtragen)*. **2.** *Milde, Nachsicht:* um G. bitten; keine G. finden, verdienen; G. vor Recht ergehen lassen *(nachsichtig sein)*.

Gnadenbrot, das; -[e]s: *Ernährung und Unterkunft, die einem wegen Alter oder Krankheit dem Menschen nicht mehr nützlichen Tier aus Mitleid oder aus Dankbarkeit für früher geleistete Dienste gewährt werden:* einem Pferd das G. gewähren; bildl.: er will nicht auf das G. fremder Menschen angewiesen sein.

Gnadenfrist, die; -, -en: *Aufschub, der jmdm. aus Gnade gewährt wird:* er bekam noch eine G. von einer Woche, dann mußte die Arbeit fertig sein.

Gnadengesuch, das; -s, -e: *Gesuch mit der Bitte um Begnadigung:* ein G. einreichen.

Gnadenstoß, der; -es, Gnadenstöße: *erlösender Stich, Schlag, Stoß o. ä., der einem Tier die Qualen vor dem sicher eintretenden Tod erleichtern oder ersparen soll:* der Jäger gab dem verletzten Hirsch den G.; bildl. die Veränderungen auf dem Markt gaben dem Unternehmen den G. *(führten seinen endgültigen Bankrott herbei)*.

gnädig ⟨Adj.⟩: **1.** *gütig, wohlwollend, herablassend* /oft ironisch/: g. lächeln; jmdn. g. anhören. **2.** *schonungsvoll, mild:* seien Sie g. mit ihm; das ist noch einmal g. *(glimpflich)* abgegangen.

Gnom, der; -en, -en: *Zwerg, Kobold.*

Gobelin [gob(ə)'lɛ̃:], der; -s, -s: *[großer] Teppich, in den kunstvoll bunte Bilder gewirkt sind und der als Schmuck an die Wand gehängt wird:* eine Ausstellung alter französischer Gobelins.

Gockel, der; -s, -: *Hahn:* er stolziert wie ein G. über die Straße.

Go-go-Girl ['go:gogœrl], das; -s, -s: *Mädchen, das die Aufgabe hat, die Gäste in bestimmten Lokalen durch geeignete tänzerische und rhythmische Bewegungen in eine angeregte und gelöste Stimmung zu versetzen:* attraktive Go-go-Girls in Miniröcken bewegten sich auf der Fläche vor der Bar.

Gold, das; -es: *wertvolles, gelblich-rot glänzendes Edelmetall:* feines, 24karätiges, gediegenes G.; bildl.: das G. ihrer Locken. *** etwas ist nicht mit G. aufzuwiegen** *(etwas ist unersetzbar);*

G. in der Kehle haben *(besonders gut singen können [und damit viel Geld verdienen]).*

gọldblond ⟨Adj.⟩: *blond und dabei mit einem golden glänzenden Schimmer versehen:* sie hat goldblonde Locken.

gọlden ⟨Adj.⟩: **1.** ⟨nur attributiv⟩ *aus Gold bestehend:* eine goldene Uhr, Münze; ein goldener Ring; bildl.: goldener Humor; goldene Freiheit, Zeit. *** der goldene Mittelweg** *(die rechte Entscheidung, Lösung zwischen zwei Extremen);* **die goldene Hochzeit** *(die 50. Wiederkehr des Hochzeitstages);* **jmdm. goldene Brücken bauen** *(jmdm. entgegenkommen, die Verständigung erleichtern).* **2.** *goldfarben, gelb:* goldenes Haar; goldene Ähren.

gọldfarbig ⟨Adj.⟩: *in der Farbe dem Gold ähnlich:* sie trug ein goldfarbiges Kleid.

Gọldfisch, der; -es, -e: *kleiner, meist goldgelber, in verschiedenen Arten gezüchteter Fisch, der zur Zierde in kleinen Teichen oder Aquarien gehalten wird:* er hat sich in seinem Garten ein Becken mit Goldfischen angelegt; bildl.: dieses Mädchen ist ein wahrer G. *(ist wegen seines Vermögens für eine Heirat äußerst erstrebenswert).*

gọldgelb ⟨Adj.⟩: *eine gelbe, dem Gold ähnliche Farbe habend:* goldgelber Honig.

Gọldgrube, die; -, -n: **a)** *Bergwerk, in dem Gold gewonnen wird:* in einer G. arbeiten. **b)** ⟨ohne Plural⟩ (ugs.) *etwas, was einen äußerst hohen Gewinn abwirft:* dieses Gasthaus ist wegen seiner günstigen Lage eine wahre G.

gọldig ⟨Adj.⟩: *reizend, entzückend in Aussehen und Benehmen:* ein goldiges Kind; der Kleine ist ja g.!

gọldrịchtig ⟨Adj.⟩ (ugs.): *gerade richtig, passend:* deine Entscheidung war g.

Gọldschmied, der; -[e]s, -e: *Handwerker, der in künstlerischer Weise Waren aus Edelmetallen anfertigt.*

Gọldstück, das; -[e]s, -e (hist.): *Münze mit einem hohen Anteil an Gold:* sein Vater gab ihm ein G. mit auf die Reise. * (scherzh.) **ein G. sein** *(eine liebenswerte, nette Person sein; jmd. sein, der Unfug treibt, ohne daß man ihm ernstlich böse sein kann).*

Gọldwaage: ⟨in der Wendung⟩ jedes Wort auf die G. legen: **a)** *sehr leicht wegen einer gar nicht ernstgemeinten Äußerung gekränkt oder beleidigt sein:* der legt jedes Wort auf die G. **b)** *sich jedes Wort, das man einem anderen gegenüber äußert, sehr genau überlegen, weil der andere überaus empfindlich und und leicht beleidigt ist:* bei dem muß man jedes Wort auf die G. legen.

Gọlf: I. der; -[e]s, -e: *größere Bucht des Meeres:* das Schiff hat im G. angelegt. **II.** das; -s: *Spiel auf einem größeren, mit Gras bewachsenen Gelände, bei dem ein kleiner harter Ball aus Gummi mit einem nach unten gekrümmten Stock mit möglichst wenig Schlägen nacheinander in eine bestimmte Anzahl von Löchern geschlagen werden muß:* G. spielen.

Gọliath, der; -s, -s (ugs.): *großer Mensch von kräftigem Körperbau:* im Vergleich zu seinem kleinen Bruder ist er ein richtiger G.

Gọndel, die; -, -n: **a)** *langes Boot, das im Stehen auf einer Seite gerudert wird* (siehe Bild):

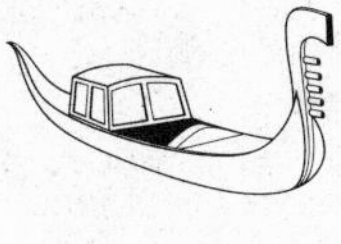

Gondel a)

mit einer G. durch Venedig fahren **b)** *hängende Kabine an Ballonen oder Seilbahnen für den Transport von Personen oder Lasten:* die nächste G. der Seilbahn kommt in zwanzig Minuten.

gọndeln, gondelte, ist gegondelt ⟨itr.⟩ (ugs.): **a)** *langsam und gemütlich mit einem Boot fahren:* wir sind häufig auf das Meer hinaus gegondelt. **b)** *gemächlich, ohne festen Plan fahren, reisen:* während seines Urlaubs ist er durch halb Europa gegondelt.

Gọng, der; -s, -s: *Scheibe aus Metall, auf die man schlägt, um damit einen [dumpfen] Ton zu erzeugen:* der G. ertönt; der G. ruft zum Mittagessen.

gọngen, gongte, hat gegongt ⟨itr.⟩: **1.** *mit dem Gong ein Zeichen (für etwas) geben:* der Kellner hat in der Halle gegongt. **2.** *ertönen* /vom Gong/: es gongte zum Abendessen.

Gọngschlag, der; -[e]s, Gongschläge: *Schlag auf den Gong (meist als akustisches Zeichen für etwas):* den G. hören; beim G. ist es sieben Uhr /Angabe der Zeit im Rundfunk/.

gọ̈nnen, gönnte, hat gegönnt **1.** ⟨tr.⟩ *(jmdm. etwas) neidlos zugestehen:* dem Lehrer die Ferien g.; (iron.) die Niederlage habe ich ihm gegönnt. **2.** ⟨itr.⟩ *(sich/jmdm. etwas) zukommen lassen:* ich gönne mir kaum eine Pause; er gönnt ihr kein gutes Wort.

Gọ̈nner, der; -s, -: *jmd., der einen anderen in dessen guten Bestrebungen [finanziell] fördert:* einen reichen G. haben.

gọ̈nnerhaft ⟨Adj.⟩ (abwertend): *sich wie ein Gönner, mit betonter Distanz benehmend:* er klopfte mir g. auf die Schulter.

Gö̲r, das; -s, -en (nordd.; abwertend): *[ungezogenes, vorlautes] Kind:* ein freches G.; sie wird mit den Gören nicht fertig.

gọrdisch: ⟨in der Wendung⟩ den gordischen Knoten lösen /zerschneiden/durchhauen o. ä. (geh.): *ein schwieriges Problem in verblüffender Weise, meist unter Anwendung von Gewalt, lösen.*

Gö̲re, die; -, -n (norddt.; abwertend): *kleines [ungezogenes, vorlautes] Kind, bes. Mädchen:* sie ist eine freche G.

Gorịlla, der; -s, -s: /ein Affe, der größer als ein Mensch werden kann/ (siehe Bild).

Gorilla

Gọsche, die; -, -n (südd.; östr.; schweiz.; derb): *Mund, Maul.*

Gọsse, die; -, -n: *[Abfluß]rinne zwischen Fahrbahn und Geh-*

weg: die G. ist verstopft; bildl.: jmdn. aus der G. ziehen *(aus der sittlichen Verkommenheit herausholen);* in der G. enden *(verkommen).*

Gotik, die; -: *Stil in der Kunst des späten Mittelalters, für den bes. in der Baukunst eine starke Betonung der Vertikalen (durch Türmchen, hohe spitze Bogen, hohe Fenster o. ä.) charakteristisch ist:* die Baukunst, Malerei, Plastik der G.

Gott, der; -es, Götter: *höchstes gedachtes und verehrtes überirdisches Wesen:* der liebe, gütige, allmächtige G.; die germanischen Götter; G. lieben, loben, anbeten, fürchten; es steht, liegt in Gottes Hand. *** G. sei Dank!** *(glücklicherweise);* **in Gottes Namen!** *(nun denn, meinetwegen);* **grüß G.!** *(bes. südd. und östr. Gruß);* **um Gottes Willen!** /Ausdruck des Entsetzens/.

gottbewahre ⟨Interj.⟩: *durchaus nicht, auf keinen Fall* /zur Verstärkung einer Verneinung/: „Hast du es ihm erzählt?" – „G., ich werde ihm doch so etwas nicht erzählen."

Gotterbarmen: ⟨in der Fügung⟩ zum G.: *Mitleid erregend, jämmerlich, kläglich:* er sieht zum G. aus; zum G. frieren.

Götterspeise, die; -, -n: *süße, aus einem Gemisch von Gelatine und Früchten hergestellte Nachspeise:* als Nachtisch gab es G.

Gottesdienst, der; -es, -e: *religiöse Feier zur Verehrung Gottes:* am G. teilnehmen.

gottesfürchtig ⟨Adj.⟩ (veraltend): *von einer tiefen Ehrfurcht vor Gott erfüllt, fromm:* ein gottesfürchtiger alter Mann.

Gotteslästerung, die; -, -en: *frevelhafte Beschimpfung Gottes:* diese Behauptung ist die reinste G.

göttlich ⟨Adj.⟩: **1.** *von Gott herkommend:* göttliche Allmacht, Gerechtigkeit, Ordnung; eine göttliche Eingebung haben. **2.** *sehr schön, vortrefflich:* eine göttliche Stimme.

gottlob ⟨Interj.⟩: *zu jmds. Beruhigung, Erleichterung, Freude:* wir hatten g. immer schönes Wetter.

gottlos ⟨Adj.⟩: *Gott nicht achtend:* ein gottloser Mensch.

gotterbärmlich ⟨Adj.⟩ (ugs.): *Mitleid erregend, jämmerlich, kläglich:* g. aussehen, jammern.

gottverlassen ⟨Adj.⟩: *völlig verlassen, sehr einsam:* eine gottverlassene Gegend.

gottvoll ⟨Adj.⟩ (ugs.): **1.** *komisch, fast unmöglich, nicht schön:* du hast ja einen gottvollen Hut auf!; der Abend war ja g. **2.** *herrlich, köstlich, vortrefflich:* ein gottvoller Spaß.

Götze, der; -n, -n: **a)** *[Darstellung einer] heidnische[n] Gottheit:* im Tempel verehrten sie ihre Götzen. **b)** (geh.) *jmd./etwas, was von jmdm. abgöttisch und ohne Kritik verehrt, geliebt wird:* Fernsehen und schnelle Autos sind die Götzen der modernen Gesellschaft.

Gourmand [gʊrˈmãː], der; -s, -s (geh.): *jmd., der gern und viel ißt:* ein Fest für Gourmands veranstalten.

Gourmet [gʊrˈmeː], der; -s, -s (geh.): *Feinschmecker* /bes. in bezug auf Weine/: es gab zur Freude unseres Gourmets die erlesensten Weine.

goutieren [guˈtiːrən], goutierte, hat goutiert ⟨tr.⟩ (veralt.): *Geschmack, Gefallen (an etwas) finden; gutheißen:* ich kann diesen verrückten Film nicht g.

Gouvernante [guvɛrˈnantə], die; -, -n: **a)** (veralt.) *Erzieherin:* für die Kinder wurde eine englische G. angestellt. **b)** (abwertend) *ein wenig ältlich wirkende weibliche Person, die glaubt, ständig belehren zu müssen:* sie ist eine richtige G. geworden.

gouvernantenhaft [guvɛrˈnantənhaft] ⟨Adj.⟩: *typisch für eine ständig belehrende, ältlich wirkende weibliche Person:* sie hat ein gouvernantenhaftes Auftreten.

Gouverneur [guvɛrˈnøːr], der; -s, -e: **1.** *oberster Beamter eines größeren Verwaltungsbereiches* /bes. in Kolonien und in bestimmten ausländischen Staaten/: der G. des amerikanischen Bundesstaates Ohio. **2.** (veralt.) *Befehlshaber in einer Garnison oder Festung:* der G. erteilte den strikten Befehl, die Festung zu halten.

Grab, das; -[e]s, Gräber: *letzte Ruhestätte, Ort der Beerdigung:* ein G. schaufeln; bildl.: verschwiegen sein wie ein G.; wenn er das wüßte, würde er sich im Grabe umdrehen. *** mit einem Fuß im Grabe stehen** *(dem Tode nahe sein);* **jmdn. zu Grabe tragen** *(jmdn. beerdigen).*

grabbeln, grabbelte, hat gegrabbelt ⟨itr./tr.⟩ (nordd.): *wühlend oder tastend (nach etwas) greifen:* ein Bonbon aus der Tüte g.; das Kind grabbelte lange in der Tüte, bis es ein Stück Schokolade herauszog.

graben, gräbt, grub, hat gegraben: **1.** ⟨itr.⟩ *mit dem Spaten Erde ausheben:* er hat den ganzen Tag gegraben; nach Gold, Schätzen g. *(suchen).* **2.** ⟨tr.⟩ *in etwas eindringen, [mit dem Spaten] eine Vertiefung machen:* eine Grube g.; bildl. (geh.): die Sorgen haben tiefe Furchen in sein Gesicht gegraben.

Graben, der; -s, Gräben: *längere, in die Erde gegrabene Vertiefung:* ein tiefer, langer, breiter G.; einen G. ziehen, damit das Wasser abfließen kann.

Grabesstille, die; -: *tiefe Stille:* es herrschte G.

Grabmal, das; -[e]s, Grabmäler und (geh.) Grabmale: *Monument [aus Stein] an einem Grabe:* ein G. errichten.

Grabrede, die; -, -n: *Rede, die am Grab eines Verstorbenen gehalten wird:* in seiner G. erwähnte der Bürgermeister die großen Verdienste des Verstorbenen.

Grabschändung, die; -, -en: *Beschädigung, Beraubung eines Grabes.*

Grabscheit, das; -[e]s, -e (landsch.): *Schaufel, Spaten.*

Grabstätte, die; -, -n: *[mit einem Grabmal geschmückte] Stelle, wo jmd. begraben ist.*

Grabstein, der; -[e]s, -e: *einem Toten zum Gedächtnis am Grab aufgestelltes Mal aus Stein o. ä.:* auf dem alten G. ist die Inschrift kaum zu entziffern.

Grabung, die; -, -en: *das Graben nach historisch wertvollen Funden:* bei den Grabungen stieß man auf alte römische Münzen.

Grad, der; -[e]s, -e: **1.** *Maßeinheit eines in gleiche Teile geteilten Ganzen* ⟨Zeichen °⟩: wir haben heute 20 G. Celsius im Schatten; es sind/(östr.:) hat 20 G.; der Winkel hat genau 45 G.; Wien liegt 48 G. nördlicher Breite. **2.** *Rang, Stufe, Abstufung:* einen akademischen G. erwerben; Verbrennungen dritten Grades erleiden; jmdm. bis zu einem gewissen G. entgegenkommen; ein hoher G. der Vollkommenheit.

grade...: siehe gerade...

Gradmesser, der; -s, -: *etwas, was den Grad (der Güte, des Ausmaßes von etwas) leicht erkennen läßt:* die Zahl der Besucher ist ein G. für die Beliebtheit eines Stückes.

graduell ⟨Adj.⟩: *nach Graden abgestuft, allmählich [verlaufend]:* eine graduelle Reform durchführen; sich einer Sache g. anpassen.

Graduierte, der; -n, -n ⟨aber: [ein] Graduierter; Plural: Graduierte⟩: *jmd., der einen akademischen Grad erworben hat:* für G. in diesem Fach gibt es große berufliche Chancen.

Graf, der; -en, -en: *ein Adliger und dessen Titel:* der Besitz, die Güter des Grafen X.

Grafik usw.: vgl. Graphik usw.

Gräfin, die; -, -nen: *eine Adlige und deren Titel:* im Winter wohnte die G. mit ihren Kindern in der Stadt.

gram: ⟨in der Verbindung⟩ jmdm. g. sein (geh.): *auf jmdn. böse sein:* ich bin ihr deshalb nicht g.

Gram, der; -[e]s: *Kummer, Trauer, große Sorge:* G. zehrt an ihr; von G. gebeugt.

grämen, sich; grämte sich, hat sich gegrämt (geh.): *bekümmert sein:* gräm[e] dich nicht wegen ihres Schweigens!; sich zu Tode *(sehr)* g.

gramerfüllt ⟨Adj.⟩: *von Gram erfüllt, verbittert:* ein gramerfüllter Blick.

grämlich ⟨Adj.⟩: **a)** *von Gram geprägt, verbittert; freudlos:* ein grämliches Gesicht; von grämlichen Gedanken verfolgt werden. **b)** *unerfreulich, schlecht gelaunt, mürrisch:* jmdm. g. antworten; ein grämlicher alter Mann.

Gramm, das; -s, -e: /Maß für Gewicht/: ein Kilogramm hat 1000 G.

Grammatik, die; -, -en: **a)** ⟨ohne Plural⟩ *Lehre vom Bau einer Sprache und von der richtigen Anwendung der Wörter:* die vielen Regeln der lateinischen G. **b)** *Buch, das den Bau einer Sprache behandelt oder Regeln für die richtige Anwendung der Wörter enthält:* er kennt alle modernen deutschen Grammatiken.

grammatisch ⟨Adj.⟩: **a)** *die Grammatik betreffend:* dieser Text enthält viele grammatische Probleme. **b)** *den Regeln der Grammatik gemäß:* der Satz ist g. falsch.

Grammel, die; -, -n (bayr.; östr.): *Rückstand von einem kleinen ausgebratenen Stückchen Speck:* die Knödel mit Grammeln füllen.

gramvoll ⟨Adj.⟩: *von Gram erfüllt:* ein gramvolles Gesicht.

Granate, die; -, -n: *mit Sprengstoff gefülltes Geschoß.*

Grandezza, die; -: *feierlich-würdevolle, etwas gespreizt wirkende Pose* /bes. von Männern/: er verabschiedete sich mit G.

grandios ⟨Adj.⟩: *großartig, überragend, überwältigend:* eine grandiose Leistung; das hast du g. gemacht.

Granit, der; -s, -e: *ein sehr hartes, körnig wirkendes Gestein:* Säulen aus G. * (ugs.) **bei jmdm. mit etwas auf G. beißen** *(bei jmdm. mit etwas auf großen Widerstand stoßen, keinen Erfolg haben):* er wird beim Chef mit seinen Forderungen auf G. beißen.

Granne, die; -, -n: *stachlige Borste an Ähren* /beim Getreide und bei bestimmten Gräsern/: bei der Gerste und beim Roggen sind die Grannen sehr lang.

grantig ⟨Adj.⟩ (landsch.): *mißmutig, mürrisch:* er war heute besonders g.

Grapefruit ['gre:pfru:t], die; -, -s: *Südfrucht, die etwas größer als die Apfelsine ist und einen süß-säuerlichen Geschmack hat:* die G. ist reich an Vitaminen.

Graphik, die; -, -en: **a)** ⟨ohne Plural⟩ *Kunst, die in den verschiedensten Techniken Zeichnungen und Schriften herstellt, die zum Vervielfältigen geeignet sind:* Malerei und G. studieren. **b)** *Zeichnung oder Bild, das durch eine für Vervielfältigungen geeignete Technik entstanden ist:* eine Ausstellung von Grafiken besuchen.

Graphiker, der; -s, -: **a)** *Künstler, der Zeichnungen und Bilder herstellt, die im Druck vervielfältigt werden können:* er wurde zu einem der bedeutendsten G. unseres Jahrhunderts. **b)** *jmd., der Drucke zur Vervielfältigung entwirft* /Berufsbezeichnung/: für die Werbung wird ein junger G. gesucht.

graphisch ⟨Adj.⟩: **a)** *die Graphik betreffend:* das graphische Gewerbe. **b)** ⟨nicht prädikativ⟩ *mit Mitteln der Graphik [dargestellt]:* eine graphische Darstellung des jährlichen Konsums an Alkohol.; die Zeitschrift ist g. gut gestaltet.

Graphologe, der; -n, -n: *jmd., der auf Grund einer Untersuchung der Handschrift den Charakter eines Menschen zu deuten sucht:* das Schreiben wurde auch einem Graphologen vorgelegt.

Graphologie, die; -: *Lehre von der Deutung der Handschrift als Ausdruck des Charakters.*

Gras, das; -es, Gräser: **1.** *grüne, in Halmen wachsende Pflanze:* seltene Gräser sammeln. **2.** ⟨ohne Plural⟩ *Wiese, Rasen:* im G. liegen. ** **das G. wachsen hören** *(mehr zu wissen glauben, als eigentlich gewußt werden kann);* **über etwas G. wachsen lassen** *(warten, bis etwas Unangenehmes vergessen ist);* (ugs.) **ins G. beißen** *(sterben).*

grasen, graste, hat gegrast ⟨itr.⟩: *Gras fressen, weiden:* die Kühe grasen auf der Weide.

grasgrün ⟨Adj.⟩: *grün wie frisches, saftiges Gras:* sie trug ein grasgrünes Kleid.

Grashalm, der; -[e]s, -e: *Halm eines Grases:* er kaute an einem G.

Grasnarbe, die; -, -n: *dicht mit Gras bewachsene, sich von der Umgebung abhebende Schicht des Bodens:* an den Rändern der Straße, wo die G. beginnt ...

grassieren, grassierte, hat grassiert ⟨itr.⟩: *um sich greifen, sich schnell verbreiten:* ein Gerücht, eine Seuche grassiert in der Stadt.

gräßlich ⟨Adj.⟩: *schrecklich, ekelhaft, entsetzlich, abscheulich:* ein gräßliches Unglück; ein gräßlicher Anblick; ein gräßliches Wetter; dieser Mensch ist g.

Grat, der; -[e]s, -e: *schmaler Gebirgsrücken* (siehe Bild S. 302): den G. entlanggehen.

Grat

Gräte, die; -, -n: *Knochen des Fisches:* er hat eine G. verschluckt.

Gratifikation, die; -, -en: *[freiwillige] Vergütung, Entschädigung, [einmalige] finanzielle Zuwendung neben dem regelmäßigen Gehalt:* zu Weihnachten bekamen alle Angestellten eine G.

grätig ⟨Adj.⟩: *viele Gräten habend:* der Fisch war heute sehr g.

gratis ⟨Adverb⟩: *kostenlos, frei:* der Eintritt ist g.; das kannst du g. bekommen.

Grätsche, die; -, -n: Turnen *Übung, bei der die Beine gespreizt werden:* er sprang in der G. über den Kasten.

grätschen, grätschte, hat/ist gegrätscht: Turnen **a)** ⟨tr.⟩ *(die gestreckten Beine) spreizen:* er hat die Beine gegrätscht; ⟨häufig im 2. Partizip⟩ mit gegrätschten Beinen über das Pferd springen. **b)** ⟨itr.⟩ *mit gespreizten Beinen springen:* er ist über das Pferd gegrätscht.

Gratulant, der; -en, -en: *jmd., der jmdm. gratuliert:* am frühen Morgen seines Geburtstages kamen bereits die ersten Gratulanten.

Gratulation, die; -, -en: *Glückwunsch.*

gratulieren, gratulierte, hat gratuliert ⟨itr.⟩: *(jmdm.) zu einem besonderen Anlaß seine freudige Teilnahme ausdrücken, (jmdn.) beglückwünschen:* ich gratuliere [dir zum Geburtstag, zu dem Erfolg]!

grau ⟨Adj.⟩: **1.** *[in der Färbung] zwischen schwarz und weiß liegend:* der graue Anzug; graue Augen. * **sich keine grauen Haare wachsen lassen** *(sich keine Sorgen machen).* **2.** *trostlos, öde:* der graue Alltag. * **alles g. in g. sehen** *(ohne Hoffnung sein);* (ugs.) **das graue Elend kriegen** *(erschüttert, deprimiert sein).* **3.** ⟨nur attributiv⟩ *in unbestimmter, weit entfernter Zeit liegend:* in grauer Vorzeit, Zukunft.

graublau ⟨Adj.⟩: *in der Farbe zwischen grau und blau liegend:* ein graublauer Mantel.

graubraun ⟨Adj.⟩: *in der Farbe zwischen grau und braun liegend:* ein graubrauner Anzug.

Graubrot, das; -[e]s, -e: *aus einem Gemisch von Weizen- und Roggenmehl hergestelltes Brot:* G. ist gesünder als Weißbrot.

grauen, graute, hat gegraut: **1. a)** ⟨itr.⟩ *(bei dem Gedanken an etwas Zukünftiges) Angst, Unbehagen empfinden:* ihm graute vor den langen Nächten; es graut mir vor der Prüfung. **b)** ⟨rfl.⟩ (veralt.) *von schrecklicher Angst, Entsetzen, Furcht, erfaßt werden:* sie graut sich vor allen Schlangen. **2.** ⟨itr.⟩ *dämmern, hell werden* /vom anbrechenden Tag/: sie gingen erst nach Hause, als der Morgen graute.

Grauen, das; -s: *schreckliche Angst, Entsetzen, Furcht:* ein G. überkam mich.

grauenhaft ⟨Adj.⟩: *gräßlich, furchtbar:* ein grauenhafter Anblick; die Leiche war g. verstümmelt.

grauenvoll ⟨Adj.⟩: *grauenhaft:* da herrschen grauenvolle Zustände; er mußte diese grauenvolle Tat mitansehen.

graugrün ⟨Adj.⟩: *in der Farbe zwischen grau und grün liegend:* ein graugrünes Kostüm.

grauhaarig ⟨Adj.⟩: *graue Haare habend:* sie ist schon ganz g. geworden.

graulen, sich; graulte sich, hat sich gegrault (ugs.; landsch.): *sich fürchten:* ich graule mich, wenn ich in den Keller gehe.

Graupe, die; -, -n: *geschältes und in runde Form geschliffenes Korn der Gerste:* aus Graupen einen Brei zubereiten. * (ugs.; scherzh.) **[große] Graupen im Kopf haben** *(Pläne haben, die sich kaum verwirklichen lassen).*

graupeln, graupelte, hat gegraupelt ⟨itr.⟩: *als Graupeln vom Himmel fallen:* heute morgen hat es etwas gegraupelt.

Graupeln, die ⟨Plural⟩: *Niederschlag in Form größerer, fest gefrorener Kügelchen aus Schnee:* unter den Regen waren G. gemischt.

Graus: ⟨in den Verbindungen⟩ (ugs.) **es ist [mit jmdm./etwas] ein G.** *(es ist einfach schrecklich [mit jmdm./etwas]):* es ist ein G. [mit den Preisen], alles wird teurer!; **[o Schreck,] o G.!** *(das ist ja fürchterlich!*/Ausruf eines nur scherzh. gespielten Entsetzens bei einer unangenehmen Überraschung/).

grausam ⟨Adj.:⟩ **1.** *gefühllos, herzlos, roh, brutal:* ein grausamer Mensch, Herrscher; eine grausame Strafe; sich g. rächen. **2.** *hart, schlimm:* eine grausame Kälte, Enttäuschung; ein grausames Urteil.

grausen, grauste, hat gegraust: **1.** ⟨itr.⟩ *sich fürchten:* mir/mich graust; es grauste ihm/ihn bei diesem Anblick. **2.** ⟨rfl.⟩ *sich ekeln, Furcht empfinden:* sie graust sich davor, die Leiche anzusehen.

Grausen, das; -s: *Grauen:* kaltes G. packte mich, als ich das sah.

grausig ⟨Adj.⟩: *entsetzlich, gräßlich, schrecklich:* eine grausige Entdeckung machen.

Gravidität, die; -: Med. *Schwangerschaft.*

gravieren, gravierte, hat graviert ⟨tr.⟩: *(in etwas eine Verzierung oder Schrift) ritzen, stechen:* sie ließ ihr Monogramm in den Löffel g.

gravierend ⟨Adj.⟩: *einschneidend, erschwerend, belastend:* gravierende Umstände; diese Tatsache ist g.; etwas als g. ansehen, werten.

Gravität, die; - (geh.): *feierliche Würde:* mit G. verkündete er seinen neuen Entschluß.

gravitätisch ⟨Adj.⟩: *ernst, steif, würdevoll:* eine gravitätische Miene aufsetzen; er verbeugte sich g.

Grazie, die; -: *Anmut:* die Gazelle bewegt sich mit viel G.

grazil ⟨Adj.⟩: **a)** *schlank und zart gebaut, fast zerbrechlich wirkend:* ein graziles Mädchen. **b)** *graziös:* grazile Bewegungen, Schritte; g. schwebte sie über das Parkett.

graziös ⟨Adj.⟩: *[in der Bewegung] anmutig:* mit graziösen Bewegungen; eine graziöse Haltung; g. tanzen.

Greenhorn ['gri:n...] das; -s, -s (abwertend): *Neuling, Anfänger.*

Greif, der; -[e]s und -en, -e[n]: *in der Fabel vorkommendes Tier mit dem Kopf eines Adlers und* *dem Körper eines Löwen:* im Mittelalter galt der G. als Symbol Christi.

greifbar ⟨Adj.⟩: **1.** *ganz nah, wie zum Greifen nah:* der Berg ist in greifbarer Nähe; das Ziel scheint g. nah zu sein. **2.** *offenkundig, sichtbar, deutlich:* greifbare Erfolge, Ergebnisse, Vorteile.

greifen, griff, hat gegriffen: **1.** ⟨tr.⟩ *fassen [und festhalten]:* eine Taube, ein Huhn, einen Dieb g. * **das ist mit Händen zu g.** *(das ist klar und deutlich);* **etwas aus der Luft g.** *(etwas frei erfinden);* **einen Akkord g.** *(einen Akkord anschlagen).* **2.** ⟨itr.⟩ *(nach etwas, an etwas) langen:* er griff in den Korb und nahm sich einen Apfel; nach dem Buch g.; ich greife mir an den Kopf (vor Verständnislosigkeit). * **in die Tasten, Saiten g.** *(zu spielen anfangen);* **etwas greift jmdm. ans Herz** *(etwas rührt jmdn.);* **in die Tasche g.** *(zahlen);* **jmdm. unter die Arme g.** *(jmdn. finanziell unterstützen);* **um sich g.** *(sich ausbreiten):* das Feuer griff rasch um sich.

greinen, greinte, hat gegreint ⟨itr.⟩ (ugs.; abwertend): *leise und jämmerlich weinen:* du darfst nicht gleich zu g. anfangen!

greis ⟨Adj.⟩ (geh.): *sehr alt:* er hat seinen greisen Vater besucht.

Greis, der; -es, -e: *sehr alter [schwacher] Mann.*

greisenhaft ⟨Adj.⟩: *einem Greis ähnlich:* er ist schon richtig g. geworden.

grell ⟨Adj.⟩: **1.** *in unangenehmer Weise blendend hell:* in der grellen Sonne; das Licht ist sehr g. **2.** *in auffallender, unangenehmer Weise hervorstechend, stark kontrastierend:* in grellen Farben. **3.** *schrill, durchdringend:* grelle Pfiffe, Dissonanzen.

Gremium, das; -s, Gremien: *zur Erfüllung einer bestimmten Aufgabe ausgewählte Kommission, Ausschuß:* darüber wird ein G. bekannter Gelehrter entscheiden.

Grenadier, der; -s, -e: **a)** (veralt.) *Soldat der Infanterie.* **b)** *Soldat bei einer speziellen Truppe.*

Grenze, die; -, -n: *Trennungslinie zwischen zwei Bereichen:* die alte, ehemalige G. Deutschlands; Flüsse sind oft natürliche Grenzen; eine G. ziehen; die G. nach Österreich überschreiten; bildl.: meine Geduld hat Grenzen. * **etwas kennt keine Grenzen** *(etwas ist sehr groß, unerschöpflich, grenzenlos*/von Gefühlen/): seine Freude, seinen Freund wiederzusehen, kannte keine Grenzen; **jmdm. gegenüber die Grenzen wahren** *(jmdm. gegenüber zurückhaltend sein);* **über die grüne G. gehen** *(die Grenze illegal überschreiten).*

grenzen, grenzte, hat gegrenzt ⟨itr.⟩: **1.** *eine gemeinsame Grenze haben (mit etwas):* Mexiko grenzt an Guatemala. **2.** *fast gleichkommen, erreichen:* das grenzt ans Unglaubliche, an Wahnsinn.

grenzenlos ⟨Adj.⟩: *überaus groß, unendlich, unbegrenzt:* grenzenlose Liebe zu seinen Kindern; eine grenzenlose Ausdauer haben; g. *(sehr)* glücklich sein.

Grenzfall, der; -[e]s, Grenzfälle: *Fall, der genau an der Grenze zwischen zwei Möglichkeiten liegt und sich daher nicht eindeutig entscheiden läßt:* die Entscheidung bei diesem G. überlasse ich meinem Vorgesetzten.

Grenzgänger, der; -s, -: **a)** *jmd., der häufig [illegal] eine Grenze überschreitet:* zwei G. wurden von der Polizei festgenommen. **b)** *jmd., der an der Grenze wohnt und im benachbarten Land arbeitet:* für G. gelten bei den Steuern andere Bestimmungen.

Gretchenfrage, die; - (geh.): *eine Problematik aufdeckende, direkt gestellte Frage, bei der es für den Befragten um Entscheidendes, Grundsätzliches, Heikles oder Peinliches geht:* er ist der G. geschickt ausgewichen.

Greuel, der; -s, -: *Abscheulichkeit, Schrecken:* die G. des Krieges; das ist mir ein G.

greulich ⟨Adj.⟩: *abscheulich, entsetzlich:* ein greulicher Anblick; ein greuliches Verbrechen.

Griebe, die; -, -n (landsch.): **1. a)** *Stückchen Speck in Form eines Würfels.* **b)** *Rückstand von ausgebratenem Fett.* **2.** (ugs.; landsch.) *Ausschlag am Mund.*

Griebs, der; -es, -e (landsch., bes. mitteld.): *Kerngehäuse:* er warf den G. des Apfels weg.

grienen, griente, hat gegrient ⟨itr.⟩ (ugs.; landsch.): *schmunzeln, belustigt und verschmitzt lächeln, grinsen:* er grient nur, er lacht nicht.

Griesgram, der -s, -e (abwertend): *griesgrämiger Mensch:* ein alter G.

griesgrämig ⟨Adj.⟩: *mürrisch, verdrossen, übellaunig:* der griesgrämige Alte.

Grieß, der; -es: *zu feinen Körnchen gemahlener Weizen, Reis oder Mais:* den G. für das Kind mit Milch kochen.

Griff, der; -[e]s, -e: **1.** *Teil eines Gegenstandes, der zum Tragen oder Halten dient:* der G. der Aktentasche, des Degens, des Messers, der Tür. **2.** *das Greifen, der Zugriff:* ein energischer, geübter G.; ein G. nach dem Hut. * **mit etwas einen guten G. getan haben** *(gut gewählt haben);* **etwas im G. haben** *(aus Erfahrung wissen, wie etwas gemacht wird).*

griffbereit ⟨Adj.⟩: *fertig zum Gebrauch:* alles ist, liegt g.

Griffel, der; -s, -: **I.** *Stift, mit dem man auf einer Schiefertafel schreibt:* die Griffel kratzen auf den Tafeln der Kinder. **II.** *Teil der Blüte, der den männlichen Blütenstaub entgegennimmt und zur Befruchtung weiterleitet.*

griffig ⟨Adj.⟩: **1. a)** *sich angenehm, gut anfassend:* ein griffiger Stoff. **b)** *so beschaffen, daß etwas darauf nicht rutscht; das Rutschen verhindernd* /von Oberflächen/: die Straße ist trotz starken Regens noch ganz g. * (östr.) **griffiges Mehl** *(etwas gröber gemahlenes Mehl):* griffiges Mehl eignet sich besonders zum Backen von Kuchen. **2.** *[wegen der treffenden Aussage] häufig und gerne verwendet* /von Wörtern/: ein griffiger Ausdruck.

Grill, der; -s, -s: *Rost, auf dem Fleisch o. ä. ohne Zugabe von Fett gebraten wird:* ein Hähnchen vom Grill.

Grille, die; -, -n: **1.** *Insekt, das sich in der Erde kleine Gänge baut und an warmen Abenden im Sommer eigentümliche hohe Töne von sich gibt:* die Grillen zirpen. **2.** ⟨Plural⟩ *wunderliche Gedanken oder Ideen; Launen:* ich werde dir deine Grillen schon noch austreiben!

grillen, grillte, hat gegrillt ⟨tr.⟩: *auf dem Grill braten, rösten:* das Fleisch g.

grillenhaft ⟨Adj.⟩: *mit wunderlichen Gedanken und Ideen; launisch:* er ist schwer zu behandeln und äußerst g.

grillig ⟨Adj.⟩: *grillenhaft.*

Grimasse, die; -, -n: *verzerrtes Gesicht, Fratze:* das Gesicht zu einer G. verziehen; er zog eine G., weil er in einen sauren Apfel gebissen hatte. * **Grimassen schneiden/machen** *(das Gesicht verzerren).*

Grimm, der; -s (geh.): *Ärger, Wut, Zorn:* voller G. zog er sich in sein Zimmer zurück.

grimmig ⟨Adj.⟩: **1.** *wütend, wild, zornig:* ein grimmiges Aussehen. **2.** *sehr heftig, übermäßig:* grimmige Schmerzen; eine grimmige Kälte.

Grind, der; -[e]s: *durch Erkrankung der Haut oder durch mangelnde Körperpflege entstandener Ausschlag, der sich zu einer Kruste verhärtet:* der Kopf des Kindes war voller G.

grindig ⟨Adj.⟩: *[schmutzig und] von Grind bedeckt:* Kinder mit grindigen Köpfen.

grinsen, grinste, hat gegrinst ⟨itr.⟩: *breit, aber auch dumm oder schadenfroh lächeln:* der Schüler grinste unverschämt.

grippal ⟨Adj.; nur attributiv⟩: *der Grippe ähnlich oder mit ihr vergleichbar; mit Fieber und Katarrh verbunden:* ein grippaler Infekt.

Grippe, die; -: *von einer Erkältung ausgehende Krankheit mit hohem Fieber:* an G. erkrankt sein.

Grips, der; -es (ugs.): *Verstand:* wenn er etwas G. im Kopf hat, denkt er daran.

grob ⟨Adj.⟩: **1.** *nicht fein:* grobes Tuch; grobe Hände; g. gemahlener Kaffee; grobe *(schwere)* Arbeit; in groben Zügen, Umrissen *(ungefähr).* **2.** *sehr unhöflich, roh:* ein grober Mensch; eine grobe Behandlung. **3.** *schlimm, arg:* ein grober Unfug, Verstoß, Fehler. * **aus dem Gröbsten heraus sein** *(das Schwierigste überstanden haben).*

Grobheit, die; -, -en: **a)** ⟨ohne Plural⟩ *unhöfliches, grobes Verhalten:* er ist wegen seiner G. überall bekannt. **b)** *etwas, was äußerst unhöflich und grob ist:* eine unverschämte G.; jmdm. Grobheiten an den Kopf werfen.

Grobian, der; -s, -e (abwertend): *grober, derber Mensch:* quäl doch nicht immer die Katze, du G.!

gröblich ⟨Adj.; nicht prädikativ⟩ (veralt.): *ziemlich schlimm, heftig, stark:* eine gröbliche Mißachtung; jmdn. g. beleidigen.

grobschlächtig ⟨Adj.⟩: *von derber, unfeiner, plumper Art:* ein grobschlächtiger Mensch.

Grog, der; -s, -s: *heißes Getränk mit Rum.*

groggy: ⟨in der Verbindung⟩ g. sein (ugs.): *erschöpft, sehr müde, matt sein.*

grölen, grölte, hat gegrölt ⟨itr.⟩ (ugs.; abwertend): *mit häßlicher Stimme aufdringlich laut [und falsch] singen:* Betrunkene grölen im Lokal; ⟨auch tr.⟩ ein Lied g.

Groll, der; -s: *verborgener Haß, Ärger:* ein bitterer, heimlicher G.; einen G. auf jmdn. haben, gegen jmdn. hegen.

grollen, grollte, hat gegrollt ⟨itr.⟩: **1.** *zürnen, Groll hegen:* jmdm. g. **2.** *dumpf rollend tönen:* der Donner grollt.

Gros [gro:], das; -[gro:, gro:s], -[gro:s]: *Hauptmasse, Mehrheit:* das G. der Bevölkerung.

Groschen, der; -s, -: **1.** *kleinste Einheit der Währung in Österreich in Form einer Münze:* ein Schilling hat hundert G. **2.** (ugs.) *Zehnpfennigstück:* das kostet nur einen G.

groß, größer, größte ⟨Adj.⟩: **1.** *räumlich und zeitlich ausgedehnt* /Ggs. klein/ **a)** *von beachtlichem Ausmaß, Umfang; voluminös, in Mengen vorhanden:* der große Wald; das große Haus; die große Stadt, Zehe; große Vorräte, Massen; im großen verkaufen; die Schuhe sind mir zu g.; das Kind ist für sein Alter recht g.; etwas g. schreiben. **b)** ⟨nur attributiv⟩ *lange dauernd, sich über eine längere Zeit hinziehend:* die große Pause; die großen Ferien. * (ugs.) **große Augen machen** *(staunen);* **im großen und ganzen** *(im allgemeinen);* **auf großem Fuße leben** *(verschwenderisch leben);* **große Stücke auf jmdn. halten** *(jmdn. hochachten, sehr schätzen);* **auf große Fahrt gehen** *(eine weite Reise antreten);* **jmdn. g. ansehen** *(jmdn. mit großen Augen ansehen);* **nur großes Geld haben** *(kein Kleingeld haben).* **2.** *stark, intensiv; nicht gering, schwach:* großen Hunger, große Angst haben; bei großer Kälte; große Schmerzen; großes Aufsehen erregen; ein großer Gauner, Narr, Lügner; die Konkurrenz ist g.; * (ugs.) **etwas ist große Mode** *(etwas ist sehr modern):* Miniröcke sind jetzt große Mode; (ugs.) **große Töne spucken** *(angeben, prahlen, sich brüsten).* **3.** *bedeutend, hervorragend, wichtig:* große Taten; ein großer Name, Dichter, Redner, Geist, Tag; eine große Aufgabe, Sache; in großer Gesellschaft. **4.** *erwachsen, älter:* mein großer Bruder ist schon verheiratet; wenn ich g. bin; g. und klein *(jedermann, alle).* **5.** ⟨in Verbindung mit bestimmten Verben; oft verneint⟩ (ugs.): *sehr, in besonderer Weise:* nicht g. auf etwas achten; der Verlag hat diesen Autor g. herausgebracht *(sehr bekanntgemacht).*

großartig ⟨Adj.⟩: *herrlich, prachtvoll, eindrucksvoll:* eine großartige Leistung, Idee; das hast du g. gemacht!

Großaufnahme, die; -, -n: *photographische Aufnahme, die jmdn./etwas in starker Vergrößerung zeigt:* ihr Gesicht erschien auf der Leinwand in G.

Großbuchstabe, der; -ns, -n: *groß geschriebener Buchstabe:* ein Name wird am Anfang immer mit einem Großbuchstaben geschrieben.

Größe, die; -, -n: **1.** *bestimmtes [Aus]maß:* die G. einer Stadt, eines Landes; die G. des Betrages, des Unheils, der Katastrophe; sie trägt G. 38. **2.** *Mensch, der Bedeutendes leistet; Kapazität:* er ist eine G. auf diesem Gebiet. **3.** ⟨ohne Plural⟩ *Bedeutung:* die G. des Werkes; sich der G. des Augenblicks, der Stunde bewußt sein.

Großeltern, die ⟨Plural⟩: *Vater und Mutter der Eltern; Großvater und Großmutter.*

Größenwahn, der; -s: *übertrieben hohe Meinung von sich selbst, krankhaftes Überschätzen der eigenen Person:* er leidet an G.

größenwahnsinnig ⟨Adj.⟩: *von Größenwahn befallen:* seine Erfolge machten ihn g.

Großhandel, der; -s: *[An]kauf und Verkauf von Waren in großen Mengen.*

großherzig ⟨Adj.⟩ (geh.): *großzügig, edel, tolerant:* jmdm. etwas g. gestatten; ein großherziger Mensch. **Großherzigkeit,** die; -.

Großindustrie, die; -, -n: *Industrie, die Güter in sehr großen Mengen erzeugt:* in der G. werden laufend Fachleute gesucht.

Großindustrielle, der; -n, -n ⟨aber: [ein] Großindustrieller, Plural: Großindustrielle⟩: *Unternehmer der Großindustrie:* sie hat einen Großindustriellen geheiratet.

Grossist, der; -en, -en: *jmd., der einen Großhandel betreibt:* beim Grossisten bekam ich den Kühlschrank bedeutend billiger.

großjährig ⟨Adj.⟩ (veraltend): *volljährig.*

Großkaufmann, der; -[e]s, Großkaufleute: **a)** *Grossist.* **b)** *Kaufmann, der große Geschäfte abwickelt:* die Firma sucht Großkaufleute für den Export.

großkotzig ⟨Adj.⟩ (derb): *prahlerisch, großsprecherisch:* g. reden.

Großmacht, die; -, Großmächte: *großer, mächtiger Staat.*

großmächtig ⟨Adj.⟩ (veralt.): **a)** *sehr mächtig:* er war ein großmächtiger König. **b)** (scherzh.) *sehr groß:* er schenkte mir einen großmächtigen Blumenstrauß.

Großmaul, das; -[e]s, Großmäuler (ugs.; abwertend): *prahlerischer, großsprecherischer Mensch:* diesem G. brauchst du nicht allzuviel zu glauben.

großmäulig ⟨Adj.⟩ (ugs.; abwertend): *großsprecherisch.*

Großmut, die; -: *großzügige, edle Gesinnung; Toleranz:* er ist für seine G. bekannt.

großmütig ⟨Adj.⟩ (geh.): *großzügig, edel, tolerant:* ein großmütiger Herrscher; er hat mir g. verziehen.

Großmutter, die; -, Großmütter: *die Mutter der Mutter oder des Vaters.*

Großreinemachen, das; -s: *gründliche Reinigung der Wohnung:* sie hilft ihrer Mutter beim G.

Großschreibung, die; -, -en: *Schreibung mit einem Großbuchstaben am Anfang eines Wortes:* die Groß- und Kleinschreibung ist ein schwieriges Problem.

Großsprecher, der; -s, -: *großsprecherischer Mensch:* er ist ein G., dem man nicht alles glauben kann.

großsprecherisch ⟨Adj.⟩: *angeberisch, prahlerisch:* ein großsprecherischer Mensch.

großspurig ⟨Adj.⟩: *anmaßend, protzig, überheblich:* seine großspurige Art ist ihr zuwider; sein Benehmen war recht g.

Großstadt, die; -, Großstädte: *Stadt, die mehr als 100 000 Einwohner hat.*

Großstädter, der; -s, -: *jmd., der in einer Großstadt lebt:* Großstädter, die sich nach Licht, Luft und Sonne sehnen.

großstädtisch ⟨Adj.⟩: *zu einer Großstadt gehörig, typisch für eine Großstadt:* der großstädtische Verkehr.

Großteil, der; -s: *der größte Teil, Anteil:* der G. der Menschen lebt heute schon in den Städten; die Bücher stammen zum G. aus dem Nachlaß seines Vaters.

größtenteils ⟨Adverb⟩: *zum großen Teil, überwiegend:* viele Ausländer kamen, g. Türken.

großtuerisch ⟨Adj.⟩ (ugs.; abwertend): *prahlerisch, angeberisch:* ein großtuerisches Auftreten.

großtun, sich, tat sich groß, hat sich großgetan: *prahlen, sich brüsten:* er tut sich immer groß mit seinen Leistungen.

Großvater, der; -s, Großväter: *der Vater des Vaters oder der Mutter.*

großziehen, zog groß, hat großgezogen ⟨itr.⟩: *ein Kind oder ein junges Tier so lange betreuen, bis es selbständig ist:* sie mußte ihren Sohn allein g.

großzügig ⟨Adj.⟩: *nicht kleinlich, tolerant, nicht engherzig:* diese bedeutende Spende entsprach seiner großzügigen Natur; g. handeln; dieser Bau wurde g. *(in großem Maßstab)* geplant.

grotesk ⟨Adj.⟩: *durch Übersteigerung und Verzerrung komisch oder unsinnig wirkend; lächerlich:* eine groteske Geschichte, Situation; dieser Einfall ist geradezu g.

Grotte, die; -, -n: *[künstliche] Höhle oder Nische [im Fels].*

Grübchen, das; -s, -: *kleine Vertiefung in der Wange:* beim Lachen zeigen sich in ihrem Gesicht zwei G.

Grube, die; -, -n: **1.** *Vertiefung, größeres Loch in der Erde:* eine tiefe G. graben; in eine G. fallen. **2.** *Schacht[anlage] eines Bergwerks, Mine, Stollen:* diese G. ist reich an Erz.

Grübelei, die; -, -en: *längeres angestrengtes Nachdenken [bei dem man zu keinem Ergebnis kommt]:* in G. versinken.

grübeln, grübelte, hat gegrübelt ⟨itr.⟩: *lange (über etwas) nachdenken:* er grübelt zuviel; ich habe oft über dieses Problem gegrübelt.

Grübler, der; -s, -: *jmd., der grübelt.*

grüblerisch ⟨Adj.⟩: *[häufig] in Grübeleien versunken, sehr nachdenklich:* er ist in letzter Zeit auffallend g.

Gruft, die; -, Grüfte: *[gemauerte] Grabstätte.*

Grummet, das; -s: *Heu vom zweiten oder dritten Schnitt des Grases:* das G. einbringen.

grün ⟨Adj.⟩: **1.** *in der Färbung zwischen Gelb und Blau liegend:* grünes Gras; grüne Blätter; das grüne Licht der Ampel. * **grünes Licht** *(freie Fahrt);* **grüne Welle haben** *(bei allen Ampeln grünes Licht haben);* **auf keinen grünen Zweig kommen** *(nichts erreichen, erfolglos bleiben);* **jmdn. über den grünen Klee loben** *(jmdn. übermäßig, außerordentlich loben);* **dasselbe in g.** *(so gut wie dasselbe, auch nichts anderes):* ob man an die Adria oder an die Riviera fährt, ist praktisch dasselbe in g.; **am grünen Tisch** *(in der Theorie, ohne von der Erfahrung auszugehen);* (ugs.) **sich g. und blau über etwas ärgern** *(sich sehr über etwas ärgern).* **2. a)** *unreif:* grünes Obst; der Apfel ist noch g. **b)** *roh:* grüner Hering. **3.** (abwertend) *unerfahren, zu wenig Erfahrung und innere Reife besitzend:* ein grüner Junge.

Grün, das; -s: *Farbe zwischen Gelb und Blau:* ein giftiges G.; das erste frische G. *(Blätter im Frühjahr);* bei Mutter G. *(im Freien);* bei G. *(bei grünem Licht)* über die Straße gehen.

Grünanlage, die; -, -n: *mit öffentlichen Mitteln angelegte und erhaltene Grünfläche mit Blumen, Sträuchern u. ä.*

Grund, der; -es, Gründe: **1.** ⟨ohne Plural⟩ *Boden, Acker, Stück Land:* auf steinigem, fremdem G.; G. und Boden *(Grundbesitz).* *** in G. und Boden** *(völlig, ganz und gar):* jmdn. in G. und Boden verdammen; **von G. auf/aus** *(gründlich; ganz und gar):* er hat sein Handwerk von G. auf erlernt; das Wetter soll sich von G. auf ändern. **2.** ⟨ohne Plural⟩ *der Boden eines Gewässers, eines Gefäßes:* das Schiff lief auf G.; das Glas bis auf den G. leeren. *** einer Sache auf den G. gehen** *(einen Sachverhalt klären, erforschen).* **3.** *Ursache, Motiv:* ein einleuchtender, stichhaltiger G.; der G. für ein Verbrechen. *** aus d[ies]em Grunde** *(deshalb);* **im Grunde [genommen]** *(eigentlich);* **auf G./aufgrund** *(wegen).* **4.** *innerste, verborgene Stelle:* im Grunde meiner Seele, ihres Herzens. **5.** (selten) *kleines Tal:* die Mühle liegt im G.

grundanständig ⟨Adj.⟩: *äußerst, zutiefst anständig:* ein grundanständiger Kerl.

Grundbedingung, die; -, -en: *grundsätzliche Bedingung, von der alles Weitere abhängt:* von einer G. nicht abgehen.

Grundbegriff, der; -[e]s, -e: *Begriff, auf dem man weiter aufbauen kann; elementare Voraussetzung:* bevor wir die Diskussion eröffnen, müssen wir die Grundbegriffe klären.

Grundbesitz, der; -es: *Eigentum, Besitz an Land.*

grundehrlich ⟨Adj.⟩: *äußerst, zutiefst ehrlich:* er ist ein grundehrlicher Mensch.

gründeln, gründelte, hat gegründelt ⟨itr.⟩: *mit dem Kopf unter Wasser tauchen, um auf dem Grund von Gewässern nach Nahrung zu suchen* /von bestimmten Tieren/: die Enten, Gänse gründelten.

gründen, gründete, hat gegründet: **1.** ⟨tr.⟩ *das Fundament (für etwas) legen; ins Leben rufen:* eine Familie, Partei g. **2.** ⟨rfl.⟩ *sich stützen (auf etwas):* der Vorschlag gründet sich auf diese Annahme.

Gründer, der; -s, -: *jmd., der etwas gründet, erbaut.*

grundfalsch ⟨Adj.⟩: *völlig falsch, unrichtig:* eine grundfalsche Vorstellung von der Ehe haben.

Grundfläche, die; -, -n: *unterste, ebene Fläche; Basis:* die G. eines Kegels; eine rechteckige G.

Grundgedanke, der; -ns, -n: *grundsätzlicher Gedanke, auf dem sich etwas aufbaut, der einer Sache zugrunde liegt:* wir gehen von folgendem Grundgedanken aus.

grundieren, grundierte, hat grundiert ⟨tr.:⟩ *die unterste Schicht Farbe auftragen, das erstemal anstreichen:* diese Wand ist schon grundiert worden.

Grundlage, die; -, -n: *Basis, Unterlage, Fundament:* die G. für fruchtbare Arbeit schaffen.

grundlegend ⟨Adj.⟩: *entscheidend, wesentlich:* ein grundlegender Unterschied; sie hat ihre Ansicht darüber g. geändert.

gründlich ⟨Adj.⟩: **1.** *sorgfältig, genau; nicht oberflächlich:* eine gründliche Untersuchung; sich g. waschen; überleg[e] es dir g.! **2.** ⟨verstärkend bei Verben⟩ *sehr:* g. danebengehen; du hast dich g. geirrt.

grundlos ⟨Adj.⟩: *keine Ursache habend; ohne Begründung:* das grundlose Lachen; g. verärgert sein.

Grundnahrungsmittel, das; -s, -: *Nahrungsmittel, das in großen Mengen zur Versorgung der Bevölkerung nötig und kaum zu entbehren ist:* Milch ist ein wichtiges G.

Gründonnerstag, der; -[e]s, -e: *der Donnerstag vor Ostern; der Tag vor Karfreitag.*

Grundrecht, das; -[e]s, -e: *elementares Recht, das der einzelne dem Staat gegenüber beanspruchen kann:* die politischen und sozialen Grundrechte; das G. anerkennen, garantieren, genießen.

Grundregel: die; -, -n: *Regel, die einer Sache zugrunde liegt; wichtigste Regel:* als G. des täglichen Lebens gelten Ordnung und Sauberkeit.

Grundriß, der; Grundrisses, Grundrisse: **1.** *Zeichnung, Darstellung der Grundfläche eines Gebäudes, einer geometrischen Figur u. a.:* den G. eines Hauses entwerfen. **2.** *Leitfaden, Zusammenfassung, Auszug:* ein G. der deutschen Grammatik.

Grundsatz, der; -es, Grundsätze: *feste Regel, nach der jmd. handelt; Prinzip:* strenge, sittliche, moralische Grundsätze; Grundsätze haben.

grundsätzlich ⟨Adj.⟩: **a)** *einen Grundsatz betreffend:* eine grundsätzliche Frage; von grundsätzlicher Bedeutung. **b)** *prinzipiell, ohne Ausnahme:* sie gibt g. keinem Bettler etwas. **c)** ⟨in Verbindung mit entgegensetzenden Konjunktionen wie *aber, doch* u. a.⟩ *im allgemeinen, meist, eigentlich:* ich bin g. für Gleichberechtigung, aber ...; der Direktor hat g. nichts gegen das Rauchen, aber im Klassenzimmer erlaubt er es nicht.

Grundschule, die; -,-n: *Schule, die die ersten vier Schuljahre umfaßt.*

Grundstein: ⟨in der Wendung⟩ den G. legen: *den Bau eines [öffentlichen] Gebäudes feierlich beginnen, indem symbolisch der erste Stein gesetzt wird:* für eine neue Schule den G. legen; bildl.: diese Erfindung legte den G. für eine neue, interessante Entwicklung *leitete sie ein).*

Grundsteinlegung, die; -, -en: *Feier, bei der der Bau eines [öffentlichen] Gebäudes symbolisch begonnen wird:* bei der G. der Schule hielt der Bürgermeister eine Rede.

Grundstellung, die; -, -en: Turnen *gerade, aufrechte Stellung, von der man bei bestimmten Übungen ausgeht:* nach dem Sprung die G. wieder einnehmen.

Grundstock, der; -s: *[für den Anfang] wichtigster Bestand (an etwas):* einen G. an Nahrungsmitteln kaufen; diese Bücher bildeten den G. für seine Bibliothek.

Grundstück, das; -[e]s, -e: *ein Stück Land, das jmdm. gehört:* ein G. kaufen, erben.

Grundton, der; -[e]s, Grundtöne: *unterster Ton der Tonleiter:* der dritte Ton vom G. [an]; bildl.: der G. des Gesprächs war freundlich.

Gründung, die; -, -en: *das Gründen:* die G. einer Partei.

Grundursache, die; -, -n: *entscheidende, hauptsächliche Ursache:* die G. allen Übels erkennen.

grundverkehrt ⟨Adj.⟩: *völlig falsch:* eine grundverkehrte Haltung; das hast du g. gemacht!; das war g. von ihr.

grundverschieden ⟨Adj.⟩: *völlig verschieden:* grundverschiedene Ansichten, Vorstellungen haben.

Grundwasser, das; -s: *Wasser, das sich in bestimmter Tiefe in der Erde ansammelt:* bei einer Grabung auf G. stoßen.

Grundzahl, die; -, -en: *ganze Zahl, Kardinalzahl.*

Grüne: ⟨in der Verbindung⟩ ins G.: *in die Natur:* ins G. fahren.

grünen, grünte, hat gegrünt ⟨itr.⟩: *grün werden, sprießen, treiben:* Büsche, Bäume grünen; im Frühjahr grünt und blüht es.

Grünfläche, die; -, -n: *mit Gras bewachsene Fläche im Stadtgebiet.*

Grünfutter, das; -s: *Futter in Form von frischem Gras, Klee o. ä.:* im Sommer bekommt das Vieh hauptsächlich G.

grünlich ⟨Adj.⟩: *mit grünem Farbton, leicht grün:* ein g. schimmerndes Licht.

Grünschnabel, der; -s, Grünschnäbel: *junger, unwissender und vorlauter Mensch.*

Grünspan, der; -s: *grüner, giftiger Belag auf Gegenständen aus Kupfer oder Messing.*

Grünstreifen, der; -s, -: *ein von Gras oder Sträuchern bewachsener Streifen zwischen den beiden Fahrbahnen der Autobahn:* das Auto kam ins Schleudern und geriet über den G. auf die andere Fahrbahn.

grunzen, grunzte, hat gegrunzt ⟨itr.⟩: *dumpfe und rauhe Laute ausstoßen:* das Schwein grunzt.

Gruppe, die; -, -n: **a)** *kleinere [zusammengehörige] Anzahl von Menschen:* eine G. von Kindern, Schauspielern, Touristen. **b)** *Anzahl von Dingen, Tieren mit gemeinsamen Eigenschaften:* eine G. von Inseln, Säugetieren.

Gruppenaufnahme, die; -, -n: *photographische Aufnahme einer zusammengehörenden Gruppe von Menschen:* nach der Hochzeit wurde eine G. aller Gäste gemacht.

gruppieren, gruppierte, hat gruppiert: **1.** ⟨tr.⟩ *ordnen, einteilen:* der Lehrer gruppiert die Kinder. **2.** ⟨rfl.⟩ *sich aufstellen, sammeln:* sie gruppieren sich um ihn. **Gruppierung,** die; -, -en.

Grus, der; -es: *stark zerbröckelte Kohle, Kohlenstaub:* im Keller liegt viel G.

grus[e]lig ⟨Adj.⟩: *unheimlich, furchterregend:* eine gruslige Geschichte.

gruseln, gruselte, hat gegruselt ⟨itr.⟩: *Schauder, Furcht (vor etwas Unheimlichem) empfinden:* mir/mich gruselt es allein in der Wohnung; ⟨auch rfl.⟩ ich gruselte mich etwas, als ich das Gerippe sah.

Gruß, der; -es, Grüße: *höfliche, freundliche Worte oder Geste der Verbundenheit bei der Begegnung, beim Abschied, im Brief:* einen G. ausrichten; mit vielen, besten, freundlichen, herzlichen Grüßen ... (als Briefschluß).

grüßen, grüßte, hat gegrüßt ⟨tr./itr.⟩: *(jmdm.) einen Gruß zurufen, zunicken, ausrichten:* jmdn. freundlich, ehrfürchtig, höflich g.; bildl.: Fahnen grüßen von den Gebäuden.

Grütze, die; -: **1. a)** *geschältes und grob gemahlenes Getreide (bes. Hafer und Gerste):* in die heiße Milch die G. geben. **b)** *Brei aus grob gemahlenem Getreide:* die Kinder essen gern G. * (landsch.) **rote G.** *(Süßspeise aus Grieß o. ä. und dem roten Saft bestimmter Früchte).* **2.** (ugs.) *Verstand:* er hat wenig G. im Kopf.

gucken, guckte, hat geguckt ⟨itr⟩. (ugs.; landsch.): *sehen, schauen, blicken:* aus dem Fenster, in die Luft g.

Guckindieluft: ⟨in der Fügung⟩ Hans G. (scherzh.): **a)** *jmd., der nicht auf den Weg achtet und deshalb leicht stolpert.* **b)** *verträumter Mensch, der nicht merkt, was um ihn herum vorgeht.*

Guckloch, das; -[e]s, Gucklöcher: *kleines Loch an einer Wand oder Tür, durch das man sehen kann, ohne selbst gesehen zu werden:* bevor sie die Tür öffnete, schaute sie durch das G.

Guerillakrieg [ge'rɪl(j)a...], der; -[e]s, -e: *Krieg, der mit kleineren Überfällen ausgebildeter Banden geführt wird:* die Partisanen führten einen G.

Gugelhupf, der; -[e]s, -e (südd.; östr.; schweiz.): /ein Kuchen/ (siehe Bild).

Gugelhupf

Guillotine [gɪljo'ti:nə, gijo'ti:nə], die; -, -n: *Apparat, mit dem man jmdn. durch Abschlagen des Kopfes hinrichtet.*

Gulasch, das oder der; -s, -e und -s: *aus kleineren Stücken Rindfleisch bestehendes, [scharf] gewürztes Gericht.*

Gülle, die; - (südwestd.; schweiz.): *Jauche.*

Gully ['gʊli], der; -s, -s (landsch.): *durch ein Gitter geschütztes Loch am Rand der Straße, wo das Regenwasser in die Kanalisation abfließen kann.*

gültig ⟨Adj.⟩: *in Geltung, geltend:* ein gültiger Ausweis, [Reise]paß; diese Eintrittskarte ist nicht mehr g.

Gummi, der oder das; -s, -[s]: *Produkt aus Kautschuk.*

Gummibaum, der; -[e]s, Gummibäume: *beliebte, im Zimmer gezogene Blattpflanze* (siehe Bild): den G. gießen.

Gummibaum

gummieren, gummierte, hat gummiert ⟨tr.⟩: *mit einer Masse bestreichen, die beim Anfeuchten klebt:* einen Falz g.; ⟨häufig im 2. Partizip⟩ gummiertes Papier.

Gummihandschuh, der; -s, -e: *Handschuh aus Gummi, der bei bestimmten Arbeiten zur Schonung der Hände oder von Ärzten aus hygienischen Gründen getragen wird:* beim Großreinemachen Gummihandschuhe anziehen.

Gummiknüppel, der; -s, -: *kurzer Knüppel aus hartem Gummi, der bes. von der Polizei verwendet wird:* die Polizei ging mit Gummiknüppeln gegen die Demonstranten vor.

Gummizug, der; -[e]s, Gummizüge: *dehnbares Band, dehnbarer Streifen, der ein Kleidungs-*

stück an einer bestimmten Stelle des Körpers festhalten soll: bei den Socken ist der G. schon ganz ausgeleiert.

Gunst, die; -: *Auszeichnung durch eine höhergestellte Person, wohlwollende Gesinnung, Geneigtheit:* jmds. G. erwerben, genießen; um eine G. bitten; jmdm. seine G. *(Liebe)* schenken; in jmds. G. stehen. *** zu seinen Gunsten** *(zu seinem Vorteil).*

günstig ⟨Adj.⟩: *erfreulich, vorteilhaft, positiv:* ein günstiger Eindruck, Verlauf; die günstige Lage, Bedingung; ein günstiges Angebot, Klima, Vorzeichen; etwas g. *(wohlwollend)* aufnehmen.

Günstling, der; -s, -e (abwertend): *jmd., der in jmds. Gunst steht, von ihm [Tüchtigeren gegenüber] bevorzugt wird:* er ist ein G. des Chefs.

Günstlingswirtschaft, die; - (abwertend): *ungerechte Verteilung der wichtigsten Ämter und Stellen an Günstlinge ohne Rücksicht auf die Leistung; Bevorzugung von Günstlingen:* die G. an den Höfen bestimmter Fürsten.

Gurgel, die; -, -n ⟨meist abwertend in bestimmten Wendungen, die eine aggressive Haltung kennzeichnen⟩: *Teil des Halses, Kehle:* jmdn. an/bei der G. packen; jmdm. die G. zuschnüren, abschneiden; er wollte, sprang ihr an die G.

gurgeln, gurgelte, hat gegurgelt ⟨itr.⟩: *mit Hervorbringung bestimmter dumpfer Laute den Hals spülen, indem man die in der Kehle befindliche Flüssigkeit durch Ausstoßen der Luft in Bewegung setzt:* er gurgelt nach dem Zähneputzen immer lange; bildl.: das Bächlein gurgelt *(gluckst)* munter über die Steine.

Gurke, die; -, -n: 1./eine Art Gemüse/(siehe Bild): saure, eingelegte Gurken; Gurken schälen. 2. (ugs.) *Nase.*

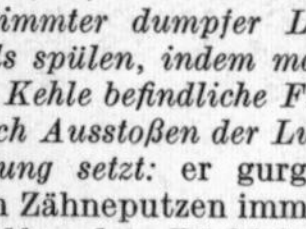

Gurke 1.

gurren, gurrte, hat gegurrt ⟨itr.⟩: *für die Tauben typische Töne von sich geben:* die Tauben gurren auf den Dächern; bildl.: ihr Lachen gurrte *(klang dunkel und zärtlich-verführerisch).*

Gurt, der; -[e]s, -e: *starkes Band, breiter Gürtel.*

Gürtel, der; -s, -: *[breites] Band aus Stoff oder Leder zum Zusammenhalten der Kleidung.*

Gusche, die; -, -n (mitteld.): *Gosche.*

Guß, der; Gusses, Güsse: **1. a)** *das Gießen von Metall in eine Form:* beim G. der Glocke zusehen. **b)** *gegossener Gegenstand:* ein gelungener, fehlerhafter G. *** wie aus einem G.** *(einheitlich, vollendet).* **2. a)** *geschüttete, gegossene Menge Wasser:* Pfarrer Kneipp verordnete kalte Güsse. **b)** (ugs.) *kurzer starker Regenschauer:* ein plötzlicher G. **3.** *Überzug auf Gebäck; Glasur:* die Torte mit einem süßen G. überziehen.

Gußeisen, das; -s, -: *Eisen, das sich wegen seiner spröden Beschaffenheit nicht schmieden läßt und daher in die gewünschte Form gegossen werden muß:* die meisten Bestandteile der Maschine sind aus G.

Gusto, der; -s, -s (veraltend; noch östr.): **a)** *Verlangen (etwas Bestimmtes zu essen), Appetit:* ich hab' heut so einen G. auf Eis. **b)** (scherzh.) *Neigung, Lust:* ich hätt' einen richtigen G., ihm mal meine Meinung zu sagen. * (ugs.) **[nicht] nach jmds. G. sein** *([nicht] nach jmds. Geschmack sein):* die Aufführung war nicht ganz nach seinem G.

gut, besser, beste ⟨Adj.⟩: **1. a)** *besonderen Ansprüchen, Zwecken entsprechend; vortrefflich:* ein guter Schüler, Arzt, Maler, Redner; ein gutes Mittel gegen Husten; gute Dienste, Arbeit leisten; eine gute Lösung des Problems; ein gutes Geschäft machen; der Anzug sitzt g.; gute Bücher lesen; kein gutes Deutsch schreiben. *** jmdm. ist nicht g.** *(jmdm. ist übel).* **b)** *ordentlich, anständig, angemessen, lobenswert:* ein gutes Geswisen; gute Manieren; sein Betragen, Benehmen war g.; das hast du g. gemacht; mir geht es g. **2.** *edel, selbstlos:* ein guter Mensch; eine gute Tat; seine Absicht war g. **3.** *erfreulich, günstig, schön:* eine gute Ernte; ein gutes Zeugnis bekommen; gutes Wetter; guten Tag!; guten Morgen!; gute Nacht!; gute Reise!; alles Gute! **4.** *wohlmeinend, freundlich, vertraut, freundschaftlich verbunden:* ein guter Freund, Bekannter; sei so g.!; er versuchte es noch einmal im guten mit ihm. **5.** ⟨nicht prädikativ⟩ *nur für besondere [feierliche] Anlässe vorgesehen:* die gute Stube; der gute Anzug. **6.** *reichlich, viel:* eine gute Stunde von hier; da ist g. Platz für zwei. **7.** ⟨nur adverbial⟩ *leicht, ohne Mühe:* er ist g. zu Fuß *(kann ohne Mühe zu Fuß gehen)*; du hast g. lachen; das ist nicht g. möglich. **** guter Dinge sein** *(froh und lustig sein)*; **guter Hoffnung sein** *(schwanger sein)*; **guten Mutes sein** *(voller Hoffnung sein)*; **der gute Ton** *(das gute Benehmen)*; **ein gutes Wort einlegen für jmdn.** *(sich einsetzen für jmdn.)*; **kein gutes Haar an jmdm. lassen** *(nur Schlechtes von jmdm. reden)*; **jmdm. g. sein** *(jmdn. gern haben)*; **g. angeschrieben sein bei jmdm.** *(von jmdm. geschätzt werden)*; **g. und gern** *(sicher, bestimmt):* er ist g. und gern schon 30 Jahre in dem Betrieb tätig.

Gut, das; -[e]s, Güter: **I.** *Besitz, Ware, Eigentum:* gestohlenes G.; Gesundheit ist das höchste G.; bewegliches G. (z. B. Möbel); sein ganzes Hab und G. *(alles, was jmd. besitzt).* **II.** *Bauernhof mit Grundbesitz, Landwirtschaft:* er hat ein großes G.

Gutachten, das; -s, -: *fachmännisches Urteil:* ein G. abgeben, einholen; das ärztliche G.

Gutachter, der; -s, -: *jmd., der ein Gutachten abgibt:* bei der Verhandlung wurden zwei G. gehört.

gutartig ⟨Adj.⟩: *ohne böse Absichten; ruhig und brav:* ein gutartiges Kind; eine gutartige *(keine gefährliche)* Geschwulst.

gutbürgerlich ⟨Adj.⟩ *typisch für ein wohlhabendes Bürgertum:* nach gutbürgerlichem Brauch bewirtet werden; g. speisen.

Gutdünken: ⟨in der Fügung⟩ nach G.: *nach Belieben:* das kannst du nach deinem eigenen G. entscheiden.

Güte, die; -: **1.** *Freundlichkeit, wohlwollende Nachsicht:* mit G. kommst du da nicht weit; würden Sie die G. haben, das Fenster zu schließen! 2. *Beschaffenheit, Qualität (einer Ware).* ein Stoff erster G. **** ach du meine G.!** *(Ausruf der Verwunderung).*

Güterabfertigung, die; -, -en: *Annahme und Ausgabe von Waren und Frachten bei der Eisenbahn.*

Güterbahnhof, der; -s, Güterbahnhöfe: *Bahnhof, auf dem Güter abgefertigt werden.*

Gütergemeinschaft, die; -, -en: *gemeinsamer Besitz eines Vermögens* /bes. bei Ehepaaren/: in G. leben.

Gütertrennung, die; -, -en: *Recht eines Ehepartners, in und nach der Ehe über sein mitgebrachtes und dazuverdientes Vermögen allein zu verfügen:* in G. leben.

Güterverkehr, der; -s: *Beförderung von Gütern [mit der Bahn]:* der G. wird noch weiter ausgebaut.

Güterzug, der; -[e]s, Güterzüge: *Zug, mit dem nur Güter befördert werden.*

gutgehen ging gut, ist gutgegangen ⟨itr.⟩: /vgl. gutgehend/: **1. a)** *in guter gesundheitlicher Verfassung sein:* ihm ging es nach der Operation erstaunlich gut. **b)** *in einem guten, zufriedenstellenden Verhältnis zur Umwelt stehen; sich (in einer bestimmten Umgebung, unter bestimmten Voraussetzungen) wohl fühlen:* ihm geht es im Ausland, an seinem neuen Arbeitsplatz recht gut. **2.** *einen zufriedenstellenden Verlauf nehmen, ein gutes Ende haben:* das ist noch einmal gutgegangen.

gutgehend ⟨Adj.; nur attributiv⟩: *einen beachtlichen Gewinn einbringend, florierend:* ein gutgehendes Geschäft, Restaurant.

gutgemeint ⟨Adj.; nur attributiv⟩: *von guter, freundschaftlicher Absicht zeugend:* ein gutgemeinter Rat.

gutgesinnt ⟨Adj.; nur attributiv⟩: *von guter Gesinnung (jmdm. gegenüber); (jmdm.) gewogen:* ein mir gut gesinnter Vorgesetzter.

gutgläubig ⟨Adj.⟩: *voll Vertrauen, guten Glaubens, nichts Böses vermutend:* eine gutgläubige Frau; er ist sehr g.

guthaben, hat gut, hatte gut, hat gutgehabt ⟨itr.⟩: *(etwas von jmdm.) zu bekommen haben, was einem zusteht, was man jederzeit fordern kann:* er hat bei seiner Firma noch eine größere Summe gutgehabt.

Guthaben, das; -s, -: **a)** *zur Verfügung stehendes, gespartes Geld [bei einer Bank]:* ein großes G. auf der Bank haben; sie hat ein kleines G. bei mir. **b)** Wirtsch. *Differenz zwischen der Summe der Gutschriften und der Forderungen, wenn die Forderungen überwiegen:* beim Abschluß des Kontos ergab sich für die Bank ein G. von 20 Mark.

gutheißen, hieß gut, hat gutgeheißen ⟨tr.⟩: *billigen, für richtig halten:* einen Plan, Entschluß g.

gutherzig ⟨Adj.⟩: *gutmütig.*

gütig ⟨Adj.⟩: *voller Güte, verzeihend:* ein gütiger Mensch; das ist sehr g. von ihm.

gütlich ⟨Adj.; nicht prädikativ⟩: *im guten [erfolgend], ohne Streit:* ein gütlicher Ausgleich; sich g. einigen. *** sich an etwas g. tun** *(etwas mit Genuß essen).*

gutmachen, machte gut, hat gutgemacht ⟨tr.⟩: *(etwas Böses oder Falsches, was man getan hat) wieder in Ordnung bringen:* einen Fehler, Schaden g.

gutmütig ⟨Adj.⟩: *von geduldigem, hilfsbereitem, freundlichem Wesen:* ein gutmütiger Mensch; ihr gutmütiges Gesicht; g. sein.

gutsagen, sagte gut, hat gutgesagt ⟨itr.⟩: *bürgen:* für jmdn., für eine bestimmte Summe g.

Gutschein, der; -[e]s, -e: *Schein, der den Anspruch auf einen Betrag oder eine Ware bestätigt; Bon.*

gutschreiben, schrieb gut, hat gutgeschrieben ⟨tr.⟩: *anrechnen, als Guthaben eintragen:* das Geld wurde ihm gutgeschrieben.

Gutschrift, die; -, -en: *[Eintragung eines] Guthaben[s].*

gutsituiert ⟨Adj.⟩: *wohlhabend und in geordneten Verhältnissen lebend:* die Kinder gutsituierter Leute; er war g.

guttun, tat gut, hat gutgetan ⟨itr.⟩: *angenehm sein, eine gute Wirkung haben:* der Schnaps tut gut; die Sonne wird ihr g.

gutwillig ⟨Adj.⟩: **a)** *guten Willen zeigend:* ein gutwilliger Junge. **b)** *freiwillig, ohne Schwierigkeiten zu machen:* g. mitkommen.

Gymnasiast, der; -en, -en: *Schüler, der ein Gymnasium besucht.*

Gymnasium, das; -s, Gymnasien: *höhere, zum Abitur führende Schule.*

Gymnastik, die; -: *sportliche Betätigung, bei der rhythmische Bewegungen ausgeführt werden.*

gymnastisch ⟨Adj.⟩: *die Gymnastik betreffend; durch Gymnastik den Körper schulend:* gymnastische Übungen.

Gynäkologe, der; -n, -n: Med. *Frauenarzt.*

Gynäkologie, die; -: *Teil der Medizin, der sich mit den Frauenkrankheiten befaßt.*

H

Haar, das; -[e]s, -e: **1.** *auf der Haut von Menschen und Tieren wachsendes, fadenartiges Gebilde:* die Haare kämmen, bürsten; die Haare fallen ihm aus, hängen ihm ins Gesicht; bildl: vor Angst standen ihm die Haare zu Berge. *** ein H. in der Suppe finden** *(etwas ausszuetzen, zu kritisieren haben);* **Haare auf den Zähnen haben** *(schroff und rechthaberisch sein);* **sich** (Dativ) **keine grauen Haare über etwas wachsen lassen** *(sich über etwas keine Sorgen machen);* **um ein H.** *(beinahe);* **sich in den Haaren liegen** *(sich streiten);* **kein gutes H. an jmdm. lassen** *(nur Schlechtes über jmdn. sagen; alles, was jmd. tut, schlecht finden und es kritisieren).* **2.** ⟨ohne Plural⟩ *Gesamtheit der Haare:* blondes, schwarzes, graues, schütteres, spärliches, lockiges, langes H.; das H. kurz tragen; sich das H. färben lassen. *** mit Haut und H.** *(ganz):* sie hat sich mit Haut und Haar der Wissenschaft verschrieben.

haaren, haarte, hat gehaart ⟨itr./rfl.⟩: *Haare verlieren:* die Katze haart [sich].

Haaresbreite: ⟨in der Verbindung⟩ um H.: *beinah, fast; es hätte nicht viel gefehlt, so ...:* um H. wäre er von der Leiter gefallen.

haargenau ⟨Adverb⟩ (ugs.): *sehr genau, ganz genau:* h. dasselbe erzählen.

haarig ⟨Adj⟩.: **1.** *stark behaart:* haarige Beine. **2.** (ugs.) *unangenehm, böse, schlimm:* eine haarige Sache.

haarklein ⟨Adverb⟩ (ugs.): *sehr, ganz genau:* sie hat mir den Vorgang h. erzählt.

Haarnadel, die; -, -n: *Nadel zum Feststecken des Haars* (siehe Bild).

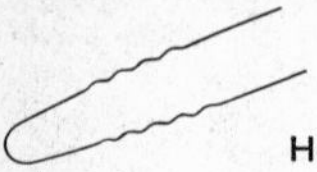

Haarnadel

Haarnadelkurve, die; -, -n: *scharfe Kurve, die in der Form einer Haarnadel gleicht:* in einer H. mußte der Fahrer das Tempo drosseln.

Haaröl, das; -[e]s, -e: *Öl zur Pflege des Haars:* er rieb sein Haar mit H. ein.

haarscharf ⟨Adverb⟩ (ugs.): *sehr nahe, sehr dicht:* der Wagen raste h. an den Zuschauern vorbei.

Haarschnitt, der; -s, -e: *Art, in der das Haar geschnitten ist; Frisur:* ein kurzer H.

Haarspalterei, die; -, -en: *Heranziehen unwichtiger Kleinigkeiten als Argumente für oder gegen etwas; Spitzfindigkeit:* das ist H.!

Haarspray ['ha:rspre:, 'ha:rʃpre:], der oder das; -s, -s: *Flüssigkeit, die auf das Haar gesprüht wird, damit die Frisur hält.*

haarsträubend ⟨Adj.⟩ (ugs.): *entsetzlich, unglaublich, schrecklich:* ein haarsträubender Unsinn; das ist ja h.!

Haarwasser, das; -s, Haarwässer: *alkoholische Lösung zur Pflege des Haars:* ein duftendes H.

Haarwuchs, der; -es: **1.** *das Wachsen, Wachstum der Haare:* dieses Haarwasser fördert den H. **2.** *Bestand an Haaren:* er hatte schon früh einen spärlichen H.

Habe, die; -: *Besitz, Eigentum, Vermögen:* seine ganze H. ging verloren.

haben, hat, hatte, hat gehabt: **1.** ⟨itr.⟩ **a)** *besitzen, sein eigen nennen:* einen Wagen, Hund, Garten h.; Anspruch h. auf etwas; Geld [auf der Bank] h. * **zu h. sein** *(zu bekommen sein):* Theaterkarten sind noch zu haben. **b)** *versehen, ausgestattet sein (mit etwas):* blaue Augen, ein gutes Herz h. **c)** ⟨in Verbindung mit Substantiven⟩ *bedrückt werden (von etwas):* Kummer, Sorgen h. * **etwas gegen jmdn. h.** *(jmdn. nicht leiden können).* **2.** ⟨h. + zu + Inf.⟩ *müssen:* als Schüler hat man viel zu lernen. ** **sich h.** *(sich zieren);* **jmdn. zum besten h.** *(jmdm. zum Narren halten).*

Haben, das; -s: *alles, was jmd. hat oder einnimmt; Guthaben:* ihr H. ist klein; Soll und H. *(Ausgaben und Einnahmen).*

Habenichts, der; - und -es, -e (abwertend): *jmd., der nichts besitzt; Armer:* als H. hatte er nichts zu verlieren.

Habgier, die; - (abwertend): *von anderen als unangenehm empfundenes Streben nach Vermehrung des Besitzes.*

habgierig ⟨Adj.⟩ (abwertend): *habsüchtig:* ein habgieriger Mensch; die Beute h. an sich reißen.

habhaft: ⟨in der Verbindung⟩ jmds./einer Sache h. werden (geh.): **a)** *jmdn., den man gesucht hat, finden und festnehmen:* die Polizei wurde des Täters h. **b)** *bekommen, erlangen [können]:* alles Geld, dessen er h. wurde, ...

Habicht, der; -s, -e: /ein Vogel/ (siehe Bild).

Habicht

Habilitation, die; -, -en: *Berechtigung, an Universitäten zu lehren.*

habilitieren, habilitierte, hat habilitiert: **a)** ⟨rfl.⟩ *die Berechtigung erwerben, an einer Universität oder einer entsprechenden Hochschule zu lehren:* sich mit einer Untersuchung über mittelalterliche Geschichte h. **b)** ⟨tr.⟩ *(jmdm.) die Berechtigung erteilen, an einer Universität oder einer entsprechenden Hochschule zu lehren:* er wurde von der Fakultät habilitiert.

Habitus, der; (geh.): *äußere Erscheinung, Haltung:* seinem H. nach konnte man ihn für einen gebildeten Menschen halten.

Habseligkeiten, die ⟨Plural⟩: *dürftige, kümmerliche Habe, die aus wenigen [wertlosen] Dingen besteht:* seine H. einpacken.

Habsucht, die; -: *übermäßiges Bestreben, seinen Besitz zu vermehren:* das Verhalten dieses Mannes war nur von H. bestimmt.

habsüchtig ⟨Adj.⟩ (abwertend): *in unangenehmer Weise bestrebt, seinen Besitz zu vermehren:* h. sein.

Hachse, die; -, -n: *[unteres] Bein von Schwein oder Kalb:* eine gegrillte H. mit Sauerkraut und Kartoffelbrei; bildl. (ugs.): paß auf, sonst brichst du dir die Hachsen *(Beine).*

Hackbraten, der; -s, -: *Braten, der überwiegend aus Hackfleisch hergestellt wird:* ein gut gewürzter H.

Hacke, die; -, -n: **I.** /ein Gerät/ (siehe Bild): eine spitze H. **II.** (landsch.) **1.** *Ferse:* jmdm. auf die Hacken treten. **2.** *Absatz des Schuhes.*

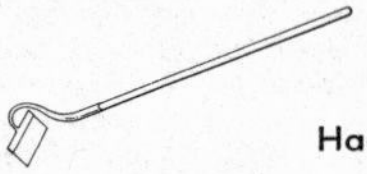

Hacke I.

hacken, hackte, hat gehackt ⟨tr.⟩: **a)** *mit einer Hacke den Boden locker machen.* **b)** *mit einem Beil zerkleinern:* Holz h.

Hacken, der; -s, - (landsch.): **a)** *Ferse:* er trat ihm auf den H. **b)** *Absatz des Schuhs:* der Soldat schlug die H. zusammen. * (ugs.) **sich** (Dativ) **die H. [nach etwas] ablaufen** *(sich sehr bemühen, etwas zu bekommen).*

Hackfleisch, das; -[e]s: *rohes, durch einen Fleischwolf gedrehtes Fleisch von Rind oder Schwein:* aus H. Frikadellen machen. * (derb; scherzh.) **aus jmdm. H. machen** *(jmdn. durch Prügel übel zurichten).*

Hackfrucht, die; -, Hackfrüchte: *Feldfrucht, die zum Gedeihen lockeren Boden braucht:* Rüben und Kartoffeln sind Hackfrüchte.

Häcksel, der oder das; -s: *klein gehacktes Stroh, das als Futter verwendet wird.*

hadern, haderte, hat gehadert ⟨itr.⟩ (geh.): **a)** *unzufrieden sein:* er hadert mit seinem Schicksal. **b)** *streiten:* mit jmdm. h.

Hafen, der; -s, Häfen: *Ort oder Anlage, wo Schiffe anlegen können:* ein eisfreier H.; einen [fremden] H. anlaufen.

Hafenstadt, die; -, Hafenstädte: *Stadt mit einem größeren Hafen:* Hamburg ist eine H.

Hafer, der; -s: /Getreideart/ (siehe Bild): H. anbauen. *** ihn sticht der H.** *(er ist [zu] übermütig).*

Hafer

Haferflocken, die ⟨Plural⟩: *aus den geschälten Körnern des Hafers durch Dämpfen und Quetschen hergestelltes Nahrungsmittel:* aus H. und Milch eine Suppe bereiten.

Haferschleim, der; -[e]s: *aus sehr feinen, in Wasser gekochten Haferflocken hergestellte leicht verdauliche Speise:* nach der Operation durfte der Kranke nur H. essen.

Haff, das; -[e]s, -s und -e: *flaches Gewässer, das von der See durch Inseln oder einen schmalen Streifen von Dünen getrennt ist.*

Haft, die; -: **1.** *Entzug der Freiheit:* jmdn. mit drei Tagen H. bestrafen. **2.** *polizeilicher Gewahrsam:* in H. nehmen *(verhaften).*

haftbar: ⟨in den Fügungen⟩ **jmdn. [für etwas] h. machen** *(veranlassen, daß jmd. [für einen angerichteten Schaden[haftet);* **[für etwas] h. sein** *([für einen angerichteten Schaden] haften müssen).*

Haftbefehl, der; -[e]s, -e: *Anordnung eines Richters, jmdn. zu verhaften:* gegen den Betrüger war ein H. erlassen worden.

haften, haftete, hat gehaftet ⟨itr.⟩: **1.** *kleben, festsitzen:* das Etikett haftet nicht an/auf der Flasche. **2.** *bürgen, verantwortlich sein:* Eltern haften für ihre Kinder *(müssen für den Schaden aufkommen, den ihre Kinder verursachen);* für die Garderobe wird nicht gehaftet *(bei Verlust wird der Schaden nicht ersetzt).*

haftenbleiben, blieb haften, ist haftengeblieben ⟨itr.⟩ (geh.): *so (im Gedächtnis) bleiben, daß man sich daran erinnert:* von den Ereignissen des Krieges sind viele in meinem Gedächtnis haftengeblieben.

Haftglas, das; -es, Haftgläser: *Kontaktlinse.*

Häftling, der; -s, -e: *jmd., der in Haft ist; Gefangener:* politische Häftlinge.

Haftpflicht, die; -: Rechtsw. *Verpflichtung zum Ersatz entstandenen Schadens.*

Haftschale, die; -, -n: **1.** *Kontaktlinse.* **2.** ⟨Plural⟩ *Schalen, die die Büste halten und formen.*

Haftung, die; -: *das Einstehen für eine eigene oder fremde Schuld:* bei unsachgemäßer Behandlung lehnt die Firma jede H. ab.

Hagebutte, die; -, -n: *Frucht der Heckenrose:* aus Hagebutten einen Tee bereiten.

Hagel, der; -s: *Niederschlag, der aus Körnern von Eis besteht:* der H. zerstörte die Saat; bildl.: ein H. von Steinen, Drohungen.

hageln, hagelte, hat gehagelt ⟨itr.⟩: *in Form von Hagel niederfallen:* es fing an zu h.; bildl.: es hagelt Proteste, Bomben, Vorwürfe, Schläge.

hager ⟨Adj.⟩: *mager [und groß], knochig:* eine hagere Gestalt; er ist sehr h.

Hagestolz, der; -es, -e: *älterer [etwas kauziger] Junggeselle.*

Häher, der; -s, -: **1.** *Vertreter einer zu den Raben gehörenden Gattung von Vögeln.* **2.** (ugs.) *Eichelhäher.*

Hahn, der; -[e]s, Hähne und Hahnen: **1.** ⟨Plural: Hähne⟩: *männliches Tier mancher Arten von Vögeln, bes. das männliche Huhn:* der H. macht kikeriki. *** danach kräht kein H.** *(danach fragt niemand);* **H. im Korb[e] sein** *(als einziger Mann in einem Kreis von Frauen Hauptperson sein).* **2.** ⟨Plural: Hähne, fachspr. auch Hahnen⟩ *Vorrichtung zum Absperren von Rohrleitungen:* den H. zudrehen; der H. tropft.

Hähnchen, das; -s, -: *junger Hahn:* ein gegrilltes H. verspeisen.

Hahnentritt; -[e]s, -e: **1.** *[weißlicher] Keim in Form einer Scheibe im Ei.* **2.** ⟨ohne Plural⟩ /ein Muster/ (siehe Bild): ein Mantel in H.

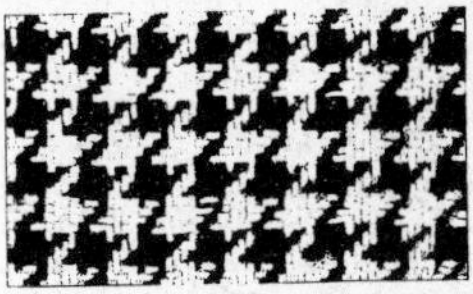
Hahnentritt 2.

Hahnrei, der; -s, -e: *Ehemann, den seine Frau mit einem andern Mann betrogen hat:* sie hat ihn zum H. gemacht.

Hai, der; -[e]s, -e: *gefräßiger Raubfisch der warmen Meere* (siehe Bild).

Hai

Haifisch, der; -[e]s, -e: *Hai.*

Hain, der; -[e]s, -e (geh.): *[kleiner] Wald.*

häkeln, häkelte, hat gehäkelt: **1.** ⟨tr./itr.⟩ *eine Handarbeit aus Wolle o. ä. mit einem besonderen, hakenartigen Gerät anfertigen:* eine Tischdecke, ein Kleid h. **2.** ⟨rfl.⟩ (ugs.) *halb im Ernst, halb im Scherz streiten:* sie häkelt sich öfter mit ihm.

haken, hakte, hat gehakt. **1.** ⟨tr.⟩ *mit einem Haken (an etwas) hängen, befestigen:* die Feldflasche an den Gürtel haken. **2.** ⟨itr.⟩ *hängenbleiben, [sich ver]klemmen:* der Schlüssel hakt im Schloß.

Haken, der; -s, -: **1.** *Gegenstand, an dem etwas aufgehängt werden kann* (siehe Bild): einen H. einschlagen. * (ugs.) **die Sache hat einen H.** *(die Sache hat eine Schwierigkeit, unangenehme Seite; etwas ist bei der Sache noch zu bedenken).* **2.** Boxen *Schlag mit angewinkeltem Arm.* **** einen H. schlagen** *(beim Laufen plötzlich die Richtung ändern).*

Haken 1.

Hakennase, die; -, -n: *stark gekrümmte Nase:* ein markantes Gesicht mit einer H.

halb ⟨Adj.; nicht prädikativ⟩: **1. a)** *die Hälfte von etwas umfassend; zur Hälfte:* h. Dänemark; eine halbe Stunde; das Glas ist h. voll; das Schiff fährt mit halber Kraft; auf halber Höhe des Berges; nur h. so fleißig, groß sein [wie der andere]. * **auf halbem Wege stehenbleiben** *(etwas nicht abschließen, vollenden);* **halb ... halb** *(teils ... teils):* h. lachend, h. weinend ... **b)** ⟨in Verbindung mit *nur*⟩: *nicht ordentlich, nicht richtig:* etwas nur h. tun; nur h. angezogen sein. **2.** *fast [ganz], so gut wie:* h. verdurstet; (ugs.) das dauert eine halbe Ewigkeit *(dauert sehr lange);* etwas h. und h. versprechen.

halbamtlich ⟨Adj.⟩: *nicht ganz amtlich, nicht völlig verbürgt:* nach einer halbamtlichen Meldung aus Paris.

Halbblut, das; -[e]s: **1.** *Mischling:* ein H. mit dem charakteristischen Profil eines Indianers. **2. a)** *Rasse von Pferden, die aus der Verbindung von vollblütigem Hengst und nicht vollblütiger Stute entsteht.* **b)** *Pferd der gleichnamigen Rasse.*

Halbbruder, der; -s, Halbbrüder: *nur über den Vater oder nur über die Mutter blutsverwandter Bruder:* er stammte aus der ersten Ehe unserer Mutter und war somit unser H.

halber ⟨Präp. mit Gen.; nachgestellt⟩: *wegen:* der Ordnung h.

Halbheit, die; -, -en: *Zustand der Unvollkommenheit; unvollkommene und deshalb unbefriedigende Lösung:* als er sich einmal zu diesem Entschluß durchgerungen hatte, gab er sich auch nicht mehr mit Halbheiten zufrieden.

halbieren, halbierte, hat halbiert ⟨tr.⟩: *in zwei gleiche Teile teilen.*

Halbinsel, die; -, -n: *an einer Seite mit dem Festland zusammenhängendes, an den übrigen Seiten vom Wasser umgebenes Stück Land.*

Halbkreis, der; -es, -e: *halber Kreis:* einen H. bilden *(im H. aufgestellt, angeordnet sein).*

Halbkugel, die; -, -n: *eine halbe Kugel.* * **die nördliche, südliche H.** *(die nördliche, südliche vom Äquator begrenzte Hälfte der Erdkugel).*

halblaut ⟨Adj.⟩: *gedämpft, nicht mit voller Stimme:* mit halblauter Stimme wiederholte er sein Geständnis.

halbmast: ⟨in der Verbindung⟩ auf h.: *in halber Höhe des Mastes:* die Fahnen auf h. setzen (als Zeichen der Trauer).

Halbpension ['halppãsio:n; südd., östr., schweiz.: ... pɛnzio:n], die; -: *Unterkunft in einer Pension, einem Gasthof o. ä. mit Übernachtung, Frühstück und Abendbrot (ohne Mittagessen):* in unserem nächsten Urlaub nehmen wir H.

halbrund ⟨Adj.⟩: *wie ein Halbkreis geformt:* der halbrunde Abschluß eines Gebäudes.

Halbschlaf, der; -[e]s: *Zustand zwischen Schlafen und Wachen, leichter Schlaf:* sich im H. unruhig im Bett herumwerfen.

Halbschuh, der; -s, -e: *Schuh, der nur bis unter die Knöchel reicht* (siehe Bild).

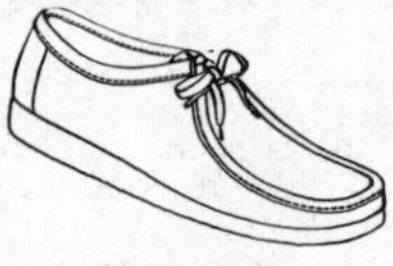

Halbschuh

Halbstarke, der; -n, - ⟨aber: [ein] Halbstarker, Plural: Halbstarke⟩ (ugs.; abwertend): *sich laut benehmender, für die Mitmenschen lästiger, undisziplinierter Halbwüchsiger:* ein Haufen von Halbstarken fuhr laut hupend und grölend durch die Straßen.

halbtot ⟨Adj. nicht prädikativ⟩: *fast tot:* der Jäger erlöste das halbtote Reh von seinen Qualen.

Halbwaise, die; -, -n: *minderjähriges Kind, das nur noch Vater oder Mutter hat.*

halbwegs ⟨Adverb⟩ (ugs.): *einigermaßen:* der Lehrer ist mit ihm h. zufrieden.

Halbwelt, die; - (abwertend): *elegant auftretende, aber zwielichtige und anrüchige Gesellschaftsschicht.*

Halbwüchsige, der; -n, -n ⟨aber: [ein] Halbwüchsiger, Plural: Halbwüchsige⟩: *noch nicht ganz erwachsener, junger Mensch; Jugendlicher.*

Halbzeit, die; -, -en: Sport **a)** *Hälfte der Spielzeit:* in der zweiten H. wurde das Spiel sehr hektisch. **b)** *Pause zwischen der ersten und zweiten Hälfte der Spielzeit:* in der H. erfrischten sich die Spieler in der Kabine.

Halde, die; -, -n: **1.** (geh.) *abfallende Seite eines Berges, Hügels o. ä.; Hang:* beim Abstieg vom Gipfel überquerten wir steinige Halden. **2. a)** *künstlich angelegter, länglicher Hügel aus Abfällen oder unbrauchbaren Stoffen:* die Abfälle und der Schutt türmten sich zu riesigen Halden. **b)** *künstlich angelegter, länglicher Hügel aus zur Zeit nicht verkäuflicher Kohle o. ä.:* während des Sommers mußten Kohle und Koks auf H. gelegt werden.

Hälfte, die; -, -n: **a)** *der halbe Teil:* die H. des Apfels, des Vermögens. **b)** (ugs.) *einer von zwei Teilen eines Ganzen:* die größere H.

Halfter: I. der und das; -s, -: *Zaum ohne den Teil, der durch das Maul gezogen wird:* einem Pferd das H. anlegen. **II.** die; -, -n und der oder das; -s, -: *[am Sattel getragene] Tasche für Pistolen:* der Cowboy zog blitzschnell seine Pistole aus der H. und schoß.

Halle, die; -, -n: **1.** *größeres Gebäude mit hohem, weitem Raum:* die Hallen für Flugzeuge heißen Hangars; in [der] H. 2 werden Bücher der wissenschaftlichen Verlage ausgestellt; die H. des Bahnhofs. **2.** *größerer Raum in einem Gebäude:* er wartete in der H. des Hotels auf ihn.

hallen, hallte, hat gehallt ⟨itr.⟩: *mit lautem, hohlem Klang weithin tönen; schallen:* die Schritte hallten im Gang; ein Schrei hallt durch die Nacht.

Hallenbad, das; -[e]s, Hallenbäder: *Schwimmbad, das sich in einem eigens dafür errichteten Gebäude befindet.*

Hallig, die; -, -en: *kleine, nicht durch Deiche geschützte Insel im Watt vor der holsteinischen Küste:* bei Sturmflut werden die Halligen überflutet.

Hallo, das; -s, -s: *freudiges, überraschtes Rufen als Begrü-*

ßung: als er so unverhofft ankam, gab es ein großes H.

Halluzination, die; -, -en: *krankhafte, eingebildete sinnliche Wahrnehmung:* der Patient litt unter schweren Halluzinationen.

Halm, der; -[e]s, -e: *[biegsamer] Stengel der Gräser und aller Arten von Getreide.*

Hals, der; -es, Hälse: 1. *Teil des Körpers zwischen Kopf und Rumpf:* ein kurzer, langer H.; jmdm. vor Freude um den H. fallen. * **H. über Kopf** *(überstürzt);* **sich jmdm. an den H. werfen** *(sich jmdm. aufdrängen);* (ugs.) **jmdn. auf dem Halse haben** *(sich mit jmdm. beschäftigen müssen, der einem lästig ist);* **sich etwas vom Hals[e] schaffen** *(etwas von sich abwälzen).* 2. *Kehle:* der H. ist trocken, entzündet; der H. tut mir weh. * (ugs.) **etwas hängt jmdm. zum Hals[e] heraus** *(jmd. ist einer Sache sehr überdrüssig);* **den H. nicht vollkriegen können** *([aus Habgier] nie genug bekommen können).*

Halsabschneider, der; -s, - (ugs.; abwertend): *Wucherer; Geschäftsmann, der sehr hohe Preise verlangt.*

halsbrecherisch ⟨Adj.⟩: *lebensgefährlich:* ein halsbrecherischer Weg.

Halsschmerzen, die ⟨Plural⟩: *Schmerzen im Hals:* er hatte sich erkältet und bekam starke H.

halsstarrig ⟨Adj.⟩: *eigensinnig, starrköpfig, unnachgiebig:* ein halsstarriger Mensch; h. sein. **Halsstarrigkeit,** die; -.

Halstuch, das; -[e]s, Halstücher: *Tuch, das man als Teil der Kleidung um den Hals trägt.*

halt ⟨Adverb⟩ (südd.; ugs.): *nun einmal, eben:* das ist h. so im Leben, da kann man nichts ändern.

Halt, der; -[e]s: 1. *Stütze, Rückhalt:* H. suchen; keinen H. finden; den H. verlieren; er war der einzige H. in ihrem Leben; in diesem Schuh hat der Fuß keinen H.; jmd. ist ohne inneren H. 2. (geh.) *das Anhalten, Stillstand:* den Ausschreitungen H. gebieten; der Zug fährt ohne H.

haltbar ⟨Adj.⟩: a) *nicht leicht verderbend:* haltbare Lebensmittel. b) *nicht leicht entzweigehend:* diese Schuhe sind sehr h. **Haltbarkeit,** die; -.

halten, hält, hielt, hat gehalten: 1. ⟨tr.⟩ *gefaßt haben und nicht loslassen:* etwas in der Hand h. * **sich an etwas h.** *(etwas befolgen).* 2. ⟨tr./rfl.⟩ *erfolgreich verteidigen:* die Festung, Stellung h.; sich nicht h. können *(im Geschäft, Beruf nicht bestehen können).* 3. ⟨tr.⟩ *bewahren:* Abstand, Kurs, Richtung h. 4. ⟨tr.⟩ *erfüllen, einhalten:* sein Wort, ein Versprechen h.; Disziplin, Ordnung, Schritt h.; ⟨auch itr.⟩ man kann es h. *(machen),* wie man will; wie hältst du es mit der Treue? *(bist du treu?).* 5. ⟨tr.⟩ *veranstalten, abhalten:* Vorlesungen h.; eine Rede h.; einen Vortrag über etwas h.; Gericht h. über jmdn. *(jmds. Verhalten scharf kritisieren).* 6. ⟨itr.⟩ *zum eigenen Nutzen angestellt, angeschafft haben; unterhalten:* ich halte mir einen Diener; Katzen, Hunde h. 7. ⟨tr./rfl.; mit näherer Bestimmung⟩ *darauf bedacht sein, einen bestimmten Zustand zu bewahren:* seine Kinder streng h.; das Essen warm h.; etwas in Ehren h.; sich im Gleichgewicht h. * **etwas hält sich die Waage** *(etwas gleicht sich aus):* Gewinn und Verlust h. sich die Waage; **jmdn zum Narren h.** *(jmdn. anführen).* 8. ⟨rfl.⟩ *nicht schnell verderben, verwelken:* diese Äpfel, die Rosen halten sich nicht lange. 9. ⟨tr.⟩ *zurückhalten, bremsen:* den Urin nicht h. können; mich hält nichts mehr. * **den Mund h.** *(nichts sagen; ein Geheimnis nicht verraten).* 10. ⟨tr.⟩ *ansehen, betrachten (als etwas):* jmdn. für ehrlich, aufrichtig, tot h.; etwas für wahrscheinlich, denkbar h. * (ugs.) **große Stücke auf jmdn. h.** *(jmdn. sehr schätzen, hochachten);* **nicht viel von jmdm. h.** *(keine gute Meinung von jmdm. haben).* 11. ⟨itr.⟩ *haltmachen, stoppen:* der Zug hält nicht auf jeder Station. 12. ⟨itr.⟩ *fest sein, in einem bestehenden Zustand bleiben:* der Stoff, die Farbe hält. 13. ⟨itr.⟩ *besonders achten (auf etwas):* auf Ordnung, Sauberkeit h.; auf sich halten *(sich pflegen).*

Halter, der; -s, -: 1. a) *Teil, an dem etwas festgehalten wird, Griff:* das Gerät hatte einen H. aus Plastik. b) *Vorrichtung, die etwas festhält:* die Rolle Toilettenpapier hing an einem H. 2. *jmd., der etwas auf eigene Rechnung in Gebrauch hat oder besitzt:* für den Schaden haftet der H. des Wagens; die H. von Haustieren haben Verschmutzungen umgehend zu beseitigen.

Haltestelle, die; -, -n: *Stelle, an der man in den Bus oder in die Straßenbahn einsteigen kann.*

haltlos ⟨Adj.⟩: 1. *willensschwach, willenlos:* ein haltloser junger Mensch. 2. ⟨nicht adverbial⟩ *unbegründet, aus der Luft gegriffen:* haltlose Behauptungen; seine Beschuldigung ist völlig h. **Haltlosigkeit,** die; -.

haltmachen, machte halt, hat haltgemacht ⟨itr.⟩: *[an]halten, stehenbleiben:* auf der langen Fahrt haben wir nur an wenigen Orten haltgemacht. * **vor nichts /niemandem h.** *(vor nichts/niemandem zurückschrecken).*

Haltung, die; -: 1. *Art, in der man seinen Körper hält; Stellung, Positur:* eine aufrechte H.; Militär H. annehmen *(strammstehen).* 2. *Verhalten, Auftreten:* eine ablehnende, feindliche, klare, undurchsichtige H. * **H. bewahren** *(sich nicht gehenlassen).* 3. *Besitz und Unterhalt:* die H. von Haustieren; die H. eines Autos kommt [ihm] zu teuer.

Halunke, der; -n, -n: a) *Gauner, Betrüger, Schurke.* b) (scherzh.) *Schelm; durchtriebener, frecher [junger] Mann.*

hämisch ⟨Adj.⟩: *boshaft und heimlich Freude empfindend, schadenfroh:* h. grinsen, lächeln.

Hammel, der; -s, - und Hämmel: 1. *kastriertes männliches Schaf.* 2. ⟨Schimpfwort⟩ *Dummkopf:* du H.!

Hammelbeine, ⟨in der Wendung⟩ jmdm. die H. langziehen (ugs.): *jmdn. heftig tadeln, zurechtweisen.*

Hammelsprung, der; -s, Hammelsprünge: Politik *Abstimmung im Parlament, bei der alle Abgeordneten den Saal verlassen und ihn durch eine von drei Türen wieder betreten, wodurch sie ihr Ja, Nein oder ihre Stimmenthaltung ausdrücken.*

Hammer, der; -s, Hämmer: 1. *Werkzeug zum Schlagen:* mit dem H. einen Nagel in die Wand schlagen. * **unter den H. kommen** *(versteigert werden).* 2. Sport *an einem Draht befestigte Kugel aus Metall, die geschleu-*

dert wird: er wirft den H. 60 Meter weit.

hạ̈mmern, hämmerte, hat gehämmert ⟨itr.⟩: **1. a)** *mit dem Hammer schlagen:* er hämmert schon den ganzen Tag. **b)** *in kurzen Abständen [heftig] (auf etwas) schlagen:* er hämmerte mit den Fäusten gegen das Tor; auf die Tasten [eines Klaviers] h.; der Specht hämmert. **2.** *stark und rasch in Tätigkeit sein:* das Blut, Herz hämmert.

Hạmmerwerfen, das; -s: *Sport, bei dem versucht wird, den Hammer möglichst weit zu werfen:* beim H. sind die Zuschauer durch ein Gitter aus Draht geschützt.

Hämorrhoịden, die ⟨Plural⟩: *Erweiterungen der Venen am unteren Ende des Mastdarms in Form von Knoten.*

Hạmpelmann, der; -[e]s, Hampelmänner: *meist aus Holz hergestelltes Spielzeug für Kinder, das einen Mann darstellt, dessen Gliedmaßen durch Ziehen an einem Faden bewegt werden können:* der Junge bekam zu Weihnachten einen H.; bildl. (ugs.): diese resolute Frau hatte ihn zu einem H. *(ergebenen, willenlosen, schwachen Menschen)* gemacht.

Hạmster, der; -s, -: /ein Tier/ (siehe Bild).

Hamster

hạmstern, hamsterte, hat gehamstert ⟨tr./itr.⟩ (ugs.; abwertend): *Vorräte sammeln, horten:* Lebensmittel h.

Hạnd, die; -, Hände /vgl. unterderhand/: *Teil des Armes* (siehe Bild): die linke, rechte H.;

Hand

jmdm. die H. geben, schütteln; Hände hoch! *(Aufforderung, sich zu ergeben);* bildl.: sich mit Händen und Füßen *(sehr heftig)* gegen etwas wehren. * **H. in H. gehen** *(angefaßt nebeneinander laufen);* **H. in H. arbeiten** *(zusammenarbeiten);* **von H. zu H. gehen** *(oft den Besitzer wechseln);* **alle Hände voll zu tun haben** *(viel Arbeit haben);* **die Hände in den Schoß legen** *(untätig sein);* **in andere Hände übergehen** *(den Besitzer wechseln);* **jmdm. etwas in die H. versprechen** *(jmdm. etwas feierlich geloben);* **jmds. rechte H. sein** *(jmds. vertrauter und wichtigster Mitarbeiter sein);* **das liegt auf der H.** *(das ist offenkundig);* **H. und Fuß haben** *(gut durchdacht sein);* **jmdm. an die/zur H. gehen** *(jmdm. helfen);* **etwas ist nicht von der H. zu weisen** *(etwas ist sehr zu erwägen, zu beachten);* **etwas geht jmdm. schnell von der H.** *(etwas fällt jmdm. leicht);* **in festen Händen sein** *(jmdm. fest verbunden sein):* das Mädchen ist in festen Händen; **um jmds. H. anhalten** *(jmdn. zu heiraten begehren);* **H. an sich legen** *(sich das Leben nehmen);* **die öffentliche H.** *(der Staat);* **etwas von langer H. vorbereiten** *(etwas, was gegen andere gerichtet ist, gründlich vorbereiten);* **aus zweiter H.** *(gebraucht);* **an H. [von]** *(mit Hilfe, nach Anleitung):* an H. von Unterlagen; an H. eines Buches lernen.

Hạndarbeit, die; -, -en: **1.** *Arbeit, die mit der Hand ausgeführt wird:* ihm liegt die H. mehr als die Kopfarbeit. **2.** *manuell hergestellter Gegenstand:* Handarbeiten anfertigen; diese Tischdecke ist sehr wertvoll, denn sie ist H.

Hạndball, der; -s, Handbälle: **1.** *leichter Ball aus Leder.* **2.** ⟨ohne Plural⟩ *Spiel zweier Mannschaften, bei dem der Ball mit der Hand geworfen wird:* H. spielen.

Hạndballspiel, das; -[e]s, -e: *Spiel von zwei Mannschaften [mit elf Spielern auf dem großen Feld oder sieben Spielern auf dem kleinen Feld der Halle], bei dem der Ball möglichst oft in das gegnerische Tor geworfen werden soll.*

Hạndbewegung, die; -, -en: *Bewegung mit der Hand:* eine einladende, abwehrende H. machen.

Hạndbremse, die; -, -n: *Bremse, die mit der Hand angezogen wird.*

Hạndbuch, das; -[e]s, Handbücher: *Buch, das das Wissen über ein Fachgebiet in komprimierter Form darbietet:* eine H. der Physik.

Hạ̈ndedruck, der; -s: *Druck der Hand [bei der Begrüßung]:* er verabschiedete sich von ihm mit einem kräftigen H.

Hạndel, der; -s: **1.** *Kauf und Verkauf von Waren:* internationaler H. * **schwunghaften H. mit etwas treiben** *(etwas in reichlicher Menge und nicht ganz legal weiterverkaufen).* **2.** *Geschäft, Abmachung:* ein vorteilhafter, schlechter H.; einen H. abschließen, rückgängig machen.

Hạ̈ndel, die ⟨Plural⟩ (geh.): *Streitigkeiten, Konflikte:* dieser streitsüchtige Kerl sucht dauernd H. mit den jungen Leuten.

hạndeln, handelte, hat gehandelt ⟨itr.⟩: **1. a)** *etwas [mit Entschlossenheit] tun:* er durfte nicht zögern, er mußte h.; auf eigene Faust *(eigenmächtig)* h.; gegen seine Überzeugung h. **b)** ⟨mit näherer Bestimmung⟩ *sich in bestimmter Weise verhalten:* großzügig, als Freund h. **2. a)** *kaufen und verkaufen, Geschäfte machen:* mit Wein, Obst h. **b)** *durch vieles Reden oder Bitten zu erreichen versuchen, daß man nicht soviel wie gefordert zu tun oder zu bezahlen braucht:* als er den Preis, die Bedingungen erfuhr, versuchte er zu h. **3.** *zum Inhalt haben; behandeln:* das Werk handelt vom Untergang, über den Untergang des Dritten Reiches. ** **es handelt sich um jmdn./etwas** *(es betrifft jmdn./etwas):* es handelt sich [dabei] um ein schwieriges Problem.

hạndelseinig: ⟨in der Verbindung⟩ h. sein/werden: *sich einig sein/werden über den Abschluß eines Geschäfts:* endlich wurden die beiden Kaufleute h.

Hạndelsschule, die; -, -n: *Schule, die auf kaufmännische Berufe vorbereitet.*

hạndelsüblich ⟨Adj.⟩: *im Handel üblich:* handelsübliche Waren, Erzeugnisse.

Hạndelsvertrag, der; -[e]s, Handelsverträge: *Vertrag zwischen Staaten über den gegenseitigen Handel:* ein H. regelte die genaue Menge der in andere Staaten einzuführenden Waren.

hạnderingend ⟨Adj.; nicht prädikativ⟩: *in höchster Not, verzweifelt:* sie bat ihn h. um Verzeihung.

Hạndfeger, der; -s, -: *kleiner Besen, der mit einer Hand geführt wird* (siehe Bild).

Handfeger

hạndfest ⟨Adj.⟩: *kräftig-derb:* einige handfeste Burschen; handfeste *(nicht zu widerlegende)* Beweise.

Hạndfläche, die; -, -n: *Innenseite der Hand.*

Hạndgebrauch: ⟨in der Fügung⟩ zum/für den H.: *für den bequemen, täglichen Gebrauch:* dieses Kochbuch ist für den H. bestimmt.

Hạndgeld, das; -[e]s, -er: *Geld, das jmdm. unmittelbar nach dem Unterzeichnen eines Arbeitsvertrages gezahlt wird:* dem Profi wurde von dem Verein ein verlockendes H. geboten.

Hạndgelenk, das; -[e]s, -e: *Gelenk der Hand:* ein kräftiges, schmales H. * **etwas aus dem H. schütteln** *(etwas ohne Mühe zustande bringen).*

hạndgemein: ⟨in der Verbindung⟩ h. werden: *sich schlagen; ins Handgemenge kommen:* die Streitenden sind schließlich h. geworden.

Hạndgemenge, das; -s: *Schlägerei:* es kam zu einem H.

Hạndgepäck, das; -s: *Gepäck, das der Reisende bei sich hat.*

Hạndgranate, die; -, -n: *mit der Hand zu schleudernder Sprengkörper:* eine H. abziehen und werfen.

hạndgreiflich ⟨Adj.⟩: *offenbar:* eine handgreifliche Lüge. * **h. werden** *(anfangen zu schlagen).*

Hạndgriff, der; -[e]s, -e: **1.** *kleiner, mit der Hand auszuführender Teil einer Arbeit:* bei der schwierigen Operation war selbst der kleinste H. vorher geübt worden; bildl. (ugs.): der hilfsbereite Junge nahm der alten Dame manchen H. *(manche kleine Arbeit)* ab. **2.** *Griff, an dem man etwas mit der Hand trägt:* der H. des Koffers war aus Kunststoff.

Hạndhabe, die; -, -n: *Grund, gegen jmdn. wegen bestimmter Vorkommnisse vorzugehen:* etwas dient jmdm. als H. gegen jmdn.; sie bieten keine H. zum Einschreiten.

hạndhaben, handhabte, hat gehandhabt ⟨tr.⟩: *(ein Werkzeug) richtig gebrauchen:* er lernte es bald, das neue Gerät zu h.

Hạndhabung, die; -, -en.

Handikap ['hɛndikɛp] das; -s, -s: *sich auf eine Tätigkeit, einen Wettkampf auswirkendes Hindernis; Nachteil.*

Hạndkuß, der; Handkusses, Handküsse: *Kuß auf die Außenseite der rechten Hand (von Damen):* er begrüßte die Dame des Hauses mit einem H. * (östr.) **zum H. kommen** *(benachteiligt werden, [für andere] einstehen müssen):* als die anderen aufgebrochen waren, kamen wir mit dem Aufräumen zum H.

Hạndlanger, der; -s, -: *jmd., der nur untergeordnete Arbeiten für andere zu verrichten hat:* ich brauche noch einen H. für meine Arbeit; bildl. (abwertend): er wurde zum H. *(zum willfährigen Helfer)* des Feindes.

Hạ̈ndler, der; -s, -: *jmd., der Handel treibt:* der H. verdiente bei dem Verkauf des Gebrauchtwagens eine Menge Geld; ein fliegender H. *(jmd., der herumzieht und einen kleineren Handel betreibt).*

hạndlich ⟨Adj.⟩: *bequem zu benutzen:* ein handlicher Schirm.

Hạndlichkeit, die; -.

Hạndlung, die; -, -en: **1.** *Tat, Tun:* eine strafbare, symbolische, unzüchtige H. **2.** *Geschehen:* die H. des Romans, Films.

Hạndlungsfreiheit, die; -: *Freiheit, selbständig zu handeln:* der Unterhändler forderte für die Verhandlungen mehr H.

Hạndlungsweise, die; -: *Art des Handelns, Vorgehens:* ihre niederträchtige H. konnte er nicht begreifen.

Hạndschlag: ⟨in den Wendungen⟩ **mit/durch H.** *(mit/durch einen Händedruck):* jmdn. mit H. begrüßen; jmdn. durch H. zu etwas verpflichten; (ugs.) **keinen H. [mehr] tun** *(gar nichts [mehr] tun).*

Hạndschrift, die; -, -en: **1.** *Art der Schrift, die jmdm. eigen ist:* eine unleserliche *(schwer zu lesende)* H. **2.** *mit der Hand geschriebener [sehr alter] Text* ⟨Abk.: Hs., Plural: Hss.⟩: eine H. des 14. Jahrhunderts.

hạndschriftlich ⟨Adj.⟩: *mit der Hand geschrieben:* der Bewerbung ist ein handschriftlicher Lebenslauf beizufügen.

Hạndschuh, der; -s, -e: *Bekleidungsstück, das über die Hand gezogen wird:* gefütterte Handschuhe; Handschuhe anziehen, anhaben, ausziehen.

Hạndstand, der; -[e]s, Handstände: *Übung beim Turnen, bei der man auf den Händen steht:* der Turner machte einen H. [am Barren].

Hạndstreich, der; -[e]s, -e: *plötzlicher, nicht erwarteter Überfall:* eine Festung im H. nehmen.

Hạndtasche, die; -, -n: *kleinere, an der Hand getragene Tasche für Damen:* sie steckte Spiegel, Kamm und Lippenstift wieder in ihre H.

Hạndtuch, das; -s, Handtücher: *Tuch zum Abtrocknen des Körpers.*

Hạndumdrehen: ⟨in der Fügung⟩ im H.: *überraschend schnell und mühelos:* mit dieser Arbeit war der Handwerker im H. fertig.

Hạndvoll, die; -, -: *kleine Menge (die in eine Hand geht):* der Bauer gab ihm eine H. Kirschen zum Kosten. * (ugs.) **nur eine H.** *(wenige, ein paar, eine kleine Zahl):* nur eine H. Zuschauer war bei dem Regen ins Stadion gekommen.

Hạndwagen, der; -s, -: *kleiner Wagen, den man mit der Hand zieht* (siehe Bild): der Vater brachte die Kartoffeln im H. nach Hause.

Handwagen

Hạndwerk, das; -s, -e: *Beruf, der manuell und mit einfachen Werkzeugen ausgeführt wird:* das H. des Schuhmachers erlernen.

*** sein H. verstehen** *(viel in seinem Fach können);* **jmdm. ins H. pfuschen** *(sich in einem Bereich betätigen, für den ein anderer zuständig ist):* ich lasse mir nicht ins H. pfuschen; **jmdm. das H. legen** *(jmds. schlechtem Tun ein Ende setzen):* die Polizei legte den Dieben das H.

Hạndwerker, der; -s, -: *jmd., der ein Handwerk betreibt.*

Hạndwerkszeug, das; -[e]s: *alle Werkzeuge, die zur Ausübung eines bestimmten Handwerks oder einer Tätigkeit benötigt werden:* in einer Kiste verwahrten die Schreiner ihr H.

Hạndzeichen, das; -s, -: *mit der Hand gegebenes Zeichen:* der Polizist forderte den Kraftfahrer durch ein energisches H. auf, die Kreuzung zu räumen; der Präsident bat die Abgeordneten um das H. *(um ihre Zustimmung oder Ablehnung durch Heben der Hand).*

hanebüchen ⟨Adj.⟩ (ugs.): *derb, grob, unerhört:* der Aufschneider hat uns hanebüchene Lügen aufgetischt.

Hạnf, der; -[e]s: /eine Pflanze/ (siehe Bild): ein Strick aus H.

Hanf

Hạng, der; -[e]s, Hänge: **1.** *Seite eines Berges, die nicht sehr steil abfällt:* das Haus liegt am H. **2.** ⟨ohne Plural⟩ *Neigung, Vorliebe:* ein H. zur Bequemlichkeit, Übertreibung.

Hangar [auch: Hạngar], der; -s, -s: *Halle, in der Flugzeuge abgestellt werden.*

Hạ̈ngebrücke, die; -, -n: *an Seilen hängende Brücke* (siehe Bild).

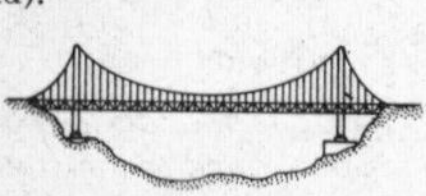

Hängebrücke

Hạ̈ngematte, die; -, -n: *ausgespanntes Netz, Tuch o. ä., in dem man ruht oder schläft* (siehe Bild): die Matrosen schliefen in ihren Hängematten.

Hängematte

hạ̈ngen: I. hing, hat gehangen ⟨itr.⟩: *oben, an seinem oberen Teil befestigt sein und von unten keinen Halt haben:* der Mantel hing am Haken. *** an jmdm./etwas h.** *(jmdn./etwas gern haben und sich nicht von jmdm., davon trennen wollen).* **II.** hängte, hat gehängt ⟨tr.⟩: **1.** *etwas oben, an seinem oberen Teil befestigen, wobei es von unten her keinen Halt hat:* er hat den Mantel auf den Haken gehängt. *** den Mantel nach dem Wind h.** *(sich stets der herrschenden Meinung anpassen).* **2.** *durch Aufhängen am Galgen töten:* der Mörder wurde gehängt.

hạ̈ngenbleiben, blieb hängen, ist hängengeblieben ⟨itr.⟩: **1.** *während einer Bewegung (von etwas) aufgehalten werden und im Augenblick nicht mehr davon loskommen können:* er ist [mit der Hose] am Stacheldraht hängengeblieben; von dem im Prozeß geäußerten Verdacht wird immer etwas an ihm h. *(man wird immer glauben, daß er nicht ganz unschuldig gewesen ist);* obwohl sie nur schnell ein Bier trinken wollten, sind die beiden in der Kneipe hängengeblieben *(ziemlich lange dort geblieben).* **2.** (ugs.) *in der Schule sitzenbleiben:* wenn er weiterhin so faul bleibt, wird er dieses Jahr h.

hạ̈ngenlassen, läßt hängen, ließ hängen, hat hängenlassen: **1.** ⟨itr.⟩ *etwas, was man aufgehängt hat, vergessen mitzunehmen oder absichtlich dort lassen:* er hat seinen Mantel in der Garderobe h. **2.** ⟨tr.⟩ *(einen Körperteil) schlaff nach unten schwingen lassen:* der Hund hat den Schwanz hängenlassen. ***** (ugs.) **den Kopf h.** *(mutlos sein).* **3.** ⟨rfl.⟩ (ugs.) *ohne Mut und Energie sein:* nach deiner Entlassung hast du dich mächtig hängenlassen.

Hạ̈nger, der; -s, -: *gürtelloser, gerade geschnittener Mantel.*

Hansdạmpf: ⟨in der Verbindung⟩ H. in allen Gassen [sein]: *jmd. [sein], der überall dabei ist und sich überall auszukennen glaubt.*

hạ̈nseln, hänselte, hat gehänselt ⟨tr.⟩: *necken, foppen:* die Jungen hänselten ihn wegen seiner schmutzigen Finger.

Hanswụrst, der; -es, -e: *Spaßmacher, lustige Person.*

Hạntel, die; -, -n: *Sportgerät für Freiübungen und Übungen zum Gewichtheben* (siehe Bild).

Hantel

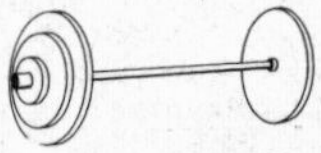

hantieren, hantierte, hat hantiert ⟨itr.⟩: *an, mit etwas tätig sein, geschäftig sein:* die Mutter hantiert am Herd; mit einem Werkzeug h.

hapern, haperte, hat gehapert ⟨itr.⟩ (ugs.): *fehlen, mangeln:* es hapert am Geld; in Latein hapert es bei ihm *(ist er schwach).*

Hạppen, der; -s, - (ugs.): *Bissen:* ein H. Fleisch; ich habe noch keinen H. *(noch nichts)* gegessen. *** ein fetter H.** *(ein gewinnbringendes Geschäft).*

Happening ['hæpənɪŋ] das; -s, -s: *überraschendes Verhalten, das provozieren und demonstrieren will (und das als Kunstwerk gelten soll):* ein H. machen, veranstalten.

hạppig ⟨Adj.⟩ (ugs.): *übertrieben, zu hoch:* der Preis für dieses alte Auto ist aber ziemlich h.

Happy-End ['hæpi'ɛnd], das; -[s], -s: *glücklicher Ausgang eines Geschehens:* der Film hat ein H.

Harem, der; -s, -s: *von Frauen bewohnter, abgesonderter Teil des islamischen Hauses, zu dem kein fremder Mann Zutritt hat, auch Gesamtheit der ihn bewohnenden Frauen:* den H. nicht verlassen dürfen; der Herrscher nahm seinen ganzen H. mit auf die Reise; bildl. (ugs.): der Playboy hatte immer einen ganzen H. *(viele Mädchen)* um sich.

Hạrfe, die; -, -n: /ein Saiteninstrument/ (siehe Bild): die H. spielen, schlagen.

Harfe

Hạrke, die; -, -n (bes. nordd.): /ein Gerät des Bauern und Gärtners/ (siehe Bild).

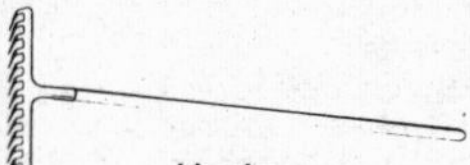

Harke

hạrken, harkte, hat geharkt ⟨tr.⟩ (bes. nordd.): *mit einer Harke bearbeiten:* der Gärtner harkte den Rasen.

Hạrlekin, der; -s, -e: *Spaßmacher, Hanswurst.*

hạ̈rmen, sich; härmte sich, hat sich gehärmt (geh.): *sich grämen; sich sorgen:* die Mutter härmt sich um ihr Kind, das nicht nach Hause zurückkam.

hạrmlos ⟨Adj.⟩: **a)** *ungefährlich:* der Hund ist h., der tut dir nichts; ein harmloses *(unschädliches)* Medikament. **b)** *arglos; friedlich:* ein harmloser Mensch; ein harmloses Vergnügen. **Hạrmlosigkeit,** die; -.

Harmonie, die; -, -n: **1.** *Wohlklang, Übereinstimmung* /Ggs. Disharmonie/: H. der Töne; H. der Farben. **2.** ⟨ohne Plural⟩ *Eintracht:* sie lebten in bester H. miteinander.

harmonieren, harmonierte, hat harmoniert ⟨itr.⟩: *in Einklang stehen, zueinander passen, übereinstimmen:* die beiden Farben harmonieren gut miteinander; die Freunde haben miteinander harmoniert.

harmọnisch ⟨Adj.⟩: **1.** *wohlklingend, übereinstimmend:* harmonische Klänge. **2. a)** *einträchtig:* ein harmonisches Zusammenleben. **b)** *ausgeglichen, angenehm:* er hat ein harmonisches Wesen.

harmonisieren, harmonisierte, hat harmonisiert ⟨tr.⟩ (geh.): *in Einklang bringen, aufeinander abstimmen:* die Löhne mit den Preisen h.

Harmọnium, das; -s, Harmonien: /ein Musikinstrument/ (siehe Bild).

Hạrn, der; -[e]s: *Urin.* *** H. lassen** *(urinieren).*

Hạrnblase, die; -, -n: *inneres Organ bei Menschen und bestimmten Tieren, in dem sich der Harn sammelt.*

Hạrnisch: ⟨in den Wendungen⟩ (ugs.) **jmdn. in H. bringen** *(jmdn. zornig machen);* (ugs.) **in H. geraten/kommen** *(zornig werden);* (ugs.) **in H. sein** *(zornig sein).*

Harpụne, die; -, -n: *ein mit Widerhaken versehener und mit einer langen Leine verbundener Spieß, den man wirft oder schießt* (siehe Bild): die H. verwendet man besonders bei der Jagd auf Wale.

Harmonium

harpunieren, harpunierte, hat harpuniert ⟨tr.⟩: *(ein Tier) mit der Harpune erlegen:* der Wal wurde harpuniert.

Harpune

hạrren, harrte, hat geharrt ⟨itr.⟩ (geh.): *sehnsüchtig warten:* sie harrten seiner; auf Gottes Hilfe h.

hạrt: I. ⟨Adj.⟩: **1.** *fest:* hartes Brot; ein harter Knochen; hartes *(kalkreiches)* Wasser; eine harte *(sichere)* Währung. **2.** *schwer, schmerzlich:* ein hartes Schicksal, Los; ein harter Schlag; die Geduld auf eine harte Probe stellen; das Unglück trifft ihn h. **3.** *streng, grausam, böse:* ein hartes Herz haben. *** mit jmdm. h. ins Gericht gehen** *(jmdn. schonungslos kritisieren).* **4.** *heftig, scharf:* ein harter Aufprall; ein hartes *(mit großem Einsatz geführtes)* Spiel; harte Worte. *** h. im Nehmen sein** *(viel vertragen);* **es geht h. auf h.** *(keiner will nachgeben).* **II.** ⟨Adverb⟩ *nahe, ganz dicht:* er fuhr h. am Abgrund vorbei; h. an der Grenze.

Hạ̈rte, die; -, -n: **1.** *Festigkeit:* die H. des Gesteins. **2.** *Benachteiligung, Ungerechtigkeit:* soziale Härten. **3.** *Strenge, Grausamkeit:* er bekam die H. des Gesetzes zu spüren. **4.** ⟨ohne Plural⟩ *Schärfe, Anstrengung:* die H. des Kampfes.

Hạ̈rtefall, der; -[e]s, Härtefälle: *besonderer Fall, in dem jmd. vom Schicksal, von Gesetzen, Verordnungen o. ä. hart betroffen wird:* in Härtefällen (Tod, schwere Erkrankung o. ä.) soll den engsten Verwandten die Erlaubnis zum Besuch erteilt werden.

hạ̈rten, härtete, hat gehärtet ⟨tr.⟩: *hart machen:* der für Rasierklingen verwendete Stahl ist besonders gehärtet.

Hạrtgeld, das; -[e]s /Ggs. Papiergeld/: *Metallgeld, Münzen.*

hạrtherzig ⟨Adj.⟩: *unbarmherzig, ohne Mitleid:* eine hartherzige Frau. **Hạrtherzigkeit,** die; -.

Hạrtholz, das; -es, Harthölzer: *festes, widerstandsfähiges Holz.*

hạrtleibig ⟨Adj.⟩: *an Verstopfung leidend:* dem hartleibigen Patienten wurde ein Einlauf gemacht; bildl. (ugs.; scherzh.): sobald es um Geld ging, war er sehr h. *(geizig).*

hạrtnäckig ⟨Adj.⟩: *beharrlich, eigensinnig, störrisch:* er bestand h. auf seinen Forderungen; eine hartnäckige *(trotz intensiver Behandlung lange dauernde)* Krankheit. **Hạrtnäckigkeit,** die; -.

Hạrz, das; -es, -e: *[zähflüssige, klebrige] Masse, die von Nadelbäumen ausgeschieden wird.*

Hasardeur [hazar'dø:r], der; -s, -e (geh.): *äußerst leichtsinniger, kein Risiko scheuender Mensch:* in der Politik ist kein Platz für Hasardeure.

Hasạrdspiel, das; -[e]s, -e: *Glücksspiel:* Hasardspiele sind verboten; bildl.: das Spekulieren an der Börse wird von vielen noch immer als reines H. betrachtet.

Haschee, das; -s, -s: *Gericht aus fein gehacktem Fleisch:* ein H. aus gehackter Lunge.

hạschen, haschte, hat gehascht (geh.; veraltend): **1.**

⟨tr.⟩ *schnell [mit den Händen] ergreifen, fangen:* die Schwalben haschen die Insekten im Fluge. **2.** ⟨itr.⟩ *[mit den Händen] schnell (nach jmdm./etwas) greifen, fassen:* seine Hände haschten gierig nach dem Geld; bildl.: der Künstler haschte nach Erfolg.

Hase, der; -n, -n: /ein Tier/ (siehe Bild): der H. wird von den Hunden verfolgt. * **falscher H.** *(Braten aus gehacktem*

Hase

Fleisch); (ugs.) **ein alter H. sein** *(ein erfahrener Fachmann sein);* (ugs.) **mein Name ist H.** *(ich weiß von nichts).*

Haselnuß, die; -, Haselnüsse: /eine Frucht/ (siehe Bild).

Haselnuß

Hasenfuß, der; -es, Hasenfüße (ugs.; scherzh.): *sehr ängstlicher Mensch, Feigling:* dieser H. läuft bei der geringsten Gefahr weg.

Hasenpanier: ⟨in der Wendung⟩: das H. ergreifen (scherzh.): *sich in großer Eile aus Angst davonmachen, fliehen.*

hasenrein: ⟨in der Fügung⟩ nicht ganz h. (ugs.): *nicht ganz einwandfrei, verdächtig:* diese Sache scheint nicht ganz h. zu sein.

Hasenscharte, die; -, -n: *angeborene Spaltung der Oberlippe.*

haspeln, haspelte, hat gehaspelt: **1.** ⟨tr.⟩ *spulen, aufwickeln:* Garn, Fäden h. **2.** ⟨tr./itr.⟩ (ugs.) *hastig sprechen (so daß man dabei Silben verschluckt):* das Kind hat ganz aufgeregt [einige Sätze] gehaspelt.

Haß, der; Hasses: *feindselige Abneigung:* tödlicher H.; einen H. auf, gegen jmdn. haben.

hassen, haßt, haßte, hat gehaßt ⟨tr.⟩: *Haß empfinden:* jmdn. bis auf den Tod h.; jmdn., etwas wie die Pest *(sehr)* h.

häßlich ⟨Adj.⟩: **1.** *im Aussehen nicht schön, abstoßend, widerwärtig:* ein häßliches Mädchen, Gebäude. * **klein und h.** *(kleinlaut und nicht mehr zu widersprechen wagend).* **2.** *unschön, unfreundlich:* häßliches Wetter; ein häßliches Benehmen; er war h. zu ihr. **Häßlichkeit,** die; -.

Hast, die; -: *überstürzte Eile:* mit wilder H.; er ging ohne H. zum Bahnhof.

hasten, hastete, ist gehastet ⟨itr.⟩: *unruhig, aufgeregt eilen, hetzen:* zum Bahnhof h.

hastig ⟨Adj.⟩: *eilig, überstürzt:* h. essen; eine hastige Sprechweise.

hätscheln, hätschelte, hat gehätschelt ⟨tr.⟩: *zärtlich liebkosen, mit übertriebener Sorgfalt behandeln:* ein Kind h.

Haube, die; -, -n: **1.** *Kopfbedeckung für Frauen, die dicht am Kopf anliegt:* die alte Frau trug im Bett eine H. * (ugs.) **jmdn. unter die H. bringen** *(jmdn. verheiraten);* **unter die H. kommen** *(sich [schließlich] verheiraten).* **2.** *etwas, was etwas bedeckt, umschließt; gewölbte Umhüllung:* **a)** *Kühlerhaube:* die H. des Motors aufklappen. **b)** *Trockenhaube:* nach dem Waschen der Haare mußte sie sich unter die H. setzen.

Hauch, der; -[e]s: **1. a)** *sichtbarer oder fühlbarer Atem:* in der Kälte war der H. zu sehen. **b)** *leichter Luftzug:* ein sanfter, kühler H. **2.** *spürbares Vorhandensein, Wirkung (von etwas):* der H. der Vergangenheit. * **ein H. von** *(ein wenig):* einen H. von Rouge auftragen.

hauchdünn ⟨Adj.⟩: *sehr dünn, fein:* hauchdünne Strümpfe.

hauchen, hauchte, hat gehaucht: **1.** ⟨itr.⟩ *Hauch ausstoßen:* er hauchte gegen die gefrorene Fensterscheibe. **2.** ⟨tr.⟩ *nur sehr leise sprechen, flüstern:* die Braut hauchte ein leises Ja.

Haudegen, der; -s, -: *jmd., der verwegen kämpft; Draufgänger:* der alte Oberst war ein tapferer Soldat, ein richtiger H. gewesen.

Haue, die; -, -n: **1.** (südd.; östr.; schweiz.) *Hacke.* **2.** ⟨ohne Plural⟩ (ugs.): *leichte Prügel, Schläge:* H. kriegen, bekommen.

hauen, haute/hieb, hat gehauen: **1. a)** ⟨tr. haute, hat gehauen⟩ *schlagen; prügeln:* e[r] haute den Jungen. * **jmdn. übers Ohr h.** *(jmdn. betrügen)* **b)** ⟨itr. haute/(geh.) hieb, hat gehauen⟩ *schlagen (gegen, auf, in etwas):* der Betrunkene haute gegen die Tür. **c)** ⟨itr. hieb (ugs.) haute, gehauen⟩ *(mit einer Waffe) schlagen:* er hieb mi[t] dem Schwert auf den Feind. **2.** ⟨tr. haute, hat gehauen⟩ *(mit einem Werkzeug) etwas in etwas schlagen:* er haute den Nagel in die Wand; Stufen in de[n] Felsen h.

Hauer, der; -s, -: **I.** *Bergmann mit abgeschlossener Lehre* /Berufsbezeichnung/: die Arbeit de[s] Hauers unter Tage erfordert ei[n] Höchstmaß an körperliche[r] Gesundheit. **II.** *unterer Eckzahn des männlichen Wildschweins.*

Häufchen, das; -s, -: *kleine[r] Haufen:* ein H. Sand; (ugs.) der Hund machte ein H. *(einen kleinen Haufen Kot).* * (ugs.) **wie ein H. Elend** *(sehr niedergeschlagen).*

Haufen, der; -s, -: **1.** *Menge übereinanderliegender Dinge:* ei[n] H. Steine; alles auf einen H legen. * **etwas über den H. werfen** *(etwas, was geplant war, wieder ändern, zunichte machen)* die politischen Ereignisse habe[n] unsere Pläne über den H. geworfen. **2.** (ugs.) *eine große Menge:* ein H. Menschen sammelt[e] sich an.

häufen, häufte, hat gehäuft: **1** ⟨tr.⟩ *in größerer Menge sammeln, stapeln:* Vorräte h. **2.** ⟨rfl.⟩ *bedeutend zunehmen, mehr werden:* die alten Kartons häufe[n] sich im Keller; bildl.: die Klagen, Schulden häuften sich.

haufenweise ⟨Adverb⟩: *i[n] Haufen, in großen Mengen:* dieser Fabrikant hat h. Geld; di[e] Leute strömten h. ins Kino.

häufig ⟨Adj.⟩: *oft [vorkommend], sich oft wiederholend* häufige Krankheiten, Reisen er kam h. zu spät. **Häufigkeit** die; -.

Häufung, die; -, -en: **1.** *Anhäufung, Lagerung in große[n] Mengen:* die H. von landwirtschaftlichen Vorräten bei staatlichen Stellen. **2.** *häufigeres Vorkommen:* die H. von schwere[n] Verkehrsunfällen in der letzte[n] Zeit.

Haupt, das; -[e]s, Häupter (geh.): 1. *Kopf:* das H. neigen; er geht mit bloßem H. *(ohne Kopfbedeckung);* das H. des Löwen. 2. *Führer, wichtigste Person:* das H. der Familie, des Staates.

Hauptaugenmerk: ⟨in der Fügung⟩ sein H. auf jmdn./etwas richten: *jmdm/einer Sache. seine besondere Aufmerksamkeit widmen:* die Partei richtete ihr H. auf die kommende Wahl.

Hauptbahnhof, der; -[e]s, Hauptbahnhöfe; *größter [zentral gelegener] Bahnhof eines Ortes* (Abk.: Hbf.).

Hauptdarsteller, der; -s, -: *wichtigster Darsteller bei Theater oder Film:* der beste H. des Jahres erhielt einen Preis.

Häuptel, das; -s, -(östr.): *Kopf (von Salat oder Kraut); Knolle (der Zwiebel):* ein H. Salat anrichten.

Hauptfach, das; -[e]s, Hauptfächer: *wichtiges Fach in der Schule, beim Studieren:* er studiert Germanistik im H.

Hauptgewinn, der; -[e]s, -e: *größter Gewinn* /bei Verlosungen o. ä./: der H. des Preisausschreibens war ein Bungalow.

Häuptling, der; -s, -e: *Anführer eines Stammes, Vorsteher eines Dorfes bei primitiven Völkern:* der weise H. beschwichtigte seine Krieger; bildl. (scherzh.): der H. der Gewerkschaft.

Hauptmann, der; -[e]s, Hauptleute: *Offizier der dritten Stufe des Offiziersranges.*

Hauptperson, die; -, -en: *wichtigste Person einer [dramatischen] Dichtung:* die H. tritt im zweiten Akt nicht auf; bildl.: sie war die H. des Festes.

Hauptquartier, das; -[e]s, -e: *Sitz der Führung einer Armee:* die Offiziere wurden zu einer Besprechung ins H. gerufen; bildl.: während des Wahlkampfes schlug die Partei ihr H. in einem großen Hotel auf.

Hauptrolle, die; -, -n: *wichtigste Rolle in Schauspiel, Oper oder Film:* der bekannte Filmstar übernahm in dem Western die H. * **die H. in/bei etwas spielen** *(in/bei etwas führend sein):* in der Versammlung spielte der bekannte Politiker die H.

Hauptsache, die; -, -n: *etwas was in erster Linie beachtet, berücksichtigt werden muß; wichtigste Sache:* die H. während des Krieges war das Überleben* **in der H.** *(im wesentlichen):* in der H. sind es Jugendliche, die demonstrieren.

hauptsächlich ⟨Adj.; nicht prädikativ⟩: *wesentlich, besonders:* ein hauptsächlicher Bestandteil der Demokratie sind freie Wahlen; ihm fehlt es h. an Geld.

Hauptschuld, die; -: *größte Schuld:* bei dem Unfall traf den betrunkenen Fahrer die H.

Hauptschule, die; -, -n: *Fortsetzung der Grundschule, und zwar die Klassen 5–9.*

Hauptstadt, die; -, Hauptstädte: *Stadt mit dem Sitz der Regierung eines Staates* (Abk.: Hptst.).

Hauptstraße, die; -, -n: *breite, wichtige [Geschäfts]straße.*

Hauptverkehrsstraße, die; -, -n: *Straße für starken und schnellen Verkehr:* die H. war wegen Bauarbeiten gesperrt.

Haus, das; -es, Häuser: 1. *Gebäude:* ein modernes, baufälliges, einstöckiges H.; ein H. bauen, beziehen, bewohnen; bei dieser Oper haben wir ein ausverkauftes H. *(bei dieser Oper haben wir alle Karten für die Vorstellung verkauft).* * **das Hohe H.** *(das Parlament);* **das Weiße H.** *(das Regierungsgebäude der USA);* **zu Hause** *(in der eigenen Wohnung, im eigenen Haus);* **nach Hause** *(der eigenen Wohnung zu);* **von H. aus** *(ursprünglich);* **mit der Tür ins H. fallen** *(unvermittelt und ohne den anderen darauf vorzubereiten sagen, was man möchte).* 2. *Herrschergeschlecht:* das H. Habsburg.

Hausangestellte, die; -n, -n ⟨aber: [eine] Hausangestellte, Plural: Hausangestellte-⟩: *Angestellte für Arbeiten in einem Haushalt.*

Hausarbeit, die; -, -en: 1. *in der Wohnung zu verrichtende Arbeit bei der Führung eines Haushaltes:* jeden Morgen erledigt die Mutter die H. 2. *Hausaufgabe.*

Hausaufgabe, die; -, -n: *zu Hause zu erledigende Aufgabe für die Schule:* als der Junge seine Hausaufgaben gemacht hatte, durfte er spielen.

hausbacken ⟨Adj.⟩ (abwertend): *bieder, langweilig und ohne Reize:* ein hausbackenes Mädchen.

Häuschen, das; -s, -: 1. *kleines Haus:* der Rentner wohnte in einem H. am Rande der Stadt. 2. (ugs.; scherzh.) *Toilette:* aufs H. gehen. ** (ugs.) **[ganz] aus dem H. sein** *(außer sich, ganz aufgeregt sein):* bei der Nachricht von dem Sieg seiner Mannschaft war er ganz aus dem H.; (ugs.) **[ganz] aus dem H. geraten** *(außer sich geraten; ganz aufgeregt, fassungslos werden);* **jmdn. [ganz] aus dem H. bringen** *(jmdn. ganz aufgeregt machen):* dieser ständige Lärm bringt mich ganz aus dem H.

hausen, hauste, hat gehaust ⟨itr.⟩: 1. (abwertend) *[in dürftigen, ärmlichen Verhältnissen] wohnen:* nach dem Erdbeben hausten die Menschen in zerfallenen Häusern. 2. *wüten, große Unordnung machen:* der Sturm hat hier schlimm gehaust.

Häuserblock, der; -s, -s: *Block von zusammenhängend gebauten Häusern.*

Hausflur, der; -s, -e: *Vorraum, Gang, der sich zwischen der Haustür und der Treppe befindet.*

Hausfrau, die; -, -en: *Frau, die ihren Haushalt besorgt [und keinen Beruf ausübt].*

Hausfreund, der; -[e]s, -e: 1. *häufiger, vertrauter Gast einer Familie:* dieser alte H. besucht unsere Familie schon seit Jahren. 2. (scherzh.) *Liebhaber der Ehefrau:* als er von ihrem H. erfuhr, ließ er sich scheiden.

Hausfriedensbruch, der; -[e]s, Hausfriedensbrüche: *gegen das Gesetz verstoßendes Eindringen in Wohnung, Geschäft o. ä. eines anderen:* H. wird mit Geldstrafe oder Gefängnis bestraft.

Hausgebrauch, der; -[e]s: *Gebrauch im Haus[halt]:* dieser Staubsauger ist für den H. völlig ausreichend; bildl. (ugs.): diese Kenntnisse reichen für den H. *(für die durchschnittlichen Ansprüche des Alltags).*

Hausgehilfin, die; -, -nen: *Hausangestellte.*

Haushalt, der; -s, -e: 1. *gemeinsame Wirtschaft der in einer Gruppe lebenden Personen [bes.*

einer Familie]: jmdm. den H. führen. **2.** *Einnahmen und Ausgaben eines Staates o. ä.:* über den H. beraten.

haushalten, hält haus, hielt haus, hat hausgehalten ⟨itr.⟩: *sparsam umgehen (mit etwas):* er kann mit seinem Geld nicht h.; mit seinen Kräften h.

haushälterisch ⟨Adj.⟩: *sparsam, wirtschaftlich:* eine haushälterische Frau; bildl.: mit seinen Kräften h. umgehen.

Haushalt[s]geld, das; -[e]s: *zur Führung eines privaten Haushaltes erforderliches Geld:* die Mutter ging mit ihrem H. immer sparsam um.

Haushaltsplan, der; -[e]s, Haushaltspläne: *Plan für die Einnahmen und Ausgaben eines Staates o. ä.; Budget.*

Hausherr, der; -n, -en: **1.** *Haupt der Familie.* **2.** (südd.) *Besitzer, Vermieter eines Hauses.*

haushoch ⟨Adj.⟩: *sehr hoch:* die Flammen schlugen h. aus dem brennenden Flugzeug; bildl. (ugs.): die Mannschaft mußte eine haushohe Niederlage einstecken.

hausieren, hausierte, hat hausiert ⟨itr.⟩: *(mit etwas) handeln, indem man von Haus zu Haus geht und die Ware anbietet:* er hausierte mit bunten Tüchern; bildl.: mit seinen Ideen h. gehen *(allen davon erzählen, damit prahlen).*

Hausierer, der; -s, -: *Händler, der mit seinen Waren von Haus zu Haus geht.*

häuslich ⟨Adj.⟩: **1.** ⟨nur attributiv⟩ *die Familie, das Zuhause betreffend:* sie vernachlässigte ihre häuslichen Pflichten immer mehr. **2.** *das Zuhause und das Familienleben liebend:* mit der Zeit ist sie doch noch zu einer häuslichen Frau geworden. ***sich h. [bei jmdm.] niederlassen** *(für längere Zeit [bei jmdm.] wohnen bleiben):* die Verwandten scheinen sich bei uns h. niederlassen zu wollen. **Häuslichkeit,** die; -.

Hausmannskost, die; -: *einfaches, schlichtes, kräftiges Essen:* trotz aller Delikatessen geht ihm doch nichts über richtige H.; bildl.: diese Aufführung blieb H. *(von durchschnittlicher Qualität).*

Hausmeister, der; -s, -: *jmd., der angestellt ist, um das Haus in Ordnung zu halten.*

Hausmusik, die; -: *Musik, die im Kreis der Familie ausgeübt wird.*

Hausnummer, die; -, -n: *Nummer eines Gebäudes in einer bestimmten Straße:* bei der Anschrift bitte die H. nicht vergessen!

Hausrat, der; -[e]s: *alle Möbel und Geräte eines Haushalts.*

Hausschlüssel, der; -s, -: *Schlüssel für die Haustür.*

Hausschuh, der; -s, -e: *leichter, bequemer Schuh, den man zu Hause trägt.*

Haussegen: ⟨in der Wendung⟩ bei jmdm. hängt der H. schief (landsch.; scherzh.): *bei jmdm. herrscht Unfrieden in der Ehe oder Familie.*

Haussuchung, die; -, -en: *polizeiliche Durchsuchung eines Hauses oder einer Wohnung:* eine H. durchführen.

Haustier, das; -[e]s, -e: *zahmes Tier, das der Mensch [zum Nutzen] hält:* Rinder und Schafe gehören zu den nützlichsten Haustieren.

Haustür, die; -, -en: *[Haupt]eingang eines Hauses.*

Hauswart, der; -[e]s, -e: *Hausmeister.*

Hauswirt, der; -[e]s, -e: *Besitzer eines Hauses mit Mietwohnungen.*

Haut, die; -, Häute: **1.** *das den Körper eines Menschen oder eines Tieres umgebende schützende Gewebe; Hülle:* eine dünne, dicke, lederne H.; die H. des Menschen, des Aales. * (ugs.) **nur H. und Knochen sein** *(sehr mager sein);* (ugs.) **auf der faulen H. liegen** *(faul sein);* (ugs.) **aus der H. fahren** *(wütend werden);* (ugs.) **aus seiner H. nicht heraus können** *(sich nicht ändern können);* **mit H. und Haaren** *(ganz und gar):* die Katze verschlingt die Maus mit H. und Haaren. **2.** *dünne [umhüllende] Schicht:* die heiße Milch hat eine H.; die H. der Wurst, des Pfirsichs.

Hautarzt, der; -es, Hautärzte: *Facharzt für Erkrankungen der Haut.*

Hautcreme, die; -, -s: *Creme zur Pflege der Haut:* sie verteilte die H. auf ihre Hände.

häuten, häutete, hat gehäutet: **1.** ⟨tr.⟩ *einem Tier die Haut, das Fell abziehen:* einen Hasen häuten. **2.** ⟨rfl.⟩ *die Haut abstreifen:* die Schlange häutet sich.

hauteng ⟨Adj.⟩: *eng am Körper anliegend:* die Tänzerin trug ein hautenges Trikot.

Hautevolee [(h)o:tvo'le:], die; - (geh.): *die vornehme Gesellschaft:* die H. dieser Stadt hatte sich immer mehr abgekapselt.

Havarie, die; -, -n: **1.** *durch einen Unfall an einem Schiff oder dessen Ladung verursachter Schaden:* das Schiff setzte trotz der H. seine Fahrt fort. **2.** *durch einen Unfall entstandener Schaden an einem Flugzeug, Zug o. ä.:* das Flugzeug erlitt eine H.; (östr.; schweiz.) eine H. mit dem Auto haben.

Haxe, die; -, -n (südd.): *Hachse.*

Hearing ['hi:rɪŋ], das; -s, -s: *Sitzung einer Körperschaft, in der Fachleute, die keine Mitglieder dieser Körperschaft sind, zu bestimmten Problemen angehört werden:* der Bundestag hatte einige Experten zu einem H. geladen.

Hebamme, die; -, -n: *ausgebildete Helferin bei einer Geburt.*

Hebel, der; -s, -: **1.** *länglicher Körper, der sich um einen festen Punkt bewegen läßt und mit dem man eine Last heben kann* (siehe Bild). * **alle H. in Bewegung setzen** *(alle Möglichkeiten nutzen, um etwas zu erreichen).* **2.** *Griff zum Einschalten oder Steuern einer Maschine.*

Hebel 1.

heben, hob, hat gehoben ⟨tr.⟩ /vgl. gehoben/: **1.** *in die Höhe bewegen:* eine Kiste h.; die Hand [zum Schwur] h.; ein gesunkenes Schiff h. **2.** *etwas verbessern, steigern:* den Umsatz, die Stimmung h.

Hebung, die; -, -en: **1.** *Bergung, das An-die-Oberfläche-Bringen:* die H. eines Wracks, eines Schatzes. **2.** Geologie *das Sich-Erhöhen, Sich-nach-oben-Wellen des Bodens.* **3.** *Verbesserung, Steigerung:* die H. des

Umsatzes. **4.** *betonte Silbe in einem Vers* /Ggs. Senkung/: ein Vers mit vier Hebungen.

hecheln, hechelte, hat gehechelt ⟨itr.⟩: **1.** *mit offenem Maul und heraushängender Zunge hastig atmen* /von Hunden/: der Boxer lag hechelnd im Schatten. **2.** (ugs.) *kritisch, spöttisch reden:* alle Nachbarn haben über sie gehechelt.

Hecht, der; -[e]s, -e: /ein Raubfisch (siehe Bild). * (ugs.) **der H. im Karpfenteich sein** *(derjenige sein, der andere nicht zur Ruhe kommen läßt).*

Hecht

hechten, hechtete, ist gehechtet ⟨itr.⟩: *einen Hechtsprung machen:* der Torwart hechtete nach dem Ball; der Junge ist in das Wasser gehechtet.

Hechtsprung, der; -[e]s, Hechtsprünge: *Sprung, bei dem der Körper waagerecht gestreckt in der Luft ist* (siehe Bild): mit einem eleganten H. sprang er ins Wasser.

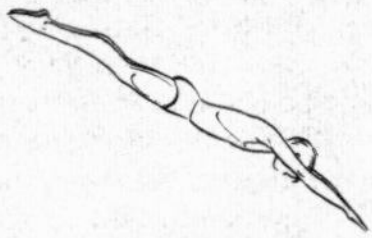

Hechtsprung

Heck, das; -s, -s und -e: *hinterer Teil des Schiffes.*

Hecke, die; -, -n: *dicht in einer Reihe stehende Sträucher:* die H. [be]schneiden.

Heckenrose, die; -, -n: /eine Pflanze/ (siehe Bild).

Heckenrose

Heckenschütze, der; -n, -n (abwertend): *Schütze, der aus dem Hinterhalt, einem Versteck schießt.*

Heer, das; -[e]s, -e: **1.** *alle Truppen eines Staates, Armee:* ein siegreiches H.; ein H. aufstellen. **2.** *große Menge:* ein H. von Beamten.

Hefe, die; -: *Mittel, das beim Backen zum Treiben, Aufgehen des Teigs und bei der Herstellung von Bier zum Gären verwendet wird.*

Hefeteig, der; -[e]s: *unter Verwendung von Hefe hergestellter Teig.*

Heft, das; -[e]s, -e: **I. a)** *zusammengeheftete und mit einem Einband versehene Blätter aus Papier, auf die geschrieben werden kann, vor allem für die Schule* (siehe Bild): der Lehrer sammelte die Hefte ein. **b)** *einzelne Nummer einer Zeitschrift; dünnes Buch:* von dieser Zeitschrift sind nur drei Hefte erschienen. **II.** (geh.) *Griff an einer Stichwaffe o. ä.* (siehe Bild): das H. des Messers. * **das H. in der Hand haben** *(anderen gegenüber die Macht behaupten und bestimmen, was gemacht werden soll):* der Vater hat noch immer das H. in der Hand.

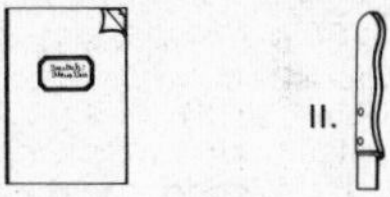

Heft

heften, heftete, hat geheftet ⟨tr.⟩: **1.** *mit Nadeln, Klammern o. ä. befestigen, locker verbinden:* er heftete das Foto an den Brief. **2.** *mit großen Stichen lose nähen (für die Anprobe):* den Saum am Kleid h. * **sich an jmds. Fersen h.** *(jmdm. folgen).*

heftig ⟨Adj.⟩: **a)** *stark, gewaltig:* ein heftiger Sturm; heftige Schmerzen. **b)** *unwillig und unbeherrscht; jähzornig:* h. reagieren; er wird leicht h. **Heftigkeit,** die; -.

Heftpflaster, das; -s, -: *Pflaster für Wunden, das in der Mitte einen Streifen aus Mull o. ä. hat und das die Luft durchläßt:* er klebte ein H. auf die Wunde.

Hegemonie, die; -, -n: *Vorherrschaft [eines Staates o. ä.], Überlegenheit:* die militärische, kulturelle H.

hegen, hegte, hat gehegt ⟨tr.⟩ (geh.): **1.** *behüten und pflegen:* der Jäger hegt das Wild. **2.** *(etwas) in sich tragen, empfinden:* Liebe, Haß h.; ⟨als Funktionsverb⟩ Zweifel, Wünsche h. *(zweifeln, wünschen).*

Hehl: ⟨in der Wendung⟩ kein/ (auch:) keinen H. aus etwas machen: *etwas nicht verheimlichen, verbergen:* er machte aus seiner Freude kein H.

Hehler, der; -s, -: **a)** *jmd., der Gestohlenes heimlich von jmdm. erwirbt und wieder verkauft.* **b)** *heimlicher Mitwisser (beim Diebstahl).*

hehr ⟨Adj.⟩ (geh.): *erhaben, Ehrfurcht einflößend:* ein hehrer Augenblick.

Heide: **I.** der; -n, -n: *Nichtchrist (außer Juden und Mohammedanern).* **II.** die; -, -n: *[trockene] weite Landschaft, in der nur Sträucher und Gräser wachsen:* die blühende, unfruchtbare H.

Heidelbeere, die; -, -n: /eine blaue bis schwarze Beere/ (siehe Bild): Heidelbeeren sammeln, pflücken.

Heidelbeere

Heiden...: ⟨emotional verstärkend als Bestimmungswort von Substantiven⟩: *sehr viel, sehr groß, sehr stark:* Heidengeld, Heidenlärm, Heidenrespekt.

heidnisch ⟨Adj.⟩: **1.** *von Heiden stammend, geprägt:* heidnische Bräuche. **2.** *aus Heiden bestehend:* eine heidnische Bevölkerung.

heikel ⟨Adj.⟩: **1.** *bedenklich, schwierig, peinlich:* ein heikles Thema; er geriet in eine heikle Situation. **2.** ⟨nicht adverbial⟩ (bes. südd., östr.) *[beim Essen] wählerisch:* sei nicht so h.!

heil ⟨Adj.⟩: **a)** *unverletzt, unbeschädigt:* er hat den Unfall h. überstanden. **b)** *gesund:* das Knie ist wieder h. **c)** (ugs.) *ganz, nicht zerrissen:* er hatte kein heiles Hemd.

Heil, das; -[e]s: **1.** (geh.) *Glück, Wohlbefinden, Wohlergehen:* diese Entwicklung gereichte ihr zum Heil[e]. * **sein H.**

versuchen *(versuchen, ob man [bei jmdm.] Erfolg, Glück hat):* schließlich versuchte der Arbeitslose sein H. in einer großen Stadt; **sein H. in der Flucht suchen** *(fliehen, davonlaufen):* der Junge bekam es mit der Angst zu tun und suchte sein H. in der Flucht. **2.** Rel. *Gnade, ewige Seligkeit:* das H. der Seele.

Heiland, der; -[e]s, -e: **1.** ⟨ohne Plural⟩ *Christus als Erlöser der Menschen:* der gekreuzigte H. **2.** (geh.) *Erlöser, Retter, Helfer:* mit diesem Unglück kam die Stunde der falschen Heilande.

heilbar ⟨Adj.; nicht adverbial⟩: *so beschaffen, daß eine Heilung möglich ist:* diese Krankheit ist h.

heilen, heilte, hat/ist geheilt: **1.** ⟨tr.⟩ **a)** *gesund machen:* er hat den Kranken geheilt. **b)** *[mit Medikamenten o. ä.] erfolgreich behandeln:* der Arzt hat die Krankheit geheilt. **2.** ⟨itr.⟩ *vergehen, verschwinden* /in bezug auf eine Verletzung/: die Wunde ist langsam geheilt.

heilfroh: ⟨in der Verbindung⟩ h. sein: *sehr froh sein (daß man etwas Unangenehmes hinter sich gebracht hat oder ihm entgehen konnte):* ich bin h., daß die Prüfung vorbei ist.

heilig ⟨Adj.⟩: *(von Gott) geweiht, gesegnet:* das heilige Abendmahl. * **der Heilige Abend** *(Abend, Tag vor dem ersten Weihnachtstag);* **etwas ist jmdm. h.** *(jmd. respektiert etwas):* deine Gefühle sind mir h.

Heiligabend, der; -s, -e: *Abend, Tag vor dem ersten Weihnachtstag.*

Heilige, der; -n, -n ⟨aber: [ein] Heiliger, Plural: Heilige⟩: Rel. kath. *Verstorbener, der entweder sein Leben für seinen Glauben hingab (Märtyrer) oder den christlichen Tugenden im heroischen Maße gemäß lebte und deshalb von den Gläubigen verehrt und um Vermittlung bei Gott angerufen werden darf:* der Märtyrer wurde vom Papst zum Heiligen erklärt; er war auch nicht gerade ein Heiliger; bildl. (ugs.): er war schon ein komischer Heiliger *(Sonderling).*

heiligen, heiligte, hat geheiligt ⟨tr.⟩: **1.** (geh.) *heilig machen:* eine Stätte h. **2.** *als heilig achten:* den Sonntag h.; ⟨häufig im 2. Partizip⟩ der Verstoß gegen ein geheiligtes Recht.

Heiligenschein, der; -[e]s, -e: *heller, leuchtender Kranz von Strahlen, der auf Darstellungen den Kopf von Heiligen oder göttlichen Personen umgibt:* Christus wird oft mit einem H. dargestellt. * (abwertend) **jmdn./sich mit einem H. umgeben** *(jmdn. / sich im übertriebenen Maße verherrlichen).*

heilighalten, hält heilig, hielt heilig, hat heiliggehalten ⟨tr.⟩ (geh.): *wie etwas Heiliges achten, verehren:* er hielt das Andenken an seine verstorbene Frau heilig.

Heiligtum, das; -s, Heiligtümer; *heiliger, der Verehrung würdiger Ort/Gegenstand:* diese Kirche ist ein großes H. aller Christen; bildl. (ugs.): seine Sammlung alter Waffen war sein H. *(höchster, wertvollster Besitz).*

heilkräftig ⟨Adj.⟩: *die Heilung fördernd:* die Kamille ist eine heilkräftige Pflanze.

heillos ⟨Adj.; nicht prädikativ⟩: *sehr groß, ungeheuer, furchtbar:* auf seinem Schreibtisch herrschte ein heilloses Durcheinander.

Heilmittel, das; -s, -: *Mittel zum Heilen von Krankheiten; Medikament.*

Heilpflanze, die; -, -n: *Pflanze mit heilkräftiger Wirkung:* Fenchel ist eine H.

Heilquelle, die; -, -n: *Quelle, deren Wasser heilkräftig ist:* täglich badeten die Kranken in dem Wasser der H.

heilsam ⟨Adj.⟩: *nützlich dadurch, daß man aus schlechter Erfahrung die Lehre zieht:* es war mir eine heilsame Lehre, Mahnung; diese Erfahrung war für mich h.

Heilstätte, die; -, -n: *spezielle Klinik zur längeren Behandlung bes. von Personen, die an der Lunge erkrankt sind:* ihm wurde vom Arzt ein längerer Aufenthalt in einer H. verordnet.

Heilung, die; -, -en: **1.** *das Gesundmachen:* diese H. durch neuartige Methoden erregte Aufsehen. **2.** *das Gesundwerden, Genesung:* die H. macht gute Fortschritte.

heim ⟨Adverb⟩: *nach Hause;* ⟨oft zusammengesetzt mit Verben, die eine Bewegung ausdrücken⟩ heimfahren, heimgehen, heimholen, heimschikken, heimtragen.

Heim, das; -[e]s, -e: **1.** (geh.) ⟨ohne Plural⟩ *ständige Wohnung [in der man sich wohlfühlt]:* ein gemütliches H. **2.** *Haus, Unterkunft einer Gruppe von Menschen:* die alten Leute wohnten in einem H.

Heimarbeit, die; -: *in jmds. Auftrag übernommene, bezahlte Arbeit, die zu Hause verrichtet wird:* das Spielzeug war in H. hergestellt worden.

Heimat, die; -: *Bereich, Land, wo jmd. zu Hause ist, woher jmd./etwas stammt:* die Gastarbeiter reisten in ihre H. zurück; er hat in Deutschland eine neue H. gefunden; die H. der Kartoffel ist Amerika.

Heimatland, das; -[e]s, Heimatländer: *Land, in dem jmds. Heimat liegt:* sein H. ist Österreich.

heimatlich ⟨Adj.; nicht prädikativ⟩: **1.** *zur Heimat gehörend:* die heimatlichen Bräuche haben sie selbst in der Fremde nicht aufgegeben. **2.** *die Heimat betreffend:* die heimatliche Verbundenheit.

Heimatvertriebene, der; -n, -n ⟨aber: [ein] Heimatvertriebener, Plural: Heimatvertriebene⟩: *jmd., der nach dem zweiten Weltkrieg gezwungen worden ist, seine Heimat zu verlassen.*

heimbringen, brachte heim, hat heimgebracht ⟨tr.⟩ (landsch.): *nach Hause bringen:* er hat seine Verlobte am Abend noch schnell heimgebracht.

heimfahren, fährt heim, fuhr heim, hat/ist heimgefahren (landsch.): **1.** ⟨itr.⟩ *nach Hause fahren:* ich bin übers Wochenende heimgefahren. **2.** ⟨tr.⟩ *mit einem Fahrzeug nach Hause bringen:* er hat mich mit seinem Auto heimgefahren.

heimgehen, ging heim, ist heimgegangen ⟨itr.⟩: **a)** (landsch.): *nach Hause gehen:* wir sind von dem Fest sofort heimgegangen. **b)** (geh.) *sterben:* der kranke alte Mann ist in der Nacht heimgegangen.

heimisch ⟨Adj.⟩: **a)** ⟨nicht adverbial⟩ *aus der Heimat stammend:* die heimischen Pflanzen; die Produkte der heimischen *(inländischen)* Industrie.

b) ⟨nicht attributiv⟩ *wie zu Hause:* er fühlte sich, war, wurde in der fremden Stadt h.

Heimkehr, die; -: *Rückkehr.*

heimkehren, kehrte heim, ist heimgekehrt ⟨itr.⟩: *[nach langer Zeit] nach Hause zurückkommen.*

Heimkehrer, der; -s, -: *Soldat, der aus der Gefangenschaft in die Heimat zurückkehrt.*

heimleuchten, leuchtete heim, hat heimgeleuchtet ⟨itr.⟩ (ugs.): *(jmdn.) grob wegjagen; zurechtweisen, derb abfertigen:* der Wirt hat dem Betrunkenen ganz schön heimgeleuchtet.

heimlich ⟨Adj.⟩: *geheim; verborgen:* eine heimliche Zusammenkunft; sie trafen sich h. **Heimlichkeit,** die; -, -en.

Heimlichtuer, der; -s - (ugs.): *jmd., der vieles geheimnisvoll behandelt und im verborgenen tut:* bei diesem H. weiß man nie, woran man ist.

heimsuchen, suchte heim, hat heimgesucht ⟨tr.⟩: *als Unglück (über jmdn.) kommen; befallen:* eine schwere Krankheit suchte ihn heim; das Land wurde von einem schweren Unwetter heimgesucht. **Heimsuchung,** die; -, -en.

Heimtücke, die; -: *Hinterlist, Bosheit:* der Mörder hatte sein Opfer voller H. von hinten erschlagen.

heimtückisch ⟨Adj.⟩: *hinterhältig, böse:* ein heimtückischer Mensch; eine heimtückische *(bösartige)* Krankheit.

Heimweg, der; -[e]s, -e: *Weg nach Hause:* er ist auf dem H. verunglückt. * **sich auf den H. machen** *(nach Hause gehen):* ich verabschiedete mich und machte mich auf den H.

Heimweh, das; -s: *sehnsüchtiger Wunsch, zu Hause zu sein.*

heimzahlen, zahlte heim, hat heimgezahlt ⟨tr.⟩: *angetanes Übel [in gleicher Weise] vergelten; rächen:* ich werde es dir schon h.!

Heinzelmännchen, die ⟨Plural⟩: *Zwerge, die heimlich nachts Arbeiten verrichten und so den Menschen helfen* /im deutschen Volksglauben/: die H. zu Köln; bildl.: die H. *(Hilfen)* des modernen Haushalts sind Maschinen.

Heirat, die; -, -en: *Verbindung von Mann und Frau zu einer Ehe; Vermählung.*

heiraten, heiratete, hat geheiratet ⟨tr./itr.⟩: *eine Ehe schließen; sich vermählen:* sie hat [ihren Mann] früh, jung, aus Liebe geheiratet.

Heiratsantrag, der; -[e]s, Heiratsanträge: *Frage eines Mannes an eine Frau, ob sie einer Heirat mit ihm zustimme:* er machte dem Mädchen einen H.

Heiratsanzeige, die; -, -n: **1.** *Benachrichtigung in Form einer gedruckten Karte, in der man seine Heirat bekanntgibt:* wir schickten an alle Verwandten und Bekannten Heiratsanzeigen. **2.** *Anzeige in der Zeitung o. ä., in der man einen geeigneten Partner für die Ehe sucht:* der Junggeselle setzte eine H. in die Zeitung.

Heiratsschwindler, der; -s, -: *Mann, der sich durch die Vorspiegelung, die Ehe mit einer Frau eingehen zu wollen, finanzielle Vorteile verschafft:* der H. wurde gefaßt und bestraft.

heischen, heischte, hat geheischt ⟨tr.⟩ (geh.; veralt.): *gebieterisch verlangen, fordern:* der Richter heischte eine Erklärung für das Verhalten des Angeklagten.

heiser ⟨Adj.⟩: *rauh; nicht mit klarer Stimme sprechen könnend:* eine heisere Stimme; weil er h. ist, kann er nicht singen.

heiß ⟨Adj.⟩: **1.** *sehr warm* /Ggs. kalt/: heiße Würstchen; ein heißer Sommer. * **etwas ist nur ein Tropfen auf den heißen Stein** *(etwas ist zu wenig, kaum spürbar);* **ein heißes Eisen** *(eine heikle Sache, mit der man sich nur ungern beschäftigt):* die Forderung nach Mitbestimmung ist ein heißes Eisen; **um etwas herumgehen wie die Katze um den heißen Brei** *(zögern, etwas Unangenehmes vorzubringen, zu sagen).* **2.** *leidenschaftlich, erregend:* ein heißer Kampf; sich h. nach jmdm. sehnen; heiße Rhythmen.

heiß..., Heiß...: ⟨als Bestimmungswort vor Adjektiven und Substantiven⟩: *sehr stark, heftig:* heißgeliebt, heißumstritten, Heißhunger.

heißblütig ⟨Adj.⟩: *leidenschaftlich, voll Temperament:* ein heißblütiger Liebhaber.

heißen, hieß, hat geheißen/(nach vorangehendem Infinitiv auch) hat... heißen: **1.** ⟨itr.⟩ *den Namen haben; genannt werden:* er heißt Wolfgang. **2.** ⟨itr.⟩ *bedeuten:* was soll das h.? Ich kann es nicht lesen; heißt das, daß ich gehen soll?; jetzt heißt es *(ist es nötig),* bereit [zu] sein; ⟨häufig als Erklärung oder Einschränkung von etwas vorher Gesagtem in der Fügung⟩ das heißt (Abk. d. h.): ich komme morgen zu dir, das heißt, wenn ich nicht selbst Besuch habe. **3.** ⟨tr.⟩ *nennen; bezeichnen (als etwas):* er heißt ihn einen Betrüger. * **willkommen h.** *(begrüßen).* **4.** ⟨tr.⟩ *befehlen:* wer hat dich geheißen, das zu tun?; wer hat dich kommen h.? ** **es heißt** *(man sagt):* es heißt, er wolle nächste Woche kommen.

Heißsporn, der; -[e]s, -e: *hitziger, leicht erregbarer Mensch:* nur mit Mühe konnte man die Heißsporne besänftigen.

heiter ⟨Adj.⟩: **a)** *froh, lustig, vergnügt:* eine heitere Geschichte; ein heiteres Gemüt. **b)** *klar, sonnig; nicht trübe* /vom Wetter/: h. bis wolkig. **Heiterkeit,** die; -.

heizbar ⟨Adj.; nicht adverbial⟩: *zu heizen, mit einer Möglichkeit zum Heizen versehen:* das Zimmer war nicht h.

heizen, heizte, hat geheizt: **1.** ⟨tr.⟩ **a)** *(einen Raum) erwärmen:* eine Wohnung h. **b)** *Feuer machen (in etwas):* den Ofen h. **2.** ⟨itr.⟩ *Wärme hervorbringen, erzeugen* /vom Ofen o. ä./: der Ofen heizt gut.

Heizer, der; -s, -: *jmd., der eine Heizung bedient* /Berufsbezeichnung/: für die Fabrik wird ein H. gesucht.

Heizkissen, das; -s, -: *elektrisch heizbares, flaches Kissen:* der Kranke schlief mit einem H.

Heizkörper, der; -s, -: *aus Metall hergestellter hohler Körper, der an die Heizung angeschlossen wird und die Wärme an einen Raum abgibt:* in dem Neubau wurden die H. montiert.

Heizung, die; -, -en: *Anlage, Gerät zum Heizen.*

hektisch ⟨Adj.⟩: *übertrieben eilig; gehetzt:* auf der Straße herrschte ein hektisches Treiben.

Hẹld, der; -en, -en: **1.** *Mensch, der sich durch besondere Tapferkeit auszeichnet:* ein kühner H. **2.** *Hauptperson [einer Dichtung usw.]:* der tragische, jugendliche H.

hẹldenhaft ⟨Adj.⟩: *sehr kühn; tapfer; wie ein Held:* er führte einen heldenhaften Kampf.

Hẹldentat, die; -, -en: *heldenhafte Tat:* die H. des selbstlosen Retters verdient höchste Anerkennung.

Hẹldentum, das; -s: *heldenhaftes Verhalten, Tapferkeit:* das H. der Verteidiger.

hẹlfen, hilft, half, hat geholfen/(nach vorangehendem Infinitiv auch) hat ... helfen ⟨itr.⟩: **1.** *(jmdn.) unterstützen; bei etwas behilflich sein:* sie half ihrem Bruder bei den Schulaufgaben; ich habe ihm tragen helfen/geholfen. **2.** *nützen:* das Mittel hilft gegen Schmerzen; seine Lügen halfen ihm nicht. *** sich** (Dativ) **zu h. wissen** *(einen Ausweg finden, wenn etwas fehlt, was zur Ausführung von etwas erforderlich ist).*

Hẹlfer, der; -s, -: *jmd., der einem anderen bei etwas hilft:* bei der Katastrophe wurden auch viele freiwillige H. eingesetzt.

Hẹlfershelfer, der; -s, - (abwertend): *jmd., der einem anderen bei der Ausführung einer unrechten Tat hilft:* der Ganove und seine H. wurden vor Gericht gestellt.

Helikọpter, der; -s, -: *Hubschrauber.*

hẹll ⟨Adj.⟩: **1. a)** *viel Licht ausstrahlend:* eine helle Lampe. **b)** *von Licht erfüllt:* ein heller Raum. **2.** *nicht dunkel* /von der Farbe/: ein helles Blau. **3.** *hoch im Ton:* eine helle Stimme. **4.** *ganz, völlig:* ich war h. begeistert.

Hẹller: ⟨in den Wendungen⟩ (ugs.) **keinen [roten] H. wert sein** *(nichts wert sein);* (ugs.) **keinen [roten/lumpigen] H. [mehr] haben/besitzen** *(kein Geld [mehr] haben);* (ugs.) **keinen H. für jmdn./etwas geben** *(für jmds./einer Sache Zukunft das Schlimmste befürchten);* (ugs.) **etwas auf H. und Pfennig bezahlen** *(etwas ganz, bis auf den letzten Rest bezahlen):* er hat seine Schulden auf H. und Pfennig bezahlt.

hẹllhörig ⟨Adj.⟩: **1.** *den Schall leicht durchlassend, gegen den Schall nicht oder nur unzureichend isoliert:* in dieser hellhörigen Wohnung versteht man jedes laute Wort, das nebenan gesprochen wird. **2.** *fähig, aus einer kleinen Andeutung auf etwas zu schließen:* ein sehr gewitzter und hellhöriger Detektiv; h. *(stutzig)* werden.

hẹllicht: ⟨in der Fügung⟩ am hellichten Tag[e]: *am hellen Tag (wo man es sonst nicht erwartet):* das Verbrechen geschah am hellichten Tag[e].

Hẹlligkeit, die; -: *das Hellsein:* er mußte seine Augen erst an die H. gewöhnen.

Hẹllseher, der; -s, -: *jmd., der zukünftige oder nicht wahrnehmbare, weit entfernte Ereignisse zu sehen behauptet:* der H. hatte ihm den Unfall vorausgesagt.

Hẹlm, der; -[e]s, -e: *vor Verletzungen schützende Kopfbedekkung* (siehe Bild): Motorradfahrer, Bauarbeiter und Bergleute tragen bei ihrer Tätigkeit Helme; (hist.) der Ritter nahm den H. ab.

Helm

Hẹmd, das; -es, -en: *Teil der Wäsche zur Bekleidung des Oberkörpers:* ein reines H. anziehen; (abwertend) die Freunde wie das H. wechseln *(oft wechseln).*

hẹmdsärmelig ⟨Adj.⟩: **1.** *ohne Jacke, den Oberkörper nur mit einem Hemd bekleidet:* bei der Hitze gingen wir h. spazieren. **2.** (ugs.) *salopp, leger, ungezwungen:* die hemdsärmelige Art des Politikers spricht die einfachen Leute an.

Hemisphä̲re, die; -, -n: *die eine der bei einem gedachten horizontalen Schnitt entstehenden Hälften der Erde:* die nördliche, südliche H.; bildl. (geh.): dieses Land gehört zur westlichen, östlichen H. *(Block, der auf Grund der verschiedenen politischen Systeme im Westen und im Osten entstanden ist).*

hẹmmen, hemmte, hat gehemmt ⟨tr.⟩: *in der Bewegung, Entwicklung aufhalten, behindern:* eine Entwicklung h.; den Fortschritt h.

Hẹmmnis, das; -ses, -se: *das Hemmende, Hindernis:* seinem Plan standen einige Hemmnisse im Wege.

Hẹmmung, die; -, -en: **1.** *seelische Unfähigkeit, frei und ungezwungen zu handeln:* Hemmungen haben; er kann sich von seinen Hemmungen nicht lösen; wenn er betrunken war, verlor er jede H. **2.** *Behinderung einer Bewegung, eines Vorgangs:* eine H. des Wachstums.

hẹmmungslos ⟨Adj.⟩: *ohne moralische oder sittliche Bedenken:* ein hemmungsloser Mensch; er gab sich h. seinen Leidenschaften hin.

Hẹngst, der; -es, -e: *männliches Tier* /bes. beim Pferd/.

Hẹnkel, der; -s, -: *[gebogener] Griff zum Heben oder Tragen:* der H. der Tasse ist abgebrochen.

Hẹnker, der; -s, -: *jmd., der ein Todesurteil vollstreckt.*

Hẹnkersmahlzeit, die; -, -en (scherzh.): *letzte Mahlzeit vor einem Abschied, der einem schwerfällt.*

Hẹnne, die; -, -n: *weibliches Tier mancher Vögel, bes. das weibliche Huhn:* die H. gackert, legt ein Ei.

hẹr ⟨Adverb⟩: **1.** ⟨räumlich⟩ *von dort nach hier:* h. mit dem Geld! ⟨oft zusammengesetzt mit Verben⟩ herfahren, hertragen. **2.** ⟨zeitlich⟩ *zurückliegend:* es ist schon drei Jahre h. *** von alters h.** *(seit langem).*

herạb ⟨Adverb⟩: *von dort oben nach hier unten; herunter;* ⟨oft zusammengesetzt mit Verben⟩ herablaufen, herabsteigen.

herạbblicken, blickte herab, hat herabgeblickt ⟨itr.⟩: *(jmdn.) abschätzig und mit dem Gefühl der eigenen Überlegenheit ansehen:* mit Verachtung blickte er auf diese Geschöpfe herab.

herạbflehen, flehte herab, hat herabgefleht ⟨tr.⟩ (geh.): *flehentlich (um etwas für jmdn.) bitten:* die Mutter flehte Gottes Segen auf ihren Sohn herab.

herạblassend ⟨Adj.⟩ (abwertend): *gönnerhaft, arrogant:* der Direktor grüßte mich h.

herạbsetzen, setzte herab, hat herabgesetzt ⟨tr.⟩: **1.** *nied-*

riger machen, verringern, senken: bei Nebel muß man die Geschwindigkeit seines Fahrzeuges erheblich h.; ⟨häufig im 2. Partizip⟩ herabgesetzte Preise. **2.** *jmds. Leistung, Verdienst o. ä. abwerten, schmälern:* er hat ihre Verdienste herabgesetzt; ⟨häufig im 1. Partizip⟩ herabsetzend über jmdn. reden.

heran ⟨Adverb⟩: *von dort nach hier;* ⟨oft zusammengesetzt mit Verben⟩ heranbringen, herantreten.

heranbilden, bildete heran, hat herangebildet: **1.** ⟨tr.⟩ *in einer besonderen Weise und auf ein bestimmtes Ziel hin ausbilden:* die Firma hat [sich (Dativ)] eigenen Nachwuchs herangebildet. **2.** ⟨rfl.⟩ *entstehen, sich entwickeln:* mit diesem jungen Sportler scheint sich ein Talent heranzubilden.

heranbringen, brachte heran, hat herangebracht ⟨tr.⟩: *in die Nähe (von jmdm.) bringen:* der Hund hat den Hasen im Maul herangebracht; bildl.: man sollte die Schüler vorsichtig an diese Probleme h. *(sie mit ihnen langsam vertraut machen).*

herangehen, ging heran, ist herangegangen ⟨itr.⟩: **1.** *sich mit wenigen Schritten (jmdm./einer Sache) nähern:* er ging an das Schaufenster heran und betrachtete die Auslagen näher. **2.** *(mit etwas) beginnen:* mutig ist er an diese schwierige Aufgabe herangegangen.

herankommen, kam heran, ist herangekommen ⟨itr.⟩: **1.** *sich nähern, näher kommen:* ich beobachtete, wie er langsam herankam; nun ist die Zeit der langen Abende wieder herangekommen; bildl. (ugs.): an diesen Einzelgänger ist nur schwer heranzukommen *(er ist unnahbar, unzugänglich).* **2.** *(etwas) erreichen können; die Möglichkeit haben, (etwas) in seinen Besitz zu bringen:* er kam mit der Hand nicht an den Hebel heran; kommst du an verbotene Bücher heran?

heranmachen, sich; machte sich heran, hat sich herangemacht (ugs.): **1.** *sich (jmdm.) in einer bestimmten Absicht nähern:* er hat sich an das Mädchen herangemacht *(hat versucht, ihre Bekanntschaft zu machen, ihre Zuneigung zu gewinnen).* **2.** *(mit etwas) beginnen, anfangen:* schließlich hat man sich doch an diese Aufgabe herangemacht.

heranreichen, reichte heran, hat herangereicht ⟨itr.⟩: *(etwas) erreichen:* das Mädchen konnte mit den Händen nicht an das Regal h.; bildl.: der Läufer hat nicht an seine frühere Form herangereicht.

heranreifen, reifte heran, ist herangereift ⟨itr.⟩: *reifen, den Zustand der Reife allmählich erreichen:* der Jugendliche ist zum Erwachsenen herangereift; bildl.: diese Entscheidungen müssen erst langsam h.

herantragen, trägt heran, trug heran, hat herangetragen ⟨tr.⟩: **1.** *in die Nähe (von jmdm./etwas) tragen:* die Arbeiter trugen schwere Steine heran. **2.** *(jmdm./einer Sache) zur Kenntnis bringen; (jmdn./etwas über etwas) informieren:* die Bürger haben ihre Wünsche an den Rat herangetragen.

herantreten, tritt heran, trat heran, ist herangetreten ⟨itr.⟩: **1.** *sich mit wenigen Schritten (jmdm./einer Sache) nähern:* der Arzt trat näher an das Bett des Kranken heran; bildl.: mit diesem Angebot trat eine große Versuchung an ihn heran. **2.** *sich (an jmdn. mit etwas) wenden:* man trat an ihn mit der Bitte heran, sich mehr um das kulturelle Leben der Stadt zu kümmern.

heranwachsen, wächst heran, wuchs heran, ist herangewachsen ⟨itr.⟩: *allmählich groß, erwachsen werden:* das Mädchen ist zur Frau herangewachsen; ⟨häufig im 1. Partizip⟩ die heranwachsende Jugend.

heranwagen, sich; wagte sich heran, hat sich herangewagt: **1.** *wagen, sich (jmdm./einer Sache) zu nähern:* das Kind wagte sich nicht an den knurrenden Hund heran. **2.** *den Mut haben, (etwas) zu beginnen:* er hat sich an dieses schwierige Unternehmen nicht herangewagt.

heranziehen, zog heran, hat/ist herangezogen: **1. a)** ⟨tr.⟩ *in die Nähe (von jmdm./etwas) ziehen:* er hat den Sessel näher an die Couch herangezogen. **b)** ⟨itr.⟩ *sich nähern:* von den Bergen ist ein Gewitter herangezogen. **2.** ⟨tr.⟩ **a)** *zum Gedeihen bringen, aufziehen:* man hat die Pflanzen, die jungen Tiere sorgsam herangezogen. **b)** *heranbilden:* der Betrieb hat [sich (Dativ)] seinen eigenen Nachwuchs herangezogen. **3.** ⟨tr.⟩ **a)** *hinzuziehen:* zur Klärung dieser Fragen hat man Sachverständige herangezogen. **b)** *(bei etwas) einsetzen:* zu diesen Arbeiten hat man ausländische Arbeitskräfte herangezogen. **c)** *in Betracht ziehen, erwägen, berücksichtigen:* bei der Beurteilung dieses Falles hatte man alle möglichen Gesichtspunkte herangezogen; etwas zum Vergleich h.

herauf ⟨Adverb⟩: *von dort unten nach hier oben;* ⟨oft zusammengesetzt mit Verben⟩ heraufﬂiegen, heraufkommen.

heraufarbeiten, sich; arbeitete sich herauf, hat sich heraufgearbeitet: *sich emporarbeiten:* er hat sich vom Lehrling zum Direktor heraufgearbeitet.

heraufbeschwören, beschwor herauf, hat heraufbeschworen ⟨tr.⟩: **1.** *durch [unüberlegte, unbedachte] Handlungen (ein Unglück) verursachen:* die Äußerungen des Ministers beschworen eine ernste Krise herauf. **2.** *[zur Mahnung] in Erinnerung rufen:* der Redner beschwor die Schrecken des letzten Krieges herauf.

heraus ⟨Adverb⟩: *von dort drinnen nach hier draußen;* ⟨oft zusammengesetzt mit Verben⟩ heraustreten, herausziehen.

herausarbeiten, arbeitete heraus, hat herausgearbeitet: **1.** ⟨tr.⟩ **a)** *so gestalten, daß es sich [von dem Ganzen] plastisch abhebt:* das Gesicht der Plastik war sehr scharf herausgearbeitet. **b)** *(das, worauf es ankommt) deutlich, sichtbar machen:* der Kritiker hat den Unterschied zwischen den beiden Aufführungen gut herausgearbeitet. **2.** ⟨rfl.⟩ *sich unter Anstrengungen (von etwas) frei machen, (aus etwas) befreien:* wir konnten uns nur mühsam aus dem überfüllten Saal h. **3.** ⟨tr.⟩ (ugs.) *(Arbeitszeit) vor- oder nacharbeiten:* die ausgefallene Stunde mußte nach Feierabend herausgearbeitet werden.

herausbekommen, bekam heraus, hat herausbekommen ⟨tr.⟩: **1.** *entfernen [können]:* er hat die Schraube aus dem Brett [nicht] herausbekommen. **2. a)** *in Erfahrung bringen, ausfindig machen:* mein Geheimnis werdet ihr nie h.; in diesem Fall hat man die Wahrheit bis heute nicht herausbekommen. **b)** (ugs.) *die Lösung (von etwas) finden:* er bekam das schwierige Kreuzworträtsel einfach nicht heraus. **4.** *bei der Bezahlung von etwas die Differenz zwischen dem hingegebenen und dem zu zahlenden Betrag erhalten:* er bekam beim Bezahlen noch zwei Mark heraus.

herausbringen, brachte heraus, hat herausgebracht ⟨tr.⟩: **1.** *nach hier draußen bringen:* sie hat den Korb herausgebracht. **2. a)** *veröffentlichen:* der Verlag hat ein neues Buch herausgebracht. **b)** *auf den Markt bringen:* die Firma brachte ein neues Auto heraus; (ugs.) diesen Sänger hat man ganz groß herausgebracht *(durch gezielte Werbung populär gemacht).* **3.** (ugs.) *entfernen [können]:* er hat den Nagel [nicht] aus der Wand herausgebracht. **4.** (ugs.) **a)** *(jmdm.) entlocken können:* man hat nichts aus ihm herausgebracht. **b)** *durch Nachforschungen in Erfahrung bringen:* in dieser Sache hat die Polizei noch nichts herausgebracht. **c)** *die Lösung (von etwas) finden:* er brachte das Rätsel einfach nicht heraus. **5.** (ugs.) *(Laute o. ä.) von sich geben:* vor Schreck brachte sie keinen Ton, die Worte nur mühsam heraus.

herausfahren, fährt heraus, fuhr heraus, hat/ist herausgefahren: **1. a)** ⟨itr.⟩ *(aus etwas) gefahren kommen:* er ist mit dem Fahrrad aus der Einfahrt herausgefahren. **b)** ⟨tr.⟩ *(etwas aus etwas) durch Fahren nach draußen bringen:* der Chauffeur hat den Wagen aus der Garage herausgefahren. **2.** ⟨itr.⟩ *(etwas) voller Hast verlassen:* als es klingelte, ist er in aller Eile aus dem Bett herausgefahren. **3.** ⟨itr.⟩ (ugs.) *entschlüpfen:* diese Bemerkung ist ihr nur so herausgefahren. **4.** ⟨tr.⟩ Sport *(etwas) durch geschicktes Fahren erreichen:* der Jockey/Rennfahrer hat einen großartigen Sieg/Vorsprung herausgefahren.

herausfinden, fand heraus, hat herausgefunden: **1.** ⟨tr.⟩ **a)** *(jmdn./etwas in einer Menge) als den Gesuchten, das Gesuchte erkennen, finden:* unter den vielen Menschen hat sie ihren Vater sofort herausgefunden. **b)** *durch Nachforschen entdecken:* er hat den Fehler bei der Abrechnung [nach längerem Suchen] herausgefunden. **2.** ⟨rfl.⟩ **a)** *den Ausgang (aus etwas) finden:* ich habe mich aus dem Hochhaus kaum noch herausgefunden. **b)** *einen Ausweg (aus etwas) finden:* ich werde mich schon h.

herausfordern, forderte heraus, hat herausgefordert: **a)** ⟨tr.⟩ *zum Kampf auffordern:* er hatte seinen Beleidiger herausgefordert. **b)** ⟨itr.⟩ *zum Widerspruch reizen:* seine Worte forderten zur Kritik heraus. **Herausforderung,** die; -, -en.

Herausgabe, die; -: **1.** *das Herausgeben (von Gedrucktem):* die H. dieses Werkes bereitete dem Verlag Schwierigkeiten. **2.** *das Herausgeben, Zurückgeben (von Besitz o. ä.):* die H. des geraubten Gutes.

herausgeben, gibt heraus, gab heraus, hat herausgegeben: **1.** ⟨tr./itr.⟩ *[für die Bezahlung einer Ware großes Geld erhalten und] den zuviel bezahlten Betrag in Kleingeld zurückgeben:* ich kann Ihnen nicht h.; können Sie zwanzig Pfennig, auf hundert Mark h.? **2.** ⟨tr.⟩ *(als Autor oder Verleger) veröffentlichen:* ein Buch über Goethe h. **3.** ⟨tr.⟩ *jmdn./etwas, was man in seinem Besitz festgehalten hat, freigeben, dem eigentlichen Besitzer wieder überlassen:* die Beute, einen Gefangenen h.

heraushängen, hängte/hing heraus, hat herausgehängt/herausgehangen: **1.** ⟨tr.⟩ *nach draußen hängen:* sie hängte die Wäsche zum Trocknen heraus, hat sie herausgehängt. **2.** ⟨itr.⟩ *(außerhalb von etwas) hängen:* aus den Fenstern haben Fahnen herausgehangen; ein Hund mit heraushängender Zunge; bildl. (ugs.): ihm hängt [vom raschen Laufen] die Zunge zum Hals[e] heraus *(er ist [vom raschen Laufen] sehr erschöpft);* uns hing [vor Durst] die Zunge zum Hals[e] heraus *(wir waren sehr durstig).* * (ugs.) **jmdm. hängt etwas zum Hals**[e] **heraus** *(jmd. ist einer Sache sehr überdrüssig).*

heraushauen, haute heraus, hat herausgehauen ⟨tr.⟩ (ugs.): *durch Kampf befreien:* die Reiter hauten ihren bedrängten Hauptmann heraus; ich habe ihn bei der Prügelei herausgehauen.

heraushelfen, hilft heraus, half heraus, hat herausgeholfen ⟨itr.⟩ (ugs.): *beim Aussteigen helfen:* er hat der alten Dame aus der Straßenbahn herausgeholfen; bildl.: ich habe ihm aus seinen Schwierigkeiten herausgeholfen *(ihm geholfen, die Schwierigketien zu überwinden).*

herausholen, holte heraus, hat herausgeholt ⟨tr.⟩: **1. a)** *herausnehmen:* er öffnete seine Tasche und holte die Zeitung heraus. **b)** *befreien, retten, bergen:* die eingeschlossenen Bergleute h. **2.** (ugs.) *(an etwas) verdienen:* aus diesem Laden hat er nicht viel herausgeholt. **3.** (ugs.) *(von jmdm.) durch Fragen erfahren:* die Polizei konnte aus dem Einbrecher nicht viel h. **4.** (ugs.) *(von jmdm./etwas) an Leistung, Energie verlangen:* in der letzten Runde holte der Läufer das Letzte, alles aus sich heraus; bei der Rallye wurde aus Motoren und Fahrern das Äußerste herausgeholt. **5.** Sport **a)** *erreichen, erzielen, sich sichern:* ein gutes Ergebnis, einen Sieg h. **b)** *wettmachen, wiedergutmachen:* erst auf den letzten Metern holte der Fahrer den Vorsprung seines Gegners heraus. **6.** *deutlich, sichtbar machen:* bei dieser Aufführung wurde die Tragik des Stückes nicht ganz herausgeholt.

herauskehren, kehrte heraus, hat herausgekehrt ⟨tr.⟩: *sehr stark betonen, hervorkehren:* seinen Untergebenen gegenüber kehrte er immer den Vorgesetzten heraus.

herauskommen, kam heraus, ist herausgekommen ⟨itr.⟩: **1. a)** *nach hier draußen kommen, (etwas) verlassen:* er ist aus seinem Zimmer herausgekommen. **b)** *(durch etwas) ins Freie gelangen, nach außen dringen:* durch den Schornstein ist schwarzer Qualm herausgekommen. **c)** *(ein Gebiet, eine Stadt o. ä.) verlassen:* er ist nie aus dieser kleinen Stadt herausgekommen; bildl.: wir müssen aus dieser peinlichen Situation h. *(einen Ausweg aus ihr finden);* wir sind aus dem Lachen/Staunen nicht herausgekommen *(konnten damit nicht aufhören)*. **2. a)** *erscheinen, veröffentlicht werden:* dieses Buch wird erst im Herbst h. **b)** (ugs.) *öffentlichen Erfolg haben, populär werden:* dieser Sänger ist ganz groß herausgekommen. **c)** (ugs.) *öffentlich bekanntwerden:* wenn der Schwindel herauskommt, gibt es einen Skandal. **3.** (ugs.) *(in einer bestimmten Weise) zum Ausdruck kommen, formuliert werden:* ihr Vorwurf kam allzu scharf heraus. **4.** (ugs.) *(etwas) äußern, zur Sprache bringen:* endlich kam er mit seiner Bitte heraus. **5.** *sich als Ergebnis zeigen, sich ergeben:* bei den Verhandlungen ist nichts herausgekommen. *(ugs.) **das kommt auf eins heraus** *(das ist dasselbe, da gibt es keinen Unterschied):* ob ich dem Polizisten das sage oder nicht, das kommt auf eins heraus. **6.** *deutlich, sichtbar werden:* der komische Zug des Stückes ist bei dieser Aufführung nicht herausgekommen. **7.** (ugs.) *die erste Karte ausspielen:* ich habe [Karten] gegeben, und du kommst heraus. **8.** (ugs.) *gezogen werden, gewinnen:* bei der Lotterie ist meine Nummer wieder nicht herausgekommen.

herauskriegen, kriegte heraus, hat herausgekriegt ⟨tr.⟩ (ugs.): *herausbekommen.*

herauskristallisieren, kristallisierte heraus, hat herauskristallisiert: **1.** ⟨tr.⟩ *[bei chemischen Prozessen] in Form von Kristallen gewinnen:* man hat Salze [aus dieser Lösung] herauskristallisiert. **2.** ⟨tr.⟩ *(aus etwas) kurz und präzise zusammenfassen und darstellen:* die wesentlichen Punkte aus einem Aufsatz h. **3.** ⟨rfl.⟩ *sich [bei chemischen Prozessen] in Form von Kristallen absondern:* diese Salze haben sich beim Trocknen der Lösung herauskristallisiert. **4.** ⟨rfl.⟩ *sich nach längeren Diskussionen, Erörterungen bilden:* schließlich haben sich zwei Meinungen herauskristallisiert.

herauslocken, lockte heraus, hat herausgelockt ⟨tr.⟩: *nach draußen locken:* wir lockten den Hund mit einem Knochen aus seiner Hütte heraus; bildl.: aus jmdm. Geld, ein Geheimnis h. *(es ihm entlocken);* jmdn. aus seiner Reserve h. *(ihn veranlassen, sich ungezwungen und natürlich zu benehmen, seine Zurückhaltung aufzugeben).*

herausmachen, machte heraus, hat herausgemacht (ugs.): **1.** ⟨tr.⟩ *entfernen:* einen Fleck aus der Hose h. **2.** ⟨rfl.⟩ **a)** *sich erholen, sich körperlich gut entwickeln:* der Junge hat sich nach seiner Krankheit wieder gut herausgemacht. **b)** *sich in seiner wirtschaftlichen, gesellschaftlichen Lage gut entwickeln:* die Firma hat sich großartig herausgemacht.

herausnehmen, nimmt heraus, nahm heraus, hat herausgenommen: **1.** ⟨tr.⟩ **a)** *(aus etwas) nehmen:* Geld aus der Kassette h. **b)** *operativ entfernen:* den Blinddarm h. **c)** *(aus seiner Umgebung) entfernen:* einen Schüler aus einer Klasse h. **2.** ⟨itr.⟩ (ugs.) *sich anmaßen, (für sich) in Anspruch nehmen:* er hat sich ihr gegenüber zuviel herausgenommen; sich Freiheiten jmdm. gegenüber h.

herausplatzen, platzte heraus, ist herausgeplatzt ⟨itr.⟩ (ugs.): **1.** *plötzlich in lautes Gelächter ausbrechen:* als er den Witz erzählte, mußte ich [laut] h. **2.** *(etwas) spontan sagen:* sie platzte mit dieser Neuigkeit sofort heraus.

herausreden, sich; redete sich heraus, hat sich herausgeredet (ugs.): *sich durch Ausreden entschuldigen:* er hatte keine Entschuldigung vorzubringen und versuchte sich herauszureden.

herausrücken, rückte heraus, hat/ist herausgerückt: **1.** ⟨tr.⟩ *nach hier draußen rücken:* er hat den Stuhl auf den Balkon herausgerückt. **2.** ⟨tr./itr.⟩ (ugs.) *sich (von etwas, was man besitzt) nach anfänglichem Weigern trennen:* schließlich hat er das Geld herausgerückt; endlich ist er mit den gestohlenen Sachen herausgerückt; bildl.: er ist mit der Sprache, der Wahrheit herausgerückt *(hat sich nach anfänglichem Widerstand über etwas Vorgefallenes geäußert, hat die Wahrheit gesagt).*

herausrutschen, rutschte heraus, ist herausgerutscht ⟨itr.⟩: **1.** *(aus etwas) rutschen:* ihm ist das Portemonnaie [aus der Tasche] herausgerutscht. **2.** (ugs.) *(etwas) übereilt und ungewollt aussprechen:* diese Worte sind mir einfach so herausgerutscht.

herausschälen, schälte heraus, hat herausgeschält: **1.** ⟨tr./rfl.⟩ *die Schale (von etwas) entfernen:* den eßbaren Teil einer Frucht h.; bildl. (ugs.): er hat sich aus seinen Kleidern herausgeschält *(sich von ihnen befreit).* **2. a)** ⟨tr.⟩ *deutlich sichtbar machen:* die religiösen Elemente dieses Romans h. **b)** ⟨rfl.⟩ *sich (als etwas) erweisen:* dieses Problem schälte sich bei der Diskussion als dringlichstes heraus; aus einer großen Gruppe schälte sich der Sportler als bester heraus.

herausschlagen, schlägt heraus, schlug heraus, hat/ist herausgeschlagen: **1.** ⟨tr.⟩ **a)** *durch Schlagen entfernen:* sie hat den Schmutz aus dem Teppich herausgeschlagen. **b)** *durch Schlagen, Meißeln (aus einem größeren Ganzen) formen:* der Bildhauer hat eine Statue aus dem Block herausgeschlagen. **2.** ⟨itr.⟩ *nach draußen dringen:* die Flammen sind aus dem Fenster herausgeschlagen. **3.** ⟨tr.⟩ (ugs.) *durch großes Geschick und Schlauheit erlangen:* bei den Verhandlungen gelang es ihm, einen hohen Gewinn herauszuschlagen.

heraußen ⟨Adverb⟩ (südd.; östr.): *hier draußen:* wir sind im Garten und er ist auch h.

herausspringen, sprang heraus, ist herausgesprungen ⟨itr.⟩: **1.** *nach draußen springen:* der Fahrer ist aus dem brennenden Wagen herausgesprungen. **2.** *nach außen treten, dringen:* vor Anstrengung schienen ihm seine Augen aus den Höhlen herauszuspringen. **3.** (ugs.) *sich als Gewinn, Vorteil ergeben:* bei diesem Geschäft ist für uns viel [Geld]/nichts herausgesprungen.

herausstellen, stellte heraus, hat herausgestellt: **1.** ⟨rfl.⟩ *deutlich werden; sich zeigen:* es stellte sich heraus, daß der Mann ein Betrüger war. **2.** ⟨tr.⟩ *hervorheben, in den Mittelpunkt stellen:* das Wesentliche h.; (ugs.) der Sänger wurde groß herausgestellt.

herausstreichen, strich heraus, hat herausgestrichen: **1.** ⟨tr.⟩ *bei der Korrektur streichen, tilgen:* aus dem Manuskript wurden einige Sätze herausgestrichen. **2.** ⟨tr./rfl.⟩ (ugs.) *sehr lo-*

ben, betonen: du hast dich, deine Frau, ihre Verdienste herausgestrichen.

herauswachsen, wächst heraus, wuchs heraus, ist herausgewachsen ⟨itr.⟩: **1.** *(aus etwas heraus) nach außen wachsen:* die Wurzeln sind aus der Erde herausgewachsen. * (ugs.) **jmdm. wächst etwas zum Hals[e] heraus** *(jmd. wird einer Sache sehr überdrüssig).* **2.** (ugs.) *(für ein Kleidungsstück) zu groß werden:* der Junge ist aus dem Mantel herausgewachsen. * **aus den Kinderschuhen h.** *(erwachsen werden).*

herb ⟨Adj.⟩: **a)** *leicht bitter, scharf:* ein herber Wein; ein herbes *(hartes, schweres)* Schicksal; die herben Züge seines Gesichts. **b)** *von kräftigem, nicht süßlichem Geruch:* ein herbes Parfüm.

herbei ⟨Adverb⟩ (geh.): *von dort nach hier; hierher;* ⟨oft zusammengesetzt mit Verben⟩ herbeieilen, herbeischaffen, herbeiwünschen.

herbeiführen, führte herbei, hat herbeigeführt ⟨tr.⟩: *bewirken:* eine Entscheidung h.

herbeilassen, sich; läßt sich herbei, ließ sich herbei, hat sich herbeigelassen: *sich endlich (zu etwas) entschließen, sich bequemen; sich herablassen:* ich habe mich nur ungern herbeigelassen, das zu tun.

Herberge, die; -, -n: *vorübergehende [einfache, billige] Unterkunft.* Vgl. Jugendherberge.

herbitten, bat her, hat hergebeten ⟨tr.⟩: *zu sich bitten:* ich habe Sie in einer dringenden Angelegenheit hergebeten.

Herbst, der; -es: *Jahreszeit zwischen Sommer und Winter* /im Kalender festgelegt vom 23. September bis 22. Dezember/: ein sonniger H.; bildl.: der H. des Lebens.

herbstlich ⟨Adj.⟩: *zum Herbst gehörig, für ihn kennzeichnend:* herbstliches Laub; herbstliche Farben.

Herd, der; -[e]s, -e: **1.** *Vorrichtung zum Kochen und Backen:* auf dem H. stehen Töpfe. **2.** *Stelle, von der etwas Übles ausgeht, sich weiter verbreitet:* der H. der Krankheit.

Herde, die; -, -n: *Schar von [bestimmten] Säugetieren gleicher Art, die in Gruppen zusammenleben:* eine H. Rinder, Schafe, Elefanten.

herein ⟨Adverb⟩: *von dort draußen nach hier drinnen;* ⟨oft zusammengesetzt mit Verben⟩ hereinbrechen, hereinkommen, hereinschauen.

hereinbekommen, bekam herein, hat hereinbekommen ⟨tr.⟩ (ugs.): *(mit etwas) beliefert werden:* das Geschäft hat neue Ware hereinbekommen.

hereinbrechen, bricht herein, brach herein, ist hereingebrochen ⟨itr.⟩: **1. a)** *abbrechen und nach unten fallen:* Gestein brach über den Bergleuten herein; ⟨häufig im 1. Partizip⟩ hereinbrechendes Gestein. **b)** *sich ergießen:* eine Welle brach mit voller Wucht über das Schiff herein. **2.** (geh.) *plötzlich, unerwartet beginnen:* die Nacht, ein Gewitter bricht herein; über die Bewohner brach eine Katastrophe herein *(traf sie unerwartet und hart).*

hereinfallen, fällt herein, fiel herein, ist hereingefallen ⟨itr.⟩: *getäuscht, betrogen werden (bei etwas, von jmdm.):* mit dem Kauf des billigen Kühlschranks bin ich hereingefallen; auf jmdn. h.

hereinlegen, legte herein, hat hereingelegt ⟨tr.⟩ (ugs.): *betrügen:* er wollte mich h.

hereinplatzen, platzte herein, ist hereingeplatzt ⟨itr.⟩ (ugs.): *plötzlich und unerwartet hereinkommen:* Störenfriede platzten in die Versammlung herein.

hereinschauen, schaute herein, hat hereingeschaut ⟨itr.⟩: **1.** *von außen (in etwas) schauen:* wir waren im Zimmer, als er durch das Fenster hereinschaute. **2.** (ugs.) *einen kurzen Besuch machen:* ich werde vormein er Abreise noch schnell bei euch h.

hereinschneien, schneite herein, hat/ist hereingeschneit ⟨itr.⟩: **1.** *(in etwas) schneien:* es hat durch das offene Fenster in das Zimmer hereingeschneit. **2.** (ugs.) *plötzlich und unerwartet hereinkommen:* noch spät am Abend ist er bei uns hereingeschneit.

herfallen, fällt her, fiel her, ist hergefallen ⟨itr.⟩: **1.** *(jmdn.) unerwartet und hart angreifen:* sie sind in der Nacht wie die Räuber über den Passanten hergefallen; bildl.: mit Vorwürfen über jmdn. h. *(jmdm. heftige Vorwürfe machen);* (abwertend) die Zeitungen sind über den Politiker hergefallen *(haben ihn schlechtgemacht).* **2.** (ugs.) *(etwas) hastig, gierig essen:* voller Heißhunger sind die Jungen über den Kuchen hergefallen.

herfinden, fand her, hat hergefunden ⟨itr.⟩ (ugs.): *den Weg hierher (zu jmdm./etwas) finden:* du wirst ohne Mühe [zu unserem Haus] h.

Hergang, der; -[e]s, Hergänge: *Beginn und Verlauf eines Geschehens:* der Zeuge erzählte den H. des Unfalls.

hergeben, gibt her, gab her, hat hergegeben: **1.** ⟨tr.⟩ *geben, reichen:* gib mir bitte einmal das Buch her. **2. a)** ⟨tr.⟩ *zur Verfügung stellen, abtreten, opfern, schenken:* für diese gute Sache hat er viel Geld hergegeben. * **rennen/laufen, was die Beine hergeben** *(so schnell rennen/laufen, wie man kann).* **b)** ⟨rfl.⟩ *(etwas, was von einem verlangt wird, was man aber als schlecht oder unwürdig empfindet) tun:* dafür gebe ich mich nie her. **3.** ⟨tr.⟩ (ugs.) *ergiebig sein:* dieser Aufsatz gibt [nicht] viel her.

hergebracht ⟨Adj.⟩: *herkömmlich, traditionell:* das Fest verlief in der hergebrachten Art.

hergehen, ging her, ist hergegangen ⟨itr.⟩: **1.** *gehen:* das Kind ist hinter seinen Eltern hergegangen. **2.** (südd.; östr.) *näher kommen, herkommen:* geh her zu mir! **4.** (ugs.) *(in einer bestimmten Art und Weise) verlaufen:* bei der Feier ging es lustig her; bei der Party ist es hoch hergegangen *(ist ausgiebig gefeiert worden);* bei der Diskussion wird es heiß h. *(sie wird hitzig verlaufen).* **3.** (ugs.) *(über jmdn./etwas) schlecht reden:* in meiner Abwesenheit ging es über mich her.

hergelaufen ⟨Adj.; nur attributiv⟩: *aus unbekannten, ungeordneten Verhältnissen stammend:* ein hergelaufener Kerl.

herhören, hörte her, hat hergehört ⟨itr.⟩ (ugs.): *aufpassen, zuhören:* alle mal h.!

Hering, der; -s, -e: /ein Fisch/ (siehe Bild S. 329).

herinnen ⟨Adverb⟩ (südd.; östr.): *hier drinnen:* ich bin im Zimmer, und er ist auch h.

Hering

herkommen, kam her, ist hergekommen ⟨itr.⟩: **1.** *(zu jmdm./etwas) kommen:* er hat mich in einer wichtigen Angelegenheit h. lassen. **2.** *(jmdn./etwas) als Grundlage, Ursprung haben; (von etwas) herrühren, stammen:* dieser Dichter kommt vom Existentialismus her. * (ugs.) **wo kommt etwas her?** *(woher stammt, kommt etwas?):* wo kommt dieses Geld her?

Herkommen, das; -s (geh.): **1.** *Sitte, Tradition:* nach altem H. **2.** (veralt.) *Herkunft, Abstammung:* er war von gutem H.

herkömmlich ⟨Adj.⟩: *[wie früher] üblich; gewohnt:* etwas in herkömmlicher Weise tun.

Herkulesarbeit, die; - (geh.): *sehr anstrengende, die Kräfte übersteigende Arbeit:* diese Sache ist eine wahre H.

Herkunft, die; -: **1.** *[gesellschaftliche] Abstammung:* seine H. ist unbekannt; er ist adliger H. **2.** *Ort, Bereich, woher etwas stammt:* die Ware ist ausländischer H.

herleiten, leitete her, hat hergeleitet: **1.** ⟨tr.⟩ *folgern, ableiten:* aus dieser Bestimmung leitete er seinen Anspruch auf eine Entschädigung her. **2.** ⟨tr./rfl.⟩ *in der Abstammung (auf jmdn./etwas) zurückführen:* ein Wort aus dem Spanischen h.; sich aus altem Adel h.

hermachen, machte her, hat hergemacht (ugs.): **1.** ⟨rfl.⟩ *(etwas) in Angriff nehmen:* ich machte mich über die Arbeit her; sich über etwas Eßbares h. *(etwas hastig, gierig essen).* **2.** ⟨rfl.⟩ *(jmdn.) überfallen:* sie haben sich mit mehreren über ihn hergemacht und ihn übel zugerichtet. **3.** ⟨tr.⟩ *(etwas) wichtig nehmen und viel darüber sprechen:* man macht von dieser Sache viel zuviel her. **3.** ⟨itr.⟩ *von besonderer Wirkung sein:* das macht mehr her, nicht viel her.

hermetisch ⟨Adj.⟩: *völlig dicht, so daß niemand, nichts eindringen oder entweichen kann:* das verseuchte Gebiet wurde von der Polizei h. abgeriegelt.

hernehmen, nimmt her, nahm her, hat hergenommen ⟨tr.⟩ (ugs.): *(jmdm./einer Sache) arg zusetzen, (jmdn./etwas) stark beanspruchen:* die Rekruten wurden ziemlich hergenommen. * **wo h.?** *(woher kann jmd./etwas beschafft werden?):* wo soll man das Geld, die Arbeiter für dieses Projekt h.?

heroben ⟨Adverb⟩ (südd.; östr.): *hier oben:* wir standen auf dem Dach, und er war auch h.

heroisch ⟨Adj.⟩: *heldenhaft, mutig:* eine heroische Tat; ein heroischer Entschluß.

Heroismus, der; -: *heroische Haltung:* viel H. aufbringen.

Herr, der; -n, -en: **1.** *Mann:* ein feiner H. **2.** ⟨als Teil der Anrede⟩ H. Müller; H. Professor; Meine [Damen und] Herren! **3.** *jmd., der über andere oder über etwas herrscht:* er ist H. über große Güter. * **einer Sache H. werden** *(eine Schwierigkeit überwinden);* **sein eigener H. sein** *(selbständig sein);* **nicht H. über sich selbst sein** *(sich nicht beherrschen können);* **nicht H. seiner Sinne sein** *(nicht wissen, was man tut).*

herrenlos ⟨Adj.⟩: *anscheinend niemandem gehörend:* ein herrenloser Hund; hier liegt eine herrenlose Brieftasche, wem gehört sie?

Herrgott, der; -[e]s: *Gott:* zu seinem H. beten. * (ugs.) **[Himmel] H.** (auch: Herrgott) **[noch mal]!** */Ausruf der Ungeduld/.*

herrichten, richtete her, hat hergerichtet ⟨tr.⟩: **1.** *vorbereiten, zurechtmachen:* ein Zimmer für den Gast h. **2.** *instandsetzen, ausbessern, in Ordnung bringen:* er hat das alte Haus [wieder] hergerichtet.

herrisch ⟨Adj.⟩: *immer herrschen wollend:* er hat ein herrisches Auftreten.

herrlich ⟨Adj.⟩: *ganz besonders schön, gut:* ein herrlicher Wein; eine herrliche Aufführung; im Urlaub war es h.

Herrschaft, die; -, -en: **1.** ⟨ohne Plural⟩ *das Herrschen über etwas/jmdn.; Macht; Gewalt:* die H. über ein Land ausüben. * **die H. über den Wagen verlieren** *(nicht mehr fähig sein, den Wagen richtig zu lenken).* **2.** ⟨Plural⟩ *Damen und Herren:* die Herrschaften werden gebeten, ihre Plätze einzunehmen.

herrschaftlich ⟨Adj.⟩: *elegant, vornehm:* ein herrschaftliches Haus bewohnen.

herrschen, herrschte, hat geherrscht ⟨itr.⟩: **1.** *regieren; die Herrschaft, Macht haben:* der Kaiser herrschte über viele Länder. **2.** *sein (in einer bestimmten auffallenden Weise):* es herrschte völlige Stille; hier herrscht [Un]ordnung; damals herrschten furchtbare Zustände.

Herrscher, der; -s, -: *jmd., der über ein Gebiet und dessen Bewohner herrscht:* ein absoluter H.

Herrschsucht, die; -: *starkes Streben, über andere zu herrschen:* mit seiner H. hat er sich viele Feinde geschaffen.

herrschsüchtig ⟨Adj.⟩: *immer herrschen wollend.*

herrühren, rührte her, hat hergerührt ⟨itr.⟩: *in etwas den Ursprung haben; (von etwas) kommen:* die Schmerzen rühren von einer früheren Verletzung her.

herstammen, stammte her, hat hergestammt ⟨itr.⟩: **1.** *abstammen:* er stammt von deutschen Einwanderern her. **2.** *(von jmdm./etwas) stammen:* wo sein Vermögen herstammt, weiß man nicht genau.

herstellen, stellte her, hat hergestellt ⟨tr.⟩: **1.** *erzeugen, produzieren:* das Radio wurde in Deutschland hergestellt. **2.** *zustande bringen:* eine [Telefon]verbindung h.; das Gleichgewicht h.

herüben ⟨Adverb⟩ (südd.; östr.): *hier auf dieser Seite:* wir standen an dem einen Ufer, und er war auch h.

herüber ⟨Adverb⟩: *von [der anderen Seite] drüben nach hier;* ⟨oft zusammengesetzt mit Verben⟩ herüberfahren, herüberkommen, herüberschwimmen.

herum ⟨Adverb; in Verbindung mit *um*⟩: **1.** ⟨räumlich⟩ *in [kreisförmiger] Anordnung (um etwas):* um das Haus h. standen Bäume. **2.** ⟨zeitlich⟩ *ungefähr, etwa (um):* ich rufe dich um die Mittagszeit h. an.

herumärgern, sich; ärgerte sich herum, hat sich herumgeärgert (ugs.): *sich (über jmdn./etwas) längere Zeit, immer wieder ärgern:* er mußte sich mit den schwierigen Fällen h.

herumbekommen, bekam herum, hat herumbekommen

⟨tr.⟩ (ugs.): **1.** *überreden:* ich habe ihn herumbekommen, er hat zugestimmt. **2.** *(Zeit) hinter sich bringen:* die eine Stunde werde ich auch noch h.

herụmdoktern, dokterte herum, hat herumgedoktert ⟨itr.⟩ (ugs.): **1.** *(jmdn./etwas) durch dilettantische Methoden zu heilen versuchen:* dieser Kurpfuscher dokterte ohne Erfolg an ihm herum. **2.** *alles mögliche versuchen, (etwas) wieder in Gang, in Ordnung zu bringen:* er hat lange an dem Motor herumgedoktert.

herụmdrehen, drehte herum, hat herumgedreht: **1.** ⟨tr./rfl.⟩ *auf die andere Seite drehen:* er drehte die Münze herum; du hast dich im Schlaf herumgedreht. * (ugs.) **etwas dreht einem [ja] das Herz im Leibe herum** *(etwas macht einen ganz traurig);* (ugs.) **jmdm. die Worte im Munde h.** *(den Sinn des von jmdm. Gesagten ins Gegenteil verkehren);* (ugs.) **jmd. würde sich im Grab[e] h.** *(jmd., der gestorben ist, würde etwas entschieden ablehnen, wäre ganz und gar dagegen):* dein Vater würde sich im Grabe h., wenn er wüßte, was aus dir geworden ist. **2.** ⟨itr.⟩ (ugs.) *dauernd (an etwas) drehen:* er hat vergeblich am Radio herumgedreht. **3.** ⟨rfl.⟩ *sich um die eigene Achse drehend fortbewegen:* sie hat sich beim Tanzen herumgedreht.

herụmdrücken, drückte herum, hat herumgedrückt: **1.** ⟨tr.⟩ *auf die andere Seite drükken:* einen Hebel h. **2.** ⟨rfl.⟩ (ugs.) *sich (einer Sache) entziehen, sich (vor etwas) drücken:* geschickt hat er sich um diese Arbeit herumgedrückt. **3.** ⟨rfl.⟩ (ugs.) *sich müßig herumtreiben:* er hat sich den ganzen Tag in Wirtshäusern herumgedrückt.

herụmfahren, fährt herum, fuhr herum, hat/ist herumgefahren: **1.** ⟨itr.⟩ **a)** *ohne Plan und Ziel fahren:* er ist in der Gegend herumgefahren. **b)** *(um etwas) fahren:* wir sind um die Stadt herumgefahren. **2.** ⟨tr.⟩ *ohne festes Ziel fahrend befördern:* ich habe ihn in der Stadt herumgefahren. **3.** ⟨itr.⟩ (ugs.) *gestikulieren:* sie ist aufgeregt mit den Händen in der Luft herumgefahren. **3.** ⟨itr.⟩ *sich plötzlich umdrehen:* bei dem Pfiff ist sie erschrocken herumgefahren.

herụmgehen, ging herum, ist herumgegangen ⟨itr.⟩: **1.** *(um etwas/ jmdn.) gehen:* um das Haus h. **2.** *ohne bestimmtes Ziel, planlos gehen; spazieren:* ich möchte ein wenig im Garten h.

herụmkommen, kam herum, ist herumgekommen ⟨itr.⟩: *weit, oft reisen; viel sehen, erleben:* er ist viel in der Welt herumgekommen. * **um etwas h.** *(etwas nicht tun müssen, vermeiden können):* um diese Arbeit wirst du nicht h.

herụmkriegen, kriegte herum, hat herumgekriegt ⟨itr.⟩ (ugs.): *herumbekommen.*

herụmlaufen, läuft herum, lief herum, ist herumgelaufen ⟨itr.⟩: **1. a)** *ohne bestimmtes Ziel, planlos gehen:* er ist in der ganzen Stadt herumgelaufen. **b)** *sich zu Fuß bewegen:* Hunde dürfen hier nicht frei h. **c)** *im Kreis (um jmdn./ etwas) laufen:* die Kinder liefen um den Platz herum. **2.** (ugs.; abwertend *sich (in einer bestimmten Art) kleiden und bewegen:* er lief wie ein Landstreicher herum.

herụmliegen, lag herum, hat herumgelegen ⟨itr.⟩: **1.** *im Kreis um etwas liegen:* um den Deckel lag ein Ring herum. **2.** (ugs.) *unordentlich verstreut liegen:* sein Spielzeug lag in der Küche herum.

herụmlungern, lungerte herum, hat herumgelungert ⟨itr.⟩: *sich an einem Ort faul, untätig aufhalten; faul herumstehen, herumliegen:* arbeite etwas, statt herumzulungern!

herụmrätseln, rätselte herum, hat herumgerätselt ⟨itr.⟩: *lange [und ohne Erfolg] versuchen, (etwas) zu enträtseln:* an diesem geheimnisvollen Schreiben haben wir lange herumgerätselt.

herụmrennen, rannte herum, ist herumgerannt ⟨itr.⟩: **1.** (ugs.) *ohne festes Ziel rennen:* die Kinder sind im Wald herumgerannt. **2.** *im Kreis (um jmdn./ etwas) rennen:* um einen Platz h.

herụmschlagen, schlägt herum, schlug herum, hat herumgeschlagen: **1.** ⟨tr.⟩ *(jmdn./etwas mit etwas) bedecken, (jmdm./ etwas in etwas) einwickeln:* ein Tuch um die Schüssel h. **2.** ⟨rfl.⟩ (ugs.) *sich schlagen:* die Jungen schlugen sich mit den fremden Kindern herum; bildl.: ich habe keine Lust, mich dauernd mit meinen Nachbarn herumzuschlagen *(dauernd mit ihnen Streit, Ärger zu haben).*

herụmschleppen, schleppte herum, hat herumgeschleppt ⟨tr.⟩ (ugs.): *bei sich tragen, mit sich führen:* er hat das Geld immer mit sich herumgeschleppt; bildl.: sie hat mich in der ganzen Stadt herumgeschleppt *(von einer Sehenswürdigkeit zur anderen, von einem Ort zum anderen geführt);* er schleppte den Kummer mit sich herum *(litt dauernd unter ihm, konnte sich nicht von ihm befreien);* eine Grippe, Erkältung mit sich h. *(nicht in der Lage sein, sie auszukurieren).*

herụmschnüffeln, schnüffelte herum, hat herumgeschnüffelt ⟨itr.⟩ (ugs.): *sich neugierig umsehen, Geheimnisse zu entdecken suchen:* der Detektiv schnüffelte überall im Haus herum.

herụmschreien, schrie herum, hat herumgeschrie[e]n ⟨itr.⟩ (ugs.): *ohne Grund schreien, toben:* keiner wußte, warum er so herumschrie.

herụmsitzen, saß herum, hat herumgesessen ⟨itr.⟩: **1.** (ugs.) *müßig, untätig dasitzen:* in der Pause saßen die Arbeiter herum und rauchten. **2.** *im Kreis (um etwas) sitzen:* um den Tisch h.

herụmstehen, stand herum, hat herumgestanden ⟨itr.⟩: **1.** (ugs.) *müßig, untätig dastehen:* Halbstarke standen an den Ecken herum. **2.** (ugs.): *unordentlich aufgestellt sein:* im Keller stand allerlei Gerümpel herum. **3.** *im Kreis (um etwas) stehen:* um den Tisch h.

herụmtragen, trägt herum, trug herum, hat herumgetragen ⟨tr.⟩ (ugs.): **1.** *(mit sich) führen:* sie hat ihr Geld immer mit sich herumgetragen; bildl.: diese Idee trug ich schon länger mit mir herum *(ich beschäftigte mich schon länger mit ihr).* **2.** *von einer Person zur anderen tragen:* als Besuch kam, trug das kleine Mädchen stolz seine Puppe herum. **3.** *bekanntmachen, verbreiten:* eine Neuigkeit überall h.

herụmtreiben, sich; trieb sich herum, hat sich herumgetrieben: *kein geordnetes Leben führen; ohne Beschäftigung sich bald hier, bald dort aufhalten:* er hat seine Arbeit aufgegeben und treibt sich jetzt nur noch herum.

herumziehen, zog herum, hat/ist herumgezogen: 1. ⟨itr.⟩ (ugs.) *unstet von einem Ort zum anderen ziehen:* die Zigeuner sind im ganzen Land herumgezogen. 2. ⟨rfl.⟩ *sich in einem Kreis, Bogen (um etwas) ziehen, erstrecken:* eine Hecke hatte sich um das Haus herumgezogen. 3. ⟨tr.⟩ *überall, wohin man geht, mit sich ziehen:* der Junge hat sein Auto an einer Schnur herumgezogen.

herunten ⟨Adverb⟩ (südd.; östr.): *hier unten:* ich bin im Keller, und er ist auch h.

herunter ⟨Adverb⟩: *von dort oben nach hier unten:* vom Berg h. weht ein kalter Wind; ⟨oft zusammengesetzt mit Verben⟩ heruntergehen, herunterlassen.

heruntergekommen ⟨Adj.⟩: *in einem gesundheitlich, moralisch, wirtschaftlich schlechten Zustand; verwahrlost:* eine heruntergekommene Familie, Firma.

herunterhauen, haute herunter, hat heruntergehauen: ⟨in der Fügung⟩ (ugs.) jmdm. eine h.: *jmdm. eine Ohrfeige geben.*

herunterleiern, leierte herunter, hat heruntergeleiert ⟨tr.⟩: *[etwas, was auswendig gelernt wurde] schlecht und eintönig vortragen:* er gab sich keine Mühe und leierte das Gedicht einfach herunter.

heruntermachen, machte herunter, hat heruntergemacht ⟨tr.⟩ (ugs.): *in der Beurteilung seiner Leistung o. ä. herabsetzen, tadeln:* der Kritiker hat den Schauspieler ziemlich heruntergemacht.

herunterziehen, zog herunter, hat heruntergezogen ⟨tr.⟩: *nach unten ziehen:* die Jalousien h.; bildl.: er hat ihn auf sein Niveau heruntergezogen.

hervor ⟨Adverb⟩: 1. *von dort hinten nach hier vorn:* aus der Ecke h. kam ein kleiner Junge. 2. *heraus:* aus dem Wald h. sprang ein Reh.

hervorbrechen, bricht hervor, brach hervor, ist hervorgebrochen ⟨itr.⟩: *plötzlich [in großer Menge, mit großer Wucht] zum Vorschein kommen:* die feindlichen Reiter sind aus dem Gebüsch hervorgebrochen; bildl.: Tränen brachen, Zorn bricht aus ihm hervor.

hervorbringen, brachte hervor, hat hervorgebracht ⟨tr.⟩: *schaffen; [aus eigener künstlerischer Leistung] entstehen lassen:* der Dichter hat bedeutende Werke hervorgebracht; die Stadt hat schon viele Musiker hervorgebracht. * **kein Wort h.** *(vor Aufregung o. ä. nichts sagen können).*

hervorgehen, ging hervor, ist hervorgegangen ⟨itr.⟩: *(aus etwas) entstehen, stammen:* aus dieser Schule gingen bedeutende Männer hervor. * **[aus einem Kampf] als Sieger h.** *(bei, in etwas siegen).*

hervorheben, hob hervor, hat hervorgehoben ⟨tr.⟩: *besonders betonen; in den Vordergrund stellen:* seine sozialen Verdienste wurden besonders hervorgehoben.

hervorkehren, kehrte hervor, hat hervorgekehrt ⟨tr.⟩: *in auffallender, aufdringlicher Weise zeigen:* er kehrt seine Überlegenheit hervor.

hervorragend ⟨Adj.⟩: *vortrefflich, ausgezeichnet in Qualität, Begabung, Leistung:* wir sahen im Theater eine hervorragende Aufführung; er arbeitet h.

hervorrufen, rief hervor, hat hervorgerufen ⟨tr.⟩: *bewirken; verursachen:* seine Worte riefen heftigen Widerspruch hervor.

hervorstechen, sticht hervor, stach hervor, ist hervorgestochen ⟨itr.⟩: 1. *spitz (aus etwas) ragen:* der gebrochene Knochen stach unter der Haut hervor. 2. *sich deutlich abheben, sich stark unterscheiden:* diese grelle Farbe sticht hervor; ⟨häufig im 1. Partizip⟩ eine hervorstechende Eigenschaft.

hervortreten, tritt hervor, trat hervor, ist hervorgetreten ⟨itr.⟩: a) *deutlich erkennbar sein:* seine Begabung trat schon früh hervor. b) *bekannt werden; sich auszeichnen:* mit einem Buch über Goethe h.

hervortun, sich; tat sich hervor, hat sich hervorgetan: *sich durch überdurchschnittliche Leistungen auszeichnen:* du hast dich als Lehrer hervorgetan.

Herz, das; -ens, -en: 1. *Organ [des Menschen], das den Kreislauf des Blutes im Körper regelt:* das H. schlägt schnell, gleichmäßig; das H. setzt aus; bildl.: im Herzen *(in der Mitte)* Europas. * **ein gutes H. haben** *(mitfühlend, hilfsbereit sein);* **schweren Herzens** *(nur ungern);* **mit jmdm. ein H. und eine Seele sein** *(mit jmdm. eng befreundet sein);* **sich ein H. fassen** *(nach einigem Zögern sich doch zu etwas entschließen; etwas wagen).* 2. /eine dem Organ ähnliche sym-

2.

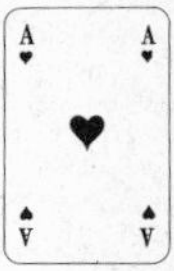

3.

Herz

metrische Figur/ (siehe Bild): ein H. zeichnen; ein H. aus Schokolade. 3. /eine Farbe beim Kartenspiel (siehe Bild).

Herzensbrecher, der; -s, - (scherzh.): *Mann, der die Frauen schnell und geschickt für sich einzunehmen, zu gewinnen versteht:* er spielt in diesem Film die Rolle eines charmanten Herzensbrechers.

herzensgut ⟨Adj.⟩: *sehr gütig:* er ist ein herzensguter Mensch.

Herzenslust: ⟨in der Fügung⟩ nach H.: *so, wie es einem gefällt:* wir schlemmten nach H.

herzhaft ⟨Adj.⟩: 1. *kräftig, tüchtig, von Herzen kommend:* h. lachen, einen herzhaften Schluck aus der Flasche nehmen. 2. *kräftig [gewürzt]:* ein herzhaftes Essen.

herziehen, zog her, ist hergezogen ⟨itr.⟩: *(über jmdn.) schlecht, bewußt abfällig, gehässig reden:* die Nachbarn zogen heftig über das Mädchen her.

herzig ⟨Adj.⟩: *lieb, lieblich, reizend:* ein herziges Kind.

Herzinfarkt, der; -[e]s, -e: Med. *Absterben von Gewebeteilen im Herzen nach schlagartiger Unterbrechung der Blutzufuhr:* einen H. erleiden; an einem H. sterben.

Herzklopfen: ⟨in der Fügung⟩ H. haben: *ängstlich, aufgeregt sein.*

herzlich ⟨Adj.⟩: 1. *vom Herzen kommend; besonders freundlich:* herzliche Worte; jmdn. h. begrüßen; herzlichen Dank! (Dankesformel). 2. ⟨verstärkend bei Verben⟩ *sehr:* ich mußte h. lachen.

herzlos ⟨Adj.⟩: *hartherzig, ohne Mitgefühl:* ein herzloser Mensch.

Herzog, der; -s, Herzöge: *Angehöriger des Adels im Rang zwischen Fürst und König.*

Herzschlag, der; -s, Herzschläge: **1.** *Tätigkeit, Schlagen des Herzens:* der H. setzt aus. **2.** *plötzlicher Stillstand des Herzens [durch eine Blutung]:* einen H. erleiden; an einem H. sterben.

herzzerreißend ⟨Adj.⟩: *höchstes Mitleid erregend, äußerst jämmerlich:* das weinende Kind bot einen herzzerreißenden Anblick.

heterogen ⟨Adj.⟩: *nicht gleichartig, einer anderen Gattung angehörend; in sich nicht einheitlich* /Ggs. homogen/: heterogene Formen miteinander vereinigen.

Hetze, die; -, -n: **1.** *Hast:* in großer H. leben; die Fahrt zum Bahnhof war eine furchtbare H. *(ging in größter Eile vor sich).* **2.** (abwertend) *gezielte, absichtliche Schädigung des Rufes; Anstiftung zum Haß (gegen jmdn.):* die Zeitungen begannen eine wilde H. gegen den Präsidenten.

hetzen, hetzte, hat gehetzt: **1.** ⟨tr.⟩ *[längere Zeit] jagen, treiben:* der Hund hetzt das Reh. **2.** ⟨itr.⟩ *zum Haß (gegen jmdn.) reizen:* gegen die Regierung h. **3.** ⟨itr.⟩ *hasten, etwas hastig tun:* es ist noch Zeit, wir müssen nicht h.

Heu, das; -s: *getrocknetes Gras, das als Futter verwendet wird:* das H. wenden. * **Geld wie H. haben** *(sehr reich sein).*

Heuchelei, die; -, -en: *das Vortäuschen einer nicht vorhandenen guten Eigenschaft, heuchlerische Tat:* seine Freundlichkeit war reine H.

heucheln, heuchelte, hat geheuchelt ⟨tr.⟩: *(eine nicht vorhandene gute Eigenschaft, ein Gefühl) vortäuschen:* Liebe, Trauer, Überraschung h.

Heuchler, der; -s, -: *jmd., der heuchelt:* er ist ein abgefeimter Heuchler.

heuchlerisch ⟨Adj.⟩: *von Heuchelei bestimmt:* sie hat ein heuchlerisches Wesen.

heuer ⟨Adverb⟩ (südd., östr., schweiz): *in diesem Jahr:* h. haben wir dauernd schlechtes Wetter.

Heuer, die; -: *Lohn, den ein Seemann erhält:* die H. auszahlen, bekommen.

heuern, heuerte, hat geheuert ⟨tr.⟩: **1.** *für den Dienst auf einem Schiff anwerben:* der Kapitän heuerte eine neue Mannschaft. **2.** *ein Schiff mieten:* einen Schlepper h.

heulen, heulte, hat geheult ⟨tr.⟩: **1.** *laute, langgezogene und dumpfe [klagende] Töne von sich geben:* die Wölfe heulen; der Wind heult. **2.** (abwertend) *weinen:* hör endlich auf zu h.!

Heuschrecke, die; -, -n: /ein Insekt/ (siehe Bild).

Heuschrecke

heute ⟨Adverb⟩: **1.** *an diesem Tag:* h. ist Sonntag. **2.** *in der Gegenwart:* früher arbeitete man mit der Hand, h. machen alles die Maschinen.

heutig ⟨Adj.; nur attributiv⟩ **1. a)** *heute stattfindend:* auf der heutigen Veranstaltung spricht ein bekannter Politiker. **b)** *heute eingetroffen, von heute:* die heutigen Briefe, Zeitungen. **2.** *gegenwärtig, augenblicklich:* der heutige Stand der Technik.

heutzutage ⟨Adverb⟩: *heute, in der jetzigen Zeit:* h. lebt man gefährlicher als früher.

Hexe, die; -, -n: *[alte, böse] Frau, die zaubern kann.*

hexen: ⟨in der Wendung⟩ (ugs.) jmd. kann [nicht] h. *(jmd. kann etwas [nicht] schneller machen, als es möglich ist):* die Reparatur dauert eine Weile, schließlich kann ich [doch] nicht h.

Hexenjagd, die; -, -en (abwertend): *Verfolgung und Diffamierung einer Person oder einer [in der Minderheit befindlichen] Gruppe aus politischen, rassischen o. ä. Gründen:* auf die Linke an den Universitäten wurde in der Presse eine H. veranstaltet.

Hexenkessel, der; -s, -: *Ort voller Getöse und Unruhe:* nach dem ersten Tor verwandelte sich das Stadion in einen H.

Hexenschuß, der; Hexenschusses, Hexenschüsse: *Schmerzen, die im Bereich der Wirbelsäule in der Höhe der Lende und der angrenzenden Körperteile auftreten:* beim Heben des schweren Sackes hat er einen H. bekommen.

Hexerei, die; -, -en: *Zauberei:* seine Geschicklichkeit grenzt an H.; (ugs.) Geschwindigkeit ist keine H. *(wenn etwas schnell erledigt wird, so ist dies nichts Außergewöhnliches, kein Kunststück).*

Hieb, der; -[e]s, -e: *Schlag:* ein H. mit der Axt genügte, um das Holz zu spalten.

hiebfest: ⟨in der Fügung⟩ hieb- und stichfest: *gegen alle Angriffe, Beschuldigungen sicher, überzeugend:* er hat ein hieb- und stichfestes Alibi.

hier ⟨Adverb⟩: *an dieser Stelle, diesem Punkt; nicht dort:* h. ist der Weg!; h. machte der Redner eine Pause.

Hierarchie, die; -, -n: **1.** Rel. kath. *Gesamtheit der nach bestimmten Rängen und Stufen eingeteilten Priester:* als Kleriker ist er ein Glied der kirchlichen H. **2.** *Gliederung nach Rängen und Stufen:* Veränderungen in der politischen H.; die H. innerhalb der Partei.

hierauf [nachdrücklich auch: hierauf] ⟨Pronominaladverb⟩: *darauf.*

hierfür [nachdrücklich auch: hierfür] ⟨Pronominaladverb⟩: *dafür.*

hiergegen [nachdrücklich auch: hiergegen] ⟨Pronominaladverb⟩: *dagegen.*

hierher [nachdrücklich auch: hierher] ⟨Adverb⟩: *von dort nach hier:* h. mit dir! ⟨oft zusammengesetzt mit Verben⟩ hierherbringen, hierherkommen.

hierhergehören, gehörte hierher, hat hierhergehört ⟨itr.⟩: *an diese Stelle gehören, passen:* dieser persönliche Vorwurf gehört nicht hierher.

hierhin [nachdrücklich auch: hierhin] ⟨Adverb⟩: *an diese Stelle hin, nach hier:* wir fuhren bald h., bald dorthin; ⟨oft zusammengesetzt mit Verben⟩ hierhinlaufen.

hierin [nachdrücklich auch: hierin] ⟨Pronominaladverb⟩: *in diesem Punkte, in dieser Beziehung:* h. hat er sich geirrt.

hiermit [nachdrücklich auch: hiermit] ⟨Pronominaladverb⟩: 1. *mit der betreffenden Sache:* h. hatte der Betrieb großen Erfolg. 2. *auf diese Weise, so:* h. beendete er seine Rede.

Hieroglyphen, die ⟨Plural⟩: 1. *aus bildlichen Darstellungen entwickelte Zeichen, die bei verschiedenen Völkern, bes. im alten Ägypten, die Funktion einer Schrift erfüllten:* die Säulen des Tempels waren mit H. bedeckt. 2. (scherzh.) *undeutlich oder entstellt wiedergegebene Buchstaben in einer Handschrift:* deine H. kann ich nicht entziffern.

hierüber [nachdrücklich auch: hierüber] ⟨Pronominaladverb⟩: 1. **a)** *über der eben genannten Sache:* wir sind hier in der Garage, h. liegt das Wohnzimmer. **b)** *über die betreffende Sache:* h. ging er in seiner Rede einfach hinweg. 2. *in bezug auf die betreffende Sache:* h. sollte man sich nicht streiten.

hierunter [nachdrücklich auch: hierunter] ⟨Pronominaladverb⟩: 1. **a)** *unter der eben genannten Sache:* wir sind hier im Wohnzimmer, h. liegt der Keller. **b)** *unter die betreffende Sache:* du sollst den Stuhl h. stellen. 2. *in bezug auf die betreffende Sache:* h. kann ich mir nichts vorstellen.

hiervon [nachdrücklich auch: hiervon] ⟨Pronominaladverb⟩: *davon.*

hierzu [nachdrücklich auch: hierzu] ⟨Pronominaladverb⟩: 1. *dazu, zu der eben genannten Sache:* h. bin ich in der Eile nicht mehr gekommen. 2. *im Hinblick auf, in bezug auf die eben genannte Sache:* h. gab der Politiker keinen Kommentar ab. 3. *zu der eben genannten Art, Gruppe:* h. gehören nur wenige Leute.

hierzulande ⟨Adverb⟩ (geh.): *hier in diesem Lande:* auch h. herrscht das Geld.

hiesig ⟨Adj.; nur attributiv⟩: *hier [in dieser Gegend] vorhanden, von hier stammend:* die hiesige Bevölkerung besteht vor allem aus Bauern; die hiesigen Zeitungen berichten, daß ...

High-Society ['haɪsə'saɪətɪ], die; -: *die vornehme, große Welt, die feinen und reichen Leute:* ihm ist der Aufstieg in die H. geglückt.

Hilfe, die; -, -n: 1. ⟨ohne Plural⟩ *Tat o. ä., die dazu beiträgt, eine Schwierigkeit zu überwinden oder eine Aufgabe zu erfüllen; Unterstützung:* H. in der Not; finanzielle H. *** Erste H.** *(erste, vorläufige Hilfe bei Unfällen [bis der Arzt kommt]).* 2. *jmd., der für Arbeiten in einem Haushalt, Geschäft angestellt ist:* die Frau braucht eine H. für den Haushalt.

hilflos ⟨Adj.⟩: **a)** *sich selbst nicht helfen könnend; Hilfe nötig habend:* er lag h. auf der Straße. **b)** *unbeholfen, verwirrt:* h. blickte er um sich. **Hilflosigkeit,** die; -.

hilfreich ⟨Adj.⟩ 1. *hilfsbereit.* 2. *nützlich:* diese Kritik war sehr h.

hilfsbereit ⟨Adj.⟩: *bereit zu helfen:* ein hilfsbereiter Mensch; h. sein.

Hilfsmittel, das; -s, -: *Mittel als Hilfe zum Erreichen eines Ziels:* der Schüler benutzte verbotene H.

Himbeere, die; -, -n: /eine rote Beere/ (siehe Bild).

Himbeere

Himmel, der; -s: 1. *Decke, die sich scheinbar über die Erde wölbt;* der H. ist blau, wolkig. *** unter freiem H.** *(im Freien).* 2. Rel. *Ort, an dem Gott und die Seligen als wohnend gedacht werden* /Ggs. Hölle/: in den H. kommen. *** etwas schreit zum H.** *(etwas ist ungeheuerlich, unerhört);* **im siebenten H. sein** *(höchstes Glück fühlen);* **H. und Hölle in Bewegung setzen** *(alles versuchen, um etwas zu erreichen).*

Himmelfahrt, die; -: **a)** Rel. *Aufstieg Christi in den Himmel.* **b)** *Fest des Aufstiegs Christi in den Himmel:* 40 Tage nach Ostern ist H.; bildl. (ugs.): das ist ja die reinste H. *(ein sehr beschwerliches Unternehmen).*

Himmelfahrtskommando, das; -s, -s (ugs.): *Auftrag, bei dessen Ausführung man damit rechnen muß, ums Leben zu kommen.*

himmelschreiend: ⟨in der Fügung⟩ ein himmelschreiendes Unrecht: *ein sehr großes Unrecht.*

Himmelskörper, der; -s, -: *Gestirn.*

Himmelsrichtung, die; -, -en: *eine der vier Seiten des Horizonts:* die vier Himmelsrichtungen sind Norden, Süden, Osten, Westen.

himmelweit: ⟨in der Fügung⟩ ein himmelweiter Unterschied: *ein sehr großer Unterschied.*

himmlisch ⟨Adj.⟩: 1. ⟨nur attributiv⟩ (geh.): **a)** *göttlich:* die himmlischen Mächte. **b)** *den Himmel betreffend, zu ihm gehörig:* das himmlische Licht *(die Sonne).* 2. *köstlich, herrlich, einzigartig, wunderbar:* hier draußen herrscht eine himmlische Ruhe. 3. (ugs.) *sehr groß:* er besaß eine himmlische Geduld.

hin ⟨Adverb⟩: 1. ⟨räumlich⟩ *nach dort; zu einem bestimmten Punkt;* ⟨oft zusammengesetzt mit Verben⟩ hinlaufen, hintragen. 2. ⟨zeitlich⟩ *dauernd:* durch Jahre h. *** h. und wieder** *(manchmal).* 3. ⟨kausal; in der Fügung *auf ... hin*⟩ **a)** *auf Grund:* er wurde auf seine Anzeige h. verhaftet. **b)** *in Hinblick (auf etwas):* jmdn. auf Tuberkulose h. untersuchen.

hinab ⟨Adverb⟩: *von hier oben nach dort unten:* der Sprung von der Mauer h.; ⟨oft zusammengesetzt mit Verben⟩ hinabfahren, hinabkommen, hinablaufen.

hinauf ⟨Adverb⟩: *von hier unten nach dort oben:* los, h. mit dir auf den Wagen!; ⟨oft zusammengesetzt mit Verben⟩ hinauffahren, hinaufkommen, hinauflaufen.

hinaufarbeiten, sich; arbeitete sich hinauf, hat sich hinaufgearbeitet: *emporarbeiten:* du hast dich ja schnell zum Direktor hinaufgearbeitet.

hinauffallen: ⟨in der Wendung⟩ die Treppe h. (ugs.): *trotz fehlender eigener Verdienste befördert werden:* nach diesem Vorfall wurde der Beamte versetzt und fiel die Treppe hinauf.

hinaufschrauben, schraubte hinauf, hat hinaufgeschraubt: 1. ⟨rfl.⟩ *sich in einer schraubenden Bewegung nach oben bewegen:* das Düsenflugzeug hat sich auf die vorgeschriebene Höhe hinaufgeschraubt. 2. ⟨tr.⟩ (ugs.) *erhöhen:* nach der Wahl wurden die Preise allmählich hinaufgeschraubt.

hinaus ⟨Adverb⟩: *aus dem Inneren von etwas nach draußen:* h. aus dem Zimmer mit euch!; ⟨oft zusammengesetzt mit Verben⟩ **a)** *von hier drinnen nach dort draußen:* hinausgehen, sich hinauslehnen. **b)** *von der Nähe in die Ferne:* hinauswandern, hinausschwimmen. ** **auf ... h.** *(für):* er hat auf Jahre h. vorgesorgt; **über ... h.** *(etwas überschreitend):* er übte täglich zwei Stunden über das geforderte Maß h.

hinausekeln, ekelte hinaus, hat hinausgeekelt ⟨tr.⟩ (ugs.): *(jmdn.) durch schlechtes Behandeln, Schikanieren zum Verlassen (von etwas) veranlassen:* durch dauernde unsachliche Kritik hat man ihn aus der Versammlung hinausgeekelt.

hinausfliegen, flog hinaus, hat/ist hinausgeflogen: 1. ⟨itr.⟩ **a)** *nach draußen fliegen:* der Vogel ist zum Fenster hinausgeflogen. **b)** *(in die Ferne) fliegen:* die Möwen sind auf das Meer hinausgeflogen. 2. ⟨tr.⟩ *auf dem Luftweg (aus einem bedrohten Gebiet) befördern:* man hat die Verwundeten mit Hubschraubern aus dem Kessel hinausgeflogen. 3. ⟨itr.⟩ (ugs.) *(in/ bei etwas) seine Stellung verlieren:* nach dem Diebstahl ist er aus dem Betrieb hinausgeflogen.

hinausgehen, ging hinaus, ist hinausgegangen ⟨itr.⟩: 1. **a)** *von drinnen nach draußen gehen.* **b)** *in die Ferne gehen; wandern.* 2. *den Weg, die Sicht in eine bestimmte Richtung ermöglichen:* die Tür geht in den Garten; das Fenster geht auf die Straße hinaus. 3. *eine Grenze, ein gewisses Maß überschreiten:* sein Wissen ging weit über den Durchschnitt hinaus.

hinauskommen, kam hinaus, ist hinausgekommen ⟨itr.⟩: 1. *nach draußen kommen, gelangen:* ich muß sehen, wie ich aus dem Gebäude hinauskomme; ich bin nie aus der Stadt hinausgekommen *(habe sie nie verlassen).* 2. *(nicht weiter als bis zu einer bestimmten Grenze) gelangen:* über die Anfänge ist er in seinem Studium nicht hinausgekommen. * **etwas kommt auf eins/ auf dasselbe hinaus** *(etwas bleibt sich am Ende gleich).*

hinauslaufen, läuft hinaus, lief hinaus, ist hinausgelaufen ⟨itr.⟩: *von drinnen nach dort draußen laufen.* * **etwas läuft auf etwas hinaus** *(etwas hat etwas zur Folge):* es läuft darauf hinaus, daß ich die Arbeit allein machen muß.

hinauswachsen, wächst hinaus, wuchs hinaus, ist hinausgewachsen ⟨itr.⟩: *größer (als etwas) werden:* das Tier ist über seine normale Größe hinausgewachsen; bildl.: über das Spielen mit Puppen war das Mädchen schon längst hinausgewachsen *(dazu war es in seiner Entwicklung zu weit fortgeschritten, zu alt);* über jmdn., sich [selbst] h. *(jmdn., sich selbst übertreffen).*

hinauswerfen, wirft hinaus, warf hinaus, hat hinausgeworfen ⟨tr.⟩: 1. *nach draußen werfen:* das Papier zum Fenster h. * **sein Geld zum Fenster h.** *(sein Geld verschwenden).* 2. **a)** *zum Verlassen eines Raumes zwingen:* der Wirt warf den Betrunkenen hinaus. **b)** *wütend, zornig entlassen:* der Chef hat ihn sofort aus dem Betrieb hinausgeworfen.

hinauswollen, will hinaus, wollte hinaus, hat hinausgewollt ⟨itr.⟩: 1. *nach draußen wollen:* er hat aus dem Zimmer hinausgewollt. 2. *(etwas) beabsichtigen, (auf etwas) abzielen:* ich begreife nicht, worauf er hinauswill; hoch h. *(nach Hohem streben).*

hinausziehen, zog hinaus, hat/ ist hinausgezogen: 1. ⟨itr.⟩ **a)** *(aus etwas) ziehen, gelangen:* die Musikanten sind zur Stadt hinausgezogen. **b)** *(in die Ferne) ziehen:* der lebenslustige Bursche ist in die Welt hinausgezogen. 2. ⟨itr.⟩ *seinen Wohnsitz (nach außerhalb) verlegen:* zuerst wohnten wir in der Stadt, sind dann aber aufs Land hinausgezogen. 3. **a)** ⟨tr./rfl.⟩ *in die Länge ziehen:* geschickt hat er die Verhandlungen hinausgezogen; etwas zieht sich hinaus *(dauert lange).* **b)** ⟨tr.⟩ *verzögern, aufschieben:* der Politiker hat seine Entscheidung hinausgezogen.

hinauszögern, zögerte hinaus, hat hinausgezögert ⟨tr.⟩: *(mit etwas) warten; auf später verschieben:* er zögerte seine Reise jahrelang hinaus.

hinbekommen, bekam hin, hat hinbekommen ⟨itr.⟩ (ugs.): *fertigbringen, zustande bringen:* diese Arbeit habe ich gut hinbekommen.

Hinblick: ⟨in der Fügung⟩ in/ im H. auf: *bei Betrachtung / Berücksichtigung von etwas:* in H. auf die besondere Lage kann hier eine Ausnahme gemacht werden.

hinbringen, brachte hin, hat hingebracht ⟨tr.⟩: 1. *(an einen bestimmten Ort) bringen:* er hat die Waren [zu ihr] hingebracht. 2. (ugs.) *(eine bestimmte Zeit mit etwas) verbringen, (für etwas) brauchen:* das Gericht hat zwei Wochen mit dem Prozeß hingebracht.

hinderlich ⟨Adj.⟩: *störend, hemmend:* der Verband am Knie ist sehr h.

hindern, hinderte, hat gehindert ⟨tr.⟩: 1. *behindern (bei etwas):* du hinderst mich am Schreiben. 2. *bewirken, daß etwas nicht geschieht; verhindern:* ich kann es nicht h.

Hindernis, das; -ses, -se: *etwas, was im Wege steht, für jmdn. / etwas hinderlich ist; Schwierigkeit:* das Pferd sprang beim Rennen über alle Hindernisse; wir mußten viele Hindernisse überwinden.

hindeuten, deutete hin, hat hingedeutet ⟨itr.⟩: 1. *(auf etwas/jmdn.) deuten:* er hat mit dem Kopf auf den Schrank hingedeutet. 2. *(auf etwas) schließen lassen:* diese Spuren deuten auf ein Verbrechen hin.

hindurch ⟨Adverb; nachgestellt⟩: *durch* **a)** ⟨räumlich⟩ ich konnte ihn durch den Vorhang h. sehen. **b)** ⟨zeitlich⟩ wir bleiben die ganze Nacht h. auf.

hinein ⟨Adverb⟩: *von hier draußen nach dort drinnen;* ⟨oft zusammengesetzt mit Verben⟩ hineingehen, hineinspringen.

hineinarbeiten, sich; arbeitete sich hinein, hat sich hineingearbeitet: *sich einarbeiten:* in die neue Aufgabe hast du dich schnell hineingearbeitet.

hineindenken, sich; dachte sich hinein, hat sich hineingedacht: *sich (an jmds. Stelle) versetzen; (jmds. Lage o. ä.) ver-*

stehen wollen: du sträubst dich einfach dagegen, dich in meine Lage hineinzudenken.

hineindürfen, darf hinein, durfte hinein, hat hineingedurft ⟨itr.⟩ (ugs.): *(etwas) betreten dürfen:* in das Zimmer des Kranken hat niemand hineingedurft.

hineinfallen, fällt hinein, fiel hinein, ist hineingefallen ⟨itr.⟩: 1. *(in etwas) fallen:* das Kind ist in den Teich hineingefallen; (ugs.) er ließ sich in den Sessel h. *(er ließ sich lässig in ihn fallen).* 2. (ugs.) **a)** *Mißerfolg haben, (bei etwas) schlecht abschneiden, übertölpelt werden:* bei diesem Geschäft ist er ganz schön hineingefallen. **b)** *(von jmdm./etwas) getäuscht werden:* prompt fiel er auf diesen Schwindel hinein; sie ist auf den Herzensbrecher hineingefallen.

hineinfliegen, flog hinein, hat/ist hineingeflogen: 1. ⟨itr.⟩: *(in etwas) fliegen:* der Vogel ist wieder in sein Bauer hineingeflogen. 2. ⟨tr.⟩ *mit dem Flugzeug in einen [eingeschlossenen] Ort, ein gefährdetes Gebiet transportieren:* man hat Nahrungsmittel in das vom Hochwasser bedrohte Gebiet hineingeflogen 3. ⟨itr.⟩ *Pech, Mißerfolg haben:* der Student ist bei der Prüfung ganz schön hineingeflogen.

hineinfressen, sich; frißt sich hinein, fraß sich hinein, hat sich hineingefressen: *fressen und dadurch in etwas gelangen* /von Tieren/: die Maden fraßen sich in das Aas hinein; bildl.: der Rost hat sich allmählich in das Eisen hineingefressen *(hat sich zerstörend in ihm festgesetzt);* der Bohrer fraß sich nur langsam in den Stahl hinein *(drang nur langsam in ihn ein).* ** (ugs.) **etwas in sich h.** *(etwas stumm ertragen):* er hat den Kummer in sich hineingefressen.

hineinknien, sich; kniete sich hinein, hat sich hineingekniet (ugs.): *sich (mit etwas) gründlich beschäftigen, sich (in etwas) vertiefen:* er hat sich in seine Arbeit hineingekniet.

hineinpassen, paßte hinein, hat hineingepaßt: 1. ⟨itr.⟩ *Platz (in etwas) haben, finden:* der Schrank war voll, es hat nichts mehr hineingepaßt. 2. ⟨itr.⟩ *(für etwas) passend sein:* der Schlüssel paßt in das Schloß hinein; er hat in seinem schäbigen Anzug nicht in die vornehme Gesellschaft hineingepaßt. 3. ⟨tr.⟩ *so einfügen, daß es paßt:* das Bett war in die Nische hineingepaßt.

hineinreden, redete hinein, hat hineingeredet: 1. ⟨itr.⟩ *durch Reden störend unterbrechen:* er hat dauernd in unsere Unterhaltung hineingeredet. 2. ⟨itr.⟩ *sich einmischen, Vorschriften machen:* in dieser Angelegenheit lasse ich mir von dir nicht h. 3. ⟨rfl.⟩ *sich durch Reden hineinsteigern:* du hast dich in Wut hineingeredet.

hineinriechen, roch hinein, hat hineingerochen ⟨itr.⟩ (ugs.): *(etwas) kennenlernen, (mit etwas) vertraut werden:* bevor er sich entschied, wollte er zunächst einmal in den Betrieb h.

hineinschauen, schaute hinein, hat hineingeschaut ⟨itr.⟩: *nach drinnen schauen:* er schaute durch das Fenster in das Zimmer hinein; bildl. (ugs.): er läßt sich nicht in seine Arbeit h. *(gestattet niemandem, in sie Einblick zu nehmen, gibt keine Auskunft über sie);* ich werde nachher noch schnell bei euch h. *(euch einen kurzen Besuch machen).*

hineinsteigern, sich; steigerte sich hinein, hat sich hineingesteigert: *sich selbst (in eine immer stärker werdende Erregung) versetzen:* er hat sich in [eine] unbändige Wut hineingesteigert.

hineinversetzen, sich; versetzte sich hinein, hat sich hineinversetzt: *sich in jmds. Lage versetzen; (jmdn. in seinem Denken, Empfinden) gut verstehen:* er konnte sich in seinen Freund, seine Situation gut h.

hineinwachsen, wächst hinein, wuchs hinein, ist hineingewachsen ⟨itr.⟩: 1. *(in etwas) nach innen wachsen:* der Nagel ist in das Fleisch hineingewachsen. 2. (ugs.) *an Körpergröße so zunehmen, daß einem ein Kleidungsstück paßt:* der Mantel ist dem Mädchen noch zu groß, es muß erst in ihn h. 3. *(mit etwas) vertraut werden, sich (an etwas) gewöhnen:* er ist schnell in den neuen Beruf hineingewachsen.

hineinziehen, zog hinein, hat/ist hineingezogen: 1. ⟨tr.⟩ *nach drinnen ziehen:* er hat mich mit Gewalt in das Auto hineingezogen; bildl.: er ist in die Angelegenheit mit hineingezogen *(verwickelt)* worden. 2. ⟨itr.⟩ *(in etwas) ziehen:* die Soldaten sind singend durch das Tor in die Stadt hineingezogen.

hinfahren, fährt hin, fuhr hin, hat/ist hingefahren: 1. ⟨itr.⟩ *(an einen bestimmten Ort, zu einer bestimmten Person) fahren:* wir sind mit dem Auto zu ihm hingefahren. 2. ⟨tr.⟩ *(mit einem Fahrzeug an einen bestimmten Ort, zu einer bestimmten Person) bringen:* ich habe ihn mit dem Auto zu ihr hingefahren. 3. ⟨itr.⟩ *[mit der Hand] (über etwas) streichen:* er ist mit der Hand über die Zeitung hingefahren, um sie zu glätten.

Hinfahrt, die; -, -en: *Fahrt von einem Ort zu einem anderen (wobei eine spätere Rückfahrt vorgesehen ist)* /Ggs. Rückfahrt/: auf der H. traf ich einen Freund, auf der Rückfahrt war ich allein.

hinfallen, fällt hin, fiel hin, ist hingefallen ⟨itr.⟩: *zu Boden fallen, stürzen:* das Kind ist hingefallen.

hinfällig ⟨Adj.⟩: 1. *inzwischen nicht mehr notwendig:* meine Einwände sind h. geworden *(gelten nicht mehr).* 2. *gebrechlich; [im Alter] körperlich schwach:* er ist schon sehr h.

hinfliegen, flog hin, hat/ist hingeflogen: 1. ⟨itr.⟩ *(an einen bestimmten Ort) fliegen:* wir sind bei schönem Wetter hingeflogen. 2. ⟨tr.⟩ *(mit dem Flugzeug o. ä. an einen bestimmten Ort) transportieren:* das Lazarett war weit entfernt, deshalb hatte man die Verwundeten mit dem Hubschrauber hingeflogen. 3. ⟨itr.⟩ *sich fliegend (über etwas) bewegen:* langsam sind sie in dem Ballon über die Wolken hingeflogen. 4. ⟨itr.⟩ (ugs.) *hinfallen:* der Betrunkene ist mehrmals hingeflogen.

Hingabe, die; -: 1. *völliges Aufgehen (in etwas), großer Eifer (für etwas):* er spielte mit H. Klavier. 2. *Aufgabe, Opferung seiner selbst für eine Sache, Idee, Person:* sie pflegte ihn mit selbstloser H.

hingeben, gibt hin, gab hin, hat hingegeben: 1. ⟨tr.⟩ *opfern:* sein Leben für jmdn. h. 2. ⟨rfl.⟩ *sich einer Sache, Person völlig überlassen:* sich seinen Träumen, dem Trunk h.; sie gab sich ihm hin *(verkehrte geschlechtlich mit ihm).*

hịngehen, ging hin, ist hingegangen ⟨itr.⟩: **1.** *(an einen bestimmten Ort) gehen:* er ging zum Schrank hin und nahm ein Buch heraus. **2.** *ein bestimmtes Ziel haben:* niemand wußte, wo die Reise, das Schiff hinging. **3.** *(seinen Blick über jmdn./etwas) streifen lassen:* sein Blick ging über die Versammlung hin. **4.** *(von etwas) betroffen werden, (etwas) über sich ergehen lassen müssen:* viele Schrecken waren über dieses Volk hingegangen. **5.** *verstreichen, vergehen:* bei dieser Arbeit war der Nachmittag schnell hingegangen. ** **jmdm. etwas h. lassen** *(jmdm. etwas durchgehen lassen, etwas bei jmdm. dulden, ungestraft lassen):* diese Lüge darf man ihm nicht so h. lassen; (ugs.) **etwas mag [noch] h.** *(etwas mag [noch] erträglich sein):* sein Benehmen mochte gerade [noch] h.

hịngehören, gehörte hin, hat hingehört ⟨itr.⟩: **a)** *(an einer Stelle, wo es fehlt) eingefügt werden müssen:* wo gehört diese Seite hin? **b)** *passen, angebracht sein:* diese Bemerkung hat hier, da, dort nicht hingehört.

hịnhalten, hält hin, hielt hin, hat hingehalten ⟨tr.⟩: **1.** *so halten, daß es von jmdm. ergriffen werden kann:* eine Packung Zigaretten h. * **den Kopf für jmdn. h. [müssen]** *(für das Vergehen eines anderen büßen [müssen].* **2.** *warten lassen:* mit der Rückgabe des Buches hat er sie lange hingehalten; hinhaltenden Widerstand leisten.

hịnhauen, haute hin, hat hingehauen (ugs.): **1.** ⟨tr.⟩ *[zornig, entmutigt] aufgeben:* die Arbeit h. **2.** ⟨itr.⟩ *gut gelingen:* das haut hin! **3.** ⟨rfl.⟩ *sich schlafen legen:* ich bin müde, ich haue mich hin. **4.** ⟨tr.⟩ *nachlässig machen:* er hat den Aufsatz schnell hingehauen.

hịnken, hinkte, hat/ist gehinkt ⟨itr.⟩: **1.** *lahm gehen, so daß der Körper bei jedem Schritt auf einer Seite tiefer sinkt:* er ist nach Hause gehinkt. **2.** *auf einem Fuß nicht richtig gehen, auftreten können:* seit seiner Verletzung hat er auf dem rechten Fuß gehinkt. **3.** *nicht passen, nicht zutreffen:* deine Vergleiche haben gehinkt.

hịnkommen, kam hin, ist hingekommen ⟨itr.⟩: **1.** *(an einen bestimmten Ort) kommen:* als ich hinkam, war der Vortrag schon zu Ende; bildl. (ugs.): wo kämen wir hin *(was wäre [die Folge]),* wenn jeder tun dürfte, was er wollte. * (ugs.) **wo ist etwas hingekommen?** *(wo befindet sich etwas?):* wo sind meine Handschuhe hingekommen? **2.** (ugs.) *auskommen, reichen:* ich bin mit dem Geld nicht hingekommen. **3.** (ugs.) *gutgehen:* die Sache wird schon h.

hịnkriegen, kriegte hin, hat hingekriegt ⟨tr.⟩ (ugs.): *hinbekommen:* diese Reparatur hast du ganz toll hingekriegt.

hịnlänglich ⟨Adj.⟩: *ausreichend; so, daß es schon genügt:* das ist h. bekannt.

hịnlegen, legte hin, hat hingelegt: **1.** ⟨tr.⟩ *(an einen bestimmten Ort) legen:* er legte die Zeitung wieder hin. **2. a)** ⟨rfl.⟩ *sich (für kürzere Zeit) liegend ausruhen:* ich habe mich für einige Stunden hingelegt. **b)** ⟨tr.⟩ *[einen Säugling für die Nacht fertig machen und] zu Bett bringen:* nach dem Essen legte die Mutter das Baby hin. **3.** ⟨tr.⟩ (ugs.) *geschickt, gekonnt ausführen:* einen Walzer [aufs Parkett] h.

hịnnehmen, nimmt hin, nahm hin, hat hingenommen ⟨tr.⟩: *mit Gleichmut aufnehmen; sich (etwas) gefallen lassen:* etwas als selbstverständlich h.; er nahm die Vorwürfe gelassen hin.

hịnreichen, reichte hin, hat hingereicht: **1.** ⟨tr.⟩ *reichen, geben:* der Diener hat dem Gast ein Glas Sekt hingereicht. **2.** ⟨itr.⟩ *genügen, ausreichen:* seine Kenntnisse reichten für diese Tätigkeit nicht hin; ⟨häufig im 1. Partizip⟩ ihm stehen hinreichende Mittel zur Verfügung.

hịnreißen, riß hin, hat hingerissen ⟨tr.⟩: *begeistern, entzücken:* er konnte das Publikum h.; ⟨oft im 2. Partizip⟩ wir waren ganz hingerissen von ihrem Gesang. * **sich [zu etwas] h. lassen** *(aus einem plötzlichen Gefühl heraus etwas unüberlegt tun [was man später bereut]):* sich von seinen Gefühlen h. lassen; sich zu einer Beleidigung h. lassen.

hịnrichten, richtete hin, hat hingerichtet ⟨tr.⟩: *ein Todesurteil (an jmdm.) vollstrecken:* der Verräter wurde öffentlich hingerichtet. **Hịnrichtung,** die; -, -en.

hịnschlagen, schlägt hin, schlug hin, hat/ist hingeschlagen ⟨itr.⟩: **1.** *(auf eine bestimmte Stelle) schlagen:* er hat mit der Faust hingeschlagen. **2.** (ugs.) *hinfallen:* er ist auf dem frisch gebohnerten Parkett [der Länge nach] hingeschlagen.

hịnschleppen, schleppte hin, hat hingeschleppt: **1.** ⟨tr.⟩ *(an einen bestimmten Ort) schleppen:* er hat die schweren Kisten allein hingeschleppt. **2.** ⟨rfl.⟩ *sich nur unter großer Mühe bewegen:* der Greis hat sich langsam zur Tür hingeschleppt; bildl.: das Gespräch schleppt sich hin *(dauert lange, zieht sich hin).*

hịnschmeißen, schmiß hin, hat hingeschmissen ⟨tr.⟩ (ugs.): *hinwerfen.*

hịnsein, ist hin, war hin, ist hingewesen (ugs.) ⟨itr.⟩: **a)** *entzwei, zerstört, nicht mehr brauchbar sein:* der Teller, das Auto ist hin. **b)** *erschöpft, sehr müde sein:* nach dem Marsch war ich ganz hin. **c)** *tot sein:* der Hund ist hin. **d)** *begeistert sein:* wir waren ganz h. von der Musik.

Hịnsicht: ⟨in der Fügung⟩ in ... H.: *in ... Beziehung:* in dieser, mancher H.; in finanzieller H. ging es der Familie gut.

hịnsichtlich ⟨Präp. mit Gen.⟩: *in bezug (auf etwas); bezüglich:* h. eines neuen Termins wurde keine Einigung erzielt *(man konnte sich nicht über einen neuen Termin einigen).*

hịnstellen, stellte hin, hat hingestellt: **1.** ⟨tr./rfl.⟩ *auf eine Stelle, an einen bestimmten Platz stellen:* stell den Stuhl hier hin!; stell dich dort hin! **2.** ⟨tr.⟩ *bezeichnen (als etwas); so (von jmdm.) sprechen, daß ein bestimmter Eindruck (von ihm) entsteht:* er hat ihn als Betrüger hingestellt.

hịnten ⟨Adverb⟩: **1.** *auf der entfernter gelegenen Seite; im entfernter gelegenen Teil:* er ist ganz h. im Garten. **2.** *an letzter Stelle [einer Reihe]; im hinteren Teil:* du mußt dich h. anstellen; h. einsteigen. **3.** (ugs.) *auf der Rückseite:* h. auf dem Buch.

hịntenherum ⟨Adverb⟩: **a)** *hinten (um etwas) herum:* mittags verlassen wir das Gebäude h., da die vordere Tür meist verschlossen ist. **b)** (ugs.) *heimlich, auf nicht redliche Art und Weise:* diese Neuigkeit hat er h. erfahren.

hinter ⟨Präp. mit Dativ und Akk.⟩ **1.** ⟨Dativ; in Bezug auf die Lage⟩ *auf der Rückseite (von etwas/jmdm.):* h. dem Haus, Vorhang. *** h. verschlossenen Türen** *(geheim);* **etwas h. jmds. Rücken tun** *(etwas ohne jmds. Wissen, heimlich tun);* **etwas h. sich haben** *(etwas überstanden haben).* **2.** ⟨Akk.; in Bezug auf die Richtung⟩ *auf die Rückseite (von etwas/jmdm.):* h. das Haus, den Vorhang gehen.

Hinterbein, das; -[e]s, -e: *hinteres Bein* /von Tieren/: Dakkel haben krumme Hinterbeine. *** *** (ugs.) **sich auf die Hinterbeine stellen/setzen: a)** *Widerstand leisten, sich weigern:* mußt du dich denn bei jeder Gelegenheit auf die Hinterbeine stellen? **b)** *sich anstrengen, sich Mühe geben:* wenn er sich nicht auf die Hinterbeine setzt, wird er Ostern nicht versetzt werden.

Hinterbliebenen, die ⟨Plural; ohne Artikel: Hinterbliebene⟩: *Verwandte eines Verstorbenen:* die trauernden H.

hinterbringen, hinterbrachte, hat hinterbracht ⟨tr.⟩: *heimlich berichten:* die Pläne des Ministers waren dem Präsidenten hinterbracht worden.

hintere ⟨Adj.; nur attributiv⟩: *sich hinten befindend:* wir wohnen im hinteren Teil des Hauses.

hintereinander ⟨Adverb⟩: **1.** ⟨räumlich⟩ **a)** *einer hinter dem andern:* sich h. aufstellen. **b)** *einer hinter den andern;* ⟨zusammengesetzt mit Verben⟩ hintereinanderstellen. **2.** ⟨zeitlich⟩ *ununterbrochen, aufeinanderfolgend:* ich arbeitete acht Stunden h.; die Vorträge finden an drei Abenden h. statt.

Hintergedanke, der; -ns, -n: *heimliche, nicht ausgesprochene Absicht:* ohne Hintergedanken; etwas mit einem Hintergedanken sagen; er hatte dabei keine Hintergedanken *(er meinte es genau so, wie er es sagte).*

hintergehen, hinterging, hat hintergangen ⟨tr.⟩: *durch ein heimliches Tun betrügen:* sie hat ihn die ganze Zeit mit einem anderen Mann hintergangen.

Hintergrund, der; -[e]s, Hintergründe: **1.** *hinterer Teil von etwas (z. B. eines Raumes), was im Blickfeld liegt:* im H. des Saales; das Gebirge bildet einen prächtigen H. für die Stadt. **2.** ⟨Plural⟩ *innere Zusammenhänge:* die Hintergründe der Affäre reichen mehrere Jahre zurück.

Hinterhalt, der; -[e]s, -e: *Versteck, von dem aus man jmdn. angreifen will:* den Gegner aus einem H. überfallen; in einen H. geraten.

hinterhältig ⟨Adj.⟩: *mit einem anscheinend harmlosen Verhalten einen bösen Zweck verfolgend; heimtückisch:* er hat sein Ziel mit hinterhältigen Methoden erreicht.

Hinterhand die; -: **1.** *Position des Spielers, der nach allen anderen ausspielt* /bei Kartenspielen/: er hat die Karten gegeben und saß damit in [der] H., war [in der] H. bildl.: bei den Verhandlungen hatte der Politiker noch ein Argument in der H. *(hatte es noch als Trumpf zur Verfügung, in Reserve).* **2.** *hinterer Teil von Tieren, bes. von Pferden:* das Pferd lahmte auf der linken H.

hinterher ⟨Adverb⟩: **1.** ⟨räumlich⟩ *nach jmdm./etwas:* sie ging vor und er h. **2.** ⟨zeitlich⟩ *danach, nachher:* ich gehe essen und werde h. ein wenig schlafen.

hinterherlaufen, läuft hinterher, lief hinterher, ist hinterhergelaufen ⟨itr.⟩: *(jmdm.) eilig folgen:* der Dieb floh, und der Polizist lief hinterher; bildl. (ugs.:) er ist diesem Mädchen mehrere Wochen hinterhergelaufen *(hat [in aufdringlicher Weise] versucht, sie für sich zu gewinnen).*

hinterlassen, hinterläßt, hinterließ, hat hinterlassen ⟨tr.⟩: *zurücklassen:* eine Nachricht für jmdn. h.; er hinterläßt eine Frau und zwei Kinder (bei seinem Tod): das Erlebnis hat Spuren in ihm hinterlassen.

Hinterlassenschaft, die; -: *Güter und Verpflichtungen, die jmd. bei seinem Tod hinterläßt:* seine H. ging an seinen Sohn über.

hinterlegen, hinterlegte, hat hinterlegt ⟨tr.⟩: **a)** *an einen sicheren Ort bringen, deponieren:* Geld auf der Bank h.; einen Vertrag beim Notar h. **b)** *als Pfand, Sicherheit geben:* er hinterlegte beim Makler eine Kaution von 200 Mark. **Hinterlegung,** die; -.

Hinterlist, die; -: *hinterlistiges Verhalten, Wesen:* er handelte dabei ohne jede H.

hinterlistig ⟨Adj.⟩: *heimlich bestrebt, jmdm. zu schaden; heimtückisch; hinterhältig:* auf hinterlistige Art und Weise hat er das Vermögen seines Vaters an sich gebracht.

Hintermann, der; -[e]s, Hintermänner: **1.** *jmd., der sich innerhalb einer bestimmten Ordnung hinter jmdm. befindet* /Ggs. Vordermann/: der Schüler flüsterte mit seinem H. **2.** ⟨Plural⟩ *Personen, die etwas aus dem Hintergrund lenken, ohne selbst in Erscheinung zu treten:* die Hintermänner dieses Attentats konnte man nicht belangen.

Hintermannschaft, die; -, -en: Sport *Teil der Mannschaft, die verteidigt, abwehrt:* nach dem dritten Tor brach die H. völlig zusammen.

Hintern, der; -s, - (ugs.): *Gesäß:* jmdm. den H. verhauen. *** jmdm. in den H. kriechen** *(jmdm. auf unwürdige Art schmeicheln, um sich bei ihm beliebt zu machen).*

hinterrücks ⟨Adverb⟩ (abwertend): *von hinten; heimtückisch:* jmdn. h. überfallen, erschlagen.

Hinterteil, das; -s, -e (ugs.; scherzh.): *Gesäß:* das Kind fiel auf sein H.

Hintertreffen: ⟨in der Wendung⟩ ins H. geraten/kommen: *in eine nachteilige Lage, in Rückstand geraten:* die Landwirtschaft dieses Gebietes ist in den letzten Jahren schwer ins H. geraten.

hintertreiben, hintertrieb, hat hintertrieben ⟨tr.⟩: *insgeheim versuchen, das Vorhaben eines anderen zu vereiteln:* sie wollte die Heirat ihres Sohnes h.

Hintertür, die; -, -en: *Tür an der Rückseite eines Gebäudes:* der Lieferant läutete an der H.; bildl.: du mußt dir noch eine H. *(einen Ausweg, eine Möglichkeit zum Rückzug)* offenlassen; er war erst durch eine H. *(auf nicht ganz redliche Weise)* in das Gremium gelangt.

hinterziehen, hinterzog, hat hinterzogen ⟨tr.⟩: *(nicht zum*

Versteuern oder Verzollen anmelden und so) nicht bezahlen: Steuern h. **Hinterziehung,** die; -, -en.

hinüber ⟨Adverb⟩: *von hier nach drüben;* ⟨oft zusammengesetzt mit Verben⟩ hinübergehen, hinüberschwimmen.

hinunter ⟨Adverb⟩: *von hier oben nach dort unten;* ⟨oft zusammengesetzt mit Verben⟩ hinuntersteigen, hinunterstürzen, hinunterwürgen.

hinunterschlucken, schluckte hinunter, hat hinuntergeschluckt ⟨tr.⟩: *durch Schlucken vom Mund in den Magen befördern:* er hat die Tablette hinuntergeschluckt; bildl. (ugs.): er schluckte seinen Ärger hinunter *(ließ ihn nicht merken, zeigte ihn nicht offen).*

hinunterstürzen, stürzte hinunter, hat/ist hinuntergestürzt: **1.** ⟨itr.⟩ *nach unten stürzen, fallen:* der Arbeiter ist vom Gerüst hinuntergestürzt. **2.** ⟨tr./rfl.⟩ *[durch einen Stoß] in die Tiefe befördern:* er hat ihn, sich von der Brücke hinuntergestürzt; bildl. (ugs.): er war sehr durstig und hat das Getränk hinuntergestürzt *(hastig getrunken).*

hinweg ⟨Adverb⟩: **1.** *fort, weg:* h. mit dir! **2.** ⟨zusammengesetzt mit Verben⟩ *völlig (über etwas) hin:* hinweggehen, hinwegfliegen über etwas.

hinweggehen, ging hinweg, ist hinweggegangen ⟨itr.⟩: *(etwas) außer acht lassen, nicht berücksichtigen:* er ist über meine Fragen einfach hinweggegangen.

hinwegsehen, sieht hinweg, sah hinweg, hat hinweggesehen ⟨itr.⟩: **a)** *(über jmdn./etwas) sehen:* er konnte über die Köpfe der Menge h. **b)** *nicht beachten, nicht (auf etwas) eingehen:* über diese Lappalien sollte man h.

hinwegsetzen, sich; setzte sich hinweg, hat sich hinweggesetzt: *(etwas) bewußt nicht beachten; ignorieren:* er setzte sich über die Warnungen, Befehle hinweg.

hinwegtäuschen, täuschte hinweg, hat hinweggetäuscht ⟨tr./rfl.⟩: *(jmdm.) etwas vorspiegeln; täuschen:* du täuschst ihn, dich über die wirkliche Lage hinweg.

Hinweis, der; -es, -e: *kurze Mitteilung, die auf etwas aufmerksam machen oder zu etwas anregen soll:* einen H. geben [auf etwas]; einem H. folgen.

hinweisen, wies hin, hat hingewiesen ⟨tr.⟩: *aufmerksam machen:* jmdn. auf eine Gefahr, eine günstige Gelegenheit h.

hinwerfen, wirft hin, warf hin, hat hingeworfen ⟨tr.⟩: **1.** *an eine Stelle werfen:* er warf das Buch hin; ⟨auch rfl.⟩ er hat sich hingeworfen. *** die Arbeit h.** *(aus Unwillen nicht mehr weiterarbeiten).* **2.** *fallen lassen:* er hat den Teller hingeworfen.

hinziehen, sich; zog sich hin, hat sich hingezogen: *lange dauern; sich über lange Zeit erstrecken:* die Verhandlungen zogen sich hin.

hinzielen, zielte hin, hat hingezielt ⟨itr.⟩: *gerichtet sein; (etwas) betreffen:* seine Bemerkung zielte auf ein früheres Ereignis hin.

hinzufügen, fügte hinzu, hat hinzugefügt ⟨tr.⟩: *(etwas durch etwas) ergänzen; (etwas um etwas) erweitern; beifügen:* dem ist nichts hinzuzufügen. **Hinzufügung,** die; -, -en.

hinzugesellen, sich; gesellte sich hinzu, hat sich hinzugesellt: *sich (zu etwas) gesellen:* auch einige Fremde hatten sich zu unserer Runde hinzugesellt.

hinzukommen, kam hinzu, ist hinzugekommen ⟨itr.⟩: **1.** *(zu bereits anwesenden Personen) kommen, treten:* er ist zu der Gruppe noch hinzugekommen. **2.** *(zu etwas Erwähntem, Vorhandenem) noch zusätzlich kommen:* diese Tatsachen kamen als Gründe für sein Verhalten noch hinzu.

hinzutun, tat hinzu, hat hinzugetan ⟨tr.⟩ (ugs.): *hinzufügen.*

hinzuziehen, zog hinzu, hat hinzugezogen ⟨tr.⟩: *zu Rate ziehen; bitten, in einer Angelegenheit ein Urteil abzugeben:* einen Fachmann h.

Hippie, der; -s, -s: *Jugendlicher, der sich gegen die familiären, politischen und kommerziellen Normen der etablierten Gesellschaft wendet und seine Einstellung durch exzentrisches Auftreten und Verhalten unterstreicht:* mit Blumen geschmückte Hippies zogen durch den Park.

Hirn, das; -[e]s, -e: *Gehirn.*

Hirngespinste, die ⟨Plural⟩: *verworrene Gedanken; abwegige Ideen.*

hirnverbrannt ⟨Adj.; nicht adverbial⟩ (derb): *verrückt, unsinnig:* so ein hirnverbrannter Idiot!

Hirsch, der; -[e]s, -e: /ein Tier/ (siehe Bild).

Hirsch

Hirschfänger, der; -s, -: *30 bis 40 cm langes, beiderseits scharfes, bei der Jagd verwendetes Messer* (siehe Bild): der Jäger tötete die angeschossene Sau mit dem H.

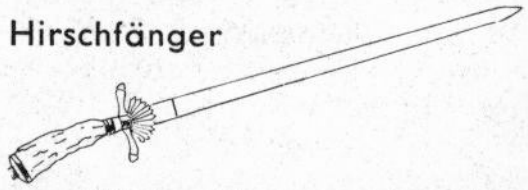

Hirschfänger

Hirse, die; -: /eine Getreideart/: (siehe Bild).

Hirse

Hirt, der; -en, -en: *jmd., der eine Herde hütet:* der H. hütet die Schafe, die Herde.

hissen, hißte, hat gehißt ⟨tr.⟩: *in die Höhe ziehen:* die Fahne, das Segel h.

Historiker, der; -s, -: *jmd., der Geschichte studiert [hat]:* ein Kongreß der bekanntesten H.

historisch ⟨Adj.⟩: **a)** *die Geschichte betreffend:* die historische Entwicklung Deutschlands; ein historischer Roman. **b)** *für die Geschichte bedeutend:* ein historischer Augenblick.

Hit, der; -[s], -s (ugs.): *erfolgreiches, allgemein beliebtes Musikstück, bes. ein sehr erfolgreicher Schlager:* dieses Lied verspricht ein H. zu werden.

Hitze, die; -: *große Wärme:* eine glühende H.

hitzefrei ⟨Adj.⟩: *frei wegen zu großer Hitze* /in der Schule/.

Hitzewelle, die; -, -n: *längere Zeit, in der eine große Hitze herrscht:* bei der H. waren viele Flüsse ausgetrocknet.

hitzig ⟨Adj.⟩: *leicht [über etwas Kränkendes, Beleidigendes] erregt; heftig:* ein hitziger Mensch, Kopf; er wird leicht h.

Hitzkopf, der; -[e]s, Hitzköpfe: *jmd., der schnell in Erregung gerät; hitziger Mensch:* die beiden Hitzköpfe gerieten schnell in einen heftigen Streit.

Hitzschlag, der; -[e]s, Hitzschläge: *körperlicher Zusammenbruch als Folge von Anstrengung in heißer und schwüler Luft:* einen H. erleiden.

Hobby, das; -s, -s: *Beschäftigung, die man in der Freizeit als Ausgleich zur Arbeit ausübt:* Autofahren ist sein H.

Hobel, der; -s, -: *Werkzeug des Tischlers, das benutzt wird, um die rauhe Oberfläche oder Unebenheiten des Holzes zu beseitigen* (siehe Bild).

Hobel

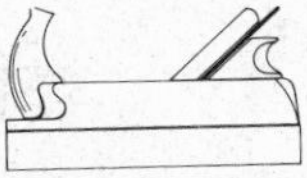

hobeln, hobelte, hat gehobelt ⟨tr.⟩: *die Oberfläche mit einem Hobel glätten:* ein Brett h.

hoch, höher, höchste ⟨Adj.⟩ /vgl. höchst/: **1. a)** *nach oben weit ausgedehnt:* ein hoher Turm; h. aufragen. **b)** *in großer Höhe:* das Flugzeu fliegt sehr h. **2.** ⟨in Verbindung mit Angaben von Maßen⟩ **a)** *eine bestimmte Höhe habend:* das Zimmer ist drei Meter h. **b)** *sich in einer bestimmten Höhe befindend:* der Ort liegt 800 Meter h. **3.** *[gesellschaftlich] bedeutend, angesehen:* ein hoher Beamter, Rang; hoher Adel. **4.** *groß:* ein hoher Gewinn; hohe Strafe, Leistung. **5.** *durch eine große Zahl von Schwingungen hell klingend:* hoher Ton; hohe Stimme. **6.** ⟨verstärkend bei Adjektiven⟩ *sehr:* dieser Vortrag war h. interessant.

Hoch, das; -s, -s: **I.** Meteor. *Gebiet mit hohem Luftdruck:* ein H. wandert über Europa, bildet sich; ein kräftiges H. **II.** *Ruf, mit dem jmd. gefeiert, geehrt, beglückwünscht wird:* ein dreifaches H. auf den Jubilar.

Hochachtung, die; -: *besondere Achtung:* jmdm. mit größter H. begegnen; mit vorzüglicher H.

hocharbeiten, sich; arbeitete sich hoch, hat sich hochgearbeitet (ugs.): *durch Zielstrebigkeit und Fleiß eine höhere berufliche Stellung erlangen:* er hat sich in kurzer Zeit vom Buchhalter zum Prokuristen hochgearbeitet.

Hochbetrieb, der; -[e]s: *sehr lebhaftes, reges Treiben:* vor Weihnachten herrschte in der Innenstadt H.

Hochburg, die; -, -en: *Ort, an dem etwas in der Hauptsache vertreten ist, von dem etwas ausstrahlt; Zentrum:* Köln ist die H. des Karnevals.

hochdeutsch ⟨Adj.⟩: *nicht den Mundarten oder der Umgangssprache zugehörig, sondern in der Form der genormten, allgemein verbindlichen deutschen Sprache:* die hochdeutsche Aussprache; h. sprechen.

Hochdruck, der; -[e]s: *hoher Druck in Flüssigkeiten oder Gasen:* in dem Behälter wurde ein H. hergestellt. * (ugs.): **mit H.** *(in größter Eile):* man arbeitete mit H. an dem Gebäude.

Hochebene, die; -, -n: *in größerer Höhe über dem Meeresspiegel liegende Ebene.*

hochfahrend ⟨Adj.⟩: *stolz; andere nur geringschätzig behandelnd:* hochfahrendes Benehmen.

hochgehen, ging hoch, ist hochgegangen ⟨itr.⟩ (ugs.): **1.** *in Zorn, Erregung geraten:* reize ihn nicht, er geht leicht hoch. **2.** *von der Polizei gefaßt, aufgedeckt werden:* die Bande ist hochgegangen.

Hochgenuß, der; Hochgenusses, Hochgenüsse: *sehr großer Genuß:* dieser Roman ist ein literarischer H.

hochgespannt ⟨Adj.⟩: *sehr gespannt:* h. warteten wir auf den Beginn der Aufführung; die hochgespannten *(großen, außerordentlichen)* Erwartungen wurden nicht erfüllt.

hochgestellt ⟨Adj.; nicht adverbial⟩: **a)** *über etwas, höher als etwas stehend:* hochgestellte Zahlen, Buchstaben. **b)** *eine hohe Stellung, einen hohen Rang bekleidend:* hochgestellte Persönlichkeiten.

hochgradig ⟨Adj.⟩ *sehr groß; in hohem Grad, Ausmaß; äußerst; überaus:* sie ist h. nervös.

hochhalten, hält hoch, hielt hoch, hat hochgehalten ⟨tr.⟩: **1.** *in die Höhe halten:* den Arm h. **2.** *aus Achtung weiterhin bewahren, pflegen:* eine alte Tradition h.

Hochhaus, das; -[e]s, Hochhäuser: *sehr hohes Gebäude mit vielen Geschossen:* das H. war 70 Meter hoch und hatte 22 Geschosse.

hochherzig ⟨Adj.⟩ (geh.): *edel, großmütig:* sein hochherziges Handeln wurde von allen dankbar gewürdigt.

hochkommen, kam hoch, ist hochgekommen ⟨itr.⟩ (ugs.): *eine höhere berufliche, soziale Stellung erreichen:* durch Fleiß h.

hochleben: ⟨in der Verbindung⟩ jmdn. h. lassen: *auf jmdn. ein Hoch ausbringen:* wir ließen den Jubilar dreimal h.

Hochmut, der; -s: *stolzes, herablassendes Wesen:* sein offen zur Schau getragener H. wirkte beleidigend.

hochmütig ⟨Adj.⟩: *stolz; herablassend:* sie ist so h., daß sie nicht einmal grüßt.

hochnehmen, nimmt hoch, nahm hoch, hat hochgenommen ⟨tr.⟩ (ugs.): *(jmdn.) wegen irgendwelcher Schwächen mit scherzhaften, spöttischen Reden reizen:* der Junge wurde von seinen Kameraden hochgenommen.

Hochschule, die; -, -n: *Anstalt für wissenschaftliche Ausbildung und Forschung, die man nach abgelegtem Abitur besuchen kann:* an einer H. studieren.

Hochsommer, der; -s: *Mitte, Höhepunkt des Sommers:* im H. kann man im Fluß baden.

Hochspannung, die; -, -en: **1.** *elektrische Spannung über 250 Volt:* an den Masten waren Schilder mit der Aufschrift „Vorsicht, H.!" angebracht. **2.** ⟨ohne Plural⟩ **a)** *hochgespannte Erwartung:* die H. des Publikums vor der Aufführung. **b)** *sehr gespannte, kritische Lage:* in der Hauptstadt herrschte politische H.

hochspielen, spielte hoch, hat hochgespielt ⟨tr.⟩: *etwas stärker als gerechtfertigt ins Licht der*

Öffentlichkeit rücken: eine Affäre h.

Hochsprache, die; -: *über den Mundarten und der Umgangssprache stehende genormte und allgemein verbindliche gesprochene und geschriebene Sprache:* in der H. ist dieser Ausdruck nicht üblich.

Hochsprung, der; -s: *Disziplin der Leichtathletik, bei der der Sportler eine auf zwei Ständern ruhende und in der Höhe verstellbare Latte überspringen muß* (siehe Bild): beim H. spielt die ausgefeilte Technik des Sportlers eine große Rolle.

Hochsprung

höchst ⟨Adj.⟩: **1.** ⟨Superlativ von *hoch*⟩ der höchste Berg. **2.** ⟨verstärkend bei Adjektiven⟩ *sehr:* h. seltsam; das kommt h. selten vor.

Hochstapler, der; -s, -: *jmd., der in betrügerischer Absicht den Eindruck erwecken möchte, eine höhere gesellschaftliche Stellung innezuhaben:* sie ist auf einen H. hereingefallen.

hochstehend ⟨Adj.; nicht adverbial⟩: *eine hohe [gesellschaftliche]. Stellung, einen hohen Rang besitzend:* zu dem Ball waren nur hochstehende Persönlichkeiten geladen; die Aufführung war nicht sehr h.

höchstens ⟨Adverb⟩: **1.** *nicht mehr als:* er schläft h. sechs Stunden. **2.** *im äußersten Falle, es sei denn:* er geht nicht oft aus, h. gelegentlich ins Kino.

Höchstgeschwindigkeit, die; -, -en: *höchste erlaubte oder mögliche Geschwindigkeit:* das Auto erreicht eine H. von 150 Kilometern in der Stunde.

Hochstimmung, die; -: *gehobene festliche, freudige Stimmung:* nach der Geburt seines ersten Sohnes war er in H.

Höchstmaß, das; -es: *höchstes Maß:* für dieses Vergehen war als H. der Strafe vier Wochen Gefängnis vorgeschrieben.

hochtrabend ⟨Adj.⟩: *prahlerisch, schwülstig:* er hält hochtrabende Reden; hochtrabende Worte.

Hochverrat, der; -s: *Verbrechen, das die Sicherheit eines Staates gefährdet:* der Minister wurde wegen Hochverrats angeklagt.

Hochverräter, der; -s, -: *jmd., der Hochverrat begeht:* die H. wurden zu lebenslänglichem Zuchthaus verurteilt.

Hochwasser, das; -s: *sehr hoher, bedrohlicher Wasserstand des Meeres, von Flüssen oder Seen:* bei H. trat der Fluß oft weit über seine Ufer.

Hochzeit, die; -, -en: *Heirat [und die damit verbundene Feier]:* wann ist denn deine H.?; H. feiern, halten.

Hocke, die; -, -n: **1.** *turnerische Übung, bei der mit angezogenen Beinen über ein Gerät gesprungen werden muß:* eine H. machen. **2.** *Haltung, bei der die Beine an den Oberkörper herangezogen werden:* in der H. sitzen.

hocken, hockte, hat gehockt: **1.** ⟨itr./rfl.⟩ *mit an den Oberkörper angezogenen Beinen so sitzen, daß das Gewicht des Körpers auf den Ballen lastet* (siehe Bild): die Kinder hocken am Boden; sich ins Gras h. **2.** ⟨itr.⟩ (abwertend) *längere Zeit an einem Ort [untätig] sitzen, sich aufhalten:* er hockt den ganzen Tag zu Hause, im Wirtshaus.

hocken 1.

Hocker, der; -s, -: *Möbel zum Sitzen* (siehe Bild): er saß auf einem H. an der Bar.

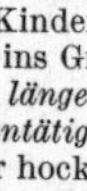

Hocker

Höcker, der; -s, -: **1.** *aus Fett bestehende Erhebung auf dem Rücken von Kamelen und Dromedaren:* das Kamel hat zwei, das Dromedar nur einen H. **2. a)** (ugs.) *Buckel:* der kleine Kerl hatte einen H. **b)** (ugs.) *kleine Wölbung:* eine Nase mit einem H. **c)** *kleine Erhebung im Gelände, Hügel:* eine Erhebung mit drei Höckern.

Hockey [hɔki], das; -s: *Spiel von zwei Mannschaften zu je elf Spielern auf dem Rasen, bei dem ein kleiner Ball mit Schlägern möglichst oft in das gegnerische Tor geschlagen werden soll.*

Hoden, die ⟨Plural⟩: *paarweise angelegtes Organ, in dem der Samen des Mannes und der meisten Säugetiere erzeugt wird.*

Hof, der; -[e]s, Höfe: **1.** *an mehreren Seiten von Häusern, Mauern o. ä. umgebener Platz:* die Kinder spielen auf dem H. **2.** *Bauernhof:* der Bauer hat einen großen H. **3.** *Wohnsitz und Haushalt eines Fürsten:* der kaiserliche H.; am Hofe. ** **einer Frau den H. machen** *(die Liebe einer Frau zu gewinnen suchen, indem man ihr schmeichelt, Geschenke macht, Gefälligkeiten erweist o. ä.):* er macht ihr seit einiger Zeit den H.

hoffen, hoffte, hat gehofft ⟨itr.⟩: *wünschen, daß etwas in Erfüllung geht:* ich hoffe, daß alles gut geht; ich hoffe auf schönes Wetter.

hoffentlich ⟨Adverb⟩: *wie ich hoffe:* du bist doch h. gesund.

Hoffnung, die; -, -en: *Erwartung, daß etwas Gewünschtes geschieht:* er hatte keine H. mehr.

hoffnungslos ⟨Adj.⟩: **a)** *ohne Hoffnung, aussichtslos:* in einer hoffnungslosen Lage sein; (ugs.; scherzh.) er ist ein hoffnungsloser Fall *(er ist unverbesserlich).* **b)** ⟨verstärkend bei Verben⟩ (ugs.) *sehr:* ein h. überfüllter Zug; sie hatte sich h. in ihn verliebt. **Hoffnungslosigkeit** die; -.

hoffnungsvoll ⟨Adj.⟩: **a)** *voller Hoffnung, zuversichtlich:* h. wartete er auf ihren Anruf. **b)** *Erfolg verheißend, aussichtsreich:* ein hoffnungsvoller Start; (scherzh.) ein hoffnungsvoller Jüngling.

hofieren, hofierte, hat hofiert ⟨tr.⟩ (geh.): *(jmdn.) durch Schmeicheleien für sich zu gewinnen versuchen:* er hat die Damen bei dem Fest hofiert.

höflich ⟨Adj.⟩: *anderen [den Umgangsformen gemäß] mit Achtung und Freundlichkeit be-*

gegnend: ein höflicher Mensch; jmdn. h. grüßen.

Höflichkeit, die; -, -en: **1.** ⟨ohne Plural⟩ *zuvorkommendes, freundliches Benehmen.* **2.** *höfliche Handlung oder Äußerung.*

Höhe, die; -, -n: **1.** *Ausmaß, Größe [von unten bis oben]:* der Berg hat eine H. von 2000 m; die H. der Miete. **2.** *Lage in der Entfernung über dem Boden:* das Flugzeug fliegt in großer H. **3.** *Anhöhe, Hügel:* dort auf der H. wohnen wir.

Hoheit, die; -, -en: **1.** *[Titel für eine] fürstliche Person:* die ausländischen Hoheiten wurden feierlich empfangen. **2.** ⟨ohne Plural⟩ (geh.) *Würde, Erhabenheit:* sie schritt voller H. in den Saal. **3.** ⟨ohne Plural⟩ *unabhängige Gewalt, Herrschaft (eines Staates):* das Gebiet gehört zum offenen Meer und untersteht nicht mehr der H. dieses Staates.

Hoheitsgebiet, das; -[e]s, -e: *Gebiet, das der Hoheit eines bestimmten Staates untersteht:* die Truppen sind in fremdes H. eingedrungen.

Höhenflug, der; -[e]s, Höhenflüge: *Flug in großer Höhe:* die Flugzeuge überquerten das Meer im H.; bildl.: geistiger H.

Höhensonne, die; -, -n: **1.** *Lampe, die wegen ihrer besonderen Strahlen als Heilmittel verwendet wird:* mit einer H. bestrahlen. **2.** *Strahlen, die als Heilmittel verwendet werden:* er bekam beim Arzt H.

Höhepunkt, der; -[e]s, -e: *wichtigster [schönster] Teil innerhalb eines Vorgangs, einer Entwicklung:* der H. des Abends, der Vorstellung.

höher: vgl. hoch.

hohl ⟨Adj.⟩: *innen leer:* ein hohler Baum; bildl.: er redet nur hohle *(nichtssagende)* Phrasen.

Höhle, die; -, -n: **1.** *[größerer] hohler Raum in der Erde:* in der unterirdischen H. war es totenstill; als Jungen bauten wir oft Höhlen in die Erde. **2.** *[unterirdische] Behausung von Tieren:* der Bär schlief in seiner H. * (ugs.) **sich in die H. des Löwen begeben** *(aus einem bestimmten Anlaß mutig eine gefürchtete Persönlichkeit aufsuchen).* **3.** (abwertend) *schlechter, unzureichender Wohnraum:* die Armen hausten in feuchten, finsteren Höhlen. **4.** ⟨Plural⟩ *Vertiefungen, in denen die Augen liegen:* vor Anstrengung traten seine Augen aus den Höhlen.

Hohlheit, die; -: *innere Leere:* ich durchschaute die H. seiner Konversation.

Hohlmaß, das; -es, -e: *Maß zum Messen der Größe, des Inhalts eines Raumes:* Liter und Kubikmeter sind Hohlmaße.

Höhlung, die; -, -en: *durch Aushöhlen entstandener Raum:* eine H. im Gestein.

Hohn, der; -[e]s: *unverhohlener, lauter Spott.*

höhnen, höhnte, hat gehöhnt (geh.): **1.** ⟨tr.⟩ *verspotten, durch Hohn kränken:* zynisch höhnte er Priester und Kirche. **2.** ⟨itr.⟩ *(zu jmdm.) höhnisch sprechen:* „Du Feigling"! höhnte sie.

höhnisch ⟨Adj.⟩: *spöttisch, voll Verachtung:* h. grinsen.

Hokuspokus, der; -: **1.** *Zauberei, Blendwerk:* die Horoskope sind nur H. **2.** (ugs.) *Unfug, Unsinn:* wir verkleideten uns und trieben allerlei H.

hold ⟨Adj.⟩ (geh.): *anmutig, lieblich:* ihn betörte ihr holdes Wesen. * **jmdm. h. sein** *(jmdn. gern haben, jmdm. zugetan sein):* das Mädchen war ihm h.; **das Glück ist jmdm. h.** *(jmd. hat Glück).*

holen, holte, hat geholt: **1.** ⟨tr.⟩ *an einen Ort gehen und von dort herbringen:* das Buch aus der Bibliothek h. **2.** ⟨itr.⟩ *sich (um etwas) bemühen und es bekommen:* ich wollte mir bei ihm Rat, Trost h. **3.** ⟨itr.⟩ (ugs.) *sich (etwas) zuziehen:* ich habe mir eine Erkältung geholt.

Hölle, die; -: **a)** Rel. *Ort, an dem die Teufel und die nach dem Tod Verdammten als wohnend gedacht werden* /Ggs. Himmel/: in die H. kommen. * **jmdm. die H. heiß machen** *(jmdn. stark bedrängen).* **b)** *Zustand großer Qualen:* sie machte ihrem Mann das Leben zur H.

Höllenlärm, der; -s (ugs.): *sehr großer Lärm:* im ausverkauften Stadion herrschte ein H.

höllisch ⟨Adj.⟩: **1.** *außerordentlich groß, stark:* höllische Schmerzen. **2.** ⟨verstärkend bei Adjektiven und Verben⟩ (ugs.) *sehr, äußerst:* er mußte h. aufpassen, daß man ihn nicht betrog.

holpern, holperte, ist geholpert ⟨itr.⟩: *auf unebener Strecke und daher nicht gleichmäßig und ruhig fahren:* der Wagen holpert über das schlechte Pflaster.

holprig ⟨Adj.⟩: **1.** *infolge Löcher, Steine o. ä. nicht eben:* ein holpriger Weg. **2.** *nicht gleichmäßig, ruhig:* eine holprige Fahrt; bildl.: eine holprige *(im Ausdruck ungeschickte)* Rede; holpriges Deutsch.

holterdiepolter ⟨Adverb⟩ (ugs.): *sehr eilig und lärmend:* er ist h. die Treppe hinuntergestürzt.

Holunder, der; -s: /ein Strauch/ (siehe Bild).

Holunder

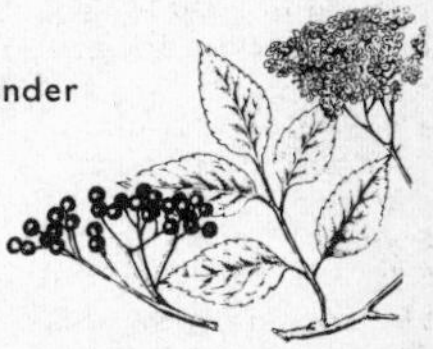

Holz, das; -es: *aus Bäumen und Sträuchern gewonnenes Material:* weiches, hartes H.; der Tisch ist aus H.

holzen, holzte, hat geholzt: **1.** ⟨tr.⟩ *(Bäume) fällen, schlagen:* einen Wald h. **2.** ⟨itr.⟩ (ugs.) Fußball *unfair, roh spielen:* der Verteidiger hat das ganze Spiel hindurch geholzt.

hölzern ⟨Adj.⟩: **1.** ⟨nur attributiv⟩ *aus Holz bestehend:* ein hölzerner Löffel. **2.** *nicht gewandt im Auftreten, linkisch:* der junge Mann ist recht h.

holzig ⟨Adj.⟩ (abwertend): *nicht mehr jung und weich* /vom Gemüse/: die Kohlrabi, die Radieschen sind h.

Holzweg: ⟨in der Wendung⟩ auf dem H. sein (ugs.): *sich irren:* mit dieser Vermutung bist du aber auf dem H.

Holzwolle, die; -: *Material aus Spänen von Holz, das zum Verpacken verwendet wird:* das Geschirr, die Gläser in H. verpacken.

homogen ⟨Adj.⟩: *gleichartig, der gleichen Art angehörend* /Ggs. heterogen/: die Wähler als homogene Masse.

Homöopath, der; -en, -en: *Arzt, der die Methoden der Homöopathie anwendet:* sie konsultierte einen Homöopathen.

Homöopathie, die; -: *Richtung der Medizin, die von dem Grundsatz ausgeht, daß der Patient diejenigen Mittel in sehr verdünnter Form erhalten soll, die in stärkerer Konzentration bei einem gesunden Menschen ähnliche Krankheitserscheinungen hervorrufen würden:* die H. hat viele Anhänger gefunden.

homöopathisch ⟨Adj.⟩: *auf die Homöopathie bezogen; die Mittel der Homöopathie anwendend:* sie läßt sich von einem homöopathischen Arzt behandeln; die Behandlung ist rein h.

Homosexualität, die; -: *Liebe zum gleichen Geschlecht* /bes. von Männern/: H. galt früher häufig als pervers.

homosexuell ⟨Adj.⟩: *das gleiche Geschlecht liebend, von Homosexualität bestimmt* /bes. von Männern/: homosexuelle Beziehungen zwischen Erwachsenen sind nicht mehr strafbar.

Honig, der; -s: *von Bienen aus Blüten gewonnenes süßes, klebriges Nahrungsmittel:* flüssiger, fester, echter H.

Honneurs [(h)ɔ'nø:rs]: ⟨in der Wendung⟩ die H. machen (geh.): *Gäste willkommen heißen:* bei dem Empfang machte er die H.

Honorar, das; -s, -e: *Entgelt, das Angehörige der freien Berufe für einzelne (wissenschaftliche oder künstlerische) Leistungen erhalten:* der Arzt, Sänger erhielt ein hohes H.

Honoratioren, die ⟨Plural⟩: *die angesehensten Bürger eines Ortes, bes. einer kleinen, hinter der gesellschaftlichen und kulturellen Entwicklung etwas zurückgebliebenen Stadt:* der Pfarrer, der Bürgermeister und andere H. versammelten sich im „Goldenen Lamm".

honorieren, honorierte, hat honoriert ⟨tr.⟩: *(für etwas/jmdn.) ein Honorar zahlen:* einen Vortrag h.; bildl.: mit der Beförderung wollte man seine Verdienste h. *(würdigen, belohnen).*

honorig ⟨Adj.⟩ (oft iron.): *ehrenhaft, anständig:* nach einer sehr leichtlebig verbrachten Jugend heiratete sie schließlich einen braven, honorigen Beamten.

Hopfen, der; -s: *rankende Pflanze, die bei der Herstellung von Bier als Würze verwendet wird:* H. anbauen.

hoppeln, hoppelte, ist gehoppelt ⟨itr.⟩: *sich in ungleichmäßigen Sätzen springend fortbewegen* /von Hasen, Kaninchen/: einige Hasen hoppelten über das Feld.

hops: ⟨in den Verbindungen⟩ (ugs.) **h. sein** *(verloren sein);* (ugs.) **h. gehen** *(verlorengehen).*

hopsen, hopste, ist gehopst ⟨itr.⟩: *kleine unregelmäßige Sprünge machen:* die Kinder hopsen; der Ball hopst.

hörbar ⟨Adj.⟩: *mit dem Gehör wahrnehmbar:* im Flur wurden Schritte h.; seine leise Stimme war kaum h.

horchen, horchte, hat gehorcht ⟨itr.⟩: *sich bemühen, etwas zu hören:* wir horchten, ob sich Schritte näherten; [neugierig] an der Tür h.

Horde, die; -, -n: *nicht geordnete, umherziehende [wilde] Menge, Schar:* eine H. von Kindern lief hinter dem Fuhrwerk her.

hören, hörte, hat gehört/ (nach vorangehendem Infinitiv auch) hat ... hören: **1.** ⟨tr.⟩ *mit dem Gehör wahrnehmen:* eine Stimme h. **2.** ⟨itr.⟩ *fähig sein, mit dem Gehör wahrzunehmen:* gut, schlecht h. **3.** ⟨itr.⟩ *erfahren:* hast du etwas Neues gehört?; ich habe gehört, er sei krank; ich habe nur Gutes von ihm/über ihn gehört; er hat ihn nicht kommen gehört/h. **4.** ⟨itr.⟩ (landsch.) *gehorchen:* der Junge will nicht h. *** auf jmdn. h.** *(jmds. Rat befolgen):* auf die Eltern h.

Hörensagen: ⟨in der Wendung⟩ jmdn./etwas nur vom H. kennen: *jmdn./etwas nur aus den Schilderungen anderer, nicht persönlich kennen:* ich habe die Dame noch nie gesehen und kenne sie nur vom H.

Hörer, der; -s, -: **1.** *Zuhörer beim Rundfunk:* Verehrte H.! **2.** *Teil des Telefons, den man beim Telefonieren in der Hand hält:* den H. abheben, auflegen.

hörig ⟨Adj.⟩: *an jmdn. [triebhaft] so stark gebunden, daß man sich von dieser Bindung nicht mehr frei machen kann:* sie ist ihm h.

Horizont, der; -[e]s: **1.** *Linie in der Ferne, an der sich Himmel und Erde scheinbar berühren:* am H. sind die Alpen sichtbar. **2.** *Teil der Umwelt, den man geistig zu bewältigen fähig ist; Gesichtskreis:* einen beschränkten, engen, weiten H. haben.

horizontal ⟨Adj.⟩: *waagerecht:* die Linie verläuft h.

Hormon, das; -s, -e: *in Drüsen erzeugte Wirkstoff, der spezifisch auf bestimmte Organe einwirkt und deren Funktion reguliert.*

Horn, das; -[e]s, Hörner: **1.** ⟨ohne Plural⟩ *harte [von Tieren an den Hörnern und Hufen gebildete] Substanz.* **2.** *spitzes, oft gebogenes Gebilde am Kopf mancher Tiere:* der Stier verletzte ihn mit den Hörnern. **3.** /ein Blasinstrument/ (siehe Bild): das H. blasen.

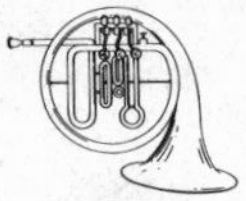

Horn 3.

Hornhaut, die; -: **1.** *äußerste Schicht der Haut, die aus abgestorbenen, fest zusammenhängenden Zellen besteht:* sich die H. abschneiden. **2.** *gewölbte, durchsichtige vordere Fläche des Augapfels.*

Hornisse, die; -, -n: /ein Insekt/ (siehe Bild).

Hornisse

Hornochse, der; -n, -n (derb): *sehr dummer Mensch:* du H.!

Horoskop, das; -[e]s, -e: *Deutung der Zukunft und des Schicksals eines Menschen aus der Stellung der Gestirne bei seiner Geburt:* sie verfolgte immer ihr H. in den Illustrierten. *** jmdm. das H. stellen** *(für jmdn. ein Horoskop ausarbeiten).*

horrend ⟨Adj.⟩ (ugs.): *übermäßig, sehr hoch:* für diese Delikatesse werden horrende Preise verlangt.

Horror, der; -s: *übermäßige Angst, Entsetzen, Abscheu:* sie hatte einen H. vor Schlangen.

Horsd'œuvre [ɔr'dœ:vr], das -s, -s: *kleines, den Appetit anregendes Gericht, das vor oder im Verlauf von festlichen Mahl-*

zeiten gereicht wird: als H. nehmen wir Hummer auf Toast.

Hörspiel, das; -s, -e: *für den Rundfunk geschriebenes oder bearbeitetes Stück.*

Horst, der; -es, -e: **1.** *Nest größerer Vögel:* der Adler kehrte in seinen H. zurück. **2.** *militärischer Flugplatz:* die Jäger flogen ihren H. an.

Hort, der; -[e]s, -e: **1.** *Heim, in dem Kinder während des Tages untergebracht werden können.* **2.** (geh.) *Zentrum, geistiger Mittelpunkt von etwas:* die Schweiz gilt als H. der Freiheit.

horten, hortete, hat gehortet ⟨tr.⟩: *in übermäßig großer Menge sammeln und aufbewahren:* Geld, Lebensmittel h.

Hortensie, die; -, -n: /ein Strauch mit Blüten/ (siehe Bild).

Hortensie

Hörweite, die; -: *Entfernung, innerhalb deren man jmdn./etwas hören kann:* er entfernte sich schnell und war bald außer H.

Hose, die; -, -n: *Teil der Kleidung* (siehe Bild): eine enge, weite, kurze, lange H.; die Hose[n] bügeln.

Hose

Hosenboden, der; -s, Hosenböden (ugs.): *das Gesäß bedeckender Teil der Hose:* der Junge fiel auf seinen H.* **sich auf den H. setzen** *(fleißig lernen).*

Hosenträger, die ⟨Plural⟩: *über den Schultern getragene [dehnbare] Riemen, die das Rutschen der Hose verhindern.*

Hospital, das; -s, -e und Hospitäler (veralt.): *Krankenhaus.*

Hospiz, das; -es, -e: *Gasthaus, das nach christlichen Grundsätzen geleitet wird:* er übernachtete in einem christlichen H.

Hostess, die; -, -en: *Mädchen, das in einem Flugzeug, Hotel, auf einer Ausstellung o. ä. die Gäste und Kunden betreut.*

Hostie, die; -, -n: bes. Rel. kath. *runde, dünne Oblate für Abendmahl oder Kommunion.*

Hotel, das; -s, -s: *größeres Haus, in dem man gegen Bezahlung übernachten und essen kann.*

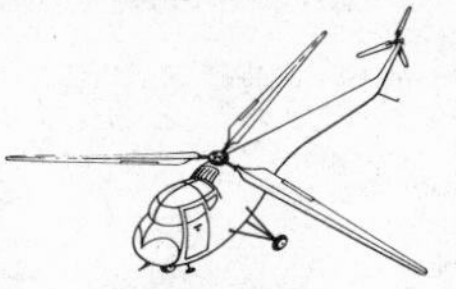

Hubschrauber

Hotelier [hotəli'e:], der; -s, -s: *Besitzer eines Hotels.*

hübsch ⟨Adj.⟩: **1.** *in Art, Aussehen angenehm, reizvoll:* ein hübsches Mädchen; eine hübsche Melodie. **2.** (ugs.) *beachtlich [groß]:* eine hübsche Summe Geld; der Ort ist eine hübsche Strecke von hier entfernt.

Hubschrauber, der; -s, -: /ein Flugzeug/ (siehe Bild).

Hucke: ⟨in den Wendungen⟩ (ugs.) **jmdm. die H. voll hauen/schlagen** *(jmdn. heftig verprügeln);* (ugs.) **jmdm. die H. voll lügen** *(jmdn. sehr belügen);* (ugs.) **sich die H. voll lachen** *(aus vollem Halse schadenfroh lachen).*

huckepack: ⟨in den Wendungen⟩ (ugs.) **jmdn./etwas h. tragen** *(jmdn./etwas auf dem Rücken tragen):* er trug das Kind h.; (ugs.) **jmdn./etwas h. nehmen** *(auf den Rücken nehmen und so tragen):* er nahm den schweren Sack h.; (ugs.) **bei jmdm. h. machen** *(von jmdm. auf den Rücken genommen werden).*

Huf, der; -[e]s, -e: *mit Horn überzogener unterer Teil des Fußes bei manchen Tieren:* der H. des Pferdes, Rindes.

Hufeisen, das; -s, -: *gebogenes Stück Eisen, das als Schutz an der Unterseite des Hufes befestigt wird* (siehe Bild).

Hufeisen

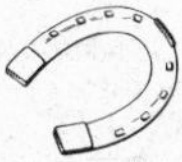

Hüfte, die; -, -n: *Teil des Körpers vom oberen Ende des Schenkels bis zur Taille:* schmale, breite Hüften.

Hügel, der; -s, -: *leicht ansteigende Erhebung in einer sonst ebenen Landschaft; Anhöhe.*

hüglig ⟨Adj.⟩: *nicht eben, bergig:* eine hüglige Landschaft.

Huhn, das; -[e]s, Hühner: **a)** *wegen der Eier und des Fleisches als Haustier gehaltener Vogel:* ein H. schlachten; ein gebratenes H. **b)** *Henne:* das H. hat ein Ei gelegt.

Hühnchen, das; -s, -: *kleines Huhn:* ein weißes H. *(ugs.) **mit jmdm. noch ein H. zu rupfen haben** *(jmdm. wegen etwas Vorwürfe zu machen haben).*

Hühnerauge, das; -s, -n: *schmerzhafte harte Stelle am Fuß, vor allem an den Zehen:* er hat Hühneraugen; sich die Hühneraugen schneiden lassen.

Huld, die; - (veralt.): *Güte, Gnade, Wohlwollen:* väterliche H. erfüllte sein Herz.

huldigen, huldigte, hat gehuldigt ⟨itr.⟩: **1.** (geh.) *(jmdn.) verehren; seine Ergebenheit bekunden:* viele Freunde der Musik huldigten diesem großen Künstler. **2.** (geh.) *(etwas) für richtig halten und es vertreten:* einem Grundsatz, einer falschen These h. **3.** (scherzh.) *(etwas) leidenschaftlich gern haben und sich ihm oft widmen, es oft genießen:* er huldigt dem Skat, Alkohol.

Huldigung, die; -, -en (geh.): **a)** *Zeichen der Verehrung, Ergebenheit:* der Schauspieler ließ die Huldigungen gelassen über sich ergehen. **b)** *Ehrung:* eine feierliche H. des verstorbenen Dichters.

Hülle, die; -, -n: *etwas, was einen Gegenstand, Körper ganz umschließt:* die H. entfernen. * **in H. und Fülle** *(im Überfluß);* (geh.) **die sterbliche H.** *(der Leichnam).*

hüllen, hüllte, hat gehüllt ⟨tr./rfl.⟩: *(mit etwas als Hülle) umgeben:* ich habe das Kind, mich in eine Decke gehüllt; bildl.: die Sonne hüllte die Berge in flammendes Rot; ⟨häufig im 2. Partizip⟩ das Haus war in Rauch, Flammen gehüllt. * **sich in Schweigen h.** *(etwas, was andere gern wissen möchten, [noch] nicht mitteilen):* die Polizei hat sich in Schweigen gehüllt.

Hülse, die; -, -n: *fester, kleiner Behälter, der einen Gegenstand, Kern ganz umschließt:* die H. der Erbsen, Bohnen; den Bleistift in die H. stecken.

human ⟨Adj.⟩: *dem Menschen und seiner Würde entsprechend; menschlich; freundlich:* eine humane Tat; die Gefangenen h. behandeln.

humanitär ⟨Adj.⟩: *auf das Wohlergehen der Menschen gerichtet; auf die Linderung menschlicher Not bedacht; wohltätig [in größerem Umfang]:* Hilfe wird hier zu einer humanitären Pflicht; es ist nötig, die von der Katastrophe betroffene Bevölkerung h. zu unterstützen.

Humanität, die; -: *humane Gesinnung, Menschlichkeit:* sein Leben war von echter H. erfüllt.

Humbug, der; -s (ugs.): *Schwindel, Unsinn:* er hält Horoskope für H.

Hummel, die; -, -n: /ein Insekt/ (siehe Bild): Hummeln schwärmten um die Blüten; bildl. (ugs.): sie war eine wilde H. *(ein wildes Mädchen).* * (derb) **Hummeln im Hintern haben** *(sehr unruhig sein).*

Hummel

Hummer, der; -s, -: /ein Krebs/ (siehe Bild).

Hummer

Humor, der; -s: **a)** *Art, die Unzulänglichkeit der Welt und des Lebens heiter und gelassen zu betrachten und zu ertragen:* [keinen] H. haben. **b)** *Spaß, Frohsinn, Heiterkeit:* köstlicher, ausgelassener H.

Humorist, der; -en, -en: **1.** *Künstler, dessen Werk sich durch Humor auszeichnet:* dieser Zeichner ist ein bekannter H. **2.** *Komiker.*

humoristisch ⟨Adj.⟩: *scherzhaft, heiter, launig:* humoristische Darbietungen brachten das Publikum zum Lachen.

humpeln, humpelte, ist/hat gehumpelt ⟨itr.⟩ (ugs.): **a)** *sich hinkend (irgendwohin) bewegen:* er ist allein nach Hause gehumpelt. **b)** *auf einem Fuß nicht richtig gehen, auftreten können; hinken:* nach dem Unfall hat/ist er noch lange gehumpelt.

Humpen, der; -s, - (veralt.): *größeres [verziertes, mit einem Deckel zu schließendes] Gefäß, aus dem man bes. Bier trinkt:* den H. leeren.

Hund, der; -es, -e: /ein Haustier/ (siehe Bild): ein bissiger H.; der H. bellt, beißt. * (ugs.) **auf den H. kommen** *(wirtschaftlich ganz herunterkommen);* **wie H. und Katze leben** *(sich nicht*

Hund

gut vertragen, in Feindschaft miteinander leben); (ugs.) **vor die Hunde gehen** *([jämmerlich] zugrunde gehen);* (ugs.) **mit allen Hunden gehetzt sein** *(durch viele Erfahrungen alle Schliche und Tricks kennen und sie anwenden).*

hundemüde ⟨Adj.; nicht attributiv⟩ (ugs.): *sehr müde:* wir kamen morgens h. nach Hause.

hundert ⟨Kardinalzahl⟩: 100: h. Personen.

hundertprozentig ⟨Adj.⟩: *vollständig; ausnahmslos; ganz und gar:* ich kann mich h. auf ihn verlassen; die Kapazität der Maschine wird h. ausgenützt.

hundertste ⟨Ordinalzahl⟩: 100.: der h. Besucher. * (ugs.) **vom Hundertsten ins Tausendste kommen** *(rasch von einem Thema zu allen möglichen anderen übergehen).*

hündisch ⟨Adj.⟩: **1.** *kriecherisch, unterwürfig:* er folgte ihm in hündischem Gehorsam. **2.** *gemein, niederträchtig:* eine hündische List.

Hundstage, die ⟨Plural⟩: *heißeste Zeit im Hochsommer:* in den Hundstagen waren die Schwimmbäder überfüllt.

Hüne, der; -n, -n: *sehr große[r] Mensch; Riese.*

hünenhaft ⟨Adj.⟩: *wie ei[n] Hüne, riesig:* ein hünenhafte[r] Mann.

Hunger, der; -s: *Bedürfnis z[u] essen:* H. bekommen; große[n] H. haben.

hungern, hungerte, hat gehungert ⟨itr.⟩: *Hunger haben:* mic[h] hungert; im Krieg mußte di[e] Bevölkerung h.

Hungertuch: ⟨in der Wen[-]dung⟩ am H. nagen (ugs.; scherzh.): *hungern, darben.*

hungrig ⟨Adj.⟩: *Hunger empfindend:* h. sein.

Hupe, die; -, -n: *Vorrichtung an Fahrzeugen, mit der hörbare Signale gegeben werden können.*

hupen, hupte, hat gehupt ⟨itr.⟩: *mit der Hupe ein Signal ertönen lassen:* der Fahrer hupte mehrmals.

hüpfen, hüpfte, ist gehüpft ⟨itr.⟩: *kleine Sprünge machen:* der Frosch hüpft durch das Gras.

Hürde, die; -, -n: **1.** Sport *Hindernis, über das der Läufer oder das Pferd springen muß:* eine H. nehmen. **2.** *von einem Zaun umgebene Fläche für Tiere:* Schafe, Vieh in die H. treiben.

Hure, die; -, -n (abwertend): *Prostituierte:* er ging ins Bordell zu den Huren.

huren, hurte, hat gehurt ⟨itr.⟩ (ugs.): *mit häufig wechselnden Partnern ausschweifenden Geschlechtsverkehr haben:* die Matrosen soffen und hurten im Hafen.

hurra ⟨Interj.⟩: *Ausruf der Begeisterung:* h., es hat geschneit!

hurtig ⟨Adj.⟩: *lebhaft, geschäftig in der Bewegung:* h. laufen, arbeiten.

huschen, huschte, ist gehuscht ⟨itr.⟩: *sich lautlos und flink fortbewegen:* leise huschte das Mädchen ins Zimmer; schnell über die Straße h.

hüsteln, hüstelte, hat gehüstelt ⟨itr.⟩: *mehrmals kurz und schwach husten:* ärgerlich, verlegen h.

husten, hustete, hat gehustet ⟨itr.⟩: *Luft stoßweise, krampfhaft [und laut] ausstoßen:* er ist erkältet und hustet stark.

Husten, der; -s: *durch Erkältung hervorgerufene Krankheit, bei der man oft und stark husten muß.*

Hut, der; -[e]s, Hüte: /eine Kopfbedeckung/: den H. abnehmen, aufsetzen. *(ugs.) **alle unter einen H. bringen** *(alle zu übereinstimmender Ansicht bringen).* * **in/unter jmds. H. sein/stehen** *(von jmdm. beschützt, behütet werden);* **jmdn./etwas in seine H. nehmen** *(jmdn./etwas unter seinen Schutz stellen);* **auf der H. sein** *(vorsichtig sein);* **vor jmdm. auf der H. sein** *(sich vor jmdm. in acht nehmen).*

hüten, hütete, hat gehütet: **1.** ⟨tr.⟩ *aufpassen (auf etwas/jmdn.); achten, daß jmd./etwas nicht geschädigt wird oder keinen Schaden verursacht:* das Vieh [auf der Weide] h.; die Kinder h. * **das Bett, Haus h. müssen** *(im Bett, zu Hause bleiben müssen).* **2.** ⟨rfl.⟩ *sich in acht nehmen; sich vorsehen:* hüte dich vor dem Hund! * **sich h., etwas zu tun** *(etwas auf keinen Fall tun).*

Hutschnur: ⟨in der Wendung⟩ das geht mir über die H. (ugs.): *das geht zu weit, das ist unerhört:* die freche Bemerkung ging mir [dann doch] über die H.

Hütte, die; -, -n: *kleines, einfach eingerichtetes Haus:* eine kleine, niedrige H.; die Wanderer übernachteten in einer H. im Gebirge.

hutzlig ⟨Adj.⟩: *klein, vertrocknet, dürr, welk:* ein altes hutzliges Männchen.

Hyäne, die; -, -n: /ein Tier/ (siehe Bild): Hyänen fressen Aas; bildl.: diese Gangster sind Hyänen *(nach Profit gierige, rücksichtslose Menschen).*

Hyäne

Hyazinthe, die; -, -n: /eine Blume/ (siehe Bild).

Hyazinthe

Hydrant, der; -en, -en: *Vorrichtung, durch die man größere Mengen Wasser aus dem allgemeinen Netz in kürzester Zeit entnehmen kann* (siehe Bild): die Feuerwehr schloß den Schlauch an den Hydranten an.

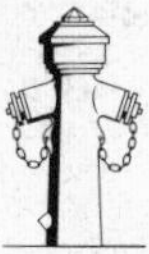

Hydrant

hydraulisch ⟨Adj.⟩ (fachspr.): *mit dem Druck von Flüssigkeiten, Wasser arbeitend; durch den Druck von Flüssigkeiten, Wasser:* eine hydraulische Bremse; die Türen werden h. geöffnet.

Hygiene, die; -: *Pflege der Gesundheit durch vorbeugende Maßnahmen, Sauberkeit:* kommunale Ämter wachen über die öffentliche H.

hygienisch ⟨Adj.⟩: *sauber; für die Gesundheit nicht schädlich:* das ist nicht h.; h. verpackt.

Hymne, die; -, -n: *feierliches Gedicht oder auf Instrumenten gespieltes feierliches Stück:* eine H. auf die Freiheit.

Hyperbel, die; -, -n: Math. /eine Kurve/ (siehe Bild).

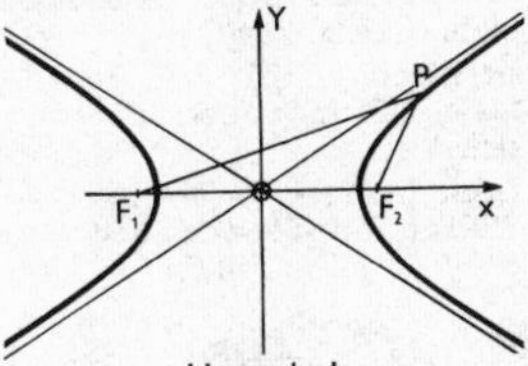

Hyperbel

Hypnose, die; -, -n: *dem Schlaf oder Halbschlaf ähnlicher, durch Suggestion hervorgerufener Zustand:* jmdn. in H. versetzen.

Hypnotiseur [hypnoti'zø:r], der; -s, -e: *jmd., der einen anderen in Hypnose versetzen kann.*

hypnotisieren, hypnotisierte, hat hypnotisiert ⟨tr.⟩: *jmdn. in Hypnose versetzen:* der Arzt hypnotisierte den Patienten; ⟨häufig im 2. Partizip⟩ er starrte mich wie hypnotisiert an.

Hypochonder, der; -s, -: *jmd., der ständig in der Einbildung lebt, an Krankheiten zu leiden, oder sich in übertriebener Weise vor Erkrankung fürchtet; egozentrischer, von Mißmut geplagter Mensch:* aus Furcht vor Ansteckung verläßt dieser H. nicht mehr seine Wohnung.

hypochondrisch ⟨Adj.⟩: *die Eigenschaften eines Hypochonders aufweisend, nach Art eines Hypochonders:* ein hypochondrischer Mensch; er gebärdet sich ziemlich h.

Hypothek, die; -, -en: *Belastung eines Hauses oder Grundstücks zur Sicherung eines dem Eigentümer gewährten Kredits:* auf dem Haus liegt eine H.

Hypothese, die; -, -n: *Annahme, die noch nicht bewiesen ist, aber als Grundlage für weitere wissenschaftliche Forschung dient.*

hypothetisch ⟨Adj.⟩ *nur angenommen, auf einer nicht bewiesenen Behauptung beruhend:* die Aussage ist rein h.

Hysterie, die; -: *starke, krankhafte Aufregung, Erregtheit:* sie litt an H.

hysterisch ⟨Adj.⟩: *in übertriebener Weise aufgeregt; in krankhafter Weise reizbar:* h. schreien; eine hysterische Frau.

I

ich ⟨Personalpronomen⟩ /bezeichnet die eigene Person/: ich lese; ich Dummkopf!

Ich, das; -[s]: *die eigene Person:* das liebe I.; sein zweites, anderes I. *(diejenige Seite seines Wesens, die im allgemeinen verborgen bleibt);* schließlich siegte sein besseres I. *(siegten die besseren seiner Eigenschaften, Regungen über die schlechteren).*

ichbezogen ⟨Adj.⟩: *egozentrisch:* eine ichbezogene Einstellung; i. handeln.

ideal ⟨Adj.⟩: *den höchsten Vorstellungen entsprechend, vollkommen:* ideale Bedingungen; ein ideales Klima; die Voraussetzungen waren i.

Ideal, das; -s, -e: *Inbegriff des Vollkommenen, höchstes erstrebtes Ziel; Vorbild:* einem I. nachstreben.

idealisieren, idealisierte, hat idealisiert ⟨tr.⟩: *(von der Unvollkommenheit in der Wirklichkeit absehend) Personen und Sachen für schöner, besser halten oder schöner und besser darstellen, als sie sind:* in seinem Buch hat der Verfasser die Antike idealisiert. **Idealisierung,** die; -, -en.

Idealismus, der; -: **1.** *der Glaube an Ideale, das Streben nach Verwirklichung dieser Ideale und die Neigung, die Wirklichkeit nicht zu sehen, wie sie ist, sondern wie sie sein sollte:* von jugendlichem I. erfüllt; sie ist aus I. *(Liebe zur Menschheit)* Krankenschwester geworden. **2.** *philosophische Lehre, die die Idee als das objektiv Wirkliche bestimmt und in der Materie eine Erscheinungsform des Geistes sieht; die von dieser Lehre bestimmten Richtungen in Kunst und Wissenschaft:* der deutsche I. des 18. Jahrhunderts.

Idealist, der; -en, -en: *jmd., der Idealen folgt; Schwärmer.*

idealistisch ⟨Adj.⟩: **1.** *an Ideale glaubend, nach der Verwirklichung von Idealen strebend:* ein idealistischer junger Arzt; durch sein idealistisches *(selbstloses)* Handeln konnte den Leuten geholfen werden. **2.** *durch die philosophische Lehre von den Ideen als dem objektiv Wirklichen geprägt:* die idealistische Philosophie, Weltanschauung.

Idee, die; -, -n: *Gedanke, Einfall:* eine gute, geniale I.; auf eine I. kommen; eine I. haben. *** eine fixe I.** *(eine zwanghafte Vorstellung);* (ugs.) **eine I.** *(ein wenig):* dem Gericht eine I. Salz beifügen.

ideell ⟨Adj.⟩: *geistig; nicht materiell:* etwas aus ideellen Gründen tun.

Identifikation, die; -, -en: *Identifizierung.*

identifizieren, identifizierte, hat identifiziert ⟨tr.⟩: *den Namen, die Herkunft o. ä. feststellen:* einen Toten i. **Identifizierung,** die; -.

identisch ⟨Adj.⟩: *völlig gleich, übereinstimmend, eins.*

Identität, die; -: **1.** *völlige Gleichheit, Übereinstimmung mit einer bestimmten Person:* die I. des vermißten und tot aufgefundenen Mannes feststellen. **2.** *Personalien:* die Beamten überprüften seine I.

Ideologe, der; -n, -n: *exponierter Vertreter oder Lehrer einer Ideologie:* einen Vortrag des bekanntesten Ideologen der kommunistischen Partei hören.

Ideologie, die; -, -n: *Basis einer politischen Theorie.*

ideologisch ⟨Adj.⟩: *eine Ideologie betreffend.*

Idiot, der; -en, -en (ugs.; abwertend): *stupider Mensch, Dummkopf:* so ein I.!

Idiotie, die; -, -n: **a)** ⟨ohne Plural⟩ M e d. *Geisteskrankheit, Schwachsinn.* **b)** (ugs.; abwertend) *Unsinn, Dummheit:* du willst ein halbes Jahr vor dem Abitur die Schule verlassen? Aber das ist doch I.!

idiotisch ⟨Adj.⟩ (abwertend): *unsinnig; verrückt, dumm:* ein idiotischer Plan; es war i., dies zu tun.

Idol, das; -s, -e: *jmd., den man schwärmerisch als Vorbild verehrt:* er ist das I. der Teenager.

Idyll, das; -s, -e: *Bereich, Zustand eines friedlichen und einfachen Lebens in meist ländlicher Einsamkeit:* ein dörfliches I.

Idylle, die; -, -n: **1.** *Darstellung eines Idylls in Literatur und bildender Kunst:* eine zauberhafte I. **2.** *Idyll.*

idyllisch ⟨Adj.⟩: *voll Harmonie und Frieden:* dieses Tal liegt sehr i.

Igel, der; -s, -: *kleines, auf dem Rücken mit Stacheln bedecktes Säugetier* (siehe Bild).

Igel

Ignorant, der; -en, -en: *jmd., der nichts weiß und sich auch nichts sagen läßt; dummer Mensch, Dummkopf:* in diesem Kreis diskutierten politische Ignoranten über schwierige Probleme der Außenpolitik.

Ignoranz, die; -: *Dummheit, Unwissenheit, Unkenntnis:* ihr Kommentar zu diesem Thema zeugt von haarsträubender I.

ignorieren, ignorierte, hat ignoriert ⟨tr.⟩: *nicht beachten, nicht zur Kenntnis nehmen:* sie hat ihn, es ignoriert.

ihr: I. ⟨Personalpronomen⟩ /bezeichnet angeredete vertraute Personen/: ihr habt den Nutzen davon; ihr Dummköpfe! **II.** ⟨Possessivpronomen⟩ /bezeichnet ein Besitz- oder Zugehörigkeitsverhältnis einer weiblichen oder mehrerer Personen/: ihr Kleid ist zu lang; ihre (der Nachbarn) Hunde.

Ikone, die; -, -n: *von der Orthodoxen Kirche geweihtes, auf eine Tafel gemaltes Bild mit der Darstellung Christi, Mariens, Heiliger oder religiöser Szenen:* Ikonen verehren.

illegal ⟨Adj.⟩: *nicht rechtmäßig; ohne Erlaubnis, Genehmigung:* illegale Geschäfte.

Illegalität, die; -: *Unrechtmäßigkeit, Gesetzwidrigkeit* /Ggs. Legalität/: wegen der I. seines Vorgehens wurde er zur Verantwortung gezogen.

illegitim ⟨Adj.⟩: *unrechtmäßig, gesetzwidrig:* eine Regierung für i. erklären; ein illegitimes *(nicht eheliches)* Kind.

Illumination, die; -, -en: *festliche Beleuchtung:* die I. der Straßen in den Wochen vor Weihnachten.

illuminieren, illuminierte, hat illuminiert ⟨tr.⟩: *festlich erleuchten:* zur Feier des Tages wurden abends die Straßen illuminiert.

Illusion, die; -, -en: *Einbildung, falsche Hoffnung:* sich keine Illusionen machen.

illusorisch ⟨Adj.⟩: **a)** *nur in der Illusion existierend, trügerisch:* sie trug sich mit illusorischen Hoffnungen. **b)** *vergeblich:* die veränderten Umstände machten unser ganzes Vorhaben i.

illuster ⟨Adj.⟩ (geh.): *glänzend, vornehm, erlaucht:* im Foyer versammelte sich eine illustre Gesellschaft.

Illustration, die; -, -en: **1.** *das (einem Text) beigegebene Bild:* die Illustrationen zu diesem Märchenbuch sind recht geschmackvoll. **2.** *Erläuterung:* diese Behauptung bedarf der I.

illustrieren, illustrierte, hat illustriert ⟨tr.⟩: **1.** *mit Bildern ausschmücken:* ein Märchenbuch i. **2.** *erläutern, deutlich machen:* den Vorgang an einem Beispiel i.

Illustrierte, die; -n, -n ⟨ohne bestimmten Artikel im Plural:

(Illustrierte): *Zeitschrift mit Bildern und Artikeln allgemein interessierenden und unterhaltenden Inhalts.*

Iltis, der; -ses, -se: /ein Tier/ (siehe Bild).

Iltis

im: ⟨Verschmelzung von *in + dem*⟩.

Image ['ɪmɪdʒ], das; -[s], -s: *das Bild, das sich ein einzelner oder eine Gruppe von einem einzelnen, einer Gruppe oder Sache macht; feste Vorstellung vom Charakter oder von der Persönlichkeit:* das I. eines Politikers prägen; diese Vorfälle haben dem I. der Bundesrepublik sehr geschadet.

Imbiß, der; Imbisses, Imbisse: *kleine Mahlzeit:* einen I. einnehmen.

Imitation, die; -, -en: *[minderwertige] Nachahmung:* die Brosche, die sie trug, sah nach I. aus.

imitieren, imitierte, hat imitiert ⟨tr.⟩: *nachahmen, nachbilden:* die Stimme eines Vogels, einen Clown i.

Imker, der; -s, -: *jmd., der Bienen züchtet.*

Immatrikulation, die; -, -en: *Aufnahme in die Liste der eine Hochschule besuchenden Studenten* /Ggs. Exmatrikulation/: die I. vornehmen.

immatrikulieren, immatrikulierte, hat immatrikuliert ⟨tr./rfl.⟩: *in die Liste der eine Hochschule besuchenden Studenten eintragen* /Ggs. exmatrikulieren/: ich habe mich immatrikuliert, mich i. lassen.

immens ⟨Adj.⟩: *unermeßlich [groß]:* ein immenser Vorrat an Anekdoten; immenses Glück gehabt haben.

immer ⟨Adverb⟩: *stets, fortwährend, dauernd:* sie ist i. fröhlich.

immergrün ⟨Adj.⟩: *stets, das ganze Jahr über grün:* eine immergrüne Pflanze.

immerhin ⟨Adverb⟩: *auf jeden Fall, wenigstens:* er hat sich i. Mühe gegeben.

immerzu ⟨Adverb⟩: *ständig [sich wiederholend], immer wieder:* er ist i. krank.

Immobilien, die ⟨Plural⟩: Kaufmannsspr. *Grundbesitz, Grundstücke, Häuser:* mit I. handeln.

Immobilienhandel, der; -s: *Handel mit Immobilien:* durch I. reich werden.

immun ⟨Adj.; nicht adverbial⟩: **1.** *nicht empfänglich (für Krankheiten):* i. sein; bildl.: er ist i. gegen jede Beeinflussung. **2.** *vor Strafverfolgung geschützt* /von Angehörigen des Parlaments, Diplomaten/.

immunisieren, immunisierte, hat immunisiert ⟨tr.⟩: *(gegen Bakterien o. ä.) unempfänglich machen:* wer diese Krankheit übersteht, bleibt für immer gegen ihre Erreger immunisiert.

Immunität, die; -: **1.** *Widerstandskraft (gegenüber Giften oder den Erregern von Krankheiten):* dieses Mittel bewirkt eine mehrere Jahre andauernde I. gegen eine Infektion. **2.** *durch Gesetz garantierter Schutz vor Strafverfolgung* /bei Diplomaten und Parlamentariern/: die I. eines Abgeordneten aufheben.

Imperialismus, der; -: *Streben einer Großmacht nach ständiger Ausdehnung ihrer Macht und ihres Einflusses.*

impertinent ⟨Adj.⟩: *frech, ungehörig, unverschämt:* eine impertinente Person; i. lächeln.

Impertinenz, die; -, -en: *Frechheit, Ungehörigkeit, Unverschämtheit:* sie hatte die I., diese Nachrichten zu verbreiten, obwohl sie wußte, daß sie falsch waren.

impfen, impfte, hat geimpft ⟨tr.⟩: *[jmdm.] einen Schutzstoff gegen eine bestimmte gefährliche Krankheit zuführen:* Kinder [gegen Pocken] i.

Impfschein, der; -[e]s, -e: *behördlicher Nachweis, daß eine bestimmte Impfung vorgenommen worden ist:* der I. ist gut aufzubewahren.

Impfung, die; -, -en: *das Impfen, Geimpftwerden:* die I. der Säuglinge.

Imponderabilien, die ⟨Plural⟩: *Momente des Gefühls und der Stimmung, die nicht vorherzusehen und schwer abzuwägen sind, so daß durch sie eine Ungewißheit in den Verlauf von Handlungen, in geplante Vorhaben o. ä. kommt:* bei der Entstehung dieses Konflikts wirkten zahlreiche I. mit.

imponieren, imponierte, hat imponiert ⟨itr.⟩: *Bewunderung hervorrufen (bei jmdm.), großen Eindruck machen (auf jmdn.):* seine Leistungen imponierten den Zuschauern.

Import, der; -[e]s, -e: *Einfuhr von Waren, Gütern aus dem Ausland* /Ggs. Export/: den I. beschränken.

Importeur [ɪmpɔr'tø:r], der; -s, -e: *jmd., der gewerbsmäßig Waren aus dem Ausland einführt; auf diesem Gebiet tätige Firma* /Ggs. Exporteur/: dieses Unternehmen ist der größte I. unseres Landes für Kaffee.

importieren, importierte, hat importiert ⟨tr.⟩: *(Waren aus dem Ausland) einführen* /Ggs. exportieren/: Südfrüchte [aus Israel] i.

imposant ⟨Adj.⟩ (geh.): *sehr eindrucksvoll, durch Größe auffallend:* eine imposante Erscheinung; ein imposanter Anblick.

impotent ⟨Adj.⟩: nicht adverbial⟩: **1.** *zum Geschlechtsverkehr und zur Zeugung nicht fähig* /vom Mann/: ein impotenter Mann; i. sein. **2.** (abwertend) *unvermögend, nicht tüchtig, nicht schöpferisch:* er ist als Künstler i. **Impotenz,** die; -.

imprägnieren, imprägnierte, hat imprägniert ⟨tr.⟩: *(einen Stoff o. ä.) wasserdicht machen:* einen Mantel i.

Impression, die; -, -en: *Eindruck, Empfindung, Wahrnehmung:* Impressionen wiedergeben; sich an Impressionen erinnern.

Impressionismus, der; -: *Richtung in der Kunst des späten 19. Jahrhunderts, die sich zwar der Umwelt zuwendet, sie aber nicht objektiv darstellen will, sondern ihre Wirkung auf das Innere des einzelnen Menschen beobachtet und diese Eindrücke möglichst differenziert wiederzugeben versucht.*

Improvisation, die; -, -en: *das ohne Vorbereitung, aus dem Stegreif Dargebotene:* ihre I. gefiel den Gästen sehr.

improvisieren, improvisierte, hat improvisiert ⟨tr.⟩: *ohne Vorbereitung, aus dem Stegreif ausführen:* eine Rede i.; ⟨auch itr.⟩ er improvisiert gern; am Klavier. i.

Impuls, der; -es, -e: *Anstoß, Antrieb (zu etwas); Anregung:* einen I. geben, empfangen.

impulsiv ⟨Adj.⟩: *spontan, einem plötzlichen Antrieb folgend:* eine impulsive Handlung; er ist sehr i. **Impulsivität,** die; -.

imstande: ⟨in der Verbindung⟩ zu etwas i. sein: *zu etwas fähig, in der Lage sein:* er war nicht i., ruhig zu sitzen; er ist zu einer großen Leistung i.

in ⟨Präp. mit Dativ und Akk.⟩: **1.** ⟨räumlich⟩ **a)** ⟨mit Dativ; auf die Frage: wo?⟩ /drückt aus, daß etwas/jmd. von etwas umgeben ist, sich auf das Innere von etwas bezieht/: i. der Stadt leben. **b)** ⟨mit Akk.; auf die Frage: wohin?⟩ /drückt aus, daß eine Bewegung auf das Innere, die Mitte von etwas gerichtet ist/: i. den Garten gehen. **2.** ⟨zeitlich; mit Dativ⟩ /drückt einen Zeitpunkt oder Zeitraum aus/: i. diesem Augenblick; etwas i. zwei Stunden schaffen können.

inadäquat ⟨Adj.⟩: *nicht adäquat, nicht entsprechend (im Vergleich zu etwas), nicht passend:* die Strafe war der Tat i.

Inbegriff, der; -s: *vollkommenste, reinste Verkörperung:* der I. der Schönheit, des Bösen.

inbegriffen ⟨Adj.; nur prädikativ⟩: *eingeschlossen:* alles i.; [die] Bedienung [ist] i.

Inbrunst, die; - (geh.): *starkes Gefühl, Leidenschaftlichkeit:* die I. seines Glaubens.

inbrünstig ⟨Adj.⟩ (geh.): *voller Inbrunst, leidenschaftlich:* i. hoffen, beten.

indem ⟨Konj.⟩: **1.** ⟨zeitlich⟩ *während:* i. er sprach, öffnete sich die Tür. **2.** ⟨instrumental⟩ *dadurch, daß; damit, daß:* er öffnete das Paket, i. er die Schnur zerschnitt.

indes ⟨Konj. und Adverb⟩: *indessen.*

indessen: **I.** ⟨Konj.; temporal⟩ *während:* i. er las, unterhielten sich die anderen. **II.** ⟨Adverb⟩: **1.** *unterdessen, inzwischen:* es hatte i. begonnen zu regnen; du kannst i. anfangen. **2.** *jedoch, aber:* man machte ihm mehrere Angebote. Er lehnte i. alles ab.

Index, der; -[es], Indizes: **a)** *alphabetisches Verzeichnis von Eigennamen, Sachen, Orten o. ä.:* im I. nachschlagen. **b)** (hist.) *Liste der durch Entscheid des Papstes für Katholiken verbotenen Bücher:* auf dem I. stehen.

indifferent ⟨Adj.; nicht adverbial⟩ *gleichgültig, teilnahmslos, unentschieden:* politisch i. sein. **Indifferenz,** die; -, -en.

indigniert ⟨Adj.⟩ (geh.): *unwillig, empört, (von etwas) peinlich berührt:* über eine geschmacklose Bemerkung i. sein.

indirekt ⟨Adj.⟩: *nicht unmittelbar; über einen Umweg* /Ggs. direkt/: indirekte Beleuchtung *(bei der man die Lichtquelle selbst nicht sieht);* etwas i. beeinflussen.

indiskret ⟨Adj.⟩: *taktlos, zudringlich* /Ggs. diskret/: eine indiskrete Frage; i. sein, fragen; er war so i., den Namen zu verraten.

Indiskretion, die; -, -en: *Mangel an Verschwiegenheit; das Weitergeben einer geheimen oder vertraulichen Nachricht:* die geheimen Verhandlungen sind durch eine I. bekanntgeworden.

indiskutabel [auch: ...ta...] ⟨Adj.; nicht adverbial⟩: *nicht in Frage kommend; nicht der Erörterung, Diskussion wert* /Ggs. diskutabel/: ein indiskutabler Vorschlag; diese Pläne sind i.

indisponiert ⟨Adj.; nicht adverbial⟩: *in schlechter Verfassung, unpäßlich:* der Sänger war leider i.

Individualismus, der; -: *Weltanschauung, die den einzelnen Menschen für wichtiger hält als die großen Gemeinschaften, deshalb die Rechte und Bedürfnisse des einzelnen betont und den in der Gemeinschaft üblichen Regeln und Ansprüchen zurückhaltend gegenübersteht:* den schrankenlosen I. bekämpfen.

Individualist, der; -en, -en: *Anhänger des Individualismus, betont eigenwilliger Mensch, Einzelgänger:* [ein] extremer I. sein.

individualistisch ⟨Adj.⟩: *auf die Weltanschauung des Individualismus bezüglich; die persönliche Eigenart betonend, sehr eigenwillig:* die Partei warf dem Philosophen vor, in seiner Lehre vom Staat seien zu viele individualistische Elemente enthalten; der alte Junggeselle in unserer Mansarde hat einen sehr individualistischen Lebensstil.

Individualität, die; -, -en **1.** ⟨ohne Plural⟩ *Eigenart durch die sich jemand von anderen unterscheidet:* seine I. nicht aufgeben. **2.** *Persönlichkeit, Mensch, der sich durch seine Eigenart von anderen unterscheidet:* eine ausgeprägte I. sein.

individuell ⟨Adj.⟩: **a)** *das Individuum betreffend; dem Individuum eigentümlich; persönlich:* die individuellen Bedürfnisse, Ansichten; die Wirkung ist i. *(bei den einzelnen)* verschieden. **b)** *mit besonderer Note; in besonderer Weise:* eine individuelle Verpackung; einen Raum i. gestalten.

Individuum, das; -s, Individuen: *der Mensch als einzelnes Wesen:* das I. in der Masse; ein verdächtiges I. *(eine verdächtige Person).*

Indiz, das; -es, -ien: **1.** *auf einen Täter, einen Schuldigen deutender Umstand:* jmdn. durch Zeugen und Indizien überführen. **2.** *Hinweis, Anzeichen:* die Presse als ein I. für das Maß an Freiheit, das in einer Gesellschaft besteht.

Indizienbeweis, der; -es, -e: *Beweis auf Grund von Umständen, die zwar nur mittelbar, aber doch zwingend auf einen bestimmten Täter deuten:* einen I. führen.

industrialisieren, industrialisierte, hat industrialisiert ⟨tr.⟩: *(in einem Land) eine Industrie auf- und ausbauen:* nach dem Krieg wurde die Bundesrepublik wieder industrialisiert. **Industrialisierung,** die; -.

Industrie, die; -, -n: **a)** *Gesamtheit der Unternehmen, die Produkte entwickeln und herstellen:* eine I. aufbauen; in dieser Gegend gibt es nicht viel I. **b)** *bestimmter Bereich der Wirtschaft:* auf dem Gebiet der chemischen I. wurden große Fortschritte gemacht.

Industrieanlage, die; -, -n: *Betrieb, in dem industrielle Produkte entwickelt und hergestellt werden:* große Industrieanlagen bauen.

Industriegebiet, das; -[e]s, -e: *Gebiet mit vielen Industrieanlagen:* das I. an der Ruhr; in einem I. leben.

industriell ⟨Adj.⟩: *die Industrie betreffend, zur Industrie* *ehörig:* die industrielle Fertiung.

ndustrielle, der; -n, -n ‹aber: ein] Industrieller, Plural: Inustrielle›: *Eigentümer einer ndustrieanlage; Unternehmer in er Industrie:* die Interessen er Industriellen vertreten.

ndustriestaat, der; -[e]s, en: *Staat, in dem die Industrie ut entwickelt ist und vor anderen weigen der Wirtschaft (z. B. er Landwirtschaft) die entcheidende Rolle spielt:* die Inustriestaaten Europas und Iordamerikas; zu einem I. verden.

ndustriezweig, der- -[e]s, e: *Gesamtheit der Unternehen, die mit bestimmten Stoffen rbeiten und damit bestimmte rodukte herstellen.*

neinander ‹Adverb›: *eins ins ndere, eins im anderen:* die Fäen sind i. verwoben; ‹oft znammengesetzt mit Verben› ininanderfügen, ineinanderlegen.

nfam ‹Adj.› (abwertend): *iederträchtig, schändlich:* eine ıfame Lüge; sein Handeln var i. **Infamie,** die; -, -n.

nfanterie, die; -: *Truppe von oldaten, die zu Fuß mit der Vaffe in der Hand kämpft:* bei er I. dienen; den Angriff der . abwehren.

nfantil ‹Adj.›: **a)** *kindlich, icht entwickelt:* sein Gesicht hat och infantile Züge. **b)** (abwerend) *kindisch, dem fortgeschritnen Alter nicht angemessen:* sie eagierte geradezu i.

nfarkt, der; -s, -e: Med. *plötzches Absterben eines Gewebeler Organteils, bedingt durch ine längere Unterbrechung der ufuhr von Blut:* der Arzt stelle einen I. fest.

nfekt, der; -s, -e: *Infektion.*

nfektion, die; -, -en: *Ansteking durch Krankheitserreger.*

nfektionskrankheit, die; -, n: *durch eine Infektion herorgerufene Krankheit:* an einer . sterben.

nfektiös ‹Adj.›: *ansteckend; uf Infektion beruhend:* sie leiet an einer infektiösen Krankeit.

nfernalisch ‹Adj.›: *höllisch, uflisch:* ein infernalisches Grinn; der Plan ist geradezu i.

nferno, das; -s: *Hölle; schreckches, unheilvolles Geschehen, von dem viele Menschen gleichzeitig heimgesucht werden:* nur wenige überlebten das I. der Schlacht.

Infiltration, die; -: *das Infiltrieren:* sich gegen die I. der Kommunisten schützen.

infiltrieren, infiltrierte, hat infiltriert ‹tr.›: *heimlich (in einen Bereich) eindringen (um ihn den eigenen Interessen gemäß zu verändern); heimlich ([ideologisches] Material in einen Bereich) einführen und dort verbreiten:* Anhänger dieser Organisation infiltrierten allmählich die Verwaltung.

infizieren, infizierte, hat infiziert ‹tr./rfl.›: *anstecken:* jmdn. mit Krankheitserregern i.; du hast dich bei dem Kranken infiziert.

in flagranti: ‹in der Wendung› jmdn. in flagranti ertappen/erwischen: *(jmdn.) in dem Augenblick überraschen, in dem er etwas Schlechtes tut, bes. stiehlt oder den Partner sexuell betrügt:* er ertappte seine Frau mit ihrem Liebhaber in flagranti.

Inflation, die; -, -en: *Entwertung des Geldes und gleichzeitige Erhöhung der Preise* /Ggs. Deflation/.

infolge ‹Präp. mit Gen.›: *wegen* /weist auf die Ursache, die etwas Bestimmtes zur Folge hat/: das Spiel mußte i. schlechten Wetters ausfallen.

Informant, der; -en, -en: *jmd., der [geheime] Informationen liefert; Gewährsmann:* die Zeitung hat in ihm einen wichtigen Informanten gewonnen.

Information, die; -, -en: **a)** ‹ohne Plural› *Unterrichtung, Benachrichtigung, Aufklärung:* die I. des Parlaments durch die Regierung war ungenügend. **b)** *Nachricht, Auskunft:* Informationen erhalten, bekommen.

informativ ‹Adj.› (geh.): *belehrend, aufschlußreich:* sie führten ein informatives Gespräch.

informieren, informierte, hat informiert: **a)** ‹tr.› *[offiziell] unterrichten, in Kenntnis setzen:* er hat die Öffentlichkeit über die Ereignisse informiert. **b)** ‹rfl.› *sich unterrichten, sich Kenntnis verschaffen:* er informierte sich über die Vorgänge.

Infrastruktur, die; -, -en: *Einrichtungen, die der Wirtschaft und dem Militär eines Landes indirekt dienen, z. B. Straßen, Flugplätze u. a.*

Ingenieur [ɪnʒeni'øːr], der; -s, -e: *jmd., der [an einer Hochschule] eine technische Ausbildung erhalten hat.*

Ingenium, das; -s, Ingenien (geh.): *hohe Begabung, [schöpferische] Anlage:* das I. Goethes, Schillers; sein I. offenbarte sich.

Ingredienzien, die ‹Plural›: *Zutaten, Bestandteile:* die Arznei besteht aus folgenden I.

Ingwer, der; -s: /ein Gewürz/.

Inhaber, der; -s, -: *jmd., der etwas besitzt, innehat; Eigentümer:* der I. eines Geschäftes, eines Amtes, eines Ordens. **Inhaberin,** die; -, -nen.

inhaftieren, inhaftierte, hat inhaftiert ‹tr.›: *festnehmen; in Haft nehmen, halten:* einen Betrüger, Verdächtigen i.; er war vier Wochen inhaftiert.

inhalieren, inhalierte, hat inhaliert ‹tr.›: *(Heilmittel) einatmen:* Dämpfe i.; bildl. (ugs.): die Zigarette i. *(den Rauch der Zigarette tief in die Lunge einziehen).*

Inhalt, der; -[e]s, -e: **1.** *etwas, was in einem Gefäß, in einer Umhüllung enthalten ist:* der I. der Flasche, des Pakets. **2.** *das Ausgedrückte, Mitgeteilte; der Gehalt:* der I. des Briefes; den I. eines Romans erzählen.

Inhaltsangabe, die; -, -n: *mündliche oder schriftliche Zusammenfassung des Inhaltes:* von dem Drama eine I. machen.

Inhaltsverzeichnis, das; -ses, -se: **a)** *Verzeichnis der in einem Buch behandelten Themen:* im I. nachschlagen. **b)** *Verzeichnis der (in einer Sendung) enthaltenen Gegenstände:* in ein Paket ein I. legen.

inhuman ‹Adj.›: *unmenschlich; äußerst rücksichtslos:* sich i. verhalten; jmdn. i. behandeln.

Initiale, die; -, -n: *großer, häufig durch Verzierungen ausgeschmückter Buchstabe:* eine alte Handschrift mit schönen Initialen.

Initiative, die; -, -n: *Antrieb zum Handeln, Entschlußkraft:* etwas aus eigener I. tun; I. haben, aufbringen, entfalten; die I. ergreifen *(eine Sache selbst in die Hand nehmen; zu handeln beginnen).*

Initiator, der; -s, -en: *jmd., der (etwas) anregt, anstiftet; Urheber:* er ist der I. der gegen mich gerichteten Angriffe.

Injektion, die; -, -en: *das Einspritzen (von Flüssigkeit) in den Körper:* Schmerzen durch eine I. von Morphium lindern.

Inkarnation, die; -, -en (geh): *Verkörperung:* sie erschien mir als I. des Guten.

inklusive: *einschließlich, inbegriffen:* **I.** ⟨Präp. mit Gen.⟩: i. aller Gebühren; ⟨aber: ohne Flexionsendung vor starken Substantiven im Singular, wenn sie ohne Artikel und ohne adjektivisches Attribut stehen; im Plural dann mit Dativ⟩ i. Porto; i. Getränken. **II.** ⟨Adverb⟩: bis zum 4. April i.

inkognito ⟨Adj.; nicht attributiv⟩: *unter einem fremden Namen:* er reiste i.; er hat sich i. hier aufgehalten.

Inkognito, das; -s, -s: *das Verheimlichen der Identität:* das I. wahren *(unter fremden Namen auftreten, sich nicht zu erkennen geben);* sein I. aufgeben.

inkonsequent ⟨Adj.⟩: *ohne Folgerichtigkeit; nicht konsequent:* eine inkonsequente Haltung; sein Verhalten ist i.; er handelte i.

Inkonsequenz, die; -, -en: *mangelnde Folgerichtigkeit:* sein Verhalten ist voll[er] I.

inkorrekt ⟨Adj.⟩: *nicht so, wie es den Regeln entspricht:* ein inkorrektes Verhalten; er war i. gekleidet.

Inkubationszeit, die; -, -en: *Zeit von der Ansteckung bis zum Ausbruch einer Krankheit:* während der I. ständig ärztlich beobachtet werden.

Inland, das; -[e]s: *Bereich innerhalb der Grenzen eines Landes:* die Erzeugnisse des Inlandes.

Inlett, das; -s, -e: *Hülle aus Baumwolle, in die Federn für das Bett gefüllt werden:* die Inlette sind im Laufe der Zeit mürbe geworden.

in medias res: ⟨in der Wendung⟩: in medias res gehen: *ohne Einleitung und Umschweife zur Sache kommen.*

in memoriam: *zum Andenken (an jmdn.):* in memoriam Max Planck.

in natura: *in natürlicher Gestalt, leibhaftig:* plötzlich stand er in natura vor mir.

innehaben, hat inne, hatte inne, hat innegehabt ⟨itr.⟩: *bekleiden, verwalten:* einen Posten, ein Amt i.

innehalten, hält inne, hielt inne, hat innegehalten: **1.** ⟨itr.⟩ *(mit etwas) plötzlich für kürzere Zeit aufhören:* in der Arbeit i. **2.** ⟨tr.⟩ (geh.) *(etwas, was als verbindlich gilt) einhalten, sich (an etwas) halten:* einen Termin i.

innen ⟨Adverb⟩: *im Innern, inwendig, nicht außen:* ein Gebäude i. renovieren.

Innenarchitekt, der; -en, -en: *auf einer Hochschule ausgebildeter Fachmann, der geschlossene Räume ausgestaltet* /Berufsbezeichnung/: einem Innenarchitekten die Einrichtung der Wohnung überlassen.

Innenpolitik, die; -: *der Teil der Politik, der sich mit den inneren Angelegenheiten eines Staates beschäftigt:* in der I. kam es endlich zu neuen Entwicklungen.

Innenseite, die; -, -n: *nach innen gewendete Seite von etwas:* die I. des Stoffes.

Innenstadt, die; -, Innenstädte: *im Inneren liegender Teil, Kern einer Stadt; Zentrum:* in der I. einkaufen.

innere ⟨Adj.; nur attributiv⟩: *sich innen befindend, inwendig vorhanden:* die inneren Bezirke der Stadt; die inneren Organe.

Innere, das; Inner[e]n ⟨aber: [sein] Inneres⟩: **1.** *umschlossener Raum; Mitte; Tiefe; etwas, was innen ist:* das I. des Hauses, des Landes. **2.** *Kern des menschlichen Wesens; Herz:* sein Inneres offenbaren.

Innereien, die ⟨Plural⟩: *eßbare Gedärme und innere Organe von Tieren:* I. kaufen.

innerhalb ⟨Präp. mit Gen.⟩: **a)** *im Bereich, in, nicht außerhalb:* i. des Hauses; i. der Familie. **b)** *während:* i. der Arbeitszeit. **c)** *im Verlauf (von etwas), binnen:* i. eines Jahres; ⟨mit Dativ, wenn der Gen. formal nicht zu erkennen ist⟩ i. fünf Monaten; ⟨auch als Adverb in Verbindung mit *von*⟩ i. von zwei Jahren.

innerlich ⟨Adj.⟩: **a)** *nach innen gewandt, auf das eigene Innere gerichtet:* ein innerlicher Mensch **b)** *im Innern:* er war i. belustigt

Innerlichkeit, die; -.

Innerste, das; -n ⟨aber: [sein] Innerstes⟩: *das innerste, tiefst Wesen (eines Menschen):* bis in I. getroffen sein.

innewerden, wird inne, wurd inne, ist innegeworden ⟨itr. mit Gen.⟩ (geh.): *(etwas) be merken, feststellen:* erst jetz wurde er seines schlechten Ve haltens inne; zu spät wurd sie inne, daß sie ihn gekränk hatte.

innewohnen, wohnte inne hat innegewohnt ⟨itr.⟩ (geh.) *(in jmdm./etwas) enthalten sein* dieser Optimismus wohnte ihr bis ins hohe Alter inne; sic auf Kräuter verstehen, dene heilende Kräfte innewohnen.

innig ⟨Adj.⟩: *herzlich, tief emp funden:* eine innige Verbunden heit; sich i. lieben. **Innigkeit** die; -.

Innung, die; -, -en: *Zusam menschluß von Handwerker desselben Handwerks, der de Absicht dient, die gemeinsame Interessen zu fördern:* in die I aufgenommen werden.

inoffiziell ⟨Adj.⟩: *nicht offi ziell, nicht amtlich:* eine inoffi zielle Mitteilung.

in petto: ⟨in der Verbindung etwas in petto haben (ugs.) *etwas im Sinne, bereit, in Reserv haben:* er hatte noch einige gut Argumente in petto.

in puncto: *hinsichtlich (eine Sache), in bezug (auf eine Sa che):* in puncto Sicherheit.

Inquisition, die; -, -en: **1** ⟨ohne Plural⟩ (hist.) *ehemalige geistliches Gericht der katho lischen Kirche zur Verfolgun der Ketzer:* von der I. zum Tod verurteilt werden. **2.** (geh *strenges Verhör:* sich einer I unterwerfen müssen.

ins: ⟨Verschmelzung von *i* + *das*⟩.

Insasse, der; -n, -n: *jmd., de sich in einem Fahrzeug befinde in einem Heim, einer Ansta lebt:* die Insassen des Flugzeugs des Gefängnisses; alle Insasse des Flugzeugs kamen ums Le ben.

insbesondere ⟨Adverb⟩: *vo allem, besonders:* er hat groß Kenntnisse, i. in englischer L teratur.

Inschrift, die; -, -en: *Text, der meist zum Gedenken an jmdn. oder etwas an einer bestimmten Stelle angebracht ist:* eine alte I. auf einem Grabstein.

Insekt, das; -s, -en: *kleines Tier einer niederen Gattung.*

Insel, die; -, -n: *Land, das von Wasser umgeben ist:* eine einsame I.; eine I. bewohnen.

Inserat, das; -s, -e: *Anzeige, Annonce in einer Zeitung, Zeitschrift:* viele Leute lasen das I.

Inseratenteil, der; -[e]s, -e: *Teil einer Zeitung oder Zeitschrift, der Inserate enthält:* den I. durchblättern.

Inserent, der; -en, -en: *jmd., der inseriert:* wir bitten unsere Inserenten, ihre Anzeigen rechtzeitig aufzugeben.

inserieren, inserierte, hat inseriert ⟨itr.⟩: *ein Inserat (in einer Zeitung, Zeitschrift) abdrucken lassen:* er inserierte in der Zeitung.

insgeheim ⟨Adverb⟩: *im stillen, heimlich:* i. beneidete er die anderen.

insgesamt ⟨Adverb⟩: *im ganzen; zusammen:* er war i. 10 Tage krank.

Insignien, die ⟨Plural⟩: *Zeichen geistlicher oder weltlicher Herrschaft, Zeichen des Standes:* Krone und Mitra sind die wichtigsten I. des Abendlandes.

insofern: I. ⟨Adverb⟩ insofern: *in dieser Hinsicht:* i. hat er recht. **II.** ⟨Konj.⟩ insofern: *wenn, falls:* ich komme, i. es dir paßt.

insoweit I. ⟨Adverb⟩ insoweit: *darum, bis zu dem Punkte:* i. hat er recht. **II.** ⟨Konj.⟩ insoweit: *wenn; in dem Maße, wie:* i. es möglich ist, wird man ihm helfen.

in spe: *zukünftig:* meine Schwiegermutter in spe.

Inspektion, die; -, -en: *das Inspizieren, Überprüfung von etwas:* die I. des Autos, des Gebäudes.

Inspektor, der; -s, -en: *Titel von Verwaltungsbeamten o. ä.*

Inspiration, die; -, -en: *plötzlich auftauchender Gedanke, der jmdn. (zu etwas) inspiriert:* der Dichter lebt von der I.

inspirieren, inspirierte, hat inspiriert ⟨tr.⟩: *anregen, begeistern (zu etwas):* das Ereignis inspirierte ihn zu seiner Dichtung.

Inspizient, der; -en, en: *jmd., der für den reibungslosen Ablauf von Aufführungen im Theater, beim Film und Fernsehen o. ä. verantwortlich ist* /Berufsbezeichnung/: der I. rief den Schauspieler zu seinem Auftritt.

inspizieren, inspizierte, hat inspiziert ⟨tr.⟩: *prüfend besichtigen, untersuchen:* die Truppe, ein Gebäude i.

Installateur [ɪnstala'tø:r], der; -s, -e: *jmd., der technische, Anlagen (bes. für Heizung, Wasser, Gas) installiert und wartet:* /Berufsbezeichnung/.

Installation, die; -, -en: **a)** *das Installieren:* die I. der elektrischen Leitungen in einem Neubau. **b)** *installierte technische Anlage:* bei dem Brand wurde die gesamte elektrische I. zerstört.

installieren, installierte, hat installiert ⟨tr.⟩: *(ein Gerät o. ä.) anbringen, anschließen:* den Kühlschrank, Herd i.

instand: ⟨in Verbindung mit bestimmten Verben⟩ **i. halten** *(in brauchbarem Zustand halten);* **i. setzen** *(reparieren).*

inständig ⟨Adj.; nicht prädikativ⟩: *sehr dringlich, flehend:* i. bitten.

Instanz, die; -, -en: *zuständige Behörde, Stelle:* sich an eine höhere I. wenden.

Instanzenweg, der; -[e]s: *Dienstweg:* etwas auf dem I. erledigen.

Instinkt, der; -s, -e: *natürlicher Antrieb zu bestimmten Verhaltensweisen; sicheres Gefühl für etwas:* seinem I. folgen.

instinktiv ⟨Adj.⟩: *dem Instinkt folgend, seinem sicheren Gefühl folgend:* i. handeln.

Institut, das; -s, -e: *Unternehmen mit eigenen Räumlichkeiten, das sich mit Forschung, Erziehung u. a. befaßt:* das I. für deutsche Sprache.

Institution, die; -, -en: *Einrichtung, die für bestimmte Aufgaben zuständig ist, bestimmte Befugnisse hat:* die Universitäten sind Institutionen des öffentlichen Rechts.

instruieren, instruierte, hat instruiert ⟨tr.⟩: **a)** *in Kenntnis setzen:* ich bin über seine weiteren Schritte instruiert worden. **b)** *belehren, anweisen:* er instruierte seine Sekretärin, niemanden vorzulassen.

Instruktion, die; -, -en: *Anweisung für das Verhalten u. ä.:* jmdm. Instruktionen geben; von jmdm. Instruktionen erhalten.

instruktiv ⟨Adj.⟩: *belehrend, Kenntnisse vermittelnd:* ein instruktiver Vortrag; der Aufsatz in der Zeitung ist sehr i.; etwas i. darstellen.

Instrument, das; -s, -e: **1.** *Gerät zur Bearbeitung, Behandlung von etwas:* die Instrumente reinigen. **2.** *Gerät zur Ausübung von Musik:* ein wertvolles I. besitzen; er spielt mehrere Instrumente.

Instrumentalmusik, die; -: *nur mit Instrumenten ausgeführte Musik.*

inszenieren, inszenierte, hat inszeniert ⟨tr.⟩: *[als Regisseur] die Aufführung (eines Werkes auf der Bühne) vorbereiten:* ein Drama i. **Inszenierung,** die; -, -en.

intakt ⟨Adj.⟩: *in Ordnung; richtig funktionierend:* die Maschine ist nicht i.

integer ⟨Adj.⟩: *von hohem moralischem Rang; von lauterem, untadeligem Charakter:* eine integre Persönlichkeit.

Integration, die; -, -en: *Einbeziehung in ein größeres Ganzes, Zusammenschließung zu einem größeren Ganzen:* die politische I.; die I. in eine Gemeinschaft.

integrieren, integrierte, hat integriert ⟨tr.⟩: *zusammenschließen, zusammenfassen (zu einem größeren Ganzen):* alle politischen Kräfte i.

Integrität, die; -: **1.** *Ganzheit, Vollständigkeit, Unversehrtheit:* die I. eines Staates garantieren. **2.** *Anständigkeit, Lauterkeit:* die I. eines Politikers bezweifeln.

Intellekt, der; -s: *Vermögen zu Denken, Verstand.*

intellektuell ⟨Adj.⟩: *geistig, den Intellekt betreffend:* die intellektuellen Fähigkeiten.

Intellektuelle, der; -n, -n ⟨aber: [ein] Intellektueller, Plural: Intellektuelle⟩: *Mensch mit hohem Intellekt:* die Unzufriedenheit der Intellektuellen über das Leben in diesem Staat wächst.

intelligent ⟨Adj.⟩: *mit Intelligenz begabt; gescheit; klug:* ein intelligenter Mensch, er ist sehr i.

Intelligenz, die; -: *Fähigkeit des Denkens, Klugheit:* ein Mann von hoher I.

Intelligenzler, der; -s, - (abwertend): *jmd., der zur Schicht der [akademisch] Gebildeten gehört:* er ist ein typischer I.

Intendant, der; -en, -en: *[künstlerischer] Leiter eines Theaters, eines Rundfunk-, Fernsehsenders.*

Intendanz, die; -, -en: *Leitung eines Theaters, eines Rundfunk- oder Fernsehsenders; Amt, Büro dieser Leitung:* zur I. gerufen werden.

intendieren, intendierte, hat intendiert ⟨tr.⟩ (geh.): *anstreben, (auf etwas) hinarbeiten:* diese Politik intendiert ein falsches Bewußtsein von der gesellschaftlichen Wirklichkeit; ⟨häufig im 2. Partizip⟩ die intendierte Wirkung erreichen.

Intensität, die; -: *Stärke, Heftigkeit:* die I. seiner Gefühle verbergen; Gedichte, Verse von hoher I. *(Eindringlichkeit, Wirksamkeit).*

intensiv ⟨Adj.⟩: *sehr eindringlich, heftig:* intensive Forschungen; i. arbeiten, nachdenken; sich i. um etwas bemühen.

intensivieren, intensivierte, hat intensiviert ⟨tr.⟩: *intensiver machen, steigern, verstärken:* seine Bemühungen, Anstrengungen i.

Intention, die; -, -en: *Plan, Absicht:* bestimmte Intentionen haben.

interessant ⟨Adj.⟩: *Interesse hervorrufend:* eine interessante Geschichte; i. erzählen.

Interesse, das; -s, -n: **1.** *Anteilnahme, Aufmerksamkeit, Beachtung:* etwas mit I. verfolgen; für/an etwas I. haben *(sich für etwas interessieren).* **2.** ⟨Plural⟩ *Nutzen, Vorteil:* die Interessen des Betriebes vertreten. *** etwas liegt/ist in jmds. I.** *(etwas ist für jmdn. nützlich, vorteilhaft):* diese Sache ist nicht in meinem I.

interesselos ⟨Adj.⟩: *kein Interesse bezeugend, gleichgültig:* ein interesseloser Schüler; i. dasitzen. **Interesselosigkeit,** die; -.

Interessengruppe, die; -, -n: *Gruppe, Zusammenschluß von Personen, die bestimmte Interessen vertreten.*

Interessent, der; -en, -en: *jmd., der an etwas Bestimmtem interessiert ist, der etwas Bestimmtes haben, kaufen möchte:* für die alten Möbel gab es viele Interessenten.

interessieren, interessierte, hat interessiert: **a)** ⟨rfl.⟩ *Interesse haben (für etwas/jmdn.):* ich interessiere mich nicht für Kunst; ⟨häufig im 2. Partizip⟩ er ist an diesen Dingen interessiert. **b)** ⟨itr.⟩ *(jmds.) Interesse wecken:* der Fall interessiert ihn sehr. **c)** ⟨tr.⟩ *(jmds.) Aufmerksamkeit lenken (auf etwas); jmds. Anteilnahme wecken (für etwas):* er hat ihn für seine Pläne interessiert.

Interieur [ɛ̃teri'øːr], das; -s, -s und -e (geh.): *das Innere, die Einrichtung eines Raumes:* ein geschmackvolles I.; ein Wagen mit neuem I.

Interim, das; -s, -s (geh.): *für einen Übergang getroffene Regelung (vor allem im politischen Bereich); Zwischenzeit:* dies ist nur ein I., die endgültige Regelung wird später erfolgen.

Intermezzo, das; -s, -s: *kurzer [ungewöhnlicher] Zwischenfall.*

intern ⟨Adj.⟩: *einen geschlossenen Kreis angehend; in einem geschlossenen Bereich stattfindend; nicht öffentlich:* eine interne Angelegenheit, Besprechung; i. über etwas beraten.

Internat, das; -s, -e: *Schule mit angeschlossenem Heim, in dem die Schüler wohnen.*

international ⟨Adj.⟩: *mehrere Staaten umfassend, einschließend:* ein internationales Abkommen; er ist i. *(in vielen Teilen der Welt)* bekannt.

Internationale, die; -, -n: **1.** *internationaler Zusammenschluß nationaler Arbeiterbewegungen:* die kommunistische I.; über die Geschichte der drei Internationalen wissenschaftlich arbeiten. **2.** ⟨ohne Plural⟩ *kämpferisches Lied der internationalen Arbeiterbewegung:* die I. singen.

internieren, internierte, hat interniert ⟨tr.⟩: *(jmdn. als Angehörigen eines feindlichen Staates) [für die Dauer des Krieges] in Haft nehmen:* er wurde bei Beginn des Krieges sofort inter niert. **Internierung,** die; -, -en

Internist, der; -en, -en: *Arzt dessen Fach die innere Medizi ist.*

Interpret, der; -en, -en: *Person die (etwas) interpretiert:* ei kluger I. der Bonner Außenpoli tik; die Interpreten dieser So nate *(die Künstler, die dies Sonate gespielt haben).*

Interpretation, die; -, -en *Auslegung, Deutung:* die I. eine Textes, seiner Worte.

interpretieren, interpretierte hat interpretiert ⟨tr.⟩: *auslegen darstellen:* einen Text i.; Liede von Schubert i. *(vortragen).*

Interpunktion, die; -: *[Lehr vom] Setzen der Satzzeichen:* di Regeln der I. beherrschen.

Intervall, das; -s, -e: **a)** *zeit licher Abstand.* **b)** Musik *Ab stand zwischen zwei Tönen.*

intervenieren, intervenierte hat interveniert ⟨itr.⟩: *sich ver mittelnd (in eine fremde Angele genheit) einschalten; offiziell Ein spruch erheben, protestieren:* be einem Zwischenfall i. **Interven tion,** die; -, -en.

Interview [ɪntɐ'vjuː, (auch: 'ɪntɐ...)], das; -s, -s: *zur Veröf fentlichung bestimmtes Gespräc (zwischen einer [bekannten] Per son und einem Reporter):* jmdm ein I. gewähren.

interviewen [ɪntɐ'vjuːən], in terviewte, hat interviewt ⟨tr.⟩ *(in einem zur Veröffentlichun bestimmten Gespräch) Frage richten (an jmdn.):* einen Poli tiker i.

Interviewer [ɪntɐ'vjuːɐr] der; -s, -: *jmd., der einen ande ren interviewt:* der Politike wich den direkten Fragen de Interviewers aus.

intim ⟨Adj.⟩: **1.** *genau, seh gut:* seine intime Kenntnis de alten Kunst. **2.** *vertraut, innig.* eine intime Freundschaft; i. sei mit jmdm. **Intimität,** die; -, -en

Intimsphäre, die; -, -n: *gan persönlicher, ganz privater Be reich eines Menschen, einer Ge meinschaft:* in jmds. I. eindrin gen; jmds. I. verletzen.

Intimus, der; -, Intimi (geh.) *sehr enger Freund:* er bespricht alle Probleme mit seinem I.

intolerant ⟨Adj.⟩: *nicht tole rant, ohne Toleranz:* eine intole rante Haltung; er ist sehr i.

ntoleranz, die; -: *mangelnde* *'oleranz, unduldsames Verhal-* *m:* durch seine I. zerstörte er ie Freundschaft.

ntravenös ⟨Adj.⟩: *unmittel-* *ar in eine Vene hinein [erfol-* *end]:* ein Medikament i. sprit- en.

ntrigant, der; -en, -en: *jmd.,* *er intrigiert:* der Herrscher war on Intriganten umgeben.

ntrige, die; -, -n: *Machen-* *chaften, mit denen man jmdm.* *u schaden sucht.*

ntrigieren, intrigierte, hat in- rigiert ⟨itr.⟩: *gegen jmdn. ar-* *eiten, mit Intrigen vorgehen:* er at gegen seinen Kollegen intri- iert.

ntrovertiert ⟨Adj.⟩: *nach in-* *en, auf das eigene Innere* *erichtet:* ein introvertierter Iensch, Typ.

ntuition, die; -, -en: *spontanes,* *eistiges Erfassen, Erkennen:* er olgte seiner I.

ntuitiv ⟨Adj.; nicht prädika- iv⟩: *unmittelbar gefühlsmäßig;* *uf Intuition beruhend:* etwas i. rkennen, erfassen.

ntus: ⟨in den Verbindungen⟩ ugs.; scherzh.) **etwas i. haben:** **)** *etwas gegessen oder getrunken* *aben.* **b)** *etwas verstanden und* *ehalten haben;* (ugs.; scherzh.) **inen i. haben** *(betrunken sein).*

nvalide ⟨Adj.; nicht adver-)ial⟩ (veralt.): *infolge einer* *Krankheit, Verletzung oder Ver-* *vundung [dauernd] körperlich* *behindert:* ein invalider alter Mann; seit zehn Jahren ist er i.

Invalide, der; -n, -n: *jmd., der* *infolge von Krankheit, Verlet-* *zung oder Verwundung körper-* *ich behindert ist.*

Invalidität, die; -: *[dauernde]* *körperliche Behinderung in-* *folge einer Krankheit, Verletzung* *oder Verwundung.*

Invasion, die; -, -en: *das Ein-* *dringen feindlicher Truppen in* *ein Land:* eine I. planen.

Inventar, das; -s, -e: *alle Ge-* *genstände der Einrichtung eines* *Raumes, Gebäudes; das beweg-* *liche Eigentum:* das ganze I. wurde versteigert.

Inventur, die; -, -en: *Aufstel-* *lung und Feststellung des Eigen-* *tums eines Unternehmens:* I. machen.

nvestieren, investierte, hat nvestiert ⟨tr.⟩: **a)** *(Geld) anle-* *gen:* er hat sein Vermögen in Häusern investiert. **b)** *(einem Unternehmen o. ä.) zur Verfü-* *gung stellen (damit es Gewinn* *bringt):* er hat sein Geld in die- ses Geschäft investiert.

Investition, die; -, -en: *lang-* *fristige Anlage von Geld in* *Sachen o. ä.*

inwendig ⟨Adj.⟩: *im Inneren;* *auf der Innenseite:* die Äpfel wa- ren i. faul.

Inzest, der; -es, -e: *Blutschande:* mit der Tochter einen I. be- gehen.

Inzucht, die; -: *Fortpflanzung* *unter nahe verwandten Lebe-* *wesen:* durch I. sind bestimmte Eigenschaften besonders deut- lich hervorgetreten.

inzwischen ⟨Adverb⟩: *unter-* *dessen:* /drückt aus, daß etwas in der abgelaufenen Zeit ge- schehen ist oder gleichzeitig mit etwas anderem geschieht/: ich muß noch arbeiten, du kannst i. einkaufen gehen; i. ist das Haus fertig geworden.

irdisch ⟨Adj.⟩: *der Welt ange-* *hörend:* irdische Güter.

irgend ⟨Adverb⟩: **1.** /drückt in Verbindung mit *jemand, et-* *was* aus, daß es sich nicht um ei- ne bestimmte, sondern um eine beliebige Person oder Sache han- delt/: i. jemand muß helfen; i. etwas war falsch gemacht wor- den. **2.** *nur immer:* er nahm so- viel mit, wie i. möglich.

irgendwann ⟨Adverb⟩: /zu einer nicht näher bestimmten Zeit/: i. wird er schon kommen.

irgendwie ⟨Adverb⟩: /auf ei- ne nicht näher bestimmte Wei- se/: es muß doch i. möglich sein.

irgendwo ⟨Adverb⟩: /an ei- nem nicht näher bestimmten Ort/: ich habe ihn i. schon ein- mal gesehen.

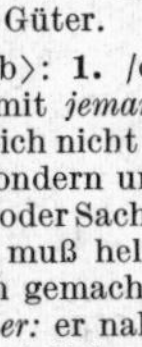

Iris 2.

Iris, die; -, -: **1.** /Teil des Auges bei Menschen und Wirbeltieren/. **2.** /eine Blume/ (siehe Bild).

Ironie, die; -: *versteckter Spott* *(der durch scheinbare Zustim-* *mung etwas Negatives aufdeckt).*

ironisch ⟨Adj.⟩: *spöttisch, voll* *Ironie:* eine ironische Bemer- kung machen; er lächelte i.

irrational ⟨Adj.⟩: *mit dem* *Verstand nicht zu fassen.*

irr[e] ⟨Adj.⟩: *verwirrt, ver-* *stört:* mit irrem Blick; er wirkte völlig i. ***an jmdm./etwas i. wer-** **den** *(den Glauben an jmdn./etwas* *verlieren).*

Irre, der; -n, -n ⟨aber: [ein] Irrer, Plural: Irre⟩: *jmd., der* *an einer Geisteskrankheit leidet;* *verwirrter, verstörter Mensch:* der I. mußte in eine Anstalt ge- bracht werden; (ugs.; abwer- tend) er ist ein armer Irrer *(ein* *Dummkopf).* ****in die I. gehen** *(sich verlaufen; sich irren, täu-* *schen);* **in die I. führen/leiten** *(verwirren, täuschen).*

irreal ⟨Adj.⟩: **a)** *nicht zu ver-* *wirklichen:* irreale Pläne. **b)** *un-* *wirklich:* eine irreale Land- schaft; er lebt in einer irrealen Welt.

irreführen, führte irre, hat irregeführt ⟨tr.⟩: *zu einer fal-* *schen Überzeugung führen:* jmdn. durch falsche Angaben i.; ⟨oft im 1. Partizip⟩ seine Darstel- lung der Ereignisse ist irre- führend *(erweckt einen falschen* *Eindruck).* **Irreführung,** die; -, -en.

irregehen, ging irre, ist irrege- gangen ⟨itr.⟩: *einen falschen* *Weg gehen:* auf diesem Weg kannst du nicht i.; bildl.: er ist mit seinem Verdacht irre- gegangen.

irregulär ⟨Adj.⟩: *nicht regulär,* *nicht mit der Regel übereinstim-* *mend:* i. eine Grenze passieren; irreguläre Truppen *(außerhalb* *des regulären Heeres aufgebotene* *Verbände).*

irreleiten, leitete irre, hat irre- geleitet ⟨tr.⟩: *auf den falschen* *Weg bringen, falsch leiten:* jmdn. durch falsche Angaben i.

irrelevant ⟨Adj.⟩: *belanglos:* diese Frage ist i.

irremachen, machte irre, hat irregemacht ⟨tr.⟩: *in Zweifel* *stürzen, unsicher machen:* du darfst dich nicht i. lassen.

irren, irrte, hat/ist geirrt: **1.** ⟨rfl./itr.⟩ *eine falsche Meinung* *haben, sich täuschen:* in diesem Fall hat er [sich] geirrt; darin, in ihm hast du dich geirrt. 2. ⟨itr.⟩ *ohne Ziel durchqueren:* er ist durch die Stadt geirrt.

Irrenanstalt, die; -, -en: *Anstalt, in der Geisteskranke geheilt oder gepflegt werden:* jmdn. in eine I. bringen; (abwertend) hier geht es ja zu wie in einer I.

irreparabel ⟨Adj.⟩ (geh.): *nicht reparabel, nicht wiedergutzumachend:* an dem Gemälde ist ein irreparabler Schaden entstanden.

Irrfahrt, die; -, -en: *Fahrt, bei der man den richtigen Weg nicht findet und darum sein Ziel nicht erreicht:* erst nach langer I. fanden sie das Hotel.

Irrgarten, der; -s, Irrgärten: *Labyrinth.*

irrig ⟨Adj.⟩: *falsch; nicht zutreffend:* eine irrige Ansicht haben; diese Meinung ist i.

irritieren, irritierte, hat irritiert ⟨tr.⟩: *verwirren, irremachen:* das Licht, das Gerede irritierte ihn.

Irrlehre, die; -, -n: *falsche Lehre:* Irrlehren verbreiten; einer I. glauben.

Irrsinn, der; -s (abwertend): *Unsinn, Dummheit:* so ein I., bei diesem Wetter zu baden!

irrsinnig ⟨Adj.⟩ (ugs.): *sehr [groß]:* er hat irrsinnigen Hunger; der Turm ist i. hoch; er hat sich i. gefreut.

Irrtum, der; -s, Irrtümer: *falsche Meinung von etwas, Versehen:* ein großer I.; seine Annahme erwies sich als I.

irrtümlich ⟨Adj.; nicht prädikativ⟩: *auf einem Irrtum beruhend, versehentlich:* er hat die Rechnung i. zweimal bezahlt.

Irrweg, der; -[e]s, -e: *falscher, nicht zum Ziele führender Weg:* du befindest dich mit deinen Annahmen auf einem I.

Ischias, die, (ugs.:) das und der; -: *anhaltender oder vorübergehender Schmerz im Bereich der Hüfte.*

Isolation, die; -: 1. *Absonderung von der Außenwelt:* die I. der Kranken; unter seiner I. leiden. 2. Technik *Verhinderung des Durchgangs von Wärme, elektrischem Strom o. ä.*

Isolierband, das; -[e]s, Isolierbänder: *klebendes Band zum Isolieren elektrischer Leitungen.*

isolieren, isolierte, hat isoliert: 1. ⟨tr./rfl.⟩ *(von etwas/jmdm.) streng absondern, trennen:* Kranke i.; er hat sich in der letzten Zeit ganz isoliert *(zurückgezogen).* 2. ⟨tr.⟩ Technik *eine Leitung o. ä. zum Schutz gegen etwas mit etwas versehen.*

Isolierstation, die; -, -en: *Teil eines Krankenhauses, in dem Patienten mit Infektionskrankheiten isoliert werden.*

I-Tüpfelchen: ⟨in den Fügungen⟩: **das I. sein** *(die Kleinigkeit sein, durch die alles andere gekrönt wird, die letzte Vollendung sein):* der Nachtisch war das I. der ganzen Mahlzeit; **bis aufs/bis zum I.** *(überaus genau).*

J

ja: I. ⟨Adverb⟩ 1. /Äußerung der Zustimmung auf eine Frage; Ggs. nein/: kommst du? ja; ja natürlich; oh ja. 2. *nur* /trägt den Ton im Satz/: tu das ja nicht! 3. *doch:* du kennst ihn ja; ich habe es ja gewußt. **II.** ⟨Konj.⟩ *sogar:* das kann ich verstehen, ja billigen.

Jabot [ʒa'bo:], das; -s, -s: *Rüsche aus Spitzen, die am Kragen von Blusen oder Kleidern befestigt ist und über den vorderen Verschluß fällt:* sie trug eine Bluse mit einem J.

Jacke

Jacht, die; -, -en: *großes [Segel]boot [mit dem sportliche Wettkämpfe ausgetragen werden].*

Jacke, die; -, -n: *Kleidungsstück, das den Oberkörper bedeckt* (siehe Bild): eine J. tragen.

Jackenkleid, das; -[e]s, -er: *aus Rock und Jacke bestehendes Kleid:* ein bequemes J. aus Jersey.

Jackett, das; -s, -s: *Jacke [die zum Anzug für Männer gehört]* (siehe Bild).

Jackett

Jade, der; -: *Stein von grüne[r] Farbe, der als Schmuck ve[r]wendet wird.*

Jagd, die; -, -en: *das Jagen vo[n] Wild:* die J. auf Hasen; die J[.] fand nicht statt; bildl.: die J[.] auf den Verbrecher, nach dem Glück. * **auf die J. gehen** *(zum Jagen gehen).*

Jagdflugzeug, das; -[e]s, -e: *für den Kampf in der Luft aus[-] gerüstetes, schnelles und wendige[s] Flugzeug:* ein neues J. ent[-] wickeln.

Jagdgründe: ⟨in den Wen[-] dungen⟩ (ugs.; scherzh.) **in di[e] ewigen J. eingehen** *(ins Jen[-] seits eingehen, sterben);* (ugs. scherzh.) **in die ewigen J. schik[-] ken** *(ins Jenseits befördern, tö[-] ten).*

Jagdhund, der; -[e]s, -e: *fü[r] die Jagd abgerichteter Hund:* de[r] J. spürt das Wild auf.

Jagdwurst, die; -, Jagd[-] würste: *mit Senf und Knob[-] lauch abgeschmeckte Wurst, di[e] heiß geräuchert und gebrüh[t] wird.*

jagen, jagte, hat/ist gejagt: 1[.] ⟨tr./itr.⟩ *Wild verfolgen, um e[s] zu fangen oder zu töten:* er ha[t] [Hasen] gejagt; bildl.: eine[n] Verbrecher j. 2. ⟨itr.⟩ *rasen:* e[r] ist mit seinem Auto durch di[e] Stadt gejagt.

Jäger, der; -s, -: *jmd., der au[f] die Jagd geht.*

Jägerlatein, das; -s: *übertreibende Darstellung eines Erlebnisses, bes. von der Jagd:* was e[r] erzählte, war J.

Jaguar, der; -s, -e: /ein Raubtier/ (siehe Bild).

Jaguar

jäh ⟨Adj.⟩: 1. *plötzlich:* ein jähes Ende nehmen. 2. *steil abfallend:* ein jäher Abgrund.

Jahr, das; -es, -e: *Zeitraum von zwölf Monaten:* er ist sechs

Jahre alt; Kinder bis zu 14 Jahren.

jahrelang ⟨Adj.; nicht prädikativ⟩: *mehrere Jahre lang, eine Reihe von Jahren dauernd:* die jahrelange Ungewißheit hat nun ein Ende.

jähren, sich; jährte sich, hat sich gejährt: *sich vor einem Jahr zugetragen haben:* heute jährt sich ihr Tod; heute jährt sich *(wiederholt sich)* der Tag der Kapitulation zum fünften Male.

Jahresabschluß, der; Jahresabschlusses, Jahresabschlüsse: *die in der Wirtschaft nach Ablauf eines Jahres aufzustellende Bilanz sowie die Rechnung über Gewinne und Verluste:* den J. machen.

Jahreseinkommen, das; -s, -: *jährliches Einkommen:* ein hohes, niedriges J.; sein J. beträgt 15000 DM.

Jahrestag, der; -[e]s, -e: *Tag, an dem ein oder mehrere Jahre zuvor ein wichtiges Ereignis stattgefunden hat:* am J. der Revolution wurden Kränze an den Gräbern der Gefallenen niedergelegt.

Jahreszeit, die; -, -en: *eine bestimmte Zeit des Jahres:* die kalte J. hat begonnen; die vier Jahreszeiten sind: Frühling, Sommer, Herbst und Winter.

Jahrgang, der; -s, Jahrgänge: **a)** *die in dem gleichen Jahr geborenen Menschen:* der J. 1936 wurde zum Militär einberufen. **b)** *alle Weine aus den in einem Jahr geernteten Trauben:* ein guter J. **c)** *alle Nummern einer Zeitung oder Zeitschrift, die in einem Jahr erschienen sind:* ein J. der Berliner Zeitung.

Jahrhundert, das; -s, -e: *Zeitraum von hundert Jahren:* das 20. J.

jährlich ⟨Adj.; nicht prädikativ⟩: *im Jahr, in jedem Jahr [erfolgend]:* der jährliche Ertrag; die Bezahlung erfolgt j.

Jahrmarkt, der; -s, Jahrmärkte: *jährlich stattfindender Markt mit Karussells u. a.*

Jahrtausend, das; -s, -e: *Zeitraum von tausend Jahren:* die zwei Jahrtausende, die seit Christi Geburt vergangen sind.

Jahrzehnt, das; -s, -e: *Zeitraum von zehn Jahren:* die Erfahrungen der letzten Jahrzehnte.

Jähzorn, der; -s: *plötzlich ausbrechende Wut.*

jähzornig ⟨Adj.⟩: *zu Jähzorn neigend:* er ist ein jähzorniger Mensch.

Jalousie [ʒalu'ziː], die; -, -n: *Vorrichtung am Fenster, die Licht, Sonne am Eindringen hindern soll:* eine J. herunterlassen.

Jammer, der; -s: **a)** *[lautes] weinerliches Klagen:* der J. um die zerbrochene Puppe war groß. **b)** *Elend, zu beklagender Zustand:* sie boten ein Bild des Jammers.

Jammerlappen, der; -s, - (ugs.; abwertend): *jmd., der sich alles gefallen läßt, weil er niemals wagen würde aufzubegehren; allzu ängstlicher, feiger Mensch:* in dieser Situation zeigte es sich wieder einmal, daß er ein J. ist.

jämmerlich ⟨Adj.⟩: **a)** *voll Jammer, erbärmlich:* er begann ein jämmerliches Geschrei. **b)** ⟨verstärkend bei Adjektiven und Verben⟩ *sehr:* es war j. kalt.

jammern, jammerte, hat gejammert ⟨itr.⟩: *[laut und] heftig klagen:* sie jammerte über das verlorene Geld.

jammerschade: ⟨in den Verbindungen⟩ **etwas ist j.** *(etwas ist nicht erfreulich, sehr bedauerlich);* **es ist j. um jmdn.** *(es ist ein Jammer um ihn).*

Janker, der; -s, - (südd.; östr.): /ein Kleidungsstück/ (siehe Bild).

Janker

Jänner, der; -s (südd.; östr.; schweiz.): *Januar.*

Januar, der; -[s]: *erster Monat des Jahres.*

japsen, japste, hat gejapst ⟨itr.⟩ (ugs.): *nach Luft ringen; schnell und geräuschvoll mit offenem Mund atmen:* ich stieg die Treppe so schnell hinauf, daß ich japste, als ich oben ankam.

Jargon [ʒar'gõː], der; -s, -s: *besondere [saloppe] Ausdrucksweise einer bestimmten durch Fach, Beruf verbundenen Gruppe von Personen:* der J. der Schüler.

Jasmin, der; -s: /eine Pflanze/ (siehe Bild).

Jasmin

Jaspis, der; -ses, -se: *nicht durchsichtiger, intensiv gefärbter Stein, der als Schmuck verwendet wird.*

jäten, jätete, hat gejätet ⟨tr.⟩: **a)** *(Unkraut) aus dem Boden ziehen, entfernen:* Unkraut j. **b)** *von Unkraut befreien:* den Garten j.

Jauche, die; -: *in einer Grube gesammelte, als Dünger verwendete tierische Ausscheidungen in flüssiger Form:* den Acker mit J. düngen.

jauchzen, jauchzte, hat gejauchzt ⟨itr.⟩ (geh.): *Laute der Freude ausstoßen; jubeln:* die Kinder jauchzten vor Freude.

Jauchzer, der; -s, -: *jubelnder Ton, Laut:* einen J. ausstoßen.

jaulen, jaulte, hat gejault ⟨itr.⟩: *laut, klagend heulen* /von Hunden/.

Jause, die; -, -n (östr.): *zwischen den großen Mahlzeiten eingenommene kleine Mahlzeit; Imbiß:* zur J. eingeladen sein.

jawohl ⟨Adverb⟩: *ja* /verstärkt den Ausdruck der Zustimmung/: j., ich bin bereit.

Jawort, das; -[e]s, -e: *Zustimmung (der Braut) zur Hochzeit:* sie gab ihm das J.; er erhielt ihr J.

Jazz [dʒɛs], der; -: *Musik für bestimmte Schlag- und Blasinstrumente, die ihren Ursprung in der Musik der Neger hat.*

Jazzband ['dʒæz'bænd], die; -, -s: *aus zwei Gruppen von Instrumenten (mit melodischer und rhythmischer Funktion) bestehende Kapelle, die Jazz spielt.*

je: I. ⟨Adverb⟩ **1.** *jemals:* sie war schöner als je zuvor. **2.** ⟨in Verbindung mit einem Zahlwort⟩ *jeweils:* je drei Kinder, je zwei Stück. **II.** ⟨Konj.; in der Verbindung⟩ **je...je/desto** /setzt zwei Komparative zueinander in Beziehung/: je länger, je lieber; je größer, desto besser.

Jeans [dʒiːnz], die ⟨Plural⟩: *meist schmal geschnittene, an den*

Nähten gesteppte Hose aus einem unempfindlichen Stoff, die bei groben Arbeiten und während der Freizeit getragen wird: sie fühlt sich in J. und einem dicken Pullover am wohlsten.

jedenfalls ⟨Adverb⟩: *soviel ist sicher; gewiß:* er hat j. nichts davon gewußt; er j. wird das nicht tun.

jeder, jede, jedes ⟨Indefinitpronomen und unbestimmtes Zahlwort⟩: /alle einzelnen von einer Gesamtheit/: jeder bekam ein Geschenk; jedes der Kinder; das kann jeder.

jedermann ⟨Indefinitpronomen und unbestimmtes Zahlwort⟩: *jeder [ohne Ausnahme]:* j. wußte davon.

jederzeit ⟨Adverb⟩: *immer; zu jeder Zeit:* er ist j. bereit, dir zu helfen.

jedesmal ⟨Adverb⟩: *immer; in jedem einzelnen Fall:* er kommt j. zu spät.

jedoch ⟨Konj. oder Adverb⟩: *aber, doch:* die Sonne schien, j. es war kalt.

Jeep [dʒi:p], der; -s, -s: *kleiner [amerikanischer] Kraftwagen, der bes. in unwegsamem Gelände brauchbar ist:* am Steuer eines Jeeps sitzen.

jemals ⟨Adverb⟩: *überhaupt einmal, irgendwann:* es ist nicht sicher, ob er j. kommt; er bestritt, ihn j. gesehen zu haben.

jemand ⟨Indefinitpronomen⟩: /bezeichnet eine nicht näher bestimmte, beliebige Person; Ggs. niemand/: er sucht jemand[en], der ihm hilft; es steht j. vor der Tür.

jener, jene, jenes ⟨Demonstrativpronomen⟩ /wählt etwas entfernter Liegendes aus und weist nachdrücklich darauf hin/: die Anschauungen jener finsteren Zeiten; ein Spaziergang zu jener Bank.

jenseits ⟨Präp. mit Gen.⟩: *auf der anderen Seite* /Ggs. diesseits/: j. des Flusses.

Jenseits, das; - (geh.): *Welt neben, hinter, über der diesseitigen Welt; Ort des Lebens nach dem Tode; Himmel, himmlisches Leben* /Ggs. Diesseits/: auf ein besseres J. hoffen.

Jersey ['dʒə:zɪ]: **I.** der; -[s], -s: *aus Wolle gewirkter oder gestrickter Stoff:* ein Kleid aus weichem, schmiegsamem J. tragen. **II.** das; -s, -s: *Trikot eines Sportlers.*

Jet [dʒɛt], der; -[s], -s: *Düsenflugzeug.*

Jett [dʒɛt], der und das; -s: *glänzende Art der Braunkohle die als Schmuck verwendet wird:* eine Kette aus J.

jetzig ⟨Adj.; nur attributiv⟩: *augenblicklich, gegenwärtig:* der jetzige Rektor; ihr jetziger Eifer wird sich bald legen.

jetzt ⟨Adverb⟩: *in diesem Augenblick; nun:* ich habe es j. gesehen; j. ist es zu spät.

jeweilig ⟨Adj.; nur attributiv⟩: *zu einem bestimmten Zeitpunkt vorkommend:* die jeweiligen Herrscher; die jeweilige Ordnung.

jeweils ⟨Adverb⟩: *immer, jedesmal:* er muß j. die Hälfte abgeben; er kommt j. am ersten Tag des Jahres.

Job [dʒɔb], der; -s, -s: *[beliebige] Arbeit, durch die man seinen Unterhalt verdient:* er hat einen guten J. gefunden.

Joch, das; -[e]s, -e: *Teil des Geschirrs, das über der Stirn oder dem Nacken der Zugtiere liegt:* die Rinder ins J. spannen; bildl.: ein schweres J. *(Last, Bürde)* zu tragen haben; jmdm. ein J. auferlegen; jmdn. tüchtig ins J. spannen *(jmdm. viel Arbeit aufbürden).*

Jockei ['dʒɔki, auch: 'jɔkaɪ], der; -s, -s: *Sportler, der einem Rennstall verpflichtet ist und dessen Pferde bei Rennen zu reiten oder zu lenken hat* /Berufsbezeichnung/.

Jod, das; -s: *chemisches Element, das in medizinischer Form zur Desinfektion von Wunden verwendet wird.*

jodeln, jodelte, hat gejodelt ⟨itr.⟩: *ohne Text in schnellem Wechsel einmal tief, ein andermal hoch singen, wobei die Resonanz einmal in der Brust, das anderemal im Kopf liegt* /in den Alpen üblich/: die Touristen waren begeistert, als eines der einheimischen Mädchen zu j. begann.

Joghurt, der und das; -s: *unter Einwirkung von Bakterien hergestellte saure Milch:* sie aßen J. mit Früchten.

Johannisbeere, die; -, -n: /eine Frucht/ (siehe Bild).

Johannisbeere

johlen, johlte, hat gejohlt ⟨itr.⟩: *wild schreien und lärmen:* die Menschen johlten auf der Straße.

Jokus, der; - (ugs.): *Scherz, Spaß:* J. machen; sie hatten nur J. im Kopf.

Jolle, die; -, -n: *kleines, flaches Boot; kleines Segelboot, das zum Segeln in geschützten Gewässern gedacht ist:* die Passagiere verließen den Dampfer und bestiegen eine J., um an Land gerudert zu werden.

Jongleur [ʒõ'glø:r], der; -s, -e: *jmd., der für Geld seine Geschicklichkeit im Spiel mit Bällen, Ringen o. ä. zeigt:* in einem Varieté als J. auftreten; wie ein J. balancieren.

jonglieren [ʒõ'gli:rən], jonglierte, hat jongliert ⟨itr.⟩: *seine Geschicklichkeit im Spiel (mit Bällen, Ringen o. ä.) zeigen:* mit acht Bällen j.; bildl.: der Ober jonglierte mit den Tabletts durch das volle Restaurant; der Redner jonglierte mit juristischen Begriffen.

Joppe, die; -, -n: /ein Kleidungsstück/ (siehe Bild).

Joppe

Jota, das; -[s], -s: /ein griechischer Buchstabe/: ein J. schreiben. * (geh.) **nicht ein J., [um] kein J.** *(nicht im geringsten):* er will um kein J. nachgeben, weichen.

Journal [ʒʊr'na:l], das; -s, -e (veralt.): *Zeitung, Zeitschrift:* in einem J. blättern.

Journalismus [ʒʊrna'lɪsmʊs], der; -: **a)** *Tätigkeit von Schriftstellern für Presse, Rundfunk, Fernsehen;* der J. ist ein wichtiger Faktor bei der Bildung der öffentlichen Meinung. **b)**

das Wesen, die Eigenart der gleichnamigen Tätigkeit: die Gesetze des J. beachten.

Journalist [ʒʊrna'lɪst], der; -en, -en: *jmd., der Artikel für Zeitungen schreibt.*

Journalistik [ʒʊrna'lɪstɪk], die; -: *Wissenschaft von der Presse:* J. studieren.

journalistisch [ʒʊrna'lɪstɪʃ] ⟨Adj.⟩: *den Journalismus, die Journalistik betreffend; vom Journalismus, der Journalistik geprägt; auf dem Gebiet des Journalismus, der Journalistik [erfolgend]:* seine journalistischen Fähigkeiten sind gering; er schreibt einen journalistischen Stil; er ist j. tätig.

jovial ⟨Adj.⟩: *betont wohlwollend; leutselig im Umgang mit Untergebenen und einfacheren Menschen:* er ist ein jovialer Chef; er, sein Benehmen ist mir zu j.; jmdn. j. begrüßen. **Jovialität,** die; -.

Jubel, der; -s: *große, lebhaft geäußerte Freude:* sie begrüßten den Vater mit großem J.

Jubeljahre: ⟨in der Fügung⟩ alle J. [einmal] (ugs.): *sehr selten:* das kommt höchstens alle J. [einmal] vor.

jubeln, jubelte, hat gejubelt ⟨itr.⟩: *seine Freude laut und lebhaft äußern:* die Kinder jubelten, als sie die Mutter sahen.

Jubilar, der; -s, -e: *jmd., der ein Jubiläum feiert.*

Jubiläum, das; -s, Jubiläen: *[festlich begangener bestimmter] Jahrestag eines Ereignisses:* das hundertjährige J. der Firma feiern.

jubilieren, jubilierte, hat jubiliert ⟨itr.⟩: **1.** (veralt.; scherzh.): *jubeln, jauchzen, frohlocken:* innerlich, vor Freude j. **2.** (ugs.; scherzh.) *ein Jubiläum feiern:* er wird am 1. Oktover j.

Juchten, der und das; -s: *feines Leder, das mit einem bestimmten Öl wasserdicht gemacht worden ist:* eine Handtasche aus J.; nach J. riechen.

jucken, juckte, hat gejuckt: **1.** ⟨itr.⟩ *von dem Reiz, sich zu kratzen, befallen sein; kribbeln:* die Hand juckt [mir]. **2.** ⟨rfl.⟩ (ugs.) *sich kratzen:* der Hund juckt sich.

Judo, das; -[s]: *als Sport betriebene, festen Regeln unterworfene Verteidigung der eigenen Person ohne Waffen:* J. lernen.

Jugend, die; -: **1.** *Zeit des Jungseins* /Ggs. Alter/: er verbrachte seine J. auf dem Lande. **2.** *junge Leute:* die J. tanzte bis in die Nacht.

jugendfrei ⟨Adj.⟩: *für Jugendliche zugelassen:* der Film ist j.

Jugendherberge, die; -, -n: *durch eine Organisation geschaffene Möglichkeit zur Übernachtung für Jungen und Mädchen auf Wanderung:* in einer J. übernachten.

jugendlich ⟨Adj.⟩: **a)** *jung:* die jugendlichen Zuschauer, Käufer. **b)** *jung wirkend:* eine jugendliche Erscheinung. **Jugendlichkeit,** die; -.

Jugendliche, der; -n, -n ⟨aber: [ein] Jugendlicher, Plural: Jugendliche⟩: *junger Mensch.*

Jugendstil, der; -[e]s: *Richtung in der bildenden Kunst, besonders des Kunstgewerbes um 1900, die sich gegen die damals üblichen historischen Ornamente wandte und statt dessen aus stilisierten Pflanzen neue Ornamente schuf, aber auch mit schwungvollen abstrakten Formen arbeitete:* eine Vase im J.

Jugendweihe, die; -, -n: *feierliche Einführung Jugendlicher in die Welt der Erwachsenen und der Arbeit* /in Konkurrenz zur Konfirmation während des Nationalsozialismus gefördert, seit 1954 in der DDR üblich/: an der J. teilnehmen [müssen].

Juice [dʒu:s], der und das; -, -s: *aus Früchten (Ananas, Grapefruit) oder Gemüse (Tomaten) hergestellter Saft:* am Morgen ein Glas J. trinken.

Juli, der; -[s]: *siebenter Monat des Jahres.*

Jumper ['dʒampər], der; -s, -: /ein Kleidungsstück/ (siehe Bild).

Jumper

jung ⟨Adj.⟩: *sich in jugendlichem Alter befindend; erst am Beginn der Reife stehend:* ein junges Mädchen; ein junges Pferd; eine junge *(erst wenige Jahre bestehende)* Firma; ein junges *(erst seit kurzer Zeit verheiratetes)* Ehepaar. * **j. und alt** *(alle).*

Jungbrunnen, der; -s (geh.): *Quelle neuer Jugend, Schönheit, Gesundheit:* die Sauna als J.; ein J. der Moral.

Junge: I. der; -n, -n: *Kind männlichen Geschlechts.* **II.** das; -n, -n ⟨aber: [ein] Junges, Plural: Junge⟩: *junges [gerade geborenes] Tier:* die Jungen füttern.

jungen, jungte, hat gejungt ⟨itr.⟩: *[ein] Junge[s] zur Welt bringen:* das Kaninchen hat gejungt.

jungenhaft ⟨Adj.⟩: *wie ein Junge im Benehmen:* dieses Mädchen ist sehr j.; ihr jungenhaftes Benehmen fiel auf. **Jungenhaftigkeit,** die; -.

Jünger, der; -s, -: *(einem religiösen oder wissenschaftlichen Lehrer) ergebener Schüler, Anhänger einer Religion oder Wissenschaft o. ä.:* die Zwölf J. Christi; ein J. der Kunst.

Jungfer, die; -, -n (veralt.): *nicht verheiratete junge Frau:* eine zimperliche J. * (abwertend) **eine alte J.** *(nicht verheiratete ältere Frau, die engherzig und prüde ist).*

Jungfernfahrt, die; -, -en: *erste Fahrt [eines Schiffes]:* zur J. auslaufen.

Jungfrau, die; -, -en (veraltend; oft noch iron.): *Mädchen, das noch keinen Geschlechtsverkehr gehabt hat.*

jungfräulich ⟨Adj.⟩ (veraltend): *einer Jungfrau gemäß, wie eine Jungfrau:* j. erröten, lächeln; bildl.: ein noch jungfräulicher *(vom Menschen unberührter, nicht verschandelter)* Landstrich.

Junggeselle, der; -n, -n: *Mann, der [noch] nicht geheiratet hat.*

Jüngling, der; -s, -e (geh.; veraltend; oft noch iron.): *junger, noch nicht ganz erwachsener Mann:* sich wie ein ungeschickter, linkischer J. benehmen.

jüngst: I. ⟨Adj.; nur attributiv⟩ *vor kurzer Zeit geschehen:* die jüngsten Ereignisse. **II.** ⟨Adverb⟩ (geh.) *vor kurzem:* dieser Vorfall hat sich erst j. zugetragen.

Juni, der; -[s]: *sechster Monat des Jahres.*

Junior, der; -s, -en: 1. *Sohn* /in bezug zum Senior/: der J. hilft dem Vater im Geschäft. 2. ⟨Plural⟩ *junge Sportler bis zu einem bestimmten Alter:* die Junioren haben gewonnen.

Junker, der; -s, -: a) (hist.) *junger Adliger.* b) (abwertend) *adliger Besitzer eines Gutes:* ein baltischer, konservativer J.

Junktim, das; -s, -s (geh.): *enge Verknüpfung von Gesetzesvorlagen, Anträgen o. ä. in der Weise, daß sie nur gemeinsam angenommen oder abgelehnt werden können:* diese beiden Gesetzentwürfe bilden ein J.

Junta, die; -, Junten: *[aus hohen Offizieren bestehende] Regierung, bes. in spanisch oder portugiesisch sprechenden Ländern:* nach dem Putsch wurde das Land von einer J. hoher Offiziere regiert.

Jura ⟨ohne Artikel⟩: *Recht, Rechtswissenschaft:* J. studieren; als Studienfach J. wählen.

Jurisprudenz, die; -: *Rechtswissenschaft:* die deutsche J.; er hat sich entschlossen, J. zu studieren.

Jurist, der; -en, -en: *jmd., der die Rechte studiert [hat].*

juristisch ⟨Adj.⟩: *das Recht, die Rechtswissenschaft betreffend:* eine juristische Abhandlung lesen; j. *(den Gesetzen der Rechtswissenschaft entsprechend)* denken; j. *(allzu genau, spitzfindig)* argumentieren.

Jury [ʒy'ri:, 'ʒy:ri], die; -, -s: *Gruppe von Personen, die die Aufgabe hat, aus einer Anzahl von Personen oder Sachen die besten auszuwählen.*

Jus ⟨ohne Artikel⟩ (östr.): *Jura.*

just ⟨Adverb⟩ (veralt.): *eben, gerade:* als sie das Haus verlassen wollte, fing es j. an zu regnen.

justieren, justierte, hat justiert ⟨tr.⟩: *(ein Gerät zum Messen) genau einstellen:* der Apotheker justierte vor dem Wiegen die Waage mit kleinen Bleikörnern.

Justiz, die; -: 1. *Rechtsprechung, Pflege des Rechts:* eine strenge J. 2. *Behörde, die für die Rechtsprechung verantwortlich ist:* die J. reformieren.

Justizirrtum, der; -s, Justizirrtümer: *falsche Entscheidung eines Gerichts:* auf Grund eines Justizirrtums zum Tode verurteilt werden.

Justizmord, der; -[e]s, -e: *Vollstreckung eines auf einem Justizirrtum beruhenden Todesurteils.*

Juwel, das; -s, -en: *kostbarer Schmuck, Kostbarkeit.*

Juwelier, der; -s, -e: *jmd., der mit Schmuck u. ä. handelt* /Berufsbezeichnung/.

Jux, der; -es (ugs.): *Spaß, Scherz:* das war nur ein J.

K

Kabarett, das; -s, -e und -s: 1. *[künstlerische] Darbietung, bei der besonders in satirischen Chansons und Sketchs Kritik an meist politischen Zuständen oder Ereignissen geübt wird.* 2. *[drehbare] in Fächer aufgeteilte Platte, auf der Speisen angeboten werden.*

Kabarettist, der; -en, -en: *Künstler an einem Kabarett.*

kabarettistisch ⟨Adj.⟩: a) *aus Darbietungen eines oder mehrerer Kabarettisten bestehend:* ein kabarettistisches Programm. b) *in der Art den Darbietungen eines Kabarettisten gleichend:* ein kabarettistischer Vortrag.

kabbeln, sich; kabbelte sich, hat sich gekabbelt (ugs.): *sich zum Scherz streiten:* obwohl wir uns oft kabbelten, waren wir dennoch gute Freunde.

Kabel, das; -s, -: *isolierte elektrische Leitung:* ein K. legen.

Kabeljau, der; -s, -e und -s: /ein Fisch/ (siehe Bild).

Kabeljau

kabeln, kabelte, hat gekabelt ⟨tr./itr.⟩: *(in entfernte Länder) telegraphieren:* er kabelte [die Nachricht] an die Redaktion.

Kabine, die; -, -n: *kleiner Raum, in dem man wohnt oder sich umkleidet.*

Kabinett, das; -s, -e: 1. *aus den Ministern und dem Kanzler oder Ministerpräsidenten bestehende Regierung:* der Kanzler berief eine Sitzung des Kabinetts ein. 2. a) (östr.) *kleinerer Raum mit nur einem Fenster:* der Student wohnte in einem armseligen K. b) *kleiner Raum [in Museen], in dem etwas ausgestellt wird:* im K. wurden Raritäten gezeigt.

Kabinettstück, das; -[e]s, -e: *hervorragende, in ihrer Art vollkommene Leistung:* das war ein K. der Verhandlungskunst. * (iron.) **sich ein K. leisten** *(eine sehr törichte, eigenwillige Handlung begehen):* da hast du dir ja ein K. geleistet.

Kabriolett, das; -s, -e: *Personenkraftwagen mit einem Verdeck aus Stoff, das sich zusammenklappen läßt.*

Kachel, die; -, -n: *gebrannte, meist glasierte Platte aus Ton.*

kacheln, kachelte, hat gekachelt ⟨tr.⟩: *mit Kacheln ausstatten:* ein gekacheltes Bad.

Kacke, die; - (derb): *Kot*/oft als abwertende Bezeichnung für etwas oder als Fluch gebraucht/.

kacken, kackte, hat gekackt ⟨itr./tr.⟩ (derb): *Kot ausscheiden:* er hat [einen großen Haufen] gekackt.

Kadaver, der; -s, -: *toter Körper eines Tieres.*

Kadavergehorsam, der; -s: *blinder Gehorsam, das Ausführen eines Befehls ohne Widerspruch.*

Kader, der; -s, -: *Gruppe von erfahrenen Personen, die den Kern einer Truppe oder Mannschaft bildet:* er gehört zum K. der Nationalmannschaft.

Kadett, der; -en, -en: 1. (veralt.) *Anwärter auf einen Offiziersrang.* 2. (ugs.; scherzh.) *Bursche, Kerl:* du bist mir ja ein K.!

Kadi: ⟨in den Wendungen⟩ (ugs.) **jmdn. vor den K. bringen/schleppen/zitieren** *(jmdn. vor Gericht bringen):* er hat den Gauner vor den K. gebracht; (ugs.) **zum K. laufen** *(sich an das Gericht wenden):* er lief wegen jeder Kleinigkeit zum K.

Käfer, der; -s, -: /ein Insekt/ (siehe Bild).

Käfer

Kaff, das; -s, -s und -e (ugs.; abwertend): *armselige, langweilige, kleine Ortschaft:* in diesem K. ist nichts los.

Kaffee [auch, östr. nur: Kaffee], der; -s: **1.** *Samen, der die Form einer Bohne hat und der gemahlen und geröstet zur Herstellung eines anregenden Getränks dient:* K. mahlen. **2.** /ein Getränk/: K. trinken.

Kaffeebohne [auch, östr. nur: Kaffee...], die; -, -n: *Samen einer tropischen Pflanze, der die Form einer Bohne hat und der gemahlen und geröstet zur Zubereitung von Kaffee verwendet wird:* eine Handvoll Kaffeebohnen mahlen.

Kaffeehaus, das; -es, Kaffeehäuser (östr.): *Café.*

Käfig, der; -s, -e: *mit Gittern hergestellter Raum für bestimmte Tiere:* im K. sitzen drei Affen.

kahl ⟨Adj.⟩: *frei, entblößt von etwas, leer:* er hat einen kahlen Kopf *(hat keine Haare);* (landsch.) er geht mit kahlem Kopf *(geht ohne Hut o. ä.);* die Bäume sind k. *(ohne Laub);* kahle Berge; kahle Wände.

kahlfressen, frißt kahl, fraß kahl, hat kahlgefressen ⟨tr.⟩: *die Blätter (einer Pflanze) völlig abfressen:* die Raupen haben die Sträucher kahlgefressen.

Kahlschlag, der; -[e]s, Kahlschläge: **1.** *das Fällen sämtlicher Bäume auf einer Waldfläche:* das beim K. gewonnene Holz verkaufen. **2.** *durch das Fällen sämtlicher Bäume entstandene kahle Waldfläche:* auf dem K. wuchs Gestrüpp.

Kahn, der; -s, Kähne: **1.** *kleines Boot zum Rudern:* [mit dem] K. fahren. **2.** *kleines Schiff zum Befördern von Lasten.*

Kai, der; -s, -e und -s: *befestigtes Ufer zum Beladen und Entladen von Schiffen:* ein Schiff liegt am K.

Kaiser, der; -s, -: *oberster Herrscher in einer bestimmten Staatsform:* er wurde zum K. gekrönt. **Kaiserin,** die; -, -nen.

Kaiserschnitt, der; -s, -e: *Entbindung durch einen operativen Schnitt.*

Kajak, der; -s, -s: /ein Boot/ (siehe Bild).

Kajüte, die; -, -n: *Wohnraum auf einem Schiff.*

Kajak

Kakao [auch: ka'kaʊ], der; -s: **1.** *tropische Frucht, die die Form einer Bohne hat und die gemahlen zur Herstellung eines nahrhaften Getränks dient.* **2.** /ein Getränk/: eine Tasse K. trinken.

Kakerlak, der; -s und -en, -en: /ein Insekt/ (siehe Bild).

Kakerlak

Kaktus, der; -, Kakteen: /ein [sub]tropisches Gewächs/ (siehe Bild).

Kaktus

Kalamität, die; -, -en (geh.): *Schwierigkeit, Notlage:* ich stekke in einer finanziellen K.

Kalauer, der; -s, -: *wenig geistreicher Witz, meist in Form eines Wortspiels.*

Kalb, das; -[e]s, Kälber: *junges Rind.*

Kaldaunen, die ⟨Plural⟩ (landsch.): *Innereien.*

Kaleidoskop, das; -s, -e: *Kinderspielzeug in Form eines Rohres, das mit bunten Steinen aus Glas gefüllt ist, die sich beim Drehen zu verschiedenen Mustern und Bildern anordnen:* in ein K. sehen; bildl.: ein K. *(eine bunte Vielfalt)* von Eindrücken.

Kalender, der; -s, -: *Verzeichnis der Tage, Wochen, Monate eines Jahres.*

Kalfakter, der; -s, - und **Kalfaktor,** der; -s, -en (veraltend): *jmd., der alle möglichen anfallenden Arbeiten verrichtet, bes. im Gefängnis:* der K. reinigte den Bürgersteig von Schnee.

Kaliber, das; -s, -: *lichte Weite* /von Rohren o. ä./: der Revolver hat ein großes K.; bildl. (ugs.): einen Politiker seines Kalibers *(Formats)* wird man kaum mehr finden.

Kalk, der; -s, -e: *[durch Brennen] aus einer bestimmten Gesteinsart gewonnenes weißes Material, das bes. beim Bauen verwendet wird:* aus K., Zement, Sand und Wasser stellt man Mörtel her. * (ugs.) **bei jmdm. rieselt [schon] der K.** *(er ist [schon] alt und hat an geistiger Frische eingebüßt).*

Kalkül, der, (auch:) das; -s, -e: *Berechnung, Überschlag, Überlegung:* wir müssen auch diese Möglichkeit in unser[en] K. einbeziehen.

Kalkulation, die; -, -en: *Kosten[vor]anschlag.*

kalkulieren, kalkulierte, hat kalkuliert: **a)** ⟨tr.⟩ *festsetzen, berechnen:* den Preis sehr niedrig k. **b)** ⟨itr.⟩ *auf einen bestimmten Ausgang einer Sache und den damit verbundenen Vorteil spekulieren, vermuten:* in dieser Sache hat er richtig kalkuliert.

Kalorie, die; -, -n: *Maßeinheit für die Wärmemenge.*

kalt, kälter, kälteste ⟨Adj.⟩: *ohne Wärme, abgekühlt* /Ggs. warm, heiß/: das Essen ist k.; die Getränke k. stellen *(damit sie kühl werden);* bildl.: kalte Farben; die Räume wirken k. * **kalte Küche** *(nicht warme, zum Essen fertige Speisen);* **kalter Krieg** *(feindselige Handlungen ohne militärische Aktionen);* **jmdm. die kalte Schulter zeigen** *(jmdm. wenig Beachtung schenken);* **kaltes Blut bewahren** *(sich nicht aufregen).*

kaltblütig ⟨Adj.⟩: **1.** *trotz Gefahr sehr ruhig bleibend, beherrscht:* k. stellte er sich den Einbrechern entgegen. **2.** *kein Mitleid habend, ungerührt:* ein kaltblütiger Verbrecher. **Kaltblütigkeit,** die; -.

Kälte, die; -: **a)** *die Empfindung des Mangels an Wärme:* bei der K. kann man nicht arbeiten; bildl.: der Minister empfing ihn mit eisiger K. **b)** *Temperatur unter 0 Grad Celsius:* Berlin meldet 15 Grad K.

kaltlassen, läßt kalt, ließ kalt, hat kaltgelassen ⟨itr.⟩ (ugs.): *nicht beeindrucken:* ihre Tränen ließen ihn kalt.

kaltmachen, machte kalt, hat kaltgemacht ⟨tr.⟩ (derb): *töten.*

kaltschnäuzig ⟨Adj.⟩ (ugs.): *nicht beeindruckt, ungerührt, ohne Mitgefühl:* sie gab ihrer Mutter eine kaltschnäuzige Antwort. **Kaltschnäuzigkeit,** die; -.

kaltstellen, stellte kalt, hat kaltgestellt ⟨tr.⟩ (ugs.): *aus einflußreicher Stellung verdrängen, des Einflusses berauben:* jmdn. politisch k.

Kamel, das; -s, -e: **1.** *in der Wüste lebendes Tier* (siehe Bild): auf einem K. reiten. **2.** (ugs.; abwertend) *dummer Mensch, Dummkopf:* du bist doch ein K.!

Kamel 1.

Kamellen: ⟨in der Fügung⟩ alte/olle K. (ugs.; abwertend): *seit langem bekannte Dinge:* du erzählst mir alte K.

Kamera, die; -, -s: *Gerät, mit dem man Bilder aufnehmen, Photographien machen kann.*

Kamerad, der; -en, -en: *Gefährte; jmd., mit dem man durch gemeinsame Tätigkeiten oder Interessen verbunden ist.*

Kameradschaft, die; -: *auf Vertrauen, gemeinsame Tätigkeiten oder Interessen begründetes engeres Verhältnis zwischen Menschen:* die beiden Männer verband eine gute K.

kameradschaftlich ⟨Adj.⟩: *sich wie ein Kamerad verhaltend; durch gleiche Gesinnung oder Ziele verbunden:* k. sein; ein kameradschaftliches Verhältnis.

Kameramann, der; -s, Kameramänner und Kameraleute: *jmd., der bei Film oder Fernsehen die Kamera führt.*

Kamille, die; -: /eine Arzneipflanze/ (siehe Bild).

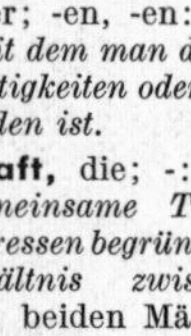

Kamille

Kamin, der; -s, -e: **1.** (bes. südd.) *Schornstein.* **2.** *in einem Zimmer befindliche offene Feuerstelle mit Abzug:* am K. sitzen.

Kaminfeger, der; -s, -: (bes. südd.) *jmd., der den Kamin von Ruß säubert; Schornsteinfeger* /Berufsbezeichnung/.

Kamm, der; -[e]s, Kämme: **1.** *Gegenstand zum Glätten, gleichmäßigen Legen des Haares* (siehe Bild). * (ugs.) **alle[s] über einen K. scheren** *(alle[s] ohne eigentlich erforderliche Berücksichtigung der Unterschiede gleich behandeln, beurteilen).* **2.** *am Kopf von Hühnern befindlicher länglicher, rötlicher, fleischiger Teil* (siehe Bild). * **jmdm. schwillt der K.** *(jmd. wird übermütig, eingebildet).* **3.** *der sich in die Länge erstreckende, fast gleichmäßig verlaufende obere Teil eines Gebirges* (siehe Bild).

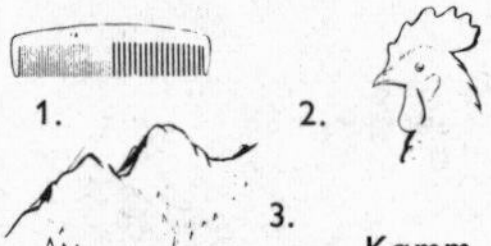

Kamm

kämmen, kämmte, hat gekämmt ⟨tr./rfl.⟩: *mit dem Kamm bearbeiten:* das Mädchen hat die Puppe gekämmt; ich habe mir das Haar gekämmt; sie kämmt sich.

Kammer, die; -, -n: *kleiner Raum.*

Kämmerlein: ⟨in der Fügung⟩ im stillen K.: *in der Stille, Einsamkeit:* dieser Entschluß ist ihm im stillen K. gekommen.

Kammermusik, die; -: *Musik für ein kleines Ensemble.*

Kammgarn, das; -[e]s, -e: **a)** *glattes, feines Garn, aus dem die kurzen Fasern durch Kämmen entfernt wurden.* **b)** *haltbarer Stoff aus dem gleichnamigen Garn:* ein Mantel aus K.

Kampagne [kam'panjə], die; -, -n: **1.** *auf Propaganda beruhende [politische] Aktion:* man startete eine K. gegen die Herstellung von Kernwaffen. **2.** *Zeit, in der in einem Betrieb, in dem nicht das ganze Jahr über gearbeitet wird, produziert wird.*

Kampf, der; -[e]s, Kämpfe: **a)** *Gefecht, Schlacht:* es tobt ein blutiger K. um die Hauptstadt. **b)** *Ringen (um etwas), heftiges Streben (nach etwas):* der K. für die Freiheit; der K. um die Macht. **c)** *das Kämpfen:* der K. gegen den Hunger in der Welt. ** **einen erbitterten K. gegen etwas führen** *(erbittert gegen etwas kämpfen).*

Kampfabstimmung, die; -, -en: *Abstimmung, bei der es zu scharfen Auseinandersetzungen kommt und sich zwei fast gleich starke Parteien gegenüberstehen.*

kämpfen, kämpfte, hat gekämpft ⟨itr.⟩: *seine Kräfte [im Kampf] (gegen, für etwas) einsetzen:* bis zur Erschöpfung, um seine Existenz, für seinen Glauben, gegen die Unterdrückung k.

Kampfer, der; -s: *schnell verfliegendes, stark duftendes Heilmittel:* sich mit K. einreiben.

Kämpfer, der; -s, -: *jmd., der (für oder gegen jmdn./etwas) kämpft:* ein leidenschaftlicher K. gegen den Kommunismus.

Kampfhahn, der; -[e]s, Kampfhähne (ugs.): *jmd., der gerade mit jmdm. in heftigen Streit geraten ist:* man konnte die beiden Kampfhähne nur mit Mühe beruhigen.

kampflos ⟨Adj.; nicht prädikativ⟩: *ohne Kampf [verlaufend]:* die Stadt k. einnehmen; die kampflose Übergabe der Insel.

Kampfrichter, der; -s, -: *Schiedsrichter bei bestimmten sportlichen Wettkämpfen.*

kampfunfähig ⟨Adj.⟩: *nicht mehr fähig zu kämpfen.*

kampieren, kampierte, hat kampiert ⟨itr.⟩ (ugs.): *notdürftig wohnen, übernachten:* in der Scheune, im Zelt, auf dem Feld k.

Kanadier, der; -s, -: /ein Boot/ (siehe Bild): der K. wird bei sportlichen Wettkämpfen nur von Männern gefahren.

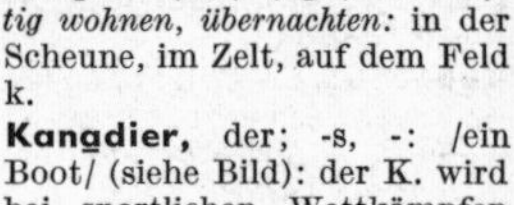

Kanadier

Kanaille [ka'naljə], die; -, -n: **a)** *Schuft, Schurke:* mit diesen Kanaillen wollte er allein fertig werden. **b)** *gemeine, niederträchtige Frau:* sie ist eine K.

Kanal, der; -s, Kanäle: **a)** *künstlich hergestellte Verbindung* *an der Oberfläche der Erde oder unter der Erde, besonders als Weg für Schiffe; Strecke, auf der etwas weitergeleitet wird:* die Flüsse sind durch Kanäle verbunden. **b)** *Leitung aus Rohren unter der Erde zum Ableiten der Abwässer:* den K. reinigen; bildl.: das Geld fließt in dunkle Kanäle *(es läßt sich nicht genau feststellen, wo das Geld bleibt oder wofür es ausgegeben wird).* **c)** Rundf., Fernsehen: *bestimmter Frequenzbereich:* die Sendung ist auf K. 10 zu empfangen.

Kanalisation, die; -, -en: **a)** *System aus Rohren und Kanälen zum Ableiten der Abwässer und des Wassers von Regen oder Schnee:* das Dorf hat keine K. **b)** *das Kanalisieren:* die K. des Flusses kostet vier Millionen Mark.

kanalisieren, kanalisierte, hat kanalisiert ⟨tr.⟩: **a)** *schiffbar machen:* einen Fluß k. **b)** *in eine bestimmte Richtung, Bahn lenken:* Vorstellungen, den Verkehr k.

Kanalisierung, die; -, -en: *das Regulieren und Ausbauen eines Flusses für den Schiffsverkehr:* die K. der Mosel.

Kanapee, das; -s, -s (veralt.): *Sofa.*

Kanarienvogel, der; -s, Kanarienvögel: *kleinerer, im Zimmer gehaltener Vogel in je nach der Züchtung verschiedenen Farben:* der gelbe K. saß in seinem Bauer.

Kandare, die; -, -n: /Teil des Zaums/ (siehe Bild). *** jmdn./sich an die K. nehmen, jmdm. die K. anlegen/anziehen** *(jmdn./*

Kandare

sich unter strenge Kontrolle stellen): man muß diese Jungen an die K. nehmen; **jmdn. an der K. haben** *(jmdn. unter strenger Kontrolle haben).*

Kandidat, der; -en, -en: **a)** *jmd., der sich um etwas bewirbt:* um diesen Posten bewerben sich drei Kandidaten. **b)** *jmd., der sich einer Prüfung unterzieht:* die Kandidaten für das Examen.

Kandidatur, die; -, -en: *das Kandidieren:* die bürgerlichen Parteien haben seine K. unterstützt.

kandidieren, kandidierte, hat kandidiert ⟨itr.⟩: *sich um einen Posten bewerben; sich als Vertreter einer Gruppe zur Wahl stellen:* er kandidiert für das Amt des Präsidenten.

Känguruh, das; -s, -s: /ein Tier/ (siehe Bild).

Känguruh

Kaninchen, das; -s, -: /ein Nagetier/ (siehe Bild).

Kaninchen

Kanister, der; -s, -: *tragbarer Behälter für Flüssigkeiten:* drei K. Benzin.

Kanne, die; -, -n: /ein Gefäß/ (siehe Bild): eine K. Milch.

Kanne

Kannibale, der; -n, -n: *Angehöriger eines primitiven Volkes, das auch Fleisch von Menschen verzehrt:* die Kannibalen wurden ausgerottet; bildl. (abwertend): ihr seid ja die reinsten Kannibalen *(rohe, brutale Menschen).*

kannibalisch ⟨Adj.⟩: *brutal, ungesittet, roh:* die Gefangenen wurden mit kannibalischer Grausamkeit gefoltert.

Kanon, der; -s, -s: **1.** (geh.) *Leitfaden, Richtschnur, Norm:* ein moralischer K. **2.** *Musikstück, bei dem mehrere Stimmen ein Thema in gleichen zeitlichen Abständen voneinander wiederholen:* der Chor sang einen K. **3.** *Verzeichnis mustergültiger Schriftsteller:* einen K. aufstellen.

Kanonade, die; -, -n (veralt.): *längerer Beschuß mit Kanonen:* die Stadt mußte eine K. über sich ergehen lassen; bildl.: eine K. *(Unzahl, Flut)* von Schimpfwörtern ergoß sich über ihn; eine K. von Schüssen auf das gegnerische Tor.

Kanone, die; -, -n: **1.** *schweres Geschütz:* eine K. abfeuern; bildl. (scherzh.): er steckte seine K. *(Pistole)* in die Hosentasche. **2.** (ugs.) *großer Könner, Experte:* im Schwimmen ist er eine K. ** (ugs.) **unter aller K. sein** *(sehr schlecht, völlig wertlos sein):* deine Aufsätze sind unter aller K.

Kanonenfutter, das; -s (ugs.): *sinnlos geopferte Truppen:* die halben Kinder, die man jetzt in Uniformen steckt, sind nur noch K.

Kanonier, der; -s, -e: *Soldat, der ein Geschütz bedient.*

Kantate, die; -, -n: *lyrischer, von Instrumenten begleiteter Gesang:* den Text zu einer K. schreiben.

Kante, die; -, -n: *Linie, Stelle, an der zwei Flächen aneinander stoßen; Rand einer Fläche:* eine scharfe K. *** etwas auf die hohe K. legen** *(Geld auf ein Sparkonto einzahlen).*

Kantersieg, der; -[e]s, -e: Sport *hoher, überlegener Sieg:* bei diesem K. wurde die unterlegene Mannschaft regelrecht deklassiert.

Kanthaken: ⟨in der Wendung⟩ jmdn. beim/am K. nehmen/kriegen/packen (ugs.): *jmdn. [am Genick fassen und] scharf zurechtweisen:* du mußt deinen ungezogenen Sohn einmal beim K. nehmen!

Kantine, die; -, -n: *Speisesaal in Fabriken, Kasernen o. ä.*

Kanton, der; -s, -e: *in bestimmten Bereichen und in einem bestimmten Ausmaß selbständig verwaltetes Gebiet innerhalb der Schweiz.*

Kantonist: ⟨in der Fügung⟩ ein unsicherer K. (ugs.): *jmd., dem nicht zu trauen ist, der unzuverlässig ist:* mit diesem unsicheren Kantonisten kann man kein ordentliches Geschäft abwickeln.

Kantor, der; -s, -en (veraltend): *Leiter eines Kirchenchors [der zugleich auch Organist ist].*

Kanu [auch: Kanu], das; -s, -s: **a)** *Kajak.* **b)** *Kanadier.*

Kanüle, die; -, -n: **a)** *kleines Rohr, das in den Körper eingeführt wird und Luft oder Flüssigkeit in ihn befördert oder aus ihm ableitet:* durch eine K. Eiter ableiten. **b)** *spitze, hohle Nadel für Injektionen o. ä.:* eine sterile K.

Kanzel, die; -, -n: **1.** *erhöhter Platz in der Kirche für den Geistlichen:* auf der K. stehen und predigen. **2.** *Raum für den Piloten im Flugzeug.*

Kanzlei, die; -, -en (süddt.; östr.; schweiz.): *Büro [eines Rechtsanwalts]:* in einer K. arbeiten.

Kanzler, der; -s, -: **1.** *Bundeskanzler.* **2.** *Leiter der Verwaltung einer Hochschule.*

Kap, das; -s, -s: *ins Meer vorspringender Teil einer felsigen Küste.*

Kapazität, die; -, -en: **1.** ⟨ohne Plural⟩ **a)** *Fähigkeit, (eine bestimmte Menge) aufzunehmen:* der Kessel hat eine K. von 5000 Litern. **b)** *maximale Leistung in der Produktion eines Unternehmens [für einen bestimmten Zeitraum]:* die K. der Fabrik war erschöpft. **c)** *geistige Fähigkeit, etwas zu begreifen:* die komplizierten Formeln übersteigen die K. der Schüler. **2.** *hervorragender Fachmann, Experte:* diese Forscher sind Kapazitäten auf dem Gebiet der Chemie.

Kapee: ⟨in der Wendung⟩ schwer von K. sein (ugs.): *etwas schwer begreifen:* man muß ihm alles mehrmals erklären, er ist schwer von K.

Kapelle, die; -, -n: **I. 1.** *kleine Kirche* (siehe Bild). **2.** *kleiner Raum innerhalb einer Kirche.* **II.** *kleineres Orchester, das Musik zur Unterhaltung, zum Tanz spielt* (siehe Bild).

Kaper, die; -, -n: *in Essig eingelegtes Gewürz von leicht bitterem Geschmack:* die Soße war mit Kapern gewürzt.

kapern, kaperte, hat gekapert ⟨tr.⟩: **1.** *(ein Schiff) erbeuten:* sie haben zwei Schiffe gekapert. **2.** (ugs.) *(für etwas) gewinnen:* er will dich nur für seinen Plan k.

I. 1.

II.

Kapelle

kapieren, kapierte, hat kapiert ⟨tr./itr.⟩ (ugs.): *verstehen, begreifen:* hast du [das] kapiert?

Kapital, das; -s: *Besitz an Geld usw.; Vermögen:* sein K. in ein Geschäft stecken. * (ugs.) **aus etwas K. schlagen** *(Gewinn aus etwas ziehen).*

Kapitalismus, der; -: *eine Form der Wirtschaft und Gesellschaft auf dem Boden des freien Wettbewerbs und des Strebens nach Kapital des einzelnen.*

Kapitalist, der; -en, -en: **a)** *Eigentümer von materiellen Werten und Gütern, die der Produktion von Waren dienen:* die Ausbeutung des Arbeiters durch den Kapitalisten. **b)** (scherzh.) *jmd., der reich ist:* dieser K. hat sich schon wieder ein neues Auto gekauft.

kapitalistisch ⟨Adj.⟩: *den Kapitalismus betreffend, ihm entsprechend; durch den Kapitalismus bestimmt:* ein kapitalistischer Staat.

Kapitalverbrechen, das; -s, -: *sehr schweres Verbrechen:* Mord ist ein K.

Kapitän, der; -s, -e: **a)** *jmd., der die Leitung und Verantwortung auf einem Schiff, in einem Flugzeug hat.* **b)** Sport *Anführer einer Mannschaft.*

Kapitel, das; -s, -: *größerer Abschnitt eines Buches o. ä.:* ein K. lesen.

Kapitulation, die; -, -en: *das Kapitulieren; Vertrag, mit dem sich eine Truppe oder Festung dem Feind ergibt:* die bedingungslose K. der feindlichen Armeen.

kapitulieren, kapitulierte, hat kapituliert ⟨itr.⟩: *die Waffen niederlegen, sich ergeben:* alle Truppen haben kapituliert; bildl.: vor seinen Argumenten mußte ich k.

Kaplan, der; -s, Kapläne: *katholischer Geistlicher, der einem Pfarrer als Hilfe zugeteilt oder mit besonderen Aufgaben betraut ist:* ein junger K. half dem Pfarrer bei der Arbeit in der großen Gemeinde.

Kapok, der; -s: *zum Polstern verwendetes, aus pflanzlichen Fasern bestehendes Material.*

Kappe, die; -, -n: **1.** *kleinere, eng am Kopf anliegende Kopfbedeckung mit oder ohne Schirm:* sie trug eine modische K. * (ugs.) **etwas auf seine [eigene] K. nehmen** *(die Verantwortung für etwas auf sich nehmen).* **2.** *abnehmbarer Teil, der etwas zum Schutz umschließt, bedeckt:* die Kappe eines Füllfederhalters. **3.** *Verstärkung des Schuhs an der Spitze oder Ferse:* die Kappen der Stiefel waren aus hartem Leder.

kappen, kappte, hat gekappt ⟨tr.⟩: **1.** *durchschneiden:* die Leinen, das Tau k. **2. a)** *(die Spitze von Bäumen) abschneiden:* die Krone, den Wipfel k. **b)** *(Bäume) an den Kronen kürzer schneiden:* die Bäume müssen gekappt werden.

Kaprice [ka'pri:sə], die; -, -n (geh.): *Laune, verspielter Eigensinn:* das Mädchen steckt voller Kapricen.

Kapriole, die; -, -n: **1.** *[drolliger] Luftsprung:* der Clown machte einige Kapriolen. **2.** *toller Einfall, Streich, Verrücktheit:* in seiner Jugend hatte er die tollsten Kapriolen vollführt.

kapriziös ⟨Adj.⟩: *launisch, eigenwillig:* sie ist ein äußerst kapriziöser Teenager.

Kapsel, die; -, -n: *kleines, rundes oder ovales Gehäuse.*

kaputt ⟨Adj.⟩ (ugs.): *defekt, entzwei, zerbrochen, zerstört:* das Auto, der Teller ist k.

kaputtgehen, ging kaputt, ist kaputtgegangen ⟨itr.⟩ (ugs.): *defekt, unbrauchbar werden:* die Maschine ist kaputtgegangen.

kaputtmachen, machte kaputt, hat kaputtgemacht ⟨tr.⟩

ugs.): *zerstören, unbrauchbar machen, zerschlagen:* er hat die Lampe kaputtgemacht.

Kapuze, die; -, -n: *[an einem Kleidungsstück befindliche spitze] Kopfbedeckung, die weit über den Kopf zu ziehen ist.*

Karabiner, der; -s, -: /ein kurzes Gewehr/.

Karacho: ⟨in der Fügung⟩ mit K. (ugs.): *mit großer Schnelligkeit:* er bog mit K. um die Ecke.

Karaffe, die; -, -n: *bauchiges, sich nach oben hin verjüngendes Gefäß aus Glas [mit einem Stöpsel]* (siehe Bild): aus einer K. Wein einschenken.

Karaffe

Karambolage [karambo'la:ʒə], die; -, -n (ugs.): *Zusammenstoß, Zusammenprall [von Fahrzeugen].*

Karat, das; -[e]s, -e: **1.** *Einheit für die Bestimmung des Gewichts von Edelsteinen:* 1 K. entspricht einem Gewicht von 200 mg. **2.** *Einheit einer in 24 Stufen eingeteilten Skala zum Messen des Gehaltes an Gold:* reines Gold hat 24 K.

Karawane, die; -, -n: *Zug von reisenden Kaufleuten [mit Lasten transportierenden Tieren]* /im Orient/: die K. näherte sich der Oase.

Kardinal, der; -s, Kardinäle: *nach dem Papst höchster katholischer Geistlicher:* die Kardinäle wählen den Papst.

Kardinalfehler, der; -s, -: *schwerwiegender, grundsätzlicher Fehler:* sein K. war, daß er nicht mit Geld umgehen konnte; einen K. begehen.

Kardinalzahl, die; -, -en: *Grundzahl* (z. B. eins) /Ggs. Ordinalzahl/.

Karenzzeit, die; -, -en: *die Zeit zwischen der Aufnahme in die Versicherung und dem Einsetzen der Pflicht, bei Krankheit die Kosten zu ersetzen; Wartezeit* /bei Krankenversicherungen/: die K. beträgt drei Monate.

Karfiol, der; -s (südd.; östr.): *Blumenkohl.*

Karfreitag, der; -s, -e: *Freitag vor Ostern, Tag der Wiederkehr von Christi Kreuzigung.*

karg ⟨Adj.⟩: *ärmlich, armselig, mager, dürftig:* die Ausstattung ist sehr k.; eine karge *(nicht fruchtbare)* Gegend.

kärglich ⟨Adj.⟩: *wenig, kümmerlich, ärmlich:* eine kärgliche Mahlzeit; in kärglichen Verhältnissen leben.

kariert ⟨Adj.⟩: *ein Muster aus Karos habend* /bes. bei Stoffen/: ein kariertes Hemd.

Karies, die; -: *das Faulen der Zähne.*

Karikatur, die; -, -en: *Zeichnung, bei der auf spöttische Weise charakteristische Merkmale übertrieben hervorgehoben werden:* eine K. zeichnen; er wirkt wie eine K.

Karikaturist, der; -en, -en: *jmd., der Karikaturen zeichnet:* ein bekannter K. hat die Illustrationen zu diesem satirischen Buch gezeichnet.

karikieren, karikierte, hat karikiert ⟨tr.⟩: *als Karikatur darstellen:* einen bekannten Politiker k.

karitativ ⟨Adj.⟩: *Notleidende unterstützend, mildtätig, von Nächstenliebe bestimmt, wohltätig:* karitative Organisationen.

Karneval, der; -s: *Zeit vieler Feste mit Kostümen [und Masken], die der Fastenzeit vorausgeht.*

Karnevalist, der; -en, -en: *jmd., der sich aktiv am Karneval beteiligt:* bei dieser Veranstaltung treten einige bekannte Karnevalisten aus Köln auf.

karnevalistisch ⟨Adj.⟩: *den Karneval betreffend, im Zeichen des Karnevals stehend:* eine karnevalistische Veranstaltung.

Karnickel, das; -s, - (landsch.): *Kaninchen.*

Karo, das; -s, -s: **a)** *Viereck* (siehe Bild). **b)** /eine Farbe beim Kartenspiel/ (siehe Bild): K. ausspielen.

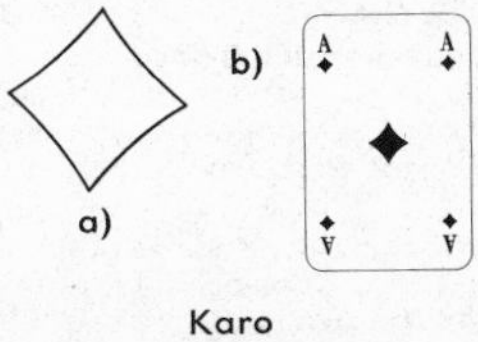

Karo

Karosse, die; -, -n: *pracht-, prunkvolle Kutsche:* der König und die Königin fuhren in einer K.

Karosserie, die; -, -n: *der auf dem Fahrgestell in Form eines Kastens ruhende [Blech]teil des Autos* (siehe Bild).

Karosserie

Karotte, die; -, -n: **a)** *mehr rundlich geformte, zarte und besonders delikate Art der Möhre:* als Gemüse gab es Erbsen mit Karotten. **b)** (bes. östr.) *Möhre.*

Karpfen, der; -s, -: /ein Fisch/ (siehe Bild).

Karpfen

Karre, die; -, -n: **1.** *kleiner Wagen, zum Schieben oder Ziehen.* **2.** (ugs.; abwertend) *[altes] Auto:* die alte K. hatte eine Panne nach der anderen.

Karree, das; -s, -s: **1.** (veralt.) *Viereck:* die Soldaten hatten sich im K. aufgestellt. **2.** (östr.) *von den Rippen umgebenes Stück Fleisch von Kalb, Schwein oder Hammel.*

Karren, der; -s, -: *Karre.*

Karriere, die; -, -n: *rascher und erfolgreicher Aufstieg im Beruf:* eine große K. vor sich haben. *** K. machen** *(im Beruf in auffallender Weise Erfolg haben und aufsteigen).*

Karte, die; -, -n: **1.** *steifes Papier von verschiedener Größe zu bestimmten Zwecken:* **a)** *Postkarte:* jmdm. eine K. schicken. **b)** *Eintrittskarte:* zwei billige Karten kaufen. **c)** *Fahrkarte:* wo hast du die K. für die Rückfahrt? **d)** *Speisekarte:* bringen Sie mir bitte die K.! **e)** *Spielkarte:* die Karten mischen, geben. *** alles auf eine K. setzen** *(alles riskieren).* **f)** *Karteikarte:* die Karten alphabetisch ordnen. **2.** *Landkarte:* einen Ort auf der K. suchen.

Kartei, die; -, -en: *für einen bestimmten Zweck mit besonderen Aufzeichnungen versehene [alphabetisch] geordnete Sammlung von Karten.*

Kartell, das; -s, -e: *Zusammenschluß von gleichartigen oder miteinander wirtschaftlich in Verbindung stehenden Unternehmen mit dem Ziel, den Markt und die Preise zu bestimmen:* diese Firmen haben ein K. gebildet.

Kartenspiel, das, -s; -e: **1.** *Spiel mit Spielkarten.* **2.** *Gesamtheit der zu einem Spiel nötigen Spielkarten.*

Kartoffel, die; -, -n: /ein Nahrungsmittel/ (siehe Bild): neue *(frisch geerntete)* Kartoffeln; Kartoffeln kochen, braten.

Kartoffel

Kartoffelbrei, der; -s: *aus gequetschten gekochten Kartoffeln unter Zugabe von Milch hergestellter Brei:* Eisbein mit Sauerkraut und K.

Kartoffelpuffer, der; -s, -: *flacher, dünner Kuchen, der aus geriebenen rohen Kartoffeln hergestellt und in der Pfanne in heißem Fett gebacken wird:* es gab K. mit Preiselbeeren.

Kartograph, der; -en, -en: *Zeichner oder wissenschaftlicher Bearbeiter von Landkarten* /Berufsbezeichnung/.

Karton [kar'tõ:; südd.; östr.; schweiz.: kar'to:n], der; -s, -s: **1.** *Pappe, sehr festes Papier:* die Verpackung ist aus K. **2.** *Behälter aus Pappe:* die Ware in einen K. verpacken.

kartoniert ⟨Adj.⟩: *in Karton geheftet* /von Büchern o. ä./: diese Ausgabe erscheint auch k.

Kartusche, die; -, -n: *metallene Hülse von größeren Geschossen, die das Pulver enthält:* Kartuschen aus Messing.

Karussell, das; -s, -s und -e: *sich drehende, zur Belustigung dienende Vorrichtung mit Sitzen, bes. auf Jahrmärkten:* [mit dem] K. fahren.

Karzinom, das; -s, -e: Med. *bösartige Geschwulst:* ein K. operieren.

Kasack, der; -s, -s: /ein Kleidungsstück/ (siehe Bild).

Kasack

Kaschemme, die; -, -n (abwertend): *verrufene, üble Kneipe:* die Matrosen vergnügten sich in einer K. mit leichten Mädchen.

kaschieren, kaschierte, hat kaschiert ⟨tr.⟩ (geh.): *verbergen, verhüllen:* er versuchte, seine Aufregung zu k.

Käse, der; -s: *aus geronnener Milch hergestelltes Nahrungsmittel.*

Kasematte, die; -, -n: **1.** *vor Bomben sicherer unterirdischer Raum in Festungen.* **2.** *gepanzerter Raum eines Kriegsschiffes, in dem die Geschütze stehen.*

Kaserne, die; -, -n: *Gebäude, das als Unterkunft von Truppen dient:* eine K. bewachen, bauen.

kasernieren, kasernierte, hat kaserniert ⟨tr.⟩: *(Soldaten, Polizisten) in Kasernen unterbringen:* Truppen k.; ⟨häufig im 2. Partizip⟩ die kasernierte Polizei.

käsig ⟨Adj.⟩ (ugs.): *bleich, blaß:* sein Gesicht war vor Schreck ganz k. geworden.

Kasino, das; -s, -s: **1.** *für die Einnahme von Mahlzeiten und für gesellschaftliche Veranstaltungen vorgesehenes Gebäude, Raum für Offiziere, Angehörige eines Betriebes oder Mitglieder eines Klubs:* die Ehrung der in der Grube langjährig tätigen Bergleute fand im K. statt. **2.** *Spielbank.*

Kaskade, die; -, -n: **1.** *in Form von Stufen angelegter künstlicher Wasserfall:* der Park mit seinen berühmten Kaskaden; bildl. (geh.): eine K. *(Flut, Unzahl)* von Verwünschungen ergoß sich über ihn. **2.** *wagemutiger Sprung, bei dem der Artist einen Absturz vortäuscht.*

Kaskoversicherung, die; -, -en: *Versicherung, die den am eigenen Fahrzeug entstehenden Schaden deckt:* eine K. abschließen.

Kasperl, der; -[s], -[n] (bayr.; östr.): **1.** *Kasperle.* **2.** (scherzh.) *alberner Kerl:* sei doch kein K.!

Kasperle, das und der; -s, -: *von einer Puppe dargestellte wichtigste Person des Kasperletheaters:* das K. verprügelte die böse Hexe.

Kasperletheater, das; -s, -: *Puppenspiel für Kinder, bei dem die Puppe über eine Hand gezogen und mit den Fingern bewegt wird* (siehe Bild): das Kasperle ist beim K. die Hauptperson.

Kasperletheater

Kasse, die; -, -n: **1. a)** *Behälter für Geld.* **b)** *Stelle, wo Geld bezahlt wird:* an der K. bezahlen. **c)** *Bestand an Bargeld, der sich aus Einnahmen und Ausgaben ergibt:* prüfen, ob die K. stimmt. ** (ugs.) **gut/schlecht/knapp bei K. sein** *(reichlich/wenig Geld haben).* **2. a)** *Krankenkasse:* die K. zahlt die Behandlung. **b)** *Sparkasse:* das Geld auf die K. bringen.

Kassenzettel, der; -s, -: *kleinerer Zettel, mit dem quittiert wird, daß der Käufer die Ware bezahlt hat:* beim Umtausch der Ware ist der K. vorzulegen.

Kasserolle, die; -, -n: *flacher Kochtopf mit Stiel* (siehe Bild): Fleisch in der K. schmoren.

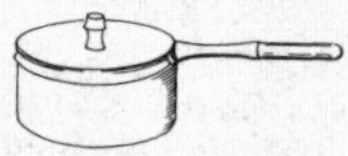

Kasserolle

Kassette, die; -, -n: **a)** *kleinerer, verschließbarer Behälter für Geld oder für kleinere wertvolle Gegenstände.* **b)** *Hülle aus festem Material für Bücher, Schallplatten, Filme, Tonbänder, Dias.*

Kassier, der; -s, -e (südd.; östr.; schweiz.): *Kassierer.*

kassieren, kassierte, hat kassiert ⟨tr.⟩: *(Geld) einziehen:* das Geld, die Beiträge k.

Kassierer, der; -s, -: *jmd., der zu zahlende Beträge einnimmt, sie verwaltet.*

Kastagnetten [kastan'jɛtən], die ⟨Plural⟩: *Instrument aus zwei kleinen hölzernen Schalen, die in der Hand rhythmisch gegeneinander geschlagen werden* /bei spanischen Volkstänzen verwendet/ (siehe Bild): die spanische Tänzerin klapperte mit ihren K.

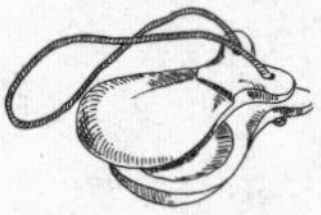

Kastagnetten

Kastanie, die; -, -n: *ein Baum und seine runde, harte, braune Frucht* (siehe Bild): Kastanien sammeln. * **jmdm./für jmdn. die Kastanien aus dem Feuer**

Kastanie

holen *(für jmdn. eine unangenehme Aufgabe ausführen, wovon nur der andere einen Vorteil hat).*

Kaste, die; -, -n: *sich gegen andere streng abschließende gesellschaftliche Schicht:* die K. der Offiziere.

Kastell, das; -s, -e (hist.): *befestigter Platz, Burg:* ein verfallenes römisches K.

Kasten, der; -s, Kästen: **a)** *[rechtwinkliger] Behälter [mit Deckel].* * (ugs.) **etwas auf dem K. haben** *(viel können).* **b)** (östr.) *Schrank.*

kastrieren, kastrierte, hat kastriert ⟨tr.⟩: *(einem Manne oder männlichen Tier) die Hoden entfernen; bewirken, daß er nicht mehr zur Fortpflanzung fähig ist:* einen Eber k.

Katafalk, der; -s, -e: *mit einem schwarzen Tuch verhängtes Gerüst für den Sarg bei feierlichen Begräbnissen.*

Katakombe, die; -, -n (hist.): *unterirdische Begräbnisstätte [der frühen Christen]:* die Katakomben Roms.

Katalog, der; -s, -e: *Verzeichnis [nach einem bestimmten System] von Sachen, Büchern o. ä.:* einen K. aufstellen; etwas in den K. aufnehmen.

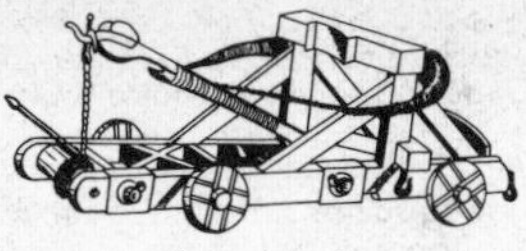

Katapult 2.

Katapult, das und der; -[e]s, -e: **1.** *technische Vorrichtung, die bei zu kurzer Startbahn Flugzeugen die für den Start erforderliche Geschwindigkeit verleiht:* die Flugzeuge starteten auf dem Schiff mit Hilfe eines Katapults. **2.** (hist.) *Waffe des Altertums zum Schleudern von Steinen o. ä.* (siehe Bild): die Katapulte schleuderten Kugeln von einem Zentner Gewicht mehrere hundert Meter weit. **3.** *Schleuder, mit der Kinder kleine Steine o. ä. schießen.*

katapultieren, katapultierte, hat katapultiert ⟨tr.⟩: *mit einem Katapult beschleunigen, in die Höhe schießen:* ein Flugzeug von einem Schiff k.

Katarakt, der; -[e]s, -e: *Stromschnelle.*

Katarrh, der; -s, -e: *Entzündung der Schleimhaut als Folge von Infektionen:* einen K. im Hals haben.

Katasteramt, das; -[e]s, Katasterämter: *amtliche Stelle, die die Register über alle Grundstücke eines bestimmten Bezirks führt.*

katastrophal ⟨Adj.⟩: *verhängnisvoll, entsetzlich, furchtbar:* es herrschen katastrophale Zustände; der Mangel an Wasser war k.

Katastrophe, die; -, -n: *Unheil, Verhängnis, Zusammenbruch:* es kam beinahe zur K.; eine K. verhindern.

Kate, die; -, -n (nordd.): *kleines, ärmliches Haus:* der Fischer hauste in einer K.

Katechismus, der; -, Katechismen: *Lehrbuch in Form von Fragen und Antworten für den [ersten] Unterricht in der christlichen Religion:* die Kinder mußten ein Kapitel aus dem K. lernen.

Kategorie, die; -, -n: *Klasse, Gattung, Art:* das gehört nicht in diese K.

kategorisch ⟨Adj.⟩: *keinen Widerspruch zulassend:* etwas k. ablehnen, behaupten.

Kathedrale, die; -, -n: *mit dem Sitz eines Bischofs verbundene Kirche* /bes. in Spanien, Frankreich und England/: die K. von Reims.

Kater, der; -s, -: **1.** *männliche Katze.* **2.** (ugs.) *schlechte körperliche und seelische Verfassung nach starkem Genuß von Alkohol:* am nächsten Morgen hatte er einen K.

Katheder, das; -s, -: *Pult für Lehrer.*

Katheter, der; -s, -: *Gefäß in Form einer kleinen Röhre, das in Körperorgane eingeführt wird:* einen K. in die Harnblase einführen.

Katholik, der; -en, -en: *Angehöriger der katholischen Kirche:* er ist ein strenger K.

katholisch ⟨Adj.⟩: *der vom Papst als Stellvertreter Jesu Christi geleiteten Kirche angehörend, von ihr bestimmt, sie betreffend:* ein katholischer Geistlicher; er ist k.

katzbuckeln, katzbuckelte, hat gekatzbuckelt ⟨itr.⟩ (ugs.): *sich (jmdm. gegenüber) unterwürfig verhalten:* er hat vor dem neuen Chef von Anfang an gekatzbuckelt.

Katze, die; -, -n /ein Haustier/ (siehe Bild). * (ugs.) **die K. aus dem Sack lassen** *(seine wahre Absicht erkennen lassen, zeigen);*

Katze

die K. im Sack kaufen *(etwas kaufen, ohne sich vorher von der Güte, Zweckmäßigkeit usw. überzeugt zu haben).*

Katzenauge, das; -s, -n: *Rückstrahler:* ein K. am Fahrrad anbringen.

Katzenjammer, der; -s (ugs.): *Ernüchterung, Niedergeschlagenheit nach Ausschweifungen, Exzessen:* nach der langen nächtlichen Feier kam der große K.; mit einem K. aufwachen.

Katzensprung: ⟨in der Fügung⟩ es ist nur ein K. *(es ist nicht weit entfernt).*

Katzentisch, der; -es, -e (ugs.): *kleiner, für sich stehender*

Tisch, an dem Kinder essen [müssen]: wir haben heute Gäste, deshalb müssen die Kleinen am K. essen.

Katzenwäsche, die; - (ugs.): *kurzes, oberflächliches Sichwaschen:* K. machen.

Kauderwelsch, das; -[s]: *verworrenes, unverständliches Sprechen:* er spricht ein furchtbares K.

kauen, kaute, hat gekaut ⟨tr./itr.⟩: *mit den Zähnen auf etwas beißen, es zerkleinern:* du mußt [das Brot] gut k.

kauern, kauerte, hat gekauert ⟨itr./rfl.⟩: *zusammengekrümmt hocken:* die Gefangenen kauerten auf dem Boden; die Kinder kauerten sich in die Ecke.

Kauf, der; -s, Käufe: *Erwerb von etwas für Geld:* ein günstiger K.; ein Haus zum K. anbieten. * **etwas in K. nehmen** *(sich wegen bestimmter Vorteile mit etwas Schlechtem oder Ungünstigem, das damit verbunden ist, abfinden):* wenn man in einer ruhigen Gegend außerhalb der Stadt wohnen will, muß man es in K. nehmen, daß man einen weiteren Weg zur Arbeit hat.

kaufen, kaufte, hat gekauft ⟨tr.⟩: *etwas für Geld erwerben:* ich will [mir] ein Auto k.; etwas billig k.; bildl.: er will ihn k. *(durch Bestechung für seinen Gedanken gewinnen).* * **sich** (Dativ) **jmdn. k.** *(jmdn. zur Rede stellen).*

Käufer, der; -s, -: *jmd., der etwas kauft.*

Kaufhaus, das; -es, Kaufhäuser: *Unternehmen, in dessen Gebäude viele verschiedenartige Waren angeboten werden; Warenhaus.*

käuflich ⟨Adj.⟩: **a)** *gegen Geld erhältlich:* das Gemälde ist k.; etwas k. erwerben. **b)** *bestechlich:* ein käuflicher Beamter.

Kaufmann, der; -s, Kaufleute: *jmd., der eine kaufmännische Ausbildung hat, der im Handel oder Gewerbe tätig ist:* er ist selbständiger K.

kaufmännisch ⟨Adj.⟩: *die Arbeit, Stellung des Kaufmanns betreffend, nach Art eines Kaufmanns:* er ist kaufmännischer Lehrling, Angestellter; kaufmännisches Rechnen; er ist k. veranlagt.

Kaugummi, der; -s, -[s]: *aus gummiähnlichem Material hergestellte, mit aromatischen Zusätzen vermischte und sich nicht auflösende Masse, die gekaut wird:* das Kauen von K. stärkt die Muskulatur des Kiefers.

Kaulquappe, die; -, -n: *Larve des Frosches.*

kaum ⟨Adverb⟩: **1. a)** *wahrscheinlich nicht, vermutlich nicht:* sie wird es k. tun. **b)** *fast nicht, nur mit Mühe:* das ist k. zu glauben; ich kann es k. erwarten. **2.** *gerade, soeben:* k. war er zu Hause, rief er mich an.

kausal ⟨Adj.⟩: *durch eine gemeinsame Ursache bedingt, miteinander verbunden:* zwischen diesen Vorfällen besteht ein kausaler Zusammenhang.

Kausalität, die; -: *sich aus dem Verhältnis von Ursache und Wirkung ergebender Zusammenhang:* zwischen seiner Armut und seiner Unzufriedenheit besteht eine K.

Kautabak, der; -s: *getrocknete, mit würzenden Zusätzen getränkte Tabakblätter, die als Genußmittel gekaut werden:* der Seemann schob sich ein Stück K. zwischen die Zähne.

Kaution, die; -, -en: *Bürgschaft; Hinterlegen von Geld als Garantie (für etwas):* er muß 1000 Mark K. für die Wohnung zahlen. * **eine K. stellen** *(Geld für etwas hinterlegen).*

Kautschuk, der; -s: *pflanzlicher Rohstoff für die Herstellung von Gummi.*

Kauz, der; -es, Käuze: **1.** *Vogel aus der Gattung der Eulen:* der Ruf des Kauzes. **2.** (ugs.) *sonderbarer Mensch:* er ist ein komischer K.

kauzig ⟨Adj.⟩: *sonderbar, seltsam, komisch:* ein kauziger Mensch.

Kavalier, der; -s, -e: *höflicher, taktvoller Mann, besonders gegenüber Frauen.*

Kavallerie, die; -: *berittene Truppe:* sein Großvater hat bei der K. gedient.

Kavallerist, der; -en, -en: *Soldat bei der Kavallerie.*

Kaviar, der; -s: *mit Salz konservierter Rogen des Störs:* K. gilt als Delikatesse.

keck ⟨Adj.⟩: *munter, forsch, dreist.* **Keckheit,** die; -, -en.

Kegel, der; -s, -: **1.** /eine geometrische Figur/ (siehe Bild). **2.** *schmale hohe Figur für das Kegelspiel* (siehe Bild): alle K. gleichzeitig umwerfen. ** (ugs.) **mit Kind und K.** *(mit der gesamten Familie [trotz der damit verbundenen Umstände]):* sie fuhren mit Kind und K. ins Grüne.

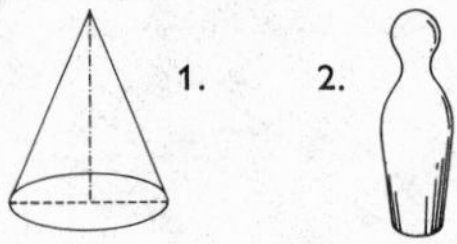

Kegel

Kegelbahn, die; -, -en: *Bahn zum Kegeln:* die Gaststätte hat zwei automatische Kegelbahnen.

kegeln, kegelte, hat gekegelt ⟨itr.⟩: *Kegel mit einer Kugel umzuwerfen versuchen:* wir wollen heute abend k.

kegelscheiben, scheibt Kegel, schob Kegel, hat Kegel geschoben (bayr.; östr.): *kegeln.*

kegelschieben, schob Kegel, hat Kegel geschoben ⟨itr.⟩: *kegeln.*

Kehle, die; -, -n: **1.** *vordere Seite des Halses beim Menschen:* er packte ihn an der K. * **jmdm. das Messer an die K. setzen** *(jmdn. zu etwas zwingen, jmdn. erpressen).* **2.** *Luft- und Speiseröhre:* als er den Fisch aß, blieb ihm eine Gräte in der K. stekken. * **etwas in die falsche K. bekommen** *(etwas falsch verstehen und böse werden).*

Kehlkopf, der; -[e]s, Kehlköpfe: *im Hals vor der Speiseröhre liegendes Organ, das bei der Stimmbildung von entscheidender Bedeutung ist:* ein hervortretender K.

Kehraus, der; - (veraltend): **1.** *letzter Tanz:* die Kapelle spielte den K. **2.** *das Beenden, Abschluß:* zum K. des Karnevals besuchten wir einen Ball; früh am Morgen wurde K. *(Schluß)* gemacht.

Kehre 2.

Kehre, die; -, -n: **1.** *Biegung, Kurve, an der sich die Richtung ändert:* der Weg führt in einer langen K. durch den Wald. **2.** *Übung an Barren, Reck oder Pferd* (siehe Bild S. 366): bei der K. schwingen die Beine vorwärts.

kehren, kehrte, hat gekehrt: **I.** ⟨tr./itr.⟩ (bes. südd.): *mit einem Besen säubern:* die Straße k.; ich muß jetzt noch k. **II.** ⟨tr./rfl.⟩: *wenden; die andere Seite zeigen:* er kehrte seine Taschen nach außen. *** das Oberste zuunterst k., das Unterste zuoberst k.** *(alles durcheinanderbringen);* **sich nicht an etwas k.** *(sich nicht um etwas kümmern);* **jmdm./einer Sache den Rücken k.** *(sich [mit Verachtung] von jmdm./etwas abwenden):* er kehrte der Stadt, seinen Freunden den Rücken.

Kehricht, der und das; -s: *Gesamtheit dessen, was bei einer Reinigung zusammengekehrt worden ist:* den K. in den Mülleimer schütten. ***** (ugs.) **etwas geht jmdn. einen feuchten K. an** *(etwas geht jmdn. gar nichts an).*

Kehrseite: ⟨in der Wendung⟩ etwas ist die K. der Medaille: *etwas ist der Nachteil bei einer (sonst guten) Sache.*

kehrtmachen, machte kehrt, hat kehrtgemacht ⟨itr.⟩: *sich umdrehen, umkehren:* er machte kehrt und ging weg.

keifen, keifte, hat gekeift ⟨itr.⟩: *laut schimpfen, schreien:* die Frauen keiften.

Keil, der; -s, -e: *Gegenstand aus Holz oder Metall, der in etwas getrieben wird [um es zu spalten]* (siehe Bild).

Keil

Keile, die; - (ugs.): *Prügel, Schläge:* K. bekommen.

keilen, keilte, hat gekeilt: **1.** ⟨tr.⟩ *mit einem Keil spalten:* einen Baumstamm k. **2.** ⟨rfl.⟩ *sich zwischen Personen oder Dinge schieben:* er keilte sich durch die Menge der Zuschauer. **3.** ⟨rfl.⟩ (ugs.) *sich prügeln, schlagen:* die Jungen keilten sich vor dem Haus. **4.** ⟨tr.⟩ (ugs.) *als Mitglied werben:* sie keilten weitere Jugendliche für ihren Klub.

Keiler, der; -s, -: *männliches Wildschwein:* der K. hatte mächtige Hauer.

Keilerei, die; -, -en (ugs.): *Prügelei, Schlägerei:* vor dem Wirtshaus entstand eine heftige K.

Keilkissen, das; -s, -: *kleine Matratze in Form eines Keils am Kopfende des Bettes.*

Keilriemen, der; -s, -: *aus Gummi, Kunststoff oder Leder bestehender Riemen zur Übertragung drehender Bewegungen, dessen Querschnitt die Form eines Keils hat:* an der Nähmaschine war der K. gerissen.

Keim, der; -[e]s, -e: **a)** *Trieb einer Pflanze, der sich aus dem Samen entwickelt:* die jungen Keime der Pflanzen. **b)** *Ursprung, Erreger, Kern, von dem etwas ausgeht:* den K. einer Krankheit zerstören. *** etwas im K. ersticken** *(etwas schon beim Entstehen unterdrücken):* die Revolution wurde im K. erstickt.

keimen, keimte, hat gekeimt ⟨itr.⟩: *sich entwickeln, zu wachsen beginnen:* die Bohnen keimen; bildl.: Hoffnung, Liebe keimt in den Herzen der Menschen.

keimfrei ⟨Adj.⟩: *frei von Erregern einer Krankheit; steril:* Instrumente, Milch k. machen.

Keimzelle, die; -, -n: *Zelle, die der Fortpflanzung dient:* die männlichen, weiblichen Keimzellen; bildl.: die Familie als K. des Staates *(kleinste Einheit, auf der der Staat aufbaut).*

kein ⟨Indefinitpronomen⟩: *nicht ein, nicht irgendein:* er hat keinen Pfennig Geld; keiner will die Arbeit erledigen. *** auf keinen Fall** *(überhaupt nicht, unter keinen Umständen).*

keinerlei ⟨unbestimmtes Zahlwort⟩: *in keiner Weise; nicht der, die, das geringste; keine Art von:* er will k. Verpflichtungen eingehen; es lagen k. tatsächliche Feststellungen zugrunde.

keinesfalls ⟨Adverb⟩: *gewiß nicht, auf keinen Fall:* ich werde ihn k. besuchen.

keineswegs ⟨Adverb⟩: *durchaus nicht, nicht im geringsten:* das ist k. der Fall.

Keks, der; -es und -, -e und -: *kleines, trockenes und haltbares Gebäck:* diese K. esse ich nicht gern; ich habe drei Kekse gegessen.

Kelch, der; -[e]s, -e: *Trinkgefäß mit Fuß für feierliche Zwecke* (siehe Bild).

Kelch

Kelle, die; -, -n: *Gerät:* **a)** *mit dem man Putz auf die Wand aufträgt* (siehe Bild). **b)** *mit dem man Suppe usw. schöpft* (siehe Bild).

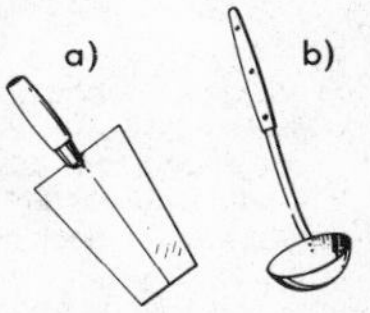

Kelle

Keller, der; -s, -: *meist unter der Erde liegender Raum, liegendes Geschoß eines Hauses.*

Kellner, der; -s, - /Berufsbezeichnung/: *jmd., der in Restaurants oder Cafés den Gästen Speisen oder Getränke serviert und das Geld dafür kassiert.* **Kellnerin,** die; -, -nen.

kellnern, kellnerte, hat gekellnert ⟨itr.⟩ (ugs.): *zur Aushilfe, nebenberuflich als Kellner arbeiten:* er kellnert auf Kirchweihen.

Kelter, die; -, -n: *Presse zur Gewinnung von Obst- oder Traubensaft* (siehe Bild).

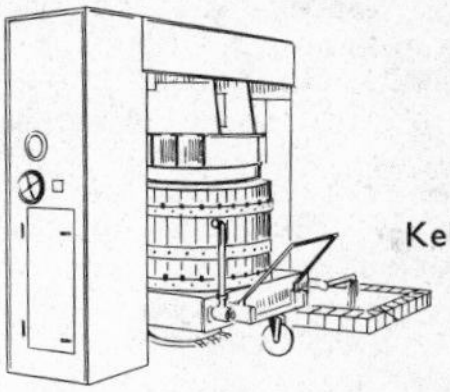

Kelter

keltern, kelterte, hat gekeltert ⟨tr.⟩: *Obst, bes. Trauben, auspressen.*

kennen, kannte, hat gekannt ⟨itr.⟩: **1.** *wissen (von, um etwas):* ich kenne den Grund für sein Verhalten. **2.** *Bescheid wissen (in, über etwas):* ich kenne Berlin, die Geschichte. **3.** *jmdn. kennengelernt haben; mit jmdm. bekannt geworden sein; wissen, wer oder was gemeint ist:* kennen

Sie den Chef?; er kennt die Mannschaft. * **keine Rücksicht k.** *(unbarmherzig sein);* **keine Grenzen k.** *(maßlos sein).*

kẹnnenlernen, lernte kennen, hat kennengelernt ⟨itr.⟩: *mit jmdm./etwas bekannt, vertraut werden:* ich habe ihn, die Stadt letztes Jahr kennengelernt.

Kẹnner, der; -s, -: *erfahrener Fachmann:* ein K. der romantischen Literatur.

Kẹnnermiene, die; -, -n: *den Kenner verratender Gesichtsausdruck:* er betrachtete die Ware mit K.

kẹnntlich ⟨Adj.⟩: *gut zu erkennen, gut wahrnehmbar:* das Haus ist schon von weitem gut k.; Zitate durch einen abweichenden Druck im Text k. machen *(kennzeichnen).*

Kẹnntnis, die; -, -se: *Wissen, Erfahrung:* besondere Kenntnisse auf einem Gebiet haben. * **jmdn. von etwas in K. setzen** *(jmdm. etwas mitteilen);* **etwas zur K. nehmen: a)** *bestätigen, daß man über etwas informiert worden ist [damit man sich entsprechend verhalten kann]:* ich habe die neuen Bestimmungen zur K. genommen. **b)** *sich etwas nur anhören:* er nahm es zur Kenntnis, ohne irgendein Urteil abzugeben; **etwas entzieht sich jmds. K.** *(jmd. weiß etwas nicht).*

Kẹnnwort, das; -[e]s, Kennwörter: **a)** *einzelnes Wort als Kennzeichen für einen Bewerber, Inserenten o. ä. statt der Angabe von Name und Adresse:* Angebote sind unter dem K. „Flughafen" einzusenden. **b)** *nur bestimmten Personen bekanntes Wort, das jmdn. zu etwas berechtigt:* er vereinbarte mit der Bank ein K., so daß kein Unbefugter Geld von seinem Sparbuch abheben konnte.

Kẹnnzeichen, das; -s, -: *Merkmal; Zeichen, wodurch etwas zu erkennen ist:* Disziplin ist das K. eines guten Sportlers.

kẹnnzeichnen, kennzeichnete, hat gekennzeichnet ⟨tr.⟩ /vgl. kennzeichnend/: *mit einem Kennzeichen versehen:* alle Waren k. *(mit Preisen versehen).*

kẹnnzeichnend ⟨Adj.; nicht adverbial⟩: *charakteristisch, typisch:* die Farben sind k. für diesen Maler.

Kẹnnziffer, die; -, -n: *Ziffer, Zahl als Kennzeichen:* Bewerbungen sind unter der K. 10/27 an den Verlag zu richten.

kẹntern, kenterte, ist gekentert ⟨itr.⟩: *umkippen* /von Schiffen usw./: das Boot kenterte; zum Kentern bringen.

Keramik, die; -, -en: **1.** *Erzeugnis aus gebranntem Ton:* eine Ausstellung alter Keramiken. **2.** ⟨ohne Plural⟩ *Gesamtheit der Erzeugnisse aus gebranntem Ton.* **3.** ⟨ohne Plural⟩ *Kunst der Herstellung von Erzeugnissen aus gebranntem Ton.*

keramisch ⟨Adj.; nur attributiv⟩: **1.** *aus gebranntem Ton hergestellt:* ein keramisches Erzeugnis. **2.** *die Kunst der Herstellung von Keramik betreffend, zu ihr gehörend:* die keramische Industrie.

Kẹrbe, die; -, -n: *Einschnitt bes. in Holz:* eine K. in die Rinde der Eiche schneiden. * (ugs.) **in dieselbe/die gleiche K. schlagen/hauen** *(dieselbe Absicht wie ein anderer verfolgen):* er protestierte gegen diese Absicht, und alle anderen schlugen in dieselbe K.

Kẹrbel, der; -s: /ein Küchenkraut/ (siehe Bild): eine Speise mit K. würzen.

Kerbel

kẹrben, kerbte, hat gekerbt ⟨tr.⟩: **a)** *(in etwas) eine Kerbe machen:* ein Brett kerben. **b)** *durch Einschnitte entstehen lassen:* eine Zahl in einen Balken k.

Kẹrbholz: ⟨in der Wendung⟩ etwas auf dem K. haben: *die Schuld für etwas tragen, etwas begangen haben:* der Dieb hat mehrere Straftaten auf dem K.

Kẹrker, der; -s, - (veralt., aber noch östr.): *Zuchthaus:* jmdn. zu lebenslänglichem K. verurteilen.

Kẹrl, der; -s, -e und (abwertend auch:) -s (ugs.): *Mann, Mensch* /gelegentlich auch für eine weibliche Person, dann bes. im positiven Sinn/: ein anständiger, tüchtiger, grober, gemeiner K.; ich kann den K. nicht leiden.

Kẹrn, der; -s, -e: *kleinster innerer Bestandteil, aus dem sich etwas entwickelt; Ursprung, Ausgangspunkt:* der K. einer Pflanze; die Kerne eines Apfels; der K. eines Atoms; bildl.: der K. einer Sache, Frage.

Kẹrnenergie, die; -: *bei der Kernspaltung frei werdende Energie:* die friedliche Nutzung der K.

Kẹrngehäuse, das; -s, -: *die Kerne umschließende Hülle im Innern von Apfel, Birne o. ä.*

kẹrngesụnd ⟨Adj.⟩: *völlig, ganz gesund:* er war bis ins Alter k.

kẹrnig ⟨Adj.⟩: *urwüchsig, kräftig, kraftvoll:* ein kerniger Ausspruch.

Kẹrnkraftwerk, das; -[e]s, -e: *Kraftwerk, in dem Kernenergie erzeugt wird:* das Problem der Wirtschaftlichkeit der Kernkraftwerke.

Kẹrnobst, das; -es: *Obst, dessen harter Samen in einem Gehäuse sitzt:* Äpfel und Birnen gehören zum K.

Kẹrnphysik, die; -: *Richtung der Physik, die sich mit den Atomkernen beschäftigt.*

Kẹrnpunkt, der; -[e]s, -e: *wichtigster Punkt:* bald kam der Redner zum K. des Problems.

Kẹrnreaktor; -s, -en: *technische Anlage, in der Atomkerne gespalten werden, wobei Energie frei wird:* wesentlicher Teil eines Kernkraftwerks ist der K.

Kẹrnseife, die; -: *billige, feste Seife:* der Gärtner wusch sich seine Hände mit K.

Kẹrnspaltung, die; -, -en: *Spaltung schwerer Atomkerne in zwei etwa gleich große Bruchstücke, wobei eine hohe Energie frei wird.*

Kẹrnstück, das; -[e]s, -e: *wichtigster Bestandteil:* sein Beitrag bildete das K. der Diskussion.

Kẹrnwaffen, die ⟨Plural⟩: *Waffen, die auf dem Prinzip der Kernspaltung beruhen:* die Produktion von K. einschränken.

Kẹrze, die; -, -n: *aus Wachs und Docht bestehende Lichtquelle* (siehe Bild S. 369): eine K. anzünden.

kẹrzengerade ⟨Adj.⟩: *ganz gerade:* er saß k. in seinem Sessel.

Kerze

keß, kesser, kesseste ⟨Adj.⟩: *nicht scheu; dreist, draufgängerisch:* ein kesser Junge; sie ist etwas zu k.

Kessel, der; -s, -: *Behälter für Flüssigkeiten* (siehe Bild).

Kessel

Kesseltreiben, das; -s, -: **a)** *Jagd bes. auf Hasen, bei der Treiber und Schützen eine Fläche in der Form eines Kreises umschließen und dann nach der Mitte hin den Kreis immer mehr verkleinern:* ein K. auf Hasen veranstalten. **b)** *von allen Seiten (gegen jmdn.) betriebene Hetze, um seinem Ansehen zu schaden:* auf den Politiker wurde ein K. veranstaltet.

Ketchup ['kɛtʃap], der und das; -[s], -s: *Tunke zum Würzen:* Nudeln mit K. aus Tomaten.

Kette, die; -, -n: *aus einzelnen beweglichen Gliedern, Teilen bestehender, wie ein Band aussehender Gegenstand aus Metall:* sie trägt eine goldene K.; den Hund an die K. legen.

Kettenfahrzeug, das; -[e]s, -e: *sich auf Ketten bewegendes Fahrzeug:* Kettenfahrzeuge bleiben selbst in tiefem Morast nicht stecken.

Kettenraucher, der; -s, -: *jmd., der eine Zigarette nach der anderen raucht.*

Kettenreaktion, die; -, -en: *physikalische oder chemische Reaktion, die weitere gleichartige Reaktionen bewirkt:* die Erzeugung von Kernenergie im Kernreaktor beruht auf einer physikalischen K.; bildl.: die Demonstration löste eine K. *(viele Aktionen ähnlicher Art)* aus.

Ketzer, der; -s, -: *jmd., der öffentlich eine andere Meinung vertritt als die für allgemein gültig erklärte Meinung in bestimmten, die Öffentlichkeit, die Kirche, den Staat betreffenden Angelegenheiten.*

ketzerisch ⟨Adj.⟩: *von der für allgemein gültig erklärten Meinung (in bestimmten, die Öffentlichkeit, die Kirche, den Staat betreffenden Angelegenheiten) abweichend:* der Kabarettist sang ein ketzerisches Chanson.

keuchen, keuchte, hat gekeucht ⟨itr.⟩: *mit Mühe und laut atmen:* er keuchte schwer unter seiner Last.

Keuchhusten, der; -s: *Krankheit mit starkem, lang anhaltendem Husten.*

Keule, die; -, -n: **1.** *länglicher Gegenstand mit dickerem Ende zum Schlagen.* **2.** *Schenkel der Ente, Gans usw.*

keusch ⟨Adj.⟩ (geh.): *in geschlechtlicher Hinsicht enthaltsam, züchtig, rein:* ein keusches Leben führen.

kichern, kicherte, hat gekichert ⟨itr.⟩: *leise, mit hoher und leiser Stimme lachen:* die Mädchen kicherten dauernd.

kicken, kickte, hat gekickt (ugs.): **1.** ⟨tr.⟩ *(den Ball) mit dem Fuß schießen:* der Stürmer kickte den Ball ins Tor. **2.** ⟨itr.⟩ *Fußball spielen:* viele Ausländer kicken für deutsche Vereine.

Kicker, der; -s, - (ugs.): *jmd., der das Fußballspiel als Sport oder Beruf betreibt:* die besten K. der Welt standen in dieser Mannschaft.

Kickstarter, der; -s, -: *Pedal zum Anlassen eines Motorrades:* den K. treten.

kidnappen ['kidnæpən], kidnappte, hat gekidnappt ⟨tr.⟩: *(einen Menschen, bes. ein Kind) entführen:* Gangster haben den Sohn des Präsidenten gekidnappt.

Kidnapper ['kidnæpər], der; -s, -: *jmd., der kidnappt:* die K. forderten ein hohes Lösegeld.

Kidnapping ['kɪdnæpɪŋ], das; -s: *das Kidnappen:* in letzter Zeit häufen sich Fälle von K.

Kiebitz 1.

Kiebitz, der; -es, -e: **1.** /ein Vogel/ (siehe Bild). **2.** (ugs.; scherzh.) *[lästiger] Zuschauer bei einem Spiel* /bes. beim Kartenspiel/: dieser vorlaute K. war der Schrecken aller Spieler.

kiebitzen, kiebitzte, hat gekiebitzt ⟨itr.⟩ (ugs.; scherzh.): *[lästiger] Zuschauer beim Spiel sein* /bes. beim Skat/: er spielte selbst nie mit, sondern kiebitzte nur.

Kiefer: **I.** die; -, -n: *Baum mit langen Nadeln* (siehe Bild). **II.** der; -s, -: *Knochen, der mit einem anderen zusammen die Mundhöhle bildet und in dem die Zähne sitzen* (siehe Bild): der obere, untere K.

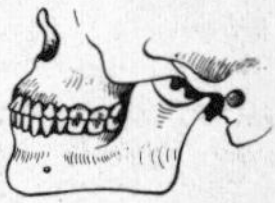

II.

I. Kiefer

Kiel, der; -s, -e: *vom Bug zum Heck unter dem Schiff verlaufender Teil eines Schiffes:* ein Schiff auf K. legen.

Kiellinie, die; -, -n: *von mehreren genau hintereinander fahrenden Schiffen beschriebene Linie:* die Schiffe fuhren in K.

Kielwasser, das; -s: *Wellen im Wasser hinter dem Kiel eines fahrenden Schiffes:* das K. schäumte wild auf. *** in jmds. K. segeln** *(sich jmds. Vorgehen anschließen und davon profitieren):* die kleineren Nationen segelten im K. der großen.

Kieme, die; -, -n: *Organ zum Atmen bei Fischen.*

Kien: ⟨in der Wendung⟩ auf dem K. sein (landsch.; ugs.): *scharf aufpassen.*

Kiepe, die; -, -n (landsch.; veraltend): *auf dem Rücken getragener Korb:* in einer K. Äpfel tragen.

Kies, der; -es: *Menge kleinerer rundlicher Steine, die u. a. als Material zum Bauen verwendet werden:* der Weg ist mit K. bedeckt.

Kiesel, der; -s, -: *kleiner, vom Wasser [rund] abgeschliffener Stein:* er ließ einen K. über die Wasseroberfläche schnellen.

killen, killte, hat gekillt ⟨tr.⟩ (ugs.): *kaltblütig ermorden:* der Gangster hat seinen Rivalen gekillt.

Killer, der; -s, - (ugs.): *jmd., der killt:* der K. wurde zum Tode verurteilt.

Kilo, das; -s, -[s] (ugs.): *Kilogramm.*

Kilogramm, das; -s, -e: /Maß für Gewicht/.

Kilometer, der; -s, -: /Maß für die Länge/.

Kimme, die; -, -n: *dreieckiger Einschnitt als Teil der Vorrichtung zum Zielen beim Gewehr, der mit dem Korn in eine Linie gebracht werden muß:* ein Ziel über K. und Korn anvisieren.

Kind, das; -es, -er: **1.** *noch nicht erwachsener Mensch:* die Kinder spielen im Garten. **2.** ⟨Plural⟩ *Nachkommen, und zwar Söhne und Töchter:* seine Kinder sind alle verheiratet. ** **kein K. von Traurigkeit sein** *(lebenslustig sein).*

Kinderei, die; -, -en: *kindische Dummheit:* hör doch auf mit deinen albernen Kindereien!

Kindergarten, der; -s, Kindergärten: *Raum, Einrichtung zur Betreuung von noch nicht schulpflichtigen Kindern.*

Kindergärtnerin, die; -, -nen: *staatlich ausgebildete Erzieherin in einem Kindergarten* /Berufsbezeichnung/.

Kinderkrankheit, die; -, -en: *Krankheit, die der Mensch gewöhnlich als Kind durchmacht:* Masern sind eine K.; bildl.: dieser neu herausgebrachte Personenkraftwagen steckt voller Kinderkrankheiten *(Mängel am Anfang einer technischen o. ä. Entwicklung).*

Kinderladen, der; -s, Kinderläden: *nicht autoritär geleiteter Kindergarten.*

Kinderlähmung, die; -: *Kinderkrankheit, die auf eine Infektion zurückzuführen ist und schwere Lähmungen hervorruft.*

kinderleicht ⟨Adj.⟩: *sehr einfach, ohne jede Schwierigkeit:* eine kinderleichte Aufgabe; die Prüfung war k.

kinderlieb ⟨Adj.⟩: *Kinder liebend, lieb zu Kindern:* sein Onkel ist sehr k.

kinderreich ⟨Adj.; nicht adverbial⟩: *viele Kinder habend:* eine kinderreiche Familie.

Kinderschuh, der; -s, -e: *Schuh für Kinder:* ein Paar Kinderschuhe kaufen. * **[noch] in den Kinderschuhen stecken** *(am Anfang seiner Entwicklung stehen):* diese technische Entwicklung steckt noch in den Kinderschuhen; **den Kinderschuhen entwachsen** *(erwachsen werden):* man muß sie wie eine Dame behandeln, sie ist den Kinderschuhen doch schon entwachsen.

Kinderspiel, das; -[e]s, -e: *Spiel für Kinder:* Blindekuh ist ein K. * (ugs.) **etwas ist für jmdn. ein/kein K.** *(etwas ist für jmdn. eine/keine sehr leicht durchzuführende Sache):* diese Reparatur ist für den Fachmann ein K.

Kinderstube, die; -: *im Elternhaus erfolgte Erziehung, die die richtigen Umgangsformen vermittelt:* er hat eine gute, schlechte K. gehabt.

Kinderwagen, der; -s, -: *Wagen, in dem kleine Kinder gefahren werden:* die Mutter fuhr das Baby im K. spazieren.

Kindesbeine: ⟨in der Fügung⟩ von Kindesbeinen an: *von frühester Kindheit an:* wir sind von Kindesbeinen an Freunde.

Kindheit, die; -: *Altersstufe, in der man ein Kind ist:* er hat eine fröhliche K. verlebt.

kindisch ⟨Adj.⟩: *albern, lächerlich:* ein kindisches Benehmen; du bist sehr k.

kindlich ⟨Adj.⟩: *in der Art eines Kindes, naiv:* kindliche Freude an etwas haben.

Kindskopf, der; -[e]s, Kindsköpfe (ugs.): *kindischer Mensch:* du bist noch ein richtiger K.

Kinkerlitzchen, die ⟨Plural⟩ (ugs.): *Albernheiten, überflüssiges Zeug:* mach keine K.!

Kinn, das; -s: *unterster Teil des menschlichen Gesichts; Spitze des Unterkiefers:* ein spitzes, vorstehendes K.

Kinnhaken, der; -s, -: Boxen *Haken gegen das Kinn:* mit einem wuchtigen K. schlug er seinen Gegner knockout.

Kino, das; -s, -s: **1.** *Raum, Gebäude, in dem Filme gezeigt werden.* **2.** ⟨ohne Plural⟩ *Vorstellung, bei der ein Film vorgeführt wird:* ins K. gehen.

Kintopp, der und das; -s, -s und Kintöppe: **1.** (ugs.; scherzhaft) *Kino:* ins K. gehen. **2.** ⟨ohne Plural⟩ (abwertend) *für die frühe Zeit des Films typische Darstellungsart mit billigen Effekten:* die Szene sieht nach K. aus.

Kiosk, der; -s, -e: *kleines Häuschen, [in ein Haus eingebauter] Stand, wo Zeitungen, Getränke usw. verkauft werden.*

Kipfel, das; -s, -[n] (bayr.; östr.): *Kipferl.*

Kipferl, das; -s, -[n] (bayr.; östr.): *kleines gebogenes Gebäck aus Weizenmehl:* zum Kaffee gab es knusprige Kipferln.

Kippe, die; -, -n: **I.** (ugs.) *Rest einer gerauchten Zigarette:* die K. in den Aschenbecher legen. **II.** /eine Übung beim Turnen/ (siehe Bild): bei der K. werden die Beine schräg nach oben gestoßen. ** (ugs.) **auf der K. stehen: a)** *so stehen, daß jmd./etwas hinunterzufallen droht:* das Glas stand auf der K. **b)** *in bezug auf die Versetzung gefährdet sein*/von Schülern/: der Schüler stand wegen seiner schlechten Leistungen auf der K.

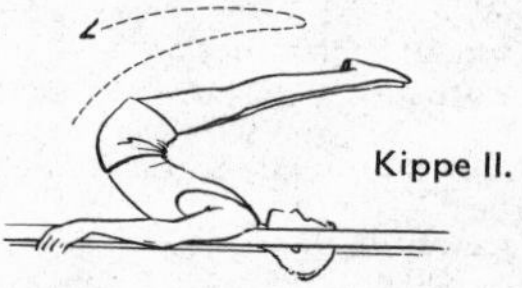

Kippe II.

kippen, kippte, hat/ist gekippt: **1.** ⟨tr.⟩ **a)** *in eine schräge Stellung bringen:* er hat die Kiste, den Waggon gekippt. **b)** *ausschütten, wobei man den Behälter schräg hält:* er hat den Sand vom Wagen auf die Straße gekippt. **2.** ⟨itr.⟩ *umfallen:* der Tisch kippt; das Boot ist gekippt.

Kirche, die; -, -n: **a)** *Raum, Gebäude für den christlichen Gottesdienst:* eine K. besichtigen. **b)** *Gottesdienst:* wann ist heute K.? **c)** *christliche Gemeinschaft:* die katholische, anglikanische K.; aus der K. austreten.

Kirchenjahr, das; -[e]s, -e: *nach Sonn- und Feiertagen sowie kirchlichen Festtagen eingeteilter Ablauf des Jahres.*

Kirchenlicht: ⟨in der Wendung⟩ kein [großes] K. sein (ugs.; abwertend): *nicht sehr klug sein:* er war in der Schule kein großes K. und blieb mehrmals sitzen.

Kirchenmaus: ⟨in der Wendung⟩ arm wie eine K. sein: *sehr arm sein:* der Flüchtling war arm wie eine K.

Kirchensteuer, die; -, -n: *Steuer, die die Kirchen von ihren Mitgliedern erheben:* die K. richtet sich nach der Höhe des Einkommens.

kirchlich ⟨Adj.⟩: *die Kirche betreffend, der Kirche gehörend, nach den Formen, Vorschriften der Kirche:* eine kirchliche Einrichtung; sich k. trauen lassen.

Kirchweih, die; -, -en: *Volksfest [in Erinnerung an die Einweihung der Kirche oder an den Patron der Kirche]:* zur K. wurden Karussells und viele Buden aufgebaut.

Kirmes, die; -, -sen (landsch.): *Kirchweih.*

Kirsche, die; -, -n: /eine Frucht/ (siehe Bild).

Kirsche

Kirschwasser, das; -s, Kirschwässer: *aus Kirschen hergestellter klarer Branntwein:* ein Glas K. trinken.

Kirtag, der; -s, -e (bayr.; östr.): *Kirchweih.*

Kissen, das; -s, -: *mit weichem Material gefüllte Hülle, auf der man sitzt oder der Kopf liegt.*

Kiste, die; -, -n: *rechteckiger Behälter [aus Holz]:* etwas in Kisten verpacken.

Kitsch, der; -es: *als geschmacklos empfundenes, auf sentimentale Weise Dargestelltes:* die Bilder sind reiner K.

kitschig ⟨Adj.⟩: *geschmacklos:* kitschige Farben; die Bilder sind k.

Kitt, der; -s: *Masse, die sich kneten läßt und die zum Halten sowie zum Dichten verwendet wird.*

Kittchen, das; -s, - (ugs.): *Gefängnis:* er sitzt im K.

Kittel, der; -s, -: *Kleidungsstück in der Form eines Mantels, das bei der Arbeit getragen wird:* der Arzt trägt einen weißen K.

kitten, kittete, hat gekittet ⟨tr.⟩: 1. *mit Kitt befestigen:* der Glaser mußte die Scheibe k.; den Henkel an die Kanne k. 2. *[Teile] mit Kitt [wieder] verbinden:* die zerbrochene Schüssel k.; bildl.: man sollte versuchen diese zerrüttete Ehe wieder zu k. *(die Harmonie in ihr wiederherzustellen).*

Kitzel, der; -s, -: *Reiz, Verlangen:* dieses gefährliche Rennen war ein K. für seine Nerven; plötzlich verspürte ich einen K. nach Schokolade.

kitzeln, kitzelte, hat gekitzelt ⟨tr./itr.⟩: *an jmds. Körper juckenden Reiz hervorrufen [um ihn zum Lachen zu bringen]:* er hat ihn an den Füßen gekitzelt; das Haar kitzelt im Ohr.

Kitzler, der; -s, -: *am vorderen Ende der kleinen Schamlippen gelegener Teil der weiblichen Geschlechtsorgane.*

kitzlig ⟨Adj.⟩: *auf Kitzeln leicht reagierend:* sie ist sehr k.

Kladde, die; -, -n: *Heft, in das man den ersten Entwurf niederschreibt:* der Schüler entwarf den Aufsatz in seiner K.

Kladderadatsch, der; -[e]s, (ugs.): 1. *Zusammenbruch:* seine Geschäfte endeten mit einem großen K. 2. *heftiger Streit:* es kam zwischen den beiden zum K.

klaffen, klaffte, hat geklafft ⟨itr.⟩: *einen Spalt, eine Öffnung bilden:* in der Mauer klaffen große Risse; eine klaffende Wunde.

kläffen, kläffte, hat gekläfft ⟨itr.⟩: *laut, in hellen Tönen bellen:* der Hund kläfft den ganzen Tag.

Klage, die; -, -n: *Beschwerde:* die Klagen über ihn wurden häufiger.

klagen, klagte, hat geklagt ⟨itr.⟩: 1. *Schmerz, Trauer, Enttäuschung, Unzufriedenheit äußern:* über Schmerzen, über seinen Chef k. * **jmdm. sein Leid k.** *(jmdm. seinen Kummer erzählen).* 2. *einen Prozeß führen:* er will gegen die Firma k.

Kläger, der; -s, -: *jmd., der vor Gericht Klage erhebt:* der K. wurde bei der Verhandlung von seinem Anwalt vertreten.

kläglich ⟨Adj.⟩ (abwertend): 1. *gering, dürftig:* der Verdienst ist k.; ein klägliches Ergebnis. 2. *beklagenswert, elend:* er spielte eine klägliche Rolle; in kläglichem Zustand sein. 3. ⟨nur adverbial⟩ *völlig, in beschämender Weise:* er hat k. versagt; seine Bemühungen sind k. gescheitert.

Klamauk, der; -s (ugs.): *[bewußt] lautes Treiben:* die Jugendlichen machten großen K.

klamm ⟨Adj.⟩: a) *leicht feucht:* die Betten waren k. b) *steif vor Kälte:* klamme Finger haben.

Klamm, die; -, -en: *felsige Schlucht [mit Wasserfall]* (siehe Bild).

Klamm

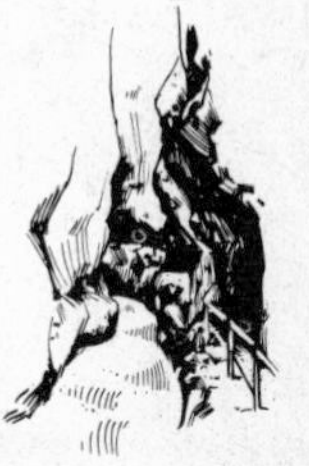

Klammer, die; -, -n: 1. *Gegenstand, mit dem etwas festgemacht, zusammengehalten wird:* die Wäsche mit Klammern festmachen; er mußte wegen zwei vorstehender Zähne eine K. tragen. 2. *Zeichen, mit dem man einen Teil eines Textes einschließen kann:* eckige Klammern [...]; runde Klammern (...).

klammern, klammerte, hat geklammert: 1. ⟨tr.⟩ *mit Klammern zusammenhalten, befestigen:* eine Wunde k. 2. ⟨rfl.⟩ *sich ängstlich an jmdn. oder etwas halten:* er klammert sich an ihn, an die Hoffnung auf ein Wiedersehen.

Klamotte, die; -, -n (ugs., abwertend): 1. a) *etwas Altes, allzu Bekanntes:* das ist eine alte K. b) ⟨Plural⟩ *[alte] Kleider:* pack deine Klamotten und verschwinde! 2. *abgebrochener Teil eines Steines.*

Klampfe, die; -, -n: *einfache Gitarre.*

Klang, der; -[e]s, Klänge: 1. *das Erklingen:* beim K. der Glocke. 2. *Art, wie ein Ton empfunden wird:* ein heller K.; das Klavier hat einen schönen K.; bildl.: der Name hat einen guten K. *(Ruf).*

klanglos ⟨Adj.⟩: *keinen Klang besitzend:* eine klanglose Stimme. * (ugs.) **sang- und k.** *(in aller Stille, ohne großes Aufheben):* der Gast verschwand sang- und k. aus der Gesellschaft.

klangvoll ⟨Adj.⟩: **1.** *einen vollen, angenehmen Klang besitzend:* der Sänger hatte eine klangvolle Stimme. **2.** ⟨nicht adverbial⟩ *bekannt, berühmt:* er hatte als Kritiker einen klangvollen Namen.

Klappe, die; -, -n: **1.** *an einer Seite befestigter Deckel; Vorrichtung zum Schließen einer Öffnung* (siehe Bild). **2.** (ugs.) *Mund:* halt die K.! ** **zwei Fliegen mit einer K. schlagen** *(durch eine Handlung gleich zwei Sachen erledigen).*

1.

Klappe

klappen, klappte, hat geklappt ⟨itr.⟩: (ugs.) *der Absicht entsprechend gelingen:* es hat alles geklappt.

Klapper, die; -, -n: *Gegenstand, mit dem man klappern kann* /bes. als Kinderspielzeug/: das Baby spielte mit seiner K.

klapperig ⟨Adj.⟩ (ugs.): **a)** *altersschwach, durch Gebrauch abgenutzt:* ein klapperiges Auto. **b)** *schwach und dünn:* eine klapperige alte Frau.

klappern, klapperte, hat geklappert ⟨itr.⟩: *ein hartes Geräusch von sich geben, das durch wiederholtes Schlagen zweier Gegenstände aneinander entsteht:* die Tür klappert; das Kind klapperte mit den Deckeln.

Klapperstorch, der; -[e]s, Klapperstörche (Kinderspr.): *Storch (der angeblich die kleinen Kinder bringt):* das Kind glaubte noch an das Christkind und den K.

Klappsitz, der; -es, -e: *bei Bedarf nach unten zu klappender, zusätzlicher Sitz:* der Omnibus hat mehrere Klappsitze.

Klaps, der; -es, -e: *leichter Schlag auf den Körper:* sie gab dem Kind einen K. * (ugs.) **einen K. haben** *(nicht ganz normal zu sein scheinen).*

klar ⟨Adj.⟩: **1.** *durchsichtig, sauber, nicht trübe:* klares Wasser; klare Sicht haben. **2.** *deutlich erkennbar, verständlich, nicht mißverständlich:* klare Begriffe; sich k. ausdrücken; klare *(geordnete)* Verhältnisse schaffen. * **sich im klaren sein über etwas** *(über die Folgen, die sich aus einer Entscheidung, Tätigkeit ergeben, Bescheid wissen).*

Kläranlage, die; -, -n: *Anlage zur Reinigung der Abwässer:* am Rande der Stadt wurde eine neue K. gebaut.

klären, klärte, hat geklärt: **1.** ⟨tr.⟩ *sich Klarheit über etwas verschaffen:* diese Angelegenheit muß noch geklärt werden. **2.** ⟨rfl.⟩ *klar werden (über etwas):* die Frage klärt sich bald.

klargehen, ging klar, ist klargegangen ⟨itr.⟩ (ugs.): *in Ordnung gehen, gut verlaufen:* die Sache wird schon k.

Klarheit, die; -: *Deutlichkeit, Verständlichkeit:* er drängt nach K. * **sich über etwas K. verschaffen** *(sich über eine Sache, die nicht klar ist, genau informieren).*

Klarinette, die; -, -n: /ein Blasinstrument/ (siehe Bild).

Klarinette

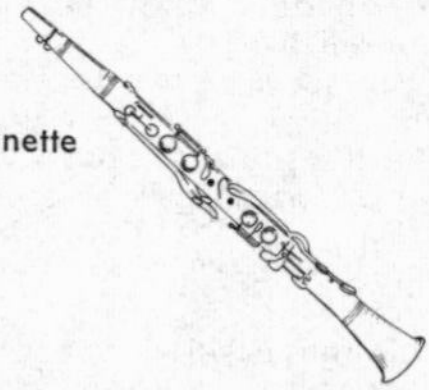

klarkommen, kam klar, ist klargekommen ⟨itr.⟩ (ugs.): *(mit etwas) fertig werden, (etwas) bewältigen:* er kam mit dieser schwierigen Aufgabe einfach nicht klar.

klarlegen, legte klar, hat klargelegt ⟨tr.⟩: *erläutern, erklären:* ich habe ihm das ganze Problem klargelegt.

klarmachen, machte klar, hat klargemacht ⟨tr.⟩: *erklären, deutlich machen:* er hat mir die Unterschiede, seinen Standpunkt klargemacht.

klarsehen, sieht klar, sah klar, hat klargesehen ⟨itr.⟩: *(etwas) durchblicken, klar verstehen:* ich sehe in dieser Angelegenheit noch nicht ganz klar.

klarstellen, stellte klar, hat klargestellt ⟨tr.⟩: *richtigstellen, klären; dafür sorgen, daß etwas richtig verstanden wird:* einen Sachverhalt k.

klarwerden, wird klar, wurde klar, ist klargeworden ⟨rfl./itr.⟩: *(etwas) einsehen:* ich bin mir über meinen Fehler klargeworden; ihm ist sein falsches Handeln zu spät klargeworden.

Klasse, die; -, -n: **1.** *Gruppe von Personen, Lebewesen, Dingen, die durch gemeinsame Merkmale, Eigenschaften, Fähigkeiten usw. gekennzeichnet sind:* er geht in die 4. K. der Grundschule; die K. der Säugetiere. **2.** *Einrichtung, Abteilung mit besonderer Ausstattung:* ich fahre erster K. in der Eisenbahn; der Patient liegt dritter K. im Krankenhaus. **3. a)** *Raum für Schüler in einer Schule:* die K. erhält eine neue Tafel. **b)** *alle Schüler, die in einem Raum gemeinsam unterrichtet werden:* die K. ist sehr unruhig.

Klassement [klas(ə)'mã:], das; -s, -s: Sport *Placierung (der Teilnehmer an einem Wettkampf):* der Fahrer konnte sich im K. um einen Platz verbessern.

Klassenarbeit, die; -, -en: *Arbeit, die in der Schule ohne fremde Hilfe geschrieben und dann zensiert wird:* eine K. schreiben.

Klassenbuch, das; -[e]s, Klassenbücher: *von den Lehrern geführtes Buch, das über den Lehrstoff, die Schüler und deren Leistungen sowie über die besonderen Vorkommnisse in der Klasse Auskunft gibt:* einen Schüler in das K. eintragen; eine Eintragung ins K. vornehmen.

Klassenkampf, der; -[e]s, Klassenkämpfe: *nach der Ideologie des Kommunismus die Auseinandersetzung zwischen der Klasse der besitzenden und dadurch herrschenden Menschen und der Klasse der Arbeiter.*

Klassenunterschied, der; -[e]s, -e: *Unterschied zwischen verschiedenen sozialen Klassen in der Gesellschaft:* Ziel des Klassenkampfes ist die Beseitigung der Klassenunterschiede.

Klassifikation, die; -, -en: *Einteilung, Einordnung nach*

Klassen: eine nach bestimmten Prinzipien durchgeführte, systematische K.

klassifizieren, klassifizierte, hat klassifiziert ⟨tr.⟩: *in Klassen einteilen, einordnen:* es fällt schwer, die Merkmale dieser Gattung zu k. **Klassifizierung,** die; -, -en.

Klassik, die; -: *Kulturepoche oder Kunstrichtung, die sich durch Ausgewogenheit, Harmonie und Vollkommenheit in ihren Werken auszeichnet:* die K. der deutschen Literatur war durch das Wirken Schillers und Goethes bestimmt.

Klassiker, der; -s, -: **1.** *Vertreter der Klassik:* Mozart und Beethoven als K.; die großen Werke unserer K. **2.** *Künstler oder Wissenschaftler, der mustergültige Arbeiten auf seinem Gebiet geschaffen hat:* dieser Forscher gilt als K. der Medizin.

klassisch ⟨Adj.⟩: **1. a)** *zur Klassik gehörend:* ein klassisches Drama; das klassische *(griechische und römische)* Altertum. **b)** *dem antiken Ideal von Schönheit entsprechend:* eine schmale, k. gebogene Nase. **2.** *wegen der künstlerisch hervorragenden Qualität über die Zeiten gültig:* ein Werk von klassischer Schönheit. **3. a)** *zeitlos:* ein Stoff mit klassischem Muster. **b)** *mustergültig, vorbildlich:* eine klassische Formulierung. **c)** (ugs.; iron.) *großartig, prächtig:* er hat ihm k. seine Meinung gesagt. **4.** *herkömmlich, traditionell:* vom klassischen zum modernen Fußball; die klassische Physik. **5.** *typisch, bezeichnend:* ein klassisches Beispiel für falsche Bescheidenheit.

Klatsch, der; -[e]s (ugs.; abwertend): *übles Gerede über jmdn., der nicht anwesend ist:* der gehässige K. der Nachbarn störte ihn wenig.

klatschen, klatschte, hat geklatscht ⟨itr.⟩: **1.** *ein helles, einem Knall ähnliches Geräusch von sich geben:* der Regen klatschte gegen das Fenster; sie schlug ihm ins Gesicht, daß es klatschte. **2.** *applaudieren, Beifall spenden:* das Publikum klatschte lange. **3.** *viel und meist negativ über jmdn./ etwas sprechen:* die Frauen standen auf der Straße und klatschten über die Nachbarn.

klatschnaß ⟨Adj.⟩ (ugs.): *durch und durch naß:* die Wäsche ist noch k.

klauben, klaubte, hat geklaubt ⟨tr.⟩: **a)** (südd.; östr.; schweiz.) *einzeln auflesen:* Kartoffeln k. **b)** (östr.) *sammeln, pflücken:* Beeren k.

Klaue, die; -, -n: **1. a)** *von Horn überzogene Zehe bei Wiederkäuern und Schweinen.* **b)** *Kralle bei Raubtieren und Raubvögeln:* der Tiger schlug seine scharfen Klauen in das Fleisch des erbeuteten Tieres. **2.** (derb) *Hand:* nimm deine K. da weg!; bildl. (ugs.): in die Klauen *(Macht, Gewalt)* von Verbrechern fallen. **3.** (ugs.; abwertend) *Art, wie man schreibt; Handschrift:* er hat eine fürchterliche K.

klauen, klaute, hat geklaut ⟨tr./itr.⟩ (ugs.): *stehlen:* er hat [das Geld] geklaut.

Klause, die; -, -n: **a)** *Zelle des Mönchs oder Einsiedlers:* die Mönche beteten in ihren Klausen. **b)** *kleines, ruhiges Zimmer, wo man ungestört ist:* er arbeitet am liebsten zu Hause in seiner [stillen] K.

Klausel, die; -, -n: *Vorbehalt; einschränkende [zusätzliche] Vereinbarung in einem Vertrag:* eine K. in den Vertrag einbauen.

Klausur die; -, -en: **1.** ⟨ohne Plural⟩ *Einsamkeit, Zurückgezogenheit:* die Gespräche fanden in strenger K. statt. **2.** *Teil des Klosters, der Fremden nicht zugänglich ist:* der Bischof weihte die K. ein. **3.** *zur Prüfung des Wissens unter Aufsicht geschriebene Arbeit:* am Ende des Semesters muß er mehrere Klausuren schreiben.

Klavier, das; -s, -e: /ein Musikinstrument mit Tasten/ (siehe Bild): K. spielen.

Klavier

kleben, klebte, hat geklebt: **1.** ⟨tr.⟩ *mit Hilfe von Klebstoff an etwas befestigen:* eine Briefmarke auf die Postkarte k. * (ugs.) **jmdm. eine k.** *(jmdm. eine Ohrfeige geben).* **2.** ⟨itr.⟩ *an etwas haften; an/auf etwas fest bleiben:* das Papier, der Klebstoff klebt [nicht] gut.

klebenbleiben, blieb kleben, ist klebengeblieben ⟨itr.⟩: **1.** *so kleben, daß es (mit etwas) verbunden bleibt:* der feuchte Lehm blieb an der Wand kleben. **2.** (ugs.) *(in der Schule) nicht versetzt werden:* wenn er weiterhin so faulenzt, wird er noch k.

klebrig ⟨Adj.⟩: *[äußerlich] so beschaffen, daß etwas [leicht] daran klebenbleibt:* du hast klebrige Finger.

Klebstoff, der; -[e]s, -e: *Mittel, Stoff, mit dem man etwas an etwas befestigt; Leim.*

kleckern, kleckerte, hat gekleckert ⟨itr.⟩ (ugs.): *etwas Flüssiges, Breiiges unbeabsichtigt verschütten, auf etwas fallen lassen und dadurch Flecke machen:* du hast beim Essen gekleckert.

kleckerweise ⟨Adverb⟩ (ugs.): *mit Unterbrechungen und in kleinen Mengen:* die Lieferungen kamen nur k.

Klecks, der; -es, -e: *kleine Menge von Flüssigem oder Breiigem, die auf etwas gefallen ist:* du hast einen K. Marmelade auf das Tischtuch fallen lassen; im Heft einen [Tinten]klecks machen.

Klee

klecksen, kleckste, hat gekleckst: **1.** ⟨itr.⟩ *Kleckse machen:* der Füller kleckst. **2.** ⟨tr.⟩ *in Form von Klecksen auftragen:* Farbe auf Papier k.

Klee, der; -s: /eine Pflanze/ (siehe Bild): die Kühe fraßen den K. ab. * (ugs.) **jmdn. über den grünen K. loben** *(jmdn. übermäßig, übertrieben loben).*

Kleeblatt, das; -[e]s, Kleeblätter: **1.** *meist aus drei Teilen bestehendes Blatt des Klees:* der Glückspilz fand ein K. mit vier Blättern; bildl.: die drei Kinder bilden ein unzertrennliches K. *(sind unzertrennliche Freunde).* **2.** *Kreuzung zweier Auto-*

bahnen, die, aus der Luft betrachtet, die Form eines vierblättrigen Kleeblattes hat.

Kleid, das; -[e]s, -er: *[über der Unterwäsche getragenes, meist aus einem Stück bestehendes] Kleidungsstück für Frauen:* ein neues, elegantes K.

kleiden, kleidete, hat gekleidet: **1.** ⟨itr.⟩ *(als Kleidungsstück) jmdm. stehen, zu jmdm. passen:* der Mantel kleidet [dich] gut; die Brille kleidet ihn nicht. **2.** ⟨tr./rfl.⟩ *[sich] in einer bestimmten Weise anziehen:* die Mutter kleidet ihre Kinder sehr adrett; er kleidet sich auffällig; ⟨häufig im 2. Partizip⟩ *angezogen:* er ist immer gut gekleidet.

Kleiderbügel, der; -s, -: *Gegenstand zum Aufhängen von Kleidungsstücken.*

Kleiderschrank, der; -[e]s, Kleiderschränke: *hoher Schrank, in dem bes. Kleidung aufbewahrt wird:* den Anzug in den K. hängen; bildl. (ugs.): der Athlet hatte die Figur eines Kleiderschrankes *(eines sehr kräftigen Mannes mit breiten Schultern).*

kleidsam ⟨Adj.⟩: *gut kleidend.*

Kleidung, die; -: *Gesamtheit der Kleidungsstücke:* seine K. ist sehr gepflegt.

Kleidungsstück, das; -[e]s, -e: *einzelner, selbständiger Teil der über der Unterwäsche getragenen Kleidung.*

Kleie, die; -: *beim Mahlen von Getreide abfallendes Produkt aus Schalen, Spelzen und Resten von Mehl:* das Vieh mit K. füttern.

klein ⟨Adj.⟩: **a)** *von geringem Ausmaß*/ Ggs. groß/: ein kleines Haus, Land. **b)** *wenig bedeutend:* das sind alles nur kleine Fehler. * **von klein auf** *(von Kindheit an).*

Kleinarbeit, die; -: *sich mit vielen kleinen Einzelheiten befassende Arbeit:* in mühsamer K. rekonstruierte die Polizei das Verbrechen.

Kleinbuchstabe, der; -ns, -n: *kleingeschriebener Buchstabe:* alles mit Kleinbuchstaben schreiben.

kleinbürgerlich ⟨Adj.⟩: *engstirnig; spießbürgerlich:* er hat sehr kleinbürgerliche Ansichten.

Kleingeld, das; -[e]s: *kleiner Betrag von Geld in Münzen zum Bezahlen oder zum Herausgeben auf eine größere Summe.*

kleingläubig ⟨Adj.⟩: *wenig Vertrauen, Hoffnung habend: zweifelnd;* ein kleingläubiger Mensch.

Kleinheit, die; -: **1.** *kleiner Wuchs, geringe Größe:* trotz seiner K. war er ein hervorragender Sportler. **2.** *Enge, Beschränktheit:* K. des Geistes.

Kleinholz, das; -es: *in kleine Stücke gehacktes Holz:* ein Feuer mit K. und Papier anmachen. * (ugs.) **etwas zu K. machen** *(etwas völlig zerstören):* die Rowdies machten die Einrichtung der Kneipe zu K.; (ugs.) **jmdn. zu K. machen, K. aus jmdm. machen: a)** *jmdn. zusammenschlagen:* verschwinde, sonst macht er dich zu K.! **b)** *jmdn. äußerst scharf zurechtweisen:* der Chef hat K. aus ihm gemacht.

Kleinigkeit, die; -, -en: *unbedeutende Sache, leicht zu lösende Aufgabe:* das ist eine K.

Kleinkram, der; -s (ugs.): **1.** *kleine, wertlose Dinge:* der Junge hatte eine Menge K. in seiner Hosentasche. **2.** *nicht wichtige, alltägliche Angelegenheiten:* dieser tägliche K. gehört zum Haushalt.

kleinkriegen, kriegte klein, hat kleingekriegt ⟨tr.⟩ (ugs.): **1. a)** *zerkleinern können:* er kriegte das zähe Fleisch mit seinen schlechten Zähnen nicht klein. **b)** *zerstören können:* das Kind hat das neue Spielzeug in kürzester Zeit kleingekriegt. **2.** *(jmds.) Widerstand brechen und ihn gefügig machen:* die Aufseher haben den randalierenden Gefangenen kleingekriegt. * **sich nicht k. lassen** *(sich behaupten, bei seiner Meinung bleiben):* er ließ sich trotz der Drohungen nicht k.; **nicht kleinzukriegen sein** *(nicht zu entmutigen sein):* er war einfach durch nichts kleinzukriegen. **3.** *(Geld) ausgeben:* er hat seine zehn Mark Taschengeld an einem Tag kleingekriegt.

kleinlaut ⟨Adj.; nicht attributiv⟩: *nicht mehr so großsprecherisch wie vorher:* er kehrte k. ins Elternhaus zurück; sie bat k. um Verzeihung.

kleinlich ⟨Adj.⟩: *Unwichtiges übertrieben wichtig nehmend:* ein kleinlicher Mensch; sei nicht so k.!

kleinmütig ⟨Adj.⟩: *wenig Mu[t] habend, mutlos:* sei nicht so k.

Kleinod, das; -[e]s, -e: *wertvolles Stück; Kostbarkeit:* dieser Ring ist ein K.

Kleinschreibung, die; -, -en: *Schreibung mit einem kleinen Buchstaben am Anfang eines Wortes:* die radikale K. wird sich nicht durchsetzen.

Kleinstadt, die; -, Kleinstädte: *Stadt, die weniger als 20000 Einwohner hat.*

Kleinstädter, der; -s, -: *jmd., der in einer Kleinstadt lebt:* K. bevorzugen zum Einkaufen die Großstadt.

kleinstädtisch ⟨Adj.⟩: *in der Art einer kleineren Stadt; im Geistigen provinziell-eng.*

Kleinstwohnung, die; -, -en: *Wohnung, die aus einem Zimmer nebst Bad oder Dusche besteht:* der Junggeselle mietete eine K.

Kleinwagen, der; -s, -: *kleines, in Anschaffung und Unterhaltung billiges Auto:* viele Arbeiter leisten sich einen K.

Kleister, der; -s, -: *Klebstoff.*

kleistern, kleisterte, hat gekleistert ⟨tr.⟩: *mit Kleister zusammenfügen; kleben.*

Klemme, die; -, -n: *Gegenstand, mit dem man etwas festklemmt:* die Lampe mit Klemmen an der Batterie anschließen. * (ugs.) **in der K. sitzen/stecken** *(in Schwierigkeiten sein);* (ugs.) **jmdn./sich aus der K. ziehen** *(jmdn./sich aus Schwierigkeiten befreien).*

klemmen, klemmte, hat geklemmt: **1.** ⟨tr.⟩ *fest zwischen etwas nehmen, halten:* die Bücher unter den Arm k. **2.** ⟨itr.⟩ *sich nicht glatt, ungehindert öffnen, bewegen lassen:* die Tür klemmt. **3.** ⟨tr./rfl.⟩ *zwischen etwas geraten und sich dabei weh tun, quetschen:* ich habe mir den Finger geklemmt. * (ugs.) **sich hinter etwas k.** *(fleißig [an einer Aufgabe] arbeiten);* **sich hinter jmdn. k.** *(durch jmdn. sein Ziel zu erreichen suchen).*

Klempner, der; -s, - (bes. nordd.): *jmd., der Gegenstände aus Blech usw. herstellt, Rohre für Gas und Wasser einbaut und repariert* /Berufsbezeichnung/.

Kleptomanie, die; -: *krankhafter Trieb zu stehlen:* an K. leiden.

klerikal ⟨Adj.⟩: 1. *den Klerus betreffend, zu ihm gehörend:* Verbindung zu klerikalen Kreisen haben. 2. *[streng] kirchlich [gesinnt]:* ihr Handeln war von einer starren klerikalen Gesinnung bestimmt.

Kleriker, der; -s, -: *katholischer Geistlicher:* konservative K. widersetzten sich den Reformen innerhalb der Kirche.

Klerus, der; -: *Gesamtheit der Kleriker:* Kardinäle gehören zum hohen K.

Klette, die; -, -n: 1. /eine Pflanze/ (siehe Bild). 2. *stachlige, runde Blüte oder Frucht mit kleinen Widerhaken:* er warf ihr eine K. ins Haar; bildl. (ugs.): du wirst langsam für mich zur K. *(zu einem lästigen Begleiter).*

Klette 1.

klettern, kletterte, ist geklettert ⟨itr.⟩: *mühsam steigen und sich dabei festhalten:* er klettert auf den Berg; wie ein Affe auf den Baum k.

Kletterpflanze, die; -, -n: *rankendes Gewächs:* Efeu und wilder Wein sind Kletterpflanzen.

klicken, klickte, hat geklickt ⟨itr.⟩: *ein helles, metallenes Geräusch [beim Einrasten] von sich geben:* der Verschluß des Fotoapparats klickte bei der Aufnahme.

Klient, der; -en, -en: *jmd., der einen Rechtsanwalt beauftragt, ihn zu beraten oder zu vertreten:* der Anwalt informierte seinen Klienten über seine Rechte.

Klima, das; -s: *der für ein Gebiet bestimmende und charakteristische Ablauf des Wetters:* ein mildes K.

Klimaanlage, die; -, -n: *Anlage, die die Lüftung und Temperatur in einem Raum regelt:* das moderne Krankenhaus hatte eine K.

Klimakterium, das; -s: *Wechseljahre.*

klimatisch ⟨Adj.; nicht prädikativ⟩: *das Klima betreffend:* die klimatischen Verhältnisse haben eine üppige Vegetation zur Folge.

Klimbim, der; -s (ugs.): 1. *unbedeutende, wertlose kleine Dinge:* er nahm den ganzen K. aus der Schachtel und warf ihn weg. 2. *überflüssiges Drum und Dran:* der ganze K. bei der Feier gefiel ihm nicht.

Klimmzug, der; -[e]s, Klimmzüge: *Übung beim Turnen an einer Stange, bei der man den Körper mit Hilfe der Arme nach oben zieht* (siehe Bild): wir machten Klimmzüge am Reck.

Klimmzug

klimpern, klimperte, hat geklimpert ⟨itr.⟩ (ugs.): *auf einem Klavier o. ä. schlecht spielen, wahllos Töne hervorbringen:* er klimpert nur; mit dem Geld in der Tasche k.

Klinge, die; -, -n: *scharfer, zum Schneiden dienender Rand eines Messers, Schwertes, einer Rasierklinge o. ä.*

Klingel, die; -, -n: *Gegenstand, mit dem man meist einen hellen Ton hervorbringt, läutet.*

Klingelbeutel, der; -s, -: *an einer Stange befestigter Beutel mit einer kleinen Glocke, mit dem die Kollekte eingesammelt wird* (siehe Bild).

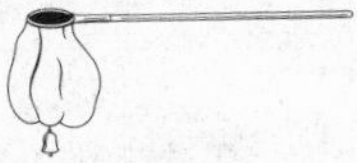
Klingelbeutel

klingeln, klingelte, hat geklingelt ⟨itr.⟩: *die Klingel betätigen:* es hat [an der Tür] geklingelt.

klingen, klang, hat geklungen ⟨itr.⟩: 1. *einen bestimmten Ton, Klang hervorbringen:* schwach, hohl k.; die Gläser klingen beim Anstoßen. 2. *in einer bestimmten Weise empfunden, aufgefaßt werden:* seine Worte klangen wie ein Vorwurf.

Klinik, die; -, -en: *Krankenhaus, das mehrere Spezialabteilungen hat oder nur auf einem Spezialgebiet arbeitet [und in dem medizinische Fachleute ausgebildet werden].*

klinisch ⟨Adj.; nicht prädikativ⟩: Med.: 1. *die Klinik betreffend, in einem Krankenhaus erfolgend:* das Medikament hat sich in klinischen Tests bewährt; die klinische Ausbildung eines Arztes. 2. *durch normale ärztliche Untersuchung festzustellen oder festgestellt:* die klinischen Symptome einer Krankheit. * **k. tot [sein]** *(ohne Atmung und ohne Herzschlag [sein]):* als man den Verletzten ins Krankenhaus einlieferte, war er bereits k. tot.

Klinke, die; -, -n: *Griff an einer Tür, um diese öffnen oder schließen zu können.*

Klinker, der; -s, -: *hartgebrannter Ziegel:* eine aus Klinkern gemauerte Wand.

klipp: ⟨in der Fügung⟩ k. und klar (ugs.): *ganz deutlich:* ich habe ihm k. und klar gesagt, wie ich darüber denke.

Klipp, der; -s, -s: 1. *Klammer, Klemme [am Füllfederhalter].* 2. *Schmuck, der bes. am Ohr festgeklemmt wird:* sie trug goldene Klipps.

Klippe, die; -, -n: *für die Schiffahrt gefährlicher Felsen an der Oberfläche des Meeres o. ä.:* das Schiff fuhr gegen eine K. und sank.

Klipper, der; -s, - (hist.): *schnelles Segelschiff:* K. brachten den Tee nach England.

Klips, der; -es, -e: *Klipp.*

klirren, klirrte, hat geklirrt ⟨itr.⟩: *einen in kurzer Folge sich wiederholenden hellen und harten Klang von sich geben:* als ein Lastkraftwagen vorbeifuhr, klirrten die Fensterscheiben.

Klischee, das; -s, -s: *Nachahmung ohne eigenen Wert, abgedroschenes Bild; eingefahrene, überkommene Vorstellung:* dieser Film ergeht sich in billigen Klischees; in Klischees denken.

Klistier, das; -s, -e: Med. *Spülung des Darms.*

klitschig ⟨Adj.⟩: *nicht ganz durchgebacken:* ein klitschiger Kuchen.

Klo, das; -s, -s (ugs.; fam.): /Kurzform von Klosett/.

Kloake, die; -, -n: *Kanal für Abwässer:* eine stinkende K.

Kloben, der; -s, -: *grober Klotz aus Holz:* einen K. mit der Axt spalten.

klobig 〈Adj.〉: *von eckiger, schwerer Form; unförmig:* etwas sieht k. aus; ein klobiger Schrank.

klönen, klönte, hat geklönt 〈itr.〉 (nordd.; ugs.): *gemütlich plaudern:* sei saßen in einer Wirtschaft und klönten.

klopfen, klopfte, hat geklopft: **1.** 〈tr.〉 **a)** *schlagend bearbeiten:* den Teppich k. (um den Staub zu entfernen). **b)** *durch Schlagen entfernen:* den Staub aus dem Teppich k. **2.** 〈itr.〉 **a)** *(gegen etwas) schlagen:* an die Scheibe k. **b)** *anklopfen:* nachdem er geklopft hatte, öffnete sie die Tür; es hat geklopft.

klöppeln, klöppelte, hat geklöppelt 〈tr.〉: *(Spitzen) durch Kreuzen und Drehen von Garn nach einem bestimmten Muster herstellen:* Spitzen k.; 〈auch itr.〉 sie klöppelte in Heimarbeit.

Klops, der; -es, -e: *Kloß aus Fleisch, das durch die Maschine gedreht wurde.*

Klosett, das; -s, -s (ugs.): *Toilette mit Wasserspülung.*

Kloß, der; -es, Klöße: *wie Teig aussehende Masse, die zu einer Kugel geformt ist:* Klöße aus Fleisch, Kartoffeln.

Kloster, das; -s, Klöster: *von der übrigen Welt abgeschlossenes Gebäude, in dem Mönche oder Nonnen wohnen:* ein altes, nicht mehr bewohntes K.; ins K. gehen *(einem Orden beitreten).*

klösterlich 〈Adj.; nicht adverbial〉: *dem Kloster entsprechend:* klösterliche Stille, Einsamkeit.

Klotz, der; -es, Klötze: *großer, eckiger Gegenstand aus Holz o. ä.:* das Kind baute ein Haus aus Klötzen.

klotzig 〈Adj.〉: **a)** *unförmig, plump:* ein klotziges Gebäude; bildl. (ugs.): ein klotziger Kerl. **b)** 〈verstärkend bei Adjektiven〉 (ugs.) *sehr, äußerst:* dieser Bauer ist k. reich.

Klub, der; -s, -s: *Verein:* einen K. gründen.

Kluft: **I.** die; -, Klüfte: *tiefer Riß, Spalt in der Erde:* in eine K. fallen; bildl.: es besteht eine tiefe K. zwischen den Parteien. **II.** die; -, -en: *bestimmte Kleidung:* die K. der Pfadfinder.

klug, klüger, klügste 〈Adj.〉: **a)** *intelligent, begabt, gescheit, vernünftig:* ein kluger Kopf, Rat. **b)** *geschickt, schlau, diplomatisch im Vorgehen, Handeln:* wenn du k. bist, fährst du erst im September nach Italien.

Klugheit, die; -: *Vernunft, Intelligenz, Begabung.*

klugreden, redete klug, hat kluggeredet 〈itr.〉: *alles besser wissen [wollen]:* er konnte nichts, mußte aber immer k.

klumpen, klumpte, hat geklumpt 〈itr.〉: *Klumpen bilden:* das Mehl klumpt.

Klumpen, der; -s, -: *[zusammenklebende] Masse ohne bestimmte Form:* ein K. Blei.

klumpig 〈Adj.〉: *voller Klumpen:* die Suppe war k.

Klüngel, der; -s, - (abwertend): *Gruppe von Personen, die sich gegenseitig Vorteile verschaffen; Clique.*

knabbern, knabberte, hat geknabbert 〈tr./itr.〉: *[hörbar und schnell] an etwas Hartem nagen, etwas Festes kauen:* Nüsse k.; an einem Stück Schokolade k.

Knabe, der; -n, -n (geh.): *Junge.*

knabenhaft 〈Adj.〉: **a)** *einem Knaben ähnelnd:* ein knabenhaftes Mädchen. **b)** *für einen Knaben charakteristisch:* knabenhafte Manieren.

Knäckebrot, das; -[e]s, -e: *knuspriges, nahrhaftes und leicht zu verdauendes Brot:* K. ist lange haltbar.

knacken, knackte, hat geknackt: **1.** 〈tr.〉 *das Äußere von etwas entzweimachen, um an das Innere zu kommen:* Nüsse k.; (ugs.) einen Tresor k. **2.** 〈itr.〉 *als spröder Körper [beim Brechen] einen harten, einem Knall ähnlichen Ton von sich geben:* es knackt in den Möbeln; das Eis knackt.

Knacker: **I.** der; -s, - (ugs.): *alter Mann:* der alte K. hat doch wieder geheiratet! **II.** der; -s, - und die; -, -(ugs.): *Knackwurst.*

Knacks, der; -es: **1.** *knackendes Geräusch:* das Glas zersprang mit einem K. **2.** *Sprung, Riß:* die Vase hat beim Umzug einen K. bekommen; bildl.: durch diesen Vorfall hat ihre Ehe einen ziemlichen K. bekommen; seit dem Unfall hat er einen K. [weg] *(ist er nicht gesund, nicht mehr voll zurechnungsfähig).*

Knackwurst, die; -, Knackwürste: *dickere, kürzere Bockwurst:* Knackwürste brühen.

Knall, der; -s, -e: *scharfer, wie ein Schuß oder eine Explosion wirkender Laut:* der K. der Peitsche. * (ugs.) **K. und Fall** *(sofort, auf der Stelle):* er wurde K. und Fall entlassen.

knallen, knallte, hat geknallt 〈itr.〉: *einen Knall hervorbringen:* die Peitsche knallt. * (ugs.) **jmdm. eine k.** *(jmdm. eine Ohrfeige geben).*

Knallerbse, die; -, -n: *kleine, mit explosivem Stoff gefüllte Kugel, die beim Aufschlagen mit einem Knall zerplatzt:* die Kinder warfen [mit] Knallerbsen.

knallig 〈Adj.〉 (ugs.; abwertend): *grell, mit auffallenden, schreienden Farben:* ein knalliges Kleid.

Knallkopf, der; -[e]s, Knallköpfe (ugs.): *Dummkopf.*

knapp 〈Adj.〉: *gerade noch ausreichend; fast zu klein, zu gering:* ein knappes Einkommen; Lebensmittel werden k.

Knappe, der; -n -n: *Bergmann mit abgeschlossener Lehre* /Berufsbezeichnung/: als K. mußte er hart arbeiten.

knapphalten, hält knapp, hielt knapp, hat knappgehalten 〈tr.〉 (ugs.): *(jmdm. etwas) nur in geringem Maß zur Verfügung stellen:* wir hielten ihn mit Geld ziemlich knapp.

Knappheit, die; -: *Mangel:* es herrschte K. an Lebensmitteln.

Knappschaft, die; -: **1.** (hist.) *Gesamtheit der Knappen.* **2.** *Krankenversicherung aller im Bergbau Beschäftigten:* er war in der K. versichert.

Knarre, die; -, -n: **1.** *kleines Gerät, mit dem man lautes Knarren erzeugen kann* /bes. Spielzeug/: der Junge spielte mit seiner K. **2.** Soldatenspr. *Gewehr:* nimm ihm die K. ab.

knarren, knarrte, hat geknarrt 〈itr.〉: *klanglose, hölzerne, ächzende [schnell aufeinanderfolgende] Laute von sich geben:* die Tür knarrt; eine knarrende Treppe.

Knast, der; -[e]s (ugs.): **a)** *Haft:* er bekam drei Monate K. **b)** *Gefängnis:* er sitzt im K.

Knaster, der; -s (ugs.): *[schlechter] Tabak.*

knattern, knatterte, hat geknattert 〈itr.〉: *kurz aufeinanderfolgende harte, dem Knall ähnliche Laute von sich geben:* das Segel knattert im Wind.

Knäuel, das und der; -s, -: *zu einer Kugel aufgewickelte Wolle, Schnur usw.*

Knauf, der; -[e]s, Knäufe: *Griff in Form einer Kugel oder eines Knopfes;* der K. an einer Tür.

knauserig ⟨Adj.⟩ (ugs.; abwertend): *übertrieben sparsam, geizig:* er ist sehr k.

knausern, knauserte, hat geknausert ⟨itr.⟩ (ugs.; abwertend): *sehr sparsam sein:* mit dem Geld, Material k.

knautschen, knautschte, hat geknautscht (ugs.): **a)** ⟨tr.⟩ *zusammendrücken, knüllen:* den Stoff, das Papier k. **b)** ⟨itr.⟩ *knittern, Falten bilden:* der Stoff, der Anzug knautscht.

knebeln, knebelte, hat geknebelt ⟨tr.⟩: **1.** *(jmdm.) etwas in den Mund stecken und ihn dadurch am Sprechen und Schreien hindern:* den Überfallenen k. **2.** *(jmdm.) die Arme binden, daß er sich nicht bewegen kann:* die Schüler haben ihren Kameraden geknebelt.

Knecht, der; -[e]s, -e: **1.** (veraltend) *ungelernter Arbeiter, der auf einem Bauernhof beschäftigt ist:* der K. lud die Rüben auf den Wagen. **2.** (geh.) *jmd., der (völlig von jmdm./etwas) abhängig ist:* ein K. der Reichen, seiner Triebe.

knechten, knechtete, hat geknechtet ⟨tr.⟩ (geh.): *unterdrücken, mit Gewalt beherrschen:* das Volk wurde von seinen Eroberern geknechtet.

Knechtschaft, die; -: *Unterdrückung, das Fehlen von Freiheit:* die K. des Volkes dauerte viele Jahre.

kneifen, kniff, hat gekniffen: **1.** ⟨itr./tr.⟩ *(jmdm.) die Haut zwischen Daumen und Zeigefinger so drücken, daß es weh tut:* er hat mich gekniffen; er hat ihm/ihn in den Arm gekniffen. **2.** ⟨itr.⟩ (ugs.; abwertend): *sich aus Angst oder Feigheit einer bestimmten Anforderung nicht stellen [und sich heimlich entfernen]:* er hat gekniffen; er hat vor der Gefahr gekniffen.

Kneifzange, die; -, -n: *Zange mit zwei scharfen Schneiden zum Abzwicken von Draht o. ä.*

Kneipe, die; -, -n (ugs.; abwertend): *einfache Gaststätte:* in die K. gehen.

Kneippkur, die; -, -en: *Verfahren zur Heilung von Leiden durch Behandlung bes. mit kaltem Wasser:* eine K. machen.

kneten, knetete, hat geknetet ⟨tr.⟩: *eine weiche Masse mit den Händen drückend bearbeiten [und formen]:* eine Figur, den Teig k.

Knick, der; -[e]s, -e: *scharf umgebogene Stelle eines länglichen oder flachen Gegenstandes:* das Papier, der Stab hat einen K.; bildl.: die Straße macht einen K. *(verläuft in einer anderen Richtung).*

knicken, knickte, hat geknickt ⟨tr.⟩: *stark biegen, so daß ein Winkel entsteht:* eine Pappe k.; ⟨auch itr.⟩ bitte nicht k. * **geknickt sein** *(betrübt, niedergeschlagen sein).*

Knickerbocker, die ⟨Plural⟩: *sportliche Hose* (siehe Bild).

Knickerbocker

knickrig ⟨Adj.⟩ (ugs.; abwertend): *sehr sparsam, geizig:* er ist sehr k.

Knicks, der; -es, -e: *das Beugen eines Knies beim Begrüßen von älteren oder höhergestellten Personen /von Mädchen/:* sie machte einen K. vor der Lehrerin.

Knie, das; -s, -: **1.** *verbindendes Gelenk zwischen Ober- und Unterschenkel:* das K. beugen; auf die K. fallen. **2.** *gebogenes Stück Rohr:* das K. am Abfluß. ** **etwas übers K. brechen** *(etwas übereilt erledigen, entscheiden).*

kniefällig ⟨Adj.⟩: *auf den Knien:* jmdn. k. beschwören; bildl.: ich bat sie k. *(flehentlich)* um Verzeihung.

knien, kniete, hat gekniet ⟨itr.⟩: *sich mit einem oder beiden Knien auf dem Boden befinden:* er kniet vor dem Altar.

Kniescheibe, die; -, -n: *Knochen am Knie in Form einer Scheibe.*

Kniff, der; -s, -e: **1.** *Falte, Knick:* einen K. in das Papier machen. **2.** (ugs.) *Trick, nicht erlaubtes Vorgehen:* jmds. Kniffe durchschauen.

knifflig ⟨Adj.⟩: *schwierig, kompliziert, nicht so leicht zu erledigen:* eine knifflige Frage stellen.

Knilch, der; -s, -e: *Knülch.*

knipsen, knipste, hat geknipst (ugs.): **1.** ⟨tr.⟩ *lochen [und damit entwerten]:* die Fahrkarten k. **2.** ⟨tr./itr.⟩ *photographieren:* er hat sie geknipst; jetzt kannst du k.

Knirps, der; -es, -e: *kleiner Junge:* er ist noch ein K.

knirschen, knirschte, hat geknirscht ⟨itr.⟩: *durch Reiben ein hartes, helles Geräusch von sich geben:* mit den Zähnen k.; der Sand, der Schnee knirscht.

knistern, knisterte, hat geknistert ⟨itr.⟩: *ein helles, prasselndes Geräusch von sich geben:* mit dem Papier k.; das Holz, Feuer knistert.

knittern, knitterte, hat geknittert ⟨itr.⟩: *nicht glatt bleiben; viele unregelmäßige Falten bilden:* der Stoff knittert.

Knobelbecher, der; -s, -: **1.** *Becher [aus Leder] zum Würfeln:* der Wirt gab den Gästen einen K. mit Würfeln. **2.** Soldatenspr. *kurzer Stiefel:* der Soldat trug K.

knobeln, knobelte, hat geknobelt ⟨itr.⟩: **1.** *mit Würfeln spielen, wobei dem Verlierer etwas auferlegt wird:* wir knobelten um eine Runde Bier. **2.** *lange und angestrengt über etwas nachdenken:* er hat einige Stunden an, über diesem Problem geknobelt.

Knoblauch [auch: Knob...], der; -s: *Arzneipflanze und Gewürz* (siehe Bild): Fleisch vor dem Braten mit K. einreiben.

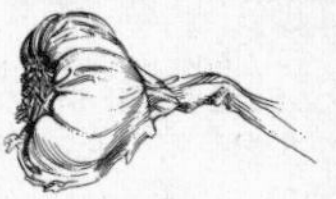

Knoblauch

Knöchel, der; -s, -: *hervorspringender Knochen am Gelenk des Fußes oder Fingers* (siehe Bild).

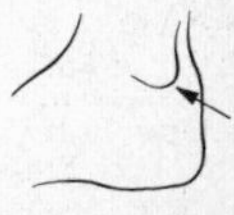

Knöchel

Knochen, der; -s, -: *einzelnes hartes Glied als Teil des Skelettes eines Menschen, Tieres.*

Knochenmark, das; -[e]s: *in den Knochen befindliches Mark.*

knöchern ⟨Adj.; nicht adverbial⟩: 1. *aus Knochen bestehend:* eine knöcherne Substanz. 2. *knochig:* die hagere alte Frau hatte knöcherne Hände.

knochig ⟨Adj.; nicht adverbial⟩: *kräftige, deutlich hervortretende Knochen habend:* ein knochiges Gesicht.

knockout [nɔk"aʊt] ⟨Adj.; nicht attributiv⟩ Boxen *unfähig, den Kampf fortzusetzen; bewußtlos:* er hat seinen Gegner in der 4. Runde k. geschlagen.

Knockout [nɔk"aʊt], der; -[s], -s: Boxen **a)** *Unfähigkeit, den Kampf fortzusetzen, Niederschlag:* er verlor den Kampf durch K. **b)** *Schlag, mit dem der Gegner knockout geschlagen wird:* er gewann den Fight durch einen klassischen K. zur Kinnspitze.

Knödel, der; -s, - (südd.): *Kloß:* aus diesen Kartoffeln machen wir heute Knödel.

Knolle, die; -, -n: *dicke, runde Wurzel einer Pflanze:* die K. der Zwiebel.

Knopf, der; -[e]s, Knöpfe: 1. *kleines, meist rundes und flaches oder auch einer [halben] Kugel ähnliches Stück an Kleidungsstücken zum Zusammenhalten oder als Schmuck:* der K. ist abgerissen. 2. *eine an Anlagen und Geräten befindliche Vorrichtung, auf die man drückt, um damit etwas in Gang zu setzen:* als er auf den K. drückte, öffnete sich die Tür.

knöpfen, knöpfte, hat geknöpft ⟨tr.⟩: *mit Knöpfen schließen:* er hatte den Mantel falsch geknöpft; ⟨häufig im 2. Partizip⟩ Damenmäntel sind anders geknöpft als Herrenmäntel.

Knorpel, der; -s: *feste, aber im Gegensatz zum Knochen elastische Substanz im menschlichen und tierischen Körper:* die Ohren des Menschen bestehen zum größten Teil aus K.

knorrig ⟨Adj.⟩: 1. *mit dicken Knoten gewachsen, verwachsen* /von Bäumen, Ästen/: knorrige Kiefern; bildl.: die Gicht hatte seine Finger ganz k. werden lassen; ein knorriger *(verschlossener, eigenwilliger, wenig umgänglicher)* Eigenbrötler. 2. *von vielen Astansätzen durchzogen* /vom Holz/: ein knorriger Stock.

Knospe, die; -, -n: *Blüte, die sich noch nicht entfaltet hat, noch geschlossen ist:* Knospen ansetzen, bilden.

knoten, knotete, hat geknotet ⟨tr.⟩: *einen Knoten machen:* das Ende der Schnur k.

Knoten, der; -s, -: 1. *Stelle, an der mehrere Fäden, Stränge ineinandergeschlungen sind:* er machte einen K. in das Taschentuch, um nicht zu vergessen, etwas zu erledigen. 2. *dicke Stelle; kleine Geschwulst.*

Knotenpunkt, der; -[e]s, -e: *Punkt, an dem sich mehrere Verkehrswege schneiden:* B. ist ein K. mehrerer Eisenbahnlinien.

Knuff, der; -[e]s, Knüffe (ugs.): *[heimlicher] leichter Stoß mit der Faust, dem Ellenbogen:* er gab mir einen auffordernden K. in die Seite.

knuffen, knuffte, hat geknufft ⟨tr.⟩ (ugs.): *[heimlich] mit der Faust, dem Ellenbogen stoßen:* du sollst mich nicht dauernd k.

Knülch, der; -s, -e (ugs.; abwertend): *unangenehmer Mensch, Kerl.*

knüllen, knüllte, hat geknüllt ⟨tr.⟩: *in der Hand zusammendrücken, zerknittern:* Stoff, Papier k.

Knüller, der; -s,- (ugs.): *etwas, was plötzlich große Wirkung erzielt, großen Anklang findet:* der Film ist ein K.

knüpfen, knüpfte, hat geknüpft ⟨tr.⟩: 1. *durch das Knoten von Fäden herstellen:* Teppiche, Netze k. 2. *(mit etwas) verbinden:* Hoffnungen, Erwartungen an etwas k.

Knüppel, der; -s, -: *kurzer, etwas dicker Stock:* jmdn. mit dem K. schlagen. * (ugs.) **jmdm. K./einen K. zwischen die Beine werfen** *(jmdm. Schwierigkeiten machen).*

knurren, knurrte, hat geknurrt ⟨itr.⟩: 1. *einen brummenden, rollenden Laut von sich geben:* der Hund knurrt; ihm knurrte der Magen. 2. (ugs.) *sich unwillig (über etwas) äußern, sich beklagen:* er knurrte wegen des schlechten Essens.

knusprig ⟨Adj.⟩: *frisch gebacken mit harter, leicht platzender Kruste:* knusprige Brötchen; bildl.: ein knuspriges *(junges frisches, hübsches)* Mädchen.

Knute, die; -, -n: *kurze Peitsche* die Reiter schwangen ihr Knuten; bildl.: unter der K *(Macht, Gewalt)* der Siege stehen.

knutschen, knutschte, hat ge knutscht ⟨tr./itr./rzp.⟩ (ugs. abwertend): *zärtlich liebkosen drücken, küssen:* er hat sie, mi ihr geknutscht; sie knutschte sich in einer dunklen Ecke.

Koalition, die; -, -en: *Bündni mehrerer Parteien, um eine parlamentarische Mehrheit mit dem Ziel der Regierungsbildung zu erreichen:* die Parteien ginge eine K. ein.

Kobold, der; -[e]s, -e: *(im Volksglauben) meist gutartiger zu neckischen Streichen aufgelegter Zwerg.*

Koch, der; -[e]s, Köche: *jmd. der kocht* /Berufsbezeichnung/

Kochbuch, das; -[e]s, Kochbücher: *Buch mit Rezepten nach denen man kochen kann.* ein K. für ausländische Spezialitäten.

kochen, kochte, hat gekocht 1. ⟨tr./itr.⟩ *warme Speisen, Getränke zubereiten:* das Essen k. sie kann gut k. 2. **a)** ⟨tr.⟩ (ugs.) *bis zum Sieden erhitzen:* Wasser k. **b)** ⟨itr.⟩ *sieden:* das Wasser kocht; bildl.: es kochte in mi *(ich war wütend);* er kocht vor Wut *(er ist wütend).*

Kocher, der; -s, -: *kleineres Gerät zum Kochen:* ein elektrischer K.

Köcher, der; -s, -: *länglicher Behälter zum Aufbewahren von Pfeilen, an dem ein Riemen zum Tragen befestigt ist* (siehe Bild).

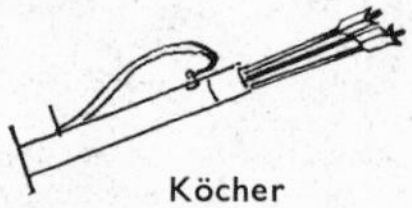

Köcher

kochfest ⟨Adj.; nicht adverbial⟩: *gegen Kochen beständig:* dieses Gewebe ist k.

Köchin, die; -, -nen: *Frau, die kocht* /Berufsbezeichnung/: im Hotel wurde eine neue K. benötigt; seine Frau ist eine gute K. *(versteht gut zu kochen)*

Kochlöffel, der; -s, -: *Löffel mit langem Stiel zum Rühren beim Kochen.*

Kochtopf, der; -[e]s, Kochtöpfe: *Topf, in dem etwas gekocht wird:* sie stellte den K. auf den Herd.

Kode [ko:t], der; -s, -s: *Schlüssel, mit dessen Hilfe man in Geheimschrift abgefaßte Nachrichten entschlüsselt:* der K. war streng geheim.

Köder, der; -s, -: *[beim Angeln benutztes] Mittel, mit dem man Fische anlockt und fängt:* er fing mit einer künstlichen Fliege als K. Forellen; bildl. (ugs.): mit dem Köder *(Anreiz)* der Gehaltserhöhung will er dich nur zu halten versuchen.

ködern, köderte, hat geködert ⟨tr.⟩ (ugs.; abwertend): *(jmdn. mit Versprechungen o. ä.) für ein Vorhaben, einen Plan gewinnen:* jmdn. mit etwas k.

Kodex, der; -[es], -e und Kodizes: **1.** *mit der Hand geschriebener alter Text:* dieser K. enthält eine sehr alte Bibelübersetzung. **2.** *Sammlung von Gesetzen.* **3.** *nicht schriftlich festgelegte Regeln, die das Verhalten in einer bestimmten Gesellschaft festlegen:* der Künstler verstieß gegen den K. seines Standes.

kodifizieren, kodifizierte, hat kodifiziert ⟨tr.⟩: *Gesetze o. ä. systematisch ordnen, zusammenfassen:* das Demonstrationsrecht neu k.

Koedukation, die; -: *gemeinsame Erziehung von Jungen und Mädchen in der Schule.*

Koexistenz, die; -: *friedliches Nebeneinanderbestehen von Staaten mit entgegengesetztem ideologischem und wirtschaftlichem System und gegensätzlichen politischen Interessen.*

Koffer, der; -s, -: *tragbarer Behälter zum Befördern von Dingen, die man auf der Reise benötigt.* (siehe Bild): die K. packen.

Koffer

Kofferradio, das; -s, -s: *kleines, transportables Radio:* Jugendliche mit Kofferradios zogen durch die Straßen.

Kognak ['kɔnjak], der; -s, -s: *[aus Weinen des Gebietes um Cognac hergestellter] Weinbrand:* er trank einen K.

Kohl, der; -[e]s (bes. nordd.): /eine bestimmte Art von Gemüse/ (siehe Bild).

Kohl

Kohldampf, der; -s (ugs.): *Hunger:* nach dem Schwimmen bekamen, hatten wir großen K. * **K. schieben** *(hungern).*

Kohle, die; -, -n: *ein schwarzer oder brauner wie Stein aussehender Brennstoff:* mit Kohlen heizen.

Kohlensäure, die; -: /schwache Säure/: Sprudel enthält meist K.

Kohlepapier, das; -s, -e: *einseitig gefärbtes Papier, mit dem man beim Schreiben gleichzeitig einen Durchschlag herstellt.*

kohlrabenschwarz ⟨Adj.⟩: *ganz schwarz:* draußen war es k.

Kohlrabi, der; -[s], -[s]: /eine bestimmte Art von Gemüse/ (siehe Bild): wir aßen gefüllte K.

Kohlrabi

kohlschwarz ⟨Adj.⟩: *ganz schwarz:* es war eine kohlschwarze Nacht.

koitieren koitierte, hat koitiert ⟨itr.⟩: *den Geschlechtsakt vollziehen:* er hatte mit der Frau koitiert; ⟨auch tr.⟩ der ältere Affe koitierte den jüngeren.

Koitus, der; -, -: *Geschlechtsakt:* den K. ausüben.

Koje, die; -, -n: **1.** *in der Kajüte eines Schiffes eingebautes Bett.* **2.** *kleiner, auf einer Seite offener Raum bei Ausstellungen.*

kokett ⟨Adj.⟩: *im Mienenspiel und Benehmen danach strebend, Männern zu gefallen, auf Männer zu wirken* /von weiblichen Personen/: sie ist mir zu k.; ein kokettes Benehmen.

Koketterie die; -: *kokettes Betragen:* in ihrer Art zu sprechen lag eine gewisse K.

kokettieren kokettierte, hat kokettiert ⟨itr.⟩ **1.** *sich (jmdm. gegenüber) kokett benehmen:* die hübsche junge Dame kokettierte eifrig mit ihrem Gegenüber. **2.** *liebäugeln; (etwas) vorsichtig erwägen:* die Stadt kokettiert schon lange mit dem Ausbau des Hafens. **3.** *sich (durch etwas) interessant machen wollen:* er hat mit seinem Alter kokettiert.

Kokosnuß die; -, Kokosnüsse: /eine Frucht/ (siehe Bild).

Kokosnuß

Kokotte die; -, -n (veralt.): *zur Halbwelt gehörende Dame, Dirne.*

Koks, der; -es: *graue bis schwarze, feste und gut brennende Rückstände, die entstehen, wenn der Steinkohle in luftdicht abgeschlossenen Kammern durch Erhitzen Gase entzogen werden:* zum Verhütten von Erz wird viel K. benötigt.

Kolben, der; -s, -: **1.** *länglicher Gegenstand [mit einem dickeren Ende]* /bes. beim Gewehr/. **2.** *sich auf und ab bewegender Teil im Zylinder eines Motors.*

Kolik [auch: Kolik], die; -, -en: *krampfartiger Schmerz im Bereich von Magen, Darm oder Nieren.*

kollabieren, kollabierte, hat/ist kollabiert ⟨itr.⟩: Med. *einen Kollaps erleiden:* er hat/ist vor Erschöpfung kollabiert.

Kollaborateur [kɔlabora'tø:r], der; -s, -e (abwertend): *jmd., der mit einer Macht, die des eigene Land besetzt hält, zusammenarbeitet:* die Kollaborateure wurden erschossen oder zu hohen Freiheitsstrafen verurteilt.

Kollaboration, die; -: *das Kollaborieren:* er wurde wegen K. zum Tode verurteilt.

Kollaps, der; -es, -e: *Zusammenbruch auf Grund eines Versagens des Kreislaufs:* einen K. erleiden.

Kolleg, das; -s, -s und -ien (veraltend): *Vorlesung an einer Hochschule:* ein K. halten, besuchen.

Kollege, der; -n, -n: *jmd., mit dem man beruflich zusammenarbeitet oder der den gleichen Beruf hat:* wir sind Kollegen.

kollegial ⟨Adj.⟩: *hilfsbereit gegenüber Kollegen; gefällig:* er zeigt sich sehr k. **Kollegialität,** die; -.

Kollekte, die; -, -n: *Sammlung von Geld während und nach dem Gottesdienst:* eine K. gegen den Hunger, für die Hungernden in der Welt veranstalten.

Kollektion, die; -, -en: *Sammlung von Mustern bestimmter Waren:* auf der Modenschau wurde die neuste K. von Mänteln und Kostümen gezeigt.

kollektiv ⟨Adj.; nicht prädikativ⟩: *gemeinsam, gemeinschaftlich; von einer Gruppe geschaffen.*

Kollektiv, das; -s, -e und -s: *durch gemeinsame, bes. berufliche Interessen und Aufgaben miteinander verbundene Gruppe von Menschen:* die Bauern schlossen sich zu einem K. zusammen.

Koller, der; -s, - (ugs.): *Anfall von Wut, Tobsucht:* wenn er lange allein ist, bekommt er einen K.

kollidieren, kollidierte, hat/ist kollidiert ⟨itr.⟩: **1.** *aufeinanderprallen, zusammenstoßen:* die Fahrzeuge sind im Nebel kollidiert. **2.** *im Widerspruch zu etwas stehen, sich überschneiden:* in diesem Punkt haben ihre Interessen kollidiert.

Kollier [kɔli'e:], das; -s, -s: *wertvoller, um den Hals getragener Schmuck:* ein kostbares K. aus Edelsteinen.

Kollision, die; -, -en: *Zusammenstoß.*

Kolloquium, das; -s, Kolloquien: **a)** *wissenschaftliches Gespräch zwischen Lehrern einer Hochschule und Studenten:* parallel zu seiner Vorlesung hielt der Professor ein K. [ab]. **b)** *Zusammenkunft, Beratung von Fachleuten:* ein internationales K. über Fragen der modernen Medizin.

Kolonie, die; -, -n: **1.** *einem ausländischen Staat gehörendes Gebiet* /bes. in Übersee/: die afrikanischen Kolonien strebten nach Selbständigkeit. **2.** *Gruppe von Ausländern gleicher Nationalität in einem fremden Staat oder einer fremden Stadt:* die deutsche K. in Paris. **3.** *Siedlung:* er besaß eine Laube in der K. am Stadtrand. **4.** *Zusammenschluß von Tieren oder Pflanzen in einem mehr oder weniger lockeren Verband:* Bakterien bilden mitunter Kolonien.

Kolonisation, die; -: **1.** *Gründung und Entwicklung von Besitzungen, die vom eigenen Staat abhängig sind* /bes. in Übersee/: die K. Afrikas durch fremde Mächte. **2.** *wirtschaftliche Erschließung und Entwicklung (rückständiger Gebiete im eigenen Land):* die K. des unterentwickelten Südens stellt die italienische Regierung vor schwierige Probleme.

kolonisieren, kolonisierte, hat kolonisiert ⟨tr.⟩: **1.** *vom eigenen Staat abhängige Besitzungen gründen und entwickeln* /bes. in Übersee/: Afrika wurde von fremden Mächten kolonisiert. **2.** *(rückständige Gebiete im eigenen Land) wirtschaftlich erschließen und entwickeln:* ein unterentwickeltes Gebiet k.

Kolonnade, die; -, -n: *Folge von Säulen* (siehe Bild).

Kolonnade

Kolonne, die; -, -n: *aus zahlreichen Personen oder Fahrzeugen bestehende längere Reihe* (siehe Bild).

Kolonne

Koloratur, die; -, -en: *Art zu singen, Melodie, bei der beim virtuosen Gesang einer weiblichen Stimme eine Silbe mit mehreren Noten ausgestaltet wird:* K singen.

Kolorit, das; -s, -e: **1.** *farbig Gestaltung eines Gemäldes:* da K. dieses Gemäldes erinnert a Bilder des Impressionismus bildl.: eine Stimme ohne jede K. *(eine klanglose Stimme).* **2** *charakteristische Atmosphäre Besonderheit:* ein Bericht, de das lokale K. gut trifft.

Koloß, der; Kolosses, Kolosse *Riese, Hüne:* die Ringer ware wahre Kolosse; bildl.: dies Lokomotive ist ein stählerner K

kolossal ⟨Adj.⟩ (ugs.): *über mäßig groß, riesig, gewaltig:* e hatte kolossales Glück.

Kolportage [kɔlpɔrt'a:ʒə], die; -: **1.** *Literatur von geringem Wert:* dieser Roman bleibt rein K. **2.** *das Verbreiten von Gerüchten:* durch K. suchte man seine gesellschaftliche Stellung zu erschüttern.

kolportieren, kolportierte, hat kolportiert ⟨tr.⟩: *(Gerüchte o. ä.) verbreiten:* diese Vermutungen wurden von der Presse sofort kolportiert.

Kolumne, die; -, -n: *Spalte* /in Zeitungen o. ä./: der Leitartikel steht auf der ersten Seite in der linken K.

Kolumnist, der; -en, -en: *Journalist, der regelmäßig in einer ihm dazu zur Verfügung stehenden Spalte einer Zeitung oder Zeitschrift Beiträge besonderen Inhalts oder Stils veröffentlicht:* er schreibt als K. für eine große Illustrierte.

Kombi, der; -[s], -s: *kombinierter Lieferwagen und Personenkraftwagen:* der Bäcker fuhr in einem K. das Brot aus.

Kombinat, das; -[e]s, -e: *großer industrieller Betrieb, der mehrere einzelne Zweige der Produktion vereinigt* /in kommunistischen Staaten/: zum K. gehörten mehrere Zechen und Hochöfen.

Kombination, die; -, -en: **1.** *Zusammenstellung:* eine K. dieser Farben macht den Raum heller. **2. a)** *Anzug, dessen Jacke und Hose zwar in Muster und Farbe verschieden, aber aufeinander abgestimmt sind:* diese K. besteht aus einer blauen Hose und einem sportlichen weißen Jackett. **b)** *aus einem Stück bestehender Anzug* /für Flieger, Monteure o. ä./: über ler K. trug der Pilot eine Jacke us Leder. **3. a)** Schisport *aus nehreren Disziplinen bestehender Vettkampf:* die Österreicher be-egten in der K. die drei ersten 'lätze. **b)** Sport *geschicktes, harnonisches Zusammenspiel:* der stürmer schloß die herrliche K. mit einem Tor ab. **4.** *Folge on Ziffern o. ä. als Schlüssel ür bestimmte Schlösser:* die K. ür den Tresor ist nur den bei-en Direktoren bekannt. **5.** *geankliche, logische Folgerung:* eine Vermutungen und Kombi-ationen erwiesen sich als rich-ig.

kombinieren, kombinierte, at kombiniert ⟨tr./itr.⟩: *[geanklich] miteinander verbinen:* Farben k.; er hat gut, chnell kombiniert, daß beide rgebnisse zusammenhängen.

Kombüse, die; -, -n: *Küche uf einem Schiff:* der Schiffs-och arbeitete in der K.

Komet, der; -en, -en: *das Licht er Sonne reflektierender, sich chnell bewegender Stern, der neist einen Schweif hat.*

Komfort [kɔm'fo:r], der; -s: *Bequemlichkeit und Erleichteung bietende, luxuriöse Einichtung, Ausstattung:* eine Vohnung mit allem K.

komfortabel ⟨Adj.⟩: *voller Komfort; Bequemlichkeit und rleichterung bietend:* er hat ine komfortable Wohnung.

Komik, die; -: *zum Lachen eizende Wirkung:* die Angele-enheit entbehrte nicht einer ewissen K.

Komiker, der; -s, -: *ein mit Possen und lustigen Vorführunen unterhaltender Künstler.*

komisch ⟨Adj.⟩: *seltsam, sonerbar, eigenartig:* ein komi-cher Mensch; er war so k. zu nir; k., daß ich noch keinen Brief erhalten habe.

Komitee, das; -s, -s: *gewählte Gruppe von Personen, die eine esondere Aufgabe zu erfüllen at; Gremium:* zur Organisation es Festes wählte man ein K.

Komma, das; -s, -s und -ta:) *Satzzeichen, das gleichartige Teile trennt und den Satz gramatisch gliedert:* vor „aber" teht meist ein K. **b)** *Zeichen i Zahlen, das die ganzen von en gebrochenen Stellen trennt:* ie Zahl hatte drei Stellen hinter em K. * (ugs.) **Null K. nichts** *(gar nichts):* er hat heute Null K. nichts getan; (ugs.) **in Null K. nichts** *(ganz schnell):* die Feuerwehr war in Null K. nichts zur Stelle.

Kommandant, der; -en, -en: *jmd., der eine bestimmte Gruppe von Personen führt und ihnen Befehle erteilt.*

Kommandeur [kɔman'dø:r], der; -s, -e: *Befehlshaber größerer militärischer Einheiten:* der K. besprach mit seinem Stab die Lage.

kommandieren, kommandierte, hat kommandiert: **a)** ⟨itr.⟩ *Befehle, Anweisungen erteilen:* er kommandiert immer nur. **b)** ⟨tr.⟩ *befehligen:* er kommandierte die 3. Armee.

Kommando, das; -s, -s: **1.** *Befehl:* ein K. ertönte. **2.** *Oberbefehl:* er hat das K. über die Miliz erhalten. **3.** *abkommandierte Gruppe von Soldaten o. ä.:* ein K. abstellen.

kommen, kam, ist gekommen ⟨itr.⟩: **1. a)** *an etwas gelangen, sich an einen bestimmten Ort begeben:* er kommt morgen früh nach Mannheim. **b)** *sich nähern, eintreffen:* er kam als erster; ein Gewitter kommt. * **hinter etwas k.** *(etwas entdecken, durch Zufall erfahren).* **2.** *von etwas herrühren, stammen:* woher kommt das viele Geld?; sein Gewicht kommt vom vielen Essen. **3.** ⟨als Funktionsverb⟩ *in eine bestimmte Lage, einen bestimmten Zustand geraten:* in Not, Verlegenheit k.; in Gang, Fahrt k.; zum Einsatz k. *(eingesetzt werden);* in Gefahr k. *(gefährdet werden).* ** **zu sich k.** *(nach einer Ohnmacht o. ä. das Bewußtsein wieder erlangen).*

Kommentar, der; -s, -e: *Erklärung, die zu einem Text, Ereignis o. ä. gegeben wird:* sich jedes Kommentars enthalten; einen K. abgeben.

Kommentator, der; -s, -en: *jmd., der etwas in Presse, Rundfunk oder Fernsehen kommentiert:* ein K. für politische, wirtschaftliche Ereignisse.

kommentieren, kommentierte, hat kommentiert ⟨tr.⟩: *eine Erklärung zu etwas geben:* er hat das Geschehen im Saal kommentiert.

Kommers, der; -es, -e: *festliche Veranstaltung von einer Verbindung angehörenden Studenten:* auf dem K. wurde eifrig gezecht und gesungen.

kommerziell ⟨Adj.⟩: *den Handel betreffend, geschäftlich:* ein k. interessantes Projekt.

Kommilitone, der; -n, -n: *jmd., mit dem man zusammen studiert [hat]:* er diskutierte mit einigen seiner Kommilitonen.

Kommiß, der; Komisses (ugs.; abwertend): *Militär:* er möchte nicht zum K.

Kommissar, der; -s, -e: **1.** *jmd., der von einem Staat mit einem besonderen Auftrag ausgestattet ist und spezielle Vollmachten hat:* Kommissare übernahmen die Verwaltung des besetzten Gebietes. **2.** /ein Dienstgrad, bes. bei der Polizei/: der K. leitete die Untersuchung.

kommissarisch ⟨Adj.⟩: *vorübergehend, in Vertretung:* ihm wurde nach dem Tode des Direktors die kommissarische Leitung des Unternehmens übertragen.

Kommißbrot, das; -[e]s, -e: *rechteckiges Brot aus grob gemahlenem Mehl* /bes. für Soldaten/.

Kommission, die; -, -en: *mit einer bestimmten Aufgabe betrautes Gremium:* man entsandte eine K. zu Verhandlungen über einen Waffenstillstand. **Kaufmannsspr. **in K.** *(im eigenen Namen für fremde Rechnung):* Waren in K. geben, nehmen.

Kommission, die; -, -en: *Ausschuß, der mit einer bestimmten Aufgabe betraut ist.*

Kommode, die; -, -n: /ein Möbelstück/ (siehe Bild): er durchwühlte die Schubladen der K.

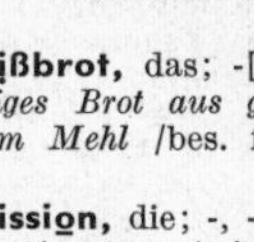

Kommode

kommunal ⟨Adj.⟩: *die Kommune, Gemeinde betreffend, der Kommune gehörend:* kommunale Einrichtungen.

Kommune, die; -, -n: *Verwaltung eines Ortes, Gemeinde als politische Gemeinschaft.*

Kommunikation, die; -, -en: **1.** *Verbindung, Zusammenhang:*

zwischen Traum und Realität besteht eine K. **2.** ⟨ohne Plural⟩ *Verständigung durch die Verwendung von Zeichen und Sprache:* die K. bedarf bestimmter Mittel der Übertragung.

Kommunion, die; -, -en: *Feier, Empfang des Abendmahls in der katholischen Kirche:* zur K. gehen.

Kommuniqué [kɔmyni'ke:], das; -s, -s: *[amtliche] Mitteilung über Vorgänge, an denen die Öffentlichkeit nicht teilnehmen kann, aber an denen sie interessiert ist:* ein K. herausgeben.

Kommunismus, der; -: *gegen den Kapitalismus gerichtetes System mit sozialistischen Zielen in Wirtschaft und Gesellschaft.*

Kommunist, der; -en, -en: *Anhänger des Kommunismus.*

kommunistisch ⟨Adj.⟩: *vom Kommunismus bestimmt:* ein kommunistischer Staat.

kommunizieren, kommunizierte, hat kommuniziert ⟨itr.⟩: *die Kommunion empfangen:* sie kommunizierte jeden Sonntag. ** Physik **kommunizierende Röhren** *(untereinander verbundene, oben offene Röhren).*

Komödiant, der; -en, -en: **1.** (meist abwertend) *Schauspieler:* die Komödianten zogen von einer Stadt zur anderen. **2.** *Heuchler:* dieser K. kann uns nichts vormachen.

Komödie, die; -, -n: *Lustspiel* /Ggs. Tragödie/.

Kompagnon [kɔmpan'jõ:], der; -s, -s: *Teilhaber:* sie wurden Kompagnons und gründeten ein Geschäft.

kompakt ⟨Adj.⟩: *eng, dicht zusammen, massiv, fest gefügt.*

Kompanie, die; -, -n: **1.** *kleinste militärische Einheit, die zwischen 100 und 250 Mann umfaßt:* die K. wurde von einem Hauptmann geführt. **2.** (veralt.) *wirtschaftliches Unternehmen, Firma mit mehreren Partnern.*

Komparse, der; -n, -n: *Statist:* für diesen historischen Film benötigte man eine Menge Komparsen.

Komparserie, die; -, -n: *Gesamtheit der Komparsen.*

Kompaß, der; Kompasses, Kompasse: *Gerät zur Bestimmung der Himmelsrichtung.*

Kompendium, das; -s, Kompendien: *kurzes, zusammenfassendes Handbuch, Lehrbuch; Abriß:* ein K. der modernen Musik.

Kompensation, die; -, -en: *das Kompensieren:* die K. eines Fehlers durch besondere Fähigkeiten auf einem anderen Gebiet.

kompensieren, kompensierte, hat kompensiert ⟨tr.⟩: *ausgleichen:* ihren Mangel an Intelligenz kompensierte sie durch Güte; diese Beträge haben die Banken intern kompensiert.

kompetent ⟨Adj.; nicht adverbial⟩: *zuständig:* an kompetenter Stelle nach etwas fragen; jmd. ist für etwas k.

Kompetenz, die; -, -en: *Zuständigkeit, Befugnis:* eine solch wichtige Entscheidung überstieg die K. des Angestellten.

Komplet [kõ'ple:], das; -[s], -s: *Kleid mit Jacke oder Mantel aus dem gleichen Stoff:* zum Abend trug sie ein K.

komplett ⟨Adj.; nicht adverbial⟩: *vollständig; mit allen dazugehörenden Teilen, Stücken:* eine komplette Ausstattung; die Einrichtung ist k.

komplettieren, komlpettierte, hat komplettiert ⟨tr.⟩ (geh.): *vervollständigen, ergänzen:* seine Briefmarkensammlung k.

komplex ⟨Adj.⟩: **1.** *auf mannigfaltige und komplizierte Art zusammenhängend:* diese komplexen Fragen konnte er in seiner Rede nur streifen. **2.** *[vieles, viele verschiedene Gebiete] umfassend:* die Medizin ist ein sehr komplexes Gebiet. **3.** *zusammengesetzt, nicht allein für sich auftretend:* in der Natur kommt dieser Stoff nur k. vor.

Komplex, der; -es, -e: **1.** *Gruppe, Bereich, Gebiet:* ein K. von Häusern; ein K. von Fragen; dieser ganze K. wird bebaut. **2.** *seelisch bedrückende negative Vorstellung in bezug auf die eigene Person:* an Komplexen leiden; Komplexe haben.

Komplice, der; -n, -n: *jmd., der einem anderen bei kriminellen Taten hilft.*

Komplikation, die; -, -en: *Schwierigkeit, Verwicklung:* es hat Komplikationen gegeben; der Patient kann bald aus dem Krankenhaus entlassen werden, wenn keine Komplikationen eintreten *(wenn keine plötzlichen Veränderungen den Prozeß der Heilung stören).*

Kompliment, das; -[e]s, -e: *lobende, schmeichelhafte Äußerung, die man an jmdn. richtet:* jmdm. Komplimente machen; ein unverbindliches K.; mein K.! *(meine Bewunderung!).*

kompliziert ⟨Adj.⟩: *schwierig, verwickelt:* eine komplizierte Angelegenheit; diese Aufgabe ist k.

Komplott, das; -[e]s, -e: *heimlicher Anschlag, Verschwörung:* ein K. aufdecken. * **ein K. schmieden** *(einen Anschlag planen, sich heimlich gegen jmdn. verschwören):* die unzufriedenen Generale schmiedeten ein K.

Komponente, die; -, -n: **a)** *Teil (eines Ganzen), Bestandteil:* die Substanz besteht aus mehreren chemischen Komponenten. **b)** *als Teil innerhalb eines Ganzen wirkende Kraft:* das Experimentieren mit der Sprache ist eine wichtige K. der modernen Lyrik.

komponieren, komponierte, hat komponiert ⟨tr.⟩: *ein Musikstück schaffen, verfassen:* eine Sonate k.

Komponist, der; -en, -en: *jmd., der musikalische Werke verfaßt.*

Komposition, die; -, -en: **1.** *Musikstück:* das Orchester führte eine moderne K. auf. **2.** ⟨ohne Plural⟩ *das Komponieren:* die K. der Oper dauerte mehrere Jahre. **3.** *Aufbau eines Kunstwerkes:* die innere K. eines Romans. **4.** *Zusammensetzung, -stellung [von Dingen]:* die K. eines neuen Parfüms.

Kompost, der; -es, -e: *Gemisch aus pflanzlichen oder tierischen Abfällen, das als Dünger verwendet wird.*

Kompott, das; -[e]s, -e: *mit Zucker gekochtes Obst, das zu bestimmten Speisen oder als Nachtisch gegessen wird.*

Kompresse, die; -, -n: *feuchter Umschlag:* einem Kranken heiße, kalte Kompressen machen.

komprimiert ⟨Adj.⟩: *zusammengedrängt und nur das Wesentliche enthaltend:* eine komprimierte Darstellung eines bestimmten Themas.

Kompromiß, der; Kompromisses, Kompromisse: *Übereinkunft; Einigung durch gegense* *tige Zugeständnisse:* einen K. schließen, eingehen.

kompromittieren, kompromittierte, hat kompromittiert ⟨tr.⟩: *durch eine Äußerung oder ein Verhalten dem Ansehen einer Person schaden:* mit seiner Äußerung kompromittierte er die Frau seines Freundes; ⟨auch rfl.⟩ mit diesem Verhalten hat er sich kompromittiert.

Kondensation, die; -, -en: *Vorgang, bei dem Dampf oder ein Gas in den flüssigen Zustand übergeht:* die K. von Wasserdampf.

kondensieren, kondensierte, hat/ist kondensiert : **1.** ⟨tr.⟩ *(Dampf oder Gas) flüssig machen:* man hat das Gas in einem Kessel kondensiert. **2.** ⟨itr.⟩ *flüssig werden* /von Dampf oder Gas/: der Dampf hat/ist an der kalten Scheibe in kleinen Tropfen kondensiert. **3.** ⟨tr.⟩ *durch Verdampfen des (in etwas) enthaltenen Wassers dicker machen:* Milch k.

Kondensmilch, die; -: *Milch, der durch Verdampfen Wasser entzogen worden ist:* K. in den Kaffee gießen.

Kondition, die; -: *körperlich-seelische Verfassung eines Menschen als Voraussetzung für eine Leistung:* der Sportler hat eine gute K.

Konditor, der; -s, -en: *jmd., der feines Gebäck und Süßigkeiten herstellt* /Berufsbezeichnung/: das große Hotel beschäftigte einen K.

Konditorei, die; -, -en: *Geschäft, in dem feines Gebäck und Süßigkeiten hergestellt und verkauft werden und in dem man meist auch Kaffee trinken kann.*

kondolieren, kondolierte, hat kondoliert ⟨itr.⟩: *jmdm. zum Tod eines nahen Verwandten sein Beileid aussprechen:* er hat ihm zum Tode seines Vaters kondoliert.

Kondom, das und der; -s, -e: *Präservativ.*

Kondukteur [kɔndʊkˈtøːr], der; -s, -e (schweiz.): *Schaffner.*

Konfekt, das; -s: *feine Süßigkeiten:* er schenkte ihr eine Schachtel K.

Konfektion, die; -: **a)** *serienmäßige Anfertigung* /von Kleidungsstücken/: die Fabrik nahm die K. von Hosen auf. **b)** *in serienmäßiger Anfertigung hergestellte Kleidung:* nur K. tragen. **c)** *Kleidung serienmäßig anfertigende Industrie:* in der K. tätig sein.

Konferenz, die; -, -en: *Zusammenkunft mehrerer Personen, um etwas zu beraten [und zu beschließen]:* eine K. einberufen; an einer K. teilnehmen.

konferieren, konferierte, hat konferiert ⟨itr.⟩: **1.** *(etwas in einer Konferenz) beraten:* die Minister konferierten mehrere Tage über dieses Problem. **2.** *in plaudernder, unterhaltender Form ansagen:* ein bekannter Künstler hat in der Sendung konferiert.

Konfession, die; -, -en: *bestimmtes religiöses [christliches] Bekenntnis.*

konfessionell ⟨Adj.⟩: *zu einer Konfession gehörend:* konfessionelle Schulen.

Konfetti, das; -s: *kleine runde Blätter aus buntem Papier:* am Rosenmontag wurden Unmengen K. von den Zuschauern geworfen.

Konfirmand, der; -en, -en: *Jugendlicher, der in Kürze seine Konfirmation feiert oder sie soeben gefeiert hat:* der Pfarrer unterrichtete die Konfirmanden.

Konfirmation, die; -, -en: *Feier der Aufnahme eines Jugendlichen in die kirchliche Gemeinschaft und Zulassung zum Abendmahl in der evangelischen Kirche.*

konfirmieren, konfirmierte, hat konfirmiert ⟨tr.⟩: *in die kirchliche Gemeinschaft der evangelischen Kirche aufnehmen und zum Abendmahl zulassen.*

konfiszieren, konfiszierte, hat konfisziert ⟨tr.⟩: *[gerichtlich] beschlagnahmen:* das Vermögen des Betrügers wurde konfisziert.

Konfitüre, die; -, -n: *Marmelade, die noch ganze Stücke des Obstes enthält.*

Konflikt, der; -[e]s, -e: **a)** *Auseinandersetzung, Streit:* einen K. diplomatisch lösen. **b)** *[innerer] Widerstreit, Zwiespalt:* ich bin in einem K. *** in K. mit etwas geraten** *(bei einer Tätigkeit o. ä. gegen etwas verstoßen):* er geriet mit dem Gesetz in K.

Konföderation, die; -, -en: *Zusammenschluß einzelner Staaten [zu einer Nation]:* die Schweizer K.

konform: ⟨in der Fügung⟩ k. gehen: *übereinstimmen:* in dieser Sache gehen wir k.

Konfrontation, die; -, -en: **1.** *[gerichtliche] Gegenüberstellung (von zwei Personen), um einen Sachverhalt aufzuklären:* die K. der Zeugen mit dem mutmaßlichen Täter brachte kein Ergebnis. **2.** *Situation, in der man gezwungen ist, sich (mit jmdm./etwas) auseinanderzusetzen:* die K. mit der Wirklichkeit; eine K. der Regierung mit den Gewerkschaften.

konfrontieren, konfrontierte, hat konfrontiert ⟨tr.⟩: **a)** *(jmdn. einem anderen) gegenüberstellen, um einen Sachverhalt aufzuklären:* er wird ihn [mit] dem Dieb k. **b)** *(jmdn.) in eine Lage bringen, die ihn zwingt, sich mit etwas Unangenehmem auseinanderzusetzen:* er hatte ihn [mit] den schwierigen Verhältnissen konfrontiert.

konfus ⟨Adj.⟩: **a)** *verworren:* eine konfuse Angelegenheit. **b)** *verwirrt:* er ist ganz k. durch die vielen Fragen. **Konfusion,** die; -.

kongenial ⟨Adj.⟩: *geistig ebenbürtig:* der Autor fand einen kongenialen Interpreten.

Konglomerat, das; -[e]s, -e: *Gemenge, Gemisch aus verschiedenen Dingen:* die Großstadt ist ein K. von Gebäuden, Fahrzeugen und Menschenmassen.

Kongregation, die; -, -en: **1.** *einem Orden ähnliche religiöse Gemeinschaft für soziale o. ä. Aufgaben:* die Frauen schlossen sich in einer K. zusammen, um den Armen zu helfen. **2.** *Ausschuß von Kardinälen, die vom Papst zur Leitung besonderer Geschäfte eingesetzt werden.*

Kongreß, der; Kongresses, Kongresse: *meist größere Versammlung, bei der über bestimmte Themen gesprochen, beraten wird; Tagung.*

kongruent ⟨Adj.; nicht adverbial⟩: **1.** (geh.) *genau übereinstimmend, gleich:* ihre Ansichten waren in diesem Punkt k. **2.** Geometrie *in der Größe der Winkel und der Länge der Seiten gleich:* kongruente Dreiecke.

Kongruenz, die; - (geh.): *genaue Übereinstimmung:* in der

Diskussion konnte keine K. der Meinungen erreicht werden.

kongruieren, kongruierte, hat kongruiert ⟨itr.⟩ (geh.): *genau übereinstimmen:* ich habe mit seiner Meinung kongruiert.

König, der; -s, -e: **1.** *oberster Herrscher in einer bestimmten Staatsform:* jmdn. zum K. krönen. **2. a)** *eine Figur beim Schachspiel* (siehe Bild). **b)** *eine Figur beim Kegelspiel* (siehe Bild). **c)** /eine Spielkarte/ (siehe Bild). **Königin,** die; -, -nen.

2. a) 2. b) 2. c)

König

königlich ⟨Adj.⟩: **a)** *den König, das Amt des Königs betreffend, dem König gehörend, von ihm stammend:* das königliche Schloß. **b)** *wertvoll, großartig:* königliche Geschenke. **c)** ⟨in Verbindung mit Verben⟩ (ugs.) *sehr, ganz besonders*: wir haben uns k. gefreut.

konisch ⟨Adj.⟩: *in der Form eines Kegels oder Kegelstumpfes:* das Rohr verengt sich k.

konjugieren, konjugierte, hat konjugiert ⟨tr.⟩: *ein Verb entsprechend seiner Verwendung im Satz abwandeln.*

Konjunktur, die; -: *gesamte wirtschaftliche Lage mit bestimmter Entwicklungstendenz.*

konjunkturell ⟨Adj.; nicht prädikativ⟩: *die Konjunktur betreffend:* die konjunkturelle Entwicklung im letzten Jahr war befriedigend.

konkav ⟨Adj.; nicht adverbial⟩: *nach innen gewölbt* /Ggs. konvex/: konkave Linsen.

Konkordanz, die; -, -en: **a)** *alphabetisches Verzeichnis der in einem Buch oder Werk vorkommenden Wörter und Begriffe:* eine K. zur Bibel. **b)** *vergleichende Tabelle über die Seitenzählung verschiedener Ausgaben des gleichen Werkes.*

Konkordat, das; -[e]s, -e: *Vertrag zwischen einem Staat und der katholischen Kirche.*

konkret ⟨Adj.⟩: **a)** *wirklich [vorhanden], greifbar:* dieses Haus ist für mich konkretes Kapital. **b)** *fest umrissen, anschaulich* /Ggs. abstrakt/: eine konkrete Vorstellung haben; konkrete Angaben, Vorschläge machen; eine konkrete Antwort geben *(mit der man etwas anfangen kann).*

konkretisieren, konkretisierte, hat konkretisiert ⟨tr.⟩: *genau bestimmen, konkret darstellen:* er hat die allgemeinen Behauptungen konkretisiert.

Konkubinat, das; -[e]s, -e (veralt.): *[dauernde] geschlechtliche Beziehungen außerhalb der Ehe.*

Konkubine, die; -, -n (veralt.): *im Konkubinat lebende Frau.*

Konkurrent, der; -en, -en: *jmd., der mit einem anderen in [wirtschaftlichem oder sportlichem] Wettstreit steht; Mitbewerber, Rivale.*

Konkurrenz, die; -: **a)** *Wettbewerb:* eine deutsche Firma hat in scharfer K. gegen ausländische Firmen den Auftrag erhalten; außer K. teilnehmen, starten *(teilnehmen, starten, ohne offiziell gewertet und anerkannt zu werden).* *** jmdm. K. machen** *(jmds. Konkurrent sein und dem anderen Abbruch tun).* **b)** *ein Konkurrent oder alle Konkurrenten:* die K. verkauft billiger; zur K. gehen. *** ohne K. sein** *(einzigartig gut sein).*

konkurrieren, konkurrierte, hat konkurriert ⟨itr.⟩: *in Wettbewerb treten, wetteifern:* diese Firmen konkurrieren miteinander.

Konkurs, der; -es, -e: *wirtschaftlicher Zusammenbruch einer Firma:* den K. abwenden; in K. gehen, geraten.

können, konnte, hat gekonnt/ (nach vorangehendem Infinitiv) hat... können ⟨itr⟩ /vgl. gekonnt/ **1. a)** *fähig, in der Lage sein:* er kann schnell laufen. **b)** *(eine Sprache o. ä.) beherrschen:* ich kann Russisch. **2.** *die Möglichkeit haben (zu etwas):* du kannst morgen mitfahren; etwas günstig kaufen k. **3.** *möglich sein:* in scharfen Kurven kann das Auto ins Schleudern kommen; Wasser kann nicht in den Keller eindringen. **4.** *dürfen, Erlaubnis haben:* morgen kannst du wieder ins Kino gehen.

Können, das; -s: *Fähigkeit etwas zu leisten:* in dieser entscheidenden Phase zeigte er sein ganzes K.

Könner, der; -s, - (ugs.): *jmd., der auf einem bestimmten Gebiet Außerordentliches leistet:* im Sport ist er ein großer K.

Konnex, der; -es, -e (geh.): **1.** *persönlicher Kontakt:* er fand zu seinem Nachbarn keinen K. **2.** *Zusammenhang:* der K. zwischen der Ablösung des Botschafters und seiner politischen Vergangenheit war sehr deutlich.

Konsens, der; -es (geh.): *Erlaubnis, Zustimmung:* zu dieser Entscheidung muß der Rat noch seinen K. geben.

konsequent ⟨Adj.⟩: *folgerichtig, beharrlich, zielstrebig:* die Untersuchungen k. zu Ende führen.

Konsequenz, die; -, -en: **1.** *sich ergebende Folge aus einer Handlung o. ä.; Ergebnis:* die Konsequenzen tragen müssen, ziehen. **2.** ⟨ohne Plural⟩ *Zielstrebigkeit*: mit letzter K. arbeiten.

konservativ ⟨Adj.⟩: *in Gewohnheiten, Anschauungen am Hergebrachten, Überlieferten festhaltend:* eine konservative Partei; er ist sehr k.

Konservatorium, das; -s, Konservatorien: *Hochschule für Musik:* ein K. besuchen.

Konserve, die; -, -n: *durch Sterilisieren in Dosen oder Gläsern haltbar gemachtes Nahrungs- oder Genußmittel.*

konservieren, konservierte, hat konserviert ⟨tr.⟩: *[für längere Zeit] haltbar machen:* Gemüse, Fleisch k. **Konservierung,** die; -, -en.

Konsole, die; -, -n: **1.** (veralt.) *kleiner, niedriger Tisch mit meist zwei Beinen, der an der Wand befestigt ist.* **2.** *vorspringender Teil einer Mauer, auf dem ein Bogen, Balken o. ä. ruht.* **3.** *eiserner Winkel, dessen einer Schenkel an der Wand befestigt wird und dessen anderer ein Brett o. ä. trägt:* eine K. mit Dübeln an der Wand befestigen.

konsolidieren, konsolidierte, hat konsolidiert ⟨tr./rfl.⟩ (geh.): *festigen:* er konnte seine Position k.; die Lage hat sich konsolidiert. **Konsolidierung,** die; -

Konsorten, die ⟨Plural⟩ (abwertend): *Personen, die die gleichen Eigenschaften haben oder gemeinsam etwas ausführen; Kumpane:* der Dieb und seine K. haben mehrere Autos gestohlen.

Konsortium, das; -s, Konsortien: *vorübergehende Vereinigung von Unternehmen zur Durchführung von Geschäften, die mit einem Einsatz von viel Kapital und großem Risiko verbunden sind:* ein K. von Banken.

Konspiration, die; -, -en: *[politische] Verschwörung:* eine K. gegen den Diktator wurde aufgedeckt.

konspirieren, konspirierte, hat konspiriert ⟨itr.⟩: *sich [um eines politischen Zieles willen] verschwören:* die Offiziere konspirierten gegen das Regime.

konstant ⟨Adj.⟩: *unveränderlich; ständig gleichbleibend; beharrlich:* ein konstanter Wert.

Konstante, die; -, -n: *unveränderliche, gleichbleibende Größe:* dieser Wert ist eine K.

konstatieren, konstatierte, hat konstatiert ⟨tr.⟩: *[einen bestimmten Tatbestand] feststellen:* mit Befriedigung konstatierte er die Bereitschaft der Partner zu Verhandlungen.

Konstellation, die; -, -en: **1.** *Lage, Situation, Zusammentreffen von Umständen:* bei dieser politischen K. darf man auf Reformen hoffen. **2.** *Stellung (der Gestirne):* die K. der Sterne.

konsternieren, konsternierte, hat konsterniert ⟨tr.⟩ (geh.): *überraschen, verwirren:* ihre Reaktion hat mich konsterniert; ⟨häufig im 2. Partizip⟩ als er die Nachricht hörte, war er völlig konsterniert.

konstituieren konstituierte, hat konstituiert: **1.** ⟨tr.⟩ *errichten, begründen:* der Vorstand der Firma konstituierte einen Rat aus erfahrenen Mitarbeitern. **2.** ⟨rfl.⟩ *zur Gründung zusammentreten, sich bilden:* morgen konstituiert sich das neue Gremium; ⟨häufig im 1. Partizip⟩ eine konstituierende *(zur Gründung von etwas einberufene)* Versammlung.

Konstitution, die; -: **1.** *körperliche [und seelische] Verfassung:* er hat eine robuste K. **2.** Chemie *Zusammensetzung, Struktur:* die chemische K. des Fettes. **3.** *Verfassung (eines Staates):* Wissenschaftler arbeiteten an einer neuen K.

konstruieren, konstruierte, hat konstruiert ⟨tr.⟩: **1.** *entwerfen:* ein Flugzeug k.; bildl.: einen Fall k., an dem man etwas deutlich macht. **2.** *bauen, zusammenfügen:* eine Brücke nach neuesten technischen Erkenntnissen k.

Konstrukteur [kɔnstrʊk'tø:r], der; -s, -e: *jmd., der ein technisches o. ä. Objekt plant, entwirft und ausführt:* der K. dieser Brücke.

Konstruktion, die; -, -en: **1.a)** *mit besonderen technischen Mitteln oder Methoden errichtetes Bauwerk:* eine imposante K. aus Glas und Beton. **b)** *technischer Entwurf, Plan:* der Ingenieur reichte mehrere Konstruktionen ein. **c)** ⟨ohne Plural⟩ *das Entwerfen, Planen (von technischen oder architektonischen Objekten):* die K. der Maschine bereitete Schwierigkeiten. **2.** *das Hervorbringen* /von Ideen, Vorstellungen/: die K. abstrakter Utopien. **3.** *der Wirklichkeit nicht entsprechende Theorie, Fiktion:* diese Vorstellungen vom Staat sind [eine] reine K.

konstruktiv ⟨Adj.⟩: *aufbauend, förderlich, positiv, nützlich:* er legte einen konstruktiven Vorschlag zur Entspannung in Europa vor.

Konsul, der; -s, -n: *Vertreter eines Staates in einem fremden Staat mit bestimmten sachlichen und örtlich begrenzten Aufgaben.*

Konsulat, das; -[e]s, -e: *Gebäude, in dem ein Konsul mit seinem Amt untergebracht ist:* er hat die Genehmigung auf dem K. beantragt.

Konsultation, die; -, -en: **1.** *Untersuchung und Beratung* /bes. durch einen Arzt/: einen Facharzt zur K. hinzuziehen. **2.** *gemeinsame Beratung* /bes. von Regierungen/: die Konsultationen der beiden Regierungen zogen sich in die Länge.

konsultieren, konsultierte, hat konsultiert ⟨tr.⟩: *um ein fachliches Urteil bitten:* einen Arzt k.

Konsum, der; -s: *Verbrauch, Verzehr:* der K. von Zigaretten ist sehr groß.

Konsument, der; -en, -en: *Verbraucher, Käufer:* dem Konsumenten ein großes Angebot an Waren präsentieren.

Konsumgüter, die ⟨Plural⟩: *Artikel, Waren für den täglichen Bedarf:* die Versorgung der Bevölkerung mit Konsumgütern.

konsumieren, konsumierte, hat konsumiert ⟨tr.⟩: *(Nahrungs- und Genußmittel) verbrauchen:* im Winter konsumiert die Bevölkerung mehr Fett als im Sommer.

Kontakt, der; -[e]s, -e: *Verbindung:* persönliche, diplomatische Kontakte; Kontakte herstellen, knüpfen; mit jmdm. in K. bleiben.

Kontaktlinse, die; -, -n: *dünne Linse, die direkt auf der Hornhaut getragen wird:* statt einer Brille trug sie nun Kontaktlinsen.

Kontaktmann, der; -[e]s, Kontaktmänner: *jmd., durch den man Erkundigungen einholt oder neue Beziehungen anknüpft:* die Polizei hat Kontaktmänner in der Unterwelt.

Kontaktperson, die; -, -en: Med. *jmd., der durch Kontakt mit einem anderen, der eine ansteckende Krankheit hat, diese verbreitet oder zu verbreiten droht:* man konnte die Kontaktpersonen noch rechtzeitig ermitteln.

Kontaktschale, die; -, -n: *Kontaktlinse.*

Konterfei [auch: Konterfei], das; -s, -s und -e (veralt.): *Abbild, Bild[nis]:* in einem Kästchen verwahrte sie das K. ihres Mannes.

kontern, konterte, hat gekontert ⟨itr.⟩: **a)** *den Gegner im Angriff abfangen, ihn durch einen schnellen Gegenschlag aus der Verteidigung überraschen* /besonders beim Boxen/. **b)** *scharf auf einen Angriff antworten:* der Politiker konterte sehr geschickt.

Kontext [auch: Kontext], der; -es: *Text, von dem ein Wort, eine Wendung o. ä. umgeben sind [und der die genaue Bedeutung dieses Wortes oder dieser Wörter erkennen läßt]:* die exakte Bedeutung dieses Begriffes ergibt sich erst aus dem K.

Kontinent [auch:... nent], der; -s, -e: *großes zusammenhängen-*

des Land; Erdteil: die fünf Kontinente.

Kontingent, das; -s, -e: *vorgesehene Menge (von Waren o. ä.):* die Kontingente für den Import von Waren erhöhen.

kontingentieren, kontingentierte, hat kontingentiert ⟨tr.⟩: *so zuteilen, daß es nur in bestimmten Mengen erworben werden kann:* Lebensmittel, den Import von Fleisch k.

kontinuierlich ⟨Adj.⟩: *[ohne Veränderung, Bruch] fortdauernd, weiterbestehend:* eine kontinuierliche Entwicklung; Forschungen k. betreiben.

Kontinuität, die; -: *kontinuierliche Entwicklung:* die K. in der Außenpolitik sichern.

Konto, das; -s, Konten: *Gegenüberstellung von geschäftlichen Vorgängen, besonders von Einnahmen und Ausgaben:* ein K. bei der Bank eröffnen, einrichten; Geld auf das K. überweisen. * **etwas geht auf jmds. K.** *(jmd. ist für etwas verantwortlich).*

Kontor, das; -s, -e (veralt.): 1. *Büro:* er arbeitete in einem K. 2. *Niederlassung einer Firma (bes. einer Reederei) im Ausland:* das K. der Reederei in London. ** (ugs.; nordd.) **etwas ist ein Schlag ins K.** *(etwas ist eine unangenehme Überraschung).*

Kontoristin, die; -, -nen: *Angestellte in der kaufmännischen Verwaltung* /Berufsbezeichnung/: sie war in der Firma als K. beschäftigt.

Kontra, das; -s, -s: Skat *an den Spieler, der das Spiel übernommen hat, gerichtete Ankündigung, daß er sein Spiel verlieren wird, wodurch der Wert des Spiels verdoppelt wird:* bei diesem Spiel gab er ihm K.; bildl.: in der Diskussion gab er ihm eifrig K. *(widersprach er ihm eifrig).* ** **das Pro und [das] K.** *(der Vor- und Nachteil; die Argumente, die dafür oder dagegen sprechen):* man muß das Pro und K. dieser Entscheidung sehen.

Kontrahent, der; -en, -en: *Gegner, Rivale:* er hat seinen Kontrahenten niedergeschlagen; die zwei Vereine haben oft gegeneinander gespielt und sind alte Kontrahenten.

Kontrakt, der; -[e]s, -e: *Vertrag, [geschäftliche] Vereinbarung:* der K. des Schauspielers wurde erneuert.

konträr ⟨Adj.⟩: *entgegengesetzt, gegensätzlich:* er vertrat konträre Ansichten.

Kontrast, der; -es, -e: *[starker] Gegensatz, auffallender Unterschied:* die Farben bilden einen auffallenden K.

kontrastieren, kontrastierte, hat kontrastiert ⟨itr.⟩: *(zu etwas) einen Kontrast bilden, sich (von etwas) abheben:* die Farben kontrastierten miteinander.

Kontrolle, die; -, -n: 1. *Überprüfung, Nachprüfung:* eine genaue, scharfe K.; die Kontrollen an der Grenze sind verschärft worden. 2. ⟨ohne Plural⟩ *Beherrschung, Gewalt:* er hat die K. über das Auto verloren. * **etwas unter K. bringen** *(Herr werden über eine Gefahr):* der Brand wurde nach drei Stunden unter K. gebracht.

Kontrolleur [kɔntrɔˈløːr], der; -s, -e: *jmd., der etwas (bes. Fahrausweise) kontrolliert:* der K. ließ sich die Fahrkarten zeigen.

kontrollieren, kontrollierte, hat kontrolliert ⟨tr.⟩: 1. *nachprüfen, untersuchen, überprüfen, überwachen:* die Qualität k.; beim Zoll wird [das Gepäck] scharf kontrolliert; der Pilot kontrollierte seine Instrumente; Düsenjäger kontrollieren den Luftraum. 2. *beherrschen:* der Konzern kontrolliert mit seiner Produktion den europäischen Markt.

Kontrollor, der; -s, -e (östr.): *Kontrolleur.*

Kontroverse, die; -, -n: *heftige Auseinandersetzung, Streit:* mit jmdm. eine K. haben; es kam zu einer K.

Kontur, die; -, -en: *äußere Linie eines Körpers, die sich von einem Hintergrund abhebt:* im Nebel waren die Konturen der Brücke kaum zu erkennen.

Konvention, die; -, -en: 1. *Vertrag, Übereinkunft, Abkommen* /bes. zwischen Staaten/: eine K. über die Behandlung von Kriegsgefangenen. 2. *überlieferte Regeln für das menschliche Zusammenleben, Brauch, Sitte:* er verstieß mit seinem Betragen gegen die gesellschaftliche K.

konventionell ⟨Adj.⟩: *von herkömmlicher Art, dem Brauch entsprechend:* eine konventionelle Konstruktion; er ist k. gekleidet.

konvergieren, konvergierte, hat konvergiert ⟨itr.⟩: *sich nahekommen (in der Anschauung o. ä.); sich fast gleichen:* ihre Ansichten konvergieren in mehreren Punkten.

Konversation, die; -, -en: *geselliges, zwangloses Gespräch, Plauderei:* eine [lebhafte] K. führen.

Konversationslexikon, das; -s, Konversationslexika: *größeres Lexikon in meist mehreren Bänden, das über alle Wissensgebiete Auskunft gibt.*

konvertieren, konvertierte, hat/ist konvertiert ⟨itr.⟩: *sich einer anderen Konfession anschließen:* er hat konvertiert; er ist zur katholischen Kirche konvertiert.

konvex ⟨Adj.; nicht adverbial⟩: *nach außen gewölbt* /Ggs. konkav/: konvexe Linsen.

Konvikt, das; -[e]s, -e: 1. (veraltend) *Heim, in dem Studenten der Theologie wohnen.* 2. (östr.) *Internat für Jungen an einer geistlichen Schule.*

Konvoi [kɔnˈvɔʏ], der; -s, -s: *Verband von transportierenden Schiffen oder [militärischen] Fahrzeugen und die sie zu ihrem Schutz begleitenden Fahrzeuge.*

Konzentrat, das; -[e]s, -e: *in hohem Maße angereicherter oder rein vorliegender Stoff:* ein chemisches K.; bildl.: das K. *(die Zusammenfassung, das Wesentliche)* eines Buches geben.

Konzentration, die; -, -en: 1. *das Zusammenlegen, Zusammenballen, Vereinigen [wirtschaftlicher oder militärischer Kräfte] an einem Punkt, in einer Hand:* die K. der Industrie, der Presse. 2. *geistige Anspannung, höchste Aufmerksamkeit:* er arbeitet mit großer K.

Konzentrationslager, das; -s, -: *Lager, in dem Gegner eines Regimes zusammengezogen und unter menschenunwürdigen Bedingungen gefangengehalten werden* /bes. während der Herrschaft des Nationalsozialismus 1933–45/.

konzentrieren, konzentrierte, hat konzentriert /vgl. konzentriert/: 1. ⟨tr.⟩ *zusammenballen, zusammenlegen, vereinigen [wirtschaftlicher oder militärischer Kräfte, Abteilungen] an einem*

Punkt, in einer Hand: Truppen, die Verwaltung eines Konzerns k. 2. ⟨rfl.⟩ *seine Gedanken, seine Aufmerksamkeit auf etwas richten:* ich muß mich bei der Arbeit k.

konzentriert ⟨Adj.⟩: *in einem Lösungsmittel in großer Menge vorhanden:* konzentrierte Schwefelsäure; die Lösung ist stark k.

konzentrisch ⟨Adj.⟩: *einen gemeinsamen Mittelpunkt besitzend* /von Kreisen/: konzentrische Kreise.

Konzept, das; -s, -e: *knapp gefaßter Entwurf, erste Fassung einer Rede oder einer Schrift:* ein K. ausarbeiten. * **jmdm. das K. verderben** *(jmds. Plan durchkreuzen);* **jmdn. aus dem K. bringen** *(jmdn. verwirren).*

Konzeption, die; -, -en: **1.** *Entwurf, Plan, Idee zu einem [Kunst]werk o. ä.:* die künstlerische K. dieser Inszenierung. **2.** *Empfängnis:* ein die K. verhinderndes Präparat.

Konzern, der; -s, -e: *Zusammenschluß zweier oder mehrerer selbständiger Firmen gleicher, ähnlicher oder sich ergänzender Produktion.*

Konzert, das; -[e]s, -e: *Aufführung meist ernster Musik.*

konzertiert: ⟨in der Fügung⟩ konzertierte Aktion: *auf Initiative des Staates erfolgendes gemeinsames Handeln und Vorgehen aller Partner auf dem Gebiet der Wirtschaft:* man ist bestrebt, durch die konzertierte Aktion ein stetes wirtschaftliches Wachstum ohne Inflation zu gewährleisten.

Konzession, die; -, -en: **a)** *Genehmigung einer Behörde für eine gewerbliche Tätigkeit:* die K. für die Eröffnung eines Restaurants erteilen, entziehen. **b)** ⟨Plural⟩ *Zugeständnisse:* zu Konzessionen bereit sein. * **[keine] Konzessionen machen** *(den Forderungen eines anderen [nicht] entgegenkommen).*

Konzil, das; -s, -e: *Versammlung von höhergestellten katholischen Geistlichen.*

konziliant ⟨Adj.⟩: *zum Entgegenkommen, zu Zugeständnissen bereit; umgänglich:* ein sehr konzilianter Vorgesetzter.

Kooperation, die; -, -en: *Zusammenarbeit:* die K. der Industrie mit staatlichen Stellen.

kooperieren, kooperierte, hat kooperiert ⟨itr.⟩: *zusammenarbeiten:* die Kirchen kooperieren mit dem Staat.

Koordination, die; -, -en: *reibungslose Abstimmung aufeinander:* die K. der industriellen Produktion.

koordinieren, koordinierte, hat koordiniert ⟨tr.⟩: *aufeinander abstimmen:* dieses Gremium koordiniert die Belange der einzelnen Länder.

Kopf, der; -[e]s, Köpfe: *auf dem Hals sitzender Teil des menschlichen oder tierischen Körpers:* den K. neigen. * **ein kluger K.** *(ein intelligenter Mensch);* **sich den K. zerbrechen** *(über etwas intensiv nachdenken);* (ugs.) **[nicht] den K. hängenlassen** *([nicht] mutlos werden);* (ugs.) **für etwas/jmdn. den K. hinhalten [müssen]** *(für das Verhalten eines anderen einstehen [müssen]);* (ugs.) **etwas auf den K. stellen** *(etwas in Unordnung bringen);* (ugs.) **sich** (Dativ) **etwas durch den K. gehen lassen** *(sich etwas überlegen);* (ugs.) **mit dem K. durch die Wand wollen** *(Unmögliches erreichen, durchsetzen wollen);* (ugs.) **Hals über K.** *(überstürzt, in aller Eile).*

Kopfball, der; -[e]s, Kopfbälle: Fußball *das Stoßen des Balles mit dem Kopf:* er erzielte das Tor durch [einen] K.

Kopfbedeckung, die; -, -en: *Teil der Kleidung, die auf dem Kopf getragen wird.*

Köpfchen, das; -s, -: *kleiner Kopf:* der Kanarienvogel nickte mit seinem K. * (ugs.) **K. haben** *(aufgeweckt, intelligent sein):* wer K. hat, kann es hier zu etwas bringen; (ugs.) **mit K.** *(mit Verstand, überlegt):* er spielte mit K.

köpfeln, köpfelte, hat geköpfelt (östr.): **1.** ⟨itr.⟩ *mit einem Kopfsprung ins Wasser springen:* der Junge hat ins Wasser geköpfelt. **2.** ⟨tr./itr.⟩ Fußball *(den Ball) mit dem Kopf stoßen:* er köpfelte [den Ball] aus kurzer Entfernung ins Netz; ein Tor k. *(ein Tor erzielen, indem man den Ball mit dem Kopf stößt).*

köpfen, köpfte, hat geköpft: **1.** ⟨tr.⟩ *(jmdm.) den Kopf abschlagen:* früher wurden Verbrecher geköpft; bildl.: mit einem Stock köpfte er die Blumen *(schlug er ihre Blüten ab);* ein Ei k. *(die Spitze von einem Ei abschlagen);* (ugs.) eine Flasche Sekt k. *(öffnen).* **2.** ⟨tr./itr.⟩ Fußball *(den Ball) mit dem Kopf stoßen:* er köpfte [den Ball] in die untere Ecke des Tors; ein Tor k. *(ein Tor erzielen, indem man den Ball mit dem Kopf stößt).*

Kopfende, das; -s: *die Seite des Bettes, an der der Kopf des im Bett liegenden Menschen ruht:* am K. des Bettes eine Lampe anbringen.

Kopfhörer, der; -s, -: *über den Kopf zu spannender Bügel, an dem für jedes Ohr ein kleiner Lautsprecher befestigt ist* (siehe Bild): der Funker setzte den K. auf.

Kopfhörer

kopflos ⟨Adj.⟩: *völlig verwirrt; ohne Überlegung:* er rannte k. aus dem Zimmer, als er die Nachricht von dem Unfall hörte.

Kopfsalat, der; -[e]s: /eine Gartenpflanze/: K. mit Öl und Zitrone zubereiten.

kopfscheu: ⟨in der Fügung⟩ jmdn. k. machen: *jmdn. unsicher machen:* laß dich durch diese Gerüchte nicht k. machen.

Kopfschmerzen, die ⟨Plural⟩: *Schmerzen im Kopf:* K. haben. * (ugs.) **sich/jmdm. [keine] K. machen** *(sich/jmdm. keine Sorgen machen):* über die Rückzahlung des Geldes brauchst du dir keine K. zu machen; (ugs.) **etwas bereitet/macht jmdm. K.** *(etwas macht jmdm. Sorgen):* die Bezahlung unserer Schulden bereitet mir K.

Kopfsprung, der; -[e]s, Kopfsprünge: *Sprung mit gestrecktem Körper ins Wasser, bei dem die über den Kopf nach vorn gehaltenen Arme zuerst ins Wasser eintauchen:* er machte vom Rand des Beckens einen K. ins Wasser.

kopfstehen, stand kopf, hat kopfgestanden ⟨itr.⟩: *völlig durcheinander sein, außer sich sein; sehr verwirrt sein:* als sie die Nachricht von ihrer Heirat erhielten, standen die Eltern kopf.

Kopftuch, das; -[e]s, Kopftücher: *von Frauen getragenes Tuch, das um den Kopf gebunden wird:* die Bäuerin trug ein buntes K.

kopfüber ⟨Adverb⟩: *mit dem Kopf voran:* k. ins Wasser springen.

Kopfweh, das; -s: *Kopfschmerzen.*

Kopfzerbrechen: ⟨in bestimmten Wendungen⟩ **jmd./etwas bereitet/macht/verursacht jmdm. K.** *(jmd./etwas erfordert von jmdm. Nachdenken, Überlegung, macht jmdm. Sorgen):* die Lösung dieser Aufgabe bereitet mir K.; **sich über etwas K. machen** *(über etwas viel nachdenken, sich über etwas sorgen):* über sein verändertes Wesen mache ich mir K.

Kopie, die; -, -n: **a)** *Abschrift, Wiedergabe eines im Original vorliegenden Textes:* die K. einer Urkunde. **b)** *Nachbildung eines Kunstwerks durch einen anderen Künstler:* die schlechte K. eines Gemäldes.

kopieren, kopierte, hat kopiert ⟨tr.⟩: **a)** *(einen im Original vorliegenden Text) genau, wörtlich wiedergeben, abschreiben:* einen Brief k. **b)** *(ein Kunstwerk) genau nachbilden:* ein Gemälde k.; bildl.: das Kind kopiert seinen Vater *(ahmt ihn nach).* **c)** *(von einem entwickelten Film) einen Abzug herstellen:* den Film zum Kopieren ins Labor geben.

Kopilot, der; -en, -en: *zweiter Pilot:* nach dem Start übernahm der K. die Maschine.

Koppel: I. das; -s, -: *Gürtel an Uniformen:* der Soldat schnallte sich sein K. enger. **II.** die; -, -n: **1.** *von Zäunen oder Hecken eingeschlossene Weide:* die Pferde auf die K. treiben. **2.** *mehrere Tiere, die durch Leinen o. ä. miteinander verbunden sind:* eine K. von Hunden.

koppeln, koppelte, hat gekoppelt ⟨tr.⟩: **a)** *(mehrere Tiere) durch Leinen o. ä. miteinander verbinden:* Hunde k. **b)** *(ein Fahrzeug an ein anderes) anhängen:* den Anhänger an den Traktor k. **c)** *durch eine technische Vorrichtung miteinander verbinden:* das Telefon war mit dem Tonbandgerät gekoppelt. **d)** *verbinden, in Verbindung bringen:* er koppelte seinen privaten Vorteil mit dem des Betriebes.

Koppelung, die; -, -en.

Koproduktion, die; -, -en: *gemeinsame Herstellung (bes. von Filmen):* dieser Film ist eine französisch-italienische K.

Korallen, die ⟨Plural⟩: **1.** *in tropischen Gewässern [in Kolonien] lebende Tiere* (siehe Bild). **2.** *aus dem Skelett der gleichnamigen Tierart hergestellter Schmuck:* sie trug eine Kette von K. um den Hals.

Korallen 1.

Korb, der; -[e]s, Körbe: *geflochtener Behälter* (siehe Bild): der K. war voll Äpfel. * **jmdm. einen K. geben** *(einen männ-*

Korb

Bewerber abweisen): er hat sie zum Tanz auffordern wollen, sie hat ihm aber einen K. gegeben; **einen K. bekommen** *(abgewiesen werden).*

Korbball, der; -[e]s: *Spiel, bei dem der Ball in einen in bestimmter Höhe hängenden Korb zu werfen ist.*

Kord, der; -s: *dickes Gewebe mit Rippen in Form von langen, parallel laufenden Schnüren:* die Sessel waren mit K. bezogen.

Kordel, die; -, -n (bes. südd.): *Bindfaden.*

Kordon [kɔr'dõ:], der; -s, -s: *Absperrung durch eine dichte Reihe von Polizisten, Soldaten:* die Polizei zog bei der Demonstration einen K. um die Botschaft.

Korinthe, die; -, -n: *kleinere getrocknete Weinbeere ohne Kerne.*

Kork, der; -s: *Rinde der Korkeiche.*

Korken, der; -s, -: *Verschluß aus Kork für Flaschen.*

Korkenzieher, der; -s, -: *Gerät, mit dem man den Korken au[s] einer Flasche herauszieht* (sieh[e] Bild).

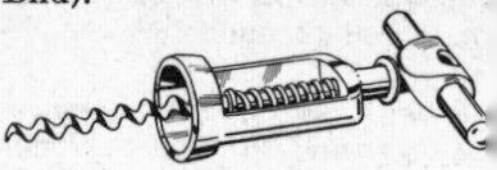

Korkenzieher

Korn: I. das; -[e]s, Körner: **a)** *Frucht, Samen einer Pflanze.* **b)** ⟨ohne Plural⟩ *Getreide:* das K[orn] mahlen. **II.** der; -[e]s: *Schnap[s]:* K. trinken. **III.** das; -[e]s: *Te[il] der Vorrichtung zum Zielen bei[m] Gewehr.* * **jmdn. aufs K. nehme[n]** *(jmdn. scharf beobachten).*

Kornblume, die; -, -n: /ein[e] Blume/ (siehe Bild): im Getrei[de] wuchsen viele blaue Korn[-]blumen.

Kornblum[e]

Körnchen, das; -s, -: *winzige[s] Stück eines Minerals:* ein K[.] Salz. * **ein K. Wahrheit** *(etwa[s] Wahres):* in dieser Behauptun[g] steckt ein K. Wahrheit *(sie is[t] nicht so ganz unrichtig);* **kei[n] K. Wahrheit** *(gar nichts Wah[-]res):* in diesem Satz ist kein K[.] Wahrheit *(er ist völlig erlogen).*

körnig ⟨Adj.⟩: *in Form kleine[r] Körner, aus Körnern bestehend:* körniger Sand.

Korona, die; -, Koronen: **1**[.] *Kranz von Strahlen, bes. de[r] Sonne.* **2.** (ugs.) **a)** *fröhliche Gesellschaft, Runde:* die ganze K[.] zog von einer Wirtschaft in di[e] andere. **b)** (abwertend) *Grupp[e] von Personen, die die gleiche[n] schlechten Eigenschaften haben:* eine K. von Hehlern und Betrü[-]gern scharte sich um ihn.

Körper, der; -s, -: **1.** *Lei[b] [eines Lebewesens]:* er fror a[m] ganzen K. **2.** *begrenzter Teil de[s] Raumes:* die Oberfläche eine[s] Körpers berechnen.

körperlich ⟨Adj.; nicht prä[-]dikativ⟩: *auf den Körper bezogen, ihn betreffend:* körperliche An[-]strengungen; sie muß k. vie[l] leisten.

Körperschaft, die; -, -en: *nac[h] einer bestimmten Form organi[-]sierte und juristisch anerkannt[e]*

Vereinigung von Personen, die einen bestimmten Zweck verfolgt.

Korps ['ko:r], das; - ['ko:r(s)], - ['ko:rs]: **1.** *größerer Verband verschiedener militärischer Einheiten:* an der Schlacht waren mehrere K. beteiligt. **2.** (veraltend) *studentische Verbindung.* **** das diplomatische K.** *(Gesamtheit der bei einem Staat zugelassenen ausländischen Diplomaten und Vertreter).*

korpulent ⟨Adj.⟩: *dick, zur körperlichen Fülle neigend:* sie ist ziemlich k.

Korpus: I. das; -, Korpora: *vollständiges gedrucktes Werk, in dem Urkunden, Gesetze o. ä. gesammelt sind (meist die Antike oder das Mittelalter betreffend):* ein K. alter deutscher Urkunden. **II.** der; -: **1.** *massiver, einheitlicher Teil, der als Gehäuse o. ä. dient* /bes. von Möbeln o. ä./: der K. des Radios war aus Holz. **2.** *Kasten eines Saiteninstrumentes, in dem der Schall erzeugt wird:* der K. einer Geige. **III.** der; -, -se (ugs.; scherzh.): *Körper:* er bräunt seinen K. in der Sonne.

korrekt ⟨Adj.⟩: *ohne Fehler, dem Sachverhalt, den Vorschriften entsprechend:* die Übersetzung ist k.; ein korrektes Benehmen.

Korrektor, der; -s, -en: *Angestellter in einer Druckerei oder einem Verlag, der Druckfehler korrigiert* /Berufsbezeichnung/.

Korrektur, die; -, -en: *Verbesserung, Berichtigung eines Fehlers in einem geschriebenen oder gedruckten Text.*

Korrelation, die; -, -en: *gegenseitige Beziehung, Verbindung:* die K. zwischen Angebot und Nachfrage.

Korrespondent, der; -en, -en: *jmd., der als fester Mitarbeiter für eine oder mehrere Zeitungen oder Zeitschriften, für Rundfunk oder Fernsehen ständig von einem bestimmten Ort oder Land aus berichtet.*

Korrepondenz, die; -, -en: *Briefwechsel.*

korrespondieren, korrespondierte, hat korrespondiert ⟨itr.⟩: *in Briefwechsel stehen:* ich korrespondiere mit ihm.

Korridor, der; -s, -e: **1.** *Flur:* die einzelnen Zimmer verband ein langer K. **2.** *schmaler Streifen Land, der vom Gebiet eines fremden Staates umgeben ist:* die beiden Landesteile waren nur durch einen K. verbunden.

korrigieren, korrigierte, hat korrigiert ⟨tr.⟩: *verbessern, von Fehlern freimachen:* einen Text k.

Korrosion, die; -, -en: *chemische Zersetzung der Oberfläche* /bes. von Metallen/: Eisen durch einen Anstrich vor K. schützen.

korrumpieren, korrumpierte, hat korrumpiert ⟨tr.⟩: **a)** *bestechen:* dieser Politiker ließ sich k. **b)** *moralisch verderben:* der Alkohol hat ihn völlig korrumpiert; ⟨häufig im 2. Partizip⟩ eine korrumpierte Gesellschaft.

korrupt ⟨Adj.; nicht adverbial⟩: **a)** *bestechlich:* ein korrupter Beamter. **b)** *moralisch verdorben:* ein korruptes politisches System.

Korruption, die; -, -en: *Bestechung.*

Korsett, das; -[e]s, -e und -s: *die Figur, den Körper formendes Kleidungsstück* /bes. für Frauen/ (siehe Bild): sie trug ein K.

Korsett

Korso, der; -s, -s: *festlicher Umzug mit [blumen]geschmückten Wagen.*

Koryphäe, die; -, -n: *auf seinem speziellen Gebiet hervorragender Fachmann:* auf dem Gebiet der Physik ist er eine K.

koscher: ⟨in der Fügung⟩ etwas ist nicht [ganz] k. (ugs.): *etwas ist nicht [ganz] in Ordnung, sieht verdächtig aus.*

kosen, koste, hat gekost: **1.** ⟨itr.⟩ (geh.) *Zärtlichkeiten austauschen:* er koste mit ihr. **2.** ⟨tr.⟩ (veralt.) *liebkosen:* die Mutter hat ihr Kind gekost.

Kosmetik, die; -: *der Schönheit dienende Behandlung des menschlichen Körpers, besonders des Gesichtes mit bestimmten Mitteln.*

kosmetisch ⟨Adj.⟩: *die Kosmetik betreffend:* ein kosmetisches Mittel.

kosmisch ⟨Adj.⟩: *den Kosmos betreffend, aus ihm stammend:* kosmische Strahlen.

Kosmonaut, der; -en, -en: *[sowjetischer] Astronaut.*

Kosmos, der; -: *Weltraum, Weltall.*

Kost, die; -: *Ernährung, Verpflegung, Nahrung:* einfache, gesunde K.

kostbar ⟨Adj.⟩: **1.** *von guter Qualität, aus teurem Material [hergestellt]:* kostbarer Schmuck. **2.** *wertvoll:* die Zeit ist k. *(man muß sie gut ausnützen).* **Kostbarkeit,** die; -, -en.

kosten, kostete, hat gekostet: **I.** ⟨tr.⟩ *den Geschmack [von Speisen oder Getränken] feststellen; probieren:* er kostete die Soße. **II.** ⟨itr.⟩ *einen Preis haben (von):* das Buch kostet 10 Mark; das Haus hat mich 100 000 Mark gekostet *(für das Haus mußte ich 100 000 Mark bezahlen);* ⟨häufig mit doppeltem Akkusativ⟩: etwas kostet jmdn. *(etwas fordert, verlangt von jmdm.)* Arbeit, Mühe, Schweiß, Überwindung; etwas kostet jmdn. den Hals, den Kopf, den Kragen *(seine ganze Existenz);* etwas kostet jmdn. zwei oder mehrere Tage *(etwas nimmt jmds. Zeit für zwei oder mehrere Tage in Anspruch);* etwas kostet jmdn. ein Vermögen *(etwas ist für jmdn. sehr teuer);* das kostet mich nicht die Welt *(das ist für mich nicht sehr teuer);* etwas kostet mich nur ein Wort, ein Lächeln *(etwas bedarf nur eines Wortes, eines Lächelns).*

Kosten, die ⟨Plural⟩: *Ausgaben, die für die Ausführung einer Arbeit o. ä. entstehen:* die K. für den Bau des Hauses waren hoch; die K. ersetzen. *** auf seine K. kommen** *(zufriedengestellt werden).*

Kostenanschlag, der; -s, Kostenanschläge: *Kostenvoranschlag.*

kostenlos ⟨Adj.⟩: *keine Kosten verursachend:* eine kostenlose Untersuchung.

Kostenvoranschlag, der; -s, Kostenvoranschläge: *Berechnung der Kosten, die beim Verwirklichen einer geplanten Sache entstehen werden:* er ließ sich einen K. für die Renovierung seines Hauses machen.

Kostgeld, das; -[e]s: *Geld, das man jmdm. zahlt, der einen verpflegt:* von seinem Lohn zahlte er seinen Eltern K.

köstlich ⟨Adj.⟩: **1.** *gut schmeckend, ausgezeichnet:* eine köstliche Speise. **2.** *heiter, entzückend, amüsant:* eine köstliche Geschichte.

Kostprobe, die; -, -n: *kleines Stück (von etwas), das man jmdn. kosten läßt:* die Köchin reichte ihm eine kleine K. von dem Braten; bildl.: der Künstler gab einige Kostproben *(Beispiele zum Beweis)* seines Könnens.

kostspielig ⟨Adj.⟩: *mit hohen Kosten verbunden; teuer:* ein kostspieliger Prozeß.

Kostüm, das; -s, -e: **1.** *aus Rock und Jacke bestehendes Kleidungsstück für Damen.* **2.** *Verkleidung, Maskenanzug; Bühnenkleidung:* er trug auf dem Maskenball ein auffallend schönes K.

kostümieren, kostümierte, hat kostümiert ⟨rfl./tr.⟩: *verkleiden, in ein Kostüm kleiden:* zu Karneval kostümierte ich mich als Matrose; seine Mutter hatte ihn als Indianer kostümiert.

Kostverächter: ⟨in der Wendung⟩ kein K. sein (scherzh.): *wissen, was schmeckt; Feinschmecker sein:* er war kein K. und probierte alle Delikatessen; bildl.: was Frauen betraf, war er kein K. *(mit hübschen Frauen knüpfte er gern Beziehungen an).*

Kot, der; -[e]s: *Ausscheidung aus dem Darm; Schmutz.*

Kotau: ⟨in der Wendung⟩ vor jmdm. [s]einen K. machen: *sich ehrerbietig vor jmdm. verneigen, sich jmdm. gegenüber unterwürfig verhalten:* er macht immer seinen K. vor dem Chef.

Kotelett, das; -s, -s: *Stück Fleisch von den Rippen von Kalb, Schwein oder Hammel.*

Koteletten, die ⟨Plural⟩: *Streifen von Haaren an beiden Seiten des Gesichts neben den Ohren* (siehe Bild).

Koteletten

Köter, der; -s, - (abwertend): *Hund.*

Kotflügel, der; -s, -: *Blech über den Rädern an Fahrzeugen, das gegen Schmutz beim Fahren schützen soll.*

kotzen, kotzte, hat gekotzt ⟨itr.⟩ (derb): *sich übergeben, erbrechen.*

Krabbe, die; -, -n: /ein Tier/ (siehe Bild): Krabben gelten als Delikatesse; bildl. (ugs.): seine Schwester ist eine muntere K. *(ein lebhaftes Mädchen).*

Krabbe

krabbeln, krabbelte, ist/hat gekrabbelt ⟨itr.⟩: **I.** *sich kriechend fortbewegen:* ein Käfer ist/hat an der Wand gekrabbelt; das Kind ist auf dem Teppich gekrabbelt. **II.** (ugs.) *unangenehm kitzeln, jucken:* das Kleid hat mich gekrabbelt.

Krach, der; -s, Kräche: **1.** ⟨ohne Plural⟩ **a)** *Lärm; sehr lautes, unangenehmes Geräusch:* die Maschine macht viel K. **b)** *Knall:* mit furchtbarem K. stürzte das Haus ein. **2.** *[lauter] Streit:* in der Familie ist ständig K.

krachen, krachte, hat gekracht ⟨itr.⟩: *einen lauten Knall von sich geben:* der Stuhl kracht; ein Schuß krachte *(wurde abgefeuert).*

krächzen, krächzte, hat gekrächzt ⟨itr.⟩: *heiser klingende Laute von sich geben:* der Rabe krächzt.

kraft ⟨Präp. mit Gen.⟩ *auf Grund:* er veranlaßte dies k. seines Amtes.

Kraft, die; -, Kräfte: **1.** *körperliche Stärke, Fähigkeit:* der Junge hat viel, große K.; er ist wieder zu Kräften gekommen *(er ist wieder stark und gesund geworden).* **2.** *in bestimmter Weise wirkende Gewalt, Macht:* die Kräfte der Natur; die K. der Wahrheit. **3.** *Arbeitskraft, Mitarbeiter:* wir brauchen noch eine neue K. ** **in K. treten/sein** *(gültig werden/sein):* das Gesetz tritt/ist in K.; **außer K. sein** *(ungültig sein):* das Gesetz ist außer K.

Kraftfahrer, der; -s, -: *jmd., der einen Kraftwagen fährt.*

Kraftfahrzeug, das; -s, -e (Abk.: Kfz): *durch einen Motor angetriebenes Fahrzeug.*

kräftig ⟨Adj.⟩: **1. a)** *Kraft habend, stark:* ein kräftiges Kind; ein kräftiger Stoff; eine kräftige *(nahrhafte)* Suppe. **b)** *derb:* eine kräftige Sprache; ein kräftiger Ausdruck. **2.** *sehr, heftig, intensiv:* er hat k. zugeschlagen.

kräftigen, kräftigte, hat gekräftigt ⟨tr.⟩: *kräftig, stark machen:* der Urlaub hat ihn sichtlich gekräftigt; ⟨auch rfl.⟩ nach der Operation mußt du dich zunächst k. *(mußt du [neue] Kraft gewinnen, kräftig werden).* **Kräftigung,** die; -.

kraftlos ⟨Adj.⟩: *wenig Kraft habend, entkräftet:* ganz k. fiel er in den Sessel; eine kraftlose *(wenig nahrhafte)* Suppe.

Kraftmeier, der; -s, - (ugs.): *jmd., der sehr viel Kraft besitzt [und damit prahlt]:* in der Kneipe spielte er oft den K. und stemmte Barhocker; bildl.: dieser Staat spielt den politischen K.

Kraftpost, die; -: *von der Post betriebenes Unternehmen zur Beförderung von Sendungen und bes. Personen mit Omnibussen* /in der BRD/: mit der K. fahren.

Kraftprobe, die; -, -n: *das gegenseitige vergleichende Messen von Kräften, Fähigkeiten, Macht:* er ließ es auf eine K. mit der zuständigen Behörde ankommen.

Kraftstoff, der; -[e]s, -e: *Stoff, durch dessen Verbrennung in einem Motor Energie erzeugt wird:* Benzin ist ein K.

Kraftverkehr, der; -s: *Verkehr von Kraftfahrzeugen, die Güter oder Personen befördern.*

kraftvoll ⟨Adj.⟩: *viel Kraft habend:* ein kraftvoller Sprung.

Kraftwagen, der; -s, -: *Auto.*

Kraftwerk, das; -[e]s, -e: *industrielle Anlage zur Gewinnung elektrischer Energie:* ein mit Braunkohle betriebenes K.

Kragen, der; -s, -: *am Hals befindlicher Teil eines Kleidungsstücks:* der K. am Hemd; den K. des Mantels hochschlagen. ** **etwas kostet jmdn. Kopf und K.** *(jmd. muß etwas mit dem Leben bezahlen);* **es geht jmdm. an den K.** *(jmd. wird für etwas zur Verantwortung gezogen):* er hat Geld unterschlagen und nun geht es ihm an den K.

Krähe, die; -, -n: /ein Vogel/ (siehe Bild S. 391).

krähen, krähte, hat gekräht ⟨itr.⟩: *mit heller, lauter, rauher Stimme schreien:* der Hahn kräht. * (ugs.) **nach etwas/jmdm. kräht kein Hahn** *(um etwas/jmdn. kümmert sich kein Mensch).*

Krähe

Krähenfüße, die ⟨Plural⟩: **1.** *Falten in den äußeren Augenwinkeln:* die K. zeigten, daß sie zu altern begann. **2.** *schlechte, unleserliche Schrift; Kritzelei:* seine K. kann man einfach nicht entziffern.

Krakeel, der; -s (ugs.): *lautes Geschrei, lärmender Streit:* mach doch nicht solchen K.!

krakeelen, krakeelte, hat krakeelt ⟨itr.⟩ (abwertend): *sich laut benehmen, schreien.*

krakeln, krakelte, hat gekrakelt ⟨tr./itr.⟩ (ugs.): *unleserlich, ungelenk schreiben:* er krakelte seinen Namen auf das Papier; du hast fürchterlich gekrakelt.

Kralle, die; -, -n: *aus Horn bestehender spitzer Teil an den Zehen bestimmter Tiere:* die Katze hat scharfe Krallen.

krallen, krallte, hat gekrallt: **1. a)** ⟨rfl.⟩ *sich [mit Krallen] fest (an etwas) halten:* die Katze krallte sich an den Stamm; seine Finger krallten sich um mein Handgelenk. **b)** ⟨itr.⟩ *(mit den Fingern, der Hand) fest (um etwas) greifen:* ich krallte meine Finger um das Rohr, in die Kissen. **2.** ⟨tr.⟩ *(die Finger, Hand) wie eine Kralle formen:* er krallte seine Hand.

Kram, der; -s (abwertend): *unnützes Zeug, wertlose kleine Gegenstände:* es befindet sich viel K. im Keller. * (ugs.) **etwas paßt jmdm. nicht in den K.** *(etwas gefällt jmdm. nicht, paßt nicht in seine Pläne).*

kramen, kramte, hat gekramt ⟨itr.⟩: *zwischen (durcheinanderliegenden) Gegenständen (etwas) suchen:* in allen Schubladen nach Bildern k.

Krämer, der; -s, - (veralt.): *jmd., der einen kleinen Laden mit Lebensmitteln führt:* die kleineren Dinge kaufte sie beim K. im Dorf.

Krämerseele, die; -, -n (abwertend): *kleinlicher, auch auf geringe finanzielle Vorteile bedachter Mensch:* Großherzigkeit ist nichts für Krämerseelen.

Krampe, die; -, -n: *Haken mit spitzen Enden, mit dem man Draht o. ä. an hölzernen Pflöcken, Brettern o. ä. befestigt* (siehe Bild).

Krampe

Krampen, der; -s, -: **1.** *Krampe.* **2.** (östr.) *Spitzhacke.*

Krampf, der; -[e]s, Krämpfe: *plötzliches, schmerzhaftes Sichzusammenziehen der Muskeln:* er hat einen K. in der Wade.

krampfhaft ⟨Adj.⟩: *sich mit letzter Kraft, verbissen zur Wehr setzend:* er machte krampfhafte Anstrengungen, seine Stellung zu halten.

Kran, der; -[e]s, Kräne/(auch:) Krane: *fahr- und drehbares Gestell zum Heben und Versetzen schwerer oder sperriger Dinge* (siehe Bild).

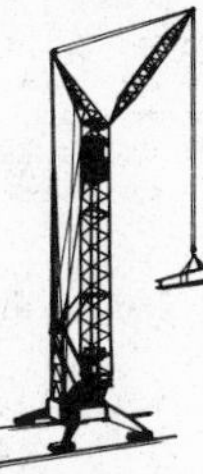

Kran

Kranich, der; -s, -e: /ein Vogel/ (siehe Bild).

Kranich

krank ⟨Adj.⟩: *eine Krankheit habend; nicht gesund:* er ist [schwer] k.

kränkeln, kränkelte, hat gekränkelt ⟨itr.⟩: *schwach und nicht ganz gesund sein.*

kranken, krankte, hat gekrankt ⟨itr.⟩: *leiden an etwas, was sich als Mangel, Nachteil erweist:* die Firma krankt an der schlechten Organisation; das Projekt krankt daran, daß der Urheber kein Vermögen hat.

kränken, kränkte, hat gekränkt ⟨tr.⟩: *(jmdn.) seelisch verletzen; beleidigen:* diese Bemerkung hatte ihn sehr gekränkt.

Krankenhaus, das; -es, Krankenhäuser: *Gebäude, in dem Kranke behandelt werden:* der Kranke wurde ins/im K. aufgenommen.

Krankenkasse, die; -, -n: *Institution, bei der man sich gegen die Kosten, die durch eine Krankheit entstehen, versichert.*

Krankenschwester, die; -, -n: *weibliche Person, die in der Pflege von Kranken ausgebildet ist* /Berufsbezeichnung/.

Krankenversicherung, die; -, -en: *Versicherung, die die durch Krankheit entstandenen Ausgaben [teilweise] deckt.*

Krankenwagen, der; -s, -: *zum Transport von Kranken oder Verletzten gebautes Auto.*

krankfeiern, feierte krank, hat krankgefeiert ⟨itr.⟩ (ugs.): *wegen angeblicher Krankheit nicht arbeiten.*

krankhaft ⟨Adj.⟩: **a)** *als Krankheit auftretend, sich als Krankheit äußernd:* eine krankhafte Veränderung des Gewebes. **b)** *übertrieben, nicht mehr normal:* ein krankhafter Ehrgeiz; diese übertriebene Sparsamkeit ist schon k.

Krankheit, die; -, -en: **1.** *Störung der normalen Funktion eines Organs oder Körperteils; Leiden:* eine ansteckende K.; an einer K. leiden. **2.** ⟨ohne Plural⟩ *Zustand des Krankseins:* während meiner K. hat mich mein Freund oft besucht.

Krankheitserreger, der; -s, -: *etwas, was Krankheiten verursacht (Bakterien, Viren o. ä.).*

kränklich ⟨Adj.⟩: *körperlich nicht richtig gesund, etwas leidend; anfällig:* sie ist alt und k.; ein kränkliches Aussehen habend.

krankmachen, machte krank, hat krankgemacht ⟨itr.⟩: *krankfeiern.*

Kränkung, die; -, -en: *Handlung, mit der man jmdn. kränkt:* diese K. hat er ihr nie verziehen.

Kranz, der; -es, Kränze: *in Form eines Kreises geflochtene Blumen o. ä.* (siehe Bild S. 392):

auf dem Grab lagen viele Kränze.

Kranz

Kränzchen, das; -s, -: **1.** *[regelmäßige] Zusammenkunft von Damen zum Kaffee am Nachmittag.* **2.** *Veranstaltung mit Tanz in kleinem Kreis; kleiner Ball.*

Krapfen, der; -s, - (bes. südd.): *süßes in Fett hergestelltes Gebäck in Form einer Kugel.*

kraß, krasser, krasseste ⟨Adj.⟩: *schroff, sehr stark, extrem:* seine Handlungen stehen in krassem Gegensatz zu seinen Worten; er ist ein krasser Außenseiter.

Krater, der; -s, -: *tiefe Öffnung in Form eines Trichters in einem Vulkan.*

Kratzbürste, die; -, -n (scherzh.): *widerspenstiges [junges] Mädchen:* seine Schwester ist eine richtige kleine K.

kratzbürstig ⟨Adj.⟩ (abwertend): *widerspenstig, spröde:* ein kratzbürstiges Mädchen.

Krätze, die; -: *stark juckende Hautkrankheit:* die K. haben.

kratzen, kratzte, hat gekratzt: **a)** ⟨tr.⟩ *mit etwas Scharfem oder Spitzem Spuren auf etwas hinterlassen:* die Katze hat mich gekratzt; Buchstaben in die Wand k. **b)** ⟨itr.⟩ *schaben, scharren:* der Hund kratzte an der Tür, weil er herein wollte. **c)** ⟨rfl.⟩ *sich wegen eines Juckreizes mit den Fingerspitzen reiben:* ich kratzte mich am Kopf. **d)** ⟨itr.⟩ *ein Jucken auf der Haut verursachen:* der Stoff des Kleides kratzt [mich].

Kratzer, der; -s, -: *vertiefte Linie, die durch einen scharfen Gegenstand unabsichtlich auf etwas entstanden ist; Schramme.*

Kratzfuß: ⟨in der Wendung⟩ seinen / einen K. machen (scherzh.): *sich tief verbeugen:* er machte einen K. vor der Gräfin.

kraulen, kraulte, hat gekrault: **I.** ⟨tr.⟩ *mit gekrümmten Fingern zärtlich in den Haaren kratzen:* einen Hund am Hals k. **II.** ⟨itr.⟩ *schnell schwimmen, indem man die Arme kreisförmig von hinten über den Kopf nach vorn bewegt, während sich die gestreckten Beine leicht und abwechselnd auf- und abwärts bewegen:* er kann gut k.

kraus ⟨Adj.⟩: **a)** *mehrfach gekrümmt, gebogen; nicht glatt:* er hat krauses Haar. **b)** *faltig:* er machte bei dieser Antwort eine krause Stirn. **c)** *verworren, undurchsichtig:* er hat nur krause Ideen.

Krause, die; -, -n: **1.** *in dichte Falten gelegter Saum oder Kragen:* sie trug eine Bluse mit K. **2.** ⟨ohne Plural⟩ *lockiger, gewellter Zustand (des Haares):* das Haar hat seine K. verloren.

kräuseln, sich; kräuselte sich, hat sich gekräuselt: *sich in viele kleine Locken, Falten, Wellen legend:* die Haare, die Fäden kräuseln sich.

Kraut, das; -[e]s, Kräuter: **1.** *Pflanze, die zum Heilen oder Würzen verwendet wird:* ein Tee aus Kräutern. **2.** ⟨ohne Plural⟩ **a)** *Blätter an Rüben, Kohl usw., die als wertlos entfernt werden.* **b)** (bes. südd.) *Kohl.*

Krawall, der; -s, -e: **a)** *Streit, Aufruhr:* auf den Straßen kam es zu Demonstrationen und Krawallen. **b)** ⟨ohne Plural⟩ (ugs.) *Lärm, Krach:* mach doch nicht so einen K.

Krawatte, die; -, -n: /Teil der Kleidung von Männern/ (siehe Bild).

Krawatte

kraxeln, rkaxelte, ist gekraxelt ⟨itr.⟩ (ugs.): *[mühsam] klettern:* bei der Wanderung müssen wir an einigen Stellen etwas k.

Kreation, die; -, -en: *modische Schöpfung, Modell:* es wurden die neuesten Kreationen aus Paris vorgeführt.

kreativ ⟨Adj.⟩: *schöpferisch; auf geistigem, künstlerischem Gebiet eigene Initiative entwickelnd:* die kreativen Fähigkeiten des Menschen drohen in dem Alltag der heutigen Welt zu verkümmern. **Kreativität,** die; -.

Kreatur, die; -, -en: **1.** *Lebewesen, Geschöpf:* jede K. sehnt sich bei dieser Hitze nach Regen. **2.** (abwertend) *Mensch, den man verachtet:* er ist eine elende K.

Krebs, der; -es, -e: **1.** *kleines, sich kriechend fortbewegendes Tier mit Panzer* (siehe Bild). **2.** ⟨ohne Plural⟩ *gefährliche Geschwulst im Gewebe menschlicher oder tierischer Organe:* sie starb an K.

Krebs 1.

Krebsschaden, der; -s, Krebsschäden: *grundlegendes Übel:* die Gleichgültigkeit ist ein K. unserer Zeit.

Kredenz, die; -, -en (veraltend): *Anrichte.*

kredenzen, kredenzte, hat kredenzt ⟨tr.⟩ (geh.): *(Getränke) darreichen, servieren:* der Wein wurde in geschliffenen Gläsern kredenzt.

Kredit, der; -s, -e: *für eine bestimmte Zeit zur Verfügung gestellter Betrag an Geld:* er brauchte einen K., um ein Haus bauen zu können.

Kreide, die; -: *aus Kalk bestehendes längliches Stück, das zum Schreiben [auf einer Tafel] verwendet wird:* der Lehrer hat das Wort mit K. an die Tafel geschrieben. ** **bei jmdm. in der K. sein /stehen** *(bei jmdm. Schulden haben).*

kreieren, kreierte, hat kreiert ⟨tr.⟩: *schöpferisch entwerfen, entwickeln:* eine neue Mode, ein neues Modell k.

Kreis, der; -es, -e: **1.** /eine geometrische Figur/ (siehe Bild).

Kreis 1.

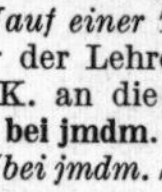

2. *den Gemeinden übergeordneter Verwaltungsbezirk.* **3.** *Gruppe von Personen mit gleichen Interessen, Ansichten o. ä.:* ein K. von Künstlern hat sich zusammengefunden. * **im Kreise** *(in Gemeinschaft mit):* im Kreise der Freunde, der Familie.

kreischen, kreischte, hat gekreischt ⟨itr.⟩: *mit keifender, schriller Stimme schreien:* der

Papagei kreischt seit einer Stunde.

Kreisel, der; -s, -: *um einen festen Punkt rotierender Gegenstand* (siehe Bild): die Kinder spielen mit dem K.

Kreisel

kreisen, kreiste, hat/ist gekreist ⟨itr.⟩: *sich in einem Kreis um etwas bewegen:* der Adler ist über dem Baum gekreist; das Flugzeug hat drei Stunden über der Stadt gekreist; bildl.: seine Gedanken haben um dieses Problem gekreist.

Kreislauf, der; -s: **1.** *durch die Tätigkeit des Herzens bewirkte Bewegung des Blutes in den Adern:* mein K. ist gestört. **2.** *sich stets wiederholende, zu ihrem Ausgangspunkt zurückkehrende Bewegung:* der ewige K. des Lebens.

Kreissäge, die; -, -n: **1.** *maschinell angetriebene Säge mit einem runden, rotierenden Sägeblatt:* Bretter mit der K. passend schneiden. **2.** (ugs.) *flacher, runder Hut aus Stroh:* die Urlauber trugen gelbe Kreissägen.

Kreißsaal, der; -[e]s, Kreißsäle: *Raum zum Entbinden* /bes. in Krankenhäusern/: der K. war in einzelne Kabinen aufgeteilt.

Kreistag, der; -[e]s, -e: *Organ, das aus gewählten Vertretern der zu einem Kreis gehörenden Gemeinden besteht* /in der BRD/.

Krem, die; -, -s (auch: Krem, der; -s, -e) /vgl. Creme/: *feine, mit Sahne zubereitete Füllung für Torten, Süßigkeiten.*

Krematorium, das; -s, Krematorien: *Gebäude, in dem Tote verbrannt werden.*

Krempe, die; -, -n: *Rand des Hutes* (siehe Bild).

Krempe

Krempel, der; -s (ugs.; abwertend): *unnützes Zeug, allerlei wertlose Dinge.*

Kren, der; -[e]s (südd.; östr.): *Meerrettich.*

krepieren, krepierte, ist krepiert ⟨itr.⟩: **a)** *bersten, platzen* /von Sprengkörpern/: die Granaten krepierten. **b)** (derb) *[elend] sterben, verenden.*

Krepp, der; -s, -s und -e: *krauses, rauhes Gewebe.*

Kresse, die; -, -n: /eine Pflanze/ (siehe Bild): aus K. einen Salat zubereiten.

Kresse

kreuz: ⟨in der Fügung⟩ kreuz und quer: *planlos hin und her:* er fuhr mit dem Auto k. und quer durch die Gegend.

Kreuz, das; -es, -e: **1. a)** *Zeichen aus zwei sich meist rechtwinklig schneidenden Linien.* **b)** *Symbol der christlichen Kirche, des Leidens* (siehe Bild): im Zeichen des Kreuzes *(im Sinne Jesu Christi).* * (abwertend) **zu Kreuze kriechen** *(sich unterwerfen).* **2.** *unterer Teil des Rückens:* mir tut das K. weh. * (ugs.)

1. b) 3.
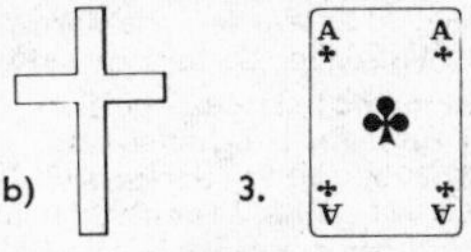
Kreuz

jmdn. aufs K. legen *(jmdn. überlisten, betrügen).* **3.** /eine Farbe beim Kartenspiel/ (siehe Bild). ** **in die K. und [in die] Quere** *(kreuz und quer).*

kreuzen, kreuzte, hat gekreuzt: **1.** ⟨tr.⟩ *schräg übereinanderlegen, -schlagen:* die Arme, Beine k. **2. a)** ⟨tr./rzp⟩ *schräg, quer über etwas hinwegführen, sich [über]schneiden:* die Straße kreuzt nach 10 km die Bahn; die Straßen kreuzen sich. **b)** ⟨rzp.⟩ *sich zur gleichen Zeit in entgegengesetzter Richtung bewegen:* die Züge, unsere Briefe haben sich gekreuzt. **3.** ⟨tr.⟩ *zwei verschiedene Rassen beim Züchten vereinigen; paaren:* einen Esel mit einem Pferd k. **4.** ⟨itr.⟩ *hin und her fahren* /von Schiffen/: das Schiff kreuzt vor Kuba.

Kreuzfeuer: ⟨in der Wendung⟩ im K. stehen: *von allen Seiten befragt, verhört werden:* er stand im K. der Journalisten.

kreuzigen, kreuzigte, hat gekreuzigt ⟨tr.⟩ (hist.): *ans Kreuz schlagen:* Jesus wurde gekreuzigt. **Kreuzigung,** die; -, -en.

Kreuzotter, die; -, -n: /eine Schlange/ (siehe Bild): die K. ist eine Giftschlange.

Kreuzung, die; -, -en: **1.** *Stelle, wo sich zwei oder mehrere Straßen treffen:* das Auto mußte an der K. halten. **2.** *das Paaren verschiedener Gattungen bei Pflanzen oder Tieren und dessen Ergebnis:* das Maultier ist eine K. zwischen Esel und Pferd.

Kreuzotter

Kreuzverhör, das; -[e]s, -e: *Verhör, bei dem jmd. von mehreren Seiten befragt wird:* jmdn. ins K. nehmen.

Kreuzweg, der; -[e]s, -e: **1.** *Stelle, an der sich Wege kreuzen:* er kam an einen K. und mußte nach dem Weg fragen; bildl.: an einem K. stehen *(vor einer wichtigen, folgenschweren Entscheidung stehen).* **2. a)** *Weg Christi zur Kreuzigung.* **b)** *künstlerische Darstellung des Weges Christi zur Kreuzigung in vierzehn einzelnen Bildern oder Skulpturen:* in dieser Kirche hängt ein berühmter K. **c)** Rel. kath. *Folge von festgelegten Gebeten zur Erinnerung an den Weg Christi zur Kreuzigung:* in der Andacht wurde der K. gebetet.

Kreuzworträtsel, das; -s, -: *schriftlich zu lösendes Rätsel, bei dem die gesuchten Wörter in sich überschneidende senkrechte und waagrechte Spalten einzutragen sind:* ein K. lösen.

kribbelig ⟨Adj.⟩ (ugs.): *unruhig, nervös:* der Schüler wurde ganz k., als er keine Lösung der Aufgabe fand.

kribbeln, kribbelte, hat gekribbelt ⟨itr.⟩ (ugs.): *einen prikkelnden Reiz spüren:* es kribbelt mir in den Fingern.

kriechen, kroch, ist gekrochen ⟨itr.⟩: **1.** *sich dicht am Boden fortbewegen:* eine braune Schlange kriecht durch das Gebüsch;

bildl.: der Zug kann auf der steilen Strecke nur k. *(nur sehr langsam fahren).* **2.** *sich einem anderen gegenüber unterwürfig zeigen, ihm schmeicheln:* er kriecht vor seinem Chef.

Kriecher, der; -s, - (abwertend): *jmd., der sich einem anderen gegenüber unterwürfig zeigt, ihm schmeichelt:* er hat keine eigene Meinung und ist ein richtiger K.

kriecherisch ⟨Adj.⟩ (abwertend): *in starkem Maße unterwürfig:* durch sein kriecherisches Verhalten versuchte er sich bei seinem Vorgesetzten einzuschmeicheln.

Krieg, der; -es, -e: *größere Auseinandersetzung zwischen Völkern mit militärischen Mitteln:* jmdm. den K. erklären.

kriegen, kriegte, hat gekriegt ⟨itr.⟩ (ugs.): *erhalten, bekommen:* eine Krankheit k.; er kriegt nie genug.

Krieger, der; -s, - (geh.): *Soldat:* man gedachte der gefallenen K. * (ugs.) **ein müder K.** *(jmd., mit dem [heute] nichts mehr anzufangen ist, der träge und wenig unternehmungslustig ist).*

Kriegführung, die; -, -en: *Art und Weise, wie ein Krieg geführt wird:* die Methoden der K. haben sich geändert.

Kriegsbeil: ⟨in den Wendungen⟩ (ugs.; scherzh.) **das K. ausgraben** *(einen Streit beginnen);* (ugs.; scherzh.) **das K. begraben** *(einen Streit beenden).*

Kriegsbeschädigte, der; -n, -n ⟨aber: [ein] Kriegsbeschädigter, Plural: Kriegsbeschädigte⟩: *jmd., dessen Gesundheit im Krieg einen dauernden Schaden erlitten hat:* der K. bezog eine kleine Rente.

Kriegsfuß: ⟨in der Wendung⟩ mit jmdm. auf [dem] K. stehen/leben (ugs.): *mit jmdm. verfeindet sein:* er steht mit seinem Nachbarn auf [dem] K.; bildl.: er stand mit der deutschen Sprache auf [dem] K. *(beherrschte sie nur mangelhaft).*

Kriegsgefangene, der; -n, -n ⟨aber: [ein] Kriegsgefangener, Plural: Kriegsgefangene⟩: *im Krieg vom Feind gefangengenommener Soldat:* die Kriegsgefangenen wurden in Lager gebracht.

Kriegsschiff, das; -[e]s, -e: *für den Krieg gebautes und ausgerüstetes Schiff:* in dieser Schlacht wurden mehrere Kriegsschiffe versenkt.

Kriegsverbrechen, das; -s, -: *Verbrechen, das von einem oder mehreren Angehörigen einer kriegführenden Macht gegen den Feind oder gegen Neutrale unter Verletzung des Völkerrechts begangen wird:* die Mißhandlung von Kriegsgefangenen ist ein K.

Krimi, der; -[s], -[s] (ugs.): *Kriminalfilm oder Kriminalroman.*

Kriminalbeamte, der; -n, -n ⟨aber: [ein] Kriminalbeamter, Plural: Kriminalbeamte⟩: *nicht uniformierter Beamter der Kriminalpolizei:* ein hoher Kriminalbeamter leitete die Untersuchung.

Kriminalfilm, der; -s, -e: *Film, der von einem Verbrechen und dessen Aufklärung handelt.*

Kriminalist, der; -en, -en: *Beamter der Kriminalpolizei.*

Kriminalistik, die; -: *Lehre vom Verbrechen, seinen Ursachen, seiner Aufklärung und Bekämpfung:* die K. bedient sich heute der modernsten technischen Errungenschaften.

kriminalistisch ⟨Adj.⟩: *die Kriminalistik betreffend, mit den Mitteln der Kriminalistik [erfolgend]:* die kriminalistischen Untersuchungen leitete der Kommissar persönlich.

Kriminalität, die; -: *Zahl und Umfang der kriminellen Handlungen:* die steigende K. Jugendlicher gibt zur Besorgnis Anlaß.

Kriminalpolizei, die; -: *Abteilung der Polizei, die für die Aufklärung von Verbrechen zuständig ist.*

Kriminalroman, der; -s, -e: *Roman, der von einem Verbrechen und dessen Aufklärung handelt.*

kriminell ⟨Adj.⟩: *als Verbrechen geltend, verbrecherisch; strafbar:* eine kriminelle Tat; er ist k. veranlagt.

Krimskrams, der; -[es] (ugs.): *wertloses, unnützes Zeug:* in der Kellerecke lag allerlei K. herum.

Kringel, der; -s, -: *nicht exakt gezeichneter Kreis; ringförmiges Gebilde:* aus Langeweile malte er K. in sein Heft; ein K. aus Schokolade.

kringeln, kringelte, hat gekringelt: **1.** ⟨rfl.⟩ *sich in Windungen bewegen:* ihr Haar kringelte sich. * (ugs.) **sich vor Lachen k.** *(unbändig lachen):* bei diesem Witz habe ich mich vor Lachen gekringelt. **2.** ⟨tr.⟩ *in Windungen legen:* die Katze hatte ihren Schwanz um die vorderen Pfoten gekringelt.

Kripo, die; -: *Kriminalpolizei.*

Krippe, die; -, -n: **1.** *Behälter für Futter* /bes. für Heu o. ä./ (siehe Bild): der Bauer warf frisches Heu in die K.; bildl. (ugs.): die Politiker befürchteten, bei der Wahl ihre Krippen *(einträglichen Positionen)* zu verlieren. **2.** *plastische Darstellung der Geburt Christi im Stall Bethlehem* (siehe Bild): eine in Handarbeit geschnitzte K. **3.** *Einrichtung zur Unterbringung von Säuglingen für bestimmte Stunden während des Tages:* am Vormittag gab die berufstätige Frau den Säugling in eine K.

1.

2.

Krippe

Krise, die; -, -n: *schwierige Situation, Schwierigkeit:* eine wirtschaftliche, finanzielle, politische K.; sich in einer K. befinden.

kriseln, kriselte, hat gekriselt ⟨itr.⟩: *beständig vor einer Krise stehen:* im Nahen Osten kriselt es seit langer Zeit.

Kristall: **I.** der; -s, -e: *fester, regelmäßig geformter, von ebenen Flächen begrenzter Körper:* ein durchsichtiger, natürlicher K. **II.** das; -s: *geschliffenes Glas:* Weingläser aus K.

kristallen ⟨Adj.⟩: **1.** ⟨nur attributiv⟩ *aus Kristall bestehend:* ein kristallener Leuchter. **2.** *wie Kristall:* ihre Stimme klang k.

kristallisieren, kristallisierte, hat kristallisiert ⟨itr./rfl.⟩: *Kristalle bilden, zu Kristallen werden:* die Flüssigkeit kristallisierte [sich]; bildl.: diese Eindrücke kristallisierten *(bildeten)* sich in der folgenden Zeit.

Kriterium, das; -s, Kriterien: **1.** *unterscheidendes Merkmal, Kennzeichen:* es gibt keine objektiven Kriterien für künstlerische Qualität. **2.** Radsport *über eine festgelegte Anzahl von Runden führendes Rennen, bei dem in bestimmten Abständen am besten placierten Fahrern Punkte zuerkannt werden und am Schluß derjenige Fahrer Sieger ist, der die meisten Punkte gesammelt oder alle anderen überrundet hat.*

Kritik, die; -, -en: **1.** *[wissenschaftliche, künstlerische] Beurteilung nach sachlichen Gesichtspunkten:* eine K. über ein Buch, eine Aufführung schreiben; der Künstler bekam eine gute K. **2.** *Beanstandung, Tadel:* an jmds. Entscheidung, Haltung K. üben.

Kritiker, der; -s, -: **1.** *jmd., der in seinem Urteil (über etwas) [immer] sehr streng ist:* ein scharfer K. der öffentlichen Moral. **2.** *jmd., dessen Beruf es ist, Beurteilungen wissenschaftlicher oder künstlerischer Werke nach sachlichen Gesichtspunkten zu verfassen:* ein bekannter K. berichtete über die Aufführung der Oper.

kritisch ⟨Adj.⟩: **1.** *[wissenschaftlich, künstlerisch] streng beurteilend, prüfend:* eine kritische Besprechung zu einem Buch schreiben; etwas k. betrachten. **2.** *tadelnd, mißbilligend:* sich k. äußern über jmdn./etwas. **3.** *bedenklich, schwierig, gefährlich:* in einer kritischen Situation sein.

kritisieren, kritisierte, hat kritisiert ⟨tr.⟩: **1.** *[nach bestimmten sachlichen Gesichtspunkten] beurteilen, besprechen:* ein Buch, eine Aufführung k.; etwas gut, negativ k. **2.** *tadeln, mißbilligen:* eine Entscheidung scharf k.

Kritzelei, die; -, -en: **1.** ⟨ohne Plural⟩ *das Kritzeln:* seine nervöse K. auf den Zeitungsrand regte mich auf. **2.** *etwas Gekritzeltes:* diese Kritzeleien kann kein Mensch entziffern.

kritzeln, kritzelte, hat gekritzelt ⟨itr./tr⟩: *in kleiner und schlecht lesbarer Schrift schreiben; unregelmäßige Striche machen:* der kleine Junge hat mit dem Bleistift [ein Bild] auf die neue Tapete gekritzelt.

Krokant, der; -s: *knusprige süße Masse aus gehackten Nüssen oder Mandeln und geschmolzenem, gebräuntem Zucker.*

Krokette, die; -, -n: *kleiner, in Fett gebackener Kloß aus Kartoffelpüree, zerkleinertem Fleisch, Fisch o. ä.:* Fisch mit Kroketten und gemischtem Salat.

Krokodil, das; -s, -e: /ein Tier/ (siehe Bild).

Krokodil

Krokodilstränen: ⟨in der Wendung⟩ (ugs.) K. vergießen/weinen: *geheuchelte Tränen weinen:* das beim Naschen ertappte Kind vergoß K.

Krokus, der; -, - und -se: /eine Blume/ (siehe Bild).

Krokus

Krone, die; -, -n: **1.** /Zeichen der Herrscherwürde/ (siehe Bild). **2.** *oberster Teil, Spitze:* die K. eines Baumes.

Krone 1.

krönen, krönte, hat gekrönt ⟨tr.⟩: **1.** *(jmdm.) die Krone aufsetzen und die mit ihr verbundene Macht übertragen:* jmdn. zum König k. **2.** *mit einem Höhepunkt erfolgreich oder wirkungsvoll abschließen, beenden:* der Sportler krönte seine Laufbahn mit einem Sieg bei der Olympiade. **3.** *(ein Gebäude) nach oben wirkungsvoll abschließen:* eine Kuppel krönte die Kirche.

Kronleuchter, der; -s, -: *reich verzierter, von der Decke hängender Leuchter mit mehreren Armen:* von der Decke des Saales hing ein kristallener K.

Krönung, die; -, -en: **1.** *feierlicher Akt, in dem jmdm. die Krone aufgesetzt und die damit verbundene Macht übertragen wird:* die K. fand in der Kathedrale statt. **2.** *erfolgreicher, wirkungsvoller, glanzvoller Höhepunkt:* die Ernennung zum Ehrenbürger war die K. seiner Laufbahn.

Kropf, der; -[e]s, Kröpfe: **1.** *krankhafte Vergrößerung der menschlichen Schilddrüse.* **2.** *Erweiterung der Speiseröhre* /bei Vögeln/.

Krösus, der; -, -se: *sehr reicher Mann:* bei seinem Vermögen konnte er es sich leisten, wie ein K. zu leben.

Kröte, die; -, -n: **1.** /ein Lurch/ (siehe Bild). **2.** *keckes kleines Mädchen:* so eine freche K. **3.** ⟨Plural⟩ (ugs.) *Geld:* die letzten Kröten ausgeben.

Kröte 1.

Krücke, die, -, -n: **1.** *Stock für einen beim Gehen behinderten Menschen, der mit einer Stütze für den Unterarm versehen ist:* er hatte bei dem Unfall sein Bein verloren und ging eine Zeitlang an Krücken. **2.** *Griff eines Stockes, Schirmes:* der Spazierstock hat eine silberne K. **3.** (ugs.; abwertend) *jmd., der [auf einem Gebiet] wenig, nichts Bedeutendes leistet; Versager:* diese K. kann einfach nicht Fußball spielen.

Krückstock, der; -[e]s, Krückstöcke: *Stock mit einem handlichen Griff:* der Invalide stützte sich auf seinen K. * (ugs.) **am K. gehen** *(am Ende seiner Kraft sein):* wenn er sich nicht bald Ruhe gönnt, wird er in Kürze am K. gehen.

Krug, der; -[e]s, Krüge: *Behälter für Flüssigkeiten, meist aus Ton o. ä.* (siehe Bild S. 396).

Krüllschnitt, der; -[e]s: *grob geschnittener Tabak zum Rau-*

chen in der Pfeife: er raucht nur K.

Krug

Kru̲me, die; -, -n: **1.** *oberste Schicht des Ackerbodens:* die K. des Ackers war locker. **2.** *weiche innere Masse vom Brot o. ä.:* Brötchen sollen eine ganz lockere K. haben. **3.** *sehr kleines, winziges Stück von Brot, Kuchen o. ä.:* die Krumen von der Tischdecke entfernen.

krü̲melig ⟨Adj.; nicht adverbial⟩: *in winzige Stücke zerfallend, sich auflösend:* krümelige Erde.

krü̲meln, krümelte, hat gekrümelt ⟨itr.⟩: *in kleine Stücke zerfallen:* das Brot krümelt.

krụmm ⟨Adj.; nicht adverbial⟩: *nicht gerade, gebogen:* der Nagel ist k.; er hat krumme Beine.

krụ̈mmen, krümmte, hat gekrümmt ⟨tr./rfl.⟩: *biegen, krumm machen:* den Rücken k.; sich vor Lachen, Schmerzen k.; ⟨häufig im 2. Partizip⟩ sein gekrümmter Rücken. **Krụ̈mmung,** die; -, -en.

krụmpeln, krumpelte, hat gekrumpelt ⟨itr.⟩ (landsch.): *knittern:* der Stoff krumpelt.

Krụppe, die; -, -n: *hinterer Teil des Rückens von Haustieren /bes. von Pferden/:* er gab dem Pferd einen Schlag auf die K.

Krụ̈ppel, der; -s, -: *jmd., der durch körperliche Mißbildung in seiner Bewegung oder Haltung stark beeinträchtigt ist:* der Krieg hat ihn zum K. gemacht; bildl.: ein geistiger K. *(jmd., der schwachsinnig ist).*

Krụste, die; -, -n: *Rinde: äußerer, fester, schützender Belag:* die K. des Brotes abschneiden.

Kruzifịx [auch: Kru̲zifix], das; -es, -e: *Kreuz mit der plastischen Darstellung des an ihm hängenden Christus:* ein Ministrant trug bei der Prozession das K.

Krỵpta, die; -, Krypten: *unter dem Chor einer Kirche liegende Gruft mit dem Grab oder den Reliquien eines Heiligen.*

Kü̲bel, der; -s, -: *größerer runder oder ovaler Behälter für Flüssigkeiten:* ein K. Wasser.

Kubịkmeter, der, (auch:) das; -s, -: /Maß für den Rauminhalt/: vier K. Beton, Gas.

ku̲bisch ⟨Adj.; nicht adverbial⟩: **1.** *in der Form einem Würfel gleich:* ein kubischer Block. **2.** Math. *in der dritten Potenz befindlich:* kubische Gleichungen.

Kụ̈che, die; -, -n: **1.** *Raum, wo Speisen zubereitet werden:* eine moderne, saubere K.; bildl.: eine K. *(die Einrichtung einer K.)* kaufen. **2.** *Art der Speise, des Zubereitens:* französische, Wiener K.; heute gibt es kalte K.

Ku̲chen, der; -s, -: *größeres Gebäck, das in einer Form oder auf einem Blech gebacken wurde* (siehe Bild): sonntags gibt es bei uns immer K.

Kuchen

Kụ̈chenkraut, das; -s, Küchenkräuter: *Kraut, das in frischem Zustand [gehackt] zum Würzen von Speisen verwendet wird:* Dill, Kerbel und Petersilie sind Küchenkräuter.

Kụ̈chenschrank, der; -[e]s, Küchenschränke: *Schrank für die Küche, in dem Geschirr, Töpfe, Bestecke o. ä. untergebracht werden:* die Hausfrau nahm Teller und Schüsseln aus dem K.

Kụ̈chenzettel, der; -s, -: *Plan der für eine bestimmte Folge von Tagen vorgesehenen Speisen:* ein wöchentlicher K.

Kuckuck

Kụckuck, der; -s, -e: /ein Vogel/ (siehe Bild): der K. legt seine Eier in fremde Nester. * (ugs.) **jmdn. zum K. wünschen** *(jmdn. weit fort wünschen).*

Kụckucksuhr, die; -, -en: *an der Wand hängende Uhr, bei der ein nachgemachter Kuckuck die vollen und halben Stunden durch seinen Ruf anzeigt* (siehe Bild).

Kuckucksuhr

Kụddelmuddel, der und das; -s (ugs.): *Wirrwarr, Durcheinander:* bei diesem K. findet sich doch keiner mehr zurecht.

Ku̲fe, die; -, -n: *Schiene, auf der etwas gleitet* /bes. beim Schlitten, Schlittschuh o. ä./: beim Rodeln waren die Kufen des Schlittens ganz blank geworden.

Ku̲gel, die; -, -n: **1.** *Gegenstand, der völlig rund ist und rollt:* eine schwere, eiserne K.; er stieß die K. 3 m weit. **2.** *Geschoß:* er wurde von einer K. tödlich getroffen.

Ku̲gellager, das; -s, -: *aus stählernen Kugeln bestehendes Lager, das die Reibung zwischen einem festen und einem rotierenden Teil herabsetzt:* das K. fetten.

ku̲geln, sich; kugelte sich, hat sich gekugelt: *sich rollend wälzen:* die Kinder kugelten sich auf der Wiese. * (ugs.) **sich vor Lachen k.** *(unbändig lachen):* bei diesem Witz hat er sich vor Lachen gekugelt; (ugs.) **zum Kugeln sein** *(zum unbändigen Lachen reizen):* seine Grimassen waren zum Kugeln.

ku̲gelrụnd ⟨Adj.⟩: *völlig rund, in der Form einer Kugel:* die Orange ist k.

Ku̲gelschreiber, der; -s, -: *ein schmales, längliches Gerät zum Schreiben, dessen Spitze aus einer kleinen Kugel besteht.*

Ku̲h, die; -, Kühe: *weibliches Rind* (siehe Bild): die K. melken.

Kuh

Ku̲hhandel, der; -s (ugs.; abwertend): *gegenseitiges klein-*

iches Feilschen um [politische] Vorteile: bei der personellen Be- etzung der Ressorts kam es zwischen den Koalitionspar- eien zu einem regelrechten K.

Kuhhaut: ⟨in der Wendung⟩ auf keine K. gehen (ugs.): *un- erhört sein:* wie er sich in letzter Zeit benimmt, geht auf keine K.

kühl ⟨Adj⟩.: 1. *mäßig warm, mehr kalt als warm:* ein kühler Abend. * **einen kühlen Kopf be- wahren** *(sich nicht beirren, er- regen lassen).* 2. *ohne Herzlich- keit, Gefühl:* jmdn. k. empfan- gen.

Kühle, die; -: 1. *als angenehm empfundene Frische:* die feuchte K. des Morgens. 2. *Zurückhal- tung, Gleichgültigkeit:* im Gast- haus begegnete man dem Frem- den mit abwartender K.

kühlen, kühlte, hat gekühlt: ⟨tr.⟩ *kühl, kalt machen:* Ge- tränke k.; sein Gesicht k.

Kühler, der; -s, -: a) *Behälter zum Kühlen von Getränken mit Hilfe von Eis:* die Flasche Sekt in einen K. stellen. b) *Vorrich- tung zum Abkühlen der bei der Kühlung von Verbrennungs- motoren erhitzten Flüssigkeit:* der K. war leck.

Kühlerhaube, die; -, -n: *nach oben oder zur Seite zu öffnende Haube aus Blech, unter der Kühler und Motor eines Kraft- fahrzeugs liegen:* einen Blick unter die K. werfen; die K. auf-, zuklappen.

Kühlschrank, der; -[e]s, Kühl- schränke: *einem Schrank ähn- liches Gerät, mit dem bes. Spei- sen, Lebensmittel, Getränke ge- kühlt oder kühl gehalten werden.*

Kühlung, die; -, -en: 1. ⟨ohne Plural⟩ *angenehme Frische:* der Regen brachte nicht die erhoff- te K. 2. ⟨ohne Plural⟩ *das Kühlen:* die K. des Motors durch Wasser. 3. *technische Vorrich- tung zum Kühlen:* die K. unter der Theke einer Gastwirtschaft.

kühn ⟨Adj.⟩: *mutig, beherzt; verwegen:* ein kühner Fahrer; eine kühne Tat; eine kühne *(gewagte)* Behauptung; eine k. *(stark, gewaltig)* geschwungene Linie. **Kühnheit,** die; -, -en.

kujonieren, kujonierte, hat kujoniert ⟨tr.⟩ (ugs.; veraltend): *quälen, schikanieren:* er kujo- niert seine Untergebenen.

Küken, das; -s, -: *Junges* /bes. vom Huhn/: das K. war gerade aus dem Ei geschlüpft; bildl. (ugs.): heute schwimmen selbst K. *(junge Mädchen)* schon Re- korde.

Kukuruz, der; -[es] (östr.): *Mais.*

kulant ⟨Adj.⟩: *entgegenkom- mend, großzügig* /bes. bei der Abwicklung von Geschäften/: ein kulanter Geschäftsmann.

Kulanz, die; -: *großzügiges Entgegenkommen (in geschäft- lichen Dingen):* als langjähriger Kunde hätte ich etwas mehr K. von Ihnen erwartet.

Kuli, der; -s, -s: *Tagelöhner* /bes. in Asien/: die Kulis wurden aus- gebeutet; arbeiten, schuften wie ein K. *(sehr hart arbeiten).*

kulinarisch ⟨Adj.⟩: *die Koch- kunst betreffend, im Geschmack erlesen:* kulinarische Genüsse.

Kulisse, die; -, -n: *Gegenstand, der auf der Bühne eines Theaters einen bestimmten Schauplatz vor- täuschen oder als Dekoration gel- ten soll:* Kulissen malen, auf bauen, schieben; bildl.: das ist alles nur K. *(Vortäuschung).* * (ugs.) **hinter die Kulissen sehen** *(die Hintergründe einer Sache kennenlernen).*

Kulleraugen, die ⟨Plural⟩ (ugs.): *große, runde Augen:* eine Puppe mit K. * **K. machen** *(er- staunt blicken).*

kullern, kullerte, ist gekullert ⟨itr.⟩ (ugs.): *[wie eine Kugel] langsam rollen:* der Ball kullerte ins leere Tor.

Kult, der; -[e]s, -e: 1. *Formen der religiösen Verehrung:* der K. der orthodoxen Kirche. 2. (ab- wertend) *übertriebene Hoch- achtung, Verehrung:* mit diesem Star wird ein richtiger K. ge- trieben.

kultivieren, kultivierte, hat kultiviert ⟨tr.⟩: 1. *für die Land- wirtschaft ertragreich machen:* der Bauer hat ein neues Stück Land kultiviert. 2. *sorgsam pfle- gen, verfeinern:* eine Sprache, Stimme k.; ⟨häufig im 2. Parti- zip⟩: ein kultivierter *(gepfleg- ter, gebildeter)* Mensch.

Kultur, die; -, -en: 1. *Gesamt- heit der geistigen und künstleri- schen Äußerungen einer Ge- meinschaft, eines Volkes:* die Griechen hatten eine hohe K. 2. ⟨ohne Plural⟩ *Bildung, ver- feinerte Lebensart:* ein Mensch mit K. 3. *Bebauung des Bodens:* ein Stück Boden, Wald in K. nehmen.

kulturell ⟨Adj.; nicht prädi- kativ⟩: *den Bereich der Bildung, Kunst betreffend:* kulturelle Ver- anstaltungen; k. interessiert sein.

Kultusminister, der; -s, -: *Minister für kulturelle Angele- genheiten:* eine Konferenz der K. [der Länder].

Kümmel, der; -s: 1. /eine Arz- nei- und Gewürzpflanze/ (siehe Bild). 2. *als Gewürz verwendete Körner, die Frucht der gleichna- migen Pflanze sind:* Käse mit K. bestreuen 3. *ein unter Zu- satz von Körnern der gleichna- migen Pflanze und daraus gewon- nenem Öl hergestellter Brannt- wein:* er trinkt gern K.

Kümmel 1.

Kummer, der; -s: *seelischer Schmerz; Gram; Bedrücktsein:* [großen] K. haben; jmdm. K. machen; ich bin an K. gewöhnt *(ich übernehme auch noch diesen Auftrag ohne Widerspruch).*

kümmerlich ⟨Adj.⟩: 1. *klein, schwächlich:* eine kümmerliche Gestalt. 2. a) *dürftig, nicht aus- reichend:* er hat einen kümmer- lichen Lohn; das ist ein küm- merlicher Rest. b) *armselig, mühsam:* er ernährte sich k.; er mußte sein Leben k. fristen.

kümmern, kümmerte, hat ge- kümmert: 1. ⟨itr.⟩ *sorgen, an- gehen:* das kümmert mich alles nicht; ⟨auch rfl.⟩ wer wird sich um dieses Geschwätz schon k. 2. ⟨rfl.⟩ a) *sich (einer Person, Sache) annehmen, sich (um jmdn./etwas) sorgen:* er küm- merte sich nicht um den Kran- ken. b) *sich bemühen, interessie- ren:* kümmere dich nicht um Dinge, die dich nichts angehen.

Kümmernis, die; -, -se (geh.): *[kleiner] Kummer:* sein Leid erfüllte sie mit K.

kummervoll ⟨Adj.⟩: *voller Kummer, betrübt:* er machte ein kummervolles Gesicht.

Kumpan, der; -s, -e (ugs.; abwertend): **a)** *Gefährte, Genosse, Kamerad:* er zechte mit seinen Kumpanen bis zum frühen Morgen. **b)** *[Helfers]helfer:* der Dieb brach mit seinem Kumpanen in die Villa ein.

Kumpel, der; -s, - und (ugs.:) -s: **1.** *Bergmann:* die K. drohten der Zechenleitung mit Streik. **2.** (ugs.) *Kamerad:* er ist ein guter K.

Kunde, der; -n, -n: *[regelmäßiger] Käufer in einem Geschäft oder Auftraggeber bei einer Firma:* ein guter, langjähriger K.

künden, kündete, hat gekündet (geh.): **1.** ⟨tr.⟩ *verkünden:* Tafeln aus Marmor künden vergessene Namen. **2.** ⟨itr.⟩ *von etwas Zeugnis ablegen, (etwas) beweisen:* versunkene Paläste kündeten von ihrem Reichtum.

Kundendienst, der; -[e]s, -e: **1.** *Einrichtung oder Personen, die mit der Montage, Wartung usw. von Geräten beauftragt sind:* Reparaturen werden von unserem K. schnell und preiswert ausgeführt. **2.** ⟨ohne Plural⟨ *Durchführung von Maßnahmen, die dazu dienen sollen, dem Kunden das Einkaufen zu erleichtern:* die Lieferung der Waren frei Haus gehört zum K.

kundgeben, gibt kund, gab kund, hat kundgegeben (geh.): **1.** ⟨tr.⟩ *bekanntgeben:* seine Meinung k. **2.** ⟨rfl.⟩ *sich äußern, sich zeigen;* in diesem Verhalten gibt sich seine Bescheidenheit kund.

Kundgebung, die; -, -en: *öffentliche Zusammenkunft vieler Menschen, die ihren Willen, ihre Meinung zu einem bestimmten [politischen] Plan, Ereignis zum Ausdruck bringen wollen.*

kundig ⟨Adj.; nicht adverbial⟩: *erfahren, orientiert, geschickt:* wir hatten einen kundigen Führer. * (geh.) **einer Sache k. sein** *(etwas gut können, mit etwas vertraut sein):* er war der deutschen Sprache [nicht] k.

kündigen, kündigte, hat gekündigt: **a)** ⟨tr.⟩ *eine vertragliche Vereinbarung zu einem bestimmten Termin für beendet erklären:* Gelder bei der Bank, eine Wohnung, einen Vertrag k.; bildl.: jmdm. die Freundschaft, den Dienst k. **b)** ⟨itr.⟩ *jmdn. aus einem Dienst entlassen:* jmdm. zum Ende des Monats k. **Kündigung,** die; -, -en.

kundmachen, machte kund, hat kundgemacht ⟨tr.⟩ (östr.; Amtsspr.): *bekanntgeben.* **Kundmachung,** die; -, -en.

Kundschaft, die; -: *Gesamtheit der Kunden:* die K. blieb nach einiger Zeit weg; er zählt zur K.

Kundschafter, der; -s, -: *jmd., der etwas auskundschaftet, erkundet:* die Indianer sandten K. aus.

künftig: **I.** ⟨Adj.; nur attributiv⟩: *in der Zukunft liegend, später:* künftige Geschlechter, Zeiten. **II.** ⟨Adverb⟩ *von heute an, in Zukunft:* ich bitte dies k. zu unterlassen.

Kunst, die; -, Künste: **1. a)** *die Schöpfungen des menschlichen Geistes in Dichtung, Malerei, Musik u. a.:* die darstellende Kunst. **b)** *schöpferische Tätigkeit des Menschen:* er ist ein Förderer der K. **2.** *Können, Geschick:* die K. des Reitens, Fechtens.

kunstgerecht ⟨Adj.; nicht prädikativ⟩: *fachmännisch, genau in der richtigen Weise:* ein Huhn k. ausnehmen.

Kunstgewerbe, das; -s: *Gebiet der bildenden Kunst, das sich mit der Herstellung von künstlerisch gestalteten Gegenständen für den täglichen Gebrauch oder von Schmucksachen beschäftigt.*

Kunstgriff, der; -[e]s, -e: *geschickter Handgriff [bei dessen Beherrschung sich etwas leicht durchführen läßt]; Trick:* mit diesem raffinierten K. verblüffte er alle.

Künstler, der; -s: *jmd., der ein Kunstwerk schafft oder es als Schauspieler, Sänger usw. wiedergibt:* er ist ein begabter, genialer K. **Künstlerin,** die; -, -nen.

künstlerisch ⟨Adj.⟩: *im Sinne, Interesse der Kunst; die Kunst betreffend:* künstlerische Freiheit, Form, Darstellung; eine k. vollendete Leistung.

künstlich ⟨Adj.⟩: *nicht natürlich, auf chemische oder technische Art hergestellt:* künstliche Glieder, Blumen; etwas k. herstellen.

kunstlos ⟨Adj.⟩: *äußerst einfach, nicht künstlerisch [gestaltet]* /Ggs. kunstvoll/: ein kunstloser, nüchterner Bau.

Kunststoff, der; -[e]s, -e: *künstlich hergestelltes Material.*

Kunststück, das; -s, -e: *Tat, die Talent, besonderes Geschick erfordert:* der Clown führte einige Kunststücke vor. * **das ist kein K.** *(das ist nicht schwierig).*

kunstvoll ⟨Adj.⟩: *künstlerisch [gestaltet]* /Ggs. kunstlos/: k. verzierter Schmuck.

Kunstwerk, das; -[e]s, -e: *Ergebnis des künstlerischen Schaffens.*

kunterbunt ⟨Adj.⟩: *völlig gemischt, durcheinander:* alles liegt k. auf den Tischen.

Kupee: siehe Coupé.

Kupfer, das; -s /ein rotes Metall/: eine Kanne aus K.

kupfern ⟨Adj.; nur attributiv⟩: *aus Kupfer [bestehend].*

Kupferstich, der; -[e]s, -e: **1.** ⟨ohne Plural⟩ *Verfahren, bei dem eine Zeichnung in eine kupferne Platte geritzt wird, die Vertiefungen danach mit Farbe gefüllt werden und die Zeichnung dann auf Papier abgedruckt wird.* **2.** *bei dem gleichnamigen Verfahren hergestellter Druck:* ein alter, kostbarer K.

kupieren, kupierte, hat kupiert ⟨tr.⟩ (fachspr.): *(Schwanz, Ohren) kürzen* /bes. bei Hunden, Pferden/: die Ohren des jungen Hundes wurden kupiert; Boxer werden meist kupiert.

Kupon [ku'põ:], der; -s, -s: **1.** *Abschnitt, Zettel, der zu etwas berechtigt:* den K. ausschneiden und einsenden. **2.** *Abschnitt bei Aktien oder Wertpapieren, der zum Bezug der Dividende oder der Zinsen berechtigt.* **3.** *kleinerer abgeschnittener Teil eines zu einem Ballen gewickelten Stoffes:* dieser K. reicht für einen Anzug.

Kuppe, die; -, -n: **a)** *abgerundeter höchster Teil* /bes. eines Berges o. ä./: auf der Kuppe des Berges stand eine kleine Kapelle. **b)** *oberstes rundes Ende* /bes. des Fingers/: seine Finger hatten rauhe Kuppen.

Kuppel, die; -, -n: *Wölbung, meist in Form einer Halbkugel, über einem Raum:* die Peterskirche in Rom hat eine große K.

Kuppelei, die; -, -en: **a)** *Versuch, eine Heirat durch Anwendung bestimmter [unlauterer] Methoden zustande zu bringen:* sie hatte mit ihren Kuppeleien häufig Erfolg. **b)** ⟨ohne Plural⟩ *Handlung, die den Vollzug der Unzucht begünstigt:* wegen schwerer K. bestraft werden.

Kuppelpelz: ⟨in der Wendung⟩ sich einen K. verdienen (ugs.): *eine Heirat zustande bringen:* du willst dir wohl einen K. verdienen?

Kupplung, die; -, -en: *Verbindung zwischen einem ziehenden und einem gezogenen Wagen.* **2.** *Einrichtung zum Unterbrechen der Verbindung zwischen Motor und Getriebe bei Fahrzeugen:* wenn man schaltet, muß man gleichzeitig die K. treten.

Kur, die; -, -en: **1.** *Heilbehandlung, Heilverfahren:* wegen seines schwachen Herzens mußte er eine K. machen. **2.** *Aufenthalt in einem Badeort:* er fuhr jedes Jahr um die gleiche Zeit zur K.

Kür, die; -, -en: Sport *Übung, deren einzelne Teile der Sportler nach freier Wahl zusammenstellen kann:* sie lief, turnte eine hervorragende K.

Kuratorium, das; -s, Kuratorien: *mit der Aufsicht betrauter Ausschuß:* das Institut wählte ein K.

Kurbel, die; -, -n: *[rechtwinkliger] Griff, mit dem etwas gedreht wird:* der Straßenbahnfahrer drehte an der K.

kurbeln, kurbelte, hat gekurbelt: **1.** ⟨tr.⟩ *durch Drehen einer Kurbel bewegen:* er kurbelte den Eimer langsam in die Höhe. **2.** ⟨itr.⟩ (ugs.) *(mit dem Rad) [längere Zeit] fahren:* die Radfahrer kurbelten über die Bahn. **3.** ⟨tr./itr.⟩(ugs.) Filmw. *mit der Kamera aufnehmen:* der Regisseur ließ [die Szene] im Gebirge k.

Kürbis, der; -ses, -se: **1.** /eine Pflanze/ (siehe Bild). **2.** *Frucht der gleichnamigen Pflanze* (siehe Bild): der große K. war geplatzt. **3.** (derb) *Kopf:* er haute ihm eins auf den K.

Kürbis 1. und 2.

Kurfürst, der; -en, -en (hist.): *Fürst, der bei der Königswahl eine Stimme hatte.*

Kurhaus, das; -es, Kurhäuser: *größeres Gebäude in einem Kurort, das den Gästen die zu einer Kur erforderlichen Voraussetzungen bietet und in dem Veranstaltungen zu ihrer Entspannung stattfinden:* das Konzert findet im K. statt.

Kurie, die; -, -n: *päpstliche Behörde in Rom.*

Kurier, der; -s, -e: *Bote [im diplomatischen Dienst]:* die Depesche wurde durch einen K. überbracht.

kurieren, kurierte, hat kuriert ⟨tr.⟩: **a)** *ärztlich behandeln, heilen:* jmdn. von einem Leiden k. **b)** (ugs.) *befreien:* wir haben ihn von seinen Vorurteilen kuriert.

kurios ⟨Adj.⟩: *seltsam, merkwürdig, sonderbar:* eine kuriose Geschichte; das ist alles sehr k.

Kuriosität, die; -, -en.

Kuriosum, das; -s, Kuriosa (geh.): *kuriose Sache, kurioser Fall:* diese Erscheinung gilt als ein K.

Kurort, der; -[e]s, -e: *Ort, der wegen seines Klimas und seiner heilkräftigen Quellen zur Durchführung einer Kur geeignet und staatlich anerkannt ist:* ein wegen seines milden Klimas beliebter K.

kurpfuschen, kurpfuschte, hat gekurpfuscht ⟨itr.⟩ (abwertend): *sich als Kurpfuscher betätigen:* er wurde bestraft, weil er gekurpfuscht hatte.

Kurpfuscher, der; -s, - (abwertend): *jmd., der ohne die erforderliche medizinische Ausbildung jmdn. mit zweifelhaften Mitteln zu heilen versucht:* einige K. empfehlen Petroleum als Mittel gegen Krebs; (ugs.) dieser Arzt ist ein K. *(ein schlechter Arzt).*

Kurs, der; -es, -e: **1.** *[Fahrt]richtung, Route, Weg:* das Flugzeug änderte den Kurs; vom K. abkommen, abweichen; bildl.: den bisherigen K. der Politik beibehalten. **2.** *Lehrgang:* einen K. in Deutsch, für Anfänger besuchen, mitmachen. **3.** *Preis der Wertpapiere an einer Börse:* die Kurse steigen, fallen.

Kursbuch, das; -[e]s, Kursbücher: *Buch, das die Fahrpläne für den Personenverkehr der Eisenbahn enthält:* die Abfahrt des Zuges im K. nachsehen.

Kurschatten, der; -s, - (ugs.; scherzh.): *Person des anderen Geschlechts, mit der sich jmd. während einer Kur anfreundet:* er ging mit seinem K. tanzen.

Kürschner, der; -s, -: *jmd., der Pelze und Kleidung aus Pelzen herstellt* /Berufsbezeichnung/.

kursieren, kursierte, hat/ist kursiert ⟨itr.⟩: *umlaufen, die Runde machen:* die Zahlungsmittel k. rasch *(laufen schnell um);* Gerüchte k. in der Stadt *(sind im Umlauf).*

Kursus, der; -, Kurse: *Lehrgang:* an einem K. in Erster Hilfe teilnehmen.

Kurswagen, der; -s, -: *Eisenbahnwagen, in dem man ohne Umsteigen bis zu einem Ziel fahren kann, der aber unterwegs an andere Züge angehängt wird:* die K. befanden sich am Ende des Zuges.

Kurtaxe, die; -, -n: *Gebühr, die man pro Tag bei einem Aufenthalt in einem Kurort an die Gemeinde o. ä. zu entrichten hat:* die Preise verstehen sich inklusive K.

Kurtisane, die; -, -n (hist.): *vornehme, elegante Geliebte bes. von Adligen.*

Kurve, die; -, -n: *Biegung [einer Straße]:* der Wagen wurde aus der K. getragen; die K. schneiden.

kurven, kurvte, ist gekurvt ⟨itr.⟩ (ugs.): *sich in Kurven bewegen:* das Flugzeug kurvte im Nebel über dem Flughafen.

kurz, kürzer, kürzeste ⟨Adj.⟩: **1.** *von geringer Länge, Ausdehnung; geringe Länge habend:* eine kurze Strecke, ein kurzer Rock; das Haar ist k. geschnitten. * (ugs.) **alles k. und klein schlagen** *(alles zusammenschlagen);* **den kürzeren ziehen** *(in einer Auseinandersetzung verlieren; benachteiligt werden);* **zu k. kommen** *(von etwas einen kleineren Teil als andere erhalten).* **2.** *nicht lange dauernd, von geringer Dauer, vorübergehend:* er kam kurze Zeit nach dem Unglück; eine kurze Pause; der Vortrag ist k. * **über k. oder lang** *(in nächster Zeit);* **vor/seit kurzem** *(vor nicht langer Zeit).* **3.** *nicht ausführlich:* er hat nur einen kurzen Brief geschrieben; der Bericht war sehr k. **4.** *sich betont knapp fassend, um dadurch eine Zurechtweisung oder seine Ablehnung auszudrücken:* jmdm. eine kurze Antwort geben; er war heute sehr k. zu mir.

Kürze, die; -: **1.** *von geringer Länge oder Dauer:* die K. des Weges, die K. der Zeit. * **in K.** *(bald):* er ist in K. hier. **2.** *fehlende Ausführlichkeit, Knappheit:* die K. des Ausdrucks, der Rede.

Kürzel, das; -s, -: *Zeichen als Abkürzung für Silben oder Wörter* /in der Stenographie/: sämtliche K. beherrschen.

kürzen, kürzte, hat gekürzt ⟨tr.⟩: *kürzer machen, verringern:* einen Rock, Text k.; sein Gehalt wurde gekürzt.

kụrzerhand ⟨Adverb⟩: *rasch und ohne langes Überlegen:* er ist k. in Urlaub gefahren.

kụrzfristig ⟨Adj.⟩: *von kurzer Frist, in kurzem zeitlichen Abstand:* k. einen Termin festsetzen; eine kurzfristige Absage.

Kụrzgeschichte, die; -, -n: *kurze Erzählung in Prosa, in der ein in sich gerundetes Geschehen knapp, mit Beschränkung auf das Wesentliche berichtet wird:* eine K. schreiben.

kụrzlebig ⟨Adj.; nicht adverbial⟩: *nur kurze Zeit lebend:* kurzlebige Pflanzen; bildl.: ein kurzlebiger *(nur für kurze Zeit bestehender)* Rekord.

kürzlich ⟨Adverb⟩: *vor nicht langer Zeit; irgendwann in letzter Zeit:* wir haben k. davon gesprochen.

Kụrzschluß, der; Kurzschlusses, Kurzschlüsse: *unmittelbare Verbindung zweier unter elektrischer Spannung stehender Leitungen:* als er das defekte Gerät an den Strom anschloß, gab es einen K.; bildl.: sein Verhalten läßt sich nur aus einem K. *(aus einer [durch Affekt bedingten] vorübergehenden geistigen Störung)* erklären.

Kụrzschlußhandlung, die; -, -en: *Handlung im Zustand einer [durch Affekt bedingten] vorübergehenden geistigen Störung:* als er sie heftig beschimpfte, kam es bei ihr zu einer K., sie schlug ihm heftig ins Gesicht.

Kụrzschrift, die; -, -en: *Stenographie.*

kụrzsichtig ⟨Adj.⟩: **a)** ⟨nicht adverbial⟩ *nur auf kurze Entfernung gut sehend:* er muß eine Brille tragen, weil er k. ist. **b)** *nicht an die Zukunft, das Zukünftige denkend; nur das Nächstliegende beachtend:* k. handeln; eine kurzsichtige Politik treiben.

kụrztreten, tritt kurz, trat kurz, hat kurzgetreten ⟨itr.⟩ (ugs.): *sich einschränken, sich beim Ausgeben von Geld zurückhalten:* bevor wir das Geld bekommen, müssen wir eine Weile k.

kurzụm ⟨Adverb⟩: *um es kurz zu machen:* er las Bücher, Zeitungen, Magazine, k. alles, was er sich verschaffen konnte.

Kürzung, die; -, -en: *Verringerung; Verminderung des Umfangs (von etwas):* eine erhebliche K. des Gehalts; eine K. des umfangreichen Romans.

kụscheln, sich; kuschelte sich, hat sich gekuschelt: *sich schmiegen:* ich kuschelte mich in mein warmes Bett.

kụschen, kuschte, hat gekuscht ⟨itr./rfl.⟩: *sich still und folgsam niederlegen, niedersetzen* /von Hunden/: er befahl dem Hund[, sich] zu k.; bildl. (ugs.): sobald seine Frau einen Ton sagte, kuschte er *(gehorchte er, fügte er sich ängstlich, kleinlaut).*

Kusịne, die; -, -n: *Tochter des Bruders oder der Schwester.*

Kụß, der; Kusses, Küsse: *das Berühren von jmdm. mit den Lippen zum Zeichen der Liebe, Verehrung, zur Begrüßung oder zum Abschied:* jmdm. einen K. geben.

küssen, küßte, hat geküßt ⟨tr./rzp./itr.⟩: *einen Kuß geben:* er küßte seine Frau; er küßte ihr die Hand; sie küßten sich stürmisch, als sie sich nach vielen Jahren wiedersahen; er kann gut k.

Kụßhand, die; -, Kußhände: *Kuß auf die eigenen Fingerspitzen und darauffolgendes symbolisches Weitergeben des Kusses durch Handbewegungen an entfernt Stehende:* der Filmstar warf Kußhände in die Menge. * (ugs.) **mit K.** *(sehr gern).*

Kụ̈ste, die; -, -n: *der unmittelbar an das Meer grenzende Teil des Landes:* eine flache, felsige K.

Kụ̈ster, der; -s, -: *jmd., der bestimmte in der Kirche anfallende Arbeiten verrichtet oder beaufsichtigt* /Berufsbezeichnung/: der K. ging mit dem Klingelbeutel umher und sammelte die Kollekte ein.

Kụtsche, die; -, -n: *von Pferden gezogener Wagen zur Beförderung von Personen* (siehe Bild).

Kutsche

Kụtscher, der; -s, -: *jmd., der eine Kutsche fährt* /früher auch Berufsbezeichnung/: der K. trieb die Pferde zur Eile an.

kutschieren, kutschierte, hat/ist kutschiert: **1.** ⟨tr.⟩ **a)** *(ein von Pferden gezogenes Fahrzeug) lenken:* er hat das Fuhrwerk in das nächste Dorf kutschiert. **b)** *(jmdn.) in einem von Pferden gezogenen Fahrzeug fahren:* man hat die Damen zum Schloß kutschiert. **c)** (ugs.) *(jmdn./etwas) fahren:* ich habe ihn mit meinem Auto durch das Land kutschiert. **2.** ⟨itr.⟩ **a)** *(mit einem von Pferden gezogenen Fahrzeug) fahren:* er ist mit seinem Fuhrwerk von Ort zu Ort kutschiert. **b)** (ugs.) *(mit etwas) fahren:* er ist mit seinem alten Auto durch ganz Europa kutschiert.

Kụtte, die; -, -n: *Kleidung eines Mönches.*

Kụtter, der; -s, -: **1.** *Segelschiff mit einem Mast.* **2.** *[kleines] Fischereifahrzeug:* die K. stachen in See.

Kuvert [ku'vɛ:r], das; -s, -s: *Briefumschlag:* er steckte den Brief in das K.

Kybernẹtik, die; -: *Wissenschaft, die sich mit der Regelung und Steuerung von Vorgängen auf dem Gebiet der Technik, Biologie und Soziologie befaßt.*

L

lạbberig ⟨Adj.⟩ (ugs.; abwertend): *sehr weich; ohne Gehalt und Geschmack* /von Nahrungsmitteln/: ich mag die Suppe nicht, sie ist so l.

laben, labte, hat gelabt (geh.) ⟨tr./rfl.⟩: *erfrischen, erquicken:* er labte sich an Speise und Trank; sie labt den Verunglückten mit einem Trunk; bildl.: sich am Anblick der Landschaft l. *(erfreuen).*

labil ⟨Adj.; nicht adverbial⟩: *nicht sehr stabil, leicht aus dem Gleichgewicht zu bringen:* er hat eine labile Gesundheit. **Labilität,** die; -.

Labor, das; -s, -s und -e: /Kurzform von Laboratorium/.

Laborant, der; -en, -en: *jmd., der in einem Laboratorium arbeitet* /Berufsbezeichnung/. **Laborantin,** die; -, -nen.

Laboratorium, das; -s, Laboratorien: *Raum, Gebäude für naturwissenschaftliche oder technische Versuche:* sie arbeitet im chemischen L.

laborieren, laborierte, hat laboriert ⟨itr.⟩ (ugs.): *sich mit etwas abmühen, plagen:* er laborierte lange an seiner Krankheit.

Labsal, das; -[e]s (geh.): *Erquickung; Stärkung:* das Wasser war L. für ihn; bildl.: die frische Luft, der Trost war L. für sie.

Labyrinth, das; -[e]s, -e: *Anlage, Gebäude o. ä. mit vielen Gängen, in denen man sich nicht zurechtfindet.*

Lache, die; -, -n: **I.** (ugs.) *Art und Weise, wie jmd. lacht:* er hat eine freche L. **II.** [auch: Lache]: *Pfütze.*

lächeln, lächelte, hat gelächelt ⟨itr.⟩: **1.** *lautlos ein wenig lachen:* freundlich, spöttisch l. **2.** *sich von der freundlichen Seite zeigen, günstig sein:* das Glück lächelte ihm.

lachen, lachte, hat gelacht ⟨itr.⟩: **1.** *Freude, Spott o. ä. durch Hervorbringen einzelner Laute ausdrücken* /Ggs. weinen/: laut, aus vollem Halse, leise l.; Tränen, sich (Dativ) einen Ast *(sehr)* l. * **nichts zu l. haben** *(es schwer haben).* **2.** *strahlen, hell sein:* der Himmel, die Sonne lacht. **3.** *sich von der freundlichen Seite zeigen, günstig sein:* das Glück, der Erfolg lacht [ihm].

Lacher: ⟨in der Wendung⟩ die Lacher auf seiner Seite haben: *bei einem Streit, einer Auseinandersetzung die unvoreingenommenen Zuhörer durch einen Scherz auf die eigene Seite ziehen.*

lächerlich ⟨Adj.⟩ (abwertend): **1.** *in seiner Art nicht ernst zu nehmen:* ein lächerlicher Vorschlag; ein lächerlicher *(sehr geringer)* Betrag. * **sich/jmdn. l. machen** *(sich/jmdn. blamieren).* **2.** ⟨verstärkend vor Adjektiven⟩ *sehr, viel zu:* l. wenig Geld verdienen. **Lächerlichkeit,** die; -, -en.

lachhaft: ⟨in der Fügung⟩ etwas ist l. (abwertend): *etwas ist lächerlich:* seine Behauptung ist einfach l.

Lachlust, die; -: *Lust, Bedürfnis zu lachen:* nur mit Mühe konnte sie ihre L. unterdrücken.

Lachs, der; -es, -e: /ein Fisch/ (siehe Bild).

Lachs

Lachsalve, die; -, -n: *lautes Gelächter, in das mehrere Personen zugleich ausbrechen:* die Aufführung wurde immer wieder von Lachsalven unterbrochen.

Lachsschinken, der; -s: *kurz gepökelter, in Speck gerollter, magerer Schweineschinken:* eine Scheibe Brot mit L.

Lack, der; -[e]s, -e: *flüssig aufgetragener, meist glänzender Überzug.*

Lackaffe, der; -n, -n (abwertend): *eitler, übertrieben elegant und sorgfältig gekleideter Mann; Geck.*

Lackarbeit, die; -, -en: *mit Lack überzogener Gegenstand aus Holz oder Metall, der mit Mustern verziert ist; die Herstellung solcher Gegenstände:* dieses Tablett ist eine alte chinesische L.

Lackel, der; -s, -[n] (südd.; östr.; ugs.): **a)** *grober, ungeschlachter Mensch.* **b)** *unbeholfener Mensch.*

lacken, lackte, hat gelackt ⟨tr.⟩: *mit Lack überziehen:* du hast dir die Fingernägel gelackt.

lackieren, lackierte, hat lackiert ⟨tr.⟩: **1.** *mit Lack überziehen:* lackierte Möbel. **2.** (ugs.) *betrügen, hereinlegen:* den haben sie lackiert.

Lackschuh, der; -s, -e: *Schuh aus Leder, das mit Lack überzogen ist:* schwarze Lackschuhe tragen.

Lade, die; -, -n: **1.** *Schublade in einem Möbelstück:* sie zog die Lade auf und nahm das Heft, die Bücher heraus. **2.** (veraltend) *mit einem Deckel zu schließender Kasten (aus Holz), Truhe:* alte Kleider und Mäntel in einer L. aufbewahren.

Ladehemmung, die; -, -en: *Hemmung beim Laden einer Feuerwaffe, wodurch das Schießen unmöglich wird:* als die Schußwaffe des Gangsters L. hatte, wurde er von der Polizei überwältigt; bildl. (ugs.; scherzh.): [eine] L. haben *(nicht sagen oder tun können, was man in dem betreffenden Augenblick sagen oder tun müßte; etwas nicht begreifen können).*

laden, lädt, lud, hat geladen /vgl. geladen/: **I.** ⟨tr./itr.⟩ **1.** *zum Transport (in oder auf etwas) bringen, (etwas mit etwas) beladen:* er lädt Holz auf den Wagen; das Schiff hat Weizen geladen *(ist mit Weizen beladen);* bildl.: er hat große Schuld auf sich geladen. *(ugs.) **schwer geladen haben** *(sehr betrunken sein).* **2.** *elektrischen Strom (in etwas) speichern:* eine Batterie l. **3.** *(eine Schußwaffe) mit Munition versehen:* ein Gewehr l. **II.** ⟨tr.⟩ *zum Kommen auffordern:* er wird [als Zeuge] vor Gericht geladen; ein Vortrag vor geladenen *(eingeladenen)* Gästen.

Laden, der; -s, Läden: **1.** *Geschäft, Raum zum Verkauf von Waren:* einen L. eröffnen. **2.** *Fensterladen* (siehe Bild): die Läden schließen, herunterlassen.

Laden 2.

Ladenhüter, der; -s, - (abwertend): *Ware im Geschäft, die schon längere Zeit vergeblich zum Verkauf angeboten wird:* dieses Buch ist ein L.

Ladenschwengel, der; -s, - (abwertend): *junger Verkäufer.*

Ladentisch, der; -[e]s, -e: *Tisch in einem Laden, auf dem Waren angeboten oder über den hin Waren verkauft werden:* hinter dem L. stehen. * (ugs.) **etwas unter dem L. verkaufen** *(bestimmte Waren nicht offen anbie-*

ten, sondern für besondere Kunden zurücklegen).

Ladentochter, die; - Ladentöchter (schweiz.): *Verkäuferin.*

Laderaum, der; -[e]s, Laderäume: *Raum für die Ladung von Gütern (bei Waggons, Schiffen, Lastkraftwagen).*

lädieren, lädierte, hat lädiert (ugs.): 1. ⟨tr.⟩ *beschädigen:* beim Transport wurde der Schrank lädiert. 2. ⟨tr./rfl./itr.⟩ *verletzen:* du bist ja bei der Schlägerei ganz schön lädiert worden; ich fiel hin und lädierte mich [am Knie], lädierte mir mein Knie.

Ladung, die; -, -en: *zum Transport bestimmter Inhalt eines Fahrzeugs, Fracht:* eine L. Holz.

Lady ['le:di], die; -, Ladies: 1. *Titel einer Frau aus dem englischen Adel.* 2. *vornehme Dame:* sich wie eine L. benehmen.

ladylike ['lɛɪdɪlaɪk] ⟨Adj.; nicht attributiv⟩: *nach Art einer Lady, wie es einer Dame ziemt, vornehm:* ihr Auftreten ist l.

Lafette, die; -, -n: *Gestell, auf dem das Rohr eines Geschützes ruht und meist auch transportiert werden kann:* die L. begann zu rollen.

Laffe, der; -n, -n (ugs.): *Geck.*

Lage, die; -, -n: 1. a) *Art und Weise des Liegens:* waagerechte, ruhige L. b) *räumliches Verhältnis zur Umgebung:* ein Haus in sonniger L. c) *Umstände, allgemeine Verhältnisse; Situation:* er ist in einer unangenehmen L.; die L. ist ernst; ich bin in der L., dir zu helfen *(ich kann dir helfen).* 2. *Schicht:* abwechselnd eine L. Sand und eine L. Ton. 3. (ugs.) *ein spendiertes Glas Bier oder Schnaps für jeden eines bestimmten Kreises; Runde:* eine L. Bier ausgeben, werfen.

Lager, das; -s, -: 1. *[behelfsmäßige] Unterkunft in Zelten, Baracken o. ä.:* ein L. aufschlagen, abbrechen; die Flüchtlinge sind in Lagern untergebracht. 2. *Magazin, Raum für Vorräte:* er räumt seine L. *(macht einen Ausverkauf).* * **auf L.** *(vorrätig).* 3. *Stelle, wo man liegt:* ein hartes L.; ein L. von Stroh. 4. *Maschinenteil, der sich drehende Teile stützt:* die L. müssen geölt werden.

lagern, lagerte, hat gelagert: 1. ⟨tr.⟩ *auf eine Unterlage legen:* du mußt das verletzte Bein hoch l. 2. a) ⟨itr.⟩ *[in einem Lager] liegen:* die Ware lagert in einem Schuppen. b) ⟨tr.⟩ *als Vorrat aufbewahren:* Getreide l. 3. ⟨itr./rfl.⟩ *Rast machen, sich (zur Ruhe) hinlegen:* sie lagerten im Freien; wir lagerten uns im Kreise.

Lagerplatz, der; -es, Lagerplätze: 1. *Platz, der sich zur Rast, zum Aufschlagen eines Lagers eignet:* einen L. suchen. 2. *Platz, auf dem Waren, Güter gelagert werden.*

Lagune, die; -, -n: *vom offenen Meer getrennter Meeresarm:* die Lagunen Venedigs.

lahm ⟨Adj.⟩: *unfähig zur Bewegung, gelähmt, kraftlos:* ein lahmes Bein; bildl.: lahme *(nicht überzeugende)* Entschuldigungen.

lahmen, lahmte, hat gelahmt ⟨itr.⟩: *hinken* /von Tieren/: das Pferd lahmt ein wenig.

lähmen, lähmte, hat gelähmt ⟨tr.⟩: *lahm machen, die Kraft zur Bewegung nehmen:* die Angst lähmte ihn; er ist gelähmt.

lahmlegen, legte lahm, hat lahmgelegt ⟨tr.⟩: *zum Stillstand bringen:* der Nebel hat den ganzen Verkehr lahmgelegt.

Lähmung, die; -, -en: *das Gelähmtsein:* die L. ist links; er hat eine L. auf der rechten Seite.

Laib, der; -[e]s -e (veralt., noch landsch.): *rund geformtes Brot; großer, rund geformter Käse:* sich von dem L. [Brot] eine Scheibe abschneiden.

Laich, der; -[e]s: *die von Schleim oder Gallert umgebenen Eier der Fische, Amphibien und Schnecken:* den L. absetzen.

laichen, laichte, hat gelaicht ⟨itr.⟩: *Laich absetzen:* in einem Fluß l.

Laie, der; -n, -n: 1. *jmd., der nicht Fachmann ist:* er ist [ein] L. auf diesem Gebiet. 2. (bes. kath.) *Angehöriger einer Kirche, der kein Geistlicher ist.*

laienhaft ⟨Adj.⟩: *nicht fachmännisch, nicht fachgerecht:* laienhafte Anschauungen; diese Arbeit wurde l. ausgeführt.

Laienspiel, das; -[e]s, -e: 1. *Aufführung eines für die Bühne bestimmten Stückes durch Laien:* Freude am L. haben. 2. *Stück, das für die Aufführung durch Laien bestimmt ist:* der Autor hat mehrere Laienspiele veröffentlicht.

Lakai, der; -en, -en: 1. (veralt.) *herrschaftlicher Diener [in Livree]:* einem Lakaien einen Auftrag geben. 2. (abwertend) *Mensch, über den man verfügen kann, weil er abhängig und übertrieben demütig ist; Kriecher.*

Lake, die; -, -n: *salzige Lösung zum Einlegen von Fisch und Fleisch:* Heringe in die L. legen.

Laken, das; -s, - (bes. nordd.): *Bettuch.*

lakonisch ⟨Adj.⟩: *wortkarg; kurz [und treffend]:* eine lakonische Antwort; etwas l. sagen.

Lakritze, die; -, -n: *dick gewordener Saft aus der Wurzel des Süßholzes:* L. lutschen.

lallen, lallte, hat gelallt ⟨tr./itr.⟩: *nicht völlig verständlich sprechen, stammelnd zu sprechen versuchen:* das Kind lallt; der Betrunkene lallte ein paar Worte.

Lama, das; -s, -s: /ein Tier/ (siehe Bild).

Lama

Lamé, der; -s: *glänzender Stoff aus metallenen und seidenen Fäden:* eine festliche Bluse aus goldenen glänzendem L.

Lamelle, die; -, -n: 1. *Blättchen unter dem Hut bestimmter Pilze.* 2. Technik *dünnes Blättchen, Scheibe.*

lamentieren, lamentierte, hat lamentiert ⟨itr.⟩ (ugs.): *ohne oder nur aus geringem Anlaß ständig klagen, jammern:* sobald man sie nach ihrem Befinden fragte, begann sie zu l.

Lamento, das; -s, -s (ugs.): *[übertriebenes] Gejammer:* wegen jeder Kleinigkeit veranstaltet sie ein L.

Lametta, das; -s: *glitzernde Metallstreifen:* wir hängen L. an den Christbaum.

Lamm, das; -[e]s, Lämmer: *junges Schaf.*

lammfromm ⟨Adj.⟩ (ugs.; iron.): *sanft, geduldig, demütig:* die Schüler sind alles andere als l.

Lammsgeduld, die; - (ugs.): *große Geduld:* sie ertrug seine Launen mit L.

Lampe, die; -, -n: *Gerät, das zur Beleuchtung dient.*

Lampenfieber, das; -s: *nervöse Erregung vor öffentlichem Auftreten:* vor dem Konzert hatte der Sänger jedesmal L.

Lampion, der; -s, -s [lampi'õ, auch 'lampioŋ]: *bunte Laterne aus Papier:* Lampions aufhängen.

lancieren [lã'si:rən], lancierte, hat lanciert ⟨tr.⟩: **1.** *geschickt an eine gewünschte Stelle bringen:* er hat die Nachricht in die Presse lanciert. **2.** *(jmdm.) im Beruf, in der Gesellschaft zu einem [ersten] Erfolg verhelfen:* er hat den jungen Maler lanciert.

Land, das; -[e]s, Länder: **1.** *Staat, geographisch oder politisch abgeschlossenes Gebiet:* die Länder Europas; in fernen Ländern. **2.** ⟨ohne Plural⟩ *Acker, Feld:* fruchtbares L.; ein Stück L. besitzen. **3.** ⟨ohne Plural⟩ *fester Boden:* der Schwimmer steigt ans L. ** **auf dem Lande** *(im ländlichen, bäuerlichen Bereich; fern der Stadt).*

Landarbeiter, der; -s, -: *jmd., der als Arbeiter in einem landwirtschaftlichen Betrieb beschäftigt ist* /Berufsbezeichnung/.

landen, landete, hat/ist gelandet: **1.** ⟨itr.⟩ **a)** *am, auf dem Land ankommen:* das Schiff ist gelandet; das Flugzeug landet. **b)** (ugs.) *schließlich (an einer bestimmten Stelle) ankommen:* der Betrunkene ist im Graben gelandet **2.** ⟨tr.⟩ *an Land setzen:* die Regierung hat [auf der Insel] Truppen gelandet.

Landenge, die; -, -n: *schmaler Streifen Land, zwischen Meeren oder Seen, der zwei Gebiete oder Kontinente miteinander verbindet:* die L. von Korinth.

Ländereien, die ⟨Plural⟩: *Felder, Wiesen, Wald, die zu jmds. Bezirk gehören; großer Grundbesitz:* seine L. besuchen, verkaufen.

Länderkampf, der; -[e]s, Länderkämpfe: *sportlicher Kampf zweier Mannschaften, die zwei verschiedene Länder repräsentieren:* einen L. austragen.

Landesfarben, die ⟨Plural⟩: *die auf der Fahne eines Landes vorkommenden Farben:* blau und gelb sind die L. Schwedens; Girlanden in den L. schmückten den Saal.

Landeshauptmann, der; -(e)s, Landeshauptmänner und Landeshauptleute: *Chef der Regierung eines Bundeslandes* /in Österreich/.

Landesrat, der; -[e]s, Landesräte: *Minister in der Regierung eines Bundeslandes* /in Österreich/.

Landesregierung, die; -, -en: *Regierung eines Bundeslandes* /in der BRD und in Österreich/: die L. tritt zusammen, um über folgende Probleme zu beraten ...

Landessprache, die; -, -n: *die in einem Lande, Staat gesprochene Sprache:* die L. lernen, beherrschen.

landesüblich ⟨Adj.; nicht adverbial⟩: *in einem Land üblich:* etwas dem landesüblichen Geschmack anpassen.

Landgericht, das; -[e]s, -e: *dem Amtsgericht folgende Instanz der deutschen Gerichte.*

Landjäger, der; -s, -: **1.** (landsch.) *Gendarm.* **2.** ⟨meist Plural⟩ /eine bestimmte Art von geräucherten Würstchen/.

Landkarte, die; -, -n: *Blatt, auf dem die Oberfläche der Erde oder ein Teil davon dargestellt ist:* eine L. von Europa.

Landkreis, der; -es, -e: *aus mehreren Gemeinden bestehende Einheit, die sich selbst verwaltet, der aber auch in bestimmten Bundesländern staatliche Aufgaben zur Erledigung zugewiesen werden* /in der BRD/: im L. Marburg wohnen; die Aufgaben des Landkreises Bergstraße.

landläufig ⟨Adj.⟩: *allgemein verbreitet und üblich:* eine landläufige Meinung, Methode.

ländlich ⟨Adj.⟩: *wie außerhalb, fern der Stadt üblich; bäuerlich:* in ländlicher Stille wohnen; ländliche Sitten.

Landplage, die; -, -n (ugs.): *große Plage für viele Menschen:* die Gammler wurden zu einer wahren L.

Landrat, der; -[e]s, Landräte: *gewählter Beamter, der die Verwaltung des Landkreises leitet:* unter dem Vorsitz des Landrates tagen.

Landratte, die; -, -n (ugs.; scherzh.): *jmd., der im Binnenland aufgewachsen und mit dem Meer nicht vertraut ist:* die Landratten an Bord wurden schon beim leisesten Schaukeln seekrank.

Landregen, der; -s, -: *heftiger, lange dauernder Regen:* in einen L. geraten.

Landschaft, die; -, -en: *Gegend, Gebiet:* eine schöne L.; die deutschen Landschaften.

landschaftlich ⟨Adj.⟩: **1.** *das Aussehen einer Gegend betreffend:* die landschaftlichen Schönheiten Tirols. **2.** *auf bestimmte Gebiete beschränkt:* dieses Wort ist nur landschaftlich verbreitet.

Landsitz, der; -es, -e: *großes, herrschaftliches Haus auf dem Land; Gut:* seine Ferien auf einem L. verbringen.

Landsknecht, der; -[e]s, -e (hist.): *deutscher Söldner des 15. und 16. Jahrhunderts:* Landsknechte erwerben; wie ein L. schimpfen; bildl.: zum L. *(zu einem rohen Soldaten)* werden.

Landsmann, der; -[e]s, Landsleute: *jmd., der mit [einem] anderen aus dem gleichen Lande stammt:* er ist Deutscher, also ein L. von mir.

Landstraße, die; -, -n: *Straße außerhalb der Ortschaften.*

Landstreicher, der; -s, -: *jmd., der ohne festen Wohnort bettelnd durchs Land zieht:* wie ein L. aussehen.

Landstrich, der; -[e]s, -e: *Streifen einer Landschaft, kleines Gebiet:* ein hübscher, ein dichtbevölkerter L.

Landtag, der; -[e]s, -e: *Volksvertretung eines Bundeslandes* /in der BRD und in Österreich/: den L. wählen.

Landung, die; -, -en: **1.** *das Ankommen an, auf dem Land:* die pünktliche L. des Schiffes; die L. des Flugzeuges; eine weiche L. *(allmähliches, langsames Aufsetzen abgebremster Sonden, Raumfahrzeuge o. ä. auf dem Boden).* **2.** *das Absetzen an Land:* die L. der Truppen vollzog sich ohne Zwischenfälle.

Landweg, der; -[e]s: *Weg, der über das Festland führt:* eine Stadt auf dem L. erreichen.

Lạndwirt, der; -[e]s, -e: *jmd., der Ackerbau und Viehzucht als Beruf betreibt.*

Lạndwirtschaft, die; -, -en: **1.** ⟨ohne Plural⟩ *systematische Nutzung des Bodens durch Ackerbau und Viehzucht:* L. treiben, in der L. arbeiten. **2.** *bäuerlicher Betrieb, kleines Gut:* er hat eine kleine L.

lạndwirtschaftlich ⟨Adj.⟩: *die Landwirtschaft betreffend, zu ihr gehörend:* die landwirtschaftliche Produktion.

Lạndzunge, die; -, -n: *schmaler, weit in das Wasser reichender Streifen Land:* an der Spitze einer L. stehen.

lạng, länger, längste ⟨Adj.⟩ /vgl. lange/: **1.** *räumlich in einer Richtung besonders ausgedehnt; eine größere Ausdehnung habend:* ein langer Weg; langes Haar. * (ugs.) **lange Finger machen** *(stehlen);* **etwas von langer Hand vorbereitet haben** *(ein Verbrechen o. ä. lange und sorgfältig vorbereitet haben);* (ugs.) **etwas auf die lange Bank schieben** *(etwas hinauszögern).* **2.** ⟨in Verbindung mit Angaben von Maßen⟩ *eine bestimmte Länge habend:* das Brett ist 2 m l. **3.** *zeitlich besonders ausgedehnt; von größerer Dauer:* ein langes Leben; nach langem Überlegen; seit langem *(seit langer Zeit).* **4.** *ausführlich:* ein langer Brief, Bericht.

lạngatmig ⟨Adj.⟩: *umständlich, weitschweifig:* l. erzählen.

lạnge ⟨Adverb⟩ /vgl. lang/: **1.** *zeitlich besonders ausgedehnt:* er muß lange warten. **2.** ⟨nur in Verbindung mit *nicht*⟩ *bei weitem:* das ist [noch] lange nicht alles *(es fehlt noch viel).*

Länge, die; -, -n: **1. a)** ⟨ohne Plural⟩ *räumliche Ausdehnung, in einer Richtung* /Ggs. Kürze/: eine Stange von drei Meter[n] L.; er fiel der L. nach *(so lang, wie er war)* hin. **b)** *geographische Lage eines Ortes nach Osten oder Westen:* Berlin liegt unter 13 Grad östlicher L. **2. a)** ⟨ohne Plural⟩ *zeitliche Ausdehnung, [lange] Dauer* /Ggs. Kürze/: die L. des Studiums ist verschieden. * **etwas in die L. ziehen** *(etwas länger dauern lassen);* **etwas zieht sich in die L. b)** ⟨Plural⟩ *als zu lang empfundene Stellen:* der Film, das Drama hat einige Längen.

lạngen, langte, hat gelangt (ugs.): **1.** ⟨tr.⟩ *geben, aushändigen:* lang mir mal den Teller vom Tisch; bildl.: den werde ich mir schon l. *(vornehmen);* * **jmdm. eine l.** *(jmdm. eine Ohrfeige geben):* er hat ihm eine gelangt; **eine [Ohrfeige] gelangt kriegen** *(eine Ohrfeige bekommen).* **2.** ⟨itr.⟩ **a)** *genügen, ausreichen:* der Rest langt gerade noch für eine Bluse; hundert Mark langen nicht. * **jmdm. langt's/langt es** *(jmd. ist einer Sache überdrüssig).* **b)** *(bis zu einem bestimmten Ort, einer bestimmten Stelle) reichen:* der Rock langte ihr kaum bis an die Knie. **c)** *die Hand ausstrekken, um (etwas) zu fassen:* er langte nach seinem Stock.

Längengrad, der; -[e]s, -e: *Abstand zwischen den einzelnen gedachten Linien, die Nordpol und Südpol auf dem kürzesten Wege miteinander verbinden und die östliche und westliche Hälfte der Erdoberfläche vertikal gliedern.*

Längenmaß, das; -es, -e: *Maß zum Messen der Länge:* ein neues L. einführen.

Lạngeweile, die; -: *Gefühl der Eintönigkeit infolge fehlender Anregung oder Beschäftigung:* L. haben, vor L. vergehen; tödliche L.

Lạngfinger, der; -s, - (ugs.): *Dieb:* ein L. öffnete den Wagen und entwendete mehrere Gegenstände.

lạngfristig ⟨Adj.⟩: *auf lange Dauer berechnet:* ein langfristiges Darlehen.

lạnghaarig ⟨Adj.⟩: *mit langem Haar versehen:* ein langhaariger Jüngling; das Kaninchen ist l.

lạngjährig ⟨Adj.; nur attributiv⟩: **a)** *lange Jahre dauernd, gültig:* ein langjähriger Vertrag. **b)** *seit langen Jahren vorhanden:* ein langjähriger Mitarbeiter.

lạnglebig ⟨Adj.; nicht adverbial⟩: *lange lebend:* ein langlebiges Geschlecht; bildl.: eine langlebige Angelegenheit.

lạnglegen, sich; legte sich lang, hat sich langgelegt (ugs.): *sich zum Ausruhen, Schlafen hinlegen:* sich nach dem Mittagessen für eine Stunde l.

länglich ⟨Adj.; nicht adverbial⟩: *schmal und von einer gewissen Länge:* ein länglicher Kasten.

Lạngmut, die; -: *ausdauernde Geduld:* du darfst seine L. nicht mit Schwäche verwechseln.

lạngmütig ⟨Adj.⟩ (geh.): *Langmut übend, geduldig:* der sonst so langmütige Vater drohte ihm diesmal mit einer Strafe.

lạ̈ngs: 1. ⟨Adverb⟩ *der Länge nach* /Ggs. quer/: ein Brötchen l. durchschneiden. **2.** ⟨Präp. mit Gen. oder Dativ⟩ *entlang:* l. des Flusses.

lạngsam ⟨Adj.⟩: **a)** *mit geringer Geschwindigkeit, gemächlich* /Ggs. schnell/: l. gehen, arbeiten. **b)** ⟨nur adverbial⟩ *allmählich:* es wird l. Zeit, daß wir aufhören. **Lạngsamkeit,** die; -.

Lạngschläfer, der; -s, - (ugs.): *jmd., der gern bis in den hellen Tag schläft.*

Lạngspielplatte, die; -, -n: *Schallplatte, deren Abspielen lange dauert:* eine L. auflegen.

Längsseite, die; -, -n: *die Seite mit der längsten Ausdehnung:* die L. des Hauses war von Wein bedeckt.

lạ̈ngst ⟨Adverb⟩: **1.** *seit langer Zeit:* das habe ich l. gewußt. **2.** ⟨nur in Verbindung mit *nicht*⟩ *bei weitem:* er ist l. nicht so fleißig wie du.

lạ̈ngstens ⟨Adverb⟩ (ugs.): *spätestens:* l. in zwei Tagen bringe ich dir das Buch zurück.

lạngstielig ⟨Adj.⟩: **a)** *mit einem langen Stiel versehen:* eine langstielige Rose; ein langstieliges Glas. **b)** (ugs.) *langweilig, durch allzu große Ausführlichkeit ermüdend:* der Vortrag war furchtbar l.

Languste, die; -, -n: /ein Krebs mit schmackhaftem Fleisch/ (siehe Bild).

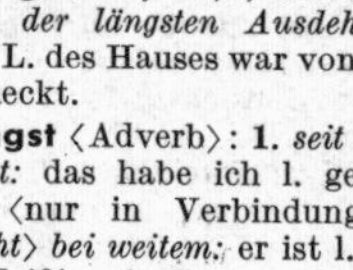

Languste

lạngweilen, langweilte, hat gelangweilt: **1.** ⟨tr.⟩ *(jmdm.) Langeweile bereiten:* er langweilt mich mit seinen Geschichten. **2.** ⟨rfl.⟩ *Langeweile haben, empfinden:* ich habe mich sehr gelangweilt.

ngweilig ⟨Adj.⟩: *ohne An- gung und Abwechslung, ein- nig:* ein langweiliger Vortrag; s war sehr l. auf der Party; er nd sie sehr l. *(ohne Reiz).*

ngwierig ⟨Adj.⟩: *lange dau- nd und nicht ganz einfach:* ngwierige Verhandlungen.

anolin, das; -s: *Substanz, die ls Grundlage für die Herstel- ng von Salben dient.*

anze, die; -, -n: /eine Waffe/ iehe Bild): der Ritter legte ine L. ein. * (geh.) **für jmdn./ twas eine L. einlegen/brechen** *ür jmdn./etwas eintreten).*

Lanze

apidar ⟨Adj.⟩: *wuchtig, kraft- oll:* ein lapidarer Stil; in lapi- arer Kürze.

appalie, die; -, -n (ugs.; ab- ertend): *Kleinigkeit, Nichtig- eit:* sich mit Lappalien aufhal- en.

appen, der; -s, -: *[altes] tück Stoff, Fetzen:* etwas mit inem L. putzen. * (ugs.) **jmdm. urch die L. gehen** *(jmdm. ent- ischen).*

appig ⟨Adj.⟩ (ugs.): 1. *ohne esten Halt, weich und schlaff* von Stoffen o. ä./: ein lappiger toff. 2. *unbedeutend, lächerlich, chäbig:* reg dich doch wegen er lappigen 10 Mark nicht so uf!

äppisch ⟨Adj.⟩ (abwertend): *indisch:* ein läppisches Spiel; ich l. benehmen.

apsus, der; -, -: *Versehen, eichter Fehler beim Sprechen, Schreiben, im gesellschaftlichen Verkehr o. ä.:* ihm war ein L. un- erlaufen.

ärche, die; -, -n: /ein Nadel- aum/ (siehe Bild).

Lärche

arifari, das; -s (ugs.; abwer- end): *Geschwätz, Unsinn:* alles as er sagte, war L.

Lärm, der; -s: *sehr starkes, als störend empfundenes Geräusch:* die Kinder, die Maschinen machen L.

lärmen, lärmte, hat gelärmt ⟨itr.⟩: *Lärm machen:* die Schüler lärmen auf dem Hof.

Larve, die; -, -n: 1. *erste Form von Insekten u. a. Tieren, die eine Verwandlung durchmachen:* Larven fangen. 2. *vor dem Gesicht getragene Maske:* die Schauspieler trugen Larven.

lasch ⟨Adj.⟩ (ugs.): *schlaff:* die Fahne hängt l. am Mast; ein lascher *(kraftloser)* Händedruck; bildl.: eine lasche *(ohne Energie betriebene)* Erziehung.

Lasche, die; -, -n: *schmales Band aus Metall, Leder o. ä.:* zwei Schienen mit Laschen verbinden; die L. *(Zunge)* im Schuh.

lassen, läßt, ließ, hat gelassen/ (nach vorangehendem Infinitiv auch) hat ... lassen /vgl. gelassen/: 1. ⟨itr.⟩ *veranlassen (daß etwas geschieht):* ich lasse mir einen Anzug machen; sie hat ihn rufen l. 2. ⟨itr.⟩ *erlauben, zulassen (daß etwas geschieht):* er läßt die Kinder toben. 3. ⟨rfl.⟩ *die Möglichkeit bieten, geeignet sein (daß etwas damit geschieht):* der Draht läßt sich gut biegen. 4. ⟨tr.⟩ *einen Zustand nicht ändern:* wir lassen ihn schlafen; laß mich in Ruhe! 5. ⟨itr.⟩ *nicht tun, unterlassen:* laß das!; er kann das Trinken nicht l. 6. ⟨tr.⟩ *überlassen, zur Verfügung stellen:* läßt du mir das Buch bis morgen?; ich lasse mir Zeit.

lässig ⟨Adj.⟩: *ungezwungen, nachlässig:* lässige Haltung; sich l. bewegen. **Lässigkeit,** die; -.

Lasso, das; -s, -s: *langes Seil, dessen Schlinge nach Tieren geworfen wird, um sie einzufangen.*

Last, die; -, -en: 1. *etwas, was durch sein Gewicht nach unten drückt oder zieht:* eine L. tragen, heben; das Paket war eine schwere L. für die Frau; bildl.: die L. seines Amtes. * **jmdm. zur L. fallen** *(jmdm. Mühe und Kosten machen);* **jmdm. etwas zur L. legen** *(jmdm. die Schuld für etwas geben).* 2. ⟨Plural⟩ *finanzielle Verpflichtungen:* die sozialen Lasten steigen. * **zu Lasten ...** *(zu bezahlen von jmdm., als Betrag abzuziehen von jmds. Konto):* die Reparatur geht zu Lasten Ihres Kontos.

Lastauto, das; -s, -s: *Lastkraftwagen.*

lasten, lastete, hat gelastet ⟨itr.⟩: *als drückende Verpflichtung (auf etwas) liegen:* auf dem Grundstück lasten hohe Abgaben.

Lastenausgleich, der; -[e]s: *an Bürger der BRD wegen der im und nach dem 2. Weltkrieg erlittenen materiellen Verluste gezahlte Entschädigung:* L. bekommen.

lastenfrei ⟨Adj.⟩: *frei von Schulden:* das Haus ist l.

Laster: I. das; -s, -: *zur Gewohnheit gewordene Untugend oder Ausschweifung:* er hat verschiedene L. II. der; -s, - (ugs.): *Lastkraftwagen.*

lasterhaft ⟨Adj.⟩: *einem Laster verfallen; ausschweifend:* ein lasterhafter Mensch; sein lasterhaftes Leben bereuen. **Lasterhaftigkeit,** die; -.

Lasterleben, das; -s: *ein lasterhaftes, ausschweifendes Leben:* ein wahres L. führen.

lästerlich ⟨Adj.⟩: *als Lästerung empfunden, abscheulich:* lästerliche Reden führen.

Lästermaul, das; -s, Lästermäuler (ugs.): 1. *Veranlagung, Bedürfnis, über etwas, was anderen heilig oder wertvoll ist, herzuziehen, zu schimpfen:* er hat ein entsetzliches L. 2. *jmd., der gerne über etwas, was anderen heilig oder wertvoll ist, herzieht, schimpft:* zwar ist er ein altes L., aber das, was er sagt, ist meistens ganz interessant.

lästern, lästerte, hat gelästert: 1. ⟨tr.⟩ *(Gott oder etwas als heilig Geltendes) beschimpfen:* er hat Gott gelästert. 2. ⟨itr.⟩ *(über einen Abwesenden) schlecht reden:* wir haben über ihn gelästert.

Lästerung, die; -, -en: *das Herziehen, Schimpfen (über etwas, was anderen heilig oder wertvoll ist):* die Lästerungen gegen Gott.

Lästerzunge, die; -, -n (ugs.): *Lästermaul.*

lästig ⟨Adj.; nicht adverbial⟩: *als störend, beschwerlich, aufdringlich empfunden:* eine lästige Pflicht; die Fliegen werden l.

Lastkraftwagen, der; -s, -: *zum Transport größerer Mengen von Gütern gebauter Kraftwagen.*

Lasttier, das; -[e]s, -e: *zum Tragen von Lasten verwendetes größeres Tier:* Pferd, Esel und Kamel sind Lasttiere.

Lasur, die; -, -en: *Schicht aus Farbe, die das Material, auf das sie aufgetragen wird, durchscheinen läßt.*

lasziv ⟨Adj.⟩: *schlüpfrig, lüstern, unzüchtig:* laszive Gebärden, Bewegungen machen.

Latein: ⟨in der Wendung⟩ mit seinem L. am Ende sein (ugs.): *keinen Rat mehr wissen.*

latent ⟨Adj.⟩: *versteckt, verborgen:* eine latente Krankheit.

Laterne, die; -, -n: *im Freien angebrachte oder getragene Lampe* (siehe Bild).

Laterne

Latrine, die; -, -n: Soldatenspr. *primitive Toilettenanlage, die von mehreren Personen benutzt werden kann.*

Latrinenparole, die; -, -n: Soldatenspr. *Gerücht:* ich glaube nicht, daß unsere Kompanie verlegt wird, das ist bloß eine L.

latschen, latschte, ist gelatscht ⟨itr.⟩ (ugs.): *nachlässig, mit schweren, schleppenden Schritten gehen:* er latscht über den Hof.

Latschen, die ⟨Plural⟩ (ugs.): **a)** *bequeme Schuhe (aus Stoff), die man zu Hause trägt:* seine L. anziehen. **b)** *alte, abgetragene Schuhe:* er trug einen alten Mantel und zu große L. * (derb) **aus den L. kippen** *(das Bewußtsein, die Fassung verlieren).*

Latschenkiefer, die; -, -n: *niedrige, im Gebirge wachsende Kiefer* (siehe Bild).

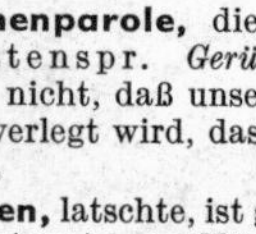

Latschenkiefer

Latte, die; -, -n: *längliches, schmales, meist kantiges Holz:* eine L. vom Zaun reißen.

Lattich, der; -s, -e: *eine bestimmte Gattung von Pflanzen, zu der der Kopfsalat gehört.*

Latz, der; -es, Lätze: **a)** *Art Serviette, die Kleinkindern während des Essens um den Hals gebunden wird:* hast du Fritzchen den L. umgebunden? **b)** *an eine Hose, einen Rock, eine Schürze angesetzter Teil, der die Brust bedeckt.* **c)** *meist heller Einsatz an Damenkleidern.*

Lätzchen, das; -s, -: *kleines Tuch, das Kindern beim Essen umgebunden wird.*

lau ⟨Adj.⟩: *mäßig warm; weder kalt noch warm:* die Milch ist nur l.; ein lauer Wind.

Laub, das; -[e]s: *die Blätter der Bäume:* frisches L.; das L. wird bunt, fällt.

Laubbaum, der; -s, Laubbäume: *Baum, der Blätter trägt* /Ggs. Nadelbaum/.

Laube, die; -, -n: *kleines, leicht gebautes [nach einer Seite offenes] Haus in einem Garten.*

Laubengang, der; -[e]s, Laubengänge: **1.** *Weg, an dessen Seite Bäume stehen, deren Kronen sich berühren, oder der von Pflanzen überdacht ist, die an Gittern nach oben wachsen:* in einem L. spazierengehen. **2.** *Arkaden.* **3.** *offener Gang eines Hauses, über den die einzelnen Wohnungen jedes Geschosses zu erreichen sind.*

Laubfrosch, der; -[e]s, Laubfrösche: *grüner, auf Bäumen und Sträuchern lebender Frosch.*

Laubsäge, die; -, -n: *leichte Säge für Arbeiten in dünnem Holz* (siehe Bild).

Laubsäge

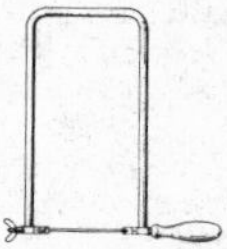

Laubwald, der; -[e]s, Laubwälder: *Wald aus Laubbäumen:* die kleinen Berge und Hügel waren mit L. bewachsen.

Lauch, der; -[e]s, -e: /Gattung bestimmter Pflanzen wie Zwiebeln und Porree/.

Laudatio, die; -, Laudationes (geh.): *Lobrede (auf eine Person, die sich verdient gemacht hat):* die Laudatio auf den Preisträger hielt der Rektor der Universität.

Lauer: ⟨in den Wendungen⟩ (ugs.) **auf der L. liegen/sein** *(a[uf] jmdn. lauern);* **sich auf die [L.] legen** *(auf jmdn. [zu] lauern [be]ginnen]).*

lauern, lauerte, hat gelauer[t] ⟨itr.⟩: *im Hinterhalt warten, u[m] jmdn. zu überfallen:* die Katz[e] lauert auf eine Maus.

Lauf, der; -[e]s, Läufe: [1.] ⟨ohne Plural⟩ *das Laufen:* i[n] schnellem L. * **etwas nimmt sei[]nen L.** *(etwas ist im Gange un[d] nicht mehr aufzuhalten);* **eine Sache freien L. lassen** *(die En[t]wicklung einer Sache nicht hin[]dern):* er ließ seiner Phantasi[e] freien L.; **im L.** *(während, inner[]halb):* im L. der Untersuchung[.] **2.** *Laufen als Sport:* einen L. ge[]winnen. **3.** *Rohr einer Schuß[]waffe:* den L. des Gewehrs reini[]gen. **4.** *Bein, Fuß bestimmte[r] Tiere:* die Läufe des Hasen.

Laufbahn, die; -, -en: *beruf[]liches Vorwärtskommen, festge[]legter Weg des Aufstiegs in be[]stimmten Berufen:* eine glänzen[]de L.; die L. eines Beamten.

laufen, läuft, lief, hat/ist ge[]laufen /vgl. laufend/: **1. a)** ⟨itr.[⟩] *sich schnell vorwärts bewegen[,] rennen:* ein Kind, eine Katz[e] läuft über die Straße; um di[e] Wette l. **b)** ⟨itr./tr.⟩ *eine Strek[]ke im Lauf zurücklegen:* er ist[/] hat 100 Meter in 12 Sekunden ge[]laufen. * **Schlittschuh, Schi l[.]** *(sich auf Schlittschuhen, Schier[n] bewegen).* **c)** ⟨itr.⟩ *gehen, wan[]dern:* er läuft zu Fuß zum Bahn[]hof; wir sind im Gebirge viel ge[]laufen; das Kind kann schon l[.] **2.** ⟨itr.⟩ *in Tätigkeit, in Betrie[b] sein:* die Maschine läuft; de[r] Wagen läuft gut; bildl.: de[r] Prozeß läuft [seit 3 Monaten][.] **3.** ⟨itr.⟩ *fließen:* der Wein läuf[t] aus dem Faß; der Wasserhahn läuft *(ist nicht dicht).*

laufend ⟨Adj.⟩: *ständig, regel[]mäßig, immer wieder vorkom[]mend:* laufende Ausgaben, Un[]kosten; er hat mich l. betrogen[.] * **auf dem laufenden sein** *(übe[r] das Neueste informiert sein, Be[]scheid wissen).*

laufenlassen, läßt laufen, ließ laufen, hat laufen[ge]lassen ⟨tr.⟩ (ugs.): *freilassen, nicht bestrafen:* einen Dieb l.

Läufer, der; -s, -: **1.** *langer, schmaler Teppich:* ein roter L. **2. a)** *jmd., der das Laufen als Sport betreibt.* **b)** Fuß-, Handball *Spieler, der die Verbindung zwischen Stürmern und Verteidigern herzustellen hat:* er spielt als L. **3.** *Figur im Schachspiel* (siehe Bild).

Läufer 3.

Lauferei, die; -, -en: *sich ständig wiederholendes, als unangenehm empfundenes Laufen, Gehen:* die L. von einem Amt zum anderen wird mir allmählich zu viel.

Lauffeuer: ⟨in der Fügung⟩ wie ein L.: *sehr schnell durch Weitererzählen:* die Nachricht verbreitete sich, breitete sich wie ein L. aus.

Laufgitter, das; -s, -: *meist aus einem Boden und einem Gitter bestehendes Gestell, in dem kleine Kinder das Gehen lernen, umherlaufen und spielen können, ohne sich zu verletzen oder Schaden anzurichten* (siehe Bild): das Kind in sein L. setzen.

Laufgitter

läufig ⟨Adj.; nicht adverbial⟩: *geschlechtlich erregt* /von weiblichen Hunden/: der Dackel war l.

Laufmasche, die; -, -n: *senkrechter offener Streifen in Strümpfen, der durch eine gefallene Masche entstanden ist.*

Laufpaß: ⟨in der Wendung⟩ jmdm. den L. geben (ugs.): *die Beziehungen zu jmdm. abbrechen, sich von jmdm. trennen:* sie hat ihrem Freund den L. gegeben.

Laufschritt: ⟨in der Fügung⟩ im L.: *mit schnellen, springenden Schritten:* er kam im L. herbei.

Laufstall, der; -[e]s, Laufställe: *Laufgitter.*

Laufsteg, der; -s, -e: *schmaler Steg, auf dem man hin und her gehen kann, z. B. bei der Modenschau:* die Mannequins schreiten über den L.

Laufzeit, die; -, -en: **1.** *Zeit, in der ein Film o. ä. auf dem Spielplan steht:* in Hamburg betrug die L. dieses Filmes sechs Wochen. **2.** *Zeit von der Ausstellung eines Darlehens o. ä. bis zu dem Tag, an dem es zurückgezahlt sein muß:* dieser Kredit hat eine L. von drei Jahren.

Laufzettel, der; -s, -: **1.** *Zettel, der einem Werkstück beigegeben wird, damit auf ihm der Gang der Arbeit eingetragen werden kann.* **2.** *Zettel mit Informationen, der an alle Interessenten verteilt wird.*

Lauge, die; -, -n: *Wasser, in dem Waschmittel o. ä. aufgelöst sind:* etwas mit L. waschen.

Laune, die; -, -n: **a)** ⟨ohne Plural⟩ *vorübergehende besondere Stimmung des Gemüts:* heitere, schlechte L.; guter L. sein. **b)** ⟨Plural⟩ *Stimmungen, mit denen jmd. seiner Umgebung lästig wird:* wir müssen seine Launen ertragen.

launenhaft ⟨Adj.⟩ (abwertend): *von Stimmungen und Einfällen abhängig, unberechenbar:* ein launenhafter Mensch.

Launenhaftigkeit, die; -.

launig ⟨Adj.⟩: *von guter Laune bestimmt, witzig, humorvoll:* ein launiger Einfall.

launisch ⟨Adj.⟩ (abwertend): *von wechselnder, meist schlechter Laune beherrscht:* er ist sehr l.

Laus, die; -, Läuse: *kleines, an Menschen oder Tieren lebendes, Blut saugendes Insekt:* Läuse haben. * (ugs.) **jmdm./sich eine L. in den Pelz setzen** *(jmdm./sich Ärger bereiten);* (ugs.) **ihm ist eine L. über die Leber gelaufen** *(er ist schlechter Laune).*

Lausbub, der; -en, -en: (scherzh.): *Junge, der zu allerlei Streichen bereit ist.*

Lausbüberei, die; -, -en: *Tat, Streich eines Lausbuben.*

lauschen, lauschte, hat gelauscht ⟨itr.⟩: *angespannt zuhören, (auf etwas) horchen:* der Musik, einer Erzählung l.; sie lauschte heimlich an der Tür.

lauschig ⟨Adj.⟩: *verborgen und gemütlich gelegen:* ein lauschiges Plätzchen, Eckchen.

Lausebengel, der; -s, - (ugs.; abwertend): *frecher Junge, der mit allem, was er sagt und tut, andere ärgert:* bevor er weitersprechen konnte, hatte sie dem L. eine gelangt.

Lausejunge, der; -n, -n (ugs.; abwertend): *Lausebengel.*

lausen, lauste, hat gelaust: **1.** ⟨tr./rfl.⟩ *nach Läusen absuchen und diese vernichten:* einen Hund l.; die Affen haben sich gelaust. * (ugs.) **mich laust der Affe!** *(ich bin sehr erstaunt, verblüfft).* **2.** ⟨tr.⟩ (ugs.; scherzh.) *schröpfen, ausnehmen, (jmdm.) durch listiges Vorgehen sein Geld abnehmen:* gestern ist er beim Kartenspiel ganz schön gelaust worden.

lausig ⟨Adj.⟩ (ugs.): **a)** *schlecht, wertlos:* lausige Zeiten; die paar lausigen Pfennige, die du verloren hast. **b)** ⟨verstärkend bei Adjektiven⟩ *außerordentlich, sehr:* es ist l. kalt.

laut: **I.** ⟨Adj.⟩ **a)** *auf weite Entfernung hörbar* /Ggs. leise/: l. singen, sprechen; laute Musik. **b)** *voller Lärm, Unruhe; nicht ruhig:* hier ist es zu l.; eine laute Straße. **II.** ⟨Präp. mit Gen.⟩ *nach Angabe des/der ..., entsprechend dem Wortlaut:* l. seines Gutachtens; ⟨a b e r: ohne Flexionsendung vor starken Substantiven im Singular, wenn sie ohne Artikel und ohne adjektivisches Attribut stehen; im Plural dann mit Dativ⟩ l. Befehl; laut Briefen.

Laut, der; -es, -e: **a)** *Ton:* man hörte keinen L.; klagende Laute. * **L. geben** *(kurz bellen).* **b)** *kleinste Einheit der gesprochenen Sprache:* der L. a; Laute bilden.

Laute, die; -, -n: /ein Musikinstrument/ (siehe Bild): die L. schlagen *(spielen).*

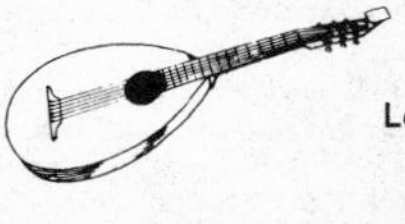

Laute

lauten, lautete, hat gelautet ⟨itr.⟩: *bestimmte Laute, Wörter enthalten:* der Text des Liedes lautet wie folgt ...

läuten, läutete, hat geläutet: **1.** ⟨itr.⟩ *klingen, ertönen:* die Glocke läutet. * **etwas [von etwas] haben l. hören** *(etwas, aber nichts Genaues, über etwas erfahren haben).* **2. a)** ⟨tr./itr.⟩ *[die Glocke] ertönen lassen:*

er läutet [die Glocke]. b) ⟨itr.⟩ (geh.) *klingeln:* an der Tür l.; es hat geläutet.

lauter: I. ⟨Adj.⟩ *rein:* das ist die lautere Wahrheit. II. ⟨Adverb⟩ *nur, nichts als:* das sind l. Lügen; er redete l. dummes Zeug.

Lauterkeit, die; -: *Reinheit, untadeliges Wesen:* die L. seiner Gesinnung ist erwiesen.

läutern, läuterte, hat geläutert ⟨tr.⟩ (geh.): *innerlich reifer machen:* die Schmerzen haben ihn geläutert. **Läuterung,** die; -, -en.

lauthals ⟨Adverb⟩: *übertrieben laut, aus vollem Halse:* l. singen, lachen.

lautlos ⟨Adj.; nicht prädikativ⟩: *nicht hörbar, ohne jedes Geräusch:* lautlose Stille; l. schleichen. **Lautlosigkeit,** die; -.

Lautschrift, die; -, -en: *besondere Schrift, die die einzelnen Laute einer Sprache möglichst genau wiedergibt.*

Lautsprecher, der; -s, -: *elektrisches Gerät, das Töne [verstärkt] wiedergibt:* der Vortrag wurde mit Lautsprechern übertragen.

lautstark ⟨Adj.⟩: *sehr laut, für viele hörbar:* l. niesen; etwas l. verkünden.

Lautstärke, die; -: *Stärke des Schalls (eines Tones, einer Stimme o. ä.).*

lauwarm ⟨Adj.⟩: *nur mäßig warm:* lauwarme Milch.

Lava, die; -: *die beim Ausbruch eines Vulkans an die Oberfläche der Erde tretende Flüssigkeit und das daraus entstehende Gestein.*

Lavendel, der; -s, -: *Strauch mit stark duftenden Blüten, aus denen Öl für Parfüm gewonnen wird.*

lavieren, lavierte, hat laviert ⟨itr.⟩: *sich in schwierigen Lagen geschickt verhalten:* er lavierte zwischen den Parteien.

Lawine, die; -, -n: *größere Masse von Schnee, die ins Rutschen und Stürzen geraten ist:* eine L. begrub die Hütte; bildl.: eine L. *(große Masse)* von Briefen.

lax ⟨Adj.⟩: *nachlässig, ohne feste Grundsätze:* eine laxe Auffassung. **Laxheit,** die; -.

Lazarett, das; -s, -e: *Krankenhaus für Soldaten.*

Lebehoch, das; -s, -s: *Ruf, mit dem man jmdn. hochleben läßt:* in ein L. einstimmen.

Lebemann, der; -[e]s, Lebemänner: *eleganter, in der Welt erfahrener Mann, der sinnlichen, besonders sexuellen Genuß liebt:* ein leichtfertiger L.

leben, lebte, hat gelebt ⟨itr.⟩: 1. *am Leben sein, nicht tot sein:* das Kind lebt [noch]. 2. *auf der Welt sein, existieren:* dieser Maler lebte im 18. Jahrhundert. 3. *sein Leben (in bestimmter Weise) verbringen:* gut, schlecht l.; leb[e] wohl! /Abschiedsgruß/. 4. *längere Zeit wohnen:* er hat in Köln gelebt. 5. *sich ernähren, erhalten:* er lebt von den Zinsen seines Vermögens.

Leben, das; -s: 1. *Dasein, Existenz eines Lebewesens:* ein schönes, langes L.; sein L. genießen. * **am L. sein** *(leben);* **am L. bleiben** *(nicht sterben);* **etwas ins L. rufen** *(etwas gründen):* einen Verein ins L. rufen; **jmdn. ums L. bringen** *(jmdn. töten).* 2. *Gesamtheit der Vorgänge und Regungen:* das gesellschaftliche, geistige L. [in dieser Stadt].

lebendig ⟨Adj.⟩: a) *lebhaft:* ein sehr lebendiges Kind; eine lebendige Phantasie. b) *mit Leben erfüllt, nicht tot:* der Fisch ist noch l. **Lebendigkeit,** die; -.

Lebensabend, der; -s (geh.): *letzter Abschnitt des Lebens, Zeit der Ruhe nach einem tätigen Leben:* einen ruhigen L. verbringen.

Lebensart, die; -: *gewandtes, ansprechendes Benehmen:* ein Mann von feiner L.; keine L. *(schlechte Manieren)* haben.

Lebenserfahrung, die; -, -en: *aus dem eigenen [langen] Leben gewonnene Erfahrung:* jmdm. auf Grund seiner L. raten.

lebensfähig ⟨Adj.⟩: *fähig zu leben:* das Kind war nicht l., es starb bereits wenige Stunden nach der Geburt; bildl.: ein lebensfähiges Geschäft.

Lebensfrage, die; -, -n: *für den Verlauf des Lebens wichtige Frage, Angelegenheit:* das ist für ihn eine L.

lebensfremd ⟨Adj.⟩: a) *sich im Leben schwer zurechtfindend, ohne Lebenserfahrung:* ein lebensfremder Mensch. b) *nicht im alltäglichen Leben stehend:* ein lebensfremder Gelehrter.

Lebensfreude, die; -: *Freude am Leben:* ein Gefühl der Erleichterung und neuen L. empfinden.

lebensfroh ⟨Adj.⟩: *lebenslustig:* er ist l., aber nicht leichtfertig.

Lebensgefahr, die; -: *bestehende Gefahr, die den Tod bringen kann:* jmdn. unter eigener L. retten; bei dem Patienten besteht L.; der Kranke ist in, außer L.

lebensgefährlich ⟨Adj.⟩: *mit Lebensgefahr verbunden:* ein lebensgefährlicher Versuch; l. verletzt werden.

Lebensgefährte, der; -n, -n (geh.): *jmd., der sein Leben mit einem Partner gemeinsam verbringt:* er war ihr ein treuer L.

Lebensgeister, die ⟨Plural⟩: *Frische, Munterkeit:* seine L. kehrten langsam wieder zurück.

Lebensgröße: ⟨in der Fügung⟩ in [voller] L.: *in voller, natürlicher Größe:* er malte ihn in voller L.; ein Denkmal in L.

Lebenshaltung, die; -, -en: *täglicher Bedarf an Gütern und Leistungen sowie die Art und Weise diesen Bedarf zu befriedigen:* ihre L. war sehr bescheiden; die L. des Mittelstandes.

Lebenskünstler, der; -s, -: *jmd., der das Leben nicht allzu ernst nimmt, sondern sich daran erfreuen möchte und deshalb bereit ist, jeder Situation das Beste abzugewinnen.*

lebenslänglich ⟨Adj.⟩: *bis zum Tode dauernd, auf Lebenszeit:* er wurde zu lebenslänglichem Zuchthaus verurteilt; l. im Zuchthaus sitzen.

Lebenslauf, der; -[e]s, Lebensläufe: *[schriftlich dargestellter] Ablauf des Lebens eines Menschen, bes. seiner Ausbildung und beruflichen Entwicklung:* seinen L. schreiben; bei seiner Bewerbung mußte er einen L. einreichen.

Lebenslicht, das; -[e]s, Lebenslichter: *auf einem für einen Geburtstag gedeckten Tisch brennende Kerze, die das Leben symbolisiert:* das dicke L. brannte ganz ruhig. ** (veraltend; scherzh.) **jmdm. das L. ausblasen** *(jmdn. töten).*

lebenslustig ⟨Adj.⟩: *das Leben froh genießend:* ein lebenslustiger junger Mann.

Lebensmittel, die ⟨Plural⟩: *Waren zum Essen oder Trinken,* *die zum Bedarf des täglichen Lebens gehören.*

lebensmüde ⟨Adj.⟩: *keine Freude mehr am Leben habend:* l. sein *(sterben wollen).*

lebensnah ⟨Adj.⟩: *den tatsächlichen Gegebenheiten des menschlichen Lebens entsprechend, ihnen gerecht werdend:* lebensnahen Unterricht geben.

Lebensretter, der; -s, -: *jmd., der [unter Einsatz des eigenen Lebens] einen Menschen vor dem Tode rettet:* bei dem Einsatz wurde einer der L. selbst schwer verletzt.

Lebensstandard, der; -s: *Höhe der Aufwendungen für das tägliche Leben:* einen hohen L. haben.

Lebensstellung, die; -: *auf die Dauer gesicherte berufliche Tätigkeit:* eine L. haben, erstreben.

Lebensstil, der; -[e]s: *Art und Weise, das Leben zu gestalten:* einen ganz persönlichen L. haben.

lebenstüchtig ⟨Adj.⟩: *den Forderungen des Lebens gewachsen:* er hat seine Kinder zu lebenstüchtigen Menschen erzogen.

Lebensunterhalt, der; -s: *die Dinge und Mittel, die man braucht, um leben zu können:* er sorgt für den L. seiner Eltern.

lebensvoll ⟨Adj.⟩: **a)** *voller Leben, lebendig:* ein lebensvolles Bild: etwas l. schildern. **b)** *den tatsächlichen Gegebenheiten des Lebens entsprechend, ihnen gerecht werdend:* mit einer lebensvollen Lehre an die bestehenden Zustände anknüpfen.

Lebenswandel, der; -s: *Art des sittlichen Verhaltens im Leben:* einen vorbildlichen L. führen; ein lockerer L.

Lebensweg, der; -[e]s: *Leben, Verlauf des Lebens:* ein langer, gemeinsamer L.

Lebensweise, die; -: *die Art, wie man sein äußeres Leben verbringt:* eine gesunde, solide L.; die sitzende L. *(das viele Sitzen)* bekommt mir nicht.

lebenswichtig ⟨Adj.; nicht adverbial⟩: *für die Erhaltung und den weiteren Verlauf des Lebens wichtig:* lebenswichtige Betriebe.

Lebenszeichen, das; -s, -: *Anzeichen, Beweis dafür, daß jmd. noch lebt:* der Verunglückte gab kein L. mehr von sich; ein L. *(einen Brief, eine Nachricht)* von jmdm. erhalten.

Lebenszeit: ⟨in der Wendung⟩ auf L.: *für die Dauer des Lebens:* eine Rente auf L. beziehen.

Leber, die; -, -n: *menschliches oder tierisches Organ, das dem Stoffwechsel dient.* *** frisch/frei von der L. weg reden** *(aufrichtig, ohne langes Bedenken reden).*

Leberfleck, der; -s, -e: *deutlich begrenzte braune Stelle in der Haut:* er hat einen L. auf dem Rücken.

Lebertran, der; -s: *aus der Leber bestimmter Fische gewonnenes Öl, das die Gesundheit fördert:* L. einnehmen.

Leberwurst, die; -, Leberwürste: *aus gekochter Leber und Speck bestehende Wurst, die leicht geräuchert wird:* eine Scheibe Brot mit L. bestreichen. * (ugs.) **die gekränkte/beleidigte L. spielen** *(gekränkt/beleidigt sein).*

Lebewesen, das; -s, -: *Wesen mit organischem Leben, bes. Mensch oder Tier.*

Lebewohl, das; -s, -s und -e (geh.): *der Gruß „Leb[e]wohl!", den jmd. beim Abschied zu jmdm. sagt:* er hörte ihr leises L. *** jmdm. L. sagen** *(sich von jmdm. verabschieden).*

lebhaft ⟨Adj.⟩: *munter, beweglich:* ein lebhafter Mensch, eine lebhafte *(nicht langweilige)* Diskussion; lebhafte *(kräftige, auffallende)* Farben. **Lebhaftigkeit,** die; -.

Lebkuchen, der; -s, -: /eine Art dunkelbraunes, dauerhaftes Gebäck/: die Mutter bäckt zu Weihnachten ein Haus aus L.

leblos ⟨Adj.⟩: *ohne Leben, [wie] tot:* l. daliegen.

Lebtag: ⟨in der Fügung⟩ [all] mein L. (ugs.): *solange ich lebe, während der Dauer meines Lebens:* so etwas habe ich mein L. noch nicht gehört; daran wirst du dein L. denken.

Lebzeiten: ⟨in der Fügung⟩ bei/zu jmds. L.: *zu der Zeit, als jmd. lebte:* zu meines Vaters L.

lechzen, lechzte, hat gelechzt ⟨itr.⟩ (geh.): *heftig streben, sich sehnen:* er lechzt nach einem Trunk Wasser.

leck ⟨Adj.⟩: *nicht dicht, Flüssigkeit durchlassend:* das Schiff, das Faß ist l.

Leck, das; -s, -s: *nicht dichte Stelle, Loch; bes. in Schiffen:* ein L. haben.

lecken, leckte, hat geleckt: **I.** ⟨tr./itr.⟩ *(etwas) mit der Zunge streichend berühren:* das Kind leckt am Eis; der Hund leckt mir die Hand. * (ugs.) **sich die Finger nach etwas l.** *(etwas gern haben wollen).* **II.** ⟨itr.⟩ *ein Leck haben, Flüssigkeit durchlassen:* das Boot, das Faß leckt.

lecker ⟨Adj.⟩: *sehr gut schmekkend, appetitlich [zubereitet]:* ein leckeres Mahl; dieses Gericht sieht l. aus.

Leckerbissen, der; -s,- : *besonders gut schmeckende [kleine] Speise, Delikatesse:* ein köstlicher L.

Leckerei, die; -, -en: *besonders gut schmeckende Süßigkeit:* Lekkereien anbieten, essen.

Leckermaul, das; -s, Leckermäuler (ugs.): *jmd., der gerne Süßigkeiten nascht:* er war ein richtiges L.

Leder, das; -s, -: **1.** *durch Gerben haltbar gemachte Haut von Tieren:* L. verarbeiten; ein Buch in L. binden. **2.** (ugs.) *Fußball:* das L. rollte ins Tor. **** vom L. ziehen** *(Streit anfangen; mit Vorwürfen u. ä. nicht mehr zurückhalten).*

Lederhose, die; -, -n: *kurze oder bis über die Knie reichende Hose aus Leder* /in den Alpen (als Teil der Tracht) auch von Männern getragen, sonst nur bei Kindern üblich/ (siehe Bild).

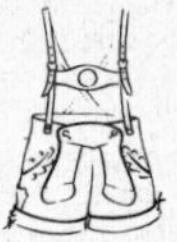

Lederhose

ledig ⟨Adj.⟩: *nicht verheiratet:* ein lediger junger Mann; l. bleiben *(nicht heiraten);* eine ledige Mutter *(Frau, die ein Kind bekommen hat, aber nicht verheiratet ist).*

lediglich ⟨Adverb⟩: *nur, ausschließlich:* er berichtet l. Tatsachen.

Lee: ⟨in den Fügungen⟩ in/nach L.: *auf/nach der vom Wind abgewandten Seite [eines Schiffes].*

leer ⟨Adj.⟩: **a)** *nichts enthaltend, ohne Inhalt:* ein leeres Faß;

leere Straßen; ein Stuhl blieb l. *(wurde nicht besetzt);* bildl.: leere *(nichtssagende)* Worte, Versprechungen. **b)** *schwach besetzt:* das Kino war l.

Leere, die; -: *Raum, in dem nichts ist:* eine gähnende L.; ins L. greifen *(beim Ausstrecken der Hände keinen Halt finden);* bildl.: die innere L.

leeren, leerte, hat geleert: **a)** ⟨tr.⟩ *(etwas) leer machen:* ein Faß l. **b)** ⟨rfl.⟩ *leer werden:* der Saal leerte sich schnell.

Leergut, das; -[e]s: *Gesamtheit leerer Kisten, Kartons o. ä.:* das L. abtransportieren.

Leerlauf, der; -[e]s: **1.** *das Laufen, Inbetriebsein (einer Maschine), ohne dabei Arbeit zu leisten:* der L. des Motors ist zu vermeiden. **2.** *nutzlose, nicht sinnvolle, nicht rationelle Tätigkeit:* in diesem Betrieb gibt es viel L.

leerlaufen, läuft leer, lief leer, ist leergelaufen ⟨itr.⟩: *bis zum letzten Tropfen auslaufen, sich leeren:* das Faß läuft leer.

leerstehend ⟨Adj.; nur attributiv⟩: *nicht möbliert, nicht bewohnt:* eine leerstehende Wohnung.

Leerung, die; -: *das Leeren (bes. eines Briefkastens):* die nächste L. erfolgt in einer Stunde.

Lefze, die; -, -n: *Lippe* /vom Hund, von Raubtieren/: der Wolf öffnete die Lefzen, so daß seine Zunge sichtbar wurde.

legal ⟨Adj.⟩: *den [staatlichen] Gesetzen entsprechend, rechtmäßig:* sich l. verhalten; auf legalem Wege gegen jmdn. vorgehen.

legalisieren, legalisierte, hat legalisiert ⟨tr.⟩: *legal machen:* einen Umsturz l.; sie legalisierten ihre Beziehungen durch die Eheschließung.

Legalität, die; -: *Rechtmäßigkeit, Gesetzmäßigkeit* /Ggs. Illegalität/: den Anordnungen den Schein der L. verleihen.

legen, legte, hat gelegt: **1.** ⟨tr.⟩ *bewirken, daß jmd. oder etwas (an einer bestimmten Stelle) liegt:* das Buch auf den Tisch, das Brot in den Korb l.; ⟨auch rfl.⟩ sich ins Bett l. **2.** ⟨rfl.⟩ *still werden, aufhören:* der Wind legt sich; sein Zorn hat sich gelegt.

legendär ⟨Adj.⟩: *wie aus einer Legende stammend; in einzelnen Zügen nicht mehr faßbar, aber berühmt und verehrt:* bereits zehn Jahre nach seinem Tod war er zu einer legendären Gestalt geworden.

Legende, die; -, -n: *Erzählung von heiligen Menschen.*

leger [leˈʒɛːr] ⟨Adj.⟩: *lässig, ungezwungen:* sein Benehmen war sehr l.

legieren, legierte, hat legiert ⟨tr.⟩: **1.** *(ein Metall mit einem anderen) zusammenschmelzen, so daß ein neues Metall entsteht:* Silber, Gold legieren. **2.** *(Suppen und Soßen) mit Eiern, Sahne, Mehl im Geschmack feiner machen:* sie legierte die Suppe; ⟨häufig im 2. Partizip⟩ als erstes gab es eine legierte Suppe. **Legierung,** die; -, -en.

Legion, die; -, -en: **1.** *Einheit des römischen Heeres.* **2.** *aus Söldnern und Freiwilligen bestehende militärische Einheit, die für eine ausländische Macht kämpft.* ** (geh.) **die Zahl von etwas ist L.** *(die Zahl von etwas ist sehr groß).*

Legionär, der; -s, -e: *Angehöriger einer Legion:* ein L. versuchte zu fliehen.

Legislative, die; -: **a)** *gesetzgebende Gewalt im Staat:* das Parlament verkörpert die L. **b)** *gesetzgebende Versammlung:* die L. hat eine Änderung dieses Gesetzes beschlossen.

Legislaturperiode, die; -, -n: *Amtsdauer der gesetzgebenden Versammlung eines Volkes:* die sechste L. des Bundestages; in dieser L. ist die Reform des Strafrechtes abgeschlossen worden.

legitim ⟨Adj.⟩: *rechtmäßig; [durch ein Gesetz] begründet, anerkannt:* ein legitimer Anspruch; legitime *(eheliche)* Nachkommen.

Legitimation, die; -, -en: **1.** *Rechtfertigung, Berechtigung:* die Wissenschaft als L. benutzen; seine L. verlieren. **2.** (veraltend) *Ausweis:* die L. vorzeigen. **3.** *Erklärung des Vaters, daß das uneheliche Kind ehelich werden soll.*

legitimieren, sich; legitimierte sich, hat sich legitimiert: *bestimmte Eigenschaften oder Rechte durch ein Schriftstück nachweisen, sich ausweisen:* er legitimierte sich als Vertreter seiner Firma. **Legitimierung,** die; -, -en.

Lehm, der; -s: *aus Ton und Sand bestehende, schwere, meist braune Erde.*

lehmig ⟨Adj.⟩: *aus Lehm bestehend, Lehm enthaltend:* lehmiger Grund; lehmige Erde.

Lehne, die; -, -n: *Stütze für Rücken oder Arme an Stühlen, Bänken o. ä.*

lehnen, lehnte, hat gelehnt: **1.** ⟨tr.⟩ *schräg an einen stützenden Gegenstand stellen:* das Brett an gegen die Wand l. **2.** ⟨rfl.⟩ **a)** *sich schräg gegen oder auf etwas/ jmdn. stützen:* sie lehnte sich an ihn. **b)** *sich beugen:* er lehnt sich über den Zaun, aus dem Fenster. **3.** ⟨itr.⟩ *schräg gegen etwas gestützt stehen oder sitzen:* das Fahrrad lehnt an der Wand.

Lehnsessel, der; -s, -: /ein Möbelstück/ (siehe Bild).

Lehnsessel

Lehnwort, das; -[e]s, Lehnwörter: *aus einer fremden Sprache übernommenes, der eigenen Sprache angepaßtes Wort:* Lehnwörter aus dem Englischen.

Lehramt, das; -[e]s: *Amt des Lehrers (an einer Volks- oder Realschule, an einem Gymnasium o. ä.):* die Prüfung für das L. an Realschulen ablegen.

Lehrbuch, das; -[e]s, Lehrbücher: *(im Unterricht, während des Studiums gebrauchtes) Buch, das den für ein Fach wichtigen Stoff enthält.*

Lehre, die; -, -n: **1.** *[Zeit der] Ausbildung für einen bestimmten Beruf, bes. in Handel und Gewerbe:* bei jmdm. in die L. gehen; eine L. abschließen. **2.** *System der Anschauung und der belehrenden Darstellung auf einem bestimmten Gebiet:* die L. Hegels; die L. vom Schall. * **jmdm. eine L. geben/erteilen** *(auf jmds. Verhalten so reagieren, daß sich der Betroffene in Zukunft so verhält, wie man es erwartet);* **eine L. aus etwas ziehen** *(aus Geschehenem für die Zukunft lernen).*

ehren, lehrte, hat gelehrt tr.⟩ /vgl. gelehrt/: *(jmdn.) n etwas unterrichten, (jmdm.) Kenntnisse, Erfahrungen beiringen:* Deutsch, Geschichte l.; r lehrt die Kinder rechnen.

ehrer, der; -s, -: *jmd., der Unrricht erteilt* /Berufsbezeichung/: er ist L. am Gymnasium, L. für Mathematik. **Lehrein,** die; -, -nen.

ehrgang, der; -s, Lehränge: *Einrichtung zur planäßigen Schulung mehrerer Teilehmer innerhalb einer bestimmn Zeit; Kurs:* einen L. mitachen.

ehrgeld: ⟨in der Wendung⟩ . zahlen müssen: *seine Erfahungen auf unangenehme Weise achen.*

ehrhaft ⟨Adj.⟩: *belehrend, Vissen vermittelnd:* die Schüler it einem lehrhaften Film langeilen.

ehrjahr, das; -[e]s, -e: **a)** *eies der Jahre, in denen man Lehring ist:* im ersten L. stehen.) ⟨Plural⟩ *Zeit, in der man die rsten, grundlegenden [beruflichen] Erfahrungen sammelt:* an iner kleinen Bühne seine Lehrahre absolvieren.

ehrling, der; -s, -e: *jmd., der n einer Lehre ausgebildet wird.*

ehrmeister, der; -s, - (geh.): *Lehrer, Vorbild:* seinem L. in vissenschaftlicher und menschicher Hinsicht viel verdanken.

ehrreich ⟨Adj.⟩: *gute und virkungsvolle Belehrung vermitelnd:* eine lehrreiche Abhandung; der Versuch war sehr l.

ehrsatz, der; -es, Lehrsätze: *Satz, der ein wichtiges Stück eier wissenschaftlichen Lehre entält.*

ehrstoff, der; -[e]s: *im Unerricht durchzunehmender oder lurchgenommener Stoff:* der L. var weder interessant noch eichhaltig.

Lehrstuhl, der; -s, Lehrstühle: *planmäßige Stelle eines Profesors an einer Universität oder Hochschule:* ein L. für Physik.

Lehrzeit, die; -: **a)** *Zeit, während der jmd. Lehrling ist:* Ostern muß ich meine Prüfung zum Gesellen ablegen, dann ist meine L. zu Ende. **b)** *Lehrjahre:* in ener Klinik habe ich meine L. verbracht.

Leib, der; -es, Leiber: *Körper:* ein kräftiger, kranker L. *** sich etwas/jmdn. vom Leibe halten** *(etwas/jmdn. von sich fernhalten);* **mit L. und Seele** *(voll u. ganz, mit Begeisterung):* er ist mit L. und Seele Arzt.

Leibeigenschaft, die; -(hist.): *persönliche Abhängigkeit von einem Herrn:* die L. aufheben.

leiben: ⟨in der Wendung⟩ wie er leibt und lebt (ugs.): *ganz wie er wirklich ist:* auf dem Photo sieht man den Vater, wie er leibt und lebt.

Leibeskräfte: ⟨in der Fügung⟩ aus Leibeskräften (ugs.): *so kräftig, wie man kann:* aus Leibeskräften schreien.

Leibesübungen, die ⟨Plural⟩: *verschiedene, bes. die in der Schule betriebenen Arten des Sports.*

Leibesvisitation, die; -, -en: *Durchsuchung der Kleidung durch Polizisten oder Beamte beim Zoll:* Angst vor einer L. haben.

Leibgericht, das; -[e]s, -e: *Speise, die jmd. am liebsten ißt:* an seinem Geburtstag gab es sein L.

leibhaftig [auch: leib...] ⟨Adj.⟩: *wirklich, in eigener Person:* er stand l. vor mir.

leiblich ⟨Adj.⟩: **1.** ⟨nur attributiv⟩ *unmittelbar verwandt:* mein leiblicher Bruder. **2.** ⟨nicht adverbial⟩ *den Leib betreffend.* *** für jmds. leibliches Wohl sorgen** *(jmdn. mit Essen und Trinken versorgen).*

Leibspeise, die; -, -n: *Leibgericht.*

Leibwache, die; -, -n: *die für den Schutz einer exponierten Persönlichkeit verantwortliche Wache:* eine L. haben, unterhalten.

Leibwäsche, die; -: *die am Körper getragene Wäsche:* die L. wechseln.

Leiche, die; -, -n: *toter Körper:* er mußte eine L. sezieren. *** über Leichen gehen** *(seine Ziele rücksichtslos verfolgen).*

Leichenbittermiene, die; -, -n (ugs.): *ernste, traurige Miene; trauriges Gesicht:* warum machst du eine solche L.? Ist etwas passiert?

leichenblaß ⟨Adj.⟩: *sehr blaß im Gesicht:* sie erschrak und wurde l.

Leichnam, der; -s, -e (geh.): *Leiche:* ihr L. wurde am Ufer gefunden.

leicht ⟨Adj.⟩: **1.** ⟨nicht adverbial⟩ *geringes Gewicht habend, nicht schwer [zu tragen]:* das Paket ist l. *** leichte Musik** *(Musik zur Unterhaltung).* **2.** *bekömmlich:* leichte Speisen. **3. a)** *geringfügig:* eine leichte Verletzung. **b)** *kaum merklich:* etwas l. berühren. **4.** *keine Schwierigkeiten bereitend, mühelos:* leichte Arbeit; dieses Problem läßt sich l. lösen. **5.** ⟨nur adverbial⟩ *beim geringsten Anlaß, schnell:* er wird l. böse.

Leichtathlet, der; -en, -en: *Sportler, der Leichtathletik betreibt:* die Leichtathleten erzielten gute Ergebnisse.

Leichtathletik, die; -: *Gesamtheit der sportlichen Übungen, die der natürlichen Bewegung des Menschen entsprechen wie Laufen, Springen, Werfen:* L. treiben.

leichtfallen, fällt leicht, fiel leicht, ist leichtgefallen ⟨itr.⟩: *keine Mühe machen:* diese Arbeit ist ihm leichtgefallen.

leichtfertig ⟨Adj.⟩ (abwertend): *unüberlegt [handelnd]:* ein leichtfertiger Mensch; sein Geld l. verschwenden; leichtfertige Worte. **Leichtfertigkeit,** die; -.

leichtgläubig ⟨Adj.⟩: *nichts Böses vermutend; vertrauensselig:* jmdm. l. Geld borgen.

Leichtgläubigkeit, die; -.

leichtherzig ⟨Adj.⟩: *sorglos, unbeschwert:* sie ist eine leichtherzige Person; etwas l. aufnehmen.

leichthin ⟨Adverb⟩: *ohne zu überlegen, ohne sich viele Gedanken zu machen:* etwas l. versprechen.

Leichtigkeit: ⟨in der Fügung⟩ mit L.: *mühelos:* er kann die Aufgabe mit L. lösen.

leichtlebig ⟨Adj.⟩: *unbekümmert und fröhlich lebend:* ein leichtlebiger junger Mann.

leichtnehmen, nimmt leicht, nahm leicht, hat leichtgenommen ⟨tr.⟩: *(auf etwas) ohne den erwarteten Ernst reagieren:* eine unangenehme Nachricht l.

Leichtsinn, der; -s: *unvorsichtige, [allzu] sorglose Haltung; fahrlässiges Verhalten:* ein beispielloser L.; etwas durch seinen L. verderben.

leichtsinnig ⟨Adj.⟩: *unbedacht [und fahrlässig handelnd], sorglos:* ein leichtsinniger Junge; l. über die Straße laufen.

leid: ⟨in den Fügungen⟩ **jmdm. l. tun** *(Mitleid, Bedauern erregen):* das Kind tut mir l.; es tut mir l., daß ich dir nicht helfen kann. **jmdn./etwas l. sein** *(jmdn./etwas nicht mehr haben wollen):* ich bin die ständigen Ermahnungen l.

Leid, das; -[e]s: *Unglück, Kummer, tiefer Schmerz:* bitteres L. * **jmdm. sein L. klagen** *(jmdm. von seinem Kummer erzählen);* **jmdm. ein Leid antun** *(jmdm. etwas Böses zufügen).*

leiden, litt, hat gelitten ⟨itr.⟩ /vgl. leidend/: **1.** *Schmerzen erdulden:* er hat bei dieser Krankheit viel l. müssen. **2.** *bedrückt sein (von etwas):* unter der Einsamkeit l.; an einer Krankheit l. **3.** ⟨als Funktionsverb⟩: Hunger l. *(hungern);* Durst l. *(dursten).* ** **jmdn./etwas nicht l. können** *(jmdn./etwas nicht gern haben, nicht mögen; jmdm. nicht gut gesinnt sein):* ich kann ihn, diese Musik nicht l.

Leiden, das; -s, -: **1.** *lang dauernde Krankheit:* ein schweres L. **2.** ⟨Plural⟩ *Kummer, [seelische] Schmerzen:* die L. und Freuden des Lebens.

leidend: ⟨in der Verbindung⟩ l. sein: *ein Leiden, eine lang dauernde Krankheit haben:* er war schon lange l.

Leidenschaft, die; -, -en: *heftiges, kaum zu beherrschendes, von innerer Spannung erfülltes Verlangen:* er spielt mit L. Schach; er war frei von jeder L.

leidenschaftlich ⟨Adj.⟩: **1.** *mit Leidenschaft, sehr stark:* jmdn. l. lieben; leidenschaftlicher Haß. **2.** *begeistert, fanatisch:* er ist ein leidenschaftlicher Jäger. **Leidenschaftlichkeit,** die; -.

leider ⟨Adverb⟩: *zu meinem Bedauern, unglücklicherweise:* ich kann l. nicht kommen.

leidig ⟨Adj.; nur attributiv⟩: *unangenehm, lästig:* ein leidiger Zufall.

leidlich ⟨Adj.⟩: *erträglich, annehmbar:* die Straßen sind in leidlichem Zustand; mir geht es l. *(einigermaßen)* [gut].

Leidtragende, der; -n, -n ⟨aber: [ein] Leidtragender, Plural: Leidtragende⟩: *Angehöriger eines gerade Verstorbenen, Trauernder:* die Leidtragenden folgten dem Sarge. * (ugs.) **der L. sein** *(die unangenehmen Folgen tragen müssen):* bei dieser Entscheidung ist er der L.

Leidwesen: ⟨in der Fügung⟩ **zu jmds. L.:** *zu jmds. Bedauern; leider:* er mußte zu seinem L. zu Hause bleiben.

Leier: ⟨in der Fügung⟩ [immer] dieselbe /die gleiche/ die alte L. (ugs.): *die schon oft gehörte, immer wieder erlebte Sache.*

Leierkasten, der; -s, Leierkästen: /ein Musikinstrument/ (siehe Bild): ein Lied auf dem L. spielen.

Leierkasten

Leihbücherei, die; -, -en: *[an eine Buchhandlung angeschlossener] gewerblicher Betrieb, der Bücher gegen Entgelt verleiht:* sich ein Buch aus der L. holen.

leihen, lieh, hat geliehen: **1.** ⟨tr.⟩ *(jmdm.) zum vorübergehenden Gebrauch geben, borgen:* er lieh mir hundert Mark. **2.** ⟨itr.⟩ *sich zu vorübergehendem Gebrauch geben lassen, borgen:* ich habe mir das Buch [von meinem Freund] geliehen.

Leim, der; -s: *[zähflüssiges] Mittel zum Kleben von Holz o. ä.* * (ugs.) **jmdm. auf den L. gehen** *(sich von jmdm. überlisten lassen, auf jmdn. hereinfallen);* **etwas geht aus dem L.** *(etwas geht entzwei, hält nicht mehr).*

leimen, leimte, hat geleimt ⟨tr.⟩: *mit Leim kleben, reparieren:* ein Spielzeug l.

Leine, die; -, -n: *kräftige, längere Schnur, an oder mit der etwas befestigt wird:* die Wäsche hängt auf der L.; den Hund an der L. führen.

Leinen, das; -s: /ein Gewebe/: ein Tischtuch aus L.

Leinsamen, der; -s: *glatte, braune, eßbare Samen aus den Kapseln des Flachses.*

Leinwand, die; -: **1.** *in bestimmter Art gewebtes Tuch:* auf L. malen. **2.** *aufgespannte hel[…] Fläche, auf die Filme und Di[…] projiziert werden.*

leise ⟨Adj.⟩: **1.** *schwach hörb[…]* /Ggs. laut/: eine l. Stimme; l. g[…]hen. **2.** *gering, schwach, kaum z[…] spüren:* etwas l. berühren.

Leisetreter, der; -s, -: *jmd[…] der bemüht ist, nirgends Ansto[…] zu erregen.*

Leiste, die; -, -n: *schmaler Stre[…]fen [aus Holz o. ä.]:* eine Fläc[…] mit einer L. einfassen.

leisten, leistete, hat geleist[…] ⟨tr.⟩: *schaffen, vollbringen, au[…]führen:* viel l.; er hat Großes g[…]leistet. * **jmdm. Gesellschaft** […] *(bei jmdm. bleiben, damit er nic[…] allein ist);* **jmdm. Hilfe l.** *(jmd[…] helfen);* **sich etwas nicht l. kö[…]nen** *(das Geld für etwas nicht h[…]ben):* er kann sich kein Auto […]

Leisten, der; -s, -: *aus Eise[…] oder Holz hergestellte Nachbi[…]dung des Fußes, die für die A[…]fertigung und Reparatur vo[…] Schuhen verwendet wird:* Schuh[…] über den L. schlagen. * (ugs[…] abwertend) **alles über eine[…] L. schlagen** *(alles gleichmäß[…] behandeln, ohne Rücksicht d[…]rauf, ob die Behandlung, da[…] Vorgehen in jedem Fall richti[…]ist).*

Leistung, die; -, -en: **1. a)** *au[…]gewendete Arbeit; tüchtige, be[…]sondere Tat:* große Leistunge[…] vollbringen. **b)** *[finanzielle] Au[…]wendung:* die sozialen Leistun[…]gen einer Firma. **2.** *nutzba[…] Kraft [einer Maschine]:* die Ma[…]schine erreichte sehr bald ih[…] volle L.

leistungsfähig ⟨Adj.⟩: *fähi[…] gute Leistungen hervorzubringen[…]* der Wagen hat einen leistungs[…]fähigen Motor; er ist wohl nich[…] [voll] l. **Leistungsfähigkeit**, die; -.

Leistungssport, der; -s: *Spor[…] mit dem Ziel, hohe Leistungen z[…] erreichen.*

Leitartikel, der; -s, -: *wichti[…]ger aktueller Aufsatz, meist au[…] der ersten Seite einer Zeitung.*

Leitbild, das; -[e]s, -er: *da[…] den Menschen in seinem Emp[…]finden und Handeln bestim[…]mende Ideal:* einem religiösen[…] ethischen L. folgen.

leiten, leitete, hat geleitet: **1** ⟨tr.⟩ *[als Vorgesetzter] lenken[…] führen:* einen Betrieb, Verban[…] l.; ein leitender Beamter. **2** ⟨tr.⟩ *machen, daß etwas an ein[…]*

bestimmte Stelle kommt: Wasser in ein Becken l. **3.** ⟨itr.⟩ *hindurchgehen lassen:* Kupfer leitet [Elektrizität] gut.

Leiter: I. der; -s, -: *verantwortliche, leitende Persönlichkeit:* der L. eines Verlages. **II.** die; -, -n: /Gerät zum Steigen/ (siehe Bild): eine L. aufstellen; von der L. fallen.

Leiter II.

Leitfaden, der; -s, Leitfäden: *knapp gefaßtes Lehrbuch zur Einführung in ein bestimmtes Fach:* ein L. der Chemie.

Leitgedanke, der; -ns, -n: *(eine Rede, ein schriftliches Werk) bestimmender Gedanke:* der L. dieser Abhandlung läßt sich mit wenigen Worten wiedergeben.

Leithammel, der; -s, - und Leithämmel (ugs.; abwertend): *jmd., dem andere blind folgen:* er braucht immer einen L., selbständiges Denken liegt ihm nicht.

Leitmotiv, das; -s, -e: *immer wiederkehrendes, bezeichnendes Motiv:* die Leitmotive in Wagners Opern; diese Frage kehrt als L. auf allen Tagungen wieder.

Leitplanke, die; -, -n: *[an gefährlichen Kurven, Böschungen] seitlich der Straße angebrachte Planke, die der Führung des Verkehrs dient und ein Abkommen von der Bahn verhindert:* der Wagen geriet ins Schleudern und prallte gegen die L.

Leitsatz, der; -es, Leitsätze: *feste Regel, nach der sich jmd. oder etwas richtet; Grundsatz.*

Leitung, die; -, -en: **1.** ⟨ohne Plural⟩ *das Leiten, die Führung:* die L. übernehmen. **2.** *aus Rohren, Kabeln o. ä. bestehende Anlage zum Weiterleiten von Flüssigkeiten, Gas, Elektrizität:* eine L. verlegen.

Leitungswasser, das; -s: *einer Wasserleitung entnommenes Wasser.*

Leitwerk, das; -[e]s, -e: *zum Stabilisieren und Steuern eines Flugzeuges dienende Flügel* (siehe Bild).

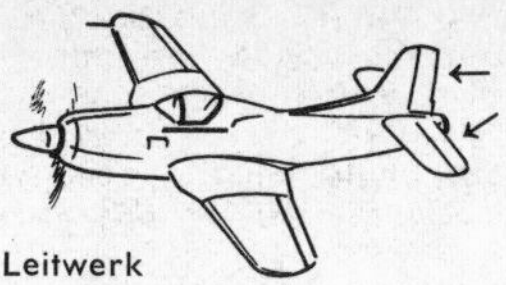

Leitwerk

Lektion, die; -, -en: *Abschnitt eines Lehrbuchs, der als Ganzes behandelt werden soll:* seine L. lernen.

Lẹktor, der; -s, -en: **1.** *Lehrer [an einer Hochschule], der Übungen in einer fremden Sprache abhält:* sich um die Stellung eines deutschen Lektors an einer schwedischen Universität bewerben. **2.** *[wissenschaftlich ausgebildeter] Mitarbeiter eines Verlages, der die eingehenden Manuskripte prüft* /Berufsbezeichnung/.

Lektüre, die; -: **1.** *Literatur, die [in der Schule] gelesen wird:* gute L. auswählen. **2.** *das Lesen [eines Buches]:* wir setzten die L. dieses Buches am Abend fort.

Lẹnde, die; -, -n: *Teil des Rückens unterhalb der Rippen* (siehe Bild).

lẹnkbar ⟨Adj.; nicht adverbial⟩: *so, daß man es lenken kann; sich lenken lassend:* lenkbare Raketen; das Auto war nicht mehr l; bildl.: sie ist ein leicht lenkbares *(leicht zu erziehendes)* Kind.

lẹnken, lenkte, hat gelenkt ⟨tr.⟩: *steuern, [einem Fahrzeug] eine bestimmte Richtung geben:* ein Auto l.; ⟨auch itr.⟩ du mußt richtig l.!; bildl.: das Kind ist leicht zu l. *(es ist folgsam).* *** jmds. Blick auf sich l.** *(jmdm. auffallen).*

Lẹnker, der; -s, -: **1.** *Fahrer:* der L. eines Lastkraftwagens. **2.** *Lenkstange:* der L. ist ganz verbogen.

Lẹnkrad, das; -[e]s, Lenkräder: *Rad zum Lenken vor dem Sitz des Fahrers eines Kraftwagens; Steuer.*

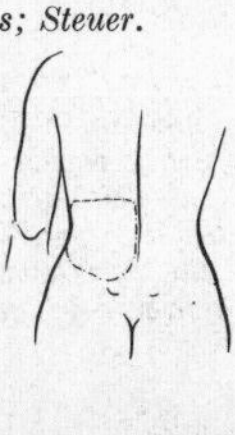

Lende

Lẹnkstange, die; -, -n: *gebogene Stange an Fahr- und Motorrädern, die zum Lenken dient.*

Lẹnkung, die; -, -en: **1.** ⟨ohne Plural⟩ *das Lenken:* die Lenkung des Wagens. **2.** *Gesamtheit der Teile, die zum sicheren Lenken eines Kraftfahrzeuges nötig sind:* wegen eines Defekts an der L. von der Fahrbahn abkommen.

Lẹnz, der; -es, -e (dicht.): *Frühjahr, Frühling:* der holde Lenz; bildl.: im L. des Lebens *(in der Jugend)*; sie zählt zwanzig Lenze *(ist zwanzig Jahre alt).* ** (ugs.) **einen [schönen] L. haben/schieben** *(viel freie Zeit haben, nur wenig und leicht arbeiten).*

Leopạrd, der; -en, -en: /ein Raubtier/ (siehe Bild).

Leopard

Leporẹlloalbum, das; -s, Leporelloalben: *wie eine Ziehharmonika zusammenzufaltende Reihe von Bildern* (siehe Bild).

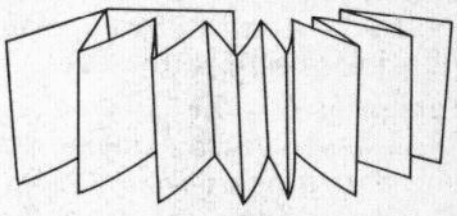

Leporelloalbum

Lẹpra, die; -: *Aussatz.*

Lẹrche, die; -, -n: /ein Singvogel/ (siehe Bild).

Lerche

lẹrnen, lernte, hat gelernt /vgl. gelernt/: **a)** ⟨tr.⟩ *sich Kenntnisse und Fähigkeiten aneignen:* das Kind lernt sprechen; schwimmen l.; eine Sprache l. **b)** ⟨tr./itr.⟩ *sich (durch Übung) einprägen:* ein Gedicht [auswendig] l.; er lernt leicht *(braucht nicht lange zu üben).*

Lesart, die; -, -en: *Variante (eines Textes), die vom Autor* *herrührt oder während der Überlieferung entstanden ist:* bei dieser Stelle des Textes zeigen die Handschriften verschiedene Lesarten; bildl.: der Vorgang wird allerdings in verschiedenen Lesarten *(Versionen)* dargestellt.

lesbar ⟨Adj.⟩: **1.** *so, daß man es lesen kann; sich lesen, entziffern lassend:* ihre Schrift war kaum noch l. **2.** *gut, leicht zu lesen, zu verstehen:* die Abhandlung war wissenschaftlich und trotzdem gut l.

lesbisch ⟨Adj.⟩: *das gleiche Geschlecht liebend, von der Liebe zum gleichen Geschlecht bestimmt* /von Frauen/: eine lesbische Frau; lesbische Liebe.

Lesebuch, das; -[e]s, Lesebücher: *im sprachlichen Unterricht benutztes Buch, das kurze Erzählungen, in sich geschlossene Ausschnitte aus größeren Erzählungen sowie Gedichte enthält und in die Literatur einführen soll:* eine Geschichte aus einem L. vorlesen.

lesen, liest, las, hat gelesen: **a)** ⟨tr./itr.⟩ *einen Text mit den Augen und dem Verstand erfassen:* ein Buch, einen Brief l.; in der Zeitung l. **b)** ⟨itr.⟩ *einen Text vortragen, vorlesen:* der Dichter liest aus seinem neuen Buch. **c)** ⟨itr./tr.⟩ *Vorlesungen (an einer Hochschule) halten:* er liest [über] englische Literatur.

Leseprobe, die; -, -n: **1.** *einem neuen Buch entnommener, besonders abgedruckter Text, der als Probe dient und zum Kauf anregen soll.* **2.** Theater *erste Probe, bei der die Rollen noch gelesen werden und der Text geändert werden kann:* eine L. abhalten.

Leser, der; -s, -: *jmd., der (etwas) liest:* im Vorwort wendet sich der Verfasser des Buches an seine L.

Leseratte, die; -, -n (ugs.; scherzh.): *Jugendlicher, der gern und viel, aber meist wahllos liest:* jede Woche geht sie in die Bücherei, um sich neue Bücher zu holen. Sie ist eine richtige L.

leserlich ⟨Adj.⟩: *deutlich geschrieben:* eine leserliche Handschrift haben.

Lesung, die; -, -en: **1.** *das Lesen aus dichterischen oder religiösen Werken:* die L. hat sehr lange gedauert; der Dichter veranstaltete eine L. *(las aus eigenen Werken).* **2.** *parlamentarische Beratung über den Entwurf eines Gesetzes:* die erste, zweite, dritte L.

Lethargie, die; -: *geistige Trägheit; schläfriges, teilnahmsloses Wesen.*

lethargisch ⟨Adj.⟩: *geistig träge, schläfrig, teilnahmslos:* ich befinde mich heute in einer lethargischen Stimmung.

Letter, die; -, -n: **a)** *metallenes Stäbchen mit einem in Metall gegossenen Buchstaben, mit dessen Hilfe beim Drucken Buchstaben auf das Papier übertragen werden.* **b)** *gedruckter Buchstabe:* die Bekanntmachung ist in großen, schwarzen Lettern gedruckt.

letzt ⟨Adj.; nur attributiv⟩: **a)** *in einer Reihe oder Folge den Schluß bildend:* der letzte sein; das letzte Haus links; die letzten *(tiefsten)* Geheimnisse. * **der Letzte Wille** *(das Testament eines Verstorbenen).* **b)** *gerade vergangen, unmittelbar vor der Gegenwart liegend:* am letzten Dienstag habe ich ihn noch gesehen.

letztens ⟨Adverb⟩: *vor kurzem, kürzlich:* l. hörte ich, daß er gestorben ist.

letztlich ⟨Adverb⟩: *zuletzt, schließlich; im Grunde:* l. hängt alles von dir ab; das ist l. die Hauptsache.

Leuchte, die; -, -n (fachspr.): *Lampe, Gerät zum Beleuchten.*

leuchten, leuchtete, hat geleuchtet ⟨itr.⟩: **a)** *Licht von sich geben, verbreiten:* die Lampe leuchtet. **b)** *[ruhig] glänzen, strahlen:* das weiße Haus leuchtet durch die Bäume.

Leuchter, der; -s, -: *Gestell, in das eine oder mehrere Kerzen gesteckt werden* (siehe Bild).

Leuchter

Leuchtfeuer, das; -s, -: *Licht an Bojen und Schiffen oder auf Türmen, das in gleichen zeitlichen Abständen als Signal ausgestrahlt wird und der Orientierung von Schiffen und Flugzeugen dient.*

Leuchtturm, der; -[e]s, Leuchttürme: *fester Turm an Land oder im flachen Wasser, der ein Leuchtfeuer trägt:* der L. ist wegen seiner auffallenden Farben auch am Tage weithin sichtbar.

leugnen, leugnete, hat geleugnet ⟨tr.⟩: *behaupten, daß etwas von anderen Gesagtes nicht wahr sei; abstreiten:* eine Schuld l.; er leugnet, den Mann zu kennen; ⟨auch itr.⟩ der Angeklagte leugnete hartnäckig.

Leukoplast, das; -s: *die chemische Verbindung von Zink und Sauerstoff enthaltendes Heftpflaster:* in der Apotheke Watte und L. kaufen.

Leumund, der; -[e]s: *Ruf:* einen guten L. haben *(als moralisch einwandfrei bekannt sein);* sein L. ist nicht gut.

Leute, die ⟨Plural⟩: *Menschen:* viele L.; das sind nette L. * **etwas unter die L. bringen** *(dafür sorgen, daß etwas bekannt wird).*

Leutnant, der; -s, -s: *Offizier des untersten Grades.*

leutselig ⟨Adj.⟩: *wohlwollend, freundlich im Umgang mit Untergebenen und einfacheren Menschen:* ein leutseliger Vorgesetzter.

Leviten: ⟨in der Wendung⟩ jmdm. die L. lesen (ugs.): *jmdn. wegen seines Tuns scharf zurechtweisen, jmdn. heftig tadeln.*

Levkoje, die; -, -n: /eine Blume/ (siehe Bild).

Levkoje

lexikalisch ⟨Adj.⟩: *das Lexikon betreffend, in der Art eines Lexikons.*

Lexikographie, die; -: *Lehre vom Aufbau, von der Anlage und von der Abfassung eines Wörterbuchs oder eines Lexikons.*

Lexikon, das; -s, Lexika: *nach dem Abc geordnetes Werk, in dem man sachliche Auskünfte aller Art findet:* im L. nachschlagen, nachsehen.

Liaison [liɛ'zõ:], die; -, -s (geh.; abwertend): *Liebschaft; nicht* *andesgemäße, nicht gesetzliche erbindung:* eine L. haben.

.ibelle, die; -, -n: /ein Insekt/ siehe Bild).

Libelle

iberal ⟨Adj.⟩: **1.** *im Geiste reiheitlicher Gestaltung des Leens geprägt:* liberale Politik. **2.** *rei und großzügig denkend, toleant:* ein liberaler Mann; l. geinnt sein.

iberalisieren, liberalisierte, at liberalisiert ⟨tr.⟩: *freiheiticher gestalten:* den Handel l.

.iberalismus, der; -: *im Inlividualismus wurzelnde Denkichtung und Lebensform, die Freiheit, Autonomie, Verantvortung und freie Entfaltung der Persönlichkeit vertritt.*

.ibretto, das; -s, -s und Liretti: *Text von Opern, Operetten, Oratorien o. ä.:* das L. der Oper schrieb…

icht ⟨Adj.⟩ (geh.) **1.** *dünn:* eine Haare werden l. **2.** *hell:* ler lichte Tag; lichte Farben; bildl.: lichte Augenblicke haben *(bei sonst getrübtem Bewußtsein klare Augenblicke haben).* **3.** ⟨nur attributiv⟩ *von Innenseite zu Innenseite gemessen:* die lichte Weite des Rohres.

Licht, das; -[e]s, -er: **1.** ⟨ohne Plural⟩ *Helligkeit, Zustand, in lem die Umgebung beleuchtet und sichtbar ist:* dieses Zimmer hat zu wenig L. *(ist nicht hell genug);* L. machen *(die Beleuchtung einschalten).* * (geh.) **das L. der Welt erblicken** *(geboren werden).* **2.** *Lichtquelle:* ein L. *(eine Kerze, Lampe)* anzünden; vom Flugzeug aus sah man die Lichter der Stadt. * (ugs.) **jmdn. hinters L. führen** *(jmdn. täuschen).*

Lichtbild, das; -[e]s, -er: **1.** *photographisches Bild [einer Person]:* der Ausweis muß ein L. des Inhabers enthalten. **2.** *auf eine Fläche projiziertes Bild:* in der Schule wurden Lichtbilder gezeigt.

Lichtblick, der; -[e]s, -e: *erfreuliches Ereignis, erfreuliche Aussicht (während eines sonst eintönigen oder trostlosen Zustandes):* die Besuche ihrer Kinder gehörten zu den wenigen Lichtblicken während ihres Aufenthaltes im Krankenhaus.

lichten, sich; lichtete sich, hat sich gelichtet: **a)** *dünner, durchsichtiger werden:* der Wald lichtet sich *(die Bäume stehen weniger dicht);* sein Haar hat sich gelichtet. **b)** *heller werden.* * **das Dunkel lichtet sich** *(es kommt Klarheit in eine Sache).*

lichterloh: ⟨in der Wendung⟩ l. brennen: *mit einem hellen Feuer, stark brennen:* das Haus brennt l.; bildl. (geh.): mein Herz brennt, ich brenne l. *(ich bin heftig verliebt).*

Lichtermeer, das; -[e]s (geh.): *eine aus vielen einzelnen Lichtern bestehende, sich weithin ausdehnende helle Fläche:* das L. der Großstadt.

Lichthupe, die; -, -n: *Vorrichtung im Auto, mit der man Lichtsignale geben kann.*

Lichtkegel, der; -s, -: *von einem Punkt ausgehendes, sich wie ein Kegel verbreiterndes Licht:* im L. der Scheinwerfer erschien jetzt eine Gestalt.

lichtscheu ⟨Adj.; nicht adverbial⟩: *die Öffentlichkeit aus Angst vor Entdeckung fürchtend (da man irgendwelche [leichtere] Straftaten begangen hat); unehrlich, zu Gaunereien schnell bereit:* lichtscheues Gesindel.

Lichtung, die; -, -en: *helle, von Bäumen freie Stelle im Wald.*

Lid, das; -[e]s, -er: *bewegliche Haut über den Augen* (siehe Bild).

Lid

lieb ⟨Adj.⟩ /vgl. lieber/: **1.** *geliebt, teuer, wert:* ein lieber Freund; mein liebstes Buch; lieber Herr Meier! /Anrede/; es wäre mir lieb *(angenehm),* wenn er käme. * (ugs.) **sich bei jmdm. l. Kind machen** *(jmdm. schmeicheln, um in seiner Gunst zu stehen).* **2.** *freundlich, liebevoll, nett:* er ist ein lieber Junge; l. zu jmdm. sein; das ist sehr l. von Ihnen; du mußt aber l. *(artig)* sein!

liebäugeln, liebäugelte, hat geliebäugelt ⟨itr.⟩: *(etwas) gern haben oder tun wollen:* er liebäugelt schon lange mit einem neuen Wagen.

Liebe, die; -: *starkes [inniges] Gefühl der Zuneigung:* seine L. wurde von ihr nicht erwidert; die L. zur Heimat; die L. zum Mitmenschen. * **etwas mit L. tun** *(etwas gern und mit Sorgfalt tun).*

Liebedienerei, die; - (abwertend): *Schmeichelei gegenüber jmdm., der höher steht als man selbst, mit der Absicht, seine Gunst zu erwerben:* sich von jeglicher L. abgestoßen fühlen.

Liebelei, die; -, -en: *flüchtige, von den Liebenden oder einem Liebenden nicht allzu ernst genommene Beziehung:* an eine vergangene L. denken.

lieben, liebte, hat geliebt: **1.** ⟨tr.⟩ *innige Zuneigung zu jmdm./etwas empfinden:* ein Mädchen, die Eltern, seine Heimat l. **2.** ⟨tr./itr.⟩ *gern haben, gern tun:* er liebt den Wein; sie liebt es nicht aufzufallen.

liebenswert ⟨Adj.⟩: *heiter, freundlich und daher sympathisch:* ein liebenswertes junges Mädchen.

liebenswürdig ⟨Adj.⟩: *freundlich und in betonter Weise höflich:* ein liebenswürdiger Mensch.

Liebenswürdigkeit, die; -.

lieber ⟨Adverb⟩ /vgl. gern/: **a)** *mit mehr Bereitwilligkeit, mit mehr Vergnügen:* ich möchte l. lesen. **b)** *besser, mit mehr Nutzen:* ich hätte l. warten sollen; gehe l. nach Hause!

Liebesbrief, der; -[e]s, -e: *zärtlicher Brief zwischen Verliebten:* einen L. schreiben, bekommen.

Liebesdienst, der; -es: *kleine Hilfe aus Freundlichkeit; Gefälligkeit:* jmdn. um einen L. bitten; jmdm. einen L. erweisen.

Liebeskummer, der; -s: *durch unglückliche Liebe verursachte bedrückte Stimmung:* ihr L. dauert niemals lange; L. haben.

Liebesmühe: ⟨in der Verbindung⟩ etwas ist vergebliche/verlorene L. *(etwas ist trotz großer Bemühungen vergeblich).*

Liebespaar, das; -[e]s, -e: *Paar, das sich liebt und dies nach außen hin zeigt:* ein zärtliches L.

Liebesspiel, das; -[e]s, -e: *spielerische Verhaltensweisen und Kontakte erotischer oder* *sexueller Natur zwischen menschlichen oder tierischen Partnern [als Vorbereitung des Koitus]:* der Arzt empfahl dem Paar, das L. zu verlängern.

liebevoll ⟨Adj.⟩: *zärtlich [besorgt], von Liebe erfüllt:* sie hat ihn l. gepflegt; liebevolle Worte.

liebhaben, hat lieb, hatte lieb, hat liebgehabt ⟨itr.⟩: *gern haben, lieben:* sie hat ihn lieb.

Liebhaber, der; -s, -: **1.** *Verehrer, Geliebter:* ein eifersüchtiger L. **2.** *jmd., der aus persönlichem Interesse bestimmte Dinge kauft, sammelt oder sich mit ihnen beschäftigt:* ein L. alter Münzen.

Liebhaberei, die; -, -en: *nur aus Freude an der Sache ausgeübte Beschäftigung, Hobby:* das Malen ist seine besondere L.

liebkosen, liebkoste, hat liebkost ⟨tr.⟩ (geh.): *leicht und zart (mit den Händen) berühren, liebevoll streicheln:* die Mutter liebkoste das Kind; sie hat seine Hand liebkost.

lieblich ⟨Adj.⟩: *anmutig, angenehm:* eine liebliche Landschaft; es duftet l.

Liebling, der; -s, -e: *jmd., der von jmdm. besonders geliebt, bevorzugt wird:* sie war Mutters L.; dieser Sänger ist der L. des Publikums.

lieblos ⟨Adj.⟩: *unfreundlich, gehässig:* lieblose Worte; jmdn. l. behandeln.

Liebreiz, der; -es: *bezaubernde, reizende Anmut:* ein Gesicht von großem L.

Liebschaft, die; -, -en: *kurze Zeit dauerndes intimes Verhältnis (zwischen Mann und Frau):* seine Frau hatte eine L. mit einem Schauspieler.

Liebste (veraltend): **I.** die; -n, -n: *Mädchen, das ein junger Mann liebt:* er hat es seiner Liebsten geschrieben. **II.** der; -n, -n ⟨aber: [ein] Liebster⟩: *junger Mann, den ein Mädchen liebt:* sie fährt zu ihrem Liebsten; ihr Liebster hat sie verlassen.

Lied, das; -es, -er: *vertontes, meist in Strophen eingeteiltes Gedicht, das gesungen wird.*

Liederbuch, das; -[e]s, Liederbücher: *Buch mit Melodien und Texten von Liedern:* auf die Wanderung ein L. mitnehmen.

Liederjan, der; -s, -e (ugs.): *unordentlicher Mensch:* du hast deine Handschuhe schon wieder verloren? Du bist ein richtiger L.!

liederlich ⟨Adj.⟩: *unordentlich, ohne Sorgfalt gemacht:* liederliche Arbeit. **Liederlichkeit,** die; -.

Lieferant, der; -en, -en: *jmd., der bestellte Waren liefert.*

lieferbar ⟨Adj.; nicht adverbial⟩: *zu liefern; vorrätig, so daß es geliefert werden kann* /von Waren/: die Möbel sind augenblicklich nicht l.

liefern, lieferte, hat geliefert ⟨tr.⟩: *(bestellte Waren) bringen oder schicken:* wir liefern Ihnen die Möbel ins Haus. * (ugs.) **geliefert sein** *(sich aus einer schwierigen Lage nicht mehr retten, befreien können).*

Lieferung, die; -, -en: **1.** *das Liefern:* die L. erfolgt in drei Tagen. **2.** *einzeln gelieferter Teil eines Buches, das nicht auf einmal erscheint:* das Werk erscheint in Lieferungen.

Lieferwagen, der; -s, -: *kleiner, meist geschlossener Lastkraftwagen.*

Liege, die; -, -n: *flaches Möbelstück, das zum Liegen und Ausruhen dient* (siehe Bild).

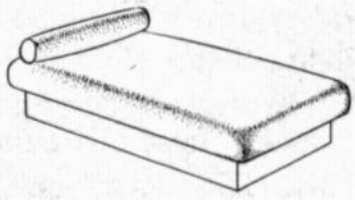

Liege

liegen, lag, hat/ (südd.; östr.; schweiz.:) ist gelegen ⟨itr.⟩ /vgl. gelegen/: **1.** *in waagerechter Lage sein, ruhen:* auf dem Rücken l.; im Bett l.; in der Sonne l. *(sich sonnen).* **2. a)** *sich [waagerecht, schräg] (an einer Stelle) befinden:* das Buch liegt auf dem Tisch; das Schiff liegt im Hafen. * **etwas liegt in der Luft** *(etwas steht bevor, droht sich zu entladen);* **etwas liegt jmdm. auf der Zunge:** *α) jmd. ist nahe daran, einen Namen o.ä. nennen zu können, der ihm aber noch nicht einfällt:* sein Name liegt mir auf der Zunge, wie heißt er doch gleich? *β) jmd. will etwas sagen, unterdrückt es aber:* es lag mir auf der Zunge zu sagen, daß es dafür zu spät sei. **b)** *eine bestimmte geographische Lage haben:* München liegt an der Isar. **3.** *jmdm. angenehm sein, jmds. Wesen, Einstellung entsprechen:* diese Arbeit liegt ihm nicht. ** **jmdm. liegt an etwas** *(jmdm. ist etwas wichtig)* an seiner Beförderung ist mir viel gelegen; seine Zukunft liegt mir am Herzen; **etwas liegt bei jmdm.** *(etwas hängt von jmdm. ab);* **etwas liegt an etwas** *(etwas ist schuld an etwas):* es lag an dem schlechten Wetter, daß wir zu Hause blieben.

liegenbleiben, blieb liegen, ist liegengeblieben ⟨itr.⟩ (ugs.) **1.** *nicht aufstehen:* als der Wecker klingelte, blieb sie noch liegen. **2.** *nicht weiterkommen:* das Auto hatte einen Defekt und blieb auf der Straße liegen. **3.** *nicht verbraucht werden:* die Waren konnten nicht verkauft werden, sie sind liegengeblieben. **4.** *vergessen werden:* ein Schirm und ein Paar Handschuhe sind im Zug liegengeblieben. **5.** *nicht erledigt werden:* da ich so viel anderes zu tun hatte, sind diese Arbeiten liegengeblieben. **6.** *nicht schmelzen, nicht verschwinden* /von Schnee o. ä./: es war so kalt, daß der Schnee liegen blieb.

liegenlassen, läßt liegen, ließ liegen, hat liegenlassen ⟨tr.⟩ *vergessen:* er läßt oft seine Uhr liegen. * **jmdn. links l.** *(jmdn. bewußt nicht beachten).*

Liegestuhl, der; -[e]s, Liegestühle: *leichter, bequemer Stuhl zum Liegen, den man verstellen oder zusammenklappen kann* (siehe Bild).

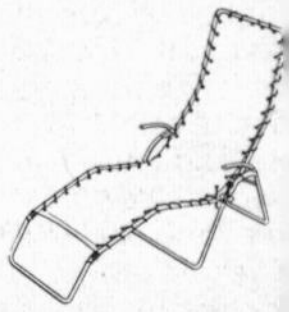

Liegestuhl

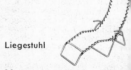

Liegewagen, der; -s, -: *Wagen der Eisenbahn mit Abteilen, deren Sitze mit ein paar Handgriffen zu je drei übereinander befindlichen Betten umgebaut werden können, so daß man am Tage sitzen, in der Nacht liegen kann:* der Zug führt drei L.

Lift, der; -[e]s, -e und -s: *Aufzug für Personen und kleinere Lasten.*

Liga, die; -, Ligen: **1.** *Bund, Bündnis:* eine L. schließen; die Arabische L. **2.** *qualifizierte* *ruppe von Mannschaften in iner bestimmten Sportart aus inem bestimmten Bezirk.*

ieren, sich; liierte sich, hat ich liiert: *sich eng verbinden:* ie beiden Geschäftsleute haben ich liiert; sie hat sich mit ihm iert *(sie hat eine Liaison mit hm).*

.ikör, der; -s, -e: *süßes al- oholisches Getränk:* ein Glas L. rinken.

la ⟨Adj.; indeklinabel⟩: *(in er Färbung) wie blauer Flieder aussehend]:* ein l. Kleid.

.ilie, die; -, -n: /eine stark uftende [Garten]blume/ (siehe Bild).

Lilie

Liliputaner, der; -s, -: *Mensch on sehr kleinem Wuchs:* im Zirkus treten L. auf.

Limerick, der; -[s], -s: *Gedicht n fünf Zeilen mit ironischem der grotesk-komischem Inhalt:* lie besten Limericks werden ionoriert.

Limit, das; -s, -s: *äußerste Grenze, bis zu der etwas zuge- assen wird:* ein L. festsetzen, las ein Makler nicht überschreiten darf; das L. von 50 Kilometer in der Stunde überschreiten.

limitieren, limitierte, hat limitiert ⟨tr.⟩: *begrenzen, einschränken:* die öffentliche Gewalt, jmds. Funktionen l.

Limonade, die; -, -n: /ein erfrischendes kohlensäurehaltiges Getränk [aus Wasser und Fruchtsaft]/.

Limone, die; -, -n: /eine Art Zitrone/.

Limousine [limuˈziːnə], die; -, -n: *großer, geschlossener Personenkraftwagen mit meist vier Türen:* in einer L. vorfahren; aus einer L. steigen.

lind ⟨Adj.⟩ (geh.): *sanft, milde:* ein linder Abend.

Linde, die; -, -n: /ein Laubbaum/ (siehe Bild).

lindern, linderte, hat gelindert ⟨tr.⟩: *mildern, erträglich machen:* Not, Schmerzen l. **Linderung,** die; -.

Linde

Lineal, das; -s, -e: *Gerät, mit dem Linien gezogen werden* (siehe Bild).

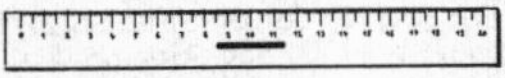

Lineal

Linie, die; -, -n: **1.** *längerer Strich:* Linien ziehen. **2.** *Reihe von Personen, Dingen, die in einer Richtung nebeneinander stehen oder liegen:* in einer L. stehen. **3.** *Strecke mit planmäßigem Verkehr:* die L. 16 der Straßenbahn. **4. a)** *Abstammung, Folge der Generationen:* in gerader L. von jmdm. abstammen. **b)** *Zweig einer [adligen] Familie:* die ältere L. ist ausgestorben.

Linienblatt, das; -[e]s, Linienblätter: *liniertes Blatt, das man unter ein nicht liniertes Blatt legt, damit man auf den durchscheinenden Linien in geraden Zeilen schreiben kann:* das L. sorgfältig unter den Bogen Papier legen.

Linienspiegel, der; -s, - (östr.): *Linienblatt.*

linientreu ⟨Adj.⟩ (ugs.): *der Ideologie einer Partei folgend, treu ergeben:* ein linientreuer Funktionär.

lin[i]ieren, lin[i]ierte, hat lin[i]iert ⟨tr.⟩: *mit Linien versehen:* lin[i]iertes Papier.

linke ⟨Adj.; nur attributiv⟩: *sich auf der Seite befindend, die der rechten Seite entgegengesetzt ist* /Ggs. rechte/: die l. Hand, die l. *(geringere, gewöhnlich nicht sichtbare)* Seite des Stoffes nach außen kehren.

Linke, die; -n: **1.** *linke Hand:* etwas in der Linken tragen. * **zur Linken** *(links).* **2.** Boxen *Schlag mit der linken Faust:* seine harte L. ist gefürchtet. **3.** *Gruppe der fortschrittlichen und sozialistischen Parteien:* er gehört zur Linken.

linkisch ⟨Adj.⟩: *ungeschickt, unbeholfen:* ein linkischer Mensch; sich l. benehmen.

links ⟨Adverb⟩: *auf der linken Seite* /Ggs. rechts/: nach l. gehen; jmdn. l. überholen; einen Strumpf l. *(mit der Innenseite nach außen)* anziehen.

Linkshänder, der; -s, -: *jmd. der mit seiner linken Hand so geschickt ist wie andere mit ihrer rechten.*

Linoleum [liˈnoːleʊm], das; -s: *Belag für Fußböden:* L. legen lassen.

Linon [liˈnõː], der; -[s], -s: *wie Leinen aussehendes Gewebe aus Baumwolle:* Bettwäsche aus L.

Linse, die; -, -n: **I.** *als Gemüse verwendeter brauner, flach-runder Samen einer Pflanze:* heute Mittag gibt es Linsen mit Speck. **II.** *geschliffener, durchsichtiger Körper aus Glas in optischen Geräten.*

linsen, linste, hat gelinst ⟨itr.⟩ (ugs.): *neugierig spähen, ohne daß man selbst gesehen wird:* durch das Fenster in das Zimmer l.; um die Ecke l.

Lippe, die; -, -n: *Teil des Mundes* (siehe Bild).

Lippe

Lippenbekenntnis, das; -ses, -se (geh.; abwertend): *Bekenntnis, das man ablegt, ohne daß es der inneren Überzeugung entspricht:* mit einem bloßen L. ist es nicht getan.

Lippenstift, der; -[e]s, -e: *Stift zum Färben der Lippen:* einen hellen L. benutzen.

Liquidation, die; -, -en: *Abwicklung aller rechtlichen Geschäfte einer sich auflösenden Firma:* das Geschäft befindet sich in L.

liquidieren, liquidierte, hat liquidiert ⟨tr.⟩: **1.** *(eine Gesellschaft, ein Geschäft) auflösen:* man hat die Firma liquidiert; ⟨auch itr.⟩ die Firma mußte bereits 1960 l. *(sich auflösen).* **2.** *(eine Person) beseitigen, umbringen:* man hat ihn ohne Urteil liquidiert. **3.** *(eine Sache) einziehen, beschlagnahmen:* sie mußten das Land verlassen, ihr Besitz wurde liquidiert. **4.** *(einen Konflikt) beilegen:* mit seiner Hilfe gelang es, den Konflikt zu l. **Liquidierung,** die; -, -en.

lispeln, lispelte, hat gelispelt ⟨itr.⟩: **1.** *die S-Laute fehlerhaft* *sprechen, indem man mit der Zunge an die Zähne stößt.* **2.** (geh.) *vorsichtig, kaum hörbar flüstern.*

List, die; -, -en: *schlau ausgedachter Plan mit dem Ziel, andere zu täuschen; Trick:* er ersann eine L., um uns in das Haus zu locken.

Liste, die; -, -n: *Verzeichnis von Waren, Preisen, Namen o. ä.:* der Name fehlt in meiner L. * **auf der schwarzen L. stehen** *(als unerwünscht, unzuverlässig, verdächtig gelten).*

listig ⟨Adj.⟩: *schlau, durchtrieben; geschickt täuschend:* er hat die Sache sehr l. eingefädelt.

Litanei, die; -, -en: **a)** Rel. kath. *Gebet, bei dem auf die Bitten o. ä. des Vorbeters die Gläubigen mit einer immer gleichbleibenden Formel antworten:* eine L. beten. **b)** (ugs.) *endlose Reihe von Worten, Wünschen, Klagen:* eine lange L. vorbringen; die alte L. *(immer dieselben Klagen)!*

Liter, der, (auch:) das; -s, -: /Maß für Flüssigkeiten/: zwei L. Milch.

literarisch ⟨Adj.⟩: *die Literatur, Dichtung betreffend.*

Literat, der; -en, -en: **a)** *Schriftsteller:* in diesem Café trafen sich Literaten, Maler und Schauspieler. **b)** (abwertend) *formal geschickter Schriftsteller ohne schöpferische Kraft:* er hält sich für ein Genie, im Grunde genommen ist er aber nur ein billiger L.

Literatur, die; -: **1.** *alle [in einer Sprache vorhandenen] dichterischen und schriftstellerischen Werke.* * **die schöne L.** *(die Dichtung).* **2.** *alle Bücher und Aufsätze, die über ein bestimmtes Thema geschrieben wurden:* er kennt die einschlägige L.

Litfaßsäule, die; -, -n: *dicke Säule an Straßen und Plätzen, an der Plakate angeschlagen werden* (siehe Bild).

Litfaßsäule

Liturgie, die; -; -n: **1.** *amtliche oder der Gewohnheit entsprechende Form eines Gottesdienstes.* **2.** *der am Altar im Wechsel zwischen Pastor und Gemeinde gesprochene oder gesungene Teil des evangelischen Gottesdienstes.*

liturgisch ⟨Adj.; nur attributiv⟩: *zur Liturgie gehörend, sie betreffend:* ein liturgischer Gesang.

Litze, die; -, -n: *schmales geflochtenes Band aus Baumwolle o. ä.:* ihr Rock war mit bunter L. besetzt.

live [laɪv]: ⟨in der Fügung⟩ l. übertragen/senden: *unmittelbar vom Ort der Aufnahme aus übertragen/senden* /bei Sendungen des Rundfunks und des Fernsehens/.

Live-Sendung [laɪv...], die; -, -en: *Sendung des Rundfunks oder Fernsehens, die unmittelbar vom Ort der Aufnahme aus und gleichzeitig mit dem Geschehen gesendet wird.*

Livree, die; -, -n: *uniformartige Kleidung der Diener in einem Hotel o. ä.*

livriert ⟨Adj.; nicht adverbial⟩: *eine Livree tragend:* ein livrierter Diener.

Lizenz, die; -, -en: *[amtliche] Genehmigung, Erlaubnis:* eine L. bekommen.

Lob, das; -[e]s: *anerkennende Worte, ermunternder Zuspruch* /Ggs. Tadel/: das Lob seines Lehrers freute den Schüler.

Lobby, die; - (abwertend): *Gruppe, die Abgeordnete für ihre Interessen zu gewinnen sucht.*

loben, lobte, hat gelobt ⟨tr.⟩: *jmds. Leistung besonders hervorheben und würdigen; (jmdm.) anerkennende Worte sagen (über etwas); sich anerkennend (über jmdn. /etwas) äußern* /Ggs. tadeln/: der Lehrer lobte den Schüler; der Film wurde sehr gelobt.

lobenswert ⟨Adj.⟩: *ein Lob verdienend:* sein Verhalten war l.

Lobhudelei die; -, -en (abwertend): *sehr plumpe Schmeichelei; übertriebenes Loben:* er soll mich mit seiner L. verschonen.

löblich ⟨Adj.⟩ (veraltend): *lobenswert:* ein löbliches Vorhaben.

Loblied, das; -[e]s, -er: *hohes Lob:* der Artikel war ein einziges L. auf den neuen Präsidenten. * **ein L. auf jmdn./etwas singen/ anstimmen** *(jmdn./etwas voll[e]r Begeisterung loben, rühmen).*

Lobrede, die; -, -n: *lobende rühmende Rede:* eine L. au[f] jmdn. halten.

Loch, das; -[e]s, Löcher: **a** *offene, leere Stelle in der Obe[r]fläche eines Gegenstandes; Öf[f]nung, Lücke:* der Strumpf ha[t] ein L.; ein L. ins Kleid reißen. **b)** *Vertiefung:* ein L. in de[r] Erde. ** (ugs.) **auf dem letzte[n] L. pfeifen** *(mit seiner Kraft, sei[nem] Geld am Ende sein).*

lochen, lochte, hat geloch[t] ⟨tr.⟩: *mit einem Loch, mit Lö[]chern versehen [und dadurc[h] kennzeichnen]:* der Schaffne[r] hat die Fahrkarte gelocht.

Locher, der; -s, -: *Gerät zu[m] Lochen von Papier.*

löchern, löcherte, hat gelö[]chert ⟨tr.⟩ (ugs.): *in lästige[r] Weise ausfragen:* sein Chef ver[]suchte, ihn zu l.

Locke, die; -, -n: *Büschel vo[n] welligem, geringeltem Haar* (sie[]he Bild): eine L. abschneiden blonde Locken.

Locke

locken, lockte, hat gelockt ⟨tr.⟩: **1.** *durch Rufe, Zeichen Versprechungen o. ä. heranzuholen suchen:* der Jäger lockt den Rehbock; ein Kind an/zu sich locken. **2.** *reizen, anziehen, interessieren:* diese Arbeit lockt mich nicht.

löcken, löckte, hat gelöckt: ⟨in der Wendung⟩ wider den Stachel l. (geh.): *gegen etwas, was als Einschränkung der persönlichen Freiheit empfunden wird, aufbegehren; aufsässig sein.*

Lockenkopf, der; -[e]s, Lokkenköpfe: **1.** *lockiges Haar:* das Kind hat einen L. **2.** (scherzh.) *jmd., der lockiges Haar hat:* sie zeigte ihr die Photographie eines blonden Lockenkopfs.

Lockenwickler, der; -s, -: *kleine Rolle, auf die man eine Strähne Haar wickelt, damit sie sich wellt:* das Haar auf L. drehen.

locker ⟨Adj.⟩: *nicht fest, nicht ganz befestigt, lose:* ein lockerer

Nagel; lockerer *(weicher)* Boden; die Zügel l. halten; bildl.: ockere *(allzu freie)* Sitten.

ọckerlassen, läßt locker, ließ ocker, hat lockergelassen ⟨itr.; nur verneint⟩: *nachgeben; seine Bemühungen aufgeben:* wir dürfen nicht l.

ọckermachen, machte locker, hat lockergemacht ⟨tr.⟩ ugs.): *(Geld) zur Verfügung tellen, ausgeben:* als er zu seinen Freunden kam, mußte er iel Geld l.

ọckern, lockerte, hat gelockert ⟨tr./rfl.⟩: *locker machen, verden:* den Gürtel, die Muskeln .; das Brett hat sich gelockert.

Lọckerung, die; -.

ọckig ⟨Adj.⟩: *Locken habend:* ockiges Haar.

Lọckung, die; -, -en (geh.): *Versuchung, Reiz:* einer L. widerstehen, erliegen.

Lọckvogel, der; -s, Lockvögel: *jmd., der Personen anlockt, die man überfallen oder schädigen will:* das hübsche Mädchen war nur ein L.

Loden, der; -s, -: *sehr dichtes Gewebe aus Wolle:* ein Mantel aus grobem L.

Lodenmantel, der; -s, Lodenmäntel: *Mantel aus Loden:* auf der Jagd trug er einen L.

lodern, loderte, hat gelodert ⟨itr.⟩: *in heftiger Bewegung brennen:* die Flammen lodern; bildl.: lodernde Begeisterung.

Löffel, der; -s, -: **1.** *Gerät, mit dem man Brei, Suppe u. ä. essen oder schöpfen kann* (siehe Bild): mit dem L. essen; ein silberner L. **2.** ⟨Plural⟩ *Ohren des Hasen:* (siehe Bild): der Hase stellt die L. hoch.

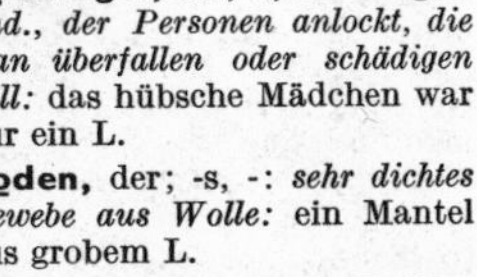

Löffel

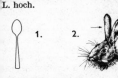

löffeln, löffelte, hat gelöffelt ⟨tr.⟩: *mit dem Löffel essen:* ohne Appetit löffelte er seine Suppe; bildl. (ugs.): du hast wohl die Sache immer noch nicht gelöffelt *(verstanden)*?

Lọgbuch, das; -[e]s, Logbücher: *Tagebuch an Bord eines Schiffes, in das alle für die Seefahrt wichtigen Ereignisse und Beobachtungen eingetragen werden.*

Loge ['lo:ʒə], die; -, -n: *abgeteilter kleiner Raum für Zuschauer im Theater:* eine L. mieten.

Loggia ['lɔdʒa], die; -, Loggien: **1.** *(an ein Haus angebaute) Halle, die von Säulen getragen wird* (siehe Bild). **2.** *nach einer Seite offener Raum des Hauses* (siehe Bild): in der L. sitzen.

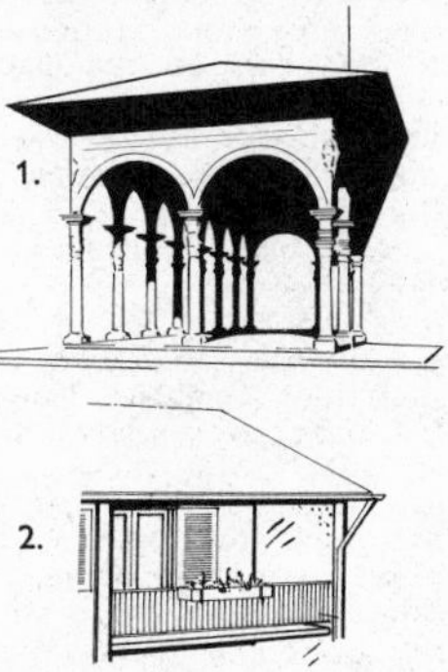

Loggia

Logik, die; -: **a)** *exakte Art des Denkens, bei der die Gedanken folgerichtig auseinander entwickelt werden; Lehre vom richtigen Denken:* das widerspricht aller L. **b)** *zwingende, notwendige Folgerung (aus etwas):* sich der L. der Tatsachen fügen.

Logis [lo'ʒi:], das; - [lo'ʒi:(s)], - [lo'ʒi:s] (veraltend): *Wohnung, Unterkunft:* ich mußte 20 Mark für Kost und L. bezahlen.

logisch ⟨Adj.⟩: *der Logik entsprechend, folgerichtig:* er denkt in logischen Zusammenhängen; es war nur l., daß er von seinem Amt zurücktrat.

Lohe, die; -, -n (geh.): *große Flamme:* die flackernde L.; die L. schlug zum Himmel.

lohen, lohte, hat geloht ⟨itr.⟩ (geh.): *hell, lodernd brennen:* die Flammen lohten.

Lohn, der; -[e]s, Löhne: *Vergütung für geleistete Arbeit; bes. die Bezahlung, die einem Arbeiter für einen bestimmten Zeitraum zusteht:* den L. erhöhen, kürzen; jeden Freitag die Löhne auszahlen; bildl.: den Lohn für eine gute, böse Tat empfangen.

lohnen, lohnte, hat gelohnt ⟨tr./rfl.⟩: *Nutzen bringen, (eine Anstrengung) wert sein:* die Wasserfälle lohnen einen Besuch; es lohnt sich, dieses Buch zu lesen; eine lohnende Aussicht.

Lọk, die; -, -s: /Kurzform von Lokomotive/.

lokal ⟨Adj.⟩: *örtlich [beschränkt]:* diese Nachrichten sind nicht nur von lokalem Interesse.

Lokal, das; -s, -e: *Gaststätte:* ein L. besuchen.

Lokalaugenschein, der; -[e]s, -e (östr.): *Lokaltermin.*

lokalisieren, lokalisierte, hat lokalisiert ⟨tr.⟩: **1.** *örtlich beschränken:* es gelang der Feuerwehr, den Brand zu l. **2.** *(den Ort von etwas) bestimmen:* den Herd einer Krankheit l. **Lokalisierung,** die; -.

Lokalität, die; -, -en (veraltend): **1.** *Beschaffenheit eines Ortes:* die hiesige L. gut kennen. **2.** *Raum, Gebäude.*

Lokalpatriotismus, der; -: *starke oder übertriebene Liebe zur engeren Heimat, zur Vaterstadt o. ä.:* seine Rede war von L. getragen.

Lokaltermin, der; -[e]s, -e: *gerichtliche Untersuchung, Verhandlung am Ort der Tat:* bei einem L. wurde das Geschehen rekonstruiert.

Lọkführer, der; -s, -: *Lokomotivführer.*

Lokomotive, die; -, -n: *Maschine, die die Wagen der Eisenbahn zieht.*

Lokomotivführer, der; -s, -: *jmd., der zum Führen einer Lokomotive ausgebildet ist* /Berufsbezeichnung/: L. und Heizer stiegen in ihre Maschine.

Lokus, der; -, -se (ugs.; fam.): *Abort, Toilette.*

Look [luk], der; -s, -s: *Tendenz, Richtung (der Mode), Aussehen:* wir zeigen Ihnen auf 50 Seiten den neuen L. der Mode für Herbst und Winter 1969/70.

Lọrbeer, der; -s, -en: /immergrüner Baum, dessen Blätter als Gewürz dienen; Sinnbild des Ruhms/. * **Lorbeeren ernten** *(Erfolg haben, Anerkennung gewinnen).*

Lọrd, der; -s, -s: *hoher englischer Adliger und dessen Titel.*

Lore, die; -, -n: *offener, auf Schienen laufender Wagen zum Transport von Gütern in Bergwerken, Steinbrüchen o. ä.:* Kohlen in eine L. schaufeln.

Lorgnette [lɔrn'jɛtə], die; -, -n (veralt.): *Brille mit Stiel* (siehe Bild): jmdn. durch die L. fixieren.

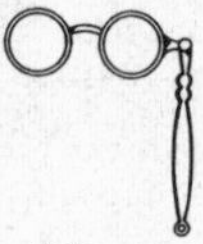

Lorgnette

Lorgnon [lɔrn'jõ:], das; -s, -s (veralt.): *Monokel mit Stiel* (siehe Bild): ein L. zum Auge führen.

Lorgnon

los /vgl. lose/: **I.** ⟨Adj.; nur prädikativ⟩ *[ab]getrennt, frei (von etwas):* der Knopf ist l. *(abgerissen);* der Hund ist [von der Kette] l. * (ugs.) **etwas l. haben** *(etwas können, geschickt sein);* **jmdn./etwas l. sein** *(von jmdm./etwas befreit sein, jmdn./etwas nicht mehr haben):* ich wäre den Kerl gern l. gewesen; **es ist etwas l.** *(es geschieht, passiert etwas):* was ist hier l.? **II.** ⟨Adverb⟩ *weg!, fort!, schnell!* /als Aufforderung/: l., beeile dich!

Los, das; -es, -e: **1. a)** *besonders gekennzeichneter Gegenstand, mit dessen Hilfe eine Entscheidung durch Zufall herbeigeführt wird:* das L. über etwas werfen; ein L. ziehen; die Reihenfolge wird durch das L. bestimmt. **b)** *mit einer Nummer versehenes Papier, das man kauft, um an einer Lotterie teilzunehmen:* ein halbes, ganzes L. spielen. * **das Große L.** *(der größte Gewinn einer staatlichen Lotterie):* er hat das Große L. gewonnen. **2.** *Schicksal:* mit seinem L. zufrieden sein; das L. der Gefangenen erleichtern.

losbinden, band los, hat losgebunden ⟨tr.⟩: *von einer Befestigung lösen:* ein Pferd, einen Kahn l.

losbrechen, bricht los, brach los, ist losgebrochen ⟨itr.⟩: *plötzlich, mit großer Gewalt beginnen:* das Unwetter, der Angriff brach los.

Löschblatt, das; -[e]s, Löschblätter: *ein Blatt Löschpapier (in einem Heft o. ä.).*

löschen, löschte, hat gelöscht: **I.** ⟨tr.⟩ **a)** *mit Erfolg bekämpfen, ersticken:* der Brand, das Feuer wurde schnell gelöscht. * **seinen Durst l.** *(soviel trinken, bis man keinen Durst mehr hat).* **b)** *ausmachen, ausschalten:* er hat die Kerzen, das Licht gelöscht. **c)** *(von einer Liste) streichen, aufheben:* eine Firma, ein Konto l. **II.** ⟨tr.⟩ *ausladen:* die Ladung eines Schiffes l.

Löschpapier, das; -s: *eine Art Papier, mit dem Flüssigkeiten (vor allem Tinte) aufgesaugt werden können:* Briefmarken auf L. trocknen.

lose ⟨Adj.⟩ /vgl. los/: **1.** *nicht fest verbunden, locker:* ein loses Blatt; der Knopf ist, hängt l. *(ist nicht fest angenäht).* **2. a)** *mutwillig, frech:* jmdm. einen losen Streich spielen. **b)** *leichtfertig:* ein loses Mädchen. **3.** *nicht verpackt:* l. Ware; Zigarren l. *(einzeln)* verkaufen.

Lösegeld, das; -es, Lösegelder: *Betrag, für den ein Gefangener oder Entführter freigegeben werden soll:* ein L. zahlen, erpressen.

loseisen, eiste los, hat losgeeist ⟨tr./rfl.⟩ (ugs.): *mit Mühe freimachen, abspenstig machen, lösen:* endlich gelang es mir, ihn, mich von meinen Verwandten loszueisen.

losen, loste, hat gelost ⟨itr.⟩: *eine Entscheidung durch das Los herbeiführen:* um etwas l.; wir losten, wer zuerst fahren sollte.

lösen, löste, hat gelöst /vgl. gelöst/: **1.** ⟨tr./rfl.⟩ **a)** *aufmachen, locker machen/werden:* Fesseln, einen Knoten l.; ein Ziegel hat sich gelöst; bildl.: einen Vertrag, seine Verlobung l. *(aufheben).* **b)** *fein verteilen:* Salz in Wasser l. **2.** ⟨tr.⟩ *(durch Nachdenken) klären:* ein Problem, ein Rätsel l. **3.** ⟨tr.⟩ *kaufen:* eine Fahrkarte l.

losfahren, fährt los, fuhr los, ist losgefahren ⟨itr.⟩: **1.** *(von einem Ort) wegfahren; zu fahren beginnen:* er stieg in sein Auto und fuhr los. **2.** *sich plötzlich heftig (gegen jmdn.) wenden:* er fuhr wütend auf seine Gegner los.

losgehen, ging los, ist losgegangen ⟨itr.⟩ (ugs.): **1.** *abgehen, sich von etwas lösen:* der Knop[f] ist losgegangen; der Schuß gin[g] zu früh los. **2.** *beginnen:* es geh[t] los *(etwas fängt an).* **3. a)** *auf[-] brechen:* wir gingen um 6 Uh[r] los. **b)** *jmdn. angreifen, au[f] jmdn. eindringen:* er ist mit dem Messer auf ihn losgegangen.

loskaufen, kaufte los, hat losgekauft ⟨tr.⟩: *durch Zahlen von Lösegeld befreien:* einen Gefangenen l.

loskommen, kam los, ist losgekommen ⟨itr.⟩: *sich (von etwas) lösen, frei werden:* sie konnte von ihm nicht l.

loslassen, läßt los, ließ los, hat losgelassen ⟨tr.⟩: *freilassen, nicht mehr festhalten:* einen Hund [von der Kette] l.; sie ließ seine Hände los.

loslegen, legte los, hat losgelegt ⟨itr.⟩ (ugs.): **1.** *mit Eifer zu arbeiten beginnen:* sie nahm die Hacke, ging in den Garten und legte los. **2.** *[zornig und] mit Eifer zu reden beginnen:* als man sie fragte, was sie von der Angelegenheit hielte, legte sie ordentlich los.

loslösen, löste los, hat losgelöst ⟨tr./rfl.⟩: *aus einer Verbindung, einem Zusammenhang (mit etwas anderem) lösen:* er löste die Briefmarke vom Umschlag los; bildl.: er sah, wie sich ein Mann aus der Gruppe loslöste; er hat sich von diesen Anschauungen losgelöst.

losmachen, machte los, hat losgemacht ⟨tr./rfl.⟩ (ugs.): *loslösen:* die Matrosen machten die Boote los; er machte sich aus den Gurten des Fallschirms los; bildl.: sie machte sich von allem los, was ihr bisher wichtig gewesen war.

losreißen, riß los, hat losgerissen ⟨tr./rfl.⟩: *gewaltsam (von einer Person oder Sache, von der jmd./etwas festgehalten wird) trennen:* der Sturm hat die Wäsche von der Leine losgerissen; die Kuh hat sich losgerissen; bildl.: sie konnte sich vom Anblick dieses Bildes nicht l.

lossagen, sich; sagte sich los, hat sich losgesagt: *(jmdn./etwas) aufgeben, (jmdn.) verlassen, verstoßen:* er hat sich von seinem Sohn losgesagt.

losschießen, schoß los, hat/ist losgeschossen ⟨itr.⟩: **1.** *sich* *plötzlich und schnell (in Richtung auf ein bestimmtes Ziel) in Bewegung setzen:* der Hund ist auf das Stückchen Holz losgeschossen. **2.** (ugs.) *hastig zu reden beginnen, schnell und ohne Unterbrechung sprechen:* kaum waren wir im Zimmer, da hat er auch schon losgeschossen.

losschlagen, schlägt los, schlug los, hat losgeschlagen: **1.** ⟨itr.⟩ *(jmdn./etwas) heftig, ohne Besinnung schlagen:* mit geballten Fäusten schlug er auf ihn los; bildl.: die Feinde schlugen los *(begannen den Krieg, eine Schlacht).* **2.** ⟨tr.⟩ (ugs.) *billig verkaufen:* er hat die Waren zu einem ungünstigen Preis l. müssen.

lossprechen, spricht los, sprach los, hat losgesprochen ⟨tr.⟩: **1.** *zum Gesellen machen:* die Lehrlinge wurden losgesprochen. **2.** *(von einer Schuld, Verpflichtung o. ä.) befreien:* jmdn. von der Sünde, einer Pflicht l.

lossteuern, steuerte los, ist losgesteuert ⟨itr.⟩ (ugs.): *sich geradlinig (zu einem bestimmten Ziel) bewegen:* er steuerte auf die Tür los; bildl.: sie steuern auf einen neuen Krieg los.

Losung, die; -, -en: **1. a)** *vereinbartes Wort, das dazu dient, jmdn. zu erkennen* /beim Militär/. **b)** *Spruch, der die Grundsätze enthält, nach denen man sich richtet:* eine L. ausgeben. **2.** Rel. ev. *Spruch aus der Bibel als Motto für jeweils einen bestimmten Tag des Jahres:* die L. lesen. **3.** ⟨ohne Plural⟩ *Kot* /bes. vom Wild/: auf dem Gang durch das Revier fanden sie L. von Füchsen.

Lösung, die; -, -en: **1. a)** ⟨ohne Plural⟩ *das Lösen:* die L. des Rätsels war schwer. **b)** *Ergebnis; [durch Nachdenken gefundener] Ausweg:* dies ist eine befriedigende L. des Problems. **2.** *Flüssigkeit, in der ein Stoff fein verteilt ist:* diese L. enthält keinen Zucker.

loswerden, wird los, wurde los, ist losgeworden ⟨tr.⟩: **1.** (ugs.) *erreichen, daß jmd., der einem lästig ist, einen in Ruhe läßt, von einem weggeht:* so schnell wirst du mich nicht los. **2.** *sich (von etwas, was einem lästig ist) freimachen:* ich kann die Erinnerung an diesen Tag nicht l. **3.** (ugs.) *verkaufen:* ich bin die alten Sachen günstig losgeworden. **4.** (ugs.) *(Geld) ausgeben:* beim Einkaufen bin ich wieder mal viel Geld losgeworden.

losziehen, zog los, ist losgezogen ⟨itr.⟩ (ugs.): **1.** *weggehen, sich auf den Weg machen:* sie sind schon vor einer halben Stunde losgezogen. **2.** *gehässig in jmds. Abwesenheit (über jmdn.) reden:* kaum hatte er das Zimmer verlassen, begannen die andern gegen ihn loszuziehen.

Lot, das; -[e]s, -e: *an einer Schnur hängendes Gewicht, mit dem eine senkrechte Richtung oder Entfernung bestimmt wird:* eine Mauer mit dem L. prüfen. *** etwas [wieder] ins L. bringen** *(etwas in Ordnung bringen).*

loten, lotete, hat gelotet ⟨tr.⟩: *mit dem Lot messen:* die Tiefe des Wassers l.

löten, lötete, hat gelötet ⟨tr.⟩: *mit Hilfe von geschmolzenem Metall verbinden:* der Henkel wird an die Kanne gelötet.

Lotion, die; -, -en: *Gesichtswasser:* L. auf etwas Watte tropfen und damit das Gesicht reinigen.

lotrecht ⟨Adj.⟩: *senkrecht.*

Lotse, der; -n, -n: *erfahrener, ortskundiger Seemann, der Schiffe durch Hafeneinfahrten, Flußmündungen usw. leitet.*

lotsen, lotste, hat gelotst ⟨tr.⟩: *als Lotse lenken:* ein Schiff in den Hafen l.; bildl. (ugs.): jmdn. in eine Kneipe l. *(jmdn. zum Mitgehen in eine Kneipe verführen).*

Lotterei, die; -, -en: *gleichgültige, liederliche Art, liederliches Verhalten:* du hast dir den Knopf immer noch nicht angenäht, so eine L.!

Lotterie, die; -, -n: *Glücksspiel, an dem man durch den Kauf von Losen teilnimmt:* in der L. spielen, gewinnen.

Lotterleben, das; -s (ugs.): *Leben ohne Ordnung, liederliches Leben:* ein L. führen.

Lotterwirtschaft, die; - (ugs.): *liederliche Wirtschaft, liederlich geführter Haushalt, liederlicher Betrieb.*

Lotto, das; -s, -s: **a)** *eine Art Lotterie, bei der die Gewinne auf eine bestimmte Gruppe von Zahlen fallen:* vier Richtige im L. haben. **b)** *Gesellschaftsspiel, bei dem Bilder auf kleinen Tafeln zugedeckt werden.*

Louis ['lu:i], der; -, - (ugs.): *Zuhälter.*

Löwe, der; -n, -n: /ein Raubtier/ (siehe Bild). *** wie ein L. kämpfen** *(sich tapfer wehren).*

Löwe

Löwenanteil, der; -[e]s, -e (ugs.): *der größte Teil (von etwas):* sie sicherte sich den L. des Kuchens; die Stadt mußte den L. der Steuern an Bund und Länder abgeben.

Löwenmaul, das; - [e]s und **Löwenmäulchen,** das; -s, -: /eine Blume/ (siehe Bild).

Löwenmäulchen

Löwenstimme, die; -: *sehr kräftige, laute Stimme:* er brüllte ihn mit einer L. an.

Löwenzahn, der; -s: /eine Wiesenblume/ (siehe Bild).

Löwenzahn

loyal [loa'ja:l] ⟨Adj.⟩: **1.** *(der Regierung gegenüber) treu:* die Intentionen der Regierung l. ausführen. **2.** *anständig, redlich:* er verhielt sich durchaus l.

Loyalität [loajali'tɛ:t], die; -.

Luchs, der; -es, -e: /ein Raubtier/ (siehe Bild S. 422). *** Augen wie ein L. haben** *(sehr scharf sehen);* **aufpassen wie ein L.** *(sehr gut aufpassen).*

Lücke, die; -, -n: *Stelle, an der etwas fehlt; Zwischenraum:* eine

L. im Zaun; bildl.: sein Tod hat eine L. gerissen.

Luchs

Lückenbüßer, der; -s, -: *jmd., der für einen anderen als Ersatz einspringen muß:* er spielt den L.

lückenhaft ⟨Adj.⟩: *durch Lükken unterbrochen:* ein lückenhaftes Gebiß; ihre Kenntnisse waren nur l. *(ziemlich schwach).*

Lückenhaftigkeit, die; -.

lückenlos ⟨Adj.⟩: *keine Lükken enthaltend, vollständig:* die Beweise waren l.

Luder, das; -s, - (derb): *Person:* sie ist ein ganz durchtriebenes L.; sie ist ein kleines L. *(ein raffiniertes Mädchen);* ein dummes L. *(eine dumme, dabei boshafte Person);* ein armes L. *(eine arme, zu bedauernde Person).*

Luft, die; -: *die zum Atmen notwendige Mischung von Gasen:* frische, gute, verbrauchte L.; L. holen *(einatmen);* die L. *(den Atem)* anhalten. * **mit jmdm. die gleiche L. atmen** *(in derselben Umgebung sein);* (ugs.) **jmdn. an die L. setzen** *(hinauswerfen);* (ugs.) **es ist dicke L.** *(es ist ungemütlich, es droht etwas zu passieren):* geh jetzt nicht zum Chef, dort ist dicke L.; **etwas liegt in der L.** *(etwas steht bevor, droht sich zu entladen).*

Luftangriff, der; -[e]s, -e: *Angriff durch Flugzeuge:* die Bevölkerung der großen Städte hatte sehr unter den Luftangriffen zu leiden.

Luftaufnahme, die; -, -n: *von einem Flugzeug aus gemachte Aufnahme (von der Oberfläche der Erde):* eine L. von Hamburg.

Luftballon [...balɔŋ], der; s-, -s; (bes. südd.:) [...balo:n] -s, -e: *kleinerer mit Luft gefüllter Ballon als Spielzeug für Kinder:* auf dem Jahrmarkt kaufte ihm sein Großvater einen roten L.

Luftbrücke, die; -, -n: *organisierte Versorgung durch die Luft:* eine L. einrichten.

luftdicht ⟨Adj.⟩: *für Luft nicht durchlässig:* ein Glas l. verschließen.

Luftdruck, der; -s: *von der Luft ausgeübter Druck:* der L. steigt, fällt.

lüften, lüftete, hat gelüftet ⟨tr.⟩: *Luft in einen Raum lassen, durch Luft frisch machen:* ein Zimmer l.; die Kleider l.

Luftfahrt, die; -: *[Gebiet, das sich mit der] Fortbewegung durch die Luft mit Hilfe von Flugzeugen o. ä. [befaßt]:* die Geschichte der L.

luftig ⟨Adj.⟩: **a)** *der Luft zugänglich, mit Luft erfüllt:* ein luftiger Raum. **b)** *leicht wie Luft:* luftige Kleider.

Luftikus, der; -, -se (scherzh.): *jmd., der leichtfertig ist, nichts ernst nimmt; oberflächlicher Mensch:* er ist ein rechter L.

Luftkissenfahrzeug, das; -[e]s, -e: *Fahrzeug ohne Räder, das sich durch das nach unten gerichtete Ausstoßen komprimierter Luft von Boden oder Wasser abhebt und sich dann fortbewegt.*

luftleer ⟨Adj.⟩: *keine Luft enthaltend:* ein luftleeres Gefäß; bildl.: Politik im luftleeren Raum *(abstrakt, theoretisch)* treiben.

Luftlinie, die; -: *kürzeste Entfernung zwischen zwei geographischen Punkten, Orten:* die beiden Berge sind in der L. zwölf Kilometer voneinander entfernt.

Luftmatratze, die; -, -n: *mit Luft gefüllte Unterlage aus Gummi oder Kunststoff* /für Camping o. ä./: sich auf einer L. sonnen.

Luftpirat, der; -en, -en: *jmd., der als Passagier eines Flugzeugs den Piloten unter Androhung von Gewalt zwingt, in einem anderen Staat zu landen.*

Luftpost, die; -: *mit Flugzeugen beförderte Briefe und Pakete.*

Luftpumpe, die; -, -n: *Vorrichtung, mit der Luft in etwas gepumpt oder aus etwas gesaugt wird.*

Luftröhre, die; -, -n: *der am hinteren Kehlkopf beginnende und mit dem Eintritt in die Lunge endende Kanal, durch den die Luft ein- und ausgelassen wird:* eine Kanüle in die L. einführen; (ugs.) etwas in die Luftröhre kriegen *(sich verschlucken).*

Luftschloß, das; Luftschlosses, Luftschlösser: *schöne Vorstellung, die man sich in der Phantasie ausmalt, die aber nicht zur Wirklichkeit werden kann:* das klingt zwar alles sehr schön, aber das sind doch nur Luftschlösser. * **Luftschlösser bauen** *(Pläne entwerfen, die sich nicht ausführen lassen).*

Luftsprung, der; -[e]s, Luftsprünge: *Sprung in die Höhe:* sie lachte, als sie sah, wie die Lämmer Luftsprünge machten; vor Freude einen L. machen *(sich sehr freuen).*

Luftstrom, der; -[e]s, Luftströme: *strömende Bewegung der Luft.*

Lüftung, die; -, -en: **1.** ⟨ohne Plural⟩ *das Lüften.* **2.** *Vorrichtung, Anlage, zum Lüften.*

Luftwaffe, die; -, -n: *Truppe, die für Angriff und Abwehr des in der Luft geführten Krieges ausgebildet ist.*

Luftwechsel, der; -s: *(aus gesundheitlichen Gründen notwendiger) Wechsel des Klimas und damit verbunden des Ortes:* in drei Wochen fahre ich nach Sylt. Ich hoffe, daß mir der L. guttun wird.

Luftweg, der; -[e]s, -e: **1.** *Weg, der durch die Luft führt und mit dem Flugzeug zurückgelegt wird:* Berlin auf dem L. erreichen. **2.** ⟨Plural⟩ *die Atmung betreffenden Organe in Kopf und Hals:* eine Erkrankung der Luftwege.

Luftzug, der; -[e]s: *Strömen der Luft, das deutlich zu spüren ist.*

Lug: ⟨in der Fügung⟩ L. und Trug: *Täuschung, Lüge:* es ist alles L. und Trug.

Lüge, die; -, -n: *falsche Aussage, die bewußt gemacht ist und jmdn. täuschen soll:* eine grobe, freche L.; eine fromme L. *(in guter Absicht ausgesprochene Unwahrheit).*

lugen, lugte, hat gelugt ⟨itr.⟩ (geh.): *vorsichtig, aber scharf blicken:* sie lugte über die Mauer in den Garten.

lügen, log, hat gelogen ⟨itr.⟩: *bewußt die Unwahrheit sagen, um jmdn. zu täuschen:* du lügst, wenn du das behauptest.

Lügenmaul, das; -[e]s, Lügenmäuler (ugs.): *Lügner.*

Lügner, der; -s, -: *jmd., der [bei jeder Gelegenheit] die Un-*

wahrheit sagt: er ist ein gemeiner L.

Luke, die; -, -n: **a)** *kleines Fenster:* er öffnete die L., so daß ein Luftzug entstand. **b)** *Öffnung im Deck oder in der Wand des Schiffes:* die Luken aufdecken, schließen.

lukrativ ⟨Adj.⟩: *einträglich, gewinnbringend:* ein lukratives Angebot erhalten.

lukullisch ⟨Adj.⟩ (geh.): *üppig* /vom Essen/: ein lukullisches Mahl einnehmen.

Lulatsch, der; -[e]s, -e (ugs.): *hoch aufgeschossener, dünner Junge oder Mann, der sich ungeschickt bewegt:* ein langer L.

lullen, lullte, hat gelullt: ⟨in der Wendung⟩ ein Kind in den Schlaf lullen: *ein Kind leise in den Schlaf singen.*

Lümmel, der; -s, - (abwertend): *ungezogener, frecher Bursche:* der betrunkene L. belästigte das Mädchen.

lümmeln, sich; lümmelte sich, hat sich gelümmelt (ugs.): **a)** *sich lässig hinstellen, setzen, legen:* er lümmelte sich in seinen Sessel. **b)** *in salopper Haltung stehen, sitzen, liegen; sich (in einem Sessel sitzend, auf einem Sofa liegend) rekeln:* er lümmelte sich auf der Couch.

Lump, der; -en -en (verächtlich): *gemein handelnder Mann von niedriger Gesinnung:* diese Lumpen haben mir mein Geld gestohlen.

lumpen, lumpte, hat gelumpt (landsch.): *lange und ausgiebig zechen, liederlich leben:* in der vergangenen Nacht habe ich tüchtig gelumpt.* **sich nicht l. lassen** *(sich freigiebig, nicht knauserig zeigen).*

Lumpen, der; -s, -: **a)** *grobes [zerrissenes] Stück Tuch, Lappen:* ein Werkzeug mit einem L. reinigen. **b)** ⟨Plural⟩ *zerrissene Kleider:* in Lumpen gehen.

Lumpensammler, der; -s, -: *jmd., der mit Lumpen, altem Eisen o. ä. handelt:* einem L. die alten Kleider verkaufen; bildl. (ugs.; scherzh.): mit dem L. *(dem letzten Zug, der letzten Straßenbahn in der Nacht)* nach Hause fahren.

Lumperei, die; -, -en (abwertend): **a)** *niederträchtige, gemeine Tat.* **b)** ⟨ohne Plural⟩ *kümmerliche Summe Geld, Kleinigkeit.*

lumpig ⟨Adj.⟩ (ugs.; abwertend): **a)** *niederträchtig, gemein:* er hat eine lumpige Gesinnung. **b)** *kümmerlich:* ich habe nur ein paar lumpige Pfennig verdient.

Lunch [lanʃ, lantʃ], der; -[es] und -s, -e[s] und -s: *kleinere, um Mittag eingenommene Mahlzeit:* zum L. eingeladen werden.

lunchen [ˈlanʃən, ˈlantʃən], lunchte, hat geluncht ⟨itr.⟩: *den Lunch einnehmen:* sie lunchten gemeinsam in einem Restaurant.

Lunge, die; -, -n: *Organ zum Atmen:* eine kräftige, gesunde L.

Lungenentzündung, die; -: *durch Infektion o. ä. hervorgerufene [schwere] Erkrankung der Lunge:* seit drei Wochen mit einer L. im Bett liegen.

Lungentuberkulose, die; -: *chronische Infektionskrankheit, die die Lunge befällt.*

Lunte: ⟨in der Wendung⟩ L. riechen (ugs.): *die Gefahr wittern; einer noch geheimen Sache, die für jmdn. gefährlich werden könnte, auf die Spur kommen.*

Lupe, die; -, -n: *optisches Gerät, dessen Linse ein vergrössertes Bild liefert:* mit der L. lesen.

lupenrein ⟨Adj.; nicht adverbial⟩: *ganz rein* /von Edelsteinen/: ein lupenreiner Diamant, Brillant; bildl.: ein lupenreiner *(hundertprozentiger)* Intellektueller.

Lurch, der; -[e]s, -e:/eine Klasse von Tieren, die am und im Wasser leben (Frösche, Kröten u. ä.)/.

Lusche, die; -, -n (landsch.): **1.** *Spielkarte von geringem Wert.* **2.** *Pfütze.*

Lust, die; -, Lüste: **a)** ⟨ohne Plural⟩ *Freude, Wohlgefallen:* mit L. und Liebe bei einer Sache sein. **b)** *Verlangen, Begierde:* er hatte L. zu rauchen; böse Lüste *(Begierden).*

Lustbarkeit, die; -, -en (veralt.): **a)** *Fest:* eine L. veranstalten. **b)** *das, was der Unterhaltung dient; Vergnügen:* die L. erhöhen.

Luster, der; -s, - (östr.): *Lüster.*

Lüster, der; -s, -: *Kronleuchter.*

lüstern ⟨Adj.⟩: *von [heimlichem] Verlangen nach Besitz oder Genuß von jmdm./etwas erfüllt; begehrlich:* nach/auf etwas l. sein; er sah sie mit lüsternen Augen an. **Lüsternheit,** die; -.

lustig ⟨Adj.⟩: *fröhlich, munter; heiteres Vergnügen bereitend:* ein lustiger Bursche, lustige Geschichten, Streiche; das Feuer flackert l. im Kamin. * **sich über jmdn./etwas l. machen** *(jmdn. seinen Spott fühlen lassen und sich dabei amüsieren).* **Lustigkeit,** die; -.

lustlos ⟨Adj.⟩: *ohne Lust, Freude; gleichgültig:* l. arbeiten; l. im Essen stochern *(keinen Appetit haben).*

Lustspiel, das; -s, -e: *heiteres humorvolles Schauspiel; Komödie.*

lutschen, lutschte, hat gelutscht ⟨tr./itr.⟩: *saugen; saugend verzehren:* am Daumen, an einem Eis l.; ein Bonbon l.

Luv [lu:f] ⟨in den Wendungen⟩ in/nach/von L.: *(auf/nach/von der dem Wind zugewandten Seite [eines Schiffes]).*

luxuriös ⟨Adj.⟩: *üppig, verschwenderisch:* er wohnt l.

Luxus, der; -: *übertriebener Aufwand, Verschwendung:* mit etwas L. treiben; das ist reiner L. *(nicht notwendig).*

Luzerne, die; -, -n: *dem Klee ähnliche Pflanze, mit der Vieh gefüttert wird.*

Lymphe, die; -, -n: *helle, Eiweiß enthaltende Flüssigkeit des Körpers, die in Gefäßen verläuft.*

lynchen, lynchte, hat gelyncht ⟨tr.⟩: *[für eine als Unrecht empfundene Tat] ohne Urteil eines Gerichts töten oder grausam mißhandeln:* empörte Bürger wollten den Verbrecher l.

Lynchjustiz, die; -: *Vollstreckung eines rechtswidrigen Urteils durch Lynchen:* noch bevor er vor ein Gericht gestellt werden konnte, wurde er das Opfer einer barbarischen L.

Lyrik, die; -: *Gattung der Dichtung, in der subjektives Erleben, Gefühle, Stimmungen oder Gedanken mit den formalen Mitteln von Reim und Rhythmus ausgedrückt werden.*

Lyriker, der; -s, -: *jmd., der Werke der Lyrik verfaßt.*

lyrisch ⟨Adj.⟩: **1.** *die Lyrik betreffend; dem subjektiven Erleben unmittelbar Ausdruck gebend:* Goethes lyrisches Werk. **2.** *zart, weich, gefühlvoll:* in einer lyrischen Stimmung sein.

Lyzeum, das; -s, Lyzeen (veralt.): *höhere Schule für Mädchen:* sie hat ein L. besucht.

M

Mäander, der; -s, -: *aus stark gewundenen Linien bestehende Verzierung in Form eines Bandes* (siehe Bild): ein M. schmückt den Rand des alten Kruges.

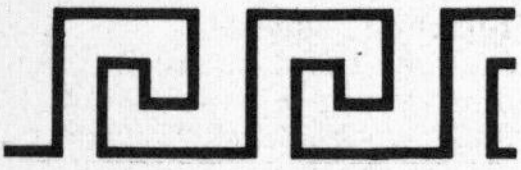

Mäander

Maat, der; -[e]s, -e und -en: *Unteroffizier bei der Marine.*

Machart, die; -, -en: *Art, wie etwas gemacht ist* /bes. bei Kleidungsstücken/: die M. dieser Mäntel ist äußerst schlicht.

Mache, die; - (ugs.): *etwas Gekünsteltes, Unechtes, mit dem man etwas vortäuscht:* sein freundliches Entgegenkommen war nur M. ** (landsch.) **etwas in der M. haben** *(an etwas arbeiten);* **jmdn. in der M. haben: a)** *schelten; [mit jmdm.] übel verfahren.* **b)** *(auf jmdn.) einreden, um ihn in seiner Meinung zu beeinflussen.*

machen, machte, hat gemacht: **1.** ⟨tr.⟩ **a)** *erzeugen, anfertigen, hervorbringen:* ein Kleid, ein Paar Schuhe m.; ich lasse mir einen Anzug m.; Kaffee m. *(kochen).* **b)** *ausführen, unternehmen, erledigen:* eine Arbeit, die Aufgaben für die Schule m.; eine Übung m.; eine Party m. *(veranstalten).* **c)** *in einen bestimmten Zustand o. ä. bringen:* die Hose länger m.; ein Tier zahm m. * **das Bett m.** *(das Bett glattziehen, in Ordnung bringen).* **2.** ⟨itr.⟩ *tun:* man kann es nicht allen recht m.; was soll ich damit m.?; was machst du jetzt? * (ugs.) **nicht mehr lange m.** *(bald sterben müssen).* **3.** ⟨rfl.⟩ *in einer bestimmten Weise passen, wirken:* der Hut macht sich gut zu diesem Kleid. * **sich** (Dativ) **nichts aus jmdm./etwas m.** *(an jmdm./etwas keinen Gefallen finden; jmdn./etwas nicht mögen):* ich mache mir nichts aus Schokolade; mach dir nichts draus! *(ärgere dich nicht darüber!);* **ein gemachter Mann** *(ein in wirtschaftlicher Sicherheit lebender Mann);* **sich m.** *(sich gut entwickeln):* er macht sich [gut] in der Schule. **4.** ⟨als Funktionsverb⟩ einen Sprung m. *(springen);* den Anfang m. *(anfangen);* einen Fehler m. *(sich irren);* Musik m. *(musizieren);* einen Versuch m. *(versuchen).*

Machenschaften, die ⟨Plural⟩ (abwertend): *hinterhältige Unternehmungen, um ein Ziel, einen persönlichen Vorteil [heimlich] zu erreichen; Intrigen:* bei dem Prozeß wurden die dunklen Machenschaften der Partei aufgedeckt.

Macher, der; -s, - (südd.; ugs.): *jmd., der bei einem Unternehmen die treibende Kraft ist; Anführer:* der M. dieses neuen Vereins ist ein junger, tüchtiger Kerl.

Machinationen, die ⟨Plural⟩ (abwertend): *Machenschaften:* keiner wußte von seinen unsauberen Machinationen.

Macht, die; -, Mächte: **1.** ⟨ohne Plural⟩ *Gewalt, Herrschaft:* die M. haben, ausüben, gewinnen [über jmdn.]. * **mit aller M.** *(unbedingt):* er wollte mit aller M. Leiter des Unternehmens werden; **an die M. gelangen/kommen** *(die Herrschaft übernehmen).* **2.** *etwas, was über besondere Kräfte, Einfluß, Mittel verfügt:* geheimnisvolle Mächte; die verbündeten Mächte *(Staaten).*

Machtbereich, der; -[e]s, -e: *Bereich, in dem jmd. seine Macht, seinen Einfluß ausübt:* das liegt außerhalb meines Machtbereichs.

Machthaber, die ⟨Plural⟩ (abwertend): *die für die politische Führung Verantwortlichen.*

mächtig ⟨Adj.⟩: **1.** *Macht, Gewalt habend:* ein mächtiger Herrscher; die wirtschaftlich mächtigen Unternehmer. * (geh.) **einer Sache m. sein** *(eine Sache beherrschen):* er war des Englischen nicht m. **2.** (ugs.) *sehr stark, groß:* ein mächtiger Balken; eine mächtige Eiche, Stimme. **3.** (ugs.) ⟨verstärkend bei Adjektiven und Verben⟩ *sehr:* der Junge ist m. gewachsen.

machtlos ⟨Adj.⟩: *ohne Macht und Einfluß; gegen etwas nicht eingreifen, sich nicht wehren könnend:* die Polizei mußte m. zusehen; gegen diese Argumente war er m. **Machtlosigkeit,** die; -.

Machtprobe, die; -, -n: *Situation, bei der sich erweisen soll, welche von zwei auf ihrem Standpunkt beharrenden Parteien die stärkere ist:* die Gewerkschaft ließ es auf eine M. mit den Unternehmern ankommen.

Machtwort: ⟨in der Wendung⟩ ein M. sprechen: *als Unbeteiligter und auf Grund seiner höheren Stellung bei einem Streit die Entscheidung fällen:* der Streit dauert schon so lange, der Chef soll doch endlich ein M. sprechen.

Madam, die; -, -s und -en (ugs.; scherzh.): *[etwas bequeme, dickliche] Frau, die sich gern vornehm gibt und von anderen bedienen läßt:* die M. sitzt beim Friseur, während sie sich von ihrer alten Mutter die Wohnung saubermachen läßt.

Mädchen, das; -s, -: **1.** *Kind oder jüngere unverheiratete Person weiblichen Geschlechts:* ein kleines, hübsches, schönes, junges M. **2.** *Hausangestellte.*

mädchenhaft ⟨Adj.⟩: *[frisch und] anmutig, wie es von einem jungen Mädchen zu erwarten ist:* sie wirkt trotz ihres reifen Alters noch sehr m.; benimm dich doch etwas mädchenhafter!

Mädchenname, der; -ns, -n: **1.** *weiblicher Vorname.* **2.** *Nachname der Frau vor der Heirat.*

Made, die; -, -n: *Larve.*

Mädel, das; -s, - (ugs.; landsch.): *Mädchen.*

madig ⟨Adj.; nicht adverbial⟩: *durch Maden zerfressen, verdorben:* der Apfel ist m. * **jmdn. m. machen** *(jmdn. herabsetzen);* **jmdm. etwas m. machen** *(mit jmdm. über etwas schlecht sprechen).*

Madonna, die; -, Madonnen: **a)** ⟨ohne Plural⟩ (geh.; veralt.) *Jungfrau Maria.* **b)** *Statue, die die Jungfrau Maria darstellt:* in dieser Kirche steht eine berühmte barocke M.

Maestro, der; -s, -s (geh.): *großer Komponist oder Dirigent:* der M. dirigiert heute selbst.

Magazin, das; -s, -e: 1. *[größerer] Raum zum Lagern von Waren:* etwas aus dem Magazin holen. 2. *Zeitschrift zur Unterhaltung [mit vielen Bildern].*

Magazineur [magatsi'nø:r], der; -s, -e (östr.): *Verwalter eines Magazins:* als M. in einem großen Geschäft arbeiten.

Magd, die; -, Mägde (veraltend): *weibliche Arbeitskraft auf einem Bauernhof:* die M. füttert die Schweine.

Magen, der; -s, - und Mägen: *Organ des Körpers zum Aufnehmen und verdauen der Speisen:* mit leerem M. zur Schule gehen; ich habe mir den M. verdorben *(ich habe etwas gegessen, was der M. nicht gut vertragen hat);* der M. dreht sich jmdm. um *(jmdm. wird übel).* *** jmd./etwas liegt jmdm. im M.** *(jmd./etwas ist jmdm. unangenehm, zuwider):* die Prüfung liegt mir schwer im M.

Magengeschwür, das; -s, -e: *schmerzhaftes Geschwür im Magen:* er muß wegen seines Magengeschwürs diät leben.

Magengrube, die; -: *Stelle des menschlichen Körpers, unter der sich der Magen befindet:* er bekam beim Boxen einen Schlag in die M.

Magensäure, die; -: *im Magen gebildete Säure, die zur Verdauung dient:* er hat zu wenig M.

Magenverstimmung, die; -, -en: *leichte Störung der Verdauung, die mit Schmerzen oder Übelkeit verbunden ist:* er hat heute eine M., weil er gestern zuviel durcheinander gegessen hat.

mager ⟨Adj.⟩: 1. a) ⟨nicht adverbial⟩ *wenig Fleisch und Fett an den Knochen habend; dünn:* ein magerer Mensch. b) *nicht fett:* mageres Fleisch. 2. a) *dürftig:* magere Kost, Ernte. b) *wenig fruchtbar:* magerer Boden, magere Felder.

Magermilch, die; -: *Milch, von der das Fett entfernt worden ist:* sie trinkt nur M., um schlank zu werden.

Magie, die; -: a) *Zauber, geheime Kunst, die sich übernatürliche Kräfte dienstbar zu machen sucht:* bei primitiven Völkern spielt die M. noch eine große Rolle. b) *geheimnisvolle Kraft, die von etwas ausgeht:* sie konnte sich der M. seiner Worte nicht entziehen.

Magier, der; -s, -: 1. *Priester im alten Medien.* 2. *jmd., der sich übernatürliche Kräfte dienstbar zu machen sucht, die Stellung der Gestirne, Träume, Zeichen o. ä. deutet:* ein M. wurde bestellt, um den bösen Geist zu bannen. 3. *[berufsmäßiger] Zauberer, Zauberkünstler:* M. aus vielen Ländern trafen sich auf diesem Kongreß.

magisch ⟨Adj.⟩: a) ⟨nicht adverbial⟩ *mit einem bestimmten Zauber, einer geheimen Kunst im Zusammenhang stehend:* magische Formeln und Sprüche. b) *mit einer geheimnisvollen Kraft ausgestattet; eine geheimnisvolle Wirkung habend:* von magischem Licht beleuchtet werden; das alte Haus zog ihn m. *(geheimnisvoll-unwiderstehlich)* an.

Magister, der; -s, -: a) *akademischer Titel, der unter dem Doktor liegt:* das Examen zum M. ablegen. b) (östr.; schweiz.) *Titel für jmdn., der das Studium der Pharmazie abgeschlossen hat:* er ist vor kurzem M. geworden.

Magistrat, der; -s, -e: *Verwaltung einer Stadt.*

Magnat, der; -en, -en: *einflußreicher Großindustrieller:* die Magnaten unserer Wirtschaft.

Magnet, der; -s und -en, -e[n]: *Eisen, das andere Eisen anzieht.*

magnetisch ⟨Adj.⟩: *als Magnet wirkend:* das Messer ist m.; bildl.: sie übte eine magnetische *(anziehende)* Kraft auf ihre Umwelt aus.

magnetisieren, magnetisierte, hat magnetisiert ⟨tr.⟩: *magnetisch machen:* bei einer Aufnahme wird das Tonband an bestimmten Stellen magnetisiert.

Magnetnadel, die; -, -n: *magnetischer Zeiger im Kompaß, der die Nord-Süd-Richtung angibt.*

Magnetophon, das; -s, -e: *Tonbandgerät.*

Magnifizenz, die; -: *Titel des Rektors einer Universität:* Seine M. wird an der Diskussion teilnehmen.

Magnolie, die; -, -n: *Strauch oder Baum, der große weiße bis rosa Blüten trägt* (siehe Bild).

Magnolie

Mahagoni, das; -s: *kostbares Holz mit rötlicher Maserung, das von bestimmten Bäumen der afrikanischen Tropen stammt:* ein Wohnzimmer aus M.

Mähdrescher, der; -s, -: *Maschine, die auf dem Feld Getreide mäht und drischt* (siehe Bild).

Mähdrescher

mähen, mähte, hat gemäht ⟨tr.⟩: *mit einer Sense o. ä. über dem Erdboden abschneiden:* Gras, Getreide m.

Mahl, das; -[e]s (geh.): *Essen, Mahlzeit:* ein einfaches, reichliches, ländliches, festliches M.

mahlen, mahlte, hat gemahlen: a) ⟨tr.⟩ *in sehr kleine Teile zerkleinern:* Kaffee, Korn, Getreide m. b) ⟨tr.⟩ *durch Mahlen herstellen:* der Müller mahlt Mehl.

Mahlzeit, die; -, -en: *[das zu bestimmten Zeiten des Tages eingenommene] Essen:* eine warme M.; drei Mahlzeiten am Tag; M.! *(salopper Gruß zu Mittag).*

Mähne, die; -, -n: *dichte, lange Haare am Kopf mancher Tiere* (siehe Bild): die M. des Pferdes, des Löwen.

Mähne

mahnen, mahnte, hat gemahnt ⟨tr.⟩: a) *an eine Verpflichtung erinnern:* jmdn. öffentlich m.; jmdn. wegen einer Schuld m. b) *auffordern:* jmdn. zur Ruhe, Eile m.

Mahnung, die; -, -en: **a)** *[amtliche] schriftliche Aufforderung:* er bekam eine M., die Steuern zu bezahlen. **b)** *Worte, die jmdn. an etwas erinnern, zu etwas auffordern sollen:* M. zur Eile, zum Frieden.

Mähre, die; -, -n (abwertend): *altes, dürres, ausgemergeltes Pferd:* eine lahme M.

Mai, der; -[s]: *fünfter Monat des Jahres.*

Maibaum, der; -[e]s, Maibäume: *hoher, mit einem Kranz geschmückter Stamm, der nach altem Brauch im Mai aufgestellt wird* (siehe Bild): auf den M. klettern.

Maibaum

Maid, die; -, -en (veralt.; heute nur noch iron.): *junges Mädchen:* eine fromme M.

Maiglöckchen, das; -s, -: /eine Blume/ (siehe Bild).

Maiglöckchen

Maikäfer, der; -s, -: *Käfer, der im Mai das Laub auf den Bäumen abfrißt* (siehe Bild).

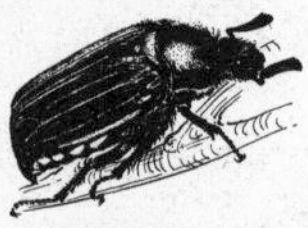
Maikäfer

Mais, der; -es: /ein Getreide/ (siehe Bild): M. anbauen.

Mais

Majestät, die; -, -en: **1.** *Titel und Anrede eines Königs oder Kaisers:* Ihre M., die Königin, wird den Ball eröffnen. **2.** ⟨ohne Plural⟩ *Hoheit, Würde; großartige, erhabene, würdevolle Erscheinung:* von der M. der Berge beeindruckt sein.

majestätisch ⟨Adj.⟩: *würdevoll, erhaben:* der majestätische Anblick des Gebirges; sie schreitet m. durch den Saal.

Majestätsbeleidigung, die; -, -en: *Beleidigung der Würde einer hochgestellten Persönlichkeit:* wegen M. vor Gericht stehen.

Major, der; -s, -e: *Stabsoffizier im untersten Rang.*

Majoran [auch: Ma...], der; -s, -e: *Gewürz; Heilmittel, das aus den Blättern der gleichnamigen Pflanze gewonnen wird:* das Hackfleisch mit M. würzen.

Majorität, die; -, -en: *Mehrheit [bei einer Abstimmung]:* die M. der Abgeordneten stimmte dem Entwurf des Gesetzes zu.

makaber ⟨Adj.; nicht adverbial⟩: **a)** *mit dem Tod, Traurigem, Schrecklichem spaßend:* ein makabrer Scherz; makabre Lieder. **b)** *unheimlich, düster:* ein makabrer Anblick.

Makel, der; -s, -: *bleibender körperlicher oder moralischer Fehler, den man als Schande empfindet:* ein M. haftet an jmdm.; seine bäuerliche Herkunft wird von ihm als M. empfunden.

makellos ⟨Adj.⟩: *keinen Fehler, Makel aufweisend; völlig einwandfrei:* sein Lebenswandel war immer m.; ein makelloses weißes Hemd tragen.

mäkeln, mäkelte, hat gemäkelt ⟨itr.⟩ (ugs., abwertend): *seine Unzufriedenheit (an etwas) in kleinlicher Weise ausdrücken; nörgeln:* er mäkelt dauernd am Essen; er hat immer etwas zu m.

Make-up [me:k''ap], das; -s: *[kosmetische Mittel zur] Verschönerung des Gesichts.*

Makkaroni, die ⟨Plural⟩: *lange Nudeln in Form von kleinen Röhren.*

Makler, der; -s, -: *jmd., der Verkauf oder Vermietung von Häusern, Grundstücken, Wohnungen usw. vermittelt.*

Makrele, die; -, -n: *im Meer lebender silbrig-weißer Fisch:* eine geräucherte M. kaufen.

Makulatur, die; -: **a)** *Papier, das beim Druck beschmutzt oder beschädigt worden ist:* die M. ausscheiden. **b)** *bedrucktes Papier, das wieder zu rohem Papier verarbeitet wird:* diese alten Zeitschriften kommen zur M. ** (ugs.) **M. reden** *(Unsinn reden).*

Mal, das; -[e]s, -e: **I.** *Fleck, Zeichen:* an diesem M. erkennt man ihn. **II.** *etwas zu einem Zeitpunkt Geschehendes [und sich Wiederholendes]:* das nächste, einzige M.; mehrere Male, von M. zu M. *(jedesmal mehr).*

malade: ⟨in der Verbindung⟩ m. sein (ugs.; veraltend): *von starker [körperlicher] Beanspruchung erschöpft sein; leicht krank, unpäßlich sein:* wenn sie etwas Sport betreibt, ist sie die nächsten Tage völlig m.

Malaise [ma'l:ɛzə], die; -, -n (geh.): *Unbehagen, Mißstimmung; mißliche Lage oder Angelegenheit:* die M. unter den Studenten dauert an; das Land befindet sich in einer wirtschaftlichen M.

Malefizkerl, der; -s, -e (ugs.): **a)** (abwertend) *böser Mensch:* dieser M. stiehlt mir immer die Äpfel aus dem Garten. **b)** (scherzh.) *Tausendsasa:* wie hast du das fertiggebracht, du M.!

malen, malte, hat gemalt ⟨tr./itr.⟩: **a)** *mit Pinsel und Farbe herstellen:* ein Bild, Gemälde m. **b)** *das Aussehen (von jmdm./etwas) mit Pinsel und Farbe nachahmen:* eine Landschaft, Frau m.; nach der Natur m.

Maler, der; -s, -: **a)** *Künstler, der malt.* **b)** *Handwerker, der Wände o. ä. streicht.*

Malerei, die; -, -en: **1.** ⟨ohne Plural⟩ *Kunst des Malens:* die M. des 20. Jahrhunderts. **2.** *etwas Gemaltes:* an den Wänden der Kirche waren Malereien zu sehen.

malerisch ⟨Adj.⟩: *in Lage, Form oder Farbe so beschaffen, daß es als schön empfunden wird:* ein malerischer Anblick; das Dorf liegt m. am Berg.

Malheur [ma'lø:r], das; -s, -e und -s: (ugs.) *kleines Mißgeschick, Unglück [das jmdm. peinlich ist]:* ihm ist ein M. passiert.

maliziös ⟨Adj.⟩ (geh.): *boshaft, hämisch:* m. lächeln, antworten.

malträtieren, malträtierte, hat malträtiert ⟨tr.⟩ (ugs.; veraltend): *(grausam) quälen, schinden, schikanieren:* die Gefangenen wurden von den Aufsehern malträtiert; bildl. (scherzh.): ein Musikinstrument m. *(so falsch spielen, daß einem das Instrument förmlich leid tun muß).*

Malz, das; -es: *ein wenig zum Keimen gebrachtes Getreide, das für die Herstellung von Bier o. ä. verwendet wird:* in diesem Bier ist viel Hopfen und wenig M. enthalten. ** (ugs.) **bei jmdm. ist Hopfen und M. verloren** *(bei ihm ist alle Mühe umsonst, er ändert sich nicht mehr, von ihm ist nichts mehr zu erwarten, er ist ein hoffnungsloser Fall).*

Malzbonbon [...bõbõ:], der und das; -s, -s: *aus Malz hergestellter Bonbon:* wenn sie erkältet ist, kauft sie gerne Malzbonbons.

Malzkaffee, der; -s: *Kaffee, der aus dem gerösteten Malz der Gerste hergestellt wird:* zum Frühstück trinken die Kinder M.

Mama [geh.: Mama], die; -, -s: *Mutter.*

Mammon, der; -s (veralt.; abwertend; noch scherzh.): *Geld, Reichtum:* um des schnöden Mammons willen verzichtete er auf seinen Urlaub.

Mammut, das; -s, -e und -s: *ausgestorbenes, dem Elefanten ähnliches Tier der Eiszeit:* im Museum sind die Zähne eines Mammuts ausgestellt.

mampfen, mampfte, hat gemampft ⟨tr./itr.⟩ (ugs.; abwertend): *[mit vollen Backen] essen, kauen:* er mampft schon wieder; er muß den ganzen Tag etwas zu m. haben.

Mamsell: ⟨in der Fügung⟩ kalte M.: *Angestellte in einem Gasthaus, Hotel o. ä., die die kalten Speisen zubereitet.*

managen ['mɛnɪdʒən], managte, hat gemanagt ⟨tr.⟩ (ugs.): **a)** *organisieren und leiten:* er managt die Umstellung des Geschäftes ganz allein. **b)** *zustande bringen, bewerkstelligen:* wie hast du das nur gemanagt?; er hat das ganz geschickt gemanagt.

Manager ['mɛnɪdʒər], der; -s, -: *jmd., der für jmdn. Unternehmungen, Veranstaltungen plant und für ihre Durchführung sorgt.*

Managerkrankheit ['mɛnɪdʒər...], die; -: *nervöse Erkrankung von Herz und Kreislauf, die durch dauernde und starke körperliche und seelische Anspannung hervorgerufen wird und häufig mit einem Herzinfarkt endet* /bes. bei Männern in leitender Position/: paß nur auf, daß du nicht vor lauter Arbeit die M. bekommst!

manch ⟨Indefinitpronomen und unbestimmtes Zahlwort⟩: **a) mancher, manche, manches;** /unflektiert/ **manch** ⟨Singular⟩ *ein einzelner unter mehreren:* manch einer/ mancher hat sich schon darüber gewundert; ich habe so manchen Bekannten getroffen. **b) manche** ⟨Plural⟩ *etliche, einige:* manche [Menschen] sind anderer Meinung; die Straße ist an manchen Stellen beschädigt.

mancherlei ⟨unbestimmtes Zahlwort⟩: *mehrere, einiges, von verschiedener oder beliebiger Art:* es lassen sich m. Ursachen feststellen; ich habe in der Zeit m. gelernt.

manchmal ⟨Adverb⟩: *öfter, aber nicht regelmäßig; ab und zu:* ich treffe ihn m. auf der Straße.

Mandant, der; -en, -en: *Klient:* in der Pause beriet sich der Verteidiger mit seinem Mandanten.

Mandarine, die; -, -n: /eine Südfrucht, ähnlich der Apfelsine/.

Mandat, das; -[e]s, -e: *Auftrag, Vollmacht:* der Abgeordnete legte sein M. *(sein Amt als Abgeordneter)* nieder.

Mandel, die; -, -n: **I.** /eine Frucht/ (siehe Bild). **II.** *Organ am Gaumen und im Rachen:* die Mandeln sind entzündet.

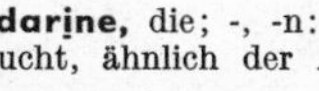

Mandel I.

Mandoline, die; -, -n: /ein Musikinstrument/ (siehe Bild).

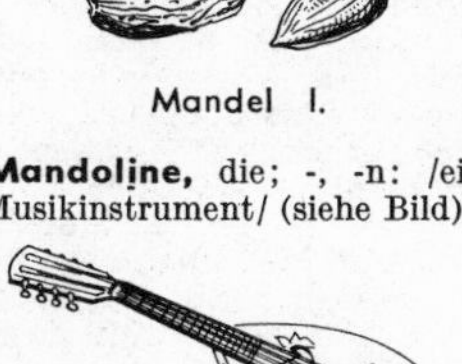

Mandoline

Manege [ma'nɛ:ʒə], die; -, -n: *runder Platz, besonders im Zirkus, auf dem Darbietungen stattfinden* (siehe Bild).

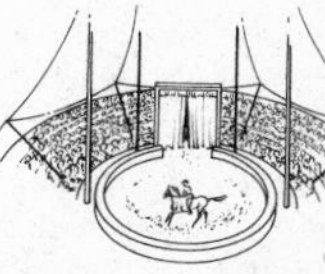

Manege

Mangel, der; -s, Mängel: **1.** *das Fehlen von etwas, was man braucht:* wegen des Mangels an Arbeitern kann die Firma den Auftrag nicht annehmen ***M. an etwas haben/leiden** *(etwas als fehlend empfinden).* **2.** *etwas, was nicht so ist, wie es sein sollte; Unzulänglichkeit, Fehler:* an der Maschine traten schwere Mängel auf.

mangelhaft ⟨Adj.⟩: *schlecht, nicht den Anforderungen entsprechend:* die Ware ist m. verpackt.

mangeln, mangelte, hat gemangelt: **I.** ⟨itr.⟩ (geh.) *etwas Wichtiges nicht oder nur in unzureichendem Maß haben:* es mangelt ihm am Geld, an Zeit; dir mangelt der rechte Ernst. **II.** ⟨tr.⟩ *bügeln, indem man die Wäsche zwischen zwei erhitzte Walzen preßt:* die Wäsche m.

mangels ⟨Präp. mit Genitiv⟩: *aus Mangel an:* er wurde mangels genügender Beweise freigesprochen.

Mangelware: ⟨in der Verbindung⟩ M. sein *(in einem zu geringen Maße vorhanden sein):* in dieser Gegend ist Schnee oft M.

Manie, die; -, -n: **a)** Med. *Zustand heiterer Erregung und Enthemmung als Phase einer Geisteskrankheit.* **b)** *krankhaft anmutende Sucht, Leidenschaft; unstillbarer Drang, etwas zu tun:* das Aufräumen und Saubermachen ist bei ihr schon zu einer M. geworden.

Manier, die; -, -en: **1.** ⟨ohne Plural⟩ *Art, Stil eines Künstlers:* er malt in Breughelscher M. **2.** ⟨Plural⟩: *Benehmen; Anstand:* feine, schlechte Manieren haben; er hat keine Manieren *(benimmt sich nicht richtig);* dem muß man erst Manieren beibringen!

manieriert ⟨Adj.⟩: *unecht, gekünstelt, nachgemacht:* ihr Stil wirkt etwas m. **Manieriertheit,** die; -, -en.

manierlich ⟨Adj.⟩: *sich gut und anständig benehmend* /von Kindern/: die Kleine war heute nachmittag recht m.

manifest ⟨in den Verbindungen⟩ m. sein/werden/machen (geh.): *deutlich [erkennbar], offenbar sein/werden/machen:* die Tendenzen unserer Zeit werden an folgenden Beispielen m.

Manifest, das; -[e]s, -e: *öffentliche Erklärung; Darlegung von Grundsätzen oder eines Programms; Aufruf:* die Partei gab ein M. heraus; in dem M. wurde der Rücktritt der Regierung gefordert.

Manifestation, die; -, -en (geh.): **a)** *das Bekunden und deutliche Darlegen von etwas [wozu sich jmd./etwas offen bekennt]:* das Ganze war als M. unserer Freude zu verstehen. **b)** *das Offenbarwerden, Sichtbarwerden:* eine M. bisher unbekannter Erscheinungen.

manifestieren, manifestierte, hat manifestiert (geh.): **a)** ⟨tr.⟩ *deutlich machen, offen darlegen:* er manifestierte seine Einstellung zu diesem Problem in einer neuen Publikation. **b)** ⟨rfl.⟩ *deutlich werden, sich zeigen:* die Tendenzen unserer Wirtschaft manifestieren sich in der Art des Angebots.

Maniküre, die; -, -n: **a)** ⟨ohne Plural⟩ *Pflege der Hände, bes. der Fingernägel:* sie ist mit der M. noch nicht fertig. **b)** *weibliche Angestellte, die Fingernägel manikürt* /Berufsbezeichnung/: sie arbeitet als M. in einem Salon.

maniküren, manikürte, hat manikürt ⟨tr./rfl.⟩: *(die Fingernägel) in Ordnung bringen, pflegen:* eine Friseuse manikürte ihr die Fingernägel; ich maniküre mich jeden Morgen.

Manipulation, die; -, -en: **1.** *Handgriff, kunstvoller Kniff, mit dem man rasch und einfach etwas zustande bringen kann:* es war nur eine kleine M. nötig, damit der Motor wieder lief. **2.** ⟨Plural⟩ (abwertend) *Machenschaften.* **3.** *das Manipulieren:* die M. der Öffentlichkeit durch die Massenmedien.

manipulieren, manipulierte, hat manipuliert ⟨tr.⟩ (abwertend): *durch bewußte Beeinflussung in eine bestimmte Richtung lenken:* die Meinung des Volkes wird durch die Presse manipuliert.

Manko, das; -s, -s (ugs.): *Mangel; etwas, was sich nachteilig auswirkt, Schaden:* der Ausfall dieses Schauspielers war ein großes M. für die Aufführung.

Mann, der; -[e]s, Männer: **1.** *erwachsene Person männlichen Geschlechts:* ein junger, alter M. * **seinen M. stehen/stellen** *(sich bewähren, tüchtig sein).* **2.** *Ehemann:* ich stelle dir meinen M. vor.

mannbar ⟨Adj.⟩: *geschlechtlich reif* /vom jungen Mann, aber auch vom Mädchen/: der Junge kommt auch schon ins mannbare Alter.

Männchen, das; -s, -: **1. a)** *kleiner Mann:* ein altes, verhutzeltes M. **b)** *kleine Gestalt, Figur, die einen Menschen darstellt:* aus Nervosität M. malen. **2.** *männliches Tier* /bes. von kleineren Tieren/: bei den Vögeln ist das M. meist prächtiger gefärbt als das Weibchen. ** **M. machen** *(sich auf den hinteren Beinen sitzend aufrichten):* der Hund, der Hase macht M.

Mannequin [manəˈkɛ̃:], das; -s, -s: *Frau, die bei einer Modeschau Kleider vorführt.*

mannhaft ⟨Adj.⟩: *tapfer, mutig:* mannhaftes Verhalten; er tritt m. dafür ein. **Mannhaftigkeit,** die; -.

mannigfach ⟨Adj.; nicht prädikativ⟩: *vielfach; viele verschiedene Gestalten, Arten, Formen o. ä. habend:* Gewalt kann in mannigfachen Formen auftreten.

mannigfaltig ⟨Adj.⟩: *mannigfach.*

männlich ⟨Adj.⟩: **1.** ⟨nicht adverbial⟩ *zum Geschlecht gehörend, das Nachkommen zeugen kann; nicht weiblich:* ein Kind männlichen Geschlechts; ein männlicher Nachkomme. **2.** *Eigenschaften des männlichen Geschlechts in Aussehen und Verhalten in hohem Maß besitzend:* männliches Auftreten, männliche Stärke; er wirkt sehr m.

Mannschaft, die; -, -en: **a)** *Gruppe von Sportlern, die gemeinsam einen Wettkampf bestreitet:* die siegreiche M. **b)** *Besatzung eines Schiffes, Flugzeuges.* **c)** *alle Soldaten einer militärischen Einheit ohne Offiziere.*

mannshoch ⟨Adj.⟩: *die Höhe eines erwachsenen Menschen habend:* eine mannshohe Welle spülte ihn weg.

mannstoll ⟨Adj.⟩ (abwertend): *unersättlich nach [geschlechtlichem] Verkehr mit Männern verlangend; verrückt nach Männern:* sie war auf dem Fest richtig m.

Mannweib, das; -es, -er (abwertend): *Frau, die in ihrem Äußeren und in ihrem Auftreten wie ein Mann wirkt:* ein M. mit riesiger Kraft und tiefer Stimme.

Manöver, das; -s, -: **1.** *größere Übung eines Heeres:* die Truppen nehmen an einem M. teil. **2.** (abwertend) *geschicktes Handeln, Ausnutzen von Personen oder Situationen, um ein bestimmtes Ziel zu erreichen:* er konnte durch geschickte M. die Öffentlichkeit irreführen. **3.** *Bewegung, Richtungsänderung eines Fahrzeuges, die eine gewisse Geschicklichkeit und Überlegung erfordert:* er überholte das vor ihm fahrende Auto mit einem gefährlichen M.

manövrieren, manövrierte, hat manövriert ⟨tr.⟩: *sich in einer schwierigen Lage geschickt verhalten:* das Auto in eine Parklücke m.; er mußte sehr geschickt m., um niemanden zu verärgern.

Mansarde, die; -, -n: *unmittelbar unter dem Dach liegende Wohnung [mit einer schrägen Wand]:* eine kleine M. bewohnen; in der M. wohnen.

Mansardenzimmer, das; -s, -: *Mansarde.*

Manschette, die; -, -n: **1.** *verstärkter Teil des Ärmels an einem Hemd o. ä.* (siehe Bild): die Manschetten bügeln. * (ugs.) **Manschetten haben** *(Angst haben).* **2.** *Binde aus Papier zur Verzierung eines Blumentopfes* (siehe Bild).

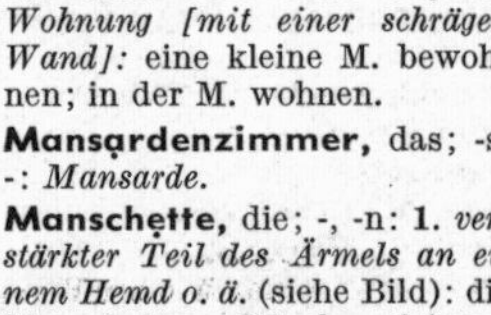

Manschette

Mạntel, der; -s, Mäntel: 1. /Teil der Kleidung/ (siehe Bild): ein dicker, warmer, leichter M.; den M. anziehen, ausziehen; jmdm. aus dem M. helfen *(beim Ausziehen behilflich sein)*. * **den M. nach dem Wind hängen** *(sich der herrschenden Meinung anschließen, um keine Nachteile zu haben; Opportunist sein)*. 2. *etwas, was sich zum Schutz an etwas befindet; Umkleidung* (z. B. beim Reifen des Fahrrads): der M. des Fahrrads muß erneuert werden.

Mantel 1.

manuẹll ⟨Adj.⟩: *mit der Hand [durchgeführt]:* die Maschine muß m. bedient werden; die manuelle Herstellung von Waren.

Manuskrịpt, das; -s, -e: *[zum Druck bestimmte] mit der Hand oder Schreibmaschine geschriebene Abhandlung o. ä.:* das M. muß mit Maschine geschrieben sein.

Mạppe, die; -, -n: **a)** *Schultasche.* **b)** *aus Pappe o. ä. bestehende Hülle zum Aufbewahren von Papieren, Blättern* (siehe Bild).

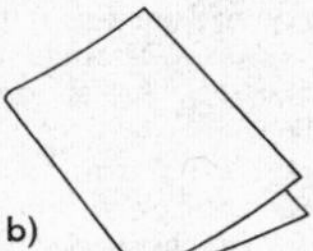

Mappe b)

Marabu, der; -s, -s: /ein Vogel/ (siehe Bild).

Marabu

Mạ̈rchen, das; -s, -: *erfundene Geschichte, die besonders die Phantasie anspricht:* die Großmutter erzählt den Kindern ein M.; die M. aus 1001 Nacht.

Märchenbuch, das; -[e]s, Märchenbücher: *Buch mit Märchen für Kinder:* das Christkind brachte dem Mädchen ein M.

märchenhaft ⟨Adj.⟩: *ungewöhnlich, großartig, wunderbar, unglaublich:* märchenhafter Reichtum; die Aussicht von diesem Berg ist m. schön.

Mạrder, der; -s, -: /ein Tier/ (siehe Bild).

Marder

Margarine, die; -: *als Nahrungsmittel verwendetes [tierisches und] pflanzliches Fett.*

Margerite, die; -, -n: /eine Pflanze/ (siehe Bild).

Margerite

Marienkäfer, der; -s, -: /ein Käfer/ (siehe Bild).

Marienkäfer

Marille, die; -, -n (östr.): *Aprikose.*

Marinade, die; -, -n: 1. *würzige Tunke, die aus Essig, Zitronensaft oder Wein und verschiedenen Kräutern und Gewürzen hergestellt wird:* eine M. zubereiten. 2. *in die gleichnamige Tunke oder in Öl eingelegtes Fleisch oder Fisch:* in diesem Geschäft bekommen Sie die verschiedensten Marinaden.

Marine, die; -: *Flotte:* er ist bei der Marine.

marineblau ⟨Adj.⟩: *eine zwischen blau und schwarz liegende Farbe habend:* ein marineblauer Anzug.

marinieren, marinierte, hat mariniert ⟨tr.⟩: *(Fleisch, Fisch) in eine Marinade einlegen:* das Fleisch wird mit etwas Zwiebel mariniert; ⟨häufig im 2. Partizip⟩ marinierter Hering.

Marionette

Marionẹtte, die; -, -n: *an Fäden aufgehängte Puppe, deren Glieder bewegt werden können* (siehe Bild): mit Marionetten Theater spielen; bildl.: (abwertend) er ist nur eine M. *(er führt nur den Willen anderer aus)*.

Mạrk: I. die; -: /Einheit des Geldes in Deutschland (100 Pfennig)/: Deutsche M.; der Eintritt kostet zwei M. **II.** das; -[e]s: *Substanz im Innern von Knochen o. ä.:* das M. aus den Knochen lösen. * (ugs.) **etwas geht jmdm. durch M. und Bein** *(etwas wird von jmdm. in fast unerträglicher Weise empfunden):* der Schrei des Ertrinkenden ging ihm durch M. und Bein.

markạnt ⟨Adj.; nicht adverbial⟩: *auffallend, eigenartig; stark ausgeprägte Merkmale habend:* eine markante Persönlichkeit; er hat ein markantes Gesicht.

Mạrke, die; -, -n: 1. *Briefmarke:* eine M. auf den Brief kleben. 2. *Sorte von Waren:* welche M. rauchst du? 3. *kleiner Gegenstand (aus Metall o. ä.), Schein, der als Ausweis dient oder zu etwas berechtigt:* der Hund trägt eine M. am Hals; die Garderobe wird nur gegen eine M. ausgegeben; für diese M. erhält man in diesem Gasthaus ein Mittagessen.

mạrkerschütternd ⟨Adj.⟩: *durchdringend laut und dabei Mitleid, Erbarmen hervorrufend:* ein markerschütternder Schrei.

markieren, markierte, hat markiert ⟨tr.⟩: 1. *kennzeichnen:* einen Weg durch Stangen m. 2. (ugs.) *vortäuschen:* der Betrüger markierte den Harmlosen;

den Dummen m. *(sich dumm stellen)*.

Markierung, die; -, -en: **a)** ⟨ohne Plural⟩ *das Markieren, Kennzeichnen:* die M. der Wege ist Angelegenheit der Gemeinde. **b)** *Zeichen, das beim Wandern den richtigen Weg anzeigt:* wir haben die M. verloren.

mạrkig ⟨Adj.⟩: *kräftig, kernig:* eine markige Stimme.

Markịse, die; -, -n: *über Fenstern, Schaufenstern, Balkonen o. ä. angebrachtes schräges Dach, das sich aufrollen läßt und als Schutz gegen die Sonne verwendet wird* (siehe Bild): sie saßen auf dem Balkon unter einer rot gestreiften M.

Markise

Mạrkstein, der; -[e]s, -e: *Ereignis, das eine entscheidende Wendung herbeiführt; bedeutendes Ereignis:* der Abschluß seines Studiums war ein M. in seinem Leben.

Mạrkstück, das; -[e]s, -e: *Geldstück, im Wert von einer Mark:* auf der Straße ein M. finden.

Mạrkt, der; -[e]s, Märkte: **1.** *Marktplatz:* das Haus steht am M. **2.** *Verkauf und Kauf von Waren, Handel mit Waren:* jeden Donnerstag ist M.; Japan erobert mit seinen Waren den europäischen M. * (ugs.) **seine Haut zu Markte tragen [müssen]** *(für etwas einstehen [müssen])*.

Mạrktbericht, der; -[e]s, -e: *Bericht über Waren, die auf dem Markt angeboten werden, und ihre Preise:* in der Zeitung den M. lesen.

Mạrktfrau, die; -, -en: *Frau, die auf dem Markt Obst Gemüse, Eier o. ä. anbietet:* sie kauft das Gemüse immer bei der gleichen M.

Mạrktplatz, der; -es, Marktplätze: *größerer Platz [auf dem der Markt stattfindet]*.

Mạrktschreier, der; -s, - (abwertend): *jmd., der etwas laut und aufdringlich anpreist, in aufdringlicher Weise für etwas wirbt:* ein widerlicher M.

mạrktschreierisch ⟨Adj.⟩ (abwertend): *für einen Marktschreier typisch; laut und aufdringlich:* marktschreierische Methoden.

Mạrktwert, der; -[e]s: *Wert einer Ware beim Kauf oder Verkauf:* das Bild hat heute einen überaus hohen M.

Marmelade, die; -, -n: *[süßer] Aufstrich aus Früchten:* M. aufs Brot streichen.

Mạrmor, der; -s, -e: *ein sehr hartes, in verschiedenster Färbung auftretendes Gestein mit leichter Zeichnung:* ein Portal, ein Grabstein, eine Statue aus M.

marmoriert ⟨Adj.⟩: *eine leichte Zeichnung wie Marmor habend:* eine marmorierte Platte aus Kunststoff.

mạrmorn ⟨Adj.; nur attributiv⟩ (geh.): *aus Marmor hergestellt:* eine marmorne Statue.

Marone, die; -, -n: *geröstete eßbare Kastanie:* an der nächsten Ecke gibt es heiße Maronen zu kaufen.

Maroni, die; -, - (südd.; östr.): *Marone.*

Marọtte, die; -, -n: *eigenartige Gewohnheit; Schrulle:* es ist eine M. von ihm, nie ohne Schirm auszugehen.

mạrsch ⟨Interj.⟩: *los!, auf!* /als Aufforderung, Befehl zu gehen, sich in Bewegung zu setzen/: m., ins Bett mit euch!; Militär: im Gleichschritt – m.! /Befehl, im Gleichschritt zu marschieren/.

Mạrsch: I. der; -es, Märsche: **1.** *zu Fuß zurückgelegte Strecke:* das war heute ein weiter M. **2.** *Musikstück, das im Takt dem Marschieren entspricht:* einen M. spielen, tanzen. **II.** die; -, -en: *flaches Land am Meer mit sehr fruchtbarem, fettem Boden:* die Kühe weiden auf der Marsch.

Mạrschall, der; -s, Marschälle: *jmd. der den höchsten militärischen Rang innehat:* er hat es bis zum M. gebracht.

mạrschbereit ⟨Adj.⟩: *fertig, bereit zum Abmarsch:* die Truppen sind jederzeit m.; (ugs.) wir waren alle schon m. *(fertig zum Weggehen)*, als plötzlich unerwarteter Besuch kam.

marschieren, marschierte, ist marschiert ⟨itr.⟩: *in geschlossener Reihe [und gleichem Schritt] gehen:* die Soldaten marschierten aus der Stadt; er ist heute schon drei Stunden marschiert *(gewandert)*.

Mạrter, die; -, -n: *Qual:* jmdm. körperliche, seelische Martern bereiten; unter Martern stehen.

Mạrterl, das; -s, -[n] (bayr.; östr.): *im freien Gelände aufgestelltes Kruzifix oder Tafel mit einem Heiligen o. ä. [die an einen Verunglückten erinnern soll]:* der Bauer bekreuzigte sich, als er an dem M. vorüberging.

mạrtern, marterte, hat gemartert ⟨tr./rfl.⟩: *foltern, quälen:* jmdn. zu Tode m.; Zweifel marterten ihn; er hat sich mit Vorwürfen gemartert.

Mạrterpfahl, der; -[e]s, Marterpfähle: *Pfahl, an dem Gefangene festgebunden und gemartert werden* /früher bei den Indianern in Nordamerika/: an den M. kommen; am M. sterben.

martialisch [martsi'a:lɪʃ] ⟨Adj.⟩ (geh.; veralt.): **a)** *durch Krieg bedingt, zum Krieg gehörig, kriegerisch:* martialische Abenteuer erzählen. **b)** *wild, verwegen:* ein martialisches Aussehen.

Mạ̈rtyrer, der; -s, -: *jmd., der für seine Überzeugung leidet [und stirbt]:* er ist als M. gestorben.

Martyrium, das; -s, Martyrien (geh.): *Leiden, schwere Qual um des Glaubens oder der Überzeugung willen:* das M. eines Heiligen; er hat ein wahres M. durchmachen müssen.

Marxịsmus, der; -: *Lehre, die dem Kommunismus zugrunde liegt.*

Marxịst, der; -en, -en: *Anhänger des Marxismus.*

marxịstisch ⟨Adj.⟩: *auf dem Marxismus beruhend:* die marxistische Lehre.

Mạ̈rz, der; -: *dritter Monat des Jahres.*

Marzipan [auch: Mạrzipan], das und (östr.:) der; -s, -e: *aus Mandeln und Zucker hergestellte Süßigkeit:* ein kleines Schweinchen aus M.

Masche, die; -, -n: *beim Häkeln oder Stricken entstandene Schlinge* (siehe Bild): an ihrem Strumpf läuft eine M.

Masche

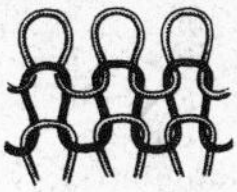

Maschine, die; -, -n: **1.** *Vorrichtung, Apparat, der selbständig die Arbeit leistet:* mit einer M. herstellen; eine M. ölen. **2. a)** *Flugzeug:* die M. nach Paris hat Verspätung. **b)** *Schreibmaschine:* sie schreibt den Brief mit der M.

maschinell ⟨Adj.⟩: *mit Maschinen [durchgeführt, hergestellt]:* etwas m. herstellen.

Maschinenpistole, die; -, -n: *Pistole, aus der schnell hintereinander zahlreiche Schüsse abgefeuert werden können:* mit einer M. schießen.

Maschinenschrift, die; -, -en: *Schrift einer Schreibmaschine:* das Manuskript ist in M. geschrieben.

maschinenschriftlich ⟨Adj.⟩: *in Maschinenschrift abgefaßt:* ein Gesuch m. einreichen.

Maschinerie, die; -, -n: **1.** *komplizierter Mechanismus einer Maschine:* ich verstehe von der M. der neuen Apparatur gar nichts; bildl.: er hat endlich die M. *(die inneren Zusammenhänge, das Funktionieren)* der Verwaltung durchschaut. **2.** *Einrichtung der Bühne, die durch einen Mechanismus betrieben wird.*

maschineschreiben, schrieb Maschine, hat maschinegeschrieben ⟨itr.⟩: *etwas auf der Schreibmaschine schreiben:* er hat den ganzen Nachmittag maschinegeschrieben.

Maschinist, der; -en, -en: *Facharbeiter, der Maschinen betreut und bedient:* vor der Abfahrt überprüft der M. noch einmal die Lokomotive.

maserig ⟨Adj.⟩: *eine Maserung aufweisend:* diese Sorte von Holz ist sehr m.

Masern, die ⟨Plural⟩: *meist bei Kindern auftretende Krankheit, die sich besonders durch Fieber und rote Flecken auf der Haut zeigt:* das Kind hat [die] M.

Maserung

Maserung, die; -, -en: *natürliches Muster auf bearbeitetem Holz* (siehe Bild): das Brett hat eine starke M.

Maske, die; -, -n: **1.** *etwas, was man vor dem Gesicht trägt, um nicht erkannt zu werden* (siehe Bild): er trug beim Ball eine M. *** die M. fallenlassen** *(sein wahres Gesicht zeigen).* **2.** *jmd., der auf einem Maskenball ein bestimmtes Kostüm trägt:* sie war die schönste M. des Abends.

Maske 1.

Maskenball, der; -[e]s, Maskenbälle: *Ball, bei dem die Gäste maskiert sind.*

Maskerade, die; -, -n: **a)** *Kleidung, die komisch wirken oder etwas vortäuschen soll:* sie liebt es, auf Festen immer wieder durch eine besondere M. aufzufallen. **b)** (veralt.) *Veranstaltung, Fest bei dem die Teilnehmer maskiert erscheinen:* an einer M. teilnehmen. **c)** *Heuchelei, das Vortäuschen (von etwas):* seine Freundlichkeit ist reine M.

maskieren, sich; maskierte sich, hat sich maskiert: *eine Maske, ein Kostüm anlegen; sich verkleiden:* sie maskierte sich als Bäuerin.

Maskottchen, das; -s, -: *kleiner Gegenstand, der Glück bringen soll:* an der Windschutzscheibe seines Autos baumelt als M. ein weißes Kätzchen.

Masochismus, der; -: *geschlechtliche Erregung beim Erdulden von Mißhandlungen.*

Masochist, der; -en, -en: *jmd., der masochistisch ist.*

masochistisch ⟨Adj.⟩: *vom Masochismus geprägt, in der Art des Masochismus:* seine Sexualität hat masochistische Züge; er ist m. veranlagt.

Maß, das; -es, -e: **1.** *Einheit, mit der man etwas messen kann:* das M. für die Bestimmung der Länge ist das Meter. *** mit zweierlei M. messen** *(unterschiedlich [und dadurch ungerecht] beurteilen, behandeln).* **2.** *Zahl, Größe, die durch Messen ermittelt worden ist; Ausmaß:* die Maße des Zimmers; einen Anzug nach M. machen lassen. *** über alle Maßen** *(sehr).*

Massage [ma'sa:ʒə], die; -, -n: *Behandlung des menschlichen Körpers oder einzelner Körperteile durch Klopfen, Kneten, Walken, Reiben, Streichen:* sich einer M. unterziehen; eine tägliche M. tut den geschwollenen Knöcheln gut.

Massaker, das; -s, -: *grausames Gemetzel:* er ist dem blutigen M. in dem Dorf gerade noch entkommen.

massakrieren, massakrierte, hat massakriert ⟨tr.⟩: **a)** *(eine größere Gruppe von Menschen) auf grausame Weise töten:* sämtliche Bewohner des Dorfes wurden von den feindlichen Soldaten massakriert. **b)** *grausam quälen, mißhandeln, schinden:* sie haben ihn zu Boden geworfen, getreten, massakriert.

Maßarbeit, die; -, -en: **a)** ⟨ohne Plural⟩ *Anfertigung nach Maß* /bes. von Kleidung, Möbeln o. ä./: etwas in M. herstellen. **b)** *etwas, was nach Maß angefertigt wurde:* eine saubere M.

Masse, die; -, -n: **1.** *[nicht näher bestimmter] Stoff, Material, Substanz:* eine weiche, harte M. **2.** *große Zahl von Menschen; großer Teil der Bevölkerung:* die M. jubelte dem Diktator zu; die Massen strömten zum Sportplatz. *** eine Masse** *(viel):* eine M. Geld.

Maßeinheit, die; -, -en: *allgemein verbindliche, genormte Einheit, nach der etwas gemessen wird.*

Massenartikel, der; -s -: *Ware, die in großen Mengen hergestellt und angeboten wird:* M. sind für verhältnismäßig wenig Geld erhältlich.

massenhaft ⟨Adj.⟩: *in großen Massen [stattfindend, vorhanden]:* ein massenhaftes Auftreten von Maikäfern; derartige Fehler sind ihm m. unterlaufen.

Massenkundgebung, die; -, -en: *Veranstaltung, bei der vor einer großen Menge von Menschen durch Reden o. ä. [politische] Propaganda betrieben wird.*

Massenmedien, die ⟨Plural⟩: *Institutionen, die mit ihren Sendungen und Imformationen einen großen Teil der Bevölkerung* *erreichen und daher eine große Wirkung ausüben:* Rundfunk, Fernsehen, Zeitungen sind M.

Massenpsychose, die; -, -n: *Psychose, die eine große Menge von Menschen erfaßt und mitreißt:* der Rummel um Weihnachten artet schon fast zu einer M. aus.

Masseur [ma'sø:r], der; -s, -e: *jmd., der massiert* /Berufsbezeichnung/: er arbeitet als M. in einem Krankenhaus. **Masseuse** [ma'sø:zə], die; -, -n.

maßgebend ⟨Adj.⟩: *als Vorbild, Maß für etwas wirkend:* sein Beispiel ist auch für andere m. geworden.

maßgeblich ⟨Adj.⟩: *als Vorbild, Maß für eine Handlung, ein Urteil dienend:* seine Meinung ist m.

maßhalten, hält maß, hielt maß, hat maßgehalten ⟨itr.⟩: *mäßig sein:* beim Essen m.

massieren, massierte, hat massiert ⟨tr.⟩: **I.** *jmds. Körper oder Teile des Körpers durch Kneten, Streichen o. ä. behandeln:* der Sportler wird vor dem Wettkampf massiert. **II.** *(Truppen) zusammenziehen, konzentrieren:* Truppen an der Grenze m.

massig ⟨Adj.⟩: **a)** *groß und wuchtig:* der Schrank wirkt in dem kleinen Zimmer zu m.; ein massiger Körper. **b)** ⟨verstärkend bei Verben⟩ (ugs.) *sehr viel:* m. Geld haben.

mäßig ⟨Adj.⟩: **a)** *das richtige Maß einhaltend:* m. trinken; mäßige *(nicht zu hohe)* Preise. **b)** (abwertend) *mittelmäßig; schwach:* seine Leistungen sind nur m.

mäßigen, mäßigte, hat gemäßigt /vgl. gemäßigt/: **a)** ⟨tr.⟩ *abschwächen; wieder ins richtige Maß bringen:* den Zorn, die Geschwindigkeit m. **b)** ⟨rfl.⟩ *sich bezähmen, zurückhalten, beherrschen:* mäßige dich beim Essen und Trinken.

Mäßigkeit, die; -: *das Einhalten eines richtigen, vernünftigen Maßes:* der Arzt hat ihm M. im Trinken und Rauchen empfohlen.

Mäßigung, die; -: *das Abschwächen extremer Verhaltensweisen:* alle waren außer sich, aber einige mahnten zur M.

massiv ⟨Adj.⟩: **a)** *fest; stabil:* ein massives Haus. **b)** *stark, gewaltig:* eine massive Drohung, Forderung.

Massiv, das; -s, -e: *zusammenhängende Einheit von Bergen:* der Monte Rosa bildet ein imposantes M.

maßlos ⟨Adj.⟩: **a)** *nicht das richtige Maß einhaltend:* er ist m. in seinen Forderungen. **b)** *heftig:* eine maßlose Wut. **c)** ⟨verstärkend bei Adjektiven und Verben⟩ *äußerst, sehr:* er ist m. eifersüchtig; er übertreibt m.

Maßnahme, die; -, -n: *Handlung, Anordnung, die etwas veranlassen oder bewirken soll:* [geeignete] Maßnahmen zur Verhütung von Unfällen ergreifen, treffen.

Maßregel, die; -, -n: *Maßnahme.*

maßregeln, maßregelte, hat gemaßregelt ⟨tr.⟩: *durch bestimmte Maßnahmen strafen:* der Beamte, der gegen die Vorschriften verstoßen hatte, wurde durch Versetzung auf einen niedrigeren Posten gemaßregelt.

Maßstab, der; -[e]s, Maßstäbe: **1.** *Verhältnis zwischen nachgebildeter und natürlicher Größe:* die Karte ist im M. 1 : 100000 gezeichnet. **2.** *Norm, mit der eine Leistung oder die Güte einer Sache verglichen wird und die als Vorbild dient:* er hat keinen M., nach dem er die Leistung beurteilen soll; einen strengeren M. anlegen *(etwas strenger beurteilen).*

maßvoll ⟨Adj.⟩: *das rechte Maß einhaltend; zurückhaltend:* maßvolle Forderungen stellen.

Mast: I. der; -es, -e und -en: *hoch aufragende Stange:* den M. des Schiffes aufrichten; die Antenne ist an einem M. befestigt. **II.** die; -, -en: *das Mästen:* die M. von Schweinen.

Mastdarm, der; -[e]s, Mastdärme: *Abschnitt des Darmes, der mit dem After endet.*

mästen, mästete, hat gemästet ⟨tr.⟩: *durch Füttern fett, dick machen:* Schweine m. **Mästung,** die; -, -en.

Masturbation, die; -: *das Masturbieren, geschlechtliche Selbstbefriedigung, Onanie.*

masturbieren, masturbierte, hat masturbiert ⟨itr.⟩: *sich selbst, ohne Partner, geschlechtlich befriedigen.*

Matador, der; -s, -e: *wichtigster Kämpfer beim Stierkampf:* der M. gibt dem Stier den tödlichen Stoß; bildl.: beide Mannschaften schickten ihre Matadore *(ihre tüchtigsten Leute)* in den Kampf; er ist der eigentliche M. *(Rädelsführer)* der Bande.

Match [mɛtʃ], das; -[e]s, -s: *Wettkampf:* die Tennisspieler lieferten sich ein hartes M.

Material, das; -s, Materialien: **1.** *Substanz von oder für etwas; etwas, was zur Erzeugung von etwas benötigt wird:* das Haus ist aus gutem M. gebaut. **2.** *Unterlagen:* das M. für eine Anklage sammeln.

Materialismus, der; -: *Weltanschauung, die nur das Stoffliche als wirklich existierend, als Grund und Substanz der gesamten Wirklichkeit anerkennt und Seele und Geist als bloße Funktionen des Stofflichen betrachtet.*

Materialist, der; -en, -en (abwertend): *jmd., der nur nach materiellem Gewinn strebt.*

materialistisch ⟨Adj.⟩: **1.** *auf dem Materialismus beruhend:* eine materialistische Auffassung der Geschichte. **2.** *in allen Belangen in erster Linie auf den wirtschaftlichen und finanziellen Vorteil bedacht:* äußerst m. eingestellt sein.

Materie, die; -, -n: **a)** ⟨ohne Plural⟩ *das rein Stoffliche:* die tote M. **b)** *spezielles Sachgebiet; Angelegenheit, Sache:* in dieser M. bin ich nicht bewandert.

materiell ⟨Adj.:⟩ **a)** *stofflich, gegenständlich, nicht ideell:* er versuchte sich diese überirdische Erscheinung m. zu erklären. **b)** ⟨nicht prädikativ⟩ *die finanziellen Voraussetzungen betreffend oder bietend:* er ist m. sehr gut gestellt; die materiellen Grundlagen für den neuen Plan wurden geschaffen. **c)** (abwertend) *auf wirtschaftlichen Vorteil ausgehend, bedacht:* er ist sehr m. eingestellt.

Mathematik [östr.: Mathematik], die; -: *Wissenschaft, die sich mit den Beziehungen zahlenmäßiger oder räumlicher Verhältnisse beschäftigt:* M. studieren.

Mathematiker, der; -s, -: *Wissenschaftler, Forscher auf dem Gebiet der Mathematik:* Gauß war ein berühmter M.

mathematisch ⟨Adj.⟩: *zur Mathematik gehörig, auf ihr beruhend:* die mathematischen Grundbegriffe lernen.

Matinee, die; -, -n: *künstlerische Veranstaltung am Vormittag.*

Matjeshering, der; -s, -e: *junger, mild gesalzener Hering.*

Matratze, die; -, -n: **a)** *Rahmen in Form eines Kastens mit aufrecht stehenden oder waagerecht gespannten Federn aus Stahl, der in das Gestell eines Bettes gelegt wird* (siehe Bild). **b)** *Polster in der Größe eines Bettes, auf dem man liegt* (siehe Bild).

a)

b)

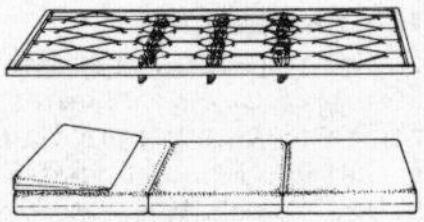

Matratze

Mätresse, die; -, -n (veralt.; abwertend): *Geliebte einer höhergestellten Persönlichkeit:* er hat seine frühere M. schließlich geheiratet.

Matrikel, die; -, -n: **a)** *Verzeichnis* /bes. der Studierenden an einer Universität/: in der M. nicht aufgeführt sein. **b)** (östr.) *amtliches Register, in das sämtliche Einwohner, Geburten, Todesfälle und Trauungen eingetragen werden.*

Matrize, die; -, -n: **a)** *vorgefertigte Form, Modell, nach dem Drucke, Schallplatten oder verschiedene Geräte in großer Zahl hergestellt werden können:* eine M. aus Wachs gießen. **b)** *Folie, die mit der Schreibmaschine beschrieben wird, um auf einfache Weise Vervielfältigungen herstellen zu können:* etwas auf Matrizen schreiben.

Matrone, die; -, -n (abwertend): *schwerfällig wirkende ältere Frau [die ihre Rolle als Ehefrau und Mutter überbetont]:* ihr Charme und ihre jugendliche Frische sind dahin, sie ist eine M. geworden.

Matrose, der; -n, -n: *jmd., der für den einfachen Dienst auf einem Schiff ausgebildet ist* /Berufsbezeichnung/.

Matsch, der; -es: *aufgeweichter Boden; breiartige, feuchte Masse [aus Schnee oder Schlamm]:* wenn es taut, ist viel M. auf der Straße.

matschen, matschte, hat gematscht ⟨itr.⟩ (ugs.): **a)** *(durch Matsch o. ä.) gehen und sich dabei bespritzen:* am liebsten matscht er durch die großen Pfützen. **b)** *(in einer feuchten, flüssigen Masse) planschen, spielen, so daß man sich dabei bespritzt:* Kinder matschen gern am Wasser.

matschig ⟨Adj.; nicht adverbial⟩: **a)** *von Matsch bedeckt:* wenn es auf den Schnee regnet, sind alle Straßen m. **b)** *weich, glitschig und unappetitlich:* in eine matschige Kartoffel greifen.

matt ⟨Adj.⟩: **1.** *müde, schwach:* er ist nach dieser Anstrengung ganz m. **2.** *nur schwach leuchtend:* mattes Licht; matte Farben.

Matte, die; -, -n: **I.** *Gegenstand aus geflochtenem Material, Gummi o. ä., der auf den Boden gelegt wird:* auf der M. turnen; sie legte eine M. vor die Tür. **II.** *Wiese in den Bergen:* die Kühe weiden auf den Matten.

Matthäi: ⟨in der Wendung⟩ bei jmdm. ist M. am letzten (ugs.): **a)** *jmd. ist am Ende seiner finanziellen Kräfte:* bei ihm ist Mitte des Monats bereits M. am letzten. **b)** *bei jmdm. wird der Tod bald eintreten:* eine Besserung ist kaum mehr zu erwarten, ich fürchte, es ist bei ihm M. am letzten.

mattieren, mattierte, hat mattiert ⟨tr.⟩: **a)** *so behandeln, daß kein Glanz entsteht:* die Möbel, das Holz m. **b)** *(Glas) undurchsichtig machen:* die Fenster wurden mattiert, damit nicht jeder in das Zimmer sehen konnte.

Mattscheibe, die; -, -n: **a)** *leicht mattierte Scheibe aus Glas im Photoapparat, auf der man das Bild, das man aufnimmt ein wenig unscharf, aber in seiner tatsächlichen Form sieht.* * (ugs.) **M. haben** *(begriffsstutzig, nicht ganz zurechnungsfähig sein).* **b)** (ugs.; abwertend) *Bildschirm des Fernsehapparats:* er hockt dauernd vor der M.

Matura, die; -(östr.; schweiz): *Reifeprüfung:* die M. machen.

Maturant, der; -en, -en (östr.; schweiz.): *jmd., der die Reifeprüfung abgelegt hat oder sich auf sie vorbereitet:* die Maturanten des Gymnasiums veranstalten am Ende des Jahres ein Fest.

maturieren, maturierte, hat maturiert ⟨itr.⟩(östr.; schweiz.): *die Reifeprüfung ablegen:* er hat an einem Gymnasium maturiert.

Maturität, die; - (schweiz.): *Berechtigung, eine Hochschule zu besuchen; Reife, die mit der Matura erlangt wird:* er hat in dieser Klasse bis zur M. unterrichtet.

Mätzchen, die ⟨Plural⟩ (ugs): *kleinere Aktionen, die etwas vortäuschen oder eine besondere Wirkung haben sollen, aber nicht ernst genommen werden können; Albernheiten, Dummheiten, Späße:* seine M. habe ich schon längst durchschaut; mach keine M.!

mau ⟨Adj.; nicht attributiv⟩ (ugs.): *schlecht, dürftig, flau:* mir ist etwas m. im Magen; das Geschäft geht ziemlich m.

Mauer, die; -, -n: *Wand aus Steinen, Beton o. ä.:* eine hohe M. um ein Haus bauen.

Mauerblümchen, das; -s, -: *Mädchen, das beim Tanz wenig aufgefordert wird.*

mauern, mauerte, hat gemauert: **1.** ⟨itr.⟩ *(aus Mörtel, Ziegeln und Steinen) eine Mauer errichten:* jmdm. beim Mauern helfen; bildl. (ugs.): beim letzten Fußballspiel hat die gegnerische Mannschaft gemauert *(das eigene Tor mit sämtlichen Spielern verteidigt);* beim Skat mauert er mir zuviel *(reizt er zu zaghaft, übervorsichtig).* **2.** ⟨tr.⟩ *(mit Mörtel, Ziegeln und Steinen) errichten:* für das Gebäude eine neue Treppe m.

Mauerwerk, das; -[e]s: **a)** *Teile, Fragmente einer alten Mauer:* das M. bröckelt bereits ab. **b)** *Gesamtheit der Mauern:* das M. des alten Schlosses ist noch gut erhalten.

Maul, das; -[e]s, Mäuler: *Mund mancher Tiere:* das M. der Kuh; ⟨in bezug auf den Menschen⟩ (derb): halt's M. *(sei still, schweig!).*

Maulaffen: ⟨in der Wendung⟩ M. feilhalten (ugs.): *untätig herumstehen und neugierig zusehen:* du stehst immer nur da und hältst M. feil.

maulen, maulte, hat gemault ⟨itr.⟩ (ugs.; abwertend): *aus*

Ärger über etwas, wegen eines Auftrags o. ä. unfreundlich, mürrisch sein: mußt du immer m., wenn ich etwas sage; sie machte alles stets freiwillig und maulte nie.

Maulesel, der; -s, -: *Kreuzung zwischen männlichem Pferd und weiblichem Esel.*

maulfaul ⟨Adj.⟩ (ugs.): *einsilbig; kaum und unwillig sprechend, antwortend:* sei nicht so m. und gib eine ordentliche Antwort!; sie waren zu m. für ein Gespräch.

Maulheld, der; -en, -en: *jmd., der gern viele Worte macht, aber nicht danach handelt:* auf diesen einfältigen Maulhelden darfst du dich nicht verlassen.

Maulkorb, der; -s, Maulkörbe: *Gegenstand, der vor das Maul [bissiger] Tiere gebunden wird* (siehe Bild).

Maulkorb

Maulschelle, die; -, -n (ugs.): *Ohrfeige:* er hat von seinem großen Bruder eine tüchtige M. bekommen.

Maultier, das; -[e]s, -e: *Kreuzung zwischen männlichem Esel und weiblichem Pferd.*

Maulwurf, der; -[e]s, Maulwürfe: /ein unter der Erde lebendes Tier/ (siehe Bild).

Maulwurf

Maurer, der; -s, -: *Handwerker, der beim Bau [eines Hauses] die Mauern errichtet, verputzt usw.*

Maus, die; -, Mäuse: /ein Nagetier/ (siehe Bild).

Maus

Mäuschen, das; -s, -: *kleine Maus:* in einem Nest wurden fünf junge M. gefunden; bildl.: mein M. /zärtliche Anrede bes. bei einem kleinen Kind/. * (ugs.) **da möchte ich M. sein** *(das möchte ich heimlich mit anhören können).*

mäuschenstill ⟨Adj.⟩: *ganz still:* die Kinder saßen vor Spannung m. in ihren Bänken.

Mausefalle, die; -, -n: *Falle, mit der man Mäuse fängt:* Speck in die M. tun.

Mauseloch, das; -[e]s, Mauselöcher: *Loch, in dem sich eine Maus verkriecht:* die Katze sitzt vor dem M. * (ugs.) **am liebsten würde ich mich in ein M. verkriechen** *(am liebsten würde ich mich [vor Scham, Verlegenheit] verstecken).*

mausen, mauste, hat gemaust ⟨tr.⟩ (ugs.): *stehlen:* der Junge hat Äpfel gemaust.

mausern, mauserte, hat gemausert: **1.** ⟨itr.⟩ *die Federn wechseln:* die Hühner mausern. **2.** ⟨rfl.⟩ *sich zu einem selbstbewußten Menschen entwickeln, wie man es von dem Betreffenden bisher nicht gewohnt war:* der Junge hat sich in den letzten Jahren recht gut gemausert und ist sehr tüchtig geworden.

mausetot ⟨Adj.⟩ (ugs.; verstärkend): *tot:* jmdn. m. schlagen.

mausgrau ⟨Adj.⟩: *grau wie eine Maus:* sie trägt ein mausgraues Kostüm.

mausig: ⟨in der Wendung⟩ sich m. machen (ugs.): *sich keck und vorlaut zu etwas äußern:* du darfst dich hier nicht m. machen.

Mausoleum, das; -s, Mausoleen: *monumentales Grabmal:* ein berühmtes M. besichtigen.

Maut, die; -, -en (östr.): *Gebühr für das Benutzen von Straßen, Brücken o. ä.:* M. bezahlen.

maximal ⟨Adj.⟩: **1.** ⟨nur attributiv⟩ *größt-, höchstmöglich:* der maximale Verbrauch an Kraftstoff. **2.** ⟨adverbial⟩ *höchstens:* er arbeitet m. zehn Stunden am Tag.

Maxime, die; -, -n (geh.): *Grundsatz, leitender Gedanke, Prinzip:* er hat getreu seiner M. gehandelt.

Maximum, das; -s, Maxima: *das Höchst-, Größtmögliche:* Autos, die ein M. an Sicherheit bieten.

Mayonnaise [majɔ'nɛ:zə], die; -, -n: *pikante dickflüssige Tunke aus Eigelb, Öl und verschiedenen Gewürzen:* fein geschnittenes Gemüse und Kartoffeln werden unter die M. gemischt.

Mäzen, der; -s, -e: *jmd., der künstlerische o. ä. Tätigkeit [finanziell] fördert.*

Mechanik, die; -: **a)** *Teil der Physik, der sich mit den Bewegungen der Körper und den Beziehungen der dadurch entstehenden Kräfte befaßt:* diese Maschine ist ein Wunder der M. **b)** *Art der Konstruktion und des Funktionierens einer Maschine:* die M. der Maschine ist ausgezeichnet.

Mechaniker, der; -s, -: *Fachmann, der Geräte, Apparate o. ä. bedient, baut oder repariert* /Berufsbezeichnung/: ein tüchtiger M. hat den Schaden an der Nähmaschine behoben.

mechanisch ⟨Adj.; nicht prädikativ⟩: *von einer Maschine bewirkt, automatisch:* etwas m. herstellen; bildl.: er macht seine Arbeit ganz m. *(ohne dabei zu denken; wie ein Automat).*

mechanisieren, mechanisierte, hat mechanisiert ⟨tr.⟩: *von Handarbeit auf maschinelle Arbeit umstellen:* wenn er seinen Betrieb nicht bald voll mechanisiert, bleibt er in der Entwicklung zurück; ⟨häufig im 2. Partizip⟩ ein voll mechanisierter Bauernhof.

Mechanismus, der; -, Mechanismen: **a)** *etwas, was ein Funktionieren auf mechanischer Grundlage ermöglicht:* die Maschine hat einen komplizierten M.; den M. eines Kühlschranks studieren; bildl.: der M. im gesamten Gefüge unseres Staates. **b)** *alles Geschehen, das gesetzmäßig und wie selbstverständlich abläuft:* dieser Prozeß ist durch ganz bestimmte Mechanismen gekennzeichnet.

meckern, meckerte, hat gemeckert ⟨itr.⟩: **a)** *helle, kurze Laute von sich geben* /von der Ziege/. **b)** (abwertend) *seine Unzufriedenheit äußern, nörgeln:* er meckerte über die langweilige Arbeit; er hatte keinen Grund zum Meckern.

Medaille [me'daljə], die; -, -n: *runde oder ovale Plakette zum Andenken (an etwas) oder als*

Auszeichnung für eine [sportliche] Leistung.

Medikament, das; -[e]s, -e: *Heilmittel:* der Arzt hat ihm ein starkes M. verschrieben.

medikamentös ⟨Adj.⟩: *mit Hilfe von Medikamenten [erfolgend]:* diese Entzündung muß m. behandelt werden.

Meditation, die; -, -en: *tiefes, angestrengtes Nachdenken; [religiöses] Sichversenken:* in M. verfallen.

meditieren, meditierte, hat meditiert ⟨itr.⟩: *sich in tiefsinnige Gedanken verlieren; sich ganz in Gedanken versenken; konzentriert nachdenken:* einen Philosophen beim Meditieren stören; über eine Sache m.

Medium, das; -s, Medien: **1. a)** *Stoff, in dem sich ein chemischer oder physikalischer Vorgang vollzieht und in dem ein solcher erst möglich ist:* ein fester Stoff ist kein geeignetes M. für die Fortpflanzung des Schalls. **b)** *etwas, was eine Verbindung oder Beziehung zwischen mehreren Personen oder Gegenständen herstellt oder ermöglicht:* Rundfunk und Fernsehen sind die akustischen Medien unserer Zeit; etwas durch das M. der Sprache verbreiten. **2. a)** *Person, die mit Geistern in Verbindung tritt:* das M. ist aus der Trance erwacht. **b)** *jmd., der unter Hypnose steht:* der Psychologe beobachtet jede Reaktion seines Mediums.

Medizin, die; -, -en: **1.** ⟨ohne Plural⟩ *Wissenschaft, die den Menschen und seine Krankheiten behandelt.* **2.** (ugs.) *Medikament, Heilmittel:* der Patient hat seine M. nicht genommen.

Medizinball, der; -[e]s, Medizinbälle: Sport *großer, schwerer, [mit Haaren] gefüllter Ball [aus Leder], der bei gymnastischen Übungen verwendet wird:* mit dem M. Übungen machen.

Mediziner, der; -s, - (ugs.): *jmd., der Medizin studiert [hat]:* darüber muß ich einen M. befragen.

medizinisch ⟨Adj.⟩: *die Medizin betreffend, auf ihr beruhend:* ein medizinisches Gutachten.

Medizinmann, der; -[e]s, Medizinmänner: *Zauberer und Priester, der Krankheiten und böse Geister vertreiben soll* /bei primitiven Völkern/: der M. schlägt die Trommel, um den bösen Geist zu beschwören.

Meer, das; -es, -e: *sehr große Fläche von Wasser.*

Meerenge, die; -, -n: *enge Stelle im Meer zwischen zwei nahe beieinanderliegenden Festländern, Inseln o. ä.:* durch eine M. fahren.

Meeresarm, der; -[e]s, -e: *weit in das Land reichende Bucht des Meeres:* in einem M. baden.

Meeresspiegel, der; -s: *Oberfläche des Meeres:* der Ort liegt 200 m über dem M.

Meerrettich, der; -s, -e: *Pflanze mit großen grünen Blättern, deren lange weiße Wurzel in geriebenem Zustand ein scharfes Gewürz liefert:* Würstchen ißt man entweder mit Senf oder mit M.

Meerschweinchen, das; -s, -: *Nagetier, das gern als Haustier gehalten wird und bes. für wissenschaftliche Versuche geeignet ist.*

Meeting ['mi:tɪŋ], das; -s, -s: **a)** *Zusammenkunft zum Austausch von Interessen und Meinungen:* ein M. zwischen führenden Politikern; bei dem M. wurden verschiedene aktuelle Probleme diskutiert. **b)** *sportliche Veranstaltung:* das M. fand auf dem Sportplatz statt.

Mehl, das; -[e]s: *durch Mahlen von Getreide gewonnenes Nahrungsmittel in der Form von weißem Staub zum Backen von Brot u. ä.*

mehlig ⟨Adj.⟩: **a)** *nicht saftig* /vom Obst/: die Birne ist m. **b)** *von Mehl weiß:* seine Hose war ganz m.

Mehlschwitze, die; -, -n: *in Fett gebräuntes Mehl, mit dem Suppen, Soßen, Gemüse o. ä. zubereitet werden:* eine helle M. bereiten und mit etwas kaltem Wasser aufgießen.

Mehlspeise, die; -, -n: **a)** *Speise, die sich in erster Linie aus Mehl, Grieß, Reis o. ä. zusammensetzt:* mit einer M. kann man mir nicht viel Freude machen. **b)** (bes. östr.) *süße Speise aus Mehl, z. B. Kuchen, Torte:* zum Kaffee ein Stück M. essen.

mehr ⟨Adverb⟩: **1.** /Komparativ von *viel*/: er tut m., als von ihm verlangt wird. **2.** *in höherem Maß:* du mußt m. achtgeben. ** **nichts m.** *(weiter nichts);* **kein Kind m. sein** *(groß, reif genug sein für etwas).*

mehrdeutig ⟨Adj.⟩: *durch mehrere Bedeutungen mißverständlich:* diese Formulierung ist m.

mehren, mehrte, hat gemehrt (geh.): **a)** ⟨tr.⟩ *vergrößern, vermehren:* den Besitz, den Ruhm durch etwas m. **b)** ⟨rfl.⟩ *in größerer Zahl auftreten, häufiger werden, sich vermehren:* mit zunehmender Unterdrückung mehrten sich die Unruhen.

mehrere ⟨Indefinitpronomen und unbestimmtes Zahlwort⟩: **a)** *einige; ein paar; nicht viele:* er war m. Tage unterwegs; m. Häuser wurden zerstört. **b)** *nicht nur ein oder eine; verschiedene:* es gibt m. Möglichkeiten; das Wort hat m. Bedeutungen.

mehrfach ⟨unbestimmtes Zahlwort⟩: *wiederholt, öfter:* er ist m. als Schauspieler aufgetreten; mehrfacher Meister im Tennis.

mehrfarbig ⟨Adj.; nicht adverbial⟩: *mehrere Farben aufweisend:* ihr passen mehrfarbige Kleider besser als einfarbige.

Mehrheit, die; -, -en: *der größere Teil einer bestimmten Anzahl von Personen:* die M. entschied sich für den Antrag.

Mehrkosten, die ⟨Plural⟩: *Betrag, der die Differenz zwischen den errechneten oder erwarteten und den tatsächlichen Kosten ausmacht:* sich an den M. beteiligen.

mehrmalig ⟨Adj.; nur attributiv⟩: *mehrmals auftretend, öfter geschehend, wiederholt:* nach mehrmaligen Versuchen ist es endlich geglückt.

mehrmals ⟨Adverb⟩: *mehrere Male:* er hat mich schon m. besucht.

mehrsprachig ⟨Adj.⟩: **a)** *in mehreren Sprachen [gehalten, abgefaßt]:* ein mehrsprachiges Wörterbuch; der Unterricht an dieser Schule ist m.; Kinder m. erziehen. **b)** *mehrere Sprachen beherrschend:* für diese Stelle kommen nur mehrsprachige Bewerber in Frage.

mehrstimmig ⟨Adj.⟩: Musik *aus mehreren Stimmen bestehend:* ein mehrstimmiger Chor; m. singen.

Mehrwertsteuer, die; -: *Steuer, die für die Differenz zwi-*

schen dem Preis der Ware beim Einkauf und beim Verkauf erhoben und vom Konsumenten getragen wird: der Apparat kostet 500 Mark einschließlich M.

Mehrzahl, die; -: *der größere Teil einer bestimmten Anzahl:* die M. der Schüler lernt Englisch.

meiden, mied, hat gemieden ⟨tr.⟩: *sich fernhalten (von etwas/jmdm.):* er mied die großen Straßen, um Ruhe zu haben.

Meile, die; -, -n: /ein Längenmaß in den angelsächsischen Ländern, sonst hist./.

Meilenstein, der; -[e]s, -e: **a)** (veralt.) *Stein, der am Rande von Wegen und Straßen Entfernungen angibt.* **b)** (geh.) *(für die weitere Zukunft) bedeutsames Ereignis:* die Entdeckung des Atoms ist als M. in der modernen Physik zu betrachten.

meilenweit ⟨Adverb⟩ (veraltend): *sehr weit:* man hat den Knall m. gehört.

mein ⟨Possessivpronomen⟩ /bezeichnet ein Besitz- oder Zugehörigkeitsverhältnis der eigenen Person/: mein Buch; meine Freunde; die Kleider meiner Schwestern. * (ugs.) **m. und dein verwechseln** *(stehlen).*

Meineid, der; -[e]s, -e: *Eid, bei dem jmd. vorsätzlich etwas Unwahres geschworen hat.*

meinen, meinte, hat gemeint: **1.** ⟨itr.⟩ *glauben; der Meinung sein:* ich meine, daß er recht hat. **2.** ⟨tr.⟩ *(jmdn./etwas) im Sinne haben:* sie hatte ihn [damit] gemeint. * **es gut mit jmdm. m.** *(das beste mit jmdm. vorhaben).*

meinetwegen ⟨Adverb⟩: *von mir aus; was mich betrifft:* m. brauchst du dir keine Mühe zu geben.

Meinung, die; -, -en: **1.** *Ansicht, Überzeugung; das, was jmd. glaubt, für richtig hält, als Tatsache annimmt:* was ist ihre M. zu diesem Vorfall? * **jmdm. die M. sagen** *(jmdm. offen sagen, was man an ihm zu tadeln hat);* **eine hohe M. von jmdm. haben** *(jmdn. sehr achten).*

Meinungsaustausch, der; -es: *Austausch von Meinungen, Erfahrungen o. ä.:* die Tagung ermöglichte einen fruchtbaren M.

Meinungsforschung, die; -: *Erforschung der öffentlichen Meinung aufgrund statistischer Erhebungen.*

Meinungsfreiheit, die; -: *Freiheit, eine eigene Meinung zu haben und zu äußern:* bei uns herrscht M.

Meinungsverschiedenheit, die; -, -en: *kleinerer Streit:* zwischen den beiden gab es nicht die geringste M.

Meise, die; -, -n: /ein kleiner Vogel/ (siehe Bild).

Meise

Meißel, der; -s, -: /ein Werkzeug zum Bearbeiten von Stein o. ä./ (siehe Bild).

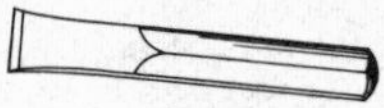

Meißel

meißeln, meißelte, hat gemeißelt ⟨itr./tr.⟩: *(etwas) mit dem Meißel aus einem Stein herausarbeiten, formen:* er mußte lange an dem Stein m.; er hat schöne Figuren gemeißelt.

meist ⟨Adverb⟩: *fast regelmäßig; gewöhnlich; fast immer:* er geht m. diesen Weg.

meiste ⟨Adj.; nur attributiv⟩: *den größten Teil einer Menge oder Anzahl betreffend:* die meisten Menschen waren dagegen; die meiste Zeit; das meiste Geld. * **am meisten** *(besonders, mehr als alles andere):* über dein Geschenk habe ich mich am meisten gefreut.

meistens ⟨Adverb⟩: *in der Mehrzahl der vorkommenden Fälle; meist, fast immer:* er macht seine Reisen m. im Sommer.

Meister, der; -s, -: **1.** *Handwerker, der berechtigt ist, einen Betrieb selbständig zu führen und Lehrlinge auszubilden:* bei einem M. in die Lehre gehen. **2.** *jmd., der ein Fach, eine Kunst o. ä. hervorragend beherrscht:* ein berühmter M.; die alten M. der Malerei; deutscher M. im Fußball.

meisterhaft ⟨Adj.⟩: *hervorragend; großes Können zeigend:* eine meisterhafte Aufführung; die Mannschaft hat m. gespielt.

meistern, meisterte, hat gemeistert ⟨tr.⟩: *[mit großem Können] bewältigen, vollbringen:* eine Aufgabe, Schwierigkeit m.

Meisterprüfung, die; -, -en: *im Handwerk übliche Prüfung, durch die man Meister wird:* er hat die M. bestanden.

Meisterschaft, die; -, -en: **1.** ⟨ohne Plural⟩ *[höchstes] Können:* mit großer M.; er hat es in der Malerei zur M. gebracht. **2. a)** *[Wett]kampf oder eine Reihe von [Wett]kämpfen, durch die der beste Sportler oder die beste Mannschaft in einem bestimmten Gebiet ermittelt wird:* die deutsche M. im 100-m-Lauf. **b)** ⟨ohne Plural⟩ *Gewinn der gleichnamigen sportlichen Veranstaltung:* die Borussen haben die [deutsche] M. errungen.

Meisterschaftsspiel, das; -[e]s, -e: *sportliche Veranstaltung, die zur Meisterschaft zählt:* bei dem M. siegte der Verein X.

Meisterstück, das; -[e]s, -e: **a)** *selbst angefertigte Arbeit, die ein Geselle bei der Meisterprüfung vorlegt:* sein M. war ein von ihm selbst entworfener Schrank. **b)** *ausgezeichnete Arbeit, hervorragende Leistung:* ein M. der Dichtung; (iron.) das war wieder mal ein M. von dir!

Meisterwerk, das; -s, -e: *hervorragende [künstlerische] Leistung:* ein M. deutscher Dichtung.

Melancholie, die; -: *Schwermut:* in M. versinken.

Melancholiker, der; -s, -: *zu Schwermut, Traurigkeit und Pessimismus neigender Mensch.*

melancholisch ⟨Adj.⟩: *schwermütig:* ein melancholischer Mensch; er macht einen melancholischen Eindruck.

melden, meldete, hat gemeldet: **1.** ⟨tr.⟩ **a)** *(einer zuständigen Stelle) mitteilen:* einen Unfall [bei] der Polizei m. **b)** *als Nachricht bekanntgeben:* der Rundfunk meldet schönes Wetter. **2.** ⟨rfl.⟩ **a)** *seine Ankunft, Anwesenheit bekanntgeben:* wenn ich auf dem Bahnhof bin, melde ich mich gleich bei dir; bildl.: mein Magen meldet sich *(ich habe Hunger).* **b)** *seine Bereitschaft (für etwas) bekanntgeben:* er meldete sich freiwillig zum Militär, zur Hilfe bei einer Katastrophe.

Mẹldepflicht, die; -: **a)** *Pflicht, sich bei längerem Aufenthalt an einem Ort polizeilich zu melden:* er ist der M. nicht rechtzeitig nachgekommen. **b)** *Pflicht, bestimmte ansteckende Krankheiten bei der zuständigen Behörde zu melden:* diese Krankheit unterliegt der M.

Mẹldung, die; -, -en: **a)** *Anmeldung:* eine M. für eine Prüfung, einen sportlichen Wettkampf. **b)** *Nachricht [die durch Massenmedien verbreitet wird]:* eine aktuelle, wichtige, die letzte M.; eine M. bestätigen, durchgeben.

meliert ⟨Adj.⟩: *aus verschiedenfarbigen Fasern bestehend; gesprenkelt:* ein melierter Stoff; das Kleid ist grau-weiß m.; ein älterer, [grau] melierter *(teilweise grauhaariger)* Herr.

mẹlken, molk/melkte, gemolken/gemelkt ⟨tr.⟩: *(bei einem Tier) das Heraustreten der Milch bewirken* (siehe Bild): die Bäuerin melkt die Kuh.

melken

Melodie, die; -, -n: **a)** *eine Folge von Tönen, die einem Text zugeordnet sind:* eine langsame M.; die M. eines Liedes. **b)** *[nicht näher bestimmtes] Musikstück:* er spielte ein paar Melodien auf dem Klavier.

melodisch ⟨Adj.⟩: **a)** *die Abfolge von Tönen betreffend, die einem Text zugeordnet sind:* die melodische Gestaltung eines Liedes. **b)** *mit einer angenehm klingenden Abfolge von Tönen:* wir hörten melodischen Gesang.

Melone, die; -, -n: **a)** *runde, saftige Frucht von einem dem Kürbis verwandten Gewächs:* das rote, gelbe Fleisch der M. **b)** (ugs.) *runder, steifer Hut* (siehe Bild): er trug bei der Hochzeit eine M.

Melone

Membran, die; -, -en: *dünnes, äußerst empfindliches Häutchen /bes. in der Technik zur Übertragung von Schwingungen o. ä. /:* die feine M. nimmt die geringsten Unterschiede wahr.

Mẹmme, die; -, -n (ugs.; abwertend): *furchtsamer, weichlicher Mensch:* eine feige M.

Memoiren [memo'a:rən], die ⟨Plural⟩: *als Buch o. ä. veröffentlichte Erinnerungen [eines berühmten Menschen] an Erlebnisse des eigenen Lebens:* er schreibt seine M.

Memorandum, das; -s, Memoranden: *Denkschrift:* ein an die Regierung gerichtetes M.

memorieren, memorierte, hat memoriert ⟨tr.⟩ (veralt.): **a)** *auswendig lernen:* zur Strafe mußten die Schüler die Verse eines Dichters m. **b)** *sich durch ein letztes Wiederholen einprägen:* vor dem Auftritt memorierte der Schauspieler noch einmal den Text.

Menetẹkel, das; -s, - (geh.): *Unheil ankündigendes Zeichen, Anzeichen einer bevorstehenden großen Gefahr:* viele sahen in diesen Ereignissen die M. einer weltweiten Katastrophe.

Mẹnge, die; -, -n: **1. a)** *bestimmte Anzahl, Größe (von etwas):* er darf Speisen nur in kleinen Mengen zu sich nehmen. * **eine M.** *(viel[e]):* eine M. Geld, Freunde. **2.** *große Anzahl von dicht beieinander befindlichen Menschen:* die große M. drängte sich auf dem Marktplatz; der Politiker sucht den Beifall der M. *(der Masse).*

mẹngen, mengte, hat gemengt ⟨tr.⟩: *mischen:* Wasser und Mehl zu einem Teig m.

Menịskus, der; -, Menisken: *empfindlicher Knorpel im Gelenk des Knies:* der M. ist gerissen.

Menịskusriß, der; Meniskusrisses, Meniskusrisse: *schmerzhafte Verletzung durch ein Reißen des Meniskus:* er lag mit einem M. im Krankenhaus.

Mẹnsa, die; -, Mensen: *[von Studenten organisiertes und] von öffentlichen Geldern unterstütztes Lokal, in dem Studenten zu niedrigen Preisen ihre Mahlzeiten einnehmen können:* in der M. essen.

Mẹnsch, der; -en, -en: *das mit Vernunft und Sprache ausgestattete Lebewesen:* einen Menschen lieben, verachten; den Umgang mit anderen Menschen suchen; er ist auch nur ein M. *(auch er hat Fehler).* * (ugs.) **kein M.** *(niemand):* kein M. war zu sehen.

mẹnschenfreundlich ⟨Adj.⟩ (scherzh.): *nett, entgegenkommend, hilfsbereit, freundlich:* ein menschenfreundlicher Polizist zeigte mir endlich den richtigen Weg.

Mẹnschengestalt: ⟨in den Fügungen⟩ **M. annehmen** *(in der Gestalt eines Menschen erscheinen);* **ein Engel/Teufel in M. sein** *(ein äußerst guter/schlechter Mensch sein).*

Mẹnschenkenner, der; -s, -: *jmd., der aufgrund seiner reichen Erfahrung oder seines guten Einfühlungsvermögens in der Lage ist, Menschen richtig zu beurteilen:* ein guter, schlechter M. sein.

mẹnschenleer ⟨Adj.⟩: *über weite Strecken hin leer von Menschen:* eine menschenleere Gegend, Straße.

mẹnschenmöglich ⟨Adj.; nicht adverbial⟩: *einem Menschen möglich, in der Macht eines Menschen liegend:* das zu tun war einfach nicht mehr m.; ich habe das menschenmögliche *(alles)* getan.

Mẹnschenseele, die; -: *das Innerste, die Seele eines Menschen:* die Geheimnisse der M. * **keine M.** *(überhaupt niemand, kein Mensch):* keine M. war zu sehen.

Mẹnschenskind ⟨Interj.⟩ (ugs.): *ach!; du guter Gott!:* M., du bist wohl nicht gescheit!

Mẹnschenverstand, der; -[e]s: *Verstand eines normalen Menschen:* diese Geheimnisse sind unfaßbar für den M. * **der gesunde M.** *(normale, natürliche Fähigkeit zu denken):* einen gesunden M. haben.

Mẹnschheit, die; -: *Gesamtheit der Menschen:* die Geschichte der M.; Verdienste um die M.

mẹnschlich ⟨Adj.⟩: **a)** *zum Menschen gehörend:* der menschliche Körper; menschliches Versagen. **b)** *andere Menschen gütig und voll Verständnis behandelnd:* ein menschlicher Chef; m. handeln.

Menschlichkeit, die; -: *menschliche, humane Gesinnung:* ein Verbrechen gegen die M.; er tut es aus bloßer M.

Menstruation, die; -, -en: Med. *periodisch auftretende Blutung aus der Gebärmutter.*

menstruieren, menstruierte, hat menstruiert ⟨intr.⟩: Med. *die Menstruation haben:* sie menstruiert unregelmäßig.

Mentalität, die; -: *Art zu denken und zu fühlen; Art der Auffassung von etwas:* die M. eines Volkes.

Mentor, der; -s, -en: **a)** *jmd., der zu etwas den Anstoß gibt, indem er die geistigen Voraussetzungen schafft:* er ist der M. einer neuen betrieblichen Organisation. **b)** (veralt.) *Lehrer, Berater.*

Menü, das; -s, -s: *aus mehreren Gängen bestehendes Essen:* ein M. für zehn Mark bestellen.

Menuett, das; -s, -e: *alter, mäßig schneller Tanz im $^3/_4$-Takt, der häufig auch den dritten Satz einer Sonate oder Sinfonie bildet:* ein M. spielen, tanzen.

Meriten, die ⟨Plural⟩ (veralt.): *Verdienste:* sich um etwas M. erwerben *(sich verdient machen).*

Merkblatt, das; -[e]s, Merkblätter: *einem Formular, einer Verordnung o. ä. beigelegtes Blatt, das über einzelne Punkte genauer orientieren soll:* das M. durchlesen.

merken, merkte, hat gemerkt ⟨itr.⟩: **a)** *im Gedächtnis behalten:* er konnte sich den Namen nicht m. **b)** *(etwas, was nicht ohne weiteres erkennbar ist) bemerken:* er merkte gar nicht, daß man sich über ihn lustig machte.

merklich ⟨Adj.⟩: *deutlich, erkennbar:* ein merklicher Unterschied.

Merkmal, das; -s, -e: *Zeichen, Eigenschaft, woran man etwas erkennen kann:* ein typisches, charakteristisches M.; keine besonderen Merkmale.

merkwürdig ⟨Adj.⟩: *eigenartig, ungewohnt [und deshalb zum Nachdenken anregend]:* eine merkwürdige Geschichte; das kommt mir doch m. vor.

merkwürdigerweise ⟨Adverb⟩: *in einer für jmdn. merkwürdigen, eigentümlichen Weise:* ihm ist m. nichts aufgefallen.

Merkwürdigkeit, die; -, -en: **a)** ⟨ohne Plural⟩ *merkwürdig, seltsam anmutende Art:* die M. seines Benehmens. **b)** *merkwürdige Erscheinung:* die Merkwürdigkeiten der Natur.

Mesalliance [mezali'ã:s], die; -, -n (geh.): *nicht standesgemäße Ehe:* seine Heirat wird von seinen Verwandten immer noch als M. betrachtet; bildl.: die Vereinigung der beiden Firmen hat sich als M. *(unglückliche Verbindung)* erwiesen.

meschugge: ⟨in den Verbindungen⟩ (ugs.) **m. sein** *(verrückt sein):* du bist ja m.!; (ugs.) **jmdn. m. machen** *(jmdn. verrückt machen):* ihr macht mich noch ganz m.!

Mesner, der; -s, - (landsch.): *Angestellter, der die Einrichtungen der Kirche betreut und beim Gottesdienst kleinere Dienste leistet:* der M. zündet die Kerzen an.

Meßband, das; -[e]s, Meßbänder: *Band zum Messen, das aufgerollt wird:* mit einem M. den Garten ausmessen.

Meßbecher, der; -s, -: *Becher mit verschiedenen Einteilungen zum schnellen und einfachen Feststellen der gewünschten Menge (bes. von Lebensmitteln):* beim Backen verwendet sie kaum mehr die Waage, ihr genügt der M.

Meßbuch, das; -[e]s, Meßbücher: *während der Messe auf dem Altar liegendes Buch mit sämtlichen liturgischen Texten des Kirchenjahres.*

Messe, die; -, -n: **I. a)** *katholischer Gottesdienst:* die heilige M.; eine M. feiern, lesen. **b)** *Vertonung der wichtigsten Texte des katholischen Gottesdienstes:* eine M. von Bach aufführen, singen. **II.** *große [internationale] Ausstellung, bei der neue Waren vorgeführt werden [und Geschäfte abgeschlossen werden können]:* die M. war gut besucht; die Leipziger M.

messen, mißt, maß, hat gemessen /vgl. gemessen/: **1. a)** ⟨tr.⟩ *das Maß (von etwas) feststellen:* die Höhe, Tiefe, Größe m.; das Fieber m. **b)** ⟨itr.⟩ *(ein bestimmtes Maß) haben:* der Baum mißt 2 m im Umfang. *** sich mit jmdm. [an etwas] m. können** *(sich mit jmdm. [in einer bestimmten Eigenschaft o. ä.] vergleichen können):* ich kann mich mit ihm [an Kraft, Können] nicht m.

Messer, das; -s, -: *Werkzeug mit einem Griff und einer scharfen Klinge zum Schneiden* (siehe Bild): ein spitzes M.; das M. schärfen.

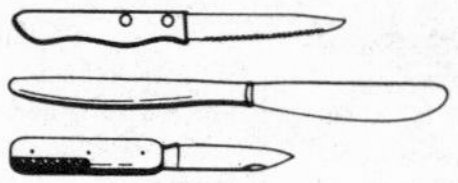

Messer

messerscharf ⟨Adj.⟩: **a)** *äußerst scharf:* eine messerscharfe Klinge; bildl.: mit einem messerscharfen Schuß ging der Ball ins Tor. **b)** *äußerst hart, streng, bissig:* messerscharfe Kritik an etwas üben.

Messerspitze, die; -, -n: *Spitze eines Messers:* eine abgebrochene M.; eine M. Salz, Zimt, Nelken o. ä. *(Menge, die auf der Spitze eines Messers Platz hat).*

Messerstecherei, die; -, -en: *wilde Rauferei, bei der mit Messern gestochen wird:* in eine M. verwickelt werden.

Messing, das; -s: *Legierung aus Kupfer und Zink:* eine Türklinke, ein Schild aus M.

Meßinstrument, das; -[e]s, -e: *aus einem empfindlichen Mechanismus bestehende Apparatur, mit der Messungen vorgenommen werden:* das Raumschiff ist mit den verschiedensten Meßinstrumenten ausgerüstet.

Messung, die; -, -en: *das Messen:* eine M. durchführen.

Mestize, der; -n, -n: *Mischling zwischen Weißen und Indianern.*

Met, der; -[e]s: *Getränk [der Germanen] aus gegorenem Honig.*

Metall, das; -s, -e: *meist fester, chemisch einheitlicher, glänzender Stoff wie Gold, Silber, Eisen o. ä.:* Metalle bearbeiten.

metallen ⟨Adj.⟩: **a)** *aus Metall bestehend:* ein metallener Tisch. **b)** *so klingend, als ob auf Metall geschlagen würde; hart klingend:* ein metallener Klang.

Metallindustrie, die; -, -n: *Industrie, die Metalle verarbeitet und herstellt:* in der M. arbeiten.

metallisch ⟨Adj.⟩: **a)** ⟨nicht prädikativ⟩ *im Aussehen dem Metall ähnlich:* ein metallischer Glanz. **b)** *hell, hart, metallen klingend:* die Sängerin hat eine metallische Stimme.

Metallurgie, die; -: *Lehre von der Gewinnung der Metalle aus Erzen, von der Reinigung und Veredlung der Metalle.*

Metamorphose, die; -, -n: *Verwandlung, Umgestaltung* /bes. in bezug auf Tiere, Pflanzen und Gesteine/: die M. der Insekten, der Pflanzen infolge Veränderung der Umwelt, der Steine durch Veränderung des Drucks.

Metapher, die; -, -n: *durch einen Vergleich mit etwas Konkretem zustande kommender, bildlicher Ausdruck für etwas Abstraktes:* in Metaphern reden.

metaphorisch ⟨Adj.⟩: *bildlich, übertragen:* den metaphorischen Gebrauch einzelner Wörter untersuchen.

Metaphysik, die; -: *philosophische Lehre von den letzten Gründen und Zusammenhängen des Seins:* sich mit M. beschäftigen.

Meteor, der; -s, -e: *Himmelskörper, der bei Eintritt in die Atmosphäre der Erde aufleuchtet.*

Meteorologe, der; -n, -n: *jmd., der Meteorologie studiert [hat]:* der Weg des Wirbelsturms Holly wird von den Meteorologen aufmerksam verfolgt.

Meteorologie, die; -: *Wissenschaft, die sich mit den Erscheinungen innerhalb der Atmosphäre der Erde, bes. mit dem Wetter, beschäftigt.*

Meter, der, (auch:) das; -s, -: /Maß für die Länge/: die Mauer ist drei M. hoch; in einer Höhe von drei Metern.

meterlang ⟨Adj.; nicht adverbial⟩: *einige Meter lang, verhältnismäßig lang:* ein meterlanger Riß war plötzlich an der Wand des Hauses entstanden.

Metermaß, das; -es, -e: *zum Messen verwendetes Band oder Stab:* mit einem M. die Breite der Tür feststellen; die Schneiderin mißt mit dem M. die Länge des Rückens.

Methode, die; -, -n: *Art der Durchführung; Weg, wie man zu einem angestrebten Ziel gelangen kann:* eine wissenschaftliche, veraltete M.; neue Methoden anwenden.

Methodik, die; -, -en: *[Lehre von der] Anwendung von Methoden:* die M. seines Vortrags war einwandfrei.

methodisch ⟨Adj.⟩: **a)** *nach einer bestimmten Methode [ausgerichtet, durchgeführt]; gut durchdacht, systematisch:* m. vorgehen. **b)** ⟨nur attributiv⟩ *die Methodik betreffend:* methodische Mängel; etwas aus methodischen Gründen anders machen.

Metier [meti'e:], das; -s, -s (geh.; scherzh.): *spezielles Gebiet [auf dem man Fachmann ist], Fachgebiet:* er beherrscht sein M.; das ist nicht mein M.; das gehört zu unserem M.

Metrik, die; -, -en: **1. a)** *Aufbau und Anordnung von Versen und die damit verbundene Lehre:* eine Vorlesung über M. besuchen. **b)** *Buch über den Aufbau und die Anordnung von Versen:* eine neu erschienene M. kaufen. **2.** Musik *der Takt und die damit verbundene Lehre:* sich mit der M. alter Musikstücke beschäftigen.

Metropole, die; -, -n (geh.): *Hauptstadt:* die M. eines Landes, Bundeslandes; in der M. leben; bildl.: die M. *(das Zentrum, der wichtigste Ort)* der deutschen Metallindustrie.

Metrum, das; -s, Metren: *Versmaß:* die verschiedenen aus der Antike übernommenen Metren.

Mette, die; -, -n (südd.; östr.): *Christmesse:* zur M. gehen.

Mettwurst, die; -, Mettwürste: *Wurst aus feinem Hackfleisch, die sich streichen läßt.*

Metzger, der; -s, - (südd.; schweiz.; westd.): *Fleischer.*

Metzgerei, die; -, -en (südd.; schweiz.; westd.): *Fleischerei.*

Meuchelmord, der; -[e]s, -e: *aus einem Hinterhalt ausgeführter Mord.*

Meuchelmörder, der; -s, -: *jmd., der einen Meuchelmord begangen hat:* er wurde als gemeiner M. überführt.

meucheln, meuchelte, hat gemeuchelt ⟨tr.⟩: *aus dem Hinterhalt ermorden:* er wurde auf gemeinste Art gemeuchelt.

meuchlings ⟨Adverb⟩: *aus dem Hinterhalt, heimtückisch:* er wurde m. ermordet.

Meute, die; -: **a)** *gemeinsam jagende Hunde:* der Jäger ließ die M. los. **b)** (abwertend) *Menge von [lärmenden] aufgeregten Menschen, die sich aus irgendeinem Anlaß gebildet hat [um jmdn. zu verfolgen]:* die M. war hinter ihm her; die M. der Verfolger wurde immer größer.

Meuterei, die; -, -en: *das gemeinsame Auflehnen gegen jmdn./etwas und das Verweigern des Gehorsams durch Soldaten o. ä.:* auf dem Schiff gab es eine M.

meutern, meuterte, hat gemeutert ⟨itr.⟩: **a)** *schimpfen; seine Unzufriedenheit äußern:* meutere nicht immer! **b)** *sich (als Soldat o. ä.) mit anderen gemeinsam gegen jmdn./etwas auflehnen und nicht mehr gehorchen:* die Mannschaft des Schiffes meuterte.

miauen, miaute, hat miaut ⟨itr.⟩: *schreien* /von Katzen/: die Katze miaute.

mickrig ⟨Adj.⟩ (ugs.; abwertend): *armselig aussehend, kümmerlich:* ein kleiner, mickriger Kerl; ein mickriges Geschenk überreichen.

Mickymaus, die; -, Mickymäuse: *kleine lustige Figur in Gestalt einer Maus* /bes. in Trickfilmen und Bilderbüchern/(siehe Bild): eine M. zeichnen.

Mickymaus

Mieder, das; -s, -: **a)** *Korsett [das bis zur Hüfte reicht]:* ein straff sitzendes M. **b)** *eng anliegendes Oberteil bei Kleidern* /bes. bei Trachten/: ein bunt besticktes M.

Mief, der; -s (ugs.; abwertend): *schlechter Geruch durch verbrauchte Luft; Gestank:* in dem Zimmer ist ein fürchterlicher M.

miefen, miefte, hat gemieft ⟨itr.⟩ (ugs.; abwertend): *verbraucht sein*/ in bezug auf die Luft/, *schlecht riechen, stinken:* hier mieft es.

Miene, die; -, -n: *Ausdruck des Gesichtes, der eine Stimmung, Meinung o. ä. erkennen läßt:* eine ernste, freundliche M.; eine saure, finstere M. machen. * **M. machen, etwas zu tun** *(den Eindruck erwecken, gerade etwas beginnen zu wollen):* er machte M., als wolle er sich auf mich stürzen; **gute M. zum bösen Spiel machen** *(bei etwas, was einem mißfällt, mitmachen oder es dulden, ohne es sich anmerken zu lassen).*

Mienenspiel, das; -s: *[bestimmte seelische Regungen spiegelnder] Wechsel im Ausdruck des Gesichts:* ein lebhaftes M. war an ihr zu beobachten.

mies ⟨Adj.⟩ (ugs.; abwertend): *schlecht:* ein mieser Charakter, Kerl; seine Arbeit, Leistung ist m.; das Geschäft geht m.; ihm geht es m.

Miesekatze, die; -, -n (landsch.): *Miezekatze.*

miesmachen, machte mies, hat miesgemacht ⟨tr.⟩: *etwas (an etwas) auszusetzen haben, immer nur das Schlechte sehen; herabsetzen:* er muß immer alles m.

Miete, die; -, -n: *Preis, den man für das Mieten (von etwas) bezahlen muß:* die M. für die Wohnung bezahlen, erhöhen; die M. ist fällig.

mieten, mietete, hat gemietet ⟨tr.⟩: *gegen Bezahlung die Berechtigung erwerben, etwas zu benutzen:* eine Wohnung, ein Zimmer, Auto m.

Mieter, der; -s, -: *jmd., der etwas mietet:* der M. einer Wohnung, eines Autos.

Mietshaus, das; -es, Mietshäuser: *größeres Gebäude, in dem Wohnungen vermietet werden:* in einem M. wohnen.

Mietskaserne, die; -, -n (abwertend): *großes, eintönig wirkendes Mietshaus:* eine trostlose M.

Mietwohnung, die; -, -en: *Wohnung, die jmdm. nicht selbst gehört, sondern die er nur gemietet hat.*

Miezekatze, die; -, -n (Kinderspr.): *[kleine] Katze:* schau, dort liegt eine M.!

Migräne, die; -, -n: *starke, meist an einer Seite des Kopfes auftretende Schmerzen:* M. haben; an häufiger M. leiden.

Mikrobe, die; -, -n: *nur mikroskopisch sichtbarer, aus einer Zelle bestehender tierischer Organismus:* im Laboratorium wurden Mikroben gezüchtet.

Mikrofilm, der; -[e]s, -e: *Film mit stark verkleinerten Aufnahmen von Texten [die nur schwer zugänglich sind]:* einen M. von den Urkunden der Stadt herstellen; die Bibliothek hat einen eigenen Raum, in dem Mikrofilme gelesen werden können.

Mikrophon, das; -s, -e: *Gerät, durch das Töne auf ein Tonbandgerät oder über einen Lautsprecher übertragen werden können* (siehe Bild): der Reporter spricht ins M.

Mikrophon

Mikroskop, das; -s, -e: *optisches Gerät, mit dem sehr kleine Dinge stark vergrößert und [deutlich] sichtbar gemacht werden können* (siehe Bild).

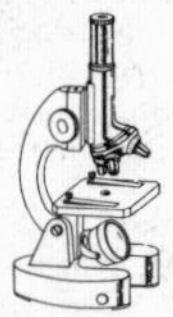

Mikroskop

mikroskopisch ⟨Adj.; nicht prädikativ⟩: *mit Hilfe eines Mikroskops [durchgeführt, möglich]:* etwas m. feststellen; eine mikroskopische Untersuchung. ***m. klein** *(so klein, daß es nur mit dem Mikroskop zu sehen ist):* m. kleine Gebilde.

Milch, die; -: *[von der Kuh gewonnenes] weißes, flüssiges Nahrungsmittel:* frische, saure M.; die M. kocht, läuft über.

Milchbar, die; -, -s: *Lokal, in dem die verschiedensten aus Milch, Joghurt, Sahne oder Quark hergestellten Speisen und Getränke angeboten werden:* in der M. einen kleinen Imbiß nehmen.

Milchglas, das; -es: *weißes, undurchsichtiges Glas:* die unteren Scheiben des Fensters sind aus M.

milchig ⟨Adj.⟩: *weißlich-trüb und undurchsichtig:* eine milchige Flüssigkeit.

Milchkaffee, der; -s, -s: *Kaffee mit viel Milch:* zum Frühstück gibt es immer M.

Milchmädchenrechnung, die; -, -en (ugs.; abwertend): *auf Trugschlüssen aufgebaute Rechnung, Erwartung:* das hat sich als reine M. erwiesen.

Milchstraße, die; -, -n: *aus sehr vielen Sternen bestehender heller Streifen am Himmel.*

Milchzahn, der; -[e]s, Milchzähne: *Zahn vom ersten Gebiß des Menschen:* er hat noch alle Milchzähne.

mild ⟨Adj.⟩: **a)** *lau; angenehm; nicht rauh:* mildes Klima; ein milder Abend. **b)** *sanft, nachsichtig; Verständnis habend:* ein milder Richter; mit jmdm. m. verfahren.

Milde, die; -: **a)** *Freisein von übertriebener Hitze oder Kälte, von Schärfe o. ä.:* die M. des Klimas; der Likör ist wegen seiner M. äußerst beliebt. **b)** *sanfte, verständnisvolle Nachsicht; sanftes, nachsichtiges Verhalten gegenüber jmdm.:* er versucht es mit M., ihr das Lügen abzugewöhnen; die M. des Lehrers.

mildern, milderte, hat gemildert ⟨tr.⟩: **a)** *milder machen:* ein Urteil m. **b)** *mäßigen; abschwächen:* seinen Zorn m.; die Gegensätze m. **Milderung,** die;

Milderungsgrund, der; -[e]s, Milderungsgründe: *Beweggrund, eine Strafe milder ausfallen zu lassen:* etwas als M. betrachten, anerkennen.

mildtätig ⟨Adj.⟩ (geh.): *bereit, etwas Gutes zu tun; freigebig:* den Armen gegenüber m. sein.

Milieu [mili'ø:], das; -s, -s: *soziale Umwelt, in der der Mensch steht und von der er beeinflußt wird:* der Dichter schildert das M. sehr treffend.

militant ⟨Adj.⟩: *streitbar; bestrebt, durch Kampf etwas durchzusetzen:* eine militante Bewegung, Partei, Gesinnung.

Militär, das; -s: *Gesamtheit der Einrichtungen und Personen, die zur Verteidigung eines Landes bestimmt sind:* gegen die Demonstranten wurde [das] M. eingesetzt. * **zum M. gehen** *(Soldat werden).*

militärisch ⟨Adj.⟩: *das Militär betreffend, zu ihm gehörig, ihm entsprechend:* eine streng militärische Zucht und Ordnung; die militärischen Einrichtungen.

militarisieren, militarisierte, hat militarisiert ⟨tr.⟩: *(in einem Land) militärische Anlagen errichten und Truppen aufstellen:* während der politischen Krise wurde dieses Gebiet militarisiert; der Ideologie entsprechend wurde das Land militarisiert *(von starkem militärischem Geist erfüllt).* **Militarisierung,** die; -.

Militarismus, der; -: *starke militärische Gesinnung; Vorherrschen militärischer Prinzipien (in einem Staat).*

Militarist, der; -en, -en: *jmd. von starker militärischer Gesinnung; jmd., der sich übertrieben für das Militär einsetzt.*

militaristisch ⟨Adj.⟩: *den Militarismus betreffend, zu ihm gehörig, ihm entsprechend:* einem militaristischen Geist entsprungen.

Miliz, die; -, -en: *Heer, das nur im Bedarfsfall aus Bürgern mit einer kurzen militärischen Ausbildung aufgestellt wird.*

Milliarde, die; -, -n: *tausend Millionen:* eine M. Menschen; Milliarden von Bakterien.

Millimeter, der; -s, -: *der tausendste Teil eines Meters:* eine Schraube von fünf M. Durchmesser.

Millimeterpapier, das; -[e]s, -e: *Papier mit waagrechten und senkrechten Linien, die jeweils einen Abstand von einem Millimeter haben:* auf M. einen Plan zeichnen.

Millionär, der; -s, -e: *Besitzer von in die Millionen gehenden Werten; sehr reicher Mann:* er brachte es bis zum M.

millionenfach ⟨Adj.⟩: *im Verhältnis (zu etwas) in einer um Millionen höheren Zahl auftretend:* in millionenfacher Ausführung.

Milz, die; -, -en: *in der Nähe des Magens gelegenes Organ, das das Blut mit wichtigen Stoffen versorgt.*

mimen, mimte, hat gemimt ⟨tr.⟩: **a)** (geh.) *(als Schauspieler) spielen, darstellen:* der Schauspieler mimt einen ehrgeizigen Funktionär. **b)** (ugs.) *vortäuschen:* seinem Vorgesetzten gegenüber mimte er großen Eifer.

Mimik, die; -: *Gesamtheit der Veränderungen im Ausdruck des Gesichts:* sie hat eine etwas überspannte M.

Mimikry, die; -: *Anpassung von wehrlosen Tieren in Farbe, Gestalt usw. an die Umwelt oder an Tiere, die sich gegen feindliche Angriffe wehren können:* manche Tiere schützen sich durch M.

mimisch ⟨Adj.⟩: *die Art und Gestaltung des Ausdrucks durch Mienen und Gebärden betreffend, zu ihr gehörig:* der Schauspieler überzeugte durch seine starke mimische Kraft.

Mimose, die; -, -n: *Pflanze mit Blättern, die bei Berührung nach unten zusammenklappen:* sie pflanzte eine M. in den Topf; bildl.: er ist eine richtige M. *(ein überaus empfindsamer, zartbesaiteter Mensch, der leicht zu verletzen ist).*

mimosenhaft ⟨Adj.⟩: *leicht zu kränken, zu beleidigen; überaus empfindlich:* ein mimosenhaftes Mädchen; m. reagieren.

minder (geh.): **I.** ⟨Adj.; nur attributiv⟩ *gering* /bes. in bezug auf Wert, Bedeutung, Qualität, Ansehen/: von minderer Bedeutung sein; mindere *(schlechte)* Ware, Qualität. **II.** ⟨Adverb⟩ *in geringerem Maße, weniger:* das würde mir m. gefallen; ein m. kompliziertes Verfahren. * **nicht m.** *(ebenso):* eine nicht m. große Bedeutung haben; darüber habe ich mich nicht m. gefreut; **mehr oder m.** *(verhältnismäßig, relativ):* ein mehr oder m. gewagtes Unternehmen.

minderbemittelt ⟨Adj.; nicht adverbial⟩: *arm:* einer minderbemittelten Familie helfen. * (ugs.) **geistig m.** *(etwas dumm, beschränkt).*

Minderheit, die; -, -en: *kleinerer Teil einer bestimmten Anzahl von Personen:* eine religiöse M.; in der M. sein, bleiben.

minderjährig ⟨Adj.⟩: *noch nicht 21 Jahre alt:* er ist m. **Minderjährigkeit,** die; -.

mindern, minderte, hat gemindert ⟨tr.⟩: *verringern:* der kleine Fehler mindert die gute Leistung des Schülers keineswegs. **Minderung,** die; -, -en.

minderwertig ⟨Adj.⟩: **a)** *fehlerhaft; in Material oder Ausführung schlecht:* minderwertige Waren. **b)** *charakterlich schlecht; als Mensch von geringem Wert:* ein minderwertiger Kerl; er fühlt sich immer m. **Minderwertigkeit,** die; -.

Minderwertigkeitskomplex, der; -es, -e: *einem Gefühl eigener körperlicher, geistiger oder seelischer Unzulänglichkeit entspringender Komplex:* unter einem M. leiden.

mindeste ⟨Adj.; nur attributiv und mit dem bestimmten Artikel⟩: *wenigste, geringste, kleinste:* ich habe davon nicht die mindeste Ahnung; etwas ohne die mindesten Vorkehrungen wagen. * **das m.** *(das wenigste, geringste):* das ist doch das mindeste, was man von dir verlangen kann; **nicht im mindesten** *(überhaupt nicht):* ich denke nicht im mindesten daran.

mindestens ⟨Adverb⟩: *auf keinen Fall weniger als:* das Zimmer ist m. fünf Meter lang.

Mindestmaß, das; -es: *möglichst geringes Ausmaß:* etwas auf ein M. reduzieren.

Mine, die; -, -n: **I.** *Sprengkörper, der bei Berührung oder beabsichtigter Zündung explodieren soll:* an der Grenze sind Minen gelegt; auf eine M. treten. **II.** *dünnes Stäbchen in einem Bleistift, Kugelschreiber o. ä., das beim Schreiben die Farbe abgibt:* eine rote M.; die M. auswechseln, abbrechen.

Mineral, das; -s, -e und -ien: *einheitlich und natürlich gebildeter, auf der Erde vorkommender Stoff sowie ein Stück davon:* eine Sammlung der wichtigsten Mineralien anlegen.

mineralisch ⟨Adj.; nicht adverbial⟩: *das Mineral betreffend, aus einem Mineral bestehend:* mineralische Stoffe, Salze.

Mineralogie, die; -: *Teil der Naturwissenschaften, der sich mit den Mineralien befaßt, bes. Lehre von den Gesteinen:* ein Lehrbuch über M.

Mineralwasser, das; -s, Mineralwässer: *von einer Quelle stammendes Wasser, in dem Spuren von Mineralien und Salzen enthalten sind, die für den Körper besonders wichtig sind:* M. trinken; den Fruchtsaft mit M. mischen.

Miniatur, die; -, -en: **a)** *Bild oder Zeichnung in einer alten Handschrift:* sich für Miniaturen interessieren. **b)** *kleines, zierliches Bild:* jmdm. eine M. schenken.

Minigolf ⟨ohne Artikel⟩: *Art Golf, das auf einem kleineren Platz gespielt wird und bei dem eine kleine Kugel eine Reihe von Hindernissen passieren muß:* M. spielen.

minimal ⟨Adj.⟩: *sehr klein, winzig:* ein minimaler Preis; die Verluste waren m.

Minimum, das; -s, Minima: *das Kleinste, Geringste* /in bezug auf Größe, Maß, Menge, Betrag, Wert/: die Unfälle wurden auf ein M. reduziert; ein M. an Kraft aufwenden.

Minirock, der; -[e]s, Miniröcke: *kurzer bis zur Mitte der Schenkel reichender Rock* (siehe Bild): einen M. tragen.

Minirock

Minister, der; -s, -: *Mitglied einer Regierung, das für eine oberste Verwaltungsbehörde zuständig ist:* jmdn. zum M. ernennen; dem M. Bericht erstatten.

Ministerialbeamte, der; -n, -n ⟨aber: [ein] Ministerialbeamter, Plural: Ministerialbeamte⟩: *Beamter in einem Ministerium.*

ministeriell ⟨Adj.; nicht prädikativ⟩: *einen Minister oder ein Ministerium betreffend; von einem Minister oder einem Ministerium ausgehend:* dieses Problem kann nur durch eine ministerielle Entscheidung gelöst werden.

Ministerium, das; -s, Ministerien: *oberste Verwaltungsbehörde eines Staates mit bestimmtem Aufgabenbereich.*

Ministerpräsident, der; -en, -en: **a)** *Chef der Regierung eines Staates:* der französische M. **b)** *Chef der Regierung eines Bundeslandes* /in der BRD/: der M. von Baden-Württemberg.

Ministrant, der; -en, -en: *Knabe, der dem katholischen Priester beim Gottesdienst kleinere Dienste leistet:* die Messe wurde nur mit einem Ministranten gefeiert.

ministrieren, ministrierte, hat ministriert ⟨itr.⟩: *(beim katholischen Gottesdienst) dem Priester als Ministrant kleinere Dienste leisten:* als Schüler mußte er jeden Sonntag bei der Messe m.

Minorität, die; -, -en: *Minderheit:* die religiösen Minoritäten in einem Land.

minus ⟨Konj.⟩: Mathematik *weniger, abzüglich* /Ggs. plus/: fünf m. drei ist zwei.

Minus, das; -, - /Ggs. Plus/: **a)** *fehlender Betrag, Defizit:* beim Abrechnen wurde ein M. von zehn Mark festgestellt. **b)** *Nachteil:* das war für mich ein großes M.

Minute, die; -, -n: *Zeitraum von 60 Sekunden:* der Zug kommt in wenigen Minuten; etwas in letzter M. *(im letztmöglichen Augenblick)* absagen.

minuziös ⟨Adj.⟩ (geh.): *peinlich genau, das Geringste berücksichtend:* etwas mit minuziöser Sorgfalt festhalten.

Mirabelle, die; -, -n: *Pflaume mit kleinen, gelben, runden Früchten:* ein Kompott aus Mirabellen.

Misanthrop, der; -en, -en: *jmd., der Menschen verachtet und ihren Umgang meidet* /Ggs. Philanthrop/.

Mischehe, die; -, -n: *Ehe zwischen Angehörigen verschiedener Rassen oder Religionen.*

mischen, mischte, hat gemischt /vgl. gemischt/: **1.** ⟨tr.⟩ *verschiedene Flüssigkeiten oder Stoffe so zusammenbringen, daß sie eine einheitliche Flüssigkeit oder Masse bilden:* Wein und Wasser m.; der Maler mischt die Farben für das Bild. **2.** ⟨itr./tr.⟩ *Spielkarten vor dem Austeilen durcheinanderbringen:* er hat [die Karten] gut gemischt.

Mischling, der; -s, -e: **a)** *Mensch, dessen Eltern verschiedenen Rassen angehören.* **b)** *Tier, Pflanze, die Merkmale verschiedener Rassen oder Gattungen geerbt hat; Bastard.*

Mischmasch, der; -es (ugs.): *Gemisch (aus verschiedensten Dingen), Durcheinander:* ein eigenartiger M. aus Gemüse, Kartoffeln und Fleisch; einen M. aus Deutsch und Französisch sprechen.

Mischung, die; -, -en: **a)** *Sorte, die durch Mischen mehrerer anderer Sorten oder Bestandteile entstanden ist:* eine gute, schlechte, kräftige M.; dieser Kaffee, Tee, Tabak ist eine M. edelster Sorten. **b)** *das Mischen:* bei der M. dieser Stoffe muß auf das richtige Verhältnis geachtet werden.

miserabel ⟨Adj.⟩ (ugs.; abwertend): *äußerst schlecht:* er ist ein miserabler Sportler; er spielt ganz m.

Misere, die; -, -n: *Not, Elend, Unglück; schlechte, auswegslose Lage:* die M. an Schulen und Universitäten; jmdm. aus der M. helfen.

Mispel, die; -, -n: *Baum oder Strauch mit weißen Blüten und Früchten, die erst durch Lagern oder Frost genießbar werden* (siehe Bild).

Mispel

mißachten, mißachtete, hat mißachtet ⟨tr.⟩: *bewußt nicht beachten:* einen Rat, ein Verbot m. **Mißachtung,** die; -.

Mißbehagen, das; -s: *Unbehagen, unangenehmes Gefühl:* ein tiefes M.; meine Erklärung erfüllte ihn mit M.

Mißbildung, die; -, -en: *Abweichung vom normalen, gesunden Bau des Körpers:* Kinder mit Mißbildungen an Armen und Beinen.

mißbilligen, mißbilligte, hat mißbilligt ⟨tr.⟩: *(mit etwas) nicht einverstanden sein; ablehnen:* einen Entschluß, ein Verhalten m. **Mißbilligung,** die; -, -en.

Mißbrauch, der; -s, Mißbräuche: *Verwendung von etwas an sich Gutem zu einem schlechten Zweck:* der M. eines Amtes, on Medikamenten. * **M. mit twas treiben** *(etwas nicht für en richtigen, eigentlichen Zweck enutzen).*

nißbrauchen, mißbrauchte, at mißbraucht ⟨tr.⟩: **a)** *schlecht, alsch verwenden:* jmds. Güte, Vertrauen m.; er mißbrauchte eine Macht, Gewalt. **b)** *(ein Kind, eine Frau) zur Unzucht wingen:* der Verbrecher hat ie Frau überfallen und mißraucht.

nißbräuchlich ⟨Adj.⟩: *einen Mißbrauch darstellend; zu einem chlechten, falschen Zweck:* die nißbräuchliche Verwendung on Medikamenten.

nißdeuten, mißdeutete, hat nißdeutet ⟨tr.⟩: *falsch und zueich zu jmds. Ungunsten auslegen:* dein Verhalten könnte mißeutet werden.

nissen: ⟨in der Fügung⟩ mdn./etwas nicht m. wollen/ önnen/mögen: *ohne jmdn./ twas nicht auskommen wollen/ önnen/mögen:* er kann seinen äglichen Kaffee nach dem ssen nicht mehr m.

Mißerfolg, der; -[e]s, -e: **a)** *nttäuschendes Ergebnis einer Unternehmung:* ein großer, unrwarteter M.; einen M. haen. **b)** *Veranstaltung, Unternehung, die nicht den erwarteten Erfolg hatte:* das Konzert wurde in M.

Mißernte, die; -, -n: *schlechte Ernte:* wegen der zahlreichen Unwetter gibt es dieses Jahr ine M.

Missetat, die; -, -en (geh.; veraltend): *üble Tat:* seine Misseaten bekennen.

Missetäter, der; -s, - (geh.): *md., der etwas Schlechtes getan at:* jmdn. als den M. überführen.

nißfallen, mißfällt, mißfiel, at mißfallen ⟨itr.⟩: *(bei jmdm.) in Mißfallen hervorrufen:* mir nißfiel die Art, wie er behandelt vurde.

Mißfallen, das; -s: *Ablehnung, chlechter Eindruck:* die Rede rregte großes M. unter den Zuörern; sein M. äußern.

Mißgeburt, die; -, -en: *neugeorenes Lebewesen mit starken örperlichen Mißbildungen:* ein Kalb mit zwei Köpfen ist eine M.; bildl.: dieses Werk ist eine M. *(völlig mißlungen).*

Mißgeschick, das; -[e]s, -e: *[durch Ungeschicklichkeit oder Unvorsichtigkeit hervorgerufener] unglücklicher Vorfall:* jmdm. passiert, widerfährt ein M.

mißglücken, mißglückte, ist mißglückt ⟨itr.⟩: *nicht zum gewünschten Ergebnis führen; scheitern:* der erste Versuch ist mißglückt.

mißgönnen, mißgönnte, hat mißgönnt ⟨tr.⟩: *nicht gönnen:* er hat mir meinen Erfolg mißgönnt.

Mißgriff, der; -[e]s, -e: *falsche Handlung, Fehler im Handeln:* die Sache war ein M.; einen M. tun.

mißhandeln, mißhandelte, hat mißhandelt ⟨tr.⟩: *(einem [schwächeren] Menschen oder einem Tier) körperliche Schmerzen bereiten:* ein Kind, einen Gefangenen m. **Mißhandlung,** die; -, -en.

Mißhelligkeit, die; -, -en: **a)** *kleinere Unstimmigkeit, leichteres Zerwürfnis:* zwischen den beiden gab es eine kleine M. **b)** (geh.) *Unannehmlichkeit:* er leidet unter den Mißhelligkeiten des Alltags.

Mission, die; -, -en: **1. a)** *Bestrebungen und Unternehmungen der Kirchen, Menschen anderer Religionen für ihren Glauben zu gewinnen:* die M. in Afrika aufbauen. **b)** *besonderer Auftrag:* eine M. erfüllen; es ist nicht meine M., in die Streitigkeiten einzugreifen. **2.** *[diplomatische] Gesandtschaft mit besonderem Auftrag:* die ausländischen Missionen trafen zwei Tage vor den Verhandlungen ein.

Missionar, der; -s, -e: *Priester oder Prediger, der die Bevölkerung unterentwickelter Länder zum christlichen Glauben bekehrt.*

Missionär, der; -s, -e (österr.): *Missionar.*

missionieren, missionierte, hat missioniert: **a)** ⟨tr.⟩ *ein Land oder dessen Bewohner mit der christlichen Lehre bekannt machen und zum Christentum bekehren:* irische Mönche haben große Teile des europäischen Festlandes missioniert. **b)** ⟨itr.⟩ *als Missionar wirken:* er hat viele Jahre in Afrika missioniert.

Mißklang, der; -[e]s, Mißklänge: **1.** *Klang, der als unangenehm empfunden wird; Dissonanz:* das Musikstück endete mit einem M. **2.** *Störung, Trübung des guten Einvernehmens, eines herzlichen Verhältnisses:* das Fest endete mit einem M.

Mißkredit: ⟨in den Wendungen⟩ **in M. kommen/geraten** *(den guten Ruf einbüßen; jmds. Gunst verlieren):* er ist wegen seiner Unzuverlässigkeit bei seinem Vorgesetzten in M. geraten; **jmdn. in M. bringen** *(jmdn. in Verruf bringen; um jmds. Gunst bringen):* er hat mich bei meinen Freunden in M. gebracht.

mißlich ⟨Adj.⟩: *unangenehm:* sich in einer mißlichen Lage befinden; dieser Zustand ist äußerst m.

mißliebig ⟨Adj.⟩: *unbeliebt, nicht gerne gesehen:* mißliebige Personen wurden entlassen.

mißlingen, mißlang, ist mißlungen: *mißglücken:* das Unternehmen ist mißlungen; ein mißlungener Aufsatz.

mißmutig ⟨Adj.⟩: *durch etwas gestört oder enttäuscht und daher schlecht gelaunt; mürrisch, verdrießlich:* ein mißmutiges Gesicht machen.

mißraten ⟨Adj.⟩: *nicht so geworden, wie man es erhofft hatte:* ein mißratener Kuchen; ein mißratener Sohn *(ein Sohn, bei dem alle Erziehungsmaßnahmen fehlgeschlagen sind).*

Mißstand, der; -[e]s, Mißstände: *ein als schlecht empfundener Zustand.*

Mißstimmung, die; -, -en: **a)** *Störung, Trübung des guten Einvernehmens:* die M. in der Regierung wurde immer stärker. **b)** *[vorrübergehende] schlechte Laune:* man merkte ihm deutlich seine M. an.

Mißton, der; -[e]s, Mißtöne: **a)** *falscher Ton:* wenn er auf der Geige spielt, gibt es fast nur Mißtöne. **b)** *etwas, was den harmonischen Ablauf von etwas stört; kleine Unstimmigkeit:* es gab nicht den geringsten M. bei den Verhandlungen.

mißtrauen, mißtraute, hat mißtraut ⟨itr.⟩: *(von jmdm.) annehmen, daß er nicht ehrlich ist; (einer Sache) nicht trauen:* er mißtraute dem Manne; wir mißtrauten ihren Worten.

Mißtrauen, das; -s: *argwöhnische Einstellung, Skepsis:* sie sah ihn mit unverhohlenem M. an; tiefes M. erfüllte ihn.

mißtrauisch ⟨Adj.⟩: *voller Mißtrauen, argwöhnisch:* ein mißtrauischer Mensch; m. verfolgte er jede Bewegung.

Mißverhältnis, das; -ses, -se: *schlechtes, nicht richtiges, nicht passendes Verhältnis:* sein Gewicht steht im M. zu seiner Größe.

mißverständlich ⟨Adj.⟩: *leicht zu einem Mißverständnis führend, nicht klar und eindeutig:* wegen der mißverständlichen Formulierung kam es zu zahlreichen Anfragen.

Mißverständnis, das; -ses, -se: **a)** *unbeabsichtigtes falsches Auslegen einer Aussage oder Handlung:* sein Einwand beruht auf einem M.; ein M. aufklären. **b)** *Mißstimmung [die durch unbeabsichtigtes falsches Auslegen entstand]:* ein M. zwischen Freunden; ein M. beseitigen.

mißverstehen, mißverstand, hat mißverstanden ⟨tr.⟩: *falsch verstehen; unbeabsichtigt falsch auslegen:* ich habe es anders gemeint, du hast mich mißverstanden; er fühlte sich mißverstanden.

Mist, der; -es: **a)** *aus Kot von Rindern, Pferden o. ä. und Stroh, Laub o. ä. bestehender Dünger:* M. streuen, aufs Feld fahren; eine Fuhre M. * (ugs.) **das ist nicht auf jmds. M. gewachsen** *(das ist nicht von ihm selbst erarbeitet, erfunden).* **b)** (ugs.) *Schlechtes, Wertloses:* das ist der reinste M.!; rede keinen M. *(Unsinn)*!

Mistbeet, das; -[e]s, -e: *nach allen Seiten abgeschlossenes und mit einem Glasfenster bedecktes Beet:* der erste Salat kommt aus dem M.

Mistel, die; -, -n: /eine Pflanze/ (siehe Bild).

Mistel

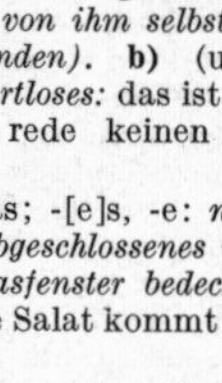

Mistfink, der; -en, -en (ugs.; abwertend): *Schmutzfink.*

Misthaufen, der; -s, -: *Haufen, den der aus dem Stall angesammelte Mist bildet:* die Hühner scharren auf dem M.

Miststück, das; -s, -e (ugs.; abwertend): *gemeine, boshafte Person:* dieses M. hat sich wieder heimlich aus dem Staub gemacht.

mit: **I.** ⟨Präp. mit Dativ⟩: **1.** /stellt die Verbindung zu zwei oder mehreren her, drückt die Gemeinsamkeit aus/: ich gehe m. dir nach Hause; er tanzt m. ihr; er wurde m. ihm zur gleichen Zeit fertig. **2.** /nennt eine begleitende Eigenschaft, einen begleitenden Umstand/: sie kleidet sich m. Geschmack; er sagt es m. Recht. **3.** ⟨oft als Teil eines präpositionalen Attributes⟩ (ugs.) *in Bezug (auf etwas/jmdn.), in Anbetracht:* du m. deinem kranken Fuß solltest dich lieber hinsetzen; der ist ja verrückt m. seinen vielen neuen Anzügen *(er kauft sich immer wieder neue Anzüge).* **4.** *mittels, durch; unter Verwendung (von etwas):* den Nagel m. dem Hammer in die Wand schlagen. **II.** ⟨Adverb⟩: *auch, außerdem noch:* das muß man m. berücksichtigen; da war Verrat m. im Spiel.

mitarbeiten, arbeitete mit, hat mitgearbeitet ⟨itr.⟩: *als Mitarbeiter tätig sein:* an dem neuen Projekt werden fünf Personen m.

Mitarbeiter, der; -s, -: *jmd., der [als Untergebener] in demselben Betrieb oder an derselben Unternehmung, an demselben Vorhaben arbeitet:* ich stelle Ihnen meine M. vor; M. dieses Buches waren ...

mitbekommen, bekommt mit, bekam mit, hat mitbekommen ⟨tr.⟩: **1.** *[auf einen Weg] zum Mitnehmen bekommen:* er hat Äpfel von zu Hause mitbekommen. **2.** *als Mitgift erhalten:* sie hat viel Geld mitbekommen. **3.** (ugs.) *verstehen; (bei etwas) folgen können:* ich habe den letzten Satz nicht mitbekommen.

mitbestimmen, bestimmte mit, hat mitbestimmt ⟨itr.⟩: *an wichtigen Entscheidungen in der Führung eines Betriebes o. ä. teilnehmen:* die Studenten wollen bei den wichtigen Belangen der Universität m.

Mitbestimmung, die; -: *Teilnahme der Arbeitnehmer, Studenten, Schüler u. a. an wichtigen Entscheidungen in der Führung [des Betriebes]:* das Recht auf M.

Mitbestimmungsrecht, das; -[e]s: *Recht zur Mitbestimmung:* um das M. kämpfen.

mitbringen, brachte mit, hat mitgebracht ⟨tr.⟩: **a)** *als kleines Geschenk nach Hause, dem Gastgeber bringen:* er bringt seiner Frau Blumen mit. **b)** *als [unerwarteten] Gast mitnehmen:* einen Freund [zum Essen, auf die Party] m.

Mitbringsel, das; -s, -: *kleines Geschenk, das man nach [längerer] Abwesenheit, von einer Reise mitbringt:* er brachte seinen Kindern ein M. aus Berlin mit.

miteinander ⟨Adverb⟩: **a)** *gemeinsam, zusammen:* wir gehen m. nach Hause. **b)** *einer mit dem andern; gegenseitig:* wir kommen m. gut aus.

miterleben, erlebte mit, hat miterlebt ⟨tr.⟩: *gleichzeitig und in gleicher Weise erleben:* ich habe diese Zeiten nicht miterlebt.

Mitesser, der; -s, -: *kleinere Unreinheit der Haut, die durch Verstopfung der Poren hervorgerufen wird:* einen M. entfernen.

mitfahren, fährt mit, fuhr mit, ist mitgefahren ⟨itr.⟩: *(mit jmdm.) gemeinsam [in dessen Fahrzeug] fahren; jmdn. auf einer Fahrt begleiten:* willst du [in meinem Auto] m.?; er darf mit seinen Eltern in den Urlaub m.

mitfühlen, fühlte mit, hat mitgefühlt ⟨itr.⟩: *jmds. Gefühle verstehen; Mitleid, Verständnis haben:* er fühlte ihren Kummer mit; ⟨häufig im 1. Partizip⟩ ein mitfühlendes Herz haben.

mitführen, führte mit, hat mitgeführt ⟨tr.⟩: **a)** *zugleich (mit etwas) transportieren, befördern:* er hat genügend Platz, deine paar Sachen im Auto mitzuführen. **b)** *bei sich haben, tragen:* in diesem Land ist man gezwungen, ständig die wichtigsten Papiere mitzuführen.

mitgeben, gibt mit, gab mit, hat mitgegeben ⟨tr.⟩: **a)** *zum Mitnehmen geben:* dem Kind Geld für die Reise m. **b)** *ermöglichen, zuteil werden lassen:* er hat seinen Kindern eine gute Erziehung mitgegeben.

Mitgefühl, das; -[e]s: *Verständnis für andere; Mitleid:* der Mörder zeigte nicht das geringste M.

nitgehen, geht mit, ging mit, st mitgegangen ⟨itr.⟩: **a)** *(mit 'mdm.) gemeinsam gehen:* darf ch ins Kino m.? **b)** *(jmdm./ twas) folgen:* seine Augen gingen mit meinen Bewegungen nit. **c)** (ugs.) *begeistert, hingeissen sein:* das Publikum ging nit dem Redner mit.

Mitgift, die; -: *Geschenk von rößerem Wert, das die Tochter ei der Heirat von ihren Eltern rhält:* sie hat eine große M. ekommen.

Mitglied, das; -[e]s, -er: *Angeiöriger einer [fest organisierten] Gemeinschaft:* einem Verein, iner Partei als M. beitreten; M. werden; Mitglieder werben.

nithalten, hält mit, hielt mit, at mitgehalten ⟨itr.⟩ (ugs.): **1.**) *sich an etwas beteiligen, mitnachen:* wer m. will, nimmt einen Ball in die rechte Hand. **b)** *mit jmdm.) essen; an jmds. Mahlzeit teilnehmen:* es gab Bier nd Wurst, und wir wurden aufgefordert, mitzuhalten. **2.** *die leichen hohen Anforderungen erüllen:* wenn wir m. wollen, müsen wir noch mehr leisten; auch tr.⟩ das Tempo m. *(das leiche hohe Tempo haben).*

nithelfen, hilft mit, half mit, at mitgeholfen ⟨itr.⟩: *anderen elfen:* sie hilft im Haushalt nit; nach dem Unglück müssen lle m. *(mitarbeiten),* um den Schaden auszubessern.

Mithilfe, die; -: *Hilfe, Unterstützung (bei etwas):* durch seine atkräftige M. ist die Arbeit elungen.

nithören, hörte mit, hat mitgehört ⟨tr./itr.⟩: *[im geheimen] leichzeitig hören:* die Polizei ört [das Gespräch] mit; wir aben das Konzert am Radio nitgehört.

nitkommen, kam mit, ist nitgekommen ⟨itr.⟩: **a)** *auch ommen; mitgehen:* ich kann eute nicht ins Kino m. **b)** (ugs.) *erstehen, folgen können:* kommst lu mit?; er kommt in der Schule nicht recht mit.

nitkönnen, kann mit, konnte nit, hat mitgekonnt ⟨itr.⟩: *mdm./einer Sache folgen könen:* bei diesem Tempo kann ch nicht mehr mit; (ugs.) nein Verstand kann da nicht nehr mit *(kann das nicht mehr assen);* bei diesem Aufwand kann unsereiner nicht mehr mit.

mitlaufen, läuft mit, lief mit, ist mitgelaufen ⟨itr.⟩: **a)** *mit jmdm. zusammen laufen; sich bei einem Lauf beteiligen:* er konnte nicht mit uns m., weil er einen verletzten Fuß hatte; bildl.: viele Mitglieder der Partei laufen nur mit *(sind bloße Mitläufer, nicht aktiv tätig).* **b)** *nebenher erledigt, bearbeitet werden:* ein paar Kleinigkeiten müssen neben der regulären Arbeit m.

Mitläufer, der; -s, - (abwertend): *jmd., der sich einer Bewegung, Gruppe anschließt, ohne sich darin aktiv zu betätigen:* die meisten Mitglieder der Partei sind nur Mitläufer.

Mitleid, das; -s: *selbst empfundenes Leid, Bedauern über das Unglück eines andern:* tiefes M.; M. haben, fühlen [mit jmdm.]; er tat es nur aus M.

Mitleidenschaft: ⟨in der Wendung⟩ jmdn./etwas in M. ziehen: *jmdm./einer Sache Schaden zufügen; arg zurichten; sehr strapazieren:* die Reifen werden auf den schlechten Straßen stark in M. gezogen.

mitleidig ⟨Adj.⟩: *von Mitleid erfüllt, von Mitleid zeugend:* ein mitleidiges Lächeln.

mitmachen, machte mit, hat mitgemacht: **a)** ⟨tr.⟩ *(an etwas) teilnehmen:* einen Kurs, Ausflug m. **b)** ⟨itr.⟩ (ugs.) *gemeinsam mit anderen tätig sein:* er hat bei allen unseren Spielen mitgemacht. **c)** ⟨tr.⟩ *durchmachen, erleiden:* er hat im Krieg viel mitgemacht.

Mitmensch, der; -en, -en ⟨meist Plural⟩: *Mensch, mit dem man im täglichen Leben zu tun hat:* auf seine Mitmenschen Rücksicht nehmen.

mitnehmen, nimmt mit, nahm mit, hat mitgenommen: **1.** ⟨tr.⟩ **a)** *nehmen und mit sich tragen, mit sich führen:* den Regenschirm m.; den Brief zur Post m.; **b)** *sich zusammen (mit jmdm. irgendwohin) begeben:* die Kinder in den Urlaub m. **c)** (ugs.) /von etwas Kleinem, Unwichtigem/ *kaufen:* wenn du an einem Kiosk vorbeikommst, nimm bitte eine Zeitung mit. **2.** ⟨itr.⟩ *ermüden, anstrengen; schädigen:* diese Aufregung nimmt mich furchtbar mit; ⟨meist im 2. Partizip; nicht attributiv⟩ er sah sehr mitgenommen *(erschöpft)* aus; das Land war nach dem Krieg sehr m. *(hatte sehr unter dem Krieg gelitten).*

Mitra, die; -, Mitren: *Mütze eines hohen katholischen Geistlichen* (siehe Bild).

Mitra

mitreden, redete mit, hat mitgeredet ⟨itr.⟩: *seine Meinung zu etwas äußern; an einer Entscheidung beteiligt sein;* auch die Arbeiter wollen im Betrieb m. * **jmd. hat auch ein Wörtchen mitzureden** *(jmd. kann bei einer Entscheidung nicht übergangen werden);* **bei etwas nicht m. können** *(von etwas nichts verstehen).*

mitreißen, riß mit, hat mitgerissen ⟨tr.⟩: *begeistern, hinreißen:* seine Rede riß alle mit; ⟨oft im 1. Partizip⟩: eine mitreißende Aufführung.

mitsamt ⟨Präp. mit Dativ⟩: *zusammen mit:* das Schiff ging m. der Besatzung unter.

mitschreiben, schrieb mit, hat mitgeschrieben ⟨tr./itr.⟩: *zuhören und (das Gesprochene) gleichzeitig aufschreiben:* die Schüler haben alles mitgeschrieben, was der Lehrer sagte; bei einer Vorlesung m.

mitschuldig ⟨Adj.; nicht adverbial⟩: *zusammen mit anderen schuldig:* er war an dem Mord m.

Mitschüler, der; -s, -: *Schüler, mit dem man gemeinsam in dieselbe Klasse geht.*

mitspielen, spielte mit, hat mitgespielt ⟨itr.⟩: **a)** *sich an einem Spiel beteiligen; mit jmdm. gemeinsam spielen:* laßt den Kleinen auch m. **b)** *unter anderem auch Ursache sein (für etwas):* bei der geringen Ernte dieses Sommers hat auch das schlechte Wetter mitgespielt; es spielen mehrere Gründe mit. **c)** (ugs.) *sich beteiligen; seine [erwartete, erhoffte] Zustimmung geben:* die Gewerkschaft spielte [mit den Plänen der Regierung] nicht mit. ** **jmdm. wird übel mitgespielt** *(jmd. wird in grober, erniedrigender Weise geschädigt).*

mịtsprechen, spricht mit, sprach mit, hat mitgesprochen: 1. ⟨tr.⟩ *zusammen mit jmdm. sprechen:* alle sprachen das Gebet mit. 2. ⟨itr.⟩ *an der Beratung über eine wichtige Angelegenheit beteiligt sein:* bei dieser Frage durfte er nicht m.; bildl.: verschiedene Gründe sprechen hier mit *(wirken zusammen).*

mịttag ⟨Adverb; in Verbindung mit der Angabe eines bestimmten Tages⟩: *zu Mittag:* heute m. bin ich eingeladen.

Mịttag, der; -s: a) *Zeitpunkt in der Mitte des Tages, an dem die Sonne am höchsten steht:* ich treffe ihn zu M.; zu Mittag essen. b) (ugs.) *Mittagspause:* die Handwerker machen M.

Mịttagessen, das; -s, -: *zu Mittag eingenommene Mahlzeit:* das M. ist fertig; ich bin zum M. eingeladen.

mịttags ⟨Adverb⟩: *jeden Mittag, zu Mittag:* ich kann heute erst m. kommen.

Mịttagspause, die; -, -n: *Pause, in der man das Mittagessen einnehmen kann:* wir haben von 12–1 Uhr M.

Mịttagstisch, der; -es, -e: *Mittagessen:* ein gutbürgerlicher M.; in diesem Lokal gibt es einen M. für die Arbeiter der Fabrik.

Mịtte, die; -, -n: a) *Punkt in einem Raum, auf einer Strecke oder in einem Zeitraum, von dem aus die Enden gleich weit entfernt sind:* genau, fast in der M.; in der M. der Straße, des Monats; er ist M. Fünfzig *(ungefähr 55 Jahre alt).* b) *das rechte Maß:* die [goldene] M. halten, finden. c) *Gruppe, Kreis von [zusammengehörenden] Menschen:* wir begrüßen den Gast in unserer M.; einer aus ihrer M. ist gewählt worden; (geh.) er ist aus unserer M. gegangen /geschieden /gerissen worden *(er ist gestorben).*

mịtteilen, teilte mit, hat mitgeteilt ⟨tr.⟩: *(jmdm. etwas) sagen oder schreiben, damit er es weiß; (jmdn. über etwas) informieren:* jmdm. etwas schriftlich, mündlich m.; ich teile ihm mit, daß du krank bist.

Mịtteilung, die; -, -en: *Äußerung, die informieren soll; mitgeteilte Nachricht:* eine kurze geheime M.; jmdm. eine M. machen; eine traurige, überraschende M.; eine amtliche M. herausgeben.

Mịttel, das; -s, -: I. a) *etwas, was die Erreichung eines Zieles ermöglicht:* ein gutes, erlaubtes M.; jmdn. mit allen Mitteln bekämpfen. b) *Heilmittel:* ein wirksames M. gegen Husten; ein M. verschreiben, nehmen. c) *Geldmittel:* der Staat muß die M. für neue Schulen bereitstellen; nicht die nötigen M. haben. II. *Mittelwert:* das M. ausrechnen; die Temperatur betrug im M. *(im Durchschnitt)* 10 Grad Celsius.

Mịttelalter, das; -s: *Zeit zwischen Altertum und Neuzeit in der europäischen Geschichte:* im Mittelalter wurden Tausende von Frauen als Hexen verbrannt.

mịttelbar ⟨Adj.⟩: *indirekt:* eine Reihe von Personen wurde direkt, viele wurden von den Auswirkungen m. betroffen.

Mịttelding, das; -[e]s: *etwas, was zwischen zwei Dingen, Möglichkeiten liegt, zwei verschiedene Möglichkeiten zuläßt:* ein M. zwischen Tisch und Stuhl.

Mịttelfinger, der; -s, -: *aus drei Gliedern bestehender dritter Finger der Hand vom Daumen aus:* ein steifer, krummer M.

mịttellos ⟨Adj.⟩: *arm, ohne Geld oder Besitz:* er stand völlig m. da.

mịttelmäßig ⟨Adj.⟩ (abwertend): *nicht eigentlich schlecht, aber auch nicht besonders gut; nur durchschnittlich:* eine mittelmäßige Leistung; seine Bilder sind [sehr] m.

Mịttelpunkt, der; -[e]s, -e: a) *Punkt in der Mitte eines Kreises oder einer Kugel, von dem aus alle Punkte des Umfanges oder der Oberfläche gleich weit entfernt sind:* der M. des Kreises, der Erde. b) *jmd. oder etwas, der oder das im Zentrum des Interesses steht:* sie war der M. des Abends, der Gesellschaft; diese Stadt ist der künstlerische, geistige M. des Landes.

Mịttelsmann, der; -[e]s, Mittelsmänner: *Mittelsperson:* über einen M. nahmen die beiden Parteien Kontakt auf.

Mịttelsperson, die; -, -en: *jmd., der zwischen zwei Parteien vermittelt [und der Öffentlichkeit nicht bekannt ist]:* die Kontakte mit der ausländischen Firma wurden durch eine M. herge stellt.

Mịttelstand, der; -[e]s: *sozial Schicht mit mittlerem Einkom men zwischen dem Großgrundbe sitz bzw. dem Großbürgertum au der einen und der Arbeiterschaf auf der anderen Seite:* diese Par tei wirbt besonders um den M

Mịttelstreifen, der; -s, - *Grünstreifen:* das Auto gerie ins Schleudern und blieb au dem M. stehen.

Mịttelweg, der; -[e]s, -e: *zwi schen zwei Extremen liegend Möglichkeit zu handeln:* den M einschlagen, suchen. * **der gol dene M.** *(extreme Lösungen ver meidender und deshalb als beste betrachteter Weg).*

Mịttelwert, der; -[e]s, -e: *mitt lerer, durchschnittlicher Wert be bestimmten Angaben:* die Zöll werden nach einem europäische M. festgesetzt; der M. der Tem peratur betrug dieses Jahr 2 Grad Celsius.

mịtten ⟨Adverb, in Verbin dung mit einer Präposition⟩: a *in der Mitte von:* der Tisch steh m. im Zimmer; m. in der Nacht b) *in die Mitte von:* er trat m. i den Raum. c) *unmittelbar, di rekt, gerade:* er stand m. unte seinen Freunden; ich traf ih m. in der Arbeit.

mittendrịn ⟨Adverb⟩ (ugs.) a) *in der Mitte darin:* er stan m. b) *gerade dabei:* er ist m., ei neues Buch zu schreiben.

Mịtternacht, die; -, Mitter nächte: *Zeitpunkt um 12 Uh nachts:* es ist M.; er hat bis M gearbeitet; nach, gegen, um M

mịttlere ⟨Adj.; nur attribu tiv⟩: a) *in der Mitte (vo mehreren) liegend:* im mittlere Haus wohne ich. b) *in Ausmaß Zeitraum, Rang usw. nicht seh niedrig und nicht sehr hoch durchschnittlich:* eine mittler Größe, Temperatur; mittlere Alter; ein mittlerer Beamter * **mittlere Reife** *(zwischen dem Abschluß einer Volksschule un dem Abitur liegendes Bildungs ziel).*

mịttun, tat mit, hat mitgeta ⟨itr.⟩ (ugs.): *gleichzeitig mit an deren (an etwas) teilnehmen:* be diesem Spiel durften alle Kin der m.

Mịttwoch, der; -s, -e: *vierte Tag der mit Sonntag beginnen den Woche.*

mitunter ⟨Adverb⟩ (geh.): *manchmal:* m. war ein dumpfer Laut zu hören.

mitverantwortlich ⟨Adj.⟩: *zugleich mit anderen verantwortlich:* dafür bist du auch m.

Mitwelt, die; -: *alle Menschen, mit denen man zusammen lebt:* für seine M. hat er wenig übrig.

mitwirken, wirkte mit, hat mitgewirkt ⟨itr.⟩: *(bei der Entstehung, Verwirklichung von etwas) mit anderen Personen arbeiten; helfen, teilnehmen:* bei einer Aufführung, bei der Aufklärung eines Verbrechens m.; er wirkte bei dem Konzert als Sänger mit. **Mitwirkung,** die; -, -en.

Mitwisser, der; -s, -: *jmd., der von einem Verbrechen anderer weiß [und verpflichtet wäre, es zu melden]:* er war, wurde M. eines Mordes; die Polizei sucht M. der Tat.

mitzählen, zählte mit, hat mitgezählt: **1.** ⟨tr.⟩ *ebenfalls zählen, beim Zählen berücksichtigen:* Personen, die zur Aufsicht hier sind, werden nicht mitgezählt. **2.** ⟨itr.⟩ *voll anerkannt, berücksichtigt werden:* das zählt nicht mit.

Mixbecher, der; -s, -: *geschlossenes Gefäß, in dem durch Schütteln Getränke gemixt werden.*

mixen, mixte, hat gemixt ⟨tr.⟩: *durch Mischen (von verschiedenen Getränken o. ä.) zubereiten:* einen Cocktail m.

Mixer, der; -s, -: **1.** *jmd., der in einer Bar o. ä. Getränke mixt.* **2.** *elektrisches Gerät für die Küche zum Mixen.*

Mixtur, die; -, -en: *etwas, was durch Vermischen verschiedener Stoffe entstanden ist:* der Arzt verschrieb ihm eine bitter schmeckende M.; bildl.: das ganze war eine M. aus Sentimentalität und ganz banalem Kitsch.

Mob, der; -s: *Pöbel:* der Mob zog plündernd durch die Straßen.

Möbel, die ⟨Plural⟩: *Gesamtheit der Geräte eines Hauses, einer Wohnung o. ä., die man zum Wohnen benötigt:* moderne, praktische, neue M. kaufen.

Möbelstück, das; -[e]s: *einzelner Teil einer Einrichtung, einer Wohnung:* einige Möbelstücke werden verkauft.

mobil ⟨Adj.⟩ (ugs.; nicht adverbial): *beweglich, agil:* der alte Herr ist noch sehr m. ** **m. machen** *(mobilisieren).*

Mobile, das; -s, -s: *graziles, aus Drähten oder Fäden und aus beweglichen [bildlichen] Formen bestehendes Gebilde, das hängend befestigt wird und durch Bewegungen der Luft oder durch Anstoß in Schwingung gerät:* im Kinderzimmer hing ein M. mit Goldfischen aus Kunststoff.

Mobiliar, das; -s: *Gesamtheit der Möbel und der in einer Wohnung benötigten Gegenstände:* vor seiner Abreise hat er sein ganzes M. verkauft.

mobilisieren, mobilisierte, hat mobilisiert ⟨tr.⟩: *bereit zum Krieg machen:* man mobilisierte die Armee; bildl.: Massen von Menschen wurden durch die Kundgebung mobilisiert *(in Bewegung gesetzt)*; alle Kräfte wurden bei der drohenden Gefahr mobilisiert *(aufgeboten).*

möbliert ⟨Adj.⟩: *mit den zum Wohnen nötigen Möbeln eingerichtet:* ein möbliertes Zimmer, eine möblierte Wohnung mieten.

Modalität, die; -, -en (geh.): *Art und Weise [der Ausführung]; Art des Verfahrens:* er war mit den Modalitäten der Prozeßführung noch nicht vertraut.

Mode, die; -: **a)** *der Geschmack einer Zeit, besonders in der Kleidung:* sich nach der neuesten M. kleiden; diese Farbe ist jetzt [große] M.; aus der, in M. kommen; mit der M. gehen. **b)** *etwas, was gerade sehr beliebt ist und von vielen getan wird:* es ist jetzt große M., nach Spanien zu reisen.

Modefarbe, die; -, -n: *Farbe, die dem Geschmack einer bestimmten Zeit entspricht:* die Modefarben des letzten Sommers waren gelb, weiß und beige.

Modell, das; -s, -e: **1.** *verkleinerte, plastische Ausführung eines Bauwerkes, eines Flugzeuges usw.:* der Architekt legt ein M. des geplanten Gebäudes vor; ein M. basteln. **2. a)** *Muster, vorbildliche Form:* er entwirft ein M. für eine neue Universität. **b)** *Typ:* sein Auto ist ein ganz neues M. **3.** *Mensch, der als Vorbild für das Werk eines Künstlers dient:* einem Maler M. stehen. **4.** *Kleid, das nach einem eigens dafür geschaffenen Entwurf hergestellt wurde:* das neueste M.; ein Pariser M.

modellieren, modellierte, hat modelliert ⟨tr./itr.⟩: *(in Ton, Wachs) formen, nachbilden:* ihr Bild war in Ton modelliert; sich im Zeichnen und Modellieren ausbilden. **Modellierung,** die; -, -en.

Mode[n]schau, die; -, -en: *Veranstaltung, in der Kleidung der neuesten Mode vorgeführt wird.*

Moder, der; -s: *in dumpfer, feuchter Luft entstehender Schimmel, Fäulnis an zerfallenden Gegenständen, Pflanzenteilen o. ä.:* in dem alten Gewölbe riecht es nach M.

Moderator, der; -s, -en: *jmd., der beim Fernsehen durch eine Sendung führt, die verbindenden Worte zwischen den einzelnen Beiträgen einer Sendung spricht:* er ist beim Fernsehen als M. beschäftigt.

modern: I. modern, moderte, hat gemodert ⟨itr.⟩: *faulen, verwesen:* das Holz modert im Keller. **II.** modern ⟨Adj.⟩: **a)** *den Erfordernissen, Gegebenheiten der Gegenwart entsprechend:* die moderne Wissenschaft, Literatur. **b)** *dem Geschmack und dem Stil der Gegenwart angepaßt:* moderne Kleidung, Möbel; die Wohnung m. einrichten.

modernisieren, modernisierte, hat modernisiert ⟨tr.⟩: **a)** *den Erfordernissen, Gegebenheiten der Gegenwart anpassen:* der Unterricht in der Schule muß unbedingt modernisiert werden. **b)** *dem Geschmack und dem Stil der Gegenwart entsprechend umändern:* zu Beginn der Saison modernisierte sie ihre alten Kleider.

Modifikation, die; -, -en: *[leichte] Abwandlung; Spielart:* die Methode hat im Laufe der Zeit verschiedene Modifikationen erfahren.

modifizieren, modifizierte, hat modifiziert ⟨tr.⟩: *[im Hinblick auf bestimmte Erfordernisse, Gegebenheiten] leicht abwandeln:* das Gesetz kann durch verschiedene Zusätze modifiziert werden; ⟨häufig im 2. Partizip⟩ die Verfassung wird in modifizierter Form übernommen.

modisch ⟨Adj.⟩: *dem gerade herrschenden Geschmack entsprechend* /bes. von der Kleidung/:

ein modisches Kostüm; sich m. kleiden.

modrig ⟨Adj.⟩: *Moder aufweisend, davon erfüllt, danach schmeckend, riechend; dumpf und feucht:* ein modriges Brett; im Keller riecht es m.

modulieren, modulierte, hat moduliert ⟨tr.⟩: *abwandeln, leicht verändern:* der Schauspieler modulierte seine Stimme.

Modus, der; -, Modi (geh.): *Art und Weise [eines Verfahrens, Vorgehens]:* sich auf einen bestimmten M. einigen. * **M. vivendi** *(bes. durch eine Übereinkunft zustandegekommenes erträgliches Verhältnis im Zusammenleben):* einen M. vivendi finden.

mogeln, mogelte, hat gemogelt ⟨itr.⟩: *[ein wenig] schwindeln:* er hat beim Spiel gemogelt.

mögen, mochte, hat gemocht/(nach vorangehendem Inf.) hat ... mögen: **1. a)** ⟨itr.⟩ *gern wollen, haben:* er mag heute nicht spielen; er mag Gemüse nicht *(er ißt Gemüse nicht gern);* * **nicht mehr mögen** *(satt sein).* **b)** ⟨tr.⟩ *(jmdm.) sympathisch sein; lieben:* seine Kollegen mögen ihn [gern]; er mag *(liebt)* sie. **2.** ⟨itr.⟩ *möglicherweise sein; können:* wie mag das nur geschehen sein?; er mag etwa 40 Jahre alt sein.

möglich ⟨Adj.; nicht adverbial /vgl. möglichst/⟩: *so, daß es sein, geschehen oder durchgeführt werden kann:* alle möglichen Fälle untersuchen; das ist leicht m.; es ist m., daß ich mich täusche *(vielleicht täusche ich mich);* alle möglichen *(sehr viele [verschiedene])* Arten von Tieren; so schnell wie m.

möglicherweise ⟨Adverb⟩: *vielleicht:* er kommt m. heute abend zu mir.

Möglichkeit, die; -, -en: **a)** *Weg, Methode:* es gibt mehrere Möglichkeiten, nach Amerika zu reisen. **b)** *etwas, was eintreten kann und was man berücksichtigen soll; Fall:* man muß auch mit der M. rechnen, daß man krank wird. **c)** *Freiheit, Gelegenheit, etwas Gewünschtes zu verwirklichen, Chance:* in diesem Beruf hat er viele Möglichkeiten, sich hochzuarbeiten.

möglichst ⟨Adverb⟩: *so ... wie möglich* /in Verbindung mit Adjektiven/: er soll m. schnell *(so schnell wie möglich)* kommen; m. gut, viel, schön.

Mohikaner: ⟨in der Fügung⟩ der letzte M., der Letzte der M. (ugs.; scherzh.): *der, das Letzte* /bei Personen und Gegenständen/: „Das ist der letzte M.", sagte er und legte einen Geldschein auf die Theke; der Letzte der M. soll die Tür schließen.

Mohn, der; -s: **a)** /eine Pflanze/ (siehe Bild): der M. blüht rot. **b)** *Samen der gleichnamigen Pflanze:* ein Brötchen mit M.

Mohn a)

Mohr, der; -en, -en (veralt.): *Neger:* schwarz wie ein M.

Möhre, die; -, -n: *Pflanze mit roter bis gelber Wurzel, die als Gemüse verwendet wird* (siehe Bild): auf dem Markt ein Bund Möhren kaufen.

Möhre

Mohrenkopf, der; -[e]s, Mohrenköpfe: *feines, mit Schlagsahne gefülltes und mit Schokolade überzogenes Gebäck* (siehe Bild): in der Konditorei einen M. essen.

Mohrenkopf

Mohrrübe, die; -, -n (landsch.): *Möhre.*

mokant ⟨Adj.⟩: *spöttisch, höhnisch:* er antwortete mit einem mokanten Lächeln.

mokieren, sich; mokierte sich, hat sich mokiert: *sich abfällig äußern, lustig machen (über etwas):* er mokierte sich über ihre unmoderne Kleidung.

Mokka, der; -s, -s: *stark zubereiteter schwarzer Kaffee [aus bestimmten Kaffeebohnen]:* einen heißen M. schlürfen.

Mole, die; -, -n: *Damm zum Schutz des Hafens:* das Schiff legte an der M. an.

Molekül, das; -s, -e: *kleinste Einheit einer chemischen Verbindung, die sich noch in mehrere Atome aufspalten läßt:* ein M. Wasser.

Molke, die; -, -n: *Flüssigkeit, die sich von geronnener Milch absondert:* über dem Joghurt steht schon ein wenig M.

Molkerei, die; -, -en: *Betrieb, in dem Milch verarbeitet wird:* in der M. wird Butter und Käse hergestellt.

mollig ⟨Adj.⟩: **a)** *weiche, runde Körperformen habend:* ein molliges Mädchen. **b)** *behaglich warm:* ein molliges Zimmer; hier ist es m. warm.

Moloch, der; -s (geh.): *Macht, die alles zu verschlingen droht, der alles geopfert werden muß:* dem M. [der] Großstadt ausgeliefert sein.

Molotowcocktail, der; -s, -s (ugs.): *mit Benzin und Phosphor gefüllte Flasche, die behelfsmäßig als Waffe bes. gegen Panzer eingesetzt werden kann:* bei der Demonstration wurden Molotowcocktails geworfen.

Moment: **I.** der; -s, e-: **a)** *sehr kurzer Zeitraum, Augenblick:* warte einen M., ich komme gleich. **b)** *bestimmter Zeitpunkt:* ein wichtiger, entscheidender M.; ein M., auf den es ankommt. * **jeden M.** *(schon in den nächsten Minuten, gleich):* er kann jeden M. eintreffen; **im M.** *(gerade jetzt).* **II.** das; -s, -e: *Umstand, der etwas bewirkt; Gesichtspunkt:* das wichtigste M für seine Verurteilung waren die Fingerabdrücke; die Diskussion brachte keine neuen Momente.

momentan ⟨Adj.; nicht prädikativ⟩: **a)** *augenblicklich, gegenwärtig:* er hat m. keine Arbeit; seine momentane Lage ist nicht glücklich. **b)** *nur kurz andauernd, schnell vorübergehend:* er befindet sich in einer momentanen Verlegenheit.

Monarch, der; -en, -e: *Herrscher, der auf Grund einer bestimmten Staatsform die Macht des Staates [allein] ausübt.*

Monarchie, die; -, -n: *Staatsform mit einem durch seine Herkunft legitimierten Herrscher an der Spitze:* die M. abschaffen.

Monarchist, der; -en, -en: *Anhänger der Monarchie:* ein Treffen alter Monarchisten.

Monat, der; -s, -e: /ein Zeitraum von 30 bzw. 31 (Februar 28) Tagen/: das Jahr hat 12 Monate.

monatlich ⟨Adj.⟩: *in jedem Monat; in jedem Monat vorkommend:* das monatliche Gehalt; die Miete wird m. bezahlt.

Monatskarte, die; -, -n: *einen Monat gültige, ermäßigte Fahrkarte für [Straßen]bahn, Autobus o. ä. für die Fahrt zum Arbeitsplatz, zur Schule und zurück:* eine M. lösen.

Mönch, der; -[e]s, -e: *allein oder als Angehöriger einer religiösen Gemeinschaft lebender Geistlicher:* der M. trägt eine Kutte.

Mond, der; -es, -e: *Himmelskörper, der einen Planeten umkreist* (siehe Bild): die Erde hat einen M., der Mars hat zwei. * (ugs.) **die Uhr geht nach dem M.** *(die Uhr geht falsch).*

Mond

mondän ⟨Adj.⟩: *im Stil der großen Welt gehalten, von extravaganter Eleganz geprägt:* m. gekleidet sein; ein mondäner Kurort.

Mondschein, der; -[e]s: *Licht des Mondes:* sie gehen im M. spazieren.

Moneten, die ⟨Plural⟩ (ugs.; scherzh.): *Geld:* er hat keine M. mehr.

monieren, monierte, hat moniert ⟨tr.⟩: *mahnen; beanstanden:* er hat immer etwas zu m.; die Polizei monierte die schlechte Beleuchtung des Fahrzeuges.

Monitor, der; -s, -en: *Gerät beim Fernsehen (für Redakteure, Sprecher und Kommentatoren, die zum Bild sprechen), bei der Eisenbahn, in Krankenhäusern o. ä., auf das das mit einer Kamera an einem anderen Ort aufgenommene Geschehen zur Kontrolle übertragen wird:* die Angestellte wurde über einen M. Zeuge eines Einbruchs in ein Geschäft.

Monogamie, die; -: *Ehe mit nur einem Partner:* das Christentum kennt nur die M.

Monogramm, das; -s, -e: *künstlerisch ausgeführtes Namenszeichen, das meist aus den ersten Buchstaben besteht:* Monogramme in die Wäsche stikken.

Monographie, die; -, -n: *wissenschaftliche Untersuchung über eine einzelne Person oder einen einzelnen Gegenstand:* er schreibt eine M. über Goethe.

Monokel, das; -s, -: *Glas, Linse, die nur vor einem Auge getragen wird:* vor das linke Auge hatte er ein M. geklemmt.

Monolog, der; -s, -e: *Selbstgespräch in einer Dichtung, besonders im Drama* /Ggs. Dialog/: der M. aus dem 3. Akt; den M. sprechen.

Monopol, das; -s, -e: *Recht auf alleinige Herstellung und alleinigen Verkauf eines Produktes:* der Staat hat ein M. auf Salz; bildl.: die politische Führung eines Landes darf nicht M. einer einzigen Partei sein.

Monotheismus, der; -: *Glaube an einen einzigen Gott.*

monoton ⟨Adj.⟩: *ohne Abwechslung, langweilig, eintönig:* ein monotones Geräusch; ein monotoner Vortrag; er singt das Lied m. **Monotonie,** die; -.

monströs ⟨Adj.⟩: **1.** *ungeheuerlich [groß]:* die monströsen Bauten einer Stadt; das monströse Werk eines Dichters. **2.** *scheußlich, grauenerregend:* ein monströses Ungeheuer.

Monstrum, das; -s, Monstren: **a)** *riesiges, furchterregendes Ungeheuer:* in den alten Sagen haben die Menschen mit allen möglichen Monstren zu kämpfen. **b)** *etwas [Unförmiges und] ungeheuer Großes:* ein M. von einem Flugzeug.

Montag, der; -s, -e: *zweiter Tag der mit dem Sonntag beginnenden Woche.*

Montage [mɔnˈta:ʒə], die; -, -n: **1.** *das Auf- und Zusammenstellen (von Maschinen, Konstruktionen o. ä.):* die Firma übernimmt auch die M. der Maschinen, der Brücke. * **auf M. sein** *(unterwegs sein, um an Ort und Stelle etwas zu montieren):* ihr Mann war die ganze Woche auf M. **2.** *durch besonderen Schnitt und verschiedene technische Mittel bewirkte Möglichkeit des künstlerischen Aufbaus eines Films:* der Film ist ein Meisterstück der M. **3.** *Bild, das aus Ausschnitten aus Zeitungen und Zeitschriften zusammengestellt ist:* der Künstler begann seine Laufbahn mit Montagen. **4.** *durch Zusammenfügung unzusammenhängender Szenen und Bilder bewirkte künstlerische Gestaltung in der Literatur:* der Dichter arbeitet viel mit Montagen.

Monteur [mɔnˈtø:r], der; -s, -e: *Fachmann, der Geräte, Maschinen o. ä. an Ort und Stelle montiert* /Berufsbezeichnung/: er arbeitet als M. bei einer großen Firma.

montieren, montierte, hat montiert ⟨tr.⟩: **a)** *in einer bestimmten Weise befestigen:* die Lampe an der Decke m. **b)** *aus einzelnen Teilen an einer bestimmten Stelle zusammenstellen:* die Lampen an die Decke m.; eine Maschine m.

Montur, die; -, -en: **a)** (veralt.) *Uniform.* **b)** (ugs.; scherzh.) *Kleidung, die bei der Arbeit getragen wird oder sich für einen bestimmten Zweck bes. eignet:* der Schlosser erschien auf dem Amt in seiner M.; bildl. (landsch.): die Kartoffeln wurden in der M. *(mit der Schale)* serviert.

Monument, das; -[e]s, -e: *Denkmal:* ein M. errichten.

monumental ⟨Adj.⟩: *groß und wuchtig; gewaltig:* die monumentalen Denkmäler und Bauten der alten Römer.

Moor, das; -[e]s, -e: *sumpfige Landschaft, in der Gras, Moos o. ä. wächst:* ein weites M.; im M. versinken.

Moos, das; -es, -e: *aus grünen Pflanzen bestehendes weiches Polster [im Wald]:* weiches, grünes M.; die Steine sind mit M. bedeckt.

Mop, der; -s, -s: *Art Besen, mit dem durch die mit Öl getränkten Fransen aus Wolle Staub entfernt werden kann* (siehe Bild): mit dem M. den Boden wischen.

Mop

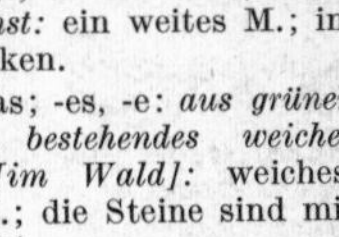

Moped, das; -s, -s: *motorisiertes Fahrrad mit geringer Ge-*

schwindigkeit (siehe Bild): er ist mit seinem M. gestürzt.

Moped

Mops, der; -es, Möpse: /ein Hund/ (siehe Bild).

Mops

mopsen, mopste, hat gemopst (ugs.): 1. ⟨tr.⟩ **a)** (scherzh.) *mit List entwenden:* er hat mir das Buch vom Schreibtisch gemopst. **b)** *ärgern:* er muß immer andere Leute m.; ⟨auch rfl.⟩ darüber kann ich mich richtig m. 2. ⟨rfl.⟩ *sich langweilen:* gestern haben wir zu Hause gesessen und uns fürchterlich gemopst.

Moral, die; -: **a)** *sittliche Grundsätze des Verhaltens:* bürgerliche, sexuelle M.; er hat keine M. **b)** *innere Kraft, Selbstvertrauen, Disziplin, Zucht:* die M. der Mannschaft, der Truppen ist gut. **c)** *Lehre:* die M. einer Geschichte, eines Theaterstückes.

moralisch ⟨Adj.⟩: **a)** ⟨nicht prädikativ⟩ *die Moral betreffend:* ein Buch von hohem moralischem Wert; ein m. korrekter Mensch. **b)** *in bezug auf die [sexuelle] Moral streng:* er führt ein moralisches Leben; die alte Dame war m. sehr entrüstet.

Moralist, der; -en, -en: **a)** *jmd. der alle Probleme zu moralischen Fragestellungen in Beziehung setzt und sie in einem bewußt moralischen Sinne gelöst sehen möchte:* dieser Schriftsteller, der so heftig die überkommenen Werte angreift, ist im Grunde ein M. **b)** (abwertend) *jmd., der ständig vom Standpunkt der Moral aus [abschätzig] über das Verhalten anderer urteilt oder ihnen [eine kleinliche, engherzige] Moral predigt:* junge Leute hält dieser alte M. grundsätzlich für Sünder.

Moralpredigt, die; -, -en: *eindringliche Ermahnung:* der Lehrer hat ihm wegen seiner Faulheit eine M. gehalten.

Morast, der; -es: *sumpfiger Boden, Schlamm:* das Auto blieb im M. stecken.

morbid ⟨Adj.⟩: *von Krankheit und Zerfall gekennzeichnet:* eine morbide Gesellschaft.

Mord, der; -es, -e: *Töten in verbrecherischer Weise:* ein heimtückischer, grausamer M.; einen M. begehen.

morden, mordete, hat gemordet ⟨itr.⟩: *in verbrecherischer Weise töten:* im Krieg haben Soldaten oft geplündert und gemordet.

Mörder, der; -s, -: *jmd., der einen Mord begangen hat:* der M. wurde von der Polizei verhaftet.

Mördergrube: ⟨in der Wendung⟩ aus seinem Herzen keine M. machen (ugs.): *nicht verschweigen, was man denkt, fühlt oder was einen bedrückt.*

mörderisch ⟨Adj.⟩ (ugs.): *furchtbar, sehr stark:* eine mörderische Hitze; er fährt in einem mörderischen Tempo.

mordsmäßig ⟨Adj.; nur attributiv⟩ (ugs.): **a)** *sehr groß, gewaltig:* ich hatte einen mordsmäßigen Appetit. **b)** ⟨verstärkend bei Adjektiven und Verben⟩ *sehr, über alle Maßen:* ich habe mich darüber m. geärgert; das war ein m. scharfes Essen.

Mores: ⟨in der Wendung⟩ ich werde/ich will dich M. lehren /dir M. beibringen! (ugs.): *ich werde/will dir zeigen, wie man sich richtig benimmt.*

morgen ⟨Adverb⟩: 1. **a)** *an dem Tag, der dem heutigen folgt:* wenn ich heute keine Zeit habe, komme ich m.; m. früh, abend; ich arbeite heute, um m. *(in der Zukunft)* sicher zu leben; der Stil von m. *(der Stil der Zukunft).* 2. ⟨in Verbindung mit der Angabe eines bestimmten Tages⟩: *am Morgen, morgens:* gestern, heute m.; Dienstag m.

Morgen, der; -s, -: 1. *Beginn des Tages*/Ggs. Abend/: ein schöner, sonniger M.; vom M. bis zum Abend; am M. geht die Sonne auf; Guten M.! *(Gruß zu Beginn des Tages).* 2. (landsch.) /ein landwirtschaftliches Maß für die Größe einer Fläche/: der Bauer hat 10 M. Land.

morgendlich ⟨Adj.; nur attributiv⟩: *zum Morgen gehörend; am Morgen geschehend:* die morgendliche Stille; die morgendliche Fahrt zur Arbeit.

Morgenland, das; -[e]s (veralt.): *Orient.*

Morgenrock, der; -[e]s, Morgenröcke: *Kleidungsstück in der Art eines Mantels, das morgens während des Ankleidens und Frisierens, beim Frühstück usw. getragen wird.*

morgens ⟨Adverb⟩: *jeden Morgen:* er steht m. sehr früh auf; die Schule beginnt m. um acht Uhr.

morgig ⟨Adj.; nur attributiv⟩: *den Tag betreffend, der dem heutigen folgt:* er kann den morgigen Tag kaum erwarten.

Moritat, die; -, -en (geh.): *rührselig-schauerliche Geschichte [die von Bänkelsängern vorgetragen wird]:* er weiß von einer grausigen M. zu berichten.

Morpheus: ⟨in den Wendungen⟩ (geh.) **in M.' Armen ruhen/liegen** *(in ruhigem, beglückendem Schlaf liegen);* (geh.) **in M.' Arme sinken** *(in ruhigen, beglückenden Schlaf fallen):* nach der langen Wanderung dieses Tages sanken wir alsbald müde in M.' Arme.

Morphinist, der; -en, -en: *jmd., der in süchtiger Weise von Morphium abhängig ist:* der Arzt ließ den Morphinisten zur Entziehung in eine Anstalt überweisen.

Morphium, das; -s: *Medikament, das stark schmerzstillend und einschläfernd wirkt und häufig auch als Rauschgift verwendet wird:* der Arzt gab dem Kranken M.

1. 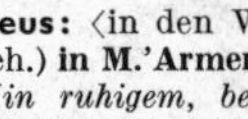

2. 

Mörser

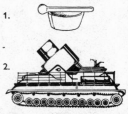

morsch ⟨Adj.; nicht adverbial⟩: *faul, brüchig* /vom Holz/: eine morsche Brücke; ein morsches Dach; morsche Balken.

morsen, morste, hat gemorst ⟨itr.⟩: *unter Verwendung von Morsezeichen telegraphieren.*

Mörser, der; -s, -: **1.** *Gefäß, in dem etwas mit einem Stößel [zu Pulver] zerkleinert wird* (siehe Bild S. 450): im M. Gewürze zerstoßen. **2.** *schweres Geschütz* (siehe Bild S. 450).

Mörtel, der; -s: *Masse, mit der Ziegel, Steine o. ä. zu einer festen Mauer verbunden werden können.*

Mosaik, das; -s, -en: *aus verschiedenfarbigem Glas oder Steinen zusammengestelltes Bild oder Ornament:* das M. stellt einen römischen Kaiser dar; bildl. (geh.): zahlreiche Einzelheiten zu einem M. zusammentragen.

Most, der; -es: *aus Obst gewonnener [noch nicht gegorener] Saft:* M. machen, trinken; der M. gärt.

mosten, mostete, hat gemostet ⟨itr.⟩: *Most herstellen.*

Mostrich, der; -s (bes. nordostd.): *Senf.*

Motel, das; -s, -s: *Hotel für Autofahrer mit Zimmern und dazugehörigen Garagen:* an wichtigen Straßen werden Motels gebaut.

Motiv, das; -s, -e: **1.** *Grund, warum man etwas tut; Anregung:* das M. des Mordes war Eifersucht; die Arbeiter streikten nicht aus sozialen, sondern aus politischen Motiven. **2.** *Gegenstand, Melodie, Handlung, die künstlerisch gestaltet wird:* diese Landschaft ist ein schönes M. für den Maler; der Komponist verwendete ein M. aus einem alten Volkslied.

motivieren, motivierte, hat motiviert ⟨tr.⟩: *begründen:* der Antrag war schlecht motiviert. **Motivierung,** die; -, -en.

Motor, der; -s, -en: *Maschine, die Kraft erzeugt und etwas in Bewegung setzen kann:* das Auto wird mit einem M. betrieben; den M. laufen lassen, abstellen; bildl.: er war der M. der Unternehmung *(er regte zu dieser Unternehmung immer wieder an).*

Motorboot, das; -[e]s, -e: *Boot, das durch einen Motor angetrieben wird:* mit einem M. über den See fahren.

motorisieren, motorisierte, hat motorisiert ⟨tr.⟩: **a)** *mit Kraftfahrzeugen ausstatten:* die Kirche hat sämtliche Pfarrer auf dem Lande motorisiert; ⟨häufig im 2. Partizip⟩ (ugs.) Müllers sind nun auch motorisiert *(haben ein eigenes Auto).* **b)** *mit einem Motor versehen:* er motorisierte sein Boot, um schneller den Fluß hinauffahren zu können; ⟨häufig im 2. Partizip⟩ motorisierte Fahrzeuge.

Motorrad, das; -[e]s, Motorräder: *Fahrzeug mit zwei Rädern, das durch einen Motor betrieben wird* (siehe Bild).

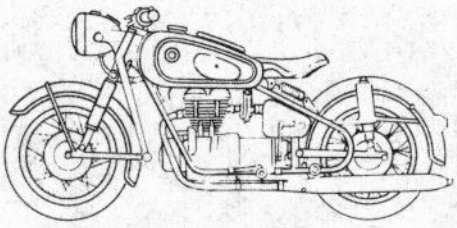

Motorrad

Motorradfahrer, der; -s, -: *jmd., der mit einem Motorrad fährt:* M. sind im heutigen Verkehr besonders gefährdet.

Motorroller, der; -s, -: /ein dem Motorrad ähnliches Fahrzeug/ (siehe Bild).

Motorroller

Motte, die; -, -n: *kleiner Schmetterling, dessen Raupen sich besonders in Pelzen, Kleidern o. ä. aufhalten* (siehe Bild): der Mantel ist von Motten zerfressen.

Motte

Motto, das; -s, -s: *Leitsatz, Leitgedanke:* die Veranstaltung findet unter einem bestimmten M. statt.

Möwe, die; -, -n: /ein Vogel/ (siehe Bild).

Möwe

Mücke, die; -, -n: *kleines Insekt, das stechen kann und oft in einem größeren Schwarm auftritt:* beim Baden wurden wir von Mücken geplagt. * **aus einer M. einen Elefanten machen** *(etwas maßlos übertreiben).*

mucken, muckte, hat gemuckt ⟨itr./rfl.⟩ (ugs.): *sich zu widersetzen suchen, leicht aufbegehren:* das Kind muckte [sich] kaum, als man es zur Strafe ins Bett legte.

mucksen, muckste, hat gemuckst: ⟨in der Wendung⟩ sich nicht m.: **a)** *sich nicht rühren, keinen Laut von sich geben:* er muckst sich nicht. **b)** *seinen Unwillen, seine Unzufriedenheit nicht äußern:* er wagte sich nicht zu m.

mucksmäuschenstill ⟨Adj.; nicht attributiv⟩ (ugs.): *ganz still:* die Kinder waren m., als ihnen die Tante ein Märchen erzählte; m. zuhören.

müde ⟨Adj.⟩: **1.** *nach Schlaf verlangend; schläfrig:* er ist m. und geht gleich zu Bett. **2.** *von Anstrengung erschöpft, matt, zu großer Leistung nicht mehr fähig:* er ist m. von der Arbeit. * **einer Sache m. sein** *(keine Lust mehr haben zu etwas; einer Sache überdrüssig sein):* ich bin es m., immer die gleiche Arbeit zu machen. **Müdigkeit,** die; -.

Muff

Muff, der; -s, -e: *vor dem Oberkörper getragenes Kleidungsstück aus Pelz o. ä., in welches die Hände zum Wärmen gesteckt werden können* (siehe Bild): es war so kalt, daß sie ihre Hände in den M. stecken mußte.

Muffel, der; -s, - (ugs.; abwertend): *[mürrischer] Mensch, mit dem nichts anzufangen ist:* sei doch kein M. und komm mit zur Party.

muffelig ⟨Adj.⟩ (ugs.; abwertend): *unfreundlich, wortkarg:* am Schalter saß ein ältliches, muffeliges Fräulein.

muffeln, muffelte, hat gemuffelt (ugs.): **1.** ⟨tr.⟩ (abwertend) *in mürrischem Ton [undeutlich] sagen:* der Alte muffelte etwas und entfernte sich. 2. ⟨itr.⟩: **a)** (abwertend) *mürrisch, verdrießlich, beleidigt sein:* sie sitzt in ihrem Zimmer und muffelt. **b)** *Bewegungen des Kauens machen:* mit zahnlosem Mund m. **c)** (östr.) *dumpf und schlecht riechen:* in seinem Zimmer muffelt es ziemlich stark.

muffig ⟨Adj.⟩: **1.** *dumpf, schlecht riechend:* im Keller riecht es m. **2.** (ugs.; abwertend): *wortkarg, unfreundlich, mürrisch:* er sitzt m. in der Ecke; das Kind macht ein muffiges Gesicht.

Mühe, die; -, -n: *Anstrengung, Beschwerde, die von einer Tätigkeit, Arbeit verursacht wird:* unter großen Mühen erreichte er den Gipfel des Berges; alle Mühen waren umsonst; keine M. scheuen (*mit allen Mitteln zu erreichen suchen*). * **mit Müh und Not: a)** *nach langem Bemühen:* wir fanden mit Müh und Not noch einen Platz. **b)** *nach Aufbietung der letzten Kraft, gerade noch:* er erreichte den Zug, das Ziel mit Müh und Not.

mühelos ⟨Adj.⟩: *ohne Mühe; wenig Anstrengung verursachend:* er erreichte m. den Gipfel des Berges.

mühen, sich; mühte sich, hat sich gemüht: *sich anstrengen, bemühen:* er muß sich bei dieser Arbeit sehr m.

mühevoll ⟨Adj.⟩: *große Mühe erfordernd, verursachend:* eine mühevolle Arbeit.

Mühle, die; -, -n: **1.** *Anlage zum Mahlen von Getreide.* * **das ist Wasser auf seine M.** (*das unterstützt seine Absichten, das kommt seiner Meinung entgegen*). **2.** *Maschine, mit der man Kaffee o. ä. mahlt.*

Mühsal, die; -, -e (geh.): *große Anstrengung, Mühe:* die M. des Alltags; es gibt kaum einen Ausweg aus dieser M. (*Not*).

mühsam ⟨Adj.⟩: *mit großer Mühe verbunden:* eine mühsame Aufgabe; der alte Mann kann nur m. gehen.

mühselig ⟨Adj.⟩: *mit Mühe, Plage verbunden [und viel Geduld erfordernd]:* es ist eine mühselige Arbeit, diese Zettel zu ordnen.

Mulatte, der; -n, -n: *Mischling zwischen Schwarzen und Weißen.*

Mulde, die; -, -n: *leichte Vertiefung des Bodens, Senke, flaches Tal* (siehe Bild): das Haus liegt in einer M.

Mulde

Mull, der; -s: *aus feinen Fäden bestehendes Gewebe aus Baumwolle:* Binden aus M.

Müll, der; -s: *[in bestimmten Behältern gesammelte] Abfälle, Unrat:* den M. wegschaffen.

Mülleimer, der; -s, -: *Eimer in der Küche, in dem der Müll gesammelt wird* (siehe Bild): etwas in den M. werfen; viel Brauchbares wandert in den M. (*wird weggeworfen*).

Mülleimer

Müller, der; -s, -: *jmd., der Getreide mahlt* /Berufsbezeichnung/: der Bauer bringt das Korn zum M.

Müllschlucker, der; -s, -: *in Häusern eingebaute Vorrichtung, durch die bereits von der Wohnung oder vom Flur aus der Müll durch einen Schacht an den dafür vorgesehenen Ort befördert werden kann:* für das neue Wohnhaus sind auch M. vorgesehen.

Mülltonne

Mülltonne, die; -, -n: *größerer Behälter in Form einer Tonne, in dem der Müll aus den Mülleimern gesammelt wird, bevor er abtransportiert wird* (siehe Bild): die Mülltonnen werden Freitag geleert, weil Donnerstag Himmelfahrt ist.

mulmig ⟨Adj.⟩ (ugs.): *unsicher, unbehaglich; gefährlich:* mir ist m. zumute; als es m. wurde, verließ er rechtzeitig das Lokal.

Multiplikation, die; -, -en: *Rechnung, bei der eine Zahl um eine Größe multipliziert wird:* eine einfache, schwierige M.; seine Multiplikationen sind alle richtig.

multiplizieren, multiplizierte, hat multipliziert ⟨tr.⟩: *um eine bestimmte Zahl vervielfachen:* zwei multipliziert mit drei gibt sechs.

Mumie, die; -, -n: *durch Behandlung mit besonderen Mitteln haltbar gemachte Leiche:* bei den Grabungen stieß man auf alte ägyptische Mumien.

Mumm: ⟨in der Wendung⟩ [keinen / nicht viel / nicht genug / zu wenig o. ä.] M. [in den Knochen] haben (ugs.): **a)** *[keine / nicht viel / nicht genug / zu wenig o. ä.] Kraft haben:* er kann das Gewicht nicht heben, weil er zu wenig M. [in den Knochen] hat. **b)** *[keine / nicht viel / nicht genug / zu wenig o. ä.] Tatkraft, Energie haben:* nimm dir ein Beispiel an ihm! Der hat M. [in den Knochen] und ist nicht so ein Schlappschwanz wie du!

Mumpitz, der; -es (ugs.): *Unsinn:* ich halte das für reinen M.

Mumps, der und die; -: *ansteckende, hauptsächlich bei Kindern auftretende Krankheit mit gutartigem Verlauf, bei der die Gegend zwischen Backen und Ohren leicht anschwillt:* das kleine Mädchen hat M.

Mund, der; -es, Münder: *Öffnung am Kopf des Menschen, die zum Sprechen, Essen und Atmen dient* (siehe Bild): ein großer, lachender M.; den M. schließen; er macht beim Sprechen den M. nicht auf. * (ugs.)

Mund

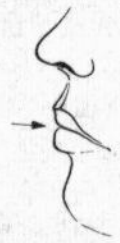

den M. halten (*still sein*); **jmdm. das Wort aus dem M. nehmen** (*dasselbe sagen, was ein anderer auch gerade sagen wollte*); **jmdm. das Wort im M. umdrehen** (*jmds. Worte absichtlich falsch auslegen*); **jmdm. nach dem M. reden** (*so reden, wie jmd. es hören will, ihm schmeicheln*); **etwas geht von M. zu M.** (*etwas wird durch Weitererzählen verbreitet*).

Mundart, die; -, -en: *besondere Form der Sprache einer Landschaft innerhalb eines Sprachgebietes im Gegensatz zur Hochsprache.*

mundartlich ⟨Adj.⟩: *die Mundart betreffend, zu ihr gehörig, aus ihr stammend:* die mundartlichen Besonderheiten eines Gebietes.

munden, mundete, hat gemundet ⟨itr.⟩ (geh.): *[gut] schmekken:* wie hat Ihnen das Essen gemundet?

münden, mündete, ist gemündet ⟨itr.⟩: *in etwas fließen:* der Neckar mündet in den Rhein; bildl.: die Straße mündet *(endet)* auf dem Marktplatz.

Mundhöhle, die; -, -n: *Inneres des Mundes.*

mündig ⟨Adj.⟩: *alt genug für bestimmte rechtliche Handlungen:* mit 21 Jahren wird man m.; das Mädchen wurde als m. erklärt.

mündlich ⟨Adj.⟩: *gesprochen; durch Sprechen, Erzählen; im Gespräch* /Ggs. schriftlich/: eine mündliche Prüfung, Verhandlung; die Nachricht wurde m. verbreitet; einen Termin m. vereinbaren.

Mundstück, das; -[e]s, -e: *Teil eines Instrumentes, Gerätes, Gegenstandes o. ä., das man in den Mund nimmt:* das M. einer Flöte, einer Zigarette.

mundtot: ⟨in der Verbindung⟩ jmdn. m. machen: *(jmdm.) jede Möglichkeit nehmen, mit seiner Meinung, seinen Äußerungen hervorzutreten:* Leute, die andere Meinungen vertraten, wurden m. gemacht.

Mündung, die; -, -en: **a)** *Stelle, an der ein Fluß in ein anderes Gewässer fließt:* bei der M. ist der Fluß am breitesten. **b)** *vordere Öffnung des Rohres bei einem Gewehr oder einer Kanone:* die Mündungen der Gewehre richteten sich auf ihn.

Mundwerk, das; -s, -e (ugs.): *schlagfertige und äußerst selbstbewußte Art zu reden:* mit seinem M. kommt er überall durch; sie hat ein böses M.

Munition, die; -, -en: *Material zum Schießen für Gewehre, Kanonen usw.:* die Soldaten werden mit M. versorgt.

munkeln, munkelte, hat gemunkelt ⟨itr.⟩: *im geheimen weitererzählen; als Gerücht, Vermutung verbreiten:* man munkelte schon lange davon, aber man konnte nichts Genaues erfahren.

Münster, das; -s, - (landsch.): *Dom:* in Ulm haben wir das M. besichtigt.

munter ⟨Adj.⟩: **a)** ⟨nur prädikativ⟩ *wach:* er war bereits um 6 Uhr m. **b)** *lebhaft, frisch, lebendig:* ein munteres Kind; das Mädchen singt ein munteres Lied. *** gesund und m. sein** *(bei bester Gesundheit, wohlauf sein):* mein Sohn, der krank war, ist wieder gesund und m. **Munterkeit,** die; -.

Münze, die; -, -n: *aus Metall hergestelltes Geld* (siehe Bild): in Münzen zahlen; Münzen prägen. *** etwas für bare M. nehmen** *(etwas für wahr halten, was eigentlich nicht wörtlich so gemeint ist).*

Münze

münzen, münzte, hat gemünzt: ⟨in der Fügung⟩ etwas ist auf jmdn. gemünzt: *jmd. ist mit etwas gemeint, etwas soll jmdn. treffen:* diese Bemerkung war auf dich gemünzt.

mürbe ⟨Adj.; nicht adverbial⟩: *leicht zerfallend; bröckelnd; weich:* mürbes Obst, Fleisch; ein mürber Kuchen. *** jmdn. m. machen** *(jmds. Widerstand allmählich brechen).*

Mürbeteig, (südd.; östr.:) Mürbteig, der; -[e]s: *Teig aus Butter, Zucker, Mehl und Eiern, aus dem mürbes Gebäck hergestellt wird:* Sie können den Strudel auch aus M. machen.

murksen, murkste, hat gemurkst ⟨itr.⟩ (ugs.; abwertend): *ungeschickt, nachlässig arbeiten:* hier wird nicht gemurkst, sondern ordentlich gearbeitet.

murmeln, murmelte, hat gemurmelt ⟨tr.⟩: *mit tiefer Stimme und wenig geöffnetem Mund leise und undeutlich vor sich hin sprechen:* er murmelte unverständliche Worte vor sich hin; „Ich gehe nach Hause", murmelte er.

Murmeltier, das; -[e]s, -e: /ein Tier/ (siehe Bild): mit dem Feldstecher die Murmeltiere beobachten; (ugs.) schlafen wie ein M. *(sehr tief schlafen).*

Murmeltier

murren, murrte, hat gemurrt ⟨itr.⟩: *seine Unzufriedenheit [vorsichtig, verhalten] äußern; im Begriffe sein, sich gegen etwas aufzulehnen:* er murrt immer gegen das Essen; gegen die Befehle eines Vorgesetzten m.; er ertrug alles ohne M.

mürrisch ⟨Adj.⟩: *unfreundlich, unwillig, verdrießlich:* er macht ein mürrisches Gesicht.

Mus, das; -es: *aus eingemachtem Obst o. ä. hergestellter Brei:* M. kochen.

Muschel, die; -, -n: **a)** *im Wasser lebendes Tier, das von einer harten Schale umgeben ist.* **b)** *Schale eines solchen Tieres* (siehe Bild).

b)

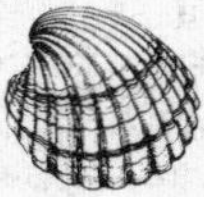

Muschel

Muse, die; -, -n: *eine der neun griechischen Göttinnen der Künste:* in dem Tempel sind alle neun Musen dargestellt. *** die leichte Muse** *(Kunst, bes. Musik, die der anspruchslosen Unterhaltung dient):* ein Komponist der leichten M.; (scherzh.) **jmdn. hat die M. geküßt** *(jmd. fühlt sich zum Dichten angeregt, beginnt zu dichten).*

Museum, das; -s, Museen: *Sammlung von [künstlerisch, historisch] wertvollen Gegenständen, die besichtigt werden kann:* wir gehen am Sonntag ins Museum; in unserem M. sind Bilder von Van Gogh ausgestellt.

Musical ['mju:zɪkəl], das; -s, -s: *moderne Form für das Theater geschaffener musikalischer Werke, die Elemente der Operette, der Revue, des Kabaretts aufweist:* die Musicals dieses amerikanischen Komponisten zeichnen sich durch mitreißende Melodien und viel Schwung aus.

Musik, die; -: *Kunst, bei der Töne so erzeugt und geordnet werden, daß damit etwas ausgedrückt werden kann:* M. hören; die M. zu einem Film schreiben; die M. des 20. Jahrhunderts.

musikalisch ⟨Adj.⟩: **a)** ⟨nicht prädikativ⟩ *zur Musik gehörend:* die größten Leistungen dieses Volkes liegen auf musikalischem Gebiet. **b)** ⟨nicht adverbial⟩ *für Musik begabt:* das Kind ist sehr m.

Musikant, der; -en, -en (ugs.): *Musiker [auf nicht sehr hohem musikalischem Niveau], der bei Hochzeiten, Umzügen o. ä. aufspielt oder durch Musizieren auf öffentlichen Straßen und Plätzen Geld verdient:* zum Schützenfest wurden Musikanten aus dem benachbarten Dorf erwartet.

Musikbox, die; -, -en: *Automat, der nach dem Einwurf von Münzen Schallplatten abspielt:* eine M. spielte laut in dem Lokal.

Musiker, der; -s, -: *jmd., der [in einem Orchester o. ä.] ein Musikinstrument spielt:* das Orchester besteht aus lauter hervorragenden Musikern.

Musikinstrument, das; -[e]s, -e: *Instrument, mit dem man Musik hervorbringen kann.*

Musikstück, das; -[e]s, -e: *musikalisches Kunstwerk.*

musisch ⟨Adj.⟩: **a)** *die Kunst betreffend:* die musische Erziehung in der Schule; das musische Gymnasium *(Gymnasium, in dem die Ausbildung in Musik, Zeichnen u. ä. besonders betont wird).* **b)** *für Kunst aufgeschlossen und begabt:* ein musischer Mensch; er ist m. veranlagt.

musizieren, musizierte, hat musiziert ⟨itr.⟩: *[als Hobby gemeinsam mit anderen] auf einem Musikinstrument spielen:* die Geschwister musizierten gemeinsam im Garten.

Muskat [östr.: Muskat], der; -s: *fein geriebene Muskatnuß:* die Suppe mit etwas M. würzen.

Muskatnuß [östr.: Muskatnuß], die; -, Muskatnüsse: *als Gewürz verwendete Frucht eines in den Tropen vorkommenden Baumes* (siehe Bild).

Muskatnuß

Muskel, der; -s, -n: *aus elastischen Fasern bestehendes Gewebe, das beim menschlichen und tierischen Körper die Bewegung ermöglicht:* der Sportler massiert seine Muskeln; er hat Muskeln *(er ist kräftig).*

Muskelkater, der; -s: *Schmerz in den Muskeln nach einer größeren körperlichen Anstrengung:* er hat vom gestrigen Marsch einen furchtbaren M.

Muskulatur, die; -, -en: *Gesamtheit der Muskeln:* durch diese Übungen wird die M. der Beine gestärkt; eine kräftige M. *(Bildung der Muskeln).*

muskulös ⟨Adj.; nicht adverbial⟩: *stark hervortretende, kräftige Muskeln habend:* der Läufer hat muskulöse Beine.

Muße, die; -: *Zeit und Ruhe, in der man seinen eigenen Interessen nachgehen kann:* im Urlaub hat er M., ein Buch zu lesen.

müssen, mußte, hat gemußt/ (nach vorangehendem Inf.) hat ... müssen ⟨itr.⟩: *verpflichtet sein (zu etwas); gezwungen sein (zu etwas):* er muß jeden Morgen um acht Uhr in der Schule sein; er muß die Arbeit ganz allein machen; ich muß zum Zug *(es ist nur noch kurze Zeit bis zur Abfahrt meines Zuges);* ich muß *(will)* meine Tante doch wieder einmal besuchen; er muß es vergessen haben *(er wird es wahrscheinlich vergessen haben),* sonst wäre er gekommen; er muß es heute nicht tun *(er braucht es heute nicht zu tun).*

müßig ⟨Adj.⟩: **a)** (geh.) *untätig, träg:* statt zu arbeiten, steht er m. herum. **b)** ⟨nicht adverbial⟩ *überflüssig, unnütz:* er führt müßige Reden; es ist m., darüber zu streiten.

Müßiggang, der; -[e]s (geh.; abwertend): *das Untätigsein; Faulheit:* zum M. verurteilt sein.

Müßiggänger, der; -s, - (geh.; abwertend): *jmd., der nicht arbeitet, sondern träge und untätig die Zeit verbringt:* für M. ist hier nicht der richtige Ort.

Muster, das; -s, -: **1)** *Zeichnung, Modell, das als Vorbild dient:* der Teppich wurde nach einem alten M. verfertigt; bildl.: der fleißige Schüler wurde als M. *(Vorbild)* für die Klasse hingestellt. **2.** *gleichmäßig aneinandergereihte Verzierung:* das M. der Tapete, des Kleides. **3.** *Probe, kleine Menge zur Ansicht, als Beispiel:* der Vertreter zeigte ein M. der neuen Ware.

Musterbeispiel, das; -s, -e: *typisches Beispiel:* dieses Gebäude ist ein M. moderner Architektur.

mustergültig ⟨Adj.⟩: *vorbildlich; so, daß es als Muster gelten kann:* der Betrieb ist m. organisiert; er hat sich m. benommen.

musterhaft ⟨Adj.⟩: *beispielhaft, vorbildlich, ausgezeichnet, vorzüglich:* ein musterhaftes Benehmen.

Musterknabe, der; -n, -n (iron.): *immer als vorbildlich geltender Schüler, Mensch [der sich seinen Lehrern oder Vorgesetzten ständig unterordnet]:* er war in seiner Klasse schon immer der M.

mustern, musterte, hat gemustert ⟨tr.⟩: **1.** *prüfend anschauen:* sie musterte ihn mit einem herausfordernden Blick. **2.** *untersuchen, ob der Betreffende für den Dienst beim Militär gesundheitlich geeignet ist:* er wurde gestern gemustert. **Musterung,** die; -, -en.

Musterschüler, der; -s, -: *Schüler, der immer nur die besten Noten bekommt:* er ist ein M.

Mut, der; -[e]s: *Bereitschaft, etwas zu unternehmen, auch wenn es schwierig oder gefährlich ist:* er hatte nicht den M., den Plan auszuführen. * **den M. verlieren/ sinken lassen** *(verzagen);* **jmdm. M. machen** *(jmdn. ermutigen);* **guten Mutes sein** *(zuversichtlich sein).*

Mütchen: ⟨in der Wendung⟩ sein M. an jmdm. kühlen (ugs.): *jmdn. den eigenen Ärger oder Zorn fühlen lassen:* er braucht immer jemanden, an dem er sein M. kühlen kann.

mutieren, mutierte, hat mutiert ⟨itr.⟩: **a)** *von einer höheren zu einer tieferen männlichen Stimme überwechseln* /bei Knaben/: er hat schon mutiert. **b)** Biol. *sich plötzlich verändern* /in bezug auf die durch Vererbung übernommene Substanz/: innerhalb kurzer Zeit mutierte die Färbung.

mutig ⟨Adj.⟩: *Mut habend:* durch seine mutige Tat konnte das Kind gerettet werden; er verteidigt m. seine Ansicht.

mutlos ⟨Adj.⟩: *verzagt; ohne Mut, Zuversicht:* ich war schon ganz m., weil mir einfach nichts gelang. **Mutlosigkeit,** die; -.

mutmaßen, mutmaßte, hat gemutmaßt ⟨itr.⟩: *auf Grund bestimmter Anzeichen vermuten:* die Polizei mutmaßte, der Täter halte sich noch im Ort auf.

mutmaßlich ⟨Adj.; nicht prädikativ⟩: *vermutlich:* der mutmaßliche Täter wurde von der Polizei verhaftet.

Mutter, die: **I.** -, Mütter: *Frau, die ein Kind geboren hat* (siehe Bild): die M. pflegt ihr Kind; Vater und M. **II.** -, -n: /Teil einer Schraube/ (siehe Bild).

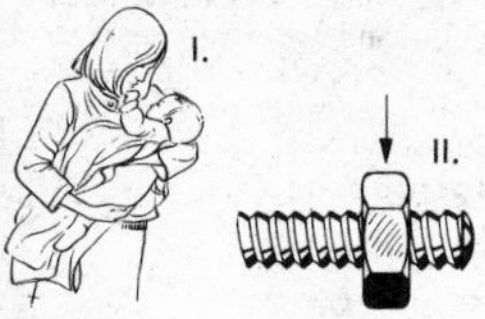

Mutter

mütterlich ⟨Adj.⟩: *liebevoll und besorgt:* die Lehrerin behandelt die Kinder sehr m. **Mütterlichkeit,** die; -.

Muttermal, das; -[e]s, -e: *angeborener Fleck auf der Haut:* er hat auf dem Rücken ein M.

Mutterschiff, das; -[e]s, -e: *größeres Schiff, das eine Reihe kleinerer Schiffe begleitet* /bes. bei Kriegsschiffen und in der Fischerei/: vom M. Treibstoff übernehmen.

mutterseelenallein ⟨Adj.; nicht attributiv⟩: *sehr allein, ganz verlassen:* das Kind irrte m. im Wald umher.

Muttersöhnchen, das; -s, -: *äußerst weicher und verzärtelter Knabe oder junger Mann mit übermäßig starker Bindung an die Mutter:* die Kinder lachten das schwächliche M. aus.

Muttersprache, die; -, -n: *Sprache, die man als Kind gelernt und gesprochen hat*/Ggs. Fremdsprache/: er spricht jetzt Englisch, aber seine M. ist Deutsch.

Mutterstelle: ⟨in der Wendung⟩ bei jmdm. M. vertreten: *bei jmdm. die Mutter ersetzen:* nach dem Tod der Mutter hat Frau Müller bei ihr M. vertreten.

Mutterwitz, der; -es: *angeborene Fähigkeit, in äußerst unkomplizierter Weise etwas Geistreiches, Witziges zu sagen:* er ist bekannt wegen seines Mutterwitzes.

mutwillig ⟨Adj.⟩: *absichtlich; vorsätzlich; sich voll bewußt seiend, daß man etwas Schlechtes tut:* er hat das Auto m. beschädigt.

Mütze, die; -, -n: *Kopfbedeckung, die ganz am Kopf anliegt* (siehe Bild): eine M. aufsetzen.

Mütze

Myriaden, die ⟨Plural⟩ (geh.): *riesige Mengen:* M. von Mücken.

Myrte, die; -, -n: **a)** /ein bes. am Mittelmeer vorkommender Baum oder Strauch/. **b)** *Zweige und Blüten des gleichnamigen Baumes, die als Brautschmuck gebraucht werden:* die Braut trug einen Kranz aus Myrten.

mysteriös ⟨Adj.⟩: *geheimnisvoll; in seinen Zusammenhängen nicht genau erkennbar:* die Regierung trat unter mysteriösen Umständen zurück.

Mysterium, das; -s, Mysterien: **1. a)** Rel. *großes göttliches Geheimnis, wunderbares göttliches Geschehen:* das M. der Umwandlung von Brot und Wein. **b)** (geh.) *Geheimnis:* wie er diese Stelle bekommen hat, ist für uns alle ein M. **2.** ⟨Plural⟩ *geheimer Kult:* die Mysterien des Dionysos fanden in ganz bestimmter Form statt.

Mystik, die; -: *Form der Religiosität, bei der der Mensch durch Hingabe und Versenkung zu persönlicher Vereinigung mit Gott zu gelangen sucht:* das Werk entspringt dem Geist der M.

mystisch ⟨Adj.⟩: **a)** *die Mystik betreffend, ihrem Geiste entsprechend:* die mystische Abkehr vom Leben. **b)** *geheimnisvoll, dunkel; ein leichtes Schaudern hervorrufend:* das mystische Dunkel der alten Gewölbe.

Mystizismus, der; -, Mystizismen: *in übertrieben schwärmerische Form ausartende Religiosität, bei der der Glaube an Wunder vorherrscht.*

mythisch ⟨Adj.⟩: *zum Mythos gehörig, aus ihm stammend; zu einem Mythos geworden:* mythische Gestalten.

Mythologie, die; -, -n: **a)** *Gesamtheit der von einem Volk überlieferten Märchen und Sagen:* eine Gestalt aus der griechischen M. **b)** *Lehre von den Göttern und den mythischen Überlieferungen eines Volkes:* in der germanischen M. gut bewandert sein.

Mythos, der; -, Mythen: **1.** *Gesamtheit der Gestalten und Begebenheiten aus Sage und Märchen, denen ein geheimnisvoller, tief im Volk verankerter Zauber anhaftet:* die Helden der germanischen Zeit sind zum Großteil in den M. eingegangen. **2.** *geheimnisvoller, ans Legendäre grenzender Glanz, der in einer tiefen Verehrung des Volkes begründet liegt:* seiner Gestalt haftet ein seltsamer M. an. **3.** *legendär gewordene Gestalt, Begebenheit, der ein Volk große Verehrung, Ehrfurcht entgegenbringt:* der verbannte Politiker, das Ereignis wurde zum M. der Deutschen.

N

Nabel, der; -s, -: *rundliche Vertiefung in der Mitte des Bauches am menschlichen Körper.*

nach ⟨Präp. mit Dativ⟩: **1.** ⟨lokal⟩ *in eine bestimmte Richtung:* n. Süden, Berlin fahren; n. Hause gehen; n. oben, links, vorn sehen. **2.** ⟨temporal⟩ *zeitlich danach, später:* n. dem Essen; n. langer Zeit; er kommt n. mir an die Reihe. **3.** *entsprechend, gemäß; in bestimmter Weise:* meiner Meinung n.; n. Belieben arbeiten; seiner Ausbildung n. müßte er mehr können; n. einer Vorlage malen. ** **n. und n.** *(allmählich);* **n. wie vor** *(weiterhin).*

nachäffen, äffte nach, hat nachgeäfft ⟨tr.⟩ (abwertend):

Handlungen, Verhalten, Gewohnheiten einer Person in scherzhafter oder boshafter Absicht möglichst getreu nachmachen: die Schüler äfften den Lehrer nach.

na̲chahmen, ahmte nach, hat nachgeahmt ⟨tr.⟩: *(etwas) genauso tun wie ein anderer:* er ahmte seine Bewegungen sehr gut nach. **Na̲chahmung,** die; -, -en.

na̲charbeiten, arbeitete nach, hat nachgearbeitet ⟨tr./itr.⟩: *versäumte Arbeit[szeit] später nachholen:* wir wollen [den Tag] n.

Nạchbar, der; -n und -s, -n: *jmd., der unmittelbar neben jmdm. wohnt oder sitzt:* wir sind Nachbarn geworden; ein ruhiger N.; gute Nachbarn sein.

nạchbarlich ⟨Adj.⟩: **a)** ⟨nur attributiv⟩ *dem Nachbarn gehörend:* der nachbarliche Garten. **b)** ⟨nicht prädikativ⟩ *unter Nachbarn üblich, zwischen Nachbarn stattfindend:* der nachbarliche Verkehr.

Nạchbarschaft, die; -: **a)** *unmittelbare räumliche Nähe zu jmdm.:* in der N. wohnen; in jmds. N. ziehen. **b)** *Verhältnis zwischen Personen, die nahe beieinander wohnen:* gute N. halten. **c)** *Gesamtheit der Nachbarn:* die ganze N. spricht davon.

na̲chbeten, betete nach, hat nachgebetet ⟨tr.⟩ (ugs.): *(eine Ansicht) ohne Vorbehalt übernehmen und genau wiederholen, wiedergeben:* du mußt nicht alles, was er sagt, n.

na̲chbilden, bildete nach, hat nachgebildet ⟨tr.⟩: *so wiedergeben, daß das Ergebnis dem Original weitgehend entspricht; (etwas) reproduzieren:* eine Plastik n. **Na̲chbildung,** die; -, -en.

na̲chblicken, blickte nach, hat nachgeblickt ⟨itr.⟩: *zusehen, wie sich jmd./etwas entfernt:* sie blickte ihm sinnend nach.

na̲chbohren, bohrte nach, hat nachgebohrt ⟨itr.⟩ (ugs.): *hartnäckig versuchen, noch mehr aus jmdm. herauszubekommen; nicht lockerlassen:* die Antwort des Schülers war ihm zu vage, deshalb bohrte er weiter nach.

nachde̲m ⟨Konj.⟩: **1.** ⟨temporal⟩ *als:* n. er seine Partner begrüßt hatte, kam er sehr schnell zu dem eigentlichen Thema. **2.** ⟨kausal mit gleichzeitig temporalem Sinn⟩ (veralt.; landsch.) *da, weil:* n. sich die Arbeiten verzögerten, war an eine pünktliche Eröffnung nicht mehr zu denken. **** je n.** *(abhängig davon, wie ...; dem angemessen):* je n. [wie] die Beschlüsse der Regierung ausfallen, wird die Opposition die Politik der Regierung unterstützen oder bekämpfen.

na̲chdenken, dachte nach, hat nachgedacht ⟨itr.⟩: *intensiv denken; gründlich überlegen:* denk einmal darüber nach!; er hat über dieses Ereignis lange nachgedacht.

na̲chdenklich ⟨Adj.⟩: *mit etwas gedanklich beschäftigt, in Gedanken versunken seiend:* er machte ein nachdenkliches Gesicht; er blickte n. auf seine Hände; das stimmte ihn n. *(das veranlaßte ihn, darüber nachzudenken).* **Na̲chdenklichkeit,** die; -.

na̲chdrängen, drängte nach, ist nachgedrängt ⟨itr.⟩: *andere nach vorn drängen und selbst ihren Platz einnehmen wollen:* obwohl der Raum bereits überfüllt war, drängten immer neue Besucher nach.

Na̲chdruck: I. der; -s: **a)** *besondere Betonung, Eindringlichkeit, mit der etwas gesagt wird:* er sagte dies mit N. **b)** *Gewicht, Bedeutung:* einer Sache N. verleihen. **II.** der; -[e]s, Nachdrucke: *unveränderter Abdruck (eines Buches, Bildes o. ä.):* N. verboten.

na̲chdrücklich ⟨Adj.⟩: *eindringlich, mit Nachdruck:* auf etwas n. hinweisen. **Na̲chdrücklichkeit,** die; -.

na̲cheifern, eiferte nach, hat nachgeeifert ⟨itr.⟩: *eifrig bemüht sein, etwas ebenso gut zu tun wie ein anderer:* er eiferte diesem Künstler nach.

nacheinạnder ⟨Adverb⟩: *einer/eines nach dem anderen; in kurzen Abständen:* die Wagen starten n.

na̲chempfinden, empfand nach, hat nachempfunden ⟨tr.⟩: *sich so in einen anderen Menschen hineinversetzen, daß man das gleiche empfindet wie er:* ich habe seinen Schmerz nachempfunden.

Nạchen, der; -s, - (geh.): *kleines Boot.*

na̲cherzählen, erzählte nach, hat nacherzählt ⟨tr.⟩: *mit eigenen Worten wiederholen, erzählen:* eine Geschichte, den Inhalt eines Films n. **Na̲cherzählung,** die; -, -en.

Na̲chfolge, die; -: *Übernahme einer Tätigkeit, eines [größeren] Amtes von einem Vorgänger:* es ist eine schwierige Aufgabe, die N. des berühmten Dirigenten anzutreten.

na̲chfolgen, folgte nach, ist nachgefolgt ⟨itr.⟩ (geh.): **a)** *hinter jmdm./etwas gehen, laufen, fahren:* das Brautpaar ging voran, die Gäste folgten nach; bildl.: sie ist ihrem Gatten bald nachgefolgt *(bald nach ihm gestorben).* **b)** *(nach einer bestimmten Person, einem bestimmten Ereignis) kommen; (auf jmdn./etwas) folgen:* er ist der Älteste, zwei Brüder sind ihm noch nachgefolgt; als sein Direktor pensioniert wurde, folgte er ihm nach *(übernahm er sein Amt).* **c)** *als einem Vorbild folgen:* jmdm. demütig, begeistert n.

Na̲chfolger, der; -s, -: *jmd., der jmds. Arbeit, Aufgabe, Amt übernimmt:* jmdn. zum N. ernennen, berufen.

na̲chforschen, forschte nach, hat nachgeforscht ⟨itr.⟩: *sich genaue Kenntnisse, Informationen von etwas verschaffen:* er forschte nach, wie sich der Vorgang ereignet hatte. **Na̲chforschung,** die; -, -en.

Na̲chfrage, die; -: *das Verlangen der Käufer nach bestimmten Waren:* es herrschte eine starke N. nach frischen Kartoffeln. **** danke für die N.!** *(danke, daß Sie sich [nach meinem Befinden] erkundigen).*

na̲chfragen, fragte nach, hat nachgefragt ⟨itr.⟩: *sich erkundigen:* fragen Sie doch bitte morgen noch einmal nach!

na̲chfühlen, fühlte nach, hat nachgefühlt ⟨itr.⟩: *nachempfinden:* wir konnten seine Bewegung, seinen Schmerz n.

na̲chgeben, gibt nach, gab nach, hat nachgegeben ⟨itr.⟩: **1.** *dem Willen oder den Forderungen eines anderen nach anfänglichem Widerstand entsprechen, schließlich doch zustimmen, sich überreden lassen:* nach langer Diskussion gab er endlich nach. **2.** *einem Druck nicht stand-*

halten: der Boden, die Wand gibt nach; bildl.: die Kurse der fremden Währungen haben nachgegeben *(sind leicht gefallen).*

Nachgebühr, die; -, -en: *von der Post nachträglich erhobene Gebühr für Sendungen, die nicht ausreichend frankiert sind:* N. entrichten müssen.

nachgehen, ging nach, ist nachgegangen ⟨itr.⟩: **1. a)** *(hinter jmdm./etwas) hergehen, folgen:* er ist dem Mädchen nachgegangen; einer Spur, den Klängen der Musik n.; bildl.: einem Problem n. *(es erforschen, seine Einzelheiten feststellen).* **b)** *(eine [berufliche] Tätigkeit regelmäßig ausüben:* seinem Beruf, einem Gewerbe n. **2.** *(jmdn.) noch lange innerlich beschäftigen:* dieses Erlebnis ging ihm noch lange nach. **3.** *hinter der wirklichen Zeit zurückbleiben* /von Uhren/: die Uhr geht fünf Minuten nach.

Nachgeschmack, der; -[e]s: *Geschmack, den man im Mund behält, nachdem man etwas gegessen oder getrunken hat:* ein bitterer, schlechter N.; bildl.: das Fest hinterließ einen schalen N.

nachgiebig ⟨Adj.⟩: *so weich veranlagt, daß man dazu neigt, sich dem Willen anderer anzupassen; leicht umzustimmen:* ein nachgiebiger Mensch; du bist ihm gegenüber viel zu n.

nachgrübeln, grübelte nach, hat nachgegrübelt ⟨itr.⟩: *über ein Problem dauernd nachdenken; in ermüdender gedanklicher Arbeit eine bestimmte Lösung suchen:* Tag und Nacht grübelte er über die mathematische Aufgabe nach.

nachhaltig ⟨Adj.⟩: *für längere Zeit, anhaltend:* jmdn. n. beeinflussen.

nachhängen, hängt nach, hing nach, hat nachgehangen ⟨itr.⟩: **a)** *in Gedanken längere Zeit (bei etwas) verweilen:* sie hing seinen Worten nach. **b)** *wehmütig (an etwas Schönes) denken, was man verloren hat, was vergangen ist:* wenn sie allein war, hing sie gerne ihrer Kindheit nach.

nachhelfen, hilft nach, half nach, hat nachgeholfen ⟨itr.⟩: *Hilfe, Unterstützung gewähren [bei bestimmten Aufgaben]:* dem Schüler in Englisch n.; bei ihm geht es sehr langsam, da muß man etwas n. *(man muß ihn antreiben).*

nachher [auch: nachher] ⟨Adverb⟩: **a)** *etwas später, in näherer, nicht genau bestimmter Zukunft:* n. gehen wir einkaufen. **b)** *unmittelbar nach einem Geschehen, das in der Vergangenheit, Gegenwart oder Zukunft liegt:* vorher hatte er keine Zeit und n. kein Geld, den Mantel zu kaufen.

Nachhilfestunde, die; -, -n: *privater [gegen Entgelt erteilter] Unterricht, in dem jmd. einem Schüler den in der Schule behandelten Stoff noch einmal erklärt oder ihn auf den kommenden vorbereitet, um dadurch seine schulischen Leistungen zu verbessern:* Nachhilfestunden geben; in Latein Nachhilfestunden haben.

nachholen, holte nach, hat nachgeholt ⟨tr.⟩: *(Versäumtes oder bewußt Ausgelassenes) später erledigen:* er hat alles in kurzer Zeit nachgeholt.

nachjagen, jagte nach, ist nachgejagt ⟨itr.⟩: *sehr schnell folgen in der Absicht, jmdn./etwas einzuholen:* die Hunde jagen dem Wild nach; bildl.: dem Geld, dem Glück n.

Nachkomme, der; -n, -n: *Lebewesen, das in gerader Linie von einem anderen Lebewesen abstammt:* ohne Nachkommen sterben.

nachkommen, kam nach, ist nachgekommen ⟨itr.⟩: **1.** *später kommen:* ich werde in einer halben Stunde n. **2.** *Schritt halten können:* beim Diktieren mit dem Schreiben nicht n. **3.** *(etwas, was ein anderer von einem wünscht oder verlangt) erfüllen oder vollziehen:* einem Wunsch, einer Aufforderung n.

Nachkömmling, der; -s, -e: **1.** *Kind, das viele Jahre jünger ist als seine Geschwister.* **2.** (scherzh.) *jmd., der zu spät kommt:* die Nachkömmlinge drängten sich durch die Reihen bis zu ihren Plätzen.

Nachlaß, der; Nachlasses, Nachlasse und Nachlässe: **1.** *alles, was ein Verstorbener an Gütern und Verpflichtungen hinterläßt:* den N. verwalten. **2.** *Ermäßigung des Preises:* er wird mir beim Kauf dieses Autos fünf Prozent N. gewähren.

nachlassen, läßt nach, ließ nach, hat nachgelassen: **1.** ⟨itr.⟩ *an Kraft, Stärke, Wirkung verlieren:* die Spannung, der Widerstand, der Regen läßt nach. **2.** ⟨tr.⟩ *vermindern, [teilweise] erlassen:* Preise, Schulden, Strafen n.

nachlässig ⟨Adj.⟩: **1.** *unordentlich, oberflächlich, nicht gründlich:* das ist eine nachlässige Arbeit; er ist ein nachlässiger Schüler. **2.** *unachtsam, sorglos:* du gehst mit deinen Sachen sehr n. um. **Nachlässigkeit,** die; -, -en.

nachlaufen, läuft nach, lief nach, ist nachgelaufen ⟨itr.⟩: *eilig folgen, hinterherlaufen:* jmdm. n.; bildl. (ugs.): ich will ihm nicht n. *(mich ihm nicht aufdrängen).*

nachlesen, liest nach, las nach, hat nachgelesen ⟨tr.⟩: *(eine bestimmte Stelle) noch einmal lesen oder etwas, was man gehört hat, durch Lesen überprüfen:* ich muß das noch einmal n., bevor ich dir genaue Auskünfte geben kann.

nachlösen, löste nach, hat nachgelöst ⟨itr.⟩: *für eine bereits abgefahrene Strecke den Fahrpreis bezahlen* /bei der Eisenbahn/: er mußte n.

nachmachen, machte nach, hat nachgemacht ⟨tr.⟩ (ugs.): *nachahmen; nachäffen:* er konnte die Stimme und die Bewegungen bekannter Politiker n.

nachmittag ⟨Adverb; in Verbindung mit der Angabe eines bestimmten Tages⟩: *am Nachmittag:* heute n. bin ich nicht zu Hause.

Nachmittag, der; -s, -e: *Zeit vom Mittag bis zum Beginn des Abends:* den N. im Schwimmbad verbringen.

nachmittags ⟨Adverb⟩: *am Nachmittag; jeden Nachmittag:* wir sind n. zu Hause.

Nachnahme, die; -, -n: *das Einziehen des vom Absender angegebenen Betrages bei der Zustellung der Sendung* /bei Post und Bahn/: eine Ware per N. senden.

Nachname, der; -ns, -n: *Familienname.*

nachplappern, plapperte nach, hat nachgeplappert ⟨tr.⟩ (ugs.): *etwas, was ein anderer gesagt hat, [auf kindliche Weise] nachreden, ohne es inhaltlich erfaßt zu haben:* er plappert mir immer alles n.

nachprüfen, prüfte nach, hat nachgeprüft ⟨tr.⟩: *nochmals prüfen, kontrollieren:* ich mußte alle Rechnungen noch einmal n.

Nachrede, die; -, -n: *Behauptung, die den, auf den sie sich bezieht, in den Augen anderer herabsetzt, verächtlich macht:* üble Nachreden über jmdn. verbreiten.

nachreden, redete nach, hat nachgeredet ⟨tr.⟩: *(Nachreden über jmdn.) verbreiten:* er hat mich verleumdet und mir schlechte Dinge nachgeredet.

Nachricht, die; -, -en: **1.** *Mitteilung von Ereignissen oder Zuständen:* eine schlechte, amtliche, politische N.; keine N. erhalten; eine N. überbringen, mitbringen. **2.** ⟨Plural⟩ *Sendung im Rundfunk oder Fernsehen, in der die Ereignisse des Tages mitgeteilt werden:* die Nachrichten hören.

nachrücken, rückte nach, ist nachgerückt ⟨itr.⟩: *(jmdm.) folgen, indem man den von ihm verlassenen Platz einnimmt:* sie rückten der kämpfenden Truppe nach; für den versetzten Beamten rückte ein anderer nach.

Nachruf, der; -s, -e: *Rede oder Schriftstück, in der die Verdienste eines Verstorbenen gewürdigt werden:* einen N. in die Zeitung setzen.

nachsagen, sagte nach, hat nachgesagt ⟨tr.⟩: **1.** *(etwas, was jmd. gesagt hat) wiederholen:* die Kinder sagten nach, was man ihnen vorgesprochen hatte. **2.** *(Nachreden über jmdn.) verbreiten:* sie konnten ihm keine niederträchtigen Dinge n.

nachschauen, schaute nach, hat nachgeschaut: **1.** ⟨itr.⟩ *mit Blicken folgen:* sie blieb stehen und schaute den Kindern lange nach. **2.** ⟨tr./itr.⟩ *sich in einem Lexikon oder [Wörter]buch (über etwas) Auskunft holen:* ein Wort n.; ich muß n., wie die genaue Formulierung lautet.

nachschicken, schickte nach, hat nachgeschickt ⟨tr.⟩: *nachsenden:* er hat ihm den Schlüssel, den er vergessen hatte, nachgeschickt.

Nachschlag, der; -[e]s, Nachschläge (ugs.): *zusätzliche Portion, die in einer Kantine o. ä. demjenigen gegeben wird, der von der eigentlichen Mahlzeit nicht satt geworden ist:* einen N. erhalten.

nachschlagen, schlägt nach, schlug nach, hat nachgeschlagen: **1.** ⟨tr./itr.⟩ *sich in einem Lexikon oder [Wörter]buch Auskunft holen (über etwas/jmdn.):* ein Zitat, ein Wort n.; in einem Buch n. **2.** ⟨itr.⟩ *im Wesen einer älteren, verwandten Person ähnlich sein, werden:* der Sohn schlägt dem Vater nach.

Nachschlagewerk, das; -[e]s, -e: *alphabetisch geordnetes Werk, in dem man sachliche oder sprachliche Auskünfte aller Art findet:* sich ein großes N. anschaffen.

Nachschlüssel, der; -s, -: *[in unredlicher Absicht angefertigter] dem ersten nachgearbeiteter zweiter Schlüssel:* jmdn. mit Nachschlüsseln aus dem Gefängnis befreien.

nachschreiben, schrieb nach, hat nachgeschrieben ⟨tr.⟩: **1.** *nach einem Muster schreiben:* die Kinder übten sich darin, die Buchstaben nachzuschreiben. **2.** *(etwas Gehörtes) aufschreiben:* sie schrieb alle Vorlesungen nach.

Nachschrift, die; -, -en: **1.** *nachträglich angefertigtes Schriftstück (von etwas):* die N. der Rede. **2.** *Zusatz (am Schluß eines Briefes):* er fügte seinem Brief eine N. bei.

Nachschub, der; -[e]s: **a)** *laufende Versorgung der Truppen [im Kriege] mit Verpflegung und Material:* der N. ist gestört. **b)** *Verpflegung, Material, mit dem die Truppen versorgt werden:* der N. ist ausgeblieben.

nachsehen, sieht nach, sah nach, hat nachgesehen: **1.** ⟨itr.⟩ *hinter jmdm./etwas hersehen:* er sah dem Zug, Auto nach. **2.** ⟨itr.⟩ *prüfen, sich überzeugen, ob etwas im gewünschten Zustand ist oder in gewünschter Weise geschehen ist:* ich muß n., ob das Fenster geschlossen ist. **3.** ⟨tr./itr.⟩ *sich in einem Lexikon oder [Wörter]buch (über etwas) Auskunft holen:* ich muß n., wie das Gedicht genau lautet. **4.** ⟨tr.⟩ *kontrollieren, prüfen:* Rechnungen auf Fehler, die Schularbeiten n. **5.** ⟨tr.⟩ *verzeihen; nachsichtig sein:* er sah seinem Sohn vieles nach.

nachsenden, sandte/sendete nach, hat nachgesandt/nachgesendet ⟨tr.⟩: *(jmdm., dessen Adresse sich [vorübergehend] geändert hat) etwas an seine neue Adresse senden:* die Post in den Urlaub n.

Nachsicht, die; -: *verzeihendes Verständnis für die Schwächen eines anderen, Geduld:* er bat ihn um N.

nachsichtig ⟨Adj.⟩: *Nachsicht übend, zeigend:* eine nachsichtige Behandlung; nachsichtige Eltern.

nachsitzen, saß nach, hat nachgesessen ⟨itr.⟩: *als Strafe für schlechtes Verhalten länger in der Schule bleiben müssen:* da er seine Schularbeiten wieder nicht gemacht hatte, mußte er n.

Nachspeise, die; -, -n (geh.): *Nachtisch.*

Nachspiel, das; -s, -e: *Folge, Nachwirkung einer Handlung:* die Sache wird noch ein gerichtliches N. haben.

nachspüren, spürte nach, hat nachgespürt ⟨itr.⟩: *(eine Spur) vorsichtig, aber aufmerksam verfolgen:* sie spürten der Fährte nach; bildl.: einem Geheimnis, einem Verbrechen n. *(ein Geheimnis, ein Verbrechen aufdecken wollen).*

nächste ⟨Adj.; nur attributiv⟩: **1.** *räumlich folgend, unmittelbar in der Nähe befindlich:* jmdn. an der nächsten *(nächst gelegenen)* Ecke erwarten; etwas aus nächster *(unmittelbarer)* Nähe betrachten; nur die nächsten Verwandten einladen. **2.** *zeitlich unmittelbar folgend:* wir machen im nächsten Monat Urlaub; der nächste [Patient], bitte! ****der/die/das n. beste** *(der/die/das erste sich [An]bietende):* wir kaufen im nächsten besten Laden etwas zu essen ein.

nachstehen, stand nach, hat nachgestanden ⟨itr.⟩/vgl. nachstehend/: **a)** *zurückstehen (hinter jmdm.), zurückgesetzt sein:* sie stand ihrer hübschen Schwester immer n. **b)** *unterlegen sein:* jmdm. an Intelligenz, Fähigkeiten [nicht] n.

nachstehend ⟨Adj.; nur attributiv⟩: *folgend, an späterer Stelle stehend:* die nachstehenden Bemerkungen.

nachstellen, stellte nach, hat nachgestellt: **1.** ⟨itr.⟩ *verfolgen:* dem Wild, einem Tier n.; bildl.: einem Mädchen n. *(es aufdring-*

lich umwerben). **2.** ⟨tr.⟩ *neu einstellen:* die Bremsen eines Autos n.

Nächstenliebe, die; -: *Rücksicht anderen Menschen gegenüber, verbunden mit der Bereitschaft, anderen Menschen zu helfen:* etwas aus reiner N. tun. *** etwas mit dem Mantel der christlichen N. bedecken/zudekken** *(etwas aus Mitgefühl, Nachsicht nicht erwähnen).*

nächstens ⟨Adverb⟩: *in nächster Zeit, in naher Zukunft.*

nachsuchen, suchte nach, hat nachgesucht ⟨itr.⟩: **1.** *intensiv suchen:* ich habe überall nachgesucht, aber die Zeitungen nicht gefunden. **2.** *höflich (um etwas) bitten, (etwas) in aller Form beantragen:* der Minister hat bereits um seine Entlassung nachgesucht.

nacht ⟨Adverb; in Verbindung mit der Angabe eines bestimmten Tages⟩: *in der Nacht:* heute n. hat es bei uns geklingelt.

Nacht, die; -, Nächte: *Zeit der Dunkelheit zwischen Abend und Morgen:* eine kalte, angenehme N. *** die N. zum Tage machen** *(nachts arbeiten und am Tage schlafen).*

Nachtdienst, der; -es, -e: *berufliche Bereitschaft oder Tätigkeit während der Nacht* /besonders von Ärzten, Apothekern, Krankenschwestern/: müde vom N. nach Hause kommen.

Nachteil, der; -s, -e: **1.** *ungünstiger Umstand, Mangel:* es ist ein N., daß wir kein Auto haben. *** im N. sein** *(in einer schlechteren Lage sein):* beim Sport war er [mir gegenüber] wegen seiner schlechten Augen im N. **2.** ⟨Plural⟩ *Schaden, Verlust:* dieser Vertrag brachte ihm nur Nachteile.

nachteilig ⟨Adj.⟩: *Nachteile bringend, ungünstig, schädlich:* nachteilige Folgen; etwas wirkt sich n. aus.

Nachtessen, das; -s, - (bes. schweiz.): *Abendessen.*

Nachthemd, das; -[e]s, -en: *einem Hemd ähnliches Kleidungsstück, das man im Bett trägt:* ein weißes N.

Nachtigall, die; -, -en: /ein Vogel/ (siehe Bild): sie hörten die N. singen. * (ugs.; scherzh.) **N., ich hör' dir/dich laufen/trapsen/trampeln** *(aha; ich merke schon, worauf das hinauswill).*

Nachtigall

nächtigen, nächtigte, hat genächtigt ⟨itr.⟩ (bes. östr.): *übernachten:* er hat bei uns genächtigt. **Nächtigung,** die; -, -en.

Nachtisch, der; -s, -e: *nach dem eigentlichen Essen gereichte [süße] Speise [aus Obst oder Eis bestehend]; Dessert.*

Nachtleben, das; -s: *nächtlicher Betrieb in Bars, Kabaretts, Spielbanken o. ä. (einer großen Stadt):* das N. von Hamburg.

nächtlich ⟨Adj.; nur attributiv⟩: *in oder während der Nacht:* er traf seinen Freund auf einem nächtlichen Spaziergang.

Nachtlokal, das; -s, -e: *Restaurant mit Musik und unterhaltendem Programm, das die Nacht hindurch geöffnet ist.*

Nachtmahl, das; -[e]s, -e und Nachtmähler (östr.): *Abendessen.*

nachtmahlen, nachtmahlte, hat genachtmahlt ⟨tr./itr.⟩ (östr.): *zu Abend essen.*

Nachtrag, der; -[e]s, Nachträge: *Ergänzung (am Schluß einer schriftlichen Arbeit):* dem Aufsatz noch einen N. hinzufügen.

nachtragen, trägt nach, trug nach, hat nachgetragen /vgl. nachtragend/: **1.** ⟨tr.⟩ *hinter jmdm. her tragen:* er hat ihm seinen Schirm, den er vergessen hatte, nachgetragen. **2.** ⟨itr.⟩ *jmdn. längere Zeit seine Verärgerung (über etwas) spüren lassen; nicht verzeihen können:* er trug ihm seine Äußerungen lange nach. **3.** ⟨tr.⟩ *nachträglich hinzufügen:* ich muß in dem Aufsatz noch etwas n.

nachtragend ⟨Adj.⟩: *längere Zeit nicht verzeihen könnend:* sei doch nicht so n.!

nachträglich ⟨Adj.; nicht prädikativ⟩: *hinterher, später; nach dem Zeitpunkt des Geschehens liegend:* n. sah er alles ein; ein nachträglicher Glückwunsch.

nachts ⟨Adverb⟩: *in oder während der Nacht:* er arbeitet häufig n.

nachtschlafend: ⟨in der Fügung⟩ bei/zu nachtschlafender Stunde/Zeit: *während der Nacht.*

Nachttisch, der; -[e]s, -e: *kleines, neben dem Bett stehendes Schränkchen:* eine Dose mit Tabletten aus dem N. nehmen.

nachtun, tat nach, hat nachgetan ⟨itr.⟩ (ugs.): *bewußt tun, was jmd. anders kurz vorher getan hat:* sie tat ihm den Sprung von dem 10 m hohen Sprungturm nach; die größeren Kinder liefen zuerst weg, die kleineren taten es ihnen nach.

Nachwehen, die ⟨Plural⟩: *nach der Geburt einsetzende Wehen:* N. haben; bildl.: sie spürte noch die N. *(Nachwirkungen)* der Aufregung.

Nachweis, der; -es, -e: *das Beschaffen, Vorlegen von Beweismaterial, mit dem eine Behauptung belegt wird:* einen N. führen.

nachweisen, wies nach, hat nachgewiesen ⟨tr.⟩: **1.** *beweisen:* sein Recht, seine Herkunft n. **2.** *aufzeigen, belegen:* jmdm. einen Fehler, eine Schuld, einen Irrtum n. **3.** *vermitteln:* jmdm. eine Stellung, ein Zimmer n.

Nachwelt, die; -: *Gesamtheit der später lebenden Menschen, Generationen:* über diese Persönlichkeiten wird die N. ein Urteil fällen.

nachwirken, wirkte nach, hat nachgewirkt ⟨itr.⟩: *nachhaltig wirken, (lange Zeit) eine Wirkung ausüben:* diese Rede, Lektüre wirkte noch lange nach.

Nachwirkung, die; -, -en.

Nachwort, das; -[e]s, -e: *abschließender Text in einer größeren schriftlichen Arbeit oder Darstellung.*

Nachwuchs, der; -es: **1.** *Kind oder Kinder* /in einer Familie/: wir haben N. bekommen. **2.** *jüngere[r] Mitarbeiter:* die Industrie klagt über den Mangel an N.

nachzahlen, zahlte nach, hat nachgezahlt ⟨tr./itr.⟩: *nachträglich zahlen:* ich muß noch [Steuern] n. **Nachzahlung,** die; -, -en.

nachzählen, zählte nach, hat nachgezählt ⟨tr.⟩: *zur Probe noch einmal zählen:* das Geld sorgfältig n.

nachziehen, zog nach, hat/ist nachgezogen: **1.** ⟨tr.⟩: **a)** *(ein*

Bein) beim Gehen nicht richtig bewegen können: er hat das linke Bein nachgezogen. **b)** *(einer Linie mit einem Stift o. ä.) folgen und sie dadurch kräftiger machen:* er zog die Linien des Grundrisses mit roter Tusche nach; ich habe mir vor dem Spiegel die Augenbrauen nachgezogen. **c)** *(eine Schraube) durch erneutes Ziehen, Drehen noch fester machen:* er hat die Seile, die Schrauben nachgezogen. **d)** *(eine Pflanze) noch einmal ziehen, züchten:* von diesen Blumen hat der Gärtner noch einige Beete voll nachgezogen. **2.** ⟨itr.⟩ **a)** *(einer sich bewegenden Person/Sache) folgen:* dem Schiff sind viele Möwen nachgezogen. **b)** *einem Beispiel folgen; das, was andere vorgemacht haben, nachmachen:* die Briten begannen mit der Reform, andere Staaten haben nachgezogen.

Nachzügler, der; -s, - (ugs.): **a)** *jmd., der als letzter kommt, der eintrifft, wenn alle andern bereits da sind:* sie gehören immer zu den Nachzüglern. **b)** *Kind, das sehr viel jünger ist als seine Geschwister.*

Nackedei, der;- s, -s: **a)** (fam.; scherzh.) *nacktes Kind:* kleine Nackedeis spielten am Strand. **b)** (ugs.; scherzh.) *abgebildetes [fast] nacktes Mädchen:* eine Illustrierte mit vielen Nackedeis.

Nacken, der; -s, -: *hinterer Teil des Halses:* einen steifen N. haben; * **jmdm. den N. steifen** *(jmdn. zum Widerstand ermuntern);* **jmd./etwas sitzt jmdm. im N.** *(jmd./etwas verfolgt jmdn.):* die Angst saß ihm im N.

nackt ⟨Adj.⟩: *ohne Bekleidung:* mit nacktem Oberkörper; n. baden; bildl.: auf nacktem *(bloßem)* Boden schlafen; nackte *(kahle)* Bäume; jmdm. die nackte *(reine)* Wahrheit sagen; etwas mit nackten *(schonungslosen)* Worten sagen; ein Bild an die nackte *(schmucklose)* Wand hängen.

Nacktfrosch, der; -es, Nacktfrösche (fam.; scherzh.): *nacktes Kind.*

Nadel, die; -, -n: **1.** *dünner, spitzer Gegenstand [zum Nähen]* (siehe Bild): eine N. einfädeln; sich mit einer N. stechen; sie trug eine N. mit einer prächtigen Perle; die N. des Kompasses zeigte genau nach Norden. **2.** *schmales, spitzes Blatt bestimmter Bäume* (siehe Bild): unser Weihnachtsbaum verlor schon vor dem Neujahrstag seine Nadeln.

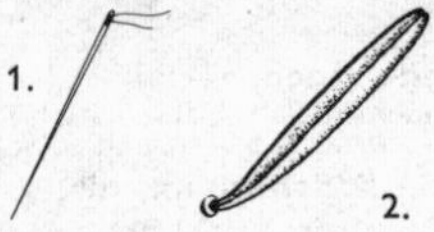

1. 2.
Nadel

Nadelbaum, der; -s, Nadelbäume: *Baum, dessen Blätter die Form einer Nadel haben* /Ggs. Laubbaum/: Tannen, Kiefern, Lärchen sind Nadelbäume.

nadeln, nadelte, hat genadelt ⟨itr.⟩: *die Nadeln verlieren* /von Nadelbäumen/: der Weihnachtsbaum fängt schon an zu n.

Nadelöhr, das; -s, -e: *Öffnung am stumpfen Ende einer Nadel, durch die der Faden gezogen wird.*

Nadelstich, der; -[e]s, -e: **a)** *Stich mit einer Nadel:* den Saum mit ein paar Nadelstichen heften. **b)** ⟨Plural⟩ *kleine Bosheiten, Anspielungen o. ä., die ärgern und reizen sollen:* jmdm. dauernd Nadelstiche versetzen.

Nadelwald, der; -[e]s, Nadelwälder: *Wald aus Nadelbäumen.*

Nagel, der; -s, Nägel: **1.** *Stift aus Metall mit Spitze und breitem Ende zum Befestigen und Aufhängen von Gegenständen* (siehe Bild): er schlug einen N. in die Wand. * (ugs.) **den N. auf den Kopf treffen** *(genau das Richtige, Entscheidende tun oder sagen);* (ugs.) **den Beruf an den N. hängen** *(den Beruf aufgeben).* **2.** *flaches Gebilde aus Horn auf den Spitzen von Fingern und Zehen* (siehe Bild): du mußt dir die Nägel schneiden. * (ugs.) **etwas brennt auf den Nägeln** *(etwas ist sehr dringend).*

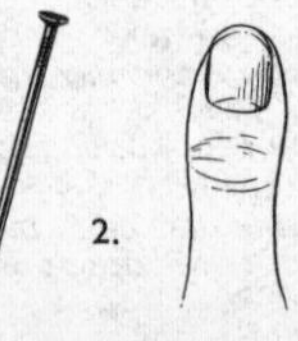

Nagel
1. 2.

Nagelfeile, die; -, -n: *kleine Feile für die Nägel an Fingern und Zehen.*

Nagellack, der; -[e]s, -e: *Lack für die Nägel an Fingern und Zehen:* sich einen neuen N. kaufen; N. auftragen.

nageln, nagelte, hat genagelt ⟨tr.⟩: *mit einem Nagel befestigen:* ein Bild an die Wand n.

nagelneu ⟨Adj.⟩: *ganz neu:* ein nagelneues Auto.

Nagelschere, die; -, -n: *kleine Schere mit gebogenen Schneiden für die Nägel an Fingern und Zehen:* die N. aus dem Necessaire nehmen.

nagen, nagte, hat genagt ⟨itr./tr.⟩: *mit den Zähnen kleine Stücke von einem harten Gegenstand abbeißen:* der Hund nagt an einem Knochen; die Kaninchen nagten die Rinde von den Bäumen; bildl.: der Kummer nagt an meinem Herzen.

Nagetier, das; -[e]s, -e: *Säugetier, das starke und scharfe Schneidezähne, wenige Backenzähne und keine Eckzähne hat.*

Nahaufnahme, die; -, -n: *aus geringer Entfernung gemachte photographische Aufnahme.*

nah[e], näher, nächste ⟨Adj.⟩ /vgl. nächste/: **a)** *in kurzer Entfernung; geringen Abstand habend* /Ggs. fern/: der Wald beginnt [sehr] n. bei der Stadt; geh nicht zu n. an das Feuer heran! das Gebirge ist zum Greifen *(sehr)* n.; bildl.: sie ist der Verzweiflung n.; einer Lösung des Problems sehr n. sein; ein naher Verwandter. **b)** *unmittelbar folgend* /Ggs. fern/: in naher Zukunft.

Nähe, die; -: *geringe Entfernung* /Ggs. Ferne/: das Theater liegt ganz in der N.; etwas aus nächster N. beobachten; bildl.: etwas rückt in greifbare N. *(steht unmittelbar bevor).*

nahebringen, brachte nahe, hat nahegebracht ⟨tr.⟩: *(bei jmdm. für jmdn./etwas) Verständnis wecken:* der Lehrer hat versucht, den Schülern diese Werke nahezubringen; gemeinsames Erleben brachte sie einander nahe.

nahegehen, ging nahe, ist nahegegangen ⟨itr.⟩: *(für jmdn.) von Bedeutung sein; (jmdn.) innerlich bewegen, [schmerzlich] berühren:* sein Tod, seine Krankheit geht mir nahe.

nahekommen, kam nahe, ist nahegekommen ⟨itr.⟩: 1. *(etwas) fast erreichen:* das Bemühen, der Wahrheit nahezukommen. 2. *(mit jmdm.) vertraut werden:* er ist so verschlossen, daß man ihm nicht n. kann; wir sind uns im Laufe der Zeit sehr nahegekommen.

nahelegen, legte nahe, hat nahegelegt ⟨tr.⟩: *(jmdn.) indirekt auffordern, etwas zu tun oder zu unterlassen:* man legte dem Minister nahe, von seinem Posten zurückzutreten.

naheliegen, lag nahe, hat nahegelegen ⟨itr.⟩: **a)** *nicht weit entfernt sein:* des Rätsels Lösung liegt nahe; ⟨häufig im 1. Partizip⟩ aus naheliegenden *(verständlichen)* Gründen. **b)** *zu erwarten sein, sich sinnvoll ergeben:* in diesem Fall läge der Gedanke nahe, daß ...

nahen, nahte, hat/ ist genaht (geh.): 1. ⟨itr.⟩ *näher kommen:* der Augenblick des Abschieds ist genaht. 2. ⟨rfl.⟩ *[langsam] (auf jmdn./etwas) zugehen:* sie haben sich der Kirche genaht.

nähen, nähte, hat genäht ⟨tr./ itr.⟩: *[Teile] mit Hilfe von Nadel und Faden fest miteinander verbinden:* den Riß im Mantel, ein Kleid, eine Wunde n.; sie näht gern.

näher ⟨Adj.⟩: 1. /Komparativ von *nah*/: die nähere Umgebung *(das, was nicht allzuweit entfernt liegt)* kennenlernen; bitte, treten Sie n. *(bitte, bleiben Sie nicht in so großer Entfernung stehen!)*; bildl.: die nähere Verwandtschaft. 2. *genauer:* nähere Auskünfte erteilen; du mußt ihn n. kennenlernen; darauf wollen wir nicht n. eingehen.

näherkommen, kam näher, ist nähergekommen: 1. ⟨itr.⟩ *zu jmdm./etwas den Abstand verkleinern, indem man ein Stück auf ihn/es zugeht:* Sie müssen etwas n., damit Sie alles sehen können. 2. ⟨rzp.⟩ *gegenseitig vertrauter werden:* wir sind uns in letzter Zeit nähergekommen.

nähern, sich; näherte sich, hat sich genähert: *[langsam] auf jmdn./etwas zugehen:* der Feind nähert sich der Stadt; niemand darf sich dem Kranken n.

nähertreten, tritt näher, trat näher, ist nähergetreten ⟨itr.⟩: 1. *(mit jmdm.) in ein näheres, freundlicheres Verhältnis kommen:* ich möchte Ihnen gern n. 2. *(etwas) prüfen:* wir werden Ihrem Vorschlag n.

nahestehen, stand nahe, hat nahegestanden ⟨itr.⟩: *(mit jmdm.) gut bekannt, vertraut sein:* der Verstorbene hat uns sehr nahegestanden.

nahetreten, tritt nahe, trat nahe, ist nahegetreten ⟨itr.⟩: *(mit jmdm.) vertraut werden:* er ist mir in letzter Zeit sehr nahegetreten.

nahezu ⟨Adverb⟩: *fast, beinahe, nicht ganz:* n. 5000 Zuschauer sahen das Spiel.

Nahkampf, der; -[e]s, Nahkämpfe: 1. *Kampf Mann gegen Mann:* für den N. ausgebildet werden. 2. ⟨ohne Plural⟩ *Kampf Körper an Körper* /beim Boxen/: im N. schlug er kurze Haken.

Nähmaschine, die; -, -n: *elektrisch oder durch Treten mit dem Fuß betriebene Maschine zum Nähen* (siehe Bild).

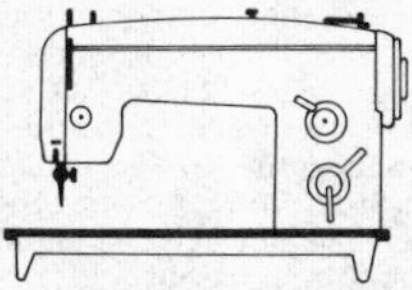

Nähmaschine

Nähnadel, die; -, -n: *spitze Nadel zum Nähen (von Stoffen):* sie fädelt den Faden in die N.

Nährboden, der; -s, Nährböden: *Substanz, auf der Bakterien zu wissenschaftlichen Zwecken kultiviert werden:* ein fester N.; bildl.: Not ist der N. für Unzufriedenheit; diese Ideen fanden keinen guten N.

nähren, nährte, hat genährt: 1. ⟨tr.⟩ **a)** *stillen:* die Mutter nährt ihr Kind selbst. **b)** *steigern, vergrößern:* etwas nährt jmds. Liebe, Haß, Zorn. 2. ⟨rfl.⟩ *sich am Leben erhalten (mit etwas):* er nährt sich vor allem von Brot und Kartoffeln. 3. ⟨itr.⟩ *nahrhaft sein:* Brot nährt.

nahrhaft ⟨Adj.; nicht adverbial⟩: *reich an Stoffen, die für das Wachstum und die Kräftigung des Körpers wichtig sind:* eine nahrhafte Speise; Brot ist sehr n.

Nahrung, die; -: *alles, was ein Mensch oder ein Tier zur Ernährung braucht und zu sich nimmt:* fette, flüssige, pflanzliche N. * **einer Sache neue N. geben** *(eine Sache wieder entstehen, aufflammen lassen):* dies gibt seinem Zorn neue N.; durch sein Verhalten erhielt das Gerücht neue N.

Nahrungsmittel, das; -s, -: *etwas, was als Nahrung dient:* Kartoffeln sind ein billiges N.

Nährwert, der; -[e]s, -e: *Gehalt an Kalorien (in einem Nahrungsmittel):* Fett hat einen hohen N.

Naht, die; -, Nähte: *Linie, die beim Nähen entsteht:* eine N. nähen, auftrennen. * (scherzh.) **aus allen Nähten platzen** *(zu dick werden).*

nahtlos ⟨Adj.⟩: *keine Naht aufweisend, ohne Naht:* nahtlose Strümpfe; bildl.: die Gedichte sind n. in die Erzählung eingefügt *(bilden mit der Erzählung eine Einheit).*

Nahtstelle, die; -, -n: *Stelle, an der zwei Teile eines Gegenstandes zusammengesetzt sind:* die Nahtstellen von Werkstücken; bildl.: die Nahtstellen von Staat und Gesellschaft.

naiv ⟨Adj.⟩: **a)** *kindlich unbefangen, einfältig:* sie ist für ihr Alter noch recht n. **b)** *wenig Erfahrung, Sachkenntnis oder Urteilsvermögen besitzend und dadurch oft lächerlich wirkend:* alle haben über seine naiven Fragen gelacht. **Naivität,** die; -.

Name, der; -ns, -n: *besondere Bezeichnung eines Wesens oder Dings, durch die es von ähnlichen Wesen oder Dingen unterschieden wird:* das Kind erhielt den Namen Peter; ich kenne ihn nur dem Namen nach *(nicht persönlich)*; den Namen des Dorfes habe ich vergessen. * **im Namen** *(im Auftrag, in Vertretung):* ich spreche hier im Namen aller Kollegen; **sich einen Namen machen** *(bekannt, berühmt werden).*

namenlos ⟨Adj.⟩: 1. **a)** *keinen Namen besitzend, ohne Namen:* es gibt keinen Menschen, der ganz n. wäre. **b)** *dem Namen nach nicht bekannt:* diese Strophen stammen von einem namenlosen Dichter. 2. ⟨nicht adverbial⟩ (geh.) *sehr groß:* namenloser Schmerz; ihr Elend war n.

Namenstag, der; -[e]s, -e: *Tag, der im Kalender dem Heiligen gewidmet ist, dessen Namen man trägt.*

namentlich: **I.** ⟨Adj.; nicht prädikativ⟩ *mit Namen:* jmdn. n. nennen. **II.** ⟨Adverb⟩ *besonders:* n. die Arbeitnehmer sind von dieser Maßnahme betroffen.

namhaft ⟨Adj.⟩: *bekannt, berühmt:* ein namhafter Gelehrter. ** **jmdn. n. machen** *(bekanntmachen, mit Namen nennen).*

nämlich ⟨Adverb⟩: **1.** /drückt eine Begründung der vorangehenden Aussage aus/: ich komme sehr früh an, ich fahre n. mit dem ersten Zug. **2.** *und zwar:* der Minister nahm ebenfalls an der Besprechung in Bonn teil, n. als Vorsitzender der Partei.

Napf, der; -[e]s, Näpfe: *kleine Schale.*

Napfkuchen, der; -s, -: *in einer besonderen Form gebackener Kuchen aus Rührteig* (siehe Bild).

Napfkuchen

Narbe, die; -, -n: *bleibende Spur einer größeren, verheilten Wunde in der Haut:* er hatte eine tiefe N. über dem linken Auge.

Narkose, die; -, -n: Med. *allgemeine Betäubung zur Ausschaltung von Schmerzen:* aus der N. erwachen.

narkotisieren, narkotisierte, hat narkotisiert ⟨tr.⟩: *betäuben, (jmdm.) eine Narkose geben:* der Patient wurde narkotisiert.

Narr, der; -en, -en: **a)** (ugs.) *dummer, einfältiger Mensch [der auf andere lächerlich wirkt]:* ein alter N.; du bist ein N., wenn du ihm noch länger glaubst. **b)** (hist.) *jmd., dessen Aufgabe es ist, andere durch seine Späße zum Lachen zu bringen* /an fürstlichen Höfen, auf dem Theater/. * (ugs.) **jmdn. zum Narren haben/halten** *(jmdn. veralbern; jmdn. irreführen);* (ugs.) **einen Narren an jmdm./etwas gefressen haben** *(jmdn./etwas in übertriebener Weise gerne mögen).*

narren, narrte, hat genarrt ⟨tr.⟩ (geh.): *foppen, irreführen:* meine Sinne haben mich genarrt.

Narrenfreiheit, die; -: *Freiheit eines Menschen, den man für einen Spaßvogel hält, schonungslos sagen zu dürfen, was er denkt, ohne fürchten zu müssen, daß ihm daraus Nachteile erwachsen.*

närrisch ⟨Adj.⟩: *dumm, einfältig, lächerlich:* närrische Leute; närrische Einfälle haben; du bist ja n. * (ugs.) **n. sein auf etwas** *(hartnäckig und heftig nach etwas verlangen):* sie ist ganz n. auf Süßigkeiten.

Narzisse, die; -, -n: /eine Blume/ (siehe Bild).

Narzisse

naschen, naschte, hat genascht: **1.** ⟨tr.⟩ *(Süßigkeiten) genießerisch essen:* während sie in einer Illustrierten blätterte, naschte sie ein Stückchen Konfekt nach dem anderen. **2.** ⟨itr.⟩ **a)** *Süßigkeiten genießerisch essen:* sie nascht gerne. **b)** *[heimlich] (etwas von einer größeren Menge) essen:* sie hat von den Mandeln, dem Teig genascht.

naschhaft ⟨Adj.⟩: *Süßigkeiten liebend, gern und häufig Süßigkeiten essend:* ein naschhaftes kleines Mädchen.

Naschkatze, die; -, -n (ugs.): *naschhaftes Kind, Mädchen; Mädchen, das gern und häufig Süßigkeiten ißt.*

Nase, die; -, -n: *vorspringender Teil in der Mitte des Gesichts, der zum Einatmen und Riechen dient* (siehe Bild): eine spitze, große N.; sich die N. putzen. * (ugs.) **jmdn. an der N. herumführen** *(jmdn. täuschen);* (ugs.) **auf der N. liegen** *(krank sein).*

Nase

näseln, näselte, hat genäselt ⟨itr.⟩: *durch die Nase sprechen:* er trug eine Brille und näselte; ⟨häufig im 1. Partizip⟩ mit näselnder Stimme.

Nasenbluten, das; -s: *Blutung aus der Nase:* N. bekommen.

Nasenlänge, die; -, -n: *kleiner Vorsprung:* das Pferd hat beim Rennen mit einer N. gewonnen. * (ugs.) **um eine N.** *(ganz knapp):* er war mir um eine N. voraus; jmdn. um eine N. schlagen.

Nasenstüber, der; -s, - (ugs.): *Stoß an die Nase:* als er die streitenden Jungen trennen wollte, bekam er selbst einen N. * **jmdm. einen N. versetzen** *(jmdn. zurechtweisen).*

naseweis ⟨Adj.⟩ (ugs.): *ein bißchen vorlaut, neugierig* /von Kindern gesagt/: sei doch nicht so n.!

Nashorn, das; -[e]s, Nashörner: /ein Tier/ (siehe Bild).

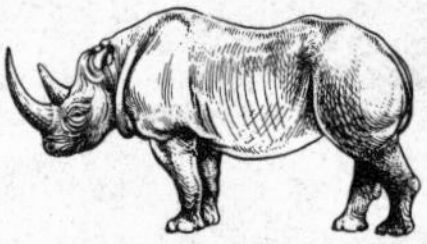

Nashorn

naß, nässer/nasser, nässeste/nasseste ⟨Adj.⟩: **a)** *viel Feuchtigkeit, meist Wasser, enthaltend oder damit bedeckt; nicht trocken:* seine Kleider waren völlig n.; die Straße ist n. **b)** ⟨nicht adverbial⟩ *regenreich:* es war ein nasser Sommer.

Nässe, die; -: *das Naßsein, viel Feuchtigkeit:* vor N. triefen.

nässen, näßte, hat genäßt: **1.** (geh.) *naß machen:* meine Füße wurden vom Tau genäßt. **2.** *Nässe, Feuchtigkeit abgeben:* das Gras, die Wunde näßt immer noch.

naßkalt ⟨Adj.; nicht adverbial⟩: *regnerisch und gleichzeitig kalt* /vom Wetter/: wir haben naßkaltes Wetter.

Nation, die; -, -en: *Gemeinschaft von Menschen mit dem Bewußtsein politisch-kultureller Zusammengehörigkeit und dem Willen, einen Staat zu bilden:* die europäischen Nationen müssen sich politisch noch fester zusammenschließen.

national ⟨Adj.⟩: **a)** *zur Nation gehörend:* nationale Eigentümlichkeiten. **b)** *die Nation betreffend, von der Nation aus-*

gehend, sich auf sie beziehend: nationale Interessen verfolgen.

Nationalhymne, die; -, -n: *Lied, das als Ausdruck des nationalen Bewußtseins bei feierlichen Anlässen gesungen wird:* die N. singen.

Nationalismus, der; -: *politische Haltung, die auf dem Bewußtsein beruht, Größe und Macht des eigenen Staates seien die höchsten Werte, und die den Anspruch erhebt, zur Führung anderer Staaten berufen zu sein.*

nationalistisch ⟨Adj.⟩: **a)** *den Nationalismus betreffend:* nationalistische Ideen. **b)** *den Nationalismus vertretend; im Sinne des Nationalismus:* nationalistische Parteien.

Nationalität, die, -: **1.** *Zugehörigkeit zu einem bestimmten Volk oder Staat:* jmdn. nach seiner N. fragen. **2.** *völkische Gruppe (in einem Staat); nationale Minderheit:* den verschiedenen Nationalitäten in einem Staat gerecht zu werden suchen.

Nationalrat, der; -[e]s, Nationalräte: **a)** ⟨ohne Plural⟩ *Volksvertretung in Österreich und in der Schweiz:* den N. wählen. **b)** *Mitglied der Volksvertretung in Österreich und in der Schweiz.*

Nationalsozialismus, der -: *in Deutschland von 1933* bis *1945 herrschende totalitäre Bewegung von nationalistisch-völkischem Charakter, die sich unter Mißachtung aller ethischen Gesichtspunkte gegen die Juden, die Kirche und den Kommunismus (Marxismus) wandte.*

Natter, die; -, -n: /eine nicht giftige Schlange/: eine N. schlängelte sich durch das Gras. * (geh.) **eine N. am Busen nähren** *(sich selbst einen Feind großziehen; einem falschen, undankbaren Menschen vertrauen).*

Natur, die; -, -en: **1.** ⟨ohne Plural⟩ *die uns umgebende Welt, soweit sie ohne menschliches Zutun entstanden ist:* die blühende N. **2.** ⟨ohne Plural⟩ *die im Weltall wirkende Kraft:* die Geheimnisse der N. erforschen; die Kräfte der N. nutzen. **3.** *Art, Wesen, Charakter einer Person oder Sache:* er hat eine glückliche N.; es liegt in der N. der Sache, daß Schwierigkeiten entstehen. * **etwas ist N.** *(etwas ist echt, von selbst gewachsen, nicht künstlich gemacht):* mein Haar ist N.

Naturalien, die ⟨Plural⟩: *Rohstoffe und Produkte der Natur (wie Lebensmittel, Holz o. ä.):* sie zahlten mit N.

naturalisieren, naturalisierte, hat naturalisiert ⟨tr.⟩: *einbürgern; (jmdm.) die Staatsangehörigkeit [des Landes, in dem er sich vorher als Ausländer aufhielt] verleihen:* Emilio Giacopetti ist seit langem in Schweden naturalisiert.

Naturalismus, der; -: **1.** *philosophische Lehre, nach der alles aus der Natur und diese allein aus sich selbst erklärt wird.* **2.** *Richtung in der Literatur und bildenden Kunst des ausgehenden 19. Jahrhunderts, die die Wirklichkeit möglichst getreu wiederzugeben suchte.*

naturbelassen ⟨Adj.⟩: *naturrein:* naturbelassener Wein.

Naturell, das; -s, -e: *natürliche Veranlagung; Wesensart, Temperament:* ein Kind von glücklichem N.

naturgemäß ⟨Adj.⟩: *der Natur, dem Charakter eines Lebewesens oder einer Sache entsprechend:* unsere Hunde versuchten n., den Hasen zu fangen; die Anforderungen werden n. immer größer.

naturgetreu ⟨Adj.⟩: *dem Vorbild genau entsprechend:* eine naturgetreue Nachbildung der Figur.

natürlich: I. ⟨Adj.⟩ **1. a)** *von der Natur geschaffen; nicht künstlich:* natürliche Blumen; der Fluß ist eine natürliche Grenze. **b)** *in der Natur liegend; durch die Natur bedingt:* die natürlichen Verrichtungen des Körpers. **c)** *der Wirklichkeit entsprechend; naturgetreu:* der Künstler malte sehr n. **2.** *schlicht, einfach; nicht gekünstelt, ungezwungen:* sie hat ein natürliches Wesen. **II.** ⟨Adverb⟩ *wie zu erwarten ist; zweifelsohne; ja; selbstverständlich:* er hat n. recht; n. käme ich gerne, aber ich habe keine Zeit.

Natürlichkeit, die; -: *Einfachheit, Schlichtheit:* durch ihre N. nahm sie alle Gäste für sich ein.

naturrein ⟨Adj.⟩: *ohne künstliche Zusätze:* der Tabak, der Wein ist n.

Naturwissenschaft, die; -, -en: *Wissenschaft von den Erscheinungen und Vorgängen in der Natur.*

naturwissenschaftlich ⟨Adj.⟩: *die Naturwissenschaft und ihre Erforschung betreffend:* naturwissenschaftliche Beobachtungen, Versuche anstellen.

Navigation, die; -: *das Einhalten des Kurses, auf den man ein Schiff oder Flugzeug gelenkt hat; die Bestimmung des Standortes eines Schiffes oder Flugzeuges und die entsprechende Lehre.*

Nebel, der; -s, -: **1.** ⟨ohne Plural⟩ *Trübung der Luft durch sehr kleine Wassertröpfchen:* die Sicht war durch dicken N. behindert. * **bei Nacht und N.** *(in der Dunkelheit, heimlich):* die Flüchtlinge sind bei Nacht und N. über die Grenze gegangen. **2.** *einzelner Nebelstreifen:* aus den Wiesen stiegen immer wieder Nebel auf.

nebelhaft ⟨Adj.⟩: *nicht deutlich, unklar:* mir ist das alles noch ziemlich n.; das liegt noch in nebelhafter *(in sehr weiter)* Ferne.

neben ⟨Präp. mit Dativ und Akk.⟩: **1. a)** ⟨mit Dativ; auf die Frage: wo?⟩ *unmittelbar an der Seite (von jmdm./etwas):* wir wohnen n. ihm. **b)** ⟨mit Akk.; auf die Frage: wohin?⟩ *unmittelbar an die Seite (von jmdn./etwas):* er stellt den Tisch neben den Schrank. **2.** ⟨mit Dativ⟩ *außer:* n. ihm gibt es noch fünf Direktoren. **3.** ⟨mit Dativ⟩ *verglichen (mit jmdm./etwas):* n. dir verblaßt alles.

nebenan ⟨Adverb⟩: *unmittelbar daneben, benachbart:* das Haus n.; der Herr von n.

nebenbei ⟨Adverb⟩: **1.** *gleichzeitig mit etwas anderem:* diese Arbeit kann ich n. tun. **2.** *beiläufig, wie zufällig:* er erwähnte dies nur n.

Nebenberuf, der; -[e]s, -e: *neben dem eigentlichen Beruf ausgeübter Beruf:* er ist im N. Maurer.

nebenberuflich ⟨Adj.⟩: **a)** *im Nebenberuf:* sie ist n. als Schneiderin tätig. **b)** *als Nebenberuf ausgeübt:* eine nebenberufliche Tätigkeit.

Nebenbuhler, der; -s, -: *jmd., der einem anderen den Anspruch auf eine Person oder Sache streitig macht, ihm Konkurrenz* *macht:* einen N., jmdn. zum N. haben.

nebeneinander ⟨Adverb⟩: *einer neben dem anderen:* sie standen n.

Nebeneinander, das; -s: *gleichzeitiges Vorkommen (gegensätzlicher Dinge):* das N. von Freud und Leid.

Nebenfach, das; -[e]s, Nebenfächer: *weniger wichtiges Fach in der Schule, zweites oder drittes Fach beim Studieren:* sie hat Theologie als N.

Nebenfluß, der; Nebenflusses, Nebenflüsse: *Fluß, der in einen größeren Fluß mündet:* der Main ist ein N. des Rheins.

Nebenraum, der; -[e]s, Nebenräume: **1.** *Raum neben dem Raum, in dem man sich befindet:* durch eine geöffnete Tür in den N. blicken. **2.** ⟨Plural⟩ *Bad, Toilette, Raum zum Abstellen für verschiedene Geräte o. ä.:* die Nebenräume einer Wohnung.

Nebenrolle, die; -, -n: *Rolle in Schauspiel, Oper, Film, die weniger wichtig ist als die Hauptrolle:* in dem Stück eine N. spielen. *** etwas spielt für jmdn. eine N.** *(etwas ist für jmdn. nebensächlich, unwichtig):* ob ich die Prüfung mit zwei oder drei bestehe, spielt für mich eine N.

Nebensache, die; -, -n: *unwichtige Sache, Angelegenheit:* das ist [eine] N.

nebensächlich ⟨Adj.⟩: *als Nebensache geltend, von geringer Bedeutung:* es ist n., ob es teuer ist oder nicht. **Nebensächlichkeit,** die; -, -en.

Nebenstraße, die; -, -n: *schmale Straße, die neben der Hauptstraße entlanggeht oder von ihr abzweigt:* wir sind auf Nebenstraßen durch die Holsteinische Schweiz gefahren.

neblig ⟨Adj.; nicht adverbial⟩: *durch Nebel getrübt, undurchsichtig:* heute ist es sehr n.

Necessaire [nesɛˈsɛːr], das; -s, -s: *Tasche, Beutel o. ä. für Gegenstände, die man zur Körperpflege, zum Putzen der Schuhe, zum Nähen o. ä. braucht:* ein N. aus rotem Leder.

necken, neckte, hat geneckt ⟨tr.⟩: *foppen, aus Übermut durch kleinere, nicht ernstgemeinte Äußerungen reizen:* ihr sollt ihn nicht immer n.

Neckerei, die; -, -en: *wiederholtes Necken:* seine N. ließ sie unbeeindruckt.

neckisch ⟨Adj.⟩: *verspielt und zugleich keß, im ganzen etwas komisch und darum andere erheiternd, belustigend:* sie hatte sich ein neckisches Hütchen aufgesetzt, das zu ihrem Alter nicht recht paßte.

Neffe, der; -n, -n: *Sohn eines Bruders oder einer Schwester.*

Negation, die; -, -en: *Verneinung, Ablehnung einer Aussage o. ä.:* der Satz enthält eine N.; die N. kultureller Werte.

negativ ⟨Adj.⟩: **1.** *verneinend, ablehnend:* er erhielt einen negativen Bescheid; er nahm eine negative Haltung ein. **2.** *ungünstig, schlecht:* die Wirtschaft zeigte eine negative Entwicklung. **3.** *kein Ergebnis bringend:* die Verhandlungen verliefen n. **4.** *unter Null liegend:* negative Zahlen.

Negativ, das; -s, -e: *photographisches Bild, bei dem Weiß als Schwarz und Schwarz als Weiß wiedergegeben ist, während bei farbigen Aufnahmen gegenüber dem Original die entgegengesetzten Farben erscheinen:* von einem N. einen Abzug machen lassen.

Neger, der; -s, -: *Mensch von dunkler Hautfarbe und mit krausem Haar.*

negieren, negierte, hat negiert ⟨tr.⟩: **a)** *verneinen, die Berechtigung (von etwas) leugnen, bestreiten:* sie negierten alle sozialen Unterschiede. **b)** *ablehnen:* sie hat den Namen von Anfang an negiert.

Negligé [negliˈʒeː], das; -s, -s: *leichtes Kleid, das Frauen nach dem Aufstehen vor dem eigentlichen Anziehen tragen; Morgenrock:* die Frau empfing mich im N., trug ein verführerisches N.

nehmen, nimmt, nahm, hat genommen ⟨tr.⟩: **1.** *mit der Hand ergreifen:* er nahm seinen Hut; das Buch aus dem Regal n. *** sich eine Frau n.** *(heiraten):* du hast dir wohl eine reiche Frau genommen? **2.** *annehmen:* er nimmt kein Geld; n. Sie bitte unseren Dank für Ihre Hilfe! *** hart im Nehmen sein** *(nicht nur selbst hart angreifen, sondern harten Schlägen auch standhalten, sie ertragen können):* der Boxer ist hart im Nehmen. **3.** *sich einer Person oder Sache bedienen; benutzen:* sich (Dativ) einen Anwalt n.; das nächste Flugzeug n. *** sich für etwas Zeit n.** *(sich mit etwas nicht beeilen; etwas nicht hastig erledigen).* **4.** *einnehmen:* Tabletten n. **5.** *wegnehmen:* Diebe haben mir das Geld genommen; beim Schachspiel einen Turm n.; ich lasse mir dieses Recht nicht n. *** jmdm. die Hoffnung n.** *(jmdn. mutlos machen).* **6.** ⟨mit näherer Bestimmung⟩ *auffassen:* etwas ernst, heiter n. **7.** *einnehmen, erobern:* sie haben die Festung genommen. **8.** ⟨als Funktionsverb⟩ von etwas Abstand n. *(etwas unterlassen);* an etwas Anstoß n. *(sich über etwas ärgern);* etwas zur Kenntnis n. *(etwas anhören, ohne sich dazu zu äußern);* Rücksicht n. auf jmdn./etwas *(etwas, was Grund zur Schonung ist, berücksichtigen; jmdn. rücksichtsvoll behandeln).* **** jmdn. zu sich n.** *(jmdn. in seiner Wohnung aufnehmen):* er hat seinen alten Vater zu sich genommen.

Neid, der; -[e]s: *Gefühl, Haltung, bei der jmd. einem anderen einen Erfolg oder einen Besitz nicht gönnt oder Gleiches besitzen möchte:* vor N. vergehen.

neiden, neidete, hat geneidet ⟨tr.⟩: *nicht gönnen:* jmdm. den Erfolg, Gewinn n.

Neidhammel, der; -s, - und Neidhämmel (ugs.): *neidischer Mensch:* er ist ein furchtbarer N. und gönnt niemandem etwas.

neidisch ⟨Adj.⟩: *von Neid erfüllt:* neidische Nachbarn; auf jmdn./etwas n. sein.

Neige, die; - (geh.): *Rest einer Flüssigkeit in einem Gefäß:* die N. austrinken, wegschütten. *** bis zur N.** *(ganz):* er leerte die Flasche bis zur N.; **zur N. gehen** *(zu Ende gehen):* das Geld, der Tag geht zur N.

neigen, neigte, hat geneigt /vgl. geneigt/: **1. a)** ⟨tr.⟩ *senken; zur Seite drehen, bewegen:* das Haupt zum Gruß n.; der Baum neigt seine Zweige bis zur Erde. **b)** ⟨rfl.⟩ *sich beugen:* sich zur Seite, über das Geländer n. **2.** ⟨itr.⟩ *eine bestimmte Richtung im Denken oder Handeln erkennen lassen, vertreten:* er neigt zur Verschwendung; ich neige mehr zu deiner Ansicht.

Neigung, die; -, -en: **1.** *Gefälle:* die N. einer Straße. **2. a)** *Vorliebe, Interesse, Talent:* ein Mensch mit starken künstlerischen Neigungen. **b)** *liebevolle Gesinnung, Zuneigung:* seine Neigungen zu diesem Mädchen wurden erwidert.

nein ⟨Adverb⟩: /Äußerung der Ablehnung auf eine Frage; Ggs. ja/: kommst du? – N., ich habe keine Zeit.

Nektar, der; -s: **1.** Mythologie *Trank, der Unsterblichkeit verleiht.* **2.** Biol. *Zucker enthaltende Flüssigkeit in Blüten, durch die Insekten angelockt werden.*

Nelke, die; -, -n: /eine Blume/ (siehe Bild).

Nelke

nennen, nannte, hat genannt ⟨tr.⟩: **a)** *(jmdm.) einen Namen geben:* wie wollt ihr das Kind n.?; eine Schule nach einem großen Dichter n. **b)** *den Namen sagen (von jmdm./etwas):* wir wollen alle großen Flüsse in Europa n.; n. *(sagen)* Sie bitte seinen Namen! **c)** *als etwas bezeichnen:* man kann sie zwar nicht schön, aber charmant n.; etwas sein eigen n.; ⟨auch rfl.⟩ er nennt sich Schriftsteller.

nennenswert ⟨Adj.; meist in Verbindung mit Negationen⟩: *so beschaffen, daß es wert ist, erwähnt oder beachtet zu werden:* es sind keine nennenswerten Niederschläge zu erwarten; der Unterschied im Preis ist kaum n.

Nenner, der; -s, -: Math. *unter dem Strich stehende Zahl bei einem Bruch:* bei dem Bruch $^3/_5$ ist 5 der N.; zwei Brüche auf den gleichen N. bringen. * **etwas auf einen [gemeinsamen] N. bringen** *(bei etwas die Gegensätze ausgleichen und es dadurch einem gemeinsamen Ziel unterordnen):* es ist schwer, die verschiedenen Interessen, Bestrebungen, Wünsche auf einen gemeinsamen N. zu bringen.

Neonlicht, das; -[e]s, -er: **a)** ⟨ohne Plural⟩ *Licht aus Röhren, die mit einem bestimmten Gas gefüllt sind.* **b)** *Lampe mit dem gleichnamigen Licht.*

Nepp, der; -s (ugs.): *Wucher, zu hohe Preise:* wo es viele Touristen gibt, blüht der N.

neppen, neppte, hat geneppt ⟨tr.⟩ (ugs.): *(von jmdm.) zu hohe Preise fordern; übervorteilen:* der Händler versuchte bei jeder Gelegenheit, seine Kunden zu n.

Nerv, der; -s, -en: *Faserstrang im Körper, der Reize zwischen dem Zentralnervensystem, den Muskeln und den Organen vermittelt:* bei der Spritze wurde ein N. getroffen. * **starke Nerven haben** *(sich nicht so leicht durch etwas erschüttern lassen);* **die Nerven behalten** *(ruhig und besonnen bleiben);* **die Nerven verlieren** *(den seelischen Anforderungen nicht mehr gewachsen sein und unbesonnen handeln).*

Nervenbündel, das; -s, - (ugs.): *sehr nervöser Mensch:* er hat sehr viel mitgemacht und ist heute nur noch ein N.

Nervenkitzel, der; -s: *übersteigerte Spannung zur Unterhaltung:* der Kriminalfilm erzeugte bei allen Zuschauern einen N.

Nervensäge, die; -, -n (ugs.): *jmd., der jmdm. dauernd lästig ist:* mit ihrem ständigen Jammern ist sie für ihn eine furchtbare N.

Nervenzusammenbruch, der; -[e]s, Nervenzusammenbrüche: *durch seelische Erschütterung oder zu große Anstrengung bewirkte nervliche Erschöpfung:* der Fahrer des Wagens erlitt nach dem Unfall einen N.

nervlich ⟨Adj.; nicht prädikativ⟩: *auf die Nerven bezogen, die Nerven betreffend:* eine starke nervliche Belastung; dieser Posten strengt ihn n. zu sehr an.

nervös ⟨Adj.⟩: *körperlich und seelisch unruhig, leicht gereizt:* sie ist heute sehr n.; der Lärm macht mich n.

Nervosität, die; -: *erhöhte Reizbarkeit der Nerven; Aufregung:* durch seine N. verpatzte der Spieler alle seine Chancen; das Lachen der Zuhörer vergrößerte nur seine N.

Nerz, der; -es, -e: **a)** /ein Tier/ (siehe Bild). **b)** *wertvoller Pelz des gleichnamigen Tieres:* seine Frau trug einen N.

Nerz a)

Nessel, die; -, -n: /eine Pflanze/ * (ugs.) **sich in die Nesseln setzen** *(sich Unannehmlichkeiten aussetzen):* mit dieser Bemerkung hatte ich mich in die Nesseln gesetzt.

Nest, das; -es, -er: *Wohn- und Brutstätte der Vögel, Mäuse und Ratten* (siehe Bild): die Amsel baut ihr N.

Nest

nesteln, nestelte, hat genestelt ⟨itr.⟩: *sich (an etwas) mit den Fingern [ungeschickt, nervös] zu schaffen machen; mit den Fingern etwas auszuführen versuchen:* er nestelte an seinem Anzug, Gürtel.

Nesthäkchen, das; -s, - (ugs.): *jüngstes [und verwöhntes] Kind der Familie:* das ist unser Kleinster, das N.

Nestor, der; -s, -en (geh.): *sehr bedeutende, erfahrene Persönlichkeit von hohem Alter, die auf einem bestimmten [wissenschaftlichen] Gebiet Außergewöhnliches geleistet hat und daher in großem Ansehen steht:* Professor X, der N. der deutschen Germanistik.

nett ⟨Adj.⟩: **a)** *freundlich und liebenswürdig:* sie sind nette Leute; er war sehr n. zu mir. **b)** *angenehm, ansprechend:* es war ein netter Abend; das Kleid ist recht n.

Nettigkeit, die; -, -en: **1.** ⟨ohne Plural⟩ *das Nettsein; Freundlichkeit, Herzlichkeit:* seine N. ist nicht echt. **2.** *[nicht besonders ernst gemeinte] freundliche Worte; Gefälligkeit:* er sagte ihm nur ein paar Nettigkeiten, beachtete ihn sonst aber nicht.

netto ⟨Adverb⟩ *rein; Verpakkung[skosten], Rabatt, Steuern o. ä. bereits abgezogen*/ Ggs. brutto/: die Ware wiegt n. fünf Kilo; er verdient 900 Mark n.

Nettoeinkommen, das; -s, -: *tatsächlich ausbezahltes Einkommen, bei dem Steuern, Beiträge zu Versicherungen o. ä. bereits abgezogen sind* /Ggs. Bruttoeinkommen/: sein N. beträgt 900 Mark.

Nettogewicht, das; -[e]s, -e: *Gewicht einer Ware ohne Verpackung* /Ggs. Bruttogewicht/.

Netz, das; -es, -e: **1.** *durch Flechten oder Verknoten von Fäden oder Seilen entstandenes Maschenwerk:* zum Fischen die Netze auswerfen; Sport den Ball ins N. schlagen; ein N. über dem Haar tragen. **2.** *verzweigte Anlage:* das N. von Schienen, elektrischen Leitungen, Kanälen.

netzen, netzte, hat genetzt ⟨tr.⟩ (geh.): *ein wenig feucht, naß machen:* Tränen netzten sein Gesicht; die Blumen mit Wasser n.

neu ⟨Adj.⟩: **a)** *vor kurzer Zeit entstanden, begonnen; seit kurzer Zeit vorhanden:* ein neues Haus; zum neuen Jahr Glück wünschen; neuer Wein; neue Lieder; die neuesten Nachrichten. **b)** *frisch, noch nicht verbraucht:* neue Truppen; mit neuen Kräften ans Werk gehen. **c)** *bisher unbekannt:* eine neue Methode entdecken; das ist mir n. *(das kenne ich noch nicht, davon habe ich noch nichts gehört).* **d)** *zum wiederholten Male, erneut:* die Arbeit muß n. gemacht werden; neue Hoffnung schöpfen. **** ein neues Leben beginnen** *(anders und besser als vorher sein Leben gestalten);* **ein neuer Mensch werden** *(sich zu seinem Vorteil ändern).*

neuartig ⟨Adj.⟩: *neu, noch nicht üblich, noch ungewohnt:* in dem Betrieb wird ein ganz neuartiges Verfahren angewendet.

Neuauflage, die; -, -n: *neue Auflage [und Bearbeitung] eines Buches:* die Vorschläge zur Verbesserung sollen bei einer N. berücksichtigt werden.

Neubau, der; -s, -ten: **1.** *neu gebautes Haus:* in einen N. einziehen. **2.** ⟨ohne Plural⟩ *das Neu-Erbauen:* den N. eines Theaters planen; bildl.: der N. des Staates.

Neubauwohnung, die; -, -en: *Wohnung in einem neu erbauten Haus; erstmals bezogene Wohnung:* er zieht in eine N. am Rande der Stadt.

neuerdings ⟨Adverb⟩: *seit kurzer Zeit:* er fährt n. mit der Straßenbahn.

neuerlich: I. ⟨Adj.; nur attributiv⟩ *erneut, wieder, nochmals vorkommend, geschehend:* mit diesem neuerlichen Erfolg bewies die Mannschaft ihre Stärke. **II.** ⟨Adverb⟩ *nochmals:* seine Rede rief n. scharfen Protest hervor.

Neuerung, die; -, -en: *Einführung von etwas Neuem, Ungewohntem; neue Methode o. ä.:* eine technische, sensationelle N.; er führte wichtige Neuerungen ein, war gegen jede N.

neugeboren ⟨Adj.; nicht adverbial⟩: *soeben erst geboren:* ein neugeborenes Kind. *** wie n.** *(wieder ganz frisch, munter):* nach dem Bad fühlte er sich wie n., war er wie n.

Neugeborene, das; -n, -n ⟨aber: [ein] Neugeborenes, Plural: Neugeborene⟩: *neugeborenes Kind:* das N. wurde in der Kapelle des Krankenhauses getauft.

Neugier, die; -: *das Verlangen, etwas [Neues] zu erfahren, zu wissen:* seine N. befriedigen; ich frage aus reiner N.

Neugierde, die; -: *Neugier.*

neugierig ⟨Adj.⟩: *von Neugier erfüllt:* ein neugieriges Kind.

Neuheit, die; -, -en: *etwas, was neu erschienen ist, erst kürzlich auf den Markt gekommen ist:* das Geschäft führt die letzten Neuheiten der Mode; die Neuheiten auf dem Buchmarkt; das Theaterstück ist eine N. **** der Reiz der N.** *(der besondere Reiz, der von etwas Neuem ausgeht):* dieses Buch hat den Reiz der N. bereits verloren.

Neuigkeit, die; -, -en: *neue Nachricht; etwas Neues:* jmdm. eine N. erzählen.

Neujahr [auch: ... jahr], das; -s: *erster Tag, Beginn des Jahres:* er tritt zu N. eine neue Stelle an; prosit N.! /Wunschformel/.

Neuland, das; -[e]s: *bisher noch nicht behandelter Bereich in der Wissenschaft, Forschung:* dieser Forschungsgegenstand ist für ihn N. *** N. betreten** *(sich mit einem bisher noch nicht behandelten Forschungsgebiet beschäftigen).*

neulich ⟨Adverb⟩: *vor kurzer Zeit, vor einiger Zeit:* ich bin ihm n. begegnet.

Neuling, der; -s, -e: *jmd., der in eine neue Umgebung kommt oder auf einem neuen Gebiet arbeitet:* er ist noch ein N. auf diesem Gebiet.

neumodisch ⟨Adj.⟩ (abwertend): *der neuen Mode entsprechend:* ein neumodisches Kleid; diese neumodischen Theaterstücke gefallen ihm nicht.

neun ⟨Kardinalzahl⟩: 9: n. Personen; die n. Musen.

neunmalklug ⟨Adj.⟩ (ugs.; abwertend): *sich für sehr klug haltend; vorlaut:* rede nicht so n.!

neunte ⟨Ordinalzahl⟩: 9.: der n. Mann.

neunzig ⟨Kardinalzahl⟩: 90: n. Personen.

Neuralgie, die; -, -n: Med. *in einzelnen Anfällen auftretende Schmerzen in den Nerven:* er leidet an einer N. im Bereich des Gesichts.

neuralgisch ⟨Adj.⟩: **1.** Med. *auf einer Neuralgie beruhend:* neuralgische Schmerzen. **2.** *für Schwierigkeiten anfällig; kritisch:* diese Kreuzung ist ein neuralgischer Punkt im Verkehr der Stadt.

Neurose, die; -, -n: Med. *seelische oder körperliche Krankheit, die auf psychischen Störungen beruht:* die Krankheit des Patienten hat keine organischen Ursachen, sondern er leidet an einer N.

neurotisch ⟨Adj.⟩: Med.: **a)** *durch eine Neurose bedingt:* eine neurotische Krankheit **b)** *an einer Neurose leidend:* ein neurotischer Mensch.

neutral ⟨Adj.⟩: *unbeteiligt; nicht an eine bestimmte Interessengruppe, Partei gebunden:* sich n. verhalten; eine neutrale Haltung einnehmen.

neutralisieren, neutralisierte, hat neutralisiert ⟨tr.⟩: **1.** *ausschalten, unwirksam machen:* schädliche Einflüsse n. **2.** *neutral machen:* ein Land [militärisch] n. **3.** Sport *[unterbrechen und] für eine bestimmte Zeit nicht bewerten:* das Rennen wurde für fünf Minuten neutralisiert. **4.** Chemie *bewirken, daß eine Lösung auf bestimmte Stoffe* *nicht mehr reagiert:* eine saure Lösung n.

Neutralität, die; -: *neutrales Verhalten:* sich zur N. verpflichten.

Neuwert, der; -[e]s: *Wert einer Ware in neuem, ungebrauchtem Zustand:* er verkauft seinen alten Wagen für ein Drittel des Neuwerts.

Neuzeit, die; -: *auf das Mittelalter folgende, bis in die Gegenwart dauernde historische Epoche etwa seit 1500:* er schreibt eine Geschichte der N.; die heutigen Großmächte entstanden erst in der N.

nicht ⟨Adverb⟩: **1.** /drückt eine Verneinung aus/: ich habe ihn n. gesehen. **2.** /drückt bei Fragen, Ausrufen, Ausdrücken des Sichwunderns, Staunens eine Verstärkung aus/: hast du n. gehört?; willst du n. gehorchen?; was du n. alles kannst!; was es n. alles gibt!

Nichte, die; -, -n: *Tochter eines Bruders oder einer Schwester.*

nichtig ⟨Adj.⟩: *wertlos, ungültig:* einen Vertrag für [null und] n. erklären.

Nichtigkeit, die; -, -en: **1.** *etwas ganz Unwichtiges, Belangloses:* für solche Nichtigkeiten kann ich nicht so viel Zeit verschwenden. **2.** ⟨ohne Pural⟩ Rechtsw. *Ungültigkeit:* die N. des Vertrages wurde vom Gericht bestätigt. **3.** ⟨ohne Plural⟩ (geh.) *Vergänglichkeit, Wertlosigkeit:* die N. allen irdischen Besitzes.

Nichtraucher, der; -s, -: *jmd., der grundsätzlich nicht raucht:* „Möchten Sie eine Zigarette?" „Nein, danke, ich bin N."; (ugs.) ich sitze im N. *(Abteil, in dem nicht geraucht werden darf).*

nichts ⟨Indefinitpronomen⟩: **a)** *nicht das mindeste, geringste; in keiner Weise etwas:* er will n. mehr davon hören. **b)** *keine Sache, kein Ding o. ä., nicht etwas:* er wird ihm n. schenken; er kauft n. Unnötiges. *** mir n., dir n.** *(ohne viel Umstände zu machen):* er warf ihn mir n., dir n. hinaus.

Nichts, das; -: *das Fehlen jeder Existenz:* Gott hat die Welt aus dem N. erschaffen; er hat sein Geschäft aus dem N. *(ohne auf bereits vorhandene materielle Werte aufbauen zu können)* aufgebaut. *** vor dem N. stehen** *([plötzlich] keine materiellen Grundlagen für den Lebensunterhalt mehr haben):* nachdem sein Geschäft abgebrannt ist, steht er vor dem N.

Nichtschwimmer, der; -s, -: *jmd., der nicht schwimmen kann:* das Bad hat auch ein seichteres Becken für N.

Nichtskönner, der; -s, - (abwertend): *jmd., der von seinem Fach wenig versteht:* von diesem N. lasse ich keine Arbeit ausführen.

Nichtsnutz, der; -es, -e (ugs.; abwertend): *jmd., der zu nichts taugt, zu nichts nütze ist:* er ist ein rechter N., die ganze Zeit treibt er sich herum und arbeitet nichts.

nichtsnutzig ⟨Adj.⟩ (abwertend): *zu nichts nütze; für keine Arbeit o. ä. brauchbar:* ein nichtsnutziger Kerl.

nichtssagend ⟨Adj.⟩: *bedeutungslos, ausdruckslos, ohne Aussagekraft:* jmdm. eine nichtssagende Antwort geben; sie hat ein nichtssagendes Gesicht.

Nichtstuer, der; -s, - (abwertend): *fauler Mensch; jmd., der keiner Arbeit nachgeht, auf Kosten anderer lebt:* diese N., die sich in den internationalen Kurorten langweilen.

Nickel, das; -s: /ein ähnlich wie Silber aussehendes Metall/: eine Münze aus N.

nicken, nickte, hat genickt ⟨itr.⟩: *den Kopf mehrmals leicht und kurz senken und wieder heben* /zum Zeichen der Zustimmung, auch als Gruß/: er nickte kurz.

Nickerchen: ⟨in der Wendung⟩ ein N. machen (ugs.): *ein wenig schlafen:* nach dem Essen macht er auf dem Sofa immer ein N.

nie ⟨Adverb⟩: *zu keiner Zeit:* n. wieder!; jetzt oder n.; ich werde n. meine Zustimmung geben.

nieder: **I.** ⟨Adj.⟩ *von geringer Höhe; nahe am Boden:* der Tisch ist sehr n.; ein niederer Wald; bildl.: der niedere Adel; dem niederen Stand [des Volkes] angehören. **II.** ⟨Adverb⟩ *nach unten, zu Boden:* n. mit ihm!

niederbrennen, brannte nieder, hat niedergebrannt: **a)** ⟨itr.⟩ *durch Brand völlig zerstört werden:* das Haus brannte bis auf das Fundament nieder. **b)** ⟨tr.⟩ *in Brand stecken und bis auf den Boden abbrennen lassen:* Häuser, ein Dorf n.

niederdrücken, drückte nieder, hat niedergedrückt ⟨itr.⟩: *durch sein Gewicht nach unten drücken:* das Gewicht drückt die Waagschale nieder; bildl.: die Sorgen haben ihn sehr niedergedrückt *(hoffnungslos gemacht).*

Niedergang, der; -[e]s: *Untergang, Zerfall:* der N. der Kultur, Landwirtschaft.

niedergehen, ging nieder, ist niedergegangen ⟨itr.⟩: **a)** *sich auf die Erde senken; landen:* das Flugzeug ging auf einem Feld nieder. **b)** *(an einer bestimmten Stelle) auf der Erde auftreffen:* das Geschoß ging auf das Haus nieder; auf die Stadt ging ein strömender Regen nieder *(regnete es in Strömen);* ein Gewitter geht nieder *(entlädt sich).* **c)** *fallen, sich senken:* während großer Applaus einsetzte, ging der Vorhang nieder.

niedergeschlagen ⟨Adj.⟩: *durch einen Mißerfolg oder eine Enttäuschung unglücklich und ratlos; mutlos, deprimiert:* nach dem Besuch im Krankenhaus war er sehr n. **Niedergeschlagenheit,** die; -.

niederhalten, hält nieder, hielt nieder, hat niedergehalten ⟨tr.⟩: *unterdrücken, nicht aufkommen lassen:* die Gegner des Regimes, den Widerstand n.

Niederkunft, die; -: *das Gebären; Entbindung:* die Frau erwartete in Kürze ihre N.

Niederlage, die; -, -n: *das Verlieren im Kampf:* eine schwere N. erleiden, hinnehmen müssen.

niederlassen, läßt nieder, ließ nieder, hat niedergelassen: **1.** ⟨tr.⟩ *herunterlassen:* er ließ die Fahne nieder. **2.** ⟨rfl.⟩ **a)** *sich setzen:* er hat sich auf dem Sofa niedergelassen. **b)** *an einen bestimmten Ort ziehen und eine selbständige dienstliche Tätigkeit ausüben; eine Praxis eröffnen:* die Firma hat sich in Mannheim niedergelassen; er hat sich als Arzt, als Anwalt niedergelassen.

Niederlassung, die; -, -en: *Unternehmen, Geschäft, das von einem größeren Unternehmen abhängig ist; Filiale:* das Unternehmen hat Niederlassungen in verschiedenen Städten.

niederlegen, legte nieder, hat niedergelegt: **1.** ⟨tr.⟩ *auf etwas, auf den Boden legen:* er legte seine Serviette nieder; sie legten am Grabe Kränze nieder. **2.** ⟨tr.⟩ *aufgeben:* er legte sein Amt, die Arbeit nieder. **3.** ⟨tr.⟩ *aufschreiben:* er legte seine Gedanken, Verse nieder. **4.** ⟨rfl.⟩ *sich hinlegen:* er legte sich auf das Sofa nieder.

niederreißen, riß nieder, hat niedergerissen ⟨tr.⟩: *zum Einsturz bringen, zerstören:* die Mauern der Ruine n.; bildl.: die sozialen Schranken n. *(das Trennende, die Mißverständnisse zwischen den Gesellschaftsschichten beseitigen).*

niederschießen, schoß nieder, hat niedergeschossen ⟨tr.⟩: *auf brutale Weise erschießen:* der Gangster hat den Polizisten einfach niedergeschossen.

Niederschlag, der; -s, Niederschläge: **1.** *das aus der Atmosphäre in flüssiger oder fester Form auf die Erde fallende Wasser:* es gab Niederschläge in Form von Regen und Schnee. **2.** *Schlag, durch den jmd. zu Boden sinkt:* der Boxer ist an den Folgen des Niederschlags gestorben.

niederschlagen, schlägt nieder, schlug nieder, hat niedergeschlagen /vgl. niedergeschlagen/: **1.** ⟨tr.⟩ *durch einen Schlag zu Boden werfen:* er hat ihn niedergeschlagen. **2.** ⟨tr.⟩ *unterdrücken, beenden:* er hat den Aufstand niedergeschlagen; der Prozeß wurde niedergeschlagen. **3.** ⟨rfl.⟩ *sich ablagern:* der Nebel hat sich am nächsten Morgen als Tau niedergeschlagen. **** die Augen n.** *(die Augenlider senken).*

niederschmettern, schmetterte nieder, hat niedergeschmettert ⟨tr.⟩: *sehr erschüttern; vollkommen mutlos machen:* die traurige Nachricht hat ihn niedergeschmettert; ⟨häufig im 1. Partizip⟩ das Ergebnis der Verhandlungen war niederschmetternd *(die Verhandlungen waren ganz erfolglos).*

niederschreiben, schrieb nieder, hat niedergeschrieben ⟨tr.⟩: *etwas, was man erlebt oder überlegt hat, aufschreiben:* er hat seine Memoiren niedergeschrieben.

niederschreien, schrie nieder, hat niedergeschrie[e]n ⟨tr.⟩: *so laut schreien, daß jmds. Sprechen nicht gehört werden kann; durch Schreien am Sprechen hindern:* der Redner wurde von den Demonstranten niedergeschrien.

Niederschrift, die; -, -en: **a)** *das Niederschreiben:* er war bei der N. seiner Überlegungen. **b)** *das (über etwas) Niedergeschriebene:* die N. einer Verhandlung.

niedersetzen, setzte nieder, hat niedergesetzt: **1.** ⟨tr.⟩ *(etwas, was gehoben worden ist) auf einen bestimmten Platz stellen:* sie setzte die Tasse [auf den Tisch] nieder. **2.** ⟨rfl.⟩ *sich setzen, Platz nehmen:* setz dich nieder!; sie setzten sich zum Abendessen nieder.

niederstoßen, stößt nieder, stieß nieder, hat/ist niedergestoßen: **1.** ⟨tr.⟩ *durch einen Stoß bewirken, daß jmd. umfällt:* er hat seinen Kameraden niedergestoßen; jmdn. mit dem Messer n. *(ihn mit dem Messer so verletzen, daß er stürzt).* **2.** ⟨itr.⟩ *mit großer Geschwindigkeit herabfliegen:* ein Vogel, Flugzeug ist auf die Erde niedergestoßen.

Niedertracht, die; - (abwertend): **a)** *gemeine, niederträchtige Gesinnung:* eine solche N. hätte ich ihm nicht zugetraut. **b)** *niederträchtige Handlung:* eine N. verüben; sich eine N. gegen jmdn. herausnehmen.

niederträchtig ⟨Adj.⟩ (abwertend): *[hinterhältig] gemein, jmd. schaden wollend:* er hat einen niederträchtigen Charakter. **Niederträchtigkeit,** die; -, -en.

Niederung, die; -, -en: *tiefer als die Umgebung liegende, ebene Gegend:* in den Niederungen am Fluß wachsen viele Sträucher; bildl.: die Niederungen *(schlechten, asozialen Zustände und Verhältnisse, sozial tiefstehenden Schichten)* der Gesellschaft.

niederwerfen, wirft nieder, warf nieder, hat niedergeworfen: **1.** ⟨tr.⟩ *unterdrücken, niederschlagen:* einen Aufstand n.; die aufständischen Truppen wurden grausam niedergeworfen. **2.** ⟨rfl.⟩ (geh.) *sich aus Ehrfurcht, Angst o. ä. (vor jmdm.) auf den Boden legen oder knien:* der Sklave warf sich vor dem Fürsten nieder und bat um sein Leben. **3.** ⟨tr.⟩ *zwingen, im Bett zu bleiben:* die Krankheit war ihn nieder.

niedlich ⟨Adj.⟩: *von zierlich-kindlichem, hübschem Aussehen und munterem Wesen:* ein niedliches Mädchen; sie sah in dem Kleid sehr n. aus.

niedrig ⟨Adj.⟩: **1.** *nieder, von geringer Höhe:* niedrige Berge; niedrige Preise. **2.** *schlecht, gemein:* er hat eine niedrige Gesinnung.

niemals ⟨Adverb⟩: *nie:* das werde ich n. tun.

niemand ⟨Indefinitpronomen⟩: *keiner, kein Mensch* /Ggs. jemand/: n. hat mich besucht; ich habe den Plan niemandem erzählt.

Niere, die; -, -n: *Organ, das Harn bildet und ausscheidet.*

nieseln, nieselte, hat genieselt ⟨itr.⟩: *[längere Zeit] nur wenig regnen:* es nieselt heute den ganzen Tag.

niesen, nieste, hat geniest ⟨itr.⟩: *durch einen Reiz hervorgerufenes kurzes, heftiges Ausstoßen von Luft aus der Nase:* laut n.

Niete, die; -, -n: **I.** *Bolzen aus Metall mit verbreitertem Ende, mit dem etwas fest verbunden werden kann* (siehe Bild): Bleche mit Nieten verbinden; den Griff mit einer N. an der Tasche befestigen. **II. 1.** *Los, das nicht gewonnen hat:* er hat eine N. gezogen. **2.** (ugs.; abwertend) *jmd., der nichts leistet, versagt:* er ist eine ausgesprochene N.

Niete I.

nieten, nietete, hat genietet ⟨tr.⟩: **1.** *mit Nieten verbinden:* Platten, Träger n.; die Brücke ist nicht geschweißt, sondern genietet *(die Bestandteile sind durch Nieten verbunden).* **2.** *(einen Nagel) zu einer Niete umformen:* Nägel n.

Nietenhose, die; -, -n: *[blaue] Hose aus grobem Stoff, die an den*

Nietenhose

Enden der Nähte mit Nieten versehen ist (siehe Bild S. 468).

niet- und nagelfest: ⟨in der Verbindung⟩ alles, was nicht niet- und nagelfest ist (ugs.): *alles, was nicht befestigt ist; alles, was man mitnehmen, wegtragen kann:* die Einbrecher nahmen alles mit, was nicht niet- und nagelfest war.

Nihilismus, der; -: *Anschauung, die das Dasein für sinnlos hält und keine positiven Werte anerkennt:* er vertritt einen extremen N.

Nikotin, das; -s: *im Tabak enthaltener giftiger Stoff:* diese Zigarette enthält wenig N.

nikotinarm ⟨Adj.⟩: *wenig Nikotin enthaltend:* die Zigarette ist mild und n. im Rauch.

Nilpferd, das; -[e]s, -e: *Flußpferd.*

Nimbus, der; -: *hohes Ansehen, Geltung, Ruhm, der nicht [mehr] ganz berechtigt ist:* er umgibt sich mit dem N. eines genialen Künstlers, der Unbestechlichkeit; seinen N. verlieren.

Nimmerwiedersehen: ⟨in der Fügung⟩ auf N. (ugs.): *für immer:* das Geld ist auf N. verloren.

nippen, nippte, hat genippt ⟨itr.⟩: *nur wenig trinken; nur einen kleinen Schluck nehmen:* er hat [am Glas, am Wein] genippt.

Nippes, die ⟨Plural⟩: *kleine Figuren, die zur Zierde aufgestellt werden:* in seiner Wohnung stehen überall auf den Möbeln kitschige Nippes.

nirgends ⟨Adverb⟩: *an keinem Ort, an keiner Stelle:* er fühlt sich n. wohl.

Nische, die; -, -n: *Vertiefung in einer Wand [in die man etwas hineinstellen kann]* (siehe Bild): er stellte die Figur in eine N.

Nische

nisten, nistete, hat genistet ⟨itr.⟩: *ein Nest bauen und es längere Zeit bewohnen* /von Vögeln/: unter dem Dach nisten Schwalben.

Niveau [ni'vo:], das; -s: *geistiger Rang, Bildungsgrad; kulturelle Stufe:* ein literarisches Werk von beachtlichem N.; das N. heben; der Inhalt der Illustrierten entspricht dem N. *(der Bildung, dem geistigen Anspruch)* der Leser.

niveaulos [ni'vo:lo:s] ⟨Adj.⟩: *kulturell, geistig nicht hochstehend; wenig Niveau besitzend:* das Theater hat einen niveaulosen Spielplan.

niveauvoll [ni'vo:fɔl] ⟨Adj.⟩: *durch hohes Niveau gekennzeichnet, kulturell hochstehend:* die Aufführungen dieses kleinen Theaters sind wirklich n.; junge Dame, zur Ehe entschlossen, sucht niveauvollen Partner.

nivellieren, nivellierte, hat nivelliert ⟨tr.⟩: *auf die gleiche Ebene bringen, ohne die Eigenschaften (von etwas) zu berücksichtigen; gleichmachen:* die gesellschaftlichen Unterschiede werden heute stark nivelliert.

Nivellierung, die; -.

Nixe, die; -, -n: /eine weibliche Gestalt aus der Mythologie/ (siehe Bild).

Nixe

nobel ⟨Adj.⟩: **a)** *vornehm:* ein nobler Mann, Charakter. **b)** (ugs.) *großzügig, freigebig:* er zeigt sich sehr n.; noble Geschenke machen.

Noblesse, die; -: *vornehmes Benehmen, feine Lebensart:* er machte mit seiner natürlichen N. einen angenehmen Eindruck.

noch ⟨Adverb⟩: **1. a)** *bis zu diesem Zeitpunkt; bis jetzt:* ich habe n. keine Nachricht erhalten; er wohnt n. in München. **b)** *weiterhin, für die nächste Zeit:* wir haben n. Zeit; die Vorräte reichen n. [für vier Wochen]. **c)** *zu irgendeinem Zeitpunkt:* du wirst [schon] n. sehen, was daraus wird; der Besitzer wird sich n. melden. **d)** *eben zu dieser genannten Zeit:* ich habe ihn n. vor zwei Tagen gesehen; er wollte alles n. am gleichen Tage erledigen. **2.** *zusätzlich, außerdem:* ich muß dir n. etwas sagen; sie hat [zu dem Kleid] n. einen Mantel gekauft; wer ist n. im Theater gewesen?; bitte n. ein Bier! **3.** ⟨verstärkend bei Vergleichen⟩: das Haus ist n. größer als ich dachte; wir haben n. [mehr] Obst.

nochmalig ⟨Adj.; nur attributiv⟩: *nochmals vorkommend, geschehend:* bei einem nochmaligen Versuch wird es vielleicht gelingen.

nochmals ⟨Adverb⟩: *erneut; noch einmal:* den Text n. schreiben.

Nomade, der; -n, -n: **a)** *Angehöriger eines Volkes [von Hirten], das ohne festen Wohnsitz von Ort zu Ort zieht:* in Afrika gibt es noch Völker, die als Nomaden leben. **b)** *jmd., der viel unterwegs ist, nie zur Ruhe kommt:* er zieht von einem Hotel zum anderen, ein richtiger N.; wir sind moderne Nomaden.

nominell ⟨Adj.⟩: *nur dem Namen nach [bestehend]; nach außen zwar so bezeichnet, aber nicht wirklich:* er gehört n. zu unserer Abteilung, praktisch jedoch arbeitet er in einer anderen Gruppe.

nominieren, nominierte, hat nominiert ⟨tr.⟩: *für einen Posten vorschlagen; (zu etwas) ernennen:* der Trainer nominierte die Spieler für den Wettkampf, hat die Mannschaft nominiert *(aufgestellt)*; der Diplomat wurde als Leiter der Delegation nominiert.

Nonchalance [nõʃa'lã:s], die; -: *lässiges, unbekümmertes, blasiertes Benehmen:* er legte in allen Dingen eine außerordentliche N. an den Tag.

nonchalant [nõʃa'lã:, bei attributivem Gebrauch: nõʃa'lant] ⟨Adj.⟩: *lässig, ungezwungen; die Form im Benehmen zu sehr außer acht lassend:* mit nonchalanter Gelassenheit nahm er die Vorwürfe hin; er benimmt sich sehr n.

Nonkonformismus, der; -: *Haltung, Einstellung, die sich darin äußert, daß sich der Betreffende [in politischen, weltanschaulichen o. ä. Fragen] nicht der allgemein herrschenden Meinung anschließt, sondern selb-*

ständig denkt und sich selbst ein Urteil bildet: politischer, literarischer N.

Nonkonformist, der; -en, -en: *jmd., der durch Nonkonformismus gekennzeichnet ist.*

Nonne, die; -, -n: *Angehörige eines katholischen Ordens.*

Nonsens, der; -: *Unsinn:* in diesem Buch ist unglaublicher N. zu lesen.

Nonstopflug, der; -[e]s, Nonstopflüge: *Flug über weite Strekken ohne Zwischenlandung:* nach einem N. von acht Stunden erreichten wir New York.

Noppe, die; -, -n: *Verdickung in einem Wollfaden, die im Gewebe sichtbar wird.*

Norden, der; -s: **1.** *Himmelsrichtung, die dem Süden entgegengesetzt ist:* sie fuhren nach N. **2.** *Gebiet, das in dieser Richtung liegt:* der N. Deutschlands.

nördlich: I. ⟨Adj.; attributiv⟩: **1.** *im Norden liegend:* der nördliche Teil der Stadt. **2.** *nach Norden gerichtet:* das Schiff steuert nördlichen Kurs. **II.** ⟨Präp. mit Gen.⟩ *im Norden von:* die Autobahn verläuft n. der Stadt; ⟨auch als Adverb in Verbindung mit *von*⟩ n. von Mannheim.

Nordpol, der; -s: *nördlicher Schnittpunkt der Erdachse mit der Oberfläche der Erde.*

Nörgelei, die; -, -en: *dauerndes Nörgeln:* diese ständige N. geht mir auf die Nerven.

nörgeln, nörgelte, hat genörgelt ⟨itr.⟩: *mit nichts zufrieden sein und an allen Dingen auf kleinliche Art Kritik üben:* er hat heute an allem zu n.

Nörgler, der; -s, -: *jmd., der ständig nörgelt, unzufrieden ist:* dieser N. hat doch immer etwas auszusetzen.

Norm, die; -, -en: **1.** *Vorschrift, Regel, festgesetztes Maß, nach dem etwas durchgeführt oder hergestellt werden soll:* für die Herstellung der Maschinen, für die Breite der Schienen wurden bestimmte Normen festgesetzt. **2.** *das Übliche; der Durchschnitt; das im allgemeinen Geleistete, Vorkommende:* seine Begabung geht über die Norm seiner Klasse hinaus; sich an die N. halten; von der N. abweichen.

normal ⟨Adj.⟩: **a)** *der Regel, Vorschrift, Gewohnheit, dem rechten Maß entsprechend:* etwas auf normalem Weg erreichen; normales Gewicht haben; die Maschine läuft n. **b)** *[geistig] gesund:* ihr Kreislauf ist n.; er zeigte eine normale Reaktion; er ist nicht n.

normalisieren, sich; normalisierte sich, hat sich normalisiert: *sich wieder der Norm angleichen; wieder in den normalen Zustand kommen:* nachdem die ärgsten Katastrophenschäden behoben sind, hat sich das Leben in der Stadt wieder normalisiert; ⟨auch tr.⟩ die Polizei war kaum in der Lage, die Verhältnisse zu n. *(wieder den normalen Zustand herzustellen).*

Normalverbraucher, der; -s, -: **a)** *jmd., der eine durchschnittliche Menge von Konsumgütern verbraucht:* für den N. wirkt sich eine Verteuerung bei Lebensmitteln am stärksten aus. **b)** *Mensch ohne besonders auffallende Eigenschaften, Fähigkeiten oder Interessen:* für den N. ist dieser Film zu schwierig.

normativ ⟨Adj.⟩: *als Norm geltend; die Regel, den Maßstab für etwas anderes abgebend:* die Entscheidungen des höchsten Gerichts haben normative Bedeutung für die Rechtsprechung.

normen, normte, hat genormt ⟨tr.⟩: *nach einer bestimmten Norm, einheitlich festlegen:* die Papierformate wurden genormt.

normieren, normierte, hat normiert ⟨tr.⟩: *normen.*

not: ⟨in der Verbindung⟩ etwas tut n.: *etwas ist dringend nötig, erforderlich:* rasche Hilfe tut n.

Not, die; -: *Armut, Elend; Mangel an lebenswichtigen Dingen:* N. leiden, kennen; jmdm. in der N. beistehen, helfen. *** mit jmdm./etwas seine [liebe] Not haben** *(mit jmdm./etwas große Mühe, Schwierigkeiten haben):* er hatte seine liebe N. mit diesen wilden Kindern; **mit knapper Not** *(gerade noch):* er entging mit knapper N. dem Tode.

Notar, der; -s, -e: *staatlich vereidigter Jurist, dessen Aufgabe es ist, Urkunden, Verträge usw. zu beglaubigen o. ä.:* bei einem N. eine eidesstattliche Erklärung abgeben; etwas bei einem N. hinterlegen.

notariell ⟨Adj.; nicht prädikativ⟩: *durch einen Notar [erfolgend]:* einen Vertrag n. beglaubigen lassen.

Notausgang, der; -s, Notausgänge: *Ausgang, durch den man bei Gefahr einen Raum verlassen kann:* die Besucher des Kinos konnten sich bei dem Brand durch den N. retten.

Notbehelf, der; -s: *vorübergehende Lösung, Ersatzmittel:* dies kann als N. dienen; wir müssen mit diesem N. vorübergehend zufrieden sein.

Notdurft: ⟨in der Verbindung⟩ seine N. verrichten: *Darm oder Blase durch Ausscheidung des Kotes oder des Harnes entleeren:* der Kranke darf nur aufstehen, um seine N. zu verrichten.

notdürftig ⟨Adj.⟩: *nur als Notbehelf dienend; mangelhaft, nicht ausreichend:* etwas n. reparieren; die notdürftige Ausrüstung verbessern.

Note, die; -, -n: **1.** *Zeichen für einen bestimmten Ton, der zu singen oder auf einem bestimmten Instrument zu spielen ist:* er las die Noten vom Blatt. **2.** *Bewertung, Zensur:* er hat die Prüfung mit der Note „gut" bestanden. **3.** *diplomatisches Schriftstück:* der Botschafter überreichte eine N. **4.** *persönliche Eigenart:* er gab der Aufführung eine besondere N.

Notfall, der; -[e]s, Notfälle: *[plötzlich vorhandene] schwierige Situation:* für den N. habe ich vorgesorgt.

notfalls ⟨Adverb⟩: *wenn es nicht anders geht, wenn es sein muß:* n. bleiben wir hier.

notgedrungen ⟨Adj.; nicht prädikativ⟩: *aus der gegebenen Situation heraus zu einem bestimmten Tun gezwungen:* er mußte n. auf die Fahrt ins Ausland verzichten.

Notgroschen, der; -s, -: *für Zeiten der Not zusammengespartes Geld.*

notieren, notierte, hat notiert ⟨tr.⟩: *aufschreiben, damit man es nicht vergißt; (etwas, was man behalten oder woran man sich erinnern will) in oder auf etwas schreiben:* eine Autonummer n.

nötig ⟨Adj.⟩: *erforderlich, notwendig:* die nötigen Kleider, Bücher; etwas [bitter] n. haben *(etwas dringend brauchen, haben müssen).*

nötigen, nötigte, hat genötigt ⟨tr.⟩: *heftig drängen; (jmdn.) zwingen, etwas zu tun:* jmdn. zum Kauf eines Gegenstandes n.

Notiz, die; -, -en: *kurze Angabe, Aufzeichnung; Vermerk:* sich Notizen machen. *** von jmdm./etwas keine N. nehmen** *(jmdn./etwas in keiner Weise beachten):* er nahm keine N. von mir.

Notizbuch, das; -[e]s, Notizbücher: *kleines Buch mit leeren Seiten, in dem man sich Notizen machen kann.*

Notlage, die; -, -n: *schwierige [finanzielle] Lage:* er befindet sich in einer N.; jmds. N. ausnutzen.

notlanden, notlandete, ist notgelandet ⟨itr.⟩: *eine Notlandung machen:* das Flugzeug, der Pilot mußte auf einem flachen Feld n., nachdem zwei Motoren ausgefallen waren.

Notlandung, die; -, -en: *durch einen technischen Schaden oder durch schlechtes Wetter verursachte Landung eines Flugzeuges außerhalb eines Flugplatzes.*

Notlüge, die; -, -n: *harmlose Lüge, um eine peinliche Situation, Unannehmlichkeit zu vermeiden:* da ich ihm ja nicht direkt sagen konnte, wohin ich ging, mußte ich zu einer N. greifen.

notorisch ⟨Adj.; nicht prädikativ⟩: *als solcher längst bekannt; gewohnheitsmäßig:* er ist ein notorischer Trinker; er kommt n. zu spät.

Notruf, der; -[e]s, -e: **a)** *[kurze] Telefonnummer, durch die Feuerwehr, Polizei usw. in dringenden Fällen erreicht werden können:* ein Zeuge des Überfalls rief über [den] N. die Polizei. **b)** *Anruf bei Feuerwehr, Polizei usw. über eine besondere Telefonnummer für dringende Fälle:* auf einen N. hin wurde sie von einem Krankenwagen in die Klinik gebracht.

Notsitz, der; -es, -e: *behelfsmäßiger Sitz, der benutzt wird, wenn alle Sitzplätze besetzt sind:* er mußte die ganze Bahnfahrt auf einem N. verbringen.

Notstand, der; -[e]s: **1.** *Zustand großer Not, drohender Gefahr:* wegen der Überschwemmungen wurde der nationale N. ausgerufen. **2.** Rechtsw. *Situation, bei der man eine Gefahr für sich und sein Gut nur dadurch abwenden kann, daß man die Rechte eines anderen verletzt:* der N. konnte auf andere Weise nicht beseitigt werden.

Notwehr, die; -: *das Abwehren eines Angriffs gegen die eigene oder gegen eine fremde Person:* jmdn. in N. töten; etwas in, aus N. tun.

notwendig ⟨Adj.⟩: **a)** *unentbehrlich, unbedingt erforderlich:* notwendige Bücher kaufen; die für eine Arbeit notwendige Zeit. **b)** *dringend, unbedingt:* ich muß n. verreisen; ich brauche n. ein Auto. **c)** *unvermeidlich:* der Verkauf des Hauses war n.; das ist ein notwendiges Übel.

November, der; -[s], -: *elfter Monat des Jahres.*

Nuance [ny'ã:sə], die; -, -n: **1.** *feiner Unterschied, feine Tönung:* das Bild wirkt durch die vielen Nuancen bei den einzelnen Farben. **2.** *Kleinigkeit, geringes Maß:* die Farbe ist eine N. zu hell; der Wein müßte um eine N. kälter sein.

nüchtern ⟨Adj.⟩: **1.** ⟨nicht adverbial⟩: **a)** *nichts gegessen habend:* n. zur Arbeit gehen; keinen Alkohol auf nüchternen Magen trinken. **b)** ⟨nicht adverbial⟩ *nicht betrunken:* er ist selten n.; nicht mehr ganz n. sein *(leicht betrunken sein).* **2. a)** *ohne Beteiligung des Gefühls, ohne Illusion:* er betrachtet alles sehr n.; die Arbeit ist n. geschrieben. **b)** *ohne etwas, was das Gefühl anspricht: ohne Reiz, Schmuck;* die Zimmer sind alle sehr n. eingerichtet.

null ⟨Zahlwort⟩: *kein; nichts:* der Schüler hat n. Fehler in der Übersetzung. *** n. und nichtig** *(ungültig):* einen Vertrag für n. und nichtig erklären.

numerieren ⟨tr.⟩: *mit Nummern, Zahlen versehen (um die Reihenfolge festzulegen oder etwas zu kennzeichnen):* die Zimmer sind numeriert.

Nummer, die; -, -n: *Zahl, mit der etwas gekennzeichnet wird:* die N. des Loses; er wohnt [im Zimmer] N. 10.

nun ⟨Adverb⟩: **a)** *jetzt:* von n. an soll alles anders werden; n. kann ich ruhig schlafen. **b)** *eben, einfach:* es ist n. einmal nicht anders. **c)** *also:* n., so sprich doch!

Nuntius, der; -, Nuntien: *ständiger diplomatischer Vertreter des Papstes:* der Minister verhandelte mit dem päpstlichen N.

nur: I. ⟨Adverb⟩ **a)** *nicht mehr als:* es war n. ein Traum; n. noch zwei Minuten. **b)** *nicht anders als:* ich konnte n. staunen. **c)** *nichts weiter als:* ich habe ihr n. gesagt, sie solle nichts erzählen. **d)** *doch* /Nachdruck verleihend/: er soll n. kommen; wenn er dies n. nicht getan hätte! **II.** ⟨Konj. oder Adverb⟩ *allein, aber:* sie ist schön, n. müßte sie schlanker sein.

nuscheln, nuschelte, hat genuschelt ⟨itr./tr.⟩ (ugs.): *undeutlich und durch die Nase sprechen:* man versteht ihn kaum, weil er so nuschelt; er nuschelte einige Worte.

Nuß, die; -, Nüsse: *Frucht mit sehr harter Schale* (siehe Bild): eine N. knacken; so hart wie eine N.; bildl.: eine harte N. zu knacken haben *(eine schwierige Aufgabe zu lösen haben).*

Nuß

Nußknacker, der; -s, -: *Gerät zum Knacken von Nüssen* (siehe Bild).

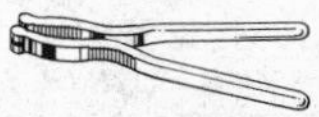

Nußknacker

Nut, die; -, -en: *Nute.*

Nute, die; -, -n: *längliche Vertiefung in Form einer Rinne, durch die verschiedene Teile von Maschinen, Möbeln usw. verbunden werden können* (siehe Bild): der Zapfen muß genau in die N. passen.

Nute

Nutte, die; -, -n (derb; abwertend): *Prostituierte.*

nutzbar ⟨Adj.⟩: *so beschaffen, daß es genutzt werden kann:* etwas in nutzbare Energie umwandeln; etwas n. machen.

nutzbringend ⟨Adj.⟩: **a)** *sinnvoll; so, daß es einen Nutzen hat:* du sollst nicht immer herumlungern, sondern deine freie Zeit ein bißchen n. verwenden. **b)** *Gewinn bringend:* das Geld, Kapital n. anlegen.

nütze: ⟨in den Verbindungen⟩ **zu nichts n. sein** *(für nichts brauchbar, wertlos sein):* diese Arbeit ist zu nichts n.; du bist zu gar nichts n.!; **zu etwas n. sein** *(für etwas brauchbar, wertvoll sein):* wozu ist denn das n.?

nutzen, nutzte, hat genutzt: **1.** ⟨tr.⟩ *aus einer gegebenen Situation einen persönlichen Vorteil ziehen; bestimmte Möglichkeiten zu seinen Gunsten verwerten:* er nutzt jede Gelegenheit, Geld zu verdienen; wir müssen die Zeit gut n. **2.** ⟨itr.⟩ *für das Erreichen eines Zieles geeignet sein:* seine Erfahrungen nutzen ihm sehr viel; alle Bemühungen nutzen nichts, wenn der gute Wille fehlt.

Nutzen, der; -s, -: *materieller oder geistiger Vorteil, Gewinn:* aus etwas N. ziehen; etwas bringt N.; etwas ist von N.

nützen, nützte, hat genützt ⟨tr./itr.⟩ (bes. südd.): *nutzen.*

nützlich ⟨Adj.⟩: *gut zu gebrauchen, zu verwenden; Vorteil bietend, bringend:* allerlei nützliche Dinge kaufen; das Lexikon erweist sich als n. für meine Arbeit.

nutzlos ⟨Adj.⟩: *keinen Nutzen, Gewinn bringend:* nutzlose Anstrengungen; die Bemühungen waren nicht völlig n.

Nutznießer, der; -s, -: *jmd., dem der Nutzen, Vorteil (aus etwas) zufällt:* der N. des Streites war die Konkurrenz.

Nutzung, die; -: *das Behandeln, Bearbeiten von etwas in der Weise, daß es Nutzen, Ertrag bringt:* landwirtschaftliche N. eines Gebietes.

Nylon ['naɪlɔn], das; -s: /ein aus synthetischen Fasern hergestelltes Gewebe/: Strümpfe aus N.

Nymphe, die; -, -n: **1.** /eine weibliche Gestalt aus der Mythologie/. **2.** Biol. *Stadium in der Entwicklung von Insekten zwischen Larve und Puppe.*

O

Oase, die; -, -n: *fruchtbare Stelle mit Wasser und Pflanzen in der Wüste* (siehe Bild): in einer O. übernachten; bildl.: dieser Park ist eine O. der Ruhe *(ein stiller Ort der Erholung)* in der lauten Großstadt.

Oase

ob ⟨Konj. zur Einleitung eines indirekten Fragesatzes⟩: er fragte mich, ob du morgen kommst.

Obacht: ⟨in bestimmten Wendungen⟩ (bes. südd.) **auf jmdn./etwas O. geben** *(auf jmdn./etwas aufpassen, achtgeben);* **sich in O. nehmen** *(sich in acht nehmen, vorsichtig sein):* du hast dich nicht in O. genommen.

Obdach: ⟨in bestimmten Wendungen⟩ **[ein] O. suchen/finden** *(eine Unterkunft suchen/finden);* **jmdm. O. geben/gewähren** *(jmdm. Unterkunft gewähren);* **kein O. haben** *(keine Unterkunft haben).*

obdachlos ⟨Adj.⟩: *keine Wohnung [mehr] habend:* durch die Überschwemmungen sind viele Menschen o. geworden.

Obduktion, die; -, -en: *Öffnung einer Leiche zu medizinischen Zwecken:* eine O. vornehmen.

obduzieren, obduzierte, hat obduziert ⟨tr.⟩: *eine Leiche zu medizinischen Zwecken öffnen [um die Todesursache festzustellen].*

Obelisk, der; -en, -en: *frei stehende, rechteckige, spitz zulaufende Säule* (siehe Bild): auf dem Platz steht ein zwanzig Meter hoher ägyptischer O.

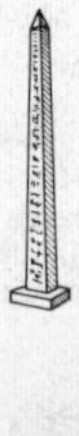

Obelisk

oben ⟨Adverb⟩: *in der Höhe; über jmdm./etwas* /Ggs. unten/: die Stadt liegt o. [auf dem Berg]; wir wohnen o. *(in einem oberen Stockwerk)*; von o. kommen; bildl.: nach o. *(in einen höheren sozialen Rang)* streben.

obenan ⟨Adverb⟩: *an der ersten Stelle einer Reihe:* am Tisch o. *(auf dem besten Platz)* sitzen; bildl.: o. stehen *(am wichtigsten sein).*

obenauf ⟨Adverb⟩: *oben darauf:* das Buch liegt o. *(als oberstes auf dem Stapel);* bildl.: immer o. *(guter Laune)* sein.

obendrein ⟨Adverb⟩: *außerdem, überdies:* er hat mich betrogen und o. ausgelacht.

obenhin ⟨Adverb⟩: *flüchtig, oberflächlich:* etwas nur o. tun; er antwortete nur o. *(ohne auf die Frage einzugehen).*

Ober, der; -s, -: *Kellner:* Herr O., bitte ein Bier!

Oberbefehl, der; -[e]s: *Befehl über sämtliche militärischen Einheiten [einer bestimmten Waffengattung]:* den O. [über die Luftwaffe] haben, führen.

Oberbefehlshaber, der; -s, -: *jmd., der (über etwas) den Oberbefehl führt:* der O. des Heeres.

obere ⟨Adj.; nur attributiv⟩: *sich oben befindend:* die oberen Schichten; im oberen Stockwerk.

Oberfläche, die; -, -n: *alle Flächen, die einen Körper von außen begrenzen:* die O. einer Kugel; an die O. [des Wassers] kommen; bildl.: seine Gedanken bleiben an der O. *(dringen nicht in das Problem ein).*

oberflächlich ⟨Adj.⟩: **1.** *nicht tief eindringend:* die Wunde ist nur o. **2. a)** *am Äußeren haftend:* ein oberflächlicher Mensch. **b)** *flüchtig, nicht gewissenhaft:* etwas nur o. untersuchen.

oberhalb ⟨Präp. mit Gen.⟩: *über, höher als:* die Burg liegt o. des Dorfes.

Oberhand: ⟨in bestimmten Wendungen⟩ **die O. gewinnen** *(sich als der Stärkere erweisen; sich gegen jmdn./etwas durchsetzen);* **die O. haben** *(der Stärkere sein);* **die O. behalten** *(der Stärkere bleiben).*

Oberhaupt, das; -[e]s, Oberhäupter: *führende, leitende Per-*

son: das O. einer Gemeinde, eines Stammes.

Oberhemd, das; -s, -en: *am Oberkörper sichtbar getragenes Hemd mit langen Ärmeln für Herren.*

Oberhoheit, die; -: *höchste [politische] Gewalt:* unter jmds. O. stehen.

Oberin, die; -, -nen: **1.** *Leiterin eines Nonnenklosters.* **2.** *Leiterin der Krankenschwestern eines Krankenhauses.*

Oberkörper, der; -s, -: *oberer Teil des menschlichen Rumpfes* (siehe Bild).

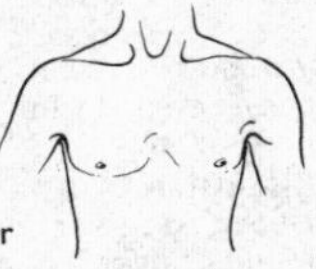

Oberkörper

Oberlicht, das; -[e]s: **1.** *von oben kommendes Tageslicht:* der Saal hat O. **2.** *Einsatz aus Glas im oberen Teil einer Tür:* der Dieb war durch das O. gestiegen.

Oberprima, die; -, Oberprimen: *neunte, oberste Klasse an Gymnasien.*

Oberschenkel, der; -s, -: *Teil des Beines zwischen Knie und Hüfte:* er hat sich den O. gebrochen.

Obersekunda, die; -, Obersekunden: *siebte Klasse an Gymnasien.*

Oberst, der; -en und -s, -en: *Offizier mit dem höchsten Dienstgrad der Stabsoffiziere:* er ist zum Oberst[en] befördert worden.

oberste ⟨Adj.; Superlativ von *obere;* nur attributiv⟩: *sich ganz oben, über allem befindend:* die oberste Schicht; im obersten Stockwerk.

Obertertia, die; -, Obertertien: *fünfte Klasse an Gymnasien.*

Oberwasser: ⟨in den Wendungen⟩ **O. bekommen** *(in eine günstigere Lage kommen);* **O. haben** *(im Vorteil sein):* beim Spiel bekam er bald wieder O.

obgleich ⟨konzessive Konj.⟩: *wenn auch, obwohl:* er kam sofort, o. er nicht viel Zeit hatte.

Obhut: ⟨in bestimmten Wendungen⟩ **jmdn./etwas in O. nehmen** *(jemdn./etwas fürsorglich betreuen);* **unter jmds. O. stehen** *(von jmdm. fürsorglich betreut werden).*

obig ⟨Adj.; nur attributiv⟩: *weiter oben im Text stehend:* das obige Zitat.

Objekt, das, -[e]s, -e: *Sache, Gegenstand:* ein wertvolles O. *(Grundstück, Schmuck o. ä.)* verkaufen.

objektiv ⟨Adj.⟩: *sachlich, nicht von Gefühlen und Vorurteilen bestimmt:* ein objektives Urteil abgeben; etwas o. betrachten.

Objektivität, die; -.

Oblate, die; -, -n: **1.** *dünne, aus Weizenmehl gebackene und als Unterlage für Gebäck dienende Scheibe:* Oblaten für Lebkuchen herstellen. **2.** *dünne Waffelblätter mit einer Füllung dazwischen:* Karlsbader Oblaten. **3.** *(nicht geweihte) Hostie:* die Oblaten sind mit einem heiligen Symbol verziert.

obliegen [auch: obliegen], lag ob (auch: oblag), hat obgelegen ⟨itr.⟩ (geh.): **a)** *sich widmen, sich (einer Sache) befleißigen:* sie lag fleißig ihren Studien ob. **b)** *jmds. Pflicht, Schuldigkeit sein:* der Nachweis liegt der Behörde ob, hat ihr obgelegen, scheint ihr obzuliegen.

Obliegenheit, die; -, -en: *Pflicht, Aufgabe:* das gehört zu den Obliegenheiten des Hausmeisters.

obligat ⟨Adj.; nicht adverbial⟩: *so gut wie unvermeidlich; üblich, unerläßlich:* sie schenkte ihm den obligaten Schlips zum Geburtstag.

obligatorisch ⟨Adj.; nicht adverbial⟩: *verbindlich, vorgeschrieben* /Ggs. fakultativ/: obligatorischer Unterricht.

Obolus, der; -, -se und -: *kleiner finanzieller Beitrag:* seinen O. entrichten, beisteuern; jmdm. seinen O. reichen.

Obrigkeit, die; -, -en (veralt.): *Träger der öffentlichen Gewalt, regierende Behörde:* die weltliche, die geistliche O.; (iron.) sich bei der [hohen] O. *(bei einer Behörde, bei den Vorgesetzten)* beliebt machen.

obschon ⟨konzessive Konj.⟩: *obgleich.*

Observatorium, das; -s, Observatorien: *Sternwarte.*

obskur ⟨Adj.⟩: **a)** *dunkel, unklar:* eine obskure Angelegenheit. **b)** *unbekannt, entlegen:* etwas an obskurer Stelle veröffentlichen. **c)** *anrüchig, verdächtig:* ein obskurer Gasthof.

Obst, das; -es: *eßbare [saftige] Früchte von Bäumen und Sträuchern* (siehe Bild): frisches, reifes O.; O. pflücken, einmachen.

Obst

Obstruktion, die; -, -en: *Widerstand; Taktik des Verzögerns und Verschleppens:* er blockierte die Ausführung des Baus durch seine ständige O.; die Opposition versucht durch systematische O. die Verabschiedung des Gesetzes zu verhindern.

obszön ⟨Adj.⟩: *unanständig, schamlos:* obszöne Bilder. **Obszönität,** die; -, -en.

obwohl ⟨konzessive Konj.⟩: *obgleich.*

Ochs, der; -en, -en (landsch.): *Ochse.*

Ochse, der; -n, -n: *kastriertes männliches Rind* (siehe Bild): mit Ochsen pflügen.

Ochse

ochsen, ochste, hat geochst ⟨itr.⟩ (ugs.): *angestrengt lernen, arbeiten:* er ochste für das Examen.

Ochsenauge, das; -s, -n: **1.** *Auge eines Ochsen.* **2.** Med. *krankhafte Vergrößerung des Augapfels bei Kindern.* **3.** Baukunst *rundes oder ovales Fenster* /bes. im Barock/. **4.** (ugs.) *Spiegelei.* **5.** *rundes Gebäck mit aufgelegter Frucht.*

Ochsenschwanzsuppe, die; -, -n: *aus dem dünneren Ende eines Ochsenschwanzes hergestellte Suppe.*

Ochsentour, die; -, -en (ugs.): *(langsame, mühevolle) Laufbahn bes. eines Beamten:* auf die O.; sich in der O. hinaufarbeiten;

bildl.: ein Wörterbuch zu schreiben ist eine O. *(mühevolle, langwierige Arbeit)*.

Ode, die; -, -n: *erhaben-feierliches lyrisches Gedicht meist ohne Reim:* diese O. Klopstocks ist in freien Rhythmen abgefaßt.

öde ⟨Adj.⟩: **a)** ⟨nicht adverbial⟩ *verlassen, einsam:* eine öde Gegend. **b)** *langweilig, leer:* ödes Gerede.

Öde, die; -, -n: **1.** ⟨ohne Plural⟩ *öder Zustand:* in der winterlichen Ö. der Wiesen und Niederungen. **2.** *öde Gegend:* sich in der grenzenlosen Ö. verlassen fühlen. **3.** ⟨ohne Plural⟩ *Leere; Langweile:* die tödliche Ö. bürgerlicher Konventionen.

oder ⟨Konj.⟩: **a)** /drückt aus, daß von zwei oder von mehreren Möglichkeiten nur eine in Frage kommt/: er liest ein Buch, o. er schreibt; [entweder] du o. ich o. dein Bruder. **b)** /stellt eine Möglichkeit zur Wahl/: das Papier kann weiß o. grau o. gelb sein; man sagt Krawatte o. Schlips.

Odium, das; -s (geh.): *Makel:* er wird das O. seiner zweifelhaften politischen Vergangenheit nicht mehr los.

Odyssee, die; -, -n (geh.): *langwieriger [häufig in die Irre führender] Weg auf ein Ziel hin:* das ist jedesmal eine O., bis man aus der City ins Grüne kommt.

Ofen, der; -s, Öfen: **a)** *Vorrichtung zum Heizen eines Raumes:* den O. anzünden, ausgehen lassen. **b)** *Teil des Herdes, in dem gebraten und gebacken wird; Backofen:* den Kuchen aus dem O. holen.

offen ⟨Adj.⟩: **1.** *frei zugänglich, nicht verschlossen, nicht bedeckt:* das Fenster, die Tür ist o.; ein offener Graben; bildl.: die Frage ist noch o. *(noch nicht entschieden)*. * **ein offener Brief** *(Brief an eine Person oder Institution, der gleichzeitig in einer Zeitung o. ä. veröffentlicht wird)*; **Tag der offenen Tür** *(Tag, an dem Behörden und öffentliche Einrichtungen vom Publikum besichtigt werden können)*; **offene Türen einrennen** *(etwas tun, was schon getan ist; Sinnloses tun):* mit seinem Plan rennt er nur offene Türen ein; **auf offener Straße** *(ohne sich darum zu kümmern, daß es vielleicht gesehen werden könnte):* er küßte sie auf offener Straße. **2.** *ehrlich, aufrichtig:* offene Worte; o. zu jmdm. sein.

offenbar [auch: ...bar]: **I.** ⟨Adj.⟩ *deutlich erkennbar:* ein offenbarer Irrtum; es wurde o. *(es kam heraus)*, daß er gelogen hatte. **II.** ⟨Adverb⟩ *anscheinend, allem Anschein nach:* er hat sich o. verspätet.

offenbaren, offenbarte, hat offenbart ⟨tr./rfl.⟩ (geh.): *enthüllen, bekennen; erkennen lassen:* er offenbarte mir seine Schuld; Gott hat sich offenbart.

Offenbarung, die; -, -en.

Offenbarungseid, der; -[e]s, -e: *mit einem Eid bekräftigte Versicherung, daß das im Verzeichnis genannte eigene Vermögen vollständig angegeben ist:* den O. leisten.

offenbleiben, blieb offen, ist offengeblieben ⟨itr.⟩: **1.** *geöffnet bleiben:* das Fenster ist während unserer Abwesenheit offengeblieben. **2.** *nicht erledigt, nicht entschieden werden können:* diese Frage muß also noch o.

offenhalten, hält offen, hielt offen, hat offengehalten: **1.** ⟨tr./itr.⟩ *geöffnet halten:* die Besitzer halten den Laden lange offen; das Lokal hält bis früh um drei Uhr offen; bildl.: du mußt die Ohren o. *(auf das hören, was erzählt wird)*. **2.** ⟨itr.⟩ *sich (etwas) vorbehalten:* ich muß mir diese Möglichkeit o.

Offenheit, die; -: *ehrliches, aufrichtiges Wesen:* er sprach mit großer O. von seinen Fehlern.

offenherzig ⟨Adj.⟩: *ehrlich, aufrichtig:* eine offenherzige Antwort; er ist zu o. *(redet sehr frei von persönlichen Dingen)*.

offenkundig ⟨Adj.⟩: *deutlich erkennbar:* eine offenkundige Lüge; es war o., daß er nicht bezahlen wollte.

offenlassen, läßt offen, ließ offen, hat offengelassen ⟨tr.⟩: **1.** *nicht schließen:* das Fenster o. **2.** *nicht entscheiden:* eine Frage o.

offensichtlich [auch: ...sicht...] ⟨Adj.⟩: **1.** *deutlich erkennbar:* er hörte mit offensichtlichem Interesse zu; es war ganz o., daß er darüber nicht Bescheid wußte; er hatte das ganz o. getan, um den Verdacht von sich abzulenken. **2.** ⟨nur adverbial⟩ *augenscheinlich, anscheinend:* er hatte o. zuviel getrunken.

offensiv ⟨Adj.⟩: *angreifend, den Angriff bevorzugend* /Ggs. defensiv/: eine offensive Politik; die Mannschaft spielte o.

Offensive, die; -, -n: *planmäßig angelegter [militärischer] Angriff* /Ggs. Defensive/: die O. des Gegners abwehren. * **die O. ergreifen** *(angreifen)*.

offenstehen, stand offen, hat offengestanden ⟨itr.⟩: **1.** *geöffnet sein:* das Tor stand noch offen; bildl.: die ganze Welt steht ihm offen *(er ist frei und hat unbegrenzte Möglichkeiten)*. **2.** *nicht beglichen sein, noch bezahlt werden müssen* /von Rechnungen o. ä./: zwei Rechnungen stehen noch offen.

öffentlich ⟨Adj.⟩: **1. a)** *für alle hörbar, sichtbar:* etwas ö. verkünden; ö. reden, auftreten. **b)** *für alle zugänglich:* eine öffentliche Sitzung; ein öffentlicher Platz. **2.** ⟨nicht adverbial⟩ *den Staat, die Allgemeinheit betreffend:* öffentliche Gebäude, Gelder; die öffentliche Meinung.

Öffentlichkeit, die; -: *Allgemeinheit; Leute, Publikum:* vor die Ö. treten; die Ö. *(die Zuhörer bei Gericht)* ausschließen; etwas in aller Ö. tun, sagen.

offerieren, offerierte, hat offeriert ⟨tr.⟩: **1.** Kaufmannsspr. *(Waren) anbieten:* die Firma offeriert preiswerte badische Weine. **2.** *anbieten, (als etwas) vorschlagen:* die Partei offerierte W. B. und H. W. als Redner für eine öffentliche Veranstaltung.

Offert, das; -s, -e (östr.): *Offerte.*

Offerte, die; -, -n: Kaufmannsspr. *Angebot:* jmdm. ausführliche Offerten machen.

offiziell ⟨Adj.⟩: **a)** *amtlich [beglaubigt]:* eine offizielle Nachricht. **b)** *feierlich, förmlich:* ein offizieller Empfang; sich o. verloben.

Offizier, der; -s, -e: *militärischer Rang (vom Leutnant aufwärts)*.

offiziös ⟨Adj.⟩: *halbamtlich, nicht völlig verbürgt:* nach offiziösen Angaben.

öffnen, öffnete, hat geöffnet: **a)** ⟨tr.⟩ *aufmachen, zugänglich machen* /Ggs. schließen/: die Tür, einen Brief, die Augen ö.; das

Geschäft wird um 8 Uhr geöffnet. **b)** ⟨rfl.⟩ *aufgehen:* die Blüte öffnet sich.

Öffnung, die; -, -en: *offen gebliebene Stelle an einem Gegenstand; Lücke, Loch:* aus einer Ö. in der Wand strömte Wasser.

oft ⟨Adverb⟩: *viele Male, immer wieder* /Ggs. selten/: ich bin o. dort gewesen.

öfter ⟨Adverb⟩: *ziemlich oft; manchmal:* wir haben uns öfter gesehen.

öfters ⟨Adverb⟩ (ugs.): *öfter.*

ohne: 1. ⟨Präp. mit Akk.⟩ /drückt aus, daß jmd./etwas nicht mit jmdm./etwas versehen ist/: ein Kind o. Eltern; o. Mantel gehen; du kannst o. Sorgen sein. **2.** ⟨in der Verbindung⟩ **ohne zu** ⟨Konj. beim Inf.⟩ /drückt aus, daß etwas nicht geschieht/: er nahm das Geld, o. zu fragen.

ohnedies ⟨Adverb⟩: *ohnehin:* du hättest o. keine Chancen gehabt.

ohnegleichen ⟨Adverb⟩: *so, daß nichts gleichkommt, verglichen werden kann:* sein Hochmut ist o.; sie tanzt o.

ohnehin ⟨Adverb⟩: *sowieso:* nimm dich in acht, du bist o. schon erkältet.

Ohnmacht, die; -, -en: **1.** *vorübergehende Bewußtlosigkeit:* eine tiefe O. * **in O. fallen** *(bewußtlos werden).* **2.** ⟨ohne Plural⟩ *Schwäche; Unfähigkeit zu handeln:* ein Gefühl menschlicher O.

ohnmächtig ⟨Adj.⟩: **1.** ⟨nicht adverbial⟩ *vorübergehend bewußtlos:* o. sein, werden. **2.** *machtlos:* ohnmächtige Wut; die Feuerwehr mußte den Flammen o. zusehen.

Ohr, das; -[e]s, -en: *an beiden Seiten des Kopfes sitzendes Organ, das zum Hören dient* (siehe Bild): ein großes O. * **gute**

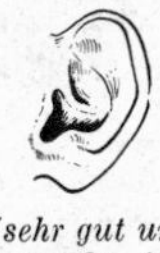

Ohr

Ohren haben *(sehr gut und mehr hören als erwünscht ist)*; **die Ohren spitzen** *(aufmerksam lauschen)*: **mit halbem O. zuhören** *(ohne Aufmerksamkeit zuhören)*; **tauben Ohren predigen** *(jmdn. vergeblich ermahnen).*

Öhr, das; -[e]s, -e: *kleine Öffnung in einer Nadel, durch die der Faden läuft.*

ohrenbetäubend ⟨Adj.⟩: *äußerst laut, sehr stark:* ohrenbetäubender Beifall; der Lärm war o.

Ohrfeige, die; -, -n: *Schlag mit der flachen Hand auf die Backe:* eine schallende O.

ohrfeigen, ohrfeigte, hat geohrfeigt ⟨tr.⟩: *jmdm. eine Ohrfeige geben:* er hat ihn geohrfeigt.

Ohrläppchen, das; -s, -: *unterer Zipfel des menschlichen Ohres:* jmdn. zur Strafe am O. ziehen.

okay [o'ke:] ⟨Adverb⟩ (ugs.): *in Ordnung, abgemacht!*

Okkultismus, der; -: *Lehre von vermuteten übersinnlichen Kräften und Dingen:* die Erscheinungen des O. erforschen.

Okkupation, die; -, -en: *[gewaltsame] Besetzung (fremden Gebietes):* die O. der Tschechoslowakei durch deutsche Truppen im März 1939.

okkupieren, okkupierte, hat okkupiert ⟨tr.⟩: *(fremdes Gebiet) [gewaltsam] besetzen:* das Land wurde von englischen Truppen okkupiert; bildl.: die Schwiegermutter hat den Platz der Schwiegertochter okkupiert *(mit Beschlag belegt).*

Ökonomie, die; -: **1.** *Wissenschaft von der Wirtschaft:* Ö. studieren. **2.** (geh.) *[Grundsatz der] Sparsamkeit, Wirtschaftlichkeit:* die Führung des Haushaltes verlangt von diesen Frauen äußerste Ö.; bildl.: die schöpferische Ö. des Denkens.

ökonomisch ⟨Adj.⟩: **1.** *die [Wissenschaft von der] Wirtschaft betreffend, wirtschaftlich:* ökonomische Faktoren; ein Land ö. stärken. **2.** *sparsam:* die vorhandenen Mittel ö. einsetzen.

Oktav, die; -, -en (östr.): *Oktave.*

Oktave, die; -, -n: *achter Ton [vom Grundton an]:* die Oktave greifen, anschlagen.

Oktober, der; -[s]: *zehnter Monat im Jahr.*

okulieren, okulierte, hat okuliert ⟨tr.⟩: *(Obstbäume, Sträucher auf bestimmte Weise) veredeln:* Rosen o.

Okzident, der; -s (geh.; veralt.): *Abendland* /Ggs. Orient/.

Öl, das; -[e]s, -e: *fettige Flüssigkeit meist pflanzlicher Herkunft:* Salat mit Essig und Öl anrichten; die Maschine braucht neues Öl. * **Öl ins Feuer gießen** *(einen Streit, eine Leidenschaft noch heftiger machen)*; **Öl auf die Wogen gießen** *(die Erregung, Aufregung dämpfen).*

Oldtimer ['oʊldtaɪmər], der; -s, -: **1.** *verdienter älterer Sportler, Experte o. ä.:* ein bekannter O. der internationalen Luftfahrt. **2.** *Fahrzeug, Flugzeug, Gerät alten, heute unmodernen Typs:* wir sind mit einem O. aus dem Jahre 1881 auf dem Rhein gefahren.

ölen, ölte, hat geölt ⟨tr.⟩: *mit Öl schmieren:* eine Maschine ö. * (ugs.) **wie ein geölter Blitz** *(sehr schnell).*

Ölfarbe, die; -, -n: *mit bestimmten Ölen gemischte Farbe.*

Ölgemälde, das; -s, -: *mit Ölfarbe gemaltes Bild.*

Ölgötze: ⟨in der Fügung⟩ wie ein Ö. (ugs.): *unbewegt, teilnahmslos, dumm:* er stand da wie ein Ö.

Ölheizung, die; -, -en: *Anlage zum Heizen mit Öl:* unsere Ö. muß repariert werden.

ölig ⟨Adj.⟩: **a)** ⟨nicht adverbial⟩ *mit Öl versehen:* das Wasser rann von der öligen Fläche. **b)** ⟨nicht adverbial⟩ *mit Öl beschmiert:* seine Hände waren ö. **c)** *wie von Öl:* sein Haar glänzte ö. **d)** *glatt und salbungsvoll, mit falschem Pathos:* ö. sprechen.

Olive, die; -, -n: **1.** *Öl enthaltende ovale bis runde Frucht eines Baumes* (siehe Bild): aus Oliven Öl gewinnen. **2.** *ovaler Handgriff zum Öffnen und Schließen des Fensters.*

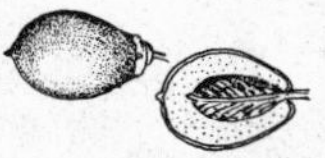

Olive 1.

Olivenöl, das; -[e]s: *aus Oliven gewonnenes Öl:* mit O. braten.

olivgrün ⟨Adj.⟩: *grün wie eine Olive:* ein olivgrünes Kleid.

Ölofen, der; -s, Ölöfen: *mit Öl geheizter Ofen:* gebrauchte Ölöfen ab 75 DM.

Ölsardine, die; -, -n: *in Olivenöl eingelegte Sardine* /als

Konserve/: Ölsardinen sind schwer verdaulich.

Ölung, die; -, -en: *das Ölen:* die Ö. der Maschine. *** die Letzte Ö.** *(Salbung des Sterbenden mit geweihtem Öl* /Sakrament in der katholischen Kirche/): der Priester spendete der Sterbenden die Letzte Ö.

Olympiade, die; -, -n: *alle vier Jahre stattfindendes Treffen der Sportler der Welt zum sportlichen Wettkampf:* er nimmt an der O. teil.

olympisch ⟨Adj.; nur attributiv⟩: *die Olympiade betreffend:* die olympischen Kämpfe; olympischen Ruhm erringen.

Oma, die; -, -s: *Großmutter.*

Omelett, das; -s, -e und -s: *aus Eiern hergestellter, mit den verschiedensten Zutaten vermischter oder gefüllter flacher Kuchen.*

Omelette, die; -, -n (fachspr. und bes. südd., östr., schweiz.): *Omelett.*

Omen, das; -s, -: *[un]günstiges Vorzeichen:* etwas als gutes, böses O. nehmen.

ominös ⟨Adj.⟩: *unheilvoll; bedenklich, verdächtig:* seine ominösen Anspielungen erschreckten uns.

Omnibus, der; -ses, -se: *Kraftwagen mit vielen Sitzen zur Beförderung von Personen* (siehe Bild): mit dem O. fahren.

Omnibus

Onanie, die; -: *geschlechtliche Selbstbefriedigung* /von Mann oder Frau/.

onanieren, onanierte, hat onaniert ⟨itr.⟩: *sich selbst, ohne Partner, geschlechtlich befriedigen* /von Mann oder Frau/: während der Pubertät wird besonders häufig onaniert.

ondulieren, ondulierte, hat onduliert ⟨tr.⟩: **a)** *(Haar) künstlich wellen:* die Friseuse ondulierte ihre Haare. **b)** *(jmdm.) die Haare künstlich wellen:* die Friseuse hat sie onduliert.

Onkel, der; -s, -: *Bruder oder Schwager der Mutter oder des Vaters.*

Opa, der; -s, -s: *Großvater.*

Oper, die; -, -n: *Bühnenstück, dessen Handlung durch Gesang und Musik dargestellt wird:* eine O. komponieren.

Operateur [opera'tø:r], der; -s, -e: *Arzt, der eine Operation ausführt:* ein geschickter O.

Operation, die; -, -en: *mit einem ärztlichen Instrument vorgenommener Eingriff in den Körper:* diese Krankheit kann nur durch eine O. geheilt werden.

operativ ⟨Adj.⟩: *mit einer Operation eingreifend:* das Geschwür mußte o. entfernt werden.

Operette, die; -, -n: *heiteres, der musikalischen Unterhaltung dienendes Bühnenstück:* eine O. aufführen.

operieren, operierte, hat operiert ⟨tr.⟩: *einen ärztlichen Eingriff vornehmen:* der Kranke ist operiert worden.

Opfer, das; -s, -: **1.** *durch persönlichen Verzicht möglich gemachte Aufwendung für andere:* er hat für die Erziehung seiner Kinder große O. gebracht, keine O. gescheut. **2.** *einer Gottheit dargebrachtes Geschenk:* die Götter durch O. versöhnen. **3.** *jmd., der durch Krieg oder Unglück ums Leben kommt oder Schaden erleidet:* die Überschwemmung forderte viele O.

opfern, opferte, hat geopfert: **1.** ⟨tr.⟩ *als Opfer bringen, hingeben:* Geld für eine gute Sache o. **2.** ⟨rfl.⟩ **a)** *sein Leben für etwas/jmdn. hingeben:* er hat sich für seine Kameraden geopfert. **b)** (ugs.) *[an Stelle eines anderen] etwas Unangenehmes auf sich nehmen:* ich habe mich geopfert und den Brief für dich geschrieben.

Opferung, die; -, -en: **1.** *das Opfern, Opferbringen.* **2.** Rel. kath. *Teil der heiligen Messe.*

Opium, das; -s: *Gemisch aus bestimmten Stoffen des eingetrockneten Saftes des Mohns* /auch als Rauschgift verwendet/: der Arzt verordnete dem Kranken O.

opponieren, opponierte, hat opponiert ⟨itr.⟩: *sich widersetzen, gegen jmdn. oder etwas sprechen oder arbeiten:* er opponiert gegen seinen Chef.

opportun ⟨Adj.; nicht adverbial⟩: *[gerade] nützlich, angebracht, zweckmäßig:* ein opportunes Verhalten; als o. gelten.

Opportunismus, der; -: *bereitwillige Anpassung an die jeweilige Lage um persönlicher Vorteile willen* /bes. in der Politik/: O. heißt das Prinzip dieses Politikers.

Opportunist, der; -en, -en: *jmd., der sich dem Opportunismus verschrieben hat:* die Partei erhielt Zuzug von Mitläufern und Opportunisten.

opportunistisch ⟨Adj.⟩: *den Opportunismus betreffend, darauf beruhend:* ein opportunistischer Politiker.

Opposition, die; -: **1.** *Gegensatz, Widerstand:* in O. zu jmdm./etwas stehen; O. treiben, machen. **2.** *alle Parteien und Gruppen, die gegen die Politik der Regierung stehen:* die O. griff den Minister heftig an.

optieren, optierte, hat optiert ⟨itr.⟩: *(für jmdn./etwas) frei entscheiden, (jmdm./einer Sache) seine Stimme geben:* für Deutschland, für die Republik o.

Optik, die; -: **1.** *Lehre vom Licht:* die Gesetze der O. **2.** (ugs.) *äußere Erscheinung einer Sache, Wirkung auf den Beschauer:* die O. der neuen Mode; etwas der O. zuliebe ändern.

Optiker, der; -s, -: *Fachmann für Herstellung und Verkauf optischer Geräte:* eine Brille beim O. kaufen.

optimal ⟨Adj.⟩: *bestmöglich, beste, höchste:* er hat dafür optimale Bedingungen geschaffen; etwas o. planen, nutzen.

optimieren, optimierte, hat optimiert ⟨tr.⟩: *bestmöglich gestalten:* die komplizierten technischen und gesellschaftlichen Systeme müssen optimiert werden.

Optimismus, der; -: *optimistische Haltung* /Ggs. Pessimismus/: [keinen] Anlaß zu O. haben; sich in übertriebenem O. ergehen.

Optimist, der; -en, -en: *jmd., der zuversichtlich im Leben steht und vor allem die guten Seiten der Dinge sieht* /Ggs. Pessimist/: er ist ein unverbesserlicher O.

optimistisch ⟨Adj.⟩: *zuversichtlich; [nur] das Gute sehend* /Ggs. pessimistisch/: die Lage o beurteilen.

Option, die; -, -en: *das Optieren, freie Entscheidung (für etwas):* die O. der Bevölkerung für Dänemark.

optisch ⟨Adj.⟩: *die Technik des Sehens betreffend:* ein optisches Gerät.

opulent ⟨Adj.⟩: *üppig, reichlich* /bes. vom Essen/: er nahm im „Eden" eine opulente Mahlzeit zu sich.

Opus, das; -, Opera: *[Gesamt]werk* /bes. in der Musik/: der Komponist bezeichnet dieses Quartett als „Opus 17"; (auch abwertend) sein jüngstes O. ist von der Kritik zerrissen worden.

Orakel, das; -s, -: **a)** *Ort, an dem Götter geheimnisvolle Weissagungen erteilen:* das O. zu Delphi. **b)** *geheimnisvolle Weissagung, Zukunftsdeutung; dunkle Prophezeiung:* ein O. deuten. * (geh.) **in Orakeln sprechen** *(unverständlich, dunkel sprechen).*

orakeln, orakelte, hat orakelt ⟨itr.⟩: *geheimnisvoll, nur andeutend sprechen:* „Euch wird das Lachen schon vergehen", orakelte er; mit jmdm. über die Zukunft o.

Orange [o'rãːʒə], die; -, -n: *Apfelsine.*

Orangeade [orã'ʒaːdə], die; -, -n: *[mit Wasser verdünnter] gesüßter Saft aus Orangen [und Zitronen].*

Orangerie [orãʒə'riː], die; -, -n: *Gewächshaus zum Züchten und Überwintern von Orangenbäumen und anderen südlichen Pflanzen* /in Parks des 17. und 18. Jahrhunderts/: der Saal der O. wird auch zu Festen benutzt.

Orang-Utan, der; -s, -s: /ein Affe/ (siehe Bild).

Orang-Utan

Oratorium, das; -s, Oratorien: *großes Musikwerk für Chor und Orchester [mit geistlichem, biblischem Inhalt]:* ein O. aufführen, komponieren.

Orchester [or'kɛstər], das; -s, -: *gemeinsam spielende Gruppe von Musikern mit verschiedenen Instrumenten:* er spielt im O. mit.

Orchidee, die; -, -n: / eine [im tropischen Amerika heimische] Zierpflanze /: sie setzten sich an einen kleinen, mit Orchideen geschmückten Tisch.

Orden, der; -s, -: **1.** *[religiöse] Gemeinschaft mit bestimmten Regeln:* in einen O. eintreten; einem O. angehören. **2.** *als Auszeichnung [für besondere Verdienste] verliehenes Zeichen, das an der Kleidung getragen wird* (siehe Bild): einen O. bekommen, anlegen.

Orden 2.

ordentlich ⟨Adj.⟩: **1. a)** *auf Ordnung haltend:* er ist ein ordentlicher Mensch. **b)** *in Ordnung gehalten:* ein ordentliches Zimmer; o. aussehen; seine Hefte o. führen. **2.** ⟨nur attributiv⟩ *nach einer bestimmten Ordnung eingesetzt, planmäßig:* er ist ordentliches Mitglied dieser Gesellschaft. **3.** (ugs.) *richtig, tüchtig:* einen ordentlichen Schluck trinken; mir ist o. warm geworden.

Order, die; -, -n (veralt.): *Auftrag, Weisung:* die Soldaten bekamen O., im Quartier zu bleiben.

ordinär ⟨Adj.⟩: **1.** *gemein, niedrig, unfein:* eine ordinäre Redensart; sein Benehmen war o. **2.** (ugs.) *alltäglich, gewöhnlich:* er aß nur ein ganz ordinäres Schnitzel.

Ordinarius, der; -, Ordinarien: **1.** *ordentlicher Professor an einer Hochschule:* er ist O. für Kunstgeschichte. **2.** (veraltend) *Klassenlehrer an einer höheren Schule:* wenn das unser O. erlebt hätte!

Ordination, die; -, -en: **1. a)** *feierliche Einsetzung eines evangelischen Pfarrers in sein Amt:* die O. vornehmen. **b)** *Weihe eines katholischen Priesters.* **2.** (östr.) **a)** *Sprechstunde beim Arzt:* der Arzt hat heute keine O. **b)** *Raum, Räume des Arztes für die Behandlung der Patienten:* die O. befindet sich im ersten Stock.

ordnen, ordnete, hat geordnet ⟨tr.⟩: *in eine [richtige] Reihenfolge, einen [richtigen] Zusammenhang bringen:* Briefmarken, Papiere o.; Blumen zu einem Strauß o.; ⟨auch rfl.⟩ die Kinder ordnen sich zum Kreise; bildl.: seine Gedanken o. * **in geordneten Verhältnissen leben** *(ausreichende Einkünfte haben).*

Ordner, der; -s, -: **1.** *jmd., der beauftragt ist, für Ordnung zu sorgen:* bei dem Fest waren mehrere O. eingesetzt. **2.** *Vorrichtung zum Sammeln und Ablegen von Briefen usw.:* einen O. aus dem Schrank holen.

Ordnung, die; -, -en: **1.** ⟨ohne Plural⟩ *[durch Ordnen hergestellter] geregelter Zustand:* er ist sehr für O. * **etwas in O. bringen** *(etwas ordnen);* **etwas in O. halten** *(dafür sorgen, daß etwas ordentlich bleibt);* **O. schaffen/machen** *(aufräumen).* **2.** *Abteilung, Klasse in einem System:* eine Straße erster, zweiter O.; die O. der Raubtiere.

ordnungsgemäß ⟨Adj.⟩: *der Vorschrift entsprechend:* ein Formular o. ausfüllen.

ordnungswidrig ⟨Adj.⟩: *gegen eine amtliche Vorschrift verstoßend:* ordnungswidriges Verhalten im Verkehr wird bestraft.

Ordonnanz, die; -, -en: *Soldat, der einem Offizier zur Übermittlung von Befehlen zugeteilt ist:* der Major winkte eine O. herbei.

Organ, das; -s, -e: **1.** *Körperteil, der innerhalb des Ganzen eine bestimmte Aufgabe erfüllt:* die inneren Organe. * **kein O. für etwas haben** *(keinen Sinn, kein Verständnis für etwas haben).* **2. a)** *menschliche Stimme:* er hat ein lautes, angenehmes O. **b)** *Zeitung, Zeitschrift einer politischen oder gesellschaftlichen Vereinigung:* dieses Blatt ist das O. unseres Vereins. **3.** *Institution oder Behörde mit bestimmten Aufgaben:* die Organe der staatlichen Verwaltung.

Organisation, die; -, -en: **1.** ⟨ohne Plural⟩ **a)** *das Organisieren:* die O. eines Gastspiels übernehmen. **b)** *Aufbau, innere Gliederung:* die O. der Polizei. **2.** *Gruppe, Verband mit bestimmten Zwecken:* die politischen Organisationen; einer O. angehören.

Organisator, der; -s, -en: *jmd., der etwas aufbaut, einrichtet, planmäßig in Gang bringt:* er ist der geborene O.; dieses Mal waren Schneider und Leucht die Organisatoren des Treffens.

organisatorisch ⟨Adj.⟩: *den Aufbau, die Organisation betreffend:* organisatorische Veränderungen vornehmen.

organisch ⟨Adj.⟩: **1.** *ein Organ des Körpers betreffend:* er hat ein organisches Leiden. **2.** *zur belebten Natur gehörend:* organische Stoffe. **3.** *naturgemäß, seiner inneren Ordnung entsprechend:* sich o. entwicklen; der organische Zusammenhang.

organisieren, organisierte, hat organisiert: **1.** ⟨tr.⟩ *aufbauen, einrichten, planmäßig in Gang bringen:* eine Ausstellung o.; den Widerstand gegen etwas/jmdn. o. **2.** ⟨tr.⟩ (ugs.) *[nicht ganz rechtmäßig] beschaffen:* er organisierte uns ein paar Zigaretten. **3.** ⟨tr./rfl.⟩ *[sich] zu einem Verband zusammenschließen:* sich politisch o.; organisierte Arbeiter.

Organismus, der, -, Organismen: **a)** ⟨ohne Plural⟩ *einheitliches, gegliedertes Ganzes; [lebendiger] Körper:* der O. des Staates; ein gesunder, kranker O. **b)** ⟨Plural⟩ *Lebewesen:* höhere, niedere Organismen.

Organist, der; -en, -en: *jmd., der [beruflich] die Orgel spielt.*

Orgasmus, der; -, Orgasmen: *Höhepunkt der geschlechtlichen Erregung:* das Eintreten des O. wird dadurch beschleunigt, verzögert.

Orgel, die; -, -n: /ein Musikinstrument/ (siehe Bild): [die] O. spielen.

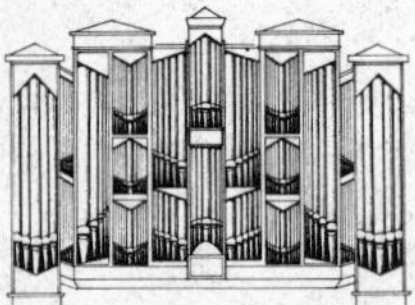

Orgel

Orgie, die, -, -n: *zügelloses, ausschweifendes Fest:* Orgien feiern.

Orient, der; -s: *vorderer und mittlerer Teil von Asien* /Ggs. Okzident/: der Zauber des Orients.

Orientale, der; -n, -n: *Bewohner des Orients.*

orientalisch ⟨Adj.⟩: *den Orient betreffend, dem Orient eigen:* orientalischer Baustil.

orientieren, orientierte, hat orientiert: **1.** ⟨rfl.⟩ *eine Richtung suchen; sich zurechtfinden:* er orientiert sich nach/an der Karte, den Sternen. * **an etwas orientiert sein** *(sein Verhalten nach etwas richten):* unsere Werbung ist an den Wünschen der Kunden orientiert. **2.** ⟨tr./rfl.⟩ *informieren, unterrichten; einen Überblick (über etwas) verschaffen:* er orientierte ihn über die Lage; ich orientierte mich über die Vorgänge. **Orientierung,** die; -, -en.

original ⟨Adj.; nicht adverbial⟩: *ursprünglich, echt:* der originale Text eines Gedichtes.

Original, das; -s, -e: **1.** *ursprüngliches, echtes Stück* /Ggs. Kopie/: das Bild ist ein O. aus dem 18. Jahrhundert: eine Abschrift des Originals anfertigen. **2.** *seltsamer, durch eigenartige Kleidung oder Lebensweise auffallender Mensch, Sonderling:* der alte Mann war ein O.

Originalität, die; -: **1.** *geistige Selbständigkeit, Ursprünglichkeit:* er wirft dem Autor mangelnde O. vor. **2.** *eigentümliche, ein besonderes Gepräge verleihende Eigenschaften:* die O. dieses Menschen bestand darin, daß er alle Fremden duzte.

originell ⟨Adj.⟩: **a)** *eigenartig, durch Selbständigkeit und Witz gefallend:* ein origineller Gedanke; ein originelles Kostüm. **b)** *geistig selbständig, schöpferisch:* er ist ein origineller Kopf; diese Bemerkung war nicht sehr o. *(sie sagt nichts Neues).*

Orkan, der; -s, -e: *stärkster Sturm:* der Sturm schwoll zum O. an.

Ornament, das; -[e]s, -e: *Verzierung, schmückendes Muster:* ein O. entwerfen, anbringen.

Ornat, der; -s, -e: *feierliche Tracht bei Ausübung eines Amtes* /bes. bei Geistlichen und Richtern/ (siehe Bild): der Pfarrer stand in vollem O. vor dem Sarg.

Ort, der; -[e]s, -e: **1.** *Platz, Stelle:* etwas wieder an seinen

Ornat

Ort legen. * **an O. und Stelle** *(an der bezeichneten Stelle; an diesem Ort):* er zog an O. und Stelle Erkundigungen ein; er rügte ihn an O. und Stelle. **2.** *[kleinere] Siedlung, Ortschaft:* ein ruhiger, schön gelegener O.

orthodox ⟨Adj.⟩: **1.** Rel. **a)** *dem alten rechten Glauben huldigend, recht-, strenggläubig:* die orthodoxe Lehre. **b)** *zu einer Kirche bes. in Osteuropa gehörend, die im Mittelalter durch Abspaltung von der katholischen Kirche entstanden ist:* ein orthodoxer Patriarch; die Orthodoxe Kirche. **2.** *eine herkömmliche, konservative Meinung oder Lehre starr vertretend:* er ist orthodoxer Marxist; dieser Arzt gehört der orthodoxen Richtung an. **Orthodoxie,** die; -.

Orthographie, die; -: *[Lehre von der] Rechtschreibung.*

orthographisch ⟨Adj.⟩: *die Orthographie betreffend, der Orthographie gemäß:* das Buch wimmelt von orthographischen und grammatischen Fehlern; o. richtig schreiben.

Orthopäde, der; -n, -n: *Facharzt für Orthopädie:* du solltest deine Plattfüße von einem Orthopäden behandeln lassen.

Orthopädie, die; -: *Gebiet der Medizin, in dem Verkrümmungen der Knochen, Versteifungen der Gelenke und Mißbildungen der Beine behandelt werden.*

orthopädisch ⟨Adj.⟩: *die Orthopädie betreffend; mit den Mitteln der Orthopädie [erfolgend]:* die orthopädische Station der Klinik; sich einer orthopädischen Behandlung unterziehen.

örtlich ⟨Adj.⟩: **1.** *eine Stelle betreffend:* etwas ö. festlegen; ö. *(an einer bestimmten Stelle des Körpers)* betäuben. **2.** *einen Ort betreffend:* die örtlichen Verhältnisse.

Ortschaft, die; -, -en: *Dorf, kleine Gemeinde* (siehe Bild S. 479): eine geschlossene O. *(mi* *zusammenhängenden Grundstükken).*

Ortschaft

Ortsgespräch, das; -s, -e: *Telefongespräch innerhalb eines Ortes, einer Stadt* /Ggs. Ferngespräch/.

ortskundig ⟨Adj.⟩: *mit den Verhältnissen an einem Ort, in einer Gegend vertraut*: ein ortskundiger Führer.

Ortsteil, der; -s, -e: *Teil einer Ortschaft:* der obere O.

ortsüblich ⟨Adj.; nicht adverbial⟩: *an einem Ort üblich:* der Mann sprach den ortsüblichen Dialekt; das ist hier nicht o.

Öse, die; -, -n: *kleine Öffnung; Schlinge oder Ring aus Draht:* ein Kleid mit Haken und Ösen schließen.

Osten, der; -s: **1.** *Himmelsrichtung, in welcher die Sonne aufgeht:* von, nach, im O. **2.** *der in dieser Richtung liegende Teil eines Gebietes:* der O. des Landes ist sehr fruchtbar.

ostentativ ⟨Adj.⟩: *[deutlich] betont, herausfordernd:* eine ostentative Feindschaft gegenüber jmdm. zur Schau tragen; gegen eine Entscheidung o. Stellung nehmen.

Osterei, das; -s, -er: *zu Ostern bunt gefärbtes gekochtes Hühnerei [das von den Erwachsenen versteckt und von den Kindern gesucht wird]:* Ostereier färben, verstecken, suchen, finden.

Osterhase, der; -n, -n: *Hase, der nach dem Glauben der Kinder die Ostereier bringt:* Fritzchen glaubt noch an den Osterhasen; ein O. aus Schokolade.

österlich ⟨Adj.⟩: *zu Ostern gehörend.*

Ostern, das (und als Plural: die); -: *Fest der Auferstehung Christi:* wir wollen zu, (bes. südd.:) an O. verreisen; fröhliche O.!

östlich: I. ⟨Adj.; nur attributiv⟩ **1.** *im Osten liegend:* der östliche Teil der Stadt. **2.** *nach Osten gerichtet:* in östlicher Richtung fahren. **II.** ⟨Präp. mit Gen.⟩ *im Osten (von etwas):* die Grenze verläuft ö. des Flusses; ⟨auch als Adverb in Verbindung mit *von*⟩ ö. von Hamburg.

Otter, der; -s, -: /ein dem Marder ähnliches Tier/ (siehe Bild).

Otter

Ouvertüre [uvɛrˈty:rə], die; -, -n: *einleitendes Musikstück einer Oper o. ä., Vorspiel.*

oval [oˈva:l] ⟨Adj.⟩: *länglichrund:* ein ovales Gesicht.

Ovation, die; -, -en: *Huldigung durch starken Beifall:* die Ovationen nahmen kein Ende.

Overall [ˈoʊvərɔ:l], der; -s, -s: *schützender Anzug aus einem Stück, der übergezogen wird* /bes. bei Arbeitern, Sportlern, Motorradfahrern/ (siehe Bild): ein wasserdichter O.

Overall

Ovulation, die; -, -en: *biologischer Vorgang, bei dem eine zur Befruchtung fähige weibliche Keimzelle den Eierstock verläßt.*

Ovulationshemmer, der; -s, -: *in Form von Tabletten oder durch Spritzen verabreichtes Mittel, durch das die Ovulation verhindert wird.*

Oxer, der; -s, -: Reitsport *Hindernis aus übereinandergelegten Stangen:* das Pferd sprang über den O.

oxydieren, oxydierte, hat/ist oxydiert ⟨itr.⟩: *sich mit Sauerstoff verbinden* /bes. von Metallen/: das Eisen hat/ist oxydiert.

Ozean, der; -s, -e: *Meer zwischen den Kontinenten.*

P

paar: ⟨in der Fügung⟩ ein p.: *einige, wenige:* mit ein p. Worten beschrieb er den Vorfall; nur ein p. Leute waren gekommen.

Paar, das; -[e]s, -e: *zwei zusammengehörende Personen, Tiere oder Dinge:* sie sind ein verliebtes P.; ein P. Schuhe kaufen.

paaren, paarte, hat gepaart: **1.** ⟨tr.⟩ *verbinden, vereinigen:* er paarte in dieser Arbeit Verstand und Gefühl; ⟨häufig im 2. Partizip⟩ mit Kritik gepaarter Humor. **2. a)** ⟨rfl.⟩ *sich geschlechtlich vereinigen* /von Tieren/: Schwalben paaren sich gewöhnlich zweimal im Jahr. **b)** ⟨tr.⟩ *(Tiere) für die Züchtung zur Paarung zusammenbringen:* der Forscher paarte ein gesundes und ein krankes Tier.

paarig ⟨Adj.⟩: *zu zweit, als Paar.*

Paarung, die; -, -en: **1.** *geschlechtliche Vereinigung* /von Tieren/: vor der P. waren die Tiere sehr gereizt. **2.** Sport *das Zusammentreffen zweier Mannschaften oder Spieler:* im Finale kommt es zu einer interessanten P.

paarweise ⟨Adverb⟩: *immer zu zweit, jeweils als Paar:* p. auftreten; p. aufstellen.

Pacht, die; -, -en: **a)** *vertragliche Überlassung durch Verpachten, Übernahme durch Pachten:* etwas in P. nehmen, geben; die P. läuft ab. **b)** *regelmäßig zu zahlende Summe für das Pachten (von etwas):* er zahlte für das Grundstück eine hohe, niedrige P.

pachten, pachtete, hat gepachtet ⟨tr.⟩: *ein Grundstück o. ä. für längere Zeit zur Nutzung gegen Zahlung eines bestimmten Betrages übernehmen:* ein Gut, eine Jagd p.

Pächter, der; -s, -: *jmd., der etwas pachtet:* er ist P. dieses Bauernhofes.

Pack: I. der; -s: *Zusammengepacktes, Bündel:* ein P. Zeitungen. **II.** das; -s (abwertend): *Gesindel, Pöbel:* so ein P.!

Päckchen, das; -s, -: *kleines Paket:* etwas mit der Post als P. schicken.

packen, packte, hat gepackt /vgl. packend/: **1.** ⟨tr.⟩ *mit den Händen schnell und derb ergreifen und festhalten:* er packte ihn am Arm und drängte ihn aus dem Zimmer. **2. a)** ⟨tr.⟩ *zusammenlegen, zusammenbinden und in einen Behälter o. ä. legen:* die Kleider in die Koffer p.; er hat alle Waren in das Auto gepackt. **b)** ⟨tr./itr.⟩ *einen Behälter mit Dingen füllen:* die Koffer, die Kiste p.; ich muß noch p.

Packen, der; -s, -: *Pack.*

packend ⟨Adj.⟩: *Begeisterung, gesteigerte Aufmerksamkeit hervorrufend; spannend:* eine pakkende Aufführung des neuen Schauspiels; das Spiel war p.

Packer, der; -s, -: *Arbeiter, der Waren verpackt und für den Versand fertig macht* /Berufsbezeichnung/: vor Weihnachten mußten die P. Überstunden machen.

Packung, die; -, -en: *Ware mit der sie umgebenden Hülle:* eine P. Zigaretten.

Pädagoge, der; -n, -n: *Lehrer, Erzieher.*

Pädagogik, die; -: *Wissenschaft von der Erziehung und Ausbildung junger Menschen [in der Schule]:* ein Lehrstuhl für P.

pädagogisch ⟨Adj.⟩: *die Erziehung und Ausbildung betreffend, sich auf sie beziehend, auf ihr beruhend:* diese Methode ist p. falsch; eine pädagogische Ausbildung haben.

Paddel, das; -s, -: *Stange mit einem breiten, flachen Ende, die mit beiden Händen sitzend oder kniend geführt wird und zum Fortbewegen eines Kanus dient* (siehe Bild): das P. ins Wasser tauchen.

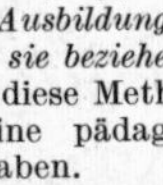
Paddel

Paddelboot, das; -[e]s, -e: *kleineres Boot mit einem oder mehreren Sitzen, das durch ein Doppelpaddel fortbewegt wird:* im Sommer fuhren wir oft mit unserem P. auf dem See.

paddeln, paddelte, hat/ist gepaddelt ⟨itr.⟩: **1.** *sich mit Paddeln in einem Boot fortbewegen:* er ist über den See gepaddelt; ich habe/bin in meiner Jugend viel gepaddelt. **2.** *mit heftigen Bewegungen der Arme und Beine planschen oder schwimmen* /bes. von Kindern/: die Kleinen haben lange im Wasser gepaddelt, sind durch das Becken gepaddelt.

paffen, paffte, hat gepafft (ugs.): **1.** ⟨tr./itr.⟩ *(Tabak) heftig, schnell rauchen; den Rauch einziehen und kräftig wieder ausstoßen:* er paffte eine dicke Zigarre; früher hat er viel gepafft. **2.** ⟨tr.⟩ *(ohne den Rauch tief einzuatmen) flüchtig rauchen:* sie paffte nervös eine Zigarette.

Page ['pa:ʒə], der; -n, -n: **1.** (hist.) *junger Adliger als Diener am Hof eines Fürsten.* **2.** *junger Diener in Livree* /in Hotels o. ä./: in der Halle des Hotels warteten einige Pagen.

Paket, das; -[e]s, -e: *etwas, was zum Versenden verpackt ist:* ein P. an seinen Sohn schicken.

Pakt, der; -[e]s, -e: *Vertrag, Bündnis [über gegenseitige politische oder militärische Unterstützung]:* einen P. schließen.

paktieren, paktierte, hat paktiert ⟨itr.⟩ (abwertend): *einen Pakt schließen; gemeinsame Sache machen:* die politische Verwirrung ging so weit, daß die Linke mit der äußersten Rechten paktierte.

Palais [pa'lɛ:],das;-s [pa'lɛ:(s)], -s [pa'lɛ:s]: *Palast.*

Palast, der; -es, Paläste: *großartiges, wertvoll ausgestattetes Gebäude:* der P. des Königs.

Palatschinken, die ⟨Plural⟩ (östr.): *dünne Eierkuchen, die zusammengerollt und mit Marmelade o. ä. gefüllt werden.*

Palaver, das; -s, - (ugs.): *lange Verhandlung [über Unwichtiges], bei der viel geredet [und nichts erreicht] wird:* trotz des langen Palavers kam man zu keinem Ergebnis.

palavern, palaverte, hat palavert ⟨itr.⟩ (ugs.): *ein Palaver halten:* die Frauen palaverten stundenlang auf dem Markt.

Paletot ['paləto], der; -s, -s: *längerer, über die Knie reichender Mantel:* ein modischer P.

Palette, die; -, -n: *Scheibe, auf der der Maler seine Farben mischt* (siehe Bild): die P. läßt sich mit dem Daumen halten; bildl.: das Angebot umfaßt eine breite P. *(große Auswahl, bunte Fülle)* einheimischer Erzeugnisse.

Palette

Palisade, die; -, -n: *aus in den Boden gerammten Pfählen bestehendes Hindernis, das etwas schützend umgibt:* das Fort war von Palisaden umgeben.

Palme, die; -, -n: /ein tropischer Baum/ (siehe Bild): ein mit Palmen bewachsener Strand. * (geh.) **jmdm. die P. zuerkennen** *(jmdn. als Sieger erklären)*; (ugs.) **jmdn. auf die Palme bringen** *(jmdn. sehr wütend machen):* er hat mich mit seinem Spott auf die P. gebracht; (ugs.) **auf der P. sein** *(sehr wütend sein).*

Palme

Pampelmuse, die; -, -n: *Grapefruit.*

Pamphlet, das; -s, -e: *[politische] Schrift, in der jmd./etwas geschmäht wird:* ein P. gegen einen Politiker schreiben.

Panier, die; - (östr.): *Masse aus Ei und geriebener Semmel, in der bes. Fleisch oder Fisch vor dem Braten gewälzt wird:* ein Schnitzel in P. legen. ** (geh.) **etwas auf sein P. schreiben** *(etwas unbeirrt als Ziel verfolgen):* er hatte den Kampf gegen die Diktatur auf sein P. geschrieben.

panieren, panierte, hat paniert ⟨tr.⟩: *Fleisch vor dem Braten in Ei, Mehl und fein geriebene Brötchen einlegen:* ein paniertes Schnitzel.

Panik, die; -: *durch eine plötzliche Gefahr hervorgerufene furchtbare Angst [unter einer großen Menge von Menschen], die zu völlig unüberlegten Reak-*

tionen führt: eine P. brach unter den Gästen des brennenden Schiffes aus; von P. ergriffen werden.

panisch ⟨Adj.; nicht prädikativ⟩: *wild, aus Entsetzen und Furcht entstanden, hervorgegangen:* in panischer Angst aus dem brennenden Haus rennen.

Panne, die; -, -n (ugs.): *durch einen Schaden oder eine Störung plötzlich verursachte Unterbrechung eines Vorgangs oder einer Tätigkeit:* auf der Fahrt [mit dem Auto] eine P. haben.

Panoptikum, das; -s, Panoptiken: *Sammlung von Sehenswürdigkeiten und Raritäten:* ins P. gehen.

Panorama, das; -s, Panoramen: *der von einem höher gelegenen Standort aus mögliche Blick nach allen Richtungen über eine Stadt oder Landschaft.*

panschen, panschte, hat gepanscht: **1.** ⟨tr./itr.⟩ *mit Wasser verdünnen, verfälschen:* der Händler wurde bestraft, weil er [den Wein] gepanscht hatte; ⟨häufig im 2. Partizip⟩ gepanschte Milch. **2.** ⟨itr.⟩ (ugs.) *planschen.*

Panther, der; -s, -: *Leopard.*

Pantine, die; -, -n (nordd.): *Pantoffel, Schuh [aus Holz]:* der Bauer zog seine Pantinen an. * (ugs.) **aus den Pantinen kippen: a)** *umfallen, zusammenbrechen:* nach dem langen Marsch wäre ich fast aus den Pantinen gekippt. **b)** *erstaunt, verwundert sein:* als er von dem Gewinn erfuhr, ist er aus den Pantinen gekippt.

Pantoffel, der; -s, -n: *weicher, bequemer Schuh, den man zu Hause trägt:* abends zieht er Pantoffeln an. * (ugs.) **unter den P. kommen** *(unter die Herrschaft der Ehefrau kommen).*

Pantoffelheld, der; -en, -en (ugs.): *jmd., der unter der Herrschaft seiner Ehefrau steht:* er hatte zu Hause nichts zu sagen, er war ein richtiger P.

Pantolette, die; -, -n: *leichter Schuh für den Sommer* (siehe Bild).

Pantolette

Pantomime: I. die; -, -n: *Darstellung einer Szene [auf der Bühne] nur mit Gebärden:* eine P. spielen, aufführen. **II.** der; -n, -n: *Künstler, der eine Szene [auf der Bühne] nur mit Gebärden darstellt:* das Publikum feierte den bekannten Pantomimen.

pantomimisch ⟨Adj.⟩: *die Pantomime betreffend; mit den Mitteln der Pantomime [dargestellt]; die Mittel der Pantomime verwendend:* pantomimische Fähigkeiten; die Szene ist rein p.; er stellte p. einen arbeitenden Friseur dar.

Panzer, der; -s, -: *Kampffahrzeug* (siehe Bild).

Panzer

panzern, panzerte, hat gepanzert ⟨tr.⟩: *mit einer Platte aus Stahl versehen:* gepanzerte Fahrzeuge.

Panzerschrank, der; -[e]s, Panzerschränke: *besonders gesicherter Schrank aus Stahl, in dem Geld, Wertsachen o. ä. aufbewahrt werden:* Einbrecher knackten den P.

Papa [geh.: Papa], der; -, -s: *Vater.*

Papagei [östr.: Pap...], der; -s, -en: /ein Vogel/ (siehe Bild).

Papagei

Papier, das; -s, -e: **1.** ⟨ohne Plural⟩ *aus Fasern hergestelltes dünnes Material, das vorwiegend zum Beschreiben oder zum Verpacken dient:* buntes, steifes, sauberes P.; ein Fetzen P.; P. schneiden, kleben. **2.** *Blatt aus diesem Material, das durch den darauf geschriebenen Text einen bestimmten Wert oder einen amtlichen Charakter hat:* ich habe meine Papiere *(Ausweise)* verloren; ein P. *(Wertpapier)* [ver]kaufen.

Papiergeld, das; -es: *Geld in Scheinen* /Ggs. Hartgeld/.

Papierkorb, der; -[e]s, Papierkörbe: *Behälter für aus Papier bestehenden Abfall:* die alten Zeitungen in den P. werfen; die Entwürfe wanderten in den P. *(wurden weggeworfen, weil sie als wertlos betrachtet wurden).*

Papierkrieg, der; -s (ugs.): *übermäßig lange dauernder [im Grunde unnötiger] Schriftverkehr mit einer Behörde:* sein Antrag löste einen P. aus.

Papiertiger, der; -s, -: *jmd., der äußerlich mächtig und gefährlich erscheint, in Wirklichkeit aber schwach und kraftlos ist:* für die Chinesen ist der US-amerikanische Kapitalismus ein P.

Pappe, die; -, -n: *dem Papier ähnliches, steifes Material, das meist als Verpackung verwendet wird.*

Pappel, die; -, -n: /ein Baum/ (siehe Bild).

Pappel

pappen, pappte, hat gepappt (ugs.): **1.** ⟨itr.⟩ *zusammenkleben:* bei der großen Kälte pappte der Schnee nicht. **2.** ⟨tr.⟩ *kleben:* er pappte das Plakat [mit Kleister] an die Wand.

Pappenheimer: ⟨in der Wendung⟩ seine P. kennen (ugs.): *wissen, mit wem man es zu tun hat; die Eigenschaften, bes. Schwächen anderer genau kennen:* ihr habt wieder genascht, ich kenne doch meine P.

Pappenstiel: ⟨in den Wendungen⟩ (ugs.) **etwas ist kein P.** *(etwas ist keine Kleinigkeit):* 1000 Mark sind doch kein P.; (ugs.) **für einen P.** *(zu einem sehr niedrigen Preis):* er hat dieses Auto für einen P. gekauft; (ugs.) **keinen/einen P. wert sein** *(nichts/sehr wenig wert sein):* dieses alte Modell ist keinen P. mehr wert; (ugs.) **keinen/nicht einen P. für etwas geben** *(gar nichts für etwas geben).*

Paprika, der; -s, -s: **1.** /eine Pflanze/ (siehe Bild S. 482).

2. *Frucht der gleichnamigen Pflanze* (siehe Bild): mit [Reis und] Gehacktem gefüllte Paprikas. 3. ⟨ohne Plural⟩ *aus der gleichnamigen Frucht hergestelltes Gewürz:* Gulasch mit P. würzen.

Paprika

1. und 2.

Papst, der; -es, Päpste: *Oberhaupt der katholischen Kirche.*

päpstlich ⟨Adj.⟩: *den Papst, das Amt des Papstes betreffend; dem Papst gehörend; vom Papst stammend:* ein päpstlicher Erlaß. * (ugs.) **päpstlicher als der P. sein** *(in seinem Urteil über jmdn./etwas strenger als der dafür Zuständige sein).*

Parabel, die; -, -n: 1. Math. /eine Kurve/ (siehe Bild). 2. *lehrhafte, auf einem Vergleich beruhende Dichtung.*

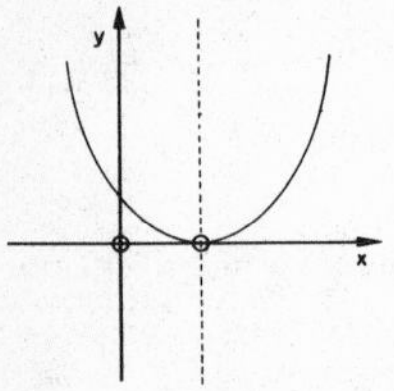

Parabel

Parade, die; -, -n: 1. *Vorbeimarsch militärischer Einheiten:* der Präsident nahm die P. ab. 2. Sport a) Fechten *Abwehr, Gegenstoß:* das war eine prächtige P. * (ugs.) **jmdm. in die P. fahren** *(jmdm. energisch entgegentreten).* b) Ballspiele *Fangen oder Abwehren des Balles durch den Torhüter, indem er sich nach dem Ball wirft:* der Torhüter verhinderte durch glanzvolle Paraden eine noch höhere Niederlage.

Paradeiser, der; -s, - (östr.): *Tomate.*

paradieren, paradierte, hat paradiert ⟨itr.⟩: 1. *[wie] bei einer Parade marschieren:* Soldaten paradierten auf dem Hof des Schlosses. 2. *(etwas) stolz zur Schau stellen; (mit etwas) prunken:* er paradierte mit seinen Kenntnissen.

Paradies, das; -es, -e: 1. ⟨ohne Plural⟩ Rel. *Ort oder Zustand der Vollkommenheit, der Seligkeit:* Adam und Eva wurden aus dem P. vertrieben. 2. *überaus schöner, fruchtbarer Ort:* hier ist wirklich ein P.; das P. auf Erden haben *(ein sehr schönes Leben führen).*

paradiesisch ⟨Adj.⟩: *überaus schön, fruchtbar:* wir verbrachten den Urlaub in einer paradiesischen Landschaft.

paradox ⟨Adj.⟩: *einen Widerspruch in sich enthaltend; widersinnig:* etwas erscheint p.

Paragraph, der; -en, -en: *einer von fortlaufend numerierten Abschnitten in einem größeren Schriftstück, meist bei Gesetzen.*

parallel ⟨Adj.⟩: *an allen Stellen in gleichem Abstand voneinander verlaufend:* parallele Linien zeichnen; die Straße verläuft p. zur Bahn; bildl.: die Arbeiten an den neuen Grünanlagen und am Neubau der Schule laufen p. *(gleichzeitig).*

Parallele, die; -, -n: *eine Linie, die an allen Stellen in gleichem Abstand zu einer anderen Linie verläuft.*

Parallelogramm, das; -s, -e: /eine geometrische Figur/ (siehe Bild).

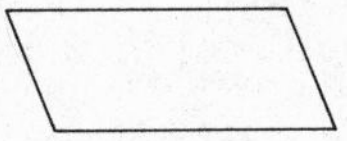

Parallelogramm

Paralyse, die; -, -n: 1. *vollständige Lähmung [eines Körperteils].* 2. *Entzündung und Zerfall des Gehirns als Folge der Syphilis.*

Paraphrase, die; -, -n: *verdeutlichende Umschreibung eines Textes mit anderen [und mehr] Worten:* Paraphrasen zu den Werken des Aristoteles.

paraphrasieren, paraphrasierte, hat paraphrasiert ⟨tr.⟩: *mit anderen Worten verdeutlichend umschreiben:* können Sie diesen Gedanken bitte etwas p.?

Parasit, der; -en, -en: *Schmarotzer:* der Bandwurm ist ein P.; bildl.: er ist ein P. *(lebt auf Kosten anderer).*

parat ⟨Adj.⟩: *zur Verfügung habend; griffbereit:* eine Antwort p. haben; die Werkzeuge liegen p.

Pärchen, das; -s, -: *junges [Liebes]paar:* auf der Bank im Park saß ein P.

Parcours [par'ku:r], der; - [par'ku:r(s)]: *abgestecktes, mit verschiedenen Hindernissen ausgestattetes Gelände bei Reitturnieren:* der Reiter bewältigte den schwierigen P. in der schnellsten Zeit.

Pardon [par'dõ:; südd., östr., schweiz.: par'do:n], der; -s (veralt.): *Verzeihung, Gnade, Nachsicht:* ich bat ihn um P.; die Soldaten gaben den Gefangenen keinen P. *(schonten niemanden).*

Parfüm, das; -s, -e und -s: *Flüssigkeit, die als kosmetisches Mittel einen besonders angenehmen Duft verbreitet:* ein angenehmes, starkes P.; nach P. riechen.

Parfümerie, die; -, -n: *Betrieb, in dem Parfüme und kosmetische Artikel hergestellt oder verkauft werden:* in einer P. Haarwasser kaufen.

parfümieren, parfümierte, hat parfümiert ⟨rfl./tr.⟩: *mit Parfüm besprengen, betupfen:* du hast dich zu stark parfümiert; sie parfümierte ihr Taschentuch.

Paria, der; -s, -s (geh.): *jmd., dem die Anerkennung als [vollwertiges] Glied der Gesellschaft verweigert wird; Unterdrückter; Ausgestoßener:* die Neger Amerikas wollen nicht länger die Parias der Nation sein.

parieren, parierte, hat pariert: 1. ⟨itr.⟩ *unbedingt gehorchen:* du hast zu p. 2. ⟨tr.⟩ Sport *einen Schlag, Stoß abwehren:* er hat die Schläge [des Gegners] gut pariert.

Parität, die; -, -en: 1. *Gleichberechtigung, Gleichstellung:* die P. aller christlichen Bekenntnisse. 2. *Verhältnis des Wertes zweier oder mehrerer Währungen:* die P. der Mark blieb stabil.

paritätisch ⟨Adj.⟩: *gleichberechtigt, gleichgestellt:* die paritätische Zusammenarbeit der Kirchen; der Ausschuß wird von den Parteien p. zusammengesetzt *(so zusammengesetzt, daß jede Partei über die gleiche Anzahl von Sitzen verfügt).*

Park, der; -s, -s: *große Grünfläche mit sehr vielen Bäumen* *und mit Buschwerk:* im P. spazierengehen.

Parka, der; -[s], -s und die; -, -s: /ein Kleidungsstück/ (siehe Bild).

Parka

parken, parkte, hat geparkt ⟨tr./itr.⟩: *ein Fahrzeug vorübergehend abstellen:* den Wagen vor dem Laden p.; hier kann ich eine Stunde lang p.

Parkett, das; -s, -e: **1.** *Fußboden aus schmalen, kurzen Brettern, die in einer bestimmten Ordnung verlegt sind:* er fiel auf dem glatten P. hin; bildl.: sich sicher auf dem P. bewegen können *(sich im internationalen gesellschaftlichen Leben sicher bewegen können).* **2.** ⟨ohne Plural⟩ *im Theater Sitze zu ebener Erde:* wir haben einen Platz im P.

Parklücke, die; -, -n: *freier Raum zwischen zwei parkenden Autos, der noch Platz für ein weiteres Auto bietet.*

Parkplatz, der; -es, Parkplätze: *Platz, auf dem ein Fahrzeug geparkt werden darf.*

Parkuhr, die; -, -en: *Automat, der nach Einwurf von Geld die Zeit des Parkens mißt.*

Parkverbot, das; -[e]s: *Verbot zu parken:* in der Innenstadt bestand P.; mit seinem Auto im P. *(an einer Stelle, an der das Parken verboten ist)* stehen.

Parlament, das; -[e]s, -e: *gewählte Vertretung des Volkes mit beratender und gesetzgebender Funktion:* das P. auflösen, wählen.

Parlamentär, der; -s, -e: *Unterhändler zwischen feindlichen Heeren:* man beauftragte einen P., Verhandlungen über einen Waffenstillstand zu führen.

Parlamentarier, der; -s, -: *jmd., der einem Parlament angehört:* P. sind immun.

parlamentarisch ⟨Adj.⟩: *das Parlament betreffend, von ihm ausgehend.*

Parodie, die; -, -n: *verzerrende Nachahmung, komische oder satirische Umbildung ernster Dichtung:* eine witzige, heitere P.

parodieren, parodierte, hat parodiert ⟨tr.⟩: *in einer Parodie nachahmen:* dieser Dichter, dieses Gedicht ist häufig parodiert worden.

Parole, die; -, -n: *Schlagwort, Wahlspruch:* etwas als P. ausgeben; etwas zur P. machen.

Paroli: ⟨in der Wendung⟩ jmdm. P. bieten (veraltend): *jmdm. Widerstand entgegensetzen, sich widersetzen:* du hättest deinem Chef in dieser Angelegenheit P. bieten sollen.

Part, der; -s, -e: **1.** *Besitzanteil an einem Schiff.* **2.** *Stimme, Rolle eines Solisten bei Gesang oder Instrumentalmusik:* die Spieler haben eine gewisse Freiheit in der zeitlichen Einteilung ihrer Parte.

Partei, die; -, -en: *Vereinigung von Personen, die gleiche [politische] Vorstellungen und Interessen haben und diese verwirklichen wollen:* in eine Partei eintreten; eine bestimmte P. wählen. *** für jmdn. P. ergreifen** *(jmds. Standpunkt unterstützen, verteidigen).*

parteiisch ⟨Adj.⟩: *nicht neutral, nicht objektiv; der einen oder anderen Partei zugeneigt:* der Schiedsrichter zeigte sich bei dem Spiel sehr p.

Parterre [par'tɛr], das; -s: *zu ebener Erde liegendes Geschoß eines Wohnhauses:* wir wohnen im P.

Partezettel, der; -s, - (östr.): *Todesanzeige, die verschickt wird.*

Partie, die; -, -n: **1.** *Abschnitt, Ausschnitt von einem größeren Ganzen:* die untere P. des Gesichtes; die schönsten Partien der Landschaft photographieren. **2.** *eine Runde bei bestimmten Spielen:* wir spielen eine P. Schach; eine P. gewinnen. **3.** Theater *Rolle in gesungenen Werken:* sie singt die P. der Aida; für diese P. ist er nicht geeignet.

Partikularismus, der; -: *das Bestreben kleinerer Gebiete eines Staates, ihre besonderen Interessen gegen die allgemeinen Interessen durchzusetzen.*

Partisan, der; -s und -en, -en: *bewaffneter Widerstandskämpfer im hinter der Front liegenden feindlichen Gebiet:* während des Krieges kämpfte er bei den Partisanen.

partizipieren, partizipierte, hat partizipiert ⟨itr.⟩: *Anteil haben, teilnehmen:* an dem Erfolg unserer Firma werden sicher noch andere p.

Partner, der; -s, -: *jmd., der mit einem anderen etwas unternimmt oder an etwas beteiligt ist:* die Partner des Vertrages; sich einen anderen P. suchen.

Partnerschaft, die; -: *das Partnersein; Zusammenarbeit als Partner:* eine P. von Schule und Elternhaus anstreben.

partout [par'tu:] ⟨Adverb⟩ (ugs.): *unbedingt, durchaus, um jeden Preis:* er wollte abends p. ins Kino.

Party ['pa:rti], die; -, -s und Parties: *geselliges Beisammensein, zwangloses Fest zu Hause:* eine P. veranstalten; zu einer P. eingeladen sein.

Parvenü, der; -s, -s (veralt.): *Emporkömmling:* dieser P. hängt sich Bilder von äußerster Geschmacklosigkeit in seine Villa.

Parzelle, die; -, -n: *kleines [vermessenes] Grundstück:* das Gelände wurde in Parzellen aufgeteilt.

Paß, der; Passes, Pässe: **1.** *amtlicher Ausweis zur Legitimation einer Person* (siehe Bild): den P. vorzeigen, kontrollieren. **2.** *niedrigste Stelle eines größeren Gebirges, die als Übergang benutzt wird* (siehe Bild): der P. ist wegen des hohen Schnees gesperrt. **3.** Sport *[genaues] Weiterleiten des Balles an einen Spieler der eigenen Mannschaft, besonders im Fußball:* seine Pässe sind sehr genau.

1.

2.

Paß

passabel ⟨Adj.⟩: *leidlich, erträglich, annehmbar:* er sah in seinem neuen Anzug ganz p. aus.

Passage [pa'sa:ʒə], die; -, -n: **1.** *überdachter Durchgang [für Fußgänger]:* Schaufenster in der P. ansehen. **2.** *fortlaufender, zusammenhängender Teil einer Rede oder eines Textes:* er zitierte größere Passagen aus diesem Buch. **3.** *Reise mit Schiff oder Flugzeug über das Meer:* er mußte sich erst das Geld für die P. nach Amerika verdienen.

Passagier [pasa'ʒi:r], der; -s, -e: *Reisender in der Bahn, im Flugzeug, auf dem Schiff.*

Passant, der; -en, -en: *vorbeigehender Fußgänger.*

passé: ⟨in der Verbindung⟩ p. sein (ugs.): *vorbei, vergangen, abgetan sein:* mit meiner früheren Freundin bin ich nicht mehr zusammen, die Geschichte ist längst p.; er ist als Politiker p. *(seine Zeit als Politiker ist vorbei).*

passen, paßte, hat gepaßt ⟨itr.⟩: **1.** *so beschaffen sein, daß es den Anforderungen, Wünschen, vorgeschriebenen Formen, dem Zweck entspricht:* die Schuhe p. gut; er trägt zum Anzug die passende Krawatte; bildl.: dieser Mann, diese Sache paßt dem Chef nicht *(ist ihm nicht angenehm).* * (ugs.) **das paßt wie die Faust aufs Auge** *(das paßt überhaupt nicht).* **2.** Sport *den Ball zu einem Spieler der eigenen Mannschaft weiterleiten, besonders im Fußball:* der Verteidiger paßte [zum Stürmer].

passieren, passierte, hat/ist passiert: **I.** ⟨tr.⟩ *an etwas vorbeigehen, vorbeifahren; überschreiten:* das Auto hat die Grenze passiert. **II.** ⟨itr.⟩ *geschehen, sich ereignen* /von Unangenehmem, Ungewolltem/: mir ist eine Panne passiert; hoffentlich ist nichts passiert.

Passion, die; -, -en: **1.** *Leidenschaft:* die Philatelie ist seine P.; etwas mit P. *(mit Begeisterung, Hingabe)* tun. **2. a)** ⟨ohne Plural⟩ *das Leiden Christi.* **b)** *Darstellung des Leidens Christi in der bildenden Kunst oder Musik.*

passioniert ⟨Adj.; nur attributiv⟩: *leidenschaftlich, begeistert:* er ist ein passionierter Angler.

passiv ⟨Adj.⟩: **a)** *keine [größeren] Arbeiten, Funktionen übernehmend* /Ggs. aktiv/: er ist passives Mitglied. **b)** *untätig; ohne Beteiligung, Interesse* /Ggs. aktiv/: er hat sich bei der Auseinandersetzung p. verhalten. ** **passives Wahlrecht** *(Recht, gewählt zu werden).* **Passivität,** die; -.

Passus, der; -, -: *Abschnitt, Stelle, Absatz* /in einem Text, in Schriftstücken/: dieser P. in dem Vertrag muß geändert werden.

Paste, die; -, -n: *weiche Masse, die sich streichen läßt.*

Pastellfarbe, die; -, -n: *blasse, zarte, weiche Farbe:* sie bevorzugt in ihrer Kleidung Pastellfarben.

Pastete, die; -, -n: *eine Speise, bei der Teig mit Fleisch oder Fisch gefüllt ist.*

pasteurisieren [pastøri'zi:rən], pasteurisierte, hat pasteurisiert ⟨tr.⟩: *(Flüssigkeiten) durch Erhitzen keimfrei machen:* frische Milch p.; ⟨häufig im 2. Partizip⟩ pasteurisierte Milch.

Pastille, die; -, -n: *Medikament in Form einer kleinen Kugel:* sie ist heiser und lutscht den ganzen Tag Pastillen.

Pastor, der; -s, -en: **a)** *protestantischer Geistlicher, Pfarrer.* **b)** (landsch.) *katholischer Geistlicher.*

pastoral ⟨Adj.⟩: *[auf etwas übertriebene, gekünstelte Art] würdig und feierlich, salbungsvoll:* mit seinem pastoralen Gehabe stößt er die Leute ab.

Pate, der; -n, -n: *Zeuge bei der Taufe, der die Verpflichtung hat, sich um die religiöse Erziehung des Kindes mit zu kümmern.*

Patenschaft, die; -, -en: *die von einem Paten übernommene Verpflichtung, sich um die religiöse Erziehung des Kindes zu kümmern.*

patent ⟨Adj.⟩ (ugs.): *tüchtig, brauchbar; großartig:* ein patentes Mädchen.

Patent, das; -[e]s, -e: *[Urkunde über die] Berechtigung, eine Erfindung allein zu verwerten:* eine Erfindung als P. anmelden; das P. erteilen.

patentieren, patentierte, hat patentiert ⟨tr.⟩: *durch ein Patent schützen:* er ließ sich die Erfindung p.

Pater, der; -s, -: *Mönch, der die Weihe als Priester erhalten hat.*

Paternoster: I. das; -s, - (veralt.): *Vaterunser.* **II.** der; -s, -: *Aufzug für Personen mit offenen Kabinen, der ständig und ohne Halt in Bewegung ist:* er fuhr mit dem P. in das oberste Stockwerk.

pathetisch ⟨Adj.⟩: **a)** *feierlich, mit viel künstlerischem Ausdruck:* eine pathetische Komposition. **b)** (abwertend) *übertrieben feierlich:* das Spiel des Künstlers war sehr p.

pathologisch ⟨Adj.⟩: **a)** *die Lehre von den Krankheiten betreffend, zu ihr gehörend:* die Verpestung der Luft als pathologisches Phänomen. **b)** *krankhaft:* die pathologische Veränderung von Organen.

Pathos, das; -: *übertriebene Äußerung von Gefühlen; Leidenschaft; übertrieben gehobene Ausdrucksweise:* er hielt eine Rede voll feierlichem P.

Patience [pasi'ã:s], die; -, -n: *Geduld verlangendes Kartenspiel [für eine Person]:* eine P. legen.

Patient, der; -en, -en: *jmd., der in ärztlicher Behandlung ist.*

Patina, die; -: *graue bis grüne, durch Oxydieren entstandene Schicht auf kupfernen Oberflächen:* der Leuchter setzte P. an; bildl. (geh.): auf diesen Vorstellungen liegt schon die P. der Geschichte *(sie sind überholt, veraltet).*

Patisserie, die; -, -n (schweiz.): **1.** *feines Gebäck, Kuchen o. ä.* **2.** *Konditorei.*

Patriarch, der; -en, -en: /Titel einiger Bischöfe/: der P. von Venedig, Moskau.

patriarchalisch ⟨Adj.⟩: **a)** *vom Mann, Vater beherrscht, bestimmt:* eine patriarchalische Ordnung der Gesellschaft. **b)** *die Würde des Vaters übertrieben hervorkehrend:* ein patriarchalischer Alter; er gibt sich sehr p.

Patriot, der; -en, -en: *jmd., der sein Vaterland liebt:* die Patrioten starben für ihr Vaterland.

patriotisch ⟨Adj.⟩: *den Patrioten betreffend, zu ihm gehörend, ihn kennzeichnend:* er hatte eine patriotische Gesinnung, war p. gesinnt.

Patriotismus, der; -: *Liebe zum Vaterland:* aus P. handeln.

Patron, der; -s, -e: **1.** Rel. kath. *Heiliger, dessen Schutz man sich/etwas unterstellt:* Petrus ist der Patron der Fischer; P. dieser Kirche ist Jakobus. **2.** (veralt.) *Gönner, Förderer:* der junge Künstler fand einen reichen P. **3.** (ugs.; abwertend) *Kerl:* er ist ein übler, langweiliger P.

Patrone, die; -, -n: **1.** *Ladung, Munition* /für Gewehr, Pistole o. ä./: eine P. in den Lauf des Gewehres schieben. **2.** *Hülse für Filme, die kein Licht durchläßt:* die P. ist leer.

Patrouille [pa'trʊljə], die; -, -n: **1.** *Gruppe von Personen (bes. Soldaten), die etwas bewachen oder erkunden:* nach den Vermißten wurde eine P. ausgesandt. **2.** *Rundgang, auf dem etwas bewacht oder erkundet wird:* auf P. gehen; die P. beenden.

patrouillieren [patrʊl'ji:rən], patrouillierte, hat/ist patrouilliert ⟨itr.⟩: *etwas auf einem Rundgang bewachen oder erkunden:* die Polizisten sind um die Botschaft patrouilliert; die Soldaten haben einige Stunden patrouilliert.

Patsche: ⟨in den Wendungen⟩ (ugs.) **in der P. sein/sitzen/stecken** *(in einer unangenehmen Lage, in Verlegenheit sein):* wegen dieses Unfalls sitze ich ganz schön in der P.; (ugs.) **jmdm. aus der P. helfen** *(jmdn. aus einer unangenehmen Lage, Verlegenheit befreien):* ab und zu log sie, um ihm aus der P. zu helfen.

Patschen, der; -s, - (östr.; ugs.): **1.** *Hausschuh:* die P. anziehen. **2.** *Defekt am Reifen, Loch im Schlauch eines Fahrzeugs:* er hat einen P. im hinteren Rad.

patsch[e]naß ⟨Adj.⟩ (ugs.): *sehr naß:* er war p. geschwitzt.

patzig ⟨Adj.⟩ (abwertend): *unfreundlich, abweisend, frech, unverschämt:* eine patzige Antwort geben; er war sehr p.

Pauke, die; -, -n: /ein Musikinstrument/ (siehe Bild): die P. schlagen; bildl.: jmdn. mit Pauken und Trompeten empfangen *(jmdn. mit allen Ehren empfangen).* * (ugs.) **auf die P. hauen** *(ausgiebig feiern; angeben, überheblich sein).*

Pauke

pauken, paukte, hat gepaukt ⟨itr.⟩ (ugs.): *intensiv, stur lernen:* Wörter einer fremden Sprache, Mathematik p.

Pauker, der; -s, - (ugs.; abwertend): *Lehrer.*

pausbackig und **pausbäckig** ⟨Adj.⟩ (ugs.): *mit runden, dikken Backen [ausgestattet]* /bes. von Kindern/: ein pausbäckiges Mädchen.

pauschal ⟨Adj.⟩: *alles umfassend, berücksichtigend:* eine pauschale Summe zahlen; etwas p. berechnen.

Pause, die; -, -n: *Unterbrechung einer Tätigkeit [um auszuruhen]:* eine P. einlegen.

pausieren, pausierte, hat pausiert ⟨itr.⟩: *eine [längere] Pause einlegen.*

Pavillon ['pavɪljõ], der; -s, -s: **1.** *kleines rundes oder viereckiges, [teilweise] offenes, für sich allein stehendes Gebäude:* mitten im Park stand ein hübscher P. **2.** *für Ausstellungen errichtetes Gebäude:* in einem anderen P. waren Maschinen und Motoren ausgestellt.

Pazifik, der; -s: *großes, zusammenhängendes Meer zwischen Asien und Australien im Westen und Amerika im Osten:* den P. überqueren.

pazifisch ⟨Adj.; nur attributiv⟩: *den Pazifik betreffend, zu ihm gehörend:* pazifische Inseln. * **der Pazifische Ozean** *(Pazifik).*

Pazifismus, der; -: *Ablehnung jedes Krieges aus religiösen oder ethischen Gründen:* für den P. eintreten.

Pazifist, der; -en, -en: *Anhänger des Pazifismus.*

pazifistisch ⟨Adj.⟩: *den Pazifismus betreffend:* er verweigert den Wehrdienst aus pazifistischen Gründen.

Pech, das; -s: *Ereignis, das für jmds. Tun, Plan im Hinblick auf ein bestimmtes Ziel einen Rückschlag bedeutet; Mißgeschick* /Ggs. Glück/: er hat viel P. gehabt; vom P. verfolgt sein.

pechschwarz ⟨Adj.⟩: *ganz schwarz:* sie hatte pechschwarzes Haar.

Pechsträhne, die; -, -n: *Reihe unglücklicher Zufälle, von denen jmd. kurz nacheinander betroffen wird:* er hatte beim Kartenspielen eine P.

Pechvogel, der; -s, Pechvögel (ugs.): *jmd., der viel Pech hat.*

Pedal, das; -s, -e: *Hebel, der mit dem Fuß bedient wird* (siehe Bild): auf das P. treten; die Pedale des Fahrrades.

Pedal

Pedant, der; -en, -en: *übertrieben genauer, kleinlicher Mensch.*

Pedanterie, die; -: *übertriebene Genauigkeit, pedantisches Wesen:* er erledigt alles mit äußerster P.

pedantisch ⟨Adj.⟩: *kleinlich:* er ist sehr p.

Pedell, der; -s, -e (veralt.): *Diener, Hausmeister* /einer Schule oder Universitiät/: dem P. einen Streich spielen.

Pediküre, die; -, -n: **a)** ⟨ohne Plural⟩ *Pflege der Füße, bes. der Nägel an den Zehen:* sie ist mit der P. ihrer Zehen noch nicht fertig. **b)** *weibliche Angestellte, die Füße pedikürt*/ Berufsbezeichnung/: sie arbeitet als P.

pediküren, pedikürte, hat pedikürt ⟨tr./rfl.⟩: *(jmds. Füße, bes. die Nägel an den Zehen) pflegen:* sie pedikürt gerade eine Kundin; ich pediküre mir die Zehen; sie pedikürt sich jeden Morgen.

Pegel, der; -s, -: *Gerät zum Messen des Wasserstandes.*

peilen, peilte, hat gepeilt ⟨tr.⟩: *(die Wassertiefe oder die Richtung) feststellen, bestimmen:* man peilte von Bord den Standort. * (ugs.) **die Lage p.** *(genau auskundschaften, wie die Dinge liegen):* der Dieb stand vor dem Schaufenster und peilte aufmerksam die Lage; (ugs.) **etwas über den Daumen p.** *(etwas grob, ungefähr schätzen).*

Pein, die; - (geh.): *Qual, Schmerz:* er litt unter der P. seiner Eifersucht.

peinigen, peinigte, hat gepeinigt ⟨tr.⟩ (geh.): *quälen, (jmdm.) Schmerz zufügen:* die Soldaten haben die Gefangenen grundlos gepeinigt.

peinlich ⟨Adj.⟩: **1.** *unangenehm, in Verlegenheit bringend:* das Bekanntwerden seines Planes war ihm p.; eine peinliche Frage. **2.** *sehr genau, äußerst sorgfältig:* es herrscht peinliche Ordnung; das Gepäck wurde p. genau untersucht.

Peitsche, die; -, -n: *aus einem Stiel und einem Riemen bestehender Gegenstand zum Antreiben von Tieren:* mit der P. knallen, schlagen. * **mit Zuckerbrot und P.** *(mit Milde und Strenge).*

peitschen, peitschte, hat gepeitscht ⟨tr.⟩: *mit einer Peitsche schlagen:* ein Tier p.; bildl.: Schüsse peitschten *(knallten)* durch die Straße.

pekuniär ⟨Adj.⟩: *finanziell, das Geld betreffend:* in pekuniären Schwierigkeiten stecken.

Pelerine, die; -, -n (veralt.): *[wasserdichter] Umhang ohne Ärmel.*

Pelikan, der; -s, -e: /ein Vogel/ (siehe Bild).

Pelikan

Pelle, die; -, -n (bes. nordd.): *Schale, Haut:* die P. von der Wurst abziehen. * (ugs.) **jmdm. auf die P. rücken** *(jmdn. drängen):* wenn er morgen nicht kommt, rücke ich ihm auf die P.

pellen, pellte, hat gepellt ⟨tr.⟩ (bes. nordd.): *die Pelle entfernen:* Kartoffeln p.

Pellkartoffel, die; -, -n: *mit der Schale gekochte Kartoffeln:* heute Abend gibt es Pellkartoffeln und Heringe.

Pelz, der; -es, -e: *Fell bestimmter Tiere, das zu Kleidungsstükken verarbeitet wird:* ein weicher, echter P.; sie trägt einen teuren P. * (ugs.) **jmdm. auf den P. rücken** *(jmdn. [zur Erledigung einer ihm schon seit längerem aufgetragenen Arbeit] drängen);* (ugs.) **sich die Sonne auf den P. brennen lassen** *(sich sonnen).*

Pelztier, das; -[e]s, -e: *Tier, dessen Fell zu Pelz verarbeitet wird.*

Pendant [pã'dã:], das; -s, -s: *etwas, was einer Sache in einem anderen Bereich, in einem anderen Zusammenhang [genau] entspricht; Entsprechung, Gegenstück:* diese private Einrichtung bildet ein P. zu staatlichen Stellen.

Pendel, das; -s, -: *Körper, der an einem Punkt aufgehängt ist und hin und her schwingt:* das P. der Uhr anstoßen.

pendeln, pendelte, hat/ist gependelt ⟨itr.⟩: **1.** *hin und her schwingen:* die Kiste hat an dem Kran gependelt. **2.** *[zur Arbeit] zwischen zwei Orten hin und her fahren:* er ist zwischen Frankfurt und Mannheim gependelt.

Pendler, der; -s, -: *jmd., der aus beruflichen Gründen regelmäßig zwischen zwei Orten hin und her fährt.*

penetrant ⟨Adj.⟩: **a)** *durchdringend* /in bezug auf Geruch, Geschmack/: etwas riecht p. **b)** *aufdringlich, unangenehm stark ausgeprägt:* er hat ein sehr penetrantes Wesen.

penibel ⟨Adj.⟩: *genau, sorgfältig; kleinlich:* in Fragen der Moral ist er sehr p.

Penis, der; -, -se: *männliches Glied.*

Pennäler, der; -s, - (ugs.): *Schüler.*

Penne, die; -, -n (ugs.): *Schule, Gymnasium:* wir sind zusammen zur P. gegangen.

pennen, pennte, hat gepennt ⟨itr.⟩ (ugs.): *schlafen.*

Pension [pãsi'o:n; südd., östr., schweiz.: pɛnzi'o:n], die; -, -en: **1.** *Gehalt [eines Beamten] nach dem Ausscheiden aus dem Dienst:* eine gute P. bekommen. * **in P. gehen** *(aus dem Dienst ausscheiden, weil man das bestimmte Alter erreicht hat).* **2.** *Haus mit [Restaurant und] Zimmern zum Übernachten:* wir wohnten in der P. Klaus Balzer. **3.** *Unterkunft und Verpflegung:* ich habe das Zimmer mit voller P. gemietet.

Pensionär [pãsio'nɛ:r; südd., östr., schweiz.: pɛnzio'nɛ:r], der; -s, -e: *jmd., der eine Pension bezieht:* die Pensionäre führten im Altersheim ein geruhsames Leben.

Pensionat [pãsio'na:t; südd., östr., schweiz.: pɛnzio'na:t], das; -s, -e: *Schule, in der die Schüler (bes. Mädchen) untergebracht und beköstigt werden:* sie erhielt in dem P. eine hervorragende Erziehung.

pensionieren [pãsio'ni:rən; südd., östr., schweiz.: pɛnzio'ni:rən], pensionierte, hat pensioniert ⟨tr.⟩: *in den Ruhestand versetzen und (jmdm.) eine Pension gewähren:* er wurde mit 60 Jahren pensioniert. **Pensionierung,** die; -, -en.

Pensionist, der; -en, -en (östr.): *Pensionär.*

pensionsberechtigt ⟨Adj.; nicht adverbial⟩: *Anspruch auf Pension habend.*

Pensum, das; -s, Pensen und Pensa: *Arbeit, die in einem bestimmten Zeitraum erledigt werden muß:* ich habe mein heutiges P. noch nicht geschafft.

Penthouse ['pɛnthaʊs], das; -, -s (geh.): *exklusive Wohnung auf dem Dach eines Hochhauses:* er gab in seinem P. eine Party.

per ⟨Präp. mit Akk.⟩: *mit, durch, mittels:* er fuhr p. Bahn; einen Brief p. Luftpost befördern; etwas p. Nachnahme senden.

perfekt ⟨Adj.⟩: **a)** *vollendet, vollkommen [ausgebildet]:* sie ist eine perfekte Köchin; er spricht p. Englisch; er zeigte ein perfektes Spiel. **b)** ⟨nicht adverbial⟩ *abgemacht, abgeschlossen, gültig:* der Vertrag ist p.

Perfektion, die; -: *Vollendung, Vollkommenheit:* uns überraschte die P. seines Vortrags, Spiels, der Arbeit.

perfid[e] ⟨Adj.⟩: *hinterlistig, heimtückisch:* er ist ein perfider Bursche.

Perfidie, die; -, -n: *Hinterlist, Heimtücke; Treulosigkeit:* die P. seines Verhaltens ist nicht zu überbieten.

Pergament, das; -s, -e: **1.** *bearbeitete, sehr dünne Tierhaut, die früher bes. zum Beschreiben diente.* **2.** *alte Handschrift auf Tierhaut:* das P. ist nicht mehr zu entziffern.

Pergamentpapier, das; -s: *Papier, das kein Fett durchläßt.*

Periode, die; -, -n: *ein sich von anderen zeitlichen Abschnitten abhebender Teil eines zeitlich in sich gegliederten Geschehens, das für sich eine Einheit bildet; Zeitraum, Zeitabschnitt:* eine historische P.; in den kritischen Perioden seines Lebens war er sehr tapfer.

periodisch ⟨Adj.⟩: *regelmäßig auftretend, wiederkehrend:* eine p. erscheinende Zeitschrift.

peripher ⟨Adj.⟩ (geh.): *am Rande [liegend]; nebensächlich, unbedeutend:* wir wollen uns nicht länger mit peripheren Fr ɔn beschäftigen, sondern zur ʽauptsache kommen.

eripherie, die; -, -n: **a)** *äuße- Linie, Rand:* die P. des Krei- ɔs. **b)** *am Rand einer Stadt egendes Gebiet:* an der P. der tadt wohnen.

'erle, die; -, -n: *kleine helle Kugel, die in Muscheln entsteht nd als Schmuckstück verwendet ird:* eine kostbare P.

erlen, perlte, hat/ist geperlt itr.〉 (geh.): *in Tropfen fließen, ollen:* der Schweiß ist ihm von er Stirne geperlt; der Sekt hat ɔperlt *(gesprudelt, geschäumt);* ildl.: 〈häufig im 1. Partizip〉 in perlendes *(helles, fröhliches)* achen.

erlmutter, die; -: *innere hillernde Schicht von Muscheln ä.:* Knöpfe aus P.

'erlon, das; -s: /ein aus synthe- schen Fasern hergestelltes ewebe/: ein Hemd aus P.

ermanent 〈Adj.〉: *dauernd, nunterbrochen:* diese Partei at eine permanente Mehrheit n Parlament.

er pedes [apostolorum] ıgs.; scherzh.): *zu Fuß:* er ist er pedes gekommen.

erplex 〈Adj.〉 (ugs.): *verwirrt, berrascht, bestürzt:* ich war völ- g p.

'erron [pɛ'rõ:; südd.; östr.; hweiz.: pɛ'ro:n], der; -s, -s veralt., aber noch schweiz.): *Bahnsteig.*

'ersigner, der; -s, -: **1.** *aus m Fell eines bestimmten Scha- s hergestellter Pelz.* **2.** *aus em gleichnamigen Pelz gearbei- ter Mantel:* sie trug einen hwarzen P.

'ersiflage [pɛrzi'fla:ʒə], die; -n: *[geistreiche] Verspottung urch übertreibende Nachah- ung:* dieses Stück ist eine ge- ıngene P. auf die Gewohnhei- ɔn unserer Politiker.

ersiflieren, persiflierte, hat ersifliert 〈tr.〉: *[auf geistreiche rt] durch übertreibende Nach- hmung verspotten:* er persiflier- seinen Chef.

erson, die; -, -en: *der Mensch als individuelles geistiges We- n]:* dem Ansehen einer P. haden; eine Familie von vier ersonen; beide Ämter sind in ner P. vereinigt *(werden von nem einzigen Menschen ge- itet).*

Personal, das; -s: *alle ange- stellten Personen, die meist Dien- ste für Kunden leisten:* die Firma hat freundliches, gut geschul- tes P.

Personalausweis, der; -es, -e: *amtliches Dokument, mit dem man sich als Staatsbürger aus- weist:* sein P. war abgelaufen und mußte verlängert, erneuert werden.

Personalien, die 〈Plural〉: *An- gaben zur Person, wie Name, Da- tum und Ort der Geburt usw.:* die P. feststellen.

personell 〈Adj.〉: *das Personal, die Belegschaft betreffend:* in dem Betrieb werden personelle Ver- änderungen vorgenommen.

Personenkraftwagen, der; -s, - (Abk. Pkw, auch: PKW): *zur Beförderung von Personen gebauter Kraftwagen.*

Personenverkehr, der; -s: *Beförderung von Personen [mit der Bahn]:* Fahrpreiserhöhun- gen im P.

Personenzug, der; -es, Perso- nenzüge: *Zug zur Beförderung von Personen, der an allen Sta- tionen hält.*

personifizieren, personifizier- te, hat personifiziert 〈tr.〉: *(Dinge, Begriffe, göttliche Wesen) als Menschen, mit menschlichen Eigenschaften darstellen:* in die- sem Gedicht wird der Neid personifiziert; 〈häufig im 2. Partizip〉 die Muse erscheint personifiziert auf der Bühne.

Personifizierung, die; -, -en.

persönlich 〈Adj.〉: *die eigene Person betreffend, von ihr aus- gehend; in eigener Person:* eine persönliche Angelegenheit; ich kenne ihn p.; ich werde mich p. darum kümmern.

Persönlichkeit, die; -, -en: *ein Mensch, der durch sein be- sonderes Wesen und seine posi- tiven Eigenschaften geprägt ist und Ansehen genießt:* er ist eine einflußreiche, wichtige P.

Perspektive, die; -, -n: **1.** *Aus- sicht für die Zukunft; Stand- punkt, von dem aus etwas ge- sehen wird:* die Ausführungen des Ministers eröffnen eine neue P.; aus seiner P. sah dies ganz anders aus. **2.** *Darstellung räum- licher Verhältnisse in der Ebene eines Bildes:* ein Maler muß sorgfältig auf die P. achten.

Perücke, die; -, -n: *Frisur aus künstlichen Haaren [als Ersatz für fehlende Haare]:* eine P. tragen.

pervers 〈Adj.〉: *[sexuell] krankhaft veranlagt; widernatür- lich:* er ist p.; perverse Gedan- ken haben.

Perversion, die; -, -en: *krank- hafte, ins Widernatürliche gehen- de Veränderung [des sexuellen Empfindens]:* bei dieser Nei- gung handelt es sich um eine P.; solche politischen Ziele sind nur aus einer P. des Denkens zu erklären.

Perversität, die; -, -en: *per- verses Verhalten; widernatürli- che [sexuelle] Praktik:* was er da treibt, ist eine echte P.; er sucht Befriedigung in allen mög- lichen Perversitäten.

pervertieren, pervertierte, ist pervertiert 〈itr.〉: *vom Normalen zum Schlechten hin abweichen:* die Liebe pervertierte; 〈häufig im 2. Partizip〉 pervertierte Ge- fühle.

Pessar, das; -s, -e: *mechani- sches, von der Frau zu benutzen- des Mittel zur Empfängnis- verhütung.*

Pessimismus, der; -: *pessi- mistische Haltung* /Ggs. Opti- mismus/: sein Leben war von düsterem P. bestimmt.

Pessimist, der; -en, -en: *jmd., der immer die schlechten Seiten des Lebens sieht; Schwarzseher*/ Ggs. Optimist/: er ist ein unver- besserlicher P.

pessimistisch 〈Adj.〉: *immer Schlechtes oder Mißerfolg erwar- tend* /Ggs. optimistisch/: er ist von Natur aus p.

Pest, die; -: *gefährliche Seuche, die durch Bakterien hervorgeru- fen wird:* in der Stadt brach die P. aus; (ugs.) er haßt, meidet mich wie die P. * (ugs.) **jmdm. die P. an den Hals wünschen** *(jmdm. alles Schlechte wünschen):* diesem Betrüger wünsche ich die P. an den Hals.

Peter: 〈in der Wendung〉 jmdm. den Schwarzen P. zu- schieben/zuspielen: *jmdm. die Schuld an etwas geben, den unan- genehmen Teil von etwas über- lassen:* die Regierung hat den Schwarzen P. nun den Gewerk- schaften zugeschoben.

Petersilie, die; -: /ein Küchen- kraut/ (siehe Bild S. 488): P. fein hacken. * (ugs.) **jmdm. ist die P. verhagelt** *(jmd. ist auf Grund einer Enttäuschung mißmutig).*

Petersilie

Petition, die; -, -en: *Bittschrift, Eingabe, Gesuch an eine amtliche Stelle:* die von ihm in einer P. geforderte Begnadigung wurde abgelehnt.

Petroleum, das; -s: *Produkt aus Erdöl, das zum Leuchten, Heizen und als Treibstoff verwendet wird.*

Petting, das; -s: *den Orgasmus erstrebendes sexuelles Liebesspiel ohne den Vollzug des Geschlechtsaktes.*

petzen, petzte, hat gepetzt ⟨itr.⟩: Schülerspr. *(jmdn.) angeben, verraten:* er hat schon wieder gepetzt.

Pfad, der; -[e]s, Pfade: *schmaler Weg, der nur von Fußgängern benutzt werden kann:* durch die Wiesen zog sich ein P. bis an den Waldesrand.

Pfadfinder, der; -s, -: *Angehöriger einer internationalen Organisation von Jugendlichen.*

Pfaffe, der; -n, -n (abwertend): *Geistlicher:* er haßte die Pfaffen wie die Pest.

Pfahl, der; -[e]s, Pfähle: *dicke Stange, die in den Boden eingerammt wird und an der man etwas befestigen kann:* er hat die Ziege an einen P. gebunden.

Pfand, das; -[e]s, Pfänder: *Gegenstand, der als Sicherheit für eine Schuld dient:* er hat das P. wieder eingelöst.

pfänden, pfändete, hat gepfändet ⟨tr.⟩: **a)** *als Pfand fordern, einziehen:* die Möbel p. **b)** *Pfand verlangen (von jmdm.):* einen nicht zahlungsfähigen Kunden p.

Pfanne

Pfandleihe, die; -, -n: *Einrichtung, bei der man sich nach Hinterlegen eines Pfandes Geld leihen kann:* etwas auf, in die P. bringen.

Pfanne, die; -, -n: *flacher Behälter zum Braten* (siehe Bild): er schlug Eier in die P.

Pfannkuchen, der; -s, -: *in der Pfanne gebackener dünner Teig aus Eiern, Mehl, Zucker und Milch.*

Pfarre, die; -, -n (landsch.): *Pfarrei.*

Pfarrei, die; -, -en: *der von einem Pfarrer verwaltete, betreute Bezirk:* eine große, kleine P. übernehmen.

Pfarrer, der; -s, -: *Geistlicher einer christlichen Kirche, der einer kirchlichen Gemeinde vorsteht.*

Pfau, der; -s, -en: /ein Vogel/ (siehe Bild): der P. schlägt ein Rad; bildl.: er ist ein [eitler] P. *(sehr eitel).*

Pfau

Pfeffer, der; -s: *Gewürz, das aus den Früchten der gleichnamigen Pflanze gewonnen wird:* schwarzer, weißer P. * (ugs.) **da liegt der Hase im P.** *(da liegt die Schwierigkeit).*

Pfefferminze, die; -: /eine Heil- und Gewürzpflanze/ (siehe Bild): die Blätter der P. sammeln und trocknen.

Pfefferminze

pfeffern, pfefferte, hat gepfeffert ⟨tr.⟩: *mit Pfeffer [scharf] würzen:* Speisen p.; bildl. (ugs.): er pfefferte die Bücher in die Ecke *(er warf aus Zorn die Bücher in die Ecke);* eine gepfefferte Rechnung *(eine [über die Erwartung hinaus gehende] hohe Rechnung).*

Pfeife, die; -, -n: **1. a)** *Rohr, durch das man bläst, wobei ein heller, schriller Ton erzeugt wird* (siehe Bild): die P. des Schiedsrichters. **b)** *Rohr bei der Orgel, mit dem ein Ton erzeugt wird* (siehe Bild). **2.** *Gegenstand, mit dem man Tabak raucht* (siehe Bild): er raucht nur noch P.

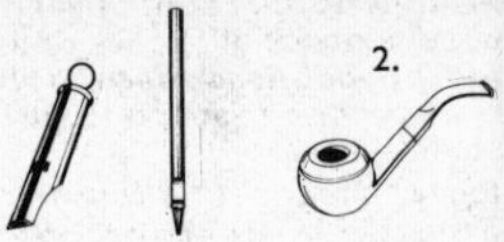

1. a) 1. b) Pfeife

pfeifen, pfiff, hat gepfiffen: **a)** ⟨itr.⟩ *einen hellen [schrillen] Ton erzeugen, von sich geben:* er kann durch die Finger p.; der Vogel, der Wind, die Lokomotive pfeift; der Jäger pfeift seinem Hund *(er veranlaßt ihn durch einen Pfeifton, auf seinen Herrn zu achten);* der Schiedsrichter pfeift viel *(er greift häufig durch einen Pfeifton in das Spiel ein);* bildl.: der Wind pfeift *(bläst)* durch alle Ritzen. **b)** ⟨tr.⟩ *durch Pfeifton hervorbringen:* ein Lied, eine Melodie p. ** (ugs.) **auf etwas p.** *(an etwas überhaupt nicht interessiert sein und darauf gern verzichten):* ich mache, was ich will, und pfeife auf den guten Ruf; (ugs.) **auf dem letzten Loch p.** *(mit seiner Kraft, seinem Geld am Ende sein);* (ugs.) **die Spatzen pfeifen es von allen Dächern** *(jeder weiß es).*

Pfeifkonzert, das; -[e]s, -e: *langes, heftiges Pfeifen als Zeichen des Mißfallens:* die Entscheidung des Schiedsrichters wurde mit einem P. bedacht.

Pfeil, der; -[e]s, -e: **1.** *längerer Stab mit Spitze, der als Geschoß verwendet wird.* **2.** *Zeichen [das eine Richtung angibt]:* der P. zeigt nach Norden.

Pfeiler, der; -s, -: *eckige Stütze zum Tragen von Teilen eines größeren Bauwerkes:* die Pfeiler tragen die Decke.

Pfennig, der; -s, -e: *kleinste Einheit der deutschen Währung in Form einer Münze:* keinen P. mehr haben; mit dem P. rechnen müssen *(sehr sparsam sein müssen);* das ist keinen P. wert *(das ist nichts wert).*

Pfennigabsatz, der; -es, Pfennigabsätze: *hoher, dünner Absatz von Damenschuhen, dessen Spitze von der ungefähren Größe eines Pfennigs ist:* sie trug Schuhe mit Pfennigabsätzen.

Pfennigfuchser, der; -s, - (ugs.): *in Geldangelegenheiten* ehr kleinlicher, geiziger Mensch: on diesem P. wirst du kein eld bekommen.

'ferch, der; -[e]s, -e: *von einem Zaun umgebene Fläche zum Einchließen von Tieren:* Schafe in inen P. treiben.

ferchen, pferchte, hat gefercht ⟨tr.⟩: *auf engem Raum usammendrängen:* Schweine in inen Waggon p.; die Gefangeen wurden wie Vieh in die Vagen gepfercht.

'ferd, das; -es, -e: **1.** *größeres Tier, das zum Ziehen von Wagen nd zum Reiten verwendet wird* siehe Bild): ein P. satteln, reien, besteigen. * (ugs.) **das hält ein P. aus** *(das hält niemand us);* (ugs.) **das P. beim Schwanz ufzäumen** *(eine Sache verkehrt nfangen).* **2.** /ein Turngerät/ siehe Bild).

1.

2.

Pferd

'ferdefuß: ⟨in den Wendunen⟩ (ugs.) **etwas hat einen P.** *etwas hat einen Nachteil, eine unngenehme Seite):* dieser Vertrag at bestimmt einen P.; (ugs.) **ei etwas schaut der P. heraus, ei etwas kommt der P. zum orschein** *(bei etwas zeigt sich ie wahre, schlechte Absicht).*

'ferdekur, die; -, -en: *Roßkur.*

'ferderennen, das; -s, -: *Wettuf, -fahrt, bei der Pferde geitten werden oder vor einen Waen gespannt sind:* er besucht äufig P. und wettet auch.

'ferdeschwanz, der; -es, ferdeschwänze: **1.** *Schwanz des Pferdes:* sich am P. festhalten. **2.** /eine Frisur/ (siehe Bild): sie trug einen langen, blonden P.

Pferdeschwanz 2.

Pferdestärke, die; -, -n (Abk. PS): *Einheit der Leistung eines Motors:* ein Auto von 60 Pferdestärken (60 PS).

Pfiff, der; -[e]s, -e: **1.** *kurzer, schriller Ton, der durch Pfeifen entsteht:* nach dem Foul hörte man den P. des Schiedsrichters. **2.** ⟨ohne Plural⟩ (ugs.) *der besondere Reiz einer Sache:* die Einrichtung der Wohnung hat noch nicht den letzten P.

Pfifferling

Pfifferling, der; -s, -e: /eßbarer Pilz/ (siehe Bild): Pfifferlinge sammeln. * (ugs.) **keinen P. [mehr] wert sein** *(gar nichts [mehr] wert sein).*

pfiffig ⟨Adj.⟩: *schlau, listig:* er ist ein pfiffiger Kerl; er war p. und sagte kein Wort.

Pfingsten, das (und als Plural: die); -: *christliches Fest, das 50 Tage nach Ostern gefeiert wird:* wir wollen P. verreisen; fröhliche P.!

Pfirsich, der; -s, -e: /eine Frucht/ (siehe Bild).

Pfirsich

Pflanze, die; -, -n: *Gewächs aus Wurzeln, Stiel oder Stamm und Blättern:* die P. wächst, blüht, trägt Früchte, welkt, stirbt ab.

pflanzen, pflanzte, hat gepflanzt ⟨tr.⟩: *in die Erde setzen:* er hat Bäume, Sträucher und viele Blumen in seinen Garten gepflanzt.

Pflanzenschutzmittel, das; -s, -: *Mittel zum Schutz von Pflanzen gegen pflanzliche oder tierische Schädlinge:* Kulturen mit einem P. besprühen.

pflanzlich ⟨Adj.; nicht adverbial⟩: *aus Pflanzen gewonnen, hergestellt:* pflanzliches Fett.

Pflaster, das; -s, -: **I.** *aus eckigen Steinen gebildeter Belag von Straßen und Plätzen* (siehe Bild):

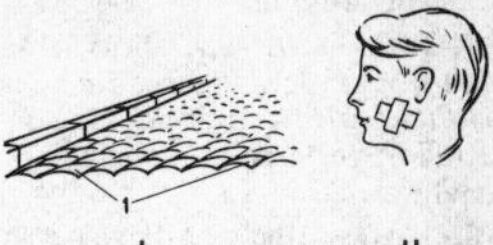

I. II.

Pflaster

das Auto rutschte auf dem nassen P.; bildl.: (ugs.) das ist ein teures P. *(in dieser Stadt lebt man teuer);* (ugs.) das ist ein heißes P. *(in dieser Stadt lebt man gefährlich).* **II.** *etwas, was zum Schutz von Wunden auf die Haut geklebt wird* (siehe Bild): er hat ein P. auf der Stirn.

pflastern, pflasterte, hat gepflastert ⟨tr.⟩: *mit Pflastersteinen belegen:* die Straße wird gepflastert.

Pflaume, die; -, -n: /eine Frucht/ (siehe Bild).

Pflaume

Pflege, die; -: **a)** *das Betreuen [eines Kranken]:* sie übernahm die P. ihres kranken Vaters. **b)** *Behandlung zur Verbesserung eines Zustandes:* die Pflege der Hände, der Blumen.

pflegen, pflegte, hat gepflegt: **1.** ⟨tr.⟩ **a)** *[einen Kranken] betreuen:* sie pflegte ihre alte Mutter. **b)** ⟨tr./rfl.⟩ *zur Verbesserung eines Zustandes behandeln:* er pflegt seine Hände, den Garten, die Blumen; du mußt dich besser p. *(ordentlicher, sauberer halten);* ⟨häufig im 2. Partizip⟩ er hat ein gepflegtes Äußeres; sie ist eine gepflegte Erscheinung *(Frau).* **2.** ⟨tr.⟩ *sich (mit etwas) aus innerer Neigung beschäftigen:* er pflegt die Musik, die Freundschaft. **3.** ⟨p. + zu + Inf.⟩ *die Gewohnheit haben, etwas zu tun:* er pflegt zum Essen Wein zu trinken; er pflegt um 10 Uhr nach Hause zu gehen.

Pfleger, der; -s, -: *jmd., der [kranke] Menschen oder Tiere betreut, pflegt:* ein P. kümmerte sich um die Genesenden.

pfleglich ⟨Adj.⟩: *schonend, sorgsam, vorsichtig:* diese komplizierte Maschine ist besonders p. zu behandeln.

Pflicht, die; -, -en: *etwas, was man tun muß; Aufgabe, die man erfüllen, erledigen muß:* eine P. erfüllen, verletzen; etwas zur P. machen.

pflichtbewußt ⟨Adj.⟩: *sich seiner Pflicht bewußt seiend; gewissenhaft:* ein pflichtbewußter Schüler; p. sein.

Pflock, der; -[e]s, Pflöcke: *kurzer, dickerer Stock mit Spitze, der in den Boden geschlagen wird und an dem etwas befestigt wird:* er hat die Kuh an einen P. gebunden.

pflücken, pflückte, hat gepflückt ⟨tr.⟩: *die Frucht oder Blüte vom Stengel einer Pflanze abbrechen:* Blumen, Beeren p.

Pflug, der; -[e]s, Pflüge: *Gerät, mit dem die Erde eines Ackers lockerer gemacht oder umgegraben wird* (siehe Bild): er ging hinter dem P.

Pflug

pflügen, pflügte, hat gepflügt: **a)** ⟨itr.⟩ *mit dem Pflug arbeiten:* der Bauer pflügt. **b)** ⟨tr.⟩ *mit dem Pflug bearbeiten:* den Acker p.

Pforte, die; -, -n (geh.): *kleinere Tür, enger Eingang:* die P. zum Garten gut verschließen.

Pfosten, der; -s, -: *in den Boden gerammte dickere Stange, an der etwas befestigt wird; Pfahl:* er spannte den Draht von P. zu P.

Pfote, die; -, -n: *in Zehen gespaltener [weicher, behaarter] Fuß von Tieren* /meist von Katzen und Hunden/ (siehe Bild): die Katze leckte sich die Pfoten.

Pfote

pfropfen, pfropfte, hat gepfropft ⟨tr.⟩: **1. a)** *(Bäume, Sträucher) veredeln:* im Frühjahr hat der Gärtner den Baum gepfropft. **b)** *(einen Zweig) zum Veredeln (auf einen Baum, Strauch) pflanzen, setzen:* einen jungen Zweig auf einen Strauch p. **2.** *(etwas in etwas) pressen, so daß es ganz ausgefüllt ist:* sie pfropfte die schmutzige Wäsche in eine Tasche; ⟨häufig im 2. Partizip⟩ die Straßenbahn war gepfropft *(ganz)* voll.

Pfropfen, der; -s, -: *aus Holz, Kork oder Kunststoff bestehender Verschluß von Flaschen und Fässern:* er zog den P. aus der Flasche.

Pfründe, die; -, -n (hist.): *geistliches Amt und die damit verbundenen Einkünfte* /in der katholischen Kirche/: der Geistliche saß auf einer einträglichen P.; bildl.: dieser Posten ist für den Politiker eine fette P. *(eine einträgliche Stellung).*

Pfuhl, der; -[e]s, -e: *kleiner sumpfiger, verschmutzter Teich:* der P. stank; bildl. (geh.): ein P. *(Ort)* des Lasters.

Pfund, das; -[e]s, -e: *Gewicht von 500 Gramm:* zwei P. Butter kaufen.

pfuschen, pfuschte, hat gepfuscht ⟨itr.⟩ (ugs.): *schlechte Arbeit leisten:* bei der Reparatur hat er gepfuscht. *** jmdm. ins Handwerk p.** *(etwas tun, was eigentlich ein Fachmann tun sollte;* auch bildl.: *unerlaubt auf jmds. Gebiet arbeiten).*

Pfuscher, der; -s, - (ugs.): *jmd., der pfuscht:* diese wenig fachmännische Arbeit stammt von einem P.

Pfütze, die; -, -n: *in einer leichten Vertiefung des Bodens stehendes Wasser:* nach dem Regen sind auf dem Weg viele Pfützen.

Phalanx, die; -, Phalangen (hist.): *vorderste Reihe der in einer Schlacht kämpfenden griechischen Krieger:* der Krieger stritt in der P.; bildl. (geh.): ihm gelang der Einbruch in die P. *(feste, geschlossene Formation)* der politischen Gegner.

Phänomen, das; -s, -e: *seltenes, bemerkenswertes [Natur]ereignis, Erscheinung:* dieses P. läßt sich nur in südlichen Breiten beobachten; bildl.: auf seinem Gebiet ist er ein P. *(ausgezeichneter, hervorragender Fachmann).*

phänomenal ⟨Adj.⟩: *außergewöhnlich, erstaunlich, einzigartig:* er hat ein phänomenale Gedächtnis; sein Appetit ist p.

Phantasie, die; -, -n: **1.** ⟨ohn Plural⟩ *Fähigkeit, sich etwas i seiner vollen Ausgestaltung vor zustellen und gedanklich auszu malen:* etwas regt die P. an. **2** *nicht der Wirklichkeit entspre chende Vorstellung:* das ist nu eine P.

phantasieren, phantasierte hat phantasiert ⟨itr.⟩: **1.** *sic der Phantasie hingeben; träu men:* er phantasiert immer vo einem Auto. **2.** *in krankem Zu stand wirr reden:* der Krank phantasierte die ganze Nacht **3.** *ohne Noten, nach eigenen Ge danken spielen:* er phantasiert auf dem Klavier.

phantasievoll ⟨Adj.⟩: *vol Phantasie; viel Phantasie zei gend, enthaltend:* ein phantasie volles Lügengebilde; p. erzäh len.

Phantast, der; -en, -en: *jmd. der sich der Wirklichkeit wider sprechende Vorstellungen macht Schwärmer:* dieser P. wird e im Leben nie zu etwas bringen

phantastisch ⟨Adj.⟩: **a)** *begei sternd, großartig:* er ist ein phan tastischer Mensch; das ist ei phantastischer Plan. **b)** (ugs. *unglaublich, unwahrscheinlich ungeheuerlich:* das Auto hat ein phantastische Beschleunigung die Preise sind p. gestiegen.

Phantom, das; -s, -e: **1.** *Trug bild, nicht reale Erscheinung* einem P. nachjagen. **2.** Med *Modell zu Demonstrations zwecken.*

Pharisäer, der; -s, -: **1** (hist.) *Anhänger einer strenge jüdischen Partei:* die P. i Jerusalem. **2.** *Heuchler, Schein heiliger:* er ist ein P.; so ein P.

Pharmazeut, der; -en, -en *jmd., der Pharmazie studier [hat].*

Pharmazie, die; -: *Wissen schaft von den Medikamenten ihrer Zusammensetzung, Her stellung, Verwendung.*

Phase, die; -, -n: *Abschnitt ei ner Entwicklung:* die Verhand lungen sind in ihre entscheiden de P. getreten.

Philanthrop, der; -en, -en *jmd., der Menschen achtet, ihre Umgang sucht und ihnen grund sätzlich Hilfe angedeihen läß* /Ggs. Misanthrop/.

Philatelie, die; -: *Briefmarkenkunde.*

Philatelist, der; -en, -en: *Kenner, Sammler von Briefmarken:* ein Treffen der deutschen Philatelisten.

Philharmonie, die; -, -n: **1.** *Gesellschaft zur Pflege der Musik:* er ist Mitglied der P. **2.** /Name [großer] bekannter Orchester/: ein Gastspiel der Londoner P. **3.** /Name von Gebäuden, in denen regelmäßig Konzerte stattfinden/: die Berliner P. besuchen.

Philharmoniker, der; -s, -: **a)** *Musiker in einem [großen] bekannten Orchester.* **b)** ⟨Plural⟩ *[großes] bekanntes Orchester:* ein Konzert der Wiener P.

Philologe, der; -n, -n: *jmd., der Philologie studiert [hat]:* eine internationale Tagung bedeutender Philologen.

Philologie, die; -: *Sprach- und Literaturwissenschaft.*

Philosoph, der; -en, -en: *jmd., der Philosophie studiert [hat].*

Philosophie, die; -, -n: *Lehre, die sich mit den Fragen nach dem Sinn des Lebens, nach dem Zusammenhang der Dinge beschäftigt und nach Wahrheit forscht.*

philosophieren, philosophierte, hat philosophiert ⟨itr.⟩: **a)** *Philosophie betreiben, sich mit philosophischen Problemen beschäftigen:* über das Sein p. **b)** (ugs.) *[lange] (über etwas) nachdenken, grübeln:* wir haben den ganzen Abend über Gott und die Welt philosophiert.

philosophisch ⟨Adj.⟩: *die Philosophie betreffend, zu ihr gehörend, von ihr herrührend:* ein philosophischer Gedankengang.

Phlegma, das; -s: *Trägheit, Schwerfälligkeit, unerschütterliche Ruhe:* sein P. geht ihr auf die Nerven.

Phlegmatiker, der; -s, -: *jmd., der phlegmatisch ist:* diesen P. kann nichts erschüttern.

phlegmatisch ⟨Adj.⟩: *auf Grund seiner Veranlagung nur schwer zu erregen und zu etwas zu bewegen; schwerfällig, träge:* er ist sehr p.

Phonetik, die; -: *Wissenschaft, die die Vorgänge beim Sprechen untersucht.*

Phosphor, der; -s: /ein chemisches Element/.

phosphoreszieren, phosphoreszierte, hat phosphoresziert ⟨itr.⟩: *leuchten, wenn Licht darauf fällt:* die Farbe auf dem Verkehrsschild phosphoresziert.

Photo /Kurzform von Photographie und Photoapparat/ (ugs.): **I.** das; -s, -s (schweiz.: die; -, -s): *photographische Aufnahme.* **II.** der; -s, -s: *Photoapparat.*

Photoapparat, der; -[e]s, -e: *Gerät, mit dem Lichtbilder hergestellt werden.*

photogen ⟨Adj.⟩: *zum Photographieren gut geeignet, auf Fotos immer gut wirkend:* sie hat ein photogenes Gesicht.

Photograph, der; -en, -en: *jmd., der gewerbsmäßig mit dem Photoapparat Aufnahmen macht.*

Photographie, die; -, -n: *mit dem Photoapparat hergestelltes Bild:* eine hervorragende, künstlerische P.

photographieren, photographierte, hat photographiert ⟨tr./itr.⟩: *eine Photographie (von jmdm./etwas) machen:* die Eltern, eine Landschaft p.; er kann sehr gut p.; sich p. lassen.

photographisch ⟨Adj.⟩: *die Photographie betreffend, auf sie bezogen.*

Photokopie, die; -, -n: *photographische Wiedergabe (von Schriftstücken o. ä.):* er ließ von seinem Zeugnis einige Photokopien anfertigen.

photokopieren, photokopierte, hat photokopiert ⟨tr.⟩: *(von etwas) eine Photokopie herstellen:* diese Unterlagen müssen photokopiert werden.

Photomodell, das; -[e]s, -e: *jmd., der sich [für Zwecke der Werbung] gegen Bezahlung photographieren läßt:* er verpflichtete für die Aufnahme ein hübsches P.

Photomontage ['fo:tomɔnta:ʒə], die; -, -n: **1.** ⟨ohne Plural⟩ *das Zusammensetzen von verschiedenen Bildern oder Ausschnitten* /in der Kunst, Dokumentation oder Werbung/: dieses Bild wurde in P. hergestellt. **2.** *bei dem gleichnamigen Verfahren hergestelltes Bild:* eine Ausstellung künstlerischer Photomontagen.

Phrase, die; -, -n: *leeres Gerede:* seine Rede bestand zum größten Teil aus Phrasen.

Phrasendrescher, der; -s, - (ugs.; abwertend): *jmd., der häufig Phrasen gebraucht:* diesem P. kann man nichts glauben.

Physik, die; -: *diejenige Naturwissenschaft, die die Gesetze der Natur erforscht.*

physikalisch ⟨Adj.⟩: *die Physik betreffend, zu ihr gehörend, von ihr herrührend:* physikalische Gesetze.

Physiker, der; -s, -: *jmd., der Physik studiert [hat].*

Physiognomie, die; -, -n: *äußere Erscheinung eines Lebewesens, bes. der Gesichtsausdruck:* die brutale P. eines Verbrechers.

Physiologie, die; -: *Wissenschaft von den chemischen und physikalischen Funktionen bei Lebensvorgängen.*

physisch ⟨Adj.⟩: *körperlich; den Körper betreffend:* er ist p. überfordert; seine physischen Kräfte reichen dazu nicht aus.

Pianist, der; -en, -en: *jmd., der im Klavierspielen ausgebildet ist und dies als [künstlerischen] Beruf betreibt.*

Piano, das; -s, -s: *Klavier.*

Pickel, der; -s, -: **I.** *spitze Hacke:* mit einem P. die Wand aufschlagen. **II.** *kleine Erhebung auf der Haut, die durch eine Entzündung hervorgerufen worden ist:* er hat das Gesicht voller Pickel.

picken, pickte, hat gepickt: **1.** ⟨tr./itr.⟩ *durch Zustoßen mit dem Schnabel (Nahrung) aufnehmen:* die Hühner pickten die Körner vom Boden; die Geier haben am Aas gepickt. **2.** ⟨itr.⟩ *mit dem Schnabel hacken:* der Kanarienvogel pickte nach meinem Finger. **3.** ⟨tr./itr.⟩ (östr.; ugs.) *kleben:* den Zettel an die Wand p.; der Klebstoff pickt nicht gut; die Finger picken *(sind klebrig).*

Picknick, das; -s, -s: *Essen im Freien [während eines Ausfluges].*

Piep: ⟨in den Wendungen⟩ (ugs.) **keinen P. mehr sagen/machen/tun** *(tot sein);* (ugs.) **einen P. haben** *(nicht recht bei Verstand sein).*

piepen, piepte, hat gepiept ⟨itr.⟩: *hohe Töne von sich geben:* der junge Vogel piepte leise. * (ugs.) **bei jmdm. piept's** *(jmd. ist nicht recht bei Verstand):* bei dir piept's wohl; (ugs.) **etwas ist zum Piepen** *(etwas ist äußerst lächerlich, komisch).*

Piepmatz, der; -es, -e und Piepmätze (ugs.): *kleiner, niedlicher Vogel:* der kleine P. im Käfig. * **einen P. haben** *(nicht recht bei Verstand sein).*

piepsen, piepste, hat gepiepst ⟨itr.⟩: *piepen.*

Pier, der; -s, -e: *vom Ufer ins Wasser gebauter Damm, an dem Schiffe anlegen können:* das Schiff näherte sich langsam dem P.

piesacken, piesackte, hat gepiesackt ⟨tr.⟩ (ugs.): *sehr ärgern, quälen:* ich lasse mich nicht ständig p.

Pietät, die; - (geh.): *ehrfürchtiger Respekt, taktvolle Rücksichtnahme auf die Gefühle anderer:* er begegnete ihr mit der schuldigen P.

pietätlos ⟨Adj.⟩: *keine Pietät besitzend, ohne Pietät:* er benahm sich ihr gegenüber recht p.

pietätvoll ⟨Adj.⟩: *Pietät besitzend, voll Pietät:* sein Verhalten war p.

Pigment, das; -[e]s, -e: **1.** *Farbstoff pflanzlicher oder tierischer Organismen in Form sehr feiner, kleiner Körner.* **2.** *nicht löslicher, fein verteilter Farbstoff.*

Pik, das; -s, -s: /eine Farbe beim Kartenspiel/ (siehe Bild). ** (ugs.) **einen P. auf jmdn. haben** *(einen heimlichen Groll auf jmdn. haben).*

Pik

pikant ⟨Adj.⟩: **1.** *den Geschmack reizend, gut gewürzt, scharf:* eine pikante Suppe, Soße. **2.** *gewagt, anzüglich, zweideutig:* er erzählte einen pikanten Witz.

Pikanterie, die; -, -n: **1.** ⟨ohne Plural⟩ *pikante Beschaffenheit:* die Situation entbehrte nicht einer gewissen P. **2.** *anzügliche, zweideutige Bemerkung:* der alte Herr flüsterte dem errötenden jungen Mädchen Pikanterien zu.

Pike, die; -, -n (hist.): *Spieß:* die Landsknechte waren mit Piken bewaffnet. * (ugs.) **von der P. auf dienen/lernen** *(seine Ausbildung von der untersten Stufe beginnen).*

piken, pikte, hat gepikt ⟨itr./tr.⟩ (ugs.): *stechen:* die Nadeln des Tannenbaumes piken [mich].

pikiert ⟨Adj.⟩: *leicht beleidigt, verstimmt, verletzt:* nach dieser Äußerung saß er p. in der Ecke.

piksen, pikste, hat gepikst ⟨tr.⟩ (ugs.): *stechen, piken:* er hat mich mit einer Nadel gepikst.

Pilger, der; -s, -: *jmd., der eine Reise an eine religiös besonders verehrte Stätte macht:* in jedem Jahr strömten mehr P. zu diesem Heiligtum.

pilgern, pilgerte, ist gepilgert ⟨itr.⟩: **a)** *eine Reise an eine besonders verehrte Stätte machen:* sie pilgerten nach Rom; jedes Jahr pilgert er nach Salzburg zu den Festspielen. **b)** (ugs.) *zu Fuß gehen, wandern:* bei größter Hitze pilgerten sie an den See im Gebirge.

Pille, die; -, -n: **1.** *Medikament in Form einer Kugel:* Pillen schlucken; Pillen für/gegen eine Krankheit verschreiben, einnehmen. * **eine bittere P. schlucken müssen** *(etwas Unangenehmes, Ungewünschtes hinnehmen müssen).* **2.** (ugs.) ⟨nur im Singular, mit bestimmtem Artikel⟩ *Antibabypille:* sie nimmt die P.

Pilot, der; -en, -en: *jmd., der ein Flugzeug steuert.*

Pils, das; -, -: *sehr helles, stark schäumendes und etwas bitter schmeckendes Bier:* P. muß sorgfältig gezapft werden.

Pilz, der; -es, -e: /eine Pflanze/ (siehe Bild).

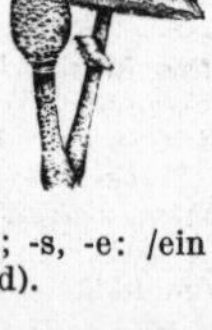

Pilz

Pinguin, der; -s, -e: /ein Vogel/ (siehe Bild).

Pinguin

Pinie, die; -, -n: /ein Baum/ (siehe Bild).

Pinie

pinkeln, pinkelte, hat gepinkelt ⟨itr.⟩ (derb): *urinieren.*

Pinscher, der; -s, -: /ein Hund/ (siehe Bild): ein P. mit kupiertem Schwanz; bildl. (ugs.): er ist nur ein [kleiner] P. *(unbedeutender Mensch).*

Pinscher

Pinsel, der; -s, -: *leichter, dünner Stab mit einem Büschel von Haaren an der Spitze zum Malen o. ä.:* er malt mit einem dünnen P.

pinseln, pinselte, hat gepinselt ⟨itr./tr.⟩ (ugs.; abwertend): *mit dem Pinsel malen:* der Junge hat ein Bild in das Heft gepinselt; bildl.: er pinselte *(schrieb eifrig)* die Sätze auf ein Blatt Papier.

Pinzette

Pinzette, die; -, -n: *kleine Zange zum Greifen* (siehe Bild): er zog mit der P. einen Splitter aus dem Finger.

Pionier, der; -s, -e: **1.** *Soldat der technischen Truppe:* die Pioniere bauten eine behelfsmäßige Brücke; **2.** *Person, die bahnbrechend an der Entwicklung von etwas beteiligt ist:* der Forscher gilt als P. der Raumfahrt. **3.** *6 bis 14 Jahre altes*

Mitglied einer kommunistischen Jugendorganisation /in der DDR/.

Pipeline ['paɪplaɪn], die; -, -s: *aus Röhren hergestellte Leitung (in der bes. Öl und Gas [über große Entfernungen] transportiert werden):* vom Hafen führt eine P. ins Landesinnere.

Pipette, die; -, -n: *kleines gläsernes Rohr mit verengter Spitze zum Entnehmen, Abmessen oder Übertragen geringer Flüssigkeitsmengen:* mit einer P. Tropfen ins Auge träufeln.

Pirat, der; -en, -en: *jmd., der ein Schiff oder ein Flugzeug gewaltsam unter seine Kontrolle bringt.*

Pirol, der; -s, -e: /ein Vogel/ (siehe Bild).

Pirol

Pirouette [piru'ɛtə], die; -, -n: **a)** Ballett, Eiskunstlauf, Turnen *Figur aus mehreren schnell hintereinander ausgeführten Drehungen um die eigene Achse:* eine P. drehen. **b)** Reiten *Drehen des Pferdes auf der Hinterhand:* der Reiter zeigte eine P.

Pirsch, die; -: *das Anschleichen (des Jägers) an das Wild:* auf die P. gehen.

pissen, pißte, hat gepißt ⟨itr.⟩ (derb): *urinieren.*

Pissoir [pɪso'a:r], das; -s, -e und -s (veraltend): *öffentliche Toilette für Männer.*

Piste, die; -, -n: **1.** *[abgesteckte] Schi- oder Radrennstrecke.* **2.** *Bahn zum Starten und Landen von Flugzeugen.*

Pistole, die; -, -n: *Schußwaffe mit kurzem Lauf* (siehe Bild).

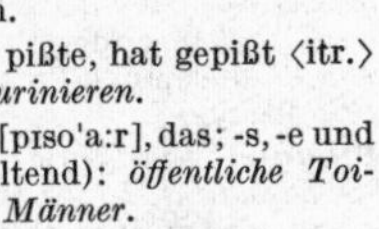

Pistole

pittoresk ⟨Adj.⟩: *malerisch:* im Tal lag eine kleine pittoreske Stadt.

Pizza, die; -, -s: *Speise aus Hefeteig in flacher, runder Form mit Tomaten, Käse, Sardellen o. ä.:* in einem italienischen Restaurant eine P. essen.

Plache, die; -, -n (bayr.; östr.): *Plane.*

placieren [pla'si:rən, pla'tsi:rən], placierte, hat placiert: **1.** ⟨tr.⟩ **a)** *an einen bestimmten Platz stellen, setzen; (jmdm./einer Sache) einen bestimmten Platz zuweisen:* er hat die Gäste in der ersten Reihe placiert. **b)** Sport *(etwas) so ausführen, daß eine bestimmte Stelle getroffen wird:* einen Schuß, Wurf, Schlag, Hieb p.; eine linke Gerade am Kopf des Gegners p. **2.** ⟨rfl.⟩ Sport *einen Rang, Platz erreichen, belegen:* der Läufer placierte sich nicht unter den ersten zehn; ich konnte mich nicht p. *(keinen guten, vorderen Platz belegen).*

Placierung, die; -,- en.

placken, sich; plackte sich, hat sich geplackt (ugs.): *sich sehr abmühen, plagen:* für diesen geringen Lohn mußte ich mich ziemlich p.

plädieren, plädierte, hat plädiert ⟨itr.⟩: *befürworten; eintreten (für etwas):* er plädierte für die Annahme des Gesetzes.

Plädoyer [plɛdoa'je:], das; -s, -s: *Vortrag des Verteidigers oder Staatsanwaltes vor Schluß der gerichtlichen Verhandlung, in dem die für oder gegen den Angeklagten sprechenden Fakten vom jeweiligen Standpunkt aus zusammengefaßt sind und den Vorschlag für das zu fällende Urteil begründen:* der Staatsanwalt hielt sein P.; bildl. (geh.): der Papst hielt ein eindringliches P. für den Frieden.

Plafond [pla'fõ:; südd., östr., schweiz.: pla'fo:n], der; -s, -s (veralt., aber noch östr.): *Decke eines Raumes.*

Plage, die; -, -n: *schwere, mühevolle Arbeit; Mühsal, Anstrengung; Übel:* die schwere Arbeit wurde ihm zur P.; das Ungeziefer wird langsam zur P.

plagen, plagte, hat geplagt: **a)** ⟨tr.⟩ *belästigen, quälen; durch Forderungen, Aufträge stören, in Unruhe versetzen:* die Kinder plagen die Mutter den ganzen Tag, sie solle mit ihnen in den Zirkus gehen; die Hitze, der Hunger plagt die Menschen. **b)** ⟨rfl.⟩ *sich abmühen:* sie hat sich ihr Leben lang für andere geplagt.

Plagiat, das; -s, -e: *Diebstahl geistigen Eigentums:* der Schriftsteller wurde des Plagiats bezichtigt.

plagiieren, plagiierte, hat plagiiert ⟨tr.⟩: *(fremdes geistiges Gut) [in einzelnen Teilen] als eigenes ausgeben, hinstellen:* er hat den Roman plagiiert; einen Dichter p. *(das Werk eines Dichters oder Teile daraus als eigene ausgeben).*

Plakat, das; -[e]s, -e: *großes Blatt Papier, das an einer Wand befestigt wird und auf dem in auffälliger Weise der Öffentlichkeit etwas mitgeteilt wird.*

Plakette, die; -, -n: *kleines, meist ovales oder eckiges Abzeichen, bes. zum Anstecken:* der Sieger bekam eine P.

Plan, der; -[e]s, Pläne: **1.** *Überlegung, die sich auf die Verwirklichung eines Zieles oder einer Absicht richtet; Vorhaben:* er hat große Pläne für das nächste Jahr; seine Pläne verwirklichen; dieser P. ist gescheitert. **2.** *Aufzeichnung, Schriftstück, in dem festgelegt ist, wie etwas, was geschaffen oder getan werden soll, in Wirklichkeit aussehen oder durchgeführt werden soll:* einen P. für den Bau der Brücke aufstellen, entwerfen; sich an den P. halten.

Plane, die; -, -n: *wasserdichte Decke zum Schutz gegen Regen und Feuchtigkeit:* ein Boot mit einer P. abdecken.

planen, plante, hat geplant ⟨tr./itr.⟩: *einen Plan aufstellen, ausarbeiten:* eine Reise p.; es ist geplant *(vorgesehen),* die Produktion zu erhöhen; er plant immer lange im voraus.

Planet, der; -en, -en: *im reflektierten Licht der Sonne leuchtender großer kugelförmiger Körper im Weltall.*

planieren, planierte, hat planiert ⟨tr.⟩: *einebnen:* das Gelände für das neue Stadion p.

Planke, die; -, -n: *starkes, schweres Brett:* vom Kai führte eine schmale P. zum Schiff.

planlos ⟨Adj.⟩: *ohne Überlegung, Plan:* hier wird p. gebaut.

planmäßig ⟨Adj.⟩: *einem bestimmten Plan entsprechend:* die Arbeiten verlaufen p.

planschen, planschte, hat geplanscht ⟨itr.⟩. *sich im Wasser mit viel Geräusch tummeln:* kleine Kinder planschen gern in der Badewanne.

Plantage [plan'ta:ʒə], die; -, -n: *größerer landwirtschaftlicher Betrieb in tropischen Ländern:* auf einer P. Baumwolle anpflanzen.

plappern, plapperte, hat geplappert ⟨itr.⟩: *viel, schnell in naiver Weise reden* /meist von kleinen Kindern/: während der ganzen Fahrt plapperte die Kleine vor sich hin.

plärren, plärrte, hat geplärrt ⟨itr.⟩ (ugs.): *laut weinen, schreien:* das Kind war hingefallen und fing sofort an zu p.

Pläsier, das; -s, -e (veralt.; scherzh.): *Spaß, Vergnügen, Unterhaltung:* er hat sein P. dabei.

Plastik, die -, -en: *künstlerische Darstellung aus Stein, Holz oder Metall von Personen oder Gegenständen.*

plastisch ⟨Adj.⟩: *anschaulich, deutlich hervortretend, erkennbar:* eine plastische Darstellung; das Bild wirkt sehr p.

Plateau [pla'to:], das; -s, -s: *hoch gelegene Ebene:* ein unfruchtbares, ausgedehntes P.

Platin [östr.: Platin], das; -s: /ein Edelmetall/: ein Ring, eine Brosche aus P.

Platitüde, die; -, -n: *nichtssagende, abgedroschene Redewendung:* er erging sich in Platitüden.

platonisch: ⟨in der Fügung⟩ platonische Liebe: *nicht sinnliche, rein geistig-seelische Liebe:* es ist bei ihm nur eine platonische Liebe.

plätschern, plätscherte, hat/ist geplätschert ⟨itr.⟩: **1.** *mit leise klatschendem Geräusch fließen, strömen:* der Regen ist auf die Steine geplätschert; der Brunnen hat eintönig geplätschert; bildl.: eine plätschernde *(nicht sehr laut und ein wenig monoton dahinfließende)* Unterhaltung. **2.** *planschen:* der kleine Junge hat vergnügt in der Badewanne geplätschert.

platt ⟨Adj.⟩: *flach:* eine platte Nase haben; sich p. auf den Boden legen. * (ugs.) **p. sein** *([völlig] überrascht, verblüfft sein).*

Platte, die; -, -n: **1.** *dünnerer, wie eine Fläche wirkender Gegenstand aus hartem Material:* eine P. [aus Metall] polieren, bearbeiten. **2. a)** *größerer Teller, auf dem Speisen gereicht werden:* sie belegte die Platte mit Wurst und Käse. **b)** *auf einem größeren Teller angerichtete Sorten von Fleisch, Käse usw.:* eine schön garnierte P. * **kalte P.** *(Platte mit verschiedenen Fleischsorten und Salaten).* **3.** *Schallplatte:* eine neue P. auflegen; die P. ist abgelaufen.

plätten, plättete, hat geplättet ⟨tr.⟩ (landsch.): *bügeln:* Wäsche p.

Plattenspieler, der; -s, -: *elektrisches Gerät zur Wiedergabe von Sprache oder Musik, die auf einer Schallplatte gespeichert ist:* er schenkte seinen P. seinem Sohn.

Plattform, die; -, -en: **1.** *Fläche am vorderen oder hinteren Ende einer Straßenbahn oder eines Eisenbahnwagens zum Ein- und Aussteigen:* er stand bereits auf der hinteren P., als der Zug hielt. **2.** *durch ein Geländer gesicherte Fläche für den Ausblick bei hohen Gebäuden:* er hatte einen herrlichen Blick von dieser P. **3.** *Basis, von der man bei seinen Handlungen ausgeht:* die politischen Parteien machen sich in der Außenpolitik die P. streitig.

Plattfuß, der; -es, Plattfüße: *unter dem normalen Maß gewölbter Fuß:* vom vielen Stehen hatte er Plattfüße bekommen; bildl. (ugs.): ich hatte im hinteren Reifen einen P. *(aus dem hinteren Reifen war die Luft entwichen).*

Platz, der; -es, Plätze: **1.** *umbaute freie Fläche:* vor dem Schloß ist ein großer P.; alle Straßen und Plätze werden bewacht. **2.** *Sitzplatz:* hier sind noch zwei Plätze frei. * **P. nehmen** *(sich setzen):* er nahm P. **3.** *Spielfeld:* der Schiedsrichter stellte den Spieler wegen eines Fouls vom P. *(schloß ihn vom Spiel aus);* die Zuschauer liefen auf den P. **4.** ⟨ohne Plural⟩ *freie, noch nicht belegte Stelle:* hier ist noch P.; ich muß für die neuen Bücher P. schaffen. **5.** ⟨ohne Plural⟩ *Stellung, Position, Rang:* er hat seinen P. erfolgreich verteidigt; den ersten P. beim Rennen einnehmen.

Plätzchen, das; -s, -: **1.** *[kleiner] Platz zum Sitzen, Stehen:* ist hier noch ein P. für mich frei? **2.** *kleines Gebäck:* P. backen.

platzen, platzte, ist geplatzt ⟨itr.⟩: **1.** *durch übermäßigen Druck von innen mit lautem Knall in Stücke fliegen; bersten:* der Reifen des Autos platzte während der Fahrt; das Rohr ist geplatzt. **2.** (ugs.) *ein plötzliches Ende nehmen; sich nicht so entwickeln wie geplant:* sein Vorhaben ist kurz vor dem Erfolg geplatzt, weil ihm das Geld ausging.

Platzkarte, die; -, -n: *Karte, durch deren Erwerb man sich bei der Eisenbahn einen Sitzplatz reservieren läßt:* bei dem starken Verkehr zum Fest empfiehlt es sich, Platzkarten zu lösen.

plaudern, plauderte, hat geplaudert ⟨itr.⟩: *sich mit jmdm. gemütlich und zwanglos unterhalten:* nach dem Theater plauderten wir noch eine Stunde bei einem Glas Wein.

plauschen, plauschte, hat geplauscht ⟨itr.⟩ (fam.): *sich gemütlich in vertrautem, kleinerem Kreis unterhalten; plaudern:* sie nahm sich die Zeit, noch etwas mit ihren Bekannten zu p.

plausibel ⟨Adj.⟩: *überzeugend; einleuchtend:* seine Begründung ist ganz p.; eine plausible Erklärung.

Playboy ['pleɪbɔɪ], der; -s, -s: *reicher, zur großen Gesellschaft gehörender junger Mann mit auffallender, aufwendiger und weitgehend vom Vergnügen bestimmter Lebensweise:* der P. gab seinen Freunden und Freundinnen eine Party.

Playgirl ['pleɪgə:l], das; -s, -s: *attraktives, häufig in Gesellschaft reicher Männer anzutreffendes Mädchen, dessen Lebensweise weitgehend vom Vergnügen bestimmt ist:* bei den Filmfestspielen gaben sich die internationalen Playgirls ein Stelldichein.

Plazet, das; -s, -s (geh.): *Zustimmung, Einverständnis:* zu diesem Beschluß wird er nie sein P. geben.

plazieren: siehe placieren.

plebejisch ⟨Adj.⟩ (geh.): *unfein, unkultiviert, ordinär:* er hat plebejische Manieren.

Plebs, der; -es und (östr.:) die; - (geh.): *Pöbel:* mit leeren Versprechungen brachte er den P. auf seine Seite.

pleite: ⟨in den Verbindungen⟩ (ugs.) **p. gehen/werden** *(zahlungsunfähig werden);* (ugs.) **p. sein** *(zahlungsunfähig sein).*

Pleite, die; -, -n (ugs.): **a)** *wirtschaftlicher Zusammenbruch; Konkurs:* er hat [mit seinem Geschäft] P. gemacht. **b)** *Enttäuschung; negativer [nicht erwarteter] Ausgang einer Sache:* das gibt eine große, völlige P.; das ist eine schöne P.!

plemplem: ⟨in der Verbindung⟩ p. sein (derb): *verrückt, nicht recht bei Verstand sein:* du bist ja p.

Plenum, das; -s: *Gesamtheit der versammelten Mitglieder des Parlaments:* das P. des Bundestages trat zur Abstimmung zusammen.

Plombe, die; -, -n: **1.** *Siegel aus Metall am Schloß von Behältern zur Kontrolle, daß diese innerhalb eines bestimmten Zeitraumes nicht geöffnet werden.* **2.** *künstliche Füllung hohler Zähne.*

plombieren, plombierte, hat plombiert ⟨tr.⟩: **1.** *mit einer Plombe sichern:* der Behälter wurde plombiert. **2.** *mit einer Plombe füllen:* der Zahn wurde plombiert.

plötzlich ⟨Adj.⟩: *unerwartet, unvermutet, überraschend:* er stand p. auf und lief aus dem Zimmer.

plump ⟨Adj.⟩: **1.** *von dicker, wuchtiger, unförmiger Gestalt:* ein plumper Mensch, Körper. **2.** *ohne Geschick oder Zurückhaltung im Umgang mit anderen; in seiner Art direkt und aufdringlich:* seine plumpe Vertraulichkeit ist unangenehm. **3.** *ungeschickt und dumm, leicht zu durchschauen:* eine plumpe Falle; der Schwindel ist viel zu p., als daß er nicht sofort erkannt würde.

plumpsen, plumpste, ist geplumpst ⟨itr.⟩ (ugs.): *mit einem dumpfen Laut fallen:* er ist ins Wasser geplumpst.

Plunder, der; -s (abwertend): *wertloser Kram:* sie hebt allen wertlosen P. auf.

plündern, plünderte, hat geplündert ⟨tr.⟩: *überfallen und berauben:* ein Geschäft p.; einen Baum p. *(alles Obst herunternehmen, das jmd. anderem gehört).*

Plünderung, die; -, -en.

plus ⟨Konj.⟩ Math. *zuzüglich, und* /Ggs. minus/: vier p. drei ist sieben.

Plus, das; -, - /Ggs. Minus/: **a)** *überschüssiger Betrag, Gewinn:* beim Abrechnen wurde ein P. von zwanzig Mark festgestellt. **b)** *Vorteil:* das war, bedeutete für mich ein großes P.

Plüsch, der; -es: *flauschiger Samt:* ein alter, mit P. bezogener Sessel.

plustern, plusterte, hat geplustert ⟨rfl./tr.⟩: *(die Federn) sträuben, bauschen* /von Vögeln/: die Amsel plusterte sich, ihr Gefieder.

Pöbel, der; -s: *undisziplinierte Masse des Volkes, das gemeine ungebildete Volk:* er wurde der Wut des Pöbels ausgeliefert.

pochen, pochte, hat gepocht ⟨itr.⟩: *sich energisch auf etwas stützen, berufen und damit auf einer Forderung beharren:* er pocht auf sein Recht, Geld; er pocht auf seinen Vertrag.

Pocken, die ⟨Plural⟩: *durch Infektion hervorgerufene, schwere ansteckende Krankheit.*

Podest, das; -es, -e: *kleiner erhöhter Platz für eine oder mehrere Personen in einem größeren Raum:* der Dirigent tritt auf das P.

Podex, der; -es, -e (scherzh.): *Gesäß.*

Podium, das; -s, Podien: *erhöhter Platz für einen oder mehrere Redner in einem größeren Raum:* eine Diskussion auf dem P. führen; der Redner geht auf das P.

Poesie, die; -, -n: **a)** ⟨ohne Plural⟩ *die Kunst des Dichtens:* eine Gestalt der P. **b)** *gedichtetes Werk, besonders ein Werk in Versen:* diese P. gehört zu den besten Werken des Dichters.

Poet, der; -en, -en (veralt., aber noch iron.): *Dichter.*

Poetik, die; -, -en: **1.** *Lehre von der Poesie:* ein Lehrbuch der P. **2.** *Lehrbuch der Poesie:* eine P. verfassen.

poetisch ⟨Adj.⟩: **1.** *die Poesie betreffend, zu ihr gehörend:* eine poetische Veranlagung haben. **2.** *ausdrucksvoll, reich an Bildern:* eine poetische Schilderung.

Pogrom, der und das; -s, -e: *Ausschreitungen gegen nationale, religiöse, rassische Gruppen; Hetze:* Pogrome gegen eine Minderheit veranstalten.

Pointe [po'ɛ̃:tə], die; -, -n: *geistreicher, überraschender Höhepunkt; Hauptsache:* wo bleibt die P. des Witzes?; er vergaß die P.

pointiert [poɛ̃'ti:rt] ⟨Adj.⟩: *treffend, prägnant formuliert:* eine pointierte Bemerkung, Aussage.

Pokal, der; -s, -e: *wertvolles Gefäß [zum Trinken], das heute meist als Preis bei großen Wettkämpfen ausgesetzt wird* (siehe Bild): den P. gewinnen.

Pokal

pökeln, pökelte, hat gepökelt ⟨tr.⟩: *(Fleisch) durch Behandeln mit Salz haltbar machen:* der Fleischer pökelte das Schweinefleisch; ⟨häufig im 2. Partizip⟩ gepökelte Rippchen.

Poker, das; -s: *Glücksspiel mit Karten:* beim P. viel Geld gewinnen, verlieren.

Pokergesicht, das; -[e]s, -er: *ausdruckslose, innere Erregung verbergende Miene:* seinem P. ließ sich nicht ansehen, was in seinem Inneren vorging.

Pol, der; -s, -e: **1.** *Punkt, um den sich etwas dreht, bildet; Mittelpunkt:* der P. eines magnetischen Feldes; bildl.: dieser Spieler ist der ruhende P. in der Mannschaft *(der Spieler ist der Punkt, von dem Ruhe und Überlegung ausgeht).* **2.** *Schnittpunkt von Achse und Oberfläche der Erde:* der Flug von Kopenhagen nach San Francisco führt über den P.

polar ⟨Adj.⟩: **1.** ⟨nur attributiv⟩ *die Pole der Erde betreffend, zu ihnen gehörend:* polare Strömungen, Luftmassen. **2.** *entgegengesetzt, äußerst, extrem:* polare Gegensätze.

Polemik, die; -, -en: *scharfe, in der Öffentlichkeit ausgetragene (bes. wissenschaftliche, literarische oder publizistische) Auseinandersetzung:* die politische P. wurde öffentlich ausgetragen.

polemisch ⟨Adj.⟩: *aggressiv, scharf [und unsachlich]:* polemische Äußerungen aus den Reihen der Opposition.

polemisieren, polemisierte, hat polemisiert ⟨itr.⟩: *sich polemisch äußern, Polemik betreiben:* die Presse hat gegen den Minister polemisiert.

Polente, die; - (ugs.): *Polizei.*

Police [po'li:s(ə)], die; -, -n: *Urkunde über einen mit einer Versicherung abgeschlossenen Vertrag:* jmdm. die P. aushändigen.

Polier, der; -s, -e: *Vorarbeiter der Maurer auf einer Baustelle* /Berufsbezeichnung/.

polieren, polierte, hat poliert ⟨tr.⟩: *durch Reiben oder Schleifen glatt und glänzend machen:* einen Schrank, ein Metall p.; polierte Möbel.

Poliklinik, die; -, -en: *Krankenhausabteilung bes. für die ambulante Behandlung:* der Patient wurde in die P. gebracht.

Politesse, die; -, -n: *weiblicher Polizist mit beschränkten Aufgaben:* eine P. notierte die Nummern der falsch geparkten Fahrzeuge.

Politik, die; -: **1.** *alle Maßnahmen, die sich auf die Führung einer Gemeinschaft, eines Staates beziehen:* die innere, äußere P. eines Staates, einer Regierung; eine P. der Entspannung treiben. **2.** *Methode, Art und Weise, bestimmte eigene Vorstellungen gegen andere Interessen durchzusetzen:* es ist seine P., sich alle Möglichkeiten offenzulassen und lange zu verhandeln.

Politiker, der; -s, -: *jmd., der sich aktiv mit Politik beschäftigt.*

Politikum, das; -s, Politika: *Ereignis von erhöhter politischer Bedeutung:* der Austausch von Botschaftern ist ein P. ersten Ranges.

politisch ⟨Adj.⟩: *die Politik betreffend, von ihr bestimmt:* politische Bücher; diese Entscheidung ist p. unklug.

politisieren, politisierte, hat politisiert ⟨itr.⟩: *(mit jmdm.) länger über Politik sprechen, sich über Politik unterhalten:* auf der Versammlung begann die Jugend sofort zu p.; ⟨häufig im 1. Partizip⟩ politisierende Spießbürger.

Politur, die; -, -en: **1.** *Glätte und Glanz, die durch Polieren erreicht wurden:* die P. des Schrankes erneuern. **2.** *Mittel, mit dem man poliert:* ich muß eine bessere P. verwenden.

Polizei, die; -: *Institution, die für die öffentliche Ordnung und Sicherheit sorgt:* die P. regelt den Verkehr.

polizeilich ⟨Adj.; nicht prädikativ⟩: *die Polizei betreffend, zu ihr gehörend, von ihr herrührend:* polizeiliche Maßnahmen gegen Verbrecher.

Polizeistunde, die; -, -n: *Zeitpunkt, zu dem öffentliche Lokale, Gaststätten o. ä. geschlossen werden müssen:* das Überschreiten der P. steht unter Strafe.

Polizist, der; -en, -en: *uniformierter Angehöriger der Polizei.*

Polizze, die; -, -n (östr.): *Police.*

Pollen, der; -s, -: *Blütenstaub.*

Polonäse, die; -, -n: *festlicher Tanz zur Eröffnung eines Balls:* die Paare stellten sich zur P. auf.

Polster: I. das; -s, -: *Belag aus kräftigem, elastischem Material zum Dämpfen von Stößen oder zum weichen Sitzen oder Lagern:* der Stuhl hatte ein P. aus Schaumgummi. **II.** der; -s, - und Pölster (östr.): *Kissen.*

polstern, polsterte, hat gepolstert ⟨tr.⟩: *mit Polster versehen, ausstatten:* die Sitze im Omnibus sind gut gepolstert.

Polterabend, der; -s, -e: *Abend vor der Hochzeit, an dem nach einem alten Brauch Geschirr o. ä. vor dem Haus der Braut zerschlagen wird.*

poltern, polterte, hat gepoltert ⟨itr.⟩: **a)** *mit lautem und dumpfem Geräusch fallen oder sich bewegen:* die Steine polterten vom Wagen; die Familie über uns poltert den ganzen Tag. **b)** *mit lauter, dumpfer Stimme schimpfen:* der Alte poltert gern.

Polygamie, die; -: *Ehe mit mehreren (bes. weiblichen) Partnern:* der Islam erkennt die P. an.

Polyp, der; -en, -en: **1.** *festsitzendes Meerestier (im Aussehen dem Tintenfisch gleichend).* **2.** Med. *gutartige Geschwulst der Schleimhäute.* **3.** (ugs.) *Polizist.*

Pomade, die; -, -n (abwertend): *Fett zur Haarpflege:* sich P. ins Haar schmieren.

pomadig ⟨Adj.⟩: **1.** *von Pomade, Fett glänzend* /vom Haar/: er hat pomadiges Haar. **2.** (ugs.) *träge, langsam:* seine Bewegungen wirken ziemlich p.

Pommes frites [pɔm'frit], die ⟨Plural⟩: *Stäbchen aus rohen Kartoffeln, die in heißem Fett gebacken werden:* eine Bockwurst mit Pommes frites bestellen.

Pomp, der; -s: *übertriebener Prunk, großer Aufwand an prachtvoller Ausstattung:* in diesem Schloß herrscht ein unglaublicher P.

pompös ⟨Adj.⟩: *viel Pomp zeigend, habend; übertrieben prächtig:* die Ausstattung ist sehr p.

Poncho ['pɔntʃo], der; -s, -s: *lose nach unten fallender Umhang ohne Ärmel und in der Form eines Mantels* (siehe Bild): zur Hose trug sie im Winter einen braunen P.

Ponton [põ'tõ:, auch: 'pɔntɔŋ], der; -s, -s: *kleineres [aus Blech hergestelltes] Schiff in Form eines Kahns oder Kastens, das oft als Träger von leichteren Brücken dient:* die Pioniere errichteten in kurzer Zeit eine behelfsmäßige Brücke aus Pontons.

Pony: I. das; -s, -s: *kleines, genügsames Pferd einer besonderen Rasse* (siehe Bild): die Kinder durften auf Ponys reiten. **II.** der; -s, -s: /eine Frisur/ (siehe Bild): sie ließ sich den P. schneiden.

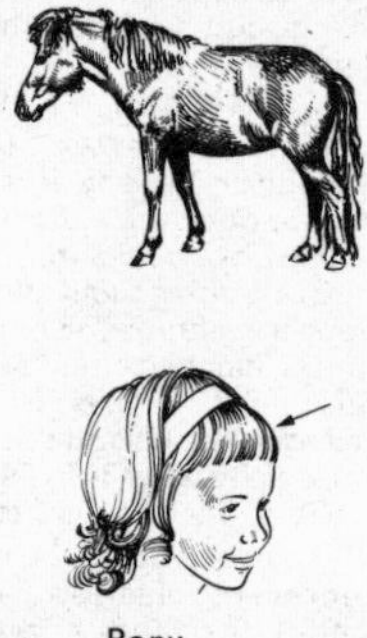

I.

II.

Pony

Popanz, der; -es, -e: **1.** *Vogelscheuche, Schreckgespenst:* ein mit Stroh ausgestopfter P. **2.** *willenloser (von jmdm./einer Sache) abhängiger Mensch:* er hat sich zum P. seiner Vorgesetzten machen lassen.

Popel, der; -s, - (ugs.): **1.** *verhärteter Nasenschleim [in Form einer kleinen Kugel]:* der Junge bohrte in der Nase und holte einen dicken P. hervor. **2.** *kleiner [schmutziger] Junge, Kerl:* vor diesem P. brauchst du doch keine Angst zu haben!

Popelin, der; -s und **Popeline,** die; -: *sehr dichtes, aus feinen Garnen hergestelltes Gewebe.*

Popo, der; -s, -s (fam.; scherzh.): *Gesäß.*

populär ⟨Adj.⟩: **a)** ⟨nicht adverbial⟩ *beim Volk beliebt; volkstümlich:* der Politiker ist sehr p. **b)** *allgemein verständlich:* eine populäre Darstellung der Geschichte.

Popularität, die; -: *Beliebtheit, Volkstümlichkeit:* der Sportler, Sänger erfreute sich großer P.

Pore, die; -, -n: *kleine Öffnung in der Haut:* die Poren sind verstopft.

Pornographie, die; -: *als obszön empfundene Darstellung erotischer Szenen:* ein Meisterwerk der P.

pornographisch ⟨Adj.⟩: *die Pornographie betreffend, zu ihr gehörend, von ihr herrührend:* die pornographischen Schriften wurden verboten.

porös ⟨Adj.; nicht adverbial⟩: *so kleine Löcher habend, daß es eine Flüssigkeit langsam durchläßt:* poröses Material.

Porree, der; -s, -s: /eine bestimmte Art von Gemüse/ (siehe Bild).

Porree

Portal, das; -s, -e: *großes Tor, prunkvoller Eingang bei Schlössern oder Kirchen.*

Portemonnaie [pɔrtmɔ'ne:], das; -s, -s: *kleine Tasche zum Aufbewahren von Geld, die man bei sich trägt:* er hat ein P. aus Leder.

Portier [pɔrti'e:], der; -s, -s: *jmd., der in großen Häusern und Gebäuden am Eingang zur Anmeldung und zum Empfang von fremden Personen ständig bereitsteht* /Berufsbezeichnung/.

Portiere [pɔrti'ɛ:rə], die; -, -n: *Vorhang vor einer Tür:* eine schwere rote P. dämpfte die Geräusche von außen.

Portion, die; -, -en: *meist für eine Person bestimmte, abgemessene Menge [von Speisen]:* die Portionen in der Kantine sind sehr klein.

Porto, das; -s, -s und Porti: *Gebühr für die Beförderung von Briefen oder Paketen durch die Post.*

Porträt [pɔr'trɛ:], das; -s, -s: *künstlerische Darstellung eines Menschen, meist nur Kopf und Brust.*

porträtieren, porträtierte, hat porträtiert ⟨tr.⟩: *(von jmdm.) ein Porträt anfertigen:* er ließ sich von einem berühmten Maler p.

Porzellan, das; -s, -e: **1.** *aus verschiedenen Stoffen hergestellte keramische Masse:* eine Vase aus echtem P. **2.** ⟨ohne Plural⟩ *aus dem gleichnamigen Material hergestelltes Geschirr:* auf der festlich gedeckten Tafel stand erlesenes P. * (ugs.) **[viel/allerhand] P. zerschlagen** *(mit etwas in der Meinung der Öffentlichkeit Schaden stiften):* mit dieser unbedachten Äußerung hat er viel P. zerschlagen.

Posaune, die; -, -n: /ein Blasinstrument/ (siehe Bild).

Posaune

Pose, die; -, -n: *gekünstelte Stellung; unnatürliche, affektierte Haltung:* eine bestimmte P. einnehmen.

posieren, posierte, hat posiert ⟨itr.⟩ (geh.): **1.** *eine bestimmte Pose einnehmen:* sie hat vor der Kamera für diese Aufnahme posiert. **2.** *sich verstellen, schauspielern:* war ihr Schmerz echt, oder hat sie nur posiert?

Position, die; -, -en: **1.** *[berufliche] Stellung:* er hat eine führende P. in dieser Firma. **2.** *Standort eines Schiffes oder Flugzeuges:* das Schiff gab seine P. an.

positiv ⟨Adj.⟩: **1.** *zustimmend, bejahend:* jmdm. eine positive Antwort geben. **2.** *günstig, vorteilhaft, gut:* die Wirtschaft zeigt eine positive Entwicklung; die Aussichten waren p. **3.** *ein Ergebnis, einen Erfolg bringend, habend:* die Experimente verliefen p.; die Verhandlung wurde zu einem positiven Ende gebracht.

Positur: ⟨in der Wendung⟩ sich in P. setzen / stellen / werfen: *eine auffallende Haltung einnehmen:* er hat sich vor der Kamera in P. geworfen.

Posse, die; -, -n: *derbe, [ironisch] übertreibende Komödie:* das Bauerntheater spielte eine P.

possierlich ⟨Adj.⟩: *drollig, lustig, spaßig:* lange beobachteten wir das possierliche Spiel der Katze.

Post, die; -: **1.** *öffentliche Einrichtung, Institution, die Nachrichten, Briefe, Pakete usw. befördert:* einen Prief, ein Paket mit der P. schicken. **2.** *von der gleichnamigen Institution beförderte Sendungen:* wir haben heute viel P. bekommen.

postalisch ⟨Adj.; nicht prädikativ⟩: *die Post betreffend, zu ihr gehörend, von ihr stammend/erfolgend; von der Post:* postalische Neuerungen durchführen; diese Sendungen werden p. bevorzugt abgefertigt.

Postament, das; -[e]s, -e (geh.): *Sockel (einer Säule, Statue):* auf dem P. befand sich eine Inschrift.

Postamt, das; -[e]s, Postämter: **1.** *Büro, Dienststelle der Post.* **2.** *Gebäude, in dem die gleichnamige Dienststelle untergebracht ist:* ein neues P. bauen.

Postanweisung, die; -, -en: **a)** *Geldsendung, die man auf der Post einzahlt und die dem Empfänger ins Haus gebracht wird:* eine P. in Empfang nehmen, erhalten. **b)** *Formular für die gleichnamige Art, Geld mit der Post zu senden:* eine P. ausfüllen.

Postbote, der; -n, -n: *Briefträger.*

Posten, der; -s, -: **1.** *berufliche Stellung, Position:* er hat bei der Firma einen guten P. **2.** *militärische Wache:* ein vorgeschobener P.; [auf] P. stehen. * **auf verlorenem P. stehen/kämpfen** *(in aussichtsloser Lage sein, kämpfen);* (ugs.) **auf dem P. sein** *(in guter körperlicher Verfassung sein; bereit sein).* **3.** *einzelner*

Betrag einer Rechnung; einzelne Ware einer Liste; bestimmte Menge einer Ware: die verschiedenen P. addieren; wir haben noch einen ganzen P. Anzüge auf Lager.

Pọstfach, das; -[e]s, Postfächer: *bei einem Postamt geführtes Schließfach, in dem die eingehenden Postsendungen für jmdn. gelagert werden, der sich seine Post selbst abholt:* bitte geben Sie die Nummer des Postfachs an!

Poster ['poʊstər], das; -s, -s: *künstlerisch gestaltetes Plakat [das gesammelt wird].*

postieren, postierte, hat postiert ⟨tr./rfl.⟩: *an einen bestimmten Ort stellen; sich aufstellen:* am Eingang eine Wache p.; die Photographen postierten sich vor der Tribüne, um den Präsidenten gut photographieren zu können.

Postillion [pɔstɪl'joːn, auch: 'pɔstɪljoːn], der; -s, -e (hist.): *Fahrer einer Postkutsche.*

Pọstkarte, die; -, -n: *Karte für Mitteilungen, die von der Post befördert wird:* eine P. schreiben, senden.

Pọstkutsche, die; -, -n (hist.): *Kutsche, in der Personen und Sachen gegen Entgelt befördert wurden:* zu diesen Zeiten war das Reisen mit der P. noch ziemlich beschwerlich.

pọstlagernd ⟨Adj.⟩: *bei der Post zum Abholen bereitliegend:* er schickte diesen Brief p.

Pọstleitzahl, die; -, -en: *auf Postsendungen anzugebende Kennziffer (einer Stadt oder eines Ortes):* Köln hat die P. 5.

Pọstscheckkonto, das; -s, -s: *bei einer Dienststelle der Post geführtes Konto:* er bezahlte die Rechnung über sein P.

Postulat, das; -[e]s, -e (geh.): *Forderung:* ein moralisches, religiöses P. aufstellen.

postulieren, postulierte, hat postuliert ⟨tr.⟩ (geh.): *ein Postulat (für etwas) aufstellen:* die Kirche postuliert in dieser Frage das strikte Einhalten und Befolgen ihrer Gebote.

postum ⟨Adj.; nicht prädikativ⟩: *nach dem Tode desjenigen, der es geschaffen hat [erfolgend]:* dieser Roman ist erst p. veröffentlicht worden.

pọstwendend ⟨Adj.; nur adverbial⟩: *unmittelbar danach, sofort:* jmdm. p. Antwort geben.

potẹnt ⟨Adj.⟩: **1.** Med. *zur Zeugung, zum Vollzug des Beischlafs fähig* /vom Mann/: trotz seines Alters war er noch p. **2.** (geh.) *mächtig; großen Einfluß besitzend; vermögend:* diese riesigen Villen sind von potenten Industriellen erbaut worden.

Potentat, der; -en, -en (geh.; oft abwertend): *Herrscher:* der Harem dieses orientalischen Potentaten umfaßt zweihundert Frauen.

Potential, das; -s, -e: *Gesamtheit der vorhandenen Möglichkeiten; Leistungsfähigkeit:* das wirtschaftliche P. des Landes ist erschöpft.

potentiẹll ⟨Adj.; nicht prädikativ⟩: *möglich, denkbar:* die potentiellen Käufer; er war p. *(der Anlage nach)* ein Verbrecher.

Potẹnz, die; -, -en: **1.** Math. *Produkt gleicher Faktoren:* eine Zahl in die dritte, vierte P. erheben. * (ugs.) **in P.** *(sehr, übermäßig groß):* was er sagte, war Blödsinn in P. **2.** ⟨ohne Plural⟩ Med. *Fähigkeit zur Zeugung, zum Vollzug des Beischlafs* /vom Mann/: im Alter läßt die P. nach. **3.** ⟨ohne Plural⟩ *Leistungsfähigkeit:* die wirtschaftliche P. eines Landes.

potenzieren, potenzierte, hat potenziert: **1.** ⟨tr.⟩ Math. *in die Potenz erheben:* eine Zahl, einen Wert p. **2.** ⟨tr./rfl.⟩ *vervielfachen, steigern, erhöhen:* durch dieses technische Verfahren potenziert man, sich die Wirkung.

Potpourri ['pɔtpʊri], das; -s, -s: Musik *aus verschiedenen beliebten kleineren Werken oder Melodien zusammengestelltes Musikstück:* die Kapelle spielte ein P. aus bekannten Opern; bildl.: ein P. *(eine bunte Vielfalt)* humorvoller Satiren.

Poularde [pu'lardə], die; -, -n: *junges [kastriertes] gemästetes Huhn:* eine magere, zarte P. braten.

poussieren [pu'siːrən], poussierte, hat poussiert (ugs.): **1.** ⟨itr.⟩ *eine feste, intime Freundschaft haben:* er poussiert schon lange mit ihr. **2.** ⟨tr.⟩ *mit Schmeicheleien umwerben, (jmds.) Gunst zu erwerben suchen:* er hat seinen Chef tüchtig poussiert.

Präambel, die; -, -n: *Vorwort, Vorrede (bes. bei Gesetzen, Verfassungen o. ä.):* die P. der deutschen Verfassung.

Prạcht, die; -: *reiche [kostbare] Ausstattung, viel Glanz und Schönheit:* ein Schloß von einmaliger P.

prạ̈chtig ⟨Adj.⟩: **a)** *sehr schön, herrlich:* Rom ist eine prächtige Stadt; das Wetter war gestern p. **b)** *tüchtig, qualitativ sehr gut:* ein prächtiger Mensch; er hat eine prächtige Arbeit vorgelegt.

Prạchtkerl, der; -s, -e (ugs.): *anständiger, umgänglicher, liebenswerter Mensch:* sein Freund ist ein P.

Prạchtstück, das; -s, -e (ugs.): *sehr schönes, prächtiges, wertvolles Stück:* diese alte Briefmarke ist das P. meiner Sammlung.

prạchtvoll ⟨Adj.⟩: **a)** *viel Pracht zeigend:* ein prachtvolles Schloß. **b)** *sehr schön, großartig:* ein prachtvolles Gemälde.

prädestiniert: ⟨in der Verbindung⟩ für etwas p. sein: *für etwas besonders geeignet, [wie] für etwas geschaffen sein:* für diese Aufgabe ist er geradezu p.

Prädikat, das; -[e]s, -e: *Note, Beurteilung, Zensur:* der Film erhielt das P. „besonders wertvoll".

prägen, prägte, hat geprägt ⟨tr.⟩: **1.** *Metall durch Pressen mit einem bestimmten Muster, Bild oder Text versehen:* Münzen p.; bildl.: das harte Leben in dieser Gegend prägt die Bewohner *(formt sie in ihrem Verhalten und in ihrem Aussehen).* **2.** *neu bilden, formulieren:* ein Wort, einen Satz p.

pragmatisch ⟨Adj.⟩: *sachlich, auf Tatsachen beruhend:* eine [rein] pragmatische Untersuchung der wirtschaftlichen Lage.

pragmatisieren, pragmatisierte, hat pragmatisiert ⟨tr.⟩ (östr.; Amtsspr.): *fest anstellen (so daß eine Kündigung nur noch bei einer schweren Verfehlung o. ä. möglich ist):* der junge Beamte wurde nach einiger Zeit pragmatisiert. **Pragmatisierung,** die; -, -en.

prägnant ⟨Adj.⟩: *kurz und gehaltvoll; genau und treffend:* dies war eine prägnante Antwort; seine Formulierungen sind p.

Prägnanz, die; -: *prägnante Kürze, Schärfe, Genauigkeit:* die P. seines Ausdrucks ist bewundernswert.

prahlen, prahlte, hat geprahlt ⟨itr.⟩: *eigene Vorzüge oder Vorteile übermäßig betonen, übertreiben:* er prahlt gerne mit seinem Geld, mit seinen Erfolgen.

Prahlerei, die; -, -en: *das Prahlen, prahlerische Rede:* seiner P. bin ich allmählich überdrüssig.

prahlerisch ⟨Adj.⟩: *die eigenen Vorzüge oder Vorteile übermäßig betonend:* er hielt eine prahlerische Rede.

Prahlhans, der; -es, Prahlhänse: *jmd., der viel prahlt:* diesem P. darf man nichts glauben.

präjudizieren, präjudizierte, hat präjudiziert ⟨tr.⟩: Rechtsw. *(einer [gerichtlichen] Entscheidung) vorgreifen:* durch diesen Bericht in der Presse wurde versucht, die Entscheidung des Gerichtes zu p.

Praktik, die; -, -en: **1.** *Art und Weise, in der etwas durchgeführt wird:* eine neue P. anwenden. **2.** ⟨Plural⟩ (abwertend) *nicht einwandfreie Mittel, Methoden; Kunstgriffe:* die Praktiken dieser Leute lehne ich für meine Person ab.

praktikabel ⟨Adj.⟩: *gut durchzuführen, zweckmäßig:* dieser Entwurf ist kaum p.

Praktikant, der; -en, -en: *jmd., der in der praktischen Ausbildung steht, sein Praktikum macht:* er arbeitete als P. in einer Apotheke.

Praktiker, der; -s, -: *jmd., der auf einem bestimmten Gebiet große praktische Erfahrung besitzt:* diesem erfahrenen P. kann man nichts vormachen.

Praktikum, das; -s, Praktika: **a)** *erforderlicher Teil einer Ausbildung, in dem die erworbenen theoretischen Kenntnisse im Rahmen einer entsprechenden praktischen Tätigkeit vertieft und ergänzt werden:* sein P. als Ingenieur machen. **b)** *praktische Übung an einer Hochschule, in der das in Vorlesungen erworbene Wissen vertieft werden soll:* ein physikalisches P.

praktisch: **I.** ⟨Adj.⟩ **1.** *auf die Praxis, auf die Wirklichkeit bezogen; in der Wirklichkeit auftretend:* praktische Erfahrungen besitzen; einen praktischen *(nicht theoretischen)* Verstand haben; eine Frage p. lösen; seine Sorgen galten den praktischen Schwierigkeiten. **2.** *zweckmäßig, gut zu handhaben:* dieser Büchsenöffner ist wirklich p. **3.** *geschickt zugreifend:* ein praktischer Mensch; der Schüler ist p. veranlagt. ** **praktischer Arzt** *(alle Krankheiten behandelnder Arzt* /im Gegensatz zum spezialisierten Arzt/*).* **II.** ⟨Adverb⟩ *so gut wie; in der Tat; in Wirklichkeit:* der Sieg ist ihm p. nicht mehr zu nehmen; mit ihm hat man p. keine Schwierigkeiten; sie macht p. alles.

praktizieren, praktizierte, hat praktiziert: **1.** ⟨itr.⟩ *als Arzt tätig sein, eine ärztliche Praxis führen:* in wenigen Monaten wird hier auch ein Augenarzt p. **2.** ⟨tr.⟩ *etwas in der Praxis, Wirklichkeit anwenden, handhaben:* eine bestimmte Methode p.

Prälat, der; -en, -en: *hoher (bes. katholischer) Geistlicher.*

Präliminarien, die ⟨Plural⟩: *Vorspiel, Einleitung, vorläufige Verhandlungen:* man ersparte sich alle unnötigen P. und kam sofort zum eigentlichen Problem.

Praline, die; -, -n: *kleines, mit Schokolade überzogenes, gefülltes Stück Konfekt:* mit Marzipan gefüllte Pralinen.

Pralinee, das; -s, -s (schweiz.; östr.): *Praline.*

prall ⟨Adj.⟩: *voll gefüllt und dadurch dick und stark; straff und fest:* ein p. gefüllter Sack; pralle Arme und Beine haben; bildl.: in der prallen Sonne liegen *(in der glühend heißen Sonne liegen).*

prallen, prallte, ist geprallt ⟨itr.⟩: *mit Wucht, Schwung (gegen jmd./etwas) stoßen:* als der Wagen plötzlich bremste, prallte der Beifahrer mit dem Kopf gegen die Windschutzscheibe.

Prämie, die; -, -n: **1.** *Betrag in Geld, der als Preis in Wettbewerben ausgesetzt ist oder bei der Industrie als zusätzliche Zahlung für besonders gute Leistungen gewährt wird:* für besondere Leistungen eine P. erhalten. **2.** *regelmäßig zu zahlender Betrag an eine Versicherung:* die P. seiner Lebensversicherung ist fällig.

prämieren, prämierte, hat prämiert ⟨tr.⟩: *mit einem Preis belohnen, auszeichnen:* der beste Vorschlag wird mit 100 Mark prämiert.

prämiieren, prämiierte, hat prämiiert ⟨tr.⟩: *prämieren.*

prangen, prangte, hat geprangt ⟨itr.⟩ (geh.): *als Zierde, Schmuck, Dekoration einen besonderen Platz einnehmen:* an der Wand prangte ein altes kostbares Gemälde.

Pranger: ⟨in den Wendungen⟩ **jmdn./etwas an den P. stellen** *(jmdn./etwas öffentlich tadeln, anklagen):* den Verräter, die Mißstände an den P. stellen; **an den P. kommen** *(öffentlich getadelt, angeklagt werden);* **am P. stehen** *(öffentlich getadelt, angeklagt sein).*

Pranke, die; -, -n: *Pfote großer Raubtiere, Tatze:* der Tiger hob drohend seine P.

Präparat, das; -[e]s, -e: *künstlich, chemisch hergestelltes Medikament.*

präparieren, präparierte, hat präpariert: **1.** ⟨rfl.⟩ *sich vorbereiten:* ich muß mich für den Unterricht noch p. **2.** ⟨tr.⟩ *(menschliche, tierische oder pflanzliche Körper) zerlegen oder haltbar machen:* er präparierte die Schmetterlinge für seine Sammlung.

Prärie, die; -, -n: *mit Gras bewachsene Steppe Nordamerikas.*

präsent: ⟨in den Verbindungen⟩ (geh.) **p. sein** *(anwesend sein):* der Herr Doktor ist im Augenblick nicht p., er ist gerade ausgegangen; **etwas p. haben: a)** *etwas auf Lager, zum Verkaufen haben:* die billigen Mäntel haben wir nicht mehr p. **b)** *etwas im Gedächtnis behalten haben:* diese einige Zeit zurückliegenden Vorfälle habe ich nicht mehr p.

Präsent, das; -s, -e: *kleines Geschenk, kleine Aufmerksamkeit:* er brachte bei seinem Besuch ein P. mit.

präsentieren, präsentierte, hat präsentiert: **1.** ⟨tr.⟩ *vorlegen, anbieten, überreichen:* jmdm. ein Geschenk, einen Teller Obst, eine Rechnung p. **2.** ⟨rfl.⟩ *sich bewußt so zeigen, daß man gesehen oder beachtet wird:*

er präsentierte sich in voller Größe.

Präsentierteller: ⟨in der Wendung⟩ auf dem P. sitzen (ugs.): *den Blicken aller ausgesetzt sein:* hier am Fenster sitzt man ja so auf dem P.

Präservativ, das; -s, -e: *Überzug aus Gummi für das männliche Glied zur Schwangerschaftsverhütung oder zum Schutz vor Geschlechtskrankheiten.*

Präses, der; -, Präsiden: **a)** /ein Amt in der evangelischen Kirche/. **b)** *katholischer Geistlicher als Vorsitzender eines kirchlichen Vereins.*

Präsident, der; -en, -en: **a)** *Leiter, Vorsitzender:* der P. der Gesellschaft, des Instituts. **b)** *Oberhaupt eines Staates:* der P. der Bundesrepublik Deutschland.

präsidieren, präsidierte, hat präsidiert ⟨itr.⟩: *den Vorsitz (in etwas) haben, (etwas) leiten:* einem Ausschuß p.

Präsidium, das; -s, Präsidien: **1.** ⟨ohne Plural⟩ *Vorsitz, Leitung:* er übernahm das P. des Vereins. **2.** *leitendes Gremium, Vorstand:* die Mitglieder wählten. ein neues P. **3.** *Gebäude, in dem ein Präsident (bes. der Polizei) mit seinem Amt untergebracht ist:* er muß sich auf dem P. melden.

prasseln, prasselte, hat geprasselt ⟨itr.⟩: **1.** *mit trommelndem Geräusch aufschlagen:* der Regen prasselt auf das Dach; die Steine prasselten gegen das Fenster; bildl. (ugs.): Fragen prasselten pausenlos auf ihn nieder. **2.** *knatternd brennen:* ein lustiges Feuer prasselte im Ofen.

prassen, praßte, hat gepraßt ⟨itr.⟩: *verschwenderisch leben:* die Reichen prassen, während die Armen hungern.

prätentiös ⟨Adj.⟩ (geh.): *anmaßend, selbstgefällig, anspruchsvoll:* dieser Journalist schreibt einen sehr prätentiösen Stil.

präventiv ⟨Adj.⟩: *vorbeugend, verhütend:* um dieser drohenden Entwicklung wirkungsvoll zu begegnen, muß man präventive Maßnahmen ergreifen.

Praxis, die; -, Praxen: **1.** ⟨ohne Plural⟩ **a)** *Berufsausübung, Tätigkeit:* dies wies auf eine langjährige P. mit reichen Erfahrungen hin. **b)** *tätige Auseinandersetzung mit der Wirklichkeit:* ob diese Methode richtig ist, wird die P. zeigen; in der P. sieht vieles anders aus; der Gegensatz von Theorie und P. **c)** *praktische Erfahrung:* ein Mann mit viel P. **2.** *Tätigkeitsbereich eines Arztes oder Anwaltes, auch Bezeichnung für die Arbeitsräume dieser Personen:* er hat eine große P.; seine P. geht gut.

Präzedenzfall, der; -[e]s, Präzedenzfälle: *für andere vergleichbare Fälle als Muster dienendes Ereignis, als Muster dienende Entscheidung:* die Regierung wollte durch ihren Beschluß keinen P. schaffen.

präzis ⟨Adj.⟩: *gewissenhaft, genau:* du mußt sehr p. arbeiten; eine präzise Antwort geben.

präzisieren, präzisierte, hat präzisiert ⟨tr.⟩: *genau angeben, genauer bestimmen:* die Angaben zu einer bestimmten Sache p.

Präzision, die; -: *Genauigkeit:* die Instrumente arbeiten mit großer P.

predigen, predigte, hat gepredigt: **a)** ⟨itr.⟩ *im Gottesdienst eine Predigt halten:* der Pfarrer predigte über die Liebe. **b)** ⟨tr.⟩ (ugs.) *besonders eindringlich empfehlen, zu etwas mahnen:* er predigt [dem Volk] ständig Toleranz, Vernunft.

Prediger, der; -s, -: *jmd., der Predigten hält:* der P. rief die Gläubigen zur Besinnung und Einkehr auf; bildl.: dieser Politiker ist ein P. der wirtschaftlichen Stabilität *(jmd., der wiederholt und eindringlich die wirtschaftliche Stabilität fordert, sie vertritt)*

Predigt, die; -, -en: *während des Gottesdienstes gehaltene religiöse Ansprache:* er hat gestern die P. gehalten.

Preis, der; -es, -e: **1.** *Betrag in Geld, den man beim Kauf einer Ware zu zahlen hat:* die Preise steigen; einen hohen, angemessenen P. zahlen. *** um jeden P.** *(unbedingt):* wir müssen um jeden P. Verstärkung holen. **2.** *als Gewinn für den Sieger in Wettkämpfen oder bei Wettbewerben ausgesetzter Betrag oder wertvoller Gegenstand:* als P. sind in dem Rennen 10000 Mark ausgesetzt; den ersten P. gewinnen.

Preisausschreiben, das; -s, -: *öffentlich ausgeschriebener Wettbewerb, bei dem auf die eingehenden richtigen Lösungen eines Rätsels o. ä. Preise ausgesetzt sind:* sie hat bei dem P. eine Reise gewonnen.

Preiselbeere, die; -, -n: /eine rote Beere/ (siehe Bild): aus Preiselbeeren ein Kompott bereiten.

Preiselbeere

preisen, pries, hat gepriesen ⟨tr.⟩ (geh.): *rühmen, loben:* in seiner Predigt pries er die Allmacht Gottes. *** sich glücklich p. [können]** *(über etwas froh sein [können]):* du kannst dich glücklich p., so gute Eltern gehabt zu haben.

Preisfrage, die; -, -n: **1.** *bei einem Preisausschreiben zu beantwortende Frage:* die Beantwortung der P. bereitete keine Schwierigkeiten; bildl. (ugs.): wie man in dieser Angelegenheit urteilen soll, ist natürlich die P. *(entscheidende, wichtige Frage).* **2.** *vom Preis einer Sache abhängige Entscheidung:* ob wir uns dieses Auto kaufen, ist in erster Linie eine P.

preisgeben, gibt preis, gab preis, hat preisgegeben: **1.** *nicht mehr (vor jmdm.) schützen:* sie haben ihn den Feinden preisgegeben; bildl.: jmdn. der Lächerlichkeit p. *(jmdn. dem Spott anderer ausliefern).* **2.** ⟨tr.⟩ *aufgeben:* seine Grundsätze p. **3.** ⟨tr.⟩ *nicht mehr geheimhalten; verraten:* er hat die Geheimnisse preisgegeben.

Preisträger, der; -s, -: *jmd., dem ein Preis zuerkannt worden ist, der einen Preis gewonnen hat:* die P. des Preisausschreibens werden schriftlich benachrichtigt.

preiswert ⟨Adj.⟩: *im Verhältnis zu seinem Wert nicht [zu] teuer:* etwas p. kaufen; ein preiswerter Mantel.

prekär ⟨Adj.⟩: *schwierig, unangenehm, heikel:* in eine p. Situation geraten; die Verhältnisse sind im Augenblick ziemlich p.

prellen, prellte, hat geprellt ⟨tr.⟩: **1.** *durch Anstoßen leicht verletzen:* ich habe mir den Arm geprellt. **2.** (ugs.) *(jmdn. um das, was ihm zusteht) bringen; betrügen:* jmdn. um den Erfolg, das Verdienst p.

Prellung, die; -, -en: *nach einem Stoß, Schlag o. ä. durch Bluterguß hervorgerufene innere Verletzung:* bei dem Zusammenstoß erlitt der Fahrer schwere Prellungen.

Premiere, die; -, -n: *erste Aufführung eines Theaterstücks, Films usw.*

preschen, preschte, ist geprescht ⟨itr.⟩: *schnell, wild laufen; jagen:* erschreckt preschte das Pferd über die Weide.

Presse, die; -, -n: **1. a)** *Maschine, mit der durch hohen Druck etwas geformt wird:* eine P. für Karosserien. **b)** *Gerät, mit dem Saft aus Obst gewonnen wird:* Trauben durch die P. treiben. **2.** ⟨ohne Plural⟩ *alle regelmäßig erscheinenden Zeitungen und Zeitschriften:* etwas der P. mitteilen; die P. berichtete ausführlich darüber.

Pressefreiheit, die; -: *Freiheit der Meinungsäußerung in der Presse:* die P. garantieren.

pressen, preßte, hat gepreßt ⟨tr.⟩: **a)** *mit hohem Druck zusammendrücken:* Obst, Pflanzen, Papier p.; bildl.: jmdn. zu etwas p. *(nötigen).* **b)** *durch Zusammendrücken gewinnen:* den Saft aus der Zitrone p. **c)** *durch hohen Druck eine bestimmte Form herstellen:* eine Karosserie p. **d)** *drücken:* er hat das Kind an seine Brust gepreßt.

pressieren, pressierte, hat pressiert ⟨itr.⟩ (veraltend, aber noch landsch.): *Eile haben, erfordern; drängen; dringend sein:* diese Angelegenheit pressiert [nicht].

Preßkopf, der; -[e]s: /eine Wurst in der Art der Sülze/.

Prestige [prɛs'tiːʒə], das; -s: *Ansehen oder Geltung einer Person in der Öffentlichkeit:* an P. gewinnen, verlieren; es geht ihm bei der Sache um das P.

preziös ⟨Adj.⟩ (geh.): *unnatürlich, geziert:* der Autor schrieb einen preziösen Stil.

prickeln, prickelte, hat geprickelt ⟨itr.⟩: *ein Gefühl wie von vielen feinen Stichen hinterlassen:* der Sekt prickelte [ihm] angenehm auf der Zunge; bildl.: ⟨häufig im 1. Partizip⟩ plötzlich überkam sie ein prickelndes *(erregendes)* Gefühl.

Priel, der; -[e]s, -e: *[kleiner] Wasserlauf im Watt.*

priemen, priemte, hat gepriemt ⟨itr./tr.⟩: *Kautabak kauen:* er priemte schon seit langem [nur eine bestimmte Sorte].

Priester, der; -s, -: *jmd., der bei bestimmten Religionen auf Grund einer Weihe ein kirchliches Amt ausübt und liturgische Handlungen vollzieht.*

prima ⟨Adj.; indeklinabel⟩: **a)** ⟨nicht adverbial⟩ (Kaufmannsspr.; veralt.) *in der Qualität erstklassig:* wir verkaufen nur p. Ware. **b)** (ugs.) *vorzüglich, ausgezeichnet, herrlich, wunderbar, sehr schön:* von hier oben hat man eine p. Aussicht; das hast du p. gemacht.

Primaballerina, die; -, Primaballerinen: *erste, überragende Tänzerin einer gemeinsam auftretenden Gruppe von Tänzern und Tänzerinnen:* der P. wurde begeistert applaudiert.

Primadonna, die; -, Primadonnen: *überragende, gefeierte Opernsängerin:* die Callas gilt als die größte P. unseres Jahrhunderts; (abwertend) sie hat Allüren wie eine P.

primär ⟨Adj.⟩: *zuerst vorhanden, in erster Linie, ursprünglich:* der Schuß war die primäre Ursache für die Ausschreitungen; er wandte sich mit diesem Schritt p. gegen seine Gegner.

Primas, der; -, -se: *höchster katholischer Geistlicher [eines Landes]:* der P. der katholischen Kirche in Polen.

Primat, der und das; -s, -e: *Vorrang, bevorzugte Stellung:* der Primat der politischen über die militärische Führung; der Primat des Papstes [gegenüber den Bischöfen].

Primel, die; -, -n: /eine Pflanze/ (siehe Bild).

Primel

primitiv ⟨Adj.⟩: **1.** *sich im Urzustand befindend, ihm entsprechend; nicht zivilisiert:* die primitiven Völker, Kulturen. **2.** *notdürftig, roh und sehr einfach:* eine primitive Hütte; die Arbeit wurde p. ausgeführt. **3.** *ungebildet, von niederem Niveau:* ein primitiver Mensch; seine Bildung ist p. **Primitivität,** die; -.

Primus, der; -, -se: *Erster, Bester (in einer Klasse):* er war von Sexta an P. in unserer Klasse.

Primzahl, die; -, -en: Math. *Zahl, die sich nur durch eins und durch sich selbst teilen läßt:* 3, 13 und 29 sind Primzahlen.

Printe, die; -, -n: *kleines [längliches], knuspriges, im Geschmack dem Lebkuchen gleichendes Gebäck:* die bekannten Aachener Printen.

Prinz, der; -en, -en: *nicht regierendes Mitglied eines Fürstenhauses:* P. Bernhard der Niederlande; P. Karneval *(während der Zeit des Karnevals amtierender Oberster der Narren).*

Prinzessin, die; -, -nen.

Prinzip, das; -s, -ien: **a)** *Grundsatz, den man seinem Handeln und Verhalten zugrunde legt:* er beharrte auf seinem P.; etwas nur aus P. tun. **b)** *Grundlage, auf der etwas aufgebaut ist; oberste und erste Bedingung für das Vorhandensein einer Sache:* diese Maschine beruht auf einem sehr einfachen P.

prinzipiell ⟨Adj.⟩: *grundsätzlich, im Prinzip:* etwas p. klären; er ist p. dagegen.

Prior, der; -s, -en: *Vorsteher eines Klosters oder Gehilfe eines Abts in größeren Klöstern.*

Priorität, die; -: **a)** *Vorrang, Vorrecht:* dieses wichtige Problem genießt absolute P. **b)** *Recht auf zeitliches Vorhergehen:* er forderte für seine Veröffentlichung die P.

Prise, die; -, -n: *kleine Menge eines Stoffes in Form von Pulver oder sehr feinen Körnern, die zwischen zwei Fingern zu greifen ist:* noch eine P. Salz in die Suppe geben.

Prisma, das; -s, Prismen: **1.** /eine geometrische Figur/ (siehe Bild S. 502). **2.** Optik *durchsichtiger Körper, der von mindestens zwei sich schneidenden Ebenen begrenzt ist.*

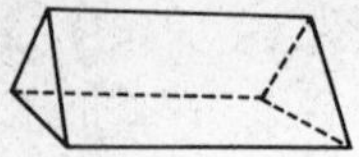

Prisma 1.

Pritsche, die; -, -n: **1.** *einfaches Gestell zum Liegen:* die Verwundeten lagen auf Pritschen. **2.** *Fläche eines Lastkraftwagens, auf der Güter verstaut werden:* die Fässer auf die P. laden. **3.** *Gerät des Hanswursts oder Narren zum Schlagen und zur Lärmerzeugung* (siehe Bild).

Pritsche 3.

privat ⟨Adj.⟩: **1.** *persönlich:* dies sind private Angelegenheiten. **2.** *vertraulich:* er sagte es ihm ganz p. **3.** *häuslich, vertraut:* er liebte die private Atmosphäre; sie bat, ihren Sohn p. *(in einem privaten Haushalt und nicht in einem Hotel)* unterzubringen. **4.** *nicht öffentlich, nicht staatlich:* die private Industrie.

privatim ⟨Adverb⟩ (veraltend): *persönlich, vertraulich, unter vier Augen:* er wollte mich in dieser peinlichen Angelegenheit p. sprechen.

privatisieren, privatisierte, hat privatisiert ⟨itr.⟩: *ohne eine feste, geregelte Anstellung seinen Lebensunterhalt vom eigenen Vermögen bestreiten:* für einige Zeit privatisierte er, um sich ganz seinen Studien widmen zu können.

Privatissimum, das; -s, Privatissima: **1.** *Übung für einen kleinen, ausgewählten Kreis von Studenten:* diese Übung wird von dem Professor als P. gehalten. **2.** (geh.) *ernstes persönliches Gespräch, Ermahnung:* es ist an der Zeit, diesem Faulenzer einmal ein P. zu geben.

Privatleben, das; -s: *privates, von öffentlichen und beruflichen Belangen getrenntes Leben:* nach diesem Mißerfolg zog sich der Politiker ins P. zurück.

Privileg, das; -[e]s, -ien: *Vorrecht:* die Privilegien des Adels sind abgeschafft worden.

privilegiert ⟨Adj.; nicht adverbial⟩: *mit Vorrechten ausgestattet:* der Adel gehörte zu den privilegierten Schichten.

pro ⟨Präp. mit Akk.⟩: *für (etwas):* der Preis beträgt 20 Mark p. Stück. * **pro Kopf** *(für jede einzelne Person):* das kostet pro Kopf 10 Mark.

Pro: ⟨in der Fügung⟩ das P. und [das] Kontra: *der Vor- und Nachteil; die Argumente, die dafür oder dagegen sprechen:* das P. und [das] Kontra einer Sache bedenken.

probat ⟨Adj.; nicht adverbial⟩: *bewährt, erprobt, wirksam:* dieser Tee erwies sich als probates Mittel bei Erkältungen.

Probe, die; -, -n: **1.** *Übung einer Aufführung beim Theater, Film usw.:* sie haben mit den Proben begonnen. **2.** *kleine Menge von etwas zur genaueren Untersuchung oder zum Probieren:* er untersuchte eine P. von dieser Flüssigkeit; er bot ihm ein Glas Wein zur P. an; bildl.: er gab eine P. seiner Kunst *(er zeigte etwas von seinem Können).* **3.** *Prüfung, Kontrolle:* die Maschine lief P.; sie stellte seine Geduld auf die P. *(sie versuchte festzustellen, wieweit seine Geduld reicht).*

Probefahrt, die; -, -en: *Fahrt zur Probe, die man macht, um sich von der Qualität oder dem Zustand eines Fahrzeugs zu überzeugen:* vor dem Kauf eines Autos sollte man eine Probefahrt machen.

proben, probte, hat geprobt: **a)** ⟨tr.⟩ *zur Probe aufführen:* eine Aufführung, eine Symphonie p. **b)** ⟨itr.⟩ *üben:* wir müssen morgen noch einmal p.

probeweise ⟨Adverb⟩: *zur, auf Probe:* die Maschine p. laufen lassen.

Probezeit, die; -, -en: *Zeit, in der jmd. auf Probe angestellt ist:* die P. beträgt in der Regel drei Monate.

probieren, probierte, hat probiert: **a)** ⟨itr.⟩ *prüfen (ob etwas möglich ist, funktioniert):* ich werde p., ob der Motor anspringt. **b)** ⟨tr.⟩ *kosten; eine Speise o. ä. auf ihren Geschmack prüfen:* die Suppe, den Wein p.

Problem, das; -s, -e: *schwierig zu lösende Aufgabe; nicht entschiedene Frage:* ein technisches P.; schwierige, ungelöste Probleme.

Problematik, die; -: **a)** *große Schwierigkeit:* die Untersuchung zeigt deutlich die P. dieser Aufgabe. **b)** *zweifelhafte, fragwürdige Beschaffenheit:* in diesem Punkt wird die ganze P. des Vortrags deutlich.

problematisch ⟨Adj.; nicht adverbial⟩: **a)** *sehr schwierig, heikel:* eine problematische Angelegenheit, Frage. **b)** *zweifelhaft, fragwürdig:* diese Vereinbarung ist recht p.

pro domo (geh.): *in eigener Sache, für sich selbst, zum eigenen Nutzen:* pro domo sprechen.

Produkt, das; -[e]s, -e: *Erzeugnis:* landwirtschaftliche Produkte; Produkte der chemischen Industrie.

Produktion, die; -: *das Herstellen, Erzeugen:* die tägliche P. von Autos erhöhen.

produktiv ⟨Adj.⟩: *ergiebig, fruchtbar, leistungsfähig:* produktive Kritik ist stets willkommen; ein produktives Unternehmen.

Produzent, der; -en, -en: *jmd., der etwas produziert:* der P. eines Films, eines technischen Erzeugnisses.

produzieren, produzierte, hat produziert ⟨tr./itr.⟩: *herstellen, erzeugen:* wir können das neue Auto erst ab Frühjahr p.; ein Konzern produziert sehr viel billiger als ein kleiner Betrieb.

profan ⟨Adj.⟩: **1.** *weltlich, nicht dem Gottesdienst dienend:* profane Bauten. **2.** *alltäglich, gewöhnlich:* mit dieser profanen Bemerkung über das Kunstwerk verärgerte er die festliche Versammlung.

professionell ⟨Adj.⟩: *als Beruf [betrieben]:* im professionellen Sport werden äußerst hohe Anforderungen gestellt.

Professor, der; -s, -en: **1.** *beamteter Lehrer an Universitäten und Hochschulen:* er ist ordentlicher P. an der Universität Heidelberg. **2.** *Titel für Forscher, Künstler:* für seine großen Leistungen wurde er zum P. ernannt.

professoral ⟨Adj.⟩ (geh.): *[übertrieben] würdevoll:* sein professorales Gehaben wirkt oft komisch.

Profi, der; -s, -s (ugs.): *jmd., der Sport als Beruf ausübt und daher besonderes Können und viel Erfahrung besitzt:* er spielt wie ein P.

Profil, das, -s; -e: **1.** *Ansicht des menschlichen Kopfes von der*

Seite; Umriß: jmdn. im P. photographieren; er hat ein scharf geschnittenes P. **2.** *ausgeprägte Eigenart:* dieser Minister hat kein P. **3.** *die mit Erhebungen versehene Oberfläche eines Reifens für Fahrzeuge, einer Schuhsohle u. a.:* das P. ist völlig abgefahren.

profiliert ⟨Adj.⟩: *ausgeprägt, markant, sachkundig:* eine profilierte Persönlichkeit; ein profiliertes Urteil über etwas abgeben.

Profit, der; -[e]s, -e: *Nutzen, Gewinn, den man aus etwas zieht, von etwas hat:* P. machen; aus etwas [einen] P. ziehen; auf seinen P. *(Gewinn, Vorteil)* bedacht sein.

profitieren, profitierte, hat profitiert ⟨itr.⟩: *aus etwas Profit, Vorteil ziehen:* er profitiert von der Uneinigkeit der anderen.

pro forma: a) *der Form halber, der Form wegen:* diesem Vorschlag muß er noch pro forma zustimmen. **b)** *nur zum Schein:* diese Summe hatte der Betrüger pro forma auf ein anderes Konto überwiesen.

profund ⟨Adj.⟩ (geh.): *gründlich, umfassend, tief:* er hat profunde Kenntnisse, ein profundes Wissen.

Prognose, die; -, -n: *Vorhersage (einer künftigen Entwicklung):* eine optimistische P. über das Wetter, über jmds. Gesundheitszustand stellen.

Programm, das; -s, -e: **1.** *[schriftliche] Darlegung von Grundsätzen, die zum Erreichen eines bestimmten Zieles angewendet werden sollen; Plan:* die Partei wird ein neues P. vorlegen; das P. für die Produktion im nächsten Jahr festlegen. **2.** *festgelegte Folge, vorgesehener Ablauf:* das P. der Tagung, eines Konzertes. **3.** *Heft, Zettel, auf dem der Ablauf der Darbietungen mitgeteilt wird:* das P. kostet eine Mark. **4.** *einem Computer eingegebene rechnerische Aufgabe:* er hat das P. für diese Aufgabe geschrieben.

programmieren, programmierte, hat programmiert ⟨tr./itr.⟩: *(eine Aufgabe, ein Problem) auf eine erstrebte Lösung durch einen Computer hin umformen, formulieren, vorbereiten:* in dem großen Unternehmen wurde die Gehaltsabrechnung, die gesamte Buchhaltung programmiert; er kann erst seit kurzer Zeit p.

Programmierer, der; -s, -: *jmd., der programmiert* /Berufsbezeichnung/: in letzter Zeit werden viele P. gesucht.

progressiv ⟨Adj.⟩: **1.** *fortschrittlich, nach Fortschritt strebend:* der progressive Teil der Partei forderte Reformen. **2.** *sich in einem bestimmten Verhältnis allmählich steigernd, entwickelnd:* die progressive Gestaltung der Steuern.

Prohibition, die; -, -en: *staatliches Verbot, Alkohol herzustellen und auszuschenken.*

Projekt, das; -[e]s, -e: *größeres Vorhaben; Plan:* ein P. aufgeben, in den Einzelheiten festlegen.

projektieren, projektierte, hat projektiert ⟨tr.⟩: *planen, entwerfen:* der Bau einer Turnhalle ist schon seit langem projektiert.

Projektion, die; -, -en: *das Projizieren:* die P. der Bilder, Dias.

projizieren, projizierte, hat projiziert ⟨tr.⟩: *(Bilder mit Hilfe eines entsprechenden Geräts auf eine dafür hergerichtete Leinwand o. ä.) übertragen:* er hat das Bild an die Wand projiziert.

Proklamation, die; -, -en: *öffentliche, amtliche Verkündigung:* die P. einer Verfassung; die feierliche P. des Prinzen Karneval.

proklamieren, proklamierte, hat proklamiert ⟨tr.⟩: *öffentlich, amtlich verkünden; ausrufen:* ein neuer Herrscher wurde proklamiert.

Prokura, die; -, Prokuren: Kaufmannsspr. *Vollmacht von gesetzlich bestimmtem Umfang:* der Chef will ihm P. erteilen.

Prokurist, der; -en, -en: *Angestellter, der Prokura hat* /Berufsbezeichnung/.

Prolet, der; -en, -en (abwertend): *ungebildeter, ungehobelter Mensch:* in der Gaststätte suchten zwei angetrunkene Proleten Streit.

Proletariat, das; -s: *Gesamtheit, Klasse der Proletarier:* dem P. mangelte es lange Zeit an Solidarität.

Proletarier, der; -s, -: *wirtschaftlich Abhängiger ohne eigenen Besitz:* P. aller Länder, vereinigt euch!

proletarisch ⟨Adj.⟩: *das Proletariat betreffend, zu ihm gehörend, von ihm herrührend:* ein proletarischer Schriftsteller.

Prolog, der; -[e]s, -e: *[poetische] Einleitung eines Dramas:* den P. sprechen.

Promenade, die; -, -n: *schön angelegter Weg zum Spazierengehen.*

Promenadenmischung, die; -, -en (ugs.; scherzh.): *Hund als Kreuzung zwischen mehreren, nicht genau festzustellenden Rassen.*

promenieren, promenierte, hat/ist promeniert ⟨itr.⟩ (geh.): *spazierengehen:* am Abend sind wir durch den Park promeniert; er ist/hat gestern eine Stunde promeniert.

Promille, das; -[s], -: *der tausendste Teil eines Betrages:* die Provision beträgt 5 P.; der Fahrer, der den Unfall verschuldete, hatte 1,8 P. (*1,8 P. Alkohol im Blut*).

prominent ⟨Adj.; nicht adverbial⟩: *weit bekannt, beruflich oder gesellschaftlich einen hervorragenden Rang einnehmend:* prominente Persönlichkeiten aus Politik und Wirtschaft werden an der Veranstaltung teilnehmen.

Prominenz, die; -: *Gesamtheit der prominenten Persönlichkeiten.*

Promiskuität, die; -: *häufig wechselnder Geschlechtsverkehr ohne feste Bindung an einen Partner.*

Promotion, die; -, -en: **a)** *Erlangung des Doktortitels:* er bereitet sich auf die P. vor. **b)** *Feier, bei der der Doktortitel verliehen wird:* die feierliche P. wurde vom Rektor vorgenommen.

promovieren, promovierte, hat promoviert: **a)** ⟨itr.⟩ *den Doktortitel erwerben:* er hat [mit einer Arbeit über Goethe] promoviert. **b)** ⟨tr.⟩ *den Doktortitel verleihen:* jmdn. zum Dr. phil. p.

prompt ⟨Adj.⟩: **1.** ⟨nicht prädikativ⟩ *unverzüglich, unmittelbar anschließend:* er hat auf meinen Brief p. geantwortet; prompte Bedienung ist bei dieser Firma zu erwarten. **2.** ⟨nur adverbial〉 *natürlich, wie zu erwarten war:* als wir spazierengehen wollten, hat es p. geregnet; obwohl ich ihn gewarnt hatte, ist er p. über die Stufe gestolpert.

prononciert [pronõ'si:rt] 〈Adj.〉: *deutlich [ausgesprochen], [scharf] betont, ausgeprägt:* zu diesen Fragen bezog er sehr p. Stellung.

Propaganda, die; -: *intensive Werbung für bestimmte Ziele, besonders der Politik:* eine geschickte P.; für eine Partei P. machen.

Propagandist, der; -en, -en: *jmd., der (für etwas) Propaganda macht:* sie sind Propagandisten eines menschlichen Sozialismus.

propagieren, propagierte, hat propagiert 〈tr.〉: *Propaganda machen (für etwas):* einen Standpunkt, eine Meinung p.

Propeller, der; -s, -: *rotierende Vorrichtung zum Antreiben bes. von Flugzeugen* (siehe Bild): die Motoren des Flugzeugs wurden gestartet, die P. begannen sich zu drehen.

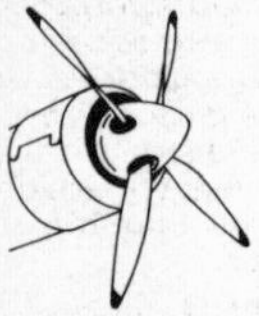

Propeller

proper 〈Adj.〉 (ugs.): *sauber, ordentlich, gepflegt* /bes. vom Aussehen und von der Kleidung/: sie ist in ihrer Kleidung sehr p.

Prophet, der; -en, -en: *jmd., der Ereignisse, Vorgänge in der Zukunft voraussagt.*

prophetisch 〈Adj.〉: *vorausschauend; die Zukunft betreffend, enthüllend:* mit dieser prophetischen Äußerung sollte er recht behalten.

prophezeien, prophezeite, hat prophezeit 〈tr.〉: *voraussagen:* neue Entdeckungen p.; er prophezeite ihm eine große Zukunft. **Prophezeiung,** die; -, -en.

prophylaktisch 〈Adj.〉: Med. *vorbeugend, verhütend:* eine prophylaktische Impfung gegen Grippe.

Proportion, die; -, -en: *Verhältnis verschiedener Größen oder Dinge zueinander:* die Proportionen stimmten in dieser Zeichnung.

proportioniert 〈Adj.〉: *in den Proportionen stimmend, (gut) gebaut:* ein gut proportionierter Körper.

Proporz, der; -es: *Verteilung von Sitzen, Posten o. ä. auf die einzelnen Parteien nach einem bestimmten, durch die Zahl der [gewählten] Vertreter festliegenden Verhältnis:* die Parteien verteilten die Ämter nach dem P.

Propst, der; -es, Pröpste: **a)** *katholischer Geistlicher als Vorsitzender an einer Bischofskirche.* **b)** *evangelischer Pfarrer an einer größeren Kirche.*

Prosa, die; -: *nicht durch den Vers gebundene dichterische Form der Sprache:* etwas ist in P. geschrieben.

prosaisch 〈Adj.〉: *sachlich-nüchtern, trocken:* eine prosaische Ausdrucksweise.

prosit 〈Interj.〉: *Ausruf, mit dem man jmdm. alles Gute (bes. beim Zutrinken) wünscht:* p. Neujahr!

Prospekt, der; -[e]s, -e: *[kleines] Druckwerk zur Information und Werbung:* einen farbigen P. drucken, herausgeben.

prosperieren, prosperierte, hat prosperiert 〈itr.〉: *[wirtschaftlich] gedeihen, sich gut entwickeln:* die Wirtschaft prosperiert.

Prosperität, die; -: *wirtschaftliches Gedeihen, Wohlstand, Erfolg:* die P. der letzten Jahre soll auch in Zukunft anhalten.

prost 〈Interj.〉: *prosit:* er hob sein Glas und sagte p. * (ugs.) **p. Mahlzeit** *(damit ist es nichts; das ist ja übel):* na, dann p. Mahlzeit.

prostituieren, sich; prostituierte sich, hat sich prostituiert (geh.; veralt.): *sich gewerbsmäßig zum Geschlechtsverkehr anbieten:* obskure Häuser, in denen sich Frauen prostituieren; bildl.: dieser Politiker hat sich in schändlicher Weise prostituiert *(entehrt, verächtlich gemacht, für etwas Niedriges hergegeben).*

Prostituierte, die; -n, -n: *Frau, die gewerbsmäßig mit Männern Geschlechtsverkehr hat:* die Prostituierten werden von der Polizei überwacht.

Prostitution, die; -: *gewerbsmäßiger Geschlechtsverkehr:* die P. sollte möglichst unter Kontrolle gehalten werden.

Protagonist, der; -en, -en (geh.): *Vorkämpfer:* ein P. der modernen Kunst.

Protegé [prote'ʒe:], der; -s, -s: *jmd., der protegiert wird:* als P. einiger einflußreicher Politiker machte er schnell Karriere.

protegieren [prote'ʒi:rən], protegierte, hat protegiert 〈tr.〉 (abwertend): *auf Grund von Verwandtschaft, Freundschaft o. ä. und nicht wegen der fachlichen Qualifikation fördern, begünstigen, unterstützen:* er ist von seinem reichen Vater protegiert worden.

Protektion, die; -: *Schutz, Förderung:* sie stand unter der P. ihres Chefs.

Protest, der; -es, -e: *[durch eine gegenteilige Meinung ausgelöster] meist spontan und temperamentvoll vorgetragener Einwand:* gegen etwas scharfen P. erheben. ***unter P.** *(indem man deutlich zu erkennen gibt, daß man mit etwas nicht einverstanden ist):* einige Zuhörer verließen den Saal unter P.

Protestant, der; -en, -en: *jmd., der einer Kirche angehört, die auf die Reformation zurückgeht.*

protestantisch 〈Adj.〉: *einer Kirche angehörend, die auf die Reformation zurückgeht.*

protestieren, protestierte, hat protestiert 〈itr.〉: *Protest erheben:* gegen jmdn./etwas heftig p.

Prothese, die; -, -n: *künstlicher Ersatz eines fehlenden Körperteils:* eine P. tragen.

Protokoll, das; -s, -e: *Niederschrift einer Verhandlung oder eines Verhörs; schriftliche Zusammenfassung der wichtigsten Ergebnisse einer Verhandlung:* das P. führen; etwas im P. festhalten.

protokollarisch 〈Adj.〉: *das Protokoll betreffend, durch das Protokoll festgelegt:* zu Beginn der Verhandlungen ergaben sich einige protokollarische Schwierigkeiten.

protokollieren, protokollierte, hat protokolliert 〈tr.〉: *ein Protokoll (von etwas) aufnehmen,* *in einem Protokoll festhalten:* die Sitzung, das Gespräch wurde protokolliert.

Prototyp, der; -s, -en: **1.** *Muster, Inbegriff, Urbild:* er ist der P. des cleveren Geschäftsmannes; **2.** *noch nicht in Serie gebauter, vorläufig noch getesteter Rennwagen:* er fuhr im Rennen einen P.

Protz, der; -en und -es, -e[n] (ugs.; abwertend): *jmd., der prahlt, angibt:* ich weiß nicht, was du an diesem unsympathischen Protz[en] findest.

Protze, die; -, -n: *vorderer Wagen von Geschützen.*

protzen, protzte, hat geprotzt ⟨itr.⟩ (ugs.): *prahlen:* er protzt mit seinem vielen Geld.

protzig ⟨Adj.⟩ (ugs.): **a)** *prahlerisch:* dein Freund ist mir zu p. **b)** *übertrieben groß und aufwendig, auffällig:* er fährt einen protzigen Wagen.

Proviant, der; -s: *Vorrat an Essen, Nahrungsmitteln [für eine Wanderung, Reise]:* er hat den P. im Rucksack.

Provinz, die; -, -en: **1.** *Verwaltungseinheit [in bestimmten Ländern]:* das Land ist in Provinzen eingeteilt. **2.** ⟨ohne Plural⟩ **a)** *ländliche Gegend im Unterschied zur Großstadt:* sie wohnt in der P. **b)** (abwertend) *besonders kulturell rückständiges Gebiet:* hier ist tiefste P.

provinziell ⟨Adj.⟩ (abwertend): *kleinstädtisch, rückständig:* ein provinzielles Theater.

Provision, die; -, -en: *Vergütung in Form einer prozentualen Beteiligung; Gebühr für die Vermittlung eines Vertragsabschlusses:* der Vertreter erhielt eine hohe P.; auf, gegen P. arbeiten.

provisorisch ⟨Adj.⟩: *als Notbehelf dienend, behelfsmäßig:* eine provisorische Maßnahme; etwas p. reparieren.

Provisorium, das; -s, Provisorien: *vorläufige, behelfsmäßige Einrichtung, Regelung:* die Unterbringung der Kranken in diesem Raum ist nur ein P.

Provokateur [provoka'tø:r], der; -s, -e: *jmd., der provoziert:* jugendliche Provokateure beschimpften die Polizisten.

Provokation, die; -, -en: *Handlung, durch die jmd. provoziert wird:* dieser Vorfall ist eine politische, militärische P.

provokatorisch ⟨Adj.⟩: *herausfordernd, aufreizend:* die provokatorischen Handlungen der Demonstranten veranlaßten die Polizei zum Eingreifen.

provozieren, provozierte, hat provoziert ⟨tr./itr.⟩: *herausfordern, reizen:* er will [uns] nur p.

Prozedur, die; -, -en: *[unangenehme] Behandlung[sweise], Verfahren:* der Patient ließ die schmerzhafte P. geduldig über sich ergehen.

Prozent, das; -[e]s, -e: *der hundertste Teil eines Betrages:* bei sofortiger Zahlung werden drei P. Rabatt gewährt.

prozentual ⟨Adj.⟩: *in Prozenten gerechnet, im Verhältnis zum Ganzen:* er ist p. an dem Gewinn beteiligt; die Zahl der Toten im Pfingstverkehr ist p. zurückgegangen.

Prozeß, der; Prozesses, Prozesse: **1.** *Auseinandersetzung, die vor einem Gericht ausgetragen und vom Gericht entschieden wird:* [gegen jmdn.] einen P. führen, gewinnen; jmdm. den P. machen *(jmdn. vor Gericht anklagen und verurteilen).* * (ugs.) **kurzen P. mit jmdm./etwas machen** *(ohne Umstände, ohne Rücksicht auf Einwände mit jmdm./etwas verfahren).* **2.** *Entwicklung, Ablauf, Verlauf eines Vorgangs:* ein chemischer P.; der P. der Zerstörung des Gewebes konnte gebremst werden.

prozessieren, prozessierte, hat prozessiert ⟨itr.⟩: *einen Prozeß führen:* gegen jmdn. p.

Prozession, die; -, -en: *feierlicher [kirchlicher] Umzug.*

prüde ⟨Adj.⟩ (abwertend): *in sittlich-erotischer Hinsicht übertrieben schamhaft und ablehnend:* sie ist sehr p.

Prüderie, die; - (abwertend): *in sittlich-erotischer Hinsicht übertrieben schamhafte und ablehnende Haltung.*

prüfen, prüfte, hat geprüft ⟨tr.⟩: **1.** *genau untersuchen, kontrollieren; testen:* jmds. Angaben auf ihre Richtigkeit p.; die Qualtiät des Materials p. **2.** *jmds. Wissen, Fähigkeiten feststellen:* einen Schüler im Abitur auch mündlich p. **Prüfung,** die; -, -en.

Prüfstein: ⟨in der Verbindung⟩ etwas ist für jmdn./etwas ein P.: *etwas bietet jmdm. die Gelegenheit, etwas zu beweisen:* dieser Auftrag ist ein P. für sein Können, seine Ehrlichkeit.

Prügel, der; -s, -: **a)** *längerer Stock zum Schlagen:* mit einem P. auf jmdn. einschlagen. **b)** ⟨ohne Singular⟩ *Schläge:* P. bekommen, austeilen.

Prügelei, die; -: *Schlägerei.*

Prügelknabe, der; -n, -n: *jmd., der ständig [an Stelle eines anderen] geschlagen oder bestraft wird:* er wurde zum Prügelknaben der ganzen Klasse.

prügeln, prügelte hat geprügelt: **1.** ⟨tr.⟩ *heftig schlagen:* der Vater prügelt seinen Sohn. **2.** ⟨rfl./rzp.⟩ *einen Streit mit Hieben o. ä. heftig und derb austragen:* er prügelte sich mit seinem Nachbarn; die Schüler prügelten sich auf dem Schulhof.

Prunk, der; -[e]s: *übertrieben glanzvolle Ausstattung:* die Operette wurde mit viel P. aufgeführt.

prunken, prunkte, hat geprunkt ⟨itr.⟩ (geh.): **1.** *prahlen:* sie hat mit ihrem kostbaren Schmuck geprunkt. **2.** *prangen, glänzen:* die Wand prunkte in prächtigen Farben.

prunkvoll ⟨Adj.⟩: *mit viel Prunk, großartiger Ausgestaltung:* ein prunkvoller Saal; ein p. gebautes Schloß.

prusten, prustete, hat geprustet ⟨itr.⟩: *die Luft mit einem schnaubenden Geräusch ausstoßen:* vor Lachen p.

Psalm, der; -s, -en: *geistliches Lied des Alten Testaments.*

Pseudonym, das; -s, -e: *Deckname [eines Künstlers]:* der Autor veröffentlichte den Roman unter einem P.

Psyche, die; -, -n: *Seele, Gemüt, Seelenleben:* die weibliche P.

psychedelisch ⟨Adj.⟩: **a)** Med. *die Psyche offenbarend:* Marihuana gilt als psychedelische Droge. **b)** *durch grelle, schnell wechselnde Farben und besonders dazu geeigneten Beat einen geistigen Zustand hervorrufend, der dem durch Einnahme von Drogen entstandenen Rausch ähnelt; ästhetisches, mit kreativen Impulsen verbundenes Entzücken bewirkend:* in einer psychedelischen Show sollen die

Empfindungen des Rausches simuliert werden.

Psychiater, der; -s, -: *Facharzt für seelische Störungen und Geisteskrankheiten:* er ließ sich von einem bekannten P. untersuchen.

psychiatrieren, psychiatrierte, hat psychiatriert ⟨tr.⟩ (östr.): *auf seinen Geisteszustand untersuchen:* der Häftling wurde psychiatriert. **Psychiatrierung,** die; - ,- en.

psychiatrisch ⟨Adj.⟩: *die Psychiatrie betreffend, mit ihren Mitteln erfolgend:* eine psychiatrische Klinik; eine psychiatrische Untersuchung.

psychisch ⟨Adj.⟩: *den seelischen Bereich oder Zustand des Menschen betreffend:* seine Krankheit ist hauptsächlich p. zu erklären; unter psychischem Druck stehen.

Psychologe, der; -n, -n: *jmd., der Psychologie studiert [hat]:* die Kinder wurden von einem Psychologen getestet; er ist ein guter P. *(Menschenkenner).*

Psychologie, die; -: *Lehre vom seelischen Zustand oder Verhalten eines Menschen.*

psychologisch ⟨Adj.⟩: *die Psychologie betreffend:* ein psychologischer Roman; in einer Sache p. vorgehen.

Psychose, die; -, -n: *Erkrankung der Seele, des Gemütes; krankhafter Geisteszustand:* sie leidet unter schweren Psychosen.

Pubertät, die; -: *zur Geschlechtsreife führende Phase der Entwicklung des jugendlichen Menschen.*

pubertieren, pubertierte, hat pubertiert ⟨itr.⟩: *sich in der Pubertät befinden:* Jugendliche, die pubertieren, sind oft schwierig zu behandeln.

Publicity [pʌ'blɪsɪtɪ], die; -: *Reklame, Propaganda, [Bemühen um] öffentliches Aufsehen:* ein Team von Fachleuten sorgte für die nötige P. dieser Veranstaltung.

publik: ⟨in den Verbindungen⟩ **etwas p. machen** *(etwas öffentlich bekanntmachen)*; **etwas wird p.** *(etwas wird bekannt).*

Publikation, die; -, -en: *im Druck erschienenes [literarisches oder wissenschaftliches] Werk.*

Publikum, das; -s: *Gesamtheit der Zuhörer, Besucher:* das P. applaudierte lange; man hörte Pfiffe aus dem P.

publizieren, publizierte hat, publiziert ⟨tr./itr.⟩: *[in gedruckter Form] veröffentlichen:* seinen zweiten Roman hat der Autor bei einem anderen Verlag publiziert; unter einem Pseudonym p.

Publizist, der; -en, -en: *jmd., der journalistische Beiträge verfaßt:* ein bekannter P. schrieb über den Staatsbesuch.

Publizistik, die; -: *Lehre, Wissenschaft von den Mitteln der Kommunikation:* P. studieren.

publizistisch ⟨Adj.⟩: *die Publizistik betreffend, zu ihr gehörend, von ihr stammend:* das publizistische Interesse für den Fall war gering.

Puck, der; -s, -s: Eishockey *Scheibe aus hartem Gummi:* der Stürmer schlug den P. ins Tor.

Pudding, der; -s, -e und -s: /eine weiche, süße Speise/: als Nachtisch gab es P.

Pudel, der; -s, -: **1.** /ein Hund/ (siehe Bild): ein schwarzer, geschorener P. * (ugs.) **dastehen wie ein begossener P.** *(sehr beschämt, kleinlaut dastehen).* **2.** (ugs.) *Wurf, bei dem die Kugel von der Kegelbahn abkommt:* einen P. schießen, werfen.

Pudel 1.

Puder, der; -s: *feines Pulver, vor allem zu medizinischen oder kosmetischen Zwecken.*

pudern, puderte, hat gepudert ⟨tr.⟩: *mit Puder belegen:* ein Kind, die Wunde, die Füße p.; ⟨auch rfl.⟩ sie hat sich stark gepudert *(sie hat viel Puder im Gesicht aufgelegt).*

Puff: I. der; -[e]s, Püffe (ugs.): *Stoß, Hieb (bes. mit der Faust):* ich gab ihm einen P. in die Seite. **II.** der; -[e]s, -e (landsch.): *gepolsterter Behälter für Wäsche:* die schmutzige Wäsche in einen P. werfen. **III.** der und (östr.:) das; -s, -s (derb): *Bordell:* in einen P. gehen.

puffen, puffte, hat gepufft ⟨tr.⟩: **1.** (ugs.) *(jmdm.) einen leichten Stoß versetzen, (jmdn.) stoßen:* er hat mich mit dem Ellbogen in die Seite gepufft. **2.** *zischend ausstoßen:* die Lokomotive pufftte dicken, schwarzen Qualm in die Luft; ⟨auch itr.⟩ es hat gepufft und gekracht.

Puffer, der; -s, -: **1.** *Vorrichtung an Schienenfahrzeugen, die einen möglichen Aufprall abbremst* (siehe Bild). **2.** (nordd.) *flacher, aus dem Teig roher Kartoffeln hergestellter, gebackener Kuchen.*

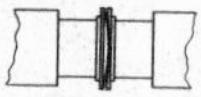

Puffer 1.

Pufferstaat, der; -[e]s, -en: *kleiner [neutraler] Staat, der durch seine Lage zwischen [rivalisierenden] Großmächten deren Zusammenstoß verhindern soll, dadurch aber selbst gefährdet ist.*

Pulk, der; -[e]s, -s: *loser Verband von [militärischen] Fahrzeugen:* die Flugzeuge flogen im P.; bildl.: in einem dichten P. *(in einer dichten Menge)* näherten sich die Läufer dem Ziel.

Pulle, die; -, -n (ugs.; landsch.): *Flasche:* der Maurer trank das Bier aus der P.

Pullover [pʊ'lo:vər], der; -s, -: *gestricktes Kleidungsstück für den Oberkörper, das man über den Kopf anzieht.*

Puls, der; -es: *das rhythmische Anschlagen des Blutes an die Wand der Ader, das besonders stark hinter dem Gelenk der Hand fühlbar ist:* den P. messen.

pulsen, pulste, hat gepulst ⟨itr.⟩ (geh.): *pulsieren:* das Leben pulste noch in seinen Adern.

pulsieren, pulsierte, hat pulsiert ⟨itr.⟩: *lebhaft fließen, strömen:* das Blut pulsiert in den Adern; in den Straßen der Stadt pulsiert der Verkehr.

Pulsschlag, der; -[e]s, Pulsschläge: *das rhythmische Schlagen des Pulses:* ich umfaßte ihr Handgelenk und fühlte ihren P.; bildl.: der P. *(das pulsierende Leben)* der Großstadt.

Pult, das; -[e]s, -e: *schmales, hohes Gestell mit schräg liegender Platte:* der Redner trat an das P.

Pulver, das; -s, -: **a)** *so fein wie Staub oder Sand zermahlener Stoff:* Kaffee in Form von Pulver. **b)** *explosive Mischung von verschiedenen Stoffen zum Schießen.* * (ugs.) **keinen Schuß P. wert sein** *(nichts wert sein);* **das P. hat er nicht erfunden** *(er ist nicht besonders intelligent);* **sein P. verschossen haben** *(alle seine Argumente zu früh vorgebracht haben).*

Pulverfaß: ⟨in den Wendungen⟩ [wie] **auf dem/einem P. sitzen** *(in sehr großer Gefahr sein, weil jeden Augenblick eine Katastrophe, ein Konflikt o. ä. über einen hereinbrechen kann):* wir müssen weg, wir sitzen hier [wie] auf einem P.; **die Lunte ans P. legen, den Funken ins P. schleudern** *(bewirken, daß ein schon lange schwelender Konflikt offen ausbricht).*

pulverisieren, pulverisierte, hat pulverisiert ⟨tr.⟩: *zu Pulver zerkleinern:* die Substanz muß man im Mörser p.

Puma, der; -s, -s: /ein Raubtier/ (siehe Bild).

Puma

pummelig ⟨Adj.⟩: *zugleich dick und klein, rundlich:* ein pummeliges Mädchen.

Pump, der; -s (ugs.): *das Borgen von Geld, Anleihe:* der geglückte P. gab ihm wieder Auftrieb. * **einen P. bei jmdm. aufnehmen** *(bei jmdm. Geld borgen);* **auf P.** *(mit geborgtem Geld):* auf P. leben; etwas auf P. kaufen.

Pumpe, die; -, -n: *Gerät oder Maschine zum Bewegen und Befördern von Flüssigkeiten oder Gasen.*

pumpen, pumpte, hat gepumpt: **1.** ⟨tr./itr.⟩ *mit einer Pumpe bewegen oder befördern:* das Wasser aus dem Keller p.; die Maschine pumpt zu langsam. **2.** ⟨itr.⟩ (ugs.) *sich für eine begrenzte Zeit geben lassen, entleihen:* Geld von jmdm. p.; ich habe mir einen Schirm gepumpt. **3.** ⟨tr./itr.⟩ (ugs.) *für eine begrenzte Zeit zur Verfügung stellen:* er pumpt ihm nicht gern [das Geld].

Pumpernickel, der; -s, -: *aus Roggen hergestelltes, schweres westfälisches Schwarzbrot.*

Pumps [pœmps], die ⟨Plural⟩: /Damenschuhe besonderer Art/ (siehe Bild): sie trug elegante P.

Pumps

Punkt, der; -[e]s, -e: **1.** *[sehr] kleiner runder Fleck; Satzzeichen:* ein weißer Stoff mit blauen Punkten; den P. auf das i setzen; den Satz mit einem P. abschließen. **2.** *Stelle, geographischer Ort:* die Straßen laufen in einem P. zusammen; der höchste P. Deutschlands liegt in Bayern; bildl.: jetzt ist der P. erreicht, wo meine Geduld zu Ende ist. * **auf dem toten P. angekommen sein** *(sich bei einer Verhandlung o. ä. an einer Stelle befinden, wo es [vorübergehend] nicht mehr weitergeht);* **den toten P. überwinden** *(den Zeitpunkt stärkster Ermüdung o. ä. überwinden);* **ein dunkler P.** *(eine unklare, unangenehme Angelegenheit):* ein dunkler P. in seinem Leben. **3.** ⟨in Verbindung mit einer Uhrzeit⟩ *genau um ...:* er ist P. drei gekommen; die Sendung, das Spiel beginnt P. 15 Uhr. **4.** *Thema, zu behandelnder Gegenstand:* auf diesen P. werden wir noch zu sprechen kommen; P. drei der Tagesordnung. **5.** *Einheit zur Bewertung bestimmter Wettkämpfe:* der Athlet erreichte bei diesem Wettkampf 20 Punkte.

punktieren, punktierte, hat punktiert ⟨tr.⟩: **1.** Med. *(jmdm.) mittels einer hohlen Nadel (aus einer Körperhöhle oder einem Organ) Flüssigkeit entnehmen:* der Patient wurde am Knie punktiert; die Leber ist punktiert worden. **2.** *durch Punkte darstellen; mit Punkten versehen, ausfüllen:* eine Linie p.; ⟨häufig im 2. Partizip⟩ eine punktierte Fläche.

pünktlich ⟨Adj.⟩: *den Zeitpunkt genau einhaltend:* er ist immer p. **Pünktlichkeit,** die; -.

punktuell ⟨Adj.⟩: *auf einen oder mehrere bestimmte Punkte bezogen, einen oder mehrere bestimmte Punkte betreffend:* in seiner Kritik ging er p. vor.

Punsch, der; -es, -e: *heiß genossenes Getränk aus Arrak (Rum), Zucker, Zitrone, Tee oder Wasser:* einen ordentlichen P. brauen.

Pupille, die; -, -n: *Öffnung im Auge, durch die das Licht eindringt.*

Puppe, die; -, -n: *kleine Nachbildung eines Menschen, bes. eines Kindes als Spielzeug* (siehe Bild).

Puppe

Puppenspiel, das; -[e]s, -e: *volkstümliches Theater mit Marionetten oder mit Puppen, die auf die Hand gezogen und mit den Fingern bewegt werden:* ein P. besuchen.

Puppenspieler, der; -s, -: *Spieler [und Sprecher] beim Puppenspiel.*

pur ⟨Adj.⟩: *rein, nicht vermischt:* eine Schale aus purem Gold; Whisky p. trinken.

Püree, das; -s, -s: *Speise in der Form von Brei:* ein feines P. aus gekochten Kartoffeln, Erbsen zubereiten.

puritanisch ⟨Adj.⟩: *in bezug auf die Sitten äußerst streng:* er ist p. erzogen worden.

Purpur, der; -s: **a)** *Farbstoff von intensiv roter Farbe:* mit P. färben **b)** *mit dem gleichnamigen Farbstoff gefärbter Stoff:* sich in P. kleiden. * (geh.) **den P. tragen** *(Kardinal sein);* (geh.) **nach dem P. streben** *(nach fürstlicher Herrschaft streben).*

purpurn ⟨Adj.⟩: *(in der Färbung) wie Purpur [aussehend]:* eine purpurne Robe.

Purzelbaum, der; -s, Purzelbäume (ugs.): *Rolle vorwärts:* der Junge machte, schlug, schoß einen P.

purzeln, purzelte, ist gepurzelt ⟨itr.⟩: *fallen [und sich dabei überschlagen]:* die Kinder purzelten in den Schnee.

Puste, die; - (ugs.): *Atem:* er hatte keine P. mehr; bildl.: ihm ging die P. aus *(ihm ging das Geld aus, so daß er eine*

Unternehmung nicht weiterführen konnte).

Pustekuchen ⟨Interj.⟩ (ugs.): *das hast du dir gedacht!; das ist gerade nicht eingetreten!*

Pustel, die; -, -n: *kleine Blase [mit Eiter] auf der Haut:* sie hatte Pusteln im Gesicht.

pusten, pustete, hat gepustet: **1.** ⟨tr./itr.⟩ *blasen:* den Staub von den Büchern p.; jmdm. [den Rauch] ins Gesicht p. **2.** ⟨itr.⟩ *schwer atmen, schnaufen:* er mußte sehr p., weil er schnell gelaufen war.

Pute, die; -, -n: *weiblicher Truthahn:* eine P. braten; /als Schimpfwort/ (derb): so eine dumme P.!

Puter, der; -s, -: *Truthahn:* zu Weihnachten aßen wir einen gebratenen P.

Putsch, der; -es, -e: *illegales [gewaltsames] Absetzen einer Regierung:* der P. mißlang.

putschen, putschte, hat geputscht ⟨itr.⟩: *einen Putsch unternehmen:* die Armee hat geputscht.

Putz, der; -es: *Masse aus Kalk und Sand [die auf rohe Wände aufgetragen worden ist]:* der P. bröckelt von den kahlen Wänden.

putzen, putzte, hat geputzt: **1.** ⟨tr./itr.⟩ *von Schmutz säubern, reinigen:* die Schuhe, die Wohnung p. **2. a)** ⟨rfl.⟩ *sich schön kleiden, schmücken:* sie hat sich heute besonders geputzt. **b)** ⟨itr.⟩ *schmücken:* die Blume, Schleife putzt das Kleid sehr. **3.** ⟨tr.⟩ (östr.) *chemisch reinigen:* einen Anzug p. lassen.

Putzerei, die; -, -en (östr.): *chemische Reinigung:* einen Anzug in die P. bringen.

putzig ⟨Adj.⟩: **1.** *drollig, niedlich:* ein putziges Tier. **2.** *seltsam, komisch:* das ist aber p.

Putzlappen, der; -s, -: *Stück Stoff, mit dem man putzt.*

Pyramide

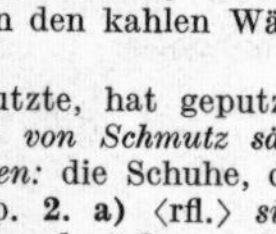

a)

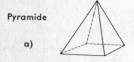

Puzzlespiel ['pasəl...], das; -s, -e: *Spiel, das aus vielen kleinen, unregelmäßig geformten Teilen besteht, die zu einem Bild zusammengesetzt werden müssen:* ein P. erfordert viel Geduld.

Pyjama [py'dʒa:ma und py-'ja:ma], der; -s, -s: *Schlafanzug.*

Pyramide, die; -, -n: **a)** /eine geometrische Figur/ (siehe Bild). **b)** /ein Bauwerk in dieser Form/: die Pyramiden in Ägypten.

Q

Quacksalber, der; -s, - (abwertend): *Kurpfuscher:* du bist auf einen Q. hereingefallen.

Quader, der; -s, -; (auch:) die, -, -n: /eine geometrische Figur/ (siehe Bild).

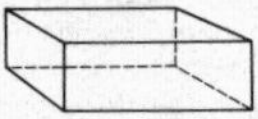

Quader

Quadrat, das; -[e]s, -e: /eine geometrische Figur/: (siehe Bild).

Quadrat

quadratisch ⟨Adj.⟩: *in Form eines Quadrates:* das Zimmer ist q.

Quadratmeter, der, (auch:) das; -s, -: /Maß für das Berechnen einer Fläche auf der Basis des Meters/: der Garten ist 1000 Q. groß.

Quadratwurzel, die; -, -n: *zweite Wurzel einer Zahl oder einer mathematischen Größe:* er zog die Q. aus 36.

Quadratzahl, die; -, -en: *Ergebnis der zweiten Potenz einer Zahl:* die Q. von 4 ist 16.

Quadriga, die; -, Quadrigen: *ein von vier Pferden nebeneinander gezogener Wagen der Antike mit vier Rädern* /für Rennen, Triumphzüge o. ä./ (siehe Bild): die Q. von Schadow auf dem Brandenburger Tor in Berlin wurde erneuert.

Quadrille [ka'drɪljə], die; -, -n: *alter Tanz, bei dem sich vier Paare im Karree oder Paare in zwei Reihen gegenüberstehen:* der Ball begann mit einer Q.

Quadriga

quaken, quakte, hat gequakt ⟨itr.⟩: *bestimmte Laute hervorbringen* /von Fröschen und Enten/: in den Wiesen quakten die Frösche.

quäken, quäkte, hat gequäkt ⟨itr.⟩: *jammernde, weinerliche Laute von sich geben:* das Kind quäkt den ganzen Tag.

Quäker, der; -s, -: *Angehöriger einer bes. in Amerika verbreiteten religiösen Gemeinschaft:* die Q. zeichnen sich durch christliche Nächstenliebe aus.

Qual, die; -, -en: *sehr starker, länger anhaltender körperlicher oder seelischer Schmerz; tiefes Leid:* große Qualen ertragen müssen; die Arbeit in dieser Hitze wurde für uns zur Q.

quälen, quälte, hat gequält: **1.** ⟨tr.⟩ *großen körperlichen oder seelischen Schmerz zufügen:* ein Tier q. **2.** ⟨rfl.⟩ *sich abmühen:* der Schüler quält sich mit dieser Aufgabe.

Quälerei, die; -, -en: **1.** *andauerndes Zufügen von Qualen, ständiges Peinigen:* Hunde dauernd an die Kette zu legen ist eine Q. **2.** *mühselige Arbeit:* es war eine Q., die Kartei neu zu ordnen.

Qualifikation, die; -, -en: **1.** *Befähigung, Eignung; Befähigungsnachweis:* die Q. für eine akademische Laufbahn besitzen. **2.** Sport **a)** *Berechtigung zur Teilnahme an sportlichen Wettkämpfen auf Grund vorausgegangener sportlicher Erfolge:* die beiden Boxer kämpften um die Q. für das Finale. **b)** *Wettkampf um die Teilnahme am Finale:* die deutschen Athleten sind in der Q. ausgeschieden.

qualifizieren, sich; qualifizierte sich, hat sich qualifiziert: *sich als geeignet erweisen; eine bestimmte Leistung vorweisen:* der Sportler hat sich für die Teilnahme an der Olympiade qualifiziert; ⟨häufig im 2. Partizip⟩

qualifizierte *(fähige, geeignete)* Mitarbeiter haben.

Qualität, die; -, -en: **a)** *Beschaffenheit; Brauchbarkeit:* ein Stoff von bester Q.; er achtet auf Q. **b)** ⟨Plural⟩ *Anlagen, Fähigkeiten:* ein Mann mit künstlerischen, menschlichen Qualitäten; auch er hat seine Qualitäten *(seine guten Eigenschaften).*

qualitativ ⟨Adj.⟩: *dem Wert, der Beschaffenheit nach:* etwas q. verbessern; in qualitativer Hinsicht wurden die Erwartungen übertroffen.

Qualle, die; -, -n: *durchsichtiges, in seiner Beschaffenheit an Gallert erinnerndes, meist im Meer lebendes Tier* (siehe Bild): bei der Berührung der Q. empfand er einen brennenden Schmerz.

Qualle

Qualm, der; -[e]s: *in dicken Wolken aufsteigender Rauch:* die Lokomotive macht viel Q.

qualmen, qualmte, hat gequalmt: **1.** ⟨itr.⟩ *Rauch, Qualm entwickeln, erzeugen:* der Ofen qualmt. **2.** ⟨tr./itr.⟩ (ugs.) *(eine Zigarette o. ä.) rauchen:* du sollst nicht so viel q.!; er qualmt pro Tag zwanzig Zigaretten.

Quantität, die; -, -en: *Anzahl, Menge, Masse:* von etwas eine größere Q. kaufen.

quantitativ ⟨Adj.⟩: *der Anzahl, Menge, Masse nach:* zwischen der Produktion der beiden Verlage besteht nur ein quantitativer, kein qualitativer Unterschied.

Quantum, das; -s, Quanten: *bestimmte Menge, die von einer größeren Menge zu nehmen ist:* ein Q. Mehl; er bekam das ihm zustehende Q.

Quarantäne [karanˈtɛːnə, karãˈtɛːnə], die; -, -n: *Absonderung von Personen oder Absperrung eines bestimmten Bereichs, um zu verhindern, daß sich Seuchen ausbreiten:* die Besatzung des Schiffes kam in Q.

Quark, der; -s: **1.** *weißer, weicher Käse, der beim Gerinnen der Milch entsteht:* er ißt viel Q. **2.** (ugs.; abwertend) *ungern geleistete, wenig geschätzte kleinere Arbeit; Kleinigkeit:* ich muß mich um jeden Q. kümmern.

Quarta, die; -, Quarten: *dritte Klasse an Gymnasien.*

Quartal, das; -s, -e: *Vierteljahr:* im letzten Q. erlebte die Firma einen Aufschwung.

Quartett, das; -[e]s, -e: **a)** *Musikstück für vier Stimmen oder vier Instrumente:* sie spielten ein Q. von Schubert. **b)** *Gruppe von vier Sängern oder Musikern:* er spielt in einem Q.

Quartier, das; -s, -e: *[vorübergehende] Unterkunft:* ein Q. suchen, beziehen; bei jmdm. Q. nehmen.

Quarz, der; -es, -e: *kristallisiertes, Gesteine bildendes, sehr häufig und in vielen Abarten vorkommendes Mineral:* ein Aschenbecher aus Q.

quasi ⟨Adverb⟩: *gleichsam, sozusagen:* er reiste q. als Botschafter nach Amerika.

quasseln, quasselte, hat gequasselt ⟨itr./tr.⟩ (ugs.; abwertend): *viel und nichts Sinnvolles reden:* er quasselt sehr viel; du sollst nicht solchen Unsinn q.

Quasselstrippe, die; -, -n (ugs.; scherzh.): **1.** *Telefon:* da ist ein Anruf für dich, komme doch mal an die Q.! * **an der Q. hängen** *(ständig telefonieren).* **2.** *jmd., der rasch und viel erzählt und damit seine Umgebung belästigt:* die neue Sekretärin ist eine richtige Q.

Quaste, die; -, -n: *Knäuel aus Fäden oder Schnüren, das als Schmuck dient:* ein Vorhang mit Quasten.

Quatsch, der; -es (ugs.; abwertend): *dummes Gerede, Unsinn:* rede nicht solchen Q.!; das ist ja Q.!

quatschen, quatschte, hat gequatscht ⟨itr./tr.⟩ (ugs.; abwertend): *Unnützes, Überflüssiges reden:* quatsch nicht soviel!; mußt du im Unterricht ständig q.?

Quatschkopf, der; -s, Quatschköpfe (ugs.; abwertend): *jmd., der viel Unnützes, Überflüssiges redet; Schwätzer:* erzähl nicht solchen Unsinn, du Q.

quatschnaß ⟨Adj.⟩ (ugs.): *völlig naß:* auf dem Spaziergang sind meine Schuhe q. geworden.

Quecksilber, das; -s: *ein ähnlich wie Silber aussehendes, bei Zimmertemperatur flüssiges Metall:* das Q. im Thermometer steigt. * (ugs.) **Q. im Leib[e] haben** *(sehr unruhig, lebhaft sein).*

quecksilbrig ⟨Adj.⟩: *sehr unruhig, lebhaft:* ein quecksilbriges junges Ding.

Quelle, die; -, -n: **1.** *natürliche Stelle, wo Wasser aus der Erde strömt:* sich im Wald an einer Q. erfrischen. **2.** *Ursprung, Ausgangspunkt:* die Q. dieser Kunst liegt in der Antike; er bezieht seine Nachrichten aus geheimen Quellen.

quellen: I. quillt, quoll, ist gequollen ⟨itr.⟩: **1.** *[mit Druck] hervordringen:* schwarzer Rauch quillt aus dem Kamin; aus ihren Augen quollen Tränen. **2.** *aufschwellen:* Erbsen, Bohnen quellen, wenn sie im Wasser liegen. **II.** quellte, hat gequellt ⟨tr.⟩: *in Wasser legen und dadurch bewirken, daß es sich durch die Feuchtigkeit ausdehnt:* Erbsen, Bohnen q., damit sie beim Kochen schneller weich werden.

Quengelei, die; -, -en (ugs.): *andauerndes, lästig werdendes Quengeln:* hör auf mit der Q., es gibt jetzt keine Bonbons!

quengeln, quengelte, hat gequengelt ⟨itr.⟩ (ugs.): *mit weinerlicher Stimme etwas verlangen, seine Unzufriedenheit ausdrücken:* das Kind quengelte dauernd.

Quentchen, das; -s, -(veralt.): *geringe Menge, ein bißchen:* ich glaube, an der Suppe fehlt noch ein Q. Salz.

quer ⟨Adverb⟩: **1.** *der Breite nach* /Ggs. längs/: den Tisch q. stellen; ein Baum lag q. über der Straße. **2.** *schräg, nicht in der Richtung der Achse:* er lief q. über die Straße.

Quere: ⟨in den Wendungen⟩ (ugs.) **jmdm. in die Q. kommen** *(jmdm. von der Seite her störend dazwischenkommen):* dem Radfahrer ist ein Fußgänger in die Q. gekommen; bildl.: dauernd kommt mir bei meiner Arbeit etwas in die Q. *(stört mich etwas in meiner Arbeit);* **in die Kreuz und [in die] Quere** *(kreuz und quer):* sie liefen in die Kreuz und Q.

querfeldein ⟨Adverb⟩: *quer, mitten durch das Gelände:* wir gingen q. zum nächsten Dorf.

Querkopf, der; -s, Querköpfe (ugs.; abwertend): *jmd., der uneinsichtig ist und durch dauernden Widerspruch stört:* dieser Bursche ist ein rechter Q.

querköpfig ⟨Adj.⟩ (ugs.; abwertend): *sich wie ein Querkopf verhaltend, von der Art eines Querkopfes:* dieser querköpfige Alte bringt mich noch zur Verzweiflung!

querschießen, schoß quer, hat quergeschossen ⟨itr.⟩ (ugs.): *Pläne oder Handlungen anderer stören, durchkreuzen:* ich fürchte, unsere Konkurrenz wird wieder einmal q.

Querschläger, der; -s, -: *quer oder seitlich aufschlagendes und wieder abprallendes Geschoß:* er wurde von einem Q. getroffen.

Querschnitt, der; -[e]s, -e: **1.** *Schnitt senkrecht zu der längs verlaufenden Achse eines Körpers:* von etwas einen Q. zeichnen. **2.** *Zusammenstellung der wichtigsten, bedeutendsten Dinge, Ereignisse eines größeren Bereiches; Überblick:* einen Q. durch die Geschichte der Neuzeit, durch die Musik der Klassik geben.

Querstraße, die; -, -n: *Straße, die eine andere [meist größere] Straße kreuzt:* die Post befindet sich in der nächsten Q. links.

Quersumme, die; -, -n: Math. *Summe der Ziffern von Zahlen, die aus zwei oder mehr Stellen bestehen:* die Q. von, aus 234 ist 9.

Quertreiber, der; -s, -(ugs.; abwertend): *jmd., der die Handlungen anderer dauernd zu hintertreiben sucht:* er ist ein bekannter Q. und Stänkerer.

Quertreiberei, die; -, -en (ugs.; abwertend): *das dauernde Hintertreiben der Handlungen anderer:* seine Quertreibereien habe ich satt.

Querulant, der; -en, -en: *jmd., der queruliert:* ich möchte nicht in den Ruf eines Querulanten kommen.

querulieren, querulierte, hat queruliert ⟨itr.⟩: *ständig nörgeln:* der Alte queruliert den ganzen Tag.

quetschen, quetschte, hat gequetscht: **1.** ⟨tr.⟩ **a)** *zerdrücken:* Kartoffeln q. **b)** ⟨mit näherer Bestimmung⟩ *irgendwohin drängen:* bei dem Gedränge wurde er an die Wand gequetscht. **2.** ⟨tr./rfl.⟩ *durch Druck verletzen:* bei dem Unfall wurde sein Arm gequetscht; ich habe mich gequetscht; ich quetschte mir die Finger. **3.** ⟨rfl.; mit näherer Bestimmung⟩ *sich in/durch eine Menge oder durch eine Enge drängen:* er quetschte sich auf die vordere Plattform der Straßenbahn; der dicke Mann hat sich hinter das Steuer seines Autos gequetscht.

Quetschung, die; -, -en: *Verletzung durch Quetschen:* er erlitt eine Q.

quicklebendig ⟨Adj.⟩ (ugs.): *sehr lebendig, überaus munter:* kaum hatte Fritz das Krankenhaus verlassen, da sprang er schon wieder q. im Garten umher.

quieken, quiekte, hat gequiekt ⟨itr.⟩: *einen hellen, schrillen Ton von sich geben:* die jungen Schweine quieken.

quietschen, quietschte, hat gequietscht ⟨itr.⟩: **1.** *durch Reibung einen hellen, als unangenehm empfundenen Ton von sich geben:* die Tür quietscht, sie muß geölt werden. **2.** *quieken, schreien:* die Kinder quietschten vor Vergnügen.

quietschvergnügt ⟨Adj.⟩ (ugs.): *überaus vergnügt:* die Kinder spielten q. am Strand.

Quinta, die; -, Quinten: *zweite Klasse an Gymnasien.*

Quintessenz, die; -: **a)** *Wesen, Kern einer Sache:* die Q. bei all diesen Überlegungen ist, wie Verbesserungen ohne höhere Kosten erreicht werden können. **b)** *Ergebnis, Folge:* die Q. der langen Diskussion ist, daß nichts geändert wird.

Quintett, das; -s, -e: **a)** *Musikstück für fünf Stimmen oder fünf Instrumente:* sie spielten ein Q. von Schubert. **b)** *Gruppe von fünf Sängern oder Musikern:* das Q. spielte Werke von Schubert.

Quirl, der; -s, -e: /in der Küche verwendetes Gerät/ (siehe Bild): sie verrührte das Ei mit dem Q. in der Milch; bildl. (ugs.): der Junge ist ein richtiger Q. *(ist äußerst lebhaft und unruhig).*

Quirl

quirlen, quirlte, hat gequirlt: **1.** ⟨tr./itr.⟩ *mit dem Quirl verrühren:* sie quirlte ein Ei in die Milch, hat lange gequirlt. **2.** ⟨itr.⟩ *sich wirbelnd drehen:* in der Tiefe der Schlucht quirlte und schäumte das Wasser; bildl.: Wut und Gier quirlen in ihm *(mischen sich heftig in ihm);* ⟨häufig im 1. Partizip⟩ eine quirlende Menschenmenge *(eine Menschenmenge in lebhafter Bewegung).*

Quisling, der; -s, -e (abwertend): *Kollaborateur, Verräter:* nach der Besetzung des Landes durch den Feind fanden sich sogleich einige Quislinge.

quitt: ⟨in der Verbindung⟩ q. sein (ugs.): *frei gegenüber jmdm./etwas, losgelöst von Pflichten und Verbindlichkeiten sein:* hier ist das Geld, das du verlangst, jetzt sind wir q.

Quitte, die; -, -n: **1.** /ein Obstbaum/ (siehe Bild). **2.** /Frucht des gleichnamigen Obstbaums/ (siehe Bild). **3.** /in Gärten und Parks zur Zierde wachsender Strauch/ (siehe Bild).

1. u. 2.

3.

Quitte

quittieren, quittierte, hat quittiert ⟨tr.⟩: *durch Unterschrift bestätigen, daß man etwas erhalten hat:* den Empfang des Geldes q. * **den Dienst q.** *(seine Stellung aufgeben).*

Quittung, die; -, -en: *Bescheinigung, mit der bestätigt wird, daß man etwas erhalten hat:* eine Q. schreiben, ausstellen.

Quivive [ki'vi:v]: ⟨in der Wendung⟩ auf dem Q. sein (ugs.): *vorsichtig sein, aufpassen:* in dieser Gesellschaft muß man ständig auf dem Q. sein.

Quiz [kvɪs], das; -, -: *unterhaltsames Spiel mit Frage und Antwort:* an einem Q. im Fernsehen teilnehmen.

Quote, die; -, -n: *Anteil, der beim Aufteilen eines Ganzen auf jmdn./etwas entfällt; bestimmte Anzahl oder Menge im Verhältnis zu einem Ganzen:* die Quoten beim Lotto waren diesmal sehr hoch; die Q. der Unfälle, die unter Alkoholeinwirkung entstanden sind, nahm ständig zu.

R

Rabatt, der; -[e]s, -e: *Ermäßigung des Preises, die aus bestimmten Gründen dem Käufer gewährt wird:* jmdm. drei Prozent R. auf alle Waren geben, gewähren.

Rabatte, die; -, -n: *schmales Beet am Rand von Wegen, an mit Rasen bewachsenen Flächen, an Gebäuden:* neben dem Weg im Garten zog sich eine R. hin.

Rabauke, der; -n, -n (ugs.; abwertend): *grober, zu Gewalttätigkeit neigender junger Mann:* dieser R. hat schon wieder einen Gast im Wirtshaus verprügelt.

Rabbiner, der; -s, -: *jüdischer Geistlicher, Lehrer der jüdischen Religion und des jüdischen Gesetzes:* der R. betete mit seiner Gemeinde.

Rabe, der; -, -n: /ein schwarzer Vogel/ (siehe Bild).

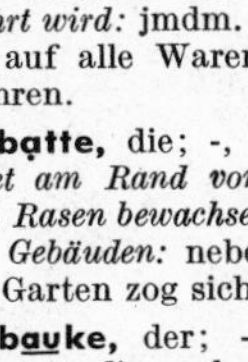

Rabe

Rabeneltern, die ⟨Plural⟩ (ugs.; abwertend): *lieblose Eltern, die ihre Kinder mit übermäßiger Härte behandeln oder sich nicht um sie kümmern:* der kleine Fritz sieht ganz verhungert aus, er hat richtige R.

rabiat ⟨Adj.⟩: **1.** *grob, roh:* der rabiate Kerl verprügelt ständig seine Frau. **2.** *sehr wütend:* als ihm jemand widersprach, wurde er r.

Rabulistik, die; -: *das Verändern des Sinnes (z. B. bei Gesetzestexten) nach eigener Willkür und zum eigenen Nutzen durch spitzfindiges Spiel mit Worten; Haarspalterei:* die Rede des Abgeordneten wies alle Merkmale von R. auf.

Rache, die; -: *Vergeltung für ein erlittenes Unrecht oder für eine schlechte Tat:* R. fordern, schwören; auf R. sinnen.

Rachen, der; -s: *hinterer Raum des Mundes:* er hat einen entzündeten R.

rächen, rächte, hat gerächt: **1.** ⟨rfl.⟩ *(an jmdm.) Rache üben:* ich werde mich [für diese Beleidigung] an ihm r. **2.** ⟨tr.⟩ *eine schlechte Tat, ein Unrecht vergelten:* ich werde diese schwere Beleidigung r.

Rächer, der; -s, -: *jmd., der Rache nimmt:* er ist mein R.

Rachitis, die; -: *bes. in der frühen Kindheit auftretende Krankheit, die durch Störungen des Knochenwachstums gekennzeichnet ist und zu körperlichen Mißbildungen führt:* an R. leiden.

rachitisch ⟨Adj.⟩: *die Rachitis betreffend; an Rachitis leidend; die Symptome der Rachitis zeigend:* das Kind sieht r. aus; an seinem Körper sind rachitische Veränderungen eingetreten.

rackern, rackerte, hat gerackert ⟨itr.⟩ (ugs.): *schwer und mühevoll arbeiten; schuften:* er hat den ganzen Tag gerackert; ⟨auch rfl.; mit näherer Bestimmung⟩ sie rackert sich für ihre Kinder zu Tode.

Rad, das; -es, Räder: *wie ein Kreis aussehender, sich um eine Achse drehender Gegenstand [mit dem etwas rollend bewegt werden kann]* (siehe Bild): die Räder der Maschine drehen sich sehr schnell, quietschen; die Räder des Autos auswechseln; bildl.: das R. der Geschichte, der Zeit läßt sich nicht zurückdrehen.

Rad

* (ugs.) **unter die Räder kommen/geraten** *(moralisch, gesellschaftlich verkommen):* er ist in der Großstadt unter die Räder gekommen.

Radau, der; -s (ugs.): *Lärm, Krach:* die Halbstarken machten im Kino R.

radebrechen, radebrechte, hat geradebrecht ⟨itr.⟩: *(eine fremde Sprache) nur unvollkommen, mit großer Mühe sprechen:* sie kann nur r.; ⟨auch tr.⟩ die Japanerin radebrechte das Deutsche auf amüsante Weise.

radeln, radelte, ist geradelt ⟨itr.⟩ (ugs.): *mit dem Fahrrad fahren:* er ist nach Holland geradelt.

Rädelsführer, der; -s, -: *jmd., der eine Gruppe zu gesetzwidrigen Handlungen anstiftet und sie dabei führt:* er wurde als R. des Aufruhrs verhaftet.

rädern, räderte, hat gerädert ⟨tr.⟩ /vgl. gerädert/ (hist.): *einen Menschen auf ein Rad flechten und dadurch hinrichten:* in früheren Jahrhunderten wurden Verurteilte oft gerädert.

radfahren, fährt Rad, fuhr Rad, ist radgefahren ⟨itr.⟩: *mit dem Fahrrad fahren:* wir wollen noch etwas r.

Radfahrer, der; -s, -: *jmd., der mit dem Fahrrad fährt.* **Radfahrerin,** die; -, -nen.

radieren, radierte, hat radiert ⟨itr.⟩: *Geschriebenes o. ä. mit Hilfe eines Radiergummis oder Messers entfernen:* er hat in seinem Aufsatz oft radiert.

Radiergummi, der; -s, -s: *ein Stück Gummi, das zum Entfernen von etwas Geschriebenem dient.*

Radierung, die; -, -en: **1.** ⟨ohne Plural⟩ *künstlerisches Verfahren, bei dem eine Platte aus Kupfer mit Hilfe einer Nadel und unter Verwendung von Säuren für den Abdruck einer bildlichen Darstellung vorbereitet wird:* der Künstler war mit der R. einer Zeichnung beschäftigt. **2.** *bei dem gleichnamigen Verfahren hergestellter Druck:* auf der Auktion wurde eine berühmte R. versteigert.

Radieschen, das; -s, -: /eine Art des Rettichs/ (siehe Bild S. 512).

radikal ⟨Adj.⟩: **a)** *bis zum Äußersten gehend:* radikale Forderungen stellen. **b)** *rücksichtslos, brutal, gewaltsam:* seine Methoden sind sehr r. **c)** *vollständig:* etwas r. ändern, beseitigen.

Radieschen

Radikalismus, der; -: *radikales Denken und Handeln, Streben nach einem [politischen, religiös oder durch die Weltanschauung bedingten] Ziel mit allen Mitteln und ohne Rücksicht auf die Folgen:* der R. dieser Partei ist gefährlich.

Radikalkur, die; -, -en: *Behandlung einer Krankheit oder Beseitigung eines üblen Zustandes mit rücksichtslosen und gewaltsamen, aber wirkungsvollen Mitteln:* die soziale Not in diesem Staat erfordert eine R.

Radio, das; -s, -s: **a)** ⟨ohne Plural⟩ *Rundfunk, Sender:* das R. bringt ausführliche Nachrichten. **b)** *Gerät zum Hören von Sendungen des Rundfunks:* das R. einschalten, leiser stellen; eine Nachricht im R. hören.

radioaktiv ⟨Adj.⟩: *durch Zerfall oder Umwandlung von Atomkernen bestimmte Strahlen aussendend:* die Gegend ist mit radioaktiven Stoffen verseucht.

Radioaktivität, die; -: *Eigenschaft von Atomkernen, sich ohne äußere Einflüsse umzuwandeln und dabei bestimmte Strahlen auszusenden:* die R. der Atmosphäre ist bedenklich angestiegen.

Radius, der; -, Radien: *Entfernung vom Mittelpunkt bis zur Peripherie eines Kreises.*

Radrennen, das; -s, -: *sportliche Veranstaltung, bei der Radfahrer um die Wette fahren:* er ging aus dem R. als Sieger hervor.

Radrennfahrer, der; -s, -: *Sportler, der an einem Radrennen teilnimmt:* die R. versammeln sich am Start.

raffen, raffte, hat gerafft: **1.** ⟨tr.⟩ *in Falten legen:* den Vorhang r.; ⟨häufig im 2. Partizip⟩ geraffte Gardinen **2.** ⟨itr.⟩ **a)** *eilig an sich ziehen:* er raffte das Wichtigste an sich, als das Feuer ausbrach. **b)** *habgierig anhäufen:* Geld an sich r.

raffgierig ⟨Adj.; abwertend⟩: *bestrebt, möglichst viel Geld und Güter an sich zu reißen:* er ist ein raffgieriger Mensch.

Raffinement [rafın(ə)'mã:], das; -s, -s: **1.** *höchste, luxuriöse, auch ästhetische Verfeinerung; kunstvolles Arrangement (von etwas) zur Steigerung des Genusses:* der Komponist verwendet Harmonien von ausgesprochenem R. **2.** ⟨ohne Plural⟩ *durchtriebene, berechnende Schlauheit:* der Einbruch wurde mit großem R. ausgeführt.

Raffinerie, die; -, -n: *[größere] chemische Fabrik, in der Naturprodukte gereinigt werden:* Erdöl wird in Raffinerien verarbeitet.

Raffinesse, die; -, -n: **1.** ⟨ohne Plural⟩ *höchste Verfeinerung, größte Feinheit, erlesener Geschmack:* Speisen mit aller R. zubereiten. **2.** ⟨ohne Plural⟩ *durchtriebene, berechnende Schlauheit:* ein mit R. geplanter Betrug. **3.** ⟨Plural⟩ *luxuriöses Zubehör, technische Besonderheiten:* ein Auto mit [allen] technischen Raffinessen.

raffinieren, raffinierte, hat raffiniert ⟨tr.⟩ /vgl. raffiniert/: *(Naturprodukte) reinigen:* Zukker, Öl r.

raffiniert ⟨Adj.⟩: *sehr geschickt und schlau [und dabei gegenüber den anderen die wahre Absicht nicht erkennen lassend]; durchtrieben:* ein raffinierter Betrüger; dieser Plan ist r. angelegt.

Rage ['ra:ʒə]: ⟨in den Wendungen⟩ (ugs.) **jmdn. in R. bringen** *(jmdn. wütend machen):* die dauernden Störungen brachten ihn in R.; (ugs.) **in R. kommen/geraten** *(wütend werden).*

ragen, ragte, hat geragt ⟨itr.⟩: *höher oder länger als etwas sein und deshalb aus der Umgebung hervortreten:* der Turm ragte zum Himmel.

Ragout [ra'gu:], das; -s, -s: *feines, aus verschiedenen Zutaten gemischtes Gericht mit Fleisch oder Fisch in kleinen Stücken und einer pikanten Soße:* die Köchin bereitete aus dem Fleisch von Huhn und Kalb sowie aus verschiedenen Pilzen ein R.

Rahm, der; -s (landsch.): *viel Fett enthaltender Bestandteil der Milch (der sich als besondere Schicht an der Oberfläche absetzt):* sie goß R. in den Kaffee. * (ugs.) **den R. abschöpfen** *(das Beste für sich nehmen; den größten Vorteil für sich selbst herausholen).*

rahmen, rahmte, hat gerahmt ⟨tr.⟩: *mit einem Rahmen versehen, in einen Rahmen fassen:* ein Bild, eine Photographie r.

Rahmen, der; -s, -: **1.** *Einfassung, schützender Rand:* der R. eines Bildes, eines Fensters. **2.** *Umgebung, Bereich, Grenze:* dies alles ist im weltweiten R. verständlich; dies soll im R. des Möglichen geschehen; er hielt sich im R. seines Auftrags. * (ugs.) **aus dem R. fallen, nicht in den R. passen** *(vom Üblichen stark abweichen, außergewöhnlich sein):* die Darstellung fiel ganz aus dem R.

Rain, der; -[e]s, -e (geh.): *mit Gras bewachsener Streifen Land oder Erhöhung des Bodens als Grenze eines Ackers:* auf dem R. blühen Blumen.

Rakete, die; -, -n: **1.** *beim Feuerwerk oder als Signal verwendeter, zum Aufsteigen in die Luft bestimmter Körper, der durch abbrennenden Treibstoff bewegt wird:* die R. platzte in der Luft und warf leuchtende Kugeln aus. **2.** *bes. in der Raumfahrt und beim Militär verwendeter, zum Aufsteigen in die Luft bestimmter Körper, der durch abbrennenden Treibstoff bewegt wird:* die R. startete zum Mond.

Rallye ['rali], die ; -, -s: *Sternfahrt:* er nahm an der R. Monte Carlo teil.

rammeln, rammelte, hat gerammelt /vgl. gerammelt/: **1.** ⟨tr./itr.⟩ *das weibliche Tier begatten* /bei Hasen, Kaninchen/: der Hase hat [die Häsin] gerammelt. **2.** ⟨tr.⟩ (ugs.) *mit Wucht treiben:* er rammelte die beiden Pfähle in den Boden.

rammen, rammte hat gerammt ⟨tr.⟩: **1.** *mit einem besonderen Gerät aus Holz oder Metall mit Wucht (in den Boden, in eine Wand o. ä.) treiben:* er rammte Pfähle in den Boden. **2.** *[von der Seite her] heftig stoßen, mit Wucht (an etwas) fahren:* der Lastkraftwagen rammte den Personenkraftwagen.

Rampe, die; -, -n: 1. *Anlage zum Ausgleichen der unterschiedlichen Höhe zweier Ebenen, besonders zum Beladen und Entladen von Fahrzeugen.* 2. *vorderer Rand einer Bühne:* er trat an die R.

Rampenlicht, das; -[e]s, -er: *Licht im Theater, das von der Rampe auf die Bühne strahlt:* der Schauspieler trat ins R. * **im R. stehen** *(in der Öffentlichkeit wirken und daher ihrem Interesse ausgesetzt sein):* Politiker stehen immer im R.; **das R. der Öffentlichkeit** *(die Öffentlichkeit mit ihrem vor nichts haltmachenden, auch private Angelegenheiten einbeziehenden Interesse):* der berühmte Schriftsteller scheut das R. der Öffentlichkeit.

ramponieren, ramponierte, hat ramponiert ⟨tr.⟩ (ugs.): *stark beschädigen:* sie hatten die Wohnung in kurzer Zeit ramponiert.

Ramsch, der; -es: *minderwertige, billige Ware; Plunder:* sie kaufte für ein paar Mark den ganzen R.

Rand, der; -es, Ränder: 1. *Begrenzung, Grenzstreifen, Abschluß:* der R. des Tisches; am Rande des Waldes; bildl.: jmdn. an den R. des Abgrundes bringen *(jmds. Existenz gefährden);* am Rande des Grabes stehen *(todkrank sein).* * (ugs.) **außer R. und Band sein** *(übermütig, ausgelassen sein).* 2. *äußerer Streifen, der nicht beschrieben wird oder ist:* etwas an den R. eines Briefes schreiben. * (ugs.) **etwas am Rande erwähnen** *(etwas nebenbei sagen):* er erwähnte dies nur am Rande.

randalieren, randalierte, hat randaliert ⟨itr.⟩: *sich zügellos, lärmend und gewalttätig aufführen; Radau machen:* die Jugendlichen begannen zu r., so daß die Polizei eingreifen mußte.

Rang, der; -es, Ränge: 1. ⟨ohne Plural⟩ *berufliche oder gesellschaftliche Stellung, Stufe:* einen hohen R. einnehmen; er ist im Range, hat den Rang eines Generals. * (ugs.) **jmdm. den R. ablaufen** *(jmdn. in einer Sache übertreffen).* 2. ⟨ohne Plural⟩ **a)** *große Bedeutung, Besonderheit:* ein Ereignis ersten Ranges. **b)** *hohes Ansehen auf Grund großer Leistungen:* ein Wissenschaftler, Künstler von [hohem] R. 3. *Stockwerk im Zuschauerraum eines Theaters, Kinos usw.:* das Theater hat drei Ränge.

Range, der; -n, -n und die; -, -n (ugs.): *ungezogenes, wildes Kind:* die Rangen toben den ganzen Tag in der Wohnung.

rangieren [raŋˈʒiːrən], rangierte, hat rangiert: 1. **a)** ⟨tr.⟩ *Eisenbahnwagen verschieben oder auf ein anderes Gleis schieben:* den Zug auf ein totes Gleis r. **b)** ⟨itr.⟩ *auf ein anderes Gleis fahren:* der Zug rangiert. 2. ⟨itr.; mit näherer Bestimmung⟩ (ugs.) *einen bestimmten Rang innerhalb einer Gruppe einnehmen:* er rangiert in der Spitze der Firma erst an fünfter Stelle.

rank ⟨Adj.; nicht adverbial⟩ (geh.): *schlank [und geschmeidig]:* ein ranker Jüngling. * **r. und schlank** *(sehr schmal und schlank):* das Mädchen ist r. und schlank.

Ranke, die; -, -n: *wie eine Schnur verlängerter Pflanzenteil, der sich an fremden Stützen festhalten kann:* er band die Ranken der Weinrebe an das Spalier.

Ränke, die ⟨Plural⟩ (veraltend): *Intrigen; üble, hinterhältige Machenschaften:* er wehrte sich gegen die R. seines Gegners. * **R. schmieden** *(üble, hinterhältige Machenschaften planen und ins Werk setzen):* im verborgenen schmiedete der Sekretär seine R. gegen den Minister.

ranken, rankte, hat gerankt: 1. ⟨rfl.⟩ *in Ranken (an etwas) in die Höhe wachsen:* der Efeu rankt sich an der Mauer in die Höhe. 2. ⟨itr.⟩ *Ranken hervorbringen:* als das Wetter milder wurde, begannen die Pflanzen zu r.

Ranzen, der; -s, -: 1. *Tasche, die auf dem Rücken getragen wird* /bes. von Schülern der unteren Klassen/ (siehe Bild): das kleine Mädchen packte seine Hefte und Bücher in den R. 2. (ugs.) *[rundlicher] Bauch, Wanst:* in fünf Jahren Ehe hat er sich einen hübschen R. zugelegt.

Ranzen 1.

ranzig ⟨Adj.⟩: *[leicht] verdorben* /von Fett/: die Butter ist r.

rapid[e] ⟨Adj.⟩: *sehr schnell, rasend, stürmisch:* die Preise steigen r.; ein rapider Anstieg der Produktion.

Rappe, der; -n, -n: *schwarzes Pferd.* * (ugs.) **auf Schusters Rappen** *(zu Fuß):* da ihnen kein Fahrzeug zur Verfügung stand, begaben sie sich auf Schusters R. zur nächsten Stadt.

Rappen, der; -s, -: *kleinste Einheit der schweizerischen Währung in Form einer Münze.*

Rapport, der; -s, -e (militärisch veralt., aber noch in der Wirtschaft): *Meldung, [regelmäßiger] Bericht:* der Leutnant erstattete seinem Vorgesetzten R.; die Verwaltung des Unternehmens erhielt von jeder Filiale einen R. über die Umsätze des letzten Monats.

rar ⟨Adj.; nicht adverbial⟩: *selten, nur schwer erreichbar oder erhältlich:* dieser Artikel ist zur Zeit r. * (ugs.) **sich r. machen** *(selten kommen):* er macht sich in letzter Zeit sehr r.

Rarität, die; -, -en: *seltener und darum wertvoller Gegenstand:* dieses alte Buch ist eine R.; Raritäten sammeln.

rasant ⟨Adj.⟩: (ugs.) *rasend, sehr schnell:* er fuhr r. in die Kurve; ein rasanter Wagen.

Rasanz, die; -: *flottes Tempo, Schnelligkeit, rasantes Wesen:* er ging mit R. in die Kurve; es war ein Wettkampf von außerordentlicher R.

rasch ⟨Adj.⟩: *schnell, geschwind:* sich r. zu etwas entschließen; rasche Bewegungen machen.

rascheln, raschelte, hat geraschelt ⟨itr.⟩: *ein Geräusch erzeugen, von sich geben, das sich so anhört, als ob der Wind trockenes Laub bewegt:* mit Papier r.; die Mäuse rascheln im Stroh.

rasen, raste, hat/ist gerast ⟨itr.⟩ /vgl. rasend/: 1. *mit sehr hoher Geschwindigkeit fahren:* er ist mit dem Auto durch die Stadt gerast. 2. *wütend sein, toben:* er hat vor Zorn, Eifersucht gerast; diese Ungerechtigkeit macht ihn rasend.

Rasen, der; -s: *angesätes Gras:* den R. bitte nicht betreten!

rasend ⟨Adj.⟩: *sehr groß:* rasende Schmerzen haben; rasenden Beifall erhalten.

Raserei, die; -: 1. *andauerndes schnelles [und unvorsichtiges] Fahren:* mit seiner R. gefährdet er sich und andere im Straßenverkehr. 2. *unsinniges, wütendes Toben:* als die Polizei ihn festnehmen wollte, geriet er in R.

Rasierapparat, der; -[e]s, -e: *[elektrisches] Gerät, mit dem man [sich] rasiert:* er hat einen elektrischen R.

rasieren, rasierte, hat rasiert ⟨tr./rfl.⟩: *Haare unmittelbar über der Haut mit einem entsprechenden Apparat oder Messer entfernen, abschneiden:* der Friseur hat ihn rasiert; er hat sich noch nicht rasiert.

Rasierklinge, die; -, -n: *sehr dünnes Plättchen aus Metall, das man in den Rasierapparat einlegt und mit dessen scharfen Rändern man rasiert.*

Räson [rɛˈzõː]: ⟨in den Wendungen⟩ **jmdn. zur R. bringen** *(jmdn. mit strengen Maßnahmen zu vernünftigem Verhalten oder zum Gehorsam bewegen):* der Polizeipräsident meinte, er werde die Demonstranten schon zur R. bringen; **zur R. kommen** *(zur besseren Einsicht, zu einem vernünftigen Verhalten gelangen):* im Laufe der Jahre wird der Junge schon zur R. kommen; **R. annehmen** *(etwas einsehen, sich ein vernünftiges Verhalten zu eigen machen):* wenn er nicht R. annimmt, werden wir zu härteren Mitteln greifen müssen.

räsonieren, räsonierte, hat räsoniert ⟨itr.⟩ (ugs.; veraltend): *viel und laut reden [um der Unzufriedenheit Ausdruck zu geben], nörgeln:* er saß im Wirtshaus und räsonierte über die Politik der Regierung.

Raspel, die; -, -n: *grobe, bes. für Holz o. ä. verwendete Feile.*

raspeln, raspelte, hat geraspelt ⟨tr.⟩: a) *auf einem dafür bestimmten, in der Küche verwendeten Gerät zerkleinern:* Äpfel, Möhren, Kohl r. b) *mit einer Raspel kleine Späne (von etwas) abheben:* der Schuster raspelte den Rand der Sohle.

Rasse, die; -, -n: *Gruppe von Menschen oder Tieren, die nach ihrer Herkunft, ihren Merkmalen und ihrem Aussehen zusammengehören:* die weiße, gelbe R.; eine edle, gute R.; einer anderen R. angehören.

rasseln, rasselte, hat gerasselt ⟨itr.⟩: *ein klapperndes, klirrendes Geräusch von sich geben:* mit einer Kette r.; bildl.: mit dem Säbel r. *(mit Krieg drohen).*

rassig ⟨Adj.⟩: a) *eine edle, ausgeprägte Art besitzend; aus edler Zucht:* der Dompteur führte ein rassiges Pferd vor. b) *feurig, temperamentvoll [und dabei reizvoll aussehend]:* man sieht ihn ständig mit rassigen Frauen.

rassisch ⟨Adj.⟩: a) *die Rasse betreffend, in bezug auf die Rasse:* zu den rassischen Gemeinsamkeiten dieser Stämme gehört das straffe, schwarze Haar. b) *die ideologische Lehre von den Rassen betreffend, vom Standpunkt einer ideologischen Bewertung der Rassen:* er wurde aus rassischen Gründen verfolgt.

Rast, die; -: *Pause zum Essen und Ausruhen bei einer Wanderung oder bei einer Fahrt mit dem Auto:* R. machen; eine R. einlegen.

rasten, rastete, hat gerastet ⟨itr.⟩: *[auf einer Wanderung, bei einer Fahrt mit dem Auto] eine Pause machen:* wir wollen hier eine halbe Stunde r.

rastlos ⟨Adj.⟩: *unermüdlich, unablässig, ohne Ruhe:* er arbeitet r.; sein rastloser Eifer wurde belohnt.

Rat, der; -[e]s, Räte und Ratschläge: 1. ⟨Plural: Ratschläge⟩ *Hinweis, der jmdm. in einer [schwierigen] Situation helfen soll; Vorschlag; Empfehlung:* jmdm. mit R. und Tat zur Seite stehen; auf jmds. R. hören. 2. ⟨Plural: Räte⟩ *Körperschaft, Gremium:* der R. einer Stadt.

Rate, die; -, -n: *Teil eines Betrages, der abgezahlt werden muß:* er bezahlte den Kühlschrank in vier Raten.

raten, rät, riet, hat geraten: 1. ⟨itr.⟩ *einen Rat geben:* jmdm. [zu etwas] r.; ich rate Ihnen dringend, das Angebot anzunehmen. 2. ⟨tr./itr.⟩ *ein Rätsel lösen; etwas nur durch Vermutung herausfinden:* ein Rätsel r.; rate doch einmal, wie das Spiel ausgegangen ist.

Ratgeber, der; -s, -: *jmd., bei dem man sich Rat holen kann:* seine R. nennt er nicht.

Rathaus, das; -es, Rathäuser: *Gebäude, in dem der Bürgermeister und die Verwaltung einer Gemeinde arbeiten:* er kommt vom R.

Ratifikation, die; -, -en: *das Ratifizieren.*

ratifizieren, ratifizierte, hat ratifiziert ⟨tr.⟩: *(einen Vertrag zwischen Staaten) genehmigen und damit in Kraft treten lassen:* das Parlament ratifizierte den Vertrag.

Ration, die; -, -en: *Anteil, [täglich] zugeteilte Menge [an Verpflegung]:* die Soldaten erhielten morgens ihre R. * **eiserne R.** *(knapp bemessene, nur für dringende Notfälle bestimmte Menge [an Verpflegung]):* trotz seines Hungers griff er die eiserne R. nicht an.

rational ⟨Adj.⟩: *von der Vernunft ausgehend; der Vernunft entsprechend; mit Vernunft erfaßbar:* er ist ein r. veranlagter Mensch; etwas r. durchdenken.

rationalisieren, rationalisierte, hat rationalisiert ⟨tr.⟩: *unter wirtschaftlichen Gesichtspunkten vereinheitlichen, vernünftig und zweckmäßig gestalten:* der Vorstand beschloß, das Unternehmen gründlich zu r.; ⟨auch itr.⟩ wir müssen r.

rationell ⟨Adj.⟩: *zweckmäßig und vernünftig, wirtschaftlich, sparsam:* r. arbeiten; durch rationelle Herstellung Geld sparen.

rationieren, rationierte, hat rationiert ⟨tr.⟩: *in [kleine] Rationen einteilen, die Belieferung (mit etwas) einschränken:* nach der schlechten Ernte wurden Zucker und Weizen rationiert.

ratlos ⟨Adj.⟩: *keinen Ausweg mehr wissend; hilflos, verwirrt:* er ist völlig r. **Ratlosigkeit**, die; -.

ratsam ⟨Adj.; nicht adverbial⟩: *so beschaffen, daß dazu geraten werden kann; empfehlenswert:* es ist nicht r., dem Chef zu widersprechen.

Ratschlag, der; -s, Ratschläge: *helfender Hinweis, Vorschlag; Empfehlung:* jmdm. gute Ratschläge geben.

Rätsel, das; -s, -: 1. *zur Unterhaltung gestellte Aufgabe, die meist nur nach längerem Überlegen zu lösen ist:* er hat das R. geraten. 2. *Geheimnis, etwas Unerklärbares:* es ist mir ein R., wie so etwas geschehen konnte.

* **vor einem R. stehen** *(sich etwas nicht erklären können).*

rätselhaft ⟨Adj.⟩: *unerklärlich, unverständlich:* das ist mir r.

rätseln, rätselte, hat gerätselt ⟨itr.⟩: *lange überlegen; eine Lösung, eine Erklärung suchen:* er rätselt, wie so etwas passieren konnte.

Ratte, die; -, -n: /ein Nagetier/ (siehe Bild).

Ratte

Rattenschwanz, der; -es (ugs.): *endlose Folge:* diese Anfrage zog einen R. von Verhandlungen und Prüfungen nach sich.

rattern, ratterte, hat/ist gerattert ⟨itr.⟩: **a)** *ein Geräusch [wie] von kurzen, heftigen Stößen hervorbringen:* die Maschine hat gerattert. **b)** *sich, von vielen kleinen Stößen erschüttert, geräuschvoll fortbewegen:* der Wagen ist über die holprige Straße gerattert.

ratzekahl ⟨Adj.⟩ (ugs.): *ganz und gar, radikal, völlig [leer]:* als ich kam, war alles r. aufgegessen.

Raub, der; -[e]s: *das Wegnehmen von fremdem Eigentum unter Androhung oder Anwendung von Gewalt:* er ist wegen schweren Raubes angeklagt worden.

Raubbau, der; -[e]s: *schädliche Art des Wirtschaftens, die auf einen möglichst hohen [augenblicklichen] Nutzen abzielt, ohne die Grundlagen dieses Wirtschaftens zu erhalten oder weiterzuentwickeln:* nach diesem jahrelangen R. wird der Acker keine nennenswerten Erträge mehr hervorbringen. * **mit etwas R. treiben** *(etwas ohne Rücksicht auf die Folgen beanspruchen):* seit Jahren hast du keinen Urlaub mehr gemacht, du treibst R. mit deinen Kräften.

rauben, raubte, hat geraubt ⟨tr.⟩: *gewaltsam wegnehmen; plündern:* er hat [ihr] das Geld und den Schmuck geraubt.

Räuber, der; -s, -: *jmd., der raubt:* es gelang dem R. zu flüchten.

Raubfisch, der; -es, -e: *Fisch, der andere Fische frißt:* der Hai ist ein R.

Raubgier, die; -: *instinktiver Drang (von Tieren), andere Lebewesen zu töten und zu fressen:* die Wölfe sind bekannt wegen ihrer R.

Raubmord, der; -[e]s, -e: *Mord aus Habgier:* der Einbrecher, der den Hausmeister erschossen hat, wird wegen Raubmordes angeklagt.

Raubtier, das; -[e]s, -e: *Tier, das andere Tiere frißt:* der Tiger ist ein R.

Raubvogel, der; -s, Raubvögel: *größerer Vogel, der kleine Tiere frißt:* der Adler ist ein R.

Rauch, der; -[e]s: *wolkenartiges Gebilde, das von einem Feuer aufsteigt; Qualm:* R. drang aus dem brennenden Haus.

rauchen, rauchte, hat geraucht: **1.** ⟨tr./itr.⟩ *(Tabak) langsam verbrennen lassen und den Rauch einziehen und wieder ausatmen:* eine Zigarette r.; ich darf nicht mehr r. **2.** ⟨itr.⟩ *Rauch bilden, von sich geben:* das Feuer, der Ofen raucht.

Raucher, der; -s, -: *jmd., der aus Gewohnheit raucht:* als starker R. braucht er mindestens vierzig Zigaretten am Tag; (ugs.) ich sitze im R. *(Abteil, in dem geraucht werden darf).*

räuchern, räucherte, hat geräuchert ⟨tr.⟩: *Fleisch, Fische o. ä. in den Rauch hängen und dadurch haltbar machen:* einen Schinken r.; ⟨häufig im 2. Partizip⟩ geräucherte Wurst.

Rauchfang, der; -[e]s, Rauchfänge (östr.): *Schornstein.*

Rauchwaren, die ⟨Plural⟩: **1.** *Waren aus Pelz:* er handelt mit Textilien und R. **2.** *Zigaretten, Zigarren, Tabak:* der Kiosk führt Zeitschriften, Getränke und R.

räudig ⟨Adj.; nicht adverbial⟩: *mit einer bestimmten, bei Tieren auftretenden Hautkrankheit behaftet:* der Tierarzt sonderte die räudigen Pferde von den gesunden ab; /als Schimpfwort/ dieser räudige Hund! ***ein räudiges Schaf** *(Mitglied einer Gruppe o. ä., das die anderen verdirbt).*

Raufbold, der; -[e]s, -e (abwertend): *jmd., der oft in Raufereien verwickelt ist:* jeder geht diesem R. aus dem Wege.

raufen, raufte, hat gerauft ⟨itr./rfl./rzp.⟩ *sich (mit jmdm.) balgen:* die Kinder rauften [sich] auf dem Schulhof; ich habe mich mit ihm gerauft. ** **sich** (Dativ) **die Haare r.** *(sich sehr über etwas, was vorgefallen ist, ärgern).*

Rauferei, die; -, -en: *[längere] Auseinandersetzung, bei der sich die Beteiligten raufen:* das Fest endete mit einer allgemeinen R.

rauh ⟨Adj.⟩: **1.** *durch kleine Erhebungen oder Vertiefungen, Risse, Löcher nicht glatt, nicht eben:* eine rauhe Oberfläche; rauhe Hände haben. **2.** *unfreundlich, grob; ohne Gefühl, Empfinden, Takt:* er ist ein rauher Bursche; hier herrscht ein rauher Ton. **3.** ⟨nicht adverbial⟩ *scharf, ungesund:* eine rauhe Gegend; hier ist das Klima sehr r. **4.** *[leicht] heiser, durch Erkältung unklar:* eine rauhe Stimme, einen rauhen Hals haben.

Rauhbein, das; -s, -e (ugs.): *nach außen grober, aber im Grunde nicht böser Mensch:* das alte R. erklärte sich unter furchtbarem Schimpfen bereit, den hohen Betrag für seinen Enkel zu bezahlen.

Rauhreif, der; -s: *Reif als weißer [glänzender] Belag auf festen Gegenständen:* an diesem kalten Morgen waren sämtliche Bäume mit R. bedeckt.

Raum, der; -[e]s, Räume: **1.** *von Wänden umschlossener Teil [eines Gebäudes]:* die Wohnung hat 5 Räume; ein herrlicher R.; im engen R. des Fahrstuhls drängten sich die Leute; sie schufen einen luftleeren R. *(ein Vakuum);* bildl.: sie schrieben im luftleeren R. *(sie schrieben ohne Bezug auf die tatsächlichen Verhältnisse)* über diese Ereignisse. * **etwas steht im R.** *(etwas muß noch gelöst, erledigt werden):* dieses Problem stand noch im R. **2.** ⟨ohne Plural⟩ *Platz, Gebiet (für etwas):* ich habe keinen R. für meine Bücher; dies nimmt nur einen winzigen R. ein; bildl.: es bleibt kein R. *(keine Möglichkeit)* für Freude; es besteht freier R. *(genügend Möglichkeit)* für Diskussionen; er gab seinem Zweifel keinen R. *(er ließ ihn nicht in sich aufkommen, er unterdrückte ihn).* **3. a)** *geographisch-politischer Bereich:* der mitteleuropäische R.; der

R. um Hamburg. **b)** *Bereich, in dem etwas wirkt; Wirkungsfeld:* der kirchliche, der politische, der geistige R. **4.** *unbegrenzte Weite; das nach allen Dimensionen sich Erstreckende; Weltall:* der riesige R. der Sternenwelt.

räumen, räumte, hat geräumt ⟨tr.⟩: **a)** *leer, frei machen:* die Wohnung, den Platz, ein Lager, eine Stadt r. *** etwas aus dem Wege r.** *(etwas beseitigen);* (ugs.) **jmdn. aus dem Wege r.** *(jmdn. gewaltsam ausschalten, töten);* **das Feld r.** *(sich zurückziehen):* als die Polizei kam, mußten die Demonstranten das Feld r. **b)** *herausnehmen, hervorholen:* die Wäsche aus dem Schrank r.

Raumfahrt, die; -: *Weltraumfahrt:* die Landung von Menschen auf dem Mond war ein erster Höhepunkt in der Geschichte der R.

Raumfahrzeug, das; -s, -e: *mit einer Rakete in den Weltraum transportiertes [bemanntes] Fahrzeug:* die Bremsung, Lenkung des Raumfahrzeuges.

Raumkapsel, die; -, -n: *[Teil eines] Raumschiff[es], in dem sich die Besatzung, die Instrumente usw. befinden:* die R. wurde nach ihrer Rückkehr zur Erde aus dem Wasser geborgen.

räumlich ⟨Adj.⟩: *auf die Ausdehnung, den Raum bezogen:* wir sind r. sehr beengt *(unsere Wohnung ist sehr klein).*

Raumschiff, das; -[e]s, -e: *Raumfahrzeug.*

Räumung, die; -: *das Freimachen, Leermachen, Verlassen:* die Behörde ordnete die R. des baufälligen Gebäudes an.

raunen, raunte, hat geraunt ⟨tr.⟩: *leise und nur mit gedämpfter Stimme reden; flüstern:* jmdm. etwas ins Ohr r.

Raupe, die; -, -n: *Larve eines Insekts* (siehe Bild): auf dem Gemüse im Garten saßen viele Raupen.

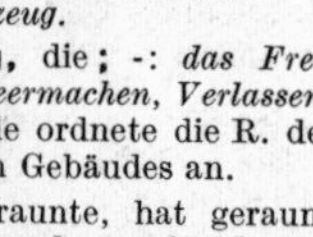

Raupe

Rausch, der; -es: **a)** *Zustand des Betrunkenseins:* einen schweren R. haben; seinen R. ausschlafen. **b)** *übertriebene, blinde Begeisterung, große Erregung:* ein R. der Liebe, des Glückes.

rauschen, rauschte, hat gerauscht ⟨itr.⟩: *ein gleichmäßig anhaltendes, stärker oder schwächeres, dunkles Geräusch hervorbringen* /vornehmlich von Wind, Wasser, Wald oder Beifall gesagt/: der Regen rauschte in den Bäumen; rauschender Beifall.

Rauschgift, das; -[e]s, -e: *Gift, das auf das Bewußtsein verändernd oder trübend wirkt, momentan Empfindungen des Glücks, oft auch Visionen auslöst und bei häufigerem Gebrauch zur Sucht mit geistigem und körperlichem Verfall führt:* er stand vor Gericht, weil er mit Opium und anderen Rauschgiften gehandelt hatte.

räuspern, sich; räusperte sich, hat sich geräuspert: *durch einen dem Husten ähnlichen Vorgang sich die verschleimte Kehle frei machen, gedämpft husten:* während seiner Rede mußte er sich mehrmals r.

Razzia, die; -, Razzien: *überraschend durchgeführte polizeiliche Fahndung nach verdächtigen Personen:* bei einer R. wurde der lange gesuchte Verbrecher festgenommen.

reagieren, reagierte, hat reagiert ⟨itr.⟩: *(auf etwas) ansprechen, antworten, eingehen; eine Wirkung zeigen:* er hat auf diese Vorwürfe heftig reagiert; er reagierte schnell; (ugs.) auf etwas sauer r. *(sich über etwas ärgern).*

Reaktion, die; -, -en: *Gegenwirkung, Gegenhandlung, Rückwirkung:* keinerlei R. zeigen; eine bestimmte R. hervorrufen.

reaktionär ⟨Adj.⟩ (abwertend): *überwundene, nicht mehr zeitgemäße [politische] Verhältnisse erstrebend, [politisch] rückschrittlich:* diese Partei verfolgt reaktionäre Ziele; eine reaktionäre Partei.

Reaktionär, der; -s, -e (abwertend): *jmd., der reaktionäre Verhältnisse erstrebt:* mit seiner Forderung, die Demokratie abzuschaffen und einen Führer an die Spitze des Staates zu stellen, erwies er sich als ausgemachter R.

real ⟨Adj.⟩: **a)** *gegenständlich, stofflich:* sein Geld in realen Werten, Objekten *(Häusern, Schmuck u. a.)* anlegen. **b)** *wirklich, tatsächlich:* ich habe reale Gründe für diese Forderung.

realisieren, realisierte, hat realisiert ⟨tr.⟩: *verwirklichen, in die Tat umsetzen:* einen Plan, Ideen r.

Realismus, der; -: **1. a)** *auf die Wirklichkeit bezogene Einstellung, [nüchterner] Sinn für die tatsächlichen Verhältnisse, für das Nützliche:* sein R. bewahrte ihn vor allen Hirngespinsten. **2.** *um Übereinstimmung mit der Wirklichkeit bemühte, sie nachahmende Art der künstlerischen Darstellung:* die Romane dieses Schriftstellers sind dem R. zuzurechnen.

Realist, der; -en, -en: **1.** *jmd., der die Gegebenheiten des täglichen Lebens nüchtern und sachlich betrachtet und sich in seinen Handlungen danach richtet:* in seiner abergläubischen Umgebung war er der einzige R. **2.** *Vertreter des Realismus als einer Art der künstlerischen Darstellung:* an diesen beiden Bildern läßt sich deutlich die Wandlung des Malers vom Romantiker zum Realisten ablesen.

Realistik, die; -: *realistische Beschaffenheit; Bezug auf die Realität, namentlich in der Darstellung bestimmter Verhältnisse:* der Film über das Elend in den Slums zeichnete sich durch harte R. aus.

realistisch ⟨Adj.⟩: **a)** *der Wirklichkeit entsprechend; wirklichkeitsnah:* eine realistische Darstellung; der Film ist sehr r. **b)** *sachlich-nüchtern, ohne Illusion, ohne Gefühlserregung:* etwas ganz r. betrachten, beurteilen.

Realität, die; -, -en: *wirklicher Zustand, tatsächliche Lage; Wirklichkeit:* von den Realitäten ausgehen.

Realschule, die; -, -n: *auf der Grundschule aufbauende, bis zur 10. Klasse führende Schule mit dem Abschluß der sogenannten mittleren Reife* /in der BRD/: nach dem Besuch der R. erlernte er den Beruf des Kaufmanns.

Rebe, die; -, -n: *Weinrebe.*

Rebell, der; -en, -en: *jmd., der sich in einem Aufstand gegen die Staatsgewalt empört:* die Rebellen besetzten die Regierungsgebäude.

rebellieren, rebellierte, hat rebelliert ⟨itr.⟩: *sich auflehnen, dagegenarbeiten, sich widersetzen:*

die Zeitungen rebellieren gegen die Beschränkung der Pressefreiheit.

Rebellion, die; -, -en: *Erhebung, Aufstand.*

rebẹllisch ⟨Adj.⟩: **a)** *aufrührerisch, sich an einem Aufstand beteiligend:* die rebellischen Truppen besetzten die Hauptstadt. **b)** *aufsässig, aufbegehrend:* der Junge benimmt sich in letzter Zeit sehr r.; die Jugend an unseren Universitäten wird r.

Rẹbhuhn, das; -[e]s, Rebhühner: /ein Vogel/ (siehe Bild): mehrere Rebhühner flogen vor uns auf.

Rebhuhn

Rẹchen, der; -s, - (bes. südd.): *Harke.*

Rẹchenmaschine, die; -, -n: *Gerät, das automatisch rechnet.*

Rẹchenschaft ⟨in bestimmten Verbindungen⟩: **R. ablegen über etwas** *(sein Handeln begründen, rechtfertigen);* **jmdm. keine R. schuldig sein** *(nicht verpflichtet sein, gegenüber jmdm. sein Handeln zu begründen);* **jmdn. zur R. ziehen** *(von jmdm. eine Rechtfertigung verlangen).*

Recherche [re'ʃɛrʃə], die; -, -n: *Ermittlung, Nachforschung:* der Journalist begann mit seinen Recherchen.

recherchieren [reʃɛr'ʃi:rən], recherchierte, hat recherchiert ⟨itr.⟩: *ermitteln, Nachforschungen anstellen:* der Reporter hat hier erfolglos recherchiert.

rẹchnen, rechnete, hat gerechnet: **1.** ⟨tr.⟩ **a)** *zu einer Zahlenaufgabe das Ergebnis ermitteln:* er hat die Aufgabe richtig gerechnet. **b)** ⟨itr.⟩ *(mit dem Geld) haushalten:* sie rechnet mit jedem Pfennig. **2.** ⟨itr.⟩ *jmdn./etwas in seine Überlegungen einbeziehen, jmdn./etwas erwarten; sich auf jmdn./etwas verlassen:* auf ihn kannst du bei dieser Arbeit bestimmt r.; mit seiner Hilfe ist nicht zu r.; ich habe nicht damit gerechnet, daß er kommt; er rechnet mit meiner Dummheit. **3.** ⟨tr.⟩ *zählen; halten für:* das Geld für die Kleidung rechne ich zu den festen Kosten; wir rechnen ihn zu unseren besten Mitarbeitern.

rẹchnerisch ⟨Adj.⟩: *auf das Rechnen bezogen; mit Hilfe des Rechnens:* rein r. gesehen, ist die Aufgabe zu lösen.

Rẹchnung, die; -, -en: **1.** *Zahlenaufgabe:* die R. stimmt nicht; bildl.: seine R. ist nicht aufgegangen *(seine Annahmen haben sich als falsch erwiesen).* **2.** *Aufstellung und Zusammenfassung aller Kosten für einen gekauften Gegenstand oder für eine Leistung, geforderter Geldbetrag:* eine R. ausstellen, bezahlen. ** (ugs.) **jmdm. einen Strich durch die R. machen** *(jmds. Plan durchkreuzen);* **jmdm./einer Sache R. tragen** *(sich jmdm./einer Sache anpassen; jmdn./eine Sache berücksichtigen).*

rẹcht ⟨Adj.⟩: **1.** *passend, geeignet, richtig:* er kam zur rechten Zeit; dies ist nicht der rechte Weg; ist dir dieser Termin r.? * **es jmdm. r. machen** *(jmdn. zufriedenstellen):* er konnte es seinem Chef nie r. machen. **2.** ⟨verstärkend bei Adjektiven⟩ *ziemlich, ganz, sehr:* er war heute r. freundlich zu mir; das ist eine r. gute Arbeit; sei r. herzlich gegrüßt. ** **jmdm. r. geben** *(jmds. Standpunkt als zutreffend anerkennen; jmdm. zustimmen);* **r. haben** *(eine richtige Meinung haben);* **r. bekommen** *(bestätigt bekommen, daß man r. hat).*

Rẹcht, das; -[e]s, -e: **1.** *Berechtigung, Befugnis, Anspruch, Erlaubnis:* ein R. auf etwas haben; seine Rechte verteidigen, in Anspruch nehmen; jmdm. das R. zu etwas geben. **2.** ⟨ohne Plural⟩ *Gesamtheit der Gesetze, der allgemeinen Normen, Prinzipien:* das römische, deutsche, kirchliche R.; R. sprechen; gegen R. und Gesetz; das R. brechen, verdrehen, mißachten; nach geltendem R. urteilen. **3.** ⟨Plural⟩ *Rechtswissenschaft, Studium der Gesetze:* die Rechte studieren; er ist Doktor der Rechte.

rẹchte ⟨Adj.; nicht prädikativ⟩: *sich auf jener Seite des Körpers befindend, an der diejenige Hand ist, mit der man üblicherweise schreibt* /Ggs. linke/: das rechte Bein; die rechte Hand; er fuhr auf der rechten Seite der Straße; bildl.: er ist die rechte Hand *(der erste Gehilfe, der Assistent)* des Chefs; die rechte Seite *(die schöne Seite)* eines Stoffes.

Rẹchte, die; -n: **1.** (geh.) *rechte Hand:* reiche mir zur Versöhnung deine R.! * **zur Rechten** *(rechts).* **2.** Boxen *Schlag mit der rechten Faust:* eine harte R. einstecken müssen. **3.** *Gruppe von Parteien, die politisch eine konservative bis extrem nationalistische Richtung vertreten:* von ihrer großen Niederlage hat sich die R. nicht wieder erholt.

Rẹchteck, das; -s, -e: /eine geometrische Figur/ (siehe Bild).

Rechteck

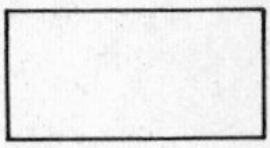

rẹchteckig ⟨Adj.⟩: *in Form eines Rechtecks.*

rẹchtfertigen, rechtfertigte, hat gerechtfertigt ⟨tr./rfl.⟩: *(das Verhalten von jmdm. oder von sich) so erklären, daß es als berechtigt erscheint:* ich versuchte sein Benehmen zu r.; er braucht sich nicht zu r. **Rẹchtfertigung,** die; -, -en.

rẹchtgläubig ⟨Adj.⟩: *sich streng an den dogmatisch festgelegten Glauben haltend, orthodox:* als rechtgläubiger Moslem verrichtet er täglich die vorgeschriebenen Gebete.

rẹchthaberisch ⟨Adj.⟩: *die eigene Meinung immer für die richtige haltend und auf ihr beharrend:* er ist sehr r.

rẹchtlich ⟨Adj.⟩: *nach dem [gültigen] Recht, auf ihm beruhend:* etwas vom rechtlichen Standpunkt aus betrachten; dieses Vorgehen ist r. nicht zulässig.

rẹchtlos ⟨Adj.; nicht adverbial⟩: **a)** *keine Rechte besitzend, nicht den Schutz der Gesetze genießend:* die Sklaven waren r. **b)** *nicht durch die Herrschaft von Recht und Gesetz gekennzeichnet:* nach der Vertreibung des Königs herrschte lange Zeit ein rechtloser Zustand.

rẹchtmäßig ⟨Adj.⟩: *dem Recht, Gesetz entsprechend:* die r. gewählte Regierung; er ist der rechtmäßige Erbe. **Rẹchtmäßigkeit,** die; -.

rẹchts ⟨Adverb⟩: *an, auf der rechten Seite* /Ggs. links/: r. des

Rheins; jmdn. r. überholen; nach r. gehen.

Rechtsanwalt, der; -[e]s, Rechtsanwälte: *Jurist, der jmdn. in rechtlichen Angelegenheiten berät oder vertritt:* er mußte sich einen R. nehmen.

rechtschaffen ⟨Adj.⟩: *anständig und tüchtig in seiner Art, ehrlich, redlich:* ein rechtschaffener Mensch; r. handeln.

Rechtschreibung, die; -: *das richtige Schreiben eines Wortes, Orthographie.*

Rechtsprechung, die; -: *Gesamtheit der gerichtlichen Urteile.*

rechtswidrig ⟨Adj.⟩: *gegen das Recht, Gesetz verstoßend:* ein rechtswidriges Verhalten.

rechtwinklig ⟨Adj.⟩: *einen Winkel von 90° habend:* ein rechtwinkliges Dreieck.

rechtzeitig ⟨Adj.⟩: *zum richtigen Zeitpunkt; früh genug:* eine Krankheit r. erkennen.

Reck, das; -s, -e: /ein Sportgerät/ (siehe Bild).

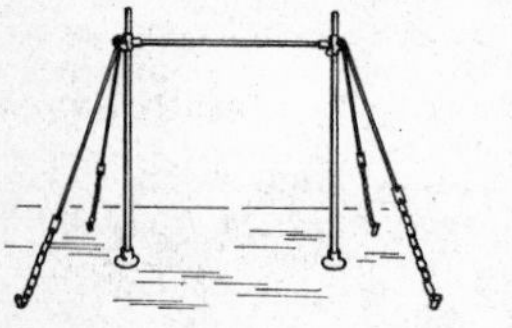

Reck

Recke, der; -n, -n: *Held, Krieger, starker Kämpfer* /in Sage und Dichtung/: der R. rüstete sich zum Kampf.

recken, reckte, hat gereckt ⟨tr./rfl.⟩: *[sich] strecken, dehnen:* den Kopf [in die Höhe] r., um etwas besser zu sehen; er reckte und streckte sich, um wach zu werden.

Redakteur [redak'tø:r], der; -s, -e: *jmd., der an der Entstehung und Gestaltung von Zeitungen, Zeitschriften, Büchern o. ä. dadurch mitwirkt, daß er Beiträge auswählt, bearbeitet oder selbst verfaßt:* der R. schrieb einen Artikel über die Reise des Kanzlers.

Redaktion, die; -, -en: **1.** ⟨ohne Plural⟩ *Tätigkeit des Redakteurs, das Redigieren:* bis Mitternacht waren sie mit der R. der Zeitung beschäftigt. **2.** *Gesamtheit der Redakteure einer Zeitung, eines Verlages o. ä.:* die R. versammelte sich zu einer Besprechung. **3. a)** *Abteilung bei einer Zeitung, einem Verlag o. ä., in der Redakteure arbeiten:* eine R. leiten; in der R. beschäftigt sein. **b)** *Raum oder Räume, in denen die Redakteure arbeiten:* sämtliche Mitarbeiter des Verlages versammelten sich in der R.

redaktionell ⟨Adj.; nicht prädikativ⟩: *das Redigieren betreffend:* die redaktionelle Bearbeitung eines Artikels.

Rede, die; -, -n: **1.** *längere Abhandlung über ein Thema, die vor einem Publikum gesprochen, vorgetragen wird; Ansprache, Vortrag:* eine R. halten; seine Reden sind immer interessant. **2.** ⟨ohne Plural⟩ *das Sprechen; Unterhaltung; Gespräch:* die R. auf etwas/jmdn. bringen, lenken; jmdm. in die R. fallen *(jmdn. unterbrechen);* wovon war die Rede? * **nicht der R. wert sein** *(unbedeutend, unwichtig sein);* **jmdm. R. und Antwort stehen** *(jmdm. Rechenschaft geben);* **jmdn. zur R. stellen** *(von jmdm. wegen seiner negativen Aussage eine nähere Erklärung verlangen).*

redegewandt ⟨Adj.⟩: *gewandt im Reden:* der Vertreter pries äußerst r. seine Waren an.

reden, redete, hat geredet ⟨itr./tr.⟩: *sprechen; ein Gespräch führen:* laut, leise, undeutlich, langsam r.; mit jmdm. [über etwas] r.; er redet viel Unsinn. * **jmdm. ins Gewissen r.** *(jmdm. sehr ernst zureden);* **mit sich r. lassen** *(zum Verhandeln bereit sein);* **über etwas läßt sich r.** *(über etwas kann man verhandeln).*

Redensart, die; -, -en: **1.** *immer wieder gebrauchte, feststehende Formulierung:* „wenn Ostern und Pfingsten auf einen Tag fallen" ist eine R. **2.** ⟨Plural⟩ *leere, nichtssagende Worte:* das sind bloß Redensarten.

Rederei, die; -, -en (ugs.): *[dauerndes] Gerede, Geschwätz:* seine ständige R. während der Arbeit stört mich.

Redewendung, die; -, -en: **a)** *mehr oder weniger feste, oft bildliche Verbindung mehrerer Wörter:* das Buch enthält die im Deutschen üblichen Redewendungen. **b)** *zum Klischee erstarrte, gedankenlos gebrauchte Worte; Floskel:* auf ihre gezielten Fragen antwortete er nur mit allgemeinen Redewendungen.

redigieren, redigierte, hat redigiert ⟨tr.⟩: **a)** *[als Redakteur] (einen Text) bearbeiten, ihm die endgültige Form für die Veröffentlichung geben:* sie redigierte den Artikel des Londoner Korrespondenten. **b)** *(die Herausgabe einer Zeitschrift o. ä.) leiten:* er redigiert die Zeitschrift seit ihrer Gründung.

redlich ⟨Adj.⟩: *rechtschaffen und aufrichtig:* ein redlicher Mensch; es r. [mit jmdm.] meinen; er hat sich r. *(anständig, bescheiden)* durchs Leben geschlagen.

Redner, der; -s, -: *jmd., der eine Rede hält.*

redselig ⟨Adj.⟩: *zu langen Gesprächen und ausführlichen Schilderungen neigend; gerne erzählend:* ihre Mutter ist sehr r.

reduzieren, reduzierte, hat reduziert ⟨tr.⟩: *vermindern, verringern, verkleinern:* die Regierung beschloß, ihre Truppen im Ausland zu r.

Reede, die; -, -n: *vor einem Hafen, in einer Bucht gelegener Platz, an dem Schiffe ankern können:* die „Queen Elizabeth" lag schon seit Wochen auf der R. vor Anker.

Reederei, die; -, -en: *geschäftliches Unternehmen, das mit [eigenen] Schiffen Fahrten durchführt;* der Matrose fragte im Büro der R. nach Arbeit.

reell ⟨Adj.⟩: **a)** *ehrlich, redlich:* ich mache nur reelle Geschäfte. **b)** *zuverlässig; auf einer soliden, wirklichen Grundlage beruhend:* wir haben noch eine reelle Chance zu überleben.

Referat, das; -[e]s, -e: *meist wissenschaftliche Abhandlung, die vor Fachleuten vorgetragen wird:* ein R. ausarbeiten, halten.

Referendar, der; -s, -e: *Anwärter auf die Laufbahn eines höheren Beamten nach der ersten Staatsprüfung:* er unterrichtete als R. an einem Gymnasium für Mädchen.

Referent, der; -en, -en: **1.** *jmd., der ein Referat hält.* **2.** *jmd., der [bei einer Behörde] ein bestimmtes Sachgebiet bearbeitet:* der R. für Fragen der Bildung, für Sport; sich an den Referenten wenden.

Referenz, die; -, -en: **a)** *lobende Beurteilung, Fürsprache, Empfehlung:* ihrer Bewerbung lagen ausgezeichnete Referenzen bei. **b)** *Person oder Stelle, auf die verwiesen wird, weil sie [lobende] Auskunft über jmdn. geben kann:* bei seiner Vorstellung in der Firma gab er verschiedene Referenzen an.

referieren, referierte, hat referiert ⟨itr.⟩: **a)** *ein Referat halten.* **b)** *(über etwas) zusammenfassend berichten:* ich referiere zu Beginn der Versammlung über die Beschlüsse der letzten Sitzung.

reflektieren, reflektierte, hat reflektiert: **1.** ⟨tr.⟩ *zurückstrahlen, spiegeln:* der See reflektiert die Sonnenstrahlen. **2.** ⟨itr.⟩ *nachdenken, über eine Frage, über ein Problem grübeln:* er reflektiert über ein mathematisches Problem. **3.** ⟨itr.⟩ *die Absicht haben (auf etwas); es (auf etwas) abgesehen haben:* er reflektiert auf den Posten des Direktors.

Reflex, der; -es, -e: **1.** *Widerschein:* auf der Wasserfläche zeigte sich ein schwacher R. der Sterne. **2.** *unwillkürliche Reaktion auf einen von außen kommenden Reiz:* die Blässe in ihrem Gesicht war ein R. der eben erlebten Schrecken.

Reflexion, die; -, -en: **1.** *das Zurückgeworfenwerden von Licht, Schall, Wärme o. ä. (durch etwas):* der Forscher nutzte bei seinem Versuch die R. des Lichtes durch Spiegel aus. **2.** *das Nachdenken, Überlegung; Betrachtung [des eigenen Ichs]:* der Bericht über seine Reise wird immer wieder von Reflexionen unterbrochen.

Reform, die; -, -en: *Umgestaltung; Verbesserung des Bestehenden:* sich für die Reform der Universitäten einsetzen.

Reformation, die; -: *religiöse Erneuerungsbewegung des 16. Jahrhunderts, die zur Bildung der evangelischen Kirchen führte.*

Reformator, der; -s, -en: **1.** *historische Persönlichkeit, die auf die Durchführung der Reformation einen maßgeblichen Einfluß hatte:* die Reformatoren Luther, Zwingli und Calvin. **2.** *jmd., der eine umfassende, von den geistigen (bes. den religiösen) Grundlagen ausgehende Reform durchführt:* die Kirche hätte zu diesem Zeitpunkt dringend einen R. benötigt.

Reformer, der; -s, -: *jmd., der eine [die Grundlagen nicht antastende] Reform erstrebt oder durchführt:* bei der Konferenz der Bischöfe wurde der Gegensatz zwischen Konservativen und Reformern sichtbar; er gehört zu den Reformern in seiner Partei.

Reformhaus, das; -es, Reformhäuser: *Geschäft für Nahrungsmittel, die einer besonders gesunden, naturgemäßen Lebensweise dienen:* sie kaufte im R. getrocknetes Obst und verschiedene Säfte.

reformieren, reformierte, hat reformiert ⟨tr./itr.⟩: *verändern und dabei verbessern; neu gestalten:* die Kirche, das System des akademischen Unterrichts r.

Refrain [rəˈfrɛ̃:], der; -s, -s: *regelmäßig wiederkehrender Teil in einem Gedicht oder Lied:* jedesmal, wenn der Sänger zum R. kam, beteiligte sich das Publikum am Gesang.

Refugium, das; -s, Refugien (geh.): *sicherer Ort, an dem man seine Zuflucht findet:* sein kleines Zimmer dient ihm nach den Mühen des Tages als R.

Regal, das; -s, -e: *Gestell für Bücher oder Waren* (siehe Bild).

Regal

Regatta, die; -, Regatten: *größere sportliche Wettfahrt zwischen Booten:* an der R. nahmen vierzig Boote teil.

rege ⟨Adj.⟩: *lebhaft, betriebsam; [geistig] beweglich:* ein reger Mensch; der Handel, Verkehr ist zur Zeit sehr r.; er ist noch sehr r. für sein Alter.

Regel, die; -, -n: **1. a)** *Übereinkunft, Vorschrift für ein Verhalten, Verfahren:* er hat die Regeln des Verkehrs nicht beachtet. **b)** *Regelmäßigkeit, die einer Sache innewohnt:* man muß die grammatischen Regeln beachten. **2.** ⟨ohne Plural⟩ *Gewohnheit:* etwas zur R. werden lassen; in der R. *(gewöhnlich, meist)* kommt es anders, als man denkt.

regelmäßig ⟨Adj.⟩: **a)** *in gleichen Abständen wiederkehrend, sich wiederholend; immer wieder:* er kommt r. zu spät zum Dienst. **b)** *einer Regel, Ordnung entsprechend:* die Kinder bekommen ihr regelmäßiges Essen; der Kranke muß r. seine Tabletten einnehmen.

regeln, regelte, hat geregelt ⟨tr.⟩: *ordnen; (bei etwas) geordnete, klare Verhältnisse schaffen:* den Verkehr, den Ablauf der Arbeiten r.; die finanziellen Angelegenheiten müssen zuerst geregelt werden; ⟨auch rfl.⟩ etwas regelt sich von selbst *(etwas kommt von selbst in Ordnung).*

regelrecht ⟨Adj.⟩: *in vollem Maße:* er hat r. *(völlig)* versagt; das war eine regelrechte *(richtige)* Schlägerei; das war ein regelrechter *(gründlicher)* Reinfall.

Regelung, die; -, -en: *das Regeln; Art, wie etwas geregelt wird:* es waren nicht genug Polizisten für die R. des Verkehrs vorhanden; sie müssen noch eine R. für ihr Zusammenleben finden.

regelwidrig ⟨Adj.⟩: *gegen die Regel verstoßend:* ein regelwidriges Verhalten.

regen, regte, hat geregt: **1.** ⟨rfl.⟩ *sich bewegen:* vor Furcht regte ich mich nicht von der Stelle; bildl.: es regte sich Widerspruch im Publikum *(Widerspruch machte sich bemerkbar);* nach der bösen Tat regte sich sein Gewissen *(empfand er Reue).* **2.** ⟨itr.⟩ (geh.) *bewegen:* der verletzte Vogel regte keinen Flügel. * **keinen Finger r.** *(bei einer Arbeit nicht helfen).*

Regen, der; -s: *in großer Menge vom Himmel auf die Erde fallende Wassertropfen:* ein heftiger R. setzte plötzlich ein.

Regenbogen, der; -s, -: *in den sieben Spektralfarben leuchtender Bogen, der durch Brechung des Lichts in Wassertropfen entsteht und bes. nach Regen zu sehen ist:* nach dem Gewitter wölbte sich ein Regenbogen über dem Wald.

Regeneration, die; -: **1.** *Wiederherstellung (pflanzlicher und tierischer Organe o. ä.):* bei der Pflanze ließ sich eine R. der

Wurzeln beobachten. **2.** *Erneuerung:* der Redner betonte, eine sittliche R. unseres Volkes sei dringend nötig.

regenerieren, regenerierte, hat regeneriert ⟨tr./rfl.⟩: **1.** Biol. *(pflanzliche oder tierische Organe o. ä.) neu bilden, wiederherstellen:* der Seestern regenerierte einen Arm; das Blut regeneriert sich ständig. **2.** *erneuern:* die sittliche Kraft des Menschen muß regeneriert werden; sich geistig, moralisch r.

Regenschauer, der; -s, -: *kurzer heftiger Regen.*

Regenschirm, der; -[e]s, -e: *Gegenstand zum Schutz gegen Regen* (siehe Bild).

Regenschirm

Regent, der; -en, -en: *mit der Regierungsgewalt ausgestattete Person* /in Monarchien/: Alessandro Farnese war Regent der Niederlande.

Regenwetter, das; -s: *Wetter mit länger andauerndem Regen:* bei R. zu Hause bleiben. * **ein Gesicht machen wie drei/sieben Tage R.** *(mürrisch, verdrießlich dreinschauen).*

Regie [re'ʒi:], die; -: **1.** *verantwortliche künstlerische Leitung beim Theater, Film. o. ä.:* er hat bei diesem Film [die] R. geführt. **2.** *Verwaltung:* er führte das Geschäft in eigener R.

regieren, regierte, hat regiert ⟨tr./itr.⟩: *die politische Führung haben (über jmdn./etwas); herrschen (über jmdn./etwas):* ein kleines Volk, ein reiches Land r.; Friedrich der Große regierte von 1740–1786.

Regierung, die; -, -en: *Gesamtheit der Minister eines Landes oder Staates, die die politische Macht ausüben:* eine neue R. bilden; die R. ist zurückgetreten.

Regime [re'ʒi:m], das; -s, -[re'ʒi:mə] (abwertend): *nicht vom Volkswillen getragene Regierung, Regierungsform, Regierungssystem:* die totalitären R. unterdrücken die Freiheit.

Regiment: **I.** das; -s, -er: *aus mehreren Bataillonen bestehende Truppe:* man ließ die Regimenter aufmarschieren. **II.** das; -s, -e (veralt.): *Regierung, Herrschaft:* unter seinem R. wurden Künste und Wissenschaften gepflegt; sie führt ein strenges R. in diesem Haus. *(sie bestimmt in diesem Haus).*

Region, die; -, -en: *Bereich, Gegend:* in den höheren Regionen des Gebirges schneite es; die einzelnen Regionen des menschlichen Körpers. * (scherzh.) **in höheren Regionen schweben** *(ein unrealistischer Träumer sein).*

regional ⟨Adj.⟩: *gebietsweise, landschaftlich, eine Gegend betreffend:* die Wahl ist nur von regionalem Interesse.

Regisseur [reʒɪ'sø:r], der; -s, -e: *jmd., der (in einem Film, Theaterstück, in einer Fernsehsendung, im Rundfunk o. ä.) Regie führt:* der R. gilt als der eigentliche Schöpfer eines Films.

Register, das; -s, -: **1.** *alphabetisch geordnetes Verzeichnis nach Wörtern oder Sachgebieten in Büchern:* das R. befindet sich am Ende des Buches. **2.** *amtliches Verzeichnis rechtlicher Vorgänge:* das R. beim Standesamt einsehen.

Registratur, die; -, -en: *Ort, an dem Akten, Karteien o. ä. aufbewahrt werden:* die Akten sollen aus der R. geholt werden.

registrieren, registrierte, hat registriert ⟨tr.⟩: **1.** *in ein Register eintragen:* alle Kraftfahrzeuge werden von der Behörde registriert. **2.** *selbsttätig aufzeichnen:* die Kasse registriert alle Einnahmen. **3.** *bemerken, in das Bewußtsein aufnehmen:* er registrierte mit scharfem Blick die Schwächen des Gegners.

Reglement [reglə'mã:], das; -s, -s: *[genau ausgearbeitete Sammlung von] Regeln und Vorschriften für die Arbeit von Behörden, den Dienst von Soldaten o. ä.; Bestimmungen, Statuten:* Leutnant X hat wiederholt gegen das R. verstoßen; das R. für die Meisterschaften im Tennis wurde geändert.

reglementieren, reglementierte, hat reglementiert ⟨tr.⟩: *(der Behörde, Verwaltung) unterstellen, nach einer bestimmten Ordnung ausrichten:* kulturelle Angelegenheiten sollten nicht zu sehr reglementiert werden.

regnen, regnete, hat geregnet ⟨itr.⟩: *als Regen auf die Erde fallen:* es regnet seit drei Stunden.

regnerisch ⟨Adj.; nicht adverbial⟩: *zu Regen neigend, gelegentlich leicht regnend:* ein regnerischer Tag.

regsam ⟨Adj.⟩: *beweglich, rührig:* der Greis war geistig noch sehr r. **Regsamkeit,** die; -.

regulär ⟨Adj.⟩: *vorschriftsmäßig, zulässig, üblich:* den regulären Preis bezahlen.

regulieren, regulierte, hat reguliert ⟨tr.⟩: *[wieder] in Ordnung, in einen richtigen Ablauf, Verlauf bringen:* die Uhr r.; den Schaden bei der Versicherung r. *(regeln).*

Regung, die; -, -en: *Empfindung, Äußerung des Gefühls:* eine R. des Mitleids; den Regungen des Herzens folgen.

regungslos ⟨Adj.⟩: *ohne Bewegung:* er lag r. auf dem Boden.

Reh, das; -[e]s, -e /ein Tier/ (siehe Bild).

Reh

Rehabilitation, die; -, -en: **1.** *das Wiedereinsetzen in den früheren Stand, die Wiederherstellung der Ehre, des guten Rufes:* nachdem der Beweis seiner Unschuld erbracht war, strebte er seine R. an. **2.** Med. *Wiedereingliederung von körperlich und geistig Behinderten in das berufliche und gesellschaftliche Leben:* die R. sollte noch weiter intensiviert werden.

rehabilitieren, rehabilitierte, hat rehabilitiert ⟨tr./rfl.⟩: *jmds. guten Ruf, Ehre wiederherstellen:* nach der Gerichtsverhandlung war er rehabilitiert; du kannst dich vor der Öffentlichkeit r.

Reibeisen, das; -s, -: *Gerät, mit dem Kartoffeln, Möhren, Äpfel o. ä. gerieben werden.*

reiben, rieb, hat gerieben /vgl. gerieben/: **1.** ⟨tr.⟩ *fest gegen etwas drücken und hin und her be-*

wegen: beim Waschen den Stoff stark r.; Metall [mit einem Tuch] blank r.; 〈auch rfl.〉 sich die Augen r. *(den Finger auf dem geschlossenen Auge hin und her bewegen)*; sich den Schlaf aus den Augen r. *(den Finger kräftig auf den geschlossenen Augen hin und her bewegen, um völlig wach zu werden)*. 2. 〈tr.〉 *zerkleinern, indem man etwas auf einer rauhen oder mit Zacken versehenen Fläche hin und her bewegt:* Käse, Kartoffeln r. 3. 〈itr.〉 *sich so auf der Haut hin und her bewegen, daß eine wunde Stelle entsteht:* der Kragen reibt am Hals.

Reiberei, die; -, -en (ugs.): *kleinerer Streit:* es kommt in der Familie immer wieder zu Reibereien.

Reibung, die; -, -en: *das Reiben:* durch R. entsteht Wärme; bildl.: die R. *(der Konflikt)* mit der Umwelt konnte deshalb nicht ausbleiben.

reibungslos 〈Adj.; nicht prädikativ〉: *ohne Störung, ohne Schwierigkeit:* für einen reibungslosen Ablauf des Programms sorgen; die Maschine läuft r.

reich 〈Adj.〉: 1. 〈nicht adverbial〉 *vermögend, viel besitzend* /Ggs. arm/: ein reicher Mann. 2. 〈nicht prädikativ〉 *ergiebig, gehaltvoll:* eine reiche Ernte; ein reiches Vorkommen von Erzen. 3. 〈nicht prädikativ〉 *vielfältig, reichhaltig, in hohem Maße:* eine reiche Auswahl; jmdn. r. belohnen, beschenken; das Buch ist r. bebildert. 4. 〈nicht prädikativ〉 *mit teuren Dingen ausgestattet seiend, luxuriös:* ein Sanatorium mit reicher Ausstattung. 5. 〈nur attributiv〉 *groß, umfassend:* reiche Erfahrungen machen; reiche Kenntnisse haben. *** r. sein an etwas** *(viel von etwas besitzen, haben, enthalten):* der Wald ist r. an Wild; er ist r. an Ideen; die Milch ist r. an Fett.

Reich, das; -[e]s, -e: 1. *großer und mächtiger Staat:* das Römische R. 2. *Bereich:* das R. der Künste, der Wissenschaft.

reichen, reichte, hat gereicht: 1. 〈tr.〉 *(jmdm. etwas) entgegenhalten oder geben:* jmdm. ein Buch r.; er reichte ihm die Hand zur Versöhnung. 2. 〈itr.〉 *genügend vorhanden sein:* das Geld reicht nicht bis zum Ende des Monats; das Seil reicht *(ist lang genug)*; (ugs.) das reicht mir! *(jetzt habe ich genug!)*. 3. 〈itr.〉 *sich erstrecken:* er reicht mit dem Kopf bis zur Decke; sein Garten reicht bis zur Straße.

reichhaltig 〈Adj.〉: *gehaltvoll, umfangreich, vieles umfassend:* ein reichhaltiges Mittagessen bestellen.

reichlich 〈Adj.〉: **a)** *in großer Menge, in reichem Maße [vorhanden]:* Fleisch ist r. vorhanden; die Portionen sind r. **b)** 〈verstärkend bei Adjektiven〉 *sehr, ziemlich:* er kam r. spät; sie trägt einen r. kurzen Rock.

Reichsstadt, die; -, Reichsstädte (hist.): *(seit dem 13. Jh.) königliche Stadt:* Reichsstädte zahlten an keinen Landesherrn Steuern.

reichsunmittelbar 〈Adj.〉 (hist.): *keinem Landesherrn, sondern unmittelbar dem König unterstehend:* reichsunmittelbare Städte.

Reichtum, der; -s, Reichtümer: *großer Besitz an Vermögen, wertvollen Dingen:* R. erwerben; zu R. kommen.

reif 〈Adj.; nicht adverbial〉: 1. *voll entwickelt:* reifes Obst, Getreide. 2. **a)** *gefestigt, erfahren:* ein reifer Mann; die reifere Jugend *(die bereits erfahrene Jugend;* auch scherzh.: *Menschen, die die Jugend bereits hinter sich haben, sich aber noch jung fühlen)*. **b)** *durchdacht, hohen Ansprüchen genügend:* eine reife Arbeit; reife Leistungen; reife Gedanken. *** r. sein für etwas/zu etwas** *(einen Zustand erreicht haben, in dem etwas möglich oder notwendig wird):* die Zeit ist r. für diesen Gedanken; er ist r. für den Urlaub.

Reif, der; -[e]s, -e: **I.** 〈ohne Plural〉 *Niederschlag in Form von feinen Kristallen, die bei Kälte am Morgen einen glänzenden weißen Belag auf dem Boden, auf Bäumen usw. bilden; gefrorener Tau:* am Morgen lag R. auf den Wiesen. **II.** (dicht.) *ringförmiger Schmuck für Kopf, Arm oder Finger:* sie trug einen schimmernden R. im Haar.

Reife, die; -: 1. *Zustand des Reifseins:* die R. des Obstes. 2. *Erfahrenheit; Abschluß der Entwicklung:* die R. des Jünglings; sein Verhalten zeugt von mangelnder R.

reifen, reifte, ist gereift 〈itr.〉 /vgl. gereift/: 1. *reif werden:* das Obst ist in dem warmen Sommer schnell gereift. 2. *den Zustand der vollen Reife erreichen:* Entscheidungen müssen r.; die Kunst muß r.

Reifen, der; -s, -: 1. *Eisenring, der ein Faß zusammenhält:* er hat die R. des Fasses erneuert. 2. *auf einer Felge liegende, entweder den Schlauch enthaltende oder selbst mit Luft gefüllte Decke aus Gummi, bes. bei Fahrrädern und Autos* (siehe Bild): er hat den R. gewechselt.

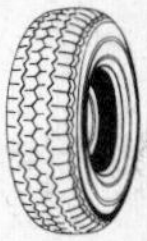

Reifen 2.

Reifeprüfung, die; -, -en: *Prüfung nach Abschluß der Ausbildung in einer höheren Schule, Abitur:* die R. ablegen, bestehen.

Reifezeugnis, das; -ses, -se: *Zeugnis über die abgelegte Reifeprüfung:* das R. ist Voraussetzung für das Studium an einer Universität.

reiflich 〈Adj.〉: *eingehend, genau:* der Entschluß sollte erst nach reiflicher Überlegung gefaßt werden.

Reigen, der; -s, - (veralt.): *Tanz in einer Runde, Reihe* /bes. von Kindern/: die Kinder tanzten fröhlich einen R. *** den R. eröffnen** *(mit etwas als erster beginnen):* den R. der Darbietungen eröffnete die Kapelle; **den R. beschließen** *(mit etwas als letzter schließen):* er beschloß mit wenigen Worten den R. der Ansprachen.

Reihe, die; -, -n: 1. *mehrere in einer Linie geordnete Personen oder Dinge:* sich in einer R. aufstellen. * (ugs.; abwertend) **aus der R. tanzen** *(anders handeln als die übrigen der Gruppe, zu der man gehört)*; **etwas in die R.** *(in Ordnung)* **bringen**; **an die R. kommen** *(nach anderen abgefertigt werden):* er kommt erst morgen an die R. 2. *größere Zahl (von etwas):* er hat eine R. von Vorträgen gehalten.

Reihenfolge, die; -, -n: *geordnetes Aufeinanderfolgen:* etwas in zeitlicher, alphabetischer R. behandeln.

Reihenhaus, das; -es, Reihenhäuser: *Haus, das mit anderen Häusern eine Reihe bildet und in gleicher Weise wie diese gebaut ist* (siehe Bild).

Reihenhaus

reihenweise ⟨Adverb⟩: *in Reihen, in großer Zahl:* r. fielen die Soldaten im Kampf.

Reiher, der; -s, -: /ein Vogel/ (siehe Bild).

Reiher

Reim, der; -[e]s, -e: *gleich klingender Ausgang zweier Verse:* einen R. auf ein bestimmtes Wort suchen; ein Gedicht in Reimen.

reimen, reimte, hat gereimt: **a)** ⟨rfl.⟩ *die Form des Reims haben; gleich klingen:* diese Wörter r. sich; bildl.: das reimt sich nicht *(das paßt nicht zueinander, stimmt nicht miteinander überein).* **b)** ⟨tr.⟩ *Reime bilden, machen:* ein Wort auf ein anderes r.

rein: I. ⟨Adj.⟩: **1.** ⟨nur attributiv⟩ *nicht mit etwas vermischt, ohne fremde Bestandteile:* reiner Wein; ein Kleid aus reiner Seide; (abwertend) das ist ja reiner Unsinn *(Unsinn in höchstem Grade).* **2.** ⟨nicht adverbial⟩ *sauber:* reine Wäsche; sie hat eine reine Haut. **3.** *schuldlos, ohne Sünde:* er hat ein reines Gewissen, ein reines Herz. **II.** ⟨Adverb⟩ (ugs.; verstärkend): *geradezu:* es geschieht r. *(überhaupt)* gar nichts; das ist r. *(schier)* zum Verrücktwerden. ** **etwas ins reine bringen** *(eine Angelegenheit in Ordnung bringen);* **mit jmdm. ins reine kommen** *(mit jmdm. einig werden);* **ins reine schreiben** *(in sauberer Form auf sauberes Papier schreiben).*

Reinemachen, das; -s: *das Aufräumen und Saubermachen (in Zimmern):* vor Ostern begann ein großes R. in der ganzen Wohnung.

Reinfall, der; -s, Reinfälle (ugs.): *Mißerfolg, Fehlschlag, Enttäuschung:* die Aufführung des Stückes erwies sich als R.

Reingewinn, der; -[e]s, -e: *Geldbetrag, der von einer Einnahme nach Abzug aller Kosten als Gewinn übrigbleibt.*

Reinheit, die; -: **1.** *Beschaffenheit, bei der ein Stoff mit keinem anderen Stoff vermischt ist:* die R. des Weines; bildl.: die R. der Lehre. **2.** *Sauberkeit:* die R. des Wassers, der Luft. **3.** *Unschuld, Aufrichtigkeit:* die R. des Herzens, des Charakters.

reinigen, reinigte, hat gereinigt ⟨tr.⟩: *saubermachen; säubern:* die Straße, die Kleider r.

Reinigung, die; -, -en: **1.** ⟨ohne Plural⟩ *das Reinigen:* die R. des Anzugs. **2.** (ugs.) *Unternehmen, das Kleidung gegen Entgelt reinigt:* in der Hauptstraße ist schon wieder eine neue R. eröffnet worden.

Reinigungsmittel, das; -s, -: *Mittel zum Reinigen:* das R. löst gründlich jeden Schmutz.

Reinkultur, die; -, -en: *Züchtung und Ansammlung von jeweils einer Art von Bakterien o. ä.:* Reinkulturen von Bazillen haben große Bedeutung für die Forschung. * (abwertend) **[etwas ist etwas] in R.** *([etwas ist etwas] in ausgeprägter Form, ausgesprochen, hundertprozentig):* die Theateraufführung war Kitsch in R.

reinlich ⟨Adj.⟩: **a)** *sauber:* sie saßen am r. gedeckten Tisch; bildl.: eine reinliche *(genaue, klare)* Trennung, Scheidung dieser Begriffe ist nötig. **b)** *auf Sauberkeit Wert legend:* ein reinlicher Mensch.

reinrassig ⟨Adj.⟩: *nur von einer Rasse abstammend:* ein reinrassiger Hund.

Reis, der; -es: /ein Getreide/ (siehe Bild): ein Drittel der Menschheit ernährt sich von R.

Reis

Reise, die; -, -n: *weitere und längere Fahrt vom Heimatort weg:* eine R. in die Schweiz machen.

Reisebüro, das; -s, -s: *Unternehmen, in dem Reisen vermittelt werden:* im R. erfuhr er den genauen Termin für die Überfahrt.

Reiseführer, der; -s, -: **1.** *jmd., der für die Führung und Betreuung von Touristen zuständig ist.* **2.** *kleines Buch, das dem Reisenden Auskünfte über Unterkünfte, Sehenswürdigkeiten usw. gibt.*

reisen, reiste, ist gereist ⟨itr.⟩: *eine Reise machen:* er will bequem r.; wir r. ans Meer.

Reisende, der; -n, -n ⟨aber: [ein] Reisender, Plural: Reisende⟩: *jmd., der eine Reise macht:* die Reisenden nach England bitte zum Ausgang!; viele R. standen auf dem Bahnhof.

Reisepaß, der; Reisepasses, Reisepässe: *Personalausweis, der für Reisen in das Ausland benötigt wird.*

Reisig, das; -s: *dürre Zweige:* das R. wurde auf die Glut gelegt und brannte knisternd.

Reißaus: ⟨in der Wendung⟩ R. nehmen (ugs.): *weglaufen, sich eilig entfernen:* vor Schreck nahmen die Jungen R.

Reißbrett, das; -[e]s, -er: *rechtwinkliges Zeichenbrett, auf das das Papier zum Zeichnen gespannt wird:* der Techniker arbeitet am R.

reißen, riß, hat/ist gerissen /vgl. reißend, gerissen/: **1. a)** ⟨tr.⟩ *zerreißen:* etwas in Stücke r.; er hat ein Loch in die Hose gerissen. **b)** ⟨itr.⟩ *auseinanderbrechen, sich trennen:* unter der großen Last ist das Seil gerissen; die Schnur, das Papier reißt leicht; bildl.: jetzt ist mir die Geduld gerissen *(jetzt bin ich ärgerlich, wütend).* **2.** ⟨tr.⟩ *mit raschem und festem Griff gewaltsam wegnehmen:* jmdm. ein Buch aus der Hand r.; man hat ihm die Kleider vom Leib gerissen. * **etwas an sich r.** *(sich etwas gewaltsam verschaffen):* er hat die Macht, die Führung, das Gespräch an sich gerissen; (ugs.) **sich um etwas/jmdn. r.** *(stark an etwas/jmdn. interessiert sein):* ich reiße mich nicht um diese Arbeit, Fahrt; er hat sich um diesen Posten gerissen. 3. ⟨tr./itr.⟩ *heftig ziehen, zerren, mitschleifen:* der Hund hat ständig an der Leine gerissen; die Lawine hat die Menschen in die Tiefe gerissen; bildl.: dieses Ereignis hat ihn aus seinen Träumen gerissen *(hat ihn völlig wach gemacht).* 4. ⟨rfl.⟩ *sich verletzen:* ich habe mich am Arm gerissen.

reißend ⟨Adj.⟩: *wild, heftig; rasch:* in der reißenden Strömung konnte das Schiff nicht gesteuert werden; die Zeitung fand reißenden Absatz.

Reißnagel, der; -s, Reißnägel: *Reißzwecke.*

Reißverschluß, der; Reißverschlusses, Reißverschlüsse: *Verschluß [an Kleidungsstücken] aus kleinen Metall- oder Kunststoffgliedern, die sich durch Ziehen eines Schiebers verzahnen* (siehe Bild): der R. stammt von einem amerikanischen Erfinder; den R. öffnen, zumachen.

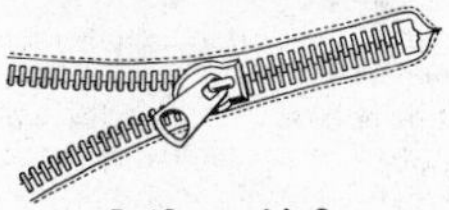

Reißverschluß

Reißzwecke, die; -, -n: *Nagel mit breitem Kopf und kurzer Spitze, der mit dem Finger in etwas gedrückt werden kann:* das Foto war mit Reißzwecken an der Wand befestigt.

reiten, ritt, hat/ist geritten: 1. ⟨itr.⟩ *sich auf einem Pferd fortbewegen:* wir sind durch den Wald geritten; ich bin heute 20 Kilometer geritten. 2. ⟨tr.⟩ a) *(ein Pferd) auf seinem Rükken sitzend [irgendwohin] bewegen:* ich habe das Pferd in den Stall geritten. b) *ein Pferd in bestimmter Weise auf seinem Rücken sitzend fortbewegen:* er ist Galopp geritten.

Reiter, der; -s, -: *jmd., der reitet.*

Reiterei, die; -: 1. *andauerndes, als lästig empfundenes Reiten:* ich habe diese elende R. satt. 2. (hist). *Truppe von Reitern:* den Angriff der R. führte Murat.

Reittier, das; -[e]s, -e: *Tier zum Reiten:* ein brauchbares R. war kaum aufzutreiben.

Reitturnier, das; -s, -e: *Turnier, bei dem Wettkämpfe zu Pferde im Springen und in der Dressur ausgetragen werden:* das R. wurde in der Halle ausgetragen.

Reiz, der; -es, -e: 1. *eine von außen oder innen ausgehende Wirkung auf einen Organismus:* das grelle Licht übte einen starken R. auf ihre Augen aus. 2. *angenehme Wirkung; Zauber; Verlockung:* alles Fremde übt einen starken R. auf ihn aus; er ist den Reizen dieser Frau verfallen; das hat keinen R. mehr für mich *(das ist für mich nicht mehr interessant).*

reizbar ⟨Adj.⟩: *leicht zu reizen, zu verärgern; empfindlich:* der Chef ist heute sehr r.

reizen, reizte, hat gereizt /vgl. gereizt, reizend/: 1. ⟨tr.⟩ *herausfordern, provozieren:* jmdn. zum Widerspruch r. 2. ⟨tr.⟩ *eine Wirkung auf einen Organismus auslösen:* die grelle Sonne hat seine Augen gereizt. 3. ⟨tr.⟩ *eine angenehme Wirkung, einen Zauber, eine Verlockung auslösen:* der Duft der Speisen reizte seinen Magen; diese Frau reizt alle Männer. 4. ⟨itr./tr.⟩ *(bei verschiedenen Kartenspielen) durch Abgabe des Angebots, daß man ein bestimmtes Spiel machen möchte, den Gegner zu einem Gegenangebot herausfordern:* er reizte 48.

reizend ⟨Adj.⟩: *lieblich, nett, anmutig, entzückend:* ein reizendes Kind; sie hat ein reizendes Wesen.

reizlos ⟨Adj.⟩: *ohne Reiz; kein Interesse weckend:* das Spiel ist r.

reizvoll ⟨Adj.⟩: *von besonderem Reiz:* ein reizvolles Mädchen; das Kleid ist r.

rekapitulieren, rekapitulierte, hat rekapituliert ⟨tr.⟩: *zuzusammenfassend wiederholen:* die Hauptpunkte eines Vertrags r.

rekeln, sich; rekelte sich, hat sich gerekelt: *sich mit großem Behagen dehnen und strecken:* er rekelte sich auf dem Sofa.

Reklamation, die; -, -en: *Beanstandung, Beschwerde* /bes. in der Wirtschaft/: die R. des Kunden wurde zurückgewiesen.

Reklame, die; -, -n: *das Anpreisen, Propagieren; Werbung:* für etwas R. machen; eine erfolgreiche R.

reklamieren, reklamierte, hat reklamiert ⟨tr.⟩: *dagegen Einspruch erheben, daß etwas nicht geliefert oder nicht korrekt ausgeführt worden ist:* er hat das fehlende Päckchen bei der Post reklamiert; ich werde die schlechte Ausführung der Arbeit r.; ⟨auch itr.⟩ ich habe schon bei der Post reklamiert.

rekonstruieren, rekonstruierte, hat rekonstruiert ⟨tr.⟩: 1. *in seinem ursprünglichen Zustand aus eizelnen bekannten Teilen bis in Einzelheiten genau nachbilden:* einen Tempel r. 2. *(den Ablauf von etwas, was sich in der Vergangenheit ereignet hat) genau wiedergeben:* der Hergang der Tat wurde rekonstruiert. **Rekonstruktion,** die; -, -en.

Rekonvaleszent, der; -en, -en: *Genesender:* der R. erholte sich rasch.

Rekonvaleszenz, die; -: *Genesung:* in der R. kräftigt sich der Organismus wieder.

Rekord, der; -[e]s, -e: *bisher noch nicht erreichte Leistung:* mit diesem Sprung stellte er einen neuen R. auf.

Rekrut, der; -en, -en: *Soldat in der ersten Ausbildungszeit:* Rekruten wurden ausgehoben.

rekrutieren, rekrutierte, hat rekrutiert ⟨rfl./tr.⟩: *(aus etwas) zusammensetzen, ergänzen:* der Verein rekrutiert sich vorwiegend aus guten Sportlern; der Betrieb rekrutiert seine Mitarbeiter hauptsächlich aus Deutschen.

Rektor, der; -s, -en: *Leiter einer Universität oder einer Volksschule.*

Rektorat, das; -s, -e: a) *Amt eines Rektors:* er hat für ein Jahr das R. übernommen. b) *Amtszimmer eines Rektors:* die Schüler wurden in das R. gerufen.

Relation, die; -, -en: *Verhältnis, Beziehung, Vergleich:* Ausgaben und Einnahmen stehen in der richtigen R.

relativ ⟨Adj.⟩: *einem Verhältnis entsprechend; im Verhältnis zu, verhältnismäßig, vergleichsweise:* ein r. günstiger Preis; die relative Mehrheit genügt zur Wahl.

relativieren, relativierte, hat relativiert ⟨tr.⟩: *in ein anderes Licht setzen, nicht mehr als absolut gültig belassen:* die Ablösung des Politikers hat vieles relativiert; der Forscher hat unser Weltbild relativiert.

Relativität, die; -: *das Veränderlichsein je nach dem Gesichtspunkt, von dem aus man etwas beurteilt; das Bedingt-, Abhängigsein von den jeweiligen Verhältnissen:* die R. der Begriffe „gut" und „böse".

relegieren, relegierte, hat relegiert ⟨tr.⟩: *von einer Schule oder Hochschule verweisen:* der Rektor drohte, die Rädelsführer der demonstrierenden Studenten [von der Universität] zu r.

relevant ⟨Adj.⟩: *erheblich, bedeutsam, wichtig:* diese Angelegenheit ist mir nicht r. genug; politisch relevante Ereignisse.

Relief, das; -s, -s und -e: *aus einer Fläche herausgearbeitetes plastisches Bildwerk* (siehe Bild): der Bildhauer wählte die Form eines Reliefs.

Relief

Religion, die; -, -en: *Glaube an Gott oder an ein göttliches Wesen und der sich daraus ergebende Kult:* die christliche, buddhistische, mohammedanische R.

religiös ⟨Adj.⟩: *einer Religion angehörend, von ihr bestimmt; fromm, gläubig:* die religiöse Erziehung der Kinder; sie ist sehr r.

Religiosität, die; -: *Frömmigkeit, Gläubigkeit:* es wurde großer Wert auf R. gelegt.

Relikt, das; -[e]s, -e: *Überbleibsel, Rest einer früheren Form oder Periode:* Relikte von Pflanzen und Tieren geben ein Bild längst vergangener Epochen.

Reling, die; -, -s: *Geländer, das ein frei liegendes Deck eines Schiffes begrenzt:* er beugte sich über die R.

Reliquie, die; -, -n: *Überrest vom Körper eines Heiligen oder ein Gegenstand, der mit ihm in Zusammenhang steht und verehrt wird:* die Reliquien des Heiligen wurden bei der Prozession mitgeführt.

remis [rə'mi:] ⟨Adj.; nicht attributiv⟩: *unentschieden (bei [sportlichen] Wettkämpfen):* die Schachpartie wird r. enden.

Remis [rə'mi:], das; -, - und Remisen: *Unentschieden, unentschiedener Ausgang (eines [sportlichen] Wettkampfes):* das Fußballspiel endete mit einem R.

Reminiszenz, die; -, -en (geh.; veraltend): *Erinnerung:* er erzählte Reminiszenzen aus seiner Jugend.

rempeln, rempelte, hat gerempelt ⟨tr./itr.⟩ (ugs.): *[absichtlich] mit dem Körper stoßen, wegdrängen:* er rempelte mich über den Haufen; Sport der Spieler hat seinen Gegner gerempelt.

Ren, das; -s, -s: /ein Tier/ (siehe Bild).

Renaissance [rənɛ'sã:s], die; -, -n: **1.** ⟨ohne Plural⟩ *historische Epoche (im 14. Jh. von Italien ausgehend), die auf eine Wiederbelebung der antiken Kultur zielte:* die R. brachte eine intensive Beschäftigung mit der lateinischen und griechischen Sprache. **2.** (geh.) *Wiederaufleben (von Merkmalen einer früheren Kultur, eines früheren Zustandes):* die neue Mode führt eine R. der langen Kleider herbei.

Ren

Rendezvous [rãde'vu:], das; - [rãde'vu:(s)], -[rãde'vu:s]: **1.** (veraltend, aber noch scherzh.): *Verabredung, Stelldichein, Zusammentreffen [von Verliebten]:* sie kam in das Café zum R. **2.** *Begegnung von Raumfahrzeugen im Weltraum:* das R. der beiden Raumkapseln konnte planmäßig durchgeführt werden.

Rendite, die; -, -n: *Ertrag, den ein angelegtes Kapital in einem bestimmten Zeitraum einbringt:* dieses Geschäft bringt eine jährliche R. von mindestens 5 bis 6%.

Renegat, der; -en, -en: *jmd., der seinem Glauben abtrünnig geworden ist:* als R. wurde er aus der Gemeinschaft ausgestoßen.

renitent ⟨Adj.⟩ (geh.): *widerspenstig, widersetzlich, störrisch:* in der Klasse waren einige renitente Schüler.

Rennbahn, die; -, -en: *Anlage, auf der Rennen (bes. von Pferden) abgehalten werden:* die Pferde wurden zur R. geführt.

rennen, rannte, ist gerannt ⟨itr.⟩: **a)** *sehr schnell laufen:* er rannte zur Polizei. * **jmdn. über den Haufen r.** *(jmdn. umwerfen).* **b)** *sich heftig stoßen (an etwas):* er rannte mit dem Kopf gegen einen Baum.

Rennen, das; -s, -: *Wettkampf im Laufen, Reiten oder Fahren:* an einem R. teilnehmen.

Rennfahrer, der; -s, -: *jmd., der an einem (Auto-, Motorrad- oder Rad-)rennen teilnimmt:* wie ein R. ging er in die Kurve.

Rennpferd, das; -[e]s, -e: *Pferd, das für Rennen bestimmt ist:* der Besitzer des Rennpferdes erzielte durch den Sieg einen hohen Gewinn.

Rennsport, der; -s: *Sport bes. in Form von Auto- und Motorradrennen:* der R. hat zahlreiche Anhänger.

Rennstall, der; -[e]s, Rennställe: **a)** *Gesamtheit der Rennpferde eines Besitzers, die sich im Training befinden; Unternehmen, das Rennpferde hält:* das beste Pferd des Rennstalles wurde eingesetzt. **b)** Radsport, Motorsport *(von einem einzelnen oder einer Firma zusammengestelltes und finanziertes) Team, das Rennen fährt:* er konnte die berühmtesten Fahrer für seinen R. verpflichten.

Rennstrecke, die; -, -n: Motorsport *Anlage, auf der Rennen gefahren werden:* Deutschland hat im Nürburgring die schwierigste R. der Welt.

Rennwagen, der; -s, -: *Auto, mit dem Rennen gefahren werden:* die R. wurden vor dem Start noch einer genauen technischen Prüfung unterzogen.

Renommee, das; -s: *[guter] Ruf, Ansehen, Leumund:* diese Frau hat ein gutes R.; das wird seinem R. als Arzt schaden.

renommieren, renommierte, hat renommiert ⟨itr.⟩ /vgl. renommiert/: *prahlen, großtun, angeben:* er renommiert gerne mit seinen Erfolgen.

renommiert ⟨Adj.⟩: *großes Ansehen habend; berühmt:* eine renommierte Firma.

renovieren, renovierte, hat renoviert ⟨tr.⟩: *erneuern, instandsetzen, wiederherstellen:* eine Wohnung, ein Haus r. **Renovierung,** die; -, -en.

rentabel ⟨Adj.⟩: *Gewinn bringend, lohnend; sich rentierend:* die Arbeit ist sehr r.

Rentabilität, die; -: *Verhältnis des Gewinns zu dem eingesetzten Kapital:* die wirtschaftliche R. der Unternehmen soll gesteigert werden.

Rente, die; -, -n: *Einkommen aus einer Versicherung oder aus Vermögen:* er hat nur eine kleine R.

Rentier: I. ['rɛnti:r], das; -[e]s, -e: *Ren.* **II.** [rɛnti'e:], der; -s, -s (veralt.): *Rentner.*

rentieren, sich; rentierte sich, hat sich rentiert: **a)** *Gewinn, Ertrag abwerfen:* der Laden rentiert sich [nicht]. **b)** *sich lohnen:* diese Ausgabe hat sich nicht rentiert.

Rentner, der; -s, -: *jmd., der eine Rente bezieht.*

reorganisieren, reorganisierte, hat reorganisiert ⟨tr.⟩: *in der Organisation neu gestalten; neu ordnen, neu einrichten:* in den letzten Jahren war es notwendig, den Betrieb zu r.

reparabel ⟨Adj.⟩ (geh.): *so beschaffen, daß es zu reparieren ist; wiedergutzumachend:* das alte Fahrrad ist noch durchaus r.; ein reparabler Schaden.

Reparationen, die ⟨Plural⟩: *Leistungen an den Sieger zur Wiedergutmachung der im Krieg durch den Besiegten entstandenen Schäden:* die R. belasteten die Finanzen des besiegten Staates erheblich.

Reparatur, die; -, -en: *Beseitigung eines Mangels, Schadens; das Instandsetzen:* eine R. ausführen.

reparieren, reparierte, hat repariert ⟨tr.⟩: *eine Reparatur ausführen; ausbessern:* ein Auto r.; er hat das Türschloß schlecht repariert.

Repertoire [repɛrto'a:r], das; -s, -s: *Theaterstücke, die in einem bestimmten Zeitraum einstudiert werden und auf dem Spielplan stehen; Gesamtheit der einstudierten Werke eines Künstlers:* der Sänger verfügte über ein großes R. an Liedern.

repetieren, repetierte, hat repetiert ⟨tr.⟩: *wiederholen:* die Aufgaben wurden von den Schülern repetiert; ⟨auch itr.⟩ der Schüler mußte r. *(die Klasse wiederholen).*

Report, der; -s, -s: *Bericht, Aufzeichnung:* der von Kinsey verfaßte R. erregte großes Aufsehen.

Reportage [repɔr'ta:ʒə], die; -, -n: *ausführlicher, lebendiger, stimmungsvoller Bericht über ein aktuelles Ereignis:* eine R. schreiben.

Reporter, der; -s, -: *jmd., der eine Reportage schreibt; Berichterstatter.*

Repräsentant, der; -en, -en: *[offizieller] Vertreter:* an der Sitzung nahmen zahlreiche Repräsentanten der Regierung teil.

Repräsentation, die; -: **a)** *angemessene Vertretung (einer Institution oder Gruppe) in der Öffentlichkeit:* dem neuen Direktor wurde vor allem die R. der Firma übertragen. **b)** *der mit dem standesgemäßen Auftreten verbundene Aufwand:* dieser Wagen dient nur der R.

repräsentativ ⟨Adj.⟩: **1.** *würdig, ansehnlich:* das Haus, die Ausstattung der Wohnung ist sehr r. **2.** ⟨nicht adverbial⟩ *bedeutsam, maßgeblich:* seine Ansichten sind r. **3.** *eine Bevölkerungsschicht, einen Bereich nach Beschaffenheit und Zusammensetzung vertretend:* die Umfrage kann als r. gelten.

repräsentieren, repräsentierte, hat repräsentiert: **1.** ⟨itr.⟩ *in der Öffentlichkeit auftreten:* er kann gut r. **2.** ⟨tr.⟩ *vertreten:* er repräsentiert eine der führenden Firmen. **3.** ⟨tr.⟩ *wert sein:* das Grundstück repräsentiert einen Wert von mehreren tausend Mark.

Repressalie, die; -, -n: *Druckmittel; Maßnahme zur Vergeltung:* die Regierung drohte Repressalien an.

Reproduktion, die; -, -en: *Nachbildung; Wiedergabe als Photographie oder Druck:* die R. eines Gemäldes.

reproduzieren, reproduzierte, hat reproduziert ⟨tr.⟩: *eine Reproduktion (von etwas) herstellen:* ein Bild, eine Zeichnung r.

Reptil, das; -s, -ien: *Tier mit einer trockenen, meist von Schuppen und Schildern aus Horn bedeckten Haut, das sich kriechend fortbewegt (Schlange, Schildkröte o. ä.):* Reptilien gleichen die Temperatur ihres Blutes der äußeren Temperatur an.

Republik, die; -, -en: *Staatsform, bei der die oberste Gewalt durch Personen ausgeübt wird, die für eine bestimmte Zeit vom Volk oder dessen Vertretern gewählt werden:* nach dem Aufstand wurde die R. ausgerufen.

Republikaner, der; -s, -: **a)** *Anhänger der republikanischen Staatsform:* die R. sammelten sich. **b)** *Anhänger, Politiker einer republikanischen Partei:* der R. Eisenhower wurde 1953 amerikanischer Präsident.

republikanisch ⟨Adj.⟩: *den Grundsätzen der Republik entsprechend:* die republikanischen Ideen fanden immer mehr Anhänger.

Reputation, die; - (veralt.; geh.): *[guter] Ruf, Ansehen:* dieser Vorfall wird seiner R. als Minister schaden.

requirieren, requirierte, hat requiriert ⟨tr.⟩: *[für militärische Zwecke] beschlagnahmen:* die Fahrzeuge wurden für die Truppen requiriert.

Requisit, das; -s, -en: **a)** *kleinerer Gebrauchsgegenstand, der während einer Aufführung auf der Bühne gebraucht wird:* die romantischen Requisiten paßten nicht zu diesem Stück. **b)** *Hilfsmittel, Handwerkszeug:* Schneeketten gehören zu den wichtigen Requisiten eines Wagens im Winter.

Reserve, die; -, -n: **1.** *Vorrat:* etwas in R. halten; sich eine R. an Lebensmitteln anlegen. **2.** *Ersatz für eine aktive Gruppe von Personen, besonders beim Militär und im Sport:* zur R. gehören; er spielt in der R. **3.** ⟨ohne Plural⟩ *Zurückhaltung:* er legte sich zuviel R. auf; jmdn. aus der R. locken *(jmdn. dazu bringen, daß er seine Zurückhaltung aufgibt).*

reservieren, reservierte, hat reserviert ⟨tr.⟩ /vgl. reserviert/: *zurück-, bereitlegen; belegen, freihalten:* ich werde die Karten für sie an der Kasse r.; für jmdn. eine Ware r.; [jmdm.] einen Platz r.; der Tisch ist für uns reserviert. *** etwas r. lassen** *(etwas vorbestellen).*

reserviert ⟨Adj.⟩: *zurückhaltend; kühl, abweisend:* er steht dem Vorschlag sehr r. gegenüber; sich r. verhalten.

Reservist, der; -en, -en: *Soldat der Reserve:* die Reservisten wurden einberufen.

Reservoir [rezɛrvo'a:r], das; -s, -e: *Becken, in dem Wasser auf Vorrat gespeichert wird:* aus diesem R. wird die Stadt versorgt; bildl.: das R. an gutem Nachwuchs ist im Schisport sehr groß.

Residenz, die; -, -en: *Sitz einer regierenden geistlichen oder weltlichen Persönlichkeit:* die R. des Erzbischofs von Salzburg war ein kulturelles Zentrum.

residieren, residierte, hat residiert ⟨itr.⟩: *(eine Stadt) als Residenz bewohnen:* Ludwig XIV. residierte in Versailles.

Resignation, die; -: *Verzicht, Entsagung; Ergebenheit in das Schicksal:* mit R. kann dem Unglück nicht abgeholfen werden.

resignieren, resignierte, hat resigniert ⟨itr.⟩: *(etwas) aufgeben, (auf etwas) verzichten, sich entmutigt (mit etwas) abfinden:* nach dem ergebnislosen Kampf mit den Behörden resignierte er endlich.

resistent ⟨Adj.⟩: Med. *widerstandsfähig* /bes. von Krankheitserregern/: diese Bakterien sind in der letzten Zeit r. geworden.

resolut ⟨Adj.⟩: *entschlossen, energisch, beherzt:* sie ist eine sehr resolute Person.

Resolution, die; -, -en: *Entschließung, Beschluß; gemeinsame Willenserklärung einer Gruppe:* eine R. verfassen, überreichen.

Resonanz, die; -, -en: *Mitschwingen oder Mittönen (eines Körpers mit einem anderen):* die R. des Instruments ergab einen vollen Klang. *** bei jmdm. R. finden/auf R. stoßen** *(bei jmdm. Anklang, Verständnis finden).*

Respekt, der; -[e]s: *Anerkennung, Achtung, Ehrerbietung:* vor jmdm. R. haben.

respektabel ⟨Adj.⟩: *beachtlich, Respekt verdienend:* das ist eine respektable Leistung.

respektieren, respektierte, hat respektiert ⟨tr.⟩: **a)** *Achtung schenken, entgegenbringen; schätzen:* den Lehrer, die Eltern r. **b)** *anerkennen, gelten lassen:* ich respektiere ihren Standpunkt; eine Entscheidung r.

respektive ⟨Konj.⟩ (geh.): *beziehungsweise; oder [im anderen Fall]:* der erste Preis war eine Reise an die Adria r. 2000 Mark.

Ressentiment [rɛsãti'mã:], das; -s, -s: *an frühere negative Erlebnisse gebundenes starkes Vorurteil:* das Verhältnis der Staaten zueinander sollte in Zukunft von Ressentiments frei sein.

Ressort [rɛ'so:r], das; -s, -s: *Geschäfts- und Amtsbereich, Arbeitsgebiet:* ihr R. war die Erziehung und Versorgung der Kinder; es soll ein neues R. für den Wohnungsbau geschaffen werden.

Rest, der; -es, -e: *etwas, was übrigbleibt; Rückstand:* es blieb nur ein kleiner R. übrig.

Restaurant [rɛsto'rã:], das; -s, -s: *Lokal, Gastwirtschaft:* ein berühmtes, teures R.

Restauration, die; -, -en: **1.** *Wiedererrichtung der alten politischen und gesellschaftlichen Ordnung nach einem Umsturz:* die R. im frühen 19. Jahrhundert führte zunächst zu einem Bund zwischen Regierung und Kirche. **2.** *Wiederherstellung (eines schadhaften Kunstwerks);* die R. des Bildes war sehr teuer.

restaurieren, restaurierte, hat restauriert ⟨tr.⟩: *(Bilder, Bauten o. ä.) wiederherstellen, ausbessern:* das Denkmal wurde restauriert.

restlich ⟨Adj.; nur attributiv⟩: *übrigbleibend, zurückbleibend:* ich werde die restlichen Arbeiten später erledigen.

restlos ⟨Adj.; verstärkend bes. bei Verben⟩ (ugs.): *völlig; ganz und gar:* er hat r. versagt.

Restriktion, die; -, -en: *[wirtschaftliche] Beschränkung, Einschränkung:* zum Ende des Jahres ist mit erheblichen Restriktionen zu rechnen.

Resultat, das; -[e]s, -e: *Ergebnis; Erfolg:* das R. der Rechnung stimmte; der Versuch erbrachte kein R.

resultieren, resultierte, hat resultiert ⟨itr.⟩: *sich [als Resultat] ergeben; herrühren:* sein großer Erfolg resultiert aus seinem ständigen Fleiß.

Resümee, das; -s, -s: *zusammenfassende Übersicht:* der Vortragende gab zum Schluß seiner Rede noch ein kurzes R.

retardieren, retardierte, hat retardiert ⟨tr.⟩ (geh.): *verzögern, hemmen:* dieser Umstand hat die allgemeine Entwicklung retardiert. *** retardierendes Moment** *(Verzögerung bes. in der Handlung eines Dramas).*

Retorte, die; -, -n: *Gefäß aus Glas für chemische Untersuchungen:* in dieser R. wird gerade destilliert; bildl.: die Nahrung aus der R. *(künstliche Nahrung)* gewinnt an Bedeutung.

Retourkutsche [re'tur...], die; -, -n (ugs.): *das Zurückgeben (einer Beleidigung o. ä.) in gleicher Art:* auf diese freche Bemerkung gab er sofort eine R.

retten, rettete, hat gerettet: ⟨tr.⟩ *(jmdn.) aus einer großen Gefahr befreien; (etwas/jmdn.) vor Schaden oder Verlust bewahren:* er rettete ihn aus den Flammen; er rettete Hab und Gut vor den Feinden; er rettete ihn vor dem Bankrott; ⟨auch rfl.⟩ er rettete sich *(flüchtete)* vor dem Regen unter das Dach. *** sich vor etwas nicht mehr r. können** *(überhäuft werden mit etwas):* er konnte sich vor Anrufen, vor Bettelbriefen nicht mehr r.

Rettich, der; -s, -e /eine Pflanze/ (siehe Bild).

Rettich

Rettung, die; -, -en: **1.** *Befreiung aus einer großen Gefahr; Bewahrung vor Schaden oder Verlust:* eine R. der Tiere aus den Flammen war nicht möglich. **2.** (östr.) *Krankenwagen:* er wurde mit der R. ins Krankenhaus gebracht.

retuschieren, retuschierte, hat retuschiert ⟨tr.⟩: *(eine Photo-*

graphie, ein Bild mit einem Pinsel) überarbeiten, ausbessern: der Photograph retuschierte die Porträtaufnahme; bildl.: der Text war leicht retuschiert *(geändert).*

Reue, die; -: *tiefes Bedauern über ein Vergehen und Bereitschaft zur Buße:* [keine] R. zeigen, empfinden.

reuen, reute, hat gereut ⟨itr.⟩: *(über etwas) Reue empfinden, (jmdm.) leid tun, (etwas) rückgängig machen wollen:* der Abschluß des Geschäftes reute ihn.

reumütig ⟨Adj.⟩: *von Reue erfüllt, Reue zeigend:* der Junge kehrte r. zu den Eltern zurück.

Reuse, die; -, -n: /Gerät zum Fischfang/ (siehe Bild).

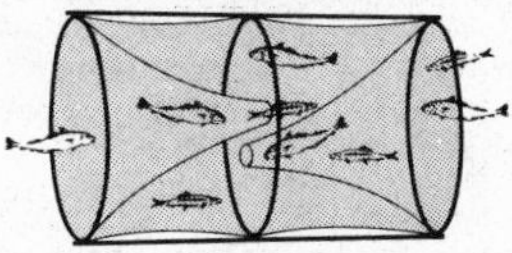

Reuse

reüssieren, reüssierte, hat reüssiert ⟨itr.⟩ (geh.): *Erfolg haben, Glück haben, erfolgreich sein, das erstrebte Ziel erreichen:* mit einem solchen Film konnte der Regisseur bei dem anspruchsvollen Publikum nicht r.

Revanche [re'vã:ʃ(ə)], die; -, -n: *Vergeltung für eine erlittene Niederlage:* nach dem Tennisturnier verlangte der Partner R.; für dieses Unrecht wollte er R. nehmen.

revanchieren [revã'ʃi:rən], sich; revanchierte sich, hat sich revanchiert: **a)** *eine üble Tat vergelten; sich rächen:* für deine Bosheiten werde ich mich später r. **b)** *eine Freundlichkeit, eine freundliche Tat, eine Hilfe erwidern:* wir werden uns für ihre Einladung, Unterstützung gern r.

Reverenz, die; - (geh): *Ehrerbietung, respektvolle Hochachtung:* da sie aus einem vornehmen Haus stammte, wurde ihr R. erwiesen.

Revers [re'vɛ:r], das, (östr.:) der; - [re'vɛ:r(s)/], - [re'vɛ:rs] *Aufschlag (an einer Jacke, einem Mantel):* der Anzug hat schmale R.

revidieren, revidierte, hat revidiert ⟨tr.⟩: *nach eingehender Prüfung ändern:* seine Meinung r.; die bisherige Politik muß revidiert werden.

Revier, das; -s, -e: **1.** *Bezirk, Gebiet:* das R. eines Försters; er wurde bei der Polizei zum Leiter eines Reviers befördert. **2.** *Polizeiwache:* man brachte ihn auf das R.

Revirement [revirə'mã:], das; -s, -s: *Umbesetzung von Stellen, Ämtern, bes. im staatlichen, diplomatischen oder militärischen Bereich:* der neue Kanzler wird in einigen Ministerien verschiedene Revirements vornehmen.

Revision, die; -, -en: **1.** *Überprüfung, Kontrolle:* die R. der Geschäftsbücher ist notwendig. **2.** *Änderung nach eingehender Überprüfung:* die R. seiner politischen Ansichten wurde durch dieses Ereignis begünstigt. **3.** Rechtsw. *Nachprüfung (eines Urteils), Wiederaufnahme eines Verfahrens durch eine höhere Instanz:* die R. des Urteils ist unzulässig; in der R. wurde ein milderes Urteil gefällt. *** R. einlegen** *(einen Antrag auf Wiederaufnahme des Verfahrens stellen).*

Revolte, die; -, -n: *Aufruhr, Aufstand:* eine R. niederschlagen.

revoltieren, revoltierte, hat revoltiert ⟨itr.⟩: *an einer Revolte teilnehmen, sich empören:* die Jugend revoltiert gegen die Gesellschaft; bildl.: mein Magen revoltiert gegen zu kalte Getränke, bei zu heißen Speisen.

Revolution, die; -, -en: **1.** *[gewaltsamer] Umsturz:* die R. ist ausgebrochen. **2.** *Umwälzung der bisher geltenden Maßstäbe, Techniken o. ä.:* die industrielle R.; seine Erfindung bedeutet für diesen Bereich eine R.

revolutionär ⟨Adj.⟩: **1.** *die Revolution betreffend, von den Ideen einer Revolution bestimmt:* die revolutionäre Gruppe übernahm die Führung. **2.** *umwälzend, einschneidend:* diese Erfindung ist r. für die heutige Technik.

revolutionieren, revolutionierte, hat revolutioniert ⟨tr.⟩: *von Grund aus umgestalten:* die Entwicklung dieser Maschine revolutioniert unsere Technik.

Revolver, der; -s, -: *Schußwaffe mit kurzem Lauf, bei der die Patronen in einer Trommel stecken:* sie trugen geladene R. im Gürtel.

Revue [re'vy:], die; -, -n: **1.** *Aneinanderreihung von [tänzerischen] Darbietungen [in reicher Ausstattung]:* der Besuch der R. lohnt sich nicht. **2.** *Truppe, die tänzerische Darbietungen [in reicher Ausstattung] bringt:* die R. gastiert in Berlin. **** etwas R. passieren lassen** *(etwas [in Gedanken] an sich vorüberziehen lassen):* er ließ die letzten Ereignisse nochmals R. passieren.

Rexglas, das; -es, Rexgläser (östr.): *Einmachglas:* Rexgläser werden luftdicht verschlossen.

Rezensent, der; -en, -en: *Verfasser einer Rezension:* der R. nahm keinen objektiven Standpunkt ein.

rezensieren, rezensierte, hat rezensiert ⟨tr./itr.⟩: *kritisch besprechen:* ein Buch, eine Aufführung im Theater in der Zeitung r.; er rezensiert immer sehr streng.

Rezension, die; -, -en: *kritische Besprechung (von Büchern, Aufführungen im Theater o. ä.):* er schrieb Rezensionen über historische Schriften.

Rezept, das; -[e]s, -e: **1.** *schriftliche Anordnung des Arztes an den Apotheker, dem Überbringer bestimmte Medikamente zu verkaufen:* der Arzt schrieb ein R. **2.** *Anleitung für die Zubereitung von Speisen:* sie kocht genau nach R. **3.** (ugs.) *Mittel:* ich weiß ein R. gegen Langeweile.

Rezitator, der; -s, -en: *jmd., der rezitiert:* der R. begann mit einem Monolog.

rezitieren, rezitierte, hat rezitiert ⟨tr.⟩: *(eine Dichtung) künstlerisch vortragen:* sie rezitierte Gedichte von Rilke.

Rhabarber, der; -s: /eine Pflanze/ (siehe Bild): aus den Blattstielen des Rhabarbers wird Kompott bereitet.

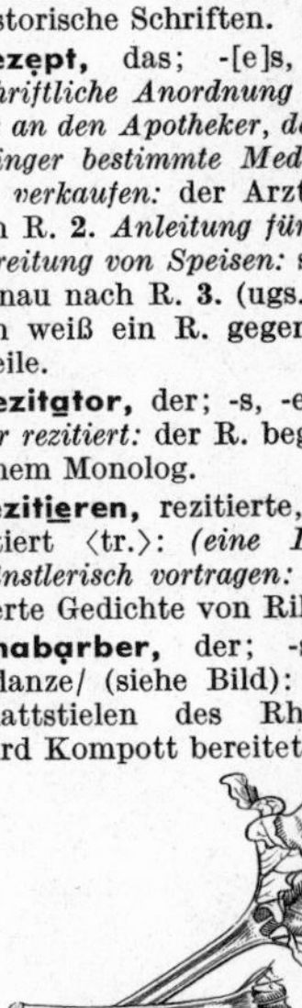

Rhabarber

Rhapsodie, die; -, -n: *Musikstück für Instrumente, in dem bes. Melodien aus Volksliedern verarbeitet sind:* die ersten Takte der „Ungarischen R.“ waren zu hören.

Rhetorik, die; -: *Kunst der guten sprachlichen Formulierung; Redekunst, Beredsamkeit:* das Plädoyer des Verteidigers zeichnete sich durch glänzende R. aus.

rhetorisch ⟨Adj.⟩: **1.** *die gute sprachliche Formulierung, den flüssigen, eleganten Stil in Rede und Schrift betreffend:* er hielt eine r. glänzende Rede. **2.** *als Phrase wirkend:* vieles in seinem Text war r. ** **eine rhetorische Frage** *(eine Frage, auf die man keine Antwort erwartet).*

Rheuma, das; -s: /Kurzform von Rheumatismus/.

rheumatisch ⟨Adj.⟩: *den Rheumatismus betreffend, durch ihn hervorgerufen:* er litt schon lange an rheumatischen Beschwerden.

Rheumatismus, der; -: *schmerzhafte Erkrankung der Gelenke, Muskeln, Nerven, Sehnen:* durch den R. wird meist das allgemeine Befinden sehr beeinträchtigt.

Rhinozeros, das; -[ses], -se: *Nashorn.*

Rhododendron, das, (auch:) der; -s, Rhododendren: /ein Strauch/ (siehe Bild).

Rhododendron

Rhombus, der; -, Rhomben: /eine geometrische Figur/ (siehe Bild).

Rhombus

rhythmisch ⟨Adj.⟩: *den Rhythmus betreffend, gleichmäßig:* das rhythmische Stampfen der Maschine war weithin zu hören.

Rhythmus, der; -, Rhythmen: *der Ablauf von Bewegungen oder Tönen in einem bestimmten Takt:* die zweite Komposition hat einen ganz anderen R. als die erste; der Tänzer geriet aus dem R.; bildl.: aus dem R. geraten *(aus dem gewohnten Gleichmaß geraten).*

Ribisel, die; -, -n (östr.): *Johannisbeere:* Ribiseln wurden von den Sträuchern gepflückt und eingekocht.

richten, richtete, hat gerichtet: **1.** ⟨tr.⟩: *in eine bestimmte Richtung bringen:* die Segel nach dem Wind r.; eine Waffe gegen jmdn. r.; den Blick zur Decke r.; bildl.: seine Aufmerksamkeit auf jmdn. r. *(jmdn. aufmerksam beobachten);* den Blick in die Ferne r. *(bei seinen Überlegungen auch an die Zukunft denken);* Briefe an jmdn. r. *(Briefe an jmdn. schreiben);* Fragen an jmdn. r. *(jmdn. fragen).* **2.** ⟨tr.⟩ *[richtig] einstellen:* die Uhr, die Antenne r. **3.** ⟨rfl.⟩ *sich nach jmdm./etwas verhalten:* sich nach seinem Freund r.; sich nach den Vorschriften r. **4.** ⟨tr.⟩ *vorbereiten, zurechtmachen:* die Tafel [zum Essen], das Bett [für die Gäste] r. ** **über eine Sache/jmdn. r.** *(über etwas/jmdn. ein negatives Urteil abgeben).*

Richter, der; -s, -: *jmd., der über jmdn./etwas gerichtliche Entscheidungen trifft:* der R. konnte keinen Freispruch fällen, aber er ließ Milde walten.

richtig ⟨Adj.⟩: **1.** *fehlerlos:* seine Rechnung ist r. **2. a)** *der Wahrheit entsprechend:* eine richtige Erkenntnis haben. **b)** *den Tatsachen entsprechend, zutreffend:* seine Auffassung ist r.; er ist r. beurteilt worden; er hat seinen richtigen Namen genannt. **c)** *der Gewohnheit entsprechend, wie es sein soll:* r. grüßen; den Besen r. in die Hand nehmen. **3.** ⟨nur attributiv⟩ **a)** *wie jemand oder etwas sein soll:* dies sind richtige Jungen; dies ist ein richtiger *(idealer)* Mann. **b)** *wirklich, echt:* ein richtiger Millionär; ein richtiger Zigeuner. **4.** ⟨nicht adverbial⟩ *geeignet:* er ist der richtige Mann für dieses Unternehmen; der richtige *(günstige)* Augenblick. **5. a)** ⟨bei Adjektiven oder ungebeugt vor Substantiven⟩ /drückt aus, daß ein bestimmter Zustand völlig erreicht ist/: er ist r. *(ganz)* munter; es ist r. *(vollkommene)* Nacht geworden; er wurde r. ärgerlich. **b)** ⟨nicht prädikativ⟩ /drückt aus, daß eine Tätigkeit erst voll einsetzt/: jetzt fängt er erst r. *(eigentlich)* an; jetzt kann er sich r. *(völlig)* entfalten. ** (ugs.) **nicht ganz r. [im Kopf] sein** *(nicht ganz bei Verstand, nicht ganz normal sein).*

richtiggehend ⟨Adj.; nur attributiv⟩: **1.** *genau, stimmend:* er suchte nach einer richtiggehenden Uhr. **2.** (ugs.) *wirklich, ausgesprochen:* ich bin r. müde.

Richtigkeit, die; -: *das Richtigsein:* die R. der Aussage prüfen. * **mit etwas hat es seine R.** *(etwas trifft zu, ist richtig):* mit dieser Rechnung hat es seine R.

richtigliegen, lag richtig, hat richtiggelegen ⟨itr.⟩ (ugs.): *eine [von der Regierung, Partei o. ä.] gewünschte Überzeugung vertreten:* er hat immer richtiggelegen.

richtigstellen, stellte richtig, hat richtiggestellt ⟨tr.⟩: *berichtigen, korrigieren:* eine Mitteilung, Darstellung r.

Richtlinie, die; -, -n: *Grundsatz, Anweisung, Schema:* er folgte den Richtlinien der Politik, die der Minister bestimmte.

Richtschnur, die; -, -en: **1.** *Schnur, die an beiden Enden straff angezogen wird, um daran entlang eine gerade Linie ziehen zu können:* den Verlauf des Gartenbeetes mit der R. festlegen. **2.** *etwas, wonach man sich richtet; [Verhaltens]maßstab, Regel, Norm:* dieser Gedanke war immer eine R. in seinem Leben gewesen; das muß dir als R. dienen.

Richtung, die; -, -en: *das Gerichtetsein, Verlauf auf ein bestimmtes Ziel zu:* die R. nach Westen einschlagen; die R. zeigen, ändern; bildl.: die politische R. *(das politische Ziel)* bestimmen; die verschiedenen Richtungen *(Strömungen)* in der Kunst.

riechen, roch, hat gerochen: **1.** ⟨tr.⟩ *Geruch wahrnehmen:* ich habe Gas, den Käse gerochen. * (ugs.) **jmdn. nicht r. können** *(jmdn. nicht mögen, nicht leiden können);* (ugs.) **den Braten r.** *(die Absicht merken);* (ugs.) **etwas nicht r. können** *(etwas nicht* *ahnen, wissen können):* das habe ich doch nicht r. können, daß du heute keine Zeit hast. **2.** ⟨itr.⟩ *einen [bestimmten] Geruch haben:* der Kaffee riecht gar nicht mehr; hier riecht es nach Rosen; der Käse riecht stark.

Riecher, der; -s, - (derb): *Nase:* er hat einen unmöglichen R. * (ugs.) **einen guten / feinen / den richtigen R. für etwas haben** *(ein feines Gespür, das richtige Gefühl für etwas haben; alles gleich ahnen, merken):* er hat schon immer einen guten R. für seinen Vorteil gehabt.

Riege, die; -, -n: *Reihe von Turnern:* die R. turnt am Reck.

Riegel, der; -s, -: *Verschluß* (siehe Bild): den R. an der Tür vorschieben, zurückschieben. * **einer Sache einen R. vorschieben** *(verhindern, daß etwas, was geplant ist, verwirklicht wird);* **hinter Schloß und R.** *(im Gefängnis):* er sitzt jetzt hinter Schloß und R.; der wird auch noch hinter Schloß und R. kommen.

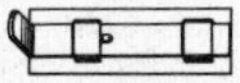

Riegel

Riemen, der; -s, -: **1.** *schmaler, längerer Streifen aus Leder oder Kunststoff mit Schnalle zum Fest- oder Zusammenhalten von etwas* (siehe Bild): er hat den Koffer mit einem R. verschnürt. * (ugs.) **sich am R. reißen [müssen]** *(sich zusammennehmen, sich anstrengen [müssen]);* (ugs.) **[sich] den R. enger schnallen [müssen]** *(sich einschränken [müssen]):* ich muß mir diesen Monat den R. enger schnallen. **2.** *Ruder:* sich in die R. legen.

Riemen 1.

Riese, der; -n, -n: *Mensch von übernatürlicher Größe.*

rieseln, rieselte, hat gerieselt ⟨itr.⟩: *in vielen gleichförmigen Teilchen herabfließen oder fallen:* Schnee rieselt; er ließ Sand durch die Finger r.

riesengroß ⟨Adj.⟩: *sehr, außerordentlich groß:* ein riesengroßes Schiff; die Schwierigkeiten sind r.

Riesenhunger, der; -s (ugs.): *sehr großer Hunger:* sie setzten sich mit einem R. zu Tisch.

riesig ⟨Adj.⟩: **1.** *sehr groß:* ein riesiger Elefant. **2.** ⟨verstärkend bei Adjektiven und Verben⟩ (ugs.) *sehr, außerordentlich:* r. lang; ich habe mich r. gefreut.

Riff, das; -[e]s, -e: *Untiefe aus Sand, Steinen, Korallen o. ä., die mit der Küste in Zusammenhang steht:* das R. war eine große Gefahr für die Schiffahrt.

rigoros ⟨Adj.⟩: *unerbittlich, scharf, rücksichtslos:* die Polizei greift r. durch; rigorose Maßnahmen ergreifen.

Rille, die; -, -n: *schmale, längere Vertiefung, Furche:* der Fußboden hatte viele Rillen.

Rind, das; -es, -er /ein Haustier/ (siehe Bild).

Rind

Rinde, die; -, -n: *äußere, feste Schicht von Bäumen, Sträuchern usw.; äußere, härtere Schicht von Brot oder Käse:* die R. der Kiefer ist sehr dick; wenn dir die R. von diesem Brot zu hart ist, dann schneide sie ab.

Rindfleisch, das; -[e]s: *Fleisch vom Rind:* R. wird gekocht, gebraten oder gegrillt.

Rindvieh, das; -s, Rindviecher: **1.** ⟨ohne Plural⟩ *Gesamtheit der Rinder:* das R. wurde im Stall versorgt. **2.** (derb) *dummer Mensch:* du R.!

Ring, der; -[e]s, -e: **1.** *kreisförmiger Gegenstand* (siehe Bild): einen goldenen R. am Finger tragen; einen Wasserhahn mit einem R. abdichten; an den Ringen turnen; bildl.: einen R. um jmdn. bilden, schließen *(sich um jmdn. herumstellen);* [dunkle] Ringe um die Augen haben *(Schatten um die Augen haben).* **2.** *abgegrenzter Platz für Boxkämpfe* (siehe Bild): in den R. steigen; den R. als Sieger verlassen. **3.** *Zusammenarbeit, Verband mehrerer selbständiger Unternehmen:* die Firmen wollen sich zu einem R. zusammenschließen.

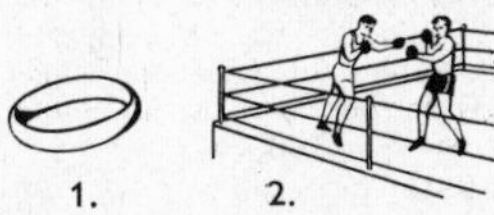

1. 2.

Ring

ringeln, sich; ringelte sich, hat sich geringelt: *sich so zusammenrollen, daß ungefähr die Form eines Ringes entsteht:* die Schlange, der Wurm ringelt sich; die Schnur hat sich geringelt.

Ringelspiel, das; -s, -e (östr.): *Karussell:* die Kinder fuhren begeistert [mit dem] R.

ringen, rang, hat gerungen: **1.** ⟨itr.⟩: *so kämpfen, daß der Gegner durch Griffe und Schwünge auf beide Schultern gezwungen wird:* er hat mit ihm gerungen. **2.** ⟨tr.; mit näherer Bestimmung⟩ *winden, mit Gewalt drehen:* er hat ihm die Pistole aus der Hand gerungen. **3.** ⟨itr.⟩ **a)** *mit großem Kraftaufwand gegen einen militärischen Gegner kämpfen:* die Heere rangen drei Tage um den Sieg. **b)** *gleichzeitig mit einem anderen zäh nach etwas streben:* drei Männer rangen um das Amt des Präsidenten; bildl.: nach Worten r. *(suchen);* mit einem Problem r. *(sich in Gedanken intensiv mit einem Problem beschäftigen).*

Ringer, der; -s, -: *jmd., der als Sportler mit jmdm. ringt.*

Ringfinger, der; -s, -: *aus drei Gliedern bestehender, vierter Finger der Hand vom Daumen aus:* am R. trug sie einen glatten Ring aus Silber.

Ringkampf, der; -[e]s, Ringkämpfe: *sportlicher Wettkampf im Ringen:* der R. wird nach Punkten bewertet.

Ringrichter, der; -s, -: *Schiedsrichter bei einem Boxkampf oder einem Kampf zwischen Catchern:* der R. trennte die Gegner und verwarnte sie.

rings ⟨Adverb⟩: *an allen Seiten; rundherum:* der Ort ist r. von Bergen umgeben; sich r. im Kreise drehen.

ringsum ⟨Adverb⟩: *rundherum, überall im Umkreis:* r. saßen die Gäste.

Rinne, die; -, -n: *schmale, längere Vertiefung, die meist künstlich angelegt ist, zum Ableiten von Wasser:* eine R. am Dach anbringen.

rinnen, rann, ist geronnen ⟨itr.⟩ (geh.): 1. *in kleineren Mengen langsam und stetig fließen:* das Blut rinnt aus der Wunde; der Schweiß rinnt ihm von der Stirn; der Regen rinnt von den Dächern; Sand rinnt ihm durch die Finger. 2. *undicht sein:* der Kessel rinnt.

Rinnsal, das; -[e]s, -e (geh.): *schwach fließender, schmaler Bach:* das R. war durch den langen Regen entstanden.

Rippe, die; -, -n: 1. *bogenförmiger Knochen im Oberkörper* (siehe Bild): er hat eine R. gebrochen. * (ugs.) **sich** (Dativ) **etwas nicht aus den Rippen schneiden können** *(nicht wissen, woher man etwas nehmen soll):* ich kann mir das Geld doch nicht aus den Rippen schneiden. 2. *Gegenstand, der einer Rippe ähnlich sieht* (siehe Bild): die Rippen eines Blattes.

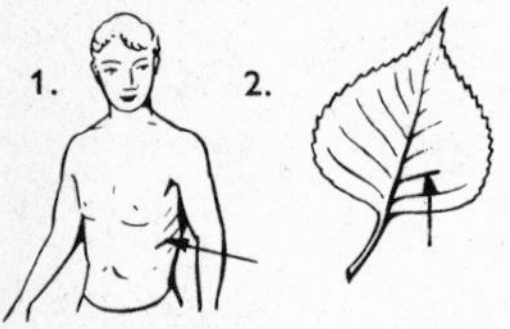

Rippe

Risiko, das; -s, -s und Risiken: *Wagnis, Gefahr; Möglichkeit des Verlustes, Mißerfolges:* das R. übernehmen, tragen; das R. ist sehr groß; sich auf kein R. einlassen.

riskant ⟨Adj.⟩: *gewagt, gefährlich:* der Plan ist r.

riskieren, riskierte, hat riskiert ⟨tr.⟩: *wagen, aufs Spiel setzen:* sein Leben r.; in dieser Situation riskierte er alles.

Riß, der; Risses, Risse: *durch Reißen, Brechen entstandener Spalt; schmale längliche Lücke:* ein tiefer R. in der Mauer; das Seil hat einen R.; bildl.: ihre Freundschaft bekam einen R. *(wurde durch etwas gestört, getrübt, fast zerstört);* durch die Partei geht ein tiefer R. *(die Partei ist durch gegensätzliche Meinungen in zwei Lager gespalten).*

rissig ⟨Adj.; nicht adverbial⟩: *viele Risse habend:* die Wände sind sehr r.; eine rissige *(aufgesprungene)* Haut haben.

Rist, der; -es, -e: 1. a) *obere Seite des Fußes:* der Schuh paßt nicht wegen des hohen Ristes; er trat den Ball mit dem R. b) *obere Seite der Hand:* beim Turnen zog er sich eine Verletzung am R. der rechten Hand zu. 2. *Teil zwischen Hals und Rücken* /bes. beim Pferd/: er streifte mit der Hand über den R. des Pferdes.

Ritt, der; -es, -e: *das Reiten:* ein langer, anstrengender R.

Ritter, der; -s, - (hist.): *in einer Rüstung und zu Pferd kämpfender Krieger des Mittelalters:* die R. an der Tafel des Königs Artus wurden in zahlreichen Dichtungen besungen.

ritterlich ⟨Adj.⟩: 1. *den Ritter betreffend, ihm entsprechend, geziemend:* diese Dichtung ist ritterlich geprägt. 2. a) *fair, den Regeln entsprechend:* ein ritterlicher Kampf. b) *höflich, zuvorkommend:* er benimmt sich den Damen gegenüber r.

rittlings ⟨Adverb⟩: *wie ein Reiter [auf dem Pferd] sitzend:* er saß r. auf seinem Stuhl.

Ritual, das; -s, -e: *Gesamtheit der Riten:* das feierliche R. des Gottesdienstes beeindruckte den Fremden.

rituell ⟨Adj.⟩: *den Ritus betreffend:* zum rituellen Ablauf der Zeremonie gehört der Tanz.

Ritus, der; -, Riten: *feierliche Handlung nach einer festgelegten Ordnung im Gottesdienst; Zeremonie.*

Ritz, der; -es; -e: *kleiner Kratzer; durch Ritzen hervorgerufene Linie auf etwas:* ein R. im Finger.

Ritze, die; -, -n: *sehr schmale Spalte oder Vertiefung; schmaler Zwischenraum:* Staub setzt sich in die Ritzen; der Wind pfiff durch die Ritzen des alten Hauses.

ritzen, ritzte, hat geritzt ⟨tr.⟩: *einen Ritz machen; mit einem scharfen Gegenstand eine Vertiefung einschneiden:* seinen Namen in den Baum r.; ⟨auch rfl.⟩ ich habe mich an einem Nagel geritzt *(habe mir die Haut aufgerissen, verletzt).*

Rivale, der; -n, -n: *jmd., der sich um die gleiche Sache oder Person bewirbt; Konkurrent, Nebenbuhler:* er schlug seine Rivalen aus dem Felde. **Rivalin,** die; -, -nen.

rivalisieren, rivalisierte, hat rivalisiert ⟨itr.⟩: *wetteifern, (in jmdm.) einen Rivalen haben:* er rivalisierte mit seinem Bruder um den ersten Platz. **Rivalität,** die; -, -en.

Roastbeef ['ro:stbi:f], das; -s, -s: *nicht ganz durchgebratenes Stück Fleisch vom Rind:* zum Abendessen gab es saftiges R.

Robbe, die; -, -n: /ein Tier/ (siehe Bild).

Robbe

robben, robbte, hat/ist gerobbt ⟨itr.⟩: *sich, auf die Ellenbogen gestützt, kriechend fortbewegen:* die Soldaten sind über das Feld gerobbt; die Rekruten haben eine Stunde gerobbt.

Robe, die; -, -n: 1. *elegantes, langes Kleid:* die Damen trugen bei der Premiere in der Oper kostbare Roben. 2. *feierliche Kleidung (von Geistlichen, Juristen o. ä. bei Ausübung ihres Amtes):* der Richter erhob sich in seiner schwarzen Robe und verkündete das Urteil.

roboten, robotete, hat gerobotet/(auch:) robotet (ugs.): *schwer arbeiten, sich plagen:* er robotete vom frühen Morgen bis in die Nacht.

Roboter, der; -s, -: *der Gestalt eines Menschen ähnliche Maschine, die bestimmte manuelle Funktionen ausüben kann* (siehe Bild): diese Aufgaben werden von einem R. ausgeführt; er arbeitet wie ein R. *(ununterbrochen, schwer).*

Roboter

robust ⟨Adj.⟩: *kräftig, widerstandsfähig, nicht empfindlich:* der Junge ist r.; ein robuster Motor.

röcheln, röchelte, hat geröchelt ⟨itr.⟩: *geräuschvoll, keu-*

chend atmen: der Kranke röchelte auf seinem Lager.

Rock, der; -[e]s, Röcke: **1.** *Kleidungsstück für Damen, das von der Hüfte abwärts reicht* (siehe Bild): ein kurzer, langer R. **2.** (landsch.) *Jacke, Jackett für Herren* (siehe Bild): er zog seinen R. wegen der Hitze aus.

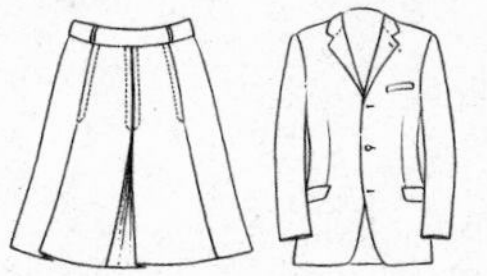

1. 2.
Rock

Rockschöße: ⟨in den Wendungen⟩ (ugs.; abwertend) **sich jmdm. an die R. hängen, sich an jmds. R. hängen** *(in unselbständiger Weise nur gemeinsam mit jmdm. etwas unternehmen):* er versuchte immer wieder sich an meine R. zu hängen.

Rodel, die; -, -n (östr.): *Schlitten für Kinder:* zwei Kinder fuhren auf ihrer R. den Weg hinunter.

rodeln, rodelte, hat/ist gerodelt ⟨itr.⟩: *mit einem Schlitten im Schnee fahren:* wir sind gerodelt; wir haben den ganzen Nachmittag gerodelt.

roden, rodete, hat gerodet ⟨tr.⟩: *(eine Fläche) von Wald frei machen, urbar machen:* sie haben dieses Gebiet gerodet.

Rogen, der; -s, -: *Eier der weiblichen Fische:* der R. des Störs gilt als Delikatesse.

Roggen, der; -s: /ein Getreide/ (siehe Bild).

Roggen

roh ⟨Adj.⟩: **1.** ⟨nicht adverbial⟩ *nicht gekocht, nicht gebraten nicht zubereitet:* rohe Eier; rohe Kartoffeln; das Fleisch ist noch r. **2.** *in natürlichem Zustand, nicht bearbeitet:* rohes Holz; ein r. *(aus rohem Holz)* gezimmerter Tisch. **3.** *grob, ungesittet, rücksichtslos:* ein roher Mensch; er wurde wegen rohen Spiels verwarnt. **4.** *ungefähr:* etwas r. schätzen, berechnen.

Rohbau, der; -[e]s, -ten: *[Zustand eines] Neubau[s], bei dem nur Mauern, Decken und Dach errichtet sind:* das Haus ist im R. fertig; der R. muß von der Behörde abgenommen werden; bildl.: das Werk ist noch im R. *(noch nicht ausgefeilt).*

Roheit, die; -: *das Rohsein, rohe Gesinnung:* ihr Spott war ein Zeichen ihrer R.

Rohkost, die; -: *Speise aus rohen Pflanzen.*

Rohling, der; -s, -e: *Mensch mit roher Gesinnung:* der R. mißhandelte das Tier.

Rohr, das -[e]s, -e: *langer, runder Hohlkörper zur Weiterleitung von Flüssigkeiten oder Gasen* (siehe Bild): Rohre legen, (fachsprachlich:) verlegen; etwas durch ein R. pumpen.

Rohr

Röhre, die; -, -n: **1. a)** *von einem Körper umschlossener langgestreckter, meist an einem Ende begrenzter Hohlraum als Teil eines Ganzen:* die R. im Ofen. * (ugs.) **in die R. gucken** *(leer ausgehen, nichts bekommen).* **b)** *spezieller Teil in bestimmten elektrischen Geräten:* die R. des Fernsehapparates, des Radios ist entzwei. **2.** *Rohr:* eine R. mit großem Durchmesser.

röhren, röhrte, hat geröhrt ⟨itr.⟩: *(während der Brunftzeit) brüllen* /vom Hirsch/: der Hirsch röhrte, daß man es weitum vernahm; bildl.: ⟨häufig im 1. Partizip⟩ mit röhrendem Motor ging der Rennwagen vom Start.

Rohrpost, die; -: *Anlage zur raschen Beförderung von in Hülsen gesteckten schriftlichen Mitteilungen durch [Einpumpen oder] Absaugen der Luft in Rohren:* im Stadtgebiet werden eilige oder wichtige Nachrichten durch R. befördert.

Rohrspatz, der; -en, -en: /ein Vogel/ (siehe Bild). * (ugs.) **schimpfen wie ein R.** *(laut und heftig schimpfen).*

Rohrspatz

Rohstoff, der; -[e]s, -e: *natürlich vorkommender Stoff, aus dem etwas hergestellt oder gewonnen wird:* Rohstoffe liefern, verarbeiten.

Rokoko [östr.: ... ko], das; -s: *Epoche der europäischen Kultur im 18. Jh., die den Barock ablöst:* verspielte, zierliche Ornamente sind ein Kennzeichen des Rokokos.

Rolladen, der; -s, Rolläden: *oben am Fenster angebrachte Vorrichtung, die rollend heruntergelassen werden kann, um vor Licht usw. zu schützen* (siehe Bild): du mußt die Rolläden hochziehen.

Rolladen

Rolle, die; -, -n: **1.** *Gestalt, die ein Künstler im Theater oder im Film zu spielen hat:* er spielt, singt die R. des Königs; bildl.: in der Auseinandersetzung spielte er eine undurchsichtige R. *(man konnte seine Absichten nicht klar erkennen);* ihm fiel die R. des Organisators zu *(er hatte die Aufgabe zu organisieren);* er hat seine R. ausgespielt *(er hat nichts mehr zu sagen).* *(ugs.) **aus der R. fallen** *(in Gesellschaft vor anderen etwas Ungehöriges oder Unpassendes tun und dadurch Mißfallen erregen);* **etwas spielt keine R.** *(etwas ist nicht entscheidend, unwichtig).* **2.** *kleines Rad, kleine Kugel oder Walze, worauf etwas rollt oder gleitet:* ein Tisch, Sessel auf Rollen; die Kiste auf Rollen transportieren; das Seil läuft über Rollen. **3.** *etwas, was so zusammengerollt ist, daß es einer Walze gleicht; etwas Aufgerolltes:* eine R. Papier; drei Rollen Draht. **4.** Turnen *Drehung um die quer zum Körper verlaufende Achse:* die R. vorwärts, rückwärts.

rollen, rollte, hat/ist gerollt: **1.** ⟨itr.⟩ **a)** *sich um die Achse drehend fortbewegen:* der Ball ist ins Tor gerollt; die Kugel ist unter den Schrank gerollt. **b)** *sich auf Rädern fortbewegen:* der Wagen ist noch ein Stück gerollt. **c)** *dumpfes, polterndes Geräusch von sich geben:* der Donner hat in der Ferne gerollt. ** **mit den Augen r.** *(die Augen wild nach allen Seiten drehen)*. **2.** ⟨tr.⟩ **a)** *drehend, schiebend fortbewegen:* er hat das Faß in den Keller gerollt; er hat den Stein zur Seite gerollt. **3. a)** ⟨tr.⟩ *einem Gegenstand die Form einer Walze geben:* er hat den Teppich gerollt. **b)** ⟨rfl.⟩ *die Form einer Walze annehmen:* das Papier, die Schlange hat sich gerollt.

Roller, der; -s, -: **1.** *Fahrzeug auf zwei Rädern für Kinder, das durch Treten mit einem Fuß angetrieben wird:* darf ich mit dem R. fahren, Mutti? **2.** *Motorroller:* er stellte seinen R. vor dem Hause ab.

Rollfeld, das; -[e]s, -er: *Bahn zum Landen und Starten der Flugzeuge:* für die neuen Maschinen mußte das R. verlängert werden.

Rollmops, der; -es, Rollmöpse: *gerollter, mit Zwiebel und Gurke eingelegter Hering:* sie kaufte ein Glas Rollmöpse.

Rollschuh, der; -s, -e: *Schuh auf Rollen (als Spielzeug oder Sportgerät)* (siehe Bild): im Frühjahr vertauschen viele Kinder die Schlittschuhe mit den Rollschuhen.

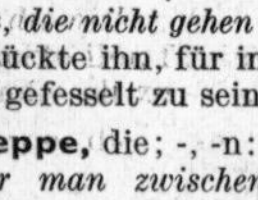

Rollschuh

Rollstuhl, der; -[e]s, Rollstühle: *Stuhl auf Rädern für Kranke, die nicht gehen können:* es bedrückte ihn, für immer an den R. gefesselt zu sein.

Rolltreppe, die; -, -n: *Treppe, auf der man zwischen Stockwerken hinauf- oder hinunterfährt* (siehe Bild).

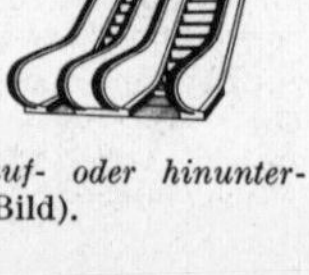

Rolltreppe

Roman, der; -s, -e: *längere literarische Erzählung in Prosa:* einen R. schreiben, lesen.

Romanik, die; -: *Epoche der europäischen Kultur vom 11. bis 13. Jahrhundert:* die R. war der erste universelle Kunststil des europäischen Mittelalters.

Romantik, die; -: *Epoche der europäischen Literatur, Malerei und Musik vom Ende des 18. Jahrhunderts bis etwa 1830:* die R. betont Äußerungen des Gefühls und der Phantasie.

Romantiker, der; -s, -: **1.** *Vertreter der Romantik:* in diesem Bücherschrank befinden sich die Werke der R. **2.** *stark vom Gefühl her lebender, schwärmerischer [die Wirklichkeit verkennender] Mensch:* von der modernen Zivilisation will er nichts wissen, er ist ein richtiger R.

romantisch ⟨Adj.⟩: **a)** *zur Romantik gehörend:* die romantische Dichtung. **b)** *gefühlsbetont, schwärmerisch:* er hat ein romantisches Gemüt. **c)** *malerisch, reizvoll:* die Stadt liegt ganz romantisch von Weinbergen umgeben.

Romanze, die; -, -n: **1.** *kurze Erzählung in Versen:* Brentanos „Romanzen vom Rosenkranz“ haben eine geniale dichterische Form. **2.** *Musikstück, das sehr ausdrucksvoll und melodienreich ist:* Beethovens zwei Romanzen für Violine und Klavier sind ein Höhepunkt dieser Kunst. **3.** *romantische Liebesgeschichte, Liebesabenteuer:* er erlebte eine kurze R. mit einer Schauspielerin.

Römer, der; -s, -: *Glas für Wein in Form eines Kelches:* sie schenkte den Gästen Wein in die R.

Rondell, das; -s, -e: **1.** *rund angelegtes Beet:* ein mit Blumen besetztes R. zierte den Garten. **2.** *runder Turm bei Festungen:* Rondelle dienten der besseren Verteidigung.

röntgen, röntgte, hat geröntgt ⟨tr./itr.⟩: *mit Hilfe von Röntgenstrahlen durchleuchten:* den gebrochenen Arm r.

Röntgenstrahlen, die ⟨Plural⟩: *bes. in der Medizin und Technik verwendete bestimmte Art von Strahlen:* die R. sind nach ihrem Entdecker Wilhelm Conrad Röntgen benannt.

rosa ⟨Adj.; indeklinabel⟩: *von zartem, hellem Rot:* ein r. Kleid; etwas r. färben.

Rose, die; -, -n: /eine Blume/ (siehe Bild).

Rose

Rosenkohl, der; -s: /eine bestimmte Art von Gemüse/ (siehe Bild).

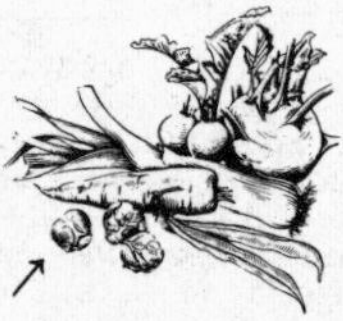

Rosenkohl

Rosenkranz, der; -es, Rosenkränze: Rel. kath. **a)** *Schnur mit (insgesamt 59) aufgereihten Perlen oder kleinen Kugeln und einem angehängten Kreuz, die man beim gleichnamigen Gebet verwendet* (siehe Bild): ihre Hände bewegten den R. **b)** *Gebet, bei dem bei einer bestimmten Anzahl von Wiederholungen des „Ave Maria“, die an den Perlen einer Schnur gezählt werden, Ereignisse aus dem Leben Jesu genannt werden:* sie betet täglich den R.

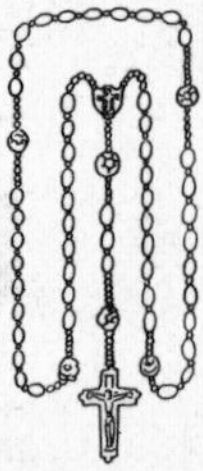

Rosenkranz a)

Rosenmontag, der; -s, -e: *Montag vor Fastnacht:* am R. werden in vielen Gegenden Umzüge abgehalten.

Rosette, die; -, -n: *Verzierung in Form einer stilisierten Rose* *oder runden Blüte:* Rosetten gehören zu den ältesten Formen von Ornamenten.

rosig ⟨Adj.⟩: **1.** ⟨nicht adverbial⟩ *in der Farbe Rosa, zart rot aussehend:* ein rosiges Gesicht; rosige Haut haben. **2.** *angenehm; nur die positive Seite betreffend:* etwas in den rosigsten Farben schildern; rosigen Zeiten entgegengehen; die Lage ist nicht r. *(ist schlecht)*.

Rosine, die; -, -n: *getrocknete Weinbeere:* Rosinen machen den Kuchen schmackhaft. * (ugs.) **sich** (Dativ) **die Rosinen aus dem Kuchen picken / klauben** *(sich das Beste von etwas aneignen);* (ugs.) **Rosinen im Kopf haben** *(meinen, etwas erreichen zu können, wozu man dann doch nicht in der Lage ist; unrealistisch sein)*.

Roß, das; Rosses, Rosse und (bayr.; östr.:) Rösser (veralt.; geh.; noch landsch.): *Pferd:* hoch zu R. galoppierten sie über die Felder. * (ugs.) **sich aufs hohe R. setzen, auf dem hohen R. sitzen** *(überheblich sein, sich über etwas erhaben dünken, weil man sich im Recht wähnt)*.

Roßkur, die; -, -en (ugs.): *mit drastischen Mitteln durchgeführte Kur:* es war eine R., aber es hat geholfen.

Rost, der; -es, -e: **I.** *Gitter aus Stäben über oder unter dem Feuer in Öfen o. ä.:* Fleisch auf dem R. braten. **II.** ⟨ohne Plural⟩ *an Gegenständen aus Eisen oder Stahl sich bildende braun-gelbe Schicht, die durch Feuchtigkeit entsteht:* etwas von R. befreien, vor R. schützen.

rosten, rostete, hat gerostet ⟨itr.⟩: *Rost bilden, ansetzen:* das Auto rostet.

rösten, röstete, hat geröstet ⟨tr.⟩: *ohne Zusatz von Fett oder Wasser durch Erhitzen bräunen:* Brot, Kaffee, Kastanien r.

rostfrei ⟨Adj.⟩: *keinen Rost habend, bildend:* rostfreier Stahl.

rostig ⟨Adj.⟩: *mit Rost bedeckt:* rostige Nägel.

Röstkartoffeln, die ⟨Plural⟩: *Bratkartoffeln.*

rot, röter, röteste ⟨Adj.⟩: *in der Farbe dem Blut ähnlich:* ein rotes Kleid; rote Rosen. * (ugs.) **wie ein rotes Tuch auf jmdn. wirken** *(auf jmdn. so wirken, daß er zornig wird)*.

Rot, das; -s: *rote Farbe:* ein leuchtendes R.; bei R. *(bei rotem Licht)* darf man nicht über die Straße gehen oder über die Kreuzung fahren.

Rotation, die; -, -en: *Umlauf, Umdrehung um eine Achse:* man kann die R. der Sterne berechnen.

Röte, die; -: *das Rotsein, Rötlichsein; rote Färbung:* die R. der Haut, des morgendlichen Himmels; ihm stieg [vor Zorn, Scham] die R. ins Gesicht.

Röteln, die ⟨Plural⟩: *Infektionskrankheit mit Hautausschlag:* die Kinder sind an R. erkrankt.

röten, rötete, hat gerötet ⟨tr./rfl.⟩: *rot färben:* der Widerschein des Feuers rötete den Himmel; ihre Wangen röteten sich.

rotieren, rotiert, hat rotiert ⟨itr.⟩: *sich um die eigene Achse drehen:* das Rad rotiert.

Rotkehlchen, das; -s, -: /ein Vogel/ (siehe Bild).

Rotkehlchen

Rotkohl, der; -s: *Kohl von roter bis blauer Farbe.*

Rotkraut, das; -s: *[zubereiteter] Rotkohl.*

rötlich ⟨Adj.⟩: *leicht rot getönt:* sie hat rötliches Haar.

Rotte, die; -, -n: **1.** (veralt.; abwertend) *Schar, Gruppe:* eine R. von Gaunern machte die Stadt unsicher. **2.** *Gruppe von etwa acht bis zwölf Arbeitern, die bei der Eisenbahn Gleisarbeiten verrichten.*

Rotunde, die; -, -n: *runder Bau, runder Saal.*

Rotwein, der; -s, -e: *aus blauen Trauben gewonnener roter Wein:* abends wurde R. aufgetischt.

Rotwelsch, das; -s: *Sprache der Gauner und Landstreicher.*

Rotz, der; -es: **1.** (derb) *aus der Nase fließender Schleim:* wisch dir den R. ab! * **R. und Wasser heulen** *(heftig weinen/*von Kindern/). **2.** *Krankheit von Tieren, bes. von Pferden und Schafen, bei der Geschwüre in der Haut o. ä. auftreten:* die vom R. befallenen Tiere mußten geschlachtet werden.

rotzen, rotzte, hat gerotzt ⟨itr.⟩ (derb): *Rotz durch den Mund oder die Nase auswerfen:* der Mann rotzte geräuschvoll.

Rotzjunge, der; -n, -n (derb): *schmutziger, frecher Junge:* was hast du schon wieder angestellt, du R.!

Rotznase, die; -, -n (derb): **1.** *Nase, aus der Rotz läuft:* putz dir endlich mal deine R.! **2.** *freches Kind, unreifer junger Mensch:* ich lasse mich von euch Rotznasen nicht ärgern; dich habe ich schon als kleine R. gekannt.

Rouge [ru:ʒ], das; -s, -s: *rote Schminke, bes. für die Wangen:* sie legte R. auf.

Roulade [ru'la:də], die; -, -n: *gerollte und gebratene, mit Speck und Zwiebeln gefüllte Scheibe Fleisch:* Rouladen waren die Spezialität der Köchin.

Roulett [ru'lɛt], das; -s, -s: *Glücksspiel, bei dem auf einer sich drehenden schwarz-roten Scheibe durch eine geworfene Kugel die gewinnbringende Nummer ermittelt wird:* er spielte leidenschaftlich R. und verlor dabei sein ganzes Vermögen.

Route ['ru:tə], die; -, -n: *festgelegter Weg einer Reise oder Wanderung:* die R. einhalten, ändern.

Routine [ru'ti:nə], die; -: *praktisches Wissen, Geschicklichkeit durch Übung, Erfahrung:* ihm fehlt die R.; eine Arbeit wird zur R. *(wird schematisch, gleichförmig ausgeführt)*.

Routinesitzung [ru'ti:nə...], die; -, -en: *Sitzung, die in bestimmten Abständen, aber nicht aus einem besonderen Anlaß abgehalten wird.*

Routinier [rutini'e:], der; -s, -s: *erfahrener Praktiker; jmd., der in einer bestimmten Sache viel Routine beweist [und sich nicht mehr schöpferisch mit ihr auseinandersetzt]:* als alter R. in der Außenpolitik wird er die Verhandlungen sicher zu einem erfolgreichen Abschluß führen; es war ein Fehler, die Inszenierung dieses problematischen Stücks einem solchen R. anzuvertrauen.

routiniert ⟨Adj.⟩: *[viel] Routine, Erfahrung habend; geschickt:* ein routinierter Sportler; er ist sehr r.

Rowdy ['raʊdi], der; -s, -s und Rowdies (abwertend): *brutaler Mensch, gewalttätiger Bursche.*

rubbeln, rubbelte, hat gerubbelt ⟨tr./rfl.⟩ (landsch.): *[trocken] reiben:* nach dem Bad rubbelte ich ihn, mich mit dem Tuch.

Rübe, die; -, -n: **1.** /eine Pflanze/ (siehe Bild): Rüben ernten. * (ugs.) **wie Kraut und Rüben [durcheinander]** *(völlig durcheinander, ungeordnet).* **2.** (derb) *Kopf.*

Rübe 1.

Rubin, der; -s, -e: /ein roter Edelstein/: das Armband bestand aus schön geschliffenen Rubinen.

Rubrik, die; -, -en: *in Tabellen o. ä. die einzelne Spalte oder der Abschnitt in einer Spalte:* etwas in die rechte R. eintragen.

ruchbar: ⟨in der Verbindung⟩ ruchbar werden (geh.): *bekanntwerden:* das Verbrechen wurde r.

ruchlos ⟨Adj.⟩: *niedrig, gemein, böse, verrucht:* diese ruchlose Tat brachte ihn an den Galgen.

Ruck, der; -[e]s: *plötzlicher heftiger Stoß; plötzliches kräftiges Ziehen, Reißen:* der Zug fuhr mit einem kräftigen R. an; mit einem R. hob er die Kiste hoch; bildl.: die Wahlen bedeuteten einen R. nach links, rechts *(die Wahlen brachten einen überraschenden Erfolg der Linken, Rechten).* * **sich einen R. geben** *(endlich das tun, was man nicht gerne tut).*

ruckartig ⟨Adj.⟩: *mit kurzen, abgesetzten Bewegungen; mit einem Ruck:* die Maschine bewegte sich r., bevor sie stillstand.

Rückblick, der; -[e]s, -e: *Blick in die Vergangenheit.*

rücken, rückte, hat/ist gerückt: **1.** ⟨tr.⟩ *mühsam [mit einem Ruck] über eine kurze Strecke schieben:* er hat den Schrank von der Wand gerückt. **2.** ⟨itr.⟩ *sich etwas zur Seite bewegen [um jmdm. Platz zu machen]:* er ist zur Seite gerückt; könnten Sie bitte noch etwas zur Seite r.?; bildl.: er ist an seine Stelle gerückt *(er erfüllt die Aufgaben, die vorher der andere erledigt hat).* * (ugs.) **jmdm. auf die Bude r.** *(jmdn. überraschend besuchen [um ihn zur Rede zu stellen]);* (ugs.) **jmdm. auf den Pelz r.** *(jmdn. bedrängen):* ich bin ihm auf den Pelz gerückt, weil er seine Zinsen nicht zahlen wollte.

Rücken, der; -s, -: *hintere Seite des menschlichen Rumpfes; Oberseite des tierischen Körpers:* ein breiter R.; auf dem R. liegen; bildl.: der R. *(die stumpfe Seite)* des Messers; der R. *(die Seite, wo die Blätter gebunden sind)* eines Buches; der R. *(obere Teil)* eines Berges. * **jmdm. den R. stärken** *(jmdn. bei einer Auseinandersetzung unterstützen);* **jmdm. in den R. fallen** *(jmdn. hinterrücks angreifen; gegen jmdn. unerwartet Stellung nehmen);* **jmdm./einer Sache den R. kehren** *(sich [mit Verachtung] von jmdm./etwas abwenden):* er kehrte der Stadt, seinen Freunden den R.; **sich** (Dativ) **den R. decken** *(gleich von Beginn an dafür sorgen, daß man vor eventuellen negativen Folgen geschützt ist);* **etwas hinter jmds. R. tun** *(etwas heimlich, ohne jmds. Wissen tun).*

Rückendeckung, die; -: *Absicherung gegen einen Angriff von hinten:* die Truppe muß auf R. verzichten; bildl.: ehe ich einen solchen Antrag stelle, muß ich mir R. bei meinem Vorgesetzten holen, verschaffen.

Rückenmark, das; -s: *Strang im Inneren der Wirbelsäule, der wichtige Nerven enthält:* er hat eine gefährliche Erkrankung des Rückenmarks.

Rückfahrt, die; -, -en: *Fahrt, Reise zum Ausgangspunkt zurück* /Ggs. Hinfahrt/: er verlangte am Schalter eine Fahrkarte für die Hin- und Rückfahrt.

Rückfall, der; -[e]s, Rückfälle: *erneutes Auftreten, Vorkommen [einer Krankheit]; Wiederholung:* der Patient erlitt einen R.

rückfällig ⟨Adj.; nicht adverbial⟩: *eine Straftat, einen Fehler wieder begehend; erneut straffällig:* trotz bester Vorsätze wurde er r.

Rückgang, der; -[e]s: *das Zurückgehen, Nachlassen; Verminderung:* ein R. des Fiebers ist noch nicht zu erwarten.

rückgängig: ⟨in der Wendung⟩ etwas r. machen: *etwas Beschlossenes als wieder für ungültig, nicht bestehend erklären.*

Rückgrat, das; -[e]s, -e: *Wirbelsäule:* sich das R. brechen. * **jmdm. das R. stärken** *(jmdn. bei einer Auseinandersetzung unterstützen);* (ugs.) **kein R. haben** *(seinen Standpunkt nicht fest vertreten);* **R. zeigen** *(bei Auseinandersetzungen fest bleiben).*

Rückhalt, der; -[e]s: *Hilfe, Stütze:* an jmdm. einen starken, keinen R. haben.

rückhaltlos ⟨Adverb⟩: *ohne Vorbehalt:* er spricht seine Meinung stets r. aus.

Rückkehr, die; -: *das Zurückkommen von einer Reise:* der Zeitpunkt seiner R. ist nicht genau bekannt.

rückläufig ⟨Adj.⟩: *zurückgehend, nachlassend:* hier ist eine rückläufige Bewegung eingetreten.

Rücklicht, das; -[e]s; -er: *an der Rückseite von Fahrzeugen (Auto, Motorrad, Fahrrad o. ä.) angebrachtes rotes Licht:* die Rücklichter sollen gut sichtbar sein.

rücklings ⟨Adverb⟩: **a)** *nach hinten:* r. die Treppe hinunterfallen. **b)** *von hinten:* jmdn. r. angreifen.

Rückporto, das; -s, -s und Rückporti: *Porto für Beantwortung von Sendungen mit der Post:* einer brieflichen Anfrage muß R. beigelegt werden.

Rückreise, die; -, -n: *Reise zum Ausgangspunkt zurück:* auf der R. überdachte sie ihre Eindrücke und Erfahrungen.

Rucksack, der; -s, Rucksäcke: *mit Lederriemen auf dem Rücken getragene Art Sack* (siehe Bild): sie packten ihren Proviant in den R. und verließen die Hütte.

Rucksack

Rückschau, die; -: *Rückblick.*

Rückschlag, der; -[e]s, Rückschläge: *plötzliche Wendung ins Negative:* es schien ihm gesundheitlich schon besser zu gehen, da erlitt er einen schweren R.

Rückschritt, der; -s, -e: *Rückfall in Zustände, die bereits als überwunden gelten:* die Verwirklichung seines Planes würde einen R. bedeuten.

Rückseite, die; -, -n: *rückwärtige Seite:* an der R. des Hauses war ein Garten angelegt.

Rücksicht, die; -, -en: *Berücksichtigung der Gefühle und Interessen einer Person:* R. kennt er nicht *(er ist in seinem Vorgehen rigoros, rücksichtslos).* * **auf jmdn. R. nehmen** *(jmds. körperlich schlechten Zustand o. ä. berücksichtigen und sich entsprechend [nachsichtig] verhalten);* **mit R. auf** *(indem man jmdn. oder etwas schonen will):* mit R. auf seine Eltern sagte man nichts.

Rücksichtnahme, die; -: *Rücksicht:* wegen allzu großer politischer R. verzögerte sich die Untersuchung des Falles.

rücksichtslos ⟨Adj.⟩: *ohne jede Rücksicht; keine Nachsicht zeigend:* ein rücksichtsloses Benehmen; der neue Chef geht r. vor.

rücksichtsvoll ⟨Adj.⟩: *Rücksicht, Nachsicht zeigend; schonend:* der Kranke muß r. behandelt werden.

Rückspiegel, der; -s, -: *Spiegel an einem Fahrzeug (Auto, Motorrad o. ä.) zur Beobachtung des nachfolgenden Verkehrs:* er sah im R., wie sich der Wagen rasch näherte.

Rücksprache, die; -, -n: *Gespräch, um sich über etwas zu vergewissern:* nach einer R. mit dem Chef war der Fall erledigt.

Rückstand, der; -[e]s, Rückstände: **1. a)** *das Zurückbleiben hinter der Erwartung:* der Rückstand in der Produktion kann nicht mehr aufgeholt werden. **b)** *verbliebene Forderung:* der Kaufmann trieb alle Rückstände ein. ** **im R. sein** *(der erwarteten Leistung o. ä. nicht entsprochen haben);* **in R. geraten** *(hinter der erwarteten Leistung zurückbleiben).* **2.** *zurückbleibender Stoff; Rest:* der Kessel muß von Rückständen gesäubert werden.

rückständig ⟨Adj.⟩: *hinter der Entwicklung zurückgeblieben; am Alten hängend; nicht fortschrittlich:* er ist in seinen Ansichten sehr r.; ein rückständiger Betrieb.

Rückstrahler, der; -s, -: *Gegenstand mit gefärbtem Glas, der Lichtstrahlen reflektiert* /ein Warnzeichen/: jeder Radfahrer muß einen R. am Rad haben.

Rücktritt, der; -s, -e: *das Aufgeben, Niederlegen eines Amtes:* sich zum R. entschließen; den R. des Ministers bekanntgeben.

rückversichern, sich; rückversicherte sich, hat sich rückversichert: *sich noch einmal nachdrücklich (einer Sache) versichern:* er wollte sich der Treue seines Untergebenen r. **Rückversicherung,** die; -, -en.

rückwärtig ⟨Adj.; nur attributiv⟩: *hinter jmdm./etwas befindlich:* die rückwärtige Seite des *Hauses;* die rückwärtigen Verbindungen des Feindes.

rückwärts ⟨Adverb⟩: *nach hinten; der ursprünglichen Bewegung entgegengesetzt:* r. fahren, gehen.

rückwärtsgehen, ging rückwärts, ist rückwärtsgegangen ⟨itr.⟩ (ugs.): *sich verschlechtern:* mit seinen Leistungen ist es immer mehr rückwärtsgegangen.

Rückweg, der; -[e]s, -e: *Weg zum Ausgangspunkt zurück:* auf dem R. fanden sie das verlorene Tuch; bildl.: jmdm. den R. verlegen *(die Möglichkeit nehmen, von etwas zurückzutreten).*

ruckweise ⟨Adverb⟩: *ruckartig:* die Räder bewegten sich r.

rückwirkend ⟨Adj.⟩: *von einem bestimmten vergangenen Zeitpunkt an:* r. vom 1. Januar an erhalten die Arbeiter eine Lohnerhöhung.

Rückwirkung, die; -, -en: *Wirkung, Folge, die ein Ereignis oder jmds. Tun hat:* die R. der Aufwertung auf den Export. ** **mit R.** *(rückwirkend).*

Rückzahlung, die; -, -en: *Zahlung von geliehenem Geld an den Gläubiger:* die R. kann in Raten erfolgen.

Rückzieher, der; -s, -: **1.** *Distanzierung von einer Zusage; Einschränkung oder Zurücknahme einer Abmachung:* zuerst versprach er, sie zu unterstützen, dann machte er einen R. **2.** Fußball *das Schießen des Balls über den eigenen Kopf nach hinten:* mit einem R. ließ er dem Gegner keine Chance.

Rückzug, der; -s, Rückzüge: *das Sichzurückziehen, das Zurückweichen, weil man unterlegen ist:* den R. antreten; sich auf dem R. befinden; jmdm. den R. abschneiden.

rüde ⟨Adj.⟩: *roh, grob, ungesittet:* ein rüdes Benehmen, Auftreten.

Rüde, der; -n, -n: *männlicher Hund [zur Hetze des Wildes]:* der Jäger hatte zwei Rüden an der Leine.

Rudel, das; -s, -: **1.** *Gruppe (von zusammengehörenden Tieren):* ein R. Wölfe heulte. **2.** *Ansammlung von Menschen:* ein R. von Passagieren strömte dem Ausgang zu.

Ruder, das; -s, -: **1.** *Vorrichtung zum Steuern eines Schiffes* (siehe Bild): das R. führen; das R. ist gebrochen. * **ans R. kommen** *(die Führung übernehmen; an die Macht kommen).* **2.** *Stange mit flachem Ende zum Fortbewegen eines Bootes* (siehe Bild): die Ruder auslegen, einziehen.

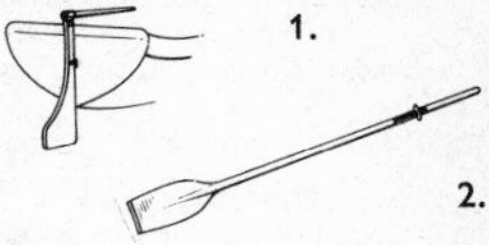

Ruder

Ruderboot, das; -[e]s, -e: *Boot, das durch Rudern fortbewegt wird:* wir mieteten uns ein R. und ruderten in die Mitte des Sees hinaus.

Ruderer, der; -s, -: *jmd., der als Sportler rudert:* er ist ein schneller R.

rudern, ruderte, hat/ist gerudert: **a)** ⟨itr./tr.⟩ *ein Boot mit Rudern fortbewegen:* er hat drei Stunden gerudert; er ist über den See gerudert; er hat das Boot selbst gerudert. **b)** ⟨itr.⟩ *Bewegungen ausführen wie mit einem Ruder:* die Ente rudert mit den Füßen; er hat beim Gehen mit den Armen gerudert.

Rudiment, das; -s, -e: *Rest, Überbleibsel; verkümmertes Organ:* der Blinddarm gilt nach heutiger Auffassung als R.

Ruf, der; -[e]s, -e: **1.** *das Rufen; der Schrei:* der R. eines Vogels;

die anfeuernden Rufe der Zuschauer; bildl.: dem R. des Herzens folgen *(sich nach seinem Gefühl, seinem inneren Drang entscheiden)*. 2. ⟨ohne Plural⟩ *Berufung; Aufforderung, eine Stelle zu übernehmen:* der Professor erhielt einen R. an die neue Universität. 3. ⟨ohne Plural⟩ *Beurteilung von der Allgemeinheit, Ansehen in der Öffentlichkeit:* einen guten, schlechten R. haben.

rufen, rief, hat gerufen: 1. ⟨itr.⟩ *seine Stimme weit hallend ertönen lassen:* er rief mit lauter Stimme; der Kuckuck ruft im Walde. * **die Pflicht ruft** *(man muß mit der Arbeit anfangen oder weitermachen)*. 2. ⟨itr.⟩ *tönend auffordern (zu etwas):* die Glocke ruft zum Gebet; das Horn ruft zur Jagd; die Mutter ruft zum Essen. 3. ⟨itr./tr.⟩ *verlangen (nach jmdm./etwas), auffordern zu kommen:* das Kind ruft nach der Mutter; er ruft [um] Hilfe; der Gast ruft nach der Bedienung; der Kranke ließ den Arzt r.; ich habe dich gerufen, weil wir etwas zu besprechen haben. * **jmdm. etwas ins Gedächtnis r.** *(jmdn. an etwas erinnern)*. 4. ⟨tr.⟩ *nennen:* seine Mutter hat ihn immer nur Hans gerufen.

Rüffel, der; -s, - (ugs.): *Rüge, Tadel:* einen R. für etwas erhalten.

rüffeln, rüffelte, hat gerüffelt ⟨tr.⟩ (ugs.): *(jmdm.) einen Rüffel erteilen:* er rüffelte den Kellner wegen der langsamen Bedienung.

Rufmord, der; -[e]s, -e: *schwere Verleumdung:* dieser R. wurde gerichtlich verfolgt.

Rufname, der; -ns, -n: *Vorname:* sein R. ist Hans.

Rugby ['rakbi], das, -:/ein dem Fußball verwandtes Ballspiel mit eiförmigem Ball/: R. ist in England ein sehr beliebter Sport.

Rüge, die; -, -n: *Tadel, Ermahnung, Verweis:* eine starke R. * **jmdm. eine R. erteilen** *(jmdn. [für etwas] rügen)*.

rügen, rügte, hat gerügt ⟨tr.⟩: **a)** *(jmdn.) tadeln; (jmdm.) eine Rüge erteilen:* jmdn. wegen etwas r. **b)** *(jmds. Verhalten oder Tun) beanstanden; (etwas) kritisieren, verurteilen:* sein Leichtsinn ist zu r.; der Redner rügte die Unentschlossenheit der Regierung.

Ruhe, die; -: 1. *das Aufhören der Bewegung; Stillstand:* das Pendel ist, befindet sich in R.; das Rad kommt langsam zur R. 2. *das Entspannen, Sichausruhen; Erholung:* das Bedürfnis nach R. haben; er gönnt sich keine R. 3. *das Ruhen im Bett; Schlaf:* sich zur R. begeben *(ins Bett gehen)*; angenehme R.! 4. *das Ungestörtsein, Nichtgestörtwerden; Friede:* eine Arbeit in R. erledigen; jmdn. in R. lassen *(nicht stören, nicht ärgern)*; er will seine R. haben. 5. *Stille:* die nächtliche R. stören; in der Kirche herrscht völlige R.; der Lehrer ruft: „R. bitte!"; bildl.: R. vor dem Sturm *(gespannte Atmosphäre vor [erwarteten] Unruhen)*. 6. *innere, seelische Ausgeglichenheit:* er bewahrt in schwierigen Situationen immer die R.; er strahlt R. aus. * (ugs.) **immer mit der R.!** *(nicht so hastig!)*.

Ruhegeld, das; -[e]s, -er: *Rente für Arbeiter und Angestellte:* das R. kann von der gesetzlichen Versicherung oder freiwillig vom Unternehmen gezahlt werden.

ruhelos ⟨Adj.⟩: *ohne [innere] Ruhe, in ständiger Bewegung befindlich:* r. ging er auf und ab; er führte ein ruheloses Leben.

ruhen, ruhte, hat geruht ⟨itr.⟩: 1. *sich durch Nichtstun erholen; zum Ausruhen liegen:* nach dem Essen eine Stunde lang r.; die Glieder, den Körper r. lassen *(entspannen)*. 2. (geh.) *begraben sein:* hier ruhen seine Angehörigen; die gefallenen Soldaten ruhen in fremder Erde *(sind im Ausland begraben)*. 3. *nicht in Bewegung, Gang, Tätigkeit sein:* die Kugel, der Ball, die Maschine ruht; bildl.: die Arbeit ruht *(es wird nicht gearbeitet)*; der Vertrag ruht *(ist vorübergehend außer Kraft)*. 4. *fest stehen (auf etwas); getragen werden (von etwas):* die Brücke ruht auf drei Pfeilern; das Denkmal ruht auf einem hohen Sockel; bildl.: die ganze Last, Verantwortung ruht auf seinen Schultern *(er trägt die ganze Last, Verantwortung allein)*.

Ruhepause, die; -, -n: *Pause zur Erholung:* während der anstrengenden Arbeit mußten Ruhepausen eingeschaltet werden.

Ruhestand, der; -[e]s: *Zeit nach dem Ausscheiden aus dem Dienst im Alter:* mit 65 Jahren in den R. gehen, treten.

Ruhestätte, die; - (geh.): *Grab:* er fand die letzte R. in seinem Heimatort.

Ruhestörung, die; -, -en: *Störung durch Lärm:* die Jugendlichen wurden wegen nächtlicher R. bestraft.

Ruhetag, der; -[e]s, -e: *Tag, an dem nicht gearbeitet wird:* der R. dient der Erholung.

ruhig: I. ⟨Adj.⟩: 1. *ohne Geräusch, Lärm; leise, still:* eine ruhige Gegend; die Wohnung liegt r. *(in einer Gegend ohne Lärm)*; sich r. verhalten; das Meer ist r. *(auf dem Meer stürmt es nicht)*; das Geschäft verlief heute r. *(es kamen heute nur wenige Kunden)*. 2. *nicht aufgeregt; frei von Erregung:* er hat r. gesprochen; in der gespannten Situation blieb er völlig r.; eine ruhige *(nicht zitternde)* Hand haben; sein Leben verlief r. *(hatte keine Aufregungen)*; ruhig[es] Blut bewahren *(sich nicht erregen)*; überlege es dir r. *(überlege es dir in Ruhe, ungestört)*. II. ⟨Adverb⟩: *durchaus; ohne Bedenken; ohne weiteres:* du kannst r. unterschreiben; man kann r. sagen, daß ...

Ruhm, der; -[e]s: *hohes Ansehen, große Ehre:* mit einem Werk [viel] R. gewinnen.

rühmen, rühmte, hat gerühmt: 1. ⟨tr.⟩ *nachdrücklich, überschwenglich loben:* er rühmte [an ihm] vor allem seinen Fleiß. 2. ⟨rfl.; mit Genitiv⟩ *eine eigene Leistung besonders betonen:* sich einer Tat, eines Erfolges r.

Ruhmesblatt: ⟨in der Verbindung⟩ etwas ist kein R. für jmdn.: *etwas bringt jmdm. kein Lob, keine Anerkennung:* diese Tat ist kein R. für ihn.

rühmlich ⟨Adj.⟩: *gut; wert, gelobt zu werden:* etwas zu einem rühmlichen Ende führen; das war nicht sehr r. von ihm *(das war keine gute, schöne Tat von ihm)*.

ruhmreich ⟨Adj.⟩: *mit viel Ruhm:* die ruhmreiche Vergangenheit des Vereins.

Ruhr, die; -: *Infektionskrankheit mit Entzündung des Darms:* in den Tropen treten häufig Fälle von R. auf.

Rührei, das; -s, -er: *Ei, das verquirlt in der Pfanne gebraten wird:* sich ein R. machen; Rührei[er] mit Schinken.

rühren, rührte, hat gerührt: **1.** ⟨tr.⟩ *durch Bewegen eines Löffels o. ä. im Kreis eine Flüssigkeit o. ä. in Bewegung halten:* die Suppe, den Teig r. **2.** ⟨itr./rfl.⟩ *bewegen:* die Glieder, Füße r.; sich [vor Schmerzen, Enge] nicht r. können. *** keinen Finger r.** *(nichts tun, nicht mithelfen, obgleich man es erwartet):* er rührte keinen Finger, um ihn aus seiner Lage zu befreien; **die Trommel r.** *(Propaganda machen).* **3.** ⟨itr.⟩ *(bei jmdm.) innere Erregung, Anteilnahme bewirken:* das Unglück rührte ihn nicht; ⟨häufig im 1. Partizip⟩ eine rührende Geschichte; ⟨häufig im 2. Partizip⟩ *innerlich ergriffen, bewegt:* sie war zu Tränen gerührt. **4.** ⟨itr.⟩ *seinen Ursprung haben (in etwas):* die Krankheit rührt daher, daß ... **** an etwas r.** *(etwas Unangenehmes ins Gespräch bringen):* an seine Vergangenheit darf man nicht r.

rührig ⟨Adj.⟩: *aktiv, eifrig, unternehmungslustig:* er ist bis ins hohe Alter r. geblieben; er ist ein rühriger Mensch.

rührselig ⟨Adj.⟩: *übermäßig stark das Gefühl ansprechend; sentimental:* eine rührselige Erzählung; etwas r. vortragen.

Rührteig, der; -[e]s: *Teig, der durch Rühren von Butter, Eiern, Zucker und Mehl entsteht:* aus R. wurde ein Kuchen gebacken.

Rührung, die; -: *innere Ergriffenheit, Bewegung des Gemüts:* er wurde von tiefer R. erfaßt.

Ruin, der; -s: *[wirtschaftlicher, finanzieller] Zusammenbruch:* das Geschäft geht dem R. entgegen.

Ruine, die; -, -n: *Rest eines Bauwerks, Hauses:* von dem Schloß steht nur noch eine R.

ruinieren, ruinierte, hat ruiniert ⟨tr./rfl.⟩: *zerstören, zugrunde richten:* jmdn. wirtschaftlich r.; sich durch starkes Rauchen gesundheitlich r.

ruinös ⟨Adj.⟩: *zum Ruin führend, verheerend:* der Zusammenbruch dieser Banken wirkte sich r. auf die gesamte Wirtschaft aus.

rülpsen, rülpste, hat gerülpst ⟨itr.⟩ (ugs.): *laut aufstoßen:* nach dem Essen rülpste er laut.

Rum, der; -s: *Branntwein aus Zuckerrohr:* sie tranken ein Glas R.

Rummel, der; -s (ugs.): **1.** *hektischer, lauter Betrieb:* vor den Feiertagen herrscht ein furchtbarer R. in den Geschäften. **2.** *Rummelplatz:* auf den R. gehen.

Rummelplatz, der; -es, Rummelplätze (abwertend): *Platz, auf dem es Schießbuden, Karussells o. ä. gibt:* die Kinder hatten großen Spaß auf dem R.

rumoren, rumorte, hat rumort ⟨itr.⟩: *dunkles, rollendes, polterndes Geräusch von sich geben:* die Pferde rumoren im Stall; es rumort *(rumpelt)* in meinem Magen.

Rumpelkammer, die; -, -n: *Kammer zum Abstellen unbrauchbar gewordener Dinge:* der beschädigte Stuhl wurde in die R. gebracht.

rumpeln, rumpelte, hat/ist gerumpelt ⟨itr.⟩ (ugs.): **a)** *ein dumpfes Geräusch hören lassen; poltern:* im Stockwerk über uns hat es eben mächtig gerumpelt; es rumpelt in meinem Magen. **b)** *polternd und rüttelnd fahren:* der Wagen ist über die schlechte Straße gerumpelt.

Rumpf, der; -[e]s, Rümpfe: **a)** *menschlicher oder tierischer Körper ohne Kopf und Glieder:* den R. beugen. **b)** *eigentlicher Körper eines Schiffes oder Flugzeugs, also ohne Masten, Tragflächen, Fahrgestell u. a.:* die Autos wurden im R. des Schiffes verstaut.

rümpfen, rümpfte, hat gerümpft: ⟨in der Wendung⟩ die Nase rümpfen: *die Nase kraus ziehen und etwas mit Mißfallen, Verachtung ansehen:* über die angebotenen Speisen rümpfte sie nur die Nase.

Rumpsteak ['rʊmpste:k], das; -s, -s: *kurz gebratene Scheibe Rindfleisch:* ein saftiges R. wurde zubereitet.

Run [ran], der; -s, -s: *Ansturm, großer Andrang:* mit dem Beginn der Ferien setzt wieder der R. auf die Hotels ein.

rund: I. ⟨Adj.⟩ *in der Form eines Bogens oder Kreises:* ein runder Tisch; bildl.: eine runde *(auf eine volle Zahl gebrachte)* Summe; ein runder *(voll klingender)* Ton; das Mädchen ist hübsch r. *(dick);* (ugs.) es geht r. *(es herrscht Stimmung, Betrieb).* **II.** ⟨Adverb⟩ *ungefähr, zirka:* der Anzug kostet r. 300 Mark; er geht für r. drei Monate nach Amerika. **** r. um** *(um ... herum):* ein Flug r. um die Erde.

Rundblick, der; -[e]s, -e: *Blick, Aussicht rundum:* auf dem Gipfel erfreuten sie sich an dem herrlichen R.

Runde, die; -, -n: **1. a)** ⟨ohne Plural⟩ *kleinerer Kreis von Personen:* wir nehmen ihn in unsere R. auf. **b)** *Bestellung von einem Glas Bier oder Schnaps für jeden Anwesenden auf Kosten eines einzelnen:* er bestellte eine R. Bier. **2. a)** *Rennstrecke, die zum Ausgangspunkt zurückführt:* nach 10 Runden hatte er einen Vorsprung von mehreren hundert Metern. **b)** *Kontrollgang:* der Wächter machte seine R.; bildl.: etwas macht die R. *(etwas wird überall weitererzählt).* **3.** *zeitliche Einheit beim Boxen:* der Kampf ging über 3 Runden. **4.** *Durchgang in einem Wettbewerb:* die Mannschaft ist in der dritten R. der Meisterschaft ausgeschieden.

runden, rundete, hat gerundet: **a)** ⟨rfl.⟩ *eine runde Form annehmen:* die Backen rundeten sich; bildl.: die Teile rundeten sich zum Ganzen. **b)** ⟨tr.⟩ *rund machen:* der Hund zog den Schwanz ein und rundete den Rücken; ⟨häufig im 2. Partizip⟩ den Mund vor Erstaunen gerundet, blickte sie auf.

Rundfunk, der; -[s]: *Einrichtung, bei der akustische Sendungen drahtlos ausgestrahlt und mit Hilfe eines Empfängers gehört werden:* der R. sendet ausführliche Nachrichten; der R. überträgt das Konzert.

Rundgang, der; -[e]s, Rundgänge: *Gang rundherum, von einer Person/Sache zur anderen:* der Arzt trat seinen R. durch die Abteilungen an.

rundheraus ⟨Adverb⟩ (ugs.): *offen; ohne Bedenken, ohne Umschweife:* etwas r. sagen.

rundherum ⟨Adverb⟩: *an allen Seiten; rings:* das Haus ist r. von Wald umgeben.

rundlich ⟨Adj.⟩: **a)** *annähernd rund:* der Stein ist r. geschliffen. **b)** ⟨nicht adverbial⟩ *mollig, etwas dick* /wohlwollend von

Frauen gesagt/: eine rundliche Frau; ein rundliches Kinn.

Rundschreiben, das; -s, -: *Schreiben, das an mehrere Empfänger geleitet wird:* das R. der Firma wurde von allen Angestellten gelesen.

rundum ⟨Adverb⟩: *in der Runde, ringsum:* r. standen die Fenster offen.

Rundung, die; -, -en: *runde Form; Rundheit:* die R. des Torbogens paßte zum Stil des Hauses.

rundweg ⟨Adverb⟩: *entschieden und vollständig, ohne Diskussion oder Überlegung:* etwas r. ablehnen.

Rune, die; -, -n: *Zeichen der von den Germanen benutzten Schrift:* die Runen wurden meist in Holz, Erz oder Stein eingeritzt; bildl. (geh.): er trug die Runen *(Zeichen)* eines schweren Schicksals in seinem Gesicht.

Runzel, die; -, -n: *Falte [der Haut]:* sie glättete die Runzeln auf ihrer Stirn; das Obst bekommt Runzeln.

runzeln, runzelte, hat gerunzelt ⟨tr.⟩: *in viele Falten legen:* die Stirn r.

runzlig ⟨Adj.⟩: *stark gerunzelt; voller Falten, Furchen:* die Haut ist ganz r.

Rüpel, der; -s, -: *jmd., der sich frech und ungesittet benimmt; Flegel:* so ein R.!

rüpelhaft ⟨Adj.⟩: *frech, grob, ungesittet:* ein rüpelhafter Mensch; sich r. benehmen.

rupfen, rupfte, hat gerupft ⟨tr.⟩: *ausreißen; ziehen:* Gras, Unkraut r.; er hat mich an den Haaren gerupft; Hühner r. *(geschlachteten Hühnern die Federn vor der Zubereitung ausreißen).* * (ugs.) **mit jmdm. noch ein Hühnchen zu r. haben** *(jmdm. wegen etwas Vorwürfe zu machen haben).*

ruppig ⟨Adj.⟩: *unfreundlich, grob, derb:* er benahm sich heute sehr r.

Rüsche, die; -, -n: *Verzierung aus gefälteltem Stoff oder geraffter Spitze an einem Kleid o. ä.:* der Vorhang war mit Rüschen besetzt.

Ruß, der; -es: *schwarzes Pulver aus Kohlenstoff, das sich bei einem Feuer an den Wänden des Herdes oder im Kamin niederschlägt:* der Schornsteinfeger ist schwarz von R.

Rüssel, der; -s, -: *röhrenförmige Verlängerung am Kopf verschiedener Säugetiere und Insekten* (siehe Bild): der Elefant hat einen großen R.; der Schmetterling saugt mit seinem R. den Nektar aus den Blumen.

Rüssel

rußen, rußte, hat gerußt ⟨itr.⟩: *Ruß bilden:* der Ofen rußt stark.

rußig ⟨Adj.; nicht adverbial⟩: *von Ruß bedeckt:* die rußigen Schornsteine waren ein unerfreulicher Anblick.

rüsten, rüstete, hat gerüstet: **1.** ⟨itr.⟩ *sich durch [verstärkte] Produktion von Waffen und Vergrößerung der Armee militärisch stärken:* die Staaten rüsten weiter für einen neuen Krieg; der Gegner ist stark gerüstet. **2.** ⟨rfl.⟩ *sich vorbereiten:* sich zum Gehen, zur Abreise r.

rüstig ⟨Adj.⟩: *im höheren Alter noch gesund, beweglich, leistungsfähig:* er ist noch sehr r.; ein rüstiger Rentner.

rustikal ⟨Adj.⟩: *ländlich, bäuerlich, im Stil der Bauern:* seine Wohnung war r. eingerichtet.

Rüstung 2.

Rüstung, die; -, -en: **1.** ⟨ohne Plural⟩ *das Rüsten; das Verstärken der militärischen Mittel und Kräfte:* viel Geld für die R. ausgeben. **2.** *Schutzkleidung der Krieger aus Metall* /besonders im Mittelalter/ (siehe Bild): die R. des Götz von Berlichingen wird im Schloß Hornberg am Neckar aufbewahrt.

Rüstzeug, das; -[e]s: *notwendiges Wissen für eine bestimmte Tätigkeit:* ihm fehlt dazu das nötige R.

Rute, die; -, -n: **1.** *einzelner dünner, langer Zweig; mehrere solcher Zweige, zum Züchtigen zusammengebunden:* eine R. abschneiden; das unfolgsame Kind bekam die R. zu spüren; bildl.: der König regierte mit eiserner R. *(sehr streng).* **2.** *Wünschelrute:* plötzlich schlug die R. aus. **3.** *Schwanz bestimmter Tiere:* der Hund wedelte mit seiner buschigen R.

Rutsch: ⟨in den Fügungen⟩ (ugs.) **auf einen R.** *(für ganz kurze Zeit):* ich fahr mal auf einen R. nach Wien; (ugs.) **guten R.** *(gute Reise):* guten R. ins neue Jahr *(komme/kommt gut ins neue Jahr)!*

Rutschbahn, die; -, -en: *Bahn, auf der jmd./etwas abwärts rutscht:* die R. auf dem Spielplatz ist bei den Kindern besonders beliebt.

rutschen, rutschte, ist gerutscht ⟨itr.⟩: **a)** *[auf glatter Fläche] nicht fest stehen, sitzen oder haften; gleiten:* ich bin auf dem Schnee gerutscht; das Kind rutschte vom Stuhl; seine Hose rutschte ständig; ihm rutschte der Teller aus der Hand. **b)** *sich sitzend und gleitend fortbewegen:* du sollst nicht auf dem Boden r.; er rutschte auf der Bank etwas zur Seite und machte mir Platz.

rütteln, rüttelte, hat gerüttelt ⟨itr.⟩ /vgl. gerüttelt/: *heftig schütteln; ruckartig, kräftig und schnell hin und her ziehen:* der Sturm rüttelt an der Tür; an einem Baum r., daß das Obst herunterfällt; jmdn. aus dem Schlaf r. *(jmdn. schüttelnd wekken);* auf der holprigen Straße rüttelt der Wagen; bildl. (ugs.): an einem Vertrag, an Prinzipien r. *(einen Vertrag, Prinzipien ändern wollen);* an dieser Sache ist nicht zu r. *(kann nichts geändert werden).*

S

Saal, der; -[e]s, Säle: *großer [und hoher] Raum für Feste, Versammlungen o. ä.:* der S. war bei diesem Konzert überfüllt.

Saat, die; -, -en: **a)** ⟨ohne Plural⟩ *Samen, vorwiegend von Getreide, der zum Säen bestimmt ist:* die Bauern hatten die S. schon in die Erde gebracht. **b)** *noch junges Getreide:* die S. auf dem Feld steht gut. **c)** ⟨ohne Plural⟩ *das Säen:* es ist Zeit zur S.

Sabbat, der; -s, -e: *dem christlichen Sonntag entsprechender, auf den Sonnabend fallender jüdischer Ruhetag.*

Sabberlätzchen, das; -s, - (fam.): *kleiner Latz, der Kindern um den Hals gebunden wird und ihre Kleidung gegen das Sabbern beim Essen schützt:* du mußt Fritzchen noch das S. umbinden.

sabbern, sabberte, hat gesabbert ⟨itr.⟩ (ugs.): *Speichel aus dem Mund fließen lassen:* der Alte saß im Stuhl und sabberte.

Säbel, der; -s, -: /eine Waffe/ (siehe Bild): er schwang wild den S.

Säbel

Sabotage [zabo'ta:ʒə], die; -: *planmäßige Störung, Behinderung von Arbeiten o. ä.:* die Behörden vermuten, daß S. vorliegt, im Spiel ist; S. begehen, treiben.

Saboteur [zabo'tø:r], der; -s, -e: *jmd., der sabotiert:* Polizisten konnten den S. dingfest machen.

sabotieren, sabotierte, hat sabotiert ⟨tr.⟩: *planmäßig stören; behindern, verhindern:* er sabotierte die weiteren Untersuchungen; sie sabotierten den Plan *(sie verhinderten, daß der Plan ausgeführt wurde).*

Saccharin, das; -s: /ein Süßstoff/.

Sachbuch, das; -[e]s, Sachbücher: *allgemein verständliches, der Information des Laien dienendes Buch, das in ansprechender, belehrender Form Tatsachen oder Aufgaben eines bestimmten Sachgebietes darstellt:* das moderne S. ist der Nachfolger des populärwissenschaftlichen Buches des 19. Jahrhunderts.

sachdienlich ⟨Adj.; nur attributiv⟩: *für die Aufklärung eines Verbrechens o. ä. nützlich, förderlich:* er machte sachdienliche Angaben, die zur Ergreifung des Verbrechers führten.

Sache, die; -, -n: **1.** *Angelegenheit:* er hält den Sport für eine wichtige S. *** etwas tut nichts zur S.** *(etwas ist in bezug auf etwas anderes nebensächlich, unwichtig);* **[nicht ganz] bei der S. sein** *([nicht ganz] aufmerksam, konzentriert sein);* **mit jmdm. gemeinsame S. machen** *(sich mit jmdm. verbünden).* **2.** *Gegenstand, Ding:* diese Sachen müssen noch zur Post. **3.** ⟨Plural⟩ (ugs.) *Gegenstände zum persönlichen Gebrauch wie Kleidungsstücke o. ä.:* räum doch mal deine Sachen auf!

Sächelchen, das; -s, - (ugs.): **1.** *kleine Sache, kleiner Gegenstand:* die paar S., die auf dem Tisch stehen, müssen noch eingepackt werden. **2.** ⟨Plural⟩ *pikante, zweideutige Angelegenheiten, wie sie Menschen zustoßen können:* ja, das sind so S.!

Sachgebiet, das; -[e]s, -e: *durch bestimmte Aufgaben abgegrenzter Bereich; Bereich eines Faches:* das S. des Straßenbaues wird von ihm bearbeitet.

sachgemäß ⟨Adj.⟩: *einer Sache entsprechend, angemessen:* eine sachgemäße Behandlung des Themas.

Sachkenntnis, die; -, -se: *gründliches Wissen auf einem bestimmten Gebiet:* dieses Buch ist mit großer S. geschrieben.

sachkundig ⟨Adj.⟩: *Sachkenntnis besitzend, sich auf einem Sachgebiet auskennend:* wir hatten einen sachkundigen Führer durch die Ausstellung.

Sachlage, die; -: *alle Tatsachen, die den Charakter einer bestimmten Lage bestimmen; augenblicklicher Stand der Dinge:* er umriß mit kurzen Worten die S.; ich überblicke die S. nicht.

sachlich ⟨Adj.⟩: *nicht von Gefühlen und Vorurteilen bestimmt; nüchtern, objektiv:* sachliche Bemerkungen; er blieb bei diesem Gespräch s. **Sachlichkeit,** die; -.

Sachschaden, der; -s, Sachschäden: *Schaden, der an einer Sache, an Sachen entstanden ist:* es entstand ein S. von insgesamt 2500 Mark.

sacht ⟨Adj.⟩: *behutsam, sanft; vorsichtig:* mit sachten Händen; er faßte die Vase s. an; er kam s. *(leise und langsam)* heran; (ugs.) sachte, sachte! *(nicht so schnell!).*

Sachverhalt, der; -[e]s, -e: *Tatbestand; Stand der Dinge:* bei diesem Unfall muß der wahre S. noch geklärt werden.

Sachverständige, der; -n, -n ⟨aber: [ein] Sachverständiger, Plural: Sachverständige⟩: *jmd., der besondere Kenntnisse auf einem bestimmten Gebiet hat und in entsprechenden Fällen zur Beurteilung herangezogen wird, Fachmann:* die Sachverständigen waren unterschiedlicher Meinung; drei Sachverständige hatten ein Gutachten vorgelegt.

Sack, der; -[e]s, Säcke: *Behälter aus Stoff, Papier o. ä.* (siehe Bild): er band den S. zu; /als Maßangabe/ vier S. Mehl. *** (ugs.) mit S. und Pack** *(mit allem, was man besitzt);* (ugs.)

Sack

jmdn. in den S. stecken *(im Vergleich zu einem anderen wesentlich mehr können oder wissen und dessen Leistungen o. ä. als mäßig erscheinen lassen):* obgleich er der Jüngste ist, steckt er alle andern in den S.

Säckel, der, (auch:) das; -s, - (ugs.; landsch.): *Geldbörse:* er mußte tief in den S. greifen.

Sackgasse, die; -, -n: *Straße, die nicht weiterführt:* ich geriet mit meinem Wagen in eine S.; bildl.: er hat sich in eine S. verrannt *(in eine Situation begeben, auf etwas versteift, woraus es keinen Ausweg mehr gibt).*

Sackhüpfen, das; -s: *Kinderspiel, bei dem die Kinder, jedes bis zur Hüfte in einem Sack stehend, um die Wette hüpfen müssen:* S. machen.

Sadismus, der; -, Sadismen: **1.** ⟨ohne Plural⟩ **a)** *[Lust, Freude an] Grausamkeit:* zu[m] S. neigen. **b)** Med. *sexuelle Verirrung, bei der der eine Partner nur dann Lust empfindet, wenn er den anderen Partner quälen kann.* **2.** *einzelne grausame Handlung:* er war entsetzt über die Sadismen in den Konzentrationslagern.

Sadist, der; -en, -en: *jmd., der sadistisch ist:* einem Sadisten macht das Quälen anderer Menschen Freude.

sadistisch ⟨Adj.⟩: *von Sadismus besessen; Sadismus zeigend:* ein sadistischer Mensch; dieses Spiel ist s.; s. veranlagt sein.

säen, säte, hat gesät ⟨tr.⟩: *(Samen) auf Felder oder Beete streuen, in die Erde bringen:* der Bauer säte den Weizen; bildl.: sie säte *(stiftete)* Unfrieden zwischen den Brüdern.

Safari, die; -, -s: **a)** *längerer Marsch über Land in Ostafrika mit Trägern und Lasttieren:* an einer S. teilnehmen. **b)** *Fahrt in Afrika, auf der die Teilnehmer jagen oder photographieren.*

Safe [ze:f], der (auch: das); -s, -s: *Schrank u. ä., der gegen Feuer und Einbruch besonders gesichert ist und in dem man Geld, wertvolle Gegenstände o. ä. aufbewahrt.*

Saffian, der; -s: *feines, gefärbtes Leder aus der Haut der Ziege:* S. wird viel für Handtaschen verwendet.

Safran, der; -s, -e: **1.** /eine Pflanze/. **2.** *die getrockneten Narben der Blüte der gleichnamigen Pflanze, die als Gewürz und als Mittel zum Gelbfärben dienen.*

Saft, der; -[e]s, Säfte: **a)** *im Gewebe, bes. von Pflanzen, enthaltene Flüssigkeit:* der S. steigt in die Bäume. **b)** *Getränk, das durch Auspressen von Früchten gewonnen wird:* er trank ein Glas S.

saftig ⟨Adj.; nicht adverbial⟩: **a)** *viel Saft enthaltend; reich an Saft:* saftige Früchte; ein saftiges *(frisches)* Grün. **b)** (ugs.) *kräftig, stark:* er bekam einen saftigen Schlag mit der Faust; der Witz war ganz schön s. *(derb);* eine saftige *(hohe)* Rechnung.

saftlos ⟨Adj.⟩: *keinen Saft besitzend, ohne Saft:* diese Teile der Pflanze sind völlig s.; bildl.: eine saft- und kraftlose Dichtung, verfaßt von einem Stümper.

Sage, die; -, -n: **1.** *mündlich überlieferte Erzählung, die an historische Ereignisse anknüpft:* die Sage von den Nibelungen. **2.** ⟨in bestimmten Verwendungen⟩ *Gerücht:* es geht die S., er habe einen reichen Onkel beerbt.

Säge, die; -, -n: /ein Werkzeug/ (siehe Bild).

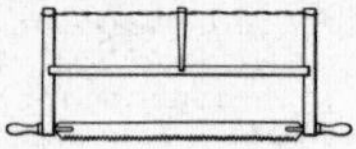

Säge

Sägeblatt, das; -[e]s, Sägeblätter: *gezähntes, stählernes Blatt der Säge:* ich wischte mit einem öligen Lappen über das S.

Sägemehl, das; -s: *feiner, mehlartiger Abfall beim Sägen von Holz:* der Boden war mit S. bestreut.

sagen, sagte, hat gesagt ⟨tr.⟩: **a)** *(mit Worten) äußern; [aus]sprechen:* der Zeuge sagte vor Gericht die volle Wahrheit; er sagte: „Ich komme nicht"; es ist nicht zu sagen *(es ist nicht zu beschreiben),* wie sehr ich mich gefreut habe. **b)** *(mit Worten) mitteilen, (jmdn. über etwas) informieren, (jmdn.) wissen lassen:* ich konnte dem Besucher nur s., daß der Chef nicht anwesend war. **c)** *mit Bestimmtheit aussprechen; behaupten:* das will ich nicht s.; der Zeuge sagt aber, du wärst dort gewesen. **d)** *einen bestimmten Sinn (für jmdn.) haben; bedeuten:* das Bild sagt mir gar nichts; das hat nichts zu s. ** **sich etwas nicht zweimal s. lassen** *(ein Angebot sofort annehmen);* **sich nichts s. lassen** *(eigensinnig sein);* (ugs.) **sage und schreibe** *(wirklich, tatsächlich)* /Ausdruck der Entrüstung/: er war sage und schreibe eine ganze Stunde zu spät gekommen.

sägen, sägte, hat gesägt ⟨tr.⟩: *mit der Säge zerschneiden:* er sägt Bäume; ⟨auch itr.⟩ er sägt draußen auf dem Hof *(arbeitet dort mit einer Säge).*

sagenhaft ⟨Adj.⟩: **1.** *dem Bereich der Sage angehörend; aus alter Zeit stammend:* ein sagenhafter König von Kreta. **2.** (ugs.) *unglaublich, unerhört, ungeheuer:* in dem Zimmer herrschte eine sagenhafte Unordnung.

Sägespäne, die ⟨Plural⟩: *Sägemehl.*

Sägewerk, das; -s, -e: *industrieller Betrieb, in dem Baumstämme in Bretter, Latten und Balken zerschnitten werden.*

Sago, der, (auch: das); -s: *körniges Stärkemehl aus dem Mark von Palmen.*

Sahne, die; -: **a)** *viel Fett enthaltender Bestandteil der Milch (der sich als besondere Schicht an der Oberfläche absetzt):* Kaffee mit Zucker und S. **b)** *Schlagsahne:* ein Stück Torte mit S.

Saison [zɛ'zõ:], die; -: *für bestimmte Bereiche (wie Sport, Wirtschaft, Fremdenverkehr o. ä.) wichtigster und bedeutendster Abschnitt des Jahres:* da die S. beendet ist, ist das Hotel geschlossen.

Saite, die; -, -n: *Faden aus Darm, Metall o. ä. bei bestimmten Musikinstrumenten, mit dem Töne erzeugt werden:* er griff in die Saiten der Gitarre; die Saiten ertönten.

Saiteninstrument, das; -[e]s, -e: *Musikinstrument, bei dem die Töne mit Hilfe von Saiten erzeugt werden:* die Harfe ist ein S.

Sakko [östr.: Sakko], der (auch:) das; -s, -s: *[sportliches] Jackett für Herren:* der braune S. steht mir nicht.

sakral ⟨Adj.⟩: *die Religion, die Kirche, den Gottesdienst betreffend; heilig:* sakrale Gefäße; diese Kunst ist rein s.; ein eigentümlich sakraler Stil.

Sakrament, das; -[e]s, -e: *bestimmte heilige, Gnaden vermittelnde Handlung in den christlichen Kirchen:* die katholische Kirche hat sieben Sakramente; eines davon ist die Taufe.

Sakrileg, das; -s, -e: *frevelhafte Handlung, die sich gegen religiöse Einrichtungen und Gebräuche, gegen heilige Personen, Orte, Gegenstände richtet; Lästerung von etwas Heiligem oder als heilig Empfundenem:* sich eines unerhörten Sakrilegs schuldig machen; etwas als S. empfinden.

Sakristei, die; -, -en: *Raum in der Kirche, in dem der Geistliche sich aufhält, sich ankleidet o. ä. und in dem die Geräte, Gewänder o. ä. für den Gottesdienst aufbewahrt werden.*

säkularisieren, säkularisierte, hat säkularisiert ⟨tr.⟩: **a)** *(kirchliches Eigentum) in weltlichen Besitz überführen:* der König säkularisierte viele Klöster. **b)** *verweltlichen:* seit dem Mittelalter ist das öffentliche

Leben mehr und mehr säkularisiert worden. **Säkularisierung,** die; -, -en.

Salamander, der; -s, -: /ein Tier/ (siehe Bild).

Salamander

Salami, die; -, -[s]: *harte, geräucherte Wurst aus Rind-, Schweinefleisch und Speck.*

Salamitaktik, die; -: *Taktik in der Politik, die dadurch Erfolge zu erzielen sucht, daß sie viele kleinere Übergriffe, die von der Gegenseite zur Vermeidung einer großen militärischen Auseinandersetzung hingenommen werden, aufeinander folgen läßt:* man versucht mit dem Mittel der S. Berlin von der Bundesrepublik zu isolieren.

Salär, das; -s, -e (bes. schweiz.): *Gehalt, Lohn.*

Salat, der; -[e]s, -e: **1.** ⟨ohne Plural⟩ /eine Gartenpflanze/ (siehe Bild). **2.** *[kaltes] Gericht, das aus [rohem] Gemüse, Obst, Fleisch o. ä. besteht und mit Öl, Essig o. ä. zubereitet wird.*

Salat 1.

salbadern, salbaderte, hat salbadert ⟨itr.⟩ (abwertend): *salbungsvoll-langweilig sprechen:* er salbadert schon wieder.

Salbe, die; -, -n: *Heilmittel, das aus einer fettigen Masse besteht und auf die Haut aufgetragen wird:* er strich S. auf die Wunde.

Salbei, der; -s: /eine Heilpflanze/ (siehe Bild).

Salbei

salben, salbte, hat gesalbt ⟨tr.⟩: *mit heiligem Öl weihen:* jmdn. zum König, zum Priester s. **Salbung,** die; -, -en.

salbungsvoll ⟨Adj.⟩: *übertrieben feierlich; betont würdevoll:* der Geistliche predigte sehr s.

saldieren, saldierte, hat saldiert ⟨tr.⟩: **1.** *durch Feststellung des Saldos gegeneinander aufrechnen:* Konten s. **2.** (östr.) *(die Bezahlung einer Rechnung) bestätigen:* die Rechnung s.

Saldo, der; -s, Salden und -s: *Unterschied der beiden Seiten eines Kontos:* es besteht ein S. zu unseren Gunsten; den S. anerkennen.

Saline, die; -, -n: *Anlage, Werk zur Gewinnung von Salz.*

salomonisch ⟨Adj.⟩: *sehr weise:* ein salomonisches Urteil verkünden; s. urteilen.

Salon [za'lõ:], der; -s, -s: **1.** *repräsentativer, für Besuch oder festliche Anlässe bestimmter Raum.* **2.** *[großzügig und elegant ausgestattetes] Geschäft im Bereich der Mode, Kosmetik o. ä.* /meist in Zusammensetzungen: Modesalon, Frisiersalon/.

salonfähig [za'lõ:...] ⟨Adj.⟩: *geeignet, in guter Gesellschaft zu erscheinen oder anerkannt zu werden:* so, wie der Kerl aussieht, ist er nicht s.; ein salonfähiges *(schickliches, dem Anstand entsprechendes)* Gespräch.

salopp ⟨Adj.⟩: *ungezwungen, nachlässig:* er ist immer s. gekleidet.

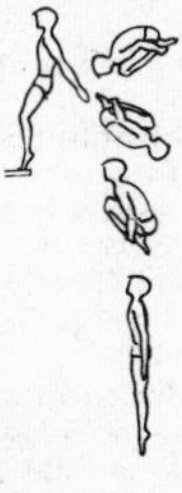

Salto

Salto, der; -s, -s: *Sprung, bei dem sich der Springende in der Luft überschlägt* (siehe Bild): er sprang mit einem S. ins Wasser.

Salut, der; -s, -e: *bestimmte Anzahl von Kanonenschüssen als [militärischer] Gruß:* die Kriegsschiffe schossen S.

salutieren, salutierte, hat salutiert ⟨itr.⟩: *militärisch grüßen:* die Soldaten salutierten in strammer Haltung vor dem General.

Salve, die; -, -n: *gleichzeitiges Schießen von mehreren Feuerwaffen, bes. Geschützen* /auch als militärischer Gruß/: schwere Salven folgten fast ohne Pause aufeinander; die Kriegsschiffe gaben als Gruß eine Salve von 25 Schüssen ab.

Salz, das; -es: *aus der Erde oder dem Wasser des Meeres gewonnene weiße, körnige Substanz, die zum Würzen der Speisen dient:* du mußt noch etwas S. an die Kartoffeln tun.

salzen, salzte, hat gesalzen ⟨tr.⟩ /vgl. gesalzen/: *mit Salz würzen:* der Koch hat die Suppe noch nicht gesalzen.

Salzhering, der; -s, -e: *in Salz eingelegter Hering.*

salzig ⟨Adj.⟩: *[stark] nach Salz schmeckend, viel Salz enthaltend; reich an Salz:* eine salzige Suppe.

Salzkartoffeln, die ⟨Plural⟩: *in Salzwasser gekochte geschälte Kartoffeln.*

Salzsäule: ⟨in der Wendung⟩ zur S. erstarren: *vor Schreck bewegungslos stehenbleiben, dastehen:* als er mich so unvermutet auftauchen sah, erstarrte er zur S.

Salzwasser, das; -s: **a)** *Salz enthaltendes Wasser:* mit S. gurgeln. **b)** *(salziges) Meerwasser* /Ggs. Süßwasser/.

Samen, der; -s, -: **1.** *von einer Hülle umgebener Keim einer Pflanze:* der Gärtner züchtet den S. dieser Pflanze. **2.** *Zellen vom Mann und vom männlichen Tier, die der Befruchtung und Fortpflanzung dienen.*

sämig ⟨Adj.⟩: *zähflüssig, dickflüssig:* eine sämige Suppe.

Sämling, der; -s, -e: *aus Samen gezogene kleine Pflanze:* die Sämlinge wurden ins Freie gepflanzt.

Sammelbecken, das; -s, -: *größeres Becken, in dem Flüssigkeiten, bes. Regenwasser, gesammelt werden:* ein neues S. anlegen; bildl.: die Partei ist ein S. für radikale Elemente.

sammeln, sammelte, hat gesammelt: **1.** ⟨tr.⟩ *(Gleichartiges) zusammentragen, anhäufen:* Briefmarken und Münzen s.; ⟨auch itr.⟩ er sammelt schon drei Jahre daran; er sammelt *(bittet um Geld o. ä.)* für die Armen. **2. a)** ⟨tr.⟩ *(um sich) ver-*

sammeln, vereinigen: Menschen um sich s. **b)** ⟨rfl.⟩ *sich versammeln; zusammenkommen:* die Schüler hatten sich vor der Schule gesammelt. **3.** ⟨itr.⟩ *konzentrieren:* vor dem öffentlichen Vortrag sammelte er sich, seine Gedanken; gesammelt *(ruhig und aufmerksam)* hörte er dem Konzert zu. **Sạmmlung,** die; -, -en.

Sạmmelplatz, der; -es, Sammelplätze: *Platz, an dem sich eine Anzahl Menschen unter bestimmten Umständen und zu bestimmter Zeit trifft:* in der Nähe des Bahnhofs ist ein S. für Flüchtlinge.

Sammelsurium, das; -s (ugs.): *Durcheinander von verschiedenen Gegenständen oder Personen:* in dem Kasten befand sich nur ein buntes S. von verrosteten Nägeln, Drähten und Schrauben.

Sạmstag, der; -s, -e (bes. südd., westd., östr., schweiz.): *siebter Tag der mit Sonntag beginnenden Woche; Sonnabend:* am S. wird nicht mehr gearbeitet.

sạmt ⟨Präp. mit Dativ⟩: *[mit] einbegriffen; mit:* das Haus s. allem Inventar wurde verkauft. ** **s. und sonders** *(alle ohne Ausnahme):* sie haben s. und sonders versagt.

Sạmt, der; -[e]s: *Gewebe, das an der Oberfläche mit kurzen, feinen Härchen dicht besetzt ist:* sie kleideten sich in S. und Seide.

Sạmthandschuh, der; -s, -e: *Handschuh aus Samt:* sie trug zum Kostüm passende Samthandschuhe. * (ugs.) **jmdn. mit Samthandschuhen anfassen** *(jmdn. besonders rücksichtsvoll behandeln, weil man ihm aus bestimmten Gründen nicht weh tun will).*

sạmtig ⟨Adj.⟩: *wie [aus, von] Samt, samtweich:* eine samtige Haut haben.

sạ̈mtlich ⟨Indefinitpronomen und unbestimmtes Zahlwort⟩: **1. sämtlicher, sämtliche, sämtliches** ⟨Singular⟩ *ganz, gesamt, all:* sämtliches gedruckte Material; sämtliches Schöne; der Verlust sämtlicher vorhandenen Energie. **2. sämtliche** ⟨Plural⟩ *jeder [von diesen], alle:* er kannte sämtliche Anwesenden, die richtige Betonung sämtlicher vorkommenden/vorkommender Namen; ⟨auch unflektiert⟩ sie waren s. erschienen.

sạmtweich ⟨Adj.⟩: *weich wie Samt, samtig:* eine samtweiche Haut haben.

Sanatorium, das; -s, Sanatorien: *Heim o. ä., in dem Personen, die an einer chronischen Krankheit leiden oder sich erholen müssen, ärztlich behandelt [und auf besondere Art gepflegt] werden:* er befindet sich in einem S.

Sạnd, der; -[e]s: *durch Verwitterung von Gestein entstandene und aus feinen Körnern bestehende Substanz:* zum Bauen braucht man S. * (ugs.) **jmdm. S. in die Augen streuen** *(jmdn. täuschen);* (ugs.) **den Kopf in den S. stecken** *(eine Gefahr o. ä. nicht sehen wollen).*

Sandale, die; -, -n: *leichter, offener Schuh mit Riemen* (siehe Bild): im Sommer trägt er gern Sandalen.

Sandale

Sandalẹtte, die; -, -n: *elegante, besonders leichte Sandale für Damen* (siehe Bild).

Sandalette

Sạndbank, die; -, Sandbänke: *Anhäufung von Sand oder Schlamm, die bis dicht an die Oberfläche des Wassers reicht:* die Sandbänke vor der Küste sind eine große Gefahr für die Schiffe.

sạndig ⟨Adj.; nicht adverbial⟩: *viel Sand enthaltend; aus Sand bestehend:* die Insel hat einen sehr sandigen Boden; seine Hose war s. *(mit Sand bedeckt).*

Sạndkasten, der; -s, Sandkästen: *größere Menge Sand, die von einer niedrigen, zum Sitzen geeigneten Einfassung aus Brettern umgeben ist und Kindern zum Spielen dient:* im S. spielen.

Sạndkuchen, der; -s, -: *feiner, trockener, leicht krümelnder Kuchen.*

Sạndmann, der; -[e]s: *freundliches Männchen, das kleinen Kindern abends Sand in die Augen streut, damit sie einschlafen* /Gestalt des Volksglaubens/: der S. kommt!

Sạndpapier, das; -s: *zum Schleifen verwendetes festes Papier, das mit Leim bestrichen und mit feinem Sand bestreut worden ist:* die Fläche muß vorher mit S. bearbeitet werden.

Sạndsack, der; -[e]s, Sandsäcke: *zu den verschiedensten Zwecken verwendeter, mit Sand gefüllter Sack:* man sollte im Winter in seinem Wagen immer einen kleinen S. mit sich führen.

Sạndstein, der; -[e]s, -e: *häufig zum Bauen verwendetes, ursprünglich aus Sand bestehendes Gestein, das durch verschiedene Zusätze (Eisen, Kalk, Ton o. ä.) im Laufe der Zeit fest geworden ist:* die Kirche ist aus S. erbaut.

Sạnduhr, die; -, -en: *Gerät zum Messen kleinerer Zeiträume, bes. beim Kochen von Eiern verwendet* (siehe Bild).

Sandwich ['zɛntvɪtʃ], das; -[s], -es: *pikant belegte Weißbrotschnitte oder halbes Brötchen:* ich hatte am Abend nur ein S. gegessen; Sandwiches anbieten.

sạnft ⟨Adj.⟩: **a)** *behutsam, zart, vorsichtig; frei von allem Groben, Harten:* mit sanften Händen; er faßte das Kind s. an. **b)** *weich, mild, freundlich; frei von allem Schroffen, Verletzenden:* er hat ein sanftes Herz. **c)** *leicht, gering; frei von jedem Übermaß:* ein sanfter Regen, Wind; die Straße stieg s. an.

Sanduhr

Sạ̈nfte, die; -, -n: *von Menschen oder Lasttieren getragenes Gestell zum Transport von Menschen oder Lasten* (siehe Bild S. 543): acht Sklaven trugen auf ihren Schultern eine goldene S.

Sạnftmut, die; -: *mildes, freundlich-sanftes Wesen:* seine S. ging so weit, daß er sich alles gefallen ließ; seine S. ablegen.

sạnftmütig ⟨Adj.⟩: *mild, freundlich; ein sanftes Wesen habend:* seine Mutter war sehr s.

Sänger, der; -s, -: *jmd., der singt, der im Singen ausgebildet ist, dessen Beruf das Singen ist:* er ist ein guter S. **Sängerin,** die; -, -nen.

Sänfte

Sanguiniker, der; -s, -: *lebhafter, temperamentvoller Mensch:* X, ein S. mit gelegentlichen elegischen Stimmungen.

sanguinisch ⟨Adj.⟩: *lebhaft und heiter; das Leben bejahend und dabei temperamentvoll:* sein Temperament/ er ist ausgesprochen s.

sanieren, sanierte, hat saniert: **1.** ⟨tr.⟩ **a)** Med. *(die Ursache einer Infektion) beseitigen:* erst muß der Herd der Entzündung saniert werden. **b)** *gegen eine Ansteckung nach dem Geschlechtsverkehr desinfizieren* /beim Militär/: er hat sich nicht s. lassen. **2.** ⟨tr.⟩ *gesunde Verhältnisse (in einem Stadtteil) schaffen, indem alte Häuser erneuert oder abgerissen werden usw.:* das Viertel muß möglichst bald saniert werden. **3. a)** ⟨tr.⟩ *die Wirtschaftlichkeit (eines Unternehmens) wiederherstellen:* der neue Leiter hat den Betrieb allmählich saniert. **b)** ⟨rfl.⟩ *wirtschaftlich gesunden:* der Betrieb hat sich saniert; (iron.) bei diesem Unternehmen hat er sich ganz schön saniert *(sich auf unsaubere Weise bereichert).*

sanitär ⟨Adj.⟩: **a)** *die Hygiene, Gesundheit betreffend:* sanitäre Gewohnheiten; Bedenken sanitärer Art. **b)** *der [öffentlichen] Hygiene, Gesundheit dienend:* sanitäre Einrichtungen, Anlagen, Artikel.

Sanitäter, der; -s, -: *jmd., der ausgebildet ist, Erste Hilfe zu leisten oder Kranke zu pflegen:* Sanitäter trugen ihn schnell ins Krankenhaus.

Sanktion, die; -, -en: **1.** *Bestätigung, Billigung:* dem Gesetz ist keine S. erteilt worden. **2.** ⟨Plural⟩ *[politische, wirtschaftliche] Zwangsmaßnahmen (zur Sicherung von etwas):* Sanktionen gegen/über ein Land verhängen.

sanktionieren, sanktionierte, hat sanktioniert ⟨tr.⟩: *gutheißen, als rechtmäßig bestätigen:* das Verfahren der Beamten wurde von den Behörden sanktioniert; diese Gewohnheit wurde durch einen Erlaß offiziell sanktioniert *(zum Gesetz erhoben).*

Saphir [auch: Saphir], der; -s, -e: **a)** /ein (meist) blauer Edelstein/: ein von Brillanten umgebener S. **b)** *aus dem gleichnamigen Mineral bestehende Nadel des Tonabnehmers bei Plattenspielern:* der S. muß selten erneuert werden.

Sardelle, die; -, -n: *im Mittelmeer heimischer, meist in Salz konservierter, zur Familie der Heringe gehörender kleiner Fisch:* eine Paste aus Sardellen bereiten.

Sardine, die; -, -n: *im Mittelmeer und im Ärmelkanal heimischer, meist in Öl konservierter, zur Familie der Heringe gehörender kleiner Fisch:* die von Kopf und Eingeweiden befreiten Sardinen werden in Dosen gelegt, mit Öl übergossen und sterilisiert.

Sarg, der; -[e]s, Särge: *länglicher Kasten [aus Holz], in dem ein Toter begraben wird* (siehe Bild): ein einfacher S.

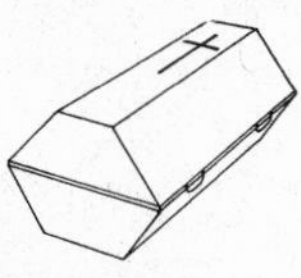

Sarg

Sarkasmus, der; -: *[beißender] Spott, Hohn:* in seiner Stimme schwang S.

sarkastisch ⟨Adj.⟩: *spöttisch, höhnisch:* eine sarkastische Antwort.

Sarkophag, der; -[e]s, -e: *prunkvoller [steinerner] Sarg:* der Öffnung eines Sarkophages beiwohnen.

Satan, der; -s, -e: *Teufel:* weiche, S.!; seine Frau ist ein richtiger S. *(ist sehr böse, ist unausstehlich).*

satanisch ⟨Adj.⟩: *von der Art eines Satans, teuflisch:* etwas mit einem satanischen Lachen beantworten; etwas Satanisches an sich haben.

Satanskerl, der; -s, -e (ugs.): *wagemutiger Draufgänger, der Unwahrscheinliches zustande bringt.*

Satellit, der; -en, -en: **1.** *einen Planeten umkreisender Körper; Mond.* **2.** *künstlicher Körper, der auf eine Bahn um die Erde gebracht wird und der Erforschung des Weltraums o. ä. dient.*

Satellitenstaat, der; -[e]s, -en (abwertend): *nach außen hin unabhängiger Staat, der aber politisch von einer Großmacht entscheidend beeinflußt wird.*

Satin [za'tɛ̃:], der; -s, -s: *Gewebe mit glatter, glänzender Oberfläche.*

Satire, die; -, -n: *ironisch-witzige literarische oder künstlerische Darstellung menschlicher Schwächen und Laster:* er hat eine beißende Satire auf/gegen das Establishment geschrieben.

satirisch ⟨Adj.⟩: *von der Art einer Satire, ironisch-witzig, spöttisch:* er hat einen satirischen Roman geschrieben.

satt ⟨Adj.⟩: **1.** *nicht [mehr] hungrig; seinen Hunger gestillt habend:* die Gäste waren s. **2.** (ugs.) ⟨in bestimmten Verwendungen⟩ *genug:* das Publikum konnte sich an dem Bild nicht s. sehen *(konnte sich von dem Anblick nicht trennen);* er hat/ist die Arbeit s. *(er ist der Arbeit überdrüssig; er will nicht mehr arbeiten).* **3.** *leuchtend, lebhaft; von tiefer und kräftiger Farbe:* ein sattes Grün.

Sattel, der; -s, Sättel: **a)** *Sitz, der auf Reittieren festgeschnallt wird und für den Reiter bestimmt ist* (siehe Bild). * (ugs.) **in allen Sätteln gerecht sein** *(überall tüchtig sein, zu allem zu gebrauchen sein).* **b)** *Sitz für den Fahrer auf Fahrrädern, Motorrädern o. ä.* (siehe Bild).

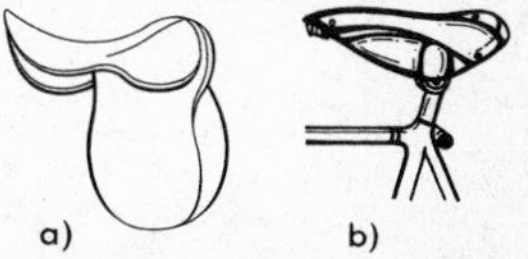

a) b)

Sattel

sattelfest ⟨Adj.⟩: *(auf einem Gebiet) gut Bescheid wissend;*

sicher: der Student war in Literatur s.

satteln, sattelte, hat gesattelt ⟨tr.⟩: *(einem Tier) einen Sattel auflegen:* die Reiter sattelten die Pferde.

sättigen, sättigte, hat gesättigt: **a)** ⟨tr.⟩ *satt machen:* die Speise sättigt uns; ⟨häufig im 1. Partizip⟩ eine sättigende *(schnell sattmachende)* Speise. **b)** ⟨rfl.⟩ *seinen Hunger stillen; so lange essen, bis man satt ist:* er sättigte sich mit Brot. **Sättigung,** die; -, -en.

Sattler, der; -s, -: *jmd., der Gegenstände aus Leder herstellt oder repariert* /Berufsbezeichnung/.

Sattlerei, die; -, -en: **a)** ⟨ohne Plural⟩ *Handwerk des Sattlers:* die S. erlernen. **b)** *Werkstatt des Sattlers:* in einer S. arbeiten.

sattsam ⟨Adverb⟩ (abwertend): *zur Genüge, genügend:* das ist s. bekannt; wir haben diesen Punkt s. *(mehr als genug)* durchgesprochen.

saturieren, saturierte, hat saturiert ⟨tr.⟩: *(jmds. Ansprüche) befriedigen:* der Wohlstand hat den Arbeiter saturiert; ⟨häufig im 2. Partizip⟩ das saturierte *(selbstzufrieden-satte)* Bürgertum.

Satz, der; -es, Sätze: **1. a)** *in sich gegliederte, einen zusammenhängenden Sinn ergebende Einheit der Rede:* das Kind kann noch keine vollständigen Sätze sprechen. **b)** *Behauptung, These, Lehrsatz:* der Redner begründete die von ihm aufgestellten Sätze. **2. a)** *in sich abgeschlossener Teil eines Musikstücks:* eine Sinfonie hat gewöhnlich vier Sätze. **b)** *in sich abgeschlossener Teil eines sportlichen Wettkampfes:* er verlor beim Tennis den ersten S. **3.** *eine bestimmte Anzahl zusammengehörender Dinge, Gegenstände:* er hat sich einen neuen S. Briefmarken gekauft. **4.** *etwas, was sich in einer Flüssigkeit am Boden absetzt:* er spülte den S. aus der Tasse. **5.** *übliches Maß, normale Höhe (eines Betrages):* diese Summe überschreitet den für Spesen festgelegten S. **6.** *großer Sprung:* in drei Sätzen war er an der Tür.

Satzung, die; -, -en: *verbindliche Bestimmungen, die alles das, was eine bestimmte Vereinigung von Personen betrifft, festlegen und regeln; Statut:* die Mitglieder des Vereins haben eine neue S. aufgestellt.

satzungsgemäß ⟨Adj.⟩: *der Satzung gemäß, entsprechend:* das satzungsgemäße Verhalten der Mitglieder; s. wären jetzt neue Wahlen auszuschreiben.

Satzzeichen, das; -s, -: *Zeichen, das dazu dient, einen geschriebenen Text zu gliedern und dem Lesenden das Verständnis des Textes zu erleichtern:* der Punkt ist ein S.

Sau, die; -, Säue und Sauen: **a)** ⟨Plural: Säue⟩ *weibliches zahmes Schwein* (siehe Bild); /als Schimpfwort/ (derb): du [alte] S.! **b)** ⟨Plural: Sauen⟩ *Wildschwein* (siehe Bild).

a) b)

Sau

sauber ⟨Adj.⟩: **1. a)** *frei von Schmutz, rein:* sein Hemd war s. **b)** *ordentlich, sorgfältig:* er schreibt sehr s. **2.** *sittlich einwandfrei; anständig:* er hat einen sauberen Charakter; das war ein sauberes *(faires, gutes)* Spiel; (ugs., iron.) du bist mir ja ein sauberer *(ein wenig anständiger, zuverlässiger)* Bursche! **Sauberkeit,** die; -.

säuberlich ⟨Adj.; nicht prädikativ⟩: *gewissenhaft, sorgfältig, genau:* etwas s. verpacken.

saubermachen, machte sauber, hat saubergemacht ⟨tr.⟩: *vom Schmutz befreien, den Schmutz (von etwas) entfernen; reinigen:* wir haben am Samstag die Wohnung saubergemacht; ⟨auch itr.⟩ wir müssen noch s.

säubern, säuberte, hat gesäubert ⟨tr.⟩: *saubermachen:* den Anzug mit der Bürste s.; bildl.: die Polizei säuberte *(befreite)* die Stadt von den Verbrechern. **Säuberung,** die; -, -en.

Sauce ['zo:sə], die; -, -n: vgl. Soße.

saudumm ⟨Adj.⟩ (derb): *überaus dumm:* ein saudummer Kerl; saudumme Fragen stellen; bildl.: das ist eine saudumme *(höchst unangenehme, peinliche)* Geschichte.

sauer ⟨Adj.⟩: **1.** *ohne jeglichen süßen Geschmack [seiend]; einen hohen Gehalt an Säure habend und entsprechend schmeckend:* saures Obst; saure *(mit Essig zubereitete)* Gurken. * (ugs.) **jmdm. Saures geben** *(jmdn. verprügeln).* **2.** (ugs.) **a)** ⟨nicht attributiv⟩ *(über jmdn.) ungehalten, ärgerlich, verärgert seiend:* er ist sehr s. auf seinen Chef. **b)** *mürrisch, unfreundlich, verdrießlich:* er macht ein saures Gesicht. **3.** *mit viel Mühe und Arbeit verbunden; beschwerlich, mühsam, unangenehm:* dies Buch zu schreiben ist eine saure Arbeit.

Sauerbraten, der; -s, -: *in Essig eingelegter geschmorter Braten aus Rindfleisch.*

Sauerei, die; -, -en (derb; abwertend): **a)** *etwas, was unangenehm, schlimm ist, Ärgernis erregt:* eine verdammte S., daß das Essen noch nicht da ist! **b)** *etwas Ungeordnetes, Schmutziges:* mach die S. in deinem Zimmer weg, Fritz! **c)** *anstößige, unanständige Bemerkung oder Handlung:* Sauereien erzählen; er hat zu all diesen Sauereien geschwiegen.

Sauerkirsche, die; -, -n: *säuerlich schmeckende Kirsche.*

Sauerkraut, das; -s: *klein geschnittener, in Salz eingelegter, gegorener Weißkohl.*

säuerlich ⟨Adj.⟩: *ein wenig, leicht sauer:* die Bonbons schmecken s.

säuern, säuerte, hat gesäuert: **a)** ⟨tr.⟩ *sauer machen, mit Säure versehen:* der Koch säuerte den Salat. **b)** ⟨itr.⟩ *sauer werden:* der Kohl säuerte im Faß.

Sauerstoff, der; -s: /ein chemisches Element/.

Sauerteig, der; -[e]s: *bei der Bereitung von Brot als Mittel zum Treiben verwendeter, gegorener Hefeteig:* den Teig durch S. zum Gären bringen; bildl. (geh.): dieses Ereignis war der

S., der alles in Bewegung brachte.

Saufbruder, der; -s, Saufbrüder (derb; abwertend): *Trinker.*

saufen, säuft, soff, hat gesoffen: **a)** ⟨itr./tr.⟩ *Flüssigkeit zu sich nehmen* /von Tieren/: die Kühe müssen noch [Wasser] s.; /in bezug auf den Menschen/ (derb): er mag keine Milch, er säuft lieber Bier; er säuft aus der Flasche. **b)** ⟨itr.⟩ (derb) *regelmäßig und in großen Mengen Alkohol trinken; dem Trunk ergeben sein:* die Frau tut mir leid, ihr Mann säuft; ⟨auch rfl.⟩ er säuft sich noch arm *(er trinkt so viel, daß er arm wird).*

Säufer, der; -s, - (ugs.; abwertend): *Trinker.*

Sauferei, die; -, -en (derb; abwertend): **a)** ⟨ohne Plural⟩ *gewohnheitsmäßiges reichliches Trinken von Alkohol:* die S. hat ihn ins Grab gebracht. **b)** *Saufgelage:* ich habe von der S. gestern abend Kopfweh.

Saufgelage, das; -s, - (ugs.; abwertend): *Gelage, bei dem unmäßig Alkohol getrunken wird.*

saugen, sog/saugte, hat gesogen/gesaugt ⟨tr.⟩: *(Flüssigkeit, Luft o. ä.) in sich hinein ziehen, einziehen:* das Kind saugt mit dem Strohhalm den Saft aus der Flasche; er sog/saugte die Luft durch die Zähne; ⟨auch itr.⟩ er saugt *(zieht)* ruhig an seiner Pfeife.

säugen, säugte, hat gesäugt ⟨tr.⟩: *mit der Milch der Mutter nähren:* die Kuh säugte das Kalb.

Säugetier, das; -[e]s, -e: *Tier, das lebende Junge zur Welt bringt und säugt.*

Säugling, der; -s, -e: *Kind im 1. Jahr seines Lebens:* die Mutter gab dem S. die Brust.

Saugnapf, der; -[e]s, Saugnäpfe: Biol. *einem Napf ähnliche Grube an der Oberfläche des Körpers verschiedener Tiere, deren Ränder sich saugend an Gegenstände oder Lebewesen pressen können.*

Säule

Säule, die; -, -n: *senkrechte, zumeist runde Stütze bei größeren Bauwerken* (siehe Bild): ein Haus mit hohen, weißen Säulen; bildl.: er ist eine S. *(Stütze)* der Wissenschaft.

Saum, der; -[e]s, Säume: **a)** *umgelegter und festgenähter Rand von Kleidungsstücken o. ä.; Einfassung:* der S. eines Kleides. **b)** (geh.) *sich deutlich abhebender Rand:* der dunkle S. des Waldes.

saumäßig ⟨Adj.⟩ (derb; abwertend): *sehr schlecht:* wir hatten ein saumäßiges Wetter; die Arbeiter sind s. bezahlt worden; (iron.) er hat saumäßiges *(sehr großes)* Glück gehabt.

säumen, säumte, hat gesäumt: **I.** ⟨tr.⟩ **a)** *(ein Kleidungsstück o. ä.) mit einem Saum versehen; einfassen:* sie muß den Rock noch s. **b)** *(als Rand) umgeben, die Begrenzung (von etwas) bilden; einfassen:* Sträucher und Bäume säumten die Wiese. **II.** ⟨itr.⟩ (geh.) *(mit der Ausführung von etwas) warten, zögern:* säume nicht!

säumig ⟨Adj.; nicht adverbial⟩: *eine festgesetzte Zeit für etwas nicht einhaltend; langsam, nicht pünktlich, nachlässig:* er ist s. mit dem Bezahlen. **Säumigkeit,** die; -.

saumselig ⟨Adj.⟩ (abwertend): *bei der Ausführung einer Arbeit ohne Eifer und recht langsam, träge; unzuverlässig:* ein saumseliges Mädchen; s. arbeiten. **Saumseligkeit,** die; -.

Sauna, die; -, -s: *Bad mit sehr großer trockener Hitze, in dem durch periodische Güsse von Wasser auf heiße Steine Dampf erzeugt wird:* in die S. gehen; aus der S. kommen; die S. hat mir gut getan.

Säure, die; -, -n: **1.** *bestimmte chemische Verbindung [mit einem kennzeichnenden Geschmack]:* eine ätzende S. **2.** *saurer Geschmack:* der Wein hat viel S.

Sauregurkenzeit, die; -, -en (ugs.; scherzh.): *die geschäftlich oder politisch meist ruhige, an Ereignissen arme Zeit des Hochsommers.*

Saurier, der; -s, -: /ein ausgestorbenes Reptil/ (siehe Bild).

Saus: ⟨in der Wendung⟩ in S. und Braus leben (ugs.): *verschwenderisch leben.*

Saurier

säuseln, säuselte, hat gesäuselt (geh.): **a)** ⟨itr.⟩ *leise rauschen, leicht wehen:* der Wind säuselte in den Zweigen. **b)** ⟨itr./tr.⟩ *leise [und süßlich] sprechen, flüstern:* sie säuselt immer so; sie säuselte: „Ach du ...“.

sausen, sauste, hat/ist gesaust ⟨itr.⟩: **a)** *in sehr starker Bewegung sein und ein brausendes, zischendes Geräusch hervorrufen:* der Wind sauste in den Bäumen; das Blut hat ihm in den Ohren gesaust. **b)** (ugs.) *sich sehr schnell bewegen:* das Auto ist mit hoher Geschwindigkeit durch die Stadt gesaust.

Saustall, der; -s (derb; abwertend): *Ort, an dem unordentliche oder korrupte Zustände herrschen, bes. ein Betrieb, Büro, eine Institution o. ä.:* es wird Zeit, daß dieser S. mal ausgemistet wird.

Sauwetter, das; -s (derb; abwertend): *sehr schlechtes Wetter:* bei diesem S. gehe ich nicht spazieren.

sauwohl ⟨Adverb⟩ (derb): *sehr gut:* ich fühle mich s.; mir ist s.

Saxophon, das; -s, -e: /ein Musikinstrument/ (siehe Bild).

Saxophon

Schabe, die; -, -n: *Insekt, das sich als Schädling häufig in Vorräten aufhält:* die Schaben in der Küche vertilgen.

schaben, schabte, hat geschabt ⟨tr.⟩: **a)** *durch wiederholtes Bewegen eines fest aufgesetzten Messers o. ä. entfernen:*

er schabte den Lack von dem Brett. **b)** *durch wiederholtes Bewegen eines fest aufgesetzten Messers o. ä. von der äußeren [Schmutz]schicht befreien:* der Koch mußte noch die Mohrrüben s.; Fleisch s. *(mit einem Messer in feinen Streifen und Stücken abtrennen und so zerkleinern).*

Schabernack, der; -s, -e: *übermütiger Streich:* jmdm. einen S. spielen.

schäbig ⟨Adj.⟩ (abwertend): **a)** *ärmlich, ungepflegt:* das Haus ist sehr s.; er hat einen schäbigen *(abgetragenen)* Mantel an. **b)** *kläglich, sehr gering:* in dieser Firma ist die Bezahlung sehr s. **c)** *niederträchtig, erbärmlich:* er hat sie sehr s. behandelt; er ist ein ganz schäbiger Kerl. **Schäbigkeit,** die; -.

Schablone, die; -, -n: **1. a)** *ausgeschnittene Vorlage, mit deren Hilfe Schriften, Bilder o. ä. vervielfältigt werden* (siehe Bild). **b)** *Muster, nach dem gleiche Stücke gefertigt werden.* **2.** *bereits geprägte, feste, übernommene Vorstellung; erstarrte Form:* er denkt nur in Schablonen.

Schablone 1. a)

Schabracke, die; -, -n: **1.** (veralt.) *bunt verzierte Decke, die über oder unter den Sattel gelegt wird.* **2.** (landsch.; abwertend) *etwas Altes, stark Abgenutztes [was schon ziemlich wackelig ist]:* diese S. [von einem Haus] wollte er mir für teures Geld verkaufen.

Schach, das; -s, -s: **a)** *Schachspiel:* mit jmdm. eine Partie S. spielen. **b)** *im Schachspiel Warnung an den Gegner, daß sein König angegriffen ist:* S. [dem König]! * **S. bieten** *(den König des Gegners angreifen);* **jmdn. in S. halten** *(jmdn. nicht gefährlich werden lassen):* der Boxer konnte seinen Gegner in S. halten.

Schachbrett, das; -[e]s, -er: *aus abwechselnd schwarzen und weißen quadratischen Feldern bestehende Unterlage, auf der Schach gespielt wird.*

Schacher, der; -s (abwertend): *gewinnsüchtiges, äußerst hartnäckiges Handeln um den Preis:* mit diesem betrügerischen S. will ich nichts zu tun haben; bildl.: mit den Ministerposten ist schmutziger S. getrieben worden.

schachern, schacherte, hat geschachert ⟨itr.⟩ (abwertend): *aus besonderer Gier nach Geld sehr hartnäckig um den Preis handeln:* er schachert mit großem Geschick.

schachmatt: ⟨Interj.⟩: *besiegt!* /Ausruf des Siegers bei einer Schachpartie, wenn dem Besiegte, dem Schach geboten worden ist, mit dem König keinen Zug mehr machen kann/. * **s. sein** *(im Schachspiel besiegt sein):* nach zwei Stunden war mein Gegner, der König s.; bildl. (ugs.): nach dem großen Ausflug waren wir alle ganz s. *(ermüdet, entkräftet);* **jmdn. s. setzen: a)** *jmdn. beim Schachspiel besiegen.* **b)** *jmdm. keine Möglichkeit zum Wirken lassen, ihn ausschalten.*

Schachpartie, die; -, -n: *einzelnes Schachspiel:* er trifft sich am Abend mit seinem Freund zu einer S.

Schachspiel, das; -[e]s, -e: *Brettspiel für 2 Spieler mit je 16 Figuren:* er lernt das S. nicht.

Schacht, der; -[e]s, Schächte: **a)** *hoher, schmaler Raum für bestimmte technische Einrichtungen, Zwecke o. ä.:* dies ist der S. für den Fahrstuhl. **b)** *Teil der Anlage eines Bergwerks, der von der Oberfläche der Erde in die Tiefe führt* (siehe Bild): sie fuhren in den S.

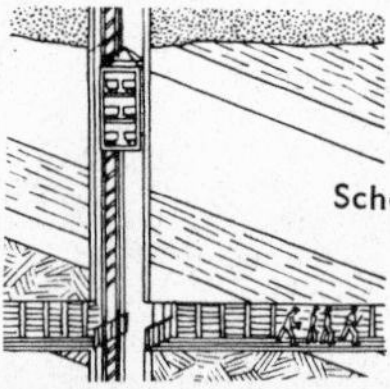

Schacht b)

Schachtel, die; -, -n: *flacher, rechtwinkliger oder runder Behälter [aus Pappe] mit einem Deckel* (siehe Bild): dies ist die S. für Mutters Hut. * (ugs.; abwertend) **alte S.** *(alte, unansehnliche, unfreundliche Frau):* so eine alte S.!

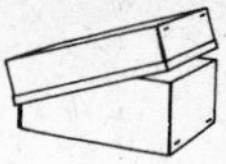

Schachtel

Schachtelhalm, der; -[e]s, -e: /eine Pflanze/ (siehe Bild).

Schachtelhalm

Schachzug, der; -[e]s, Schachzüge: *einzelner Zug beim Schachspiel:* nach drei weiteren Schachzügen setzte er seinen Gegner schachmatt; bildl.: das war ein äußerst kluger, geschickter S. *(ein kluges, geschicktes Vorgehen)* von ihm.

schade: ⟨in bestimmten Wendungen⟩ **etwas ist s.** *(etwas ist nicht erfreulich, ist sehr bedauerlich):* [es ist] schade, daß du nicht kommen kannst; **es ist s. um jmdn./etwas** *(es ist ein Jammer um jmdn./etwas);* **für etwas zu s. sein** *(für etwas zu gut sein):* für die Arbeit ist dieser Anzug zu s.

Schädel, der; -s, -: **a)** *das aus Knochen gebildete Gerüst des Kopfes* (siehe Bild). **b)** (ugs.) *Kopf.*

Schädel a)

schaden, schadete, hat geschadet ⟨itr.⟩: **1. a)** *(etwas) [ver]mindern, verringern:* diese Tat schadete seinem Ansehen und seiner Beliebtheit sehr; der Krieg hat dem Land überaus geschadet *(hat ihm große Verluste zugefügt).* **b)** *(etwas) verschlechtern:* das viele Lesen schadet den Augen; er schadet damit nur seiner Gesundheit. **2.** *Nachteile bringen:* seine Gutmütigkeit hat ihm nur geschadet; du schadest dir selbst am meisten damit; der Streik hat der Entwicklung der Wirtschaft sehr geschadet.

Schaden, der; -s, Schäden: **1. a)** *Verlust; Minderung, Verringerung des Wertes:* ein kleiner S. **b)** *Beschädigung, [teilweise] Zerstörung:* der Hagel hat gewaltige Schäden angerichtet; das Auto hat am Motor einen S. *(Defekt; etwas, was das Funktionieren beeinträchtigt).* **2.** *Nachteil; etwas, was für jmdn./etwas ungünstig ist:* wenn du dich nicht beteiligst, so ist es dein eigener S. **3.** *Verletzung:* er hatte beim Unfall einen S. am Bein erlitten; von Geburt an hatte sie am rechten Auge einen Schaden *(eine Störung).*

Schadenersatz, der; -es: *Ersatz für einen erlittenen Schaden:* S. fordern.

Schadenfreude, die; -: *boshafte Freude über den Mißerfolg, das Unglück anderer:* er lachte voller S., als er von ihren Verlusten an der Börse hörte.

schadenfroh ⟨Adj.⟩: *voll Schadenfreude.*

schadhaft ⟨Adj.; nicht adverbial⟩: *nicht in Ordnung [seiend]; schlecht, mangelhaft; nicht einwandfrei:* schadhafte Stellen am Mantel ausbessern; es regnete durch das schadhafte *(undichte)* Dach. **Schadhaftigkeit,** die; -.

schädigen, schädigte, hat geschädigt ⟨tr.⟩: *schaden.* **Schädigung,** die; -, -en.

schädlich ⟨Adj.⟩: *ungünstig, mit Nachteilen verbunden:* das hat für ihn keine schädlichen Folgen; der Einfluß seiner Freunde ist s.; schädliches Tier *(Tier, das Schaden anrichtet).* **Schädlichkeit,** die; -.

Schädling, der; -s, -e: *tierisches oder pflanzliches Lebewesen, das Schaden anrichtet (besonders an Pflanzen):* die Schädlinge sind durch das Spritzen mit chemischen Mitteln weithin vernichtet worden.

schadlos: ⟨in der Wendung⟩ sich s. halten an jmdm./etwas: *einen erlittenen Schaden oder einen entgangenen Vorteil auf Kosten eines anderen ersetzen, ausgleichen:* er hielt sich für das entgangene Essen an der Schokolade s.

Schaf, das; -[e]s, -e: /ein Haustier/ (siehe Bild): die Schafe scheren; /als Schimpfwort/ (derb): du [dummes] S.! *** das schwarze S. sein** *(sich nicht so wie die anderen verhalten und dadurch bei ihnen unangenehm auffallen, nicht zu ihnen passen).*

Schaf

Schäfchen, das; -s, -: **1.** *kleines junges Schaf:* das S. füttern. * (ugs.) **sein S. ins trockene bringen** *(einen größeren Gewinn sicherstellen).* **2.** ⟨Plural⟩ (ugs.) *Menschen, die jmdm. zur Obhut anvertraut sind:* nach dem Ausflug zählt der Lehrer noch einmal alle seine S. **3.** ⟨Plural⟩ *Schäfchenwolken:* der Himmel war mit silbernen S. bedeckt.

Schäfchenwolke, die; -, -n: *kleine, weiße, duftig wirkende Wolke:* ein paar Schäfchenwolken ziehen über den blauen Himmel.

Schäfer, der; -s, -: *jmd., der eine Herde Schafe hütet.*

Schäferhund, der; -[e]s, -e: /ein Hund/ (siehe Bild).

Schäferhund

Schäferstündchen, das; -s, -: *kurze Zeit, in der intime Zärtlichkeiten zwischen einem Mann und einer Frau ausgetauscht werden:* er verbrachte mit seiner Freundin ein S.

Schaff, das; -s, -e (südd.; östr.): *großes, rundes, mehr breites als hohes Gefäß aus Holz, das mit beiden Händen getragen wird:* die Wäsche in einem S. einweichen.

schaffen: I. schuf/schaffte, hat geschaffen ⟨tr.⟩: **1.** ⟨schuf⟩ *hervorbringen, schöpferisch gestalten:* der Künstler hat ein neues Bild geschaffen; er stand da, wie Gott ihn geschaffen hatte *(nackt).* * **wie geschaffen sein für jmdn./etwas** *(besonders geeignet sein für jmdn./etwas):* er ist für diesen Beruf wie geschaffen. **2.** ⟨schuf/schaffte; als Funktionsverb⟩ Abhilfe s. *(etwas beseitigen);* Ordnung s. *(Ordnung herstellen);* Rat s. *(eine Lösung, Regelung finden).* **II.** schaffte, hat geschafft: **1. a)** ⟨itr.⟩ (landsch.) *arbeiten, tätig sein:* er schaffte den ganzen Tag auf dem Felde; er schafft bei der Straßenbahn *(ist dort beschäftigt, angestellt).* **b)** ⟨tr.⟩ *[in einem bestimmten Zeitraum] bewältigen, (mit etwas) fertig werden; zustande bringen:* er kann seine Arbeit allein nicht mehr s.; er hat heute viel geschafft; wir haben es [glücklich] geschafft *(erreicht).* ** **mit jmdm./etwas [nichts] zu s. haben [wollen]** *(damit [nichts] zu tun haben [wollen]);* **jmdm. [sehr] zu s. machen** *(jmdm. viel Mühe, Sorgen bereiten).* **2.** ⟨tr.⟩ (ugs.) *an einen Ort bringen, befördern:* sie schafften die Verwundeten ins Lazarett.

Schaffensfreude, die; -: *mit viel Elan verbundene Freude, etwas zu schaffen, schöpferisch tätig zu sein:* durch die Enttäuschung wurde seine S. erheblich gedämpft.

Schaffenskraft, die; -: *mit viel Ausdauer und Schwung verbundene Kraft, zu schaffen und zu wirken:* seine S. hat den Höhepunkt bereits überschritten.

Schaffner, der; -s, -: *Angestellter zur Abfertigung und Kontrolle im Verkehr bei der Eisen-, Straßenbahn und Post.*

Schaffung, die; -: *das Schaffen; Gründung:* die S. neuer sozialer Einrichtungen.

Schafgarbe, die; -, -n: /eine Pflanze/ (siehe Bild).

Schafgarbe

Schäflein, das; -s, -: *Schäfchen.*

Schafott, das; -s, -e (hist.): *Gerüst für Hinrichtungen:* das S. besteigen; auf dem S. enden.

Schafpelz: ⟨in der Wendung⟩ ein Wolf im S. sein: *harmlos und gutmütig aussehen, aber äußerst gefährlich sein.*

Schafskopf, der; -s, Schafsköpfe (ugs.; abwertend): *dummer, einfältiger Mensch:* dieser S. verwechselt alles.

Schaft, der; -[e]s, Schäfte: **1.** *oberer, das Bein umschließender Teil des Stiefels* (siehe Bild). **2.** *langer, gerader und schlanker Teil eines Gegenstandes; einer Stange ähnlicher Griff an einem Werkzeug* (siehe Bild): der S. eines Speeres, eines Meißels. **3.** *[hölzerner] Teil eines Gewehres o. ä., in dem der Lauf u. a. liegt* (siehe Bild).

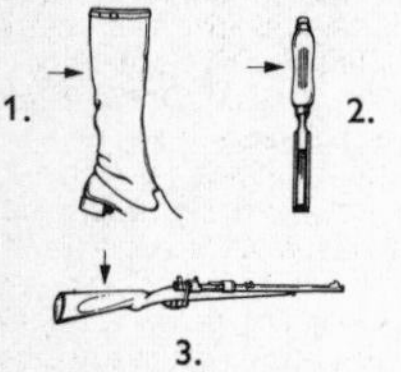

Schaft

Schakal, der; -s, -e: /ein Tier/ (siehe Bild).

Schakal

Schäker, der; -s, - (landsch.): *jmd., der gerne mit anderen schäkert:* ein charmanter, kleiner S.

schäkern, schäkerte, hat geschäkert ⟨itr.⟩: *(mit jmdm.) seinen Spaß treiben; (jmdn.) im Spaß [mit Worten] necken:* der Gast schäkerte mit der Kellnerin.

schal ⟨Adj.⟩: *ohne den sonst üblichen guten Geschmack]; nach nichts schmeckend; schlecht oder nicht gewürzt* /von Getränken und flüssigen Speisen/: ein schales Bier; die Suppe ist s.; bildl.: ein schaler *(geistloser)* Witz; das Leben erscheint ihm s. *(sinnlos, leer, langweilig)*.

Schal, der; -s, -s: *langes, schmales Halstuch:* er wickelte sich den S. um den Hals.

Schale

I.

Schale, die; -, -n: **I.** *flaches, rundes oder ovales offenes Gefäß* (siehe Bild): in der S. lag Obst. **II.** *äußere, dem Schutz dienende [harte] Schicht von Früchten oder Keimen; Hülse, Haut:* dieser Apfel hat eine harte S. * (ugs.) **sich in S. werfen** *(sich festlich kleiden)*. **III.** (östr.) *Tasse:* eine S. Kaffee.

schälen, schälte, hat geschält: **1.** ⟨tr.⟩ *die Schale von etwas entfernen; von seiner Schale befreien:* er muß noch Kartoffeln s. **2.** ⟨rfl.⟩ **a)** *sich in kleinen abgestorbenen Teilen ablösen:* nach dem Sonnenbrand schälte sich die Haut. **b)** *kleine abgestorbene Teilchen der Haut verlieren:* der Kranke schälte sich am ganzen Körper.

Schalenobst, das; -es: *von einer harten Schale umgebenes Obst:* Nüsse und Kastanien gehören zum S.

Schalk, der; -[e]s, -e und Schälke: *jmd., der gern mit anderen seinen Spaß treibt, der gern andere neckt; Schelm:* er ist ein großer S. * **der S. sieht jmdm. aus den Augen / sitzt jmdm. im Nacken** *(jmd. treibt gern mit anderen seinen Spaß, neckt andere gern)*.

schalkhaft ⟨Adj.⟩: *schelmisch:* s. antworten, lächeln.

Schall, der; -[e]s: **a)** *etwas, was laut gehört werden kann; ein weithin vernehmbarer [heller] Ton:* der S. der Trompeten. **b)** *alles Hörbare:* die Lehre vom S. ** (geh.) **etwas ist leerer S.** *(etwas ist nichtssagend, ohne Bedeutung)*.

schalldicht ⟨Adj.⟩: *so dicht, daß kein Schall, Laut durchdringen kann:* etwas s. abschließen.

schallen, schallte, hat geschallt ⟨itr.⟩: *laut tönen; ein lautes Geräusch hervorbringen oder verursachen:* ihr Gesang schallt mir noch in den Ohren; ⟨häufig im 1. Partizip⟩ er bekam eine schallende Ohrfeige von mir.

Schallgeschwindigkeit, die; -: *Geschwindigkeit, mit der sich der Schall fortpflanzt:* [die] S. erreichen; die S. übertreffen.

Schallmauer, die; -: *durch die Luft erzeugter starker Widerstand, den Flugzeuge beim Erreichen der Schallgeschwindigkeit überwinden müssen:* die S. durchbrechen.

Schallplatte, die; -, -n: *Platte mit Rillen, die dazu dient, Musik, Reden o. ä. zu speichern und akustisch wiederzugeben* (siehe Bild).

Schallplatte

Schalotte, die; -, -n: *Zwiebel mit kleiner Knolle:* Schalotten in Essig einlegen.

schalten, schaltete, hat geschaltet: **1.** ⟨tr.⟩ *einstellen, einschalten:* er hat den Apparat auf „Ein" geschaltet. **2.** ⟨itr.⟩ *bei Kraftfahrzeugen einen [anderen] Gang wählen:* der Fahrer schaltete in den 4. Gang. **3.** ⟨itr.⟩ *nach eigenem Belieben, in uneingeschränkter Freiheit handeln:* der Hausmeister kann im Haus frei s. [und walten]. **4.** ⟨itr.⟩ (ugs.) *begreifen, verstehen:* er schaltet immer ein wenig langsam.

Schalter, der; -s, -: **1.** *Vorrichtung zum Ein-, Aus- oder Umschalten von elektrischen Geräten, Maschinen, Lampen o. ä.* (siehe Bild): er drehte am S., und das Licht ging aus. **2.** *in Ämtern, bei der Post o. ä. abgetrennter Platz, an dem die Kunden bedient werden* (siehe Bild): er gab den Brief am S. ab.

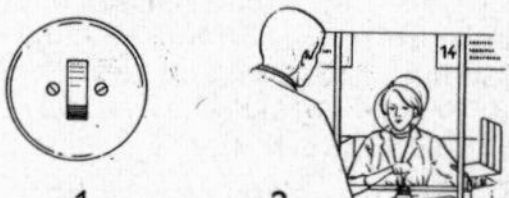

1. 2.

Schalter

Schalterhalle, die; -, -n: *Halle mit Schaltern, an denen man Fahrkarten löst* /auf Bahnhöfen/.

Schaltjahr, das; -[e]s, -e: *Jahr, in dem der Februar 29 Tage hat:* er wurde in einem S. geboren.

Schaltung, die; -, -en: **1.** *Anordnung der Teile einer elektrischen Anlage:* er überprüfte die S. der elektrischen Anlage. **2.** *bei Kraftfahrzeugen Vorrichtung zum Einlegen der Gänge, zum Schalten:* dieser Wagen hat eine automatische S.

Schaluppe, die; -, -n: **a)** *zur Beförderung von Frachten ver-*

wendetes Segelschiff mit nur einem Mast. **b)** *kleineres Boot, das auf einem großen Schiff mitgeführt wird.*

Scham, die; -: **1.** *quälendes Gefühl der Schuld; peinliche Empfindung der Verlegenheit, der Reue; Scheu vor der Bloßstellung:* vor S. rot werden. **2.** (geh.) *äußere Geschlechtsteile:* die S. bedecken.

schämen, sich; schämte sich, hat sich geschämt: *Scham empfinden:* ich habe mich wegen dieses Verhaltens sehr geschämt.

schamhaft ⟨Adj.⟩: *voll Scham; leicht Scham empfindend:* sie hatte diesen Vorfall s. verschwiegen. **Schamhaftigkeit,** die; -.

Schamlippen, die ⟨Plural⟩: *äußerer Teil der weiblichen Scham.*

schamlos ⟨Adj.⟩: **a)** *ohne jede Scheu und Zurückhaltung; sehr dreist, unverschämt:* eine schamlose Frechheit. **b)** *ohne jedes Gefühl für Anstand; unanständig, unsittlich:* die Bewohner des Hauses waren empört über diese schamlose Person. **Schamlosigkeit,** die; -, -en.

Schamott, der; -s (landsch.): *unnützer Kram, wertloses Zeug:* auf den ganzen S. kann ich verzichten.

Schamottestein, der; -s, -e: *Stein aus feuerfestem Ton:* aus Schamottesteinen einen Ofen setzen.

Schampun, das; -s: *Mittel zum Waschen der Haare:* das S. gleichmäßig auf das Haar verteilen.

schamrot: ⟨in der Verbindung⟩ s. werden: *vor Scham einen roten Kopf bekommen:* als man sie ertappte, wurde sie s.

Schamröte, die; -: *auffallend rote Gesichtsfarbe bei jmdm., den man plötzlich in Verlegenheit gebracht hat:* die S. stieg ihr ins Gesicht.

schandbar ⟨Adj.⟩: **a)** *schändlich:* er hat sich in der Sache s. verhalten. **b)** ⟨verstärkend bei Adjektiven und Verben⟩ (ugs.) *sehr, ungeheuer:* es ist alles s. teuer geworden; sich über etwas s. ärgern.

Schande, die; -: *etwas, wodurch man sein Ansehen, seine Ehre verliert; etwas, wessen man sich schämen muß; Unehre:* jmdm. große S. machen.

schänden, schändete, hat geschändet ⟨tr.⟩: **1.** *[durch gewaltsames, zerstörendes Vorgehen] entehren, entweihen:* ein Grab, ein Denkmal s.; (geh.) eine häßliche Narbe schändet *(verunziert)* ihr Gesicht; durch ihr Vergehen hat sie den Namen ihrer Familie geschändet. **2.** (geh.) *durch Gewalt oder List geschlechtlich mißbrauchen:* Mädchen wurden überfallen und geschändet.

Schandfleck, der; -[e]s, -e: **a)** *jmd., der (einem Stand, einer Familie o. ä.) Schande macht:* er war schon immer der S. [in] unserer Familie. **b)** *etwas, was jmdm. Schande macht, was jmds. Ansehen wenig zuträglich ist:* die schlechte Note war für ihn ein S.

schändlich ⟨Adj.⟩: **a)** *Schande bringend; gemein, niederträchtig:* schändliche Taten. **b)** ⟨verstärkend; vor allem bei Verben⟩ (ugs.) *sehr, ungeheuer:* diese Bemerkung hat ihn s. geärgert; s. wenig verdienen. **Schändlichkeit,** die; -, -en.

Schandmaul, das; -s, Schandmäuler (ugs.; abwertend): **a)** *Art, in unverschämter, lästerlicher Weise über andere nur Böses zu reden:* sie hat ein gräßliches S. **b)** *jmd., der in unverschämter, lästerlicher Weise über andere nur Böses redet:* sie ist ein übles S.

Schandtat, die; -, -en (veralt.): *üble, verwerfliche Tat:* im Laufe der Untersuchungen wurden alle seine Schandtaten aufgedeckt. * **zu jeder S. bereit sein** *(zu jedem lustigen Streich, Unfug bereit sein).*

Schank, die; -, -en (östr.): *Raum in einem Gasthaus, in dem die Getränke ausgeschenkt werden:* in der S. roch es nach Bier und Schnaps.

Schanker, der; -s, -: /als Geschwür auftretende Geschlechtskrankheit/.

Schanktisch, der; -es, -e: *langer, meist hoher Tisch [in einem Lokal], an dem Getränke ausgeschenkt werden; Theke.*

Schanze, die; -, -n: **1.** *Anlage zur Befestigung in Form eines Walles:* die ganze Bevölkerung half mit, an der Grenze Schanzen zu errichten. **2.** Sport *Sprungschanze:* bei seinem Sprung kam er gut von der S. weg. ** (geh.) **sein Leben [für jmdn.] in die S. schlagen** *(sein Leben [für jmdn.] aufs Spiel setzen).*

Schar, die; -, -en: *größere [zusammengehörende] Anzahl, Menge:* eine S. von Flüchtlingen. * (ugs.) **in [hellen] Scharen** *(in großen Mengen):* die Einwohner strömten in [hellen] Scharen zusammen.

scharen, scharte, hat geschart ⟨rfl./itr.; in Verbindung mit um⟩: *(zu einer Schar) [ver]sammeln, vereinigen:* die Schüler scharten sich um den Lehrer; durch seine Begeisterung scharte er die Jugend um sich.

scharf, schärfer, schärfste ⟨Adj.⟩: **1.** ⟨nicht adverbial⟩ *gut geschliffen (so daß es gut schneidet), schneidend; spitz:* ein scharfes Messer; er zerriß sich seinen Mantel an den scharfen Dornen; bildl.: ein scharfer *(rauher, schneidender)* Wind. **2. a)** *in bestimmter, sehr kräftiger und ausgeprägter Weise schmeckend oder riechend; beißend:* scharfer Senf, Essig; die Suppe war sehr s. *(sehr kräftig gewürzt).* **b)** *zerstörend auf etwas wirkend, ätzend:* eine scharfe Säure. **3. a)** *mit großer Energie und sehr großem Einsatz [geführt]; hart, heftig, hitzig:* ein scharfer Kampf; s. *(sehr schnell)* reiten, fahren. * (ugs.) **auf jmdn./etwas s. sein** *(jmdn./etwas sehr begehren).* **b)** *ohne Nachsicht und Schonung; hart, streng, bissig:* ein scharfes Urteil; in der Zeitschrift ist das Buch s. kritisiert worden; er gab eine scharfe *(abweisende)* Antwort. * (ugs.) **eine scharfe Zunge haben** *(boshaft über jmdn./etwas sprechen).* **4. a)** *besonders befähigt (etwas klar zu erkennen oder wahrzunehmen)* /in bezug auf Geist und manche Sinne/: der Vogel hat ein scharfes Auge *(sieht auch auf weite Entfernung genau);* er hat einen scharfen *(durchdringenden)* Verstand; er dachte s. *(angestrengt)* nach. **b)** *klar [in seinem Umriß sich abhebend, hervortretend]; deutlich erkennbar:* der Turm hob sich s. vom Horizont ab; die Photographie ist nicht s.; bildl.: einen Plan s. umreißen *(genau beschreiben, festlegen).*

Scharfblick, der; -[e]s: *Fähigkeit, eine Situation klar zu erkennen und sofort zu durch-*

schauen: seinem S. entgeht nicht das Geringste.

Schärfe, die; -: **1.** *das Scharfsein; Eigenschaft, [gut] zu schneiden:* die S. des Messers; bildl.: die S. des Windes. **2. a)** *beißender, scharfer Geschmack oder Geruch:* die S. des Essigs; die S. *(das starke Gewürztsein)* der Suppe. **b)** *ätzende Kraft:* die S. der Säure. **3. a)** *Härte, Heftigkeit:* die S. des Kampfes. **b)** *Strenge, Härte:* die S. des Urteils. **4. a)** *Genauigkeit:* die S. des Gehörs. **b)** *Klarheit, Deutlichkeit:* die S. der Photographie.

schärfen, schärfte, hat geschärft ⟨tr.⟩: **1.** *scharf machen, scharf schleifen:* ein Messer s. **2.** *in seiner Funktion ausbilden, verbessern, verfeinern:* der häufige Besuch fremder Länder schärfte seinen Blick.

Scharfmacher, der; -s, -: *jmd., der die Menschen aufreizt und gegen jmdn./ etwas aufhetzt.*

Scharfschießen, das; -s: *Schießen mit scharfer Munition und nicht mit Patronen, die nur bei Übungen verwendet werden:* einmal in der Woche findet ein S. statt.

Scharfschütze, der; -n, -n: *Schütze mit der Fähigkeit, genau zu treffen:* in dem Gefecht wurden Scharfschützen eingesetzt.

Scharfsinn, der; -[e]s: *scharfer Intellekt, der sofort das Wesentliche erkennt:* er hat das Problem mit bewunderswertem S. gelöst.

scharfsinnig ⟨Adj.⟩: *etwas mit dem Verstand genau erfassend und durchdringend; logisch denkend; sehr klug, sehr gescheit:* ein scharfsinniger Denker.

Scharlach, der; -s: **1.** *ein lebhaftes Rot:* der Mantel des Kaisers ist von leuchtendem S. **2.** *ansteckende, hauptsächlich bei Kindern auftretende Krankheit, die durch einen roten Ausschlag gekennzeichnet ist:* den S. haben; S. bekommen.

scharlachrot ⟨Adj.⟩: *leuchtend rot:* ein scharlachroter Umhang.

Scharlatan, der; -s, -e: *Schwindler, der Sachwissen und Fähigkeiten auf einem Gebiet nur vortäuscht:* viele wurden das Opfer dieses Scharlatans.

Scharlatanerie, die; -, -n (geh.): *Schwindelei, Betrug:* der Verkauf dieser Mittelchen ist übelste S.

Scharm, der; -s: siehe Charme.

scharmant: siehe charmant.

Scharmützel, das; -s, - (veralt.): *kurzes, kleines Gefecht:* jmdm., sich ein S. liefern.

Scharnier, das; -s, -e: *Gelenk zur Befestigung von Türen, Deckeln o. ä.* (siehe Bild): das S. muß geölt werden.

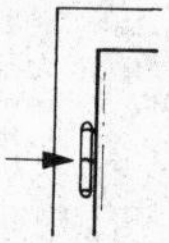

Scharnier

Schärpe, die; -, -n: **a)** *breites Band als Teil einer Uniform oder eines Ordens* (siehe Bild). **b)** *breiter Gürtel aus Stoff* (siehe Bild).

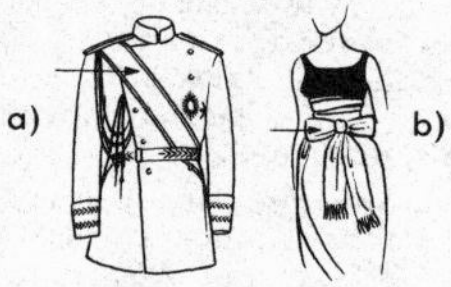

Schärpe

scharren, scharrte, hat gescharrt ⟨itr.⟩: *[mit dem Fuß] auf dem Boden reiben und so ein bestimmtes Geräusch erzeugen:* das Pferd scharrt mit dem Huf; /auch als Ausdruck des Mißfallens/: die Studenten scharrten während der Vorlesung mehrmals.

Scharte, die; -, -n: **1.** *schadhafte Stelle in der Schneide eines Messers o. ä.* (siehe Bild): das Messer hat viele Scharten. * (ugs.) **eine S. [wieder] auswetzen** *(einen Fehler wiedergutmachen).* **2.** *einem Fenster ähnliche schmale Öffnung in der Mauer einer Burg o. ä. zum Beobachten oder Schießen* (siehe Bild).

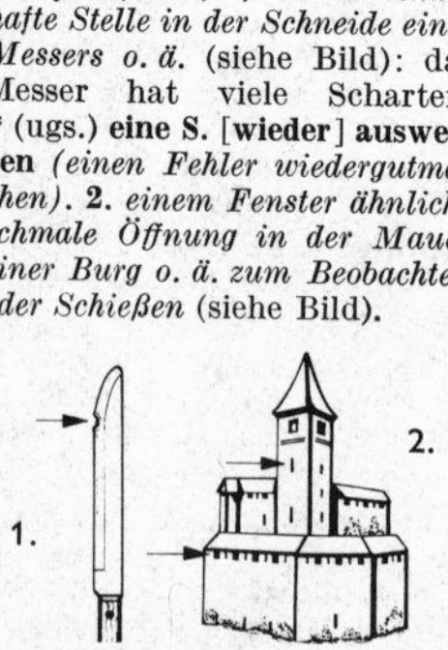

Scharte

Scharteke, die; -, -n (ugs.; abwertend): **1.** *altes Buch:* für diese S. verlangt er noch fünf Mark! **2.** *ältere Frau:* was muß sich diese komische S. überall einmischen!

schartig ⟨Adj.⟩: *von Scharten durchsetzt* /von der Schneide eines Messers/: mit dem schartigen Messer kann ich nicht arbeiten.

scharwenzeln, scharwenzelte, ist scharwenzelt ⟨itr.⟩: *sich beständig in jmds. Gegenwart aufhalten und sich in auffallender Weise zu schaffen machen, um die Aufmerksamkeit auf sich zu lenken oder sich beliebt zu machen:* obwohl er immer um seinen Chef scharwenzelt ist, hat er nichts erreicht.

Schaschlik, der; -s, -s: *kleine Stückchen Fleisch [vom Hammel], die an einem kleinen Spieß gebraten und so serviert werden:* er schwärmt für S. und jugoslawischen Wein.

Schatten, der; -s, -: **1.** *dunkle Stelle, die sich auf einer von Licht beschienenen Fläche zeigt, verursacht dadurch, daß etwas im Licht steht* (siehe Bild): die langen Schatten der Bäume; eine unbekannte Gestalt löste sich aus dem S. *(Dunkel).* * **jmdn. in den S. stellen** *(jmdn. übertreffen);* **ein S. seiner selbst sein** *(im Verhältnis zu früher elend,*

Schatten

krank aussehen). **2.** *dunkle oder dunkel getönte Stelle:* sie hat blaue S. unter den Augen; bildl.: einige S. *(für den Betreffenden ungünstige, ihn belastende Ereignisse oder Handlungen)* liegen auf seiner Vergangenheit.

Schattendasein, das; -s: *Dasein, Leben im Hintergrund, im verborgenen* /bes. von Personen und Dingen, die eigentlich eine größere Beachtung verdienen/: ein S. führen; zu einem S. verurteilt sein.

schattenhaft ⟨Adj.⟩: *einem dunklen Schatten gleich, nur* *durch die Umrisse angedeutet; undeutlich:* Gestalten huschten s. an mir vorbei; bildl.: meine Eindrücke von der Reise sind nur noch s.

Schattenkabinett, das; -s, -e: *Kabinett, das nicht wirklich im Amt ist und nur zum Schein besteht oder nur unter bestimmten Voraussetzungen in Aktion tritt:* die Opposition stellte ein S. auf; ein S. gründen.

Schattenriß, der; Schattenrisses, Schattenrisse: *aus schwarzem Papier hergestellte Darstellung von Personen und Gegenständen, bei der auf hellem Untergrund nur die Umrisse hervortreten* (siehe Bild).

Schattenriß

Schattenseite, die; -, -n: **1.** *Seite (von etwas), die im Schatten liegt:* sein Zimmer liegt auf der S. **2.** *die andere, weniger angenehme Seite; Nachteil:* das sind die Schattenseiten des neuen Planes.

Schattenspiel, das; -[e]s, -e: *Spiel, bei dem sich die Silhouetten flacher, ausgeschnittener Figuren wie Schatten auf einem von hinten angeleuchteten, durchscheinenden Schirm bewegen:* Schattenspiele aufführen.

schattieren, schattierte, hat schattiert ⟨tr.⟩: *mit einer dunkleren Farbe versehen, um eine räumliche Wirkung zu erzielen:* er hat die linke Seite des Gebäudes braun schattiert.

Schattierung, die; -, -en: *Nuance* /in bezug auf Helligkeit und Intensität einer Farbe/: diesen Sommer wird Rot in allen Schattierungen getragen; bildl.: die Presse aller politischen Schattierungen verurteilte das Abkommen einhellig.

schattig ⟨Adj.; nicht adverbial⟩: *kühlen Schatten spendend:* einen schattigen Platz suchen.

Schatulle, die; -, -n (veraltend): *kleines Kästchen, in dem man Geld oder Schmuck aufbewahrt:* die goldene Halskette ist in der roten S.; bildl.: er mußte alles aus der privaten S. *(selbst)* bezahlen.

Schatz, der; -es, Schätze: **1.** *kostbarer Besitz, wertvolles Gut; Kostbarkeiten, Reichtümer:* Schätze sammeln; bildl.: ein reicher S. an Erfahrungen *(eine Fülle wertvoller Erfahrungen).* **2.** /als Kosewort/: guten Morgen, mein S.!

schätzen, schätzte, hat geschätzt: **1.** ⟨tr.⟩ *Wert, Maß o. ä. von etwas ungefähr zu bestimmen versuchen:* man schätzt sein Vermögen auf mehrere Millionen. **2.** ⟨tr.⟩ *eine hohe Meinung (von jmdm./etwas) haben, (jmdn./etwas) sehr hoch achten:* alle schätzen den neuen Mitarbeiter sehr; er schätzt *(liebt)* guten Wein; sein Vater schätzte *(legte großen Wert auf)* gutes Benehmen. **3.** ⟨itr.⟩ *für sehr wahrscheinlich oder möglich halten; annehmen, meinen:* ich schätze, daß er heute kommt. **Schätzung,** die; -, -en.

schätzenswert ⟨Adj.⟩: *wert, geschätzt, gewürdigt zu werden:* seine Leistungen sind s.

schätzungsweise ⟨Adverb⟩: *soweit man es schätzen kann; ungefähr:* es waren s. 20 Personen auf dem Fest.

Schau, die; -: *Vorführung, Darbietung:* das Turnfest war eine großartige S. ** **aus jmds. S. [heraus]** *(von jmds. Standpunkt aus);* **zur S. stellen** *(ausstellen, zeigen);* **zur S. tragen** *(offen zeigen):* sie trägt ihr neues Kleid zur S.; (ugs.) **jmdm. die S. stehlen** *(jmdn. um die angestrebte Beachtung und Anerkennung bringen, indem man sich selbst in den Vordergrund bringt).*

Schaubude, die; -, -n: *Bude auf einem Jahrmarkt, in der als Sensation angekündigte Dinge vorgeführt werden.*

Schauder, der; -s, -: *heftige, innere Empfindung des Grauens, der Angst und des Abscheus, die einen frösteln läßt:* ein S. ergriff ihn.

schauderbar ⟨Adj.⟩ (ugs.; scherzh.): *furchtbar, schrecklich:* das ist ja s., was du mir da sagst.

schaudererregend ⟨Adj.⟩: *ein Gefühl des Grauens, der Angst oder des Abscheus hervorrufend:* was sich damals abspielte, war einfach s.

schauderhaft ⟨Adj.⟩: **a)** *schrecklich, furchtbar:* sie hat auf ihrer Fahrt schauderhafte Dinge erlebt; (ugs.) ein schauderhaftes *(sehr schlechtes)* Deutsch sprechen. **b)** ⟨verstärkend bei Adjektiven und Verben⟩ (ugs.) *sehr:* es ist s. kalt; sich über etwas s. ärgern.

schaudern, schauderte, hat geschaudert ⟨itr.⟩: **a)** *Schauder empfinden:* mich schaudert *(graust)* bei dem Gedanken an diese Katastrophe. **b)** *vor Kälte zittern; frösteln:* als er ins Freie trat, schauderte er vor Kälte.

schauen, schaute, hat geschaut: **a)** ⟨itr.; mit näherer Bestimmung⟩ *in eine bestimmte Richtung sehen, blicken:* er schaute vom Fenster aus auf die Straße. **b)** ⟨tr.⟩ (geh.) *wahrnehmen, erblicken; den Anblick (von jmdm./etwas) erleben:* Gottes Antlitz s. ** (landsch.) **nach jmdm./etwas s.** *(sich sorgen, kümmern um jmdn./etwas):* sie schaute nach dem Kranken.

Schauer, der; -s, -: **1. a)** *Zittern, Beben vor Ehrfurcht und Ergriffenheit, vor Angst o. ä.:* er fühlte einen frommen S. beim Betreten der Kirche. **b)** *Frösteln; Zittern vor Kälte:* er trat ans offene Fenster, ein eisiger S. lief ihm über den Rücken. **2.** *kurzer, heftiger Niederschlag:* im Wetterbericht sind S. angesagt worden.

Schauergeschichte, die; -, -n: *wenig glaubwürdiger Bericht, äußerst unwahrscheinliche Geschichte:* er hat Schauergeschichten von der Fahrt berichtet.

schauerlich ⟨Adj.⟩: **a)** *unheimlich, schaudererregend:* ein schauerliches Erlebnis haben. **b)** (ugs.) *fürchterlich, schrecklich, betrüblich:* es ist s. zu sehen, wohin das alles führt. **c)** ⟨verstärkend bei Adjektiven und Verben⟩ (ugs.) *äußerst, sehr [schlecht]:* sie hat s. [schlecht] gespielt.

schauern, schauerte, hat geschauert ⟨itr.⟩: **a)** *Schauer empfinden:* er schauerte vor Schrecken, vor Ehrfurcht; ihm/ihn schauerte, wenn er an diese Katastrophe dachte. **b)** *vor Kälte zittern; frösteln:* er schauerte vor Kälte.

Schaufel, die; -, -n: *Gerät zum Fortschaffen von Erde, zum Graben o. ä.* (siehe Bild S. 552).

schaufeln, schaufelte, hat geschaufelt ⟨tr.⟩: **a)** *mit einer Schaufel ausheben, graben:* einen

Graben s. * (ugs.) **sich** (Dativ) **sein eigenes Grab s.** *(sich selbst ins Verderben bringen).* **b)** *mit einer Schaufel von einer Stelle an eine andere bringen, befördern:* Kohlen in den Keller s.

Schaufel

Schaufenster, das; -s, -: *[großes] Fenster eines Geschäftes, in dem Waren zur Ansicht ausgestellt werden:* er hat das S. schön dekoriert.

Schaufensterbummel, der; -s, -: *kleiner Bummel, auf dem man sich die Schaufenster ansieht:* einen S. machen.

Schaukasten, der; -s, Schaukästen: *mit einem Fenster versehener Kasten, in dem Verschiedenes angekündigt, der Öffentlichkeit bekanntgemacht wird oder in dem Gegenstände ausgestellt werden:* der Verein gibt alle Änderungen im S. bekannt; die Handarbeiten der Mädchen werden in einem S. ausgestellt.

Schaukel, die; -, -n: *Vorrichtung zum Hinundherschwingen* (siehe Bild).

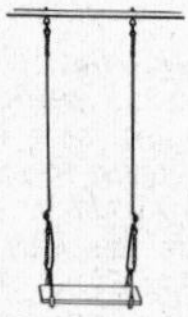

Schaukel

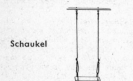

schaukeln, schaukelte, hat geschaukelt ⟨itr.⟩: *[mit einer Schaukel] auf und nieder schweben, hin und her schwingen:* die Kinder schaukeln auf dem Hof; ⟨auch tr.⟩ ein Kind [in der Wiege] s.; bildl. (ugs.): wir werden das Kind schon s. *(wir werden das Problem schon lösen, die Sache schon erledigen).*

Schaukelpferd, das; -[e]s, -e: *hölzernes Pferd, auf dem Kinder schaukeln* (siehe Bild): zum Geburtstag wünscht sich Fritzchen ein S.

Schaukelpferd

Schaukelstuhl, der; -[e]s, Schaukelstühle: *bequemer Stuhl, auf dem man schaukeln kann* (siehe Bild): sie sitzt im S. und strickt.

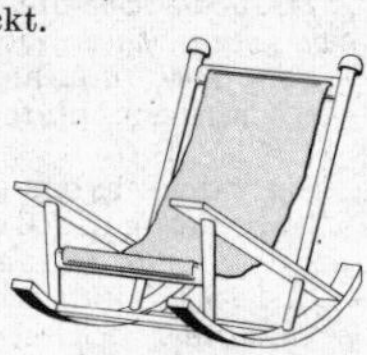

Schaukelstuhl

Schaulust, die; -: *Freude, Begierde, aufsehenerregende Dinge [in der Öffentlichkeit] selbst zu beobachten und mitzuerleben:* die reine S. trieb viele an die Unfallstelle.

schaulustig ⟨Adj.⟩: *begierig, etwas Neues, Aufregendes zu sehen; neugierig:* eine schaulustige Menge.

Schaum, der; -s: *lockere, weiche, aus Bläschen bestehende Masse:* der S. der Seife. * (ugs.; abwertend) **S. schlagen** *(prahlen, angeben).*

Schaumbad, das; -[e]s, Schaumbäder: *Bad, bei dem sich durch besondere Zusätze viel Schaum bildet:* [sich] ein S. bereiten.

schäumen, schäumte, hat geschäumt ⟨itr.⟩: *Schaum bilden:* die Seife schäumt gut; bildl.: er schäumt *(er ist außer sich)* vor Wut.

Schaumgummi, der; -s: *weiches, elastisches, von feinen Löchern durchsetztes Material aus Gummi:* Matratzen, Kissen aus S.

schaumig ⟨Adj.⟩: *aus viel Schaum bestehend:* schaumiges Wasser, Bier; Butter und Eier s. rühren *(so lange rühren, bis die Masse leicht schäumt).*

Schaumschläger, der; -s, -: **1.** *Schneebesen.* **2.** (ugs.; abwertend) *jmd., der gerne prahlt, großsprecherisch redet:* diesem S. darf man nicht alles glauben.

Schaumschlägerei, die; -, -en (ugs.; abwertend): *großsprecherisches Gerede, hinter dem nicht viel steckt; Prahlerei:* was uns da vorgemacht wird, ist reine S.

Schaumwein, der; -[e]s, -e: *aus Wein hergestelltes Getränk, das beim Öffnen der Flasche viel Schaum entwickelt:* Champagner und Sekt sind Schaumweine.

Schauplatz, der; -es, Schauplätze: *Platz, Ort, an dem sich etwas ereignet, an dem etwas passiert:* dieses Haus war der S. des Verbrechens.

schaurig ⟨Adj.⟩: *Grauen erregend; unheimlich:* dieses öde Gebirge ist eine schaurige Landschaft.

Schauspiel, das; -s, -e: **1.** *Theaterstück.* **2.** *interessanter Anblick; Ereignis, Vorgang:* der Untergang der Sonne war ein packendes S.

Schauspieler, der; -s, -: *jmd., der bestimmte Rollen auf der Bühne o. ä. spielt* /Berufsbezeichnung/: ein genialer S.; er ist S.; bildl.: er ist immer schon ein S. gewesen *(er hat sich schon immer gut verstellen können).* **Schauspielerin,** die; -, -nen.

schauspielerisch ⟨Adj.; nur attributiv⟩: *für das Theaterspielen besonders geeignet; das Theaterspielen betreffend, zu ihm gehörig:* ein schaupielerisches Talent; schauspielerische Fähigkeiten; eine große schauspielerische Leistung.

schauspielern, schauspielerte, hat geschauspielert ⟨itr.⟩ (ugs.): **a)** *[nebenbei, ein wenig, schlecht] Theater spielen:* in jüngster Zeit schauspielert sie an kleineren Bühnen. **b)** *etwas vortäuschen, spielen, was der Wahrheit nicht entspricht:* man weiß nicht, ob man ihre Krankheit ernst nehmen soll, sie hat schon immer gerne geschauspielert.

Schausteller, der; -s, -: *jmd., der auf einem Jahrmarkt eine Schaubude, ein Karussell o. ä. betreibt:* die Schausteller schlagen ihre Buden auf.

Schaustück, das; -[e]s, -e: *Gegenstand, Artikel, der zum Ansehen, zum Vorführen o. ä. bestimmt ist:* den neuen Kühlschrank habe ich bedeutend billiger bekommen, weil er als S. auf der Messe gedient hat.

Scheck, der; -s, -s: *Anweisung an eine Bank o. ä., aus dem Guthaben des Ausstellenden eine bestimmte Summe zu zahlen:* einen S. über 100 Mark ausstellen.

scheckig ⟨Adj.; nicht adverbial⟩: *Flecken mit unterschiedlicher, meist weißer und schwarzer Farbe habend:* ein scheckiges Pferd.

scheel ⟨Adj.⟩ (abwertend): *neidisch; argwöhnisch, mißtrauisch:* jmdn. mit scheelen Blicken betrachten.

Scheffel, der; -s, -: /ein altes Hohlmaß/: er kaufte sechs S. Getreide. * **in Scheffeln** *(in großen Mengen):* etwas in Scheffeln einheimsen; **sein Licht unter den S. stellen** *(sein Können und Wissen aus Bescheidenheit nicht zeigen).*

scheffeln, scheffelte, hat gescheffelt ⟨tr.⟩ (ugs.): *in großen Mengen einnehmen; anhäufen:* Geld s.

scheffelweise ⟨Adverb⟩: *in großen Mengen:* das Geld s. ausgeben.

Scheibe, die; -, -n: **1.** *runde oder ovale Platte* (siehe Bild): der Diskus ist eine S. **2.** *dünne Platte aus Glas in einem Fenster* (siehe Bild): die Scheiben klirrten, als das Flugzeug über die Stadt flog. **3.** *abgeschnittenes, dünnes Stück (von bestimmten Nahrungsmitteln)* (siehe Bild): auf dem Teller lagen noch drei Scheiben Wurst; er nahm eine S. *(Schnitte)* Brot.

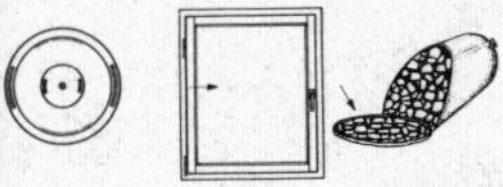

1. 2. 3.

Scheibe

scheiben, schob, hat geschoben ⟨tr.⟩ (bayr.; östr.): *rollen, schieben:* er ist so dick, daß man ihn s. kann.

Scheibenbremse, die; -, -n: *Bremse, bei der Beläge aus Kunststoff gegen beide Seiten einer mit dem Rad fest verbundenen Scheibe gepreßt werden* /bes. bei Kraftfahrzeugen/.

Scheibenschießen, das; -s: *Schießen, bei dem zur Übung oder um die Wette auf eine Zielscheibe geschossen wird:* beim S. ist er immer der Beste.

Scheibenwischer, der; -s, -: *Gerät, das sich im Halbkreis an der Windschutzscheibe eines Wagens hin und her bewegt, um dem Fahrer bei Regen oder Schnee eine klare Sicht zu ermöglichen* (siehe Bild).

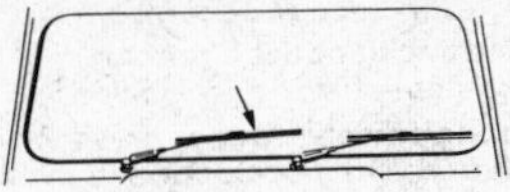

Scheibenwischer

Scheich, der; -s, -e und -s: *Häuptling eines Beduinenstammes:* der S. wurde durch das Erdöl auf seinem Gebiet unermeßlich reich; /als Schimpfwort/ (derb): so ein komischer S.!

Scheide, die; -, -n: **1.** *schützende Hülle für die Klinge von scharfen Waffen o. ä.* (siehe Bild): er steckte das Schwert in die S. **2.** *Teil des weiblichen Geschlechtsorgans.*

Scheide 1.

scheiden, schied, hat/ist geschieden: **1. a)** ⟨tr.⟩ (geh.) *trennen, [ab]sondern:* er hatte die ausländischen Briefmarken von den anderen geschieden. **b)** *(eine Ehe) gesetzlich auflösen):* der Beamte hatte ihre Ehe geschieden; sich s. lassen *(seine Ehe gesetzlich auflösen lassen);* ⟨häufig im 2. Partizip⟩ eine geschiedene Frau *(eine Frau, deren Ehe gesetzlich aufgelöst ist).* **c)** ⟨tr.⟩ *unterscheiden:* er hatte „Bedeutung" begrifflich von „Inhalt" geschieden. **d)** ⟨rfl.⟩ *sich als verschieden erweisen, auseinandergehen:* bei dieser Frage haben sich unsere Meinungen geschieden. **2.** ⟨itr.⟩ (geh.) *Abschied nehmen:* der Besucher war fröhlich von ihnen geschieden; aus dem Amt s. *(das Amt aufgeben).* * (geh.) **aus dem Leben s.** *(sterben).*

Scheidung, die; -, -en: *gesetzliche Trennung der Ehe.*

Schein, der; -[e]s, -e: **I. 1.** ⟨ohne Plural⟩ *Licht, das von einer Lichtquelle ausgeht; Helligkeit:* der helle S. der Lampe. **2.** ⟨ohne Plural⟩ *die Art, wie etwas jmdm. erscheint; [täuschender] äußerer Eindruck, Anschein:* der S. spricht gegen ihn; den S. des Anstands aufrechterhalten. **II. a)** *[amtliches] Papier, das etwas Bestimmtes bescheinigt; Bescheinigung, schriftliche Bestätigung:* er hat mir einen S. ausgestellt, damit ich die Grenze passieren kann. **b)** *aus Papier hergestelltes Geld:* er hat keine Münzen, sondern nur Scheine in der Tasche.

scheinbar ⟨Adj.⟩: *nur dem äußeren Eindruck nach; in Wirklichkeit nicht vorhanden, nicht wirklich:* das ist nur ein scheinbarer Widerspruch.

scheinen, schien, hat geschienen ⟨itr.⟩: **1.** *Licht ausstrahlen, Helligkeit von sich geben; leuchten:* die Sonne schien den ganzen Tag. **2.** ⟨s. + zu + Inf.⟩ *einen bestimmten Eindruck machen, einen bestimmten Anschein erwecken:* er scheint glücklich zu sein.

scheinheilig ⟨Adj.⟩ (abwertend): *eine gute Gesinnung, ein bestimmtes Interesse vortäuschend; voller Verstellung, hinterhältig:* dieser scheinheilige Bursche hat mir erst geholfen, und dann hat er mich betrogen.

Scheinheiligkeit, die; -.

scheintot ⟨Adj.⟩: *auf Grund nicht zu erkennender Lebenszeichen einem Toten gleich, nur scheinbar tot:* daß er nur s. war, wurde nicht einmal vom Arzt erkannt.

Scheinwerfer, der; -s, -: *Lampe, deren Licht durch Spiegel in eine Richtung gelenkt wird und die deshalb sehr weit scheint* (siehe Bild): das Auto hatte vier Scheinwerfer.

Scheinwerfer

Scheiße, die; - (derb): *Kot* /oft als abwertende Bezeichnung für etwas oder als Fluch gebraucht/.

scheißen, schiß, hat geschissen ⟨itr./tr.⟩ (derb): *Kot ausscheiden:* die Kühe schissen [große Haufen] mitten auf die Straße. * **auf etwas s.** *(auf etwas verzichten):* auf deine Hilfe scheiss' ich!; **[vor Angst] in die Hose s.** *(sich sehr fürchten, große Angst* *haben):* deswegen brauchst du doch nicht gleich in die Hose zu s.

scheißfreundlich ⟨Adj.⟩ (derb; abwertend): *übertrieben, penetrant freundlich:* nach dem Vorfall war er s.

Scheit, das; -es, -e: *[durch Spalten von Stämmen entstandenes] größeres Stück Holz zum Brennen:* er steckte drei Scheite Holz in den Ofen.

Scheitel, der; -s, -: **1.** *Linie, die das Haar des Kopfes teilt:* der Friseur zog den S. auf der falschen Seite. **2.** *höchster Punkt eines Bogens:* der S. des Gewölbes. ** **vom S. bis zur Sohle** *(von Kopf bis Fuß; ganz und gar):* er ist vom S. bis zur Sohle ein Kavalier.

scheiteln, scheitelte, hat gescheitelt ⟨tr.⟩: *(das Haar) säuberlich durch einen Scheitel teilen und nach zwei Richtungen kämmen:* die Mutter hat dem Mädchen die Haare sorgsam gescheitelt; ⟨häufig im 2. Partizip⟩ das Haar glatt, sauber gescheitelt tragen.

Scheiterhaufen, der; -s, -: **1.** (hist.) *Haufen aus aufgeschichtetem Holz, auf dem früher Hexen, Ketzer o. ä. verbrannt wurden:* auf dem S. sterben. **2.** *aus geschnittenen Brötchen, Milch, Eiern, Zucker und Rosinen zubereitete Speise.*

scheitern, scheiterte, ist gescheitert ⟨itr.⟩: *gänzlich ohne Erfolg bleiben; mißlingen:* der Versuch, die Verunglückten zu retten, scheiterte an dem Einbruch der Dunkelheit.

Schelle, die; -, -n (landsch.): **a)** *kleine Glocke:* die Kuh hatte eine S. um den Hals hängen. **b)** *Klingel:* er stand an der Tür und drückte auf den Knopf der S.

schellen, schellte, hat geschellt ⟨itr.⟩ (landsch.): **a)** *mit einer kleinen Glocke läuten:* er nahm die Glocke und schellte nach dem Diener. **b)** *den Knopf der Klingel betätigen; klingeln:* er machte die Tür auf, denn es hatte geschellt.

Schellfisch, der; -[e]s, -e: /ein mit dem Kabeljau nahe verwandter Fisch/.

Schelm, der; -s, -e: *Schalk:* er ist ein großer S.; /als Kosewort/: du kleiner S.! *(du kleiner Schlingel!).*

Schelmenstreich, der; -[e]s, -e (veraltend): *lustiger Streich:* das ganze Dorf lachte über seinen neuesten S.

Schelmerei, die; -, -en: **a)** ⟨ohne Plural⟩ *schelmisches Benehmen:* sie lachte ihn voll übermütiger S. an. **b)** *kleiner Schelmenstreich:* der Chef hat wenig Verständnis für ihre Schelmereien.

schelmisch ⟨Adj.⟩: *leicht belustigt über jmdn., mit dem man heimlich seinen Spaß treibt, den man ein wenig neckt; spitzbübisch:* ein schelmischer Blick; zu jmdm. s. etwas sagen.

Schelte, die; -, -n (veralt.): *mißbilligende Worte, mit denen jmd. getadelt wird:* S. von der Mutter bekommen; sich vor S. fürchten.

schelten, schilt, schalt, hat gescholten: **1. a)** ⟨itr.⟩ (landsch.) *schimpfen (über jmdn./etwas):* sie begann [über seine Unpünktlichkeit] zu s. **b)** ⟨tr.⟩ (geh.) *mit ärgerlichen Worten tadeln:* sie schalt ihn wegen seines Leichtsinns; der Lehrer hatte seine Faulheit gescholten. **2.** ⟨tr.⟩ (geh.) *ärgerlich bezeichnen (als etwas); schimpfen:* er schalt ihn einen Esel.

Schema, das; -s, -ta: **a)** *bestimmte Ordnung, festgelegter Plan:* der Ablauf seiner Arbeit ist an ein bestimmtes S. gebunden. **b)** *Muster, Vorlage:* nach diesem S. sollen alle anderen Artikel geschrieben werden. * (ugs.) **nach S. F** *(in stets derselben Weise; ohne viel zu überlegen; mechanisch):* das geht alles nach S. F. **c)** *knappe zeichnerische Darstellung; Entwurf, Skizze:* er verdeutlichte das Gesagte durch ein S.; ein S. von etwas entwerfen.

schematisch ⟨Adj.⟩: **a)** *stark vereinfacht, damit das Wesentliche deutlicher zu erkennen ist; durch Vereinfachung anschaulich, übersichtlich:* eine schematische Darstellung. **b)** (veraltend) *einförmig, gleichförmig, immer der gleichen Vorlage folgend:* nach einem Jahr war die Arbeit für ihn eintönig und s.; etwas ganz s. *(ohne denken zu müssen, automatisch)* tun.

schematisieren, schematisierte, hat schematisiert ⟨tr.⟩: *[zur größeren Veranschaulichung] in stark vereinfachte Form bringen, in eine bestimmte Form zwängen:* Vorgänge aus dem Leben lassen sich nicht leicht s.

Schematismus, der; -, Schematismen: **1.** ⟨ohne Plural⟩ *übertriebenes Festhalten an einem bestimmten Schema; gedankenloses Arbeiten nach einem Schema:* den S. überwinden. **2. a)** *statistisches Handbuch über den Amtsbereich eines katholischen Bischofs.* **b)** (östr.) *Liste, in der die Angestellten des öffentlichen Dienstes ihrem Rang nach eingetragen sind.*

Schemel, der; -s, -: **a)** /ein Möbelstück zum Sitzen/ (siehe Bild). **b)** /ein Möbelstück, auf das man die Füße stellen kann/ (siehe Bild).

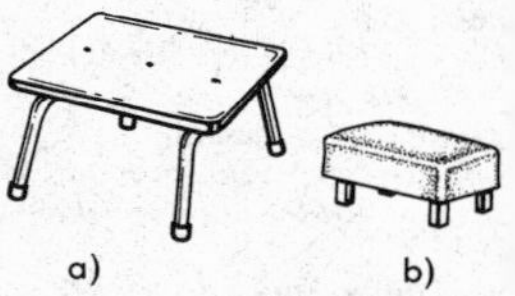

Schemel

schemenhaft ⟨Adj.⟩ (geh.): *schattenhaft:* die Bäume ragten s. in den dunklen Himmel.

Schenke, die; -, -n (veralt.): *kleines Wirtshaus:* in einer S. einkehren.

Schenkel, der; -s, -: **1.** *Oberschenkel* (siehe Bild): sich (Dativ) lachend auf die S. schlagen. **2.** *eine der beiden Geraden, die einen Winkel bilden* (siehe Bild): die S. dieses Winkels sind gleich lang.

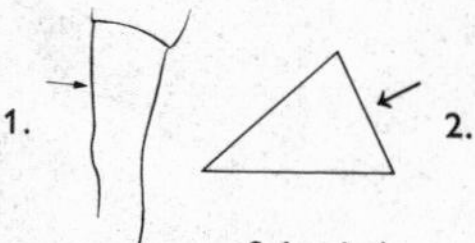

Schenkel

schenken, schenkte, hat geschenkt: **1.** ⟨tr.⟩ *unentgeltlich als Eigentum geben; zum Geschenk machen:* der Lehrer schenkte dem Schüler ein Buch; ihm wurde ein halbes Jahr [seiner Haft] geschenkt *(erlassen).* * **einem Kind das Leben s.** *(ein Kind gebären).* **2.** ⟨itr.⟩ *(sich etwas) ersparen; (von etwas) absehen:* wir können uns diesen Besuch s. * **sich** (Dativ) **nichts s.** *(sich [bei der Arbeit] nicht schonen und Schwierigkeiten* *nicht umgehen).* 3. ⟨als Funktionsverb⟩ /drückt aus, daß etwas jmdm. gewährt oder zuteil wird/: jmdm./einer Sache [keine] Aufmerksamkeit, Beachtung s. *(jmd./etwas [nicht] beachten);* jmdm. Gehör s. *(jmdn. bereitwillig anhören);* jmdm./einer Sache Glauben s. *(jmdm./einer Sache glauben, vertrauen);* jmdm. ein Lächeln s. *(jmdn. anlächeln);* jmdm. Vertrauen s. *(jmdm. vertrauen).*

Schenkung, die; -, -en: *unentgeltliche Zuwendung an jmdn.*

Scherbe, die; -, -n: *Stück von einem zerbrochenen Gefäß oder einer zerbrochenen Scheibe:* er hob die Scherben vom Boden auf.

Schere, die; -, -n: /ein Werkzeug zum Schneiden/ (siehe Bild): Papier mit der S. schneiden.

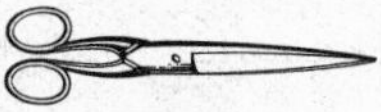

Schere

scheren: I. scheren, schor, hat geschoren ⟨tr.⟩: **a)** *abschneiden:* die Haare s.; er schor die Wolle von den Schafen. **b)** *von (jmdm. /einem Tier) die Haare o. ä. entfernen:* er hat ihn ganz glatt geschoren; einen Pudel s. **II.** scheren, scherte, hat geschert (ugs.): **1.** ⟨rfl.⟩ *sich fortmachen, sich entfernen, weggehen* /meist in Befehlen oder Verwünschungen/: er schrie: „Schert euch in eure Zimmer!"; scher dich zum Teufel! *(geh weg!).* **2.** ⟨rfl./itr.⟩ (ugs.) *[sich] kümmern:* ich schere mich nicht darum; das hat ihn nicht im geringsten geschert *(gestört).*

Schererei, die; -, -en: *Schwierigkeit, Unannehmlichkeit:* jmdm. Scherereien machen.

Scherflein: ⟨in der Wendung⟩ sein S. beitragen /spenden/ beisteuern (veralt.; aber noch scherzh.): *einen kleinen [finanziellen] Beitrag zu etwas leisten.*

Scherz, der; -es, -e: *Äußerung, Handlung o. ä., die Heiterkeit erregen oder Vergnügen bereiten soll:* er hat einen S. gemacht. * **etwas aus/im/zum S. sagen** *(etwas nicht ernst meinen);* **mit jmdm. [seinen] S. treiben** *(jmdn. necken).*

scherzen, scherzte, hat gescherzt ⟨itr.⟩: *einen Scherz, Scherze machen:* die Freunde scherzten den ganzen Abend; Sie scherzen wohl! *(das kann nicht Ihr Ernst sein!);* ich scherze nicht *(ich meine es ernst);* er setzte sich zu ihr und scherzte *(schäkerte)* mit ihr.

scherzhaft ⟨Adj.; nicht prädikativ⟩: *scherzend, nicht [ganz] ernst [gemeint]:* eine scherzhafte Bemerkung.

scheu ⟨Adj.⟩: *voller Scheu seiend; gehemmt, schüchtern; zurückhaltend:* das Mädchen ist sehr s.; ein scheuer *(nicht zutraulicher)* Vogel; das Pferd wurde plötzlich s. *(unruhig, wild).*

Scheu, die; -: *banges und hemmendes Gefühl der Unterlegenheit, der Furcht oder der Ehrfurcht; zaghafte Zurückhaltung; Hemmung:* er hat die S. vor seinem Lehrer überwunden.

scheuchen, scheuchte, hat gescheucht ⟨tr.⟩: *aufscheuchen und verjagen:* er hat die Vögel vom Baum gescheucht.

scheuen, scheute, hat gescheut: **1.** ⟨tr.⟩ *Scheu, Hemmung, Angst haben (vor etwas); fürchten; (etwas) umgehen wollen:* er scheut die Entscheidung; ⟨auch rfl.⟩ ich scheue mich nicht, ihn um seine Hilfe zu bitten; er scheut sich vor großen Worten. * **keine Mühe s.** *(alles tun, um etwas zu erreichen, zu schaffen):* sie scheuten keine Mühe, um ihm zu helfen. **2.** ⟨itr.⟩ *wild werden, zurückschrecken:* das Pferd scheute.

scheuern, scheuerte, hat gescheuert: **1.** ⟨tr.⟩ *durch kräftiges Reiben mit einer Bürste o. ä. saubermachen:* Töpfe, den Fußboden s. **2.** ⟨tr.⟩ *so reiben, daß es schmerzt [und die Haut wund wird]:* die Fessel scheuerte die Haut an den Gelenken [wund]; ⟨auch itr.⟩ der Schuh scheuert. **3.** ⟨rfl.⟩ *reiben, um ein Jucken zu beseitigen:* das Schwein scheuerte sich an der Wand; ⟨auch itr.⟩ der Hund scheuerte sich (Dativ) den Rücken am Türpfosten.

Scheuertuch, das; -[e]s, Scheuertücher: *grobes Tuch zum Reinigen von Fußböden o. ä.:* das Reinigungsmittel gleichmäßig mit einem feuchten S. verteilen.

Scheuklappen, die ⟨Plural⟩: *zu beiden Seiten der Augen am Zaum eines Pferdes angebrachte Klappen aus Leder, die die Sicht nach hinten und zur Seite verwehren und dadurch ein Scheuen verhindern:* nervöse Pferde brauchen S. * (ugs.) **mit S. herumlaufen, S. tragen/vor den Augen haben** *(sich innerhalb eines engen, beschränkten Gesichtskreises bewegen und deshalb nicht erkennen, was in Wirklichkeit alles vor sich geht).*

Scheune, die; -, -n: *landwirtschaftliches Gebäude, in dem vor allem Getreide o. ä. gelagert wird:* er hat dieses Jahr eine volle S.

Scheunendrescher: ⟨in der Wendung⟩ essen/fressen wie ein S. (ugs.): *sehr viel essen.*

Scheusal, das; -s, -e: *Abscheu und Ekel erregendes Wesen; Ungeheuer:* dieser Mörder ist ein S.

scheußlich ⟨Adj.⟩: **1.** *eklig, widerlich:* ein scheußlicher Anblick; die Suppe schmeckt s.; ein scheußliches *(häßliches)* Gebäude. **2.** ⟨verstärkend bei Adjektiven⟩ *sehr:* es war s. kalt; ich bin s. müde. **Scheußlichkeit,** die; -, -en.

Schi, der; -s, -er: *langes, schmales Brett, das an den Schuhen befestigt wird und das dazu dient, sich auf Schnee fortzubewegen* (siehe Bild).

Schi

Schibob, der; -s, -s: *Sportgerät mit Lenkung, auf dem man sitzend mit zwei kurzen Schiern an den Füßen fährt* (siehe Bild).

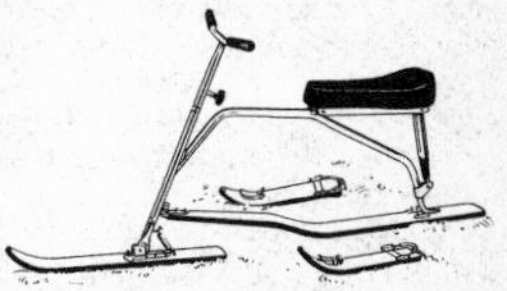

Schibob

Schicht, die; -, -en: **1.** *flächenhaft ausgebreitete Masse eines Stoffes o. ä.:* eine S. Kohlen wechselte mit einer S. Erz; bildl.: die verschiedenen Schichten *(bestimmten Gruppen)* der Bevölkerung. **2.** *tägliche Arbeitszeit, vor allem eines Bergmanns:* seine S. beginnt um 6 Uhr.

Schichte, die; -, -n (östr.): *flächenhaft ausgebreitete Masse eines Stoffes o. ä.:* die oberste S. besteht aus Kalk.

schichten, schichtete, hat geschichtet ⟨tr.⟩: *in Schichten [übereinander] legen:* Holz s.

Schichtung, die; -, -en: *Gliederung, Aufbau in verschiedenen Schichten, Gruppen:* die soziale, gesellschaftliche S. in einem Land.

Schichtwechsel, der; -s, -: *regelmäßiger Wechsel am Arbeitsplatz, bei dem die Arbeiter nach beendeter Arbeitszeit abgelöst werden:* um Mitternacht ist in der Fabrik S.

schick ⟨Adj.⟩: *modisch elegant, geschmackvoll:* ein schicker Mantel; ein schickes *(modern und geschmackvoll gekleidetes)* Mädchen.

Schick, der; -s: **1.** *modischer Pfiff:* ihre Kleider haben keinen S. **2.** (schweiz.) *guter, vorteilhafter Handel:* das nennt man einen S.!

schicken, schickte, hat geschickt ⟨tr.⟩: **a)** *(jmdn.) veranlassen, sich an einen bestimmten Ort zu begeben, einen bestimmten Ort zu verlassen:* er schickte seinen Sohn zur Post; er schickte ihn zum Einkaufen aus dem Haus. **b)** *veranlassen, daß etwas an einen bestimmten Ort gebracht wird; übersenden:* er schickte seinem Vater/an seinen Vater ein Päckchen. **** sich in etwas s.** *(eine unangenehme Lage geduldig und ohne Widerspruch ertragen; sich in etwas fügen):* ich schickte mich in mein Unglück; **etwas schickt sich [nicht]** *(etwas gehört sich [nicht], ziemt sich [nicht]):* es schickt sich nicht, mit den Händen in der Hosentasche ein Gespräch zu führen.

schicklich ⟨Adj.⟩: *den Regeln der Sitte und des Anstands gemäß; angemessen, angebracht:* ein schickliches Betragen; was du getan hast, ist nicht s. **Schicklichkeit,** die; -.

Schicksal, das; -s, -e: **a)** *alles, was dem Menschen an Schwerem widerfährt, Geschick:* er fügte sich in sein S. **b)** ⟨ohne Plural⟩ *höhere Macht, die das Leben des Menschen bestimmt und lenkt:* das S. bestimmte ihn zum Retter des Landes.

schicksalhaft ⟨Adj.⟩: *vom Schicksal bestimmt; unabwendbar:* eine Katastrophe ist ein schicksalhaftes Geschehen; eine schicksalhafte *(für die Zukunft sehr entscheidende)* Begegnung.

Schicksalsschlag, der; -[e]s, Schicksalsschläge: *schweres, unabwendbares Unglück:* der Tod des Vaters war für die ganze Familie ein harter S.

Schickung, die; -, -en (geh.): **a)** *schicksalhaftes Geschehen, das von einer höheren Macht ausgeht:* der Vorfall war eine glückliche S. **b)** ⟨ohne Plural⟩ *höhere Macht, die bestimmte Vorfälle im voraus bestimmt und lenkt:* eine göttliche S. konnte das Unheil noch rechtzeitig abwenden.

Schiebedach, das; -[e]s, Schiebedächer: *kleines, in die Decke eines Kraftwagens o. ä. eingelassenes Dach, das durch Verschieben geöffnet werden kann:* ein Auto mit S.

schieben, schob, hat geschoben: **1. a)** ⟨tr.⟩ *(etwas) in eine bestimmte Richtung drücken; durch Drücken fort-, weiterbewegen:* einen Kinderwagen, ein Fahrrad s.; er schob *(rückte)* den Stuhl an den Tisch; er schob *(steckte langsam)* die Hände in die Hosentaschen. *** etwas auf jmdn./etwas s.** *(etwas Lästiges, Unangenehmes nicht auf sich nehmen, sondern es auf einen anderen übertragen [lassen]; jmdn. für verantwortlich erklären):* er schob die Verantwortung, Schuld [von sich] auf seinen Freund; er schob seine Müdigkeit auf die starke Beanspruchung *(er erklärte seine Müdigkeit durch die starke Beanspruchung)*; **jmdm. etwas in die Schuhe s.** *(jmdn. ungerechtfertigt für etwas verantwortlich machen).* **b)** ⟨tr.⟩ *(jmdn.) durch Drücken in eine bestimmte Richtung drängen:* die Mutter schob die Kinder in den Zug. ***** (ugs.) **jmd. muß [immer] geschoben werden** *(jmd. macht nichts von selbst, von allein).* **c)** ⟨rfl.⟩ *sich langsam fortbewegen; sich in eine bestimmte Richtung drängen:* die Menge schob sich durch die Straße. *** sich in den Vordergrund s.** *(Aufmerksamkeit erregen wollen, sich wichtig tun).* **2.** (ugs.) **a)** ⟨itr.⟩ *(mit etwas) unsaubere, verbotene Geschäfte machen; schmuggeln:* er schiebt mit Waffen. **b)** ⟨tr.⟩ *heimlich befördern; schmuggeln:* er schiebt Waffen über die Grenzen.

Schieber, der; -s, -: **1. a)** *Vorrichtung, mit der durch Schieben eine Öffnung geschlossen werden kann:* der S. bei einer Leitung, bei einem Käfig. **b)** *Gerät, mit dem kleine Kinder Speisen auf den Löffel oder die Gabel schieben:* mit einem S. richtig essen lernen. **c)** *flaches Gefäß, das unter einen Kranken zur Verrichtung der Notdurft geschoben wird.* **2.** (ugs.) *langsamer Tanz mit wenig Drehungen:* einen S. tanzen. **3.** (ugs.; abwertend) *jmd., der unsaubere, verbotene Geschäfte macht:* er verkehrt mit Schiebern und Gaunern.

Schiebung, die; -, -en: *versteckte Begünstigung, Bevorzugung:* „S.!“ riefen die Zuschauer, als der Schiedsrichter den Mann vom Platz stellte.

Schiedsgericht, das; -[e]s, -e: *aus mehreren Personen bestehende unparteiische Kommission, die bei einem Streit die Entscheidung trifft:* für die umstrittenen Fälle wurde eigens ein S. eingesetzt.

Schiedsrichter, der; -s, -: **1.** *unparteiischer Leiter eines Spieles bes. zwischen Mannschaften.* **2.** *Unparteiischer, der in einem [Rechts]streit zwischen den streitenden Parteien vermittelt.*

schief ⟨Adj.⟩: **1.** *von der senkrechten oder waagrechten Lage abweichend; nicht gerade; geneigt:* eine schiefe Mauer; eine schiefe Fläche, Ebene; eine schiefe *(schief gewachsene)* Hüfte; den Kopf s. *(seitlich geneigt)* halten; den Hut s. *(schräg)* auf dem Kopf tragen. *** auf die schiefe Bahn kommen** *(auf Abwege geraten)*; (ugs.) **ein schiefes Gesicht machen** *(mißmutig, unzufrieden aussehen)*; (ugs.) **s. gewickelt sein** *(im Irrtum sein).* **2. a)** (ugs.) *teilweise falsch; nicht ganz zutreffend; nur halb richtig:* ein schiefes Urteil; das war ein schiefer Vergleich; du siehst die Angelegenheit s. *** in ein schiefes Licht geraten** *(falsch beurteilt werden können).* **b)** *mißtrauisch, unfreundlich:* ein schiefer Blick; jmdn. s. ansehen.

Schiefer, der; -s, -: **a)** *aus vielen dünnen Schichten bestehendes Gestein:* das Dach ist mit S. gedeckt. **b)** (südd.; östr.) *kleines,* *abgesplittertes Stückchen Holz:* ich habe mir einen S. [unter dem Fingernagel] eingezogen.

Schiefertafel, die; -, -n: *kleine Tafel aus Schiefer, auf der früher die Kinder das Schreiben lernten:* auf einer S. kratzen.

schiefgehen, ging schief, ist schiefgegangen ⟨itr.⟩ (ugs.): *mißlingen, scheitern:* das letzte Unternehmen ist schiefgegangen; (iron.) keine Angst, es wird schon s. *(gelingen).*

schiefgewickelt: ⟨in der Verbindung⟩ s. sein (ugs.): *sich in einem Irrtum befinden, sich irren:* wenn du das glaubst, bist du s.

schieflachen, sich; lachte sich schief, hat sich schiefgelacht (ugs.): *überaus heftig lachen:* wir haben uns bei diesem Film schiefgelacht.

schiefliegen, lag schief, hat schiefgelegen ⟨itr.⟩ (ugs.): *einen falschen oder nicht gerne gesehenen Standpunkt vertreten, von falschen Voraussetzungen ausgehen:* mit seinen Vermutungen hat er schiefgelegen.

schieftreten, tritt schief, trat schief, hat schiefgetreten ⟨tr.⟩: *(einen Absatz) beim Gehen einseitig abnutzen, so daß er schief wird:* sie hat alle ihre Absätze schiefgetreten.

schielen, schielte, hat geschielt ⟨itr.⟩: **1.** *eine fehlerhafte Stellung der Augen haben:* sie schielte furchtbar. **2.** (ugs.) *verstohlen nach der Seite blicken:* er schielte nach rechts und nach links, ob man es gesehen habe.

Schienbein, das; -[e]s, -e: *der vordere, lange Knochen des Unterschenkels:* er verletzte sich am S.

Schiene, die; -, -n: **1.** *Stange aus Metall, auf dem Räder o. ä. rollen können* /bes. bei Eisen-, Straßenbahnen o. ä./ (siehe

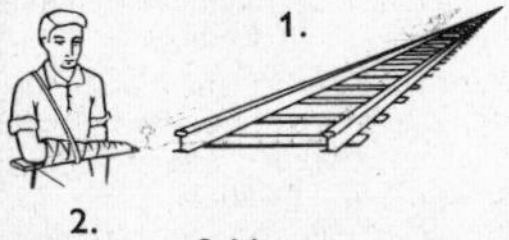

Schiene

Bild): in der Stadt wurden Schienen für die Straßenbahn gelegt. **2.** *bei Knochenbrüchen oder Verrenkungen angebrachte Stütze, die den verletzten Körperteil ruhigstellen soll* (siehe Bild): an den gebrochenen Arm wurde eine S. angelegt.

schienen, schiente, hat geschient ⟨tr.⟩: *in eine Schiene legen:* der gebrochene Arm wurde von dem Arzt geschient.

schier: I. ⟨Adj.; nicht adverbial⟩: *rein:* schieres Fleisch *(Fleisch ohne Fett und Knochen);* (abwertend) das ist ja schiere Dummheit *(Dummheit in höchstem Grade).* **II.** ⟨Adverb⟩ *ganz und gar, geradezu:* das ist s. unmöglich.

Schießbude, die; -, -n: *Bude auf Jahrmärkten, in der man für einen bestimmten Einsatz etwas durch Schießen gewinnen kann:* in der S. hat er seiner Freundin eine Rose geschossen.

schießen, schoß, hat/ist geschossen: **1. a)** ⟨itr.⟩ *eine [Feuer]waffe abfeuern:* der Verbrecher hatte [mit einer Pistole] auf den Polizisten geschossen. **b)** ⟨tr.⟩ *(ein Geschoß) abfeuern:* er hat ihm eine Kugel ins Herz geschossen; bildl.: wütende Blicke auf seinen Nachbarn s. **c)** ⟨tr.⟩ *(Wild) als Beute mit einer [Feuer]waffe töten; erlegen:* er hatte einen Hasen geschossen. **2. a)** ⟨itr.⟩ *sich sehr schnell bewegen:* das Boot ist durch das Wasser geschossen; bildl.: ein Gedanke schießt mir durch den Kopf. **b)** ⟨itr.⟩ *sehr schnell wachsen:* die Saat war aus der Erde geschossen. **c)** ⟨tr.⟩ *[mit dem Fuß] stoßen, befördern:* er hatte den Ball ins Tor geschossen; ein Tor s. *(erzielen).*

Schießerei, die; -, -en: *harter Zusammenstoß von Gegnern, bei dem geschossen wird:* bei der S. wurde ein Polizist und ein Gangster verletzt.

Schifahrer, der; -s, -: *Schiläufer:* für die vielen S. hat die Gemeinde einen neuen Schilift eröffnet.

Schiff, das; -[e]s, -e: **1.** *größeres Fahrzeug, das sich auf dem Wasser, bes. auf Meeren und Flüssen, fortbewegt:* das S. liegt im Hafen. * **S. der Wüste** *(Kamel).* **2.** *länglicher Raum in christlichen Kirchen, der für die Gemeinde bestimmt ist:* die Kirche hat drei Schiffe.

Schiffahrt, die; -: *Verkehr auf dem Wasser:* für die S. wurden neue Möglichkeiten erschlossen.

schiffbar ⟨Adj.⟩: *für Schiffe befahrbar:* ab dieser Stelle ist der Fluß nicht mehr s.; ein Gewässer s. machen.

Schiffbruch, der; -[e]s, Schiffbrüche: *schwerer Unfall eines Schiffes:* die Überlebenden des Schiffbruches. * **S. erleiden** *(scheitern):* er erlitt mit seinem Plan S.

Schiffsschraube, die; -, -n: *einem Propeller ähnliche Vorrichtung, mit der ein Schiff angetrieben wird.*

Schihaserl, das; -s, -[n] (ugs.; scherzh.): *junges Mädchen, das Schi fährt:* im Urlaub hat er sich in ein hübsches S. verliebt.

Schikane, die; -, -n: *[unter Ausnutzung einer besonderen Stellung] böswillig bereitete Schwierigkeit:* er war den Schikanen seines Vorgesetzten hilflos ausgeliefert. * (ugs.) **mit allen Schikanen** *(mit allem, was dazu gehört):* er hatte ein Auto mit allen Schikanen.

schikanieren, schikanierte, hat schikaniert ⟨tr.⟩: *jmdm. [unter Ausnutzung einer besonderen Stellung] in kleinlicher, böswilliger Weise Schwierigkeiten bereiten:* der Chef schikanierte seine Untergebenen.

schikanös ⟨Adj.⟩: *boshaft, gemein, auf Schikanen bedacht:* eine schikanöse Behandlung; jmdn. s. behandeln.

Schiläufer, der; -s, -: *jmd., der Schi läuft* (siehe Bild): er ist ein guter S.

Schiläufer

Schild: I. der; -[e]s, -e: *Waffe zum Schutz gegen Angriffe* (siehe Bild). * (ugs.) **etwas Böses im Schilde führen** *(heimlich etwas*

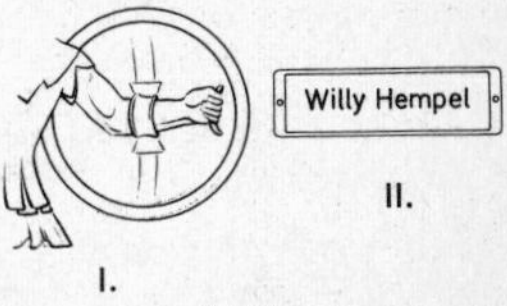

Schild

Unrechtes vorhaben). **II.** das; -[e]s, -er: *[rechteckige] Platte aus Holz, Metall o. ä., [rechteckiges] Stück Papier, Pappe o. ä. mit einem Namen, einem Zeichen o. ä. oder einer allgemeinen Bekanntmachung* (siehe Bild S. 557): er hatte kein S. mit seinem Namen an der Tür; ein S. mit dem Zeichen der Firma; im Wartezimmer hing ein S. „Rauchen verboten".

Schịldbürger, der; -s, - (ugs.): *jmd., der beim Bau, bei der Planung (von etwas) etwas Selbstverständliches übersieht oder dabei großen Unsinn macht:* diese Schildbürger haben bei dem neuen Wohnhaus die Abflüsse vergessen.

Schịldbürgerstreich, der; -[e]s, -e (ugs.): *für einen Schildbürger typische Handlung:* es war ein übler S. der Stadtverwaltung, daß sie die Parkplätze vergessen hat.

Schịlddrüse, die; -, -n: *im Hals gelegene Drüse, die ein wichtiges Hormon für den Stoffwechsel erzeugt.*

schịldern, schilderte, hat geschildert ⟨tr.⟩: *[ausführlich und genau] mit Worten wiedergeben; [lebendig] beschreiben:* der Lehrer schilderte anschaulich die Eroberung Roms. **Schịlderung,** die; -, -en.

Schịldkrot, das; -[e]s (östr.): *Schildpatt.*

Schịldkröte, die; -, -n: /ein Tier/ (siehe Bild).

Schildkröte

Schịldpatt, das; -[e]s: *aus dem Panzer einer Schildkröte hergestelltes Material:* eine Dose aus S.

Schịldwache, die; -, -n (veralt.): *militärischer Posten vor Kasernen, öffentlichen Gebäuden o. ä.:* die S. trat unters Gewehr; S. stehen.

Schịlf, das; -[e]s, -e: *hohes Gras, das besonders an Ufern wächst* (siehe Bild).

Schịlift, der; -[e]s, -e und -s: *Aufzug, mit dem die Schiläufer den Berg hinaufbefördert werden.*

Schilf

Schịllerlocke, die; -, -n: **a)** *dünner, geräucherter Streifen vom Fleisch des Hais.* **b)** *aus Blätterteig hergestelltes Gebäck in Form einer Rolle, die mit Schlagsahne gefüllt ist.*

schịllern, schillerte, hat geschillert ⟨itr.⟩: *in verschiedener Stärke, in wechselnden Farben glänzen:* das auf dem Wasser schwimmende Öl schillerte bunt; bildl.: ⟨häufig im 1. Partizip⟩ sie hat ein schillerndes Wesen *(einen undurchsichtigen, zwiespältigen Charakter).*

Schịlling, der; -s, -e: /Einheit des Geldes in Österreich (100 Groschen)/: der Eintritt kostet zehn S.

Schịmmel, der; -s, -: **I.** ⟨ohne Plural⟩ *an feuchten Stoffen und Körpern sich bildende [weißlichschimmernde] Pilze:* auf dem alten Brot hatte sich S. gebildet. **II.** *weißes Pferd.*

schịmmlig ⟨Adj.⟩: *von Schimmel überzogen:* schimmliges Brot.

schịmmeln, schimmelte, hat geschimmelt ⟨itr.⟩: *Schimmel ansetzen:* der Käse schimmelt bereits.

Schịmmer, der; -s: **a)** *mattes Leuchten, gedämpfter Glanz:* der S. des Goldes. **b)** *schwaches Funkeln:* der S. der Sterne. ** (ugs.) **nicht den leisesten S. von etwas haben** *(keine Ahnung von etwas haben).*

schịmmern, schimmerte, hat geschimmert ⟨itr.⟩: **a)** *einen matten, gedämpften Glanz haben:* das Kleid aus Seide schimmerte schwarz. **b)** *ein schwaches Licht aussenden, verbreiten:* der Stern schimmerte am Horizont.

Schimpạnse, der; -n, -n: /ein Affe/ (siehe Bild).

Schimpanse

Schịmpf, der; -s (veraltend) *Schande:* er wollte diesen S nicht auf sich sitzen lassen * **mit S. und Schande** *(auf höchs entwürdigende Weise):* er wurde mit S. und Schande davongejagt.

schịmpfen, schimpfte, hat geschimpft: **1.** ⟨itr.⟩ *seinen Unwillen (über jmdn./etwas) in zornigen Worten äußern:* er schimpfte maßlos über das Essen; er hat sehr mit ihm geschimpft *(er hat ihn heftig getadelt).* **2.** ⟨tr.⟩ *zornig (als etwas) bezeichnen; erzürnt nennen:* er schimpfte ihn einen Esel.

schịmpflich ⟨Adj.⟩: *schändlich, die Ehre verletzend, ehrlos:* eine schimpfliche Behandlung.

Schịmpfname, der; -ns, -n: *derbe Bezeichnung, die den Unmut über jmdn./etwas zum Ausdruck bringt:* jmdm. einen üblen Schimpfnamen geben.

Schịmpfwort, das; -[e]s, Schimpfwörter und -e: *derber Ausdruck, der für Beschimpfungen, Beleidigungen, Flüche o. ä. gebraucht wird:* ein grobes S. gebrauchen.

Schịndel, die; -, -n: *kleine dünne Platte aus Holz zum Dekken von Dächern oder Verkleiden von Mauern:* der Sturm riß die Hälfte der Schindeln vom Dach.

schịnden, (selten:) schindete, hat geschunden: **1.** ⟨tr.⟩ **a)** *schonungslos zu höheren Leistungen antreiben:* die Arbeiter werden hier sehr geschunden. **b)** *quälen, mißhandeln:* die Gefangenen wurden geschunden. **2.** ⟨rfl.⟩ (ugs.) *sich übermäßig anstrengen; sich abmühen:* du hast dich in deinem Leben genug geschunden. ** (ugs.) **Eindruck s.** *(Eindruck zu machen suchen).*

Schinderei, die; - (ugs.): *übermäßige Anstrengung durch äußerst schwere Arbeit:* diese elende S. nimmt kein Ende.

Schịndluder: ⟨in der Wendung⟩ mit etwas/jmdm. S. treiben (ugs.): *(etwas/jmdn.) schändlich behandeln, mißbrauchen:* sie haben mit den Menschen, der menschlichen Würde S. getrieben.

Schịnken, der; -s, -: *Keule, bes. vom Schwein:* geräucherter S. * (ugs.) **mit der Wurst nach dem S. werfen** *(mit kleinem Ein-*

satz Größeres zu gewinnen suchen).

Schippe, die; -, -n: *Schaufel.* * (ugs.) **eine S. machen/ziehen** *(den Mund unwillig verziehen);* (ugs.) **jmdn. auf die S. nehmen** *(jmdn. necken, seinen Spaß mit jmdm. treiben).*

schippen, schippte, hat geschippt ⟨tr.⟩: *mit einer Schaufel wegschaffen, fortbringen:* nach den starken Schneefällen mußten wir den ganzen Tag Schnee s.

Schirm, der; -[e]s, -e: **a)** *Gegenstand zum Schutz vor Regen oder Sonne* (siehe Bild): als es anfing zu regnen, spannten sie ihren S. auf. **b)** *Teil der Mütze, der dem Schutz vor der Sonne dient* (siehe Bild). **c)** *Teil der Lampe, der vor zu hellem Licht schützen soll* (siehe Bild).

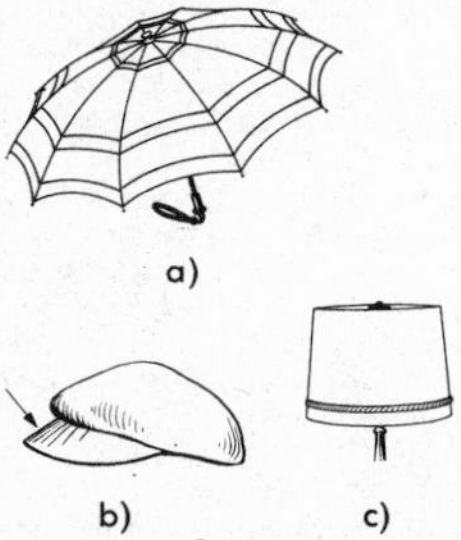

Schirm

schirmen, schirmte, hat geschirmt ⟨tr.⟩ (geh.; veralt.): *beschützen:* der Ritter hatte die Schwachen und Schutzlosen, die Witwen und Waisen zu s.

Schirmherr, der; -n, -en: *höher gestellte Persönlichkeit, die jmdn./etwas unter ihren Schutz nimmt oder sich jmds. oder einer Sache besonders annimmt:* der Bundespräsident ist S. der Veranstaltung; (hist.) der Kaiser war ein guter S. unseres Landes.

Schirmherrschaft, die; -: *[geistige] Herrschaft, die etwas unter ihren Schutz nimmt [und es geistig und finanziell fördert]:* das Ministerium nahm die Tagung unter seine S.; (hist.) unser Gebiet stand lange Zeit unter der S. dieses Fürsten.

Schirmständer, der; -s, -: *Gestell mit flacher Wanne, in das nasse Schirme gesteckt werden, damit das abfließende Wasser nicht den Fußboden beschädigt:* der S. steht im Flur.

Schisport, der; -s: *auf Schiern betriebener Sport:* ein Gebiet für den S. erschließen.

Schispringen, das; -s: *Sport, bei dem mit Schiern über eine Sprungschanze gesprungen wird:* die Weltmeisterschaften im S.

Schiß: ⟨in der Verbindung⟩ S. haben / bekommen / kriegen (derb): *Angst haben/bekommen:* er hat vor der Prüfung plötzlich S. bekommen.

schizophren ⟨Adj.⟩: *an Schizophrenie leidend:* ein schizophrener Patient.

Schizophrenie, die; -, -n: Med. *Geisteskrankheit, bei der eine Spaltung des Bewußtseins eintritt:* bei ihm wurde hochgradige S. festgestellt.

schlabberig ⟨Adj.⟩ (ugs.): *stark verdünnt, wäßrig:* eine schlabberige Suppe.

schlabbern, schlabberte, hat geschlabbert (landsch.): **1.** ⟨tr./itr.⟩ **a)** *laut schlürfend essen oder trinken:* er schlabberte gierig [seine Suppe]. **b)** *schwatzen:* die Alte schlabberte [Unsinn]. **2.** ⟨itr.⟩ *kleckern* /in bezug auf flüssige Nahrung/: paß auf, daß du nicht schlabberst!

Schlacht, die; -, -en: *schwerer, lang andauernder Kampf zwischen [zwei] großen Heeren o. ä.:* eine S. verlieren.

schlachten, schlachtete, hat geschlachtet ⟨tr.⟩: *(Vieh, Geflügel) fachgerecht töten und zerlegen, um Fleisch für die menschliche Nahrung zu gewinnen:* ein Schwein s.; ⟨auch itr.⟩ dieser Fleischer schlachtet zweimal in der Woche.

Schlachter, Schlächter, der; -s, - (nordd.): *Fleischer; jmd., der beruflich schlachtet und Fleisch und Wurst verkauft.*

Schlachterei, Schlächterei, die; -, -en: **1.** (nordd.) *Fleischerei.* **2.** *grausames Morden, blutiges Gemetzel:* der Aufstand artete in eine wahre S. aus.

Schlachtfeld, das; -[e]s, -er: *Gelände, auf dem eine Schlacht stattfindet oder stattgefunden hat:* Tausende von Toten blieben auf dem S. zurück.

Schlachtschiff, das; -[e]s, -e: *für Schlachten auf dem Meer bestimmtes, schwer bewaffnetes und gepanzertes Kriegsschiff:* Schlachtschiffe werden heute kaum mehr gebaut.

Schlacke, die; -, -n: *Abfall, Rückstand beim Schmelzen von Erz, beim Verbrennen von Koks o. ä.:* den Ofen von der S. reinigen.

Schlaf, der; -[e]s: *Zustand der Ruhe, in dem die körperlichen Funktionen herabgesetzt sind [und das Bewußtsein ausgeschaltet ist]:* in S. fallen. * (ugs.) **etwas wie im S. tun** *(etwas ganz sicher tun, ohne nachzudenken);* **den S. des Gerechten schlafen** *(ganz fest schlafen).*

Schlafanzug, der; -[e]s, Schlafanzüge: *zweiteiliger leichter Anzug, den man im Bett trägt; Pyjama.*

Schläfe, die; -, -n: *Stelle an der oberen Seite des Kopfes, zwischen Auge und Ohr* (siehe Bild).

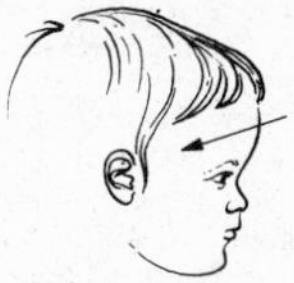
Schläfe

schlafen, schläft, schlief, hat geschlafen ⟨itr.⟩: **1.** *sich im Zustand des Schlafes befinden; nicht wach sein:* im Bett liegen und s. **2.** (abwertend) *unaufmerksam sein:* wenn du schläfst und nicht aufpaßt, wirst du die Aufgabe auch nicht lösen können; er schläft bei jedem Vortrag.

Schläfer, der; -s, -: *schlafende Person:* der S. im Abteil ließ sich nicht stören und schnarchte weiter.

schlaff ⟨Adj.⟩: **a)** *nicht gespannt, nicht straff; locker:* ein schlaffes Segel; die Saite war s. gespannt. **b)** *kraftlos, schlapp:* mit schlaffen Knien ging er zur Tür. **Schlaffheit,** die; -.

Schlafittchen: ⟨in der Wendung⟩ jmdn. am/beim S. fassen/nehmen/kriegen/packen (ugs.): *jmdn. festhalten, um ihn zurechtzuweisen oder um ihn zu bestrafen:* sein Vater faßte ihn beim S., als er wieder ohne Frühstück aus dem Haus laufen wollte.

schlaflos ⟨Adj.⟩: *nicht schlafen könnend, ohne Schlaf:* sie lag stundenlang s.; eine schlaflose Nacht *(Nacht, in der man nicht schlafen kann).* **Schlaflosigkeit,** die; -.

Schlafmittel, das; -s, -: *Medikament, das ein leichteres Einschlafen und einen tieferen Schlaf ermöglicht:* ein S. nehmen; bildl. (ugs.; abwertend): dieser Mensch ist für mich das reinste S. *(ist sehr langweilig).*

Schlafmütze, die; -, -n: **1.** (veralt.) *Mütze, die man früher beim Schlafen trug.* **2.** (ugs.) **a)** (scherzh.) *jmd., der sehr lange schläft:* diese S. ist kaum aus dem Bett zu kriegen. **b)** (abwertend) *träger, schwerfälliger Mensch:* diese langweilige S. verpaßt immer die günstigsten Gelegenheiten.

schläfrig ⟨Adj.⟩: *des Schlafs bedürftig, fast schlafend; müde:* um 9 Uhr wurde er s. und ging zu Bett; er näherte sich mit schläfrigen *(trägen, langsamen)* Bewegungen. **Schläfrigkeit,** die; -.

Schlafsack, der; -s, Schlafsäcke: *rechteckige, auf drei Seiten zugenähte und deshalb einem Sack ähnliche warme Hülle, in der man beim Camping, bei Touren im Freien oder in einfachen Herbergen schläft:* in den S. kriechen.

Schlagstock, der; -[e]s, Schlagstöcke: *Gummiknüppel.*

schlaftrunken ⟨Adj.⟩: *vom Schlaf noch ganz benommen, noch nicht ganz wach:* jmdn. s. ansehen. **Schlaftrunkenheit,** die; -.

Schlafwagen, der; -s, -: *Wagen bei der Eisenbahn, der Abteile mit Betten enthält.*

schlafwandeln, schlafwandelte, hat/ist geschlafwandelt ⟨itr.⟩: *ohne es zu wissen, im Schlaf umherirren.*

schlafwandlerisch: ⟨in der Fügung⟩ mit schlafwandlerischer Sicherheit: *mit äußerster, unbeirrbarer Sicherheit:* der Akrobat schritt mit schlafwandlerischer Sicherheit über das Seil.

Schlafzimmer, das; -s, -: **a)** *eigens zum Schlafen bestimmtes Zimmer:* in das S. gehen. **b)** *Möbel für ein nur zum Schlafen bestimmtes Zimmer:* sie kauften sich ein S. aus hellem Holz.

Schlag, der; -[e]s, Schläge: **1.** *hartes Auftreffen mit der Hand oder einem Gegenstand; Hieb:* jmdm. einen S. versetzen; ein S. mit dem Stock; bildl. (ugs.): diese Bemerkung war ein S. ins Gesicht *(eine Beleidigung, Kränkung).* * (ugs.) **mit einem S.** *(plötzlich).* **2.** *stoßweise Bewegung:* der S. des Pulses. **3.** *bestimmter Ton:* der S. der Uhr. **4.** *Schlaganfall:* der S. hat ihn getroffen; bildl. (ugs.): ich dachte, mich rührt/trifft der S. *(ich war völlig überrascht).* **5.** *Art:* ein Beamter alten Schlages.

Schlagader, die; -, -n: *Ader, die das Blut vom Herzen zu einem Organ oder Gewebe hinführt.*

Schlaganfall, der; -[e]s, Schlaganfälle: *plötzlicher krankhafter Ausfall bestimmter Funktionen, vor allem des Gehirns, oft mit Störungen des Bewußtseins und mit Lähmungen verbunden.*

schlagartig ⟨Adj.; nicht prädikativ⟩: *plötzlich, überraschend schnell und heftig:* der Regen setzte s. ein.

Schlagball, der; -[e]s, Schlagbälle: **1.** *kleiner elastischer Ball aus Leder.* **2.** ⟨ohne Plural⟩ *Spiel zweier Mannschaften, bei dem der Ball von der einen Partei mit einem Stock geschlagen, von der anderen Partei gefangen und zurückgeworfen wird:* S. spielen.

schlagen, schlägt, schlug, hat/ist geschlagen: **1. a)** ⟨itr.⟩ *mit der Hand oder einem Gegenstand nach heftig-rascher Bewegung (jmdn./etwas) hart treffen:* er hatte mit der Faust auf den Tisch geschlagen; ⟨auch tr.⟩ er hatte ihn mit dem Stock, ihm den Stock ins Gesicht geschlagen. **b)** ⟨tr.⟩ *durch Schläge verursachen:* er hatte dem Nachbarn ein Loch in den Kopf geschlagen. **c)** ⟨rfl./rzp.⟩ *eine Schlägerei austragen; sich prügeln:* er hatte sich jeden Tag mit seinem Nachbarn geschlagen; die beiden Brüder schlagen sich dauernd. **d)** ⟨tr.⟩ *durch Schläge mit einem Werkzeug (in etwas) hineintreiben:* er hatte einen Nagel in die Wand geschlagen, um das Bild aufzuhängen. **e)** ⟨tr.⟩ *durch einen Schlag irgendwohin befördern:* beim Tennis ist es wichtig, den Ball genau in die Ecke des Feldes zu s. **2. a)** ⟨rfl.⟩ *kämpfen:* die Soldaten haben sich tapfer geschlagen. **b)** ⟨tr.⟩ *besiegen:* sie haben ihre Feinde geschlagen. **3. a)** ⟨itr.⟩ *heftig und rasch auf und nieder bewegen:* der Vogel hat mit den Flügeln geschlagen; das Fenster schlägt *(geht heftig und rasch auf und zu).* **b)** ⟨itr.⟩ *(gegen etwas) fallen, stürzen:* er ist mit dem Kopf gegen die Tür geschlagen. **c)** ⟨itr.⟩ *sich in regelmäßigen Stößen bewegen, klopfen:* der Puls hat heftig geschlagen. **d)** ⟨rfl.⟩ (ugs.) *(irgendwohin) gehen:* er hatte sich nach rechts geschlagen. **4. a)** ⟨itr.⟩ *auf besondere Weise singen* /von Vögeln/: die Nachtigallen hatten die ganze Nacht geschlagen. **b)** *einen Ton erklingen lassen, der durch einen Schlag erzeugt ist:* die Uhr hat neun geschlagen. * (ugs.) **nun schlägt's [aber] dreizehn** *(das ist ja unerhört!)* /Ausruf des Erstaunens/. **c)** ⟨tr.⟩ *(auf einem Schlag- oder Saiteninstrument) spielen:* er hatte die Trommel, die Harfe geschlagen. **5.** ⟨tr.⟩ **a)** *machen, erzeugen:* er hat mit dem Zirkel einen Kreis geschlagen. **b)** *legen:* ich hatte dem Kranken ein Tuch um die Schultern geschlagen.

Schlager, der; -s, -: **a)** *ein im Text wie in der Musik oft anspruchsloses, sich leicht einprägendes Lied [das nur kurze Zeit Erfolg hat]:* sie hörten den ganzen Tag S. **b)** *etwas, was zugkräftig ist, was großen Erfolg hat:* dieses Theaterstück ist der S. der Saison; diese Ware ist ein S. *(wird sehr gut verkauft).*

Schläger, der; -s, -: **1. a)** Sport *bei Tennis, Golf, Hockey o. ä. verwendetes Gerät, mit dem ein Ball oder eine Kugel in eine bestimmte Richtung geschlagen wird.* **b)** *Waffe zum Fechten.* **3.** (ugs.) *jmd., der sich gerne an einer Schlägerei beteiligt; wüster Raufbold:* paß auf, daß du dich mit diesem S. nicht in einen Streit verwickelst!

Schlägerei, die; -, -en: *Streit, bei dem sich die beiden Gegner oder Parteien gegenseitig [ver]prügeln, schlagen:* es kam zu einer wilden S.

schlägern, schlägerte, hat geschlägert (östr.): **a)** ⟨itr.⟩ *(Bäume) fällen:* zehn Arbeiter schlägerten gestern auf der linken Seite des Hanges. **b)** ⟨tr.⟩ *abholzen, roden:* die Leute schlägerten den halben Wald.

schlagfertig ⟨Adj.⟩: *fähig, in jeder Situation treffend zu ant-*

worten; nie um eine Antwort verlegen: dieser Politiker ist ein schlagfertiger Redner; er ist sehr s.; eine schlagfertige *(treffende)* Antwort. **Schlagfertigkeit,** die; -.

Schlagkraft, die; -: **a)** *Fähigkeit, Vermögen, Kraft, rasch und hart zuschlagen zu können:* auf Grund seiner überlegenen S. wurde er Weltmeister im Boxen; die Armee ist von einer nicht zu unterschätzenden S. **b)** *Kraft, Fähigkeit, in kürzester Zeit eine überzeugende, verblüffende o. ä. Wirkung auszuüben:* Argumente von großer S.

schlagkräftig ⟨Adj.⟩: **a)** *für den Fall eines Krieges gut ausgerüstet und ausgebildet:* ein schlagkräftiges Heer. **b)** *überzeugend:* schlagkräftige Argumente vorbringen.

Schlaglicht, das; -[e]s, -er: *intensives Licht, das einen Gegenstand auf einem Bild besonders hervorhebt* /als Technik in der Malerei verwendet/: Schlaglichter aufsetzen. * **etwas wirft ein S. auf etwas** *(etwas ist typisch, bezeichnend für etwas):* das wirft ein S. auf seine ganze Einstellung.

Schlagloch, das; -[e]s, Schlaglöcher: *Loch, Unebenheit auf der Fahrbahn:* über Schlaglöcher fahren.

Schlagobers, das; - (bayr.; östr.): *Schlagsahne.*

Schlagsahne, die; -: *steif geschlagene Sahne:* ein Stück Torte mit S.

Schlagseite: ⟨in den Verbindungen⟩ **S. haben** *(nach einer Seite überhängen* /bei Schiffen/); (ugs.; scherzh.) **er geht mit S., er hat S.** *(er ist betrunken).*

Schlagwort, das; -[e]s, -e: *kurzer, formelhafter Ausdruck, der oft sehr vereinfachend eine Idee, ein Programm, eine allgemeine Meinung o. ä. wiedergeben soll:* das S. „Zurück zur Natur".

Schlagzeile, die; -, -n: *durch große Buchstaben und oft prägnante Formulierung besonders auffällige Überschrift eines Artikels [auf der 1. Seite] einer Zeitung:* die Zeitungen brachten diese Sensation in großen Schlagzeilen. * **Schlagzeilen machen** *(in der weiten Öffentlichkeit besonderes Aufsehen erregen).*

Schlagzeug, das; -[e]s, -e: *zusammengehörende Gruppe von Schlaginstrumenten in einem Orchester o. ä.* (siehe Bild).

Schlagzeug

schlaksig ⟨Adj.⟩: *hoch aufgeschossen und ungeschickt in den Bewegungen:* ein schlaksiger junger Mann.

Schlamassel, der, (auch:) das; -s (ugs.): *unangenehme, verfahrene Lage; äußerste Verwirrung, heilloses Durcheinander:* wie werden wir aus diesem S. wieder herauskommen?

Schlamm, der; -[e]s: *dickflüssige Mischung aus [feinem] Sand o. ä. und Wasser:* die Straßen waren nach der Überschwemmung voller S.

schlammig ⟨Adj.⟩: *von Schlamm bedeckt:* der schlammige Grund eines Sees.

Schlampe, die; -, -n (ugs.; abwertend): *schlampige, unordentliche, nachlässige Frau:* die alte S. läuft mit zerrissenen Strümpfen herum.

Schlamperei, die; - (ugs.): *schlampiges Vorgehen, Verhalten; äußerste Nachlässigkeit:* wir dürfen diese S. nicht einreißen lassen; eine S. *(Unordnung)* aufdecken.

schlampig ⟨Adj.⟩: *in auffälliger Weise unordentlich; überaus nachlässig:* eine schlampige Alte öffnete die Tür; der Mechaniker hatte s. *(ohne die geringste Sorgfalt)* gearbeitet. **Schlampigkeit,** die; -.

Schlange, die; -, -n: /ein Tier/ (siehe Bild): eine giftige S.; bildl.: eine S. *(lange Reihe)* von Autos. * **S. stehen** *(in einer Reihe von wartenden Menschen stehen; anstehen).*

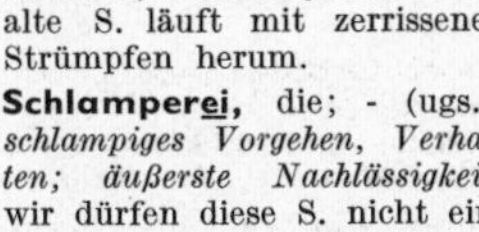

Schlange

schlängeln, sich; schlängelte sich, hat sich geschlängelt: **a)** *sich in Windungen, wie eine Schlange bewegen:* der Bach schlängelte sich ins Tal. **b)** *Hindernissen geschickt ausweichen und sich so weiterbewegen:* er schlängelte sich durch die parkenden Autos.

Schlangenfraß, der; -es (ugs.; abwertend): *schlechtes Essen:* in dem Lokal gibt es den reinsten S.

Schlangenmensch, der; -en, -en: *Akrobat, der mit seinem Körper die unmöglichsten Drehungen und Verrenkungen ausführen kann.*

schlank ⟨Adj.; nicht adverbial⟩: *groß oder hoch und zugleich schmal gewachsen oder geformt:* eine schlanke Gestalt; das Kleid macht dich s. *(läßt dich s. erscheinen)*; eine schlanke Vase. **Schlankheit,** die; -.

schlankweg ⟨Adverb⟩ (ugs.): *ohne Umschweife, ohne Zögern; glattweg:* er hat meinen Vorschlag s. abgelehnt; nach dem Vorfall wandte er sich s. *(sofort)* an seinen Chef.

schlapp ⟨Adj.⟩: **a)** *kraftlos, schwach, matt:* ein schlapper Mensch; sich s. fühlen. **b)** *lokker, schlaff:* die Fahne hing s. am Mast. **Schlappheit,** die; -.

Schlappe, die; -, -n (ugs.): *Mißerfolg, Niederlage:* eine S. erleiden, einstecken müssen.

schlappen, schlappte, hat geschlappt (landsch.): **1.** ⟨itr.⟩ **a)** *sich lose an etwas bewegen, zu weit sein, locker sitzen:* der viel zu große Anzug schlappte um seinen schmächtigen Körper. **b)** *schlürfend gehen:* der Alte schlappt über den langen Flur. **2.** ⟨tr.⟩ *geräuschvoll trinken* /von Tieren/: der Hund schlappt das Wasser.

Schlapphut, der; -[e]s, Schlapphüte: *weicher Hut mit breiter, herabhängender Krempe.*

schlappmachen, machte schlapp, hat schlappgemacht ⟨itr.⟩ (ugs.): *vor Erschöpfung zusammenbrechen, aufhören, aufgeben:* viele Soldaten machten wegen der großen Hitze schlapp; du darfst jetzt nicht s.

Schlappschwanz, der; -es, Schlappschwänze (ugs.; abwertend): *[willens]schwacher, feiger, allzu weicher Mensch:* dieser S. traut sich nicht, ins Wasser zu springen.

Schlaraffenland, das; -[e]s: *in Märchen beschriebenes Land,* *in dem nicht gearbeitet, sondern nur üppig gelebt und geschlemmt wird:* für unsere Begriffe lebt man dort wie im S.

schlau ⟨Adj.⟩: *intelligent und geschickt; klug, gewitzt:* ein schlauer Kopf *(Mensch).*

Schlauberger, der; -s, -(ugs.; scherzh.): *schlauer, pfiffiger Mensch:* er ist ein kleiner S.; (iron.) dieser S. weiß alles besser.

Schlauch, der; -[e]s, Schläuche: **1. a)** *biegsame Röhre [aus Gummi], durch die Flüssigkeiten oder Gase geleitet werden* (siehe Bild): ein S. zum Sprengen des Rasens. **b)** *kreisförmig geschlossener, röhrenartiger Behälter aus Gummi, der im Reifen die Luft enthält* (siehe Bild): an seinem Fahrrad war ein S. geplatzt. **2.** (ugs.) *langer und schmaler Raum:* dieses Zimmer ist ein S.

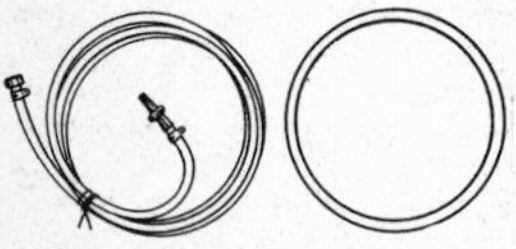

1. a) 1. b)

Schlauch

Schlauchboot, das; -[e]s, -e: *Boot aus Gummi o. ä., das aufgeblasen wird:* einige Passagiere konnten sich auf einem S. retten.

schlauchen, schlauchte, hat geschlaucht ⟨tr.⟩ (ugs.): *bis zur äußersten Erschöpfung anstrengen:* diese Arbeit hat mich richtig geschlaucht.

Schläue, die; -: *das Schlausein.*

Schlaufe, die; -, -n: **a)** *in bestimmter Weise geknotetes oder befestigtes Band o. ä., das als Griff zum Festhalten oder zum Tragen dient* (siehe Bild): er saß im Taxi, die Hand in der S. **b)** *angenähter Streifen aus Stoff, der den Gürtel o. ä. hält* (siehe Bild): er machte den Gürtel auf und zog ihn aus den Schlaufen.

Schlaufe

a) 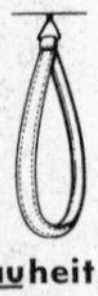

b) 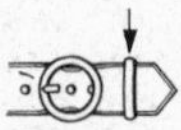

Schlauheit, die; -: *Schläue.*

Schlaukopf, der; -[e]s, Schlauköpfe (ugs.; scherzh.): *schlauer Mensch:* dieser alte S. weiß sich immer geschickt aus der Affäre zu ziehen.

Schlaumeier, der; -s, - (ugs.; scherzh.): *schlauer Mensch:* dieser S. findet immer wieder den richtigen Weg; (iron.) welchem S. ist denn dieser Unsinn wieder eingefallen!

Schlawiner, der; -s, - (südd.; östr.): *Nichtsnutz, Gauner:* diesen S. muß ich mir mal vornehmen!; (scherzh.) er ist ein kleiner S. *(Schlingel).*

schlecht ⟨Adj.⟩: **1.** *minderwertig; in Qualität und Art nicht gut:* eine schlechte Ernte; das Fleisch roch schon, es war s. *(verdorben);* er hat eine schlechte *(unleserliche, unsaubere)* Schrift; er sieht s. [aus]. **2.** *ungünstig, schlimm:* schlechte Zeiten; die häufigen Reklamationen sind s. *(nachteilig, nicht förderlich)* für das Geschäft. **3.** *unangenehm:* eine schlechte Angewohnheit; die Medizin schmeckt s. **4.** ⟨nur prädikativ⟩ *unwohl, übel:* nach dem fetten Essen wurde ihm ganz s. **5.** *böse; charakterlich, moralisch gesehen nicht gut:* er ist ein schlechter Mensch; wenn er das tut, handelt er s.

schlechterdings ⟨Adverb⟩: *ganz und gar:* es war mir s. unmöglich, früher zu kommen; es war s. *(geradezu)* alles erlaubt.

schlechthin ⟨Adverb⟩: *ganz einfach, geradezu:* sein Verhalten war s. unverschämt; der Satan gilt als das Böse s. *(in reinster Ausprägung; an sich).*

Schlechtigkeit, die; -, -en: **a)** ⟨ohne Plural⟩ *moralisch und charakterlich schlechte Eigenschaft, Beschaffenheit:* über die S. der Menschen klagen. **b)** *moralisch und charakterlich schlechte Tat:* sie zählte mir alle seine Schlechtigkeiten auf.

schlechtmachen, machte schlecht, hat schlechtgemacht ⟨tr.⟩ (ugs.): *nur Nachteiliges (über jmdn./etwas) sagen [um das Urteil des Zuhörenden negativ zu beeinflussen]:* er versuchte seinen Kollegen bei jeder Gelegenheit schlechtzumachen.

schlechtweg ⟨Adverb⟩ (veraltend): *schlankweg.*

schlecken, schleckte, hat geschleckt ⟨tr./itr.⟩ (landsch.): **a)** *lecken, leckend schlürfen:* die Katze schleckt [die Milch]; die Kinder schlecken Eis. **b)** *(Süßigkeiten) essen, naschen:* sie saß im Café und schleckte gezukkerte Früchte.

Schleckerei, die; -, -en: *etwas Süßes zum Naschen:* von den vielen Schleckereien bekommst du nur schlechte Zähne.

Schleckermaul, das; -s, Schleckermäuler(ugs.; scherzh.): *jmd., der gerne und viel nascht:* das ist gerade das Richtige für euch Schleckermäuler.

Schlegel, der; -s, -: **1.** /ein Werkzeug zum Schlagen/(siehe Bild). **2.** (südd.; östr.) *Keule vom Kalb, Reh, Schaf o. ä.:* den S. spicken und würzen.

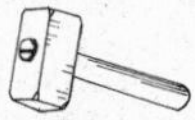

Schlegel 1.

schleichen, schlich, ist/hat geschlichen ⟨itr.⟩: **a)** *sich leise und langsam bewegen:* die Katze schleicht; er war auf Zehenspitzen geschlichen, um die Kinder nicht zu wecken; bildl.: die Zeit schleicht *(vergeht nur langsam).* **b)** *heimlich und unbemerkt gehen:* am Abend war er aus der Wohnung geschlichen; ⟨häufig im 1. Partizip⟩ eine schleichende *(fast unbemerkt sich entwickelnde)* Inflation; ⟨auch rfl.⟩ ich hatte mich aus dem Haus geschlichen. **c)** (ugs.) *langsam und mit schleppenden Schritten gehen:* sie waren, von der Arbeit erschöpft, nach Hause geschlichen.

Schleichweg, der; -[e]s, -e: *geheimer Weg:* der Schmuggler näherte sich auf Schleichwegen der Grenze; bildl.: er hat es auf Schleichwegen *(hintenherum)* erreicht, diesen Posten zu bekommen.

Schleier, der; -s, -: *[den Kopf oder das Gesicht verhüllendes] feines, zumeist durchsichtiges Gewebe:* die Frau schlug den S. vor dem Gesicht zurück; die Braut hatte einen herrlichen S. aus Spitzen. bildl.: der dunkle S. der Zukunft. * **einen S. vor den Augen haben** *(nur undeutlich sehen können).*

schleierhaft ⟨Adj.; nicht attributiv⟩ (ugs.): *unerklärlich, unklar:* wie diese Arbeit fertig werden soll, ist mir s.

Schleife, die; -, -n: **1. a)** *in bestimmter Weise geschlungene*

1. a)

1. b)

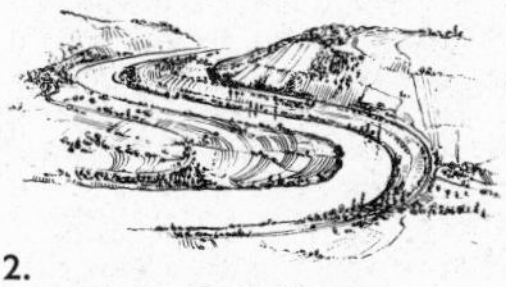

2.

Schleife

Verknüpfung der Enden einer Schnur o. ä., die leicht gelöst werden kann (siehe Bild): er löste die S. an seinem Schuh. **b)** *zu einer bestimmten Form geschlungenes Band o. ä., das an Stelle einer Krawatte, zur Verzierung im Haar o. ä. getragen werden kann* (siehe Bild): ein Mädchen mit einer S. im Haar. **2.** *starke Biegung eines Wasserlaufs, einer Straße o. ä., die fast entgegengesetzt zur ursprünglichen Richtung verläuft* (siehe Bild): die Straße macht eine S.

schleifen: I. schleifen, schliff, hat geschliffen ⟨tr.⟩: **1.** *(etwas) an der Oberfläche mit einem rauhen Gegenstand bearbeiten, um es zu schärfen, zu glätten o. ä.:* ein Messer s.; er schliff das Glas; ⟨häufig im 2. Partizip⟩ ein scharf geschliffener Dolch; bildl.: eine geschliffene *(sehr gut formulierte)* Rede. **2.** (ugs.) *[übertrieben] hart ausbilden, drillen:* der Soldat wurde so geschliffen, daß er zusammenbrach. **II.** schleifen, schleifte, hat geschleift: **1. a)** ⟨tr.⟩ *über den Boden hinweg ziehen:* er schleifte den Sack aus dem Zimmer; bildl. (ugs.): er schleifte ihn ins Kino *(überredete ihn mitzukommen).* **b)** ⟨itr.⟩ *in eine Richtung bewegt werden und dabei den Boden o. ä. berühren:* das Kleid schleifte durch den Staub. * **die Zügel s. lassen** *(nicht streng sein).* **2.** ⟨tr.⟩ *niederreißen, dem Erdboden gleichmachen:* die Feinde schleiften die Mauern der Stadt.

Schleim, der; -[e]s: *schlüpfrige, leicht klebrige Masse:* er hustete blutigen S. in sein Taschentuch.

Schleimhaut, die; -, Schleimhäute: *Schleim absondernde Haut, die die Höhlungen des Körpers und bestimmter Organe auskleidet:* der Arzt hat eine Entzündung der Schleimhäute festgestellt.

schleimig ⟨Adj.⟩: **a)** *aus Schleim bestehend, wie Schleim beschaffen, feucht, glitschig:* die Schnecke zog eine schleimige Spur über das Blatt. **b)** (ugs.; abwertend) *überaus freundlich, unterwürfig und zugleich scheinheilig:* ein schleimiger Mensch.

schleißig ⟨Adj.⟩ (bayr.; österr.): *dünn und abgenutzt, brüchig* /von Kleidern und Stoffen/: die Bluse ist schon ganz s.

schlemmen, schlemmte, hat geschlemmt ⟨itr.⟩: *reichlich und ausgiebig essen und trinken:* sie lassen sich viel Zeit bei den Mahlzeiten und schlemmen.

schlendern, schlenderte, ist geschlendert ⟨itr.⟩: *lässig und gemächlich gehen [ohne ein festes Ziel zu haben]:* er schlenderte durch die Straßen.

Schlendrian, der; -s (ugs.; abwertend): *durch Schlamperei, Trägheit, Bummelei o. ä. gekennzeichnete Art zu handeln, die Dinge ablaufen zu lassen:* gegen den alten S. ankämpfen.

schlenkern, schlenkerte, hat geschlenkert ⟨tr.⟩: *(etwas) nachlässig hin und her schwingen; (etwas) locker hin und her bewegen:* er schlenkerte seine Arme; ⟨auch itr.⟩ mit den Gliedern s.

Schleppe, die; -, -n: *Teil eines festlichen Kleides, der hinten über den Boden schleift* (siehe Bild).

Schleppe

schleppen, schleppte, hat geschleppt: **1.** ⟨tr.⟩ **a)** *(etwas Schweres) mit großer Anstrengung und daher nur langsam tragen:* er schleppte seine Koffer zum Bahnhof; bildl.: er schleppte ihn ins Kino *(überredete ihn mitzukommen).* **b)** *[mit großer Anstrengung und daher nur langsam] hinter sich herziehen:* ein Dampfer schleppt die Kähne den Strom aufwärts. **2.** ⟨rfl.⟩ *sich mit großer Anstrengung und daher nur langsam fortbewegen:* der Kranke schleppte sich zum Bett; ⟨häufig im 1. Partizip⟩ ein schleppender Gang; bildl.: eine schleppende Redeweise.

Schlepper, der; -s, -: **a)** *kleines, mit einem starken Motor ausgestattetes Schiff, das größere Schiffe schleppt:* das Schiff hängt an einem S. **b)** *Traktor.*

Schlepptau, das; -[e]s, -e: *Tau, mit dem ein Schiff an einem Schlepper oder einem anderen Schiff hängt:* der beschädigte Dampfer ist im S. eines anderen Schiffes. * (ugs.) **jmdn. ins S. nehmen** *(jmdn. mit geringem Können bei etwas mitnehmen und ihm dabei ständig behilflich sein).*

Schleuder, die; -, -n: **a)** (hist.) *Waffe, mit der Kugeln aus Stein oder Blei geschleudert wurden.* **b)** *Gerät, mit dem Kinder kleine Steine o. ä. schießen* (siehe Bild): er hat mit der S. nach Vögeln geschossen. **c)** *Gerät, das durch schnelles Rotieren Flüssigkeiten von festen Stoffen oder von anderen Flüssigkeiten absondert:* die Wäsche gleichmäßig in die S. legen.

Schleuder b)

Schleuderball, der; -[e]s, Schleuderbälle: **a)** *mit einer Schlaufe versehener Ball* (siehe Bild). **b)** ⟨ohne Plural⟩ Sport *Spiel, bei dem man versucht, einen Ball möglichst weit über die Grenze des gegnerischen Feldes zu schleudern:* S. spielen.

Schleuderball a)

schleudern, schleuderte, hat geschleudert: **1.** ⟨tr.⟩ **a)** *mit heftigem Schwung und voller Wucht werfen:* er schleuderte das Buch zu Boden; bildl.: jmdm. eine Beleidigung ins Gesicht s. **b)** *in einem sich schnell* *drehenden Gerät, einer Zentrifuge, von anderen Stoffen o. ä. trennen und so gewinnen:* Honig s.; Wäsche s. *(durch schnelles Drehen in einer Zentrifuge möglichst viel Feuchtigkeit aus der Wäsche herausbringen).* **2.** ⟨itr.⟩ *mit heftigem Schwung [abwechselnd nach rechts und nach links] aus der Spur rutschen:* das Auto schleuderte, geriet ins Schleudern.

Schleuderpreis, der; -es, -e: *viel zu niedrig gehaltener Preis [mit dem eine Ware rasch abgestoßen werden soll]:* er hat seine Bibliothek für einen S. verkauft.

schleunig ⟨Adj.; nicht prädikativ⟩: *sehr schnell, so schnell wie möglich:* mit schleunigen Schritten; er machte sich schleunigst *(sofort)* auf den Weg.

Schleuse, die; -, -n: *Anlage, die bes. in Flüssen und Kanälen den durch Stau o. ä. unterschiedlichen Wasserstand vorübergehend ausgleicht, um Schiffen die Weiterfahrt zu ermöglichen:* durch eine S. fahren; die Schleusen *(die Tore einer Schleuse)* öffnen; bildl.: der Himmel hat seine Schleusen geöffnet *(es regnet stark)*; bei ihm sind nun alle Schleusen geöffnet *(er hält seine Gefühle, seine Worte nicht mehr zurück).*

schleusen, schleuste, hat geschleust ⟨tr.⟩: *durch eine Schleuse leiten:* das Schiff wurde [in den Kanal] geschleust; bildl.: jmdn. heimlich über die Grenze s. *(bringen).*

Schliche, die ⟨Plural⟩ (ugs.): *Listen:* er kennt alle S. * **jmdm. auf die S. kommen, hinter jmds. S. kommen** *(jmds. Absichten erkennen, jmdn. durchschauen).*

schlicht ⟨Adj.⟩: *ohne großen Aufwand und Anspruch; einfach:* ein schlichtes Leben führen; ein schlichtes Kleid.

schlichten, schlichtete, hat geschlichtet ⟨tr.⟩: *(den Streit anderer) durch vermittelnde und beruhigende Worte beenden:* diese Angelegenheit ist von einem Schiedsrichter geschlichtet worden.

Schlichtheit, die; -: *das Schlichtsein, die Einfachheit:* die S. seiner Kleidung.

schließen, schloß, hat geschlossen /vgl. geschlossen/: **1. a)** ⟨tr.⟩ *bewirken, daß etwas nicht mehr offen ist, offensteht; zumachen:* er trat ins Zimmer und schloß die Tür hinter sich; die Flasche [mit einem Korken] s.; ein Kleid s. *(die Knöpfe, den Reißverschluß des Kleides zumachen).* **b)** ⟨tr.⟩ *den Betrieb einstellen:* der Kaufmann schließt sein Geschäft endgültig; ab 19 Uhr ist die Post geschlossen; ⟨auch itr.⟩ die Schulen schließen für 4 Wochen. **c)** ⟨rfl.⟩ *[von selbst] zugehen, zusammengehen:* die Tür schloß sich langsam; die Wunde hat sich noch nicht geschlossen *(ist noch nicht zugewachsen)*; ⟨auch itr.⟩ die Tür schließt gut *(geht leicht zu)*; der Deckel schließt *(paßt)* genau. **2.** ⟨tr.⟩ **a)** *(in etwas) legen und (dies) mit einem Schloß sichern; sicher verwahren:* er schloß das Geld in einen Kasten. **b)** *mit einem Schloß o. ä. festmachen, befestigen:* er schloß sein Fahrrad ans Geländer. **3. a)** ⟨tr.⟩ *beenden:* eine Sitzung, eine Versammlung s. **b)** ⟨itr.⟩ *enden:* der Brief schloß mit einem freundlichen Gruß. **4.** ⟨tr.⟩ **a)** *anfügen; (einer Sache) folgen lassen:* er schloß eine große Bitte an seine Rede; ⟨auch rfl.⟩ an seinen Vortrag schloß sich eine Diskussion *(seinem Vortrag folgte eine Diskussion).* **b)** *vollenden:* er fügte den letzten Stein ein und schloß so die Mauer; eine Lücke s. *([aus]füllen).* **c)** *eingehen:* Freundschaft, eine Ehe s.; einen Vertrag [mit jmdm.] s. *(abschließen).* **5.** ⟨itr.⟩ *folgern; den Schluß ziehen:* daraus kann man s., daß ... ** **etwas schließt etwas in sich** *(etwas enthält etwas):* diese Aussage schließt einen Widerspruch in sich.

Schließfach, das; -[e]s, Schließfächer: *Fach, in dem man gegen Einwurf einer Münze Gepäck zur Aufbewahrung einschließen kann* /bes. auf Bahnhöfen/: für den Koffer ein S. suchen.

schließlich ⟨Adverb⟩: *endlich:* s. gab er nach; unter diesen Voraussetzungen konnte s. *(am Ende, zum Schluß)* kein anderes Ergebnis erwartet werden; wieso? s. *(letzten Endes)* ist er doch noch immer sein Vater.

Schliff, der; -[e]s: **1.** *das Geschliffensein:* der S. der Edelsteine ist schön. * **einer Sache den letzten S. geben** *(einer Sache die endgültige Form geben).* **2.** (ugs.) *gute Umgangsformen:* er hat keinen S.

schlimm ⟨Adj.⟩: **1.** *schwerwiegend; üble Folgen habend:* er machte im Aufsatz einen so schlimmen Fehler, daß er eine schlechte Note bekam. **2.** *sehr ungünstig, sehr schlecht:* schlimme Zeiten. **3.** *sehr unangenehm:* eine schlimme Nachricht erreichte ihn; das ist doch nicht so s. **4.** *sehr böse; charakterlich, moralisch nicht gut:* er ist ein schlimmer Bursche. **5.** (ugs.) *krank, entzündet:* eine schlimme Hand haben.

schlimmstenfalls ⟨Adverb⟩: *im schlimmsten Falle, höchstens:* s. muß er ein paar Tage zu Hause bleiben.

Schlinge, die; -, -n: *in bestimmter Weise ineinandergeschlungene Schnur o. ä. [die auf- und zugezogen werden kann]* (siehe Bild): die S. ist gerissen; /von Wilderern oft als Gerät zum Fangen von Tieren verwendet/ ein Hase hatte sich in der S. gefangen.

Schlinge

Schlingel, der; -s, -: *pfiffiger, übermütiger, zu Streichen aufgelegter, aber nicht bösartiger Junge:* der Junge ist ein rechter S.

schlingen, schlang, hat geschlungen: **1.** ⟨tr.⟩ **a)** *(ein Tuch, Band o. ä. um etwas) legen, winden [dann ineinanderbinden und so festmachen]:* sie hatte ein Tuch lose um den Hals geschlungen; bildl.: sie schlang *(legte)* die Arme um seinen Hals. **b)** *ineinanderbinden:* das Haar zu einem Knoten s. **2.** ⟨tr./itr.⟩ (abwertend) *gierig und hastig essen:* er schlang seine Suppe; schling nicht so!

schlingern, schlingerte, hat geschlingert ⟨itr.⟩: *hin und her schwanken; um die Längsachse schaukeln:* das Schiff schlingerte auf der stürmischen See.

Schlingpflanze, die; -, -n: *Pflanze, die sich um Stämme, Stützen, Pfeiler o. ä. in die Höhe rankt.*

Schlips, der; -es, -e: *Krawatte.*

Schlitten, der; -s, -: /ein Fahrzeug/ (siehe Bild). * (ugs.) **mit jmdm. S. fahren** *(jmdn. scharf rügen, weil er etwas anders gemacht hat als gewünscht).*

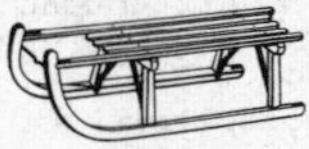

Schlitten

schlittern, schlitterte, hat/ist geschlittert ⟨itr.⟩: *auf den Schuhen o. ä. über das Eis gleiten, rutschen:* die Kinder hatten den ganzen Nachmittag geschlittert; die Kinder waren über den gefrorenen Bach geschlittert.

Schlittschuh, der; -[e]s, -e: *unter dem Schuh befindliches Gerät, mit dem man auf dem Eis läuft* (siehe Bild): die Schlittschuhe abschnallen.

Schlittschuh

Schlitz, der; -es, -e: *längliche, schmale Öffnung; Spalt:* er schob den Brief durch den S. des Briefkastens.

Schlitzaugen, die ⟨Plural⟩: *Augen, die wegen der besonderen Form des Lides wie schmale Schlitze aussehen:* S. haben.

schlitzäugig ⟨Adj.⟩: *mit Schlitzaugen:* ein schlitzäugiger Mann.

Schloß, das; Schlosses, Schlösser: **I.** *Vorrichtung zum Verschließen an Türen o. ä.:* er nahm den Schlüssel und steckte ihn ins S. * **hinter S. und Riegel** *(im Gefängnis):* er saß hinter S. und Riegel. **II.** *fürstliches Gebäude zum Wohnen:* ein romantisches S.

Schloße, die; -, -n (landsch.): *einzelner kleiner Klumpen Eis bei starkem Hagel:* Schloßen in der Größe eines Eis zerschlugen sämtliche Fenster.

Schlosser, der; -s, -: *jmd., der Eisen und andere Metalle verarbeitet, bestimmte Maschinen und Geräte betreut, repariert oder herstellt* /Berufsbezeichnung/: er geht bei einem S. in die Lehre.

Schlosserei, die; -, -en: **a)** ⟨ohne Plural⟩ *Handwerk eines Schlossers:* die S. erlernen. **b)** *Werkstatt eines Schlossers:* die S. liegt direkt neben der Kirche.

Schloßhund: ⟨in der Wendung⟩ heulen wie ein S. (ugs.): *laut und heftig weinen:* sie heulte wie ein S., weil sie das Fahrrad nicht bekam.

Schlot, der; -[e]s, -e: **a)** *hoher Schornstein* /bei Fabriken und Dampfern/: die Luft wird von den rauchenden Schloten der Industrie verpestet; (ugs.) er raucht, qualmt wie ein S. *(er raucht sehr viel).* **b)** (ugs.; abwertend) *langer [ungehobelter] dünner Mensch; Nichtsnutz:* so ein S.!

schlottern, schlotterte, hat geschlottert ⟨itr.⟩: *heftig zittern:* sie schlotterten vor Kälte; bildl.: die Kleider schlotterten ihm *(hingen ihm lose und weit)* um den Leib.

schlottrig ⟨Adj.⟩: *lose und weit* /von Kleidern/: der Anzug hing s. an seinem Körper herab.

Schlucht, die; -, -en: *sehr tiefes und enges Tal:* unten in der S. rauschte ein reißender Fluß.

schluchzen, schluchzte, hat geschluchzt ⟨itr.⟩: *in heftigen Stößen weinen:* sie warf sich in seine Arme und schluchzte laut.

Schluchzer, der; -s, -: *einzelner beim Schluchzen ausgestoßener Laut:* es gelang ihr nicht, einen S. zu unterdrücken.

Schluck, der; -[e]s, Schlucke: *soviel (Flüssigkeit), wie man mit einem Mal schlucken kann; kleinere Menge (einer Flüssigkeit):* er trank einen S. Wasser.

Schluckauf, der; -s: *mehrere Male hintereinander erfolgendes, unwillkürliches, mit einem glucksenden Geräusch verbundenes ruckartiges Schnappen nach Luft:* den S. haben.

schlucken, schluckte, hat geschluckt: **a)** ⟨tr.⟩ *(durch Bewegungen bestimmter Muskeln) vom Mund in den Magen bringen:* er schluckte eine Tablette; bildl. (ugs.): der Konzern hat die kleinen Unternehmen geschluckt *(in sich aufgenommen);* wie hat er diese schlechte Nachricht geschluckt *(hingenommen)?* **b)** ⟨itr.⟩ *Bewegungen zum Schlucken machen:* vor lauter Schmerzen im Hals konnte er kaum s.

Schlucken, der; -s: *Schluckauf.*

Schlucker: ⟨in der Fügung⟩ armer S. (ugs.): *armer Mensch, der zu bemitleiden ist:* ich muß dem armen S. etwas zu essen geben.

Schluckimpfung, die; -, -en: *Impfung, bei der der verabreichte Stoff geschluckt wird:* an einer S. teilnehmen.

schludern, schluderte, hat geschludert ⟨itr.⟩ (ugs.): *schnell und unordentlich arbeiten:* bei deinen Aufgaben hast du wieder mal geschludert.

schludrig ⟨Adj.⟩: *unordentlich, oberflächlich:* s. arbeiten.

Schlummer, der; -s: *leichter Schlaf:* nach kurzem S. erwachte er.

schlummern, schlummerte, hat geschlummert ⟨itr.⟩: *leicht schlafen:* das Kind schlummerte sanft; bildl.: schlummernde Fähigkeiten *(Fähigkeiten, die noch nicht geweckt sind, die sich noch nicht entfaltet haben).*

Schlund, der; -[e]s, Schlünde: *hinter der Mundhöhle und dem Kehlkopf liegender Raum, der in die Speiseröhre übergeht:* er hatte einen trockenen S.; bildl. (geh.): er verschwand im dunklen S. *(im weit offenen Eingang)* der Höhle.

schlüpfen, schlüpfte, ist geschlüpft ⟨itr.⟩: *sich schnell und geschmeidig [durch eine enge Öffnung, einen engen Raum] bewegen:* er schlüpfte durch den Spalt der Tür; sie schlüpfte in den Mantel *(zog den Mantel schnell über);* aus dem Ei s. /von Vögeln/; bildl.: durch die Maschen des Gesetzes s.

Schlüpfer, der; -s, -: /ein von Frauen und Kindern getragenes Kleidungsstück/ (siehe Bild).

Schlüpfer

Schlupfloch, das; -[e]s, Schlupflöcher: *Loch, geschützte Stelle, wo sich jmd./etwas verstecken kann:* das S. einer Maus; das Zimmer unter dem Dach ist für ihn ein geeignetes S.

schlüpfrig ⟨Adj.⟩: **a)** ⟨nicht adverbial⟩ *so feucht und glatt, daß man keinen Halt findet:* auf dem schlüpfrigen Boden rutschte er aus. **b)** *anstößig, zweideutig:* seine Witze sind immer etwas s. **Schlüpfrigkeit,** die; -, -en.

Schlupfwinkel, der; -s, -: *geheimer Ort, der als Versteck dient:* der Verbrecher hat sich im Wald einen S. gesucht.

schlurfen, schlurfte, hat/ist geschlurft ⟨itr.⟩: *geräuschvoll gehen, indem man die Füße über den Boden schleifen läßt:* er hat wieder geschlurft; die alte Frau war durchs Zimmer geschlurft.

schlürfen, schlürfte, hat geschlürft ⟨tr./itr.⟩: *(eine Flüssigkeit) geräuschvoll [und mit Genuß] in kleinen Schlucken trinken:* er schlürfte [seinen Kaffee].

Schluß, der; Schlusses, Schlüsse: **1.** *Ende, Abschluß* /Ggs. Anfang/: der S. der Sitzung war auf 10 Uhr angesetzt; nun mach endlich S.! **2.** *Folgerung; Ergebnis einer Überlegung:* das ist kein zwingender S. * **den S. ziehen** *(schließen, folgern):* er zog daraus den S. zu kündigen.

Schlußakt, der; -[e]s, -e: *letzter Abschnitt eines Schauspiels, einer Oper o. ä.:* der S. wurde zum Höhepunkt der ganzen Aufführung; bildl.: die Übergabe des Betriebes war der S. einer Kette von Reibereien.

Schlüssel, der; -s, -: *Gerät zum Schließen und Öffnen eines Schlosses* (siehe Bild): den S. ins Schloß stecken; bildl.: dieser Brief war der S. zum Verständnis seines Verhaltens.

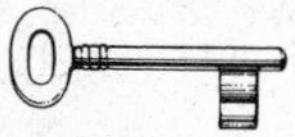

Schlüssel

Schlüsselblume, die; -, -n: /eine Blume/ (siehe Bild).

Schlüsselblume

Schlüsselbund, der; -[e]s, -e: *Ring, durch den mehrere Schlüssel zusammengehalten werden:* ein großer, schwerer S.

schlüsselfertig ⟨Adj.⟩: *fertig zum Einzug* /bei neuen Wohnungen und Häusern/: der Mieter kann die Wohnung s. übernehmen.

Schlüsselkind, das; -[e]s, -er: *Kind, dessen Mutter berufstätig ist und das nach der Schule oder dem Kindergarten allein in der Wohnung ist:* das Problem der Schlüsselkinder.

Schlüsselstellung, die; -, -en: *wichtige, entscheidende Stellung in einem System, auf einem Gebiet:* mit der Einnahme der Stadt wurde dem Feind eine S. entrissen; bildl.: die Schwerindustrie nimmt eine S. in der deutschen Wirtschaft ein; er hat bei diesem Unternehmen eine S. inne.

Schlußfolgerung, die; -, -en: *logische Folgerung:* zu einer S. kommen; aus etwas eine S. ziehen.

schlüssig ⟨Adj.⟩: *einen Schluß zulassend; überzeugend, zwingend:* ein schlüssiger Beweis. ** **sich** (Dativ) **s. sein** *(entschlossen sein):* er war sich noch nicht s., ob er kündigen sollte; **sich** (Dativ) **s. werden** *(sich einigen, entscheiden:* sie konnten sich nicht s. werden, ob sie ins Kino gehen oder zu Hause bleiben sollten. **Schlüssigkeit,** die; -.

Schlußlicht, das; -[e]s, -er: *Licht am hinteren Ende eines Fahrzeugs, das die Änderung der Fahrtrichtung anzeigt oder vor dem Halten aufleuchtet:* bei dem Zusammenstoß wurde eines der beiden Schlußlichter beschädigt; bildl.: dieser Punkt bildet das S. *(ist der letzte)* einer langen Reihen von Vorschlägen; ein guter Schifahrer soll bei der Tour das S. machen *(als letzter gehen)*.

Schlußpunkt, der; -[e]s, -e: *endgültiger Abschluß:* das war noch lange nicht der S. dieser langwierigen Verhandlungen. * **hinter etwas einen S. setzen** *(endgültig mit etwas aufhören)*.

Schlußstrich: ⟨in der Wendung⟩ einen S. unter etwas machen/ziehen: *etwas endgültig beenden, abschließen:* mach doch endlich einen S. unter diese Affäre!

Schlußverkauf, der; -[e]s, Schlußverkäufe: *billiger Verkauf von Waren, die am Ende einer Saison abgestoßen werden:* zum S. gehen; etwas beim S. kaufen.

Schmach, die; - (geh.): *[großes Leid infolge] Erniedrigung, Demütigung, Schande:* S. erleiden; jmdm. eine S. antun; es ist eine S. und [eine] Schande.

schmachten, schmachtete, hat geschmachtet ⟨itr.⟩ (geh.): *in hohem Grade hungern, dursten:* er schmachtet nach einem Trunk; vor Durst s. *(sehr leiden)*; bildl.: er schmachtete *(sehnte sich)* nach einem Blick von ihr.

Schmachtfetzen, der; -s, - (ugs.; abwertend): *sentimentales Lied, Buch, Schauspiel o. ä.:* diesen alten S. kann ich nicht mehr hören.

schmächtig ⟨Adj.; nicht adverbial⟩: *schmal und schwächlich:* ein schmächtiger Junge.

Schmachtlocke, die; -, -n (ugs.; abwertend): *sorgfältig in die Stirn gekämmte Welle* /bes. bei jungen Männern/.

schmachvoll ⟨Adj.⟩ (geh.): *erniedrigend, demütigend:* etwas als äußerst s. empfinden.

schmackhaft ⟨Adj.⟩: *gut schmeckend; einen guten Geschmack [habend]:* eine schmackhafte Speise. * (ugs.) **jmdm. etwas s. machen** *(jmdm. etwas so darstellen, daß er es für gut hält, Lust dazu bekommt):* er konnte ihm den Vortrag einigermaßen s. machen; er machte ihr eine gemeinsame Reise sehr s. **Schmackhaftigkeit,** die; -.

schmähen, schmähte, hat geschmäht ⟨tr.⟩ (geh.): *Ehrenrühriges (über jmdn./etwas) sagen; beschimpfen:* seine Feinde s.

schmählich ⟨Adj.⟩ (geh.): *schimpflich, schändlich:* eine schmähliche Behandlung.

Schmähung, die; -, -en: **a)** ⟨ohne Plural⟩ *das Schmähen:* er wurde wegen S. einer hochgestellten Persönlichkeit angeklagt. **b)** *arge Beschimpfung, die jmdn. in seiner Ehre verletzt:* jmdn. mit Schmähungen überhäufen.

schmal, schmaler/schmäler, schmalste/schmälste ⟨Adj.⟩: **a)** *nicht besonders breit:* ein schmales Brett; er ist s. geworden *(hat abgenommen)*. **b)** *gering, knapp:* er hat nur ein schmales Einkommen.

schmälern, schmälerte, hat geschmälert ⟨tr.⟩: *verringern, verkleinern:* diese Ausgaben schmälern den Gewinn; ich will deine Verdienste nicht s. **Schmälerung,** die; -, -en.

Schmalhans: ⟨in der Wendung⟩ dort ist S. Küchenmeister (ugs.): *dort gibt es aus Armut wenig zu essen.*

Schmalseite, die; -, -n: *die schmalere, kürzere Seite (von etwas):* an der S. des Hauses ist der Eingang.

Schmalz, das; -es: *ausgelassenes weiches Fett von Tieren:* mit S. braten; bildl.: mit viel S. *(mit übermäßig viel Gefühl)* singen.

schmalzig ⟨Adj.⟩: (abwertend) *sentimental und süßlich zugleich; übertrieben gefühlvoll, kitschig:* ein schmalziges Lied; s. singen.

Schmankerl, das; -s, -[n] (bayr.; östr.; ugs.): *feine, leckere Speise, Delikatesse:* er möchte immer nur Schmankerln essen.

schmarotzen, schmarotzte, hat schmarotzt ⟨itr.⟩: *[ständig bei jmdm./etwas oder in jmds. Nähe leben und ihn] ausnutzen, auf seine Kosten leben:* er schmarotzt immer noch bei seinen Verwandten.

Schmarotzer, der; -s, -: **a)** Biol. *Pflanze, Tier, das in oder auf anderen Lebewesen lebt:* Pilze sind häufig S. **b)** (abwertend) *jmd., der gerne schmarotzt:* er ist ein typischer S.

Schmarren, der; -s, -: **1.** (bayr.; östr.) *in der Pfanne gebackener, zerstoßener Eierkuchen:* den S. mit Zucker bestreut servieren. **2.** (ugs.; abwertend) *Unsinn, Blödsinn; albernes, unnützes Zeug:* dieser Film ist ein richtiger S.

Schmatz, der; -es, -e: *lauter Kuß:* jmdm. einen S. geben.

schmatzen, schmatzte, hat geschmatzt ⟨itr.⟩: *geräuschvoll essen:* du sollst nicht s.!

schmauchen, schmauchte, hat geschmaucht ⟨tr.⟩: *(genüßlich) rauchen:* nach Feierabend schmaucht er behaglich eine Zigarre.

Schmaus, der; -es (veraltend; geh.): *reichhaltiges und besonders leckeres Essen, das mit großem Genuß verzehrt wird:* zum S. laden.

schmausen, schmauste, hat geschmaust ⟨itr.⟩ (veraltend; geh.): *mit großem Genuß reichlich und gut essen und trinken:* wir mußten zusehen, wie sie schmausten.

schmecken, schmeckte, hat geschmeckt: **a)** ⟨itr.⟩ *eine süße, saure o. a. Empfindung im Mund hervorrufen:* diese Speise schmeckt süß; das Essen schmeckt ihm [gut]; bildl. (ugs.): die Arbeit schmeckt *(gefällt)* ihm nicht; das schmeckt nach Verrat *(das sieht nach Verrat aus).* **b)** ⟨tr.⟩ *mit der Zunge, dem Gaumen feststellen, empfinden:* man schmeckte das Gewürz in der Speise deutlich.

Schmeichelei, die; -, -en: *Worte, die jmdn. angenehm berühren sollen, indem sie seine Vorzüge hervorheben oder ihn in übertriebener Weise loben:* auf Schmeicheleien hereinfallen; einer schönen Frau Schmeicheleien sagen.

schmeichelhaft ⟨Adj.⟩: *ehrend, das Ansehend fördernd:* er erhielt ein schmeichelhaftes Lob.

schmeicheln, schmeichelte, hat geschmeichelt ⟨itr.⟩: **a)** *(jmdn.) in übertriebener Weise loben, jmds. Vorzüge hervorheben:* er schmeichelte ihr, sie sei eine große Künstlerin; das neue Kleid schmeichelt ihr sehr *(steht ihr überaus gut).* **b)** *angenehm berühren; jmds. Selbstbewußtsein heben:* dieses Lob schmeichelte ihm. * **sich geschmeichelt fühlen** *(sich besonders geehrt fühlen).*

schmeichlerisch ⟨Adj.⟩: *übertrieben schmeichelnd, um bei jmdm. etwas erreichen zu können:* mit schmeichlerischen Worten suchte er ihr seinen Plan schmackhaft zu machen.

schmeißen, schmiß, hat geschmissen ⟨tr.⟩ (ugs.): *werfen:* er hatte ihm einen Stein an den Kopf geschmissen; ⟨auch itr.⟩ mit Steinen s. * (ugs.) **etwas/den Laden schon s. werden** *(etwas bewältigen, schaffen werden):* er wird das schon s.

Schmeißfliege, die; -, -n: *große, dicke, laut brummende Fliege mit bläulicher Färbung, die auf Aas, Fleisch oder offene Wunden ihre Eier legt.*

Schmelz, der; -es, -e: **1.** *obere Schicht des Zahns:* der S. ihrer Zähne schimmerte weiß. **2.** *Glasur; Emaille:* der S. des Aschenbechers war abgekratzt. **3.** *weicher Klang:* eine Stimme mit weichem S.

schmelzen, schmilzt, schmolz, ist/hat geschmolzen: **1.** ⟨itr.⟩ *unter Einfluß von Wärme flüssig werden:* das Eis schmilzt in der Sonne. **2.** ⟨tr.⟩ *durch Wärme flüssig machen:* Metall wird geschmolzen.

Schmelzkäse, der; -s, -: *aus geschmolzenem hartem Käse zubereiteter weicher Käse, der sich streichen läßt.*

Schmelztiegel, der; -s, -: *Gefäß aus feuerfestem Material, in dem Metall, Glas o. ä. geschmolzen wird:* das Metall im S. wird einer bestimmten Temperatur ausgesetzt; bildl.: die Stadt ist ein S. der verschiedensten Völker *(ihre Bevölkerung setzt sich aus den Vertretern verschiedenster Völker zusammen, die sich miteinander vermischen).*

Schmerz, der; -es, -en: *sehr unangenehme körperliche oder seelische Empfindung:* hast du Schmerzen?; er fühlte einen stechenden S. im Kopf; der S. *(Kummer)* über den Tod des Kindes.

schmerzen, schmerzte, hat geschmerzt ⟨itr.⟩: *Schmerzen bereiten, verursachen:* der Rücken schmerzte ihn/ihm; sein schroffes Verhalten schmerzte mich *(erfüllte mich mit Kummer).*

Schmerzensgeld, das; -[e]s, -er: *Entschädigung für einen durch Verletzung zugefügten Schmerz:* er hatte nicht nur die Kosten für Krankenhaus und Arzt zu tragen, sondern er mußte auch noch hohes S. zahlen.

schmerzfrei ⟨Adj.⟩: *frei von Schmerzen, ohne Schmerzen:* der Patient war den ganzen Tag s.; eine schmerzfreie *(schmerzlose)* Behandlung.

schmerzhaft ⟨Adj.⟩: *Schmerzen erregend; mit Schmerzen verbunden:* eine schmerzhafte Verletzung; eine schmerzhafte Operation. **Schmerzhaftigkeit,** die; -.

schmerzlich ⟨Adj.⟩: *seelische Schmerzen, Kummer erregend; mit seelischen Schmerzen, mit Kummer verbunden:* ein schmerzlicher Verlust. **Schmerzlichkeit,** die; -.

schmerzlos ⟨Adj.⟩: *keine Schmerzen verursachend:* eine schmerzlose Operation vornehmen. * (ugs.) **kurz und s.** *(schnell und ohne Umstände):* die Formalitäten an der Grenze verliefen kurz und s. **Schmerzlosigkeit,** die; -.

Schmetterling, der; -s, -e: /ein Insekt/ (siehe Bild).

Schmetterling

Schmetterlingsstil, der; -[e]s: *Stil beim Schwimmen, bei dem sich beide Arme gleichzeitig im Kreis von hinten oben nach vorne unten und die Beine abwechselnd auf und ab bewegen:* einen Wettkampf im S. austragen.

schmettern, schmetterte, hat geschmettert: **1.** ⟨tr.⟩ *heftig und mit lautem Krachen werfen, schleudern, schlagen:* er schmetterte das Buch auf den Tisch. **2. a)** ⟨itr.⟩ *laut schallen:* die Trompeten schmetterten. **b)** ⟨itr.⟩ *laut singen:* die Vögel schmetterten; ⟨auch tr.⟩ (ugs.) ein Lied s.

Schmied, der; -[e]s, -e: *jmd., der beruflich schmiedet.*

Schmiede, die; -, -n: *Werkstatt eines Schmiedes:* die S. liegt am linken Ufer des Baches.

Schmiedeeisen, das; -s, -: *durch Schmieden [kunstvoll] verarbeitetes Eisen:* das Tor ist aus S.

schmieden, schmiedete, hat geschmiedet ⟨tr.⟩: *aus glühendem Metall mit einem Hammer formen:* eine Klinge s. * **Pläne s.** *(planen, sich ausdenken, was man in der [ferneren] Zukunft zu machen gedenkt).*

schmiegen, schmiegte, hat geschmiegt: **a)** ⟨rfl.⟩ *zärtlich sich [an]lehnen:* sich an die Mutter s.; das Kleid schmiegt sich um ihre Gestalt *(paßt sich ihrer Gestalt eng an).* **b)** ⟨tr.⟩ *zärtlich legen:* er schmiegte seinen Kopf in ihre Hand.

schmiegsam ⟨Adj.; nicht adverbial⟩: *weich, biegsam; sich einer Form leicht anpassend:* Stiefel aus schmiegsamem Leder.

Schmiere, die; -, -n (ugs.): *weiche, klebrige [schmutzige] Masse:* das ausgelaufene Öl bildete auf der Straße eine gefährliche S. ** **S. stehen** *(sich bei einer unerlaubten Handlung anderer irgendwo hinstellen und aufpassen, ob jemand kommt):* bei dem Überfall auf die Bank stand er S.

schmieren, schmierte, hat geschmiert: **1.** ⟨tr./itr.⟩ *mit Fett oder Öl leicht gleitend machen:* eine Achse, einen Wagen s.; (ugs.) es geht, läuft alles wie geschmiert *(reibungslos, schnell).* **2.** ⟨tr.⟩ **a)** *(auf etwas) streichen:* Butter auf das Brot s. **b)** *bestreichen:* ein Brötchen, eine Scheibe Brot [mit Marmelade] s. **3. a)** ⟨tr./itr.⟩ *undeutlich, unsauber schreiben, zeichnen, malen:* etwas in das Heft s.; der Schüler hat nur geschmiert. **b)** ⟨itr.⟩ *Flecken, unsaubere Striche machen:* die Feder, der Pinsel schmiert.

Schmierfink, der; -en, -en (ugs.; abwertend): *jmd., der unsauber schreibt, malt, zeichnet oder dabei Flecken macht:* du bist ein S.

Schmiergeld, das; -[e]s, -er: *Geld, mit dem jmd. bestochen wird:* die Schmiergelder, die die Firma jährlich bezahlt, machen riesige Summen aus.

Schmierheft, das; -[e]s, -e: *Heft, in dem etwas entworfen, skizziert oder notiert werden kann, ohne daß dabei auf eine saubere Form geachtet zu werden braucht:* die Schulaufgabe erst in ein S. schreiben.

schmierig ⟨Adj.⟩: *voller Schmiere; klebrig, schmutzig:* meine Hände sind s.; bildl. (ugs.): ein schmieriger *(devoter, unterwürfiger)* Charakter; schmierige *(zweifelhafte)* Geschäfte machen.

Schmierpapier, das; -s: *billiges Papier, auf dem schnell etwas entworfen, skizziert oder notiert werden kann:* S. kaufen.

Schminke, die; -, -n: *kosmetisches Mittel, das man anwendet, um der Haut ein frisches Aussehen zu geben:* S. auftragen, abwaschen.

schminken, schminkte, hat geschminkt ⟨tr./rfl.⟩: *Schminke auftragen, auflegen:* den Schauspieler für die Vorstellung s.; sie hat sich leicht geschminkt.

Schmirgel, der; -s: *aus verschiedenen Mineralien bestehendes, zum Schleifen und Polieren verwendetes Material.*

schmirgeln, schmirgelte, hat geschmirgelt ⟨tr.⟩: *mit Schmirgelpapier polieren:* die Beschläge aus Eisen s.

Schmirgelpapier, das; -s: *steifes, auf einer Seite mit Schmirgel überzogenes Papier:* etwas mit S. abschleifen, polieren.

Schmiß, der; Schmisses, Schmisse: **1.** *durch einen Hieb mit einem Säbel zugefügte Wunde oder Narbe im Gesicht:* der Student hat mehrere Schmisse. **2.** (ugs.) *Schwung:* die Musik hat S.

schmissig ⟨Adj.⟩ (ugs.): *mit Schwung, lebhaft, flott:* die Kapelle spielte schmissige Musik.

Schmöker, der; -s, - (ugs.): **a)** *altes Buch:* in einem alten S. nachsehen. **b)** *Buch mit minderwertigem, unterhaltendem Inhalt:* er liest nur S.

schmökern, schmökerte, hat geschmökert ⟨itr.⟩ (ugs.): *sich in Bücher [mit unterhaltendem Inhalt] vertiefen:* er schmökert gern [in Kriminalromanen].

schmollen, schmollte, hat geschmollt ⟨itr.⟩: *aus Verärgerung trotzig sein; böse, beleidigt sein:* wenn sie nicht bekommt, was sie haben will, schmollt sie.

Schmonzes, der; - (ugs.; abwertend): *leeres, albernes Gerede; Unsinn:* das ist alles S., was er uns da erzählt.

Schmorbraten, der; -s, -: *in der zugedeckten Pfanne geschmorter Braten:* mittags gab es S. mit Salat und Kartoffeln.

schmoren, schmorte, hat geschmort ⟨tr./itr.⟩: *langsam kochen, braten:* Fleisch s.; der Braten muß noch eine halbe Stunde s.; bildl. (ugs.): wir haben in der prallen Sonne geschmort *(es war uns in der Sonne sehr heiß);* jmdn. s. lassen *(jmdn. eine Weile im unklaren lassen).*

Schmu, der; -s (ugs.): *leichter Betrug:* durch S. gelang es ihm, das Grundstück billig zu kaufen. * **S. machen** *(aus [leichtem] Betrug Nutzen ziehen):* er macht beim Kartenspielen immer S.

schmuck ⟨Adj.⟩: *nett, hübsch, gepflegt aussehend:* ein schmuckes Mädchen.

Schmuck, der; -[e]s: **a)** *schmückender Gegenstand:* sie trug kostbaren S. auf dem Fest. **b)** *prachtvolle Ausstattung:* die Stadt im S. der Blumen.

schmücken, schmückte, hat geschmückt ⟨tr./rfl.⟩: *mit schö-*

nen Dingen ausstatten: zu Weihnachten den Christbaum s.; eine prächtig geschmückte Kirche; bildl.: seine Rede mit Zitaten s. * **sich mit fremden Federn** s. *(Leistungen anderer als die eigenen ausgeben).*

schmucklos ⟨Adj.⟩: *in keiner Weise geschmückt oder nett und gefällig ausgestattet:* ein schmuckloses Zimmer.

Schmuckstück, das; -[e]s, -e: *einzelner, als Schmuck verwendeter Gegenstand:* ein teures, kostbares S.; bildl.: der alte Brunnen ist das S. unserer Stadt.

schmuddelig ⟨Adj.⟩: *unsauber, abgegriffen, ungepflegt; schlampig:* sie sieht immer etwas s. aus; er trug einen schmuddeligen Mantel.

Schmuggel, der; -s: *das Schmuggeln.*

schmuggeln, schmuggelte, hat geschmuggelt ⟨tr./itr.⟩: *heimlich über die Grenze bringen, um den Zoll oder ein Verbot zu umgehen:* Diamanten, Waffen, Kaffee s.; er hat viel geschmuggelt.

Schmuggler, der; -s, -: *jmd., der schmuggelt.*

schmunzeln, schmunzelte, hat geschmunzelt ⟨itr.⟩: *aus Freude oder Befriedigung vor sich hin lächeln:* er schmunzelte über meine Bemerkung.

Schmus, der; -es (ugs.; abwertend): **a)** *schmeichelndes Zureden, Schöntun:* mach nicht solchen S., ich glaube dir doch nichts mehr. **b)** *leeres Gerede, Unsinn:* was er erzählte, war großer S.

schmusen, schmuste, hat geschmust ⟨itr.⟩: *zärtlich sein:* er hat mit ihr geschmust.

Schmutz, der; -es: *verunreinigender Stoff; Dreck:* den S. [von den Schuhen] kratzen. * **etwas in den S. ziehen** *(etwas schlechtmachen, über etwas Nachteiliges sagen).*

schmutzen, schmutzte, hat geschmutzt ⟨itr.⟩: *Schmutz annehmen:* der helle Stoff schmutzt schnell.

Schmutzfink, der; -en, -en (ugs.; abwertend): *jmd., der immer schmutzig ist oder etwas schmutzig macht:* dieser S. läuft mit seinen dreckigen Schuhen durch die ganze Wohnung.

schmutzig ⟨Adj.⟩: **a)** ⟨nicht adverbial⟩ *mit Schmutz behaftet; nicht sauber:* schmutzige Hände haben; die Fenster sind s. **b)** *unanständig:* schmutzige Gedanken haben, Witze machen; ein schmutziges *(zweifelhaftes, nicht redliches)* Gewerbe treiben; ein schmutziger *(moralisch nicht zu rechtfertigender)* Krieg.

Schnabel, der; -s, Schnäbel: **a)** *längliches, spitzes Gebilde aus Horn, das Vögeln zur Aufnahme der Nahrung dient:* die jungen Vögel sperrten die Schnäbel auf, weil sie Hunger hatten. **b)** (ugs.) *Mund eines Menschen:* er redet, wie ihm der S. gewachsen ist *(er redet offen heraus);* halt den S.! *(sei still!).*

schnäbeln, schnäbelte, hat geschnäbelt ⟨itr.⟩: **a)** *die Schnäbel gegeneinander reiben:* die beiden Vögel schnäbelten miteinander. **b)** (scherzh.) *sich [mehrere Male hintereinander] küssen* /von Verliebten/: die beiden schnäbeln schon wieder.

Schnabeltasse, die; -, -n: *Tasse, aus der Kranke im Liegen trinken können* (siehe Bild): die Schwester brachte dem Patienten in einer S. etwas Tee.

Schnabeltasse

schnabulieren, schnabulierte, hat schnabuliert ⟨tr.⟩ (fam.): *mit Appetit essen:* die Kinder haben den Pudding schon schnabuliert.

Schnack, der; -s (nordd.): *leeres Gerede, Unsinn:* das war nur ein dummer S., weiter nichts.

Schnake, die; -, -n: *stechende Mücke mit langen Beinen:* von Schnaken gestochen werden.

Schnalle, die; -, -n: **1.** *Vorrichtung zum Schließen von Gürteln, Taschen u. a.* (siehe Bild). **2.** (östr.) *Klinke.*

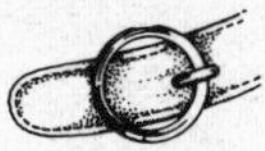

Schnalle 1.

schnallen, schnallte, hat geschnallt ⟨tr.⟩: **a)** *mit einer Schnalle (länger, kürzer, weiter, enger) machen:* nach dem reichlichen Essen mußte er sich den Gürtel weiter s. * (ugs.) **den Riemen/Gürtel enger s.** *(sich in bezug auf Ausgaben einschränken):* bei dieser Teuerung werden wir den Gürtel enger s. müssen. **b)** *mit einem Gürtel, Gurt, Riemen, der mit einer Schnalle ausgestattet ist, befestigen:* den Rucksack auf den Rücken, die Decke auf den Koffer s.

schnalzen, schnalzte, hat geschnalzt ⟨itr.⟩: *ein knallendes Geräusch hervorbringen:* mit der Zunge, mit den Fingern s.

schnappen, schnappte, hat geschnappt: **1.** ⟨itr.⟩ *eine kurze, schnelle, meist nicht erwartete Bewegung ausführen:* die Tür schnappte ins Schloß; das Brett schnappt in die Höhe. **2.** ⟨tr.⟩ (ugs.) **a)** *einen Dieb, einen Verbrecher [unmittelbar] nach der Tat ergreifen, festnehmen:* man hat den Bankräuber geschnappt. **b)** *schnell erfassen:* er schnappte seine Mappe und rannte die Treppe hinunter; ⟨auch itr.⟩: der Hund schnappte nach meiner Hand. * (ugs.) **frische Luft** s. *(ins Freie gehen).*

Schnappschuß, der; Schnappschusses, Schnappschüsse: *überraschend gemachte, nicht gestellte Photographie:* diese Aufnahme ist ein guter S.

Schnaps, der; -es, Schnäpse: /ein scharf gebranntes alkoholisches Getränk/: S. trinken; S. brennen.

Schnapsbruder, der; -s, Schnapsbrüder (ugs.; abwertend): *jmd., der gewohnheitsmäßig viel Schnaps trinkt:* ein alter, betrunkener S.

Schnapsbude, die; -, -n (ugs.; abwertend): *kleines, verkommenes Lokal, in dem hauptsächlich Schnaps getrunken wird:* er sucht eine S. nach der anderen auf.

Schnapsidee, die; -, -n (ugs.; abwertend): *seltsamer Einfall, verrückte Idee:* wer hat dich nur auf diese S. gebracht!

Schnapsnase, die; -, -n: *[vom vielen Trinken] rot gefärbte Nase:* ein alter Mann mit einer S.

schnarchen, schnarchte, hat geschnarcht ⟨itr.⟩: *im Schlaf beim Atmen ein sägendes Geräusch von sich geben:* er schnarcht so stark, daß ich nicht schlafen kann.

schnarren, schnarrte, hat geschnarrt ⟨tr./itr.⟩: *klanglose, hölzerne [schnell aufeinanderfolgende] Laute von sich geben; mit klangloser, hölzerner Stimme sprechen:* die Klingel schnarrte laut; der Portier schnarrte einen unfreundlichen Gruß; ⟨häufig im 1. Partizip⟩ etwas mit schnarrender Stimme sagen.

schnattern, schnatterte, hat geschnattert ⟨itr.⟩: *einen dem Klappern ähnlichen, knarrenden Laut von sich geben:* die Gänse s.; bildl. (ugs.): vor Kälte s. *(zittern);* die Frau schnattert *(schwatzt)* den ganzen Tag.

schnauben, schnaubte, hat geschnaubt ⟨itr.⟩: *Luft aus der Nase blasen:* der Hengst schnaubte ungeduldig; bildl.: das kleine Auto fuhr schnaubend den Berg hinauf; [vor] Wut, Entrüstung, Zorn o. ä. s. *(außer sich sein vor Wut, Entrüstung, Zorn o. ä.).* * (nordd.) **[sich] die Nase s., sich s.** *(sich die Nase putzen):* ich habe mir die Nase/mich geschnaubt.

Schnauzer

schnaufen, schnaufte, hat geschnauft ⟨itr.⟩: *schwer und mit Geräusch atmen:* beim Treppensteigen schnauft er stark.

Schnaufer, der; -s, - (ugs.): *einmaliges tiefes Ein- und Ausatmen:* einen S. vernehmen, hören lassen; bildl. (derb): den letzten S. tun *(sterben).*

Schnauze, die; -, -n: **a)** *Maul und Nase bei manchen Tieren:* der Hund hat eine kalte S. **b)** ⟨ohne Plural⟩ (derb) *Mund des Menschen:* halt die S.! * **eine große S. haben** *(großsprecherisch sein);* **die S. voll haben** *(keine Lust mehr haben, einer Sache überdrüssig sein);* (ugs.) **etwas frei nach S. machen** *(etwas ohne Vorbereitung, Plan tun).*

Schnauzer, der; -s, -: /ein Hund/ (siehe Bild).

Schnecke, die; -, -n: /ein kriechendes Tier/ (siehe Bild).

Schneckentempo, das; -s (ugs.): *überaus langsames Tempo:* im S. gehen, fahren.

Schnecke

Schnee, der; -s: *Niederschlag aus gefrorenem Wasser in Form weißer Flocken:* gestern fiel zehn Zentimeter S. * (östr.) **im Jahre / anno S.** *(vor sehr langer Zeit).*

Schneebesen

Schneeball, der; -[e]s, Schneebälle: *aus Schnee geformte Kugel:* mit Schneebällen werfen.

Schneebesen, der; -s, -: *Gerät, mit dem das Eiweiß zu Schaum geschlagen wird* (siehe Bild).

Schneefall, der; -[e]s, Schneefälle: *Niederschlag in Form von Schnee; das Schneien.*

Schneeflocke, die; -, -n: *Kristalle aus Eis, die zu einem einer Flocke ähnlichen Gebilde verbunden sind und so zur Erde niederfallen:* vom Himmel fallen dicke Schneeflocken.

Schneegestöber, das; -s: *von starkem Wind begleiteter Schneefall:* ein dichtes S.

Schneeglöckchen, das; -s, -: /eine Blume/ (siehe Bild).

Schneeglöckchen

Schneekette, die; -, -n: *Kette, die bei hohem Schnee auf dem Reifen eines Wagens befestigt wird, um Rutschen und Schleudern zu verhindern:* in dieser Gegend sind um diese Jahreszeit Schneeketten vorgeschrieben.

Schneemann

Schneekönig: ⟨in der Wendung⟩ sich freuen wie ein S. (ugs.): *sich sehr freuen.*

Schneemann, der; -[e]s, Schneemänner: *aus Schnee geformte Nachbildung eines Mannes* (siehe Bild): einen S. bauen.

Schneepflug, der; -[e]s, Schneepflüge: **a)** *Gerät, das den Schnee von Straßen und Wegen entfernt* (siehe Bild). **b)** *einfache Art, mit den Schiern langsam einen Abhang hinunterzufahren, indem man die Spitzen gegeneinander- und die hinteren Enden auseinanderdrückt:* den S. lernen; S. fahren.

Schneepflug a)

Schneewehe, die; -, -n: *durch den Wind entstandene Ablagerung von Schnee:* er blieb mit seinem Auto in einer S. stecken.

schneeweiß ⟨Adj.⟩: *weiß wie Schnee:* er hat schneeweißes Haar.

Schneid, der; -s, (bayr.; östr.:) die; - (ugs.): *Mut, Tatkraft:* zu diesem Unternehmen fehlt mir der S.; S. haben. * **jmdm. den S. abkaufen** *(jmdm. den Mut zu etwas nehmen; jmdn. einschüchtern).*

Schneide, die; -, -n: *die scharfe Seite eines Gegenstandes, mit dem man schneidet:* die S. eines Messers, eines Beiles. * **etwas steht auf des Messers S.** *(etwas kann so oder so entschieden werden).*

schneiden, schnitt, hat geschnitten /vgl. schneidend/: **1. a)** ⟨tr.⟩ *[mit dem Messer] zerteilen, abtrennen:* Fleisch, Brot, Gras s.; Zweige vom Baum s. **b)** ⟨itr.⟩ *scharf sein:* das Messer, die Schere schneidet gut. **2.** ⟨tr.⟩ *kürzen, stutzen:* Bäume, Sträucher s.; sich die Haare s. lassen; einen Film s. *(nicht interessante, auch unerwünschte Teile entfernen);* bildl.: die Kurve s. *(eine Kurve auf der kürzesten Strecke* *durchfahren).* **3.** ⟨tr.⟩ *einen bestimmten Schnitt geben:* das Kleid, den Anzug eng, modern s.; ⟨häufig im 2. Partizip⟩ ein gut, weit geschnittener Mantel; bildl.: die Wohnung ist günstig geschnitten *(räumlich gut aufgeteilt).* **4.** ⟨tr./itr.⟩ *operieren:* ein Geschwür s.; der Arzt schneidet nur, wenn es keine andere Möglichkeit mehr gibt. **5.** ⟨tr.⟩ *verletzen:* der Friseur hat mich geschnitten; ich habe mich am Glas geschnitten; ich habe mir, mich in die Hand geschnitten. * (ugs.) **sich ins eigene Fleisch s.** *(sich selbst schaden).* **6.** ⟨rzp.⟩ *sich kreuzen:* die beiden Linien, Straßen schneiden sich. **7.** ⟨tr.⟩ *bewußt nicht beachten:* jmdn. [bei einer Zusammenkunft] s.

schneidend ⟨Adj.⟩: *scharf; durchdringend:* es weht ein schneidender Wind.

Schneider, der; -s, -: *jmd., der im Anfertigen von Kleidern ausgebildet ist* /Berufsbezeichnung/: einen Anzug vom S. anfertigen lassen.

Schneiderei, die; -, -en: **a)** ⟨ohne Plural⟩ *Handwerk des Schneiders:* die S. erlernen. **b)** *Werkstatt des Schneiders:* in einer S. arbeiten.

Schneiderin, die; -, -nen: *weibliche Person, die im Anfertigen von Kleidern ausgebildet ist* /Berufsbezeichnung/: wegen der Anprobe zur Schneiderin gehen.

Schneiderkreide, die; -: *Kreide, mit der man beim Schneidern auf dem Stoff etwas markieren kann:* rote, weiße S.

schneidern, schneiderte, hat geschneidert ⟨tr.⟩: *(ein Kleidungsstück) wie ein Schneider anfertigen, nähen:* ein Kostüm s.; das Kleid habe ich [mir] selbst geschneidert.

Schneidezahn, der; -[e]s, Schneidezähne: *einer der je vier mittleren Zähne im vorderen Teil des Gebisses:* sich einen S. plombieren lassen.

schneidig ⟨Adj.⟩: *selbstbewußt, forsch, tatkräftig, energisch:* ein schneidiger Offizier; er trat auf dem Ball sehr s. auf.

schneien, schneite, hat geschneit ⟨itr.⟩: *als Schnee vom Himmel fallen:* es hat die ganze Nacht geschneit; bildl. (ugs.): die ganze Familie ist mir gestern ins Haus geschneit *(ist gestern überraschend zu mir gekommen).*

Schneise, die; -, -n: *gerodeter Streifen im Wald.*

schnẹll ⟨Adj.⟩: **a)** *mit großer Geschwindigkeit; rasch* /Ggs. langsam/: s. laufen, sprechen; er ist zu s. gefahren. **b)** *in kurzer Zeit, bald:* wir müssen s. eine Entscheidung treffen.

schnẹllen, schnellte, hat/ist geschnellt: **1.** ⟨itr.⟩ *plötzlich federnd [in die Höhe] schießen:* der Pfeil schnellte in die Luft; der Fisch ist aus dem Wasser geschnellt; erschrocken schnellte er von seinem Sitz. **2.** ⟨tr./rfl.⟩ (veraltend) *ruckartig und federnd bewegen:* er schnellte den Zeigefinger gegen ihn; ich hatte mich auf die Mauer geschnellt.

Schnẹllhefter, der; -s, -: *einfache Mappe mit einer Vorrichtung, mit der lose Blätter befestigt werden können:* Briefe in einem S. aufbewahren.

Schnẹlligkeit, die; -: *Fähigkeit, sich schnell zu bewegen.*

schnẹllstens ⟨Adverb⟩: *auf schnellstem Wege, sehr schnell:* das muß s. erledigt werden.

Schnẹllzug, der; -[e]s, Schnellzüge: *D-Zug.*

Schnẹpfe, die; -, -n: /ein Vogel/ (siehe Bild).

Schnepfe

schneuzen, sich; schneuzte, sich; hat sich geschneuzt: *sich [durch kräftiges Ausstoßen von Luft] die Nase putzen.*

Schnịckschnack, der; -s (ugs.): **a)** *törichtes Gerede; dummes Zeug, das nicht zur Sache gehört:* das ist alles S., was er uns da erzählt. **b)** *kleine, als unnötige Spielerei betrachtete Dinge:* allerhand modischer S.

Schnịppchen: ⟨in der Wendung⟩ jmdm. ein S. schlagen (ugs.): *jmds. Absichten [geschickt] durchkreuzen, jmdm. einen Streich spielen:* er hat der Polizei ein S. geschlagen.

Schnịppel, der und das; -s, - (ugs.): *kleines, abgeschnittenes Stückchen Papier, Stoff, Holz o. ä.:* die S. zusammenlesen.

schnịppeln, schnippelte, hat geschnippelt ⟨itr.⟩ (ugs.): *schnipseln.*

schnịppisch ⟨Adj.⟩: *kurz angebunden, keck, etwas frech:* ein schnippisches Mädchen; er gab eine schnippische Antwort.

Schnịpsel, der und das; -s, - (ugs.): *kleines abgerissenes Stück; Fetzen (meist von Papier):* die S. auf dem Boden zusammenkehren.

schnịpseln, schnipselte, hat geschnipselt ⟨itr.⟩ (ugs.): *in kleine Stücke, Schnipsel schneiden, reißen.*

schnịpsen, schnipste, hat geschnipst (ugs.): **a)** ⟨tr.⟩ *(einer Sache) mit schnellendem Finger einen Stoß geben, so daß sie nach vorn fliegt:* er schnipste einen Krümel vom Tisch. **b)** ⟨itr.⟩ *mit Daumen und Mittelfinger ein schnalzendes Geräusch machen:* wenn ein anderes Bild gezeigt werden sollte, schnipste er.

Schnịtt, der; -[e]s, -e: **1.** *das Schneiden; Ergebnis des Schneidens:* ein Geschwür mit einem S. öffnen; ein tiefer S. **2.** *das Ernten; Ernte, die durch Schneiden gewonnen wird:* der S. des Getreides, Grases. **3.** *Bearbeitung eines Films durch das Herausschneiden uninteressanter oder unerwünschter Stellen:* den Schnitt dieses Filmes besorgte Herr Maier. **4.** *Art, wie etwas geschnitten wird:* der S. dieses Kleides gefällt mir; bildl.: der S. des Gesichtes *(die Form des Profils).* **5.** *Durchschnitt:* er fuhr im S. 100 km in der Stunde.

Schnịttblume, die; -, -n: *Blume, die sich besonders für die Vase eignet:* dieser Gärtner hat sich auf Schnittblumen spezialisiert.

Schnịtte, die; -, -n: *[vom Brot] abgeschnittenes dünnes Stück; Scheibe:* eine S. mit Wurst essen.

Schnịttfläche, die; -, -n: *durch einen Schnitt entstandene Fläche:* eine gerade, saubere S.

schnịttig ⟨Adj.⟩: *durch den Schnitt elegant; sportlich, attraktiv:* ein schnittiges Boot; der Wagen ist sehr s. gebaut.

Schnịttlauch, der; -s: /ein Küchenkraut/ (siehe Bild S. 572): die Suppe mit fein geschnittenem S. bestreuen.

Schnịttmuster, das; -s, -: *Vorlage zum Zuschneiden eines*

Kleidungsstücks: diese Kleider können Sie nach dem beiliegenden S. selbst schneidern.

Schnittlauch

Schnittpunkt, der; -[e]s, -e: *Stelle, wo sich Linien oder Straßen kreuzen.*

Schnitzel, das; -s, -: *gebratene [panierte] Scheibe Fleisch vom Kalb oder Schwein:* ein Wiener S.

Schnitzeljagd, die; -, -en: *Spiel von Jugendlichen im Gelände in Form einer Verfolgungsjagd, bei der den Verfolgern durch kleine Schnipsel aus Papier eine Spur hinterlassen wird:* [eine] S. machen.

schnitzeln, schnitzelte, hat geschnitzelt ⟨itr.⟩ (landsch.): *schnipseln.*

schnitzen, schnitzte, hat geschnitzt ⟨tr./itr.⟩: *durch Schneiden aus Holz formen:* eine Figur, ein Reh s.; er schnitzt gut. *** aus hartem Holz geschnitzt sein** *(robust sein und einen starken Willen haben).*

Schnitzer, der; -s, -: **1.** *jmd., der Gegenstände schnitzt:* bei einem S. Figuren für die Krippe kaufen. **2.** (ugs.) *Fehler:* einen groben S. machen.

Schnitzerei, die; -, -en: **a)** ⟨ohne Plural⟩ *Kunst des Schnitzens:* die S. erlernen. **b)** *geschnitzter Gegenstand:* seine Schnitzereien finden reißenden Absatz.

schnoddrig ⟨Adj.⟩ (ugs.): *von einer provozierenden Lässigkeit seiend, großsprecherisch und ohne den nötigen Respekt:* er ist mir zu s.; eine schnoddrige Art haben.

schnöde ⟨Adj.⟩: **1.** *verachtend, verächtlich:* jmdn. s. behandeln, abweisen; eine schnöde Zurechtweisung. **2.** *erbärmlich, schändlich:* ein schnöder Gewinn; ein schnöder Geiz.

schnofeln, schnofelte, hat geschnofelt ⟨itr.⟩ (östr.; ugs.): **a)** *auffällig riechen, schnüffeln:* er schnofelte ein wenig, als der Gestank zu ihm kam. **b)** (abwertend) *spionieren:* er schnofelt gerne in den anderen Abteilungen des Betriebes.

Schnorchel, der; -s, -: *Vorrichtung in Form einer Röhre, die U-Boote und Taucher unter Wasser mit frischer Luft versorgt.*

Schnörkel, der; -s, -: **a)** *gewundene Linie, die als Verzierung dienen soll:* er schrieb seinen Namen mit einem großen S. **b)** *unnötige Verzierungen:* seine Rede enthielt zahlreiche S.

schnörkelig ⟨Adj.⟩: *mit Schnörkeln versehen:* eine schnörkelige Schrift.

schnorren, schnorrte, hat geschnorrt ⟨tr./itr.⟩ (ugs.): *in schmarotzender Weise (etwas, was andere haben) erbetteln:* er schnorrt ständig bei seinen Freunden [Zigaretten].

Schnorrer, der; -s, -: **1.** (abwertend) *jmd., der gerne schnorrt:* bei seinen Freunden ist er als S. bekannt. **2.** (veralt.) *Landstreicher, Bettler:* als S. von Tür zu Tür ziehen.

Schnösel, der; -s, -: *anmaßender, frecher und zugleich dummer junger Mann:* dieser S. getraut sich da noch zu lachen.

schnüffeln, schnüffelte, hat geschnüffelt ⟨itr.⟩: **1.** *die Luft hörbar durch die Nase ziehen [um etwas riechen zu können]:* der Hund schnüffelt an der Tasche. **2.** *[aus Neugier] herumsuchen, nachspüren, spionieren:* du sollst nicht in meinen Sachen s.

Schnüffler, der; -s, - (abwertend): *jmd., der schnüffelt, spioniert.*

Schnulze, die; -, -n: *sentimental, rührselig wirkendes Lied, Theaterstück; kitschiger Film.*

schnupfen, schnupfte, hat geschnupft ⟨itr.⟩: **a)** (bayr.; östr.) *stoßweise durch die Nase einatmen:* sie schnupfte noch etwas, während sie sich die Tränen trocknete. **b)** *Schnupftabak nehmen:* sein Großvater schnupft.

Schnupfen: I. der; -s, -: *mit der Absonderung einer schleimigen Flüssigkeit verbundene Entzündung der Nasenschleimhäute:* den S. haben; ich habe mir bei dem kalten Wetter einen S. geholt. **II.** das; -s: *das Nehmen von Schnupftabak:* laß doch das S.!

Schnupftabak, der; -s: *aus Tabak hergestelltes Pulver, das in die Nase gerieben wird und die Nasenschleimhäute reizt, so daß man niesen muß:* eine Dose S. kaufen; eine Prise S. nehmen.

schnuppe: ⟨in der Verbindung⟩ etwas ist jmdm. s. (ugs.): *etwas ist jmdm. gleich[gültig]:* das ist mir alles ganz s.!

schnuppern, schnupperte, hat geschnuppert ⟨itr.⟩: *durch kurzes stärkeres Einziehen von Luft etwas riechen wollen:* der Hund schnuppert an meiner Tasche.

Schnur, die; -, Schnüre: *aus dünneren Fäden oder Fasern gedrehter Bindfaden:* etwas mit einer kräftigen S. festbinden; ein Kissen zur Verzierung mit Schnüren besetzen.

Schnürchen: ⟨in der Fügung⟩ wie am S. (ugs.): **a)** *reibungslos, ohne irgendwelche Schwierigkeiten:* in ihrem Haushalt geht, läuft immer alles wie am S. **b)** *schnell, ohne zu stocken:* er wiederholte die ganze Rede wie am S.

schnüren, schnürte, hat geschnürt ⟨tr.⟩: *fest binden, zusammenziehen:* ein Paket, die Schuhe s.; einen Strick um etwas s.

Schnürlsamt, der; -[e]s (östr.): *Kord.*

Schnurrbart, der; -[e]s, Schnurrbärte: *schmaler Bart oberhalb des Mundes* (siehe Bild): ein alter Mann mit einem S.

Schnurrbart

Schnurre, die; -, -n (geh.; veralt.): *kurze, spaßige Erzählung; Schwank:* der alte Onkel gab eine S. nach der anderen zum besten.

schnurren, schnurrte, hat geschnurrt ⟨itr.⟩: *ein brummendes, summendes Geräusch von sich geben:* die Katze, das Spinnrad, die Maschine schnurrt.

schnurrig ⟨Adj.⟩ (veralt.): *drollig, eigenartig, wunderlich:* eine schnurrige Geschichte; es ging dort etwas s. zu.

Schnürsenkel, der; -s, -: *Schuhband.*

schnurz: ⟨in der Verbindung⟩ etwas ist jmdm. s. (landsch.): *etwas ist jmdm. gleich[gültig]:* was hier vorgeht, ist mir völlig s.

Schnute, die; -, -n (derb): *Mund:* halt deine S.!; er hat eine freche S. * (ugs.) **eine S. machen/ziehen** *([beleidigt, beim Weinen o. ä.] den Mund verziehen).*

Schober, der; -s, - (südd.; österr.): *hoher, abgedeckter Haufen aus Heu, Stroh o. ä., der im Freien steht* (siehe Bild): einen S. machen.

Schober

Schock, der; -[e]s: *stärkste seelische Erschütterung durch ein plötzliches Ereignis:* einen S. erleiden; sich von einem S. erholen.

schocken, schockte, hat geschockt ⟨tr.⟩: **a)** Med. *mit einem künstlich erzeugten Schock behandeln:* der Geisteskranke wurde mehrere Male geschockt. **b)** (ugs.) *schockieren:* das Publikum sollte bereits in der ersten Szene geschockt werden.

schockieren, schockierte, hat schockiert ⟨tr.⟩: *bei jmdm. Anstoß erregen, Bestürzung hervorrufen:* seine Kleidung, sein Verhalten hat uns alle schockiert.

schofel ⟨Adj.⟩ (ugs.): **a)** *schäbig, geizig:* er ist ein schofler Mensch; er zeigte sich s. **b)** *erbärmlich, gemein:* eine schofle Gesinnung haben.

schofelig ⟨Adj.⟩ (ugs.): *schofel.*

Schöffe, der; -n, -n: *bei Gericht ehrenamtlich eingesetzter Laie, der zusammen mit dem Richter die Tat des Angeklagten beurteilt und das Ausmaß der Strafe festlegt:* die Schöffen waren sich über die Strafe einig.

Schokolade, die; -, -n: *Süßigkeit aus Kakao, Milch und Zukker.*

Scholle, die; -, -n: **1.** *zusammenhängender Klumpen Erde, wie er durch den Pflug aufgeworfen wird:* die Schollen zerkleinern; bildl. (geh.): die heimatliche S. *(Erde);* auf eigener S. sitzen *(einen eigenen bäuerlichen Betrieb besitzen).* **2.** *größeres, auf dem Wasser schwimmendes Stück Eis:* riesige Schollen haben sich vor der Brücke gestaut. **3.** /ein Fisch/ (siehe Bild).

Scholle 3.

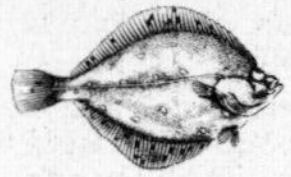

schon ⟨Adverb⟩: **1.** *früher als erwartet; bereits:* er war s. da, als wir kamen; es ist s. neun Uhr; ich möchte ihnen s. heute gratulieren; was will er denn s. wieder. **2.** *rechtzeitig; zum entsprechenden Zeitpunkt:* ich werde dir alles s. sagen, wenn es nötig ist. **3.** *endlich:* nun rede doch s.!; jetzt höre s. auf zu schimpfen, und beginne mit der Arbeit! **4.** *allein:* dieser Ausweis genügt s.; s. der Gedanke ist ein Unrecht. **5.** *ohnehin:* es ist so s. teuer genug. **6.** *wohl, gewiß, sicherlich:* das wird s. stimmen. **7.** ⟨in Verbindung mit *wenn*⟩ *überhaupt:* wenn s., denn s. *(wenn überhaupt, dann richtig);* wenn s. etwas frisch gestrichen werden muß, dann die ganze Fläche.

schön ⟨Adj.⟩: **1.** *sehr angenehm, ästhetisch auf die Sinne wirkend; von vollendeter Gestalt, so daß es Anerkennung, Gefallen, Bewunderung findet:* seine schöne Frau; eine schöne Stimme haben. **2.** *nicht getrübt; angenehm, herrlich:* es war eine schöne Zeit; das Wetter war s. **3.** *gut, anständig:* das war nicht s. von dir; er hat ihr gegenüber nicht s. gehandelt; das ist ein schöner Zug an ihm (in seinem Charakter). **4.** *beträchtlich:* er hat ein schönes Alter erreicht; das kostet eine schöne Summe Geld. **5.** (iron.) *schlecht, unangenehm:* du bist mir ein schöner Fahrer, ein schöner Freund!; das sind ja schöne Aussichten; da hast du etwas Schönes angerichtet. **6.** ⟨verstärkend bei Adjektiven und Verben⟩ **a)** *sehr, ganz:* er ist s. dumm, wenn er das macht; der Wein ist s. klar; er ist s. von ihm betrogen worden. **b)** (ugs.) *wie es sich gehört, sein soll* /in Aufforderungen und Ermahnungen/: immer s. warten!; s. langsam fahren!; immer s. ruhig bleiben!

schonen, schonte, hat geschont: **a)** ⟨tr.⟩ *sorgfältig, vorsichtig behandeln, gebrauchen; nicht strapazieren, bis zum äußersten belasten:* seine Kleider, das Auto s. **b)** ⟨rfl.⟩ *Rücksicht auf seine Gesundheit nehmen:* nach der Krankheit mußte er sich noch längere Zeit s.

Schoner, der; -s, -: **I.** *Überzug, der etwas schont:* sie fertigte für die Lehnen der Sessel S. an. **II.** *Segelschiff mit mehreren Masten.*

Schönfärberei, die; -, -en: *beschönigende Darstellung:* der Bericht ist frei von jeder S.

Schonfrist, die; -, -en: *festgelegte Zeit, in der jmd. nicht ernstlich zu etwas herangezogen wird, um sich an neue oder außergewöhnliche Verhältnisse zu gewöhnen:* er bekam eine S. von zwei Wochen, aber dann mußte er auch an die Arbeit.

schöngeistig ⟨Adj.⟩: **a)** *für die schönen, im Niveau anspruchsvolleren Künste (Dichtung, Musik, bildende Kunst) aufgeschlossen:* in den schöngeistigen Zirkeln der Stadt war der Dichter äußerst beliebt. **b)** *die schönen, im Niveau anspruchsvolleren Künste (Dichtung, Musik, bildende Kunst) betreffend:* an schöngeistiger Literatur wird hier nur wenig angeboten.

Schönheit, die; -, -en: **a)** *das Schönsein; schönes Aussehen:* ein Werk von klassischer S.; die landschaftliche S. ist einzigartig. **b)** *schöne Frau:* sie ist eine S. **c)** ⟨Plural⟩ *Sehenswürdigkeiten:* die Schönheiten der Stadt, des Landes haben wir kennengelernt.

Schönheitsfehler, der; -s, -: *etwas, was für das Aussehen einer Person oder Sache unvorteilhaft ist:* Brillen betrachtet sie als S.; abgesehen von kleinen Schönheitsfehlern *(Mängeln),* ist dieser Artikel wirklich gut.

schönmachen, machte schön, hat schöngemacht (ugs.): **a)** ⟨rfl.⟩ *sich für etwas schön kleiden und zurechtmachen:* ich muß mich für den Abend noch s. **b)** ⟨itr.⟩ *sich mit erhobenen Pfoten aufrecht auf die hinteren Beine setzen* /von Hunden/: unser Hund kann gut s.

schöntun, tat schön, hat schöngetan ⟨itr.⟩: **a)** (ugs.) *schmeicheln:* obwohl sie ihm schöntut, erreicht sie bei ihm nichts. **b)** (landsch.) *sich zieren:* tu doch nicht so schön und greif tüchtig zu!

Schonung, die; -, -en: **1.** *das Schonen:* etwas, jmdn. mit S. behandeln; er kennt keine S. **2.** *eingezäuntes Gelände mit jungen Bäumen in einem Wald:* Betreten der S. verboten.

schonungslos ⟨Adj.⟩: *ohne Nachsicht, Schonung:* jemanden s. behandeln; etwas mit schonungsloser Offenheit erzählen.

Schonzeit, die; -, -en: *Zeit, in der bestimmtes Wild nicht erlegt werden darf:* die Hasen haben jetzt S.

Schopf, der; -[e]s, Schöpfe (scherzh.): *dichte Haare auf dem Kopf:* sie hat einen blonden S. * (ugs.) **eine Gelegenheit / das Glück beim Schopf[e] ergreifen/fassen/nehmen/packen** *(eine günstige Gelegenheit sofort ausnutzen).*

schöpfen, schöpfte, hat geschöpft ⟨tr.⟩: *mit einem kleineren Gefäß oder mit der Hand Wasser aufnehmen:* Wasser aus einer Wanne, aus einem Fluß s.; bildl.: Atem s. *(tief, bewußt atmen);* neue Hoffnung s. *(gewinnen);* aus welcher Quelle hat er sein Wissen geschöpft? *(woher weiß er das?).* * **aus dem vollen s.** *(Geld, Wissen immer in reichem Maß parat haben).*

Schöpfer, der; -s, -: **1. a)** *jmd., der etwas geschaffen hat:* er ist der S. dieses großen Projekts. **b)** Rel. (geh.) *Gott:* der allmächtige S. **2.** *Gerät zum Schöpfen* (siehe Bild): mit dem S. Wasser aus einem Eimer nehmen.

Schöpfer 2.

schöpferisch ⟨Adj.⟩: *hervorbringend, gestaltend; [bedeutende] geistige Arbeit leistend:* eine schöpferische Phantasie entfalten; s. tätig sein.

Schöpfung, die; -, -en: **1.** ⟨ohne Plural⟩ *das Erschaffen; Schaffung:* die S. der Welt; für die S. dieses Kunstwerks sind wir Ihnen zu Dank verpflichtet. **2. a)** *das Erschaffene, das [Kunst]werk:* diese Bilder sind die kühnsten Schöpfungen des Künstlers. **b)** (geh.) *alles, was von Gott geschaffen worden ist; Welt:* die Wunder der S. * (ugs.; iron.) **die Herren der S.** *(die Männer).*

schoppen, schoppte, hat geschoppt ⟨tr.⟩ (bayr.; östr.; ugs.): *pfropfen, stopfen:* sie schoppte noch ein Kleid in den vollen Koffer.

Schoppen, der; -s, -: **a)** (südwestd.) /Maß für Flüssigkeiten, bes. für Wein und Bier/: drei S. Wein trinken. **b)** (schweiz.) *Flasche für Säuglinge:* unser Kurt kann seinen S. schon selbst halten.

Schorf, der; -[e]s, -e: **a)** *durch Pilze hervorgerufene Krankheit von Pflanzen:* die Bäume gegen S. spritzen. **b)** *Kruste aus getrocknetem Blut auf Wunden:* der S. fiel von selbst ab.

Schorle und **Schorlemorle,** die; -, -n: *Gemisch aus Wein und Mineralwasser:* eine S. trinken.

Schornstein, der; -[e]s, -e: *Abzug für Rauch* (siehe Bild).

Schornstein

Schornsteinfeger, der; -s, -: *jmd., der den Schornstein von Ruß säubert* /Berufsbezeichnung/.

Schoß, der; -es, Schöße: *Vertiefung, die sich beim Sitzen zwischen Oberkörper und Beinen bildet:* das Kind wollte auf den S. der Mutter; bildl.: etwas fällt jmdm. in den S. *(jmd. erreicht etwas, ohne sich darum zu bemühen);* die Hände in den S. legen *(nichts tun, untätig zusehen);* (geh.) er kehrte in den S. der Kirche zurück *(er wurde wieder Mitglied der Kirche).*

Schoßhündchen, das; -s, -: *kleiner, zierlicher, bes. von Damen gehaltener Hund:* sie hat ein weißes S.

Schoßkind, das; -[e]s, -er: *kleines [verzärteltes] Kind, das man noch auf den Schoß nehmen muß:* du bist doch kein S. mehr.

Schote, die; -, -n: **a)** *Frucht bestimmter Pflanzen in Form einer innen hohlen Kapsel, in der sich der Samen befindet:* die trockene S. springt auf; drei Schoten Paprika kaufen. **b)** *Hülse, in der sich die Erbsen und Bohnen befinden:* die Erbsen aus den Schoten lösen.

Schotter, der; -s: *zerkleinerte Steine zum Bau von Straßen und zum Verlegen von Gleisen.*

schottern, schotterte, hat geschottert ⟨tr.⟩: *mit Schotter bedecken, bestreuen:* der Platz muß geschottert werden; ⟨häufig im 2. Partizip⟩ eine frisch geschotterte Straße.

schraffieren, schraffierte, hat schraffiert ⟨tr.⟩: *in einer Zeichnung eine Fläche mit vielen parallelen Strichen bedecken:* er schraffierte die unbebauten Gebiete auf dem Stadtplan.

schräg ⟨Adj.⟩: *weder waagerecht noch senkrecht, geneigt:* der Mast steht s.; er geht s. über die Straße.

Schramme, die; -, -n: *Kratzer; durch Ritzen, Kratzen entstandene leichte Verletzung der Haut:* bei dem Unfall ist er mit ein paar Schrammen davongekommen.

Schrank, der; -[e]s, Schränke /ein Möbelstück zum Aufbewahren von Kleidern/ (siehe Bild).

Schrank

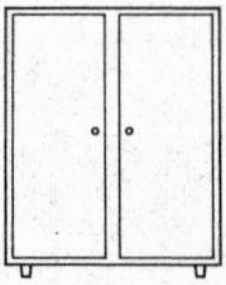

Schranke, die; -, -n: *Vorrichtung zum Absperren von Übergängen oder Eingängen* (siehe Bild): die Schranken sind geschlossen; bildl.: jmdn. in die Schranken weisen *(jmdn. zur Mäßigung, zur Selbstbeherrschung auffordern).*

Schranke

schrankenlos ⟨Adj.⟩: *unbegrenzt, ohne Einschränkung:* schrankenloses Vertrauen haben; etwas s. ausnutzen.

Schrankenlosigkeit, die; -.

Schraube, die; -, -n: *Stift aus Metall mit Gewinde zum Befestigen (von etwas):* die S. anziehen; bildl.: das ist eine S. *(Angelegenheit)* ohne Ende; (ugs.) bei ihm ist eine S. locker *(er ist nicht ganz normal).*

schrauben, schraubte, hat geschraubt ⟨tr.⟩ /vgl. geschraubt/:

mit einer Schraube befestigen: die Kotflügel an die Karosserie s.; bildl.: die Preise in die Höhe s. *(stark erhöhen).*

Schraubenmutter, die; -, -n: /Teil einer Schraube/ (siehe Bild).

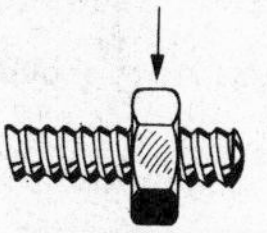

Schraubenmutter

Schraubenschlüssel, der; -s, -: *Gerät, mit dem Schrauben und Schraubenmuttern fest angezogen oder gelockert werden* (siehe Bild).

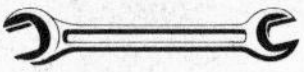

Schraubenschlüssel

Schraubenzieher, der; -s, -: *Gerät zum Anziehen oder Lockern von Schrauben* (siehe Bild).

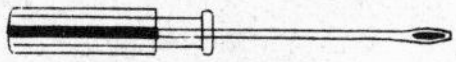

Schraubenzieher

Schraubstock, der; -[e]s, Schraubstöcke: *Gerät, in das man Gegenstände fest einklemmt, um sie mit beiden Händen bearbeiten zu können* (siehe Bild): etwas in einen S. spannen; seine Hand umklammerte wie ein S. meinen Arm.

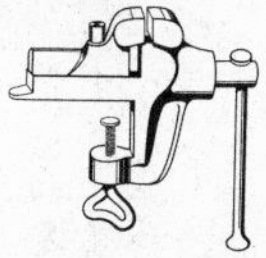

Schraubstock

Schrebergarten, der; -s, Schrebergärten: *einzelner kleiner Garten innerhalb einer größeren Anzahl von Gärten am Stadtrand:* ein liebevoll gepflegter S.

Schreck, der; -[e]s, -e und **Schrecken,** der; -s, -: *heftige Erschütterung des Gemüts durch das Erkennen einer plötzlichen Gefahr oder Bedrohung, plötzliche Angst:* jmdm. einen gewaltigen S. einjagen, versetzen; sich von dem S. erholen.

schrecken, schreckte, hat geschreckt ⟨tr.⟩: *in Schrecken versetzen, ängstigen:* jmdn. mit Drohungen s.

schreckensbleich ⟨Adj.⟩: *bleich vor Schreck:* die Gesichter waren alle s.

Schreckensherrschaft, die; -, -en: *Herrschaft, die durch Terror Angst verbreitet:* während der S. dieses Regimes hat er das Land verlassen.

Schreckgespenst, das; -es, -er: *jmd./etwas, was Angst und Schrecken einjagt:* dieser Lehrer war schon immer das S. unserer Klasse; das S. des Krieges.

schreckhaft ⟨Adj.⟩: *leicht erschreckend, leicht zu erschrecken:* sie ist sehr s.

schrecklich ⟨Adj.⟩: **1.** *Grauen erregend, furchtbar, entsetzlich:* eine schreckliche Entdeckung, Krankheit; der Anblick war s. **2.** *unerträglich:* zur Zeit herrscht eine schreckliche Hitze. **3.** ⟨verstärkend bei Adjektiven und Verben⟩ *übermäßig, sehr:* es war ihm s. peinlich; er war s. eifersüchtig; sie hat ihn s. gern; sich s. aufregen.

Schreckschuß, der; Schreckschusses, Schreckschüsse: *Schuß, durch den jmd. nur erschreckt werden soll:* die Polizei feuerte einige Schreckschüsse ab.

Schrei, der; -[e]s, -e: *meist aus Angst ausgestoßener kurzer, kräftiger Laut eines Lebewesens:* er hörte einen S.

schreiben, schrieb, hat geschrieben: **1.** ⟨itr./tr.⟩ *Buchstaben, Zahlen, Noten in bestimmter Reihenfolge auf ein Papier o. ä. bringen:* s. lernen, schön, sauber s.; mit Tinte s.; etwas auf einen Zettel s. **2.** ⟨itr./tr.⟩ *sich schriftlich an jmdn. wenden; [etwas] in schriftlicher Form senden, schicken:* seinem Vater/an seinen Vater [eine Karte, einen Gruß] s. **3.** ⟨tr./itr.⟩ *verfassen, niederschreiben; abfassen:* er schreibt einen Roman/an einem Roman; er schreibt schon zwei Stunden an dieser Beschwerde. **4.** ⟨itr.⟩ *berichten, mitteilen:* die Zeitung schrieb ausführlich über das Unglück. **5.** ⟨itr.⟩ *zum Thema einer [wissenschaftlichen] Abhandlung machen:* er schreibt über den Marxismus, über die Kirche, über den Staat. **6.** ⟨itr.⟩ *einen bestimmten Stil haben:* er schreibt lebendig, interessant; in einer Sprache, die jeder versteht. **7.** ⟨rzp.⟩ *korrespondieren:* wir schreiben uns regelmäßig. **8.** ⟨tr.⟩ *schriftlich erklären für:* der Arzt schrieb ihn gesund, krank.

Schreiben, das; -s, -: *offizielle oder sachliche schriftliche Mitteilung:* er richtete ein S. an den Bürgermeister.

Schreiberei, die; -, -en: *als mühsam und lästig empfundenes, längeres Schreiben:* diese Angelegenheit hat mir viel S. verursacht.

Schreiberling, der; -s, -e (abwertend): **a)** *kleinlicher, äußerst pedantischer Mensch, der in einem Büro [untergeordnete] Schreibarbeiten macht:* er ist ein ganz gewöhnlicher S. **b)** *Schriftsteller, der viel und schlecht schreibt:* einige Schreiberlinge glauben mit diesem Thema interessieren zu können.

schreibfaul ⟨Adj.⟩: *nachlässig im Schreiben und Beantworten von Briefen:* sei nicht so s., und laß manchmal was von dir hören!

Schreibfehler, der; -s, -: *beim Schreiben unterlaufener Fehler:* paß auf, daß du keine S. machst!

Schreibkraft, die; -, Schreibkräfte: *jmd., der in einem Büro nur zum Schreiben angestellt ist:* wir suchen eine neue S.

Schreibmaschine, die; -, -n: *Gerät zum Schreiben durch das Niederdrücken von Tasten* (siehe Bild).

Schreibmaschine

Schreibpapier, das; -s: *Papier zum Schreiben:* kannst du mir etwas S. geben?

Schreibtisch, der; -es, -e: *Tisch zum Schreiben* (siehe Bild): als ich ins Zimmer kam, saß er am S.

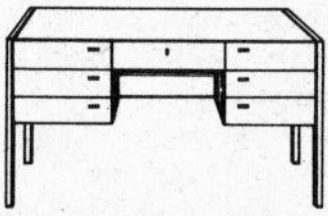

Schreibtisch

Schreibweise, die; -, -n: *Art, wie ein Wort richtig geschrieben wird:* ich kann mir diese S. nicht merken.

schreien, schrie, hat geschrie[e]n /vgl. schreiend/: **1.** ⟨itr.⟩ *Schreie ausstoßen:* das Kind schrie die ganze Nacht; bildl.: diese Ungerechtigkeit schreit zum Himmel *(ist über alle Maßen groß; sehr groß)*. **2.** ⟨tr./itr.⟩ *sehr laut sprechen:* er schrie [seinen Namen] so laut, daß ihn jeder verstand.

schreiend ⟨Adj.; nicht adverbial⟩: *auffallend, kraß:* das ist eine schreiende Ungerechtigkeit; die Farben des Kleides sind [mir] zu s.

Schreihals, der; -es, Schreihälse (ugs.): *jmd., der gerne viel Geschrei macht:* diesen alten S. kenne ich schon; so ein kleiner S. *(Kind, das laut schreit und weint)*.

Schreiner, der; -s, - (landsch.): *Tischler.*

Schreinerei, die; -, -en (landsch.): **a)** ⟨ohne Plural⟩ *Handwerk des Schreiners:* die S. erlernen. **b)** *Werkstatt des Schreiners:* in einer S. arbeiten.

schreiten, schritt, ist geschritten ⟨itr.⟩: **1.** (geh.) *[gemessenen Schrittes, langsam und feierlich] gehen:* wir schritten über den weichen Waldboden; **2.** *(mit etwas) beginnen:* zur Wahl s.; nun wollen wir endlich zur Tat, zu Taten s.

Schrift, die; -, -en: **1.** *alle Buchstaben, die zur Wiedergabe einer Sprache benutzt werden:* lateinische S.; die russische S. lesen können. **2.** ⟨ohne Plural⟩ *Art, wie jmd. schreibt; Handschrift:* eine schöne, deutliche, leserliche S.; jmdn. nach seiner S. beurteilen. **3.** *gedruckte Arbeit, Abhandlung:* er verfaßte eine ausgezeichnete S. über den Gebrauch des Konjunktivs im Deutschen.

Schriftbild, das; -[e]s, -er: *die äußere Form von etwas Geschriebenem:* ein sauberes, geschlossenes S.

schriftdeutsch ⟨Adj.⟩: *hochdeutsch:* s. schreiben.

Schriftführer, der; -s, -: *jmd., der bei Versammlungen und Verhandlungen Protokoll führt, die Korrespondenz o. ä. erledigt:* er ist bei seinem Verein S.

schriftlich ⟨Adj.⟩: *in geschriebener Form* /Ggs. mündlich/: etwas s. mitteilen.

Schriftsetzer, der; -s, -: *jmd., der Buchstaben für den Druck zu einem Text zusammenfügt* /Berufsbezeichnung/.

Schriftsprache, die; -: *Hochsprache.*

Schriftsteller, der; -s, -: *jmd., der Bücher schreibt oder Aufsätze für Zeitschriften o. ä. verfaßt.*

Schriftstück, das; -s, -e: *schriftliche Unterlage für etwas; schriftlicher Antrag, schriftliche Erklärung:* er überreichte das S. dem Beamten im Vorzimmer.

Schrifttum, das; -s: *Gesamtheit der Literatur (über ein bestimmtes Gebiet):* das S. über dieses Problem nimmt ständig zu.

Schriftverkehr, der; -s: *Austausch von Briefen (mit jmdm.):* er hat einen regen S.

schrill ⟨Adj.⟩: *unangenehm hell, scharf und durchdringend [klingend]:* ein schriller Ton; die Glocke klingt sehr s.

schrillen, schrillte, hat geschrillt ⟨itr.⟩: *schrill ertönen:* nachts schrillte das Telefon.

Schritt, der; -[e]s, -e: **1.** *das Vorsetzen eines Fußes vor den andern beim Gehen:* er macht kleine, große Schritte; das Geschäft ist nur wenige Schritte *(nicht weit)* von hier entfernt; bildl.: einen/keinen S. *(etwas/gar nicht)* vorwärtskommen in einer Sache. * (abwertend) **auf S. und Tritt** *(dauernd):* er verfolgte das Mädchen auf S. und Tritt. **2.** *Art des Gehens:* jmdn. an seinem S. erkennen; er hat einen schleppenden, schweren S.; im S. bleiben *(im gleichen Schritt mit anderen bleiben);* aus dem S. kommen *(nicht mit anderen im gleichen Schritt bleiben);* im S. *(recht langsam)* fahren.

Schrittmacher, der; -s, -: **1.** Sport **a)** *Motorradfahrer, der bei Radrennen vor dem ersten Radfahrer fährt, um ihm den Wind wegzunehmen.* **b)** *Läufer, der [beim Training] das Tempo bestimmt, indem er als erster läuft:* jmdn. als S. einsetzen, benutzen. **2.** *Person oder Gruppe, die in vorwärtsdrängendem, fortschrittlichem Denken und Handeln anderen beispielhaft vorangeht und den Weg für Neues bereitet:* diese Forscher sind S. für den technisch-wissenschaftlichen Fortschritt. **3.** Med. *elektrisches Gerät, das die Tätigkeit des Herzens künstlich anregt und in Gang hält.*

schrittweise ⟨Adverb⟩: *Schritt für Schritt:* wir kamen nur s. vorwärts; bildl.: etwas s. *(langsam, allmählich)* erkämpfen.

schroff ⟨Adj.⟩: **1.** *steil und mit scharfen Kanten aufragend oder abfallend:* schroffe Felsen. **2.** *unfreundlich; scharf, hart abweisend; brüsk:* etwas s. zurückweisen; ein schroffes Auftreten. **3.** *plötzlich; unvermittelt; nicht zusammenhängend:* ein schroffer Übergang; etwas steht in einem schroffen Gegensatz zu etwas anderem. **Schroffheit,** die; -.

schröpfen, schröpfte, hat geschröpft ⟨tr.⟩ (ugs.): *(jmdm.) viel Geld abnehmen:* sie haben ihn beim Kartenspiel ordentlich geschröpft.

Schrot, der und das; -[e]s: **a)** *grob zerkleinertes Getreide:* das Vieh mit S. füttern. **b)** *viele kleine Kügelchen aus Blei, mit denen eine Flinte geladen wird:* der Jäger schießt mit S. ** **jmd. ist von altem/echtem S. und Korn** *(jmd. ist von festem, solidem Charakter):* er ist ein Mann von echtem S. und Korn.

Schrotbrot, das; -[e]s, -e: *Brot aus grob zerkleinertem Getreide:* S. ist gut für die Verdauung.

schroten, schrotete, hat geschrotet ⟨tr.⟩: *(Getreide) grob zerkleinern:* für die Schweine wird das Getreide etwas geschrotet.

Schrott, der; -[e]s: *nicht zu gebrauchender Gegenstand aus Metall:* S. sammeln, verwerten.

schrubben, schrubbte, hat geschrubbt ⟨tr./itr.⟩ (ugs.): *mit einer groben Bürste reinigen:* den Boden s.; du mußt kräftig s., damit sich der Schmutz löst.

Schrubber, der; -s, -: *zum Scheuern von Fußböden verwendete Bürste mit langem Stiel* (siehe Bild).

Schrubber

Schrụlle, die; -, -n (abwertend): **1.** *seltsamer, närrischer Einfall.* er hat den Kopf voller Schrullen. **2.** *[alte, häßliche, wunderliche] Frau:* diese alte S.

schrụllenhaft ⟨Adj.⟩: *schrullig.*

schrụllig ⟨Adj.⟩: *seltsam, närrisch; etwas eigen, verrückt:* ein schrulliger alter Mann; er hat schrullige Ansichten.

schrụmpfen, schrumpfte, ist geschrumpft ⟨itr.⟩: *sich zusammenziehen und dabei kleiner oder leichter werden:* die Äpfel schrumpfen bei langem Lagern; der Pullover ist beim Waschen geschrumpft; bildl.: sein Kapital schrumpft immer mehr *(wird immer kleiner).*

schrụmplig ⟨Adj.⟩ (ugs.): *[eingetrocknet und dadurch] viele Falten aufweisend, runzlig, faltig:* schrumplige Äpfel.

Schrụnde, die; -, -n: **a)** *Spalt, Riß in felsigem Gelände:* der rechte Hang hat einige gefährliche Schrunden. **b)** *[durch Verletzung zugefügter] schmerzhafter Riß in der Haut:* ihre Hände sind voller Schrunden.

Schu̲b, der; -[e]s, Schübe: **1.** *einzelner Stoß:* ein S. beförderte ihn in den Wagen. **2.** Physik *Kraft, mit der ein Körper durch eine Rakete angetrieben wird:* die Motoren erzeugen einige hundert Tonnen S. **3.** *Anzahl [von Personen], die sich gleichzeitig in Bewegung setzt oder die auf einmal befördert werden kann:* ich kam mit dem ersten S. ins Haus hinein. ** (ugs.) **per S.** *(zwangsweise):* die Zigeuner wurden per S. an die Grenze gebracht.

Schu̲bkarre, die; -, -n: *kleiner Wagen zum Schieben* (siehe Bild): eine S. voll Sand.

Schubkarre

Schu̲bkarren, der; -s, -: *Schubkarre.*

Schu̲blade, die; -, -n: *herausziehbares Fach an verschiedenen Möbelstücken* (siehe Bild).

Schụbs, der; -es, -e (ugs.): *leichter Stoß:* er gab ihm einen S., daß er stürzte.

Schublade

schụbsen, schubste, hat geschubst ⟨tr.⟩ (ugs.): *einen leichten Stoß geben:* jmdn./etwas [zur Seite] s.

schụ̈chtern ⟨Adj.⟩: *ängstlich, scheu und zurückhaltend:* ein schüchternes Mädchen; der Junge ist noch sehr s.; bildl.: ein schüchterner *(vorsichtiger)* Versuch. **Schụ̈chternheit,** die; -.

Schụft, der; -[e]s, -e (ugs.): *gemeiner, niederträchtiger Mensch:* er ist ein S.

schụften, schuftete, hat geschuftet ⟨itr.⟩ (ugs.): *sich mühen, schwer arbeiten:* wir haben am Wochenende sehr geschuftet, um mit der Arbeit fertig zu werden.

Schufter<u>ei</u>, die; - (ugs.): *harte, mühsame, äußerst anstrengende Arbeit:* das Zusammentragen des Materials war eine elende S.

schụftig ⟨Adj.⟩: *niederträchtig, erbärmlich, gemein:* er benahm sich seinen Untergebenen gegenüber äußerst s.

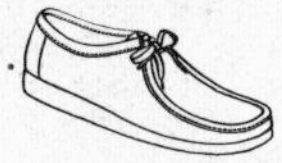

Schuh

Schu̲h, der; -[e]s, -e: *Bekleidung für die Füße* (siehe Bild): der rechte S.; die Schuhe sind [mir] zu klein. * **wissen, wo jmdn. der S. drückt** *(jmds. Schwierigkeiten kennen);* **jmdm. etwas in die Schuhe schieben** *(jmdm. für etwas die Schuld geben).*

Schu̲hband, das; -[e]s, Schuhbänder: *Band zum Schnüren der Schuhe:* ein abgerissenes S.

Schu̲hlöffel, der; -s, -: *Gerät, das man bei der Ferse in den Schuh hält, um leichter hineinschlüpfen zu können* (siehe Bild).

Schuhlöffel

Schu̲hmacher, der; -s, -: *jmd., der Schuhe repariert [und anfertigt]* /Berufsbezeichnung/.

Schu̲hsohle, die; -, -n: *Sohle eines Schuhes:* deine Schuhsohlen sind durchgelaufen. * (ugs.) **sich die Schuhsohlen nach etwas ablaufen** *(zu verschiedenen Stellen gehen und sich erfolglos um etwas bemühen):* ich habe mir die Schuhsohlen nach der Bescheinigung abgelaufen.

Schu̲lanfänger, der; -s, -: *Kind, das zum ersten Mal in die Schule geht.*

Schu̲larbeit, die; -, -en: **a)** *dem Schüler in der Schule vom Lehrer erteilte Aufgabe, die zu Hause zu machen ist:* wenn du deine Schularbeiten ordentlich gemacht hast, darfst du spielen gehen. **b)** (östr.) *Klassenarbeit.*

Schu̲laufgaben, die ⟨Plural⟩: *Aufgaben, die der Schüler vom Lehrer erhält und zu Hause zu machen hat.*

Schu̲lbank, die; -, Schulbänke: *Möbelstück für Schüler mit einer Bank zum Sitzen und einer einem Tisch ähnlichen Platte, auf die man Hefte und Bücher legen kann:* seine Beine waren für die niedrigen Schulbänke zu lang. * (ugs.) **[noch] die S. drükken** *([noch] zur Schule gehen);* (ugs.) **[miteinander] auf einer S. gesessen haben** *(in der gleichen Klasse gewesen sein).*

Schu̲lbeispiel, das; -[e]s, -e: *Musterbeispiel:* das ist ein S. für schlechte Organisation.

schụld: ⟨in den Verbindungen⟩ **[an etwas] s. haben/sein** *(der Schuldige sein, [für etwas] die Schuld tragen):* er ist/hat s. [an dem ganzen Unheil]; **jmdm./einer Sache s. geben** *(jmdm./einer Sache die Schuld zuschieben):* er gibt dem schlechten Wetter s., daß so viele Leute krank sind.

Schụld, die; -, -en: **1.** ⟨ohne Plural⟩ *Veranlassung, Ursache von etwas Unangenehmem, Negativem oder eines Unglücks:* er trägt die S. am wirtschaftlichen Zusammenbruch; er hat S. daran. * **S. auf sich laden** *(schuldig werden).* **2. a)** *Verpflichtung [zu zahlen]:* auf dem Haus liegt eine S. von 10000 Mark. **b)** ⟨Plural⟩ *Rückstände beim Bezahlen:* Schulden machen; seine Schulden [nicht] bezahlen. **3.** ⟨ohne Plural⟩ *das*

Versagen, Verschulden: seine S. eingestehen; sich frei von jeder S. fühlen.

schuldbewußt ⟨Adj.⟩: *im Bewußtsein einer begangenen Schuld kleinlaut und bedrückt:* er sah seinen Lehrer s. an.

schulden, schuldete, hat geschuldet ⟨tr.⟩: *zu zahlen haben, verpflichtet sein:* ich schulde ihm hundert Mark.

Schuldfrage, die; -: *Frage, Problem, wer die Schuld trägt, ob eine Schuld besteht:* über die S. entscheiden.

schuldig ⟨Adj.⟩: **1.** *die Schuld für etwas tragend, mit Schuld beladen:* wir sind s. vor Gott; er fühlte sich s.; er erklärte ihn für s. **2.** ⟨nur attributiv⟩ *(aus Gründen des Respekts/o. ä.) nötig, erforderlich:* jmdm. die schuldige Achtung nicht versagen. **** jmdm. etwas s. sein** *(jmdm. etwas schulden, jmdm. gegenüber zu etwas verpflichtet sein):* er ist ihm noch 100 Mark s.; **jmdm. nichts s. bleiben** *(auf jmds. Angriff mit gleicher Stärke reagieren);* **jmdm. keine Antwort s. bleiben** *(auf einen Angriff oder eine Herausforderung auf entsprechende Weise antworten);* **sich einer Sache s. machen** *(etwas Strafbares begehen):* sich eines Mordes s. machen; **der schuldige Teil** *(der Schuldige).*

Schuldigkeit, die; -: *etwas, was man tun muß, was von jmdm. als Selbstverständlichkeit erwartet wird:* er hat seine S. getan. *** das ist jmds. [verdammte] Pflicht und S.** *(dazu ist jmd. unbedingt verpflichtet).*

schuldlos ⟨Adj.⟩: *keine Schuld tragend; ohne eigenes Verschulden:* er ist völlig s.; s. geschieden sein.

Schuldner, der; -s, -: *jmd., der jmdm. etwas zu zahlen, zu geben hat:* er ist mein S.

Schule, die; -, -n: **1.** *Institution, in der Kinder mehrere Jahre lang ausgebildet und erzogen werden:* in die S. gehen; aus der S. entlassen werden; was für Schulen haben Sie besucht? **2.** ⟨ohne Plural⟩ *Unterricht:* die S. beginnt um zehn Uhr; heute haben wir keine S. **3.** *Gebäude, in dem Unterricht gehalten wird:* eine neue S. bauen. **4.** ⟨ohne Plural⟩ *Ausbildung und ihre bestimmte Art oder Richtung:* sein Spiel verrät eine gute S.; durch eine harte S. gehen *(eine harte Ausbildung erfahren);* bei jmdm. in die S. gehen *(ausgebildet werden).* **** S. machen** *(nachgeahmt werden):* sein Beispiel wird S. machen.

schulen, schulte, hat geschult ⟨tr.⟩: **a)** *ausbilden:* die Mitarbeiter für neue Aufgaben s.; ⟨häufig im 2. Partizip⟩ die Firma hat gut geschultes Personal. **b)** *besonders geeignet, leistungsfähig machen; trainieren:* das Auge, das Gedächtnis s.; ⟨häufig im 2. Partizip⟩ ein [gut] geschultes Gehör haben.

Schüler, der; -s, -: **a)** *Junge, der in eine Schule geht:* er ist noch S.; für S. sind die Karten zum halben Preis erhältlich. **b)** *Erwachsener, der in einem bestimmten Fach von einem bekannten Fachmann oder Künstler ausgebildet wird oder wurde:* er ist ein S. von Karajan; ein treuer S. seines Meisters. **Schülerin,** die; -, -nen.

schulfrei ⟨Adj.; nicht adverbial⟩: *nicht durch Schule oder Unterricht ausgefüllt:* ein schulfreier Tag; heute ist, haben wir s. *(keine Schule);* s. *(einen Tag, Tage, an denen keine Schule ist)* bekommen.

Schulgeld, das; -[e]s, -er: *bestimmter Betrag, der für den Besuch einer Schule zu bezahlen ist:* seine Eltern mußten für ihn viel S. bezahlen; (ugs.) laß dir das S. zurückgeben, dein S. wiedergeben! *(dein Schulbesuch war erfolglos, du bist dumm geblieben).*

schulisch ⟨Adj.; nur attributiv⟩: *die Schule, den Erfolg in der Schule betreffend:* seine schulischen Leistungen waren immer schwach.

Schuljahr, das; -[e]s, -e: *Zeit vom Eintritt in eine Klasse bis zum Übertritt in die nächste Klasse:* er ist im 3. S.

Schulmappe, die; -, -n: *Schultasche.*

schulmeistern, schulmeisterte, hat geschulmeistert ⟨tr./itr.⟩ (abwertend): *in aufdringlicher Weise (andere) zu belehren suchen:* er möchte uns immer s.; er schulmeistert gern.

schulpflichtig ⟨Adj.⟩: *so alt seiend, daß man eine Schule besuchen muß:* der Junge ist im nächsten Jahr s.

Schultasche, die; -, -n: *Tasche für Hefte, Bücher o. ä., mit der ein Schüler zur Schule geht:* hast du deine S. gepackt?

Schulter, die; -, -n: *verbindender Teil zwischen Hals und Arm beim menschlichen Körper:* jmdm. auf die S. klopfen; breite Schultern haben; S. an S. *(dichtgedrängt)* stehen; bildl.: wir kämpfen, arbeiten S. an S. *(in enger Kameradschaft).* ***** (ugs.) **etwas auf die leichte S. nehmen** *(etwas nicht ernst [genug] nehmen);* **jmdm. die kalte S. zeigen** *(jmdn. verächtlich, abweisend behandeln);* **auf zwei/beiden Schultern tragen** *(sich nach keiner Seite festlegen).*

schultern, schulterte, hat geschultert ⟨tr.⟩: *auf die Schulter nehmen, über die Schulter[n] hängen:* das Gewehr, den Rucksack s.

Schulung, die; -, -en: *[spezielle] Ausbildung:* eine gründliche, fachliche S. durchmachen; seine Arbeit verrät eine gute S.

schummeln, schummelte, hat geschummelt ⟨itr.⟩ (ugs.): *(bei etwas) nicht ganz ehrlich sein, handeln; ein wenig schwindeln:* wer [beim Kartenspielen] schummelt, muß ausscheiden.

Schund, der; -[e]s: **a)** (ugs.) *schlechtes, wertloses Zeug; Plunder:* er wollte uns lauter S. verkaufen. **b)** *künstlerisch wertlose, die allgemeine Moral gefährdende Literatur:* der Kampf gegen Schmutz und S.

schunkeln, schunkelte, hat geschunkelt ⟨itr.⟩: *sich zu Klängen der Musik aus Vergnügen hin und her wiegen:* das Volk schunkelte auf der Straße und in den Sälen.

schupfen, schupfte, hat geschupft ⟨tr.⟩ (südd.; östr.; schweiz.): *mit einem leichten Schwung stoßen, werfen:* den Ball s.

Schuppe, die; -, -n: **a)** *kleines Plättchen der Haut bei Fischen, Schlangen usw.:* die Forelle hat silbrige Schuppen. **b)** *sehr kleines Teilchen, das von der Kopfhaut abfällt:* er hat den Kragen voller Schuppen. **** es fällt jmdm. wie Schuppen von den Augen** *(jmd. begreift plötzlich etwas, erkennt plötzlich Zusammenhänge, die ihm bisher verborgen geblieben waren).*

schuppen, schuppte, hat geschuppt: **1.** ⟨tr.⟩ *(von einem Fisch) die Schuppen entfernen:* die Forelle mit einem Messer sauber s. **2.** ⟨rfl.⟩ **a)** *Schuppen bilden, die sich nach und nach lösen:* seine Haut schuppt sich. **b)** *[auf der Haut] Schuppen haben, die sich nach und nach lösen:* ich schuppe mich.

Schuppen, der; -s, -: *einfacher Raum, Hütte zum Unterstellen von Gegenständen, Geräten, Wagen:* in der Nähe des Hauses befand sich ein S. für alle Geräte.

schuppig ⟨Adj.⟩: **a)** *von [übermäßig] vielen Schuppen bedeckt* /von Fischen, Schlangen o. ä./: die Karpfen sind sehr s. **b)** *von Schuppen durchsetzt:* er hat schuppiges Haar.

schüren, schürte, hat geschürt ⟨tr.⟩: *durch Lockern und Bewegen der Glut [ein Feuer] beleben:* das Feuer, den Ofen s.; bildl.: den Haß, den Widerstand, die Unzufriedenheit s. *(steigern).*

schürfen, schürfte, hat geschürft: **1.** ⟨itr.⟩ *(nach Bodenschätzen) graben, (Bodenschätze) suchen:* man schürfte dort vergeblich nach Gold. **2.** ⟨tr.⟩ *durch Bergbau (Bodenschätze) gewinnen:* in diesem Gebiet wird viel Erz geschürft. **3.** ⟨tr./rfl.⟩ *(die Haut o. ä.) durch Kratzen leicht verletzen, wund reiben:* ich habe mir dabei die Haut geschürft; ich habe mich an der scharfen Kante geschürft.

schurigeln, schurigelte, hat geschurigelt ⟨tr.⟩ (ugs.): *mit Kleinigkeiten plagen, quälen, schikanieren:* er glaubt uns alle s. zu können.

Schurke, der; -n, -n (abwertend): *niederträchtiger, gemeiner Mensch:* dieser S. hat uns alle verraten.

Schurkerei, die; -, -en: *gemeine, niederträchtige Tat:* wegen seiner Schurkereien will keiner mehr etwas mit ihm zu tun haben.

schurkisch ⟨Adj.⟩: *gemein, niederträchtig:* ein schurkischer Mensch; ein schurkisches Verhalten.

Schurwolle, die; -: *am lebenden Tier geschorene Wolle:* der Stoff ist aus reiner S.

Schurz, der; -es, -e: *Kleidungsstück, das bei schmutziger Arbeit um die Hüften gebunden wird, um die übrige Kleidung zu schonen:* der Fleischer trägt einen S.

Schürze, die; -, -n: *größeres, besonders geschnittenes Tuch, das man bei der Arbeit zum Schutz gegen Schmutz vor dem Körper trägt:* sich eine S. umbinden.

schürzen, schürzte, hat geschürzt ⟨tr.⟩ (geh.): **a)** *(Kleidungsstücke) raffen und ein wenig nach oben binden oder halten:* sie schürzte ihr Kleid; ⟨häufig im 2. Partizip⟩ mit geschürzten Röcken watete sie durch den Fluß. * **die Lippen s.** *(die Lippen in die Höhe ziehen).* **b)** *(einen/zu einem Knoten) machen:* er schürzte einen Knoten; sie schürzte den Faden zu einem Knoten; bildl.: im Drama den Knoten s. *(den Konflikt herbeiführen).*

Schürzenjäger, der; -s, - (abwertend): *Mann, der die Frauen aufdringlich umwirbt:* er ist in der Stadt als S. bekannt.

Schuß, der; Schusses, Schüsse: **1. a)** *das Abfeuern eines Geschosses:* der S. aus einer Pistole; mehrere Schüsse waren zu hören; ⟨als Mengenangabe⟩ hundert S. [Munition] kaufen. **b)** *das Abgeschossene:* einen S. in den Arm bekommen. **c)** Sport *das scharfe, kräftige Werfen, Treten, Schlagen eines Balles o. ä.:* der S. ging neben das Tor; ein gefährlicher, flacher S. **2.** ⟨ohne Plural⟩ *kleine Menge:* einen S. Wein in die Soße geben. ** (ugs.) **etwas [gut] in S. halten** *(etwas [gut] in Ordnung halten);* (abwertend) **keinen S. Pulver wert sein** *(nichts wert sein);* (ugs.) **weit vom S. sein** *(weit von der Gefahr entfernt sein).*

Schussel, der; -s, - und die; -, -n (ugs.): *fahrige, äußerst nervöse männliche bzw. weibliche Person:* diese[r] S. hat wieder das Wichtigste vergessen.

Schüssel, die; -, -n: /ein Gefäß/ (siehe Bild).

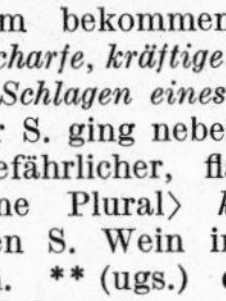

Schüssel

schusseln, schusselte, ist geschusselt ⟨itr.⟩ (ugs.): *nervös, fahrig und überaus zerstreut herumlaufen:* sie schusselte aufgeregt durch die ganze Wohnung.

Schußfahrt, die; -, -en: *kurze, schnelle Fahrt auf gerader abschüssiger Strecke* /bes. mit Schiern/: das letzte Stück der Strecke war für eine S. geeignet.

schußlig ⟨Adj.⟩ (ugs.): *nervös und überaus fahrig:* ein schußliger Mensch; s. arbeiten.

Schußwaffe, die; -, -n: *Waffe, mit der geschossen wird:* er trug eine S. bei sich.

Schuster, der; -s, -: **a)** (veraltend) *Schuhmacher:* die Schuhe zum S. tragen * (scherzh.) **auf Schusters Rappen** *(zu Fuß).* **b)** (ugs.; abwertend) *jmd., der schlechte Arbeit leistet:* du bist ein richtiger S.!

Schutt, der; -[e]s: *Steinhaufen, die durch die Zerstörung eines Gebäudes o. ä. entstanden sind; Abfall bei Bauarbeiten:* den S. mit einem Lastkraftwagen abfahren. * **in S. und Asche legen** *(völlig zerstören).*

Schüttelfrost, der; -es: *von plötzlicher Kälte begleitetes, nicht zu unterdrückendes Zittern des Körpers:* er hatte starkes Fieber und S.

schütteln, schüttelte, hat geschüttelt ⟨tr./itr./rfl.⟩: *kräftig, ganz kurz und schnell [hin und her] bewegen; rütteln:* die Flasche vor Gebrauch s.; den Kopf, mit dem Kopf s. /als Zeichen der Verneinung, der Verwunderung/; sich vor Lachen s. *(heftig lachen).* * (ugs.) **etwas aus dem Ärmel s.** *(etwas ohne große Vorbereitung, schnell erledigen).*

schütten, schüttete, hat geschüttet: **1.** ⟨tr.⟩ *fließen, strömen lassen:* Wasser in einen Kessel s.; den Zucker in die Dose s. **2.** ⟨itr.⟩ (ugs.) *in Strömen regnen:* es schüttet.

schütter ⟨Adj.⟩: *dünn [bewachsen], spärlich [vorhanden]:* der Rasen ist recht s.; er hat schon schütteres Haar.

Schutthaufen, der; -s, -: *aus Schutt bestehender Haufen:* nach dem Angriff war die Stadt ein einziger S.

Schutz, der; -es: **a)** *Sicherheit; Hilfe bei Gefahr:* jmdm. S. gewähren; unter dem S. der Polizei verließ er das Stadion. * **jmdn. in S. nehmen** *(jmdn. gegen [unberechtigte] Vorwürfe verteidigen).* **b)** *das Sichern,*

Verteidigen: um den S. der Verfassung bemüht sein; zum S. der Grenzen Truppen mobilisieren. **c)** *Bewahrung vor etwas Bedrohlichem, Unangenehmem:* die Hütte bot S. gegen den Regen.

Schụtze, der; -n, -n: *jmd., der schießt:* er ist ein guter, sicherer S.

schụ̈tzen, schützte, hat geschützt: **a)** ⟨tr.⟩ *verteidigen, sichern:* ein Land vor seinen Feinden s. **b)** ⟨tr./itr.⟩ *vor etwas Bedrohlichem, vor etwas Unangenehmem bewahren:* jmdn. vor Gefahr, vor persönlichen Angriffen, vor Strafe s.; Vorsicht allein schützt nicht vor Unfällen; ⟨auch rfl.⟩ sich vor Krankheit, gegen Kälte, vor Regen s.; ⟨häufig im 1. und 2. Partizip⟩ ein schützendes Dach; eine geschützte Stelle *(wo kein Regen oder Wind hinkommt).*

Schụ̈tzenfest, das; -[e]s, -e: *mit einem Wettkampf [zwischen bestimmten Vereinen] im Schießen verbundenes Volksfest:* dieses Jahr ist bei uns ein S.

Schụtzengel, der; -s -: Rel. kath. *Engel, der jmdn. ständig zum Schutz begleitet:* zu seinem S. beten; bildl.: er hat in dieser gefährlichen Situation einen S. gehabt *(hat sie wider Erwarten gut überstanden).*

Schụtzhaft, die; -: *Haft zum Schutz des Verhafteten selbst oder zum Schutz der Öffentlichkeit vor ihm:* jmdn. in S. nehmen.

Schụtzheilige, der; -n, -n ⟨aber: [ein] Schutzheiliger, Plural: Schutzheilige⟩: *Heiliger, dessen besonderem Schutz jmd./etwas anvertraut wird:* der S. der Jäger; der S. einer Stadt.

Schụtzhütte, die; -, -n: *[bewirtschaftete] Hütte, in der Bergsteiger auf ihren Touren absteigen und übernachten können:* unterhalb des Gipfels steht eine S.

Schụ̈tzling, der; -s, -e: *jmd., den man betreut, für den man sorgt:* er ist mein S.

schụtzlos ⟨Adj.⟩: *durch nichts geschützt, ohne Schutz:* die Bevölkerung war s. den Angriffen ausgesetzt; sie ging s. durch die finsteren Gassen.

Schụtzmann, der; -[e]s, Schutzmänner und Schutzleute: *Polizist.*

Schụtzumschlag, der; -[e]s, Schutzumschläge: *[bunt bedruckter] schützender Umschlag um ein Buch:* der S. ist schon etwas zerrissen.

schwạbbelig ⟨Adj.⟩ (ugs.): *weich und bei jeder Bewegung wackelnd* /von einer fetten, schwammigen Masse/: sie hat einen fetten, schwabbeligen Körper.

schwạbbeln, schwabbelte, hat geschwabbelt: **1.** ⟨itr.⟩ (ugs.) *bei der geringsten Bewegung hin und her wackeln* /von einer weichen, fetten, schwammigen Masse/: bei jedem Schritt schwabbelte sein dicker Bauch. **2.** ⟨tr./itr.⟩ (landsch.; abwertend) *babbeln:* er schwabbelt schon wieder [dummes Zeug].

Schwạbenstreich, der; -[e]s, -e: *törichte, lächerlich wirkende Handlung:* das war wieder einmal ein S. von ihm!

schwạch, schwächer, schwächste ⟨Adj.⟩: **1.** *ohne Kraft, nicht stark:* ein schwaches Kind; bildl.: er hat schwache Nerven, ein schwaches Herz. * (ugs.) **das schwache Geschlecht** *(die Frauen);* **etwas steht auf schwachen Füßen** *(etwas ist nicht überzeugend, beweiskräftig):* seine Beweise stehen auf schwachen Füßen **2.** ⟨nicht adverbial⟩ *dünn, keine Belastung aushaltend:* eine schwache Mauer; ein schwaches Brett. **3.** *gering, mäßig, begrenzt:* ein schwacher Beifall; eine schwache Hoffnung haben; einen schwachen Eindruck hinterlassen; die Leistungen des Schülers sind s. **4.** *nicht zahlreich:* die Festung war nur s. besetzt; die Ausstellung war nur s. besucht. **5.** ⟨nicht adverbial⟩ *minderwertig, ohne Gehalt, schlecht:* ein schwacher Kaffee; bildl.: der Vortrag war sehr s. *(oberflächlich, ohne Niveau);* das war ein schwaches Spiel *(ein schlechtes, langweiliges Spiel);* er hat ein schwaches *(kein gutes)* Gedächtnis.

Schwạ̈che, die; -, -n: **1.** ⟨ohne Plural⟩ *fehlende körperliche Kraft:* sein Zustand beruht auf einer allgemeinen S.; die S. der Augen; vor S. zusammenbrechen. **2.** *charakterlicher Mangel; fehlender [moralischer] Halt:* jmds. Schwächen ausnützen; seine S. überwinden; keine Schwächen zeigen. **3.** ⟨ohne Plural⟩ *Neigung, Hang:* eine S. für jmdn./etwas haben. **4.** *Mangel:* es ist eine S. dieses Buches, daß es keine Bilder hat.

schwạ̈chen, schwächte, hat geschwächt ⟨tr.⟩: *schwach machen:* die Krankheit hat seinen Körper sehr geschwächt.

Schwạchheit, die; - (geh.): *fehlende Kraft, körperlichen und seelischen Anforderungen standzuhalten:* bei jmdm. eine S. ausnützen; die S. des Alters. * (ugs.) **bilde dir [nur/ja] keine Schwachheiten ein!** *(erwarte nicht, daß dein Wunsch in Erfüllung geht!).*

schwạ̈chlich ⟨Adj.; nicht adverbial⟩: *körperlich, gesundheitlich schwach; kränklich:* der Junge war von Natur aus s.; ein schwächliches Kind.

Schwạ̈chling, der; -s, -e (abwertend): **a)** *Mann mit nur geringer körperlicher Kraft:* dieser S. kann nicht einmal den Schrank schieben! **b)** *Mann, der sich nicht durchsetzen kann:* er war schon immer ein S. und gab seiner Frau immer nach.

Schwachmatikus, der; -, -se und Schwachmatiker (scherzh.): *jmd., der bestimmten körperlichen oder geistigen Anforderungen nicht gewachsen ist:* so ein S. ist für diese Arbeit nicht geeignet; er ist in Mathematik ein S.

Schwạchsinn, der; -[e]s: *in verschiedener Stärke auftretende angeborene Geistesschwäche, die häufig mit seelischen Defekten verbunden ist:* ein typisches Zeichen von S.

schwạchsinnig ⟨Adj.⟩: *geistig nicht voll entwickelt; geistesgestört:* das Kind ist s.

Schwạden, der; -s, -: *durch die Luft treibende Zusammenballung von Gasen und Dämpfen:* der Rauch zog in dunkeln S. über die Dächer.

schwadronieren, schwadronierte, hat schwadroniert ⟨itr.⟩ (ugs.): *in wichtigtuerischem, großspurigem Ton reden:* er schwadroniert schon eine halbe Stunde.

schwạfeln, schwafelte, hat geschwafelt ⟨itr.⟩ (abwertend): *viel und unsinnig, dumm reden:* bei seinem Vortrag hat er nur geschwafelt.

Schwạger, der; -s, Schwäger: *Bruder des Ehemannes oder der*

Ehefrau; Ehemann der Schwester.

Schwägerin, die; -, -nen: *Schwester des Ehemannes oder der Ehefrau; Ehefrau des Bruders.*

Schwạlbe, die; -, -n: /ein Vogel/ (siehe Bild).

Schwalbe

Schwạll, der; -[e]s (geh.): *über jmdn./etwas hereinstürzende Menge (von etwas, bes. von Flüssigkeiten):* der S. der Wogen; ein dicker S. von Staub ergoß sich über die Menschen; bildl.: man begrüßte ihn mit einem S. von Worten.

Schwạmm, der; -[e]s, Schwämme: **1.** *poröser, Wasser aufsaugender Gegenstand zum Waschen* (siehe Bild): er hat die Tafel mit einem S. abgewischt. **2. a)** (landsch.) *Pilz* (siehe Bild): Schwämme suchen. **b)** *Schimmelpilz:* in diesem Hause ist der S.

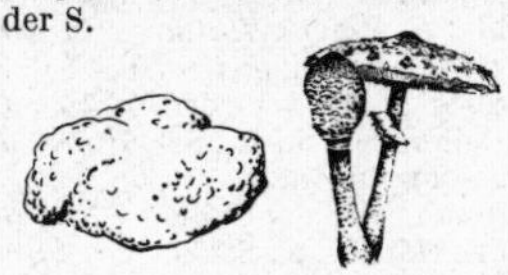

1. 2. a)

Schwamm

schwạmmig ⟨Adj.⟩: *weich; gedunsen wie ein Schwamm,* etwas fühlt sich s. an.

Schwạn, der; -[e]s, Schwäne: *auf dem Wasser lebender weißer Vogel* (siehe Bild).

Schwan

schwạnen, schwante, hat geschwant ⟨itr.⟩ (ugs.): *(bei jmdm.) eine leichte Ahnung (von etwas Unangenehmem) hervorrufen:* mir schwant nichts Gutes.

Schwạng: ⟨in der Verbindung⟩ im Schwange sein: *üblich, gebräuchlich sein:* dieser Brauch ist heute nicht mehr im Schwange.

schwạnger ⟨Adj.⟩: *ein Kind erwartend:* eine schwangere Frau.

schwạ̈ngern, schwängerte, hat geschwängert ⟨tr.⟩ (derb): *schwanger machen:* er hat das Mädchen geschwängert; bildl. (geh.): ⟨häufig im 2. Partizip⟩ eine mit Rauch geschwängerte Luft.

Schwạngerschaft, die; -: *Zustand der Frau, Zeitraum zwischen Empfängnis und Geburt eines Kindes.*

Schwạnk, der; -s, Schwänke: *kurze, heitere, häufig auch derbe Geschichte [in Versen oder Prosa] von komischen Begebenheiten oder lustigen Streichen:* ein S. von Hans Sachs; einen S. aufführen; er erzählt einen S. aus seinem Leben.

schwạnken, schwankte, hat geschwankt ⟨itr.⟩: **1.** *sich hin und her oder auf und nieder bewegen:* der Mast des Schiffes schwankt; die Brücke schwankt unter der Last der Fahrzeuge. **2.** *nicht fest, nicht stabil sein:* die Preise schwanken; ⟨häufig im 1. Partizip⟩ eine schwankende Gesundheit, Stimmung haben. **3.** *zögern, unsicher sein:* er schwankte keinen Augenblick, dies zu tun; er schwankte zwischen diesen beiden Möglichkeiten.

Schwạnkung, die; -, -en: *plötzliche [in ständigem Wechsel wiederkehrende] Veränderung:* das Barometer zeigt keinerlei S.; starken Schwankungen der Stimmung unterworfen sein.

Schwạnz, der; -es, Schwänze: **1.** *Verlängerung der Wirbelsäule am Ende des Körpers einiger Tiere:* ein Tier am S. packen; der Hund zog den S. ein. * (ugs.) **etwas beißt sich in den S.** *(Ursache und Wirkung bedingen sich gegenseitig).* **2.** ⟨ohne Plural⟩ (ugs.) *längere Reihe, Kette:* ein S. von Anhängern, Verehrern folgte ihm.

schwạ̈nzeln, schwänzelte, hat/ist geschwänzelt ⟨itr.⟩: **a)** *mit dem Schwanz wedeln* /von Hunden/: der Hund hat freudig geschwänzelt; der Hund ist um seinen Herrn geschwänzelt *(schwanzwedelnd um ihn herumgelaufen).* **b)** (ugs.; abwertend) *scharwenzeln:* immer schwänzelt und kriecht er vor seinen Vorgesetzten.

schwạ̈nzen, schwänzte, hat geschwänzt ⟨tr./itr.⟩ (ugs.): *(an etwas) nicht teilnehmen, weil man keine Lust hat:* den Unterricht, die Kirche s.; er hat heute schon wieder geschwänzt.

schwạppen, schwappte, hat/ist geschwappt ⟨itr.⟩ (ugs.): *sich ruckartig (in eine bestimmte Richtung) bewegen* /von Flüssigkeiten/: die Suppe ist über den Rand des Tellers geschwappt; das Wasser im Eimer ist/hat hin und her geschwappt, hat geschwappt.

Schwạrm, der; -[e]s, Schwärme: **1.** *eine schwirrende Menge von Lebewesen; Menge:* ein S. Bienen, Fische; ständig war ein S. von Kindern um ihn herum. **2.** (ugs.) *Person, der man zugeneigt ist; Liebhaberei:* dieses Mädchen ist sein S.; Musik ist sein S.

schwạ̈rmen, schwärmte, hat geschwärmt ⟨itr.⟩: **I.** *sich begeistern (für etwas); träumen (von etwas):* sie schwärmt für diesen Künstler, für diese Musik. **II.** *als Schwarm auftreten; sich im Schwarm bewegen:* die Bienen schwärmen.

Schwạ̈rmer, der; -s, -: **1.** *weltfremder, sentimentaler Mensch, der aus übertriebener Begeisterung für etwas den Bezug zur Realität verliert:* ein religiöser, politischer S. **2.** *mit einem explosivem Stoff gefüllte Hülse bei einem Feuerwerk, die nach dem Abbrennen unter lautem Knallen im Zickzack hin und her fliegt:* S. sausten zischend über die Straße. **3.** *bestimmte Art von Schmetterlingen, die nur in der Nacht fliegen:* S. kommen bei Licht durch das offene Fenster.

Schwärmerei, die; -, -en: *gefühlsbetonte, sentimentale Art, sich (für jmdn./etwas) zu begeistern:* das war nichts als eine jugendliche S.

schwạ̈rmerisch ⟨Adj.⟩: *durch Schwärmerei[en] gekennzeichnet; verträumt und voll Schwärmerei (für jmdn./etwas):* sie hing ihren schwärmerischen Gedanken nach; sie schaute ihn s. an.

Schwạrte, die; -, -n: **1.** *dicke, fast harte Haut* /am Fleisch/: eine geräucherte S. **2.** (ugs.) *altes und meist wertloses oder auch sehr dickes Buch:* was sammelst du für Schwarten?

Schwartenmagen, der; -s, -: /eine Wurst in der Art der Sülze/.

schwarz, schwärzer, schwärzeste ⟨Adj.⟩: 1. *in der Farbe der Kohle oder des Rußes:* ein schwarzer Stoff, Anzug; etwas s. färben; s. wie ein Rabe sein. * **Schwarzes Brett** *(schwarze Tafel für Anschläge);* s. **auf weiß** *(schriftlich oder gedruckt, so daß es als sicher gilt oder als Beweis gelten kann):* das gebe ich dir s. auf weiß; hier steht es s. auf weiß; **ins Schwarze treffen** *(den Kern, das Wesentliche einer Sache treffen).* 2. *sehr dunkel:* schwarze Kirschen, Trauben; schwarze Augen haben; das Silber wird s.; s. wie die Nacht; die schwarze Rasse; schwarzer Tee. 3. ⟨nicht adverbial⟩ *sehr schmutzig:* das Hemd, die Wäsche ist s.; schwarze Hände von der Arbeit haben. 4. *heimlich, unerlaubt:* etwas s., auf dem schwarzen Markt kaufen; s. über die Grenze gehen. * **auf der schwarzen Liste stehen** *(als unerwünscht, unzuverlässig, verdächtig gelten).* 5. ⟨nur attributiv⟩ *unheilvoll, traurig:* heute war für mich ein schwarzer Tag.

schwarzarbeiten, arbeitete schwarz, hat schwarzgearbeitet ⟨itr.⟩: *entgegen bestimmten gesetzlichen Bestimmungen für Lohn arbeiten:* nach Feierabend und am Wochenende arbeitete er schwarz.

schwarzäugig ⟨Adj.⟩: *schwarze Augen habend, mit schwarzen Augen:* ein schwarzäugiges Mädchen.

Schwarze, der; -n, -n ⟨aber: [ein] Schwarzer, Plural: Schwarze⟩ (ugs.): 1. a) *Mensch mit auffallend schwarzem Haar und dunklem Teint:* der S. dort ist ihr Mann. b) *Neger:* sie hat einen Schwarzen geheiratet. 2. *Angehöriger oder Anhänger einer konservativen [und der katholischen Kirche nahestehenden] Partei:* die Schwarzen werden diesmal die Wahlen verlieren. 3. (landsch.) *Teufel:* wenn du nicht artig bist, holt dich der S. 4. *Kaffee ohne Milch:* er trinkt nach dem Mittagessen gern einen Schwarzen.

schwärzen, schwärzte, hat geschwärzt ⟨tr.⟩: 1. *schwarz färben:* der Rauch hat die Mauern geschwärzt. 2. (ugs.; veraltend) *schmuggeln:* er schwärzt große Mengen von Wein und Tabak.

schwarzfahren, fährt schwarz, fuhr schwarz, ist schwarzgefahren ⟨itr.⟩ (ugs.): *ohne gültigen Fahrausweis oder ohne Führerschein fahren:* er wurde beim Schwarzfahren erwischt.

schwarzhaarig ⟨Adj.⟩: *schwarzes Haar habend, mit schwarzen Haaren:* ein schwarzhaariges Mädchen.

schwarzhören, hörte schwarz, hat schwarzgehört ⟨itr.⟩ (ugs.): a) *ohne die erforderliche Genehmigung Radio hören:* nach einem Jahr Schwarzhören mußte er alle Gebühren nachzahlen. b) *eine Vorlesung besuchen, ohne die notwendigen Gebühren bezahlt zu haben:* wenn Sie s., können Sie für diese Vorlesung keine Prüfung ablegen.

Schwarzmarkt, der; -[e]s, Schwarzmärkte: *geheimer, gesetzlich verbotener Markt, auf dem mit gestohlenen, geschmuggelten oder öffentlich nicht oder nur schwer erhältlichen Waren gehandelt wird:* nach dem Krieg bekam man Butter nur noch auf dem S.

schwarzsehen, sieht schwarz, sah schwarz, hat schwarzgesehen ⟨itr.⟩ (ugs.): 1. *pessimistisch sein; nichts Positives erwarten:* ich sehe in dieser Sache schwarz. 2. *ohne Genehmigung und ohne die erforderlichen Gebühren zu zahlen, einen Fernsehapparat benutzen:* es wurde festgestellt, daß er schon lange schwarzsieht.

Schwarzseher, der; -s, - (ugs.): 1. *jmd., der pessimistisch ist:* er ist schon immer ein S. gewesen. 2. *jmd., der ohne Genehmigung und ohne die Gebühren zu zahlen einen Fernsehapparat benutzt:* die Zahl der S. hat zugenommen.

Schwarzwurzel, die; -, -n: *Pflanze mit einer langen, dünnen schwarzen Wurzel, die als Gemüse verwendet wird.*

schwatzen, schwatzte, hat geschwatzt ⟨itr./tr.⟩: *viel sprechen, reden, erzählen; klatschen:* du sollst nicht dauernd s.; viel dummes Zeug s.; die Frauen stehen auf der Straße und schwatzen.

schwätzen, schwätzte, hat geschwätzt ⟨itr./tr.⟩ (landsch.): *schwatzen.*

Schwätzer, der; -s, - (abwertend): *jmd., der wichtigtuerisch viel Unsinn redet oder gern Klatsch erzählt:* diesem S. darfst du nicht alles glauben.

schwatzhaft ⟨Adj.⟩: *immer zum Schwatzen aufgelegt:* eine schwatzhafte alte Frau.

Schwebe: ⟨in der Fügung⟩ in der Schwebe: a) *für wenige Augenblicke in einem unbewegten Zustand, im Gleichgewicht frei schwebend:* der Ballon hielt sich über der Stadt in der S. b) *in einem noch ungeklärten, ungewissen Zustand:* das lassen wir vorläufig noch in der S.

Schwebebalken, der; -s, -: /ein Turngerät/ (siehe Bild).

Schwebebalken

schweben, schwebte, hat/ist geschwebt ⟨itr.⟩: *sich langsam und in ruhiger Haltung [in der Luft] bewegen; gleiten:* der Adler schwebt hoch in der Luft; der Ballon hat über den Häusern geschwebt *(hat in der Luft stillgestanden);* der Ballon ist über die Häuser geschwebt *(ist über die Häuser hinweggeflogen);* bildl.: ihr Bild schwebt *(erscheint)* mir vor Augen; er schwebt zwischen Leben und Tod *(es ist ungewiß, ob er mit dem Leben davonkommt);* die Sache, der Prozeß schwebt noch *(ist noch nicht entschieden);* nicht in ein schwebendes *(noch laufendes)* Verfahren eingreifen.

Schwefel, der; -s: /ein chemisches Element/: eine chemische Verbindung von S. und Wasserstoff. * (ugs.) **wie Pech und S. zusammenhalten** *(sehr fest zusammenhalten, verbunden sein):* die beiden halten wie Pech und S. zusammen.

schwefeln, schwefelte, hat geschwefelt ⟨tr.⟩: *mit Schwefel desinfizieren, haltbar machen:* die Fässer werden geschwefelt; den Wein s.

Schweif, der; -[e]s, -e (geh.): *langer, buschiger Schwanz:* mit dem S. wedeln; bildl.: der S. eines Kometen.

schweifen, schweifte, ist geschweift ⟨itr.⟩ (geh.): *ziellos (durch die Gegend) wandern, ziehen; streifen:* er schweifte durch das Land; bildl.: sein Blick schweifte von einem zum anderen.

schweigen, schwieg, hat geschwiegen ⟨itr.⟩: **1.** *nichts sagen, keine Antwort geben:* der Angeklagte schweigt; die Regierung schwieg lange zu den Vorwürfen. **2.** *aufgehört haben [mit der Ausübung von etwas, was zu hören war]:* die Musik schweigt *(spielt nicht mehr);* seit der Besetzung des Landes schweigt der Sender *(sendet er nicht mehr);* die Waffen schweigen [seit heute] *(es wird [seit heute] nicht mehr geschossen, gekämpft).*

schweigsam ⟨Adj.; nicht adverbial⟩: *wenig redend; nicht gesprächig:* er ist von Natur aus ein schweigsamer Mensch.

Schweigsamkeit, die; -.

Schwein, das; -[e]s, -e: **1.** /ein Haustier/ (siehe Bild): ein S. schlachten; sie benahmen sich wie Schweine. **2.** (derb; abwer-

Schwein 1.

tend) *unsauberer oder unanständiger Mensch:* du bist ein S. ** (ugs.) **kein S.** *(niemand):* deine Schrift kann kein S. lesen; **[großes] S. haben** *([großes] Glück haben);* **er ist ein armes S.** *(er ist ein Mensch, den man bedauern muß).*

Schweinehund, der; -[e]s, -e (derb): *gemeiner Kerl:* so ein S.! * **den inneren S. bekämpfen/überwinden** *(den durch Trägheit, Feigheit o. ä. hervorgerufenen inneren Widerstand überwinden, sich in einer bestimmten Beziehung zu bessern oder etwas Unangenehmes zu tun):* überwinde deinen inneren S. und entschuldige dich bei ihm.

Schweinerei, die; -, -en (derb; abwertend): **1.** *unordentlicher Zustand; Dreck:* wer hat diese S. angerichtet? **2.** *Unangenehmes:* so eine S.! **3.** *Unanständigkeit:* laßt die Schweinereien!

Schweinigel, der; -s, - (ugs.; abwertend): *unsauberer oder unanständiger Mensch:* dieser S. hat mich mit seinen schmutzigen Händen angefaßt.

schweinigeln, schweinigelte, hat geschweinigelt ⟨itr.⟩ (ugs.; abwertend): *in sexueller Beziehung unanständige Reden führen:* wenn er anfängt zu s., gehe ich einfach weg.

schweinisch ⟨Adj.⟩ (ugs.; abwertend): *in sexueller Beziehung anstößig, äußerst unanständig:* er erzählte schweinische Witze.

Schweiß, der; -es: *aus den Poren der Haut austretende wäßrige Absonderung:* in S. kommen, geraten; ihm steht der S. auf der Stirn; bildl.: etwas hat viel S. gekostet *(etwas hat viel Mühe gemacht, große Anstrengung verlangt).*

schweißen, schweißte, hat geschweißt ⟨tr./itr.⟩: *mit Hilfe von Wärme oder Druck zwei Teile aus Metall oder Kunststoff fest miteinander verbinden:* Schienen, Rohre s.

Schweißer, der; -s, -: *jmd., der schweißt* /Berufsbezeichnung/.

schwelen, schwelte, hat geschwelt ⟨itr.⟩: *langsam und ohne offene Flamme brennen; glimmen:* das Feuer schwelt unter der Asche; bildl.: der seit langer Zeit schwelende *(nicht offen erscheinende)* Haß kam jetzt zum Ausbruch.

schwelgen, schwelgte, hat geschwelgt ⟨itr.⟩ (geh.): **1.** *üppig essen und trinken:* bei dem Fest wurde geschwelgt und gepraßt. **2.** *sich [verzückt und] voll Genuß (einer Sache) hingeben:* in Gefühlen, Erinnerungen, Farben s.

schwelgerisch ⟨Adj.⟩: *reich an den verschiedensten Genüssen, üppig, verschwenderisch:* die schwelgerische Pracht dieses Stils; eine schwelgerische Phantasie.

Schwelle, die; -, -n: **1. a)** *unterer Balken des Türrahmens:* er stolperte an der S. **b)** ⟨ohne Plural⟩ *Grenze des eigenen Besitzes, der eigenen Wohnung:* ich werde seine S. nicht mehr betreten; er soll mir nicht mehr über die S. kommen! /als Warnung/; bildl.: an der S. des Todes stehen *(bald sterben);* wir stehen an der S. zum 21. Jahrhundert. **2.** *Balken, auf dem Schienen liegen:* die Eisenbahnschienen liegen auf Schwellen aus Holz oder Eisen.

schwellen: **I.** schwillt, schwoll, ist geschwollen ⟨itr.⟩ /vgl. geschwollen/: *sich ausdehnen; dick, größer werden:* der Bach schwoll zum reißenden Strom; vom Weinen geschwollene Augen haben. **II.** schwellte, hat geschwellt ⟨tr.⟩: *größer machen; dehnen; aufschwellen:* der Wind schwellte die Segel; bildl.: mit vor Stolz geschwellter Brust *(in stolzer Haltung)* verließ er den Saal.

Schwellung, die; -, -en: Med. **a)** ⟨ohne Plural⟩ *das Geschwollensein:* der Arzt stellte eine leichte S. der Leber fest. **b)** *geschwollene Stelle:* er hat eine S. unter dem linken Auge.

schwemmen, schwemmte, hat geschwemmt ⟨tr.⟩: **a)** *durch die Strömung (von etwas) entfernen [und (in eine bestimmte Richtung, an einen bestimmten Ort) befördern]:* das Wasser hat die Erde vom Ufer geschwemmt; der Tote wurde an die Küste geschwemmt. **b)** (östr.) *(Wäsche) spülen:* sie hat die Wäsche nur einmal geschwemmt.

schwenken, schwenkte, hat/ist geschwenkt: **1.** ⟨tr.⟩ *mit Schwung, mit ausladender Bewegung hin und her bewegen:* er hat die Fahne, den Hut geschwenkt. **2.** ⟨tr.⟩ (landsch.) *zum Spülen in das Wasser tauchen:* sie hat die Gläser, Kannen geschwenkt. **3.** ⟨itr.⟩ *die Richtung ändern; abbiegen:* die Kolonne ist nach links geschwenkt.

Schwenkung, die; -, -en: *plötzliche Änderung der eingeschlagenen Richtung:* die Kolonne machte eine S. nach links; bildl.: in der Politik eine S. nach links feststellen.

schwer ⟨Adj.⟩: **1. a)** *viel Gewicht habend; nicht leicht:* ein schwerer Koffer; meine Beine sind s. wie Blei. **b)** *durch seine Qualität, Beschaffenheit kräftig, wertvoll:* ein schwerer Stoff; ein schwerer Wein. **c)** *viel Kraft, Gewalt, hohe Leistung habend; wuchtig:* ein schweres Pferd; die Soldaten sind mit schweren Waffen ausgerüstet. **2. a)** *schwierig; Überlegung, Anstrengung verlangend:* eine schwere Aufgabe; das Problem ist s. zu lösen; etwas s. verstehen; jmdn.

nur s. *(mühsam)* überzeugen können. **b)** *viel Mühe, [körperlichen] Einsatz verlangend:* s. arbeiten müssen; er hat es im Leben immer s. gehabt *(er hat im Leben alles immer nur unter Schwierigkeiten erreicht)*. **3. a)** *heftig, gewaltsam, schrecklich:* ein schweres Gewitter; wir haben einen schweren *(langen und sehr kalten)* Winter durchgemacht; ein schweres Verbrechen begehen; sein Tod war ein schwerer Schlag für uns alle; das Unglück, die Strafe traf ihn s. *(erschreckte ihn tief, deprimierte ihn)*. **b)** *scharf, streng:* jmdn./etwas s. bewachen; eine schwere Strafe erhalten. **c)** *ernst, gefährlich:* seine Verletzungen waren so s., daß er nach drei Tagen starb; ein schweres Leiden haben; s. verletzt sein. **4. a)** *lastend, drückend:* schwere Speisen; das Essen liegt mir s. im Magen. **b)** ⟨nicht adverbial⟩ *belastend, bedrückend, quälend:* einen schweren Traum haben; schwere Zeiten durchmachen; ein schwerer *(trauriger)* Abschied. **5.** *schwerfällig, unbeholfen:* er hat einen schweren Gang; mit schwerer Hand schreiben. **6.** ⟨verstärkend bei Adjektiven und Verben⟩ (ugs.) *sehr:* er ist s. betrunken; er ist s. reich; hier muß man s. aufpassen.

schwerbeschädigt ⟨Adj.; nicht adverbial⟩: *durch Krieg, Gefangenschaft, Unfall körperlich so schwer behindert, daß man nicht mehr voll erwerbstätig sein kann:* Plätze für schwerbeschädigte Fahrgäste.

Schwerenöter, der; -s, - (ugs.; scherzh.): *Mann, der bei Frauen viel Glück hat; Schürzenjäger:* er ist ein richtiger S.

schwerfallen, fällt schwer, fiel schwer, ist schwergefallen ⟨itr.⟩: **a)** *große Mühe, Schwierigkeiten machen:* nach seiner Krankheit fällt ihm das Sprechen noch schwer; Latein fällt dem Schüler schwer. **b)** *Besorgnis, Kummer bereiten:* es fällt mir schwer, das Haus zu verkaufen.

schwerfällig ⟨Adj.⟩: **a)** *sich langsam und schwer bewegend:* s. laufen; er ist ein schwerfälliger Mensch. **b)** *[geistig] unbeholfen, umständlich:* stell dich nicht so s. an! **Schwerfälligkeit,** die; -.

schwerhörig ⟨Adj.⟩: *ein schlechtes, schwaches Gehör habend:* er ist s. **Schwerhörigkeit,** die; -.

Schwerindustrie, die; -, -n: *Industrie, die Eisen und Stahl erzeugt und verarbeitet:* die S. beschäftigt einige Millionen Menschen.

Schwerkraft, die; -: *Kraft, mit der die Erde Körper je nach ihrem Gewicht anzieht:* die S. überwinden, aufheben.

schwerkrank ⟨Adj.; nur attributiv⟩: *sehr schwer krank, ernstlich krank:* ein schwerkranker Patient.

schwerlich ⟨Adverb⟩: *kaum:* das kann s. so gewesen sein; das wird s. möglich sein.

Schwermut, die; -: *ständiges Niedergeschlagensein, düster-traurige Stimmung:* S. erfüllte ihn.

schwermütig ⟨Adj.⟩: *[dauernd] niedergeschlagen; sich in einer düster-traurigen Stimmung befindend; melancholisch:* ein schwermütiger Mensch; sie ist von Natur aus s.

schwernehmen, nimmt schwer, nahm schwer, hat schwergenommen ⟨itr.⟩: *sehr ernst auffassen:* du darfst die Äußerung nicht so s.

Schwerpunkt, der; -[e]s, -e: **1.** *gedachter Mittelpunkt einer Masse:* den S. eines Gegenstandes berechnen. **2.** *Hauptgewicht, Zentrum:* er legt in seiner Arbeit den S. auf die pädagogischen Probleme; hierin liegt der S. seines Schaffens; Athen war lange Zeit der politische S. der antiken Welt.

Schwert, das; -[e]s, -er: /eine Waffe/ (siehe Bild): er hielt das S. in der Rechten. * **etwas ist ein zweischneidiges S.** *(etwas hat eine gute, aber zugleich auch eine schlechte, äußerst bedenkliche Seite)*; **sein S. in die Waagschale werfen** *(bei etwas seinen Einfluß entscheidend geltend machen)*; (geh.) **über jmdm. hängt/schwebt das S. des Damokles** *(jmdn. kann jeden Augenblick unerwartet ein Unglück treffen)*.

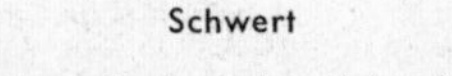

Schwert

schwertun, sich; tut sich schwer, hat sich schwergetan: *sich (mit einer bestimmten Arbeit, einem Auftrag o. ä.) abmühen, plagen; (etwas) nur mit Mühe bewältigen:* er hat sich mit dieser Arbeit sehr schwergetan.

schwerwiegend ⟨Adj.⟩: **a)** *erheblich, beachtlich sehr ernst gemeint:* er erhob schwerwiegende Bedenken gegen diesen Plan. **b)** *für die Zukunft entscheidend seiend:* schwerwiegende Entschlüsse fassen, Entscheidungen treffen.

Schwester, die; -, -n: **1.** *Kind weiblichen Geschlechts in einer Geschwisterreihe.* **2.** *Krankenschwester.* **3.** *Angehörige einer religiösen Gemeinschaft oder eines Ordens.*

Schwiegermutter, die; -, Schwiegermütter: *Mutter des Ehemannes oder der Ehefrau.*

Schwiegersohn, der; -[e]s, Schwiegersöhne: *Ehemann der Tochter.*

Schwiegertochter, die; -, Schwiegertöchter: *Ehefrau des Sohnes.*

Schwiegervater, der; -s, Schwiegerväter: *Vater des Ehemannes oder der Ehefrau.*

Schwiele, die; -, -n: *(durch schwere Arbeit entstandene) harte, verdickte Haut an den Händen:* er hat bei der Arbeit Schwielen bekommen.

schwierig ⟨Adj.; nicht adverbial⟩: **a)** *schwer; nicht einfach, nicht leicht; Mühe, Anstrengung verlangend:* eine schwierige Frage, Aufgabe; es ist s., mit ihm zusammenzuarbeiten. **b)** *unangenehm, heikel:* sich in einer schwierigen Situation befinden; die Verhältnisse in diesem Land sind s. geworden. **c)** *schwer zu behandeln:* er ist ein schwieriger Mensch. **Schwierigkeit,** die; -, -en.

Schwimmbad, das; -[e]s, Schwimmbäder: *Gebäude oder freie Anlage mit einem oder mehreren großen Becken, in denen man schwimmen kann:* er geht jeden Nachmittag ins S.

schwimmen, schwamm, hat/ist geschwommen ⟨itr.⟩: **a)** *sich an der Oberfläche im Wasser fortbewegen:* er hat/ist zwei Stunden geschwommen; er ist über den See geschwommen; ⟨auch tr.⟩ er hat einen neuen Rekord geschwommen *(hat einen neuen Rekord im Schwimmen aufgestellt)*. * **im Geld s.** *(sehr viel*

Geld haben); **[nicht] gegen den Strom s.** *(sich [nicht] gegen die herrschende Meinung stellen).* **b)** *an der Oberfläche einer Flüssigkeit treiben; nicht untergehen:* ein Brett ist (hat) auf dem Wasser geschwommen. **c)** (ugs.) *sehr unsicher sein:* der Schauspieler hat heute geschwommen. * **ins Schwimmen geraten** *(unsicher werden).*

Schwimmer, der; -s, -: **1.** *jmd., der schwimmen kann:* in dieses Becken dürfen nur S. **2. a)** *auf einer Flüssigkeit schwimmender hohler Körper, der den Wasserstand anzeigt oder die Öffnung einer Leitung absperrt.* **b)** *einem Boot ähnliche Konstruktion an einem Flugzeug, das auf dem Wasser landen kann.* **c)** *schwimmender Gegenstand, der Netze oder Angelschnüre an der Oberfläche des Wassers hält.*

Schwindel, der; -s: **1.** *Störung des Gleichgewichts:* S. haben, bekommen; von einem leichten S. befallen werden. **2.** (abwertend; ugs.) *Lüge, Betrug:* auf jmds. S. hereinfallen; das ist doch alles S.

schwindelerregend ⟨Adj.; nicht adverbial⟩: *ungeheuer [hoch], den Beobachter selbst beinahe schwindlig machend:* die Leute arbeiteten in schwindelerregender Höhe; bildl.: schwindelerregende Preise.

schwindelfrei ⟨Adj.⟩: *nicht schwindlig werdend beim Herabblicken aus großer Höhe:* ich bin s.

schwindeln, schwindelte, hat geschwindelt ⟨itr.⟩: **1.** *in Schwindel geraten, von Schwindel befallen werden:* mir schwindelt, es schwindelt mir vor den Augen, wenn ich in die Tiefe blicke; ⟨häufig im 1. Partizip⟩ sich in schwindelnder *(Schwindel verursachender)* Höhe befinden. **2.** (ugs.) *[in einer nicht so wichtigen Angelegenheit] nicht die Wahrheit sagen, lügen:* er hat schon oft geschwindelt; das ist alles geschwindelt.

schwinden, schwand, ist geschwunden ⟨itr.⟩: *abnehmen; kleiner, schwächer werden:* der Ton des Radios schwindet oft *(wird oft leiser);* sein Vermögen schwand sehr schnell; bildl.: mein Vertrauen zu ihm ist völlig geschwunden *(nicht mehr vorhanden).*

Schwindler, der; -s, -: *jmd., der falsche Aussagen macht, lügt und dadurch [geschäftlich] etwas erreichen will:* er ist ein S.; auf einen S. hereinfallen.

schwindlig ⟨Adj.; nicht adverbial⟩: *im Gleichgewicht gestört seiend:* ich werde leicht s.; ich bin vom Tanzen s.

Schwindsucht, die; -: *Tuberkulose, bei der ein rascher Verfall der Kräfte eintritt:* an der S. sterben; bildl. (ugs.): mein Geldbeutel hat die S. *(mein Geld wird rasch weniger; ich habe wenig oder gar kein Geld mehr).*

schwindsüchtig ⟨Adj.⟩: *an Schwindsucht leidend:* ein schwindsüchtiges Mädchen.

Schwinge, die; -, -n: **1.** (geh.) *Flügel:* der Adler breitet seine Schwingen aus. **2.** *flaches, längliches Gefäß aus Holz oder Korb mit zwei Griffen zum Tragen:* den Hafer, das Holz in einer S. bringen.

schwingen, schwang, hat geschwungen: **1.** ⟨tr.⟩ *in weitem Bogen, mit weiten Bewegungen der Arme hin und her schwenken:* die Fahne, Peitsche s. * (ugs.) **eine Rede s.** *(eine Rede halten).* **2.** ⟨rfl.; mit näherer Bestimmung⟩ *sich mit einem kräftigen Sprung, mit Schwung hochbewegen:* ich schwang mich in den Sattel des Pferdes, über die Mauer; bildl.: die Brücke schwingt sich *(führt in weitem Bogen)* über den Fluß. **3.** ⟨itr.⟩ **a)** *sich gleichmäßig hin und her bewegen; pendeln:* das Pendel der Uhr schwingt langsam; der Turner schwingt an den Ringen. **b)** *eine zitternde, bebende Bewegung ausführen:* die Saiten schwingen; der Ton schwingt *(klingt)* in diesem Raum sehr stark. **4.** ⟨itr.⟩ (schweiz.) *in besonderer Weise ringen, indem sich die Gegner gegenseitig mit der rechten Hand am Hosengürtel, mit der linken am aufgerollten Hosenbein fassen und zu Boden zu werfen suchen.*

Schwingung, die; -, -en: *das Schwingen eines Pendels, einer Saite u. a.*

Schwips, der; -es (ugs.): *leichter Rausch:* einen S. haben.

schwirren, schwirrte, ist geschwirrt ⟨itr.⟩: *mit summendem, zischendem, pfeifendem Geräusch fliegen:* Käfer schwirrten durch das Zimmer; Pfeile, Geschosse sind durch die Luft geschwirrt; bildl.: Gerüchte schwirrten *(eilten)* durch die Stadt; alle möglichen Namen und Zahlen schwirrten *(gingen)* mir durch den Kopf.

schwitzen, schwitzte, hat geschwitzt ⟨itr.⟩: **a)** *in Schweiß geraten; Schweiß absondern:* vor Hitze, Anstrengung, Aufregung s. **b)** *beschlagen; feucht werden:* die Wände, Fenster schwitzen.

schwören, schwor, hat geschworen ⟨itr./tr.⟩: *[mit einem Eid] feierlich, nachdrücklich bestätigen, bekräftigen, versichern; geloben:* die Soldaten schworen [dem Staat Treue]; ich schwöre dir, daß ich nichts verraten habe; er hat hoch und heilig geschworen, nicht mehr zu trinken; bildl.: jmdm. Rache, seine Liebe s. *(nachdrücklich erklären);* ⟨häufig im 2. Partizip⟩ ein geschworener *(entschiedener, leidenschaftlicher)* Feind von jmdm./etwas sein. * **einen Eid s.** *(die Formel des Eides sprechen [wodurch man sich verpflichtet, die Wahrheit zu sagen]);* **einen Meineid s.** *(eine falsche Aussage machen, obwohl man einen Eid geschworen hat);* **auf jmdn./etwas s.** *(von jmds. Qualität oder Leistung überzeugt sein; etwas für besonders gut und wirkungsvoll halten):* er schwört auf diesen Arzt, dieses Medikament, diese Methode.

schwül ⟨Adj.; nicht adverbial⟩: *feuchtwarm, drückend heiß:* ein schwüler Tag; bildl.: eine schwüle *(beklemmende)* Stimmung herrschte im Saal.

Schwüle, die; -: *dumpfe, feuchte, drückende Hitze:* alle litten unter der S. des Nachmittags; bildl.: der Auseinandersetzung folgte eine unerträgliche S. *(gespannte, beklemmende Atmosphäre).*

Schwulitäten: ⟨in der Wendung⟩: in Schwulitäten kommen/geraten/sein (ugs.; abwertend): *in Verlegenheit kommen/in eine Klemme geraten/ in einer Klemme sein.*

Schwulst, der; -es: *etwas, was in der Gestaltung, Ausdrucksweise o. ä. unnötig aufbläht:* auf diesen ganzen S. könnte man verzichten.

schwülstig ⟨Adj.⟩: *in der Ausdrucksweise, Gestaltung über-*

trieben, geschwollen: ein schwülstiger Stil; s. reden.

schwummerig ⟨Adj.; nicht adverbial⟩ (ugs.): *unbehaglich, nicht recht geheuer:* ein schwummeriges Gefühl haben; bei diesem Gedanken wird mir ganz s.

Schwund, der; -[e]s: **a)** *das Schwinden:* durch die Trockenheit erfolgte ein leichter S. des Gewichtes. **b)** *die geschwundene Menge, Verlust:* der S. beträgt drei Kilo.

Schwung, der; -[e]s, Schwünge: **1. a)** *schwingende Bewegung:* der Turner machte mehrere Schwünge am Reck; der Schiläufer fuhr mit Schwüngen ins Tal; er sprang mit elegantem S. über den Graben. **b)** ⟨ohne Plural⟩ *Schnelligkeit, Elan:* er fuhr mit S. den Berg hinauf. **c)** ⟨ohne Plural⟩ *Anstoß:* er gab der Schaukel einen kräftigen S. *** etwas in S. bringen** *(etwas in Gang, in Bewegung bringen);* **jmdn. in S. bringen** *(jmdn. zur schnelleren Arbeit anhalten, anfeuern);* **etwas kommt in S.** *(etwas gewinnt erst Leben, kommt erst recht in Bewegung).* **2.** ⟨ohne Plural⟩ *mitreißende Kraft; inneres Feuer; Begeisterung:* seine Rede war ohne S. *** S. haben** *(Temperament haben).* **3.** ⟨ohne Plural⟩ *größere Anzahl:* ich erhielt heute einen S. Briefe.

schwunghaft ⟨Adj.⟩: *lebhaft, rege, mit viel Erfolg durchgeführt* /bes. im geschäftlichen Bereich/: mit etwas einen schwunghaften Handel treiben.

schwungvoll ⟨Adj.⟩: **a)** *viel Bewegung zeigend:* die Bewegungen des Turners wirken s.; eine schwungvolle Schrift. **b)** *anregend, mitreißend:* schwungvolle Musik; eine s. gehaltene Rede.

Schwur, der; -[e]s, Schwüre (geh.): *Eid:* einen S. leisten, brechen; bildl.: alle ihre Schwüre *(ihre verzweifelten, mit allem Nachdruck gemachten Versprechen)* blieben bei ihm ohne Erfolg.

Schwurgericht, das; -[e]s, -e: *aus Juristen und Laien bestehendes Gericht, das sich mit schweren Verbrechen befaßt.*

sechs ⟨Kardinalzahl⟩: 6: s. Personen; s. und zwei ist/macht acht.

sechste ⟨Ordinalzahl⟩: 6.: der s. Mann. *** einen sechsten Sinn für etwas haben** *(eine feine Empfindung für etwas besitzen).*

sechzig ⟨Kardinalzahl⟩: 60: s. Personen.

See: I. der; -s, -n: *größere, mit Wasser gefüllte Vertiefung auf dem Festland:* ein tiefer S.; der S. ist zugefroren. **II.** die; -: *Meer:* an die S. fahren. *** zur S. fahren** *(als ausgebildeter Seemann auf Schiffen Dienst tun, die das Meer befahren).*

Seebad, das; -[e]s, Seebäder: *Kurort an der See:* sie verbringt ihren Urlaub in einem S. an der Riviera.

Seebär, der; -en, -en: **a)** /ein Tier/ (siehe Bild). **b)** (ugs.; scherzh.) *alter, erfahrener Seemann.*

Seebär a)

Seefisch, der; -[e]s, -e: *Fisch, der im Salz- oder Brackwasser lebt:* in diesem Geschäft gibt es immer frische Seefische.

Seegang, der; -[e]s: *Bewegung der Meeresoberfläche:* heute haben wir starken S.

Seehund, der; -[e]s, -e: **a)** /ein Tier/ (siehe Bild). **b)** *das graue, leicht gezeichnete Fell des gleichnamigen Tieres:* ein Mantel aus S.

Seehund a)

seekrank ⟨Adj.⟩: *auf bewegter See durch ein gestörtes Gleichgewicht von Übelkeit, Angstzuständen, Schwindel o. ä. befallen:* auf der Überfahrt wurde er s.

Seele, die; -, -n: **1. a)** ⟨ohne Plural⟩ *im religiösen Sinne der unsterbliche Teil des Menschen:* der Mensch besitzt eine S.; seine S. retten, verlieren; seine S. dem Bösen verschreiben. **b)** *Gesamtheit der geistigen Kräfte und der Empfindungen; Gemüt:* er ist mit ganzer S. bei der Sache; eine zarte, unruhige S.; sich in tiefster S. verletzt fühlen; er spricht mir aus der S. *(er sagt genau das, was ich schon lange denke).* *** mit jmdm. ein Herz und eine S. sein** *(mit jmdm. immer übereinstimmen, keinerlei Streit, Zwist miteinander haben).* **2.** *Mensch, Person:* die Gemeinde zählt einige Tausend Seelen; keine S. war weit und breit zu sehen; sie ist eine gute, treue S.

Seelenfriede, der; -ns und **Seelenfrieden,** der; -s (geh.): *innerer Frieden:* er hat seinen Seelenfrieden gefunden.

Seelengröße, die; - (geh.): *edle, selbstlose Gesinnung:* diese Tat ist ein Zeichen wahrer S.

Seelenheil, das; -[e]s: *Wohlergehen der Seele durch Freisein von Sünde oder schlechten Einflüssen:* das hat sein S. stark gefährdet; ich bin besorgt um dein S.

seelenruhig ⟨Adj.; nur adverbial⟩: *völlig ruhig [bleibend]:* obwohl er den Zug herannahen sah, lief er s. über die Schienen.

seelen[s]gut ⟨Adj.⟩: *für andere immer nur das Gute wollend; selbstlos, äußerst gut:* sie ist eine seelen[s]gute Frau.

seelenverwandt ⟨Adj.⟩: *innerlich gleich veranlagt, in den Anschauungen und in der Einstellung zur Welt ähnlich:* zwei seelenverwandte Dichter.

seelisch ⟨Adj.⟩: *das Gefühl, Gemüt, Empfinden eines Menschen betreffend:* aus dem seelischen Gleichgewicht geraten; seelische Qualen durchmachen; seine Krankheit ist s. bedingt.

Seelsorger, der; -s, -: *Geistlicher, der mit der Betreuung der Gläubigen beauftragt ist:* er arbeitet als S. in einem Krankenhaus.

Seemann, der; -[e]s, Seeleute: *jmd., der zur See fährt.*

Seemannsgarn, das; -[e]s (ugs.): *abenteuerliche, nur zum Teil der Wahrheit entsprechende Erzählung [eines Seemannes]:* was du da erzählst ist ja das reinste S.

Seenot: ⟨in den Wendungen⟩ **in S.** *(in äußerster Gefahr auf See):* Schiff in S.; **in S. geraten** *(in äußerste Gefahr auf See geraten);* **jmdn. aus S. erretten**

(jmdn. aus äußerster Gefahr auf See erretten).

Seeräuber, der; -s, -: *jmd., der Schiffe überfällt und beraubt:* das Schiff wurde von Seeräubern geplündert.

Seerose, die; -, -n: /eine Pflanze/ (siehe Bild).

Seerose

Seestern, der; -[e]s, -e: /ein Tier/ (siehe Bild).

Seestern

seetüchtig ⟨Adj.⟩: *für die See geeignet, den Anforderungen auf der See gewachsen:* das Schiff ist wieder s.

Seeweg, der; -[e]s, -e: *Route, Weg, der über das Meer führt:* auf dem S. dauert die Reise länger.

Segel, das; -s, -: *auf Booten angebrachtes Tuch, in dem sich der Wind fängt, wodurch das Schiff fortbewegt wird* (siehe Bild): bei Sturm die S. einziehen. * **die S. streichen** *(den Widerstand*

Segel

aufgeben, resignieren); **jmdm. den Wind aus den Segeln nehmen** *(einem Gegner den Grund für sein Vorgehen oder die Voraussetzungen für seine Argumente nehmen):* durch diese Maßnahme sollte den Unzufriedenen der Wind aus den Segeln genommen werden.

Segelboot, das; -[e]s, -e: *Boot, das sich mit Hilfe von Segeln fortbewegt.*

Segelflugzeug, das; -[e]s, -e: *Flugzeug, das nicht durch einen Motor, sondern durch die Strömungen in der Luft fortbewegt wird.*

segeln, segelte, hat/ist gesegelt ⟨itr.⟩: **1.** *mit einem Segelboot fahren:* er hat heute fünf Stunden gesegelt; er ist über den See gesegelt; wir haben/sind in diesem Sommer viel gesegelt. * **unter falscher Flagge s.** *(etwas vortäuschen; als etwas gelten, was nicht der Wirklichkeit entspricht).* **2.** *in der Luft schwebend fliegen; gleiten:* der Adler segelt hoch in der Luft; die Wolken segeln am Himmel.

Segelschiff, das; -[e]s, -e: *Schiff, das sich mit Hilfe von Segeln fortbewegt:* die letzten Segelschiffe.

Segen, der; -s: **1.** *[göttliche] Gnade, Gunst, Hilfe:* jmdm. den S. geben, spenden; um den S. bitten; der päpstliche S. * (ugs.) **seinen S. zu etwas geben** *(seine Einwilligung zu etwas geben).* **2.** *Glück, Erfolg:* auf seiner Arbeit ruht kein S.; jmdm. Glück und S. wünschen; diese Erfindung ist kein S. *(hat sich nicht gut ausgewirkt).*

segensreich ⟨Adj.⟩: *in den Folgen, Auswirkungen überaus günstig; sehr nützlich:* das ist eine segensreiche Erfindung, Einrichtung.

segnen, segnete, hat gesegnet ⟨tr.⟩: *den Segen geben:* der Pfarrer segnet die Kinder; segnend die Arme ausbreiten. ** **mit etwas gesegnet sein** *(mit etwas [Positivem, Angenehmem] ausgestattet sein):* er ist mit Gütern gesegnet; **in gesegnetem Alter** *(in hohem Alter);* (ugs.) **einen gesegneten Appetit, Schlaf haben** *(einen großen Appetit, einen guten Schlaf haben).*

sehen, sieht, sah, hat gesehen/ (nach vorangehendem Infinitiv auch) hat ... sehen: **1. a)** ⟨itr.⟩ *mit dem Auge wahrnehmen, erfassen:* gut, schlecht, scharf s. **b)** ⟨tr.⟩ *erblicken; als vorhanden feststellen, bemerken:* man hat ihn zum letzten Mal in der Bahn gesehen; wir haben die Leute auf dem Feld, bei der Arbeit gesehen; er hat ihn schon von Ferne kommen s. **c)** ⟨itr./tr.⟩ *sich (etwas) ansehen; mit Interesse, Aufmerksamkeit betrachten:* haben Sie den Film schon gesehen?; die Bilder Rembrandts mit großer Begeisterung s. **2.** ⟨itr.⟩ *erleben:* wir haben den Kollegen bei keiner Feier so lustig gesehen wie gestern; noch nie haben wir eine so große Begeisterung gesehen. * **bessere Zeiten/Tage gesehen haben** *(früher in guten, besseren wirtschaftlichen Verhältnissen gelebt haben).* **3.** ⟨tr.; mit näherer Bestimmung⟩ *[in bestimmter Weise] beurteilen:* er sieht alles sehr negativ; du mußt die Verhältnisse nüchtern s. **4.** ⟨itr.; mit Raumangabe⟩ *den Blick auf, nach etwas richten; blicken:* aus dem Fenster s.; aus Verlegenheit zu Boden s.; nach der Uhr, zum Himmel s.; jmdm. in die Karten s.; jmdm. tief in die Augen s. *(jmdn. begehrend anschauen).* **5.** ⟨itr.⟩ *merken, feststellen, einsehen:* der Arzt sah bald, daß er nicht mehr helfen konnte; ich sehe, aus dieser Sache wird nichts; er wird s., daß er so nicht weiterkommt; wie ich sehe, ist hier alles in Ordnung. **6.** ⟨itr.⟩ *überlegen, prüfen:* ich will s., was sich [in dieser Angelegenheit] machen läßt; er soll s., ob es einen Ausweg gibt. **7.** ⟨tr.⟩ *erkennen:* das Wesen, den Kern einer Sache s.; er sieht nicht die Zusammenhänge; der Künstler hat in seinem Roman die entscheidenden Personen gut gesehen *(beobachtet und geschildert).* **8.** ⟨itr.⟩ **a)** *sich (um jmdn./etwas) kümmern:* nach den Kindern, dem Kranken s. * **nach dem Rechten s.** *(kontrollieren, ob alles in Ordnung ist).* **b)** *sorgen (für etwas); bemüht sein (um etwas):* nach weiteren Möglichkeiten für den Absatz unserer Waren s.; wir müssen [immer darauf] s., daß die Bestimmungen eingehalten werden. ** **sich zu etwas genötigt/gezwungen/veranlaßt s.** *(in einer Situation sein, in der man etwas notwendig tun muß);* **sich betrogen/getäuscht s.** *(feststellen, daß man betrogen, getäuscht worden ist);* **etwas kommen s.** *(etwas voraussehen):* ich habe kommen s., daß ihn sein Leichtsinn das Leben kosten würde.

sehenswert ⟨Adj.; nicht adverbial⟩: *so beschaffen, daß es sich lohnt, es zu besichtigen, anzusehen:* eine sehenswerte Aufführung; die Ausstellung ist s.

Sehenswürdigkeit, die; -, -en: *sehenswerte Anlage, Stelle:* das Schloß ist eine S.; die Sehenswürdigkeiten der Stadt besichtigen.

Seher, der; -s, - (geh.): *jmd., der Ereignisse, Vorgänge voraussagen kann:* die S. wußten von dem baldigen Untergang des Reiches.

Sehne, die; -, -n: **1.** *aus einem Bündel von Fasern bestehende Verbindung zwischen Muskel und Knochen:* die S. am Fuß ist gerissen. **2.** *Schnur o. ä., die beim Schießen mit dem Bogen den Pfeil abschnellt:* die S. spannen. **3.** Math. *Gerade, die zwei Punkte einer Kurve verbindet.*

sehnen, sich; sehnte, sich; hat sich gesehnt: *starkes Verlangen haben:* sich nach Ruhe s.; er sehnte sich nach seiner Familie.

sehnig ⟨Adj.⟩: **a)** *von Sehnen durchsetzt, zäh* /vom Fleisch/: er kaute mühsam an dem sehnigen Fleisch. **b)** *schlank und dabei äußerst kräftig, kein überflüssiges Fett aufweisend:* die sehnigen Gestalten der Sportler.

sehnlich ⟨Adj.⟩: *von Sehnsucht, Verlangen erfüllt:* wir haben ihn s. erwartet; es ist mein sehnlichster *(innigster)* Wunsch.

Sehnsucht, die; -: *das Sichsehnen (nach jmdm./etwas); starkes Verlangen:* S. fühlen, empfinden; von [der] S. gequält werden.

sehnsüchtig ⟨Adj.⟩: *voller Sehnsucht; heftig wünschend, erwartend:* jmdn./etwas s. erwarten; ein sehnsüchtiges Verlangen nach etwas haben.

sehr ⟨Adverb⟩: *in großem, hohem Maße; besonders:* er ist s. reich; eine s. schöne Wohnung haben; er bestand die Prüfung mit der Note „s. gut"; mit jmdm./etwas s. zufrieden sein; [ich] danke [Ihnen] s.!

Sehweite, die; -, -n: *Entfernung, in der man mit freiem Auge noch etwas deutlich sehen kann:* seine S. wurde immer geringer; er befand sich bereits außer S. *(man konnte ihn nicht mehr sehen).*

seicht ⟨Adj.⟩: **1.** ⟨nicht adverbial⟩ *flach, nicht tief:* ein seichter Bach; er kannte die seichten Stellen im See. **2.** (ugs.) *oberflächlich, wenig geistreich:* ein seichtes Gerede; die Unterhaltung war s. **Seichtheit,** die; -.

Seide, die; -: **1.** *aus dem Gespinst des Seidenspinners (dem Kokon) gewonnene Faser:* ein Faden aus echter S. **2.** *Stoff aus dieser Faser:* ein Kleid aus reiner S.; ihr Haar glänzt wie S.

Seidel, das; -s, -: /Maß für Getränke, bes. für Bier/: sich ein S. Bier bestellen.

seiden ⟨Adj.; nur attributiv⟩: *aus Seide bestehend:* ein seidenes Kleid. *** etwas hängt an einem seidenen Faden** *(etwas ist in großer Gefahr):* die Zulassung zur Prüfung hing an einem seidenen Faden.

Seidenpapier, das; -s: *dünnes, leicht durchsichtiges Papier:* das Geschenk war in rosa S. verpackt.

seidenweich ⟨Adj.⟩: *überaus weich:* mit diesem Mittel wird die Wäsche s.

seidig ⟨Adj.⟩: *wie Seide wirkend:* ein seidiger Pelz; der Stoff schimmert s.

Seife, die; -: /ein Reinigungsmittel/: sich mit guter S. waschen.

Seifenblase, die; -, -n: *Blase aus dem Schaum der Seife:* die Kinder lassen Seifenblasen steigen; die Gerüchte zerplatzten wie Seifenblasen *(hörten ganz plötzlich auf);* bildl.: seine Pläne sind Seifenblasen *(nur von kurzer Dauer).*

seihen, seihte, hat geseiht ⟨tr.⟩: **a)** (bes. nordd.) *sieben:* Sand, Mehl s. **b)** (bes. südd.) *(eine Flüssigkeit) durch ein Sieb gießen:* Kaffee, Milch s.

Seil, das; -[e]s, -e: *aus Fasern oder Drähten hergestellte starke Schnur; Tau:* ein S. spannen; etwas mit Seilen hochziehen.

Seilbahn, die; -, -en: *von einem Seil gezogener oder an einem Seil schwebender Kasten oder Wagen zum Transportieren von Personen oder Sachen über eine steile oder unwegsame Strecke* (siehe Bild): mit der S. fahren, befördern.

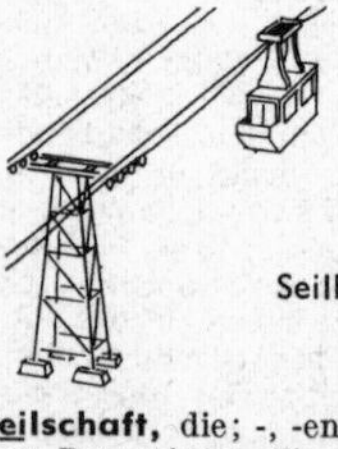

Seilbahn

Seilschaft, die; -, -en: *Gruppe von Bergsteigern, die durch ein Seil verbunden sind:* die S. ist in eine gefährliche Wand eingestiegen.

Seiltänzer, der; -s, -: *Akrobat, der auf einem Seil Kunststücke macht:* die S. bei einem Zirkus.

sein: **I.** ist, war, ist gewesen ⟨itr.⟩: **1. a)** ⟨sein + Artangabe⟩ *sich in einem bestimmten Zustand befinden; eine bestimmte Eigenschaft haben:* die Rose ist schön; das Wetter ist schlecht; es ist *(verhält sich)* nicht so, wie du meinst. **b)** ⟨sein + Artangabe; unpersönlich⟩ *sich fühlen:* mir ist übel, unwohl; *** jmdm. ist, als ob ...** *(jmd. hat das unbestimmte Gefühl, daß/als ob ...):* mir ist, als ob ich ein Geräusch im Keller gehört hätte; **jmdm. ist nach etwas** *(jmd. hat im Augenblick Lust zu etwas):* mir ist nicht nach Ferien. **2.** ⟨sein + Substantiv im Nominativ⟩ /drückt das Verhältnis der Identität oder der Zuordnung aus, das zwischen dem Subjekt und dem darauf sich beziehenden Substantiv besteht/ er ist Bäcker; Karl ist ein Künstler; die Katze ist ein Haustier. *** er war es** *(er hat es getan).* **3. a)** ⟨sein + Zeitangabe; unpersönlich⟩ *eine bestimmte Zeit haben:* es ist 12 Uhr; es ist Mitternacht. **b)** ⟨sein + Raumangabe⟩ *sich irgendwo befinden; irgendwo herkommen:* er ist in Frankfurt; die Bilder sind aus der Mannheimer Kunsthalle; er ist aus reichem Hause; der Chef ist in Urlaub *(verbringt seinen Urlaub an irgendeinem Ort).* **4.** *geschehen:* es war im Sommer 1964; es braucht nicht sofort zu s.; was s. muß, muß s.; das kann doch nicht s.! *(das ist doch nicht möglich!).* **5.** *stattfinden:* das Konzert ist morgen um acht Uhr im Schloß. **6.** *existieren, Wirklichkeit sein:* Gott ist; alles, was ist, braucht nicht ewig zu s.; was nicht ist, kann noch werden; das war einmal *(das ist längst vorbei).* **7. a)** ⟨sein + zu + Inf.⟩ *kann ... werden:* etwas ist nicht mit Geld zu bezahlen *(kann nicht mit Geld bezahlt werden).* **b)** ⟨sein + zu + Inf.⟩ *muß ... werden:* am Eingang ist der Ausweis vorzulegen *(muß der Ausweis vorgelegt werden).* **8.** ⟨als Funktionsverb⟩ /drückt einen Zustand aus, der andauert/: in Bewegung s. *(sich bewegen);* in Ordnung s. *(richtig* *sein);* im Recht s. *(recht haben);* in Kraft s. *(gültig sein).* **II.** ⟨Possessivpronomen⟩ /bezeichnet ein Besitz- oder Zugehörigkeitsverhältnis einer Person oder Sache/: sein Hut ist mir zu groß; seine Sorgen kann ich verstehen.

seinerzeit ⟨Adverb⟩: *damals, früher:* diese Vorschrift gab es s. noch nicht.

seinetwegen ⟨Adverb⟩: *um jmds. willen; jmdm. zuliebe:* wir haben s. die Fahrt verschoben.

seit: I. ⟨Präp. mit Dativ⟩ *von einem bestimmten Zeitpunkt, Ereignis an:* s. meinem Besuch sind wir Freunde; s. kurzem *(von einem Zeitpunkt an, der noch nicht lange vergangen ist);* s. wann bist du hier? **II.** ⟨Konj.⟩ *seitdem:* er fährt kein Auto mehr, s. er den Unfall hatte.

seitdem: I. ⟨Konj.⟩ *von einem bestimmten Zeitpunkt an:* s. ich weiß, wie er wirklich denkt, traue ich ihm nicht mehr. **II.** ⟨Adverb⟩ *von diesem, jenem (vorher genannten) Ereignis, Augenblick an:* ich habe ihn s. nicht mehr gesehen.

Seite, die; -, -n: **1. a)** *Grenzfläche eines Körpers oder Grenzlinie einer Fläche:* die hintere S. eines Hauses; die S. eines Dreiecks; zu beiden Seiten des Bahnhofs stehen Taxen; die rechte, die linke S. eines Schrankes. * **etwas auf die S. schaffen** *(etwas stehlen; etwas verschwinden lassen);* **etwas auf die S. legen** *(Geld sparen);* **jmdn. von der S. ansehen** *(jmdn. geringschätzig behandeln).* **b)** *Vorder- oder Rückseite eines Blattes von einem Buch oder einer Zeitung:* das Buch hat 500 Seiten; die Nachricht stand auf der ersten S. der Zeitung. **2.** *Richtung:* die Zuschauer kamen von allen Seiten; man muß beim Überqueren der Straße nach beiden Seiten schauen; das Auto kam von der S. *(aus seitlicher Richtung).* **3. a)** *charakterlicher Zug, Wesen einer Person:* er zeigte sich von seiner besten S. *(freundlich und hilfsbereit);* von dieser S. kenne ich ihn noch nicht *(dieser Charakterzug ist mir an ihm noch unbekannt).* **b)** ⟨ohne Plural⟩ *Veranlagung:* Rechnen war schon immer seine schwache, starke S. *(hat er [nie] gut gekonnt).* **4.** *Standpunkt, Gesichtspunkt, Aspekt:* etwas von der juristischen S. beurteilen; der Streit hat auch eine gute S.; die angenehme S. des Lebens kennenlernen. * **jedes Ding hat seine zwei Seiten** *(alles Positive hat auch etwas Negatives).* **5.** *gegnerische Partei; andere Person oder Gruppe:* die andere S. zeigte sich sehr unnachgiebig; beide Seiten sind an Verhandlungen interessiert; das Recht ist auf seiner S. *(liegt bei ihm);* von kirchlicher S. wurden keine Einwände erhoben *(die Kirche hatte keine Bedenken);* von offizieller S. *(von der zuständigen Behörde o. ä.)* war keine Bestätigung dieser Nachricht zu erhalten. * **jmdn. auf seine S. ziehen** *(jmdn. für seine Pläne, für seine Absichten gewinnen);* **jmdm. zur S. stehen** *(jmdm. helfen);* **sich auf jmds. S. schlagen** *(die Partei eines anderen ergreifen).*

Seitenblick, der; -[e]s, -e: *Blick nach der Seite auf jmdn. [um etwas auszudrücken]:* jmdm. einen kurzen, ironischen S. zuwerfen; mit einem S. auf die Kinder brachen sie das Gespräch ab.

Seitengewehr, das; -[e]s, -e: *an der Seite getragene militärische Stichwaffe:* das S. reinigen. ***das S. aufpflanzen** *(das Seitengewehr auf das Gewehr stecken).*

Seitenhieb, der; -[e]s, -e: *eigentlich nicht zum Thema gehörende kritische Bemerkung in einer Rede o. ä.:* mit einem deutlichen S. auf die Partei schloß er seine Rede.

seitenlang ⟨Adj.⟩: *sich über viele Seiten erstreckend; mehrere, viele Seiten lang* /in bezug auf einen geschriebenen Text/: ich bekam von ihm einen seitenlangen Brief.

seitens ⟨Präp. mit Gen.⟩: *von seiten; von jmdm., der beteiligt, betroffen ist:* s. des Vorstandes wurden erhebliche Einwände erhoben.

Seitenschiff, das; -s, -e: *neben dem Mittelschiff liegendes schmaleres und niedrigeres Schiff einer Kirche.*

Seitensprung, der; -[e]s, Seitensprünge: *erotisches Abenteuer außerhalb der Ehe:* Seitensprünge machen.

Seitenstechen, das; -s: *durch starke körperliche Anstrengung, bes. durch Laufen, verursachter stechender Schmerz oberhalb der Hüfte:* S. haben, bekommen.

Seitenstraße, die; -, -n: *Nebenstraße:* in einer S. parken.

Seitenstück, das; -[e]s, -e: **a)** *an der Seite gelegenes Stück (von etwas):* das linke S. ist etwas beschädigt. **b)** *etwas ähnlich Geartetes, (einer Sache) Entsprechendes:* zu diesem Werk gibt es ein interessantes S. von einem englischen Künstler.

seither ⟨Adverb⟩: *von einer gewissen (vorher genannten) Zeit an:* ich habe ihn im April gesprochen, doch s. habe ich keine Verbindung mehr mit ihm gehabt.

seitlich: I. ⟨Adj.⟩ **a)** *an der Seite:* die seitliche Begrenzung der Straße; das Schild ist s. angebracht. **b)** *nach der Seite:* etwas hat sich s. verschoben. **c)** *von der Seite:* er kam s. aus dem Wald; bei seitlichem Wind begann der Wagen zu schlingern. **II.** ⟨Präp. mit Gen.⟩ *neben:* das Telefon war s. des Flurs angebracht; das Haus liegt s. der Bahn.

seitwärts ⟨Adverb⟩: **a)** *nach der Seite:* den Schrank etwas s. schieben; (ugs.) er schlug sich s. in die Büsche *(verschwand in den Büschen).* **b)** *an der Seite:* s. stehen die Angeklagten; das Haus liegt etwas s.

sekkant ⟨Adj.⟩ (östr.): *lästig* /von Personen/: sie ist eine sekkante Natur.

sekkieren, sekkierte, hat sekkiert ⟨tr.⟩ (bayr.; östr.): **a)** *quälen, belästigen:* sekkier den Hund nicht immer! **b)** *hänseln, necken:* er sekkiert mich ständig wegen meiner Frisur.

Sekret, das; -[e]s, -e: Med.; Biol. *Absonderung, Ausscheidung einer Drüse:* die Drüsen sondern Sekrete ab.

Sekretär, der; -s, -e: **1. a)** *Beamter des mittleren Dienstes:* zum S. befördert werden. **b)** (geh.) *Schriftführer.* **2.** *Schrank mit herausklappbarer Platte, auf der man schreiben kann:* sie hatte einen hübschen S. im Zimmer stehen.

Sekretariat, das; -[e]s, -e: *Büro bes. für personelle und organisatorische Fragen; Büro des Sekretärs, der Sekretärin:* das S. einer Schule.

Sekretärin, die; -, -nen: *Angestellte, die für eine leitende Persönlichkeit die Korrespondenz und andere bestimmte Arbeiten bis zu einem gewissen Grade selbständig erledigt.*

Sekretion, die; -: Med. *Produktion und Absonderung bestimmter Stoffe durch Drüsen:* die S. einer Drüse anregen.

Sekt, der; -es: *aus Wein hergestelltes schäumendes Getränk:* der S. perlt im Glas.

Sekte, die; -, -n: *kleinere religiöse Gemeinschaft, die zu keiner Kirche gehört:* einer S. angehören.

Sektion, die; -, -en: **1.** *Abteilung [für spezielle Fragen]:* er leitet die S. Fremdenverkehr. **2.** Med. *das Öffnen einer Leiche:* durch eine S. konnte die Todesursache festgestellt werden.

Sektor, der; -s, -en: **1.** *Sachgebiet, fachlicher Bereich:* er weiß auf dem musikalischen S. sehr viel; der gewerbliche, schulische S. **2.** *abgegrenztes Gebiet, Bezirk:* Berlin ist in vier Sektoren geteilt.

Sekundant, der; -en, -en: **a)** *Person, die jmdm. bei etwas hilft, jmdm. zur Seite steht:* er nahm mich bei seiner Arbeit als Sekundanten mit. **b)** *jmd., der einen Sportler, bes. Boxer, bei Wettkämpfen betreut.* **c)** *für ein Duell herangezogener Zeuge.*

sekundär ⟨Adj.⟩: *erst in zweiter Linie in Betracht kommend:* ein sekundärer Gesichtspunkt; diese Sache ist s.

Sekunde, die; -, -n: *Einheit für die Bestimmung der Zeit:* eine Minute hat 60 Sekunden; auf die S. genau; es dauert nur eine S. *(es geht ganz schnell, es dauert nicht lange).*

sekundieren, sekundierte, hat sekundiert ⟨itr.⟩: **a)** *(bei einer bestimmten Arbeit) kleinere Dienste leisten, helfen:* ich durfte meinem Vater bei seiner schwierigen Arbeit s. **b)** *(jmdn. in einer bestimmten Situation) unterstützen; beistehen:* der Abgeordnete sekundierte dem Minister; der Pianist sekundierte dem Sänger *(begleitete ihn).* **c)** Sport *(einen Sportler, bes. Boxer) bei Wettkämpfen beraten und betreuen.* **d)** *bei einem Duell (jmds.) Zeuge sein und ihm beistehen:* er sekundierte seinem Freund.

selber ⟨Pron.⟩ (ugs.): *selbst.*

selbst: I. ⟨Pron.⟩ *in eigener Person; persönlich:* der Minister s. verteidigte den Beschluß; sich s. um etwas kümmern. **II.** ⟨Adverb⟩ *sogar:* s. mit Geld war er nicht dafür zu gewinnen; er reagierte s. auf die Bitten seiner Mutter nicht.

selbständig ⟨Adj.⟩: **a)** *ohne Hilfe, Anleitung, aus eigener Fähigkeit, Initiative handelnd:* er ist für sein Alter schon sehr s.; etwas s. ausführen, erledigen; das ist eine selbständige *(ohne Hilfe gemachte)* Arbeit. **b)** *unabhängig; in eigener Verantwortung handelnd:* eine selbständige Stellung, Tätigkeit haben; er will s. sein. *** sich s. machen** *(ein eigenes Geschäft eröffnen).* **Selbständigkeit,** die; -.

Selbstauslöser, der; -s, -: *Vorrichtung an einer Kamera, mit der man nach entsprechender Einstellung Aufnahmen machen kann, ohne die Kamera selbst betätigen zu müssen, z. B. sich auch selbst photographieren kann.*

Selbstbedienungsladen, der; -s, Selbstbedienungsläden: *Geschäft, in dem sich die Kunden selbst bedienen und alle Waren zusammen an einer Kasse am Ausgang bezahlen können:* in einem S. einkaufen.

Selbstbefriedigung, die; -: *geschlechtliche Befriedigung durch sich selbst.*

Selbstbeherrschung, die; -: *Beherrschung, Kontrolle über die eigenen Gefühle und Triebe:* bei dem Vorfall hat er seine S. verloren.

Selbstbestimmungsrecht, das; -[e]s: *Recht eines Volkes, über die eigene Regierung und Staatsform zu entscheiden:* das S. steht leider oft genug nur auf dem Papier.

selbstbewußt ⟨Adj.⟩: *von sich, von seinen Fähigkeiten, vom eigenen Wert überzeugt:* er trat sehr s. auf; eine selbstbewußte Frau.

Selbstbewußtsein, das; -s: *das Überzeugtsein vom dem Wert der eigenen Person, von seinen eigenen Fähigkeiten:* er hat ein großes S.

Selbstbildnis, das; -ses, -se: *Bild, das jmd. von sich selbst malt, zeichnet:* in der Ausstellung wird ein S. von Rembrandt gezeigt.

Selbsterhaltungstrieb, der; -[e]s: *starke natürliche Regung, Trieb, [in einer gefährlichen Situation] alles zu tun, um keinen Schaden zu erleiden:* der reine S. veranlaßte ihn zu diesem Schritt.

Selbsterkenntnis, die; -: *das richtige Erkennen, Einschätzen der eigenen Person:* er wird sich nie zur S. durchringen können.

selbstgefällig ⟨Adj.⟩: *in den eigenen Vorzügen, Leistungen Befriedigung findend und sie gegenüber anderen besonders betonend; eitel:* eine selbstgefällige Miene aufsetzen; s. ging er vor den anderen auf und ab.

selbstgerecht ⟨Adj.⟩: *in überheblicher Weise von der eigenen Unfehlbarkeit überzeugt:* s. sprach er von den Schwächen seiner Kollegen.

Selbstgespräch, das; -[e]s, -e: *Gespräch mit sich selbst; Monolog:* lange Selbstgespräche führen.

selbstherrlich ⟨Adj.⟩: *allein entscheidend, ohne andere zu fragen; sich in seinen Entscheidungen über andere hinwegsetzend:* ein selbstherrlicher Beschluß; er ordnet alles sehr s. an.

Selbsthilfe, die; -: *eigenmächtiges Durchsetzen oder Herbeiführen der eigenen Sicherheit oder eines Anspruches [ohne gesetzliche Hilfe]:* in der Notwehr griff, schritt er zur S.; auf S. sinnen.

Selbstkosten, die ⟨Plural⟩: *Kosten, die durch die Anschaffung oder Herstellung eines Produktes entstehen:* bei der Herstellung dieser Ware sind geringe S. zu erwarten.

Selbstkostenpreis, der; -es, -e: *Preis einer Ware, der nur die Selbstkosten deckt:* er bot mir den Schrank zum S. an.

Selbstkritik, die; -: *Kritik an der eigenen Person oder Leistung; [öffentliches] Darlegen, Bemängeln der eigenen Fehler:* S. üben.

selbstkritisch ⟨Adj.⟩: *kritisch gegenüber seiner eigenen Person und Leistung; sich selbst und seine Leistungen streng beurteilend:* er war nie besonders s.

selbstlos ⟨Adj.⟩: *nicht auf den eigenen Vorteil bedacht; nicht eigennützig:* s. handeln; jmdn. in selbstloser Weise unterstützen.

Selbstmord, der; -[e]s, -e: *das Töten der eigenen Person; Freitod:* die Zahl der Selbstmorde hat zugenommen.

Selbstmörder, der; -s, -: *jmd., der Selbstmord begangen hat.*

selbstsicher ⟨Adj.⟩: *von der Richtigkeit seines Tuns überzeugt; selbstbewußt:* ein selbstsicheres Auftreten; er ist sehr s.

Selbstsicherheit, die; -.

selbstsüchtig ⟨Adj.⟩: *nur auf das eigene Wohl und den eigenen Vorteil bedacht; eigennützig, egoistisch:* er handelt meist nur aus selbstsüchtigen Motiven.

selbsttätig ⟨Adj.⟩: **a)** *sich selbst treibend, sich selbst ein- und ausschaltend; automatisch:* die Maschine arbeitet s.; die selbsttätige Regelung eines technischen Vorganges. **b)** *selbst mitarbeitend, aktiv:* bei der Ausübung der Macht s. mitwirken.

selbstvergessen ⟨Adj.; nicht prädikativ⟩: *so tief in Gedanken versunken, daß man sich selbst und seine Umwelt völlig vergißt:* s. saß er da und grübelte.

selbstverständlich: **I.** ⟨Adj.⟩: *aus sich verständlich und erklärbar; keiner besonderen Begründung bedürfend:* die Opposition ist ein selbstverständlicher Bestandteil der Demokratie. **II.** ⟨Adverb⟩: *wie von selbst zu verstehen; zweifelsohne; natürlich:* er hat s. recht; s. käme ich gerne, aber ich habe keine Zeit.

Selbstverständlichkeit, die; -, -en.

Selbstverständnis, das; -ses: *das Verstehen seiner selbst, der eigenen Person:* das S. der Wissenschaft.

Selbstvertrauen, das; -s: *Vertrauen auf die eigene Leistung, Fähigkeit:* [kein] S. haben.

selbstzufrieden ⟨Adj.⟩: *mit sich und seinen Leistungen zufrieden [und sich daher nicht weiter anstrengend]:* er sagte s., daß er heute besser sei als gestern; s. saß er im Sessel; er sprach s. von seiner Arbeit. **Selbstzufriedenheit,** die; -.

Selbstzweck, der; -s: *nur in der Sache selbst liegender oder nur auf sie selbst gerichteter Zweck:* für manche Verbände ist Politik nicht Mittel zum Verwirklichen ihrer Interessen, sondern gleichsam S.

selchen, selchte, hat geselcht ⟨tr.⟩ (bayr.; östr.): *räuchern:* Fleisch, Wurst s.

Selfmademan['sɛlfmɛɪd'mæn] der; -s, Selfmademen [...mɛn] (geh.): *jmd., der aus eigener Kraft eine hohe Stellung erlangt oder großen Reichtum erworben hat:* er ist ein typischer S.

selig ⟨Adj.⟩: **1.** *nach dem Tode im Zustand des ewigen Lebens seiend:* er ist s. entschlafen. **2.** *sehr glücklich:* er war s., daß er die Prüfung bestanden hatte; er wankte s. *(betrunken)* nach Hause.

Seligkeit, die; -, -en: **1.** ⟨ohne Plural⟩ *Zustand des inneren Friedens, des großen, anhaltenden Glücks:* er glaubt, daß seine S. von einem neuen schnellen Auto abhängt. * **die ewige S.** *(das ewige Leben nach dem Tode):* er wird die ewige S. erlangen. **2.** *beseligendes Gefühl:* nach diesem Erlebnis ging sie voll S. nach Hause; die Seligkeiten der ersten Liebe.

seligpreisen, pries selig, hat seliggepriesen ⟨tr.⟩ (geh.; veralt.): *für selig, glücklich erklären:* Menschen mit einer solchen Einstellung kann man s.

seligsprechen, spricht selig, sprach selig, hat seliggesprochen ⟨tr.⟩: Rel. kath. *(einen Verstorbenen) in einen Stand erheben, durch den er ähnlich einem Heiligen an bestimmten Orten verehrt werden kann:* der Papst hat den Märtyrer seliggesprochen.

Sellerie, der; -s, -s und die; -, -: /eine bestimmte Art von Gemüse/ (siehe Bild).

Sellerie

selten ⟨Adj.⟩: **1. a)** *in kleiner Zahl vorkommend, vorhanden; nicht oft, nicht häufig [geschehend]:* ein seltenes Tier; ein seltenes (und deshalb wertvolles) Exemplar; seine Besuche bei uns sind s. geworden *(er besucht uns nicht mehr oft).* **b)** ⟨nur adverbial⟩ *meist nicht; so gut wie nie:* der Vorgang wird s. richtig verstanden; wir wissen s. vorher, was geschehen wird. **2.** (ugs.) ⟨verstärkend bei Adjektiven⟩ *besonders:* ein s. schönes Tier.

Seltenheit, die; -, -en: **a)** ⟨ohne Plural⟩ *seltenes Vorkommen:* wegen ihrer S. darf diese Pflanze nicht ausgegraben werden. **b)** *etwas, was es nur ganz selten gibt, worauf man nur ganz selten stößt:* so etwas ist heute schon eine S.

Selterswasser, das; -s, Selterswässer: /eine bestimmte Art von Mineralwasser/: sie bestellte sich ein Glas S.

seltsam ⟨Adj.⟩: *vom Üblichen abweichend und nicht recht begreiflich; merkwürdig, eigenartig; komisch:* das kommt mir s. vor; mir ist etwas Seltsames passiert; ein seltsamer Mensch.

Semester, das; -s, -: *Studienhalbjahr an der Universität, Hochschule:* er ist im dritten S.; er ist schon älteres, hohes S. *(er studiert schon länger, lange).*

Semifinale, das; -s, -: Sport *Wettkampf, bei dem sich entscheidet, wer am Finale teilnimmt:* er kam bis ins S.

Seminar, das; -s, -e: **1. a)** *wissenschaftliches Institut einer Universität oder Hochschule:* er arbeitet im Historischen S. **b)** *Übung, Unterrichtsstunde eines wissenschaftlichen Instituts der Universität oder Hochschule:* an einem S. über den modernen Roman teilnehmen. **2.** *Institut, in dem jmd. zum Priester der katholischen Kirche ausgebildet wird.*

Semmel, die; -, -n (landsch.): *Brötchen:* knusprige, weiche Semmeln. * (ugs.) **etwas geht [weg] wie warme Semmeln** *(etwas verkauft sich leicht, ist sehr begehrt).*

Senat, der; -s, -e: **a)** *Regierung (von Berlin, Bremen oder Hamburg):* der S. hat folgendes beschlossen. **b)** *Teil der Volksvertretung, bes. in den USA:* er wurde in den S. gewählt. **c)** (hist.) *Versammlung im alten Rom von beratender und beschließender Funktion.* **d)** *Gre-*

mium an höheren Gerichten, das sich aus Richtern zusammensetzt. e) *aus Professoren, Verwaltungsleuten und Studenten bestehendes Gremium, das für die Verwaltung einer Universität zuständig ist.*

senden: I. sandte/sendete, hat gesandt/gesendet ⟨tr.⟩: *zu jmdm. gelangen lassen; schicken:* einen Brief mit der Post s.; er sandte ihr Blumen durch einen Boten. II. sendete, hat gesendet ⟨tr.⟩: *(durch Rundfunk oder Fernsehen) übertragen:* der Rundfunk sendet um 7 Uhr Nachrichten.

Sender, der; -s, -: *technische Anlage, die Rundfunk- und Fernsehsendungen u. ä. ausstrahlt:* diesen S. kann man hier kaum empfangen.

Sendung, die; -, -en: 1. *das Senden:* die S. der Bücher hat sich verzögert. 2. *gesandte Menge (von Waren):* eine neue S. von Apfelsinen ist eingetroffen. 3. ⟨ohne Plural⟩ *Auftrag, den jmd. in sich fühlt; das Bestimmtsein (zu etwas); Berufung:* er glaubte an seine S. als Helfer der Menschen. 4. *etwas, was durch Rundfunk oder Fernsehen übertragen, gesendet wird:* er hört viele politische Sendungen im Rundfunk.

Senf, der; -s: *aus dem gemahlenen Samen der gleichnamigen Pflanze hergestellte gelbliche, breiige, scharf schmeckende Masse, die bes. zu Fleisch gegessen wird:* er aß ein Würstchen mit S.

Senfgurke, die; -, -n: *mit bestimmten Gewürzen eingelegte und in Streifen geschnittene Gurke.*

sengen, sengte, hat gesengt: 1. ⟨tr./itr.⟩ *[durch allzu große Hitze] an der Oberfläche leicht verbrennen:* sie hat beim Bügeln den Kragen gesengt; gerupftes Geflügel s. *(durch Brennen die restlichen Federn und Haare entfernen);* ⟨häufig im 1. Partizip⟩ eine sengende *(sehr große)* Hitze lag über der Stadt. 2. ⟨itr.; in Verbindung mit brennen; meist im Inf. oder im 1. Partizip⟩ *plündern und durch Brand zerstören:* sengend und brennend zog der Feind durch das Land.

senil ⟨Adj.⟩ (geh.): *durch hohes Alter körperlich und geistig geschwächt; greisenhaft:* er ist schon recht s.

Senior, der; -s, -en: 1. *Vater /in bezug zum Junior/:* das Geschäft ist vom S. auf den Junior übergegangen. 2. ⟨Plural⟩ *Sportler, die ein bestimmtes Alter überschritten haben:* ein Rennen für Senioren.

Senke, die; -, -n: *Mulde:* in der Senke ist der Boden sehr feucht.

senken, senkte, hat gesenkt: 1. ⟨itr.⟩ *abwärts bewegen; sinken lassen; neigen:* er senkte den Kopf, den Blick; ⟨auch rfl.⟩ die Äste senkten sich unter der Last des Schnees. 2. ⟨tr.⟩ *hinabgleiten lassen:* sie senkten den Sarg in die Erde; der Baum hat seine Wurzeln tief in den Boden gesenkt *(getrieben).* 3. a) ⟨tr.⟩ *niedriger machen:* man senkte den Wasserspiegel. b) ⟨rfl.⟩ *niedriger werden:* der Boden hat sich gesenkt. 4. ⟨tr.⟩ *geringer machen; ermäßigen; herabsetzen:* die Preise werden gesenkt. ** **die Stimme s.** *(leiser sprechen):* er senkte die Stimme, als er merkte, daß er zu laut sprach.

senkrecht ⟨Adj.⟩: *gerade von oben nach unten oder von unten nach oben führend; mit einer waagerechten Fläche oder Linie einen Winkel von 90° bildend:* der Rauch stieg s. in die Höhe.

Senkung, die; -, -en: 1. a) *das Niedrigerwerden, Niedrigermachen; das Einnehmen einer tieferen Lage:* eine S. des Bodens, des Wasserspiegels, des Magens. b) *das Geringerwerden, Geringermachen, Herabsetzen:* eine S. der Preise, des Verbrauchs. 2. *Senke.* 3. *nicht betonte Silbe in einem Vers* /Ggs. Hebung/.

Sennerin, die; -, -nen (bayr.; östr.): *Frau, die eine Alm bewirtschaftet.*

Sensation, die; -, -en: *ungewöhnliches, großes Aufsehen erregendes Ereignis:* der Sieg des unbekannten Sportlers war eine große S.

sensationell ⟨Adj.⟩: *großes Aufsehen erregend:* sein Erfolg war s.

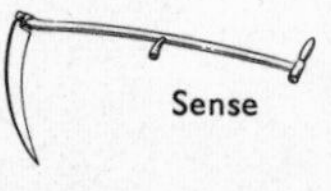

Sense

Sense, die; -, -n: *Gerät zum Mähen von Gras oder Getreide* (siehe Bild): er mähte seine Wiese mit der S.

sensibel ⟨Adj.⟩: *empfindsam; feinfühlig:* er ist ein sehr sensibler Mensch. **Sensibilität,** die; -.

Sentenz, die; -, -en: *kurz und treffend formulierter Ausspruch, der auf einer tieferen Erkenntnis beruht:* solche Sentenzen sagen mir gar nichts.

sentimental ⟨Adj.⟩: *übertrieben gefühlvoll:* sie sangen sentimentale Lieder. **Sentimentalität,** die; -, -en.

separat ⟨Adj.⟩: *abgetrennt; einzeln; für sich:* das Zimmer hat einen separaten Eingang.

Séparée [zepaˈre:], das; -s, -s (veralt.): *kleinerer, abgeteilter, neben dem großen Gästeraum liegender Raum für Gäste, die unter sich sein wollen:* die kleine Gesellschaft setzte sich ins S.

separiert ⟨Adj.⟩ (östr.): *(von etwas) abgesondert, getrennt:* ein separiertes Zimmer.

September, der; -[s]: *neunter Monat des Jahres.*

Serie, die; -, -n: *Reihe bestimmter gleichartiger Dinge oder Geschehnisse:* eine neue S. von Briefmarken; durch den Nebel gab es eine S. von Unfällen.

serienmäßig ⟨Adj.; nicht prädikativ⟩: *nicht einzeln, als Serie; in einer ganzen Folge:* dieses Porzellan wird s. hergestellt.

seriös ⟨Adj.⟩: a) *vertrauenerweckend; zuverlässig:* eine seriöse Firma; er macht einen seriösen Eindruck. b) *ernsthaft:* ein seriöser Schauspieler. **Seriosität,** die; -.

Sermon, der; -s, -e (ugs.; abwertend): *langweiliges Geschwätz; lange Rede ohne Inhalt:* wir mußten seinen ganzen S. mit anhören.

Serum, das; -s, Sera: Med. a) *wäßriger Bestandteil des Blutes:* das S. gerinnt nicht. b) *Stoff, der geimpft wird:* ein S. gegen Grippe.

Service: I. [zɛrˈvi:s], das; -s [zɛrˈvi:s], - [zɛrˈvi:s, (auch:) zɛrˈvi:sə]: *Satz von zusammengehörendem Geschirr von gleichem Muster und gleicher Form:* zur Hochzeit bekam sie ein wertvolles S. II. [ˈzø:rvɪs, ˈzœrvɪs], der; -s; [ˈzø:rvɪs(əs) ˈzœr ...]: a) *Bedienung einer Kundschaft, Betreuung der Gäste* /bei Tankstellen, Hotels, Schiffen o. ä./: der S. in diesem Hotel ist ausgezeichnet. **b)** *Einrichtung, durch die eine Firma ihre verkauften Fabrikate weiterhin betreut und, wenn notwendig, repariert:* für diesen Wagen gibt es einen gut ausgebauten S.

servieren, servierte, hat serviert: **1.** ⟨itr.⟩ *Speisen auftragen:* er serviert nicht an diesem Tisch; ⟨auch tr.⟩ Sie können die Nachspeise s.; bildl. (ugs.): er servierte seinen Zuhörern lauter Lügen.

Serviererin, die; -, -nen: *Angestellte in einem Hotel, Restaurant o. ä., die den Gästen Speisen und Getränke serviert* /Berufsbezeichnung/: für die nächste Saison werden fünf Serviererinnen gesucht.

Serviertochter, die; -, Serviertöchter (schweiz.): *Kellnerin.*

Serviette, die; -, -n: *kleines Tuch aus Stoff oder Papier, das man beim Essen benutzt:* sie legte Servietten neben die Teller.

servil ⟨Adj.⟩ (geh.; abwertend): *[treu] ergeben, unterwürfig:* ein serviles Lächeln; eine servile Haltung. **Servilität,** die; -.

Sessel, der; -s, -: **a)** *bequeme, meist mit Polster versehene Sitzgelegenheit mit Lehne für Rükken [und Arme]* (siehe Bild): er saß im S. vor dem Fernsehapparat. **b)** (östr.) *Stuhl.*

Sessel a)

Sessellift, der; -[e]s, -e und -s: *Seilbahn, bei der Personen auf einzelnen, frei an einem Seil schwebenden Sitzen einen Berg hinauf- und hinunterbefördert werden* (siehe Bild): mit dem S. fahren.

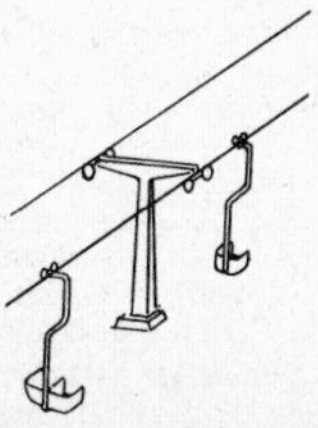

Sessellift

seßhaft ⟨Adj.; nicht adverbial⟩: *einen festen Wohnsitz habend; ansässig:* viele Nomaden sind zur seßhaften Lebensweise übergegangen. * **sich s. machen** *(sich an einem bestimmten Ort ansiedeln):* er hat sich endlich s. gemacht; **s. werden** *(einen festen Wohnsitz wählen):* er ist nach vielen Jahren des Reisens s. geworden.

Set, das und der; -[s], -s: **a)** *etwas, was aus einer bestimmten Anzahl zusammengehörender Gegenstände besteht:* er kaufte sich ein schönes ledernes S. für den Schreibtisch. **b)** *zu einem ganzen Satz gehörendes kleines Deckchen, das statt eines Tischtuchs als Unterlage für Teller, Tassen o. ä. auf dem Platz eines jeden einzelnen liegt:* er bekommt ein frisches S.; Sets sticken. **c)** *(meist zwei) miteinander kombinierte Kleidungsstücke aus gleichem Material und gleichem Muster, bes. Pullover und Jacke:* sie trug ein weißes S.

setzen, setzte, hat gesetzt /vgl. gesetzt/: **1.** ⟨rfl.⟩ *eine sitzende Stellung einnehmen; sich hinsetzen; Platz nehmen:* du darfst dich nicht auf den Boden s.; setzt euch an den Tisch! **2.** ⟨tr.⟩ *einen bestimmten Platz geben:* sie setzte das Kind auf ihren Schoß; er hat seine Mütze auf den Kopf gesetzt. **3.** ⟨rfl.⟩ *(in einer Flüssigkeit) langsam zu Boden sinken:* der Kaffee muß sich noch s. **4.** ⟨tr.⟩ *(eine Pflanze) mit den Wurzeln in die Erde senken; pflanzen:* sie setzt Blumen in den Garten; diese Bäume wurden vor 10 Jahren gesetzt. **5.** ⟨itr.⟩ *springen:* er setzte mit dem Pferd über den Graben. **6.** ⟨tr.⟩ *Buchstaben für den Druck zu einem Text zusammenfügen:* ein Manuskript s. **7.** ⟨tr.⟩ *an einem Mast aufziehen:* sie haben die Segel gesetzt. **8.** ⟨als Funktionsverb⟩ etwas in Brand s. *(etwas anzünden);* sich zur Wehr s. *(sich wehren);* etwas aufs Spiel s. *(etwas riskieren, wagen);* jmdn. auf freien Fuß s. *(jmdn. aus der Gefangenschaft entlassen).*

Setzer, der; -s, -: *Schriftsetzer.*

Setzerei, die; -, -en: *Teil der Druckerei, in der Buchstaben für den Druck zu einem Text zusammengefügt werden.*

Seuche, die; -, -n: *gefährliche ansteckende Krankheit, die sich schnell verbreitet:* in dem Land wütete eine S., an der viele Menschen starben.

seufzen, seufzte, hat geseufzt ⟨itr.⟩: *(als Ausdruck von Kummer, Traurigkeit o. ä.) einmal schwer und hörbar ausatmen:* sie seufzte, als sie an den Abschied dachte.

Seufzer, der; -s, -: *[klagender] Laut, der durch hörbares Ausatmen hervorgebracht wird:* mit einem S. [der Erleichterung] verließ sie den Raum.

Sex, der; -[es] (ugs.): **a)** *Sexualität:* heute spricht man viel von S. **b)** *geschlechtliche Anziehungskraft:* sie hat viel S.

Sex-Appeal ['sɛks ə'pi:l], der; -s: *starke erotische Anziehungskraft, erotische Ausstrahlung [einer Frau]:* sie hat viel S.

Sexbombe, die; -, -n (ugs.; scherzh.): *Frau, Schauspielerin, die starken sexuellen Reiz auf Männer ausübt:* eine bekannte S. ist die Heldin dieses Filmes.

Sexta, die; -, Sexten: *erste, unterste Klasse an Gymnasien.*

Sextett, das; -s, -e: **a)** *Musikstück für sechs Stimmen oder sechs Instrumente:* sie spielten ein bekanntes S. **b)** *Gruppe von sechs Sängern oder Musikern:* das S. spielte bekannte und beliebte Melodien.

Sexualität, die; -: *alles, was mit dem Geschlechtstrieb eines Lebewesens zusammenhängt:* er behandelte in seinem Vortrag Fragen der S.

sexuell ⟨Adj.⟩: *den Geschlechtstrieb betreffend; geschlechtlich:* das sexuelle Verhalten der Bevölkerung; die Kinder s. aufklären.

Sexus, der; - (geh.): *Geschlechtstrieb:* der S. spielt eine wichtige Rolle im menschlichen Verhalten.

sexy ⟨Adj.; indeklinabel⟩: *durch Sex anziehend, aufreizend:* sie wirkt in dem Kleid richtig s.; ein s. Badeanzug.

sezieren, sezierte, hat seziert ⟨tr.⟩: *einen toten menschlichen oder tierischen Körper öffnen oder zerlegen, um ihn zu untersuchen:* die Leiche des Toten wurde seziert.

Shagpfeife ['ʃɛk..., 'ʃæg...], die; -, -n: *Pfeife mit kurzem Stiel und kleinem Kopf zum*

Rauchen einer bestimmten Tabaksorte.

Shampoo[n] [ʃɛm'pu:(n), ʃam'po:(n)], das; -s: *Schampun.*

Shorts [ʃo:rts, auch: ʃɔrts], die ⟨Plural⟩: *kurze sportliche Hose für Damen oder Herren:* am Strand trage ich am liebsten S.

Show [ʃo:, ʃoʊ], die; -, -s: *bunte, aus Tanz, Gesang, (meist moderner) Musik und zwischendurch aus unterhaltendem Gespräch bestehende Vorstellung, Darbietung zur Unterhaltung eines größeren Publikums:* die gestrige S. im Fernsehen war ausgezeichnet.

Showbusineß ['ʃoʊbɪznɪs], das; -: *alles, was mit Vergnügen, Unterhaltung als Geschäft zu tun hat:* er ist im S. tätig, hat im S. viel verdient.

Sịchel, die; -, -n: *Werkzeug mit stark gebogener Klinge zum Schneiden von Gras o. ä.* (siehe Bild): er hat sich mit der S. verletzt.

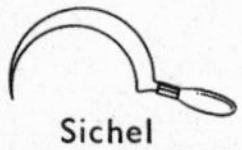

Sichel

sịcher: **I.** ⟨Adj.⟩: **1.** *gefahrlos; nicht durch eine Gefahr bedroht:* sie wählte einen sicheren Weg; hier kannst du dich s. fühlen. **2.** *zuverlässig:* die Farbe seines Gesichts war ein sicheres Zeichen für seine Krankheit; diese Nachrichten sind nicht s. *(nicht verbürgt, bewiesen)*; er hat ein sicheres *(gesichertes, festes)* Einkommen; er fährt sehr s. *(gut)*. **3.** *nicht irrend; richtig; treffend:* er hat ein sicheres Urteil, einen sicheren *(guten)* Geschmack. **4.** *ohne Hemmungen; selbstbewußt:* er hat ein sicheres Auftreten; er wirkt, ist sehr s. **5.** *ohne jeden Zweifel bestehend oder eintretend; gewiß:* seine Niederlage ist s.; er war sich seines Erfolgs s. *(war von seinem Erfolg überzeugt)*; soviel ist s. *(steht fest)*, daß er ein Dieb ist. **II.** ⟨Adverb⟩: *wahrscheinlich; sicherlich; mit Sicherheit; ohne jeden Zweifel:* du hast s. recht, aber wir können es doch noch einmal überprüfen; er wird s. bald kommen.

Sịcherheit, die; -: **1.** *das Sichersein vor Gefahr oder Schaden:* die Polizei sorgte für die S. der Besucher. *** jmdn./etwas in S. bringen** *(jmdn./etwas aus dem Bereich der Gefahr wegbringen)*: sie brachten bei der Katastrophe zuerst die Kinder in S.; **sich in S. wiegen** *(glauben, nicht in Gefahr zu sein)*: während sie sich noch in S. wiegten, waren die Feinde schon ins Land eingedrungen. **2.** *Gewißheit, Bestimmtheit:* bei diesem Stoff haben Sie die S., daß er sich gut waschen läßt. *** etwas mit S. sagen/feststellen** *(etwas bestimmt oder exakt sagen/feststellen)*: er konnte nicht mit S. sagen, ob er rechtzeitig fertig würde. **3.** *Zuverlässigkeit; das Freisein von Fehlern oder Irrtümern:* die S. seines Urteils; er hat eine große S. in allen Fragen des Geschmacks. **4.** *Gewandtheit; Selbstbewußtsein:* er hat wenig S. in seinem Auftreten, Benehmen.

Sịcherheitsgurt, der; -[e]s, -e: *starkes Band, mit dem man sich im Auto zur Sicherheit anschnallt.*

sịcherheitshalber ⟨Adverb⟩: *zur Sicherheit; um sicher zu sein:* er hatte sich s. noch einmal nach der Abfahrt des Zuges erkundigt.

Sịcherheitsnadel, die; -, -n: *Nadel mit Verschluß, mit deren Hilfe man etwas befestigen kann*

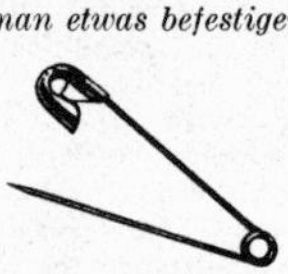

Sicherheitsnadel

(siehe Bild): sie befestigte die Schleife am Kleid mit einer S.

sịcherlich ⟨Adverb⟩: *wahrscheinlich; sicher; mit Sicherheit:* er hat s. recht, aber wir können es doch noch einmal prüfen; s. wird er morgen kommen.

sịchern, sicherte, hat gesichert: **1.** ⟨tr.⟩ *sicher machen; schützen:* er hat das Fahrrad durch ein Schloß [gegen Diebstahl] gesichert; das Land sichert seine Grenzen; das Gesetz soll die Rechte der Menschen s. *(garantieren)*; ⟨häufig im 2. Partizip⟩ sie lebten in gesicherten *(finanziell sicheren)* Verhältnissen. **2.** ⟨itr.⟩ *verschaffen; in seinen Besitz bringen:* sein Fleiß sicherte ihm Anerkennung; er hat sich einen guten Platz gesichert. **3.** ⟨itr.⟩ *wittern; horchen* /vom Wild/: die Tiere sicherten, bevor sie aus dem Wald traten.

sịcherstellen, stellte sicher, hat sichergestellt ⟨tr.⟩: **1.** *in behördlichem Auftrag wegnehmen; beschlagnahmen:* ein Teil der gestohlenen Waren konnte sichergestellt werden. **2.** *dafür sorgen, daß etwas nicht gefährdet wird; sichern:* man konnte die Ernährung der Bewohner nicht mehr s.

Sịcherung, die; -, -en; **1.** ⟨ohne Plural⟩ *das Sichern; Schutz:* sich um die S. des Landes bemühen. **2.** *Vorrichtung zum Schutz oder zur Sicherheit:* das Gewehr hat eine S.; die S. [der elektrischen Leitung] ist durchgebrannt.

Sịcht, die; -: *Möglichkeit [in die Ferne] zu sehen:* bei diesem Wetter ist die S. gut; der Nebel nahm ihnen plötzlich die S.; wir hatten schlechte S. *(Aussicht)* bei dieser Wanderung; bildl.: aus seiner S. *(wie er es sah)* war die Sache sehr schwierig. *** in S. kommen** *(auftauchen; sichtbar werden)*: endlich kam Land in S.; **auf kurze/lange S.** *(für kurze/lange Dauer oder Zeit)*: auf lange S. ist diese Arbeit nicht lohnend.

sịchtbar ⟨Adj.⟩: *mit den Augen wahrnehmbar; erkennbar:* er hat sichtbare Fortschritte gemacht; der Zustand des Kranken hatte sich s. gebessert; der Fleck auf dem Kleid war deutlich s. *(zu sehen)*.

sịchten, sichtete, hat gesichtet ⟨tr.⟩: **1.** *in größerer Entfernung wahrnehmen; erspähen:* sie hatten feindliche Flugzeuge am Himmel gesichtet. **2.** *durchsehen und ordnen:* er sichtete das Material für seine Arbeit.

sịchtlich ⟨Adj.; nicht prädikativ⟩: *offenkundig; merklich:* er hatte sichtliche Schwierigkeiten mit der Aussprache; er war s. erfreut über das Lob.

Sịchtvermerk, der; -s, -e: *Eintragung in einem Reisepaß, der zur Einreise in ein bestimmtes Land berechtigt; Visum.*

sịckern, sickerte, ist gesickert ⟨itr.⟩: *langsam und spärlich fließen:* Regen sickerte durch das Dach; das Blut ist durch den Verband gesickert.

Sideboard ['saɪdbɔ:rd], das; -s, -s: *längeres, niedriges Möbel-*

stück, das an der Wand eines Raumes steht; Anrichte, Büfett: ein S. aus Eiche; das Geschirr in das S. stellen.

sie ⟨Personalpronomen⟩ /vertritt ein weibliches Substantiv im Singular oder ein Substantiv im Plural o. ä./: sie (die Mutter) ist krank; ich vergesse sie (die Pfeife) nicht; sie (die Studenten) protestieren; wir haben sie (Michael und Peter) besucht.

Sieb, das; -[e]s, -e: *Gerät, mit dem feste Stoffe von einer Flüssigkeit oder feste Stoffe von verschiedener Beschaffenheit voneinander getrennt werden* (siehe Bild): sie goß den Kaffee durch ein S.

Sieb

sieben: I. siebte, hat gesiebt: **1.** ⟨tr.⟩ *durch ein Sieb schütten:* das Mehl, den Sand s. **2.** ⟨itr.⟩ (ugs.) *(aus einer Anzahl von Personen, z. B. Arbeitskräften, Bewerbern o. ä.) die Unfähigen oder Ungeeigneten ausscheiden:* bei der Auswahl der Bewerber wurde sehr gesiebt. **II.** ⟨Kardinalzahl⟩: 7: s. Personen; die Sieben Weltwunder. * (ugs.) **mit jmdm. um s. Ecken verwandt sein** *(mit jmdm. weitläufig verwandt sein).*

Siebensachen: ⟨in den Wendungen⟩ (ugs.) **seine S. beisammen haben** *(alles, was man für einen bestimmten Zweck braucht, beisammen haben);* (ugs.) **seine S. packen** *(seine Habseligkeiten packen).*

siebente ⟨Ordinalzahl⟩: *siebte.*

siebte ⟨Ordinalzahl⟩: 7.: die s. Bitte des Vaterunsers. * **[wie] im siebten Himmel sein** *(höchstes Glück fühlen).*

siebzig ⟨Kardinalzahl⟩: 70: s. Personen.

siech ⟨Adj.⟩ (veralt.): *an einer schweren chronischen Erkrankung leidend; ständig etwas kränklich:* die alte Frau ist schon lange Jahre s.

Siechtum, das; -s: *lange dauernde Zeit schwerer Krankheit [die mit dem Tode endet]:* er starb nach einem langen S.

siedeln, siedelte, hat gesiedelt ⟨itr.⟩: *sich irgendwo ansässig machen; eine Siedlung gründen:* viele Bauern haben in der fruchtbaren Gegend gesiedelt.

sieden, sott/ siedete, hat gesotten/gesiedet: **1.** ⟨itr.⟩ *bis zum Siedepunkt erhitzt sein; kochen:* das Wasser siedet bei 100°; die Eier müssen 5 Min. s. *(in siedendem Wasser liegen).* **2.** ⟨tr.⟩ (südd.; östr.) *in kochendem Wasser gar machen:* einen Fisch s.; sie hat die Eier gesotten/gesiedet; ⟨2. Partizip in attributiver Stellung nur stark⟩: gesottener Fisch, gesottene Eier.

Siedepunkt, der; -[e]s, -e: *Temperatur, bei der eine Flüssigkeit zu sieden beginnt:* der S. des Wassers liegt bei 100 °C.

Siedlung, die; -, -en: **a)** *Ort, an dem sich Menschen angesiedelt haben:* hier gab es schon in früher Zeit menschliche Siedlungen. **b)** *Stadtteil, der aus meist gleichartigen, zur gleichen Zeit erbauten Häusern besteht:* er wohnt in einer S. am Rande der Stadt.

Sieg, der; -[e]s, -e: *erfolgreicher Ausgang eines Kampfes, eines Wettstreites o. ä.:* der S. des Feindes war sicher; sie kämpften für einen S. ihrer Partei. * **den S. erringen/davontragen** *(siegen):* unsere Mannschaft errang den S. in dem Wettkampf.

Siegel, das; -s, -: **a)** *Stempel, mit dem ein [amtliches] Zeichen auf ein Schriftstück o. ä. geprägt wird* (siehe Bild). **b)** *[amtliches] Zeichen, das auf ein Schriftstück o. ä. geprägt wurde:* die Urkunde trägt ein S. der Stadt.

a)

Siegel

siegen, siegte, hat gesiegt ⟨itr.⟩: *in einem Kampf oder Wettstreit den Gegner überwinden; den Sieg davontragen:* unsere Mannschaft hat diesmal gesiegt; die Vernunft siegte bei ihm über das Gefühl.

Sieger, der; -s, -: *jmd., der einen Sieg errungen hat; Gewinner:* die S. wurden mit Blumen begrüßt.

siegesbewußt ⟨Adj.⟩: *seines Sieges gewiß; selbstsicher:* die Spieler traten sehr s. auf.

siegessicher ⟨Adj.⟩: *völlig sicher, daß man siegen wird:* s. ging er ins Rennen.

siegreich ⟨Adj.⟩: *gesiegt habend; einen Sieg errungen habend:* die Mannschaft kehrte s. heim.

Sielen: ⟨in der Wendung⟩ in den Sielen sterben (ugs.): *im Dienst, während der Arbeit sterben.*

Siesta, die; -, Siesten und -s (geh.; meist scherzh.): *Pause zu Mittag, in der man sich ausruht oder ein wenig schläft:* wir halten jetzt S., dann wandern wir weiter.

siezen, siezte, hat gesiezt ⟨tr.⟩: *mit „Sie" anreden:* sie siezte ihn.

Signal, das; -s, -e: *optisches oder akustisches Zeichen mit einer festen Bedeutung, das zur Verständigung, Warnung o. ä. dient:* bei dem Unglück hatte der Zugführer das S. nicht beachtet.

signalisieren, signalisierte, hat signalisiert ⟨tr./itr.⟩: *(durch ein bestimmtes Signal, Zeichen) übermitteln, ankündigen, anzeigen; (für etwas) ein Signal, Zeichen geben:* die Techniker signalisieren die kleinste Veränderung auf das Schiff; der Apparat signalisiert sehr verläßlich; bildl.: diese Ereignisse signalisieren eine Veränderung in der Politik.

Signatur, die; -, -en: **a)** *kurzes Zeichen, das die Unterschrift ersetzt:* sobald er die Akten durchgesehen hat, setzt er seine S. darunter. **b)** *Name oder Zeichen des Künstlers auf seinem Werk:* die S. ist auf diesem Bild schwer zu erkennen. **c)** *Nummer, unter der ein bestimmtes Buch in der Bibliothek zu finden ist:* bei der Bestellung müssen Sie auch die S. des Buches angeben.

signieren, signierte, hat signiert ⟨tr.⟩: **a)** *unterzeichnen:* das Dokument wurde von drei Ministern signiert. **b)** *(mit einem kurzen Zeichen) versehen, das eine Unterschrift ersetzt:* er signiert die durchgesehenen Akten mit seinem Zeichen. **c)** *(ein fertiges Kunstwerk) mit seinem Namen oder Zeichen versehen* /bei Künstlern/: dieser Maler signiert seine Bilder in der rechten unteren Ecke; ⟨auch itr.⟩ er signiert mit einem großen K.

Silbe, die; -, -n: *kleinste, aus einem oder mehreren Lauten gebildete Einheit innerhalb eines Wortes:* das Wort „Haus" hat nur eine S.

Silber, das; -s: **1.** *grau-weißes edles Metall:* der Becher war aus S. **2.** *Geschirr, Bestecke o. ä. aus Silber:* das S. muß geputzt werden.

Silberhochzeit, die; -, -en: *[Feier der] 25. Wiederkehr des Hochzeitstages:* seine Eltern hatten dieses Jahr S.

silbern ⟨Adj.⟩: **1.** ⟨nur attributiv⟩ *aus Silber bestehend:* ein silberner Löffel. * **die silberne Hochzeit** *(die 25. Wiederkehr des Hochzeitstages).* **2.** *hell, weiß (wie Silber):* das silberne Licht des Mondes; ihr Haar glänzte s.

Silberpapier, das; -s: *Stanniolpapier.*

silbrig ⟨Adj.⟩: *silbern schimmernd, dem Silber ähnlich:* das Kleid glänzte s. in dem hellen Licht.

Silhouette [zilu'ɛtə], die; -, -n: *Umrisse von etwas, was sich von einem Hintergrund abhebt:* man sah in der Ferne die S. der Berge.

Silo, der; -s, -s: **a)** *großer Speicher für Getreide, Erz o. ä.:* die Silos sind schon alle voll. **b)** Landwirtschaft *[hoher] Behälter für gegorenes Futter:* der Bauer holt Futter aus dem S.

Silvester, das; -s, -: *der letzte Tag des Jahres:* sie wollen an/zu S. ausgehen.

simpel ⟨Adj.⟩: *sehr einfach; nicht schwierig; leicht verständlich:* der Lehrer stellte ganz simple Fragen; diese Erklärung ist zu s. *(zu sehr vereinfacht);* es fehlte ihm an den simpelsten *(primitivsten, selbstverständlichsten)* Voraussetzungen für diese Arbeit.

simplifizieren, simplifizierte, hat simplifiziert ⟨tr.⟩: *sehr vereinfachen, vereinfacht darstellen:* die Presse hat die Ausführungen des Ministers stark simplifiziert, in simplifizierter Form wiedergegeben.

Sims, der und das; -es, -e: *Gesims.*

Simulant, der; -en, -en (abwertend): *jmd., der eine Krankheit oder ein Gebrechen vortäuscht, um sich einer bestimmten Verpflichtung o. ä. entziehen zu können:* der Lehrer bezeichnete ihn als [einen] Simulanten.

Simulator, der; -s, -en: *Gerät, in dem Bedingungen und Verhältnisse hergestellt werden können, die in der Natur, im Weltraum o. ä. bestehen:* die Schüler lernen an Simulatoren, alle Anfangsschwierigkeiten zu überwinden.

simulieren, simulierte, hat simuliert: **1.** ⟨tr./itr.⟩ *(ein Gebrechen oder eine Krankheit) vortäuschen, um sich einer Verpflichtung o. ä. entziehen zu können:* er simulierte vor der Polizei einen Schwächeanfall; keiner erkannte, daß er nur simulierte. **2.** ⟨tr.⟩ *übungshalber oder probeweise bestimmte Vorgänge oder Gelegenheiten bei Bedienung von Geräten, Fahrzeugen o. ä. künstlich nachahmen:* beim Test der Piloten wurde auch der Absturz eines Flugzeuges simuliert. **3.** ⟨itr.⟩ (ugs.) *nachsinnen, grübeln:* er simulierte lange über den Vorfall.

simultan ⟨Adj.⟩ (geh.): *gleichzeitig, gemeinsam (mit jmdm./etwas):* durch ein simultanes Vorgehen mehr erreichen. * **s. spielen** *(gleichzeitig an mehreren Brettern und mit verschiedenen Gegnern Schach spielen).*

Sinfonie, die; -, -n: *Musikwerk für Orchester in mehreren Sätzen.*

singen, sang, hat gesungen: **a)** ⟨itr.⟩ *seine Stimme im Gesang ertönen lassen:* er singt gut; er hat in einem Chor gesungen; auf dem Dach singt eine Amsel *(bringt eine melodische Folge von Tönen hervor).* **b)** ⟨tr.⟩ *(ein Lied oder eine Melodie) hören lassen, vortragen:* er singt Lieder von Schubert. * **jmds. Lob s.** *(jmdn. sehr, bei allen Leuten loben):* er singt überall das Lob seines Schülers.

Single ['sɪŋ(g)əl], die; -, -s: *17-cm-Schallplatte mit je einer einzigen kürzeren Aufnahme, deren Spieldauer etwa drei Minuten beträgt:* seine neueste S. gefällt mir nicht.

Singsang, der; -s (ugs.; abwertend): **a)** *mittelmäßig und monoton vorgetragenes Lied, Gesang:* diesen S. kann ich nicht mehr hören. **b)** *eintönige, singende Art zu sprechen.*

Singstimme, die; -, -n: *Stimme des Sängers /im Gegensatz zu den Stimmen der Instrumente/:* ein Musikstück für Klavier, Flöte und zwei Singstimmen.

singulär ⟨Adj.⟩: *vereinzelt [vorkommend]; selten:* solche Erscheinungen sind äußerst s., treten nur noch s. auf; er hat eine singuläre *(einzigartige)* Fähigkeit, sofort das Wesentliche zu erkennen.

Singvogel, der; -s, Singvögel: /Gattungsbezeichnung für Vögel, die singen können/: die Amsel ist ein S.

sinken, sank, ist gesunken ⟨itr.⟩: **1.** *sich (in der Luft oder in einer Flüssigkeit) langsam abwärts bewegen:* der Fallschirm sinkt zur Erde; das Schiff ist gesunken *(untergegangen);* er sank vor Müdigkeit auf einen Stuhl. * **den Mut s. lassen** *(mutlos werden);* **in Schlaf s.** *(vor großer Müdigkeit einschlafen).* **2.** *niedriger werden; an Höhe verlieren:* die Temperatur ist gesunken; der Wasserspiegel sank um 5 Meter. **3.** *an Wert verlieren; geringer werden:* die Preise sind gesunken; der Wert des Hauses ist gesunken; sein Einfluß sank sehr schnell.

Sinn, der; -[e]s, -e: **1.** ⟨ohne Plural⟩ *Bedeutung; geistiger Gehalt:* er konnte den S. seiner Worte nicht verstehen; der Lehrer fragte nach dem S. der Fabel; er wollte es in diesem Sinne verstanden wissen. * **etwas hat keinen/wenig/nicht viel S.** *(etwas ist nicht/wenig vernünftig oder sinnvoll; etwas ist zwecklos):* es hat keinen S., die Sache noch länger aufzuschieben. * **im strengen Sinne** *(genaugenommen):* im strengen Sinne hättest du das nicht tun dürfen; **dem Sinne nach** *(nicht dem Buchstaben nach):* dem Sinne nach hatte er recht. **2.** *die Fähigkeit der Wahrnehmung und Empfindung; Sinnesorgan:* viele Tiere haben schärfere Sinne als der Mensch; die fünf Sinne des Menschen sind: Sehen, Hören, Riechen, Schmecken, Tasten. * **mit wachen Sinnen** *(aufmerksam):* er verfolgte die Vorgänge mit wachen Sinnen; **seine fünf Sinne zusammennehmen** *(aufpassen; sich konzentrieren):* du mußt deine fünf Sinne zusammennehmen, damit du verstehst, was der Lehrer erklärt. **3.** ⟨ohne Plural⟩ *Verständnis, Neigung, Gefühl (für etwas):* ihm fehlt jeder S. für Humor; sie hat viel

S. für das Schöne. ** **etwas im S. haben** *(eine bestimmte Absicht haben, etwas planen):* paß auf, er hat etwas Böses im S.; **etwas ist [nicht] in jmds. S.** *(jmd. ist mit etwas [nicht] einverstanden):* diese Entscheidung war nicht in meinem S.; **jmdm. steht der S. nach etwas** *(jmd. ist für etwas gestimmt, jmd. hat Lust zu etwas):* heute steht mir nicht der S. nach einem Fest; **jmdm. kommt etwas in den S.** *(jmdm. fällt etwas ein; jmdm. kommt ein bestimmter Gedanke):* plötzlich kam ihm in den S., nach Hause zu gehen; **nicht bei Sinnen sein** *(nicht bei Verstand sein):* er ist nicht bei Sinnen; **etwas ohne S. und Verstand tun** *(etwas ohne Überlegung tun).*

Sịnnbild, das; -[e]s, -er: *etwas, was einen Begriff anschaulich ausdrückt, Symbol:* die Taube ist ein S. des Friedens.

sịnnbildlich ⟨Adj.⟩: *in Form eines Sinnbildes [ausgeführt]; als Sinnbild:* eine sinnbildliche Darstellung.

sịnnen, sann, hat gesonnen ⟨itr.⟩ (geh.) /vgl. gesonnen/: *nachdenken; seine Gedanken auf etwas richten:* er sann, was zu tun sei; ⟨häufig im 1. Partizip⟩ sinnend *(in Gedanken versunken)* stand er am Fenster. * **auf etwas s.** *(sich in Gedanken intensiv mit etwas, was man tun will, beschäftigen; etwas planen):* er sann auf Rache.

Sịnnenrausch, der; -es: *durch sinnlichen Genuß hervorgerufener Zustand innerer Erregung, blinder Begeisterung:* er befand sich in einem S.

Sịnnesorgan, das; -s, -e: *Organ (bei Menschen und Tieren), durch das Reize [aus der Umwelt] aufgenommen und durch das Wahrnehmungen und Empfindungen ermöglicht werden:* die Nase ist ein S.

sịnnfällig ⟨Adj.⟩: *klar erkennbar; einleuchtend:* er suchte nach einem sinnfälligen Vergleich; er hat die Vorgänge in Bildern s. dargestellt.

Sịnngehalt, der; -[e]s, -e: *Sinn; Inhalt; Bedeutung:* den S. der Dichtung zu erkennen suchen.

sịnngemäß ⟨Adj.; nicht prädikativ⟩: *nicht wörtlich, aber dem Sinne nach:* ich kann seine Worte nur s. wiederholen.

sinnieren, sinnierte, hat sinniert ⟨itr.⟩: *sich in seine Gedanken vertiefen; grübeln; nachsinnen:* er sitzt im Sessel und sinniert.

sịnnig ⟨Adj.⟩: **a)** *sinnreich, sinnvoll:* sinnige Geschenke. **b)** (iron.) *gutgemeint, aber unpassend:* es war ein sinniger Einfall meiner Wirtin, rote Rosen auf meinen Nachttisch zu stellen; unter dem Bild stand ein sinniger Spruch.

sịnnlich ⟨Adj.⟩: **1.** ⟨nicht prädikativ⟩ *mit den Sinnen erfahrbar:* eine sinnliche Empfindung; bestimmte Strahlen sind s. nicht wahrnehmbar. **2.** *geschlechtlich; triebhaft:* er ist eine sehr sinnliche Natur; ihr Mund ist sehr s. **Sịnnlichkeit,** die; -.

sịnnlos ⟨Adj.⟩: **1.** *ohne Sinn oder Zweck; unvernünftig; unsinnig:* sinnloses Geschwätz; es ist s., noch länger zu warten. **2.** *unbeherrscht:* er hat das Kind in sinnloser Wut geschlagen; er war s. *(völlig)* betrunken. **Sịnnlosigkeit,** die; -.

sịnnreich ⟨Adj.⟩: *klug ausgedacht; zweckmäßig; sinnvoll:* diese Vorrichtung ist eine sinnreiche Erfindung.

Sịnnspruch, der; -[e]s, Sinnsprüche: *Spruch, mit dem man sich eine allgemeingültige Wahrheit, eine tiefere Erkenntnis einprägt:* viele Sinnsprüche aus alter Zeit sind auch heute noch aktuell.

sịnnvoll ⟨Adj.⟩: *einen Sinn habend; vernünftig:* eine sinnvolle Arbeit; diese Entscheidung ist nicht sehr s.

Sịntflut, die; -: Rel. *im Alten Testament berichtete große, alles vernichtende Überschwemmung, mit der Gott die sündigen Menschen bestrafte:* in der Bibel die Stelle über die S. suchen; bildl.: eine wahre S. von Beschimpfungen ergoß sich über den Mann. * **nach mir die S.** *(was dann geschieht, wenn ich nicht mehr da bin, ist mir gleichgültig).*

Siphon ['zifɔŋ, zi'fõ:, (östr.:) zi'fo:n], der; -s, -s: **1.** *Flasche mit einem Verschluß, bei dessen Betätigen Getränke herausgetrieben werden, die stark mit Kohlensäure angereichert sind und unter einem gewissen Druck stehen:* der S. ist schon wieder leer. **2.** *Vorrichtung bei Ausgüssen und Abflüssen, die ein Aufsteigen von Gasen verhindert.*

Sịppe, die; -, -n: *Gruppe der Blutsverwandten:* die ganze S. versammelte sich bei dem 90. Geburtstag der Großmutter.

Sịppschaft, die; -, -en (ugs.; abwertend): **a)** *Verwandtschaft, Familie:* er mit seiner ganzen S. kann mir gestohlen bleiben! **b)** *Gruppe von Menschen, über die man sich ärgert, die man verachtet:* seine Kollegen sind eine ganz üble S.

Sirene, die; -, -n: *Gerät, das einen lauten [heulenden] Ton hervorbringt, wodurch eine Warnung oder ein ähnliches Zeichen gegeben werden soll* (siehe Bild): die S. des Schiffes ertönte.

Sirene

Sịrup, der; -s, -e: **a)** *süße, dickflüssige dunkle Masse, die bei der Gewinnung von Zucker entsteht:* aus Zuckerrüben S. herstellen. **b)** *süßer, dickflüssiger Fruchtsaft, der zum Gebrauch mit Wasser verdünnt wird:* den Pudding mit S. servieren.

Sịsyphusarbeit, die; - (geh.): *[sinnlose] schwere, mühselige Arbeit, [vergebliche] erschöpfende Anstrengung:* das scheint mir hier die reinste S. zu sein.

Sit-ịn, das; -[s], -s: *Demonstration, bei der die Teilnehmer dadurch ihren Protest oder ihre Forderungen vorbringen, daß sie sich gemeinsam für längere Zeit an eine bestimmte Stelle setzen und sich von dort nur mit Gewalt vertreiben lassen:* die Studenten veranstalteten ein S.

Sịtte, die; -, -n: **1.** *etwas, was in langer Zeit feste Gewohnheit geworden ist; Brauch:* in den Dörfern kennt man noch viele alte Sitten. * **etwas ist S.** *(etwas ist üblich):* bei uns ist es S., Silvester Karpfen zu essen. **2. a)** *sittliches Verhalten:* es trat ein Verfall der Sitten ein. **b)** ⟨Plural⟩ *Benehmen, Manieren:* er ist ein Mensch mit guten Sitten.

sịttenlos ⟨Adj.⟩: *von einem Verfall der Sitten zeugend; zuchtlos, unmoralisch:* ein sittenloses Treiben.

Sittenstrolch, der; -[e]s, Sittenstrolche (abwertend): *Mann, der Frauen und Kinder in unsittlicher Weise belästigt:* sie wurde das Opfer eines üblen Sittenstrolchs.

sittlich ⟨Adj.⟩: 1. *geistig; moralisch:* die sittliche Natur des Menschen. 2. *den Forderungen der Moral, der Sitte entsprechend:* ein sittlicher Lebenswandel.

Sittlichkeitsverbrecher, der; -s, -: *jmd., der sittliches Ärgernis erregt oder eine Frau oder ein Kind vergewaltigt hat:* sie wurde von einem S. überfallen.

sittsam ⟨Adj.⟩ (veraltend): *brav und anständig; keusch, züchtig:* sie schlug s. die Augen nieder; ein sittsames Mädchen.

Situation, die; -, -en: *Lage; Umstand:* eine schwierige S.; er beherrschte die S. *(war fähig, mit der gegebenen Lage fertig zu werden).*

Sitz, der; -es, -e: 1. *Fläche, auf der man sitzen kann:* der S. des Stuhles hat ein Polster; er hat sich einen Stein als S. ausgesucht; die Zuschauer erhoben sich von ihren Sitzen; er legte seinen Mantel auf den S. im Auto. 2. *Ort, an dem sich etwas dauernd befindet:* der S. der Firma ist [in] Berlin. ** **einen guten/schlechten S. haben** *(gut/schlecht passen):* dieser Anzug hat einen guten S.

sitzen, saß, hat /(südd., östr., schweiz.:) ist gesessen ⟨itr.⟩: 1. *sich (auf einen Sitz) niedergelassen haben:* er saß auf einem Stuhl; in diesem Sessel sitzt man sehr bequem; sie saßen bei Tisch *(waren beim Essen).* 2. *sich (an einer bestimmten Stelle) befinden; (an einer bestimmten Stelle) befestigt sein:* an seinem Hut saß eine Feder; der Knopf sitzt an der falschen Stelle; an dem Zweig s. mehrere Blüten; er sitzt *(wohnt, lebt)* in einem kleinen Dorf. 3. (ugs.) *sich in Haft befinden; im Gefängnis sein:* er sitzt seit 3 Jahren. 4. *passen:* der Anzug sitzt [gut]; das Kleid sitzt wie angegossen *(sehr gut).*

sitzenbleiben, blieb sitzen, ist sitzengeblieben ⟨itr.⟩ (ugs.): 1. *(in der Schule) nicht in die nächste Klasse versetzt werden:* er war so faul, daß er sitzengeblieben ist. 2. *nicht geheiratet werden:* das Mädchen blieb sitzen. 3. *keinen Käufer (für etwas) finden:* der Kaufmann ist auf seiner Ware sitzengeblieben.

sitzenlassen, läßt sitzen, ließ sitzen, hat sitzenlassen (ugs.): 1. ⟨tr.⟩ **a)** *vergeblich warten lassen; im Stich lassen:* er sollte heute kommen, aber er hat uns sitzenlassen. **b)** *(ein Mädchen) verlassen, nicht heiraten:* er hat sie mit dem Kind sitzenlassen. **c)** *(einen Schüler) eine Klasse wiederholen lassen:* der Lehrer hat ihn dieses Jahr sitzenlassen. 2. ⟨itr.⟩ *unwidersprochen (lassen):* ich lasse diese Vorwürfe, diesen Verdacht nicht auf mir sitzen.

Sitzfleisch: ⟨in den Verbindungen⟩ (ugs.) **S. haben: a)** *sich bei jmdm., den man besucht, ungebührlich lange aufhalten.* **b)** *viel Ausdauer und Fleiß haben, um sich mit einer Sache eingehend befassen zu können;* (ugs.) **kein [rechtes] S. haben: a)** *nicht ruhig auf seinem Platz sitzen können.* **b)** *wenig [Fleiß und] Ausdauer haben, um sich mit einer Sache längere Zeit hindurch eingehend zu beschäftigen.*

Sitzgelegenheit, die; -, -en: *etwas, worauf man sich setzen kann; Sitzplatz:* es gab nicht genug Sitzgelegenheiten für die vielen Gäste.

Sitzplatz, der; -es, Sitzplätze: *Platz, auf dem man sitzen kann* /Ggs. Stehplatz/: der Zug war so besetzt, daß sie keinen S. mehr bekam.

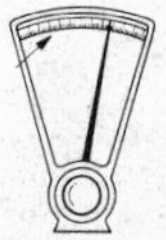

Skala 1.

Sitzung, die; -, -en: *Zusammenkunft, bei der die Teilnehmer etwas besprechen oder beraten:* es fand eine geheime S. statt.

Skala, die; -, Skalen und Skalas: 1. *Maßeinteilung an Instrumenten oder Geräten, mit denen etwas gemessen wird* (siehe Bild): die S. der Waage reicht bis 50 kg. 2. *vorhandene Fülle bestimmter Eigenschaften, Möglichkeiten o. ä.:* eine große S. von Ausdrucksmöglichkeiten, von Farben.

Skalp, der; -s, -e: *abgezogene Kopfhaut des Gegners als Siegeszeichen* /früher bei den Indianern/; bildl. (scherzh.): seinen S. *(sein Leben)* retten, in Sicherheit bringen.

Skalpell, das; -s, -e: Med. *kleines, bei Operationen verwendetes Messer:* mit dem S. operieren.

skalpieren, skalpierte, hat skalpiert ⟨tr.⟩: *(dem besiegten Gegner) die Kopfhaut abziehen* /früher bei den Indianern/: er wurde von Indianern überfallen und skalpiert.

Skandal, der; -s, -e: 1. *Vorkommnis, Geschehen, das großes Ärgernis und Aufsehen erregt:* durch sein unvorsichtiges Verhalten kam es zu einem S.; sie wollen einen S. vermeiden. * **das ist ja ein S.!** *(das ist ja unerhört!);* **einen S. machen** *(heftig schimpfen):* als er sah, daß man seinen Koffer geöffnet hatte, machte er einen großen S.

skandalös ⟨Adj.⟩: *Empörung hervorrufend, unglaublich, unerhört:* die Behandlung hier ist s.; in dieser Familie herrschen skandalöse Verhältnisse.

skandieren, skandierte, hat skandiert ⟨tr.⟩: *mit besonderer Betonung der Hebungen und ohne Rücksicht auf den Sinn (Verse) lesen, vortragen:* der Lehrer skandierte die Verse, um den Schülern das Versmaß zu verdeutlichen.

Skat, der; -s, -s und -e: **a)** ⟨ohne Plural⟩ /ein Kartenspiel, an dem drei Personen teilnehmen/: S. spielen. **b)** *die beiden verdeckt liegenden Karten bei dem gleichnamigen Kartenspiel.*

Skelett, das; -[e]s, -e: *innerer, aus Knochen gebildeter Aufbau des Körpers* /beim Menschen und bei bestimmten Tieren/ (siehe Bild): sie betrachteten

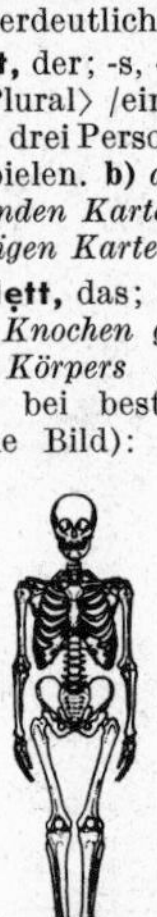

Skelett

im Unterricht das S. eines Pferdes. * **zum S. abmagern** *(sehr mager werden):* während seiner Krankheit ist er zum S. abgemagert.

Skẹpsis, die; -: *von Zweifel und Mißtrauen getragene Bedenken:* dem neuen Vorschlag begegnete er mit äußerster S.

Skẹptiker, der; -s, -: *skeptischer Mensch:* dieser S. bezweifelt alles.

skẹptisch ⟨Adj.⟩: *zweifelnd; mißtrauisch:* er machte ein skeptisches Gesicht; s. betrachtete er den Himmel.

Skẹtch, der; -[es], -e[s] und -s: *kurze satirische Szene* /im Kabarett o. ä./: sie spielten einen S.

Skị, der; -s, -er: *Schi.*

Skịzze, die; -, -n: **1.** *mit wenigen Strichen ausgeführte Zeichnung [die als Entwurf dient]:* er machte eine S. von dem Gebäude. **2.** *Aufzeichnung in Stichworten:* für den zweiten Teil seines Romans hatte er nur Skizzen hinterlassen.

skịzzenhaft ⟨Adj.⟩: **a)** *einer Skizze ähnlich, in der Ausführung noch nicht oder wenig ausgefeilt:* seine Bilder wirken noch recht s. **b)** *schnell und flüchtig entworfen oder formuliert; grob umrissen, nur das Wesentliche hervorkehrend:* eine skizzenhafte Darstellung, Schilderung der Vorgänge.

skizzieren, skizzierte, hat skizziert ⟨tr.⟩: **1.** *mit wenigen Strichen zeichnen; eine Skizze anfertigen:* unterwegs skizzierte er mehrere Gebäude. **2. a)** *in großen Zügen darstellen; umreißen:* er skizzierte den Inhalt des Buches. **b)** *entwerfen:* er skizzierte den Text für seine Ansprache.

Sklave, der; -n, -n: *Mensch ohne Rechte und ohne persönliche Freiheit, der einem anderen als Eigentum gehört:* viele Neger wurden als Sklaven verkauft; bildl.: die Maschine hat die Menschen zu ihrem Sklaven gemacht; er ist ein S. seiner Arbeit *(seine Arbeit nimmt ihn bis zum äußersten in Anspruch).*

Sklaverei, die; - (hist.): *vollständige Abhängigkeit der Sklaven von ihrem Herrn:* die Neger wurden aus der S. befreit; bildl.: die Arbeit in diesem Betrieb ist für ihn die reinste S.

sklavisch ⟨Adj.⟩: **a)** *blind und ohne eigenen Willen [gehorchend]; unterwürfig:* in sklavischem Gehorsam. **b)** *genau und ohne abzuweichen, auch wenn es unvernünftig ist:* sich s. an eine Vorschrift halten.

Skọnto, der und das; -s, -s: *Nachlaß des Preises bei Barzahlung:* er bekam drei Prozent S.

Skorpion, der; -s, -e: /ein Tier/ (siehe Bild).

Skorpion

Skrupel, die ⟨Plural⟩: *Bedenken, Zweifel:* er hatte keine S., Geld aus der Kasse zu nehmen.

skrupellos ⟨Adj.⟩: *ohne Bedenken; gewissenlos:* ein skrupelloser Verbrecher; er hat s. gehandelt. **Skrupellosigkeit,** die; -, -en.

Skulptur, die; -, -en: *künstlerische Darstellung aus Stein, Holz oder Metall; Plastik.*

skurril ⟨Adj.⟩: *eigenwillig und bizarr:* er hat skurrile Einfälle, Ideen.

Slalom, der; -s, -s: *Fahrt mit den Schiern oder mit einem Kanu auf einem durch Stangen markierten Kurs, der viele scharfe Kurven hintereinander aufweist* (siehe Bild): im S. ist er immer der Beste; bildl.: das Umfahren der größten Schlaglöcher war der reinste S.

Slalom

Slang [slæŋ], der; -s, -s: *Umgangssprache mit derbem oder vulgärem Anstrich; Jargon:* er spricht einen fürchterlichen S.

Slịbowitz, der; -[es], -e: *[aus Jugoslawien stammender] aus Pflaumen hergestellter Schnaps.*

Slip

Slịp, der; -s, -s: /ein Kleidungsstück für Damen oder Herren/ (siehe Bild).

Slịpper, der; -s, -: **a)** *Schuh mit niedrigem Absatz, der nicht geschnürt wird:* er trägt gern S. **b)** (östr.) *leichter sportlicher Mantel für Herren.*

Slogan [auch: 'sloʊgən], der; -s, -s: *[in der Werbung verwendeter] Spruch; Schlagwort von momentaner Aktualität:* der neueste S. dieser Firma hat eine große Wirkung.

Slums [slams], die ⟨Plural⟩: *verwahrlostes Viertel; Teil einer Stadt, in dem viel Not und Elend herrscht:* er kommt aus den S. dieser Stadt.

Smaragd, der; -[e]s, -e: /ein grüner Edelstein/: ein Ring mit einem großen S.

smart ⟨Adj.⟩: **a)** *[weltmännisch] gewandt und durchtrieben:* er ist ein smarter Junge. **b)** *hübsch, schick* /von der Kleidung/: ein smartes Kostüm.

Smoking, der; -s, -s: *[schwarzer] Anzug mit seidenen Aufschlägen, der bei festlichen Anlässen getragen wird:* beim Diner trugen die Herren einen S.

Snọb, der; -s, -s (abwertend): *jmd., der sich gern extravagant gibt und glaubt, auf Grund eines entsprechenden Äußeren oder ausgefallener Interessen bes. vornehm oder intellektuell zu wirken:* diese Ausführung ist gerade das richtige für Snobs.

Snobịsmus, der; -, Snobismen: **a)** ⟨ohne Plural⟩ *für den Snob typische Art, sich nur für Dinge zu interessieren, die ihm extravagant genug erscheinen und von denen er glaubt, daß sie ihm einen vornehmen oder intellektuellen Anstrich geben:* ein in bestimmten Kreisen herrschender S. **b)** *einzelne, für einen Snob typische Eigenschaft:* seine Vorliebe für Antiquitäten betrachte ich als reinen S.

snobịstisch ⟨Adj.⟩: *von Snobismus geprägt, typisch für Snobs:* eine snobistische Einstellung zur Schau tragen.

so: I. ⟨Adverb⟩: **a)** /alleinstehend; als Frage, die Verwunderung oder Erstaunen ausdrückt oder als abschließende Bemerkung/: ich werde nächste Woche verreisen. So *(wirklich)?;* so *(endlich),* diese Arbeit wäre geschafft. **b)** *in dieser Weise:* so kannst du das nicht machen; so ist es nicht gewesen; er spricht so *(in einer Art)*, daß ihn jeder verstehen kann. * **so oder so** *(in jedem Fall):* er muß das Geld so oder so zurückzahlen. **c)** *in solchem Grade; sehr:* er konnte nicht kommen, weil er so erkältet war; die Arbeit war nicht so schwer. **d)** (ugs.) *ungefähr, etwa:* er wird so um zwei Uhr hier ankommen. **e)** *nun:* so hör doch endlich! **II.** ⟨Pron.⟩ *solch:* so ein Unglück; bei so einem Wetter wird er nicht kommen. **III.** /in bestimmten Verbindungen/: **1.** so ... wie /dient dem Vergleich/: du mußt so schnell wie möglich kommen; er ist so groß wie sein Bruder. **2.** so ... daß, so daß /drückt eine Folge aus/: er kam so spät, daß der Zug schon fort war; er war sehr krank, so daß er nicht kommen konnte.

sobald ⟨Konj.⟩: *sofort wenn; sogleich wenn* /drückt aus, daß etwas unmittelbar im Anschluß an etwas anderes geschieht/: er will anrufen, s. er zu Hause angekommen ist.

Socke, die; -, -n: *kurzer Strumpf (der nicht bis zum Knie reicht)* (siehe Bild): sie kauft Socken für ihren Mann. * (ugs.) **sich auf die Socken machen** *(schnell aufbrechen):* wenn wir rechtzeitig zu Hause sein wollen, müssen wir uns auf die Socken machen.

Socke

Sockel, der; -s, -: **1.** *unterer Teil der Mauern eines Gebäudes bis zu einer bestimmten Höhe*

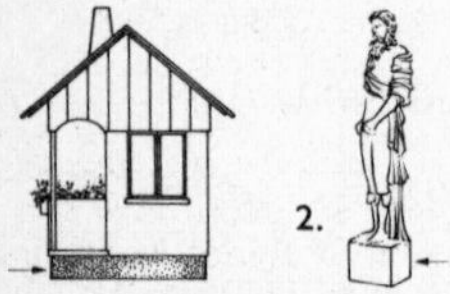

1. 2.

Sockel

über dem Boden (siehe Bild). **2.** *Block aus Stein o. ä., auf dem eine Säule ruht, eine Statue o. ä. steht* (siehe Bild).

Socken, der; -s, -: *Socke.*

Sodbrennen, das; -s: *von aufsteigender Magensäure hervorgerufenes Brennen im Hals und in der Speiseröhre:* S. haben.

Sodomie, die; -: *Unzucht mit Tieren:* er wurde wegen S. verurteilt.

soeben ⟨Abverb⟩: *gerade; in diesem Augenblick:* s. kam die Nachricht, daß er gut angekommen ist.

Sofa, das; -s, -s: *gepolsterte Sitzgelegenheit mit Arm- und Rückenlehne, auf der mehrere Personen sitzen können* (siehe Bild).

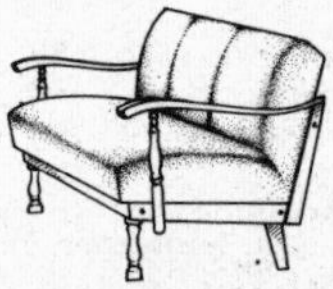

Sofa

sofern ⟨Konj.⟩: *wenn, falls; vorausgesetzt, daß:* wir werden kommen, s. es euch paßt.

sofort ⟨Adverb⟩: *gleich, unverzüglich; auf der Stelle:* der Arzt muß s. kommen.

sofortig ⟨Adj.; nur attributiv⟩: *sofort stattfindend oder geschehend:* sie beschlossen ihre sofortige Abreise.

Sog, der; -[e]s: *saugende Kraft oder Strömung* /von Wasser und Luft/: der S. des Wassers riß das Boot fort; bildl.: er geriet in den S. *(Einflußbereich)* der Großstadt.

sogar ⟨Adverb⟩: *in unerwarteter Weise; auch, überdies* /drückt Erstaunen über etwas Unerwartetes aus/: er hat uns eingeladen und hat uns s. mit dem Auto abgeholt; s. *(selbst)* an Wochentagen findet man dort einen Parkplatz.

sogenannt ⟨Adj.; nur attributiv⟩: *[zu Unrecht] allgemein so bezeichnet:* er ist ein sogenanntes Wunderkind *(das, was man unter einem Wunderkind versteht)*; seine sogenannten Freunde haben ihm im Stich gelassen.

sogleich ⟨Adverb⟩: *sofort:* als die Gäste ankamen, wurden sie s. in ihre Zimmer geführt.

Sohle, die; -, -n: **1.** *untere Fläche des Fußes* (siehe Bild): er hat Blasen an den Sohlen. **2.** *Teil des Schuhs* (siehe Bild): seine Schuhe haben Sohlen aus Gummi. **3.** *Boden eines Tales oder Flusses* (siehe Bild): die S. des Tales ist mehrere Kilometer breit.

1. 2. 3.

Sohle

Sohn, der; -[e]s, Söhne: *unmittelbarer männlicher Nachkomme:* die Familie hat 4 Söhne und zwei Töchter.

soigniert [zoan'ji:rt] ⟨Adj.⟩ (geh.): *gepflegt und seriös:* ein soignierter Herr; er wirkt sehr s.

Soiree [zoa're:], die; -, -n (geh.): *vornehme, an einem Abend stattfindende festliche Veranstaltung, Gesellschaft, an der nur ein bestimmter Kreis von Personen teilnimmt:* zu Ehren des hohen Gastes veranstaltete der Bürgermeister der Stadt eine S.

solang[e] ⟨Konj.⟩ /drückt eine näher bestimmte Dauer aus/: **a)** *für die Dauer; während:* s. du Fieber hast, mußt du im Bett bleiben; er blieb, s. das Lokal geöffnet war. **b)** /nur verneint mit konditionaler Nebenbedeutung/: s. du nicht alles aufgegessen hast, darfst du nicht vom Tisch aufstehen.

solcher, solche, solches ⟨Demonstrativpronomen⟩ /weist nachdrücklich auf eine Beschaffenheit, einen Grad hin/: ich habe solchen Hunger; mit solcher Heftigkeit; solches Wetter habe ich noch nicht erlebt; /unflektiert/ **solch** ⟨Singular⟩: solch [herrliches] Wetter hatten wir damals nicht.

Sold, der; -[e]s: *Lohn (eines Soldaten):* die Soldaten wurden auf halben Sold gesetzt. * (geh.; abwertend) **in jmds. S. stehen** *(in jmds. Dienst stehen, für jmdn. anrüchige Dienste verrichten).*

Soldat, der; -en, -en: *Angehöriger der Streitkräfte eines Landes:* die Soldaten bekamen Urlaub.

soldatisch ⟨Adj.⟩: *kennzeichnend für einen [richtigen, strammen] Soldaten; einem Soldaten entsprechend:* eine soldatische Haltung; s. grüßen.

Söldner, der; -s, -: *Soldat, der von einem bestimmten Land angeworben wird und gegen Sold in einem Krieg für dieses Land kämpft:* das Heer besteht zum großen Teil aus Söldnern.

Sole, die; -, -n: *Lösung aus Salz und Wasser:* die S. wird in die Saline geleitet.

solenn <Adj.> (geh.): *feierlich, festlich:* ein solennes Mahl.

solidarisch <Adj.>: *gemeinsam; in Übereinstimmung (mit anderen):* eine solidarische Handlung; er fühlt sich s. mit seinen Kameraden.

solidarisieren, sich; solidarisierte sich, hat sich solidarisiert: *sich solidarisch erklären:* die Partei solidarisierte sich mit der Opposition.

Solidarität, die; -: *völlige Übereinstimmung, Einigkeit (mit jmdm.); unbedingtes Zusammenhalten auf Grund gleicher Anschauungen und Ziele:* die S. mit anderen Völkern.

solide <Adj.>: **1.** *haltbar; gut gemacht:* die Schuhe sind s. gearbeitet. **2. a)** *zuverlässig:* eine solide Firma; ein solider Mensch. **b)** *maßvoll (in seiner Lebensweise); nicht ausschweifend:* er lebt sehr s.; seit einiger Zeit ist er ganz s. geworden.

Solist, der; -en, -en: *Musiker oder Sänger, der alleine auftritt, meist von einem Orchester o. ä. begleitet:* der S. des Abends war krank geworden.

Soll: <in der Fügung> das/sein S. erfüllen: *das bestimmte geforderte Maß an Arbeit schaffen, ausführen:* er hat heute sein S. nicht erfüllen können.

sollen, sollte, hat gesollt/(nach vorangehendem Infinitiv) hat ... sollen <itr.>: **1.** /drückt einen Auftrag, Wunsch oder Befehl aus/ **a)** *beauftragt, verpflichtet sein:* ich soll dir sagen, daß du um 5 Uhr kommen kannst. **b)** *müssen, dürfen, mögen:* er soll *(muß)* sofort nach Hause kommen; du sollst *(darfst)* das nicht tun; er sagte, ich solle *(möge)* nicht auf ihn warten. **2.** <im 2. Konjunktiv> *eigentlich müssen:* das solltest du wissen; er sollte sich schämen. **3.** <im 2. Konjunktiv> *im Falle, daß:* sollte es regnen, dann bleiben wir zu Hause. **4.** <im 2. Konjunktiv> *ist das wirklich so?:* sollte das wahr sein? *(ist das wirklich wahr?)*; sollte er recht haben? *(sollte es wirklich so sein, daß er recht hat?)*. **5.** *wie man sagt:* das Konzert soll sehr schön gewesen sein; laut Wetterbericht soll es heute regnen.

Söller, der; -s, -: /eine Art Balkon/ (siehe Bild).

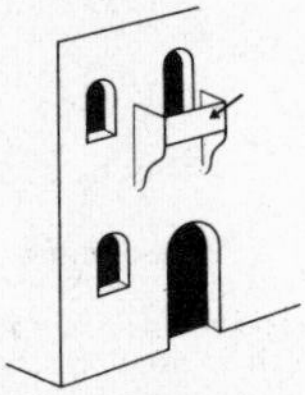

Söller

solo <Adj.; nicht attributiv>: *allein, ohne Partner bei einer musikalische Darbietung:* s. singen, spielen; (ugs.) diesmal bin ich s. *(ohne Begleitung)*.

Solo, das; -s, -s und Soli: **a)** *allein von einer Person vorgetragene, gesungene, auf einem bestimmten Instrument gespielte oder getanzte Partie (innerhalb eines Chores, eines Orchesters oder eines Balletts):* das S. singen, spielen, tanzen. **b)** Sport *längeres, äußerst geschicktes Manöver, durch das ein einzelner Spieler mit dem Ball zum gegnerischen Tor vordringt:* durch ein schönes S. brachte der Stürmer den Ball bis knapp vor das Tor. **c)** Kartenspiel *Spiel, bei dem ein einzelner gegen mehrere Gegner spielt:* ein S. gewinnen.

somit <Adverb>: *also, folglich:* er war bei dem Vorfall nicht anwesend, s. konnte er nicht darüber berichten.

Sommer, der; -s, -: *Jahreszeit zwischen Frühling und Herbst* /im Kalender festgelegt auf die Zeit vom 21. Juni bis 22. September/.

Sommerfrische, die; -, -n: **a)** <ohne Plural> *Urlaub, Erholung im Sommer an einem dafür geeigneten Ort:* S. machen; auf S. sein. **b)** *Ort in einer schönen Landschaft, der im Sommer gern von Leuten besucht wird, die sich in ihrem Urlaub erholen wollen:* in Österreich gibt es viele reizvolle Sommerfrischen.

sommerlich <Adj.>: *wie im Sommer:* es herrschte sommerliches Wetter; sie trug ein sommerliches *(leichtes)* Kleid.

Sommerschlußverkauf, der; -[e]s, Sommerschlußverkäufe: *Schlußverkauf am Ende des Sommers:* sie kaufte sich im S. ein Kleid.

Sommersprossen, die <Plural>: *kleine braune Flecken in der Haut, bes. des Gesichtes, die durch Einwirkung der Sonne hervorgerufen werden:* sie hat viele S.

Sonate, die; -, -n: *aus drei oder vier Sätzen bestehendes Musikstück:* eine S. spielen.

Sonde, die; -, -n: **1.** *Gerät, mit dem bestimmte Untersuchungen ausgeführt werden* /z. B. in der Medizin/ (siehe Bild): der

Sonde 1.

Magen wurde mit Hilfe einer S. untersucht. **2.** *Flugkörper mit Meßgeräten:* die S. ist in eine Umlaufbahn um den Mars eingeschwenkt.

Sonderangebot, das; -[e]s, -e: **a)** <ohne Plural> *günstiges, nur auf kurze Zeit beschränktes Angebot einer Ware:* diesmal ist billiger Zucker im S. **b)** *Ware, die nur kurzfristig zu einem bes. günstigen Preis angeboten wird:* die Sonderangebote der Woche.

Sonderausgabe, die; -, -n: **a)** *zusätzliche Ausgabe [die von der Steuer abgesetzt werden kann]:* meine Sonderausgaben betragen in diesem Jahr 2000 Mark. **b)** *Ausgabe eines Buches, einer Zeitung o. ä. in besonderer Aufmachung auf Grund eines bestimmten Anlasses:* die S. der Zeitschrift anläßlich des 60. Geburtstages des Präsidenten ist reich bebildert.

sonderbar <Adj.>: *so beschaffen, daß es Verwunderung hervorruft; seltsam, eigenartig:* er ist ein sonderbarer Mensch; sein Benehmen war s.

sondergleichen <Adverb>: *ohnegleichen:* es herrschte ein Durcheinander s.

sonderlich <Adj.; verneint gebraucht>: **a)** *besonders groß:* diese Arbeit macht ihm keine sonderliche Freude. **b)** <verstärkend bei Adjektiven und Verben> *besonders, sehr:* er hat sich nicht s. gefreut; dieses Haus ist nicht s. schön.

Sọnderling, der; -s, -e: *jmd., der durch sein sonderbares Wesen, durch ausgeprägte Eigenarten auffällt:* er ist ein S., der am liebsten alleine lebt.

sọndern ⟨Konj.; steht nach einem verneinten Satzglied⟩: *vielmehr* /drückt aus, daß sich etwas anders verhält, als zuvor angenommen wurde/: er kommt nicht heute, s. morgen. * **nicht nur ..., s. auch** *(außerdem, dazu, und):* nicht nur die Kinder, s. auch die Eltern waren krank geworden.

Sọnderschule, die; -, -n: *besondere Schule für körperlich oder geistig behinderte Kinder:* er ist auf einer S.

Sọnderstellung, die; -, -en: *besondere, von dem Üblichen, Normalen abweichende Stellung:* als Ausländer hat er eine S. unter den Kollegen.

Sọnderzug, der; -[e]s, Sonderzüge: *Zug (der Eisenbahn), der für besondere Fahrten eingesetzt wird:* der Präsident des Landes reiste mit einem S.; zu Beginn der Ferien wurden Sonderzüge eingesetzt.

sondieren, sondierte, hat sondiert ⟨tr.⟩: *vorsichtig erkunden:* man hatte ihn beauftragt, die Lage zu s.; ⟨auch itr.⟩ er kam, um zu s. *(zu erfahren)*, wie die Stimmung der Wähler sei.

Sọnnabend, der; -s, -e (bes. nordd.): *siebenter Tag der Woche; Samstag.*

Sọnne, die; -: **1.** *Himmelskörper, der der Erde Licht und Wärme spendet:* die S. war hinter den Wolken verborgen; die S. ist aufgegangen. **2.** *Licht und Wärme der Sonne; Sonnenschein:* er hat sich auf dem Balkon in die S. gelegt *(sonnt sich)*; er kann keine S. vertragen; diese Pflanzen brauchen viel S.

sọnnen, sonnte, hat gesonnt ⟨rfl.⟩: *sich der Sonne aussetzen; ein Sonnenbad nehmen:* er setzte sich auf den Balkon und sonnte sich; bildl.: er sonnt sich in seinem Ruhm *(er genießt es, berühmt zu sein)*.

Sọnnenaufgang, der; -s, Sonnenaufgänge: *das Erscheinen der Sonne über dem Horizont am Morgen:* bei S. brachen sie zu ihrer Wanderung auf.

Sọnnenbad, das; -[e]s, Sonnenbäder: *Aufenthalt im Freien, bei dem man sich sonnt:* er benutzte die Pause zu einem S.

Sọnnenblume, die; -, -n: *hoch wachsende Pflanze mit gelber Blüte* (siehe Bild).

Sonnenblume

Sọnnenbrand, der; -[e]s: *durch zu starke Einwirkung der Sonne hervorgerufene Entzündung der Haut:* er hat so lange in der Sonne gelegen, daß er jetzt einen S. hat.

Sọnnenbrille, die; -, -n: *Brille mit dunklen Gläsern zum Schutz der Augen bei Sonne:* er trug immer eine S.

Sọnnenschein, der; -[e]s: *Strahlen der Sonne:* sie gingen bei S. und Regen spazieren.

Sọnnenschirm, der; -s, -e: *großer [bunter] Schirm, den man zum Schutz gegen die Sonne aufstellt:* sie saßen im Garten unter einem S.

Sọnnenuhr, die; -, -en: *einfache Vorrichtung, mit der auf Grund des Sonnenstandes die Zeit angezeigt werden kann* (siehe Bild): an der Wand des Hauses ist eine S. angebracht.

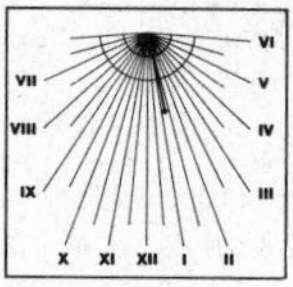

Sonnenuhr

Sọnnenuntergang, der; -[e]s, Sonnenuntergänge: *das Verschwinden der Sonne unter dem Horizont am Abend:* sie erlebten einen herrlichen S. am Meer.

sọnnig ⟨Adj.⟩: **a)** ⟨nicht adverbial⟩: *von Sonnenschein erfüllt; mit Sonnenschein:* ein sonniges Zimmer; ein sonniger Tag; das Wetter war s. **b)** *heiter:* ein sonniges Gemüt.

Sọnntag, der; -s, -e: *erster Tag der Woche.*

sọnntäglich ⟨Adj.⟩: *so, wie es an Sonntagen üblich ist; festlich:* alle waren s. gekleidet.

Sọnntagsfahrer, der; -s, - (abwertend): *Autofahrer, der meist nur am Sonntag fährt und daher wenig Übung hat:* am gefährlichsten im Verkehr findet er die S.

Sọnntagskind, das; -[e]s, -er: **a)** *an einem Sonntag geborenes Kind.* **b)** *jmd., der in seinem Leben viel Glück hat:* sie war schon immer ein S.

sonor ⟨Adj.⟩: *tief und klangvoll* /von einer Männerstimme/: seine Stimme klingt sehr s.

sọnst ⟨Adverb⟩: **a)** *andernfalls; im anderen Falle:* er bat um Hilfe, weil er s. nicht rechtzeitig fertig wird; er bat dringend, daß man ihm helfen solle, s. werde er nicht rechtzeitig fertig. **b)** *außerdem:* haben Sie s. noch eine Frage?; es war s. niemand im Hause. **c)** *in anderen Fällen:* er hat sich s. immer bei uns verabschiedet; hier ist noch alles wie s. *(wie immer)*. **d)** *anderes:* was willst du s. machen. **e)** *im allgemeinen; für gewöhnlich:* er ist s. viel freundlicher.

sọnstig ⟨Adj.; nur attributiv⟩: **a)** *(nicht näher bestimmte[s]) andere[s]:* Bücher und sonstiges Eigentum. **b)** *übrig:* das paßt nicht zu seinen sonstigen Gewohnheiten.

sooft ⟨Konj.⟩: *immer wenn:* du kannst kommen, s. du willst.

Sophịst, der; -en, -en (geh.; abwertend): *jmd., der spitzfindig Worte verdreht und damit zu argumentieren sucht.*

Sophịstik, die; - (geh.; abwertend): *Methode zu argumentieren, bei der spitzfindig Worte verdreht werden.*

sophịstisch ⟨Adj.⟩ (geh.; abwertend): *einem Sophisten gemäß; spitzfindig:* ein sophistischer Trick.

Sopran, der; -s, -e: **1.** *Stimme in hoher Lage* /von einer Sängerin, einem Knaben/: sie hat einen schönen S.; sie singt S. **2.** *Sängerin, Knabe mit einer Stimme in hoher Lage:* sie ist ein guter S.

Sọrge, die; -, -n: **1.** *bedrückendes Gefühl der Unruhe und Angst; Besorgnis:* er hat seit einiger Zeit große Sorgen; die S. um ihr krankes Kind machte sie traurig; wir machen uns Sorgen um unsere Zukunft; deine S. *(Angst)* war unnötig; ich habe keine S. *(keine Bedenken, Zweifel)*, daß er das Examen besteht. * **um jmdn./etwas in S. sein** *(um jmdn./etwas Angst haben)*: sie war sehr in S. um den Patienten. **2.** ⟨ohne Plural⟩ *Fürsorge:* die S. für ihre Familie forderte alle ihre Kräfte. * **für etwas S. tragen** *(für etwas sorgen; sich um etwas kümmern)*: er will dafür S. tragen, daß alle eine gute Unterkunft bekommen.

sorgen, sorgte, hat gesorgt ⟨itr.⟩: **a)** *sich kümmern (um jmdn./etwas); (jmdn./etwas) betreuen:* sie sorgt gut für ihre Familie. **b)** *sich bemühen (um etwas)*: er sorgte für eine gute Erziehung seiner Kinder; du mußt endlich für Ruhe sorgen.

Sorgenkind, das; -[e]s, -er: *Kind, das seinen Eltern viel Sorgen bereitet:* Karl ist das S. der Familie; bildl.: die vielen baufälligen Häuser sind das S. der Gemeinde.

sorgenlos ⟨Adj.⟩: *frei von Sorgen:* er ist, lebt völlig s.

sorgenvoll ⟨Adj.⟩: *von Sorgen erfüllt; bedrückt:* ein sorgenvolles Gesicht machen.

Sorgfalt, die; -: *Genauigkeit, Gewissenhaftigkeit; Behutsamkeit:* er arbeitet mit großer S.; er behandelte die Bücher mit S.

sorgfältig ⟨Adj.⟩: *mit großer Sorgfalt; genau, exakt:* er ist ein sorgfältiger Mensch; er arbeitet sehr s.; sie legten die Kleidungsstücke s. in den Schrank. **Sorgfältigkeit,** die; -.

sorglich ⟨Adj.; nicht prädikativ⟩: *sorgsam:* mit seinen Büchern geht er nicht sehr s. um.

sorglos ⟨Adj.⟩: **a)** *ohne Sorgfalt; unachtsam:* er geht sehr s. mit den kostbaren Gegenständen um. **b)** *sich keine Sorgen machend; unbekümmert:* er führt ein sorgloses Leben. **Sorglosigkeit,** die; -.

sorgsam ⟨Adj.; nicht prädikativ⟩: *sorgfältig [und behutsam]:* eine sorgsame Betreuung des Kranken; er geht sehr s. mit seinen Sachen um. **Sorgsamkeit,** die; -.

Sorte, die; -, -n: *bestimmte Art, Qualität* /bes. von Waren/: viele Sorten Äpfel wurden angeboten; eine besonders milde S. von Zigaretten; (abwertend) diese S. Menschen findet man überall.

sortieren, sortierte, hat sortiert ⟨tr.⟩: *(Dinge) nach ihrer Zusammengehörigkeit o. ä. ordnen:* sie sortierte die Wäsche und legte sie in den Schrank.

Sortiment, das; -s, -e: *Gesamtheit oder eine bestimmte Auswahl von Waren, die [in einem Geschäft] zur Verfügung stehen:* bei uns gibt es ein reiches S. an Gläsern und Tassen.

sosehr ⟨Konj.⟩: *wie sehr auch:* s. er sich auch bemühte, er kam zu spät.

soso ⟨Interj.⟩ /drückt ein [leicht skeptisches] Erstaunen aus/: s., du warst also gestern krank. ** (ugs.) **jmdm. geht es s.** *(jmdm. geht es nicht übermäßig gut, aber erträglich)*; (ugs.) **mit jmdm./etwas steht es s.** *(mit jmdm./etwas steht es eher schlecht als gut, aber doch noch erträglich)*.

Soße, die; -, -n: *flüssige Beigabe zu bestimmten Speisen:* zu Braten und Klößen gab es eine herrliche S.

Soubrette [zu'brɛtə], die; -, -n: *Sängerin, die Sopran singt und in Oper, Operette oder Kabarett heitere Rollen spielt:* eine bekannte S. wurde an unser Theater verpflichtet.

Souffleur [zu'flø:r], der; -s, -e: *Angestellter an einem Theater, der den Schauspielern souffliert:* bei ihm mußte der S. mehrere Male aushelfen.

soufflieren [zu'fli:rən], soufflierte, hat souffliert ⟨tr./itr.⟩: *(einem Schauspieler) leise vorsagen, zuflüstern, damit er in seiner Rolle nicht steckenbleibt:* die wichtigsten Stellen des Stückes mußte er dem Schauspieler s.; er souffliert schon zehn Jahre an diesem Theater; bildl.: ich soufflierte meinem Freund einige Antworten auf die heiklen Fragen.

soundso ⟨Adverb⟩: **a)** ⟨nachgestellt⟩ *dessen/deren Nummer, Namen, Bezeichnung ich im Moment nicht nennen will oder kann:* nach Paragraph s.; ein Herr S. behauptete das. **b)** *von einer bestimmten Art, in einer bestimmten Weise, die ich im Moment nicht näher beschreiben will oder kann:* er meinte, wir sollten es s. machen; nehmen wir an, das Haus wäre s. lang und s. breit.

Souper [zu'pe:], das; -s, -s (geh.): *Abendessen in einem festlichen oder vornehmen Rahmen:* wir sind heute zu einem S. geladen.

soupieren [zu'pi:rən], soupierte, hat soupiert ⟨itr.⟩ (geh.): *in einem festlichen oder vornehmen Rahmen zu Abend essen:* wir soupieren heute beim Minister.

Soutane [zu'ta:nə], die; -, -n: *langes, enges, bis zu den Knöcheln reichendes Gewand der katholischen Geistlichen* (siehe Bild).

Soutane

Souterrain [zutɛ'rɛ̃:, auch: 'zu...), das; -s, -s: *[halb] unter der Erde liegendes Geschoß eines Gebäudes*: das Lager befindet sich im S.

Souvenir [zuvə'ni:r], das; -s, -s: *Gegenstand, den man als Erinnerung von einer Reise mitbringt:* er brachte sich einen Aschenbecher als S. mit.

souverän [zuvə'rɛ:n] ⟨Adj.⟩: **1.** *selbständig, unabhängig:* ein souveräner Staat. **2.** *überlegen und sicher:* eine souveräne Beherrschung der fremden Sprache; s. beantwortete er alle Fragen. **Souveränität,** die; -.

soviel: I. ⟨Konj.⟩ *in welch hohem Maße auch immer; wieviel auch immer:* s. ich auch arbeitete, ich wurde nie fertig; s. *(nach dem geurteilt, was)* ich sehe, wird es eine gute Ernte geben. **II.** ⟨Adverb⟩ *nicht weniger; in demselben Maße:* ich habe s. gearbeitet wie du; sein Wort bedeutet s. *(dasselbe)* wie ein Eid.

soweit: I. ⟨Konj. oder Adverb⟩ *insoweit.* **II.** ⟨Adverb⟩ *im Grunde, im allgemeinen:* es geht ihm s. gut; das ist s. alles in Ordnung. * **s. sein** *(einen bestimmten Punkt erreicht haben; fertig, bereit sein)*.

sowenig: I. ⟨Konj.⟩ *in welch geringem Maße auch immer; wiewenig auch immer:* s. ich auch arbeitete, ich war immer müde. * **sowenig ... sowenig** /drückt aus, daß so, wie etwas nicht ein- oder zutrifft, etwas anderes ebenfalls nicht ein- oder zutrifft/: s. er das erste Ziel ohne fremde Hilfe erreicht hätte, s. wäre er ohne fremde Hilfe ans zweite Ziel angekommen. **II.** ⟨Adverb⟩ *nicht mehr; in demselben geringen Maße:* ich bin s. dazu bereit wie du; er kann Englisch s. wie Französisch.

sowie ⟨Konj.⟩: **1.** *und [auch]:* kleine Flaggen und Fahnen s. Kerzen und Fackeln schmückten den Saal. **2.** *sobald:* s. sie ihn erblickte, lief sie davon.

sowieso ⟨Adverb⟩: *auf jeden Fall, ohnehin:* er hätte heute s. zu mir kommen müssen; das s.! *(das versteht sich von selbst!).*

sowohl: ⟨in der Verbindung⟩ sowohl ... als/wie [auch] /betont nachdrücklicher als *und* das gleichzeitige Vorhandensein, Tun o. ä./: er spricht sowohl Englisch als/wie [auch] Französisch.

sozial ⟨Adj.⟩: **a)** ⟨nur attributiv⟩ *die menschliche Gesellschaft betreffend; in der menschlichen Gesellschaft vorhanden:* er fordert soziale Gerechtigkeit; er kritisierte die primitiven sozialen Verhältnisse. **b)** ⟨nur attributiv⟩ *die gesellschaftliche Stellung betreffend:* das soziale Ansehen dieses Berufes ist gering. **c)** ⟨nur attributiv⟩ *der Allgemeinheit dienend:* ein sozialer Beruf; soziale Arbeit leisten. **d)** *auf das Wohl der Allgemeinheit bedacht:* ein soziales Verhalten; er denkt und handelt s.

Sozialismus, der; -: *im 19. Jahrhundert entstandene Bewegung, die im Gegensatz zum Kapitalismus wirtschaftliche und gesellschaftliche Gleichheit der Menschen anstrebt.*

Sozialist, der; -en, -en: *Anhänger des Sozialismus, Mitglied einer sozialistischen Partei.*

sozialistisch ⟨Adj.⟩: *dem Sozialismus verpflichtet, zu ihm gehörig, auf ihm beruhend:* die sozialistischen Parteien.

Sozialversicherung, die; -, -en: *staatliche Versicherung der Arbeitnehmer gegen Krankheit und Arbeitslosigkeit sowie für eine entsprechende Versorgung im Alter:* Beiträge für die S. zahlen.

Soziologe, der; -n, -n: *jmd., der Soziologie studiert [hat].*

Soziologie, die; -: *Wissenschaft, Lehre von den Formen des Zusammenlebens der Menschen und den Problemen, die sich daraus ergeben:* S. studieren.

Sozius, der; -, -se: **1.** *Teilhaber in einem Geschäft, Kompagnon.* **2. a)** (veraltend) *Beifahrer auf einem Motorrad oder Motorroller:* ich habe noch einen S. mitgenommen. **b)** *Sitz für den Beifahrer auf einem Motorrad oder Motorroller:* auf dem S. sitzen.

sozusagen ⟨Adverb⟩: *gewissermaßen; man könnte es so nennen:* er war s. das Vorbild für seine Geschwister.

Spachtel, der; -s, - und die; -, -n: *Werkzeug, mit dem man Beläge von Oberflächen entfernt oder zum Glätten von Unebenheiten Massen auf Oberflächen aufträgt* (siehe Bild): mit einer Spachtel die alte Farbe entfernen.

Spachtel 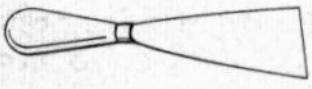

Spagat, der; -s, -e: **I.** /eine Figur in der Gymnastik oder beim Ballett/ (siehe Bild). **II.** (südd.; östr.) *Bindfaden.*

Spagat I.

Spaghetti, die ⟨Plural⟩: *lange, dünne Nudeln:* mit Gabel und Löffel S. essen.

spähen, spähte, hat gespäht ⟨itr.⟩: *forschend blicken, ausschauen:* die Kinder spähten aus dem Fenster, um zu sehen, was auf der Straße geschah; ⟨häufig im 1. Partizip⟩ er blickte spähend in die Ferne.

Spalier, das; -s, -e: **1.** *bei einem besonderen Anlaß aus zwei Reihen von Personen gebildete Gasse, durch die eine [geehrte] Person gehen muß:* ein S. bilden; durch ein S. von Neugierigen gehen. **2.** *Gitter, an dem man bes. Obstbäume in bestimmter Form hinaufwachsen läßt:* Kirschen sind für ein S. weniger geeignet.

Spalt, der; -[e]s, -e: *schmale, längliche Öffnung; schmaler Zwischenraum:* er guckte durch einen S. im Zaun; sie öffnete die Tür einen S. *(ein wenig).*

Spalte, die; -, -n: **1.** *Riß, Spalt in einem festen Material:* in den Mauern waren tiefe Spalten zu erkennen. **2.** *gedruckter oder geschriebener Text in Fom eines schmalen Streifens, von denen zwei oder mehrere eine Seite bilden:* die Seiten des Lexikons haben drei Spalten; der Artikel in der Zeitung war eine S. lang.

spalten, spaltete, hat gespalten und gespaltet: **a)** ⟨tr.⟩ *[mit einem Beil o. ä.] zerteilen:* er spaltet Holz, das er im Ofen verbrennen will; ⟨häufig im 2. Partizip⟩ ein vom Blitz gespaltener Baum. **b)** ⟨rfl.⟩ *sich trennen:* die Partei hat sich in zwei Gruppen gespalten. **Spaltung,** die; -, -en.

Span, der; -[e]s, Späne: *beim Bearbeiten von Holz, Metall o. ä. entstehende kleine Splitter:* auf dem Boden der Werkstatt lagen viele Späne.

Spanferkel, das; -s, -: *junges Ferkel, das noch gesäugt wird und gebraten als Delikatesse gilt.*

Spange, die; -, -n: **a)** *[als Schmuck] im Haar getragene Klammer* (siehe Bild). **b)** *zum Zusammenhalten von Kleidungsstücken dienende Nadel mit Verschluß* (siehe Bild).

a) b)

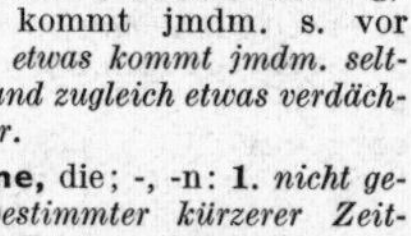

Spange

spanisch: ⟨in der Wendung⟩ etwas kommt jmdm. s. vor (ugs.): *etwas kommt jmdm. seltsam [und zugleich etwas verdächtig] vor.*

Spanne, die; -, -n: **1.** *nicht genau bestimmter kürzerer Zeitraum; Frist:* es blieb ihm nur eine kurze S. des Glückes. **2.** *Abstand, Unterschied:* die S. zwischen den Preisen ist sehr groß.

spannen, spannte, hat gespannt /vgl. spannend, gespannt/: 1. ⟨tr.⟩ *zwischen zwei oder mehreren Punkten straff befestigen:* sie spannten ein Seil zwischen zwei Pfosten; der Maler spannt eine Leinwand auf den Rahmen. 2. ⟨tr.⟩ *ein Zugtier vor einem Wagen o. ä. festmachen; anspannen:* er spannte die Pferde vor den Wagen. 3. ⟨tr.⟩ *straff anziehen:* einen Bogen s. 4. ⟨itr.⟩ *sehr eng sein, etwas fest umschließen:* das Gummiband spannt; ihr Rock spannte über den Hüften. 5. ⟨rfl.⟩ *über etwas hinwegführen:* eine Brücke spannt sich über den Fluß.

spannend ⟨Adj.⟩: *große Spannung weckend; fesselnd, interessant:* eine spannende Geschichte; er erzählte sehr s.

Spannkraft, die; -: *Fähigkeit, großen geistigen oder körperlichen Anforderungen immer wieder aufs neue gerecht zu werden:* trotz seines Alters ist seine Spannkraft noch erstaunlich groß.

Spannung, die; -, -en: 1. ⟨ohne Plural⟩ **a)** *gespannte Erwartung, Ungeduld:* die S. unter den Zuschauern auf dem Fußballplatz wuchs; mit S. *(ungeduldig)* warteten sie auf das Ergebnis. **b)** *innere Anspannung, Erregung:* er befand sich in einem Zustand der S. 2. ⟨Plural⟩ *Unstimmigkeiten; Zustand der Gereiztheit oder der Uneinigkeit:* in der Partei herrschten große Spannungen.

spannungsgeladen ⟨Adj.⟩: *erregt, gereizt:* die Atmosphäre in der Versammlung war s.

Sparbuch, das; -[e]s, Sparbücher: *Buch, in das auf einer Sparkasse oder Bank die zum Sparen eingezahlten und die abgehobenen Summen eingetragen werden.*

Sparbüchse, die; -, -n: *kleines geschlossenes Gefäß mit einem Schlitz, durch den das Geld gesteckt wird, das man sparen will.*

sparen, sparte, hat gespart: 1. **a)** ⟨tr.⟩ *nicht verbrauchen; beiseite legen:* er hat [sich] in kurzer Zeit viel Geld gespart; bildl.: mit diesem Gerät kann man Zeit und Kräfte s. **b)** ⟨itr.⟩ *Geld (für einen bestimmten Zweck) zurücklegen:* er spart für ein Auto. **c)** ⟨itr.⟩ *sparsam sein; sparsam mit etwas umgehen:* sie spart sehr; sie spart am Fett beim Kochen; er sparte nicht mit Lob *(er lobte viel)*. 2. ⟨rfl.⟩ **a)** *unterlassen:* spar dir deine Bemerkung. **b)** *ersparen, vermeiden:* den Ärger, die Mühe hättest du dir s. können.

Spargel, der; -s, -: /eine eßbare Pflanze/ (siehe Bild).

Spargel

Sparkasse, die; -, -n: *Bank, die besonderen Wert auf das Sparen ihrer Kunden legt:* er hat ein Konto bei der S.

spärlich ⟨Adj.⟩: *gering, karg, kümmerlich:* eine spärliche Mahlzeit; sie waren nur s. *(wenig)* bekleidet.

Sparmaßnahme, die; -, -n: *Maßnahme, die getroffen wird, um an etwas zu sparen:* im Zuge größerer Sparmaßnahmen müssen Löhne und Gehälter gekürzt werden.

Sparring, das; -s: *Training eines Boxers im Ring mit einem Partner:* die beim S. getragenen schwereren Handschuhe sollen die Wirkung der Schläge mildern und die Gefahr von Verletzungen verringern.

sparsam ⟨Adj.⟩: *wenig verbrauchend; mit wenigem auskommend:* eine sparsame Hausfrau; sie leben sehr s.; bildl.: mit sparsamen *(wenigen)* Worten sprach er über seine Erlebnisse. * **etwas ist s. im Gebrauch** *(etwas reicht lange):* dieses Öl ist sehr s. im Gebrauch. **Sparsamkeit,** die; -.

Sparschwein, das; -[e]s, -e: *Sparbüchse in Form eines Schweines.*

spartanisch ⟨Adj.⟩: *von hartem Willen und strenger innerer Zucht zeugend; hart, streng, genügsam:* eine spartanische Erziehung, Einfachheit; bei uns geht es recht s. zu.

Sparte, die; -, -n: *Fachgebiet, Bereich:* er hat schon in verschiedenen Sparten der Wirtschaft gearbeitet.

Spaß, der; -es, Späße: 1. *Scherz; Handlung oder Äußerung, die andere erheitert:* die Kinder lachten über die Späße des Clowns. * **S./Späße machen** *(scherzen);* **etwas im S. sagen** *(etwas nicht ernst meinen);* **keinen S. verstehen** *(etwas zu ernst nehmen, leicht beleidigt sein, wenn man geneckt wird)*. 2. ⟨ohne Plural⟩ *Vergnügen; Befriedigung, Freude:* der S. mit dem neuen Spielzeug dauerte nur kurze Zeit; diese Arbeit macht ihm keinen S.

spaßen, spaßte, hat gespaßt ⟨itr.⟩: *scherzen; Scherze machen:* Sie spaßen wohl?; mit diesen gefährlichen Stoffen ist nicht zu s. *(muß man vorsichtig umgehen)*.

spaßeshalber ⟨Adverb⟩: *rein aus Vergnügen, nur zum Spaß [ohne ernstlich etwas erreichen oder bezwecken zu wollen]:* s. kaufte ich mir einmal diese Zeitung.

spaßig ⟨Adj.⟩: **a)** *lustig, Vergnügen bereitend:* er erzählte eine spaßige Geschichte. **b)** *seltsam, zum Lachen reizend:* er hatte einen spaßigen Namen.

Spaßvogel, der; -s, Spaßvögel (scherzh.): *jmd., der andere gern mit Späßen und lustigen Einfällen erheitert:* er ist ein richtiger S.

spät ⟨Adj.⟩: *am Ende eines bestimmten Zeitraums; zu vorgerückter Zeit:* am späten Abend; zu später Stunde; die späten *(aus seiner letzten Lebenszeit stammenden)* Werke des Dichters; er steht sehr s. auf.

Spatel, der; -s, - und die; -, -n: *in der Praxis eines Arztes oder in der Apotheke verwendetes schmales, flaches, einem Stab ähnliches Instrument aus Holz, Kunststoff o. ä.:* der Arzt drückte ihm mit einem S. die Zunge herunter.

Spaten, der, -s, -: *Gerät, mit dem der Boden umgegraben wird* (siehe Bild).

Spaten

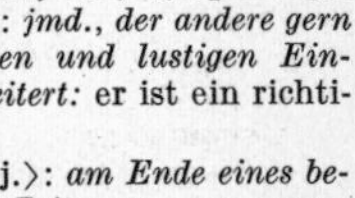

später: I. ⟨Adj.; nur attributiv⟩ *künftig, kommend:* spätere Generationen; in späteren Jahren ging es ihm sehr gut. II. ⟨Adverb⟩ **a)** *zu einem in der Zukunft liegenden Zeitpunkt:* s. wollen sie sich ein Haus bauen. **b)** ⟨in Verbindung mit einer Zeitangabe⟩ *nachher; danach:* drei Jahre s. war er tot.

spätestens ⟨Adverb⟩: *nicht nach (einem bestimmten Zeitpunkt); nicht später als:* er muß s. um 12 Uhr zu Hause sein.

Spatz, der; -en und -es, -en: **1.** *Sperling:* Spatzen lärmen vor dem Fenster; (ugs.) er ißt wie ein S. *(sehr wenig).* * (ugs.) **die Spatzen pfeifen es von allen Dächern** *(etwas, was geheim bleiben sollte, wird schon überall erzählt);* (ugs.) **mit Kanonen nach Spatzen schießen** *(mit unverhältnismäßig großen Mitteln gegen Kleinigkeiten angehen).* **2.** (fam.) *schmächtiges kleines Kind:* unser S. ißt zur Zeit recht wenig; /liebevolle Anrede/ na, du kleiner S.

Spätzle, die ⟨Plural⟩ (südwestd.): *häufig selbst hergestellte Teigwaren, die von einem Brett in kochendes Wasser geschabt werden:* zum Fleisch gibt es heute S.

spazieren, spazierte, ist spaziert ⟨itr.⟩: *langsam, ohne Eile [und ohne ein bestimmtes Ziel zu haben] gehen; schlendern:* er spazierte gemächlich durch die Straßen.

spazierenfahren, fährt spazieren, fuhr spazieren, ist spazierengefahren ⟨tr./itr.⟩: *aus Spaß und zur Erholung (mit jmdm./etwas) eine kleinere Fahrt machen:* am Sonntag sind wir mit dem neuen Auto spazierengefahren; das Baby s.

spazierengehen, ging spazieren, ist spazierengegangen ⟨itr.⟩: *sich zu seiner Erholung im Freien bewegen; umhergehen; einen Spaziergang machen:* er geht jeden Tag spazieren.

Spaziergang, der; -[e]s, Spaziergänge: *Gang im Freien (den man zu seiner Erholung unternimmt):* sie haben einen weiten S. gemacht.

Spaziergänger, der; -s, -: *jmd., der einen Spaziergang macht:* auf der Promenade trifft man viele S.

Spazierstock, der; -[e]s, Spazierstöcke: *auf Spaziergängen verwendeter Stock, der älteren oder gebrechlichen Menschen das Gehen erleichtert:* er stützte sich auf seinen S.

Specht, der; -[e]s, -e: /ein Vogel/ (siehe Bild).

Speck, der; -[e]s: **a)** *(bes. beim Schwein vorkommendes) viel Fett enthaltendes Gewebe, das als dicke Schicht unter der Haut sitzt:* das Schwein hat viel S. **b)** *aus dem Fettgewebe bes. des Schweines gewonnenes Nahrungsmittel:* zum Essen gab es Kartoffeln mit S.

Specht

speckig ⟨Adj.⟩: *vor Schmutz unappetitlich glänzend:* der Kragen seines Anzugs ist schon ganz s.

Speckseite, die; -, -n: *größeres Stück Speck vom Schwein:* er kaufte sich gleich eine ganze S. * (ugs.) **mit der Wurst nach der S. werfen** *(mit wenig viel erreichen, durch ein kleines Opfer einen großen Vorteil erringen wollen).*

Spediteur [ʃpedi'tø:r], der; -s, -e: *jmd., der gewerbsmäßig den Transport von Gütern übernimmt:* ein S. bewerkstelligte den ganzen Umzug.

Spedition, die; -, -en: **a)** ⟨ohne Plural⟩ *gewerbsmäßiges Verfrachten und Befördern von Gütern:* die Firma übernahm die S. bei unserer Übersiedlung. **b)** *Unternehmen, das gewerbsmäßig Güter verfrachtet und befördert:* er sucht für seine Übersiedlung eine preiswerte S.

Speech [spi:tʃ], der; -es, -e und -es (ugs.; scherzh.): *Rede, Gespräch:* macht doch nicht so einen langen S.!

Speer, der; -[e]s, -e: **a)** /eine Waffe/ (siehe Bild): die Eingeborenen töteten das Tier mit einem S. **b)** /ein Sportgerät/ (siehe Bild).

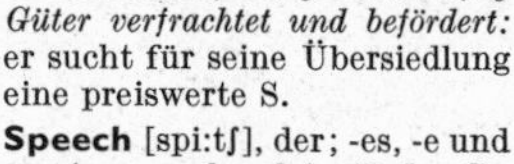

Speer

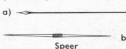

Speiche, die; -, -n: /Teil des Rades bei Fahrzeugen/ (siehe Bild).

Speiche

Speichel, der; -s: *Absonderung bestimmter Drüsen im Mund.*

Speichellecker, der; -s, - (abwertend): *jmd., der sich in unterwürfiger Weise um die Gunst eines anderen bemüht:* so ein widerlicher S.!

Speicher, der; -s, -: **1.** *Gebäude, das zur Lagerung von Vorräten dient:* die Speicher waren mit Korn gefüllt. **2.** (bes. südd.) *Raum unter dem Dach, der zum Abstellen dient; Dachboden:* sie haben die alten Möbel auf den S. gestellt.

speichern, speicherte, hat gespeichert ⟨tr.⟩: *[Vorräte in einem Lager] ansammeln und aufbewahren; lagern:* in dem großen Becken wird Wasser gespeichert; dieser Apparat speichert Informationen. **Speicherung,** die; -.

speien, spie, hat gespie[e]n ⟨itr.⟩: *spucken.*

Speise, die; -, -n: *zubereitete Nahrung, Gericht:* in diesem Lokal gibt es gute Speisen.

Speisekarte, die; -, -n: *Verzeichnis der Speisen, die in einem Lokal angeboten werden:* der Ober brachte die S.

speisen, speiste, hat gespeist: **1.** ⟨tr./itr.⟩ (geh.) *(eine Mahlzeit) in kultiviertem Rahmen zu sich nehmen; essen:* sie speisten in einem teuren Restaurant; was wollen Sie s.? **2.** ⟨tr.⟩ *(mit etwas Bestimmtem) versorgen:* der See wird von einem kleinen Fluß gespeist.

Speisereste, die ⟨Plural⟩: *vom Essen (auf dem Teller oder zwischen den Zähnen) zurückgebliebene Reste:* S. werden in den Mülleimer geworfen.

Speiseröhre, die; -, -n: *einer Röhre ähnliches Organ, durch das die Nahrung vom Schlund in den Magen befördert wird.*

Speisewagen, der; -s, -: *Wagen eines Schnellzugs, in dem sich ein Restaurant befindet:* sie aßen auf der Reise im S.

Spektabilität, die; -, -en: *Titel des Dekans einer Universität und sein Träger:* Seine S. wird die Sitzung eröffnen.

Spektakel: **I.** der; -s (ugs.): *Lärm, Krach:* die Kinder machten im Hof einen großen S. **II.** das; -s, - (geh.): *aufsehenerregendes, beeindruckendes, auf Wirkung abzielendes Geschehen:* von meinem Fenster aus sah ich mir das S. auf der Straße an.

spektakulär ⟨Adj.⟩: *großes Aufsehen erregend, sensationell:* dieser Film hatte einen spektakulären Erfolg.

Spektralfarbe, die; -, -n: *eine der sechs Farben, die durch Brechung des Lichtes durch ein Prisma aus Glas o. ä. entstehen:* der Regenbogen besteht aus den einzelnen Spektralfarben.

Spektrum, das; -s, Spektren und Spektra: *durch Brechung des Lichts hervorgerufenes, aus den einzelnen Spektralfarben bestehendes Band:* das S. untersuchen; bildl.: diese Bezeichnung umfaßt ein breites S. *(eine Vielfalt)* der verschiedensten Arten.

Spekulant, der; -en, -en: **a)** *jmd., der dadurch hohe Gewinne zu erzielen sucht, daß er Preisveränderungen bei Aktien, Grundstücken u. a., mit denen er rechnet, zu günstigen Geschäften ausnutzt:* die Spekulanten haben sich diesmal getäuscht. **b)** (abwertend) *jmd., der sich gerne auf einen glücklichen Zufall oder auf einen nur wahrscheinlich eintretenden Erfolg verläßt:* Spekulanten haben bei dem Lehrer nicht viel Glück.

Spekulation, die; -, -en: **a)** *das Eingehen auf ein Geschäft, bei dem man sich auf Grund eventuell eintretender Preisveränderungen erhebliche Gewinne erhofft, ohne dabei das große, damit verbundene Risiko zu scheuen:* eine verfehlte, geglückte S. **b)** *Überlegung, die sich nur wenig auf Tatsachen stützt und sich in komplizierten Gedankengängen ergeht:* sich in sinnlosen Spekulationen verlieren.

Spekulatius, der; -, -: *kleines, flaches, würziges Gebäck in Form bestimmter Figuren:* S. knabbern.

spekulativ ⟨Adj.⟩: *auf rein theoretischen Überlegungen beruhend; in langen komplizierten Gedankengängen, die sich wenig auf die realen Verhältnisse stützen:* ein Problem s. erörtern.

spekulieren, spekulierte, hat spekuliert ⟨itr.⟩: **a)** *durch Preisveränderungen bei Aktien, Grundstücken u. a. hohe Gewinne anstreben:* er spekulierte mit Aktien. **b)** (ugs.) *fest rechnen (mit etwas):* er spekulierte auf eine reiche Erbschaft.

Spelunke, die; -, -n (ugs.; abwertend): *kleines verrufenes Lokal, schmutzige Kneipe:* er verkehrt in den übelsten Spelunken.

Spelze, die; -, -n: *kleines hartes Blatt, das beim Getreide das einzelne Korn, bei den Gräsern den Samen umhüllt.*

spendabel ⟨Adj.⟩ (ugs.): *freigebig:* unser Onkel war diesmal recht s.

Spende, die; -, -n: *in Geld o.ä. bestehende Gabe:* man bat ihn um eine S. für die Verunglückten.

spenden, spendete, hat gespendet: **1.** ⟨tr.⟩ *(für einen wohltätigen Zweck) geben, schenken:* viele Menschen spendeten Kleider und Geld für die Opfer des Unglücks. **2.** ⟨als Funktionsverb⟩ /bringt zum Ausdruck, daß jmdm. etwas Bestimmtes gegeben wird/: Trost s. *(trösten);* Freude s. *(erfreuen);* Wärme s. *(wärmen).*

Spender, der; -s, -: *jmd., der etwas spendet oder gespendet hat:* der S. des Geldes wollte anonym bleiben.

spendieren, spendierte, hat spendiert ⟨tr.⟩: *(für einen anderen) bezahlen; (jmdn.) zu etwas einladen:* er spendierte seinen Freunden einen Kasten Bier.

Spendierhosen: ⟨in der Wendung⟩ die S. anhaben (ugs.; scherzh.): *mit Geschenken recht großzügig sein:* heute hat unser Onkel die S. an.

Spengler, der; -s, - (bes. südd.; westd.): *Klempner.*

Sperenzchen, die ⟨Plural⟩ (ugs.): *Schwierigkeiten, Umstände; dummes, geziertes Getue:* mach doch jetzt keine S.!; hör doch auf mit diesen S.!

Sperenzien, die ⟨Plural⟩: *Sperenzchen.*

Sperling, der; -s, -e: *kleiner Vogel mit graubraunem Gefieder* (siehe Bild).

Sperling

sperrangelweit: ⟨in der Fügung⟩ s. offen/auf (ugs.): *ganz offen (obwohl es geschlossen sein sollte):* als ich nach Hause kam, stand die Tür s. offen.

Sperre, die; -, -n: **1. a)** *Vorrichtung, die etwas absperrt, die verhindert, daß sich jmd./etwas vorwärts bewegt:* die S. wurde geöffnet, damit das Wasser durchfließen konnte. **b)** *schmaler Durchgang, an dem man Fahrkarten, Eintrittskarten o. ä. vorzeigen oder sich ausweisen muß:* die Reisenden passierten die S. **2. a)** *Verbot, eine bestimmte Ware zu importieren:* über die Einfuhr von Geflügel wurde eine S. verhängt. **b)** *Verbot, weiterhin an sportlichen Wettkämpfen teilzunehmen:* bei diesem Boxer wurde die S. wieder aufgehoben.

sperren, sperrte, hat gesperrt: **1.** ⟨tr.⟩ **a)** *den Zugang oder den Aufenthalt (an einem bestimmten Ort) verbieten; unzugänglich machen:* das ganze Gebiet, die Straße wurde gesperrt. **b)** *(den Gebrauch von etwas) unmöglich machen, unterbinden:* den Strom, das Telefon, das Konto s. **2.** ⟨itr.⟩ *in einen bestimmten Raum bringen und dort gefangenhalten; einsperren:* die Tiere wurden in einen Käfig gesperrt; man sperrte den Gefangenen in eine Zelle. **3.** ⟨rfl.⟩ *(für etwas) nicht zugänglich sein; sich (einer Sache gegenüber) verschließen:* er sperrte sich gegen alle Vorschläge. **4.** ⟨itr.⟩ *sich nicht schließen lassen:* die Tür sperrt.

Sperrgebiet, das; -[e]s, -e: *Gebiet, das (wegen militärischer Übungen, Krankheiten, Seuchen o. ä.) für den gewöhnlichen Verkehr gesperrt ist:* wegen der Seuche wurde die Gegend zum S. erklärt; im S. finden Manöver statt.

sperrig ⟨Adj.⟩: *viel Platz fordernd; nicht handlich:* das Gepäck, das er bei sich hatte, war sehr s.

Spesen, die ⟨Plural⟩: *Ausgaben im Dienst o. ä., die ersetzt werden:* seine S. waren nicht sehr hoch.

Spezi, der; -s, -s (südd.; östr.; schweiz.; ugs.): *Freund, mit dem jmd. in einem sehr engen Kontakt steht:* heute trifft er sich wieder mit seinem S. im Wirtshaus.

Spezialgeschäft, das; -[e]s, -e: *Geschäft, in dem es bestimmte Artikel in reicher Auswahl bei* *meist guter fachlicher Beratung zu kaufen gibt:* die Lampe kaufen Sie am besten in einem guten S.

spezialisieren, sich; spezialisierte sich, hat sich spezialisiert: *sich auf ein bestimmtes Fachgebiet o. ä. festlegen:* diese Buchhandlung hat sich auf bestimmte Literatur spezialisiert. **Spezialisierung,** die; -.

Spezialist, der; -en, -en: *jmd., der in einem bestimmten Fach genaue Kenntnisse hat, der auf einem bestimmten Gebiet spezielle Fähigkeiten erworben hat:* er ist ein S. für Finanzfragen.

Spezialität, die; -, -en: *Gebiet, Sache, in der jmd. bes. gut bewandert ist, die jmd. bes. gut beherrscht, durch die sich jmd. auszeichnet:* das Tapezieren von Räumen ist seine S.; Gulasch ist die S. des Hauses.

speziell ⟨Adj.⟩: *besonders, genau:* er hat spezielle Kenntnisse auf diesem Gebiet; s. *(besonders, vor allem)* an diesen Büchern war er interessiert.

Spezies, die; -, -: **a)** Biol. *bestimmte Art (einer Pflanze, eines Tieres):* eine Meise von einer ganz besonderen S. **b)** (geh.; iron.) *Gattung mit besonderen charakteristischen Merkmalen; Art, die für etwas schon berüchtigt ist:* eine bestimmte S. Mensch; er ist ein Mensch von der S. unseres Chefs.

spezifisch ⟨Adj.⟩: *(dem Wesen einer Sache) zugehörig, eigentümlich:* der spezifische Duft dieser Blumen ist sehr herb; eine s. *(ausgesprochen)* weibliche Eigenschaft.

spezifizieren, spezifizierte, hat spezifiziert ⟨tr.⟩: *einzeln aufführen, verzeichnen; aufgliedern:* er spezifizierte die verschiedenen Gesichtspunkte.

Sphäre, die; -, -n: *Bereich, Gebiet, dem jmd./etwas angehört, in dem sich jmd./etwas bewegt, betätigt:* die politische S.; das liegt nicht in meiner S. * (scherzh.) **in höheren Sphären schweben** *(der [oft so banalen] Wirklichkeit entrückt, höheren Gedanken und Träumen nachhängen):* der weltfremde Wissenschaftler schwebt dauernd in höheren Sphären.

Sphinx: I. die; -: Mythologie *Gestalt aus der griechischen Sage, die, halb Löwe, halb Frau, halb Vogel, jedem, der an ihr vorüberging, ein Rätsel aufgab und jeden tötete, der es nicht lösen konnte* (siehe Bild): die S. vor Theben; wie eine S. lächeln; bildl.: sie wird mir immer eine S. *(ein geheimnisvoller, schwer durchschaubarer Mensch)* sein. **II.** die; -, -e und

Sphinx I.

der; -s, -e: /eine große ägyptische Statue/ (siehe Bild).

Sphinx II.

Spickaal, der; -[e]s, -e: *geräucherter Aal.*

spicken, spickte, hat gespickt ⟨tr.⟩: **1.** *mit Streifen von Speck versehen* /von bestimmtem, zum Braten vorgesehenen Fleisch/: sie spickte den Hasenrücken vor dem Braten. **2.** *reichlich versehen (mit etwas):* er spickte seine Rede mit Zitaten; ⟨häufig im 2. Partizip⟩ er hatte eine gespickte *(viel Geld enthaltende)* Brieftasche.

Spiegel, der; -s, -: *Gegenstand aus Glas oder Metall, dessen glatte Fläche das Bild von Personen oder Dingen, die sich vor ihm befinden, wiedergibt* (siehe Bild): sie nahm einen S. aus ihrer Tasche, um sich darin zu betrachten.

Spiegel

Spiegelbild, das; -es, -er: *Bild, das ein Spiegel wiedergibt:* er sah sein S. im Wasser.

spiegelblank ⟨Adj.⟩: *strahlend, glänzend vor Sauberkeit:* nach dem Großreinemachen war die Wohnung wieder s.

Spiegelei, das; -[e]s, -er: *Ei, das nicht verrührt in der Pfanne gebacken wird:* heute gibt es Spiegeleier und Spinat.

Spiegelfechterei, die; -, -en: *Handlung, die bewußt etwas vortäuscht; weil der Betreffende etwas nicht eingestehen will:* sein kühles Auftreten war reine S.

spiegelglatt ⟨Adj.⟩: **a)** *sehr glatt:* das Eis auf dem See war s. **b)** *ganz eben und unbewegt:* das Meer lag s. vor uns.

spiegeln, spiegelte, hat gespiegelt: **a)** ⟨itr.⟩ *glänzen (so daß es wie ein Spiegel wirkt):* der Fußboden in allen Zimmern spiegelte; ⟨häufig im 1. Partizip⟩ die glatte, spiegelnde Fläche des Sees lag vor ihren Augen. **b)** ⟨rfl.⟩ *sich widerspiegeln; auf einer glänzenden, glatten Fläche als Spiegelbild erscheinen:* die Sonne spiegelte sich in den Fenstern; bildl.: auf ihrem Gesicht spiegelte *(zeigte)* sich ihre Freude. **c)** ⟨tr.⟩ *erkennen lassen, zeigen, wiedergeben:* seine Bücher s. die Not des Krieges.

Spiegelschrift, die; -, -en: *Schrift, die nach beiden Seiten verkehrt ist, so, als würde man sie in einem Spiegel sehen:* in S. schreiben; die S. entziffern.

Spiel, das; -[e]s, -e: **1.** *Beschäftigung zur Unterhaltung, zum Zeitvertreib; Tätigkeit ohne besonderen Sinn, ohne größere Anstrengung:* Spiele für Kinder und Erwachsene. **2.** *Glücksspiel:* sein Geld bei Spielen verlieren. **3.** *sportliche Veranstaltung; Kampf von Mannschaften:* mehrere Spiele gegen ausländische Vereine austragen; alle Spiele gewinnen. * **die Olympischen Spiele** *(die Olympiade).* **4. a)** ⟨ohne Plural⟩ *künstlerischer Vortrag, musikalische Darbietung:* der Pianist begeisterte mit seinem S. das Publikum; das S. des Schauspielers wirkte recht natürlich. **b)** *einfaches Schauspiel [aus alter Zeit]:* ein mittelalterliches S.; ein S. für Laien; geistliche Spiele. **5.** *unverbindliches, nicht ernst gemeintes, leichtfertiges Tun:* es war alles nur [ein] S.; das S. mit dem Feuer, mit dem Leben *(ein Vorhaben, das sehr gefährlich ist, das das Leben kosten kann).* **6.** ⟨ohne Plural⟩ *unregelmäßige,* *nicht durch einen Zweck bestimmte Bewegung:* das S. der Blätter im Wind; das lebhafte S. seiner Augen; das S. *(das Sichverändern, Flimmern)* der Lichter. ** **etwas steht auf dem S.** *(etwas ist in Gefahr, droht verlorenzugehen):* sein ganzes Vermögen steht auf dem S.; **alles aufs S. setzen** *(alles wagen; alles in Gefahr bringen);* **leichtes S. mit jmdm. haben** *(bei jmdm. auf keinen großen Widerstand stoßen):* der Betrüger hatte ein leichtes S. mit der alten Frau, die nicht sehen konnte, was sie unterschrieb; **jmdn./etwas ins S. bringen** *(jmdn./etwas ins Gespräch, in die Diskussion bringen);* **jmdn./etwas aus dem S. lassen** *(jmdn./etwas nicht in eine Auseinandersetzung hineinziehen):* lassen Sie bitte meine Frau aus dem S.!; **überall seine Hand/seine Hände im S. haben** *(überall beteiligt sein);* (ugs.) **ein abgekartetes S.** *(ein Vorhaben, das mit jmdm. heimlich abgesprochen ist).*

Spielart, die; -, -en: *leichte Abart (von etwas, was die verschiedensten Variationen zuläßt):* er ist mit sämtlichen Spielarten dieser Technik vertraut.

Spielbank, die; -, -en: *Unternehmen mit staatlicher Konzession, in dem um Geld gespielt wird:* sein ganzes Vermögen hat er in der S. verloren.

spielen, spielte, hat gespielt /vgl. spielend/: **1.** ⟨itr.⟩ **a)** *sich zum Zeitvertreib mit einem unterhaltenden Spiel beschäftigen:* die Kinder spielen auf der Straße; Karten s. **b)** *sich mit dem Glücksspiel beschäftigen:* im Lotto, in der Lotterie s.; er spielt *(er gibt sich aus Leidenschaft dem Glücksspiel hin);* er spielt hoch, riskant *(mit hohem Einsatz, Risiko).* **2.** ⟨itr.⟩ **a)** *sich in bestimmter Weise sportlich betätigen:* Fußball, Tennis s.; er spielt [als] Stürmer, Verteidiger. **b)** *ein sportliches Spiel, einen Wettkampf austragen:* die deutsche Mannschaft spielt gegen die Schweiz in bester Besetzung. **3.** ⟨tr./itr.⟩ *sich musikalisch betätigen, musizieren:* eine Sonate für Cello s. **4. a)** ⟨tr.⟩ *aufführen:* Theater s.; das Ensemble spielte zum ersten Mal ein modernes Stück. * (ugs.) **[nicht] wissen, was [hier] gespielt wird** *([nicht] wissen, welche Absichten, Ziele verfolgt werden).* **b)** ⟨tr.⟩ *darstellen:* er spielt den Hamlet. **c)** ⟨itr.⟩ *auftreten:* bei den Festspielen werden berühmte Solisten s. **5.** ⟨tr./itr.⟩ *markieren, vortäuschen:* er spielte den reichen Mann; bei ihr ist alles nur gespielt. **6.** ⟨itr.⟩ *sich an einem bestimmten Ort, zu einer bestimmten Zeit ereignen:* der Roman, die Oper spielt in Italien, am Ende des 19. Jahrhunderts. **7.** ⟨itr.⟩ *[sich] ohne bestimmten Zweck, Sinn bewegen:* mit den Augen s.; der Wind spielt in den Zweigen; die Wellen s. um die Felsen. **8.** ⟨itr.⟩ *schimmern, schillern:* der Edelstein spielt in allen Farben. **9.** ⟨itr.⟩ **a)** *zeigen, einsetzen [um etwas zu erreichen]:* sie spielte mit all ihren Reizen; sie ließ ihren ganzen Charme s. **b)** *sich nicht ernst (mit jmdm./etwas) befassen, sich nicht engagieren:* er spielte nur mit ihren Gefühlen.

spielend ⟨Adj.; nicht attributiv⟩: *mit Leichtigkeit, ohne Mühe, Anstrengung:* er bewältigte die Aufgabe s.; der Apparat ist s. leicht *(mit großer Leichtigkeit)* zu handhaben.

Spieler, der; -s, -: **1.** *jmd., der aktiv an sportlichen Veranstaltungen teilnimmt, der in einer Mannschaft spielt:* er ist ein hervorragender, fairer S. **2.** (abwertend) *jmd., der dem Glücksspiel verfallen ist:* er ist als S. bekannt.

Spielerei, die; -, -en: **a)** *nicht sinnvolles, ernst zu nehmendes Tun; Spaß:* das sind alles nur Spielereien. **b)** *Kleinigkeit, leichte Aufgabe:* die Arbeit war für ihn eine S.

spielerisch ⟨Adj.⟩: **a)** *sich wie bei einem Spiel verhaltend; eine große Leichtigkeit, keinerlei Verkrampfung (bei etwas) zeigend; nur so leichthin:* fast s. betätigte er den Hebel. **b)** ⟨nicht prädikativ⟩ *die Technik des Spiels betreffend* /bes. beim Sport/: wir hatten es mit einem s. hervorragenden Gegner zu tun.

Spielfeld, das; -[e]s, -er: *abgegrenzte Fläche für sportliche Spiele:* die Zuschauer liefen auf das S.

Spielgefährte, der; -n, -n: *Freund, Kamerad beim Spielen:* er hat viele Spielgefährten.

Spielhölle, die; -, -n (abwertend): *berüchtigte, unseriöse Spielbank:* das dunkle Treiben in den Spielhöllen.

Spielkarte, die; -, -n: *einzelne Karte eines Kartenspiels:* neue Spielkarten kaufen.

Spielkasino, das; -s, -s: *Spielbank.*

Spielplan, der; -[e]s, Spielpläne: *Plan, auf dem für eine bestimmte Zeit die Termine der Aufführungen einer Bühne festgelegt und öffentlich bekanntgegeben werden:* der S. für die nächsten zwei Wochen; auf dem S. stehen *(aufgeführt werden);* vom S. abgesetzt werden *(nicht mehr aufgeführt werden).*

Spielplatz, der; -es, Spielplätze: *[öffentlicher] für Kinder eingerichteter Platz zum Spielen:* nach der Schule dürfen die Kinder auf den S. gehen.

Spielraum, der; -[e]s, Spielräume: **a)** *Zwischenraum, übriger Platz [der leichte Abweichungen vom üblichen Verlauf einer Bewegung zuläßt]:* die nicht festen Teile der Maschine brauchen einen größeren S. **b)** *Möglichkeit, sich frei zu bewegen, sich in seiner Tätigkeit frei zu entfalten:* jmdm., den Interessen einen möglichst großen S. gewähren, lassen.

Spielregeln, die ⟨Plural⟩: *Regeln, nach denen ein Spiel vor sich geht:* dieser Fußballer scheint die S. nicht zu kennen; gegen die S. verstoßen *(falsch spielen);* bildl.: mit den politischen S. vertraut sein.

Spielverderber, der; -s, -: *jmd., der durch sein Verhalten, seine Stimmung anderen die Freude an etwas nimmt:* sei [doch] kein Spielverderber!

Spielwaren, die ⟨Plural⟩: *als Spielzeug für Kinder angebotene Waren:* die S. finden Sie in der vierten Etage unseres Kaufhauses.

Spielzeit, die; -, -en: **1. a)** *Zeitabschnitt innerhalb eines Jahres, während dessen ein Theater geöffnet hat:* dieses Jahr gab es während der ganzen S. nur drei Premieren. **b)** *Zeit, während deren in einem Kino ein Film läuft:* nach einer S. von vier Wochen wurde der Film wieder abgesetzt. **2.** Sport *Zeit, die zur Durchführung eines Spieles vorgeschrieben ist:* während der regulären S. war noch kein Tor gefallen.

Spielzeug, das; -[e]s, -e: **a)** ⟨ohne Plural⟩ *alle zum Spielen verwendeten Gegenstände:* das S. aufräumen. **b)** *einzelner zum Spielen verwendeter Gegenstand:* dem Kind zum Geburtstag ein S. kaufen.

Spieß, der; -es, -e: *Stab mit einem spitzen Ende zum [Durch]stechen* (siehe Bild): Fleisch am S. braten. * **den S. umdrehen/umkehren** *(mit der gleichen Methode wie der Gegner vorgehen);* (ugs.) **wie am S. schreien/brüllen** *(sehr laut schreien, brüllen).*

Spieß

Spießbürger, der; -s, - (abwertend): *starr am Althergebrachten hängender, kleinlich denkender Mensch mit einem äußerst engen Horizont:* er ist ein richtiger S. geworden.

spießbürgerlich ⟨Adj.⟩ (abwertend): *engstirnig, kleinlich:* er ist sehr s.; spießbürgerliche Ansichten vertreten.

spießen, spießte, hat gespießt ⟨tr.⟩: **a)** *(auf einen spitzen Gegenstand) stecken:* die Kartoffel auf die Gabel s. **b)** *(mit einem spitzen Gegenstand) befestigen:* das Bild mit einer Nadel auf das Brett s. **c)** (veraltend) *(einen spitzen Gegenstand in etwas) stecken:* sie spießte die Nadel in ein kleines Kissen.

Spießer, der; -s, - (abwertend): *Spießbürger.*

Spießgeselle, der; -n, -n (abwertend): *Freund, Kumpan, der an den gleichen üblen Taten beteiligt ist:* der Verbrecher und seine Spießgesellen.

spießig ⟨Adj.⟩ (abwertend): *spießbürgerlich:* sie ist sehr s.

Spießruten: ⟨in der Wendung⟩ S. laufen: *in einer peinlichen Situation durch eine Reihe von Leuten gehen, die einen schadenfroh, mißgünstig oder neugierig [zu] betrachten [scheinen].*

Spikes [spaɪks], die ⟨Plural⟩: **1.** *Stifte aus Stahl (an den Sohlen der Schuhe von Läufern oder an bestimmten Autoreifen), die das Gleiten verhindern:* er kaufte sich Schuhe, Autoreifen mit S. **2.** *Schuhe, an deren Sohlen sich Stifte aus Stahl befinden* /bes. bei Läufern/: mit S. konnte er seine Schnelligkeit bedeutend erhöhen.

Spinat, der; -s: *Gemüse, das aus einzelnen grünen Blättern besteht, die meist abgekocht und passiert werden.*

Spind, das und der; -[e]s, -e: *einfacher, schmaler Schrank bes. in Kasernen und Heimen:* er muß seinen S. in Ordnung bringen.

spindeldürr ⟨Adj.⟩: *sehr mager und schmal:* eine spindeldürre Gestalt.

Spinne, die; -, -n: /ein Tier/ (siehe Bild).

spinnefeind: ⟨in der Verbindung⟩ mit jmdm. s. sein (ugs.): *jmdn. nicht ausstehen können, sich mit jmdm. nicht vertragen können:* er ist immer noch s. mit ihm.

Spinne

spinnen, spann, hat gesponnen: **1.** ⟨tr.⟩ **a)** *mit dem Spinnrad oder der Spinnmaschine Fasern zu einem Faden drehen:* Garn, Wolle s. **b)** *Fäden erzeugen* /von Spinnen und Raupen/: die Spinne spann einen Faden, an dem sie sich herunterließ; bildl.: ein Netz von Lügen s. *(viele Lügen verbreiten).* **2.** (ugs.) ⟨itr.⟩ *verrückte Ideen haben:* den darfst du nicht ernst nehmen, der spinnt.

Spinner, der; -s, -: **1.** *Facharbeiter in einer Spinnerei.* **2.** (ugs.) *jmd., der verrückte Ideen hat:* er war schon immer ein großer S.

Spinnerei, die; -, -en: *Betrieb, Fabrik, die Zwirne, Garne o. ä. herstellt:* in einer S. arbeiten.

Spinnwebe, die; -, -n: *von einer Spinne angefertigtes Netz aus feinen, dünnen Fäden* (siehe Bild Spinne): mit einem Besen die Spinnweben von der Wand entfernen.

spintisieren, spintisierte, hat spintisiert ⟨itr.⟩ (ugs.): *grübeln:* er sollte nicht soviel s.

Spion, der; -s, -e: *jmd., der Spionage treibt:* er wurde als S. entlarvt.

Spionage [ʃpio'na:ʒə], die; -: *das Ermitteln von Staatsgeheimnissen, geheimen Informationen im Auftrag einer ausländischen Macht:* S. treiben; jmdn. unter dem Verdacht der S. verhaften.

spionieren, spionierte, hat spioniert ⟨itr.⟩: **a)** *als Spion arbeiten; Spionage treiben:* er hat für eine ausländische Macht spioniert. **b)** *aus Neugier überall herumsuchen, nachforschen:* er spioniert im ganzen Betrieb, in allen Schreibtischen.

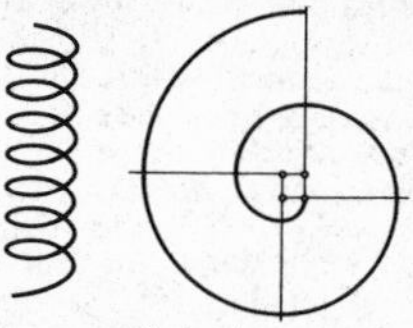

Spirale

Spirale, die; -, -n: *Kurve, die sich mit einem immer größer werdenden Abstand um einen Punkt, eine Achse windet* (siehe Bild): eine S. zeichnen.

Spiralfeder, die; -, -n: *wie eine Spirale gewundene elastische Feder aus Metall.*

Spiritismus, der; -: *Glaube an die Erscheinung der Seelen Verstorbener und an die Möglichkeit, mit ihnen zu verkehren.*

Spirituosen, die ⟨Plural⟩: *Getränke mit hohem Gehalt an Alkohol:* mit S. handeln; ein Geschäft für Weine und S.

Spiritus, der; -: /eine bestimmte Art von Alkohol/: einen seltenen Käfer in S. legen; mit S. kochen.

Spital, das; -s, Spitäler (östr.; schweiz.): *Krankenhaus:* der Verunglückte wurde in das nächste S. gebracht.

spitz ⟨Adj.⟩: **1.** ⟨nicht adverbial⟩ **a)** *zu einem Punkt zusammenlaufend und dadurch so scharf, daß es sticht; nicht stumpf:* spitze Nadeln; der Nagel ist sehr s. **b)** *immer schmaler werdend, [wie] in einem Punkt endend:* der Turm hat ein spitzes Dach; spitze Schuhe tragen. * **etwas mit spitzen Fingern anfassen** *(etwas aus Ekel sehr vorsichtig anfassen).* **2.** (abwertend) *bissig, boshaft:* spitze Bemerkungen machen; spitze Reden führen. * **eine spitze Zunge haben** *(gehässig reden)*. **3.** *krank, mager aussehend:* sie hat ein ganz spitzes Gesicht; du siehst heute so s. aus.

Spitzbube, der; -n, -n (veraltend; abwertend): *gerissener, nicht ganz ehrlicher Mensch; Gauner:* diesem Spitzbuben ist er bald auf die Schliche gekommen.

spitzbübisch ⟨Adj.⟩: *insgeheim über jmdn./etwas belustigt; verschmitzt, pfiffig:* s. lächeln; ein spitzbübisches Gesicht.

Spitze, die; -, -n: **1. a)** *das in einem Punkt spitz zusammenlaufende Ende:* die S. des Turmes; die S. des Pfeiles ist abgebrochen. * **einer Sache die S. nehmen/abbrechen** *(durch geschicktes Handeln einer Sache die Gefährlichkeit, Schärfe nehmen)*; **etwas auf die S. treiben** *(etwas bis zum Äußersten treiben)*. **b)** *vorderster, anführender Teil; Führung; erste Stelle:* bei der Demonstration marschierte er an der S. des Zuges; an der S. des Konzerns, des Staates stehen; die Mannschaft liegt an der S. der Tabelle. **2.** (ugs.) *höchste Leistung, Geschwindigkeit:* der Wagen fährt 200 km/h S.; auf der Autobahn fahre ich dauernd S. **3.** *bissige, ironische Bemerkung, Anspielung; Seitenhieb:* seine Rede enthielt einige Spitzen gegen die Parteien. **4.** *feines, durchbrochenes Gewebe:* eine Bluse aus echten Spitzen.

Spitzel, der; -s, -: *jmd., der heimlich beobachtet, mithört oder aufpaßt und seine Beobachtungen anderen mitteilt; Spion:* jmdn. als S. einsetzen, entlarven.

spitzen, spitzte, hat gespitzt: **1.** ⟨tr.⟩ *spitz machen:* den Bleistift s. * **die Ohren s.** *(sehr aufmerksam hinhören)*. **2.** (ugs.) ⟨itr./rfl.⟩ *rechnen (mit etwas), reflektieren (auf etwas):* er spitzt auf den Posten des Direktors; sie spitzten sich alle auf eine Einladung.

Spitzenklasse, die; -: *das Beste, die Besten in bezug auf Leistung oder Qualität:* dieser Wein/Sportler gehört zur/ist S.

Spitzenleistung, die; -, -en: *hervorragende, ausgezeichnete Leistung:* dieser Sprung von X war eine S.

spitzfindig ⟨Adj.⟩: *übertrieben scharfe Unterscheidungen treffend, kleinlich:* diese Erklärung ist mir zu s.; spitzfindige Unterschiede machen. **Spitzfindigkeit,** die; -, -en.

Spitzname, der; -ns, -n: *Name, den jmd./etwas aus Scherz oder aus Spott auf Grund einer auffallenden Eigenschaft erhält:* jmdm. einen Spitznamen geben; einen Spitznamen bekommen.

Spleen [ʃpli:n], der; -s, -e und -s: *Eigenart, die in einer überspannten, fixen Idee begründet liegt; eigenartige Vorliebe für etwas; Marotte:* sie hat den S., nur grüne Kleider zu tragen.

spleenig [ˈʃpli:nɪç] ⟨Adj.⟩: *voll überspannter Ideen, Marotten; verschroben, schrullig:* ein spleeniger alter Graf.

splendid ⟨Adj.⟩ (veraltend): *freigebig, großzügig:* unser Onkel war heute wieder sehr s.

Splint, der; -s, -e: *an einem Ende gespaltener Stift, der zur Sicherung von Bolzen oder Schrauben durch eine Öffnung gesteckt und durch das Auseinanderbiegen der Enden befestigt wird:* der S. ist abgebrochen.

Splitter, der; -s, -: **a)** *spitzes, dünnes Teilchen [von Holz oder Metall]:* er hat einen S. im Finger. **b)** *Bruchstück mit scharfen Kanten [von Glas]:* überall lagen die Splitter des zersprungenen Fensters.

splittern, splitterte, hat/ist gesplittert ⟨itr.⟩: **a)** *so beschaffen sein, daß sich am Rand Splitter ablösen:* das Holz war nicht brauchbar, es hat zu sehr gesplittert. **b)** *völlig in Splitter zerbrechen:* die Scheibe, der Balken ist gesplittert.

splitternackt ⟨Adj.⟩: *völlig nackt:* der Betrunkene lief s. auf die Straße.

Spoiler [ˈspɔʏlər], der; -s, -: *Vorrichtung, die den [Renn]wagen bei hohen Geschwindigkeiten auf die Fahrbahn drückt.*

spontan ⟨Adj.⟩: *aus eigenem plötzlichen Antrieb; von innen heraus:* er sagte dies ganz spontan; nach dieser Bemerkung des Redners verließen die Zuhörer s. den Saal. **Spontaneität,** die; -.

sporadisch ⟨Adj.⟩ (geh.): *verstreut, vereinzelt [vorkommend], gelegentlich, selten:* diese Erscheinungen treten nur s. auf.

Spore, die; -, -n: Biol. *Zelle, auf der die ungeschlechtliche Fortpflanzung bestimmter Pflanzen beruht:* die Sporen bei den Algen und Pilzen.

Sporn, der; -s, Sporen: **a)** *am Absatz des Stiefels befestigter Dorn oder kleines Rädchen, mit dem der Reiter das Pferd antreibt* (siehe Bild): die Sporen anschnallen; Sporen tragen; dem Pferd die Sporen geben *(dem Pferd die Sporen in die Seite drücken und es dadurch antreiben)*. * **sich die [ersten] Sporen verdienen** *(sich zum ersten Mal bei etwas auszeichnen)*. **b)** *spitze, nach hinten gerichtete Kralle an der Ferse von Vögeln:* die Sporen des Hahns.

Sporn a)

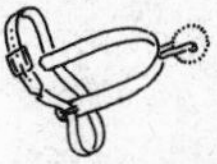

spornstreichs ⟨Adverb⟩ (veraltend): *sofort, ohne zu zögern; geradewegs:* bei dieser Nachricht wandte er sich s. an seinen Vorgesetzten.

Sport, der; -s: **1.** *Betätigung, die der Stärkung des Körpers und der Gesundheit dient oder die aus Interesse am körperlichen Wettkampf ausgeübt wird:* S. treiben; er ist ein Freund des Sports; für [den] S. begeistert sein. **2.** *Betätigung zum Zeitvertreib; Liebhaberei, Hobby:* Photographieren war schon immer sein S.; Platten kaufen ist ein teurer S.; (ugs.) sich aus etwas einen S. *(ein Vergnügen)* machen.

Sportgerät, das; -[e]s, -e: *Gegenstand, an dem oder mit dem sportliche Übungen ausgeführt werden:* Reck, Barren und Pferd sind bekannte Sportgeräte.

Sportler, der; -s, -: *jmd., der aktiv Sport treibt:* er ist ein guter, fairer S.

sportlich ⟨Adj.⟩: **1. a)** *den Sport betreffend; im Sinne des Sports; auf dem Sport beruhend:* seine sportliche Laufbahn beenden; sich s. betätigen; sein Verhalten war nicht s. **b)** *schlank, muskulös und behende:* er hat eine sportliche Figur; er ist ein sportlicher Typ. **2.** *in seinem Schnitt einfach, zweckmäßig, jugendlich wirkend, flott:* ein sportliches Kostüm; ein sportlicher Anzug.

Sportplatz, der; -es, Sportplätze: *eigens angelegter Platz,* *auf dem Sport betrieben wird:* bei schönem Wetter gehen wir auf den S.

Sportwagen, der; -s, -: **1.** *niedriges, sportlich geschnittenes, sehr schnelles Auto* (siehe Bild): einen roten S. fahren. **2.** *leichter Kinderwagen* (siehe Bild).

1.
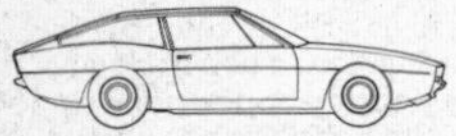

2.

Sportwagen

Spot [spɔt], der; -s, -s: *kurzer, eindrucksvoller Werbetext.*

Spotlight [ˈspɔtlaɪt], das; -s, -s: *intensives Licht, das konzentriert auf eine Person auf der Bühne gerichtet wird und sie dadurch besonders hervortreten läßt:* im S. stehen.

Spott, der; -[e]s: *Äußerung, mit der man sich über die Fehler oder die Gefühle anderer lustig macht, bei der man Schadenfreude, auch Verachtung empfindet:* er sprach mit S. von seinen Gegnern; jmdn. dem S. der Öffentlichkeit preisgeben.

spottbillig ⟨Adj.⟩ (ugs.): *sehr billig:* die Bücher, die er kaufte, waren s.

spötteln, spöttelte, hat gespöttelt ⟨itr.⟩: *sich mit leicht spöttischen Bemerkungen (über jmdn./etwas) lustig machen:* er spöttelte über den Eifer der anderen.

spotten, spottete, hat gespottet ⟨itr.⟩: *seinen Spott äußern:* spotte nicht über ihn, denn er ist krank. *** etwas spottet jeder Beschreibung** *(etwas ist so schlimm oder so schlecht, daß man es nicht für möglich hält):* die Unordnung in diesem Zimmer spottet jeder Beschreibung.

spöttisch ⟨Adj.⟩: **a)** *zum Spott neigend:* ein spöttischer Mensch. **b)** *Spott ausdrückend:* ein spöttisches Lächeln; etwas s. bemerken.

Spottpreis, der; -es, -e (ugs.): *äußerst geringer Betrag, den man beim Kauf einer Ware zu zahlen hat:* er hat das Haus für einen S. bekommen, erworben.

Sprachbarriere, die; -, -n: *den sozialen Aufstieg erschwerendes, ihm im Wege stehendes Hindernis, das durch mangelndes sprachliches Können und Wissen entsteht:* wir helfen Ihnen mit unseren Büchern Sprachbarrieren zu überwinden.

Sprache, die; -, -n: **1.** ⟨ohne Plural⟩ *das Sprechen; die Fähigkeit zu sprechen:* durch den Schock verlor er die S.; die S. wiederfinden. *** etwas raubt/verschlägt jmdm. die S.** *(etwas überrascht jmdn. so sehr, daß er gar nichts sagen kann):* diese Nachricht verschlug ihm die S. **2.** *alle Ausdrucksmittel, die zum Reden zur Verfügung stehen:* er beherrscht mehrere Sprachen; einen Text in eine andere S. übersetzen; eine lebende, tote S. **3.** ⟨ohne Plural⟩ *Art zu sprechen, zu formulieren; Stil, Ausdrucksweise:* seine S. ist sehr lebendig, poetisch, nüchtern; sie schreibt in der S. des einfachen Volkes; die S. Goethes; bildl.: die S. des Herzens, des Gefühls, des Gewissens. **** etwas zur S. bringen** *(dafür sorgen, daß etwas besprochen, diskutiert wird);* **eine deutliche S. sprechen** *(klar zum Ausdruck bringen, was man denkt und meint);* (ugs.) **mit der S. nicht heraus[rücken] wollen** *(über einen Vorfall o. ä. nichts sagen wollen).*

Sprachfehler, der; -s, -: *physisch oder psychisch bedingte Störung in der richtigen Aussprache bestimmter Laute:* einen S. haben.

Sprachlabor, das; -s, -s: *mit den verschiedensten Mitteln moderner Technik (Tonbandgerät, Schallplatte, Lichtbild) ausgerüstete Einrichtung für den Sprech- und Sprachunterricht, bei der jeder Teilnehmer auch sich selbst beim Sprechen kontrollieren kann* /bes. an Schulen und Universitäten/.

sprachlich ⟨Adj.; nicht prädikativ⟩: *die Sprache betreffend, auf sie bezogen:* der Aufsatz ist s. gut; eine sprachliche Eigentümlichkeit.

sprachlos ⟨Adj.⟩: *so überrascht, daß man nichts sagen kann:* er war s. [vor Entsetzen, Schrecken]; es ist unglaublich, ich bin einfach s.

Sprachrohr, das; -s, -e: *Gegenstand in der Art eines Trichters, durch den die Stimme verstärkt, lauter wird:* einem Boot durch das S. etwas zurufen; bildl.: diese Zeitung ist das S. der konservativen Partei *(in dieser Zeitung formuliert und verbreitet die Partei ihre Meinung).*

Sprachwissenschaft, die; -: *Wissenschaft, die sich mit der Sprache und ihren Erscheinungen befaßt:* die Probleme der S.

Spray [spreɪ], der und das; -s, -s: *für verschiedene Zwecke verwendete Flüssigkeit, die aus einer speziellen Dose fein zerstäubt wird:* Sie bekommen das Mittel auch als S.

Sprechchor, der; -[e]s, Sprechchöre: **a)** *genau gleichzeitiges gemeinsames Sprechen, Vortragen:* die Forderungen wurden in einem S. vorgebracht. **b)** *Gruppe von Menschen, die gemeinsam etwas sprechen, vortragen:* der S. auf der Bühne setzt sich aus jungen Schauspielern zusammen.

sprechen, spricht, sprach, hat gesprochen: **1.** ⟨itr.⟩ **a)** *Laute, Wörter bilden:* das Kind lernt s.; vor Schreck, durch die Lähmung konnte er nicht mehr s. **b)** *sich in bestimmter Weise ausdrücken:* laut, schnell, undeutlich, mit Akzent, in ernstem Ton s.; er hat bei seinem Vortrag frei gesprochen *(nicht vom Manuskript abgelesen);* er spricht in Rätseln *(unverständlich);* ganz allgemein gesprochen *(gesagt);* bildl.: sprechende *(ausdrucksvolle)* Augen, Bilder. **2.** ⟨tr.⟩ *eine Sprache beherrschen:* er spricht mehrere Sprachen; sie spricht fließend Französisch, ein sehr gutes Deutsch. **3.** ⟨itr.⟩ *sich äußern, eine Meinung darlegen; urteilen:* gut, schlecht über jmdn./etwas, von jmdm./etwas s.; zugunsten von jmdm./etwas s. *(für jmdn./etwas eintreten, jmdn./etwas empfehlen).* **4.** ⟨itr.⟩ **a)** *Worte wechseln; sich unterhalten:* die Frauen s. schon seit drei Stunden [miteinander] auf der Straße; wir sprachen gerade von dir, von den Preisen. **b)** *erzählen:* er spricht von seiner Reise nach Amerika; vor aller Öffentlichkeit sprach er über seine familiären Verhältnisse; wovon wollte ich [jetzt] s. **5.** ⟨itr.⟩ **a)** *(jmdn.) treffen, sehen und mit* *ihm Worte wechseln:* wir haben ihn gestern im Konzert gesprochen; wann sprechen wir uns [wieder]?; ich habe ihn schon einige Jahre nicht mehr gesprochen. **b)** *(jmdn.) erreichen, (mit jmdm.) Verbindung aufnehmen, ein Gespräch herstellen wollen:* ich möchte Herrn Meier s.; sie wollen mich s.?; der Direktor ist erst morgen, am Vormittag zu s.; ich bin [jetzt] nicht zu s. **6.** ⟨itr.⟩ *diskutieren, verhandeln:* darüber müssen wir noch s.; ich habe mit dir noch zu s. *(ich muß mit dir noch etwas besprechen).* **7.** ⟨itr.⟩ *eine Rede, Ansprache o. ä. halten:* der Professor spricht heute abend [im Rundfunk]; über ein interessantes Thema s.; der Vorsitzende hat nur kurz gesprochen und dann sofort die Diskussion eröffnet. ** **jmdn. zum Sprechen bringen** *(jmdn. dazu bewegen, endlich etwas zu sagen);* **etwas spricht für sich [selbst]** *(zu etwas ist keine Erklärung mehr nötig);* **etwas spricht für jmdn./etwas** *(etwas gilt als positives Kennzeichen, Argument für jmdn./etwas).*

Sprẹcher, der; -s, -: **a)** *jmd., der etwas ansagt, vorliest:* er ist S. beim Rundfunk, Fernsehen. **b)** *jmd., der beauftragt, befugt ist, etwas mitzuteilen:* wie ein S. der Regierung erklärte, ist bald mit Verhandlungen zu rechnen.

Sprẹchplatte, die; -, -n: *Schallplatte, auf der ein gesprochener Text aufgenommen worden ist:* auf dieser S. trägt ein bekannter Schauspieler Gedichte vor.

Sprẹchstunde, die; -, -n: *Zeit, in der jemand dienstlich zu sprechen ist:* der Arzt hat heute keine S.

Sprẹchstundenhilfe, die; -, -n: *Angestellte, die die Personalien der Patienten aufnimmt und dem Arzt in der Sprechstunde assistiert:* die S. fragte mich nach meinem Geburtsdatum.

Sprẹchzimmer, das; -s, -: *Zimmer, in dem ein Arzt während der Sprechstunden seine Patienten behandelt:* vor dem S. wartet schon eine größere Anzahl von Menschen.

spreizen, spreizte, hat gespreizt /vgl. gespreizt/: **1.** ⟨tr.⟩ *soweit als möglich auseinanderstrecken, (von etwas) wegstrecken:* die Arme, Beine, Finger s. **2.** ⟨rfl.⟩ **a)** *sich unnötig lange zieren, sich bitten lassen:* sie spreizte sich erst eine Weile, dann machte sie schließlich auch mit. **b)** *sich besonders eitel und eingebildet gebärden:* er spreizte sich wie ein Pfau in seinem neuen Anzug.

Sprẹngel, der; -s, -: *fest umrissener Bezirk, der jmdm., bes. einem Priester, untersteht, der jmdm. zum Ausüben seines Amtes zugeteilt ist:* der Pfarrer kennt jeden innerhalb seines Sprengels.

sprẹngen, sprengte, hat gesprengt: **I. a)** ⟨tr./itr.⟩ *durch Sprengstoff zerstören:* eine Brükke, ein Gebäude, Felsen s.; heute wird im Gebirge, im Steinbruch gesprengt. **b)** ⟨tr.⟩ *mit Gewalt auseinanderreißen, öffnen:* Ketten, das Tor s.; das Wasser sprengte das Eis; bildl.: eine Versammlung s. *(gewaltsam auflösen);* die Behandlung dieser Frage würde den Rahmen des Aufsatzes s. *(würde weit über das Thema hinausgehen).* **II.** ⟨tr.⟩ *begießen, spritzen:* den Rasen, die Straßen bei Trockenheit s.; die Wäsche vor dem Bügeln s. *(ein wenig bespritzen, damit sie nicht so trocken ist und sich besser bügeln läßt).*

Sprẹngkörper, der; -s, -: *mit Sprengstoff gefüllter Gegenstand, mit dem etwas gesprengt wird.*

Sprẹngstoff, der; -[e]s, -e: *chemischer Stoff, der explodiert, wenn er gezündet wird:* Dynamit ist ein sehr gefährlicher S.

Spreu, die; -: *kleiner, aus Hülsen, Spelzen o. ä. bestehender Abfall beim Dreschen:* beim Mähdrescher bleibt die S. auf dem Feld liegen. * (geh.) **die S. vom Weizen trennen/sondern** *(das Wertlose vom Wertvollen trennen).*

Sprịchwort, das; -[e]s, Sprichwörter: *kurz gefaßter, lehrhafter und einprägsamer Satz, er eine immer wieder gemachte Erfahrung ausdrückt:* „Morgenstund hat Gold im Mund" ist ein altes S.

sprịchwörtlich ⟨Adj.⟩: **a)** *als Sprichwort [verwendet]; zu einem Sprichwort, zu einer festen Floskel geworden:* sprichwörtliche Redensarten; dieser Ausspruch wird bereits s. gebraucht. **b)** ⟨nicht adverbial⟩ *häufig in einem bestimmten Zusammenhang zitiert, allgemein bekannt:* die sprichwörtliche deutsche Gründlichkeit; seine Unpünktlichkeit ist schon s.

sprießen, sproß, ist gesprossen ⟨itr.⟩: *[hervor]wachsen:* die Blumen sprießen, seit es so warm geworden ist.

Sprịngbrunnen, der; -s, -: *Brunnen, bei dem Wasser durch Druck in die Höhe schießt und in ein Becken zurückfällt* (siehe Bild).

Springbrunnen

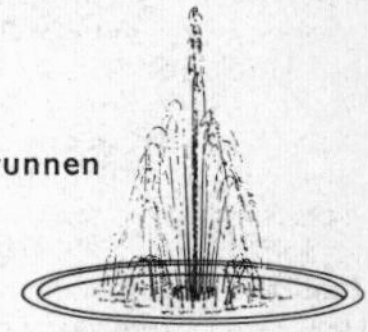

sprịngen, sprang, hat/ist gesprungen ⟨itr.⟩: **1. a)** *einen Sprung machen:* über den Graben s.; er ist durch das Fenster gesprungen. **b)** *sich mit Sprüngen schnell fortbewegen:* das Kind ist über die Straße gesprungen; mehrere Rehe sprangen über die Wiese. **c)** Sport *durch einen Sprung eine möglichst weite oder hohe Strecke überwinden:* er ist 7,48 m [weit], 2,20 m [hoch] gesprungen; er ist/hat noch nicht gesprungen; ⟨auch tr.⟩ sie hat einen neuen Rekord gesprungen. **2.** *heraussprühen, hervorschießen:* Funken sind aus dem Kamin gesprungen; Blut sprang aus der Wunde. **3.** *Risse bekommen; zerspringen; reißen:* Porzellan springt leicht; eine Saite der Geige ist gesprungen. ** **der springende Punkt** *(der Kern, das Entscheidende einer Sache);* (ugs.) **etwas s. lassen** *(etwas spendieren).*

Sprịnger, der; -s, -: **1.** *Sportler, der springt:* von unseren Springern konnte nur einer eine Medaille gewinnen. **2.** *Figur beim Schachspiel, mit der man springen kann:* der letzte Zug hat ihm einen S. gekostet.

Sprịnt, der; -s, -s: Sport *Wettlauf, Wettrennen über eine kurze Strecke:* solche Schuhe sind für Sprints am besten geeignet.

sprịnten, sprintete, hat/ist gesprintet ⟨itr.⟩: **a)** Sport *über* *eine kurze Strecke einen Wettlauf machen:* gestern hat/ist unser Läufer besonders gut gesprintet. **b)** (ugs.) *schnell laufen:* ich mußte ganz schön s., um den Zug noch zu erreichen.

Sprinter, der; -s, -: Sport *Läufer, der Wettkämpfe auf kürzeren Strecken austrägt:* unsere besten S. nehmen an den internationalen Wettkämpfen teil.

Sprit, der; -s (ugs.): *Treibstoff:* auf dieser Fahrt wird der S. etwas knapp werden.

Spritze, die; -, -n: **1.** *Gerät zum Spritzen:* die Feuerwehr löschte mit fünf Spritzen. **2. a)** *medizinisches Gerät, mit dem eine Flüssigkeit in den Körper gespritzt wird:* die S. füllen, säubern. **b)** *das Hineinspritzen einer Flüssigkeit in den Körper:* jmdm. mehrere Spritzen geben. **c)** *in den Körper gespritzte Flüssigkeit:* die Spritzen wirkten schnell.

spritzen, spritzte, hat/ist gespritzt: **1. a)** ⟨tr.⟩ *Flüssigkeit in Form von Tropfen oder Strahlen wegschleudern:* die Feuerwehr hat Wasser und Schaum in das Feuer gespritzt; das Kind hat mir Wasser in das Gesicht gespritzt. **b)** ⟨tr.⟩ *übergießen, übersprühen:* den Rasen s.; der Bauer hat die Bäume [gegen Schädlinge] gespritzt; er hat sein Auto neu gespritzt *(lackiert).* **c)** ⟨itr.⟩ *plötzlich in einem Strahl hervorschießen; in Tropfen auseinandersprühen:* Wasser spritzte aus der defekten Leitung; heißes Fett spritzte aus der Pfanne. **2.** ⟨itr.⟩ (ugs.) *sehr schnell laufen, sich eilen:* wenn der Chef ruft, spritzt er sofort.

Spritzer, der; -s, -: **1. a)** *in Form von Tropfen oder in einem kurzen plötzlichen Strahl weggeschleuderte Flüssigkeit:* einige S. trafen seinen Anzug; Sie können die Soße noch mit einem S. *(einer kleinen Menge, einem Schuß)* Wein abschmecken. **b)** *kleiner, durch das Spritzen einer Flüssigkeit hervorgerufener Fleck:* auf seinem Gesicht waren von der roten Farbe noch ein paar S. zu sehen. **c)** (ugs.) *leichter, rasch vorübergehender Regen:* nach dem kurzen S. am Morgen war den ganzen Tag schönes Wetter. **2.** *Arbeiter, der Gegenstände mit Farbe übersprüht, lackiert:* er ist in dieser Fabrik als S. beschäftigt. ** (ugs.; abwertend) **ein junger S.** *(ein vorlauter, noch ziemlich unreifer junger Mann).*

spritzig ⟨Adj.⟩: **a)** *packend, begeisternd; geistreich:* spritzige Musik; eine s. geschriebene Reportage; ein spritziges Stück. **b)** *prickelnd, anregend, feurig:* ein spritziger Wein. **c)** *schnell, sportlich:* der Motor ist sehr s.; ein spritziges Auto.

spröde ⟨Adj.⟩: **a)** ⟨nicht adverbial⟩ *brüchig; nicht elastisch, nicht geschmeidig:* sprödes Material, das Holz ist für diese Arbeit zu s.; eine s. *(rissige)* Haut haben; bildl.: eine s. *(heiser klingende)* Stimme. **b)** *schwer zu gestalten; nicht brauchbar:* der Stoff ist für einen Roman zu s. **c)** *nicht anziehend; kühl, abweisend:* sie ist in ihrem Wesen sehr s.

Sproß, der; Sprosses, Sprosse: **1.** (geh.) *Nachkomme (einer Familie):* er ist der jüngste S. aus diesem Hause. **2.** (veralt.) *Trieb (einer Pflanze):* dieses Jahr bekam der Strauch viele junge Sprosse.

Sprosse, die; -, -n: *rundes Holz als Stufe einer Leiter:* eine S. ist gebrochen.

sprossen, sproßte, ist gesproßt ⟨itr.⟩ (geh.; veralt.): *frische junge Triebe haben; wachsen, sprießen:* im Frühling sprossen wieder Bäume und Sträucher; bildl.: der erste Flaum sproßt dem jungen Mann über der Lippe.

Sprößling, der; -s, -e (ugs.; scherzh.): *Kind, Nachkomme:* wenn er auf Reisen ist, bringt er seinen S. bei Verwandten unter; (iron.) ein hoffnungsvoller S.

Spruch, der; -[e]s, Sprüche: *kurzer, einprägsamer Satz, der eine allgemeine Regel oder Weisheit zum Inhalt hat:* ein alter, frommer S.; Sprüche [aus der Bibel] lesen, sammeln. * (ugs.; abwertend) **Sprüche machen** *(viele Worte machen; prahlen).*

spruchreif: ⟨in der Fügung⟩ noch nicht s. sein: *noch nicht zur Entscheidung reif sein:* diese Angelegenheit ist noch nicht s.

Sprudel, der; -s, -: *nicht alkoholisches Getränk, das Kohlensäure enthält:* ein Glas S. trinken.

sprudeln, sprudelte, hat/ist gesprudelt ⟨itr.⟩: *[hervor]quellen, überschäumen; Strudel bilden:* das Wasser hat gesprudelt; eine Quelle ist aus dem Felsen gesprudelt; bildl.: die Witze sprudelten nur so aus seinem Munde *(er erzählte ununterbrochen Witze).*

sprühen, sprühte, hat/ist gesprüht: **a)** ⟨tr.⟩ *in kleinen Teilchen ausstreuen:* das Feuer, die Lokomotive hat Funken gesprüht; er hat Wasser über das Auto gesprüht. **b)** ⟨itr.⟩ *ausströmen, herausschießen:* die Funken sind nach allen Seiten gesprüht; bildl.: aus seinen Augen sprühte jugendliches Feuer *(in seinen Augen war die jugendliche Begeisterung zu erkennen);* ⟨häufig im 1. Partizip⟩ sprühender *(reger, an Einfällen reicher)* Geist; sprühende *(große, überschäumende)* Heiterkeit.

Sprung, der; -[e]s, Sprünge: **1.** *Bewegung, bei der man sich mit einem Fuß oder mit beiden Füßen abstößt und möglichst weit oder hoch zu kommen sucht:* der Sportler kam bei beiden Sprüngen über 7 m; er machte einen mächtigen S. über den Graben; bildl.: diese Lösung ist ein großer S. nach vorn *(ist ein großer Fortschritt).* * (ugs.) **keine großen Sprünge machen können** *(sich nicht viel leisten können):* mit diesem Gehalt kann er keine großen Sprünge machen; (ugs.) **jmdm. auf die Sprünge helfen** *(jmdm. durch Andeutungen weiterhelfen):* als er nicht weiter wußte, habe ich ihm mit einem Wort auf die Sprünge geholfen; (ugs.) **hinter jmds. Sprünge kommen** *(jmds. verborgene Absichten, Tricks erkennen).* **2.** ⟨ohne Plural⟩ *kurze Entfernung; kurzer Zeitraum:* bis zur Wohnung meines Freundes ist es nur ein S.; komm doch auf einen S. *(für einen Augenblick)* zu mir herüber. * **auf dem S. sein** *(im Begriff, bereit sein zu gehen).* **3.** *Riß, kleiner Spalt:* die Scheibe hat einen S.; bildl.: in seiner Rede waren mehrere Sprünge *(fehlende Übergänge).*

Sprungbrett, das; -[e]s, -er: *federndes Brett in Schwimmbädern, von dem aus man ins Wasser springt oder Brett zum Abspringen beim Turnen* (siehe Bild S. 615): auf dem S. stehen; bildl.: diese Stelle ist ein gutes S. *(ein günstiger Ausgangspunkt)* für seinen weiteren Aufstieg.

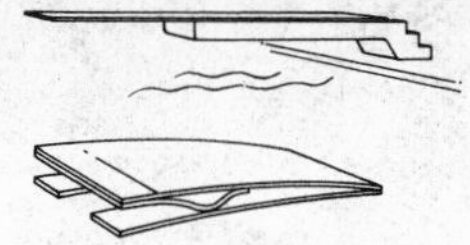

Sprungbrett

sprunghaft ⟨Adj.⟩: 1. *sich oft und plötzlich etwas anderem zuwendend:* er denkt, arbeitet sehr s.; sein sprunghaftes Wesen stößt manchen ab. 2. *rasch und plötzlich:* der Verkehr hat sich s. entwickelt; der sprunghafte Anstieg der Preise.

Sprungschanze, die; -, -n: Sport *steiles Gerüst, über das man beim Schispringen Anlauf nimmt* (siehe Bild).

Sprungschanze

Sprungtuch, das; -[e]s, Sprungtücher: *rundes Tuch aus festem Material, mit dem Personen, die aus großen Höhen springen [müssen], aufgefangen werden:* die Feuerwehr stand mit Sprungtüchern vor dem brennenden Haus.

Sprungturm, der; -[e]s, Sprungtürme: Sport *hohes Gerüst, von dem aus der Springer ins Wasser springt.*

Spucke, die; - (ugs.): *Speichel:* die Briefmarke mit etwas S. befeuchten. * **jmdm. bleibt [bei etwas] die S. weg** *(jmd. ist sprachlos vor Staunen).*

spucken, spuckte, hat gespuckt ⟨itr.⟩: *Speichel von sich geben:* auf die Straße s. * (ugs.) **große Töne s.** *(mit seinen Leistungen o. ä. prahlen).*

Spucknapf, der; -[e]s, Spucknäpfe: *besonderer Napf, in den der Auswurf gespuckt wird.*

Spuk, der; -s: *geisterhafte Erscheinung, unheimliches Treiben von Geistern o. ä.:* um Mitternacht wiederholte sich der S. in dem alten, verlassenen Schloß; bildl. (ugs.): der ganze S. *(das etwas eigenartig, unheimlich anmutende Treiben)* war in fünf Minuten wieder vorüber.

spuken, spukte, hat gespukt ⟨itr.⟩: *sein Unwesen treiben* /von Geistern/: der Geist der Großmutter spukt immer noch durch das alte Haus; bei uns spukt es in der Nacht. * **etwas spukt durch jmds. Kopf** *(jmd. hat noch ganz unklare Ideen, Gedanken, Pläne, mit denen er sich immer wieder beschäftigt).*

Spülbecken, das; -s, -: *Becken in der Küche, in dem das Geschirr gespült wird:* die gebrauchten Tassen vorläufig ins S. stellen.

Spule, die; -, -n: a) *Gegenstand, um dessen mittleren zylindrischen Teil etwas gewickelt wird oder ist:* Zwirn auf die S. wikkeln; die leere S. auf einem Tonbandgerät. b) *um einen zylindrischen Gegenstand Gewickeltes (Garn, [Ton]band, Draht o. ä.):* eine S. weißen Zwirn kaufen; die Spulen eines elektrischen Geräts; diese S. habe ich auf meinem Tonbandgerät noch nicht abgespielt.

Spüle, die; -, -n: *Spülbecken.*

spulen, spulte, hat gespult ⟨tr.⟩: *[mit einer eigenen Vorrichtung] (von einer oder auf eine Spule) wickeln:* vom Tonband ein Stück auf die leere Spule s.; mit der Nähmaschine Zwirn auf die kleine Spule s.

spülen, spülte, hat gespült ⟨tr.⟩: 1. *mit einer Flüssigkeit reinigen:* das Geschirr, die Wäsche s.; du mußt den Mund kräftig s. 2. ⟨mit näherer Bestimmung⟩ *treiben, schleudern:* das Meer spülte Trümmer eines Bootes an den Strand.

Spund: I. der; -[e]s, Spünde: *Pfropfen zum Verschließen von Fässern:* der Wirt schlug den Spund aus dem Faß. II. der; -[e]s, -e (ugs.): *unreifer junger Mann mit wenig Erfahrung:* ein junger, unerfahrener S.

Spur, die; -, -en: 1. a) *Abdruck im Boden oder im Schnee:* die Räder hinterließen eine S. im Sand; die Spuren eines Schlittens im Schnee. * (ugs.) **jmdn. auf die richtige S. bringen** *(jmdm. Hinweise geben, die ihm weiterhelfen):* als er ihm diesen Namen nannte, brachte er ihn auf die richtige S. b) *verbliebene Zeichen; Überreste:* der Einbrecher hinterließ keine S.; bei den Ausgrabungen stieß man auf Spuren alter Kulturen; bildl.: die Krankheit hinterließ deutliche Spuren *(Zeichen)* in ihrem Gesicht. 2. *geringes Maß, sehr kleine Menge:* im Wasser fanden sich Spuren eines Giftes; in der Suppe ist keine S., nicht die S. Salz *(überhaupt kein Salz)*; bei ihm war keine S. von Müdigkeit *(überhaupt keine Müdigkeit)* zu erkennen. 3. a) *Abstand zwischen den Schienen eines Gleises:* die S. der Eisenbahn ist in Rußland breiter als in Deutschland. b) *markierte Fahrbahn auf einer Straße:* jeder Autofahrer muß sich in seiner S. halten.

spürbar ⟨Adj.⟩: *merklich; deutlich zu spüren:* die Verhältnisse sind s. besser geworden.

spuren, spurte, hat gespurt ⟨itr.⟩: 1. *mit den Schiern im tiefen Schnee eine Spur machen:* auf der Tour ging ihr großer Bruder voraus und spurte für alle. 2. (ugs.) *sich gefügig Anordnungen, Anforderungen unterwerfen, ihnen entsprechen:* er spurte sofort, als man ihm mit Entlassung drohte.

spüren, spürte, hat gespürt/(nach vorangehendem Infinitiv auch) hat ... spüren ⟨itr.⟩: a) *mit den Sinnen wahrnehmen:* er spürte ihre Hand auf seiner Schulter; Hunger, Kälte, Durst, Müdigkeit s. b) *seelisch empfinden, fühlen:* er spürte plötzlich ihre Erregung, ihre Unruhe; er selbst spürte Erleichterung.

spurlos ⟨Adj.; nicht prädikativ⟩: *ohne eine Spur zu hinterlassen:* er war s. verschwunden; diese Erlebnisse sind s. an ihr vorübergegangen.

Spurt, der; -[e]s, -s: *Steigerung der Geschwindigkeit bei Rennen [bes. kurz vor dem Ziel]:* er legte bei dem 10000-m-Lauf mehrere Spurts ein.

spurten, spurtete, ist gespurtet ⟨itr.⟩: *einen Spurt einlegen:* 100 m vor dem Ziel begann er zu s.

sputen, sich; sputete sich, hat sich gesputet: *sich beeilen, schnell machen:* spute dich!

Staat, der; -[e]s, -en: 1. *Gemeinschaft von Menschen innerhalb gleicher Grenzen mit gemeinsamer politischer Organisation:* ein demokratischer, ein souveräner S. 2. *Prunk, Pracht, Aufwand:* sie erschien in ihrem besten S. *(in ihren kostbarsten Kleidern).* * (ugs.) **mit jmdm./etwas [keinen] S. machen** *(mit jmdm./etwas [keinen] Eindruck* *machen; [nicht] prunken):* mit diesem Hut kannst du bestimmt keinen S. mehr machen.

staatenlos ⟨Adj.⟩: *ohne Staatsangehörigkeit:* ein staatenloser Flüchtling; in bestimmten Fällen sind in Deutschland geborene Kinder von Ausländern s.

staatlich ⟨Adj.⟩: *den Staat betreffend; dem Staat gehörend:* staatliche Aufgaben; ein staatliches Museum.

Staatsangehörigkeit, die; -: *Zugehörigkeit zu einem Staat:* er besitzt die deutsche S.

Staatsanwalt, der; -[e]s, Staatsanwälte: *Jurist, der beruflich Strafsachen o. ä. untersucht und anzeigt:* der S. hielt sein Plädoyer.

Staatsbegräbnis, das; -ses, -se: *Begräbnis einer um den Staat verdienten Persönlichkeit, das vom Staat finanziert wird:* dem S. des Bundespräsidenten beiwohnen.

Staatsbesuch, der; -[e]s, -e: *offizieller Besuch eines ausländischen Staatsoberhauptes, eines Ministers, einer Delegation o. ä. in einem anderen Staat:* die Hauptstadt ist aus Anlaß des Staatsbesuches festlich geschmückt.

Staatsbürger, der; -s, -: *Bürger eines Staates:* die Pflichten eines Staatsbürgers.

Staatsdienst, der; -es: *Dienst in einer vom Staat eingerichteten Stelle, Behörde o. ä.:* er steht schon jahrelang im S.

Staatsform, die; -, -en: *Form, in der ein Staat regiert wird:* eine demokratische S.

Staatsgeheimnis, das; -ses, -se: *eine Sache von wesentlicher Bedeutung, deren Geheimhaltung für die innere oder äußere Sicherheit oder den Bestand des Staates wichtig ist:* ein S. preisgeben.

Staatskasse, die; -, -n: *Einrichtung zur [zentralen] Verrechnung der Einnahmen und Ausgaben des Staates:* soziale Unterstützungen werden aus der S. bezahlt.

Staatsmann, der; -[e]s, Staatsmänner: *[bedeutender] Politiker eines Staates:* Bismarck war ein großer S.

Staatsoberhaupt, das; -[e]s, Staatsoberhäupter: *Person, die [formell] an der Spitze des Staates steht:* die Stellung des Staatsoberhauptes ist nach der Verfassung der einzelnen Staaten sehr unterschiedlich geregelt.

Staatsprüfung, die; -, -en: *vor dem Eintritt in den Staatsdienst abzulegende Prüfung, die unter staatlicher Aufsicht stattfindet:* der Referendar hatte die erste S. abgelegt.

Staatsstreich, der; -[e]s, -e: *illegales [gewaltsames] Absetzen einer Regierung:* die Generale sind durch einen S. an die Macht gekommen.

Stab, der; -[e]s, Stäbe: **1. a)** *runde oder kantige, verhältnismäßig dünne und nicht sehr lange Stange* (siehe Bild): die Stäbe eines Gitters; der S. des Dirigenten. **b)** *Sportgerät* (siehe Bild). **2.** *Gruppe von verantwortlichen Mitarbeitern [die eine höhere Persönlichkeit umgeben oder begleiten]:* der General kam mit seinem ganzen S.; zu den Verhandlungen wurde ein S. von Sachverständigen hinzugezogen.

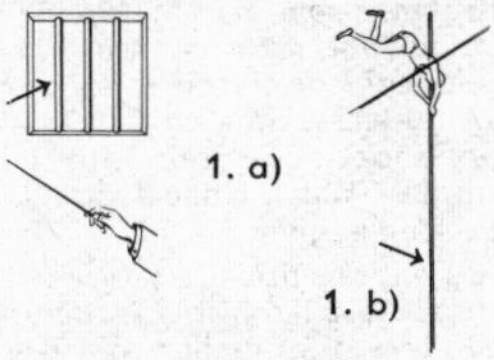

Stab

stabil ⟨Adj.⟩: **1.** *so gebaut, daß es sicher steht und großen Belastungen standhält:* ein stabiler Schrank; das Haus ist s. gebaut. **2.** *dauerhaft, beständig; so sicher, daß es nicht so leicht durch etwas gefährdet ist:* eine stabile Regierung, Währung.

stabilisieren, stabilisierte, hat stabilisiert ⟨tr.⟩: **1.** *so sichern, daß es großen Belastungen standhält:* bei diesem Auto muß die Federung stabilisiert werden. **2.** *beständig machen, so daß es nicht so leicht durch etwas gefährdet wird:* die Preise müssen stabilisiert werden.

Stabilität, die; -: **1.** *Haltbarkeit gegenüber großen Belastungen:* die S. der Konstruktion ist beachtlich. **2.** *Dauerhaftigkeit, Beständigkeit:* die S. der Währung muß durch sofortige Maßnahmen gesichert werden.

Stabsoffizier, der; -s, -e: *höherer Offizier vom Major aufwärts.*

Stachel, der; -s, -n: **1.** *stechende Spitze an Tieren und Pflanzen:* die Stacheln des Igels, der Rose. * (geh.) **wider den S. löcken** *(gegen etwas, was als Einschränkung der persönlichen Freiheit empfunden wird, aufbegehren; aufsässig sein).* **2.** *etwas, was jmdn. aufreizt, was jmdn. aus einem bestimmten Gefühl heraus zu etwas treibt:* der S. des Hasses, Ehrgeizes.

Stachelbeere, die; -, -n /eine Beere von gelblicher, grünlicher oder roter Farbe/ (siehe Bild).

Stachelbeere

Stacheldraht, der; -[e]s: *verstärkter Draht aus Eisen mit scharfen Spitzen:* die Grenze ist mit S. gesichert.

stachlig ⟨Adj.; nicht adverbial⟩: *voll Stacheln:* ein stachliger Zweig; ein stachliger *(stechender, kratzender)* Bart.

Stadel, der; -s, - (südd.; östr.; schweiz.): *Scheune:* das Heu wird in den S. gebracht.

Stadion, das; -s, Stadien: *Sportplatz mit Tribünen für die Zuschauer* (siehe Bild): im S. findet ein Fußballspiel statt.

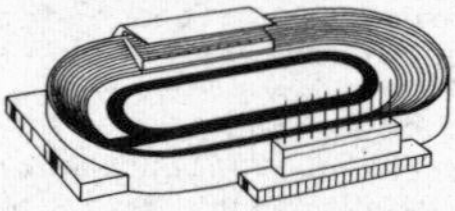

Stadion

Stadium, das; -s, Stadien: *Abschnitt innerhalb einer Entwicklung, Stufe:* in einem frühen S. kann die Krankheit noch geheilt werden.

Stadt, die; -, Städte: *größere geschlossene Siedlung:* er ist vom Land in die S. gezogen; die S. hat 50000 Einwohner; (ugs.) die ganze S. spricht davon *(alle sprechen davon).*

stadtbekannt ⟨Adj.⟩: *den Einwohnern einer Stadt gut bekannt:* eine stadtbekannte Persönlichkeit.

Städter, der; -s, -: *jmd., der in einer Stadt wohnt:* die S. fahren zur Erholung auf das Land.

Stadtgespräch, das; -[e]s: *etwas, worüber in der ganzen Stadt* *gesprochen wird:* kaum war er dorthin gezogen, als er auch schon S. war.

städtisch ⟨Adj.⟩: **a)** *wie in der Stadt üblich; nicht ländlich:* sie hat ein städtisches Benehmen; s. gekleidet sein. **b)** *die [Verwaltung einer] Stadt betreffend:* die städtischen Beamten, Verkehrsmittel.

Stadtplan, der; -s, Stadtpläne: *Blatt, auf dem die Straßen und Bauten einer Stadt von oben gesehen dargestellt sind:* eine Straße auf dem S. suchen.

Stadtrand, der; -[e]s, Stadtränder: *äußeres, eine Stadt begrenzendes Gebiet:* eine Wohnung, Siedlung am S.

Stadtteil, der; -s, -e: *Teil einer Stadt:* er wohnt in einem anderen S.

Stafette, die; -, -n: *Gruppe (bes. von Reitern, Fahrzeugen o. ä.) in einer bestimmten Ordnung, Reihenfolge:* die Polizisten ritten in einer S.

Staffage [ʃta'fa:ʒə], die; -, -n: *Beiwerk, Ausstattung, Belebung eines Bildes durch Figuren:* der Maler zeichnete Spaziergänger als S. in die Landschaft; bildl. (ugs.): das ist bei ihm alles nur S. *(nicht die Hauptsache; nur dazu da, um Eindruck zu machen).*

Staffel, die; -, -n: **1.** *Einheit von Flugzeugen:* eine S. flog über die Stadt. **2.** *Gruppe von Sportlern, deren Leistung bei einem Wettkampf gemeinsam gewertet wird:* im Schwimmen siegte die deutsche S.

Staffelei, die; -, -en: *verstellbares Gestell, auf das beim Malen das Blatt gelegt wird* (siehe Bild): sie saß vor der S. und malte.

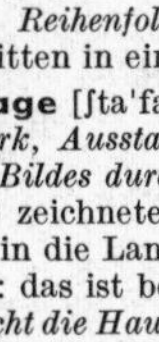

Staffelei

staffeln, staffelte, hat gestaffelt ⟨tr./rfl.⟩: **1.** *nach bestimmten Stufen, Rängen einteilen, festsetzen:* das Gehalt nach Dienstgraden s.; das Gehalt der Beamten staffelt sich. **2.** *nach einer bestimmten Ordnung verteilt aufstellen:* die Armee war tief gestaffelt.

Stagnation, die; -, -en: *das Stagnieren; Stockung, Stauung, Stillstand:* eine S. der Wirtschaft überwinden.

stagnieren, stagnierte, hat stagniert ⟨itr.⟩: *stocken, stillstehen:* die Wirtschaft des Landes stagniert.

Stahl, der; -s, Stähle: *Eisen, das geschmiedet und bes. hart gemacht werden kann.*

stählen, stählte, hat gestählt ⟨tr./rfl.⟩: *widerstandsfähig machen; abhärten:* den Körper durch Sport s.; sich für den Kampf s.

stählern ⟨Adj.; nur attributiv⟩: *aus Stahl [bestehend, hergestellt]:* das stählerne Gerüst des Baues; bildl.: seine Leistung ist auf seinen stählernen *(unbeugsamen, starken)* Willen zurückzuführen.

Stall, der; -[e]s, Ställe: *Raum für Tiere, bes. für das Vieh:* die Kühe in den S. treiben.

Stamm, der; -[e]s, Stämme: **1.** *Teil des Baumes zwischen Wurzeln und Zweigen:* der S. der Eiche war hohl. **2.** *Gruppe von Menschen mit gemeinsamer Abstammung; Geschlecht:* die deutschen Stämme. **3.** ⟨ohne Plural⟩ *fester Bestand von Personen, Kern:* der Spieler gehört zum S. der Mannschaft.

Stammbaum, der; -[e]s, Stammbäume: *[schematische Darstellung der] Abstammung einer Person, einer Familie, eines Tieres, einer Pflanze:* der S. Kaiser Maximilians I. wird bis in die Antike zurückgeführt; ein Pferd mit edlem S.

Stammbuch, das; -[e]s, Stammbücher: *Buch, in das sich Freunde zur Erinnerung eintragen:* einen Vers ins S. schreiben. * (ugs.) **jmd. kann/soll sich etwas ins S. schreiben** *(jmd. soll sich etwas merken, einprägen).*

stammeln, stammelte, hat gestammelt ⟨tr.⟩: *(Laute oder Wörter) nicht richtig hervorbringen können; stockend sprechen:* er stammelte einige Worte der Entschuldigung.

stammen, stammte, hat gestammt ⟨itr.⟩: **a)** *kommen (aus); geboren sein (in):* er stammt aus Paris, aus einer vornehmen Familie. **b)** *seinen Ursprung haben (in); (von jmdm.) sein:* dieser Brauch stammt noch aus dem vorigen Jahrhundert; dieser Ausspruch stammt nicht von mir.

Stammgast, der: -[e]s, Stammgäste: *jmd., der oft und regelmäßig [in einem Lokal] Gast ist:* dieser Tisch ist für die Stammgäste reserviert.

Stammhalter, der; -s, - (ugs.): *neugeborener erster Sohn, der den Namen einer Familie vor dem Aussterben bewahrt:* den erwünschten S. bekommen.

stämmig ⟨Adj.; nicht adverbial⟩: *fest gebaut und kräftig:* ein stämmiger Bursche.

Stammtisch, der; -es, -e: **a)** *Tisch in einem Lokal, an dem sich eine Gruppe von Gästen regelmäßig trifft:* am S. wurde heftig über die politische Lage diskutiert. **b)** *Gruppe von Gästen, die sich regelmäßig an einem bestimmten Tisch eines Lokals trifft:* der S. versammelt sich jeden Samstag zum Kartenspielen.

Stamperl, das; -s, -[n] (bayr.; östr.): *kleines Glas für Schnaps:* sein S. leeren; /als Maßangabe/ er hat drei S. getrunken.

stampfen, stampfte, hat gestampft: **1.** ⟨itr.⟩ **a)** *(mit dem Fuß) heftig (auf den Boden) treten:* er stampfte vor Zorn [mit dem Fuß] auf den Boden. **b)** *mit regelmäßigen harten Stößen laufen, in Betrieb sein:* die Maschine stampft. **2.** ⟨tr.⟩ *durch Stoßen mit einem bestimmten Gerät zusammendrücken, zerkleinern:* Kartoffeln, Trauben s.

Stand, der; -[e]s, Stände: **1.** ⟨ohne Plural⟩ *das Stehen; Art des Stehens:* einen sicheren S. haben; einen Sprung aus dem S. *(ohne Anlauf)* machen. * **einen leichten/schweren S. [bei jmdm.] haben** *(sich [bei jmdm.] leicht/schwer durchsetzen, behaupten können).* **2.** ⟨ohne Plural⟩ *gegenwärtiger Zustand von etwas:* der höchste S. des Wassers; der heutige S. der Wissenschaft; das Spiel wurde beim S. von 2:0 abgebrochen. **3.** *Gruppe von Menschen mit gemeinsamem Beruf oder gleicher sozialer Stellung:* der geistliche S.; der S. der Arbeiter, der Bauern, der Gelehrten. **4.** *Gestell, Tisch eines Händlers [auf einem Markt]:* an vielen Ständen wird Obst angeboten.

Standard, der; -s, -s: *durchschnittliches Maß, Norm in Aus-*

stattung, Qualität o. ä.: ein hoher S. der Bildung; gemessen am internationalen S. ist das Hotel recht gut; der technische S. der Industrie.

standardisieren, standardisierte, hat standardisiert ⟨tr.⟩: *vereinheitlichen:* die Schreibung dieses Wortes ist standardisiert worden.

Standarte, die; -, -n: *Fahne berittener oder motorisierter Truppen; Flagge von Staatsoberhäuptern o. ä.:* der Fähnrich trägt die S.

Standbild, das; -[e]s, -er (veralt.): *Statue:* ein S. aus Marmor.

Ständchen, das; -s, -: *Musik, die auf Grund eines besonderen Anlasses vor jmds. Haus, Wohnung oder Fenster gespielt wird, um ihn zu ehren oder um ihm eine Freude zu machen:* man hat ihm ein S. gebracht.

Stander, der; -s, -: *Flagge am Auto bes. von hohen Beamten der Regierung.*

Ständer, der; -s, -: *Vorrichtung, Gestell, auf das etwas gelegt, gestellt oder gehängt werden kann* (siehe Bild): die Noten liegen auf dem S.; den Mantel am S. aufhängen; eine Kerze auf einen S. stecken.

Ständer

Ständerat, der; -[e]s, Ständeräte: **a)** ⟨ohne Plural⟩ *die einzelnen Kantone vertretendes Gremium in der Schweiz.* **b)** *Mitglied des gleichnamigen Gremiums.*

Standesamt, das; -[e]s, Standesämter: *Behörde, bei der Geburten, Eheschließungen und Todesfälle eingetragen werden.*

standesamtlich ⟨Adj.⟩: *durch das Standesamt, auf dem Standesamt vollzogen:* s. getraut werden.

Standesdünkel, der; -s: *Dünkel, der auf der Zugehörigkeit zu einer bestimmten Gesellschaftsschicht beruht:* der S. des Adels ist nicht mehr zeitgemäß.

standesgemäß ⟨Adj.⟩: *dem höheren sozialen Status entsprechend:* die Kinder s. erziehen lassen.

Standesunterschied, der; -[e]s, -e: *Unterschied zwischen den einzelnen Gesellschaftsschichten:* der S. wurde besonders im Mittelalter sehr stark betont.

standfest ⟨Adj.⟩: *fest stehend:* die Leiter ist nicht s.

standhaft ⟨Adj.⟩: **a)** *trotz Anfeindungen, Hindernissen fest bleibend, nicht nachgebend:* ein standhafter Mensch, Mut. **b)** *tapfer:* er ertrug s. sein Unglück.

Standhaftigkeit, die; -.

standhalten, hält stand, hielt stand, hat standgehalten ⟨itr.⟩: **1. a)** *trotz Belastung nicht brechen:* die Brücke hält der Kolonne von Lastwagen stand. **b)** *trotz Angriffen nicht zurückweichen, nachgeben:* die Verteidiger hielten dem Sturm der Gegner stand. **2.** *bestehen können (vor etwas):* seine Behauptung hielt einer genauen Prüfung stand.

ständig ⟨Adj.; nicht prädikativ⟩: **a)** *immer; sich oft wiederholend:* er hat s. an ihm etwas auszusetzen. **b)** *regelmäßig:* sein ständiges Einkommen; der Verkehr auf den Straßen nimmt s. *(unaufhörlich)* zu.

ständisch ⟨Adj.⟩: *die Stände betreffend, von den Ständen herrührend:* die ständische Ordnung des Mittelalters.

Standlicht, das; -[e]s, -er: *Licht an Kraftfahrzeugen, das bes. im Stand eingeschaltet wird:* das S. wird überprüft.

Standort, der; -es, -e: *Ort, Punkt, an dem man sich gerade befindet:* von seinem S. aus konnte er das Haus nicht sehen; der Pilot stellte den S. des Flugzeugs fest.

Standpauke, die; -, -n (ugs.): *Strafpredigt, eindringliche Ermahnung:* der Lehrer hielt dem nachlässigen Schüler eine S.

Standpunkt, der; -es, -e: *Meinung; Aspekt, Weise, wie man etwas sieht, beurteilt:* ein vernünftiger S.; vom S. des Arbeiters aus ist diese Forderung verständlich. *** einen S. vertreten** *(sich zu einer bestimmten Meinung bekennen);* **auf dem S. stehen** *(eine bestimmte Meinung haben);* (ugs.) **jmdm. den S. klarmachen** *(jmdm. nachdrücklich seine Meinung sagen);* **jmds. S. teilen** *(dieselbe Meinung haben wie jmd.).*

Standrecht, das; -[e]s: *Ausnahmezustand, bei dem militärische Gerichte alle Verbrechen, die die Sicherheit und Ordnung des Staates betreffen, aburteilen:* das S. soll wieder aufgehoben werden.

Stange, die; -, -n: *[sehr] langer und im Verhältnis zur Länge dünner Gegenstand aus Holz oder Metall:* die Fahne wird auf einer hohen S. aufgehängt; etwas mit einer S. aus dem Wasser fischen. *** bei der S. bleiben** *(ausharren, nicht aufgeben);* **jmdm. die S. halten** *(für jmdn. auch weiterhin eintreten, ihn in Schutz nehmen);* **jmdn. bei der S. halten** *(verhindern, daß jmd. bei etwas nicht mehr mitmacht, daß sein Interesse erlahmt);* (ugs.) **eine S. Geld** *(viel Geld);* **von der S.** *(nicht nach Maß gearbeitet):* ein Anzug von der S.; etwas von der S. kaufen.

Stänkerei, die; -, -en (ugs.): *andauerndes, lästig fallendes Stänkern:* laß doch diese ewige S.!

Stänkerer, der; -s, - (ugs.): *jmd., der ständig stänkert:* er hörte dem S. gar nicht mehr zu.

stänkern, stänkerte, hat gestänkert ⟨itr.⟩ (ugs.): *nörgeln; versuchen, Unfrieden zu stiften:* er stänkert schon wieder.

Stanniolpapier, das; -s: *dünne, silbrig glänzende Folie aus einer Legierung verschiedener Metalle, bes. Zinn, oder aus Aluminium:* Schokolade ist in S. verpackt.

stanzen, stanzte, hat gestanzt ⟨tr.⟩: **a)** *(ein Material) in eine bestimmte Form pressen:* Bleche s. **b)** *durch Pressen in bestimmter Form herausschneiden, herstellen:* in ein Stück Leder werden Löcher gestanzt.

Stapel, der; -s, -: **1.** *geordnet aufgeschichteter Haufen:* ein S. Bücher, Holz. **2.** *Gerüst, auf dem ein Schiff während des Baues steht:* ein Schiff vom S. laufen lassen *(den fertiggestellten Rumpf eines Schiffes ins Wasser gleiten lassen).* * (ugs.) **vom S. lassen** *(etwas, was komisch o. ä. wirkt, von sich geben):* eine Rede, Witze vom S. lassen.

stapeln, stapelte, hat gestapelt: **1.** ⟨tr.⟩ *geordnet aufschich-*

ten, aufeinanderlegen: Bücher, Waren im Lager s. **2.** ⟨rfl.⟩ *sich in größerer Menge [unerledigt] anhäufen:* im Laden stapelten sich die unverkauften Waren; die Briefe stapeln sich auf dem Schreibtisch.

stạpfen, stapfte, ist gestapft ⟨itr.⟩: *mit schweren Schritten gehen:* sie stapfen durch den Schnee.

Sta̲r: **I.** der; -[e]s, -e: /ein schwarzer Vogel/ (siehe Bild).

Star I.

II. der; -[e]s, -e: *Krankheit der Augen, die die Fähigkeit zu sehen vermindert:* er hat den S.; den S. operieren. **III.** [sta:r, auch: ʃta:r] der; -s, -s: *Schauspieler, Sportler, der gerade sehr berühmt ist:* ein Film mit vielen Stars; sie ist ein S. geworden.

Sta̲rallüren [sta:r..., auch: ʃta:r...], die ⟨Plural⟩: *eitles, launenhaftes Benehmen, Allüren eines Stars:* nach seinem ersten Erfolg bekam er S.

stạrk, stärker, stärkste ⟨Adj.⟩: **1.** ⟨nicht adverbial⟩ *viel Kraft habend:* ein starker Mann, Motor. **2.** *mächtig:* ein starker Staat. *** der starke Mann** *(der mächtigste Mann):* er ist der starke Mann in der Partei. **3.** ⟨verstärkend bei Verben⟩ *sehr:* er weicht s. von der Linie ab. **4. a)** *groß:* er übt starken Einfluß auf ihn aus. **b)** *kräftig:* starker Regen, Verkehr; starker Kaffee *(Kaffee mit großer Wirkung)*. **5.** ⟨nicht adverbial⟩ *dick:* sie ist ziemlich s. geworden.

Stạ̈rke: **I.** die; -, -n: **1.** ⟨ohne Plural⟩ *Fähigkeit, durch den Körper, die Muskeln etwas zu leisten; Kraft:* er besiegte die Gegner durch seine S. *** etwas ist jmds. S.** *(jmd. ist in etwas besonders begabt):* Mathematik war nie seine S. **2.** ⟨ohne Plural⟩ *Ausmaß, Grad:* die S. der Empfindung; die S. des Lichts. **3.** ⟨ohne Plural⟩ *Macht, Größe:* die S. der Partei. **4.** *Größe des Durchmessers, Umfangs o. ä.:* die S. des Rohres, der Mauer. **5.** ⟨ohne Plural⟩ *Fähigkeit, nicht leicht entzweizugehen, haltbar zu sein:* die S. des Stoffes, Fadens. **II.** die; -: *Stoff, mit dem u. a. Wäschestücke steif gemacht werden können:* aus Kartoffeln wird S. gewonnen.

stạ̈rken, stärkte, hat gestärkt: **I. 1.** ⟨tr.⟩ *stark machen:* der Schlaf stärkt den Menschen; Lob stärkt das Selbstvertrauen. **2.** ⟨rfl.⟩ (ugs.) *essen oder trinken, um für etwas Kraft zu haben:* ich muß mich vorher noch s. **II.** ⟨tr.⟩ *durch Stärke steif machen:* das Hemd, den Kragen s.

Stạ̈rkung, die; -, -en: **1.** *Mittel, das stärkt, kräftigt; Imbiß:* nach der langen Wanderung nahmen wir eine kleine S. zu uns. **2.** *Kräftigung:* durch diese Behandlung erfuhr seine Gesundheit eine sichtliche S.

Starlet[t] ['sta:rlɛt], das; -s, -s: *angehende Filmschauspielerin [die mit fragwürdigen Mitteln auf sich aufmerksam zu machen sucht]:* auf dem Titelblatt der Illustrierten ist ein S. abgebildet.

stạrr ⟨Adj.⟩: **1.** *vollkommen steif; nicht biegsam:* die Finger sind s. vor Kälte; sie saß s. da vor Schreck und konnte kein Wort sagen. **2.** *weit offen und ohne Lebendigkeit und Ausdruck; regungslos, wie auf einen Punkt gerichtet* /von den Augen/: ein starrer Blick.

stạrren, starrte, hat gestarrt: ⟨itr.⟩ *unentwegt in eine Richtung blicken, starr blicken:* sie starrte mit weit offenen Augen auf den Fremden. **** vor etwas** s. *(ganz bedeckt sein von etwas):* vor Schmutz s.

stạrrköpfig ⟨Adj.⟩ (abwertend): *fest auf der eigenen Meinung beharrend, eigensinnig:* es war nicht möglich, den starrköpfigen Alten umzustimmen.

stạrrsinnig ⟨Adj.⟩ (abwertend): *starrköpfig, eigensinnig.*

Stạrt, der; -s, -s: **1. a)** *Beginn eines Wettlaufes, eines Rennens:* das Zeichen zum S. geben. **b)** *Stelle, an der beim Wettkampf der Lauf oder die Fahrt beginnt:* die Läufer versammeln sich am S. *** am S. sein** *(teilnehmen):* beim Wettkampf waren zwanzig Läufer am S. **2.** *Abflug:* der S. des Flugzeugs. **3.** *Anfang, Beginn:* der S. einer Unternehmung.

Stạrtbahn, die; -, -en: *Teil des Flugplatzes, der für den Start der Flugzeuge bestimmt ist:* das Flugzeug befindet sich bereits auf der S.

stạrtbereit ⟨Adj.⟩: *bereit, fertig zum Starten:* die Läufer, Fahrer sind s.

stạrten, startete, ist/hat gestartet: **1.** ⟨itr.⟩ **a)** *den Lauf, die Fahrt beginnen* /beim Wettkampf/: er ist sehr schnell gestartet. **b)** *teilnehmen* /beim Wettkampf/: er startet bei allen großen Rennen; er ist für unseren Verein gestartet *(er hat für unseren Verein am Wettkampf teilgenommen)*. **2.** ⟨itr.⟩ *abfliegen:* das Flugzeug ist um 9 Uhr gestartet. **3.** ⟨tr.⟩ **a)** *in Gang setzen:* er hat das Auto, eine Rakete gestartet. **b)** *beginnen lassen:* er hat das Autorennen gestartet. **c)** *beginnen, unternehmen:* er hat eine große Aktion gegen den Hunger gestartet.

Stạrthilfe, die; -, -n: *[finanzielle] Hilfe, die jmdm. den schwierigen Beginn bei etwas erleichtern soll:* ich gebe dir 500 Mark als S.

Stạrtschuß, der; Startschusses, Startschüsse: *Schuß aus einer Pistole als Signal zum Beginn bestimmter Rennen:* der S. zum 10000-m-Lauf ist gefallen; bildl.: die Regierung gab den S. zu neuen Verhandlungen *(leitete neue Verhandlungen ein)*.

Statio̲n, die; -, -en: **1.** *Stelle, an der ein öffentliches Verkehrsmittel zum Aus- und Einsteigen hält; Bahnhof, Haltestelle:* bei der nächsten S. müssen wir aussteigen. *** S. machen** *(eine Reise, Fahrt vorübergehend unterbrechen und sich für kurze Zeit irgendwo aufhalten):* er macht in München S. **2.** *bestimmter Punkt, Abschnitt in einem Vorgang, einer Entwicklung:* die wichtigsten Stationen seines Lebens. **3.** *Abteilung eines Krankenhauses:* die chirurgische S.

statione̲r ⟨Adj.⟩: *an einen Ort gebunden:* ein stationäres Laboratorium; eine stationäre Behandlung *(eine Behandlung, bei der der Patient im Krankenhaus bleiben muß)*.

stationi̲eren, stationierte, hat stationiert ⟨tr.⟩: *(Truppen in ein bestimmtes Land, nach einem bestimmten Ort) verlegen:* Truppen in X s.; ⟨häufig im 2. Partizip⟩ die in Deutschland stationierten amerikanischen Truppen.

statisch ⟨Adj.⟩: *stillstehend, unbewegt, ruhend* /Ggs. dynamisch/: die Form dieser Organisation weist stark statische Züge auf.

Statist, der; -en, -en: *Darsteller einer stummen Rolle* /auf dem Theater oder im Film/: zahlreiche Statisten wurden für die Szene verpflichtet.

Statisterie, die; -, -n: *Gesamtheit der Statisten.*

Statistik, die; -, -en: **a)** *wissenschaftliche Methode zur zahlenmäßigen Erfassung von Massenerscheinungen.* **b)** *nach bestimmten Gesichtspunkten geordnete Zusammenstellung von Zahlen über etwas:* eine S. über die Einwohnerzahlen in den letzten hundert Jahren.

statistisch ⟨Adj.⟩: *die Statistik betreffend; mit Methoden der Statistik ermittelt.*

Stativ, das; -s, -e: *Gestell [mit drei Beinen] für physikalische, chemische, photographische o. ä. Apparate* (siehe Bild): das S. wird für die Aufnahme bereitgestellt.

Stativ

statt: I. ⟨Präp. mit Gen.⟩ *an Stelle von, in Vertretung, als Ersatz für:* s. meiner wird mein Bruder kommen; s. eines Blumenstraußes. **II.** ⟨Konj.⟩ *anstatt; entgegen der Erwartung, daß* /drückt aus, daß etwas geschieht, obwohl etwas anderes möglich oder besser wäre oder etwas anderes erwartet wird/: s. genügend Obst zu essen, ißt er nur Süßigkeiten.

Statt: ⟨nur in bestimmten Fügungen⟩ an meiner/Eides/Kindes S.: *statt meiner/eines Eides/Kindes:* an deiner S. hätte ich anders gehandelt; jmdn. an Kindes S. annehmen *(adoptieren);* er hat die Erklärung an Eides S. *(als ob er geschworen hätte)* abgegeben.

Stätte, die; -, -n (geh.): *Ort, Platz:* eine gastliche S.; an dieser S. wird ein Denkmal errichtet.

stattfinden, fand statt, hat stattgefunden ⟨itr.⟩: *geschehen, sich ereignen, nachdem es geplant und vorbereitet wurde:* das Gastspiel findet Ende Mai statt.

statthaft: ⟨in der Fügung⟩ etwas ist nicht s.: *etwas ist verboten:* es ist nicht s., Waren ins Ausland zu bringen, ohne sie zu verzollen.

stattlich ⟨Adj.⟩: *von großer und zugleich kräftiger Statur:* ein stattlicher Mann; er sieht s. aus.

Statue, die; -, -n: *Plastik, die einen Menschen oder ein Tier in der ganzen Gestalt darstellt:* im Park steht eine S. aus Stein; er stand still wie eine S.

Statuette, die; -, -n: *kleine Statue:* die antiken Statuetten in einem Museum bewundern.

statuieren, statuierte, hat statuiert: ⟨in der Wendung⟩ ein Exempel s.: *ein warnendes Beispiel geben:* mit dem Ausschluß des Schülers aus dem Internat wurde ein Exempel statuiert.

Statur, die; -, -en: *Bau des Körpers; Wuchs:* er hat eine kräftige S.

Status, der; -: *Stand, Zustand, Verhältnisse:* Besitz und Bildung kennzeichnen den sozialen S.

Statut, das; -[e]s, -en: *Satzung:* sie änderten die Statuten des Vereins.

Staub, der; -[e]s: *Erde o. ä. Material in ganz feiner Form, das auf dem Boden liegt, an der Oberfläche von etwas haften bleibt oder vom Wind durch die Luft getragen wird:* die Möbel waren mit S. bedeckt; der Wind wirbelte den S. auf. * (ugs.) **S. aufwirbeln** *(Aufregung, Unruhe verursachen);* (ugs.) **sich aus dem S. machen** *(sich heimlich entfernen).*

stauben, staubte, hat gestaubt: **1.** ⟨itr.⟩ **a)** *aufwirbeln* /von Staub/: auf der Straße staubt es. **b)** *Staub aufwirbeln lassen:* der Teppich staubt beim Ausschütteln. **2.** ⟨tr.⟩ (landsch.) *mit etwas Mehl verrühren:* die Soße wird gestaubt.

stäuben, stäubte, hat gestäubt: **a)** ⟨itr.⟩ *in kleinen Teilchen [umher]wirbeln:* der Schnee stäubt von den Zweigen. **b)** ⟨tr.⟩ *kleine Teilchen (von etwas) fein verteilen:* ich stäubte mir ein wenig Puder auf die Nase.

staubig ⟨Adj.⟩: *voll Staub, mit Staub bedeckt:* die Schuhe sind s.

Staubsauger, der; -s, -: *elektrisches Gerät, mit dem Staub aufgesaugt werden kann.*

Staubtuch, das; -[e]s, Staubtücher: *Tuch, mit dem der Staub im Hause weggewischt wird:* mit dem S. über die Möbel gehen.

Staudamm, der; -[e]s, Staudämme: *Damm, der Wasser staut:* einen S. errichten.

Staude, die; -, -n: *hohe Pflanze mit mehreren aus einer Wurzel wachsenden starken Stengeln* (siehe Bild).

Staude

stauen, staute, hat gestaut: **1.** ⟨tr.⟩ *durch eine Absperrung am Weiterfließen hindern:* einen Fluß s. **2.** ⟨rfl.⟩ **a)** *wegen eines Hindernisses nicht mehr weiterfließen können:* das Wasser, Eis staut sich. **b)** *in großer Anzahl dicht gedrängt stehen:* vor der Kreuzung stauten sich die Autos.

staunen, staunte, hat gestaunt ⟨itr.⟩: *über etwas, was man nicht erwartet hat, sich beeindruckt und verwundert zeigen:* ich staune, was du alles kannst.

staunenswert ⟨Adj.⟩: *wert, daß man es bestaunt; bewundernswert:* staunenswerte Leistungen der Technik.

Stausee, der; -s, -n: *durch Stauung eines Flusses o. ä. entstandener See zur Gewinnung von Elektrizität:* einen S. anlegen.

Stauung, die; -, -en: *das Stauen.*

Steak [ste:k, auch: ʃte:k], das; -s, -s: *kurz gebratene Fleischschnitte:* ein saftiges S. zubereiten.

stechen, stach, hat gestochen: **1.** ⟨tr./itr.⟩ *mit einem Stachel oder einem spitzen Gegenstand in etwas eindringen:* die Biene hat mich gestochen; jmdm. mit dem Dolch in den Rücken s.; bildl.: stechender *(heftiger)* Schmerz. * **etwas sticht ins Auge** *(etwas fällt stark auf)*; **in See s.** *(mit einem Schiff vom Hafen abfahren)*; **jmdn. sticht der Hafer** *(jmd. ist übermütig)*. **2.** ⟨itr.⟩ *die Fähigkeit haben, mit einem Stachel in etwas einzudringen:* die Rosen, Bienen s.; bildl. die Sonne sticht *(sie strahlt sehr heiß)*.

Stẹchvieh, das; -s (östr.): *Kälber und Schweine.*

Stẹckbrief, der; -[e]s, -e: *Beschreibung einer [polizeilich] gesuchten Person.*

Stẹckdose, die; -, -n: *Vorrichtung an der Wand, in die ein Stecker gesteckt werden kann, um ein elektrisches Gerät mit Strom zu versorgen* (siehe Bild).

stẹcken, steckte, hat gesteckt: **1.** ⟨tr.⟩ *(etwas in etwas) so fügen, daß es haften bleibt:* die Nadel in den Stoff s.; den Stock in den Boden s.; den Brief in den Kasten s. *(einwerfen)*. * **in Brand s.** *(anzünden)*; **Geld in ein Unternehmen s.** *(Geld in einem Unternehmen anlegen)*. **2.** ⟨itr.⟩ *sich unangenehmerweise fest (in etwas) befinden:* der Schuh steckte im Schlamm; das Kind steckt in einem Spalt. * (ugs.) **im Dreck s.** *(in Not sein)*.

Steckdose

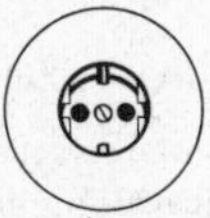

Stẹcken, der; -s, - (südd.; östr.): *Stock:* der Junge suchte sich einen S. im Wald. * (ugs.) **Dreck am S. haben** *(nicht ohne Fehler, nicht ohne Schuld sein):* er soll nicht über die Fehler anderer sprechen, solange er selbst Dreck am S. hat.

stẹckenbleiben, blieb stecken, ist steckengeblieben ⟨itr.⟩: *aus etwas, in das man hineingeraten ist, sich nicht mehr wegbewegen können:* das Auto ist im Schnee steckengeblieben.

stẹckenlassen, läßt stecken, ließ stecken, hat steckenlassen ⟨tr.⟩: *etwas, was in etwas gesteckt worden ist, nicht herausnehmen:* er hat den Schlüssel steckenlassen; bildl. (ugs.): laß dein Geld nur stecken *(ich bezahle für dich)*!

Stẹckenpferd, das; -[e]s, -e: **1.** *aus Holz geschnitzter Pferdekopf, der an einem Stock befestigt ist* (siehe Bild): die Kinder reiten auf dem S. **2.** *Hobby:* sein S. ist Briefmarkensammeln.

Steckenpferd 1.

Stẹcker, der; -s, -: *Vorrichtung am Ende eines Kabels, mit der ein elektrisches Gerät an den Strom angeschlossen werden kann* (siehe Bild).

Stecker

Stẹckling, der; -s, -e: *abgeschnittener Pflanzenteil, der unter geeigneten Bedingungen zu einer neuen Pflanze wird:* im Frühling Stecklinge in den Garten pflanzen.

Stẹcknadel, die; -, -n: *Nadel mit einem dickeren Kopf an einem Ende* (siehe Bild): ein Abzeichen mit einer S. befestigen.

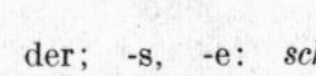

Stecknadel

Ste̲g, der; -s, -e: *schmale Brücke* (siehe Bild): auf einem schwankenden S. überquerten sie den Bach; sie machten das Boot am S. fest.

Steg

Ste̲greif: ⟨in der Fügung⟩ aus dem S.: *ohne Vorbereitung; ohne Probe:* er hielt die Rede aus dem S.; aus dem S. singen, Theater spielen.

ste̲hen, stand, hat/(südd.; östr.; schweiz.:) ist gestanden ⟨itr.⟩: **1.** *sich in aufrechter Haltung auf den Beinen befinden; nicht liegen oder sitzen:* aufrecht, gebückt s.; er stand vor dem Fenster; die Menschen standen dicht gedrängt; der Baum steht schief; auf einem Bein s. * **etwas steht und fällt mit jmdm./etwas** *(etwas kann ohne jmdn./etwas nicht bestehen; etwas hängt völlig von jmdm./etwas ab)*; **sich finanziell gut/nicht schlecht s.** *(in finanziell guten Verhältnissen leben)*. **2.** *sich in Ruhe befinden, nicht bewegen:* die Maschine, Uhr steht; das Auto zum S. bringen *(anhalten)*; ein stehendes *(nicht fließendes)* Gewässer. **3.** *sich in einer bestimmten Weise oder an einem bestimmten Ort befinden:* das Haus steht leer; die Flasche steht im Schrank; das Essen steht auf dem Tisch; der Soldat steht Wache. * **seinen Mann s.** *(sich bewähren)*. **4.** *(zu jmdm.) passen; (an jmdm.) gut wirken:* das Kleid steht dir gut. **5.** ⟨als Funktionsverb⟩ /drückt einen Zustand aus, in dem sich etwas gerade jetzt befindet/: in Blüte s. *(blühen)*; in Bereitschaft s. *(bereit sein)*; im Gegensatz s. *(das Gegenteil zu etwas sein)*; außer Zweifel s. *(ganz sicher sein)*; in Gebrauch s. *(benutzt werden)*; unter Verdacht s. *(verdächtigt werden)*.

ste̲henbleiben, blieb stehen, ist stehengeblieben ⟨itr.⟩: *aufhören zu gehen, sich zu bewegen:* nicht am Eingang s.!; die Uhr bleibt stehen; wo sind wir gestern stehengeblieben? *(an welcher Stelle haben wir gestern das Gespräch o. ä. unterbrochen?)*.

ste̲henlassen, läßt stehen, ließ stehen, hat stehengelassen ⟨tr.⟩: *etwas, was an einem Ort steht, nicht wegnehmen oder mitnehmen:* das Fahrrad vor der Tür s.; den Schirm im Zug s. *(vergessen)*; das Essen s. *(nicht aufessen)*; eine Zeichnung auf der Tafel s. *(nicht wegwischen)*.

Ste̲hlampe, die; -, -n: *Lampe, die an einem Ständer angebracht ist und frei auf dem Boden steht:* im Wohnzimmer wurde die S. angeknipst.

Ste̲hleiter, die; -, -n: *frei stehende Leiter aus zwei schräg zueinander geneigten Teilen* (siehe Bild S. 622): auf eine S. steigen.

Stehleiter

stehlen, stiehlt, stahl, hat gestohlen: **I.** ⟨tr.⟩ *etwas, was einem anderen gehört, unerlaubterweise [heimlich] an sich nehmen:* er hat ihm eine Uhr gestohlen. **II.** ⟨rfl.⟩ *heimlich weggehen:* er stahl sich aus dem Haus.

Stehplatz, der; -es, Stehplätze: *Platz im Theater, auf dem Sportplatz usw., bei dem man stehen muß* /Ggs. Sitzplatz/.

steif ⟨Adj.⟩: **1. a)** *so beschaffen, daß es nicht leicht gebogen werden kann:* steifes Papier, ein steifer Hut. **b)** *in den Muskeln verkrampft und daher nur schwer beweglich:* die Finger sind vor Kälte s. **2. a)** *verkrampft und unbeholfen; nicht graziös:* er machte eine steife Verbeugung. **b)** *nicht ungezwungen, formell:* bei dem Empfang beim Präsidenten ging es sehr s. zu.

steifhalten, hält steif, hielt steif, hat steifgehalten: ⟨in der Wendung⟩ die Ohren s. (ugs.): *sich nicht entmutigen lassen, nicht nachlassen:* halt die Ohren steif!

Steig, der; -[e]s, -e (landsch.): *steiler, schmaler Weg im Gebirge:* ein S. führte zwischen den Felsen hindurch.

Steigbügel, der; -s, -: *metallener Bügel als Stütze für die Füße des Reiters:* ohne S. reiten. * **jmdm. den S. halten** *(jmdm. bei seinem Aufstieg behilflich sein).*

steigen, stieg, ist gestiegen ⟨itr.⟩: **1.** *sich nach oben, nach unten oder über etwas fortbewegen:* auf den Berg s.; in eine Grube s.; aus dem Bett s.; über den Zaun s. **2.** *sich in die Höhe bewegen:* der Ballon, das Flugzeug steigt. **3.** *stärker, größer, höher werden:* die Temperatur, der Umsatz, die Spannung steigt; die Preise s.

steigern, steigerte, hat gesteigert: **1.** ⟨tr.⟩ **a)** *verstärken, vergrößern:* das Tempo, die Leistung s.; das Buch steigerte seinen Ruhm. **b)** *erhöhen:* die Mieten, Preise s. **2.** ⟨rfl.⟩ **a)** *zu immer höherer Leistung, Erregung o. ä. gelangen:* die Mannschaft steigerte sich in den letzten Minuten des Spiels prächtig. **b)** *stärker werden:* die Schmerzen steigerten sich. **Steigerung,** die; -, -en.

Steigung, die; -, -en: **1.** *Ausmaß, Grad, in dem die Höhe zunimmt:* die Straße hat eine S. von 15 Grad. **2.** *ansteigendes Gelände; aufwärts führender Weg:* das Auto schaffte die S. leicht.

steil ⟨Adj.⟩: *stark ansteigend; fast senkrecht:* ein steiler Abhang; die Straße führt s. bergauf.

Steilküste, die; -, -n: *steil ins Meer abfallende, felsige Küste:* die S. bei Dover.

Stein, der; -[e]s, -e: **1.** *harter, fester Körper, der sich nicht biegen oder dehnen läßt* (siehe Bild):

Stein 1.

auf dem Weg lagen große Steine. * **der S. des Anstoßes** *(etwas, worüber sich die Öffentlichkeit entrüstet, was Aufsehen erregt);* **ein Herz von S. haben** *(herzlos sein, kein Mitleid haben);* (ugs.) **etwas ist ein Tropfen auf einen/den heißen S.** *(etwas ist völlig unzureichend, nutzlos);* **der S. kommt ins Rollen** *(eine [unangenehme] Angelegenheit beginnt sich zu entwickeln);* **jmdm. Steine in den Weg legen/aus dem Weg räumen** *(jmdm. Schwierigkeiten bereiten/beseitigen).* **2.** *Edelstein:* ein Ring mit einem glitzernden S. * **jmdm. fällt kein S. aus der Krone** *(etwas ist nicht unter jmds. Würde, jmd. vergibt sich nichts bei etwas):* ihm fällt kein S. aus der Krone, wenn er den Mülleimer selbst ausleert. **3.** *Kern beim Steinobst:* der S. einer Kirsche, Pflaume. **4.** *Figur beim Brettspiel.* * (ugs.) **bei jmdm. einen S. im Brett haben** *(bei jmdm. Sympathien haben).*

steinalt ⟨Adj.⟩: *sehr alt, uralt:* ein steinaltes Mütterchen saß vor dem Haus.

Steinbruch, der; -[e]s, Steinbrüche: *Stelle, an der Steine gewonnen werden:* die Steine, mit denen die Straße gepflastert wird, stammen aus dem S.

steinern ⟨Adj.⟩: *aus Stein [bestehend]:* ein steinernes Denkmal; bildl.: er hat ein steinernes Herz *(kein Mitgefühl).*

Steinerweichen: ⟨in der Wendung⟩ zum S. weinen/heulen (ugs.): *heftig, mitleiderregend weinen.*

steinhart ⟨Adj.⟩: *sehr hart:* das Brot ist s. geworden.

steinig ⟨Adj.; nicht adverbial⟩: *von vielen Steinen bedeckt:* ein steiniger Acker; bildl.: ein steiniger *(mit vielen Schwierigkeiten verbundener)* Weg.

steinigen, steinigte, hat gesteinigt ⟨tr.⟩: *(auf jmdn.) mit Steinen werfen und ihn dadurch töten:* viele christliche Märtyrer wurden gesteinigt.

Steinkohle, die; -, -n: *schwarze, harte Kohle:* mit S. heizen.

Steinmetz, der; -en, -en: *jmd., der Steine [künstlerisch] bearbeitet* /Berufsbezeichnung/: einen Grabstein beim Steinmetzen bestellen.

Steinobst, das; -es: *Obst, dessen Samen im Innern der Frucht von einer sehr harten Hülle umgeben ist:* Kirschen, Pflaumen, Pfirsiche gehören zum S.

Steinpilz, der; -es, -e: /ein eßbarer Pilz/ (siehe Bild).

Steinpilz

steinreich ⟨Adj.⟩ (ugs.): *sehr reich:* er ist s. und kann sich jeden Luxus erlauben.

Steinschlag, der; -[e]s: *das Herabfallen von Steinen, die sich von einem Hang gelöst haben:* die Straße ist durch S. gefährdet.

Steinzeit, die; -: *Zeitalter in der Geschichte der Menschheit, in dem vorwiegend Steine als Werkzeuge verwendet wurden.*

Steiß, der; -es, -e: *hinteres Ende der Wirbelsäule.*

Stellage [ʃtɛˈlaːʒə], die; -, -n: *[roh gearbeitetes] Gestell, Regal zum Abstellen, Ablegen, Unterbringen von Gegenständen:* sie stellte die Gläser mit Marmelade auf die S. im Keller.

Stelldichein, das; -[s], -[s] (veraltend): *vorher verabredetes Zusammentreffen von Verliebten, Rendezvous:* er war nicht zum S. gekommen; bildl.: politische Vertreter von West und

Ost gaben sich hier ein S. *(trafen sich zu Gesprächen)*.

Stẹlle, die; -, -n: **1.** *bestimmter, genau angegebener Ort, Platz [an dem sich etwas befindet oder ereignet]:* an dieser S. geschah der Unfall; sie suchten eine S. zum Lagern. * **zur S. sein** *(sich an einem Ort einfinden, an dem man erwartet wird):* ich werde pünktlich zur S. sein; **an S. von jmdm./etwas** *(statt; stellvertretend für jmdn./etwas)*; **auf der S.** *(sofort)*. **2.** *Posten, Stellung, Anstellung:* er tritt eine neue S. an.

stẹllen, stellte, hat gestellt: **1.** ⟨tr.⟩ **a)** *so an einen Platz bringen, daß es steht:* die Flasche auf den Tisch s. **b)** *in eine bestimmte Lage bringen:* die Zeiger einer Uhr, die Uhr, die Weichen s. **2.** ⟨rfl.⟩ **a)** *sich wohin begeben und dort stehenbleiben:* er stellte sich vor/an die Tür. * **sich hinter jmdn./etwas s.** *(jmdn./etwas unterstützen; etwas billigen)*. **b)** *einer Herausforderung, einer Auseinandersetzung (mit jmdm./etwas) nicht ausweichen:* er stellte sich dem Feind, der Diskussion. **c)** *bereit sein (für jmdn.):* der Politiker stellte sich der Presse. **3.** ⟨rfl.⟩ *sich in einer bestimmten Weise verstellen:* er stellte sich dumm, taub. **4.** ⟨als Funktionsverb⟩ eine Frage s. *(fragen)*; eine Aufgabe s. *(etwas aufgeben)*; eine Forderung s. *(fordern)*; einen Antrag s. *(beantragen)*. ** **sich zu etwas s.** *(sich in bestimmter Weise einer Sache gegenüber verhalten; eine bestimmte Meinung haben über etwas):* wie stellst du dich zur neuen Regierung?

Stẹllenangebot, das; -[e]s, -e: *Angebot eines freien Arbeitsplatzes:* er las, studierte die Stellenangebote in der Zeitung.

stẹllenweise ⟨Adverb⟩: *an manchen Stellen:* s. liegt noch Schnee.

Stẹllenwert, der; -[e]s, -e: Math. *Wert einer Ziffer, der von ihrer Stellung innerhalb der Zahl abhängt;* bildl.: wir sollten daran interessiert sein, den S. von Kind und Familie in unserer Gesellschaft zu verbessern.

Stẹllung, die; -, -en: **1.** *Art, wie jmd./etwas steht; Haltung:* in aufrechter S.; er saß zwei Stunden in derselben S.; die S. der Gestirne am Himmel. **2.** *Posten, den jmd. als Angestellter in einer Firma innehat:* er hat eine interessante S. als Fachmann für Werbung. **3.** *Grad des Ansehens, der Wichtigkeit in der Gesellschaft; Rang:* seine S. als führender Politiker seiner Partei ist erschüttert; die gesellschaftliche, soziale S. **4.** *befestigte Anlage:* die feindlichen Stellungen angreifen.

Stẹllungnahme, die; -, -n: *[offizielle] Äußerung:* die Presse forderte vom Minister eine klare Stellungnahme zu diesem Vorfall.

Stẹllungsgesuch, das; -[e]s, -e: *Gesuch, Bewerbung um einen Arbeitsplatz:* ein S. an eine Firma schicken.

stẹllungslos ⟨Adj.⟩: *keine Stellung, Arbeit habend.*

stẹllvertretend ⟨Adj.⟩: **a)** *den Posten eines Stellvertreters innehabend, an Stelle eines anderen handelnd:* der stellvertretende Minister für Finanzen; er leitete stellvertretend die Sitzung. * **s. für jmdn.** *(im Auftrage, an Stelle von jmdm.):* er überbrachte s. für das ganze Personal seine Glückwünsche.

Stẹllvertreter, der; -s, -: *jmd., der beauftragt ist, jmd. anderen zu vertreten:* während der Krankheit des Chefs führt sein S. die Geschäfte.

Stẹlze, die; -, -n: **1.** *Stange mit Stützen für die Füße zum Verlängern der Beine* (siehe Bild): auf Stelzen laufen; wie auf Stelzen gehen *(mit steifen Beinen gehen)*; bildl.: die Verse gehen auf Stelzen einher *(klingen geschraubt, pathetisch)*. **2.** (österr.) *Eisbein:* eine S. beim Metzger kaufen.

Stelze 1.

stẹlzen, stelzte, ist gestelzt ⟨itr.⟩ (scherzh.): *mit steifen Beinen gehen:* er stelzte über den Hof.

Stẹmmbogen, der; -s, -: /ein Schwung beim Schifahren/ (siehe Bild).

Stemmbogen

Stẹmmeisen, das; -s, -: /ein Werkzeug/ (siehe Bild).

Stemmeisen

stẹmmen, stemmte, hat gestemmt: **1.** ⟨tr.⟩ *durch starkes Dagegendrücken (etwas) zu bewegen, aufzuhalten o. ä. versuchen:* ein Gewicht in die Höhe s.; er stemmte den Rücken gegen die Tür. **2.** ⟨rfl.⟩ *seinen Körper mit aller Kraft gegen etwas drücken, um etwas zu bewegen, aufzuhalten o. ä.:* er stemmte sich gegen die Tür und drückte sie ein. **3.** ⟨rfl.⟩ *sich wehren, auflehnen:* sie stemmte sich gegen die Gefahr, die Einsamkeit.

Stẹmpel, der; -s, -: **a)** *Gerät mit Buchstaben oder Zeichen aus Gummi, das auf etwas aufgedrückt werden kann* (siehe Bild): er hat einen S. mit seiner Adresse. * **jmdm./einer Sache seinen S. aufdrücken** *(jmdn./etwas so beeinflussen, daß seine Mitwirkung deutlich erkennbar ist)*. **b)** *Zeichen, Buchstaben usw., die manuell auf etwas gedruckt werden können:* den Brief mit S. und Unterschrift versehen. * **etwas trägt den S. von jmdm.** *(etwas läßt durch sein Aussehen, seine Merkmale erkennen, von wem es ausgeführt oder geplant wurde)*.

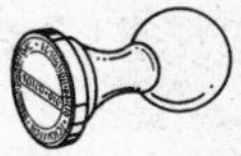

Stempel a)

Stẹmpelkissen, das; -s, -: *Filz, der mit Farbe getränkt ist und zum Befeuchten des Stempels dient:* das S. sollte verschlossen aufbewahrt werden.

stempeln, stempelte, hat gestempelt ⟨tr.⟩: *mit einem Stempel versehen; durch einen Stempel kennzeichnen, für gültig erklären:* das Formular, den Ausweis s.; der Brief ist nicht gestempelt. * (ugs.) **s. gehen** *(als Arbeitsloser finanziell unterstützt werden);* **jmdn. zu etwas s.** *(jmdn. auf Grund eines einzelnen Vorfalles als etwas bezeichnen und von diesem Urteil nicht mehr abgehen):* er wurde zum Säufer gestempelt, weil er sich auf der Hochzeit betrunken hatte.

Stengel, der; -s, -: *langer, dünner Teil der Pflanze zwischen Wurzeln und Blüte* (siehe Bild).

Stengel

Stenogramm, das; -[e]s, -e: *in Stenographie nachgeschriebenes Diktat o. ä.:* die Sekretärin nimmt ein S. auf.

Stenographie, die; -, -n: *Schrift, die durch besondere Zeichen sehr schnelles Schreiben ermöglicht.*

stenographieren, stenographierte, hat stenographiert ⟨itr./tr.⟩: *in Stenographie schreiben:* sie kann gut s.; er hat den Brief stenographiert und muß ihn noch mit der Maschine schreiben.

Stenotypistin, die; -, -nen: *Angestellte, die stenographieren und Schreibmaschine schreiben kann.*

Steppdecke, die; -, -n: *Bettdecke mit dicker Einlage und gesteppten Nähten:* sich mit einer S. zudecken.

Steppe, die; -, -n: *trockene, mit Gräsern und Stauden, aber nicht mit Bäumen bewachsene Ebene:* die Steppen Südamerikas sind als Pampas bekannt.

steppen, steppte, hat gesteppt ⟨tr.⟩: *mit eng aufeinanderfolgenden Stichen nähen:* eine Naht s.

sterben, starb, ist gestorben ⟨itr.⟩: *aufhören zu leben:* er ist plötzlich gestorben; er ist an Krebs gestorben; er ist einen qualvollen Tod gestorben.

sterbenskrank ⟨Adj.⟩: *sich so krank, elend fühlend, daß man glaubt, sterben zu müssen:* ich habe mir den Magen verdorben und fühle mich s.

Sterbenswörtchen: ⟨in der Wendung⟩ kein S. sagen /verraten/ erzählen o. ä. (ugs.): *von etwas, was ein Geheimnis bleiben soll, überhaupt nichts sagen:* er verriet kein S. darüber.

sterblich ⟨Adj.⟩: *vergänglich; nicht ewig leben könnend:* der Mensch ist ein sterbliches Wesen. * (geh.) **die sterbliche Hülle** *(Leiche).*

stereotyp ⟨Adj.⟩: *feststehend, unveränderlich, ständig [wiederkehrend]:* ein schlechter Roman mit stereotypen Phrasen, Figuren.

steril ⟨Adj.; nicht adverbial⟩: **1.** *infolge eines körperlichen Fehlers nicht fähig, Kinder zu zeugen oder zu gebären:* sie ist seit ihrer Operation s. **2.** *geistig unfruchtbar; nicht schöpferisch; keine Ergebnisse zeigend:* eine sterile Diskussion. **3.** *frei von Krankheitserregern:* ein steriler Verband; sterile Milch.

sterilisieren, sterilisierte, hat sterilisiert ⟨tr.⟩: **1.** *keimfrei [und dadurch haltbar] machen:* die Instrumente des Arztes werden sterilisiert; ⟨häufig im 2. Partizip⟩ sterilisierte Schlagsahne. **2.** *unfruchtbar, zur Fortpflanzung unfähig machen:* der Patient wurde aus gesundheitlichen Gründen sterilisiert.

Stern, der; -s, -e: **1.** *in der Nacht leuchtender Körper am Himmel:* die Sterne funkeln, leuchten; bildl.: ein aufgehender S. *(Schauspieler, Sänger o. ä., der gerade anfängt, berühmt zu werden);* sein S. ist im Sinken *(seine Berühmtheit schwindet).* * **nach den Sternen greifen** *(das Höchste erstreben);* **etwas steht unter [k]einem guten S.** *(etwas hat gute/schlechte Voraussetzungen).* **2.** /eine Form mit mehreren Zacken/ (siehe Bild): die Kinder schnitten Sterne aus buntem Papier.

Stern 2.

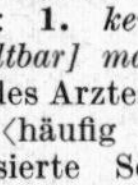

Sternbild, das; -[e]s, -er: *Gruppe von [benachbarten] Sternen am Himmel, die zusammen eine Figur darstellen:* der Große Wagen ist ein bekanntes S.

Sternfahrt, die; -, -en: Motorsport *Rennen, das von verschiedenen Ausgangspunkten zum gleichen Ziel führt; Rallye:* eine S. mit internationaler Beteiligung.

sternhagelvoll ⟨Adj.⟩ (ugs.): *sehr betrunken:* der Kerl ist schon s.

Sternschnuppe, die; -, -n: *Meteor:* eine S. leuchtete am Himmel auf.

Sternstunde, die; -, -n: *glückliche, schicksalhafte Stunde:* eine S. für die Wissenschaft.

Sternwarte, die; -, -n: *wissenschaftliches Institut, in dem Sterne beobachtet werden.*

stet ⟨Adj.⟩: **a)** *fest; nicht schwankend; gleichbleibend:* steter Aufenthalt, Fleiß. **b)** *stetig:* steter Tropfen höhlt den Stein (Sprichwort: *mit großer Beharrlichkeit kann man auch einen starken Widerstand überwinden).*

stetig ⟨Adj.⟩: *ständig, immer wiederkehrend, dauernd:* das Unternehmen steht in stetigem Wettkampf mit der Konkurrenz; eine stetige Entwicklung.

Stetigkeit, die; -, -en.

stets ⟨Adverb⟩: *immer; jedesmal:* er ist s. guter Laune; er hat mir s. geholfen, wenn ich ihn gebraucht habe.

Steuer: I. das; -s, -: *Vorrichtung an Fahrzeugen, mit der man die Richtung der Fahrt regelt:* das S. eines Schiffes; am S. sitzen *(Auto fahren);* bildl.: er ist ans S. *(an die Führung)* des Unternehmens getreten. **II.** die; -, -n: *gesetzlich festgelegter Teil der Einnahmen, den man an den Staat zahlen muß:* Steuern zahlen; Alkohol wurde mit einer neuen S. belegt.

Steuerbord, das; -[e]s, -e: *rechte Seite eines Schiffes* /Ggs. Backbord/: der Matrose geht nach S.

steuerbord[s] ⟨Adverb⟩: *auf der rechten Seite eines Schiffes, Flugzeugs* /Ggs. backbord[s]/: das Schiff wird s. beladen.

Steuermann, der; -[e]s, Steuermänner und Steuerleute: *Seemann, dessen Aufgabe es ist, das Schiff zu steuern.*

steuern, steuerte, hat gesteuert: **1.** ⟨tr.⟩ *(einem Fahrzeug) mit einem Steuer eine bestimmte Richtung geben; lenken:* das Schiff, Auto s.; bildl.: einen

Staat, ein Unternehmen s. **2.** ⟨itr.; mit Dativ⟩ (geh.) *eindämmen:* dem Hunger, der Not s.

Steuerung, die; -, -en: **1.** *das Steuern (eines Fahrzeugs):* die S. eines Schiffes übernehmen. **2.** *Vorrichtung zur Lenkung:* der Pilot stellt die automatische S. des Flugzeuges ein. **3.** *Art und Weise, wie etwas in bestimmten Grenzen gehalten wird; das Eindämmen:* die S. der Kriminalität in den USA.

Steward ['stju:ərt], der; -s, -s: *Betreuer der Fahrgäste auf Schiffen, Flugzeugen o. ä.*

Stewardeß ['stju:ərdɛs], die; -, Stewardessen: *junge Dame, die auf Flugzeugen, Schiffen o. ä. die Gäste betreut.*

stibitzen, stibitzte, hat stibitzt ⟨tr.⟩ (ugs.): *(Dinge von geringem Wert) sich in meist scherzhafter Absicht aneignen, entwenden:* sie hat mir den Bleistift stibitzt.

Stich, der; -[e]s, -e: **1.** *das Stechen eines spitzen Gegenstandes (in etwas):* der S. der Biene; ein S. mit einem Dolch in den Rücken. **2.** *plötzlicher stechender Schmerz:* er spürte einen S. im Arm; als sie vom Unfall hörte, gab es ihr einen S. *(erschrak sie heftig).* **3.** *Art, wie man beim Nähen, Sticken die Nadel in den Stoff einsticht:* das Kleid mit weiten Stichen heften. ** **jmdn. im S. lassen** *(jmdm. nicht helfen, jmdn. allein lassen, obwohl man ihm helfen müßte);* **etwas im S. lassen** *(eine Sache, Unternehmung, mit der man eng verbunden war, aufgeben, zurücklassen):* als das Haus brannte, mußten sie alles im S. lassen.

Stichelei, die; -, -en (ugs.): **1.** ⟨ohne Plural⟩ *mühsames, längeres Nähen:* diese Handarbeit ist eine langweilige Stichelei. **2.** *andauerndes, lästig fallendes Sticheln:* sich den ganzen Tag jmds. Sticheleien anhören müssen.

sticheln, stichelte, hat gestichelt ⟨itr.⟩: *(jmdn.) durch wiederholte verletzende Bemerkungen aufreizen:* er stichelt dauernd gegen seine Kameraden.

stichfest: siehe hiebfest.

Stichflamme, die; -, -n: *lange, spitze Flamme, besonders unter dem Druck ausströmender Gase:* eine riesige S. schoß in den nächtlichen Himmel empor.

stichhalten, hält stich, hielt stich, hat stichgehalten ⟨itr.⟩: *stichhaltig sein, überzeugen:* dieser Beweis hat stichgehalten.

stichhaltig ⟨Adj.⟩: *so gut begründet, daß es allen gegnerischen Argumenten standhält:* seine Beweise sind nicht s.; das ist kein stichhaltiger Grund.

Stichprobe, die; -, -n: *Überprüfung eines Teiles, um daraus auf das Ganze zu schließen:* an der Grenze wurde rasch abgefertigt und nur bei einzelnen Reisenden Stichproben gemacht.

Stichtag, der; -[e]s, -e: *festgesetzter, als verbindlich geltender Termin für behördliche Maßnahmen, Gesetze o. ä.:* der S. für die Statistik.

Stichwaffe, die; -, -n: *Waffe mit Griff und Klinge zum Stechen, Stoßen:* der Dolch ist eine S.

Stichwort, das; -[e]s, Stichwörter und Stichworte: **1.** ⟨Plural: Stichwörter⟩: *Wort, das in einem Lexikon oder Wörterbuch behandelt wird und in alphabetischer Reihenfolge zu finden ist:* das Wörterbuch hat 10000 Stichwörter. **2.** ⟨Plural: Stichworte⟩: *Wort, Bemerkung, auf das hin etwas geschieht oder geschehen soll:* bei diesem S. tritt der Schauspieler auf die Bühne; die Rede des Ministers gab das S. zu den Reformen. **3.** ⟨nur im Plural: Stichworte⟩: *Wörter, die für einen größeren Zusammenhang stehen; Notiz:* er notierte sich einige Stichworte für seine Rede.

sticken, stickte, hat gestickt ⟨tr./itr.⟩: *durch bestimmte Stiche mit einer Nadel und [farbigem] Garn auf Geweben Muster o. ä. herstellen:* sie stickte ihren Namen in das Tuch; am Abend stickt sie gern; ⟨häufig im 2. Partizip⟩ eine gestickte Weste.

Stickerei, die; -, -en: *durch Sticken hergestellte Muster, Figuren o. ä.:* auf dem Tischtuch sind bunte Stickereien.

stickig ⟨Adj.; nicht adverbial⟩ *dumpf; nicht frisch; so, daß es beim Atmen unangenehm ist* /von der Luft/: stickige Luft; ein stickiger Raum.

stieben, stob, ist gestoben (geh.): *in kleinsten Teilchen wegfliegen:* Funken stoben unter den Hufen des Pferdes.

Stiefbruder, der; -s, Stiefbrüder: **a)** *nicht blutsverwandter Bruder, der aus einer anderen Ehe des Stiefvaters oder der Stiefmutter stammt.* **b)** (ugs.) *über einen Elternteil verwandter Bruder.*

Stiefel, der; -s, -: **a)** *Schuh, der bis über die Knöchel reicht* (siehe Bild): wenn du in den Wald gehst, mußt du deine S. anziehen. **b)** *Schuh mit hohem Schaft, der bis zu den Knien reicht* (siehe Bild): er watete in hohen Stiefeln durchs Wasser.

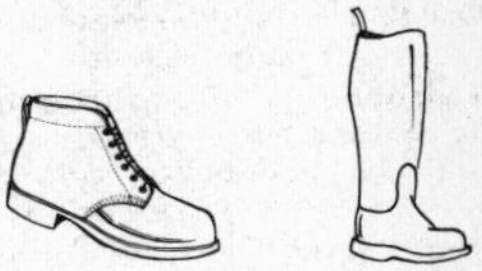

a) b)

Stiefel

stiefeln, stiefelte, ist gestiefelt ⟨itr.⟩ (ugs.): *derb einhergehen; mit schweren, gemächlichen Schritten gehen:* er stiefelt hinter seinem Freund durch die Dünen.

Stiefeltern, die ⟨Plural⟩: *Stiefmutter und deren Mann bzw. Stiefvater und dessen Frau nach einer neuerlichen Heirat:* das Kind wächst bei den S. auf.

Stiefgeschwister, die ⟨Plural⟩: **a)** *nicht blutsverwandte Geschwister, die aus verschiedenen Ehen der Stiefeltern stammen.* **b)** (ugs.) *über einen Elternteil verwandte Geschwister:* Kinder aus einer ersten und einer zweiten Ehe sind S.

Stiefkind, das; -[e]s, -er: **1.** *Kind in einer Ehe, von dem nur ein Teil der Eltern dessen leiblicher Vater bzw. dessen leibliche Mutter ist:* er hat eine Witwe geheiratet und behandelt seine Stiefkinder gleich gut wie die eigenen. **2.** *etwas, was im Verhältnis zu anderem zu wenig beachtet, gefördert wird:* die Hochschulen waren oft ein S. der Regierung.

Stiefmutter, die; -, Stiefmütter: *Frau des Vaters, die nicht die leibliche Mutter des Kindes ist.*

Stiefmütterchen, das; -s, -: /eine Blume/ (siehe Bild S. 626).

stiefmütterlich ⟨Adj.⟩: *lieblos, herzlos, gefühllos:* eine stiefmütterliche Behandlung über sich ergehen lassen müssen.

Stiefmütterchen

Stiefschwester, die; -, -n: **a)** *nicht blutsverwandte Schwester, die aus einer anderen Ehe des Stiefvaters oder der Stiefmutter stammt.* **b)** (ugs.) *über einen Elternteil verwandte Schwester.*

Stiefsohn, der; -[e]s, Stiefsöhne: *nur mit dem Vater oder der Mutter blutsverwandter Sohn aus einer anderen Ehe des Partners.*

Stieftochter, die; -, Stieftöchter: *nur mit dem Vater oder der Mutter blutsverwandte Tochter aus einer anderen Ehe des Partners.*

Stiefvater, der; -s, Stiefväter: *Mann der Mutter, der nicht leiblicher Vater des Kindes ist.*

Stiege, die; -, -n: **1.** *einfache, schmale Treppe [aus Holz]:* über eine steile S. gelangte er in den Keller. **2.** (südd., östr.) *Treppe.*

Stieglitz, der; -es, -e: /ein Vogel/ (siehe Bild).

Stieglitz

Stiel, der; -[e]s, -e: **a)** *[ziemlich langer] fester Griff an einem [Haushalts]gerät* (siehe Bild):

Stiel a)

der S. des Besens ist abgebrochen. **b)** *Stengel einer Blume:* eine Rose mit einem langen S.

Stielaugen: ⟨in der Wendung⟩ S. machen/bekommen (ugs.): *[neu]gierig auf etwas blicken:* als sie das Paket öffnete, bekamen alle S.

stier ⟨Adj.⟩: **1.** *unbeweglich, starr, glasig:* stieren Blickes dasitzen. **2.** (östr.; schweiz.; ugs.) **a)** *ohne Geld, finanziell am Ende:* am Letzten des Monats ist er s. **b)** *flau, ohne Betrieb; wie ausgestorben:* im Geschäft ist es heute s.

Stier, der; -[e]s, -e: *zur Fortpflanzung fähiges männliches Rind; Bulle.* *** den S. bei den Hörnern packen** *(etwas mutig am gefährlichsten Punkt angreifen).*

stieren, stierte, hat gestiert ⟨itr.⟩: **I.** *starr, ohne Ausdruck in den Augen blicken:* er saß im Wirtshaus und stierte auf sein Glas. **II.** (landsch.) *nach dem Stier verlangen* /von der Kuh/.

Stierkampf, der; -[e]s, Stierkämpfe: *Veranstaltung, bei der Männer in einer Arena gegen einen Stier kämpfen, bis ihn schließlich der Torero tötet:* einem S. in Madrid beiwohnen.

Stift: I. der; -[e]s, -e: **1.** *kleiner, dünner Stab:* ein S. aus Metall; etwas mit einem S. befestigen. **2.** *Bleistift:* mit einem roten S. schreiben. **3.** (ugs.) *Lehrling.* **II.** das; -[e]s, -e: *religiöse Körperschaft mit eigenem Vermögen:* das S. St. Florian.

stiften, stiftete, hat gestiftet ⟨tr.⟩: **1. a)** *zur Errichtung oder Förderung von etwas größere Mittel bereitstellen:* er stiftete einen Preis für den Sieger; ein Krankenhaus s. **b)** (ugs.) *spendieren:* der Vater stiftete seinem Sohn eine Reise ins Ausland. **2.** ⟨als Funktionsverb⟩ /drückt aus, daß etwas bewirkt wird, was in der Zukunft andauert/: Frieden/Ordnung s. *(bewirken, daß Frieden/Ordnung entsteht);* Unheil/Verwirrung s. *(durch sein Verhalten Unheil/Verwirrung verursachen).*

stiftengehen, ging stiften, ist stiftengegangen ⟨itr.⟩ (ugs.): *sich heimlich, schnell, unauffällig entfernen:* von dieser Gruppe geht keiner stiften, die halten zusammen.

Stifter, der; -s, -: *Person, die etwas stiftet:* der S. des Ordens, des Preises.

Stiftung, die; -, -en: **1.** *das Stiften:* für die S. des Kreuzes hat er einen großen Teil seines Vermögens geopfert. **2.** *das Gestiftete:* dieses Kloster ist eine S. Karls des Großen.

Stil, der; -[e]s, -e: **a)** *Art der Formen, in der ein [Kunst]werk gestaltet wird:* der S. eines Gebäudes, Romans; er schreibt einen guten S. **b)** *Art, in der die [Kunst]werke einer Epoche oder eines Künstlers in ihrer Gesamtheit gestaltet sind, und die durch bestimmte Merkmale kennzeichnend ist:* die Kirche ist in barockem S. erbaut.

Stilblüte, die; -, -n: *Wendung, die falsch gebraucht wird und lächerlich wirkt:* in diesem Aufsatz sind einige Stilblüten zu finden.

stilisieren, stilisierte, hat stilisiert ⟨tr.⟩: *(Formen der Natur) auf das Wesentliche vereinfacht wiedergeben:* der Künstler stilisierte die Blüte. **Stilisierung,** die; -, -en.

Stilist, der; -en, -en: *jmd., der die sprachlichen Formen [sehr gut] beherrscht:* der Autor des Buches ist ein hervorragender S.

Stilistik, die; -, -en: **1.** ⟨ohne Plural⟩ *Lehre vom Stil:* er beschäftigt sich mit Problemen der S. **2.** *die Lehre vom Stil behandelndes Buch:* eine kleine deutsche S.

stilistisch ⟨Adj.⟩: *den Stil betreffend:* sein Aufsatz ist s. einwandfrei.

still ⟨Adj.⟩: **1.** *ohne ein Geräusch [zu verursachen]; ohne einen Laut [von sich zu geben]:* im Wald war es ganz s.; er saß s. an seinem Platz. **** im stillen: a)** *bei sich selbst:* im stillen wunderte er sich. **b)** *von der Öffentlichkeit nicht bemerkt:* die Regierung hat diesen Gesetzentwurf im stillen vorbereitet. **2.** *ruhig, zurückhaltend in seinem Wesen; nicht viel redend:* er ist ein stiller und bescheidener Kamerad.

Stille, die; -: *Zustand, bei dem kaum ein Laut zu hören ist; Ruhe:* die S. der Nacht. *** in aller S.** *(von der Öffentlichkeit nicht bemerkt):* das Paar heiratete in aller S.

Stilleben, das; -s, -: *Darstellung nicht bewegter Gegenstände in künstlerischer Anordnung:* S. waren in der holländischen Malerei des 17. und 18. Jahrhunderts besonders beliebt.

stillegen, legte still, hat stillgelegt ⟨tr.⟩: *(den Betrieb von etwas) einstellen:* ein Bergwerk, eine Fabrik s.

stillen, stillte, hat gestillt ⟨tr.⟩: **1.** *(ein Kind) an der Brust trinken lassen:* die Mutter stillt ihr Kind. **2.** *(etwas) befriedigen:* das Verlangen s.; den Hunger s. *(essen, um satt zu werden);* die Schmerzen s. *(eindämmen, lindern);* die Sehnsucht s. *(etwas Ersehntes erreichen);* das Blut s.

([durch einen Verband] verhindern, daß es weiter fließt).

stillhalten, hält still, hielt still, hat stillgehalten ⟨itr.⟩: **1.** *sich nicht bewegen:* beim Photographieren mußt du s. **2.** *auf eine weitere Steigerung von etwas verzichten:* die Gewerkschaften werden s. und dieses Jahr keine höheren Löhne fordern.

stillos ⟨Adj.⟩: *geschmacklos; ohne Gefühl für passenden Stil:* ein stilloses Gebäude. **Stillosigkeit,** die; -, -en.

Stillschweigen, das; -s: *das Verschweigen von etwas; Pflicht, etwas zu verschweigen:* das S. brechen; imdm. S. auferlegen. * **sich in S. hüllen** *(nichts von etwas verraten, was andere gern wissen möchten);* **über etwas S. bewahren** *(über etwas, was nicht bekannt werden soll, schweigen).*

stillschweigend ⟨Adj.⟩: *ohne darüber zu reden:* eine stillschweigende Übereinkunft; das Projekt wurde s. eingestellt.

Stillstand, der; -[e]s: *Zustand ohne Bewegung oder Fortschritt:* in der Entwicklung der Firma ist ein S. eingetreten. * **zum S. kommen** *(stehenbleiben);* **zum S. bringen** *(bewirken, daß sich etwas nicht weiterbewegt).*

stillstehen, stand still, hat stillgestanden ⟨itr.⟩: *in seiner Tätigkeit, Bewegung, seinem Verlauf [plötzlich] innehalten:* die Räder stehen still; sein Herz hat stillgestanden *(aufgehört zu schlagen);* die Zeit steht still. *(ugs.) **da steht einem der Verstand still** *(das begreife ich nicht!).*

stillvergnügt ⟨Adj.⟩: *mit innerlichem Vergnügen:* ein stillvergnügtes Lächeln.

stilvoll ⟨Adj.⟩: *einheitlich, harmonisch im Stil; geschmackvoll:* eine s. eingerichtete Wohnung.

Stilbruch, der; -[e]s, Stilbrüche: *unpassendes Zusammentreffen verschiedener Stilarten:* das moderne Gemälde war ein S. in der altertümlichen Einrichtung des Zimmers.

Stilmöbel, die ⟨Plural⟩: *Möbel aus dem 19. oder 20. Jahrhundert, die in einem früheren Stil hergestellt worden sind.*

stimmberechtigt ⟨Adj.⟩: *berechtigt, bei einer Wahl oder Abstimmung seine Stimme abzugeben:* Jugendliche unter 19 Jahren sind nicht s.

Stimme, die; -, -n: **1.** *Fähigkeit, Töne hervorzubringen:* er spricht mit lauter S.; sie hat eine schöne S. *(sie singt schön);* er hat die S. verloren *(kann nicht mehr sprechen);* bildl.: sie folgte der S. ihres Herzens *(tat, was ihrer Neigung, Liebe entsprach).* **2.** *in einer bestimmten Tonlage gespielte oder gesungene Melodie, die mit anderen Tonlagen ein Musikstück ergibt:* er singt die zweite S. des Liedes; die Stimmen aus der Partitur abschreiben. **3.** *Ausdruck dessen, wofür man sich bei einer Abstimmung, Wahl o. ä. entscheidet:* seine S. bei der Wahl abgeben; der konservative Kandidat erhielt die meisten Stimmen.

stimmen, stimmte, hat gestimmt: **1.** ⟨itr.⟩ *richtig sein:* die Rechnung stimmt nicht; stimmt es, daß du übersiedeln willst? **2.** ⟨tr.⟩ *so einstellen, daß es richtig klingt* /von Musikinstrumenten/: das Orchester stimmt die Instrumente vor der Vorstellung. **3.** ⟨tr.⟩ *in eine bestimmte Stimmung versetzen:* das stimmt mich traurig; jmdn. fröhlich s.

Stimmenthaltung, die; -, -en: *Verzicht auf das Recht zu wählen:* bei der Wahl übten 10% der Bürger S.

Stimmgabel, die; -, -n: *Gegenstand aus Stahl in Form einer Gabel, mit der ein bestimmter Ton erzeugt werden kann* (siehe Bild).

Stimmgabel

Stimmrecht, das; -[e]s: *Berechtigung, an Wahlen, Abstimmungen o. ä. teilzunehmen:* er macht von seinem S. Gebrauch.

Stimmung, die; -, -en: *Zustand, Verfassung des Gemüts; Art, wie das Gemüt, die Seele auf Eindrücke reagiert:* es herrschte eine fröhliche S.; die S. war gedrückt; er war in schlechter S. *(Laune).*

stimmungsvoll ⟨Adj.⟩: **a)** *in/mit fröhlicher, angeregter, guter o. ä. Stimmung:* ein stimmungsvoller Abend. **b)** *eine bestimmte Stimmung ausdrückend oder erzeugend:* sie las ein stimmungsvolles Gedicht.

Stimulans, das; -, Stimulanzien: *anregendes, belebendes, eine Steigerung der Leistung bewirkendes Mittel:* Kaffee ist ein häufig verwendetes S.

stimulieren, stimulierte, hat stimuliert ⟨tr./rfl.⟩: *[auf künstliche Weise, mit besonderen Mitteln] anregen, anspornen:* den Kreislauf, das Herz s.; die Sportler wurden durch die Zurufe der Menge zu besonderen Leistungen stimuliert; ich stimuliere mich dadurch.

Stinkbombe, die; -, -n: *kleine Kapsel aus Glas, die mit einer penetrant stinkenden Flüssigkeit gefüllt ist und geworfen wird, wobei das Glas zerspringt und die Flüssigkeit freigibt.*

stinken, stank, hat gestunken ⟨itr.⟩: *üblen Geruch von sich geben:* die Abwässer der Fabrik s.; er stinkt nach Bier.

stinkfaul ⟨Adj.⟩ (ugs.): *überaus faul:* er ist ein stinkfauler Kerl.

stinkig ⟨Adj.⟩: *stinkend:* alter, stinkiger Käse.

Stipendium, das; -s, Stipendien: *finanzielle Unterstützung für Studenten, Künstler o. ä.*

Stirn, die; -, -en: *Teil des Gesichtes zwischen den Augen und den Haaren* (siehe Bild): er wischte sich den Schweiß von

Stirn

der S. * **etwas kann man jmdm. an der S. ansehen** *(etwas kann man jmdm. leicht anmerken);* **jmdm. die S. bieten** *(sich jmdm. widersetzen).*

stöbern, stöberte, hat gestöbert ⟨itr.⟩: *in einem Raum oder einer größeren Menge von Dingen lange suchen; kramen:* als er in der Bibliothek stöberte, fand er eine alte Handschrift.

stochern, stocherte, hat gestochert ⟨itr.⟩: *mit einem spitzen Gegenstand wiederholt bohren, (in etwas) einstechen:* in den Zähnen s.; in der Glut, in der Erde s.

Stock, der; -[e]s, Stöcke: **1.** *langer, dünner und meist nicht biegsamer Gegenstand* (siehe

Bild): der alte Mann stützte sich auf seinen S. **2.** ⟨ohne Plural⟩ *Stockwerk* (siehe Bild): er wohnt im dritten S.

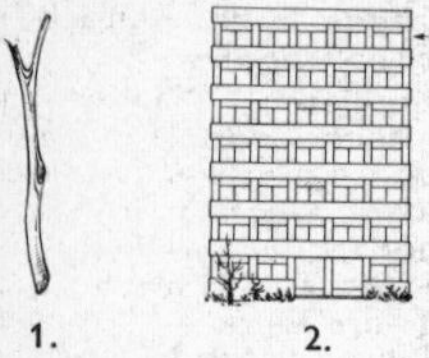

Stock

stockdunkel ⟨Adj.⟩ (ugs.): *so finster, daß man überhaupt nichts mehr sieht:* paß auf, daß du nicht stolperst, hier ist es s.

Stöckelschuh, der; -s, -e (ugs.): *Schuh für Damen mit hohem, schmalem Absatz:* sie trägt Stöckelschuhe.

stocken, stockte, hat gestockt ⟨itr.⟩: **1.** *[für kurze Zeit] aufhören, sich zu bewegen; in der fortlaufenden Bewegung, Entwicklung gehemmt werden:* an der engen Stelle stockte der Verkehr; der Atem, Puls stockt; er stockte *(hörte auf zu sprechen)* mitten im Satz; Handel und Verkehr stocken. **2.** *gerinnen:* das Blut, die Milch stockt.

Stockerl, das; -s, -[n] (bayr.; östr.): *Hocker.*

stockfinster ⟨Adj.⟩ (ugs.): *stockdunkel.*

Stockfleck, der; -[e]s, -e: *durch Schimmel o. ä. auf Stoffen und Papier gebildeter Fleck:* die Wäsche hat Stockflecke bekommen.

stocksteif ⟨Adj.⟩ (ugs.): **1.** *körperlich ganz unbeweglich, sehr steif:* er war vor Kälte s. **2.** *verkrampft und unbeholfen:* er stand s. da. **3.** *ganz fest, ohne nachzugeben:* sie hat das s. behauptet.

stocktaub ⟨Adj.⟩ (ugs.): *völlig taub:* der alte Mann ist s.

Stockung, die; -, -en: *das Stocken, Stauung:* durch den Unfall kam es zu einer S. des Verkehrs.

Stockwerk, das; -[e]s, -e: *Geschoß über dem Parterre* (siehe Bild Stock): das Haus hat drei Stockwerke.

Stockzahn, der; -[e]s, Stockzähne (südd.; östr.; schweiz.): *Backenzahn.*

Stoff, der; -[e]s, -e: **1.** *Substanz, Material:* weiche, harte Stoffe; ein künstlicher, natürlicher S. **2.** *aus Garn gewebtes Material, aus dem Kleider, Gardinen o. ä. hergestellt werden:* er trug einen Mantel aus grobem S. **3.** *Ereignis, Problem, Thema, das künstlerisch oder wissenschaftlich gestaltet, behandelt wird:* er sammelt S. für einen neuen Roman; als S. seines Buches verwendete er eine Episode aus dem Leben Napoleons.

Stoffel, der; -s, -(ugs.): *ungeschickter, unhöflicher Mensch:* dieser S. hat nicht einmal wiedergegrüßt.

stofflich ⟨Adj.⟩: *den Stoff, die Substanz betreffend; nicht geistig:* die stoffliche Zusammensetzung des menschlichen Körpers.

Stoffwechsel, der; -s: *alle Vorgänge, die mit dem Aufbau und Abbau von Stoffen im Körper zusammenhängen:* seine Krankheit beruht auf einer Störung des Stoffwechsels.

stöhnen, stöhnte, hat gestöhnt ⟨itr.⟩: *[vor Schmerz, Anstrengung] mit einem tiefen, langen Laut ausatmen:* der Kranke stöhnte laut; in der Nacht hörte er ein Stöhnen; bildl.: das Volk stöhnt unter der Herrschaft des Diktators *(hatte unter der Herrschaft des Diktators zu leiden);* er stöhnt *(er beklagt sich)* über die schwere Arbeit.

Stoiker, der; -s, -: *jmd., der sich durch nichts erschüttern läßt:* er ist ein ausgesprochener S.

stoisch ⟨Adj.⟩: *unerschütterlich, gleichmütig:* sie nahm alles mit stoischer Ruhe hin.

Stola, die; -, Stolen: *um die Schultern getragener langer [schmaler] Schal als Kleidungsstück für [katholische] Geistliche bei Gottesdiensten oder für Frauen.*

Stollen, der; -s, -: **I.** *unterirdischer Gang [in einem Bergwerk]:* im Bergwerk wird ein neuer S. angelegt; einen S. in den Berg treiben. **II.** /ein Kuchen in länglicher Form/ (siehe Bild).

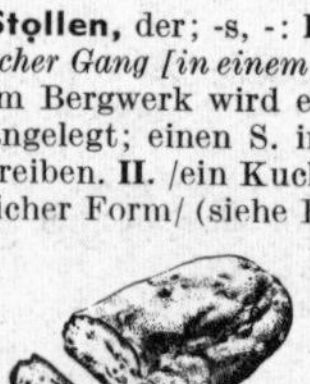

Stollen II.

stolpern, stolperte, ist gestolpert ⟨itr.⟩: *beim Gehen an etwas so mit den Füßen anstoßen, daß man zu fallen droht; fast fallen:* paß auf, daß du nicht stolperst!; er ist über einen Stein gestolpert.

stolz ⟨Adj.⟩: **1. a)** *mit Selbstbewußtsein und Freude über einen Besitz, eine eigene Leistung oder über die Leistung eines geliebten oder verehrten Menschen erfüllt:* die stolze Mutter; er ist s. auf seinen Freund, der ein bekannter Sportler ist. **b)** *eingebildet, überheblich:* weil er so viel gelobt wurde, ist er s. geworden. **2.** ⟨nur attributiv⟩ *so geartet, daß man sich mit Recht freuen darf:* eine stolze Leistung; ein stolzes *(prächtiges)* Gebäude.

Stolz, der; -es: **1.** *übertriebenes Selbstbewußtsein; Überheblichkeit:* ihr S. hat sie unbeliebt gemacht. **2.** *berechtigte, selbstbewußte Freude (über jmdn./etwas):* voller S. berichtete er über seine Erfolge. * **jmds. [ganzer] S. sein** *(jmd. oder etwas sein, auf das man mit Recht stolz ist):* seine Frau und seine Kinder sind sein ganzer S.; das Mädchen ist der S. der Familie; das Fahrrad, das der Junge sich selbst erspart hat, ist sein ganzer S.

stolzieren, stolzierte, ist stolziert ⟨itr.⟩: *stolz und sich sehr wichtig nehmend gehen:* er stolzierte mit seiner Braut über die Promenade.

stopfen, stopfte, hat gestopft: **1.** ⟨tr.; mit näherer Bestimmung⟩ *etwas so in etwas pressen, daß es ganz ausgefüllt ist:* die Kleider in den Koffer s.; Watte ins Ohr s. **2.** ⟨tr.⟩ *mit Nadel und Faden und mit besstimmten Stichen ausbessern:* Strümpfe s. **3.** ⟨itr.⟩ (ugs.) *mit vollen Backen [gierig] essen:* als es Kuchen gab, hat der Kleine zu s. angefangen. **4.** ⟨itr.⟩ *für die Verdauung hemmend sein:* Schokolade stopft.

Stopfgarn, das; -s: *Garn, das zum Stopfen, Ausbessern von Kleidungsstücken verwendet wird:* ich muß noch S. für die Strümpfe kaufen.

Stoppel, die; -, -n: **a)** *nach dem Mähen stehengebliebenes Ende eines Halmes:* die Stoppeln auf dem Feld. **b)** *kurzes, stechendes Haar des Bartes oder auf dem Kopf:* sein Gesicht ist rauh von den Stoppeln.

Stoppelfeld, das; -[e]s, -er: *gemähtes Feld, auf dem die Stoppeln der Halme stehengeblieben sind:* über ein S. gehen.

stoppen, stoppte, hat gestoppt (ugs.): **1. a)** ⟨tr.⟩ *(eine Bewegung oder einen Vorgang) zum Stillstand bringen:* er stoppte seinen Lauf; die Produktion s. **b)** ⟨itr.⟩ *[plötzlich] anhalten* /von Fahrzeugen/: der Wagen stoppte, als das Kind auf die Straße rannte. **2.** ⟨tr.⟩ *bei einem [Wett]lauf oder Rennen (die benötigte Zeit) ermitteln:* er stoppte die Zeit des Favoriten im Abfahrtslauf; den 100-m-Lauf s.

stopplig ⟨Adj.⟩: *von Stoppeln bedeckt* /von Teilen des Gesichtes/: ein stoppliges Kinn.

Stoppuhr, die; -, -en: *Uhr, mit der bei Rennen, [Wett]kämpfen o. ä. die Zeit gestoppt wird:* der Trainer stand mit der S. an der Piste.

Stöpsel, der; -s, -: *kleiner Gegenstand, der dazu dient, die Öffnung eines Gefäßes zu verschließen:* den S. aus der Flasche ziehen.

Stör, der; -[e]s, -e: /ein Fisch/ (siehe Bild).

Stör

Storch, der; -[e]s, Störche: /ein Vogel mit langen Beinen und einem langen Schnabel/ (siehe Bild): der S. hat sein Nest auf dem Dach.

Storch

Store [sto:r], der; -s, -s: *durchsichtiger Vorhang am Fenster:* die Stores vorziehen.

stören, störte, hat gestört ⟨tr.⟩: *(jmdn. bei etwas) belästigen, (von etwas) ablenken; einen Vorgang, ein Vorhaben behindern, beeinträchtigen:* störe ihn nicht bei der Arbeit!; die Versammlung wurde von den Gegnern gestört.

Störenfried, der; -s, -e ⟨abwertend⟩: *jmd., der dauernd stört und dadurch den Fortgang, den ruhigen Verlauf von etwas behindert.*

stornieren, stornierte, hat storniert ⟨tr.⟩ Kaufmannsspr.: **1.** *einen Fehler in der Buchhaltung durch Eintragung eines Postens berichtigen:* wir stornieren diesen Betrag. **2.** *rückgängig machen:* die Bestellung wird storniert.

störrisch ⟨Adj.⟩: *sich nur widerstrebend anderen, den Anweisungen anderer fügend; schwer lenkbar:* ein störrisches Kind; ein störrischer Esel.

Störung, die; -, -en: **a)** *störende Unterbrechung:* wegen der S. konnte die Versammlung nicht weitergeführt werden. **b)** *unangenehme Beeinträchtigung des normalen Ablaufs:* eine S. der Verdauung; er leidet an nervösen Störungen; Störungen des Geistes, des Gleichgewichts; atmosphärische Störungen; wegen der Störungen im Radio konnte die Sendung nicht gehört werden.

Story ['stɔ:ri], die; -, -s: **1.** *[Kurz]geschichte, Erzählung:* er liest eine spannende S. **2.** *Handlung eines Films, Romans o. ä.:* er erzählt die S. des Films mit wenigen Worten. **3.** *spannend und unterhaltsam erzählte unwahre Geschichte:* diese S. nimmt dir niemand ab.

Stoß, der; -es, Stöße: **1. a)** *das Stoßen, heftiger Ruck:* er gab, versetzte ihm einen S., daß er umfiel. **b)** *ruckartige Bewegung; Erschütterung:* die Stöße eines Erdbebens. **2.** *Stapel:* ein S. Zeitungen.

Stoßdämpfer, der; -s, -: *beim Kraftfahrzeug zwischen Rad und Aufbau angebrachte Vorrichtung zum Ausgleich der durch die Unebenheiten des Bodens hervorgerufenen Stöße.*

Stößel, der; -s, -: *Stab mit verdicktem Ende zum Stoßen, Zerkleinern:* den S. in den Mörser legen.

stoßen, stößt, stieß, hat/ist gestoßen: **1.** ⟨tr.⟩ **a)** *mit einer in gerader Richtung geführten heftigen Bewegung treffen, von sich wegschieben:* er hat ihn so heftig vor die Brust gestoßen, daß er hinfiel. * (ugs.) **jmdn. vor den Kopf s.** *(durch eine gedankenlose oder schroffe Äußerung o. ä. jmdn. enttäuschen, schockieren und verletzen):* sie hatte gesagt, daß sie seine Blumen nicht haben wolle, womit sie ihn sehr vor den Kopf gestoßen hat. **b)** ⟨mit näherer Bestimmung⟩ *(mit einem spitzen Gegenstand) in etwas eindringen:* er hat ihm das Messer in den Rücken gestoßen; eine Stange in den Boden s. **2.** ⟨itr.; mit näherer Bestimmung⟩ *bei einer Bewegung (etwas) unabsichtlich und heftig berühren; (gegen etwas) prallen:* er ist mit dem Fuß an einen Stein gestoßen. * **auf etwas s.** *(etwas zufällig finden, entdecken).* **3.** ⟨rfl.⟩ *sich durch einen Stoß weh tun:* er hat sich am Knie gestoßen. * **sich an etwas s.** *(etwas als unangemessen empfinden, mißbilligen):* die Lehrerin stieß sich daran, daß die Schülerin einen Minirock trug.

Stoßgebet, das; -[e]s, -e: *kurzes, [in einer Notlage] schnell verrichtetes Gebet:* sie schickte ein S. zum Himmel.

Stoßseufzer, der; -s, -: *kurzer, schnell hervorgestoßener Seufzer:* einen S. von sich geben.

Stoßstange, die; -, -n: *vorn und hinten am Rahmen des Kraftfahrzeuges angebrachter Schutz aus starkem Blech zum Auffangen leichter Stöße:* durch den Aufprall des Wagens auf das Hindernis wurde die S. beschädigt.

Stoßtrupp, der; -s, -s: *kleiner Trupp Soldaten, der einen Vorstoß in die Stellung, das Gebiet des Feindes macht:* der S. konnte seinen Auftrag erfüllen.

Stoßverkehr, der; -s: *besonders starker Verkehr während der Zeit, in der die Arbeit beginnt oder endet:* Maßnahmen zur Entlastung des Stoßverkehrs.

stoßweise ⟨Adj.; nicht prädikativ⟩: *in Stößen [vor sich gehend]:* die Passagiere wurden s. abgefertigt; ein stoßweises Lachen.

stottern, stotterte, hat gestottert ⟨itr.⟩: *stockend und unter häufiger Wiederholung einzelner Wörter oder Silben sprechen:* er stottert [seit seiner Kindheit]; vor Aufregung stotterte er.

stracks ⟨Adverb⟩ (ugs.): *direkt, ohne Umweg:* er kam s. auf mich zu.

Strafanstalt, die; -, -en: *Gefängnis.*

Strafantrag, der; -[e]s, Strafanträge: *Antrag auf Einleitung eines Verfahrens bei Gericht:* er hat den S. zurückgezogen.

Strafanzeige, die; -, -n: *Bekanntgabe strafbarer Handlungen beim Gericht o. ä.:* er erstattete S.

Strafarbeit, die; -, -en: *zusätzliche Aufgabe als Strafe für Schüler:* weil er zu spät kam, mußte er eine S. machen.

strafbar ⟨Adj.⟩: *den Vorschriften oder Gesetzen widersprechend und unter Strafe gestellt:* eine strafbare Tat; das Überqueren der Straße bei Rot ist s. * **sich s. machen** *(gegen die Gesetze, Vorschriften verstoßen):* wer an einer Einfahrt parkt, macht sich s.

Strafe, die; -, -n: *Vergeltung, Sühne für ein Unrecht oder eine strafbare Handlung:* eine schwere S.; zur S. durfte er nicht ins Kino gehen.

strafen, strafte, hat gestraft ⟨tr./itr.⟩: *eine Strafe auferlegen:* der Lehrer straft [ein Kind] nur, wenn es unbedingt notwendig ist. ** (geh.) **jmdn./etwas Lügen s.** *(beweisen, daß jmd. gelogen hat oder etwas unwahr ist).*

Straferlaß, der; Straferlasses, Straferlasse: *Befreiung von einer Strafe:* der Häftling bat um S.

straff ⟨Adj.⟩: **1.** *stark gespannt; nicht schlaff:* ein straffes Seil. **2.** *auf eine bestimmte Ordnung, Vorschrift achtend, Wert legend:* eine straffe Leitung, Organisation.

straffällig ⟨Adj.; nicht adverbial⟩: *einer Straftat schuldig:* der Dieb wurde nach seiner Entlassung aus dem Gefängnis von neuem s.

straffen, straffte, hat gestrafft: **1.** ⟨tr.⟩ *straff machen, spannen:* das Seil s. **2.** ⟨rfl.⟩ *straff werden, glatt werden:* die Haut seines Gesichts straffte sich. **3.** ⟨rfl.⟩ *sich recken:* nach dem Essen straffte er sich.

straffrei ⟨Adj.⟩: *ohne Strafe, frei von den Folgen des Strafrechts:* er ist s. aus dem Prozeß hervorgegangen.

Strafgericht, das; -[e]s, -e (geh.): *strafende Vergeltung:* das S. des Himmels ist über uns hereingebrochen.

sträflich ⟨Adj.⟩: *so, daß es eigentlich bestraft werden sollte:* sträflicher Leichtsinn.

Sträfling, der; -s, -e: *jmd., der in einem Gefängnis eine Strafe abbüßt.*

Strafpredigt, die; -, -en: *heftige, eindringliche Vorhaltungen in strafendem Ton:* die Mutter hielt den Kindern eine gehörige S.

Strafprozeß, der; Strafprozesses, Strafprozesse: *Verfahren vor Gericht, in dem entschieden wird, ob eine strafbare Handlung vorliegt, und in dem gegebenenfalls eine Strafe festgesetzt wird.*

Strafraum, der; -[e]s, Strafräume: Fußball *um das Tor abgegrenzter Raum, in dem der Torwart besondere Rechte zur Abwehr hat und in dem Vergehen der verteidigenden Mannschaft besonders streng geahndet werden:* nach dem Foul im S. verhängte der Schiedsrichter einen Strafstoß.

Strafrecht, das; -[e]s: *Gesamtheit der rechtlichen Normen für den Strafprozeß:* der Professor hält Vorlesungen über das S.

Strafsache, die; -, -n: *Sache, die in einem Strafprozeß behandelt wird.*

Strafstoß, der; -es, Strafstöße: Fußball *gegen die Mannschaft, die im Strafraum ein Foul begangen hat, verhängter Freistoß von einem Punkt aus, der 11 Meter vom Tor entfernt ist:* er schoß den S. zum 1:0 ein.

Straftat, die; -, -en: *Tat, die gegen das Gesetz verstößt und bestraft wird:* die Polizei konnte nur einen Teil der Straftaten aufklären.

Strafverfolgung, die; -, -en: *Verfolgung einer Straftat:* die S. verjährt in gewissen Fällen.

strafversetzen, hat strafversetzt ⟨tr.⟩: *zur Strafe auf einen anderen Posten, an einen anderen Ort versetzen:* man wird ihn wegen dieser Angelegenheit s.; der Chef hat ihn strafversetzt.

strafwürdig ⟨Adj.⟩: *strafbar:* das Gericht hat die Beleidigung als s. angesehen.

Strahl, der; -[e]s, -en: **1.** *aus enger Öffnung hervorschießende Flüssigkeit:* ein S. kam aus dem Rohr. **2.** *von einer Lichtquelle ausgehendes Licht, das dem Auge als schmaler Streifen erscheint:* durch die Fuge drang ein S. ins Zimmer; die Strahlen der Sonne; bildl.: ein S. *(ein wenig)* Hoffnung. **3.** ⟨Plural⟩ *sich in gerader Linie fortbewegende kleinste Teilchen, elektromagnetische Wellen o. ä.:* Radium sendet schädliche Strahlen aus; sich vor Strahlen schützen.

strahlen, strahlte, hat gestrahlt ⟨itr.⟩: **1.** *sehr helles [durchdringendes] Licht aussenden, hell leuchten:* die Lichter strahlen; ⟨häufig im 1. Partizip⟩ die strahlende Sonne, ein strahlender *(sonniger)* Tag. **2.** *froh, glücklich aussehen:* der Kleine strahlte, als er gelobt wurde.

strahlenförmig ⟨Adj.⟩: *in Form von Strahlen auseinandergehend:* das Blumenbeet war s. angelegt.

Strähne, die; -, -n: *Bündel von glatt nebeneinanderliegenden Haaren o. ä.:* eine S. seiner blonden Haare hing ihm ins Gesicht.

strähnig ⟨Adj.⟩: *in Form von Strähnen [herabhängend]:* ihre Haare hingen s. über die Schultern.

stramm ⟨Adj.⟩: **1.** *straff gespannt, eng:* die Hose ist zu s. **2.** **a)** *kräftig, gesund:* ein strammer Bursche. **b)** *aufrecht, gerade:* eine stramme Haltung; s. gehen, grüßen. **3.** (ugs.) ⟨verstärkend bei Verben und Substantiven⟩ *sehr; sehr viel; sehr groß:* er muß heute noch s. arbeiten, um fertig zu werden; er hatte schon einen strammen Hunger.

Strampelhöschen, das; -s, -: /ein Kleidungsstück für Babys/ (siehe Bild).

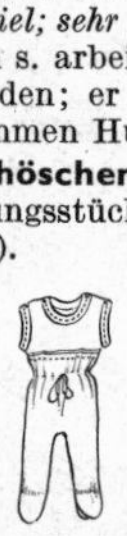

Strampelhöschen

strampeln, strampelte, hat/ist gestrampelt ⟨itr.⟩: **1.** *die Beine lebhaft bewegen* /von Kindern/: der Kleine hat vor Vergnügen mit den Beinen gestrampelt. **2.** (ugs.) *radfahren:* heute sind wir 80 km gestrampelt.

Strand, der; -es, Strände: *flaches und sanft ansteigendes Ufer [aus Sand]:* sie lagen am S. und sonnten sich.

Strandanzug, der; -s, Strandanzüge: *leichtes, luftiges Kleidungsstück, das bes. am Strand getragen wird:* sie hat ihren S. im Hotel vergessen.

Strandbad, das; -[e]s, Strandbäder: *Schwimmbad an einem Fluß oder See mit einer Fläche in der Art eines Strandes:* die Strandbäder sind an heißen Tagen überfüllt.

stranden, strandete, ist gestrandet ⟨itr.⟩: **1.** *an einer flachen Stelle oder einem Ufer auflaufen und festsitzen:* das Schiff ist gestrandet. **2.** *scheitern, ohne Erfolg bleiben:* er ist mit seiner Politik gestrandet.

Strandgut, das; -[e]s: *alle von der See an den Strand geschwemmten, von Besitzern stammenden Gegenstände:* nach einem Sturm viel S. finden; bildl.: S. der Großstadt.

Strandkorb, der; -es, Strandkörbe: /Schutz gegen Wind und Sonne am Strand/ (siehe Bild).

Strandkorb

Strang, der; -[e]s, Stränge: *starkes Seil [mit dem etwas gezogen oder bewegt wird]:* die Glocke wurde durch Ziehen an einem S. geläutet; er wurde zum Tode durch den S. *(durch Erhängen)* verurteilt. ** **über die Stränge schlagen** *(zu ausgelassen, übermütig sein).*

strangulieren, strangulierte, hat stranguliert ⟨tr.⟩: *erdrosseln, erwürgen:* er hat sie mit einem Schal stranguliert.

Strapaze, die; -, -n: *große Anstrengung, Mühe:* die Teilnehmer der Expedition mußten große Strapazen aushalten.

strapazfähig ⟨Adj.⟩ (östr.): *strapazierfähig.*

strapazieren, strapazierte, hat strapaziert: **1.** ⟨tr.⟩ *stark in Anspruch nehmen, nicht schonen:* die Kleider s.; er hat das Auto bei der Fahrt über den Berg stark strapaziert. **2.** ⟨rfl.⟩ *seine Kräfte rücksichtslos einsetzen; sich körperlich nicht schonen:* er hat sich so sehr strapaziert, daß sein Herz Schaden gelitten hat.

strapazierfähig ⟨Adj.⟩: *geeignet, stark beansprucht zu werden:* der Rock ist aus strapazierfähigem Material.

strapaziös ⟨Adj.; nicht adverbial⟩: *anstrengend, beschwerlich, die Kräfte stark in Anspruch nehmend:* eine strapaziöse Reise.

Straß, der; - und Strasses, Strasse: *glasartige Imitation von Edelsteinen:* sie trägt eine Kette aus S.

Straße, die; -, -n: **1. a)** *verhältnismäßig breiter, zum Befahren gut geeigneter Weg [als Verbindung zwischen zwei Orten]:* auf der S. zwischen Stuttgart und München kam es zu mehreren Unfällen. **b)** *zum Befahren geeigneter Zwischenraum zwischen zwei Reihen von Häusern innerhalb einer Ortschaft:* die Straßen der Stadt waren am Abend still und leer. * **jmdn. auf die S. werfen/setzen** *(jmdn. entlassen, weil man mit ihm unzufrieden ist oder weil er nicht mehr gebraucht wird);* **auf die S. gehen** *(durch Demonstrationen o. ä. seine Ansichten oder Forderungen durchsetzen wollen):* als die Partei sich im Parlament nicht durchsetzen konnte, ging sie auf die S. **2.** *enge Stelle im Meer als Weg für die Schiffahrt:* die S. von Gibraltar.

Straßenbahn, die; -, -en: *Verkehrsmittel auf Schienen für den Verkehr innerhalb einer Stadt* (siehe Bild): er fährt täglich mit der S. zur Schule.

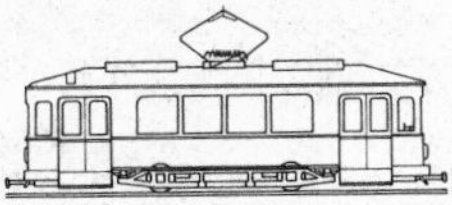

Straßenbahn

Straßenjunge, der; -n, -n (abwertend): *[verwahrloster] Junge, der sich hauptsächlich auf der Straße aufhält:* ein paar Straßenjungen laufen johlend hinter dem alten Mann her.

Straßenverkehr, der; -s: *Verkehr auf öffentlichen und privaten Straßen:* Probleme des Straßenverkehrs.

Strategie, die; -: *umfassende [vorbereitende] Planung eines Krieges unter Einbeziehung aller wesentlichen Faktoren, auch außerhalb des militärischen Bereichs; Lehre von der Führung der Truppen:* die ausgezeichnete S. Napoleons; bildl.: es war seine S. *(Art der Vorgehens),* sich unentbehrlich zu machen.

strategisch ⟨Adj.⟩: *die Strategie betreffend, von der Strategie herrührend:* neue strategische Prinzipien; bildl.: sie besprechen die s. wichtigen *(entscheidenden)* Punkte der Tagesordnung.

sträuben, sich; sträubte sich, hat sich gesträubt: **1.** *sich aufrichten, aufstellen* /von Haaren/: das Fell sträubt sich; die Haare sträubten sich. **2.** *etwas nicht annehmen wollen, sich einer Sache widersetzen:* er sträubte sich dagegen, in einem so schlechten Zimmer zu wohnen.

Strauch, der; -[e]s, Sträucher: *Pflanze mit mehreren an der Wurzel beginnenden holzigen Stengeln und vielen Zweigen, Busch* (siehe Bild).

Strauch

straucheln, strauchelte, ist gestrauchelt ⟨itr.⟩ (geh.): *stolpern und taumeln, so daß man zu fallen droht; fast fallen:* er strauchelte auf der schmalen Brücke und stürzte ins Wasser; bildl.: sie ist gestrauchelt *(auf Abwege geraten).*

Strauß: I. der; -es, -e: /ein großer Vogel/ (siehe Bild). **II.** der; -es, Sträuße: *Bund von Blumen* (siehe Bild): sie pflückte einen schönen S. für ihre Mutter. ** **einen S. mit jmdm. ausfechten** *(einen harten Kampf, ei-*

I. II.

Strauß

ne harte Diskussion mit jmdm. führen).

streben, strebte, hat/ist gestrebt ⟨itr.⟩: **1.** *sich unter Anstrengung aller Kräfte um etwas bemühen:* er hat immer nach Ruhm, Geld gestrebt. **2.** *sich auf möglichst kurzem Weg und ohne sich ablenken zu lassen an einen bestimmten Ort begeben:* wir sind nach der Vorstellung gleich nach Hause gestrebt.

Streber, der; -s, - (abwertend): *jmd., der sich sehr ehrgeizig bemüht, in der Schule oder im Beruf vorwärtszukommen:* er ist ein rücksichtsloser und ehrgeiziger S.

strebsam ⟨Adj.; nicht adverbial⟩: *fleißig und ausdauernd ein Ziel anstrebend:* er war ein strebsamer junger Mann.

Strecke, die; -, -n: *bestimmte [von zwei Punkten begrenzte] Entfernung:* eine kurze S.; die S. von München bis Stuttgart legte er in zwei Stunden zurück. * **auf der S. bleiben** *(nicht mehr weiterkönnen);* **jmdn. zur S. bringen** *(jmdn. nach einiger Zeit endlich fassen oder kampfunfähig machen):* die Polizei konnte den Verbrecher zur S. bringen; der Boxer hat seinen Gegner zur S. gebracht *(besiegt).*

strecken, streckte, hat gestreckt: **1.** ⟨tr.⟩ *in eine gerade, steife Stellung bringen:* er streckte die Beine; den Arm in die Höhe s.; den Kopf aus dem Fenster s. * **zu Boden s.** *(im Kampf besiegen);* (ugs.) **alle viere von sich s.** *(sich hinlegen, um zu ruhen);* **die Waffen s.** *(resignieren).* **2.** ⟨rfl.⟩ **a)** *Körper und Glieder dehnen:* er streckte sich in der Sonne. **b)** *länger werden:* es wurde Abend, und die Schatten streckten sich.

Streckenwärter, der; -s, -: *Angestellter der Bundesbahn, der die Gleise kontrolliert* /Berufsbezeichnung/.

streckenweise ⟨Adverb⟩: **a)** *über bestimmte Strecken hin:* die Straße war s. ganz leer. **b)** *nur an einzelnen Stellen, nicht überall:* die Straße ist erst s. fertig.

Streckverband, der; -[e]s, Streckverbände: *Verband, der eine Streckung des gebrochenen Gliedes bewirkt und die Verkürzung des Knochen verhindert:* sie liegt seit mehreren Wochen im S.

Streich, der; -[e]s, -e: *etwas [Unerlaubtes], was zum Spaß angestellt wird:* die Jungen verübten viele lustige Streiche.

streicheln, streichelte, hat gestreichelt ⟨tr.⟩: *liebkosen, mit sanften Bewegungen über etwas streichen:* er streichelte ihr Gesicht; eine Katze s.

streichen, strich, hat/ist gestrichen: **1.** ⟨tr.⟩ *als dünne Schicht auftragen:* er hat Butter aufs Brot gestrichen; ⟨auch⟩ ein Brot s. *(Butter, Käse o. ä. auf das Brot auftragen).* **2.** ⟨tr.⟩ *mit Farbe versehen, anstreichen:* er hat die Tür, den Zaun gestrichen. **3.** ⟨itr.⟩ **a)** *die Oberfläche von etwas gleitend berühren:* er hat mit dem Bogen über die Saiten gestrichen. **b)** *dicht über einer Fläche sich bewegen:* der Vogel ist über den See gestrichen. **4.** ⟨tr.⟩ *durchstreichen; auslassen:* er hat einen Satz gestrichen; wegen der Länge des Theaterstückes mußten einige Szenen gestrichen werden. ** **die Segel s.** *(den Widerstand aufgeben, resignieren).*

Streichholz, das; -es, Streichhölzer: *kleines Stück Holz mit leicht entzündbarer Masse an einem Ende, das beim Reiben an einer rauhen Fläche zu brennen beginnt* (siehe Bild): er steckte ein S. an.

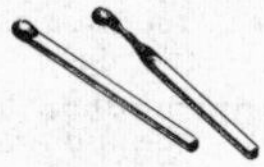

Streichholz

Streichinstrument, das; -[e]s, -e: *Musikinstrument, bei dem man Töne hervorbringt, indem man mit einem Bogen über die Saiten streicht:* die Violine, das Cello ist ein S.

Streichkäse, der; -s, -: *Käse, der so weich ist, daß er [aufs Brot] gestrichen werden kann.*

Streichquartett, das; -s, -e: *Musikstück, das von vier Streichinstrumenten zu spielen ist.*

Streif, der; -[e]s, -e (geh.): *langes, schmales Band, Streifen:* am Horizont wurde ein heller S. sichtbar.

Streife, die; -, -n: **a)** *kleine Einheit bei Militär und Polizei, die Fahrten oder Gänge zur Kontrolle durchführt:* er wurde von einer Streife festgenommen. **b)** *von der gleichnamigen kleinen Einheit zur Kontrolle durchgeführte Fahrt, durchgeführter Gang:* sie haben in der Nacht mehrere Streifen gemacht; auf S. gehen, sein.

streifen, streifte, hat/ist gestreift /vgl. gestreift/: **1.** ⟨tr.⟩ *im Verlauf einer [schnellen] Bewegung etwas leicht berühren, über die Oberfläche von etwas streichen:* er hat mit seinem Auto den Baum gestreift; bildl.: er streifte ihn mit einem verstohlenen Blick. **2.** ⟨tr.⟩ *nur oberflächlich und nebenbei behandeln:* die geschichtlichen Aspekte des Problems hat er in seinem Vortrag nur gestreift. **3.** ⟨tr.⟩ *etwas so ausziehen oder anziehen, daß es dabei den betreffenden Körperteil gleitend berührt:* sie hat die Handschuhe von den Fingern, den nassen Badeanzug vom Körper gestreift. **4.** ⟨itr.⟩ (geh.) *[ohne festes Ziel] einige Zeit (durch eine Gegend) wandern, ziehen:* er ist durch den Wald gestreift.

Streifen, der; -s, -: **a)** *langes, schmales Stück von etwas:* ein S. Papier; ein S. Tuch. **b)** *in der Art eines Bandes verlaufende Linie, die sich durch eine andere Farbe von der Umgebung abhebt:* das Kleid hat blaue Streifen; hinter dem Flugzeug sah man einen weißen S. am Himmel.

Streifenwagen, der; -s, -: *Kraftwagen der Polizei für den Einsatz einer Streife:* der S. fuhr an den Ort des Unfalls.

streifig: ⟨in der Verbindung⟩ s. werden: *unbeabsichtigt Streifen bekommen:* das Kleid ist beim Waschen s. geworden.

Streiflicht, das; -[e]s, -er: ⟨in der Wendung⟩ etwas wirft ein S. /Streiflichter auf etwas: *etwas rückt etwas plötzlich für eine kurze Zeit in den Blickpunkt:* diese Erzählung wirft Streiflichter auf das Leben des Autors.

Streifzug, der; -[e]s, Streifzüge: *Zug ohne bestimmtes Ziel, auf dem etwas erkundet werden soll:* die Kinder machten kurze Streifzüge in den nahen Wald; bildl.: Streifzüge durch das mittelalterliche Worms.

Streik, der; -s, -s: *[organisiertes] Einstellen der Arbeit, um bestimmte Forderungen gegenüber den Arbeitgebern durchzusetzen:* die Gewerkschaft rief zu einem S. auf; wilder *(von der Gewerkschaft nicht beschlossener)* Streik.

streiken, streikte, hat gestreikt ⟨itr.⟩: *einen Streik durchführen:* die Arbeiter streiken so lange, bis ihnen höhere Löhne gezahlt werden; bildl. (ugs.): die Maschine streikt *(funktioniert nicht mehr)*.

Streit, der; -[e]s: *Uneinigkeit, bei der die Betreffenden [mit lauten Worten] ihre Argumente vorbringen; Zank, Auseinandersetzung:* im Zug entstand ein S., ob man das Fenster öffnen dürfe.

Streitaxt, die; -, Streitäxte: *Axt, die nur zum Kampf gebraucht wird und typisch für vorgeschichtliche Kulturen ist:* die von den Indianern verwendete S. wird als Tomahawk bezeichnet.

streitbar ⟨Adj.⟩: *gern, oft streitend:* ein streitbarer Mensch; eine streitbare Gesinnung.

streiten, stritt, hat gestritten ⟨itr./rfl.⟩: *entgegengesetzte Meinungen gegeneinander durchsetzen wollen; in Streit sein (mit jmdm.):* sie stritten lange über diese Frage; er stritt sich mit dem Händler über den Preis.

Streiter, der; -s, - (geh.): *Kämpfer:* er ist ein S. des Herrn.

Streiterei, die; -, -en: *andauerndes, lästig fallendes Streiten:* ich habe genug von der S.; Streitereien zwischen den Kindern werden nicht geduldet.

Streitfrage, die; -, -n: *Frage, über deren verschiedene Lösungen heftig diskutiert wird:* die alte S. wurde immer wieder aufgeworfen.

Streitgespräch, das; -[e]s, -e: *Diskussion zwischen Personen, die verschiedene religiöse, philosophische, künstlerische, politische Prinzipien vertreten:* das S. zwischen Luther und Eck.

streitig: ⟨in der Wendung⟩ jmdm. etwas s. machen: *etwas, was ein anderer hat, für sich beanspruchen:* er wollte ihm seinen Posten s. machen.

Streitigkeiten, die ⟨Plural⟩: *dauerndes Streiten:* es gab endlose S., und man kam zu keiner fruchtbaren Diskussion.

Streitkräfte, die ⟨Plural⟩: *Truppen:* die S. des Landes bestehen aus Heer, Luftwaffe und Marine.

streitsüchtig ⟨Adj.⟩ (abwertend): *bei jeder Gelegenheit Streit suchend:* er war ein streitsüchtiger Junge.

streng ⟨Adj.⟩: **1.** *nicht bereit, irgendwelche Abweichungen von einer Norm oder Vorschrift zu gestatten oder zu dulden:* ein strenger Lehrer; er erließ strenge Befehle. **2.** *hart; ohne Nachsicht:* s. bestrafen; s. über jmdn. urteilen. * **ein strenger Winter** *(ein sehr kalter Winter)*. **3.** *herb und scharf im Geschmack:* die Soße ist zu s.; das Fleisch vom Wild ist s. **4.** ⟨nicht prädikativ⟩ *genau:* er hält sich s. an die Vorschriften.

Strenge, die; -: *strenge Einstellung gegenüber sich selbst oder gegenüber seinen Mitmenschen:* der Lehrer erzieht die Kinder mit großer S.

strenggenommen ⟨Adverb⟩: *wenn man ganz genau ist:* s. dürfte er gar nicht an dem Fest teilnehmen, weil er nicht Mitglied ist.

strenggläubig ⟨Adj.⟩: *streng nach den Grundsätzen des Glaubens [ausgerichtet]:* sie stammt aus einer strenggläubigen Familie.

Streß, der; Stresses, Stresse: Med. *starke körperliche oder seelische Anspannung, Belastung:* bei dem hohen Amt, das er bekleidet, ist er einem außergewöhnlichen S. ausgesetzt.

Streu, die; -: *Stroh, Laub o. ä., auf dem z. B. im Stall das Vieh liegt:* die Rinder bekommen täglich frische S.

streuen, streute, hat gestreut ⟨tr.⟩: *(Pulver, Körner, Sand o. ä.) so werfen, daß es einigermaßen gleichmäßig verteilt ist:* den Samen auf das Beet s.; die Straße wird bei Glatteis gestreut *(mit Sand bestreut)*.

streunen, streunte, hat gestreunt ⟨itr.⟩: *sich [herrenlos oder mit bösen Absichten] herumtreiben:* ein streunender Hund; nachts streunte er durch die Stadt.

Streusel, die ⟨Plural⟩: *kleine, aus Zucker, Mehl und Butter zubereitete Kügelchen und Bröckchen als Belag des Streuselkuchens:* die S. vom Streuselkuchen naschen.

Streuselkuchen, der; -s, -: *flacher Kuchen aus Hefeteig mit einer Schicht Streusel auf der oberen Seite.*

Strich, der; -[e]s, -e: *mit einem Bleistift o. ä. gezogene Linie:* ein dicker S.; einen S. ziehen. * **bloß/nur noch ein S. sein** *(sehr dünn geworden sein)*; **jmdm. einen S. durch die Rechnung machen** *(jmds. Plan vereiteln, seine Ausführung unmöglich machen)*. ** **etwas geht jmdm. gegen den S.** *(etwas ist jmdm. nicht recht, und er duldet oder tut es nur höchst ungern)*; **jmdn. auf dem S. haben** *(jmdn. nicht leiden können und deshalb versuchen, ihn zu schikanieren)*; (ugs.) **auf den S. gehen** *(Prostitution betreiben)*.

stricheln, strichelte, hat gestrichelt ⟨tr./itr.⟩ /vgl. gestrichelt/: **a)** *(eine Linie) in kürzeren, aufeinanderfolgenden Strichen ausführen:* er strichelte die Gerade, die den Kreis berührte; er strichelt lieber mit einem weichen Bleistift. **b)** *(eine Fläche) mit feinen, parallel verlaufenden Linien bedecken:* er strichelte den Ausschnitt des Kreises; er kann sehr schnell s.

strichlieren, strichlierte, hat strichliert ⟨tr./itr.⟩ (östr.): *stricheln.*

strichweise ⟨Adverb⟩: bes. Meteor. *in einzelnen, kleineren Gebieten, Landstrichen:* es wird s. regnen.

Strick, der; -[e]s, -e: *kurzes, starkes Seil; dicke Schnur; kurze Leine.* * **jmdm. einen S. aus etwas drehen** *(machen, daß jmdm. etwas zum Verhängnis wird)*: er hatte sich für eine Änderung der Verhältnisse ausgesprochen. Daraus wollte man ihm einen S. drehen.

stricken, strickte, hat gestrickt ⟨tr.⟩: *mit Hilfe von Nadeln aus Wolle (etwas) herstellen:* einen Pullover s.; ⟨auch itr.⟩ sie sitzt am Fenster und strickt.

Strickjacke, die; -, -n: *aus Wolle gestrickte Jacke:* eine S. anziehen.

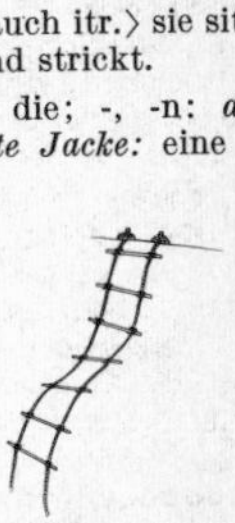

Strickleiter

Strickleiter, die; -, -n: *aus Stricken hergestellte Leiter* (siehe Bild).

Striegel, der; -s, -: *Gerät, mit dem das Fell stark verschmutzter Pferde und Rinder gesäubert wird* (siehe Bild).

Striegel

striegeln, striegelte, hat gestriegelt ⟨tr.⟩: **1.** *(Pferde, Rinder) mit dem Striegel säubern:* der Bauer striegelt sein Pferd. **2.** (ugs.) *übertrieben hart hernehmen, ausbilden:* gestern wurden wir beim Training ganz schön gestriegelt.

Strieme, die; -, -n: *Striemen.*

Striemen, der; -s, -: *auffallender längerer Streifen auf der Haut, der durch Schläge mit einer Rute, Peitsche o. ä. entstanden ist:* er hatte blutige S. auf dem Rücken.

strikt ⟨Adj.; nicht prädikativ⟩: *(in bezug auf die Ausführung oder Befolgung von etwas) sehr genau, streng; keine Abweichung zulassend:* sie hatten strikten Befehl, nicht zu schießen; eine Anordnung s. befolgen.

Strippe, die; -, -n (ugs.): *Schnur, Bindfaden:* er hat die S. durchgeschnitten und das Paket ausgewickelt; (scherzh.) deine Freundin ist an der S. *(am Telefon);* sie hängt immer an der S. *(telefoniert viel).*

Strip-tease, Striptease['strɪpti:z], der, (auch:) das; -: *Vorführung in einem Nachtlokal o. ä., bei der sich eine attraktive weibliche Person unter aufreizenden Bewegungen nach und nach ihrer Kleidungsstücke entledigt:* einen S. besuchen; den S. erlernen. * (ugs.; scherzh.) **S. machen** *(sich [in ungehöriger Weise] vor den Augen anderer ausziehen).*

strittig ⟨Adj.; nicht adverbial⟩: *umstritten, noch nicht geklärt, noch nicht entschieden; verschieden deutbar:* eine strittige Angelegenheit; dieser Punkt der Anweisung ist s.

Stroh, das; -s: *Halme des gedroschenen Getreides:* in einer Scheune auf S. schlafen.

Strohblumen, die ⟨Plural⟩: *Blumen, die auch im getrockneten Zustand ihre bunten Farben beibehalten und daher als dauerhafter Schmuck von Zimmern o. ä. verwendet werden:* S. in die Vase stecken.

Strohfeuer, das; -s: *große, aber nur flüchtige, schnell vorübergehende Begeisterung für etwas/jmdn.*

Strohhalm, der; -[e]s, -e: **1.** *Halm vom Stroh.* **2.** *Halm zum Trinken* (siehe Bild): Saft mit einem S. trinken.

Strohhalm 2.

Strohhut, der; -[e]s, Strohhüte: *aus Stroh oder einem dem Stroh ähnlichen Material geflochtener Hut:* im Sommer trägt sie lieber Strohhüte.

strohig ⟨Adj.⟩: **a)** *ausgetrocknet und dadurch spröde, ungepflegt:* strohiges Haar. **b)** *hart, trocken und geschmacklos:* die alten Bohnen schmecken schon ganz s.

Strohmann, der; -[e]s, Strohmänner: *jmd., der von einem anderen vorgeschoben wird, um in dessen Interesse und Auftrag einen Vertrag abzuschließen, ein Geschäft abzuwickeln o. ä.:* ein S. kaufte für ihn die Aktien.

Strohsack, der; -[e]s, Strohsäcke (veralt.): *großer, mit Stroh gefüllter Sack, der statt einer Matraze verwendet wurde:* auf einem S. schlafen. * (ugs.) **heiliger/gerechter S.!** /Ausruf der Überraschung, des Erstaunens, der leichten Entrüstung/.

Strohwitwer, der; -s, -: *Ehemann, der vorübergehend ohne seine Frau leben muß, da diese für einige Zeit verreist ist:* er war drei Wochen S.

Strolch, der; -[e]s, -e: **1.** *gemeiner, heruntergekommener Mensch; Lump, Gauner:* dieser S. hat das Mädchen angefallen. **2.** (scherzh.) *Schlingel* /in bezug auf Jungen/: so ein kleiner S.!

strolchen, strolchte, ist gestrolcht ⟨itr.⟩ (abwertend): *untätig und ohne festes Ziel (durch die Gegend) streichen:* Arbeit hat er keine, dafür strolcht er den ganzen Tag durch die Stadt.

Strom, der; -[e]s, Ströme: **I. a)** *breiter Fluß:* ein mächtiger S. * **gegen den S. schwimmen** *(bewußt der allgemein üblichen Meinung o. ä. entgegengesetzt handeln).* **b)** *sich mit Macht langsam vorwärtsbewegende Menge:* ein S. von Menschen. **II.** *Elektrizität.*

strömen, strömte, ist geströmt ⟨itr.⟩: **a)** *sich bei zunehmender Geschwindigkeit in großen Mengen in die gleiche Richtung bewegen* /vom Wasser/: das Wasser strömte brausend und gurgelnd über den gebrochenen Damm; (geh.) der Fluß strömt breit und schwer durch das Land; bildl.: die Massen strömten aus dem Stadion. * **bei strömendem Regen** *(bei starkem Regen):* sie geht auch bei strömendem Regen spazieren. **b)** *(aus einer Öffnung, einem Loch) dringen* /von Gasen/: Gas strömte aus der schadhaften Leitung; (geh.) Kälte strömte durchs Fenster.

Stromer, der; -s, -: **a)** *Landstreicher mit verwahrlostem Äußeren:* ein S. bat an der Haustür um ein Stück Brot. **b)** (ugs.; scherzh.) *Junge, der sich gerne herumtreibt:* wo bist du denn gewesen, du kleiner S.?

Stromlinienform, die; -: *längliche Form eines Körpers, die sich dem Verlauf einer Strömung anpaßt, so daß der Widerstand bei einer Fortbewegung in flüssigen oder gasförmigen Stoffen bedeutend verringert wird:* das U-Boot ist in S. gebaut.

Stromquelle, die; -, -n: *Vorrichtung zum Erzeugen elektrischen Stroms:* als S. dient hier eine Batterie.

Stromschnelle, die; -, -n: *Abschnitt in einem Fluß, in dem das Wasser durch ein bestimmtes Gefälle oder durch eine Enge eine stärkere Strömung hat:* das Boot fährt vorsichtig durch die S.

Strömung, die; -, -en: **1.** *das Strömen; starke fließende Bewegung:* der Fluß hat eine starke S.; von der S. abgetrieben werden. **2.** *in einer bestimmten Richtung verlaufende Tendenz, Entwicklung, geistige Bewegung:* politische Strömungen.

Strophe, die; -, -n: *Abschnitt eines Liedes oder Gedichtes, der* *aus mehreren Versen besteht:* dieses Lied hat zehn Strophen.

strotzen, strotzte, hat gestrotzt ⟨itr.⟩: **a)** *prall angefüllt sein (mit etwas), vor innerer Fülle fast platzen:* er strotzt vor/von Energie. **b)** *besonders viel (von etwas) haben, starren (vor etwas):* der kleine Junge strotzte vor Dreck.

strubb[e]lig ⟨Adj.⟩: *zersaust* /vom Haar/: du siehst sehr s. aus.

Strudel, der; -s, -: **1.** *Stelle in einem Gewässer, wo sich das Wasser schnell und drehend [nach unten] bewegt.* **2.** (bes. südd.) *Speise aus zusammengerolltem, mit Obst u. a. gefülltem Kuchenteig.*

Struktur, die; -, -en: *innerer Aufbau, Gefüge, Anordnung der zugrunde liegenden Teile eines Ganzen:* die soziale, gesellschaftliche S.

strukturell ⟨Adj.⟩: *die Struktur betreffend:* die strukturellen Veränderungen in der Gesellschaft.

strukturieren, strukturierte, hat strukturiert ⟨tr.⟩: *mit einer bestimmten Struktur versehen, einer bestimmten Struktur unterwerfen:* die Partei wird völlig neu strukturiert werden; ⟨häufig im 2. Partizip⟩ eine anders strukturierte Gesellschaft.

Strumpf, der; -[e]s, Strümpfe: /ein Kleidungsstück für Fuß und Bein/ (siehe Bild).

Strumpf

Strumpfhose, die; -, -n: *von Frauen und Kindern getragenes Kleidungsstück, bei dem Strümpfe und Hose aus einem Stück gefertigt sind.*

Strunk, der; -[e]s, Strünke: *kurzer, dicker fleischiger Stamm oder Stengel, der als Rest von einer Pflanze übriggeblieben ist:* den S. vom Kohl wegwerfen.

struppig ⟨Adj.; nicht adverbial⟩: *borstig; ungepflegt, unordentlich [nach allen Seiten abstehend]* /vom Haar, Fell o. ä./: struppige Haare.

Stubben, der; -s, - (bes. nordd.): *Stumpf, stehengebliebener Rest des Stammes eines gefällten Baumes.*

Stube, die; -, -n: *Zimmer, Wohnraum.*

Stubenhocker, der; -s, -(ugs.): *jmd., der wenig an die frische Luft geht:* er ist ein richtiger S. geworden.

stubenrein ⟨Adj.⟩: **a)** *(in bezug auf die Ausscheidung der Exkremente) zur Sauberkeit erzogen; sauber* /bes. vom Hund/: das Tier ist noch nicht s. **b)** (scherzh.) *nicht unanständig und deshalb ohne Bedenken erzählbar:* der Witz ist nicht s.

Stuck, der; -[e]s: *kunstvolle, aus Gips, Sand und Kalk geformte Verzierung an Wänden und Decken:* in dem verwahrlosten Schloß bröckelte überall der S. ab.

Stück, das; -[e]s, -e: **1. a)** *Teil eines Ganzen:* ein S. Kuchen. **b)** *Teil einer Gattung oder einer Art; Exemplar:* das ist das wertvollste S. dieser Sammlung; ⟨als Mengenangabe⟩ wir brauchen drei S. von diesen Maschinen; er nahm vier S. Zucker in seinen Kaffee. **2. a)** *Theaterstück:* dieses S. ist bisher noch nicht aufgeführt worden. **b)** *musikalische Komposition:* ein S. von Mozart spielen.

stückeln, stückelte, hat gestückelt ⟨tr.⟩: *aus Stücken zusammensetzen:* dieses Kleid ist gestückelt.

stuckern, stuckerte, hat gestuckert ⟨itr.⟩: *holprig fahren:* das Auto stuckert über den steinigen Weg.

stückweise ⟨Adverb⟩: *nach und nach, in einzelnen Stücken:* er brachte die gewünschten Sachen nicht auf einmal, sondern s.

Stückwerk: ⟨in den Wendungen⟩ etwas ist/bleibt S. (abwertend): *etwas ist unvollständig und unvollkommen und befriedigt daher nicht:* unser Wissen ist S.

Student, der; -en, -en: *jmd., der an einer Hochschule studiert:* die Studenten demonstrierten.

Studentenfutter, das; -s: *Gemisch aus Mandeln, Nüssen und Rosinen:* eine Tüte S. knabbern.

Studentin, die; -, -nen: *weiblicher Student.*

studentisch ⟨Adj.⟩: *den Studenten betreffend, zu einem Studenten gehörig; für die Studenten, das Leben der Studenten typisch:* für die studentischen Belange Verständnis haben.

Studie, die; -, -n: *kürzere wissenschaftliche oder künstlerische Arbeit, Betrachtung:* eine S. über moderne Musik schreiben; dieses Porträt ist eine S. *(eine Skizze, ein Versuch).*

studieren, studierte, hat studiert: **1.** ⟨itr.⟩ *eine Hochschule besuchen:* er studiert in Berlin. **2.** ⟨tr.⟩ *an einer Hochschule wissenschaftlich (in etwas) ausgebildet werden:* er studiert Medizin; von sehr vielen wird Germanistik studiert. **3.** ⟨tr.⟩ *sich eingehend befassen (mit etwas):* die Verhältnisse eines Landes s.; ich habe dieses Buch gründlich studiert *(sehr genau gelesen, durchdacht).*

Studiker, der; -s, - (scherzh.): *Student:* er ist noch immer S.

Studio, das; -s, -s: *kleinerer Raum für künstlerische Arbeiten, Proben, Rundfunksendungen o. ä.*

Studiosus, der; -, Studiosi (ugs.; scherzh.): *Student:* er wohnte als junger S. in unserem Haus.

Studium, das; -s, Studien: **1.** ⟨ohne Plural⟩ *Ausbildung in einem Fach, einer Wissenschaft an einer Hochschule:* das S. mit einem Examen abschließen. **2.** *eingehende Beschäftigung mit etwas, um es zu erforschen oder geistig zu erfassen:* gründliche Studien der historischen Quellen. *** seine Studien machen** *(still für sich und aufmerksam etwas/jmdn. beobachten und sich ein Urteil bilden).*

Stufe, die; -, -n: *abgesetzter Teil oder Abschnitt einer an- oder absteigenden Fläche* (siehe Bild): diese Treppe hat breite Stufen; bildl.: er hat in seinem Beruf die höchste S. erreicht. *** jmdn./etwas mit jmdm./etwas auf eine**

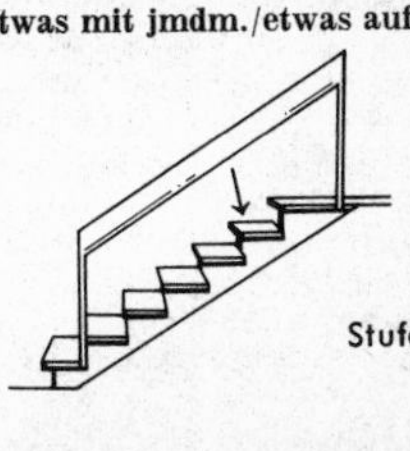

Stufe

S. stellen *(zwei Menschen oder zwei Dinge als ebenbürtig, gleichwertig ansehen):* man kann ihn mit seinem Vorgänger nicht auf eine S. stellen.

Stufenleiter, die; -, -n: *festgelegter, aus einzelnen wichtigen Abschnitten bestehender Weg zum Erfolg, in eine höhere Stellung, zu größerem Ansehen o. ä.:* er befindet sich auf der akademischen S. noch ganz unten.

stufenweise ⟨Adverb⟩: *nach und nach, in einzelnen aufeinanderfolgenden Abschnitten:* nicht auf einmal, sondern s. hatte er das erreicht, was er erreichen wollte.

Stuhl, der; -[e]s, Stühle: **1.** /ein Möbel zum Sitzen/ (siehe Bild). *** jmdm. den S. vor die Tür setzen** *(jmdn. aus dem Hause weisen);* **sich zwischen zwei Stühle**

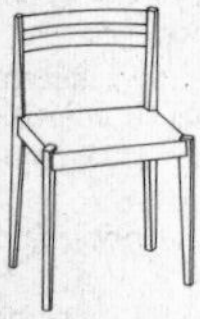

Stuhl 1.

setzen *(sich so verhalten, daß man sich von zwei Möglichkeiten beide entgehen läßt).* **2.** ⟨ohne Plural⟩ *Kot, Stuhlgang:* der Arzt fragte sie, ob sie regelmäßig S. hätte.

Stuhlgang, der; -s: *Entleerung des Darms.*

Stulle, die; -, -n (nordd.): *[belegte oder bestrichene] Scheibe Brot:* von einer S. abbeißen.

Stulpe, die; -, -n: *zur Verzierung umgeschlagener Rand an Kleidungsstücken und Stiefeln:* das Kleid hat an den Ärmeln schmale Stulpen; Stiefel mit Stulpen.

stülpen, stülpte, hat gestülpt ⟨tr.⟩: *(etwas Hohles) über etwas decken:* er stülpte den Eimer über den Strauch; ich stülpte mir den Hut auf den Kopf.

stumm ⟨Adj.⟩: *ohne Worte, wortlos; nicht fähig oder gewillt zu sprechen:* er hörte s. zu; die Fische sind s.

Stummel, der; -s, - (ugs.): *übriggebliebenes kurzes Stück, kurzer Rest:* der S. einer Zigarre.

Stumpen, der; -s, -: *kurze Zigarre von gleichmäßiger Stärke, die vorn und hinten abgeschnitten ist:* er raucht nur S.

Stümper, der; -s, - (abwertend): *jmd., der schlechte Arbeit leistet, weil er nicht viel davon versteht; Pfuscher.*

Stümperei, die; -, -en (abwertend): **1.** ⟨ohne Plural⟩ *das Stümpern:* die S., mit der das gemacht ist, ist unbeschreiblich. **2.** *schlechte, nicht sachgemäß durchgeführte Arbeit:* diese S. kannst du wegwerfen.

stümperhaft ⟨Adj.⟩ (abwertend): *schlecht und nicht sachgemäß [durchgeführt]:* eine stümperhafte Arbeit vorlegen.

stümpern, stümperte, hat gestümpert ⟨itr.⟩ (ugs.): *schlecht und mit wenig Sachkenntnis arbeiten, spielen o. ä.; pfuschen:* er stümpert ein wenig auf dem Klavier.

stumpf ⟨Adj.⟩: **a)** ⟨nicht adverbial⟩ *nicht spitz, nicht scharf:* das Messer ist s. **b)** *ohne Glanz, nicht glatt oder glänzend:* stumpfe Seide; stumpfe Farben; die Zähne sind ganz s. *(fühlen sich rauh an* /nach dem Genuß bestimmter Getränke oder Speisen, z. B. Rhabarber/). **c)** *unempfindlich, teilnahmslos:* er blieb s. gegenüber den Schönheiten der Natur; er blickte s. vor sich hin.

Stumpf, der; -[e]s, Stümpfe: *kurzes Stück, das von etwas übriggeblieben ist:* der S. eines gefällten Baumes; er hat den Arm verloren und hat nur noch einen S. *** mit S. und Stiel ausrotten** *(vollständig, ganz und gar ausrotten).*

Stumpfsinn, der; -s: *krankhaft dumpfer, teilnahmsloser Zustand des Gemüts:* er verfiel in S.

stumpfsinnig ⟨Adj.⟩: **1.** *krankhaft dumpf im Gemüt, schwachsinnig:* er starrte mich s. an. **2.** (abwertend) *langweilig, eintönig, geisttötend:* die Arbeit in der Fabrik ist s.

Stunde, die; -, -n: **1.** *Zeitraum von 60 Minuten:* er mußte zwei Stunden warten; *** zu jeder S.** *(jederzeit).* **2.** *Unterricht von etwa einer Stunde:* er gab fünf Stunden Englisch in der Woche.

stunden, stundete, hat gestundet ⟨tr.⟩: *einen Aufschub für die Zahlung einer Schuld gewähren:* er hat ihm die Miete [einen Monat] gestundet.

Stundengeschwindigkeit, die; -, -en: *durchschnittliche Geschwindigkeit in einer Stunde:* mit einer S. von über 80 km brauste er durch die Ortschaft.

Stundenkilometer, der; -s, - (ugs.): *Kilometer pro Stunde:* in der Kolonne konnten wir höchstens dreißig S. fahren.

stundenlang ⟨Adj.; nicht prädikativ⟩: *sich über mehrere Stunden hinziehend; [entgegen dem eigenen Wunsch] mehrere Stunden dauernd; sehr lange:* es gab stundenlange Diskussionen, bis man zu einem Ergebnis kam; durch das Unglück konnten die Züge s. nicht fahren.

Stundenlohn, der; -[e]s, Stundenlöhne: *Lohn pro Arbeitsstunde:* einen hohen S. bekommen.

Stundenplan, der; -s, Stundenpläne: *Aufstellung über die Reihenfolge der Unterrichtsstunden in der Schule:* wir bekamen einen neuen S.

stundenweise ⟨Adverb⟩: *jeweils einige [einzeln bezeichnete] Stunden hindurch:* sie arbeitet nur s. bei uns.

Stündlein: ⟨in der Wendung⟩ jmds. letztes S. hat geschlagen/ist gekommen (ugs.; scherzh.): *jmd. steht unmittelbar vor dem Tode.*

stündlich ⟨Adj.; nicht prädikativ⟩: **a)** *zu jeder Stunde einmal [vorkommend]:* im Radio werden s. Nachrichten gesendet. **b)** ⟨nur adverbial⟩ *in einer der kommenden Stunden; bald:* wir erwarten s. seine Ankunft.

Stundung, die; -, -en: *Aufschub für die Zahlung (einer Schuld):* eine weitere S. dieses Betrages kann nicht gewährt werden.

Stunk, der; -s (ugs.): *Streit, Ärger, Krach, Unfrieden:* es gab S. in seinem Betrieb; der Chef machte wieder einmal S.

stupend ⟨Adj.⟩ (geh.): *erstaunlich, verblüffend:* eine stupende Leistung vollbringen.

stupfen, stupfte, hat gestupft ⟨tr.⟩ (südd.; östr.; schweiz.; ugs.): *stupsen:* er stupfte ihn mit dem Finger.

stupid[e] ⟨Adj.⟩: **a)** *geistlos, beschränkt, dumm:* ein stupider Blick, Kerl. **b)** *geisttötend, stumpfsinnig:* die Arbeit ist s.

Stupidität, die; -.

Stups, der; -es, -e (ugs.): *leichter Stoß [um auf etwas aufmerksam zu machen]:* er gab mir einen S.

stupsen, stupste, hat gestupst ⟨tr.⟩: *leicht stoßen [um auf etwas aufmerksam zu machen]:* er stupste ihn mit der Hand.

Stupsnase, die; -, -n (ugs.): *kleine, leicht aufgebogene Nase:* ein kleines Mädchen mit einer S.

stur ⟨Adj.⟩ (ugs.; abwertend): *unnachgiebig und hartnäckig an etwas festhaltend; etwas aus geistiger Trägheit o. ä. nicht aufgeben, ändern wollend:* er gab seine sture Haltung nicht auf; er führte den Befehl s. aus. **Sturheit,** die; -.

Sturm, der; -[e]s, Stürme: **1.** *heftiger, starker Wind:* der S. hat viele Bäume umgeworfen; das Schiff strandete im S. **2.** *Angriff:* den Befehl zum S. geben. **3.** ⟨ohne Plural⟩ Sport *alle Stürmer einer Mannschaft:* die Mannschaft verlor das Spiel, weil der S. versagt hatte.

stürmen, stürmte, hat/ist gestürmt: **1.** ⟨itr.⟩ *heftig wehen* /vom Wind/: es hat gestürmt und geschneit. **2.** ⟨tr.⟩ *im Sturm erobern; vorübergehend besetzen:* die Soldaten stürmten die feindlichen Stellungen; die Zuschauer haben das Spielfeld gestürmt. **3.** ⟨itr.⟩ *[in einer Menge] sehr schnell und ohne sich durch irgendwelche Hindernisse beirren zu lassen, auf ein Ziel zulaufen:* die Schüler sind auf den Sportplatz gestürmt. **4.** ⟨itr.⟩ Sport **a)** *angreifen und versuchen, Tore zu erzielen:* in der zweiten Halbzeit stürmte unsere Mannschaft unverdrossen. **b)** *als Stürmer spielen:* er stürmt am linken Flügel, für Schalke 04.

Stürmer, der; -s, -: *Spieler beim Fußball o. ä., der bes. angreifen und Tore schießen soll:* er spielt als S.; die S. waren zu langsam.

Sturmflut, die; -, -en: *durch Sturm hervorgerufene, vom Meer aufs Land hereinbrechende gewaltige Massen von Wasser:* die Ortschaft an der Küste wurde vor hundert Jahren von einer S. zerstört.

sturmfrei: ⟨in der Fügung⟩ eine sturmfreie Bude (ugs.): *ein Zimmer o. ä. [in Untermiete], bei dem man nicht beaufsichtigt wird, in bezug auf Besuche und Feiern keinen Einschränkungen unterliegt:* er hat eine sturmfreie Bude.

stürmisch ⟨Adj.⟩: **1.** ⟨nicht adverbial⟩ *sehr windig, vom Sturm bewegt:* ein stürmischer Tag; das Meer war sehr s. **2. a)** *begeistert, freudig, ohne Zurückhaltung:* er wurde s. begrüßt, umjubelt. **b)** *sehr schnell vor sich gehend:* die stürmische Entwicklung der modernen Wissenschaft; ein stürmisches *(an Ereignissen reiches)* Jahr.

Sturmschritt: ⟨in der Fügung⟩ im S.: *sehr schnell (gehend):* im S. läuft er auf sein Zimmer, um noch etwas zu holen.

Sturz, der; -es, Stürze: **1.** *das Fallen, Stürzen mit großer Wucht:* das Kind überlebte den S. aus dem 3. Stock; er hat sich bei einem S. mit dem Fahrrad den Arm gebrochen. **2.** *gewaltsame Absetzung:* nach dem S. der Regierung fanden Wahlen statt.

Sturzbach, der; -[e]s, Sturzbäche: *durch Gewitter, Schneeschmelze o. ä. stark angeschwollener Wasserlauf, der mit erhöhtem Druck und großer Wucht über ein steiles Gelände ins Tal stürzt:* nach dem Gewitter rauschten gewaltige Sturzbäche ins Tal; bildl.: sie überschüttete ihn mit einem S. *(einem ungeheuren Schwall)* von Worten.

stürzen, stürzte, hat/ist gestürzt: **1.** ⟨itr.⟩ *mit Wucht fallen:* die Vase ist zu Boden gestürzt; das Flugzeug stürzte ins Meer. **2.** ⟨itr.⟩ *das Gleichgewicht verlieren und dadurch hinfallen:* das Kind ist gestürzt; er stürzte von der Leiter. **3.** ⟨itr.; mit näherer Bestimmung⟩ *plötzlich sehr schnell (auf etwas zu oder von etwas weg) laufen:* er war ans Fenster gestürzt, als er den Schuß hörte; sie stürzte aus dem Zimmer. **4.** ⟨tr.⟩ *gewaltsam absetzen:* man hatte den König gestürzt; der Präsident wurde gestürzt. **5.** ⟨rfl.⟩ *sich mit Absicht irgendwohin fallen lassen:* ich stürzte mich ins Wasser; er hat sich aus dem Fenster gestürzt.

Sturzhelm, der; -[e]s, -e: *Helm, der bes. von Rennfahrern als Schutz vor Kopfverletzungen getragen wird:* vor dem Start setzte er sich den S. auf.

Stuß, der; Stusses (ugs.): *Unsinn, dummes Zeug:* er redete nur S.

Stute, die; -, -n: *weibliches Pferd:* die S. bekam in diesem Sommer ein Fohlen.

Stütze, die; -, -n: *Gegenstand, der etwas stützt, der gegen oder unter etwas gestellt wird, damit es in der vorgesehenen Lage bleibt:* der Baum braucht eine S.; bildl.: er ist die S. der Firma *(er ist ein besonders wichtiger Mitarbeiter).*

stutzen, stutzte, hat gestutzt: **I.** ⟨itr.⟩ *bei einer Tätigkeit o. ä. plötzlich einhalten, weil man sich über etwas wundert oder weil einem etwas verdächtig erscheint:* als er seinen Namen hörte, stutzte er. **II.** ⟨tr.⟩ *kürzer schneiden, abschneiden:* den Bart s.; die Hecken müssen gestutzt werden.

Stutzen, der; -s, -: **1.** *kurzes, hauptsächlich bei der Jagd verwendetes Gewehr:* den S. laden. **2.** *kurzes Stück eines Rohres, das an ein anderes Rohr angesetzt oder angeschraubt wird.* **3.** (südd.; östr.) *Strumpf, der nur knapp über die Waden reicht:* zur Lederhose gehören S.

stützen, stützte, hat gestützt: **1.** ⟨tr.⟩ *das Fallen, das Einstürzen durch eine Stütze verhindern:* ein baufälliges Haus s.; der Kranke mußte gestützt werden. **2.** ⟨rfl.⟩ *sein Gewicht auf etwas verlagern, um festen Halt zu gewinnen; etwas als Stütze benutzen:* er stützte sich auf seinen Stock; ⟨auch tr.⟩ er stützte den Kopf in die Hände. * **sich auf etwas s.** *(etwas als Beweis, Argument verwenden):* die Anklage stützte sich auf die Aussage eines Zeugen.

Stutzer, der; -s, -: **1.** (veraltend) *Geck.* **2.** (ugs.) *kurzer Mantel für Herren.* **3.** (schweiz.) *kurzes, hauptsächlich bei der Jagd verwendetes Gewehr.*

stutzig: ⟨in den Fügungen⟩ **etwas macht jmdn. s.** *(etwas scheint jmdm. plötzlich verdächtig oder nicht in Ordnung):* seine häufigen Entschuldigungen machten mich s.; **s. werden** *(plötzlich über etwas nachzudenken beginnen, Verdacht schöpfen):* als ihn alle so übertrieben freundlich grüßten, wurde er s.

Stützpunkt, der; -[e]s, -e: *wichtige, in einem bestimmten*

Gebiet errichtete Niederlassung, von der aus bestimmte Aktionen, Bestrebungen o. ä. ihren Ausgang nehmen: militärische Stützpunkte; ein wichtiger S. für den deutschen Handel im Vorderen Orient.

subaltern ‹Adj.›: **1.** ‹nicht adverbial› *jmdm. untergeordnet, einem Vorgesetzten unterstehend, nicht selbständig:* ein subalterner Beamter; in subalterner Stellung sein. **2.** (abwertend) **a)** *unterwürfig:* er verhielt sich seinem Vorgesetzten gegenüber äußerst s. **b)** *unselbständig, gewöhnlich:* ein subalterner Charakter.

Subjekt, das; -[e]s, -e: **a)** Philosophie *das erkennende, betrachtende, sich Objekte unterordnende Wesen:* die Stellung des Subjekts in der modernen Philosophie. **b)** (abwertend) *heruntergekommene, gemeine Person:* so ein widerliches S.!

subjektiv ‹Adj.›: *vom einseitigen, parteiischen Standpunkt einer Person aus gesehen; von Gefühlen, Vorurteilen, persönlichen Meinungen bestimmt:* ein subjektives Urteil über etwas abgeben. **Subjektivität,** die; -.

Subkultur, die; -, -en: *kulturelles System einer Minderheit, die von der Kultur der gesamten Gesellschaft bewußt abweicht, um sich mit ihr zu konfrontieren oder ihr auszuweichen:* die S. der Jugend, des Undergrounds.

sublim ‹Adj.› (geh.): *nur einem feinen Verständnis oder Empfinden zugänglich; in den feinsten, für den normalen Menschen schwer erkennbaren Nuancen auftretend, fein differenziert:* für die sublimen Unterschiede fehlte ihm das nötige Einfühlungsvermögen.

sublimieren, sublimierte, hat sublimiert ‹tr.› (geh.): *auf eine [geistig und moralisch] höherliegende Ebene erheben; erhöhen, verfeinern:* dieser Dichter versteht es, seine persönlichen Erlebnisse in diesen schönen Versen zu s.

subskribieren, subskribierte, hat subskribiert ‹tr./itr.›: *(ein Buch oder ein aus mehreren Bänden bestehendes Werk) noch vor dem Erscheinen bestellen, um es zu einem niedrigeren Preis beziehen zu können:* ein Lexikon s.; Sie können noch bis Ende dieses Monats s. **Subskription,** die; -, -en.

Substanz, die; -, -en: **1.** *das, woraus ein Ding, alles Körperliche letztlich besteht; Materie, Masse:* durch chemische Einwirkung kann eine neue S. entstehen; eine im Wasser lösliche S.; eine organische S. **2.** ‹ohne Plural› *das Wesentliche; das, was den Wert von etwas ausmacht; Kern einer Sache:* der Roman hat wenig S.; die Nation konnte trotz großer Krisen doch ihre geistige S. bewahren. **3.** *Kapital, Vermögen, das für den Bestand einer Firma o. ä. unbedingt nötig ist:* wegen schlechter finanzieller Lage mußte er die S. angreifen.

subtil ‹Adj.›: **a)** *die feinsten Nuancen hervorhebend; fein entwickelt; sorgsam ausgeklügelt:* eine subtile Beschreibung von Personen; ein subtiles Gespür für etwas haben. **b)** *schwer zu durchschauen, schwierig:* ein subtiler Charakter.

subtrahieren, subtrahierte, hat subtrahiert ‹itr./tr.›: *eine kleinere Zahl von einer größeren wegnehmen:* die Schüler lernen s.; zwei von drei s.

Subtraktion, die; -, -en: *das Subtrahieren, Abziehen.*

Subvention, die; -, -en: *durch ein bestimmtes wirtschaftliches oder politisches Programm gesicherte Unterstützung [aus öffentlichen Geldern]:* für die Landwirtschaft werden die Subventionen gekürzt.

subventionieren, subventionierte, hat subventioniert ‹tr.›: *durch Subventionen unterstützen:* die Theater werden sehr hoch subventioniert.

subversiv ‹Adj.› (geh.): *auf einen Umsturz abzielend, ihn planend:* subversive Elemente versuchen, Ordnung und Sicherheit zu untergraben.

Suche, die; -: *das Suchen:* die S. nach dem vermißten Kind blieb erfolglos; er ist auf der S. nach einer Wohnung *(er ist dabei, eine Wohnung zu suchen).*

suchen, suchte, hat gesucht ‹tr.› /vgl. gesucht/: *sich bemühen, etwas, was man verloren hat oder braucht, zu finden, zu entdecken oder zu erreichen:* er sucht in der ganzen Wohnung den verlorenen Schlüssel; er sucht seit Monaten eine Wohnung. *** das Weite s.** *(weglaufen, ausreißen).*

Sucht, die; -: *maßlos oder krankhaft übersteigertes Verlangen, Drang:* die S. nach Geld; das Rauchen ist bei ihm eine S. geworden.

süchtig ‹Adj.; nicht adverbial›: *von einer krankhaften Sucht nach etwas befallen, von der man sich nur schwer befreien kann:* er hat so viele Tabletten genommen, daß er s. geworden ist.

sudeln, sudelte, hat gesudelt ‹itr.› (ugs.): *schlecht und unsauber schreiben:* er sudelt furchtbar in seinen Heften.

Süden, der; -s: **1.** *Himmelsrichtung, in der die Sonne am höchsten steht:* die Straße führt nach S. **2.** *Gebiet, das in dieser Richtung liegt:* der S. des Landes hat ein heißes Klima.

Südfrucht, die; -, Südfrüchte: *Frucht, die aus südlichen Ländern mit warmem Klima stammt:* Bananen, Orangen, Zitronen sind Südfrüchte.

Südländer, der; -s, -: *jmd., der aus Südeuropa, aus einem der Mittelmeerländer stammt:* das Temperament des Südländers.

südländisch ‹Adj.›: *für Südeuropa, die Bewohner Südeuropas typisch; zu Südeuropa, den Bewohnern Südeuropas gehörend; aus Südeuropa stammend:* das südländische Klima; südländische Sitten und Bräuche.

südlich: I. ‹Adj.; nur attributiv› **1.** *im Süden liegend:* der südliche Teil des Landes. **2.** *nach Süden gerichtet:* in südliche Richtung fahren. **II.** ‹Präp. mit Gen.›: *im Süden von:* die Straße verläuft s. des Waldes; ‹auch als Adverb in Verbindung mit *von*› s. von München.

Südpol, der; -s: *südlicher Schnittpunkt der Erdachse mit der Oberfläche der Erde.*

Südwester, der; -s, -: /eine Kopfbedeckung/ (siehe Bild).

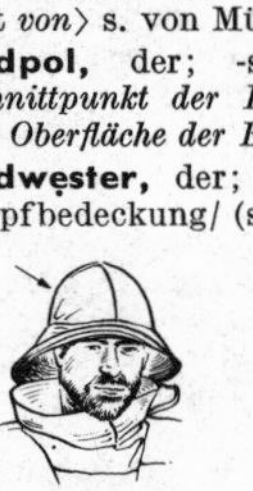

Südwester

Suff: ‹in bestimmten Wendungen› (derb) **sich dem S. ergeben**

(aus Kummer o. ä. übermäßig viel und ständig Alkohol trinken); (derb) **dem S. verfallen sein** *(trunksüchtig sein)*; (derb) **im S.** *(in betrunkenem Zustand)*: er hat es im S. gesagt.

süffeln, süffelte, hat gesüffelt ⟨tr.⟩: *genüßlich vor sich hin trinken:* er sitzt vor dem Fernsehapparat und süffelt eine Flasche Wein.

süffig ⟨Adj.⟩: *leicht und angenehm zu trinken:* der Wein ist sehr s.

süffisant ⟨Adj.⟩ (geh.; abwertend): *selbstgefällig, herablassend und spöttisch zugleich:* s. lächeln.

suggerieren, suggerierte, hat suggeriert ⟨tr.⟩: *(in jmdm.) durch besondere Mittel, die auf eine geistig-seelische Beeinflussung abzielen, bestimmte Vorstellungen, Ansichten o. ä. wecken; (jmdm. etwas) einreden:* irgend jemand muß ihm diesen Gedanken suggeriert haben.

Suggestion, die; -, -en: *geistig-seelische Beeinflussung durch gezieltes Erwecken bestimmter Vorstellungen, Ansichten, Gefühle o. ä.:* durch reine S. konnte er ihn zu diesem Entschluß bringen.

suggestiv ⟨Adj.⟩: *auf eine geistig-seelische Beeinflussung abzielend; (jmdn. in seinem Denken, Fühlen, Urteilen o. ä.) beeinflussend:* von seiner Person geht eine suggestive Macht aus; dem Angeklagten wurden suggestive Fragen gestellt.

Suggestivfrage, die; -, -n: *Frage, die in einer Form gebracht wird, die eine mögliche oder die gewünschte Antwort bereits beinhaltet:* um zu einem richtigen Ergebnis zu kommen, dürfen keine Suggestivfragen gestellt werden.

suhlen, sich; suhlte sich, hat sich gesuhlt: *sich (im Schlamm) wälzen* /von [Wild]schweinen/: der Eber suhlte sich gemächlich im Schlamm.

Sühne, die; -: *etwas, was jmd. als Ausgleich für eine Schuld oder für ein Verbrechen auf sich nimmt oder auf sich nehmen muß:* das Urteil war eine gerechte S. für diese Tat; er zahlte als S. für sein Vergehen einen größeren Betrag.

sühnen, sühnte, hat gesühnt ⟨tr.⟩: *(ein Unrecht) unter persönlichen Opfern wiedergutmachen:* ein Verbrechen s.; er wollte durch sein Verhalten das Unrecht s., das man diesen Menschen angetan hatte.

Suite ['svi:tə], die; -, -n: **1.** (geh.) *Zimmerflucht:* für den Präsidenten wurde im linken Flügel des Hotels eine ganze S. bereitgestellt. **2.** (veralt.) *Gefolge (eines Fürsten):* der König ist mit seiner S. eingetroffen. **3.** *musikalische Form, die aus einer Folge von verschiedenen zusammengehörigen, in der gleichen Tonart stehenden Stücken besteht.*

Sujet [sy'ʒe:], das; -s, -s (geh.): *Gegenstand, Stoff, Thema einer künstlerischen Darstellung:* ein beliebtes S. für Maler; ein in der Dichtung häufig verwendetes S.

sukzessiv[e] ⟨Adj.⟩: *allmählich [auftretend], nach und nach [erfolgend]:* eine sukzesssive Angleichung an die neuen Verhältnisse; der Betrieb soll s. mechanisiert werden.

Sultan, der; -s, -e: *Titel eines mohammedanischen Herrschers:* der S. von Marokko.

Sultanine, die; -, -n: *helle, große Rosine ohne Kern.*

Sulz, die; -, -en (südd.; östr.; schweiz.): *Sülze.*

Sülze, die; -, -n: *aus Knochen und Schwarten hergestellte und von zerkleinertem Fleisch durchsetzte Gallert.*

summarisch ⟨Adj.⟩: *kurz zusammengefaßt; knapp und sich auf das Wichtigste beschränkend:* ein summarisches Urteil abgeben; sich s. über etwas äußern.

Summe, die; -, -n: **1.** *Ergebnis beim Addieren:* die S. zweier Zahlen ausrechnen. **2.** *[nicht näher bestimmte] Menge Geld:* er hat eine größere S. gespendet; der Bau der Brücke kostete riesige Summen.

summen, summte, hat gesummt: **1.** ⟨itr.⟩ *einen langgezogenen vibrierenden Laut von sich geben:* man hörte nur das Summen einer Biene. **2.** ⟨tr.⟩ *(eine Melodie) mit geschlossenem Mund, ohne Worte zu artikulieren, singen:* er summte ein Lied vor sich hin.

summieren, summierte, hat summiert: **1.** ⟨rfl.⟩ *in der Zahl stark zunehmen, sich häufen, anwachsen:* in letzter Zeit summieren sich die Anfragen, Beschwerden. **2.** ⟨tr.⟩ (geh.) *[abschließend] zusammenfassen:* er summierte seine Eindrücke in einem treffenden Satz.

Sumpf, der; -[e]s, Sümpfe: *nasses, weiches Gelände:* auf der Wanderung ist er in einen S. geraten.

sumpfig ⟨Adj.⟩: *weich und naß* /vom Boden/: eine sumpfige Wiese; das Ufer ist s.

Sums, der; -es (nordd.; mitteld.; ugs.): *langes, als überflüssig empfundenes Gerede:* ich will mir nicht den ganzen S. anhören. *** einen großen/viel S. mit jmdm./um etwas machen** *(viel Aufhebens um jmdn./etwas machen).*

Sünde, die; -, -n: *Übertretung eines göttlichen oder kirchlichen Gebotes:* eine S. begehen.

Sündenbock, der; -[e]s, Sündenböcke (ugs.): *jmd., dem in unberechtigter Weise die Schuld an etwas zugeschoben wird, der für etwas büßen muß, obwohl er gar nicht schuldig ist:* er muß immer den S. abgeben; den S. spielen.

Sündengeld: ⟨in der Wendung⟩ ein S. kosten (ugs.): *sehr teuer sein:* ihr Schmuck kostet ein S.

Sündenregister, das; -s, -: *Gesamtheit, Zusammenstellung aller Vergehen, Sünden, Untaten o. ä.:* jmdm. sein S. vorhalten; das kommt auf sein S.

Sünder, der; -s, -: Rel. *Mensch, der sündigt oder gesündigt hat:* dem reuigen S. wird Vergebung, Gnade zuteil; (scherzh.) er schlich wie ein ertappter S. davon.

sündhaft ⟨Adj.⟩: **1.** *gegen das Gebot Gottes verstoßend:* ein sündhaftes Leben führen. **2.** ⟨verstärkend bei Adjektiven⟩ (ugs.) *sehr:* das Kleid ist s. teuer.

sündigen, sündigte, hat gesündigt ⟨itr.⟩: *ein Gebot Gottes oder der Kirche übertreten:* er hat gegen Gott gesündigt; wer gesündigt hat, soll beichten.

Supermarkt, der; -[e]s, Supermärkte: *groß ausgebauter Selbstbedienungsladen mit reichhaltigem Sortiment und meist niedrigen Preisen:* in einem S. einkaufen.

Suppe, die; -, -n: *warme, flüssige Speise, die mit dem Löffel gegessen wird:* eine S. kochen. * (ugs.) **jmdm. die S. versalzen** *(jmdm. die Freude an einem Erfolg o. ä. verderben);* **die S. auslöffeln [müssen], die man sich eingebrockt hat** *(die Folgen seines Tuns selbst tragen [müssen]).*

Suppenkasper, der; -s, - (ugs.): *Kind, das nicht gerne Suppe ißt [und daher mager und blaß aussieht]:* er ist ein kleiner S.

Supplement, das; -[e]s, -e: *Teil eines Buches oder eigener Band, in dem sich Nachträge und Ergänzungen befinden:* einen bestimmten Artikel im S. suchen.

Surrealismus, der; -: *Richtung der modernen Literatur und Kunst, die das Unbewußte und Traumhafte künstlerisch darstellen will.*

surren, surrte, hat gesurrt ⟨itr.⟩: *durch eine sehr schnelle, gleichmäßige Bewegung einen langgezogenen Ton hervorbringen:* die Maschinen, die Räder surren; man hörte nur das Surren der Kamera.

Surrogat, das; -[e]s, -e (geh.): *[unzulänglicher, den gegebenen Anforderungen nicht voll entsprechender] Ersatz, Behelf:* seine Briefe waren nur ein S. der früheren interessanten Gespräche.

suspekt ⟨Adj.⟩ (geh.): *verdächtig:* sein Verhalten ist mir äußerst s.

suspendieren, suspendierte, hat suspendiert ⟨tr.⟩: *(einen Beamten) [für bestimmte Zeit] aus dem Dienst beurlauben, [vorläufig] entlassen:* der Beamte wurde wegen Krankheit [von seinem Amt] suspendiert.

süß ⟨Adj.⟩: **1.** *den Geschmack von Zucker, Honig o. ä. habend:* süße Trauben; die Kirschen schmecken s. **2.** *reizend, entzückend:* ein süßes Mädchen; das Kleid ist s. * **eine süße Last** *(eine Last, die man gern trägt, z. B. ein junges Mädchen).*

Süße, die; - (geh.): **1.** *süße Beschaffenheit:* die S. des Honigs. **2.** *angenehmes, wohltuendes Gefühl:* er empfand die S. des Lebens.

süßen, süßte, hat gesüßt ⟨tr.⟩: *süß machen:* den Tee mit Zucker s.

Süßholz, das; -es: *süß schmeckende Wurzel eines bestimmten Strauches:* aus S. Lakritze herstellen. * (ugs.; scherzh.) **S. raspeln** *([einer Frau, einem Mädchen gegenüber] schöne, schmeichelhafte Reden führen).*

Süßigkeiten, die ⟨Plural⟩: *Bonbons, Pralinen, Schokolade o. ä.:* er hat so viele S. gegessen, daß er sich den Magen verdorben hat.

süßlich ⟨Adj.⟩: **1.** *ein wenig [unangenehm] süß:* ein süßlicher Geruch. **2.** (abwertend) **a)** *sentimental, gefühlvoll:* ein süßliches Gedicht. **b)** *übertrieben freundlich:* ein süßliches Lächeln.

süß-sauer ⟨Adj.⟩: *süß und zugleich säuerlich schmeckend:* süßsaure Gurken; bildl.: s. lächeln *(unecht, gekünstelt lächeln, wobei sich Verbitterung, Unzufriedenheit o. ä. nicht ganz verbergen lassen).*

Süßspeise, die; -, -n: *häufig als Dessert verwendete süße Speise:* sie ißt gerne Süßspeisen.

Süßstoff, der; -[e]s, -e: *synthetisch hergestellter Stoff zum Süßen [von Speisen].*

Süßwasser, das; -s: *nur in Binnengewässern vorkommendes Wasser* /Ggs. Salzwasser/: diese Fische gibt es nur im S.

Symbiose, die; -, -n: Biol. *Zusammenleben verschiedenartiger Lebewesen zu gegenseitigem Nutzen:* eine S. zwischen Algen und Pilzen; bildl. (geh.): die beiden Länder gingen eine wirtschaftlich äußerst fruchtbare S. ein.

Symbol, das; -s, -e: *Zeichen oder Gegenstand, der einen tieferen Sinn ausdrückt, Sinnbild:* der Ring ist ein S. der Liebe.

Symbolik, die; -: **a)** *sinnbildliche Bedeutung:* diese Zeremonie war für alle Anwesenden von tiefer S. **b)** *sinnbildliche Darstellung, mit Symbolen arbeitende Art der Darstellung:* seine Gedichte sind noch etwas plump in der S.

symbolisch ⟨Adj.⟩: **a)** *als Zeichen, Symbol für etwas anderes stehend:* als symbolisches Geschenk wurden dem Gast die Schlüssel der Stadt überreicht. **b)** *Symbole enthaltend; Symbole als Ausdrucksmittel verwendend:* ein symbolisches Gedicht.

symbolisieren, symbolisierte, hat symbolisiert ⟨tr./rfl.⟩: *als Symbol (für etwas) eintreten, gelten; symbolisch darstellen:* diese Erscheinungen symbolisieren den Charakter unserer Zeit; seine Einstellung symbolisiert sich schon in der Art seiner Kleidung.

Symmetrie, die; -, -n: *Eigenschaft von Figuren, Körpern o. ä., beiderseits einer Achse ein Spiegelbild zu ergeben.*

symmetrisch ⟨Adj.⟩: *in bezug auf eine Achse gleich, so daß ein Spiegelbild entsteht:* die beiden Häuser stehen s. zueinander.

Sympathie, die; -, -n: *Zuneigung zu jmdm./etwas* /Ggs. Antipathie/: er bringt ihr viel S. entgegen; er hat große S. für sie; seine S. gehört der Opposition.

sympathisch ⟨Adj.⟩: *auf andere angenehm wirkend; das persönliche Vertrauen und Wohlwollen anderer gewinnend:* ein sympathischer Mensch; er sieht sehr s. aus. * **jmdm. s. sein** *(jmdm. gefallen, angenehm sein):* er ist ihm s.; (ugs.) **etwas ist jmdm. s.** *(etwas entspricht jmds. Wünschen oder Vorstellungen; etwas sagt jmdm. zu):* dein Vorschlag ist mir sehr s.

sympathisieren, sympathisierte, hat sympathisiert ⟨itr.⟩: *sich (jmdm./einer Sache) in der Meinung, Ansicht, in den Zielen o. ä. anschließen, zuwenden; übereinstimmen:* er scheint mit unseren Gegnern zu s.; ich sympathisiere sehr mit diesem Gedanken.

Symphonie, die; -, -n: *Sinfonie.*

Symposion, (auch:) **Symposium,** das; -s, Symposien: *wissenschaftliche Tagung mit zwanglosen Vorträgen und Diskussionen:* ein internationales S. über juristische Probleme veranstalten.

Symptom, das; -s, -e: *Merkmal, Zeichen, aus dem man etwas [Negatives] erkennen kann:* die Symptome der Krankheit lassen auf Krebs schließen.

symptomatisch ⟨Adj.⟩: *als Symptom, charakteristisches Anzeichen (für etwas [Negatives]) vorhanden, auftretend; bezeichnend (für etwas [Negatives]):* dieser Fall ist s. für die Tendenzen in unserer modernen Gesellschaft.

Synagoge, die; -, -n: *Raum, Gebäude für den jüdischen Gottesdienst.*

synchron [zʏn'kro:n] ⟨Adj.⟩: *gleichzeitig verlaufend, erfolgend:* synchrone Bewegungen.

synchronisieren [zʏnkroni'zi:rən], synchronisierte, hat synchronisiert ⟨tr.⟩: **1.** *verschiedenartige [technische] Bewegungsabläufe aufeinander abstimmen:* das Getriebe eines Autos s. **2.** Filmw.: **a)** *Bild und Ton (eines Filmes) aufeinander abstimmen:* die Szene ist schlecht synchronisiert. **b)** *(einen fremdsprachigen Film) so übersetzen, daß die Sprache mit den Bewegungen (bes. der Lippen) in zeitlicher Übereinstimmung verläuft:* dieser amerikanische Western ist ausgezeichnet synchronisiert worden.

Syndikat, das; -[e]s, -e: **1.** *Kartell mit zentralisiertem Ein- und Verkauf:* die Firmen haben sich zu einem S. zusammengeschlossen. **2.** *geschäftlich getarnte Organisation von Verbrechern* /bes. in Amerika/: ein S. aufdecken, zerschlagen.

Syndikus, der; -, -se und Syndizi: *Bevollmächtigter eines Unternehmens, einer Körperschaft, dem die Bearbeitung und Klärung aller rechtlichen Angelegenheiten obliegt.*

Synode, die; -, -n: **1.** Rel. kath. **a)** *in bestimmten Abständen stattfindende Versammlung der Geistlichen einer Diözese unter dem Vorsitz des Bischofs, bei der vor allem Fragen der Verwaltung und personelle Fragen erörtert werden.* **b)** *Konzil.* **2.** Rel. ev. *Versammlung von Priestern und Laien, bei der Fragen des Glaubens und der kirchlichen Ordnung geklärt werden:* die S. wird in einem Jahr wieder tagen.

synonym ⟨Adj.⟩: *der Bedeutung nach gleich oder ähnlich* /von Wörtern/: synonyme Ausdrücke; ein Wort s. für einen bestimmten Begriff gebrauchen.

Synonym, das; -s, -e: *Wort, das einem anderen der Bedeutung nach gleich oder ähnlich ist:* „Metzger" ist ein S. für „Fleischer".

syntaktisch ⟨Adj.; nicht prädikativ⟩: *den Bau der Sätze, die Syntax betreffend, zur Syntax gehörend:* syntaktische Probleme, Besonderheiten.

Syntax, die; -: **1.** *Lehre vom Bau der Sätze:* eine Vorlesung über [deutsche] S. besuchen. **2.** *Buch über die gleichnamige Lehre:* eine S. schreiben.

Synthese, die; -, -n: **1.** (geh.) *enge Verbindung, Vereinigung (einzelner Teile) zu einem höheren Ganzen:* eine S. aus Geist und Gemüt. **2.** Chemie **a)** *durch Verbindung einfacher Stoffe hergestellte künstliche Substanz.* **b)** *Herstellung einer künstlichen Substanz durch Verbindung mehrerer einfacher Stoffe.*

synthetisch ⟨Adj.⟩: *durch chemische Verbindung einfacher Stoffe, künstlich [hergestellt]:* synthetische Fasern, Stoffe.

Syphilis, die; -: /eine Geschlechtskrankheit/.

System, das; -s, -e: **a)** *Prinzip, Ordnung, nach der etwas organisiert, aufgebaut wird; Plan, der als Richtlinie für etwas dient:* die Forschungen wurden nach einem genau durchdachten S. durchgeführt; die Arten der Pflanzen werden in einem S. zusammengestellt; die Maschine ist nach einem neuen S. gebaut worden; S. *(Ordnung)* in eine Sache bringen. **b)** *Form der staatlichen, wirtschaftlichen und gesellschaftlichen Organisation:* das demokratische S.; das herrschende S. eines Staates ändern.

Systematik, die; -: *sinnvolle, zweckmäßige Anlage; planvolle Darstellung:* eine wissenschaftliche S. aufbauen.

systematisch ⟨Adj.⟩: *nach einem System, Plan [geordnet]; in einer sinnvollen Ordnung:* eine systematische Darstellung; man muß bei diesem Problem streng s. vorgehen; die Gegend wurde s. nach dem vermißten Kind abgesucht.

Szene, die; -, -n: **1.** *kurzer, abgeschlossener Teil eines Theaterstückes, Films o. ä.:* ein Stück in 5 Szenen; schon nach der ersten S. gab es Applaus; eine S. drehen *(filmen)*, proben. * **auf offener S.** *(während der Aufführung)*; **etwas in S. setzen** *(etwas anregen und durchführen)*; (abwertend) **sich in S. setzen** *(sich auffällig benehmen, um beachtet zu werden)*; **die S. beherrschen** *(unter mehreren die größte Wirkung ausüben)*; **in S. gehen** *(stattfinden)*. **2. a)** *Vorgang, Anblick, der jmdm. bemerkenswert oder eigenartig erscheint:* bei der Demonstration gab es stürmische Szenen; am Grab gab es erschütternde Szenen. * **Szenen machen** *(übertriebene Aufregung wegen etwas verursachen):* mach jetzt keine Szenen, sondern mach deine Schularbeiten! **b)** *Streit:* in der Familie gab es eine kleine S. * **jmdm. eine S. machen** *(jmdm. laute, heftige Vorwürfe wegen eines Vorfalls o. ä. machen):* sie machte nach diesem Fest ihrem Mann eine heftige S.

Szenerie, die; -, -n: *Hintergrund, Umgebung für ein bestimmtes Geschehen [auf der Bühne]:* die S. wechselte bei jedem Akt; (geh.) vom Balkon aus genießt er eine herrliche S. *(Landschaft)*.

T

Tabak, der; -s, -e: *aus den getrockneten Blättern der gleichnamigen Pflanze gewonnenes Produkt zum Rauchen:* er stopfte seine Pfeife mit meinem T.

Tabaktrafik, die; -, -en (östr.): *kleines Geschäft für Tabakwaren, Briefmarken, Zeitungen u. ä.*

Tabakwaren, die ⟨Plural⟩: *Zigaretten, Zigarren, Tabak usw.:* er hat ein kleines Geschäft für T.

tabellarisch ⟨Adj.⟩: *in Form von Tabellen [zusammengestellt]:* eine tabellarische Übersicht; etwas t. darstellen.

Tabelle, die; -, -n: *Aufstellung von Zahlen u. ä., die übersichtlich in vergleichbare Spalten eingeteilt ist:* die Ergebnisse wurden in einer T. dargestellt.

Tablett, das; -s, -s: *Platte zum Tragen von Speisen o. ä.* (siehe

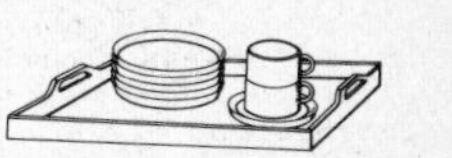

Tablett

Bild): ein T. mit Tellern und Tassen hereinbringen.

Tablette, die; -, -n: *Medikament, das zu einem kleinen, flachen Stück gepreßt ist:* eine T. einnehmen.

tabu: ⟨in der Verbindung⟩ t. sein: *so beschaffen sein, daß man es nicht tun und nicht davon reden darf:* dieses Thema war für ihn t.

Tabu, das; -s, -s: *etwas, was tabu ist:* gesellschaftliche, sexuelle Tabus; das ist ein T., über das man nicht spricht; ein T. brechen.

tabuieren, tabuierte, hat tabuiert ⟨tr.⟩: *als Tabu, für tabu erklären:* sexuelle Themen wurden früher tabuiert.

Tabulator, der; -s, -en: *Vorrichtung an der Schreibmaschine, mit der durch einen Druck auf eine bestimmte Taste automatisch der Rand eingestellt werden kann:* meine Maschine hat keinen T.

Tacho, der; -s, -s /Kurzform von Tachometer/ (ugs.).

Tachometer, das, (auch:) der; -s, -: *Gerät zum Messen der Geschwindigkeit* (siehe Bild): der T. zeigte 120 Stundenkilometer an.

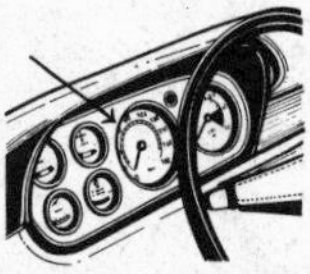

Tachometer

Tadel, der; -s, -: *mißbilligende Worte, mit denen Fehler eines anderen festgestellt werden* /Ggs. Lob/: er erhielt einen T.

tadellos ⟨Adj.⟩: *einwandfrei; vorbildlich:* der Anzug sitzt t.; er hat ein tadelloses Benehmen.

tadeln, tadelte, hat getadelt ⟨tr.⟩: *sich mißbilligend (über jmdn./etwas) äußern; (jmdn.) rügen* /Ggs. loben/: er tadelte sie wegen ihres Leichtsinns.

Tafel, die; -, -n: **1.** *Platte, größeres Brett [an der Wand]:* der Lehrer schreibt eine Formel an die T. **2.** *flaches Stück einer Ware:* eine T. Schokolade. **3.** *besondere Seite für Abbildungen u. ä.* /in Büchern/: das Werk enthält zahlreiche Tafeln. **4.** *[festlich] gedeckter Tisch:* die T. war festlich geschmückt.

tafeln, tafelte, hat getafelt ⟨itr.⟩ (geh.): *festlich und üppig speisen:* die Gäste tafelten bis in die Nacht hinein.

täfeln, täfelte, hat getäfelt ⟨tr.⟩: *mit Holz verkleiden:* die Wände, die Decke des Raumes t.

Tafelobst, das; -[e]s: *Obst von sehr guter Qualität [das bei einem Essen aufgetragen wird]:* diese Birnen zählen zum T.

Täfelung, die; -, -en: *Verkleidung einer Wand, Decke aus Holz:* die dunkle T. macht den Raum sehr gemütlich.

Täfer, das; -s, - (schweiz.): *Täfelung.*

täfern, täferte, hat getäfert ⟨tr.⟩ (schweiz.): *täfeln.*

Täferung, die; -, -en (schweiz.): *Täfelung.*

Taft, der; -[e]s: *matt glänzende und ziemlich steife Seide:* ein Kleid aus T.; der Mantel ist mit T. gefüttert.

Tag, der; -es, -e: **1.** *Zeitraum von 24 Stunden, von Mitternacht bis Mitternacht gerechnet:* welchen T. haben wir heute? – Mittwoch; die Woche hat sieben Tage. *** T. der offenen Tür** *(Tag, an dem Behörden und öffentliche Einrichtungen vom Publikum besichtigt werden können).* **2.** *Zeit der Helligkeit zwischen Aufgang und Untergang der Sonne; Tageslicht:* es wird T.; die Tage werden kürzer, länger. *** etwas an den T. bringen** *(etwas aufdekken, enthüllen):* er hat den Betrug an den T. gebracht.

tagaus: ⟨in der Fügung⟩ t., tagein *(jeden Tag, immerzu in gleicher Weise):* t., tagein fährt er morgens ins Büro; t., tagein das gleiche Jammern!

Tagebuch, das; -s, Tagebücher: *Buch, in dem man persönliche Erlebnisse und Gedanken aufzeichnet:* ein T. führen.

Tagedieb, der; -s, -e (abwertend): *Faulenzer.*

Tagegeld, das; -[e]s, Tagegelder: **a)** *tariflich festgesetzter Betrag, den man auf dienstlichen Reisen als Ersatz für die Unkosten eines Tages erhält:* bei dienstlichen Reisen erhält man ein T., außerdem werden die Fahrtkosten ersetzt. **b)** *Betrag, den eine Krankenkasse, Versicherung o. ä. dem Versicherten bei Krankheit, Unfähigkeit zu arbeiten o. ä. pro Tag zahlt:* die Krankenkasse zahlt ein T. von 30 Mark.

tagelang ⟨Adj.; nicht prädikativ⟩: *mehrere Tage lang, eine Reihe von Tagen dauernd:* die tagelange Aufregung hat sie fast krank gemacht; sie bekamen t. nichts zu essen.

Tagelöhner, der; -s, -: *Arbeiter, der jeweils nur für einen Tag eingestellt wird und täglich seinen Lohn erhält:* für die Ernte wurden einige T. eingestellt.

tagen, tagte, hat getagt ⟨itr.⟩: *eine Tagung oder Sitzung abhalten:* der Verband tagt alle zwei Jahre.

Tagesgespräch, das; -s: *aktuelle Neuigkeit, von der alle sprechen:* ihre Hochzeit war das T. der Stadt.

Tageskarte, die; -, -n: **1.** *Speisekarte mit den speziell an diesem Tag angebotenen Speisen.* **2.** *Eintrittskarte o. ä., die einen ganzen Tag gültig ist:* im Schwimmbad, beim Schilift eine T. nehmen.

Tageskasse, die; -, -n: *Stelle, an der während des Tages Eintrittskarten für Theater, Kino usw. verkauft werden* /Ggs. Abendkasse/: er hat sich die Karten für die Premiere an der T. besorgt.

Tageslicht, das; -[e]s: *die natürliche Helligkeit des Tages:* diese Arbeit muß man bei T. machen.

Tagesordnung, die; -, -en: *Reihenfolge, in der bei einer Versammlung die vorgesehenen Themen behandelt werden sollen:* der Vorstand setzte diesen Punkt auf die T.; auf der T. stehen; erster Punkt der T. ist der Bericht des Präsidenten über das vergangene Jahr. *** an der T. sein** *(nicht mehr selten sein; häufig vorkommen):* Einbrüche waren damals an der T.; **über etwas zur T. übergehen** *(sich über etwas hinwegsetzen, es nicht beachten).*

Tageszeitung, die; -, -en: *täglich erscheinende Zeitung:* er gab ein Inserat in einer T. auf.

Tagewerk, das; -s (geh.): *Arbeit, Aufgabe [eines Tages]:* das T. ist getan; er hatte ein schweres T.

taghell ⟨Adj.⟩: **a)** *durch das Tageslicht hell:* draußen ist es [schon] t. **b)** *hell wie am Tage:* die Bühne war t. erleuchtet.

täglich ⟨Adj.; nicht prädikativ⟩: *an jedem Tag [vorkommend]:* die tägliche Zeitung; wir sehen uns t.

tags: ⟨in den Fügungen⟩ **t. zuvor** *(am vorhergehenden Tag):* er hatte t. zuvor alles vorbereitet; **t. darauf** *(am darauffolgenden Tag):* t. darauf meldete er den Vorfall bei der Polizei.

tagsüber ⟨Adverb⟩: *am Tage, während des Tages:* t. ist er nicht zu Hause.

Tagung, die; -, -en: *größere Versammlung von Fachleuten, Wissenschaftlern o. ä.:* die T. dieser Gesellschaft findet im Herbst statt.

Taifun, der; -s, -e: *heftiger Wirbelsturm in Asien:* der T. zerstörte mehrere Orte.

Taille ['taljə], die; -, -n: *schmalste Stelle des Rumpfes* (siehe Bild): sie hat eine schlanke T.

Taille

Takelage [takəˈla:ʒə], die; -, -n: *gesamte Ausrüstung (Segel, Masten usw.) eines Segelschiffes:* die T. wurde bei dem Sturm schwer beschädigt.

Takt: **I.** der; -es, -e: **a)** *festgelegte Einheit im Aufbau eines Musikstücks:* wir spielen jetzt die Takte 24 bis 80. **b)** ⟨ohne Plural⟩ *Ablauf von Tönen, Bewegungen o. ä. nach einem bestimmten Zeitmaß:* im T. bleiben; den T. wechseln. **II.** der; -es: *Gefühl für Anstand und Höflichkeit:* er hat die Angelegenheit mit viel T. behandelt.

taktfest ⟨Adj.; nicht adverbial⟩ *sicher im Takt:* ein taktfester Dirigent; er ist nicht t. * **nicht t. sein: a)** *nicht gut Bescheid wissen, nicht sicher sein:* ich bin in der Bibel nicht t. genug. **b)** *gesundheitlich nicht sehr widerstandsfähig sein:* er ist schon alt und nicht mehr so ganz t.

Taktgefühl, das; -[e]s: **I.** *Gefühl, Begabung für den musikalischen Takt:* der Musiker hat ein gutes T. **II.** *richtiges Empfinden für Anstand und Höflichkeit:* er ist ohne jedes T.

taktieren, taktierte, hat taktiert ⟨itr.⟩: **I.** *den Takt angeben:* der Dirigent taktierte mit den Händen. **II.** *vorgehen, verfahren; eine bestimmte Taktik anwenden:* der Minister hat bei den Verhandlungen ungeschickt taktiert, brachte durch kluges Taktieren eine Einigung zustande.

Taktik, die; -: *planmäßiges Vorgehen oder Verhalten:* mit dieser T. hatte er viel Erfolg.

taktisch ⟨Adj.⟩: *die Taktik betreffend:* es war t. falsch, diesen Brief zu schreiben; taktische Fehler machen.

taktlos ⟨Adj.⟩: *kein Gefühl für Anstand habend; verletzend:* sein Benehmen war t.; eine taktlose Bemerkung machen. **Taktlosigkeit,** die; -.

taktvoll ⟨Adj.⟩: *viel Gefühl für Anstand, Takt habend; auf die Gefühle eines anderen Rücksicht nehmend:* er ist immer sehr t.; sie übersah t. den Fehler.

Tal, das; -[e]s, Täler: *tiefer liegendes Gelände, bes. zwischen Bergen* (siehe Bild): ein enges, weites T.

Tal

Talar, der; -s, -e: *langes, weites Gewand, das von Geistlichen, Juristen u. a. bei der Ausübung ihres Amtes getragen wird* (siehe Bild).

Talar

Talenge, die; -, -n: *enge Stelle in einem Tal:* über der T. wurde im Mittelalter eine Burg erbaut.

Talent, das; -s, -e: *besondere Begabung:* er besaß großes Talent zum/im Malen; der Regisseur sucht junge Talente *(begabte junge Leute).*

talentiert ⟨Adj.⟩: *begabt, geschickt:* er ist ein talentierter Geiger.

Talentprobe: ⟨in der Wendung⟩ eine T. ablegen: *als junger Künstler, Sportler o. ä. bei einem Auftreten [unerwartet] eine gute Leistung erbringen:* als er für einen erkrankten Kollegen einspringen mußte, hat er eine T. abgelegt, die ihm dann zum Durchbruch verholfen hat.

Talg, der; -s: **1.** *durch Schmelzen gewonnenes tierisches Fett:* aus T. werden Kerzen hergestellt. **2.** *Sekret der Talgdrüsen:* diese Drüsen sondern T. ab.

Talgdrüse, die; -, -n: *in den oberen Teil der Haarbälge von Mensch und Säugetier mündende Drüse, die Talg absondert und dadurch Haut und Haare geschmeidig erhält.*

Talisman, der; -s, -e: *kleiner Gegenstand (Schmuckstück u.ä.), der Glück bringen soll:* diese Münze ist ihr T.

Talsperre

Talkessel, der; -s, -: *rings von Bergen umgebene [enge] Stelle:* die Stadt liegt in einem [weiten] T.

Talkum, das; -s: *[weißer] pulverförmiger Stoff, der sich fettig anfühlt und den man als Zusatz für Farben, Seifen, Puder o. ä. oder zum Schutz vor Gleiten verwendet:* beim Turnen die Hände mit T. einreiben.

Talsohle, die; -, -n: **1.** *am tiefsten liegender, flacher Teil eines Tals:* die T. liegt 200 m über dem Meeresspiegel. **2.** *Tiefstand; ungünstige, kritische Lage:* das Land befindet sich augenblicklich in einer wirtschaftlichen T.

Talsperre, die; -, -n: *Staudamm, der ein Tal in der ganzen Breite absperrt* (siehe Bild): eine T. für ein Kraftwerk bauen.

Tambour ['tambu:r], der; -s, -e: *Trommler bei Umzügen u. ä.*

Tamburin, das; -s, -e: **1.** *kleine Trommel mit Schellen* (siehe Bild S. 644): das T. schlagen. **2.** /ein Gerät für Ballspiele/ (siehe Bild S. 644). **3.** *Stickrahmen.*

Tampon, der; -s, -s: *Bausch von Watte, Streifen von Gaze zum Aufsaugen von Flüssigkeiten, Verbinden von Wunden:* das Blut mit einem T. stillen.

1.

2.

Tamburin

Tamtam, das; -s (ugs.; abwertend): *übertriebener Aufwand; von der Sache her nicht gerechtfertigtes großes Aufsehen:* um die neue Schauspielerin, die neue Erfindung wird ein furchtbares T. gemacht.

tändeln, tändelte, hat getändelt ⟨itr.⟩ (geh.): **a)** *sich spielerisch, nicht ernst beschäftigen:* das junge Mädchen tändelt den ganzen Tag. **b)** *schäkern, flirten:* er tändelt nur mit ihr.

Tang, der; -s: *im Wasser wachsende Schlingpflanzen, die zur Füllung von Matratzen, zur Verpackung, zur Gewinnung von Kali o. ä. verwendet werden.*

Tangente, die; -, -n: **1.** *Gerade, die eine Kurve nur in einem Punkt berührt* (siehe Bild): eine T. ziehen. **2.** *Straße, die eine Stadt nur am Rand berührt:* die T. im Süden soll den Verkehr im Zentrum entlasten.

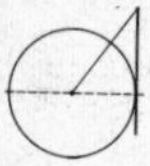

Tangente 1.

tangieren, tangierte, hat tangiert ⟨tr.⟩: *betreffen; angehen; für jmd. von Bedeutung sein:* die politischen Veränderungen in Frankreich tangieren uns, unsere Interessen sehr.

Tango, der; -s, -s: /ein langsamer Tanz/: einen T. tanzen, spielen.

Tank, der; -s, -s: *Behälter für Flüssigkeiten, bes. für Benzin u. ä.:* er ließ seinen T. füllen.

tanken, tankte, hat getankt ⟨tr./itr.⟩: *Treibstoff o. ä. in einen Tank füllen [lassen]:* Benzin, Öl t.; ich muß heute noch t.

Tanker, der; -s, -: *großes Schiff, das Öl oder Benzin befördert.*

Tankstelle, die; -, -n: *Einrichtung, durch die Kraftfahrzeuge mit Benzin und Öl versorgt werden:* die T. war geschlossen; er betreibt eine T.

Tanne, die; -, -n: /ein Nadelbaum/ (siehe Bild).

Tantalusqualen, die ⟨Plural⟩ (geh.): *Qualen, die dadurch entstehen, daß etwas Ersehntes in greifbarer Nähe ist, sich aber nicht erfüllt:* wenn ich bei dieser Hitze das Meer vor mir liegen sehe, aber nicht baden darf, so sind das geradezu T. für mich.

Tanne

Tante, die; -, -n: *Schwester der Mutter oder des Vaters; Ehefrau des Bruders von Mutter oder Vater.*

Tantiemen, die ⟨Plural⟩: *Anteile, die ein Autor, Künstler o. ä. von dem Gewinn aus seinen Werken erhält:* die Gesellschaft zahlt niedrige T.

Tanz, der; -es, Tänze: **1.** *rhythmische Bewegung des Körpers [nach der Musik]:* zum T. gehen; er liebt die modernen Tänze. **2.** *[zum Tanz gespieltes] Musikstück in bestimmtem Rhythmus:* einen T. komponieren.

tänzeln, tänzelte, ist getänzelt ⟨itr.⟩: *mit kleinen, tanzenden Schritten gehen:* sie tänzelte durch das Zimmer.

tanzen, tanzte, hat/ist getanzt: **1.** ⟨itr.⟩ *rhythmisch gehen [und springen]; sich im Tanz bewegen:* sie tanzt gern; er hat ausgezeichnet getanzt; wir sind durch den ganzen Saal getanzt. **2.** ⟨tr.⟩ *(einen Tanz) ausführen, vorführen:* [einen] Walzer t.

Tänzer, der; -s, -: *jmd., der tanzt:* das Mädchen fand keinen T.; er ist ein berühmter T., tritt als T. auf.

Tanzmusik, die; -: *leichte Musik mit besonderem Rhythmus, nach der man tanzen kann:* er hört im Radio am liebsten T.

Tanzstunde, die; -, -n: *Unterricht, Kurs im Tanzen:* in die T. gehen.

Tapet: ⟨in der Wendung⟩ etwas aufs T. bringen (ugs.): *anregen, daß über etwas gesprochen wird:* er wird die Sache bei der nächsten Sitzung aufs T. bringen.

Tapete, die; -, -n: *Papier oder Gewebe [mit farbigen Mustern], mit dem die Wände von Zimmern bedeckt werden:* eine teure, einfache T.; wir brauchen neue Tapeten.

tapezieren, tapezierte, hat tapeziert ⟨tr.⟩: *mit Tapete verkleiden, ausstatten:* eine Wand, ein Zimmer t.

Tapezierer, der; -s, -: **a)** *Handwerker, der Räume tapeziert.* **b)** *Handwerker, der Möbel polstert u. ä.*

Tapfe, die; -, -n: *Abdruck des Fußes, der Sohle:* im Schnee waren deutlich Tapfen zu sehen.

Tapfen, der; -s, -: *Tapfe.*

tapfer ⟨Adj.⟩: *mutig; ohne Furcht gegen Gefahren und Schwierigkeiten kämpfend:* er hat sich t. gewehrt; sie hat die Schmerzen t. ertragen. **Tapferkeit,** die; -.

tappen, tappte, ist getappt ⟨itr.⟩: *ungeschickt oder unsicher gehen:* er tappte durch das Zimmer. * (ugs.) **im dunkeln t.** *(noch völlig im unklaren sein über etwas, was man in Erfahrung bringen muß; noch keine Anhaltspunkte für weitere Nachforschungen haben):* die Polizei tappt bei diesem Mord immer noch im dunkeln.

täppisch ⟨Adj.⟩ (abwertend): *ungeschickt, unbeholfen, plump:* t. nach etwas greifen; das kleine Kind kam mit täppischen Schritten heran.

tapsen, tapste, hat getapst (ugs.): *unbeholfen, unsicher gehen; tappen:* er tapste im Finstern durch das Zimmer.

Tara, die; -, Taren: *Gewicht der Verpackung.*

Tarantel: ⟨in der Wendung⟩ wie von der/einer T. gestochen (ugs.): *in plötzlicher Erregung; sich wie wild gebärdend:* er sprang, wie von einer T. gestochen, auf und rannte davon.

Tarif, der; -s, -e: *festgelegtes System oder Verzeichnis von Löhnen, Gebühren u. ä.:* einen

T. aufstellen; der Arbeiter wird nach [dem] T. bezahlt.

tariflich ⟨Adj.⟩: *dem Tarif entsprechend:* eine tarifliche Vereinbarung; etwas t. festsetzen.

Tarifvertrag, der; -[e]s, Tarifverträge: *Vertrag zwischen [der Organisation der] Arbeitgeber und der Gewerkschaft über Löhne und Arbeitsbedingungen:* die Gewerkschaft hat die Tarifverträge gekündigt.

tarnen, tarnte, hat getarnt ⟨tr.⟩: *[durch Verhüllen] unkenntlich machen, der Umgebung angleichen:* das Geschütz war gut getarnt; bildl.: seine Absichten gut t. *(geschickt verbergen).* **Tarnung,** die; -, -en.

Tarock, das und der; -s: /ein Kartenspiel/: er spielt gern T.

Tasche, die; -, -n: **1.** *in ein Kleidungsstück eingesetztes Teil, in das man etwas stecken kann:* er steckte den Ausweis in die T. seiner Jacke; die Hose hat drei Taschen. * **tief in die T. greifen** *(viel bezahlen, spenden);* **jmdm. auf der T. liegen** *(auf jmds. Kosten leben).* **2.** *[flacher] Behälter aus Leder, Stoff o. ä.* (siehe Bild): hilfst du mir die T. tragen?

Tasche 2.

Taschenbuch, das; -[e]s, Taschenbücher: *broschiertes Buch in kleinem Format, das innerhalb einer ganzen Reihe erscheint:* der Roman ist jetzt auch als T. erschienen.

Taschendieb, der; -[e]s, -e: *Dieb, der geschickt aus [Kleider]taschen Gegenstände stiehlt:* auf Bahnhöfen und in Kaufhäusern treiben sich viele Taschendiebe herum.

Taschengeld, das; -[e]s: *[regelmäßig gezahlter] kleinerer Betrag für persönliche Ausgaben:* die Kinder bekommen jede Woche T.

Taschenlampe, die; -, -n: *kleine tragbare Lampe mit einer Batterie:* die T. einschalten; er leuchtete mit der T. in alle Ecken.

Taschentuch, das; -[e]s, Taschentücher: *kleines Tuch, mit dem man sich die Nase putzt, den Schweiß abwischt o. ä.:* er nahm sein T. heraus und schneuzte sich.

Tasse, die; -, -n: *Gefäß zum Trinken aus Porzellan o. ä.* (siehe Bild): die T. hat einen Sprung. * (ugs.; abwertend) **nicht alle Tassen im Schrank haben** *(geistig nicht normal scheinen).*

Tasse

Tastatur, die; -, -en: *alle Tasten:* die T. der Schreibmaschine, des Klaviers.

Taste, die; -, -n: *Teil an Geräten oder Instrumenten, der mit dem Finger heruntergedrückt wird:* am Klavier ist eine T. entzwei.

tasten, tastete, hat getastet: **1.** ⟨itr.⟩ *vorsichtig oder suchend greifen:* er tastete nach der Lampe. **2.** ⟨rfl.; mit näherer Bestimmung⟩ *mit Hilfe des Tastsinns einen Weg suchen:* der Blinde tastet sich zur Tür.

Tastsinn, der; -[e]s: *Fähigkeit, etwas durch Berühren wahrzunehmen:* bei Blinden ist der T. besonders entwickelt.

Tat, die; -, -en: *Handlung; das Tun:* eine gute, böse T.; er bereut seine T.; einen Entschluß in die T. umsetzen *(ausführen).* * **ein Mann der T.** *(ein Mann, der nicht redet oder zögert, sondern handelt);* **in der T.** *(wirklich):* in der T., du hast recht!

Tatbestand, der; -[e]s: *die feststehenden Tatsachen eines bestimmten Ereignisses:* dieser T. läßt sich nicht leugnen.

Tatendrang, der; -[e]s: *Drang, Eifer, etwas zu unternehmen, sich zu betätigen:* sein T. verleitet ihn zu immer neuen Unternehmungen.

Täter, der; -s, -: *jmd., der eine Straftat begangen hat:* der T. wurde verhaftet.

tätig ⟨Adj.⟩: *handelnd, aktiv:* tätige Mitarbeit. * **t. sein** *([beruflich] arbeiten):* er ist in einem großen Unternehmen als Ingenieur t.

tätigen, tätigte, hat getätigt ⟨Funktionsverb⟩: einen Kauf t. *(etwas kaufen);* einen Einkauf t. *(etwas einkaufen);* einen Abschluß t. *([ein Geschäft o. ä.] abschließen);* ein Geschäft t. *(ein Geschäft abschließen).*

Tätigkeit, die; -, -en: *das Tätigsein; Beschäftigung:* er entfaltete eine fieberhafte T.; du mußt dich an eine geregelte T. *(Arbeit)* gewöhnen; was für eine T. haben Sie früher ausgeübt?

Tatkraft, die; -: *Fähigkeit, etwas zu leisten, zu vollbringen; Energie:* er besaß, entwickelte eine große T.

tatkräftig ⟨Adj.⟩: *mit Tatkraft handelnd, energisch:* er hat mir t. geholfen.

tätlich: ⟨in der Wendung⟩ [gegen jmdn.] t. werden: *jmdn. angreifen, schlagen:* der Betrunkene wurde [gegen den Fremden] t.

Tätlichkeiten: ⟨in Verbindung mit bestimmten Verben⟩ **es kommt zu T.** *(man beginnt im Laufe eines Streits, sich zu schlagen);* **sich zu T. hinreißen lassen** *(so in Zorn geraten, daß man zu prügeln beginnt);* **etwas** (ein Streit o. ä.) **artet in T. aus** *(aus einem Streit entsteht eine Prügelei);* **zu T. übergehen** *(zu prügeln beginnen).*

tätowieren, tätowierte, hat tätowiert ⟨tr.⟩: *durch Einritzen und Färben eine Zeichnung so auf die Haut eines Menschen bringen, daß sie nicht mehr entfernt werden kann:* der Matrose ließ sich t. **Tätowierung,** die; -, -en.

Tatsache, die; -, -n: *etwas, was geschehen oder vorhanden ist:* du mußt dich mit den Tatsachen abfinden. * **jmdn. vor vollendete Tatsachen stellen** *(jmdm. eine Tat, Handlung absichtlich erst nachträglich mitteilen, so daß nichts mehr geändert werden kann).*

Tatsachenbericht, der; -[e]s, -e: *Schilderung von tatsächlich Erlebtem oder wirklich Bestehendem in einer Zeitung, als Buch o. ä.:* ein T. über eine Expedition zum Südpol, über die soziale Lage in Brasilien.

tatsächlich [auch: tatsächlich]: **I.** ⟨Adj.; nur attributiv⟩ *den Tatsachen, der Wirklichkeit entsprechend; als Tatsache bestehend; wirklich:* das ist der tatsächliche Grund für diese Entwicklung. **II.** ⟨Adverb⟩ **a)** *in Wirklichkeit, eigentlich:* er heißt t. Karl, doch alle nennen ihn Bill. **b)** *in der Tat:* er war t. *(wirklich)* ein großer Sportler; er kommt t. *(fürwahr);* alles war so aussichtslos, daß ihnen t. *(im Grunde genommen)* nur noch die Flucht blieb.

tätscheln, tätschelte, hat getätschelt ⟨tr.⟩: *mit der Hand leicht und zärtlich (auf etwas) schlagen, klatschen:* er tätschelte den Hals seines Pferdes.

Tatze, die; -, -n: *Pfote großer Raubtiere:* der Bär hob seine Tatzen.

Tau: I. der; -[e]s: *feuchter Niederschlag aus kühler Nachtluft:* am Morgen lag T. auf den Wiesen. **II.** das; -[e]s, -e: *starkes Seil, bes. auf Schiffen:* er hielt sich an den Tauen fest.

taub ⟨Adj.⟩: **1.** *nicht [mehr] hören könnend:* die alte Dame ist völlig t.; er stellt sich t.; bildl.: er war t. gegen unsere Bitten *(wollte nichts davon wissen, wollte sie nicht erfüllen).* **2.** *leer, ohne nutzbaren Inhalt:* eine taube Nuß.

Taube, die; -, -n: /ein Vogel/ (siehe Bild).

Taube

Taubenschlag, der; -[e]s, Taubenschläge: *hölzerner Verschlag als Behausung für Tauben* (siehe Bild). * (ugs.) **es geht hier zu wie in einem T.** *(es ist hier ständig Lärm und lebhafte Bewegung [so daß man sich nicht konzentrieren kann]).*

Taubenschlag

taubstumm ⟨Adj.⟩: *taub [geboren] und deshalb nicht sprechen könnend:* das Kind, der Mann ist t.

tauchen, tauchte, hat/ist getaucht: **1.** ⟨itr.⟩ *sich unter Wasser begeben [und dort eine Weile bleiben]:* die Ente taucht; er ist/hat nach einer Münze getaucht. **2.** ⟨tr.⟩ *in eine Flüssigkeit senken:* er hat den Pinsel in die Farbe getaucht.

Taucher, der; -s, -: *jmd., der taucht:* das gesunkene Schiff wurde von Tauchern gefunden.

Taucherglocke, die; -, -n: *Vorrichtung, in der man unter Wasser arbeiten kann.*

Tauchsieder, der; -s, -: *elektrisches Gerät, das in eine Flüssigkeit getaucht wird, um sie heiß zu machen* (siehe Bild).

Tauchsieder

tauen, taute, hat/ist getaut ⟨itr.⟩: **I.** *schmelzen, zu Wasser werden:* das Eis ist getaut; der Schnee ist getaut; es hat getaut. **II.** *Tau bilden:* heute nacht hat es getaut.

Taufe, die; -, -n: *Sakrament der Aufnahme in die christliche Kirche, wobei der Geistliche den Täufling mit Wasser benetzt:* die T. empfangen, erhalten.

taufen, taufte, hat getauft ⟨tr.⟩: **1.** *(jmdm.) die Taufe spenden:* der Pfarrer hat das Kind getauft. **2.** *(jmdm./einer Sache) [feierlich] einen Namen geben:* ein Schiff, ein Flugzeug t.; wir wollen das Kind Susanne t.

Täufling, der; -s, -e: *Kind oder Erwachsener, an dem die Taufe vollzogen wird.*

Taufname, der; -ns, -n: *Vorname.*

Taufpate, der; -n, -n: *Pate bei der Taufe des Kindes.*

taufrisch ⟨Adj.⟩: **a)** *feucht vom Tau:* taufrische Blumen. **b)** (ugs.) *ganz frisch:* das Hemd ist noch t.

Taufschein, der; -[e]s, -e: *von der Kirche ausgestellte Urkunde, durch die jmds. Taufe bestätigt wird:* für die kirchliche Trauung muß man den T. vorlegen.

taugen, taugte, hat getaugt ⟨itr.⟩: *brauchbar sein; wert sein* /meist verneint oder fragend gebraucht/: er taugt nicht zu schwerer Arbeit; das Messer taugt nichts; (ugs.) taugt das was?

Taugenichts, der; -, -e (abwertend): *unbrauchbarer, leichtfertiger Mensch:* der Junge ist ein T.

tauglich ⟨Adj.⟩: *geeignet, brauchbar; den Anforderungen genügend:* er wurde bei der Musterung zum Militär für t. erklärt. **Tauglichkeit,** die; -.

Taumel, der; -s (geh.): *Zustand, in dem man durch ein Übermaß an Glück, Freude, Begeisterung o. ä. sich kaum noch beherrschen kann:* die Bevölkerung geriet nach dem Sieg in einen T. der Begeisterung.

taumeln, taumelte, ist getaumelt ⟨itr.⟩: *unsicher hin und her schwanken; sich schwankend bewegen:* er taumelte vor Schwäche; er ist über den Flur getaumelt.

Tausch, der; -es: *das Tauschen:* einen guten, schlechten T. machen.

tauschen, tauschte, hat getauscht ⟨tr.⟩: *etwas geben, um etwas anderes dafür zu bekommen:* mit jmdm. Briefmarken t. * **jmd. möchte mit jmdm. nicht t.** *(jmd. möchte nicht an jmds. Stelle sein):* ich möchte mit keinem Arzt t.

äuschen, täuschte, hat getäuscht: **1.** ⟨tr.⟩ *[durch falsche Angaben o. ä.] irreführen:* er hat mich mit seinen Behauptungen getäuscht; ⟨häufig im 1. Partizip⟩ er sieht dir täuschend *(sehr)* ähnlich. **2.** ⟨rfl.⟩ *sich irren:* darin täuschst du dich; ich habe mich in ihm getäuscht *(ich habe ihn falsch eingeschätzt).* **Täuschung,** die; -, -en.

Tauschhandel, der; -s: *Handel, bei dem die Gegenleistung für eine Ware nicht aus Geld, sondern aus anderen Waren besteht:* das habe ich bei einem günstigen T. bekommen.

tausend ⟨Kardinalzahl⟩: 1000: t. Personen; bildl.: t. *(sehr viele)* Einwände haben.

Tausendsasa, der; -s, -[s] (ugs.): **a)** *jmd., der sehr geschickt und tüchtig ist, an jede Aufgabe kühn herangeht:* das hast du aber schnell erledigt, du bist ein T.! **b)** *leichtsinniger*

Mensch: heirate ihn nicht, er ist ein T.

Tausendsassa, der; -s, -[s] (schweiz.; östr.): *Tausendsasa.*

tausendste ⟨Ordinalzahl⟩: 1000.: der t. Besucher der Ausstellung. * (ugs.) **vom Hundertsten ins Tausendste kommen** *(rasch von einem Thema zu allen möglichen anderen übergehen).*

Tauwetter, das; -s: **1.** *warmes Wetter [im Frühling], bei dem der Schnee schmilzt:* bei T. schwellen die Flüsse an. **2.** *politische Periode, in der größere Bereitschaft für Verhandlungen und friedliche Regelungen vorhanden ist:* die Regierung hofft auf ein T., um die Freilassung der Gefangenen zu erreichen.

Tauziehen, das; -s: *sportlicher Wettkampf, bei dem zwei Mannschaften an den beiden Enden eines Taus ziehen, um den Gegner über eine bestimmte Marke zu ziehen:* die Mannschaft wurde Sieger im T.; bildl.: es begann ein heftiges T. um den Posten des Präsidenten *(verschiedene Gruppen oder Personen suchten in langem und zähem Kampf den Posten des Präsidenten für sich zu erhalten).*

Taxe, die; -, -n: **I.** *Taxi.* **II.** *festgesetzte Gebühr, Abgabe:* die T. kassieren; für jeden Gast wird vom Vermieter eine T. erhoben.

Taxi, das; -s, -s: *Personenkraftwagen, dessen Fahrer gegen Bezahlung Fahrgäste befördert:* ein T. bestellen, nehmen.

taxieren, taxierte, hat taxiert ⟨tr.⟩: **a)** *den Wert (von etwas) feststellen oder schätzen:* er taxierte das Haus auf 100000 Mark. **b)** (ugs.) *prüfend ansehen, mustern:* er taxierte sie von oben bis unten.

Taxifahrer, der; -s, -: *Fahrer eines Taxis* /Berufsbezeichnung/.

Team [ti:m], das; -s, -s: *Gruppe von Personen, die sich gemeinsam für eine Aufgabe einsetzt:* ein T. von Fachleuten; er spielt in unserem T. *(in unserer Mannschaft).*

Teamwork ['ti:mwə:k], das; -s: *Zusammenarbeit von mehreren Personen an einer gemeinsamen Aufgabe:* das Buch entstand im T.

Technik, die; -, -en: **1.** ⟨ohne Plural⟩ *alle Mittel und Verfahren, die dazu dienen, die Kräfte der Natur für den Menschen nutzbar zu machen:* die T. unserer Zeit. **2.** *Art, wie etwas ausgeführt wird:* die T. des Eislaufs; neue Techniken anwenden.

Techniker, der; -s, -: *Fachmann in einem technischen Beruf*/Berufsbezeichnung/.

technisch ⟨Adj.⟩: *die Technik betreffend, zur Technik gehörend:* technischer Unterricht; er ist t. begabt; diese Änderung ist t., aus technischen Gründen unmöglich.

technisiert ⟨Adj.⟩: *vom Einsatz von Maschinen und technischen Mitteln geprägt:* unser technisiertes Zeitalter.

Technisierung, die; -: *Umstellung der Produktion auf die Anwendung von Maschinen und technischen Methoden:* die T. der Landwirtschaft, des Gewerbes.

Techtelmechtel, das; -s, - (ugs.): *[nicht sehr festes, geheimes] intimes Verhältnis:* sie hatte angeblich früher einmal ein T. mit einem Offizier.

Teddybär, der; -en, -en: *Bär aus Stoff als Spielzeug für Kinder* (siehe Bild): die Kleine nimmt den T. ins Bett mit.

Tee, der; -s: **1.** *getrocknete Blätter eines asiatischen Strauches:* schwarzer T. **2. a)** *daraus zubereitetes Getränk:* heißen T. trinken. **b)** *als Heilmittel benutztes Getränk aus getrockneten Pflanzenteilen:* eine Krankheit mit T. kurieren.

Tee-Ei, das; -s, -er: *kleiner Behälter mit Löchern, der mit Tee gefüllt und in heißes Wasser gehängt wird* (siehe Bild): sie kocht den Tee am liebsten mit einem T.

Tee-Ei

Teelöffel, der; -s, -: *kleiner Löffel:* ich nehme zwei T. [voll] Zucker.

Teenager ['ti:neɪdʒər], der; -s, -: *Mädchen [oder Junge] im Alter von 13 bis 19 Jahren.*

Teer, der; -s: *aus Kohle, Holz o. ä. hergestellte flüssige, schwarze Masse:* die Bretter riechen nach T.

teeren, teerte, hat geteert ⟨tr.⟩: *mit Teer versehen, bestreichen:* eine Straße t.

Teewagen, der; -s, -: *kleiner, fahrbarer Wagen zum Transportieren von Geschirr und Speisen in einer Wohnung* (siehe Bild).

Teewagen

Teich, der; -[e]s, -e: *kleineres stehendes Gewässer* (siehe Bild): in diesem T. gibt es viele Fische.

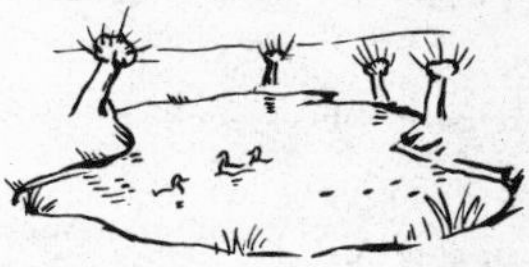

Teich

Teig, der; -[e]s: *zähe breiige Masse aus Mehl, Wasser u. a., die gebacken werden soll:* den T. kneten, rühren.

Teigwaren, die ⟨Plural⟩: *aus Teig hergestellte Lebensmittel als Einlage für Suppen, Beilage zu Speisen usw.*

Teil: **1.** der, (auch:) das; -[e]s, -e: *Glied oder Abschnitt eines Ganzen:* der vordere T. des Gartens; der größte T. des Publikums. * **ich für mein[en] T.** *(was mich betrifft):* ich für mein[en] T. bin zufrieden; **zum T.** *(teilweise).* **2.** das; -[e]s, -e: *einzelnes [kleines] Stück:* er prüfte jedes T. sorgfältig.

teilen, teilte, hat geteilt ⟨tr.⟩: *(ein Ganzes oder eine Menge) in Teile zerlegen:* einen Kuchen t.; wir teilten die Äpfel unter uns; eine Zahl durch eine andere t. *(dividieren);* ⟨auch itr.⟩ er teilt nicht gern *(gibt nicht gern an andere etwas ab);* ⟨auch rfl.⟩ der Weg teilt sich *(gabelt sich);* wir teilen uns in die Arbeit *(jeder macht etwas, damit nicht einer alles zu machen braucht).*

Teilgebiet, das; -[e]s, -e: *Fachrichtung innerhalb eines größeren Faches in der Wissenschaft:* die Germanistik ist ein T. der Sprachwissenschaft.

teilhaben, hat teil, hatte teil, hat teilgehabt ⟨itr.⟩: *Anteil haben (an etwas); (mit etwas) eng verbunden sein:* an der Macht, an der Regierung t.; an einem Erlebnis, Geheimnis t.

Teilhaber, der; -s, -: *jmd., der an einer Firma finanziell beteiligt ist.*

teilhaftig: ⟨in der Fügung⟩ einer Sache t. werden (geh.; veraltend): *(an etwas) teilhaben; (etwas) genießen, erleben:* er wurde eines großen Glücks t.; eines Anblicks t. werden *(etwas sehen dürfen).*

Teilnahme, die; -: **1.** *das Teilnehmen:* die T. an diesem Lehrgang ist freiwillig. **2. a)** *innere Beteiligung; Interesse:* ehrliche T. an etwas zeigen. **b)** (geh.) *Mitgefühl, Beileid:* jmdm. seine herzliche T. aussprechen.

teilnahmslos ⟨Adj.⟩: *kein Interesse, keine Teilnahme zeigend, apathisch:* er saß t. an unserem Tisch. **Teilnahmslosigkeit,** die; -.

teilnehmen, nimmt teil, nahm teil, hat teilgenommen ⟨itr.⟩: **1.** *sich beteiligen, (etwas) mitmachen:* an einer Versammlung t. **2.** *Teilnahme, Interesse zeigen:* er nahm an meiner Freude teil.

Teilnehmer, der; -s, -: *jmd., der an etwas teilnimmt:* für den Wettkampf haben sich 200 T. gemeldet.

teils: ⟨in der Verbindung⟩ teils...teils: *zum Teil ... zum Teil; halb ... halb:* seine Kinder leben t. in Köln, t. in Berlin.

Teilung, die; -, -en: *das Teilen:* die T. Deutschlands.

teilweise ⟨Adverb⟩: *zum Teil; in einigen Fällen:* das Haus wurde t. zerstört; ich habe t. gar keine Antwort bekommen.

Teilzahlung, die; -, -en: *Zahlung in Raten:* er kaufte das Auto auf T.

Teint [tɛ̃:], der; -s, -s: *Zustand und Farbe der Haut, bes. im Gesicht:* einen gesunden T. haben.

Telefon, das; -s, -e: *elektrisches Gerät, mit dem man Gespräche über beliebige Entfernungen hin führen kann* (siehe Bild): ich habe das T. auf den Schreibtisch gestellt.

Telefonbuch, das; -[e]s, Telefonbücher: *von der Post herausgegebenes Buch, in dem die Inhaber eines Telefons alphabetisch verzeichnet sind:* einen Namen im T. suchen.

Telefon

Telefongespräch, das; -s, -e: *Gespräch mittels Telefon.*

telefonieren, telefonierte, hat telefoniert ⟨itr.⟩: *durch das Telefon (mit jmdm.) sprechen:* ich habe mit ihm telefoniert.

telefonisch ⟨Adj.⟩: *mit Hilfe des Telefons geschehend:* eine telefonische Auskunft geben.

Telefonnummer, die; -, -n: *Nummer, die man wählen muß, um jmdn. telefonisch zu erreichen:* ich gebe dir meine T., rufe mich bitte morgen an.

telegen ⟨Adj.⟩: *so aussehend, daß man im Fernsehen gut wirkt:* der Politiker ist nicht sehr t.

Telegramm, das; -s, -e: *auf elektrischem Wege übermittelte [kurze] Nachricht:* ein T. aufgeben, schicken.

Telegrammstil, der; -[e]s: *sehr knapper Stil; Art, etwas nur durch einzelne Stichworte auszudrücken:* er schreibt seine Briefe meistens im T.

telegraphieren, telegraphierte, hat telegraphiert ⟨tr.⟩: *durch ein Telegramm mitteilen:* er hat mir die Zeit seiner Ankunft telegraphiert; ⟨auch itr.⟩ ich muß t. *(ein Telegramm aufgeben).*

telegraphisch ⟨Adj.; nicht prädikativ⟩: *durch ein Telegramm [durchgeführt]:* eine telegraphische Mitteilung; in einem Hotel t. ein Zimmer bestellen.

Teleobjektiv, das; -s, -e: *Objektiv, mit dem man weit entfernte Gegenstände photographieren kann:* etwas mit einem T. aufnehmen.

Telephon, telephonieren usw. vgl. Telefon, telefonieren usw.

Teleskop, das; -s, -e: *großes Fernrohr mit festem Standort:* die Sternwarte hat ein großes T.

Television, die; -: *Fernsehen.*

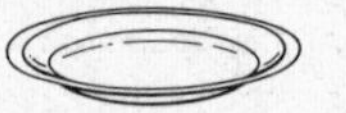

Teller

Teller, der; -s, -: *flaches Geschirr, von dem gegessen wird* (siehe Bild): der T. hat einen Sprung; er hat nur einen T. [voll] Suppe gegessen.

Tempel, der; -s, -: *Gebäude, das der Verehrung von Göttern oder eines nicht christlichen Gottes dient:* ein prächtiger, verfallener T. * (ugs.) **jmdn. zum T. hinausjagen** *(jmdn. davonjagen, hinauswerfen).*

Temperament, das; -s -e: **1.** ⟨ohne Plural⟩ *lebhafte, tatkräftige Art des Denkens und Handelns:* er besitzt viel T.; sein T. riß uns alle mit. **2.** *bestimmte Art des Verhaltens als Eigenschaft des Charakters:* die vier Temperamente.

temperamentlos ⟨Adj.⟩: *langweilig, träg; für nichts zu begeistern:* ein temperamentloser Kerl.

temperamentvoll ⟨Adj.⟩: *voll Temperament, [sehr] lebhaft; lebendig, schwungvoll:* er dirigierte sehr t.; er hat eine temperamentvolle Frau; er hielt eine temperamentvolle Rede.

Temperatur, die, -, -en: *meßbare Wärme der Luft oder eines Körpers:* hohe, niedrige T. haben.

Temperatursturz, der; -es, Temperaturstürze: *plötzliches starkes Sinken der Temperatur:* nach dem T. begann es mitten im Sommer zu schneien.

temperieren, temperierte, hat temperiert ⟨tr.⟩: *ein wenig erwärmen:* ein Zimmer t.

Tempo, das; -s: *Geschwindigkeit:* er fährt in langsamem, rasendem T.; das T. erhöhen; das T. einhalten *(nicht verändern).*

temporär ⟨Adj.⟩: *zeitweilig [auftretend], vorübergehend:* diese Störungen treten nur t. auf.

Tendenz, die; -, -en: *erkennbare Absicht oder Neigung:* dieses Buch hat eine bestimmte T.; er verfolgt mit etwas eine bestimmte T.

tendenziös ⟨Adj.⟩: *von einer [weltanschaulichen, politischen] Tendenz beeinflußt; nicht objektiv:* ein tendenziöser Bericht; seine Darstellung der Ereignisse ist t. gefärbt.

tendieren, tendierte, hat tendiert ⟨itr.⟩: *(zu etwas) neigen, (auf etwas) gerichtet sein:* er tendiert mehr zu einer gemäßigten Richtung.

Tenne, die; -, -n: *großer Raum in einem Bauernhaus oder in der Scheune, in dem die Wagen abgeladen werden, die Maschinen zum Dreschen aufgestellt werden o. ä.*

Tennis, das; -: /ein Ballspiel/ (siehe Bild).

Tennis

Tenor: I. Tenor, der; -s, Tenöre: **a)** *Stimme in hoher Lage* /vom Sänger/: er hat einen kräftigen T. **b)** *Sänger mit einer Stimme in hoher Lage:* dieser Chor hat zu wenig Tenöre. **II.** Tenor, der; -s: *grundsätzliche Einstellung (die aus etwas erkennbar wird):* der T. seines Buches ist die Absage an jeden Radikalismus.

Teppich, der; -s, -e: *gewebte oder geknüpfte Decke, die auf den Boden gelegt oder an die Wand gehängt wird:* er besitzt wertvolle alte Teppiche.

Termin, der; -s, -e: *festgelegter Zeitpunkt; Tag, an dem etwas geschehen muß:* einen T. bestimmen, ausmachen, einhalten.

Terminologie, die; -, -n: *alle speziellen Ausdrücke und Bezeichnungen eines bestimmten Faches:* die T. der Technik, Medizin.

Terminus, der; -, Termini: *(genau definierter) Ausdruck aus einem bestimmten Fach; Fachwort:* ein philosophischer T.

Terpentin, das; -s: **a)** *zähflüssiges Harz, das von Kiefern gewonnen wird.* **b)** *Terpentinöl.*

Terpentinöl, das; -s: *aus Terpentin gewonnenes Öl zum Reinigen oder zum Lösen von Farben.*

Terrain [tɛ'rɛ̃:], das; -s, -s: *Gelände:* ein bebautes, übersichtliches T.; das T. erkunden; bildl.: er hat es geschickt verstanden, das T. für die Verhandlungen zu bereiten. *** das T. sondieren** *(sich über die näheren Umstände von etwas vorsichtig informieren):* bevor die Verhandlungen beginnen, will er noch das T. sondieren; **T. verlieren** *(an Einfluß, Macht o. ä. verlieren; von anderen überholt werden):* die Regierung verlor politisches T.; **T. gewinnen** *(an Einfluß, Macht o. ä. gewinnen; erstarken):* durch zwei Siege konnte die Mannschaft wieder T. gewinnen.

Terrarium, das; -s, Terrarien: *Behälter, in dem Lurche, Kriechtiere o. ä. gehalten werden* (siehe Bild).

Terrarium

Terrasse, die; -, -n: **1.** *waagerechte Stufe an einem Hang:* auf den Terrassen des Südhanges wurde Wein gebaut. **2.** *[erhöhter] abgegrenzter freier Platz an einem Haus* (siehe Bild): wir sitzen abends auf der T.

Terrasse

Terrazzo, der; -[s], Terrazzi: *aus Zement hergestellter Fußboden, in den Steinchen mit verschiedenen Farben in der Art eines Mosaiks eingelegt sind.*

Terrier, der; -s, -: /ein Hund/ (siehe Bild).

Terrier

Terrine, die; -, -n: *Schüssel für die Suppe mit Deckel* (siehe Bild): die Suppe aus der T. schöpfen.

Terrine

territorial ⟨Adj.; nicht prädikativ⟩: *das Territorium betreffend:* territoriale Veränderungen, Forderungen; das Gebiet ist t. umstritten.

Territorium, das; -s, Territorien: *Land, Gebiet in bezug auf seine staatliche Zugehörigkeit:* das Fahrzeug befand sich bereits auf dem T. der Bundesrepublik Deutschland.

Terror, der; -s: *gewalttätiges, rücksichtsloses Vorgehen, das jmdm. Angst einjagen soll:* er kann sich nur durch T. an der Macht halten.

terrorisieren, terrorisierte, hat terrorisiert ⟨tr.⟩: *durch Terror einschüchtern und unterdrücken:* die Gangster terrorisierten die ganze Stadt.

Terrorismus, der; -: *das Ausüben von Terror:* die Polizei versuchte vergeblich, den T. der Radikalen zu bekämpfen.

Terrorist, der; -en, -en: *jmd., der Terror ausübt, durch Terror ein Ziel erreichen will:* die Terroristen sprengten ein Gebäude in die Luft.

terroristisch ⟨Adj.; nur attributiv⟩: *Terror ausübend; unter Anwendung von Terror [geschehend]:* ein terroristisches Regime; eine terroristische Aktion.

Tertial, das; -s, -e: *dritter Teil des Jahres:* im ersten T. ist der Umsatz gestiegen.

Terzett, das; -s, -e: *Komposition für drei Stimmen.*

Test, der; -[e]s, -s und -e: *[wissenschaftlicher oder technischer] Versuch zur Feststellung bestimmter Eigenschaften, Leistungen o. ä.:* jmdn./eine Maschine einem T. unterziehen.

Testament, das; -[e]s, -e: *schriftliche Erklärung, mit der jmd. für den Fall seines Todes die Verteilung seines Vermögens festlegt:* er hat sein T. gemacht.

testamentarisch ⟨Adj.; nicht prädikativ⟩: *durch ein Testament [angeordnet]:* eine testamentarische Verfügung; jmdm. etwas t. vermachen; das ist t. festgelegt.

testen, testete, hat getestet ⟨tr.⟩: *durch einen Test prüfen:* das neue Modell muß noch getestet werden.

Tête-à-tête [tɛta'tɛ:t], das; -, -s: *zärtliches, intimes Beisammensein:* er überraschte ihn bei einem T. mit seiner Freundin.

Tetralogie, die; -, -n: *Folge von vier zusammengehörenden Dramen, Opern, Romanen o. ä.*

teuer ⟨Adj.⟩: **1. a)** *einen hohen Preis habend, nicht billig:* dieses Buch ist [mir] zu t.; (ugs.) diese Reise war ein teures Vergnügen, ein teurer Spaß; sie trägt teuren *(wertvollen)* Schmuck. **b)** *große Ausgaben verursachend:* ein teures Restaurant; es sind teure Zeiten. **2.** (geh.) *sehr geschätzt, lieb, wert:* mein teurer Freund; dieser Ring war mir sehr t.

Teuerung, die; -, -en: *[durch schlechte Lage der Wirtschaft hervorgerufenes] allgemeines Steigen der Preise:* die Maßnahmen der Regierung sollen die T. aufhalten.

Teufel, der; -s, -: /Gestalt, die das Böse verkörpert/: er ist schwarz wie der T. * **den T. an die Wand malen** *(von einem möglichen Unheil sprechen und es dadurch herbeirufen):* sprich doch nicht immer von einer Entlassung, du malst ja damit den T. an die Wand!

Teufelskerl, der; -s, -e (ugs.): *kühner, verwegener Mensch:* dieser T. hat doch vor nichts Angst.

teuflisch ⟨Adj.⟩: *äußerst böse, verrucht:* das ist ein teuflischer Plan!

Text, der; -es, -e: **a)** *etwas Geschriebenes; Wortlaut:* einen T. lesen; der T. des Vertrages bleibt geheim; er schrieb die Texte *(Erläuterungen)* zu den Abbildungen. **b)** *zu einem Musikstück gehörende Worte:* er hat den T. zu einer Oper verfaßt.

Texter, der; -s, -: *jmd., der Texte für die Werbung, für Schlager o. ä. verfaßt.*

Textilien, die ⟨Plural⟩: *aus Fasern hergestellte Stoffe, bes. Bekleidung, Wäsche usw.*

Textkritik, die; -: *Prüfung des überlieferten Textes von literarischen Werken, um die ursprüngliche Fassung erschließen zu können.*

Tezett: ⟨in der Fügung⟩ bis ins/zum T. (ugs.): *bis aufs äußerste; ganz; genau, vollständig:* er kennt ihn bis ins T.

Theater, das; -s, -: **1.** *Gebäude in dem Schauspiele u. ä. aufgeführt werden:* hast du schon das neue T. gesehen? **2.** *Unternehmen, das Schauspiele u. ä. aufführt:* wir haben hier ein gutes T. * **zum T. gehen** *(Schauspieler werden).* **3.** ⟨ohne Plural⟩ *Vorstellung, Aufführung:* nach dem T. trafen wir uns in einem Café. * **T. spielen** *(ein Leiden o. ä. nur vortäuschen).* **4.** ⟨ohne Plural⟩ *Unruhe, Verwirrung, Aufregung:* es gab viel T. um diese Sache, wegen dieses Vorfalls.

Theaterstück, das; -s, -e: *für die Bühne geschriebene Dichtung; Schauspiel:* ein T. aufführen.

Theatralik, die; -: *theatralisches, unnatürliches Benehmen, Wesen:* die übertriebene T. seines Spiels wirkte leicht komisch.

theatralisch ⟨Adj.⟩ (abwertend): *affektiert, pathetisch; nach Art eines Schauspielers:* er machte eine theatralische Bewegung; er trat gern t. auf.

Theke, die; -, -n: *hoher, nach einer Seite abgeschlossener Tisch, an dem Gäste oder Kunden bedient werden* (siehe Bild): er trank ein Glas Bier an der T.

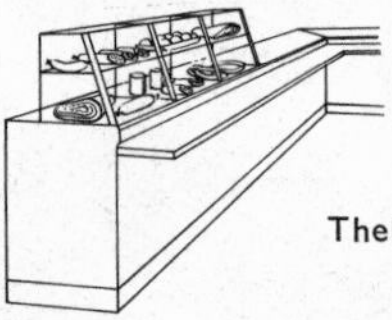

Theke

Thema, das; -s, Themen: **1.** *Gegenstand oder leitender Gedanke einer Untersuchung, eines Gesprächs o. ä.:* ein T. behandeln; über ein T. sprechen; wir wollen beim T. bleiben *(nicht abschweifen).* **2.** *Folge von Tönen, die einer Komposition zugrunde liegt:* ein T. verarbeiten, variieren.

Thematik, die; -: *Themen und Probleme, die (bei etwas) berührt werden:* der Vortrag war wegen der schwierigen T. schwer zu verstehen.

thematisch ⟨Adj.; nicht prädikativ⟩: *vom Thema her; das Thema betreffend:* der Roman ist t. sehr interessant.

Theologe, der; -n, -n: *jmd., der Theologie studiert [hat].*

Theologie, die; -: *Wissenschaft von Gott und der [christlichen] Religion.*

theologisch ⟨Adj.⟩: *die Theologie betreffend, zu ihr gehörend, auf ihr beruhend:* ein theologisches Problem erörtern.

Theoretiker, der; -s, -: **1.** *jmd., der die theoretischen Grundlagen für etwas erarbeitet:* er gilt als T. der Partei. **2.** *jmd., der sich nur gedanklich mit etwas beschäftigt, aber von der praktischen Ausführung nichts versteht:* der Minister ist nur ein T., aber kein praktischer Politiker.

theoretisch ⟨Adj.⟩: *die Theorie betreffend; [nur] gedanklich; nicht praktisch:* eine theoretische Ausbildung erhalten; etwas t. untersuchen; was du sagst, ist t. richtig, aber die Wirklichkeit ist anders.

Theorie die; -, -n: **1.** *wissenschaftliche Betrachtung oder Darstellung; Lehre, System:* eine T. aufstellen, beweisen; etwas in der T. beherrschen. **2.** *nur gedankliche Vorstellung, die der Wirklichkeit nicht entspricht:* das ist reine T.

Therapie, die; -, -n: *Verfahren, Methode zur Heilung einer Krankheit:* er wurde während der Kur nach einer neuen T. behandelt.

Thermometer, das; -s -: *Gerät zum Messen der Wärme:* das T. steigt *(es wird wärmer).*

Thermostat, der; -s und -en, -e[n]: *Apparat, durch den eine gleichbleibende Temperatur erzielt werden kann:* durch den Thermostat[en] wird die Temperatur immer auf 20 Grad gehalten.

These, die; -, -n: *Behauptung; Satz, dessen Richtigkeit man beweisen will:* eine T. aufstellen, verteidigen.

Thriller ['θrɪlər], der; -s, -: *Film, Roman o. ä., der nur höchste Spannung und Erregung der Nerven beabsichtigt:* dieser Film ist ein ausgesprochener T.

Thron, der; -[e]s, -e: *erhöhter Sitz eines Fürsten:* der neue König bestieg den T. *(übernahm die Regierung).*

thronen, thronte, hat gethront ⟨itr.⟩: *stolz, feierlich [und wie ein König erhöht] sitzen:* er thronte auf dem Podium hinter seinem Tisch.

Thronfolger, der; -s, -: *derjenige, der nach den gesetzlichen Bestimmungen beim Tod eines Monarchen dessen Nachfolger wird.*

Thunfisch, der; -[e]s, -e: **a)** /ein großer Fisch/ (siehe

Bild). **b)** *Fleisch des gleichnamigen Fisches:* eine Büchse T.

Thunfisch a)

Tiara, die; -, Tiaren: *Krone des Papstes* (siehe Bild).

Tiara

Tick, der; -s, -s (ugs.): *Schrulle, wunderliche Eigenart:* er hatte den T., auf dem Fußboden zu schlafen.

ticken, tickte, hat getickt ⟨itr.⟩: *ein gleichmäßiges leises Klopfen hören lassen:* die Uhr tickt.

Ticket, das; -s, -s: *Karte, Schein [der zum Benutzen bes. eines Flugzeuges berechtigt]:* er bestellte am Schalter der „Lufthansa" zwei Tickets nach Rom.

tief ⟨Adj.⟩: **1. a)** *weit nach unten ausgedehnt oder gerichtet:* ein tiefes Tal; der Brunnen ist t.; er ist t. gefallen. **b)** *weit in das Innere von etwas hineinreichend, sich im Inneren befindend:* eine tiefe Wunde; die Bühne ist sehr t.; er wohnt t. im Walde. **c)** *in niedriger Lage:* das Haus liegt tiefer als die Straße. **2.** ⟨in Verbindung mit Angaben von Maßen⟩ *eine bestimmte Tiefe habend:* der Stich ist 2 cm tief. **3.** *durch eine niedrige Zahl von Schwingungen dunkel klingend:* ein tiefer Ton. **4.** *bedeutend, tiefgründig:* tiefe Gedanken; das hat einen tiefen Sinn. **5.** *sehr groß oder stark:* ein tiefer Schmerz; in tiefer Not sein; t. erschüttert sein.

Tief, das; -s, -s: *Gebiet mit niedrigem Luftdruck:* von Westen zieht ein T. heran.

tiefbetrübt ⟨Adj.⟩: *sehr betrübt; sehr traurig:* t. über diesen Vorfall ging er nach Hause.

Tiefe, die; -, -n: **1.** *Ausdehnung oder Richtung nach unten oder innen:* die T. eines Schachtes messen; in die T. stürzen, dringen. **2.** *tief gelegene Stelle:* dieser Fisch lebt in großen Tiefen des Meeres. **3.** ⟨ohne Plural⟩ *Größe, Bedeutung:* Gedanken von großer T.

Tiefebene, die; -, -n: *nur wenig über dem Meeresspiegel liegende Ebene:* die Ungarische, Norddeutsche T.

Tiefgang, der; -[e]s: **1.** *(senkrecht gemessener) Teil des Schiffes, der sich unter Wasser befindet:* das Schiff hat nur geringen T. **2.** *geistiger Wert; tiefes gedankliches Eindringen (in ein Problem o. ä.):* ein Roman ohne T.; der geistige T. dieses Menschen wurde von allen bewundert.

tiefgreifend ⟨Adj.⟩: *starke Wirkung habend:* eine tiefgreifende Wandlung; das Buch ist t. umgestaltet worden.

tiefgründig ⟨Adj.⟩: **a)** *tiefen Sinn habend:* er stellt tiefgründige Fragen. **b)** *etwas gründlich durchdenkend:* eine tiefgründige Untersuchung.

Tiefpunkt, der; -[e]s, -e: *tiefste [schlimmste] Stelle einer Entwicklung:* die Konjunktur hat ihren T. erreicht.

Tiefschlag, der; -[e]s, Tiefschläge: **1.** Boxen *regelwidriger Schlag unter den Gürtel:* jmdm. einen T. versetzen. **2.** *gemeine, hinterhältige Aktion, durch die man jmds. Pläne zerstört, jmdn. ruiniert:* die Verleumdung, derentwegen er seinen Posten verlassen mußte, war ein unfairer T. gegen ihn.

tiefschürfend ⟨Adj.⟩: *(mit den Gedanken) tief in ein Problem oder Thema eindringend, gründlich forschend:* eine tiefschürfende Abhandlung.

tiefsinnig ⟨Adj.⟩: *von gründlichem Nachdenken zeugend; gehaltvoll:* er machte eine tiefsinnige Bemerkung.

Tiefstand, der; -[e]s: *so kritische Situation, daß sie kaum noch schlechter werden kann:* das Land hat einen sozialen, wirtschaftlichen T. erreicht.

Tiegel, der; -s, -: *feuerfestes Gefäß, in dem man etwas erhitzen oder schmelzen kann:* Metall in einem T. schmelzen.

Tier, das; -[e]s, -e: *Lebewesen, das sich vom Menschen durch die stärkere Ausbildung der Sinne und Instinkte und durch das Fehlen von Vernunft und Sprache unterscheidet:* ein zahmes, wildes T.; er kann mit Tieren umgehen. * (ugs.) **ein hohes T.** *(eine Person in hoher Position).*

Tiergarten, der; -s, Tiergärten: *öffentliche Einrichtung zur Haltung von exotischen Tieren in Gehegen, Gärten, Käfigen usw.:* im T. gibt es junge Löwen.

tierisch ⟨Adj.⟩: **1.** ⟨nur attributiv⟩ *zum Tier gehörend, vom Tier stammend:* tierisches Fett. **2.** (abwertend) *triebhaft wie ein Tier; roh, nicht menschlich:* tierische Grausamkeit. * (abwertend) **tierischer Ernst** *(pflichtbewußte, aber humorlose Gesinnung).*

Tiger, der; -s, -: /ein Raubtier/ (siehe Bild): sie sahen T. und Löwen im Zoo.

Tiger

tilgen, tilgte, hat getilgt ⟨tr.⟩: **a)** (geh.) *endgültig beseitigen, löschen:* die Spuren eines Verbrechens t.; eine Erinnerung aus seinem Gedächtnis t. **b)** *durch Zurückzahlen aufheben:* eine Schuld t. **Tilgung,** die; -, en.

Timbre ['tɛ̃:bər], das; -s, -s: *Art des Klanges [bei Singstimmen]:* ein schönes T.; das T. seiner Stimme kam auf der Schallplatte nicht ganz zur Geltung.

Tinte, die; -, -n: *schwarze oder farbige Flüssigkeit, die zum Schreiben dient:* er schreibt mit grüner T. * (ugs.) **in der T. sitzen** *(in einer unangenehmen Lage sein):* ich habe ihm Geld geliehen und sitze nun selbst in der T. *(habe nun selbst keins).*

Tip, der; -s, -s (ugs.): *Hinweis, Wink, nützlicher Rat:* jmdm. einen T. geben; das war ein guter T.

tippeln, tippelte, ist getippelt ⟨itr.⟩ (ugs.): *[mit Anstrengung] wandern, zu Fuß laufen:* wir sind die ganze Strecke getippelt.

tippen, tippte, hat getippt: **1. a)** ⟨itr.⟩ *(etwas/jmdn.) leicht berühren:* er hat mir/mich auf die Schulter getippt. **b)** ⟨tr.⟩

(ugs.) *auf der Maschine schreiben:* er hat den Brief [selbst] getippt. **2.** ⟨itr.⟩ **a)** (ugs.) *etwas voraussagen oder vermuten:* ich tippe [darauf], daß er morgen kommt. **b)** *im Toto oder Lotto wetten:* er tippt jede Woche.

Tippfehler, der; -s, - (ugs.): *Fehler beim Schreiben auf der Schreibmaschine, der durch Drükken einer falschen Taste entsteht:* sie muß den Brief wegen der vielen T. noch einmal schreiben.

tipptopp ⟨Adj.; nicht attributiv⟩ (ugs.): *in Ordnung, tadellos, fein:* das Zimmer ist wieder t.; er ist t. gekleidet.

Tirade, die; -, -n: *Flut, Fülle von Worten:* er erging sich in Tiraden der Wut und des Hasses gegen die Kirche.

Tisch, der; -es, -e: *Möbelstück mit waagerechter Platte auf einem Gestell* (siehe Bild): er sitzt am T.; ein reich gedeckter T.

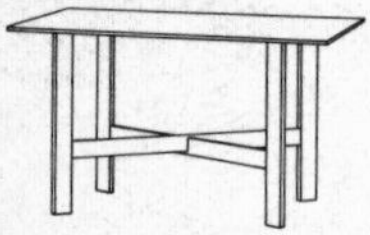

Tisch

(ein Tisch, auf dem viel zu essen ist). *** zu T. gehen** *(zum Essen gehen);* **bei/nach T.** *(während/nach der Mahlzeit);* (ugs.) **reinen T. mit etwas machen** *(etwas in Ordnung bringen, erledigen).*

Tischkarte, die; -, -n: *kleine Karte an jedem Platz einer Tafel mit dem Namen des Gastes, für den der betreffende Platz bestimmt ist.*

Tischler, der; -s, -: *jmd., der Möbel, Türen u. ä. herstellt*/Berufsbezeichnung/.

Tischlerei, die; -, -en: **1.** ⟨ohne Plural⟩ *Handwerk des Tischlers:* die T. erlernen. **2.** *Werkstatt des Tischlers:* in einer T. arbeiten.

Tischtennis, das; -: /auf einem Tisch gespielte Art Tennis/ (siehe Bild).

Tischtennis

Tischtuch, das; -s, Tischtücher: *Tuch, das zur Mahlzeit auf den Tisch gelegt wird:* ein frisches T. auflegen.

Titel, der; -s, -: **1.** *Bezeichnung, die den amtlichen Rang einer Person angibt oder die für besondere Verdienste verliehen wird:* er führt den T. „Regierender Bürgermeister". **2.** *Name eines Buches, eines Kunstwerks o. ä.; Überschrift:* der Roman hat den T. „Der Idiot"; ein Film mit dem T. „Bambi".

Titelblatt, das; -[e]s, Titelblätter: *Seite am Anfang eines Buches, auf dem Titel, Autor, Verlag usw. genannt werden.*

titulieren, titulierte, hat tituliert ⟨tr.⟩: **a)** *(mit einem Titel) anreden:* er titulierte ihn mit „Herr Doktor". **b)** *(als etwas) bezeichnen:* er titulierte mich als seinen besten Freund; ich lasse mich nicht als Idioten t.

Toast [to:st], der; es, -e und -s: **1.** *geröstete Scheibe Brot:* ein Spiegelei auf T. **2.** *Trinkspruch:* einen T. auf jmdn. ausbringen *(jmdn. bei einem festlichen Essen mit einem Toast ehren).*

toasten ['to:stən], toastete, hat getoastet ⟨tr.⟩: *([Weiß]-brot) rösten:* er toastete eine Scheibe Brot.

Toaster ['to:stər], der; -s, -: *elektrisches Gerät zum Toasten.*

Tobel, der und das; -s, - (südd.; östr.; schweiz.): *enge [Wald]-schlucht:* in dem T. liegt noch Eis.

toben, tobte, hat/ist getobt ⟨itr.⟩: *in wilder Bewegung sein:* der Kampf, der Sturm tobte; hier hat ein Unwetter getobt. **2.** *lärmend umherlaufen:* die Kinder haben den ganzen Tag getobt; sie sind durch den Garten getobt. **3.** *außer sich sein, rasen:* er hat vor Wut getobt.

Tobsucht, die; -: *Zustand höchster psychischer Erregung; Wut, die sich in wilden Bewegungen, Toben äußert:* in T. ausbrechen, verfallen.

Tochter, die; -, Töchter: *unmittelbarer weiblicher Nachkomme:* das Ehepaar hat zwei Töchter.

Tod, der; -es: *das Sterben; Aufhören, Ende des Lebens:* einen sanften, schweren T. haben; er war dem Tode nahe; der Mörder wurde zum Tode verurteilt; bildl.: er war zu Tode *(furchtbar)* erschrocken. *** auf T. und Leben kämpfen** *(bis zum äußersten kämpfen);* **mit dem Tode ringen** *(im Sterben liegen, aber sich heftig dagegen wehren):* der Kranke ringt seit Tagen mit dem Tode.

todernst ⟨Adj.⟩: *sehr ernst, ganz ernst [obgleich man das Gegenteil erwartet]:* du brauchst gar nicht so zu lachen, die Sache ist t.; er erzählte seine Witze mit todernstem Gesicht.

Todesangst, die; -, Todesängste: *Angst vor dem Tod in großer Gefahr:* in seiner T. schrie er laut um Hilfe.

Todesanzeige, die; -, -n: *gedruckte Karte oder Anzeige in einer Zeitung, durch die jmds. Tod bekanntgegeben wird.*

Todesfall, der; -s, Todesfälle: *Tod eines Menschen:* sie hat einen T. in der Familie *(ein Verwandter ist gerade gestorben);* einige rätselhafte Todesfälle beunruhigen die Bevölkerung.

Todesgefahr, die; -: *Gefahr, daß man stirbt:* sich in T. befinden; in T. schweben.

todesmutig ⟨Adj.⟩: *sehr mutig; nicht die geringste Angst zeigend [obwohl Lebensgefahr besteht]:* t. drang er in das brennende Haus ein und rettete das Kind.

Todesstrafe, die; -: *durch Gerichtsurteil veranlaßte Tötung als Strafe für ein Verbrechen:* auf dieses Verbrechen steht die T.; die T. abschaffen.

Todesurteil, das; -s, -e: *Verurteilung zum Tode:* das T. ist vollstreckt worden *(der Verurteilte ist hingerichtet worden).*

Todfeind, der; -es, -e: *erbitterter, unversöhnlicher Gegner:* die beiden Männer waren Todfeinde.

todkrank ⟨Adj.⟩: *so schwer krank, daß Todesgefahr besteht:* er war bereits t., als er aus der Gefangenschaft zurückkam.

tödlich ⟨Adj.⟩: **1. a)** *den Tod herbeiführend:* eine tödliche Verletzung; er ist t. verunglückt *(durch einen Unfall gestorben).* **b)** *das Leben bedrohend:* eine tödliche Gefahr. **2. a)** ⟨nur attributiv⟩ *sehr groß:* tödlicher Ernst; mit tödlicher Sicherheit. **b)** ⟨verstärkend bei Verben⟩ *sehr, außerordentlich:* er hat sich t. gelangweilt.

todmüde 〈Adj.〉 (ugs.): *sehr müde und erschöpft:* nach der langen Fahrt kamen wir t. zu Hause an.

Tohuwabohu, das; -[s]: *Durcheinander, allgemeine Unordnung:* in ihrem Zimmer herrscht ein T.; der Minister hinterließ ein politisches T.

Toilette [toa'lɛtə], die; -, -n: **I.** *[Raum mit einer] Vorrichtung, die die menschlichen Ausscheidungen aufnimmt und beseitigt; WC, Abort:* auf die T. gehen; etwas in die T. werfen. **II.** *festliches Kleid:* die Damen trugen kostbare Toiletten. * **T. machen** *(sich sorgfältig anziehen und zurechtmachen).*

Toilettenpapier [toa'lɛtən...], das; -s: *Papier für die Toilette, das WC.*

tolerant 〈Adj.〉: *duldsam, nachsichtig, nicht intolerant:* er hat eine tolerante Gesinnung; er war t. gegenüber fremden Meinungen.

Toleranz, die; -: **1.** *duldsame Gesinnung, duldsames Verhalten:* T. zeigen, üben. **2.** *zulässige Abweichung von einem vorgeschriebenen technischen Maß:* die Welle dieser Maschine hat eine T. von 0,2 mm.

tolerieren, tolerierte, hat toleriert 〈tr./rzp.〉: *dulden; gewähren, gelten lassen:* sie toleriert seine Meinung; die Parteien tolerieren sich gegenseitig. **Tolerierung,** die; -.

toll 〈Adj.〉: **1.** *wild, übermütig:* tolle Streiche machen; ein toller Bursche. * **t. sein** *(verrückt sein):* du bist wohl t., wie kannst du so etwas tun? **2.** (ugs.) **a)** *großartig, prachtvoll; aufregend:* er fährt einen tollen Wagen; das Fest war einfach t. **b)** *schlimm:* ein toller Lärm; er treibt es gar zu t.

tollen, tollte, hat/ist getollt 〈itr.〉: *beim Spielen wild umherjagen:* die Kinder haben fröhlich getollt, sind durch den Garten getollt.

tollkühn 〈Adj.〉: *überaus kühn; mutig ohne Rücksicht auf die Gefahr:* ein tollkühner Reiter; t. wagte er den Sprung. **Tollkühnheit,** die; -.

Tolpatsch, der; -es, -e: *unbeholfener, ungeschickter Mensch:* du bist aber ein T.!; mit diesem T. kann man nichts anfangen.

tolpatschig 〈Adj.〉 (ugs.): *ungeschickt, unbeholfen (und daher bei Kindern lustig anzusehen):* der kleine tolpatschige Kerl kam mit ausgestreckten Armen auf mich zu; er benimmt sich sehr t.

Tölpel, der; -s, -: *einfältiger, ungeschickter Mensch:* dieser T. macht auch alles verkehrt!

tölpelhaft 〈Adj.〉: *einfältig, plump, ungeschickt:* ein tölpelhaftes Benehmen.

Tomate, die; -, -n: /eine rote Frucht/ (siehe Bild).

Tomate

Tombola, die; -, -s: *Verlosung von Gegenständen bei einem Fest:* eine T. veranstalten.

Ton: I. der; -[e]s: /eine Art schwere, gut formbare Erde, die im Feuer hart wird/: T. kneten; etwas in T. modellieren; eine Vase aus T. **II.** der; -[e]s, Töne: **1.** *auf das Gehör wirkende gleichmäßige Schwingung der Luft; Klang:* leise, tiefe Töne; das Instrument hat einen schönen T. *(es klingt schön).* **2.** 〈ohne Plural〉 *Betonung:* die erste Silbe trägt den T. **3.** 〈ohne Plural〉 **a)** *Art und Weise des Redens und Schreibens:* er ermahnte uns in freundlichem T.; der überhebliche T. seines Briefes ärgerte mich. **b)** *Art und Weise, wie Menschen untereinander verkehren:* bei uns herrscht ein rauher T.; das gehört zum guten T. *(dieses gute Verhalten wird von jedem erwartet).* * **den T. angeben** *(in einer Gesellschaft bestimmen, was oder wie etwas gemacht wird, die Führung haben):* in der Klasse gibt er den T. an. **4.** *Farbe in bestimmter Intensität und Tönung:* ein Gemälde in blauen, satten Tönen.

Tonabnehmer, der; -s, -: *Teil des Plattenspielers, durch den Sprache oder Musik von einer Schallplatte auf einen Lautsprecher übertragen werden kann.*

tonangebend: 〈in der Verbindung〉 t. sein: *von anderen zum Vorbild genommen werden, nachgeahmt werden:* Paris ist in der Mode t.

Tonart, die; -, -en: *System von Tönen, das auf einem bestimmten Dreiklang aufgebaut ist:* in welcher T. steht das Lied? * **eine andere T. anschlagen** *(strenger werden):* als das Kind nicht gehorchte, schlug sie eine andere T. an.

Tonband, das; -[e]s, Tonbänder: *Streifen aus Kunststoff, der für akustische Aufnahmen verwendet wird* (siehe Bild Tonbandgerät).

Tonbandgerät, das; -[e]s, -e: *elektrisches Gerät, mit dem man Musik, Sprache, Geräusche auf ein Tonband aufnehmen und speichern oder von ihm abspielen kann* (siehe Bild).

tönen, tönte, hat getönt: **1.** 〈itr.〉 *Töne oder Klänge von sich geben; schallen:* die Glocke, die Geige tönt. * **tönende Worte** *(schön klingende, aber nichtssagende Reden).* **2.** 〈tr.〉 *in der Farbe verändern, mit einer Nuance versehen:* sie hat ihr Haar dunkel getönt; die Wand ist [leicht] gelb getönt.

Tonbandgerät

Tonfall, der; -s: *besonderer Klang der Rede:* er spricht mit singendem T.; der T. eines Schauspielers.

Tonlage, die; -, -n: *Bereich der Töne, die einem Instrument oder einer menschlichen Stimme zur Verfügung stehen:* sie singt in hoher, tiefer, mittlerer T.

Tonleiter, die; -, -n: *Folge der Töne innerhalb einer Oktave* (siehe Bild): eine T. spielen, üben; die C-Dur-Tonleiter.

Tonleiter

tonlos 〈Adj.〉: **a)** *leise, ohne Klang:* etwas t. sagen. **b)** *ohne Ausdruck, nur schwach und leise klingend:* mit tonloser Stimme las er ihr den Brief vor.

Tonmeister, der; -s, -: *Techniker, der für die Wiedergabe des Tones im Rundfunk und Fernsehen verantwortlich ist* /Berufsbezeichnung/.

Tonnage [tɔ'na:ʒə], die; -, -n: *Rauminhalt eines Schiffes oder einer Flotte:* die T. eines Schiffes angeben.

Tonne, die; -, -n: **1.** *Faß in Form einer Walze.* **2.** *Einheit für die Bestimmung des Gewichts:* eine Tonne hat 1000 Kilogramm.

Tonsur, die; -, -en: *kleine kahle Stelle auf dem Kopf eines katholischen [Ordens]geistlichen* (siehe Bild).

Tonsur

Tönung, die; -, -en: *Art, wie etwas getönt ist; Färbung:* ein Glas mit grüner T.

Topas [östr.: Topas], der; -es, -e: /ein Edelstein/.

Topf, der; -es, Töpfe: *rundes, meist tiefes Gefäß* (siehe Bild): einen T. auf den Herd setzen. * (ugs.) **alles in einen T. werfen** *(alles gleich beurteilen oder ablehnen, ohne die bestehenden Unterschiede zu berücksichtigen):* ob jemand krank ist oder ob er faul ist, spielt für ihn keine Rolle, denn er wirft alle in einen T.

Topf

Topfen, der; -s (bayr.; östr.): *Quark:* eine Mehlspeise mit T. füllen.

Töpfer, der; -s, -: *Handwerker, der Gefäße o. ä. aus Ton herstellt.*

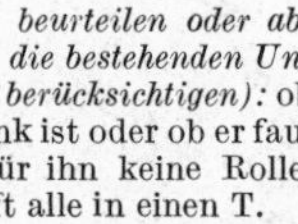

1. b)

2. a)

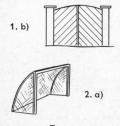

Tor

Topfpflanze, die; -, -n: *in einem Topf wachsende Pflanze:* in seinem Zimmer stehen viele Topfpflanzen.

Tor: I. das, -[e]s, -e: **1. a)** *breiter Eingang; Einfahrt:* der Hof hat zwei Tore. **b)** *Vorrichtung, mit der eine Einfahrt verschlossen wird* (siehe Bild): das T. schließen; ein eisernes T. **2.** /bei Ballspielen/ **a)** *durch zwei Pfosten und eine waagerechte Latte begrenztes Ziel für den Ball* (siehe Bild): er steht heute im T. **b)** *der mit dem Ball erzielte Treffer:* ein T. schießen; die Mannschaft siegte mit 4 : 2 Toren. **II.** der; -en, -en (geh.): *einfältiger oder unklug handelnder Mensch:* was war er für ein T.!

Torero, der; -s, -s: *jmd., der bei einem Stierkampf den Stier zu töten versucht:* er ist ein berühmter T.

Torf, der; -[e]s: *in Mooren durch Zersetzung von Pflanzen entstandener Stoff, der als Material zum Heizen, als Dünger oder in Heilbädern verwendet wird:* am See wird noch T. gestochen.

Torfmull, der; -[e]s: *getrockneter Torf, der als Dünger verwendet wird.*

Torheit, die; -, -en: *unkluge Handlung:* er beging die T., mit vollem Magen zu baden.

Torhüter, der; -s, -: *Spieler, der bei Ballspielen das Eindringen des Balles ins Tor verhindern soll:* der T. konnte den scharf geschossenen Ball abwehren.

töricht ⟨Adj.⟩: *dumm, albern, ohne Verstand [handelnd]:* eine törichte Frage; es wäre t., auf seine Hilfe zu warten.

torkeln, torkelte, hat/ist getorkelt ⟨itr.⟩: *sich nicht sicher auf den Beinen halten können; taumelnd gehen:* der Betrunkene hat getorkelt, ist auf die Straße getorkelt.

Tormann, der; -s, Tormänner: *Torhüter.*

Tornister, der; -s, -: **a)** *[mit Fell überzogener] auf dem Rükken getragener Ranzen des Soldaten* (siehe Bild): den T. auf den Rücken nehmen. **b)** (landsch.) *auf dem Rücken getragene Schultasche.*

torpedieren, torpedierte, hat torpediert ⟨tr.⟩: **1.** *mit Torpedos versenken:* ein Schiff t. **2.** *durch Gegenmaßnahmen behindern, vereiteln:* einen Plan, eine Politik t. **Torpedierung,** die; -, -en.

Tornister a)

Torpedo, der; -s, -s: *längliches Geschoß mit eigenem Antrieb zur Bekämpfung von Schiffen unter Wasser.*

Torschluß: ⟨in der Fügung⟩ kurz vor T. (ugs.): *gerade noch zur rechten Zeit:* er meldete sich erst kurz vor T. für die Reise an.

Torschlußpanik, die; - (ugs.): *Angst, Sorge, bei etwas den Anschluß zu versäumen, einen [für das Leben] wichtigen Schritt nicht vollziehen zu können:* als sie dreißig war und noch immer keinen Mann gefunden hatte, brach bei ihr T. aus; nach dem fünfzehnten Semester geriet der Student in T.

Torso, der; -s, -s: **1.** *Statue, von der fast nur der Rumpf erhalten ist:* im Museum sind einige antike Torsos zu sehen. **2.** *nicht vollendetes Werk; Bruchstück:* der Roman ist ein T. geblieben.

Tort, der; -s (veraltend): *Unrecht, Kränkung, Ärgernis:* diese Angriffe waren ein furchtbarer T. für ihn. * **jmdm. einen T. antun** *(jmdn. empfindlich kränken);* **zum T.** *(zum Ärger):* er hat es mir zum T. getan.

Torte, die; -, -n: *feiner Kuchen, der aus mehreren Schichten besteht:* eine T. backen.

Tortur, die; -en: *Qual, große Strapaze:* der Marsch durch die glühende Hitze war eine T.

Torwart, der; -s, -e: *Torhüter.*

tosen, toste, hat getost ⟨itr.⟩: *in wilder Bewegung sein, dröhnen, brausen, toben* /bes. von Wind und Wasser gesagt/: der Sturm, der Wasserfall tost; ⟨oft im 1. Partizip⟩ tosender *(anhaltender, lauter)* Beifall.

tot ⟨Adj.⟩: **1.** *gestorben, nicht mehr am Leben seiend:* seine Eltern sind t.; ein toter Vogel; er lag t. im Bett. **2.** *abgestorben,* *ohne Verbindung mit dem Leben:* ein toter *(dürrer)* Ast; bildl.: die Leitung, das Telefon ist t. *(läßt kein Signal hören).*

total ⟨Adj.⟩: *vollständig, gänzlich; das Ganze betreffend:* totale Zerstörung; ich bin t. erschöpft.

totalitär ⟨Adj.⟩: *alle Lebensbereiche gewaltsam erfassend, die gesamte Macht diktatorisch zusammenhaltend:* eine totalitäre Herrschaft; ein totalitäres Regime; der Diktator regiert t.

totärgern, sich; ärgerte sich tot, hat sich totgeärgert (ugs.): *sich sehr ärgern:* ich habe mich totgeärgert über diesen Blödsinn.

Tote, der; -n, -n ⟨aber: [ein] Toter, Plural: Tote⟩: *jmd., der gestorben ist:* bei dem Verkehrsunfall gab es zwei Tote.

töten, tötete, hat getötet ⟨tr.⟩: *(jmdm.) das Leben nehmen:* einen Menschen, ein Tier t.; bildl.: der Zahnarzt hat den Nerv getötet *(unempfindlich gemacht).*

totenblaß ⟨Adj.⟩: *blaß wie ein Toter, völlig blaß:* sein Gesicht war t. vor Angst.

Totengräber, der; -s, -: *jmd., der bei Beerdigungen die Gräber vorbereitet*/Berufsbezeichnung/: der T. schaufelte das Grab; bildl.: der Präsident wurde zum T. der Demokratie *(verschuldete den Untergang der Demokratie)* in seinem Land.

totenstill ⟨Adj.⟩ *völlig still:* es war t. in der Kirche.

totfahren, fährt tot, fuhr tot, hat totgefahren ⟨tr.⟩: *durch Überfahren töten:* er hat einen Fußgänger totgefahren.

totlachen, sich; lachte sich tot, hat sich totgelacht (ugs.): *überaus heftig lachen:* er hat sich [fast] totgelacht, als er das sah.

totsagen, sagte tot, hat totgesagt ⟨tr.⟩: *von jmdm. behaupten, daß er tot sei:* er ist schon einige Male totgesagt worden.

totschießen, schoß tot, hat totgeschossen ⟨tr.⟩: *erschießen.*

Totschlag, der; -s: Rechtsw. *vorsätzliche oder im Affekt begangene Handlung, durch die ein Mensch getötet wird:* er ist wegen Totschlags angeklagt worden.

totschlagen, schlägt tot, schlug tot, hat totgeschlagen ⟨tr.⟩: *durch Schlagen töten; erschlagen:* eine Fliege t.; er hat im Rausch einen Mann totgeschlagen. * (ugs.; abwertend) **die Zeit t.** *(seine Zeit nutzlos verbringen).*

totschweigen, schwieg tot, hat totgeschwiegen ⟨tr.⟩: *(von jmdm./etwas) nicht sprechen, damit nichts bekannt wird:* die Presse hat seine Erfolge totgeschwiegen.

totstellen, sich; stellte sich tot, hat sich totgestellt: *so tun, als sei man tot:* das Tier stellt sich tot, damit es nicht angegriffen wird.

toupieren [tu'pi:rən], toupierte, hat toupiert ⟨tr.⟩: *(die Haare) so in Richtung zu den Haarwurzeln kämmen, daß sie locker werden, voller aussehen:* sie toupiert ihre Haare; sie trägt ihr Haar hoch toupiert.

Tour [tu:r], die; -en: **1.** *Ausflug, Fahrt, Wanderung:* eine T. ins Gebirge machen. * **auf T. sein** *(unterwegs sein):* er ist viel auf T. **2.** (ugs.) *Art und Weise:* er macht es auf die langsame T.; er reist auf die dumme T. *(er versucht zu übervorteilen, zu übertölpeln).* **3.** ⟨Plural⟩ *Drehung einer Welle o. ä.:* der Motor läuft auf vollen Touren *(mit voller Kraft).* * (ugs.) **auf Touren kommen** *(in Schwung kommen):* nach dem Frühstück kam er erst richtig auf Touren.

Tourismus [tu'rɪsmʊs], der; -: *Fremdenverkehr:* der T. hat in den letzten Jahren stark zugenommen; die Schweiz ist ein Zentrum des T.; bevor weitere Hotels gebaut sind, ist der Ort auf größeren T. noch nicht eingestellt.

Tourist [tu'rist], der; -en, -en: *jmd., der einen Ausflug oder eine Urlaubsreise macht:* dieser See wird von vielen Touristen besucht.

Touristik [tu'rɪstɪk], die; -: *alles, was mit Reiseverkehr, Fremdenverkehr zusammenhängt:* auf der Konferenz wurden auch Probleme der T. besprochen.

touristisch [tu'rɪstɪʃ] ⟨Adj.⟩: *den Tourismus, die Touristik betreffend:* dieses Gebiet ist t. noch nicht erschlossen.

Tournee [tur'ne:], die; -, -s und -n: *Gastspielreise von Sängern, Schauspielern o. ä.:* eine T. machen.

Trab, der; -[e]s: *beschleunigter Gang des Pferdes:* er reitet im T. * (ugs.) **jmdn. auf T. bringen** *(machen, daß sich jmd., der zu langsam arbeitet o. ä., beeilt, daß er schneller arbeitet).*

Trabant, der; -en, -en: *natürlicher Körper, der einen Planeten begleitet; Satellit:* der Mond ist ein T. der Erde.

Trabantenstadt, die; -, Trabantenstädte: *einheitlich gestaltetes Wohngebiet mit eigenem Zentrum, das am Rande einer Großstadt liegt.*

traben, trabte, hat/ist getrabt ⟨itr.⟩: **1.** *im Trab laufen oder reiten:* er hat/ist lange getrabt; er ist über die Wiese getrabt. **2.** (ugs.) *eilig gehen:* der Junge ist nach Hause getrabt.

Tracht, die; -, -en: *besondere Kleidung, die in bestimmten Landschaften oder Berufen getragen wird:* Kinder in bunten Trachten eröffneten den Festzug. ** **eine T. Prügel** *(eine reichliche Anzahl Schläge):* er hat eine T. Prügel bekommen.

trachten, trachtete, hat getrachtet ⟨itr.⟩ (geh.): *(nach etwas) streben; (etwas) mit allen Mitteln zu verwirklichen suchen:* er trachtete danach, möglichst schnell wieder nach Hause zu kommen. * **jmdm. nach dem Leben t.** *(jmdn. umbringen wollen).*

trächtig ⟨Adj.; nicht adverbial⟩: *ein Junges erwartend* /von Tieren/: eine trächtige Kuh.

Tradition, die; -, -en: *Überlieferung; herkömmlicher Brauch:* alte Traditionen pflegen; dieses Fest ist bereits [zur] T. geworden *(es findet regelmäßig statt).*

traditionell ⟨Adj.⟩: *der Überlieferung entsprechend, herkömmlich:* am Sonntag findet der traditionelle Festzug statt.

träf ⟨Adj.⟩ (schweiz.): *treffend:* eine träfe Antwort.

Trafik, die; -, -en (östr.): *Tabaktrafik.*

Trafikant, der; -en, -en (östr.): *Inhaber einer Tabaktrafik.*

Tragbahre, die; -, -n: *Gestell zum Transport von Verletzten oder Toten:* die Sanitäter kamen mit einer T.

tragbar ⟨Adj.⟩: *so beschaffen, daß man es tragen kann:* ein tragbarer Fernsehapparat. * **nicht mehr t. sein** *(nicht mehr* *den Anforderungen entsprechen):* der Minister ist für die Partei nicht mehr t.

träge ⟨Adj.⟩: *langsam, sich ungern bewegend; faul:* ein träger Mensch; die Hitze macht mich ganz t.

tragen, trägt, trug, hat getragen /vgl. getragen/: **1.** ⟨tr.⟩ *stützend halten [und mit sich nehmen]:* ein Kind [auf dem Arm] t.; einen Koffer [zum Bahnhof] t.; vier ionische Säulen tragen das Dach; ⟨auch itr.⟩ das Eis trägt nicht *(ist nicht fest genug, daß Menschen darauf stehen können).* **2.** ⟨tr.⟩ *an sich haben, [mit etwas] bekleidet sein:* ein neues Kleid t.; Schmuck, eine Brille t.; ⟨häufig im 2. Partizip⟩ getragene *(gebrauchte)* Kleider, Schuhe. **3. a)** ⟨tr.⟩ *haben:* einen Namen t.; die Verantwortung für etwas t. **b)** ⟨rfl.⟩ *sich (mit einem Vorhaben o. ä.) beschäftigen:* sich mit dem Gedanken, Plan t., etwas zu tun. **4.** ⟨tr.⟩ *erdulden:* sie trägt ihr Schicksal tapfer. **5.** ⟨itr.⟩ *hervorbringen:* der Baum trägt Früchte; das Kapital trägt Zinsen; der Acker trägt gut *(ist recht fruchtbar).*

Träger, der; -s, -: **1.** *jmd., der etwas trägt:* für die Expedition wurden einheimische T. gesucht. **2.** *tragender Bestandteil einer technischen Konstruktion:* die Decke ruht auf eisernen Trägern.

tragfähig ⟨Adj.⟩: *geeignet, eine Last zu tragen:* die Brücke ist nicht t. genug. **Tragfähigkeit,** die; -.

Tragfläche, die; -, -n: *Flügel eines Flugzeugs.*

Trägheit, die; -: *Faulheit; mangelnde Beweglichkeit; Langsamkeit:* seine T. macht mich nervös.

Tragik, die; -: *Umstand, Sachverhalt, der schwierige Konflikte oder großes Leid hervorruft und oft deshalb so erschütternd ist, weil man nichts dagegen zu unternehmen vermochte:* es ist die besondere T. dieses Menschen, daß seine Ideen sich in einer Weise ausgewirkt haben, wie er es ganz und gar nicht wollte; die T. seines Todes liegt auch darin, daß er an der Reise, auf der er verunglückte, ursprünglich gar nicht teilnehmen wollte; die innere T. eines unverstandenen Menschen.

Tragiker, der; -s, -: *Dichter von Tragödien:* die griechischen T.

tragikomisch ⟨Adj.⟩: *eigentlich traurig, aber zugleich zum Lachen reizend:* eine tragikomische Geschichte.

Tragikomödie, die; -, -n: *tragikomisches Theaterstück.*

tragisch ⟨Adj.⟩: *von großem Leid erfüllt; erschütternd:* ein tragisches Schicksal; dieser Mann hat in ihrem Leben eine tragische Rolle gespielt. * (ugs.) **etwas t. nehmen** *(etwas allzu ernst nehmen):* du solltest diesen Verlust nicht so t. nehmen!

Tragödie, die; -, -n: *Schauspiel, in dem menschliches Leid und menschliche Konflikte mit tragischem Ausgang geschildert werden:* eine T. schreiben, aufführen; bildl.: in diesem Hause hat sich eine furchtbare T. *(ein unglückliches Ereignis)* abgespielt.

Tragweite, die; -: *Auswirkung, Folgen, die etwas haben kann; Bedeutung:* er war sich der T. seines Entschlusses nicht bewußt; ein Ereignis von großer T.

Trainer ['trɛːnər], der; -s, -: *jmd., der Sportler, auch Pferde, auf einen Wettkampf vorbereitet.*

trainieren [trɛ'niːrən], trainierte, hat trainiert: **1.** ⟨tr.⟩ *systematisch auf sportliche Wettkämpfe vorbereiten:* er hat die Mannschaft trainiert. **2.** ⟨itr.⟩ *systematisch [für einen Wettkampf] üben:* der Sportler trainiert täglich.

Training ['trɛːnɪŋ], das; -s, -s: *systematische Vorbereitung auf einen Wettkampf:* er nimmt am T. teil. * **im T. sein** *(in der Übung sein, geübt sein):* früher konnte ich das auch, aber heute bin ich nicht mehr im T.

Trakt, der; -s, -e: *seitlicher Teil eines Gebäudes, Flügel:* im linken T. des Schlosses ist die Bibliothek untergebracht.

Traktat, der; -s, -e: *kleine religiöse [erbauliche] Abhandlung:* ein mittelalterlicher T. über die Kirche.

traktieren, traktierte, hat traktiert ⟨tr.⟩ (ugs.): *plagen, quälen, mißhandeln:* er wurde mit Schlägen, mit dem Stock traktiert.

Traktor, der; -s, -en: *Fahrzeug, das zum Ziehen von Wagen und landwirtschaftlichen Maschinen dient* (siehe Bild): er fährt einen schweren T.

Traktor

trällern, trällerte, hat geträllert ⟨tr./itr.⟩: *munter [und ohne Text] vor sich hin singen:* eine Melodie t.; sie trällert gern bei der Arbeit.

Tram: I. die; -, -s (südd.; veraltend): *Straßenbahn.* **II.** das; -s, -s (schweiz.): *Straßenbahn.*

Trambahn, die; -, -en (südd.): *Straßenbahn.*

Trampel, der und das; -s, - (ugs.; abwertend): *plumper, schwerfälliger Mensch, bes. dumme Frau:* so ein T.

trampeln, trampelte, hat/ist getrampelt ⟨itr.⟩: *mit den Füßen stampfen; derb und ungeschickt gehen:* er hat sich den Schnee von den Schuhen getrampelt; die Kinder sind durch das Gras getrampelt.

Trampelpfad, der; -s, -e (ugs.): *schmaler Weg, der erst dadurch entstanden ist, daß man oft dort durch Gebüsch o. ä. gegangen ist:* durch das Feld führt ein T.

trampen ['trɛmpən], trampte, ist getrampt ⟨itr.⟩: *eine Reise machen, indem man Autos anhält und sich mitnehmen läßt; per Anhalter fahren:* er ist nach Hamburg getrampt.

Trampolin, das; -s, -e: **1.** *gefedertes Sprungbrett* (siehe Bild):

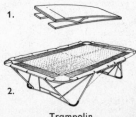

1.

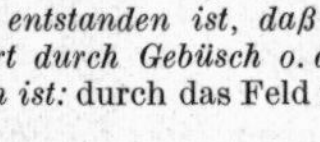

2.

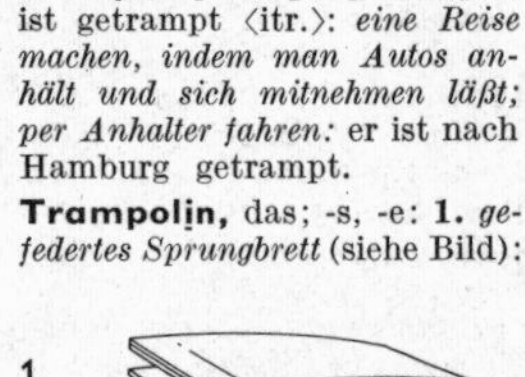

Trampolin

vom T. abspringen. **2.** *an einem Rahmen befestigtes, über dem Erdboden aufgespanntes, federndes Tuch zum Springen* (siehe Bild S. 656): das Springen auf dem T. bereitet viel Freude.

Tran, der; -s: *von Walen, Robben, Fischen usw. gewonnenes Öl.* ** (ugs.) **etwas im T. tun** *(etwas gedankenlos tun).*

Trance ['trã:s], die; -: *dem Schlaf ähnlicher Zustand, bes. in der Hypnose:* jmdn. in T. versetzen; aus seiner T. erwachen.

tranchieren [trã'ʃi:rən], tranchierte, hat tranchiert ⟨tr.⟩: *mit dem Messer zerlegen:* einen Braten t.

Träne, die; -, -n: *in den Augen entstehende Flüssigkeit, die als Tropfen aus dem Auge tritt:* sie weinte bittere Tränen; er war den Tränen nahe *(er hätte fast geweint).*

tränen, tränte, hat getränt ⟨itr.⟩: *Tränen hervorbringen:* die Augen tränten ihm vor Kälte.

Tränendrüsen: ⟨in der Wendung⟩ auf die T. drücken (ugs.): *durch Sentimentalität und Rührung Wirkung erzielen wollen:* der Film drückt zu sehr auf die T.

Tränengas, das; -es: *Gas, das Tränen hervorruft, so daß man nichts mehr sehen kann:* die Polizei ging mit T. gegen die Demonstranten vor.

Trank, der, -[e]s (geh): *Getränk:* ein bitterer T.

Tränke, die; -, -n: *Stelle, an der Tiere trinken können:* das Vieh zur T. führen.

tränken, tränkte, hat getränkt ⟨tr.⟩: **1.** *(Tiere) trinken lassen, (Tieren) zu trinken geben:* er tränkt sein Pferd. **2.** *möglichst viel Flüssigkeit aufnehmen lassen:* einen Lappen mit Öl t.

Transaktion, die; -, -en: *großes finanzielles Geschäft, das über die üblichen Geschäfte eines Unternehmens hinausgeht:* die Firma führte eine große T. durch, bei der hohe Anteile des Unternehmens verkauft wurden.

Transfer, der; -s, -s: **1.** *Zahlung ins Ausland in fremder Währung:* einen T. durchführen. **2.** *Wechsel eines Sportlers zu einem anderen Verein gegen finanzielle Entschädigung:* durch den sensationellen T. konnte sich die Mannschaft gewaltig verstärken.

transferieren, transferierte, hat transferiert ⟨tr.⟩: **1.** *den Transfer (einer Summe) durchführen:* eine Geldsumme t. **2.** *einen Sportler gegen finanzielle Entschädigung von einem anderen Verein zum eigenen herüberholen oder an einen anderen Verein freigeben:* einen Spieler t.

Transformator, der; -s, -en: *Vorrichtung, mit der die Spannung des elektrischen Stromes erhöht oder vermindert werden kann.*

Transfusion, die; -, -en: *Übertragung von Blut auf den Körper eines Kranken:* da der Patient sehr viel Blut verloren hatte, wurde eine T. vorgenommen.

transparent ⟨Adj.⟩: *durchsichtig, Licht durchlassend:* transparentes Papier; bildl.: die politischen Vorgänge sollten t. sein *(für die Öffentlichkeit verständlich, durchschaubar sein).*

Transparent, das; -[e]s, -e: **1.** *großes Tuch, auf dem Sprüche mit politischem Inhalt oder Texte, mit denen für etwas geworben werden soll, stehen:* bei der Demonstration wurden mehrere Transparente mitgeführt. **2.** *von hinten beleuchtetes Bild:* ein T. aufstellen.

transpirieren, transpirierte, hat transpiriert ⟨itr.⟩ (geh.): *schwitzen:* es störte ihn, daß sie beim Tanzen stark transpirierte.

Transplantation, die; -, -en: *Verpflanzung eines Gewebes oder eines Organs auf einen anderen Körperteil oder einen anderen Menschen:* eine T. der Nieren, des Herzens.

transplantieren, transplantierte, hat transplantiert ⟨tr.⟩: *(lebendes Gewebe [in einen anderen Körper]) verpflanzen:* eine Niere t.

Transport, der; -[e]s, -e: **1.** *Fortbewegung, Beförderung von Dingen oder Lebewesen:* die Waren wurden beim/auf dem T. beschädigt. **2.** *zur Beförderung zusammengestellte Menge von Waren oder Lebewesen:* ein T. Pferde, Autos.

transportabel ⟨Adj.⟩: *so beschaffen, daß es [leicht] transportiert, an einen anderen Ort befördert, bewegt werden kann:* ein transportabler Fernsehapparat.

transportieren, transportierte, hat transportiert. ⟨tr.⟩: *an einen anderen Ort bringen, befördern:* Waren mit der Bahn t.

Trapez, das; -es, -e: **1.** /*eine geometrische Figur*/ (siehe Bild). **2.** *an Seilen hängende Stange, Schaukel, bes. für Artisten* (siehe Bild): Vorführungen auf dem T.

1.

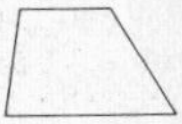

2.

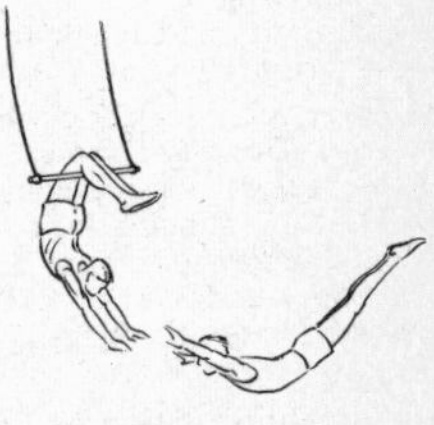

Trapez

trapsen, trapste, hat/ist getrapst ⟨itr.⟩ (landsch.): *schwerfällig, stampfend gehen:* er ist durch die Stube getrapst; er hat/ist so getrapst, daß alle ihn hören konnten.

Trara, das; -s (ugs.; abwertend): *großes Aufsehen; Lärm:* ein großes T. um etwas machen; er wurde mit großem T. gefeiert.

Trasse, die; -, -n: *im Gelände gekennzeichnete Linie, nach der geplante Straßen, Bahnen o. ä. geführt werden:* die T. für die neue Autobahn führt im Norden an der Stadt vorbei.

Tratsch, der; -es (ugs.; abwertend): *Gerede über [angebliche] Fehler oder private Dinge anderer:* sie machte sich nichts aus dem T. der Leute.

tratschen, tratschte, hat getratscht ⟨itr.⟩ (ugs.): *viel und nicht sehr freundlich über andere Leute reden; klatschen:* sie tratscht den ganzen Tag.

Traube, die; -, -n: **a)** *Beeren, die in einer bestimmten Weise um einen Stiel angeordnet sind:* die Trauben der Johannisbeere; bildl.: die Menschen hingen in Trauben an der Straßenbahn. **b)** *Weintraube:* ein Pfund Trauben kaufen. * **die Trauben hängen jmdm. zu hoch** *(jmd. tut so, als ob er etwas, was er im Grunde gern hätte, gar nicht haben will, weil er weiß, daß es für ihn zu schwer oder gar nicht zu erreichen ist).*

Traubenzucker, der; -s: *aus Früchten, Honig o. ä. gewonnener natürlicher Zucker.*

trauen, traute, hat getraut: **I. a)** ⟨itr.⟩ *(zu jmdm./etwas) Vertrauen haben:* du kannst ihm t.; ich traue seinen Angaben nicht. **b)** ⟨rfl.⟩ *wagen (etwas zu tun):* ich traute mich nicht, ins Wasser zu springen. **II.** ⟨tr.⟩ *ehelich verbinden:* dieser Pfarrer hat uns getraut; sie haben sich auf dem Standesamt t. lassen.

Trauer, die; -: **1.** *seelischer Schmerz über ein Unglück oder einen Verlust:* diese Nachricht erfüllte ihn mit T.; in T. um einen Verstorbenen sein. **2.** *die zum Zeichen der Trauer getragene Kleidung:* T. anlegen, tragen; eine Dame in T.

Trauerkloß, der; -es, Trauerklöße (ugs.): *griesgrämiger, mürrischer, wehleidiger Mensch:* dieser T. hat immer etwas zu jammern.

trauern, trauerte, hat getrauert ⟨itr.⟩: *seelischen Schmerz (über etwas) empfinden:* er trauert um seine Mutter, um den Tod seiner Mutter.

Trauerspiel, das; -s, -e: *Tragödie:* ein T. aufführen; „Emilia Galotti" ist ein bürgerliches T. * **es ist ein T. mit jmdm.** *(es ist bedauerlich, betrüblich, daß jmd. etwas nicht kann oder in irgendeiner Weise gehindert ist).*

Trauerweide, die; -, -n: *Weide mit hängenden Zweigen* (siehe Bild).

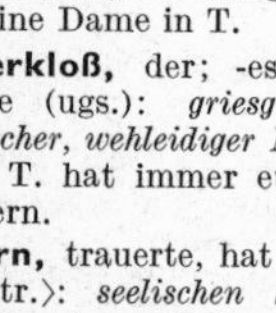

Trauerweide

Traufe: ⟨in der Wendung⟩ vom Regen in die T. kommen/geraten (ugs.): *aus einer unangenehmen Situation in eine noch unangenehmere kommen:* mit dem Wechsel der Stellung ist er vom Regen in die T. gekommen: jetzt wird er noch schlechter behandelt als vorher.

träufeln, träufelte, hat geträufelt ⟨tr.⟩: *tropfen lassen:* eine Arznei ins Ohr t.

traulich ⟨Adj.⟩: *vertraut, gemütlich:* wir saßen in traulicher Gemeinschaft; t. miteinander plaudern.

Traum, der; -[e]s, Träume: **1.** *im Schlaf auftretende Vorstellungen und Bilder:* einen T. haben; etwas im T. erleben, sehen. **2.** *sehnlicher, unerfüllter Wunsch:* es war immer sein T., Maler zu werden. ** (ugs.) **nicht im T.** *(ganz und gar nicht, überhaupt nicht):* er denkt nicht im T. daran, sie zu heiraten.

Trauma, das; -s, Traumata und Traumen: *starke seelische Erschütterung, die noch lange wirksam ist:* der Kranke ist mit einem schrecklichen T. belastet.

träumen, träumte, hat geträumt ⟨itr.⟩: **1.** *einen Traum haben:* ich habe heute nacht [schlecht] geträumt, von meinem Vater geträumt. **2. a)** *seine Gedanken schweifen lassen:* du träumst zuviel bei der Arbeit. **b)** *ohne Bezug auf die Wirklichkeit (auf etwas) hoffen:* er träumt von einer großen Zukunft.

Träumer, der; -s, -: *lebensfremder Mensch, der sich seinen Gedanken hingibt und mit der Wirklichkeit nicht recht fertig wird:* er ist ein T.

träumerisch ⟨Adj.⟩: *im wachen Zustand träumend, in Gedanken versunken:* sie hat, macht träumerische Augen.

traumhaft ⟨Adj.⟩: *wie in einem Traum:* er ging seinen Weg mit traumhafter Sicherheit; ein t. *(besonders)* schönes Land.

traumverloren ⟨Adj.; nur adverbial⟩: *in Gedanken versunken; vor sich hin träumend:* er saß t. am Tisch.

traumwandlerisch: ⟨in der Fügung⟩ mit traumwandlerischer Sicherheit: *ganz sicher:* der Schiläufer fuhr mit traumwandlerischer Sicherheit über die gefährliche Piste.

traurig ⟨Adj.⟩: **1.** *von Trauer erfüllt; bekümmert:* traurige Augen haben; sie war t. über den Verlust ihres Ringes. **2. a)** ⟨nicht adverbial⟩ *Trauer erregend; bedauerlich; freudlos; trostlos:* ein trauriges Ereignis; er führt ein trauriges Leben; traurige Zustände. **b)** ⟨nur attributiv⟩ (abwertend) *erbärmlich, kümmerlich:* ein trauriger Feigling. **Traurigkeit,** die; -.

traut ⟨Adj.⟩ (veralt.; geh.): **a)** *lieb, teuer:* eine traute Freundin. **b)** (oft noch iron.) *den Eindruck von Gemütlichkeit und Geborgenheit erweckend:* ein trautes Heim; er verbrachte das Fest in trauter Gemeinsamkeit mit der Familie.

Trauung, die; -, -en: *Feier, mit der eine Ehe vor dem Standesamt oder in der Kirche geschlossen wird:* eine T. vollziehen.

Trauzeuge, der; -n, -n: *jmd., der bei einer Trauung als Zeuge anwesend ist.*

Travestie, die; -, -n: *literarische Satire, bei der der Inhalt des verspotteten Werkes beibehalten, die Form aber verändert wird:* eine T. schreiben, aufführen.

Treck, der; -s, -s: *[Aus]zug von Personen, besonders von Flüchtlingen und Auswanderern:* ein T. mit Wagen und Pferden.

Trecker, der; -s, -: *Traktor.*

treffen, trifft, traf, hat getroffen /vgl. treffend/: **1.** ⟨tr.⟩ **a)** *mit einem Schlag, Schuß o. ä. erreichen:* der Schütze traf das Ziel; ein Stein traf ihn an der Schulter; bildl.: dieser Vorwurf traf ihn tief. **b)** *richtig erfassen, herausfinden:* der Photograph hat dich gut getroffen *(das Bild ist gut geworden, du siehst gut darauf aus);* er traf den richtigen Ton *(fand die richtigen Worte).* **c)** ⟨als Funktionsverb⟩ eine Anordnung t. *(etwas anordnen, befehlen);* eine Verabredung t. *(sich verabreden).* **2. a)** ⟨itr./rzp.⟩ *mit jmdm. zusammenkommen und mit ihm sprechen:* ich habe ihn gestern im Theater getroffen; wir trafen uns auf der Straße. **b)** ⟨itr.⟩ *vorfinden, antreffen:* wir hatten es im Urlaub gut getroffen *(wir waren mit allem zufrieden);* er traf auf einen harten Gegner. * **es trifft sich [gut], daß...** *(es paßt [gut], daß...):* es trifft sich gut, daß mein Freund gerade hier ist.

Treffen, das; -s, -: *Zusammenkunft, Begegnung:* ein Treffen der Abiturienten, der besten Sportler.

treffend ⟨Adj.⟩: *genau richtig; der Sache entsprechend:* ein treffendes Wort; er verstand es, den Professor t. nachzuahmen.

Treffer, der; -s, -: **a)** *Schuß, der das Ziel getroffen hat:* er hat 10 T. erzielt; der Panzer erhielt mehrere T. *(wurde mehrmals getroffen).* **b)** *Los, das gewinnt:* er hat einen T. in der Lotterie.

trefflich ⟨Adj.⟩: *ausgezeichnet, vorzüglich:* ein treffliches Buch; eine treffliche Speise. **Trefflichkeit,** die; -.

Treffpunkt, der; -[e]s, -e: *Ort, an dem eine Begegnung stattfindet:* einen T. ausmachen, vereinbaren.

treffsicher ⟨Adj.⟩: **a)** *das Ziel sicher treffend:* ein treffsicherer Schütze. **b)** *fähig, etwas so auszudrücken, daß etwas genau, passend charakterisiert wird:* eine treffsichere Bemerkung. **Treffsicherheit,** die; -.

treiben, trieb, hat /ist getrieben: **1. a)** ⟨tr.⟩ *vor sich her drängen oder jagen:* Vieh, Hasen t.; er hat den Dieb in die Flucht getrieben; bildl.: jmdn. zur Eile t.; die Verzweiflung hat ihn in den Tod getrieben. **b)** ⟨tr.⟩ *laufen lassen, in Gang halten:* das Wasser hat das Rad getrieben; der Motor treibt die Säge. **c)** ⟨tr.⟩ *hineinschlagen, hineinbohren:* er hat einen Tunnel durch den Berg getrieben. **d)** ⟨tr.⟩ *durch Schlagen formen:* Metall treiben; ⟨auch im 2. Partizip⟩ getriebenes Kupfer. **e)** ⟨itr.⟩ *wachsen lassen:* der Baum hat Blüten, Früchte getrieben. **2. a)** ⟨tr.⟩ *sich mit etwas beschäftigen:* sie haben Handel mit ihren Nachbarn getrieben; er treibt viel Mathematik; sie trieb großen Luxus *(lebte verschwenderisch).* **b)** ⟨itr⟩. *sein Verhalten bis zu einem gewissen Grad verschärfen:* er hat es gar zu bunt, zu arg, zu wild, zu weit getrieben. **3.** ⟨itr.⟩ *sich [willenlos] fortbewegen:* das Eis ist auf dem Fluß getrieben; ein Boot ist ans Land getrieben.

Treiben, das; -s: **1.** *lebhaftes, geschäftiges Tätigsein:* das bunte T. in den Straßen gefiel mir. **2.** *Teibjagd; Teil des Geländes, in dem eine Treibjagd stattfindet:* das T. war um 17 Uhr beendet; in diesem T. wurden 10 Hasen geschossen.

Treiber, der; -s, -: *jmd., der bei einer Jagd das Wild auf die Jäger zu treibt:* die T. gehen lärmend über das Feld.

Treibhaus, das; -es, Treibhäuser: *niedriges Gebäude mit einem Dach [und Wänden] aus*

Treibhaus

Glas, in dem Pflanzen schneller wachsen können (siehe Bild): dieses Gemüse kommt aus dem T.

Treibjagd, die; -, -en: *Jagd, bei der das Wild in Richtung auf die Jäger getrieben wird.*

Treibstoff, der; -s, -e: *meist flüssiger Stoff, durch dessen Verbrennung Motoren angetrieben werden:* Benzin ist ein T.

tremolieren, tremolierte, hat tremoliert ⟨itr.⟩: *mit unangenehm zitternder Stimme singen:* seine Stimme wäre ganz schön, aber er tremoliert zu viel.

Trenchcoat ['trɛntʃkoʊt], der; -[s], -s: *leichter Mantel [aus Popeline o. ä.] mit Gürtel:* bei regnerischem Wetter zieht er den T. an.

Trend, der; -s: *erkennbare Richtung einer Entwicklung; starke Tendenz:* der T. geht zur Verwendung von Konserven.

trennen, trennte, hat getrennt **1.** ⟨tr./rfl.⟩ *von einem größeren Ganzen lösen, abtrennen:* den Kragen von einem Kleid t.; ein Kind von seiner Familie t.; er hat sich von uns getrennt. **2. a)** ⟨tr./rzp.⟩ *voneinander entfernen, scheiden:* die Bestandteile einer Mischung t.; wir trennten uns *(gingen auseinander);* ⟨auch itr.⟩ der Radioapparat trennt [die Sender] scharf; ⟨häufig im 2. Partizip⟩ die Eheleute leben getrennt *(haben keine gemeinsame Wohnung mehr, weil ihre Ehe zerrüttet ist).* **b)** ⟨tr.⟩ *zerlegen, auflösen:* ein Wort [nach Silben] t. **3.** ⟨tr.⟩ *als Hindernis dazwischenliegen, nicht zusammenkommen lassen:* der Fluß trennt die beiden Städte; unsere Ansichten trennen uns voneinander. **Trennung,** die; -, -en.

Trennungsstrich: ⟨in der Wendung⟩ einen T. ziehen: *den Abstand, die Grenze zwischen zwei Bereichen deutlich herausstellen:* er will zwischen Beruf und Privatleben einen klaren T. ziehen.

Trense, die; -, -n: *einfacher Zaum:* dem Pferd die T. anlegen.

Treppe, die; -, -n: *aus mehreren Stufen bestehender Aufgang* (siehe Bild): eine T. hinaufsteigen; vom Ufer führt eine T. zum Fluß hinunter; er wohnt eine T. hoch *(im ersten Stockwerk).*

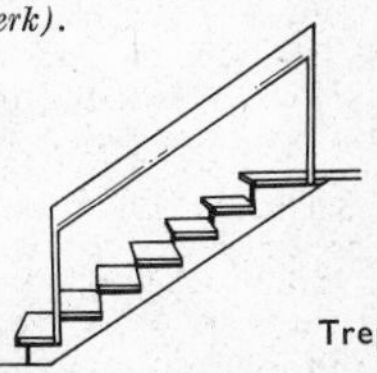
Treppe

Treppenhaus, das; -es, Treppenhäuser: *Raum in einem Gebäude, von dem aus die Treppe nach oben oder unten führt:* das Spielen im T. ist verboten!

Tresor, der; -s, -e: *gegen Feuer und Diebstahl gesicherter größerer Raum oder sicheres Fach:* ihr Schmuck ist in einem T. aufbewahrt.

Tresse, die; -, -n: *Borte als Verzierung bei Livreen, Uniformen o. ä.* (siehe Bild): eine Jacke mit goldenen Tressen.

Tresse

treten, tritt, trat, hat/ist getreten: **1. a)** ⟨itr.; mit näherer Bestimmung⟩ *den Fuß setzen, einen oder mehrere Schritte gehen:* er ist vor die Tür, ins Zimmer getreten; er ist/hat in eine Pfütze getreten; sie ist zur Seite getreten; er hat mir auf den Fuß getreten; bildl.: der Fluß ist über die Ufer getreten *(er hat die Ufer überschwemmt);* Tränen traten ihr in die Augen. **b)** ⟨als Funktionsverb⟩ in Erscheinung t. *(sichtbar werden),* in Beziehung zu jmdm. t. *(die Beziehung zu jmdm. herstellen).* **2.** ⟨tr.⟩ *mit dem Fuß stoßen;*

stampfen: er hat mich getreten; einen Weg durch den Schnee t. * (ugs.) **jmdn. t.** *(jmdn. mahnen, antreiben):* er hat mich getreten, auch zum Fest zu kommen.

Tretmühle, die; -, -n (ugs.): *die Arbeit, die man Tag für Tag verrichten muß und zu der man sich immer wieder zwingen muß:* nach dem schönen Urlaub müssen wir am Montag wieder zurück in die T.

treu ⟨Adj.⟩: *beständig in seiner Gesinnung; fest zu Menschen und Dingen stehend, denen man sich verpflichtet fühlt:* ein treuer Freund; treue Liebe; jmdm./einer Sache t. sein, bleiben.

Treue, die; -: *beständige Gesinnung, die an einmal eingegangenen Verpflichtungen festhält:* jmdm. T. schwören. ***jmdm. die T. halten** *(jmdm. treu bleiben):* er hat mir auch in Zeiten der Not die T. gehalten.

Treuhänder, der; -s, -: *jmd., der fremdes Vermögen oder fremde Rechte auf Grund einer Vollmacht verwaltet.*

treuherzig ⟨Adj.⟩: *in kindlicher Weise gutgläubig; arglos vertrauend:* sie hat ein treuherziges Gesicht; er blickt mich t. an. **Treuherzigkeit,** die; -.

treulos ⟨Adj.⟩: *nicht treu; jmdn./etwas im Stich lassend; verräterisch:* ein treuloser Freund; er hat t. an ihr gehandelt. **Treulosigkeit,** die; -.

Trevira, das; -: /ein aus synthetischen Fasern hergestelltes Gewebe/: ein Anzug aus T.

Triangel [auch: Triangel], der; -s, -: /ein Schlaginstrument/ (siehe Bild).

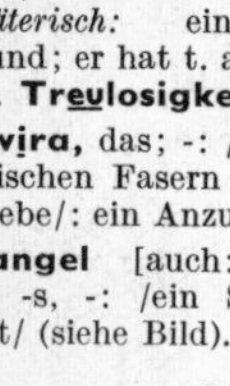

Triangel

Tribüne, die; -, -n: *Gerüst oder fester Bau mit erhöhten Plätzen für Zuschauer* (siehe Bild).

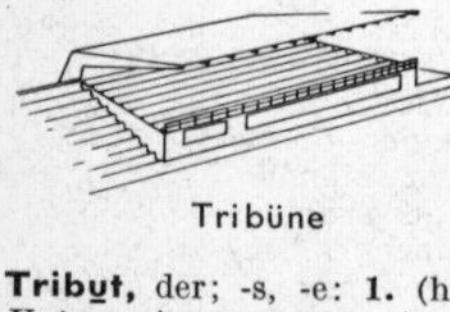

Tribüne

Tribut, der; -s, -e: **1.** (hist.) *Unterworfenen zwangsweise auferlegte Steuer:* das besiegte Volk mußte hohe Tribute zahlen. **2.** *etwas, was man für etwas geben, opfern muß:* seine Krankheit ist der T. dafür, daß er sich früher nie geschont hat. * **einer Sache T. zollen: a)** *einer Sache Opfer bringen:* der Mode [ihren] T. zollen. **b)** *(etwas) gebührend anerkennen:* jmds. Leistungen T. zollen.

Trichine, die; -, -n: *Wurm, der im Fleisch mancher Tiere oder des Menschen lebt und gefährliche Krankheiten hervorruft:* das Fleisch ist durch Trichinen verseucht.

Trichter, der; -s, -: **1.** *oben weites, unten enges Gerät zum Füllen von Flaschen o. ä.* (siehe Bild): Milch durch einen T. gießen. * (ugs.) **auf den [richtigen] T. kommen** *(die Lösung für eine gestellte Aufgabe o. ä. schließlich finden).* **2.** *Vertiefung, die durch das Einschlagen einer Bombe o. ä. entstanden ist:* gleich neben der Straße war ein großer T.

Trichter 1.

Trick, der; -s, -s: **a)** *einfache, aber wirksame Methode, mit der man sich eine Arbeit erleichtert:* einen T. anwenden. **b)** *listig ausgedachtes, geschicktes Vorgehen, mit dem man jmdn. täuscht:* er ist auf den T. eines Betrügers hereingefallen.

Trickfilm, der; -s, -e: *Film, der vor allem unter Anwendung von technischen oder photographischen Tricks hergestellt wurde:* in der Werbung werden meist Trickfilme verwendet.

Trieb, der; -[e]s, -e: **1.** *starke natürliche Regung, die ein Lebewesen zu bestimmten Handlungen drängt:* seine Triebe beherrschen; er folgte einem inneren T., als er sich zu dieser Tat entschloß. **2.** *junger, gerade erst entwickelter Teil einer Pflanze:* die Bäume zeigen frische Triebe.

triebhaft ⟨Adj.⟩: *von Trieben bestimmt oder beherrscht:* t. handeln; er ist ein triebhafter Mensch. **Triebhaftigkeit,** die; -.

Triebwagen, der; -s, -: *Fahrzeug der Eisenbahn mit eigenem Motor, das auch Fahrgäste befördert:* auf dieser Strecke verkehrt nur ein T.

Triebwerk, das; -[e]s, -e: **a)** *die zum Antrieb dienenden Anlagen, Motoren (bei Flugzeugen, Raketen, Lokomotiven).* **b)** *die zum Antrieb dienenden Teile des Uhrwerks.*

triefen, triefte, hat getrieft ⟨itr.⟩: **a)** *in großen Tropfen fließen:* der Schweiß triefte ihm von der Stirn. **b)** *tropfend naß sein:* mein Hut triefte vom Regen.

triftig ⟨Adj.⟩: *wichtig, entscheidend:* einen triftigen Grund für etwas haben; eine triftige *(ausreichende)* Entschuldigung.

Trigonometrie, die; -: *Teilgebiet der Mathematik, das sich mit der Berechnung von Dreiecken befaßt.*

Trikot [tri'ko:], das; -s, -s: **a)** *mit Maschine gestrickter, gewirkter Stoff:* Wäsche aus T. **b)** *eng am Rumpf anliegendes Kleidungsstück aus dehnbarem gewirktem Stoff bes. für Sportler:* das T. anziehen; die Mannschaft spielt in blauen Trikots.

trillern, trillerte, hat getrillert ⟨itr.⟩: *singen oder pfeifen mit schneller Wiederholung von einem oder zwei hellen Tönen:* der Vogel trillert laut.

Trillerpfeife, die; -, -n: *kleine Pfeife, die beim Hineinblasen einen lauten trillernden Ton hervorbringt:* die T. war über den ganzen Platz zu hören.

trimmen, trimmte, hat getrimmt ⟨tr.⟩: **1.** *in die richtige Lage bringen:* ein Schiff, ein Flugzeug t. **2.** *(einem Hund) das Fell scheren:* einen Hund t. **3.** (ugs.) *mit besonderer Anstrengung in einen bestimmten Zustand bringen:* einen Motor, Wagen t.; der Sportler wurde im Training ordentlich getrimmt; das Lokal ist auf rustikal getrimmt *(ist so eingerichtet, daß es einen rustikalen Eindruck erweckt).*

trinken, trank, hat getrunken: **a)** ⟨tr.⟩ *Flüssigkeit zu sich nehmen:* Milch t.; wir tranken noch ein Glas Bier; ⟨auch itr.⟩ schnell t.; sie trinkt aus der Flasche. * **auf jmds. Gesundheit / Wohl / Glück t.** *(jmdm. Gesundheit / Wohlergehen / Glück* *wünschen und zur Bekräftigung einen Schluck Alkohol trinken).* **b)** ⟨itr.⟩ *viel Alkohol zu sich nehmen:* der Kraftfahrer hatte getrunken; ihr Mann trinkt *(ist ein Trinker).*

Trinker, der; -s, -: *jmd., dem das Trinken von Alkohol in größeren Mengen zur Gewohnheit geworden ist:* sein Vater ist ein T.

Trinkgeld, das; -[e]s, -er: *kleiner Betrag, den man jmdm. für einen Dienst zusätzlich gibt:* er gab dem Friseur ein T.

Trinkhalm, der; -[e]s, -e: *kleines Röhrchen aus Kunststoff zum Trinken* (siehe Bild): sie tranken die Limonade mit einem T.

Trinkhalm

Trinkspruch, der; -[e]s, Trinksprüche: *kurze Ansprache bei einem Essen, mit der die Anwesenden aufgefordert werden, zu Ehren von jmdm. oder etwas zu trinken:* er brachte einen T. auf den hohen Gast aus.

Trinkwasser, das; -s: *Wasser, das für den Menschen zum Trinken geeignet ist:* die Stadt bezieht das T. aus den nahegelegenen Bergen.

Trio, das; -s, -s: **1.** *Musikstück für drei Instrumente.* **2. a)** *Gruppe von drei Musikern.* **b)** (abwertend) *Gruppe von drei Personen, die gemeinsam an etwas [Strafwürdigem] beteiligt gewesen sind:* die Polizei fand dieses T. nach dem Einbruch in einer Bar.

Trip, der; -s, -s: *kleiner Ausflug, kurze Reise, für die keine großen Vorbereitungen nötig sind und zu der man sich kurzfristig entschließt:* am Sonntag machten wir nachmittags einen T. nach München.

trippeln, trippelte, ist getrippelt ⟨itr.⟩: *mit kleinen Schritten laufen:* das Kind trippelt durch das Zimmer.

Tripper, der; -s: /eine Geschlechtskrankheit/.

Triptyk, das; -s, -s: *Schein, den man beim Überschreiten einer Grenze für Kraftfahrzeuge o. ä. braucht:* das T. besorgen, mitnehmen, vorweisen.

trist ⟨Adj.⟩: *traurig anzusehen; trostlos, jämmerlich:* ein tristes Gebäude.

Triste, die; -, -n (südd.; östr.; schweiz.): *in bestimmter Weise angelegter Haufen von Heu oder Stroh.*

Tritt, der; -[e]s, -e: **1. a)** *Schritt:* einen festen T. haben. **b)** *Stoß mit dem Fuß:* jmdm. einen T. geben. **2.** *kleines Gestell mit Stufen* (siehe Bild).

Tritt 2.

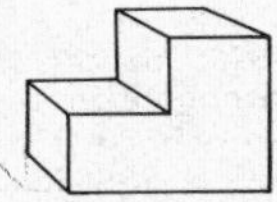

Trittbrett, das; -[e]s, -er: *Stufe bei Eisenbahn-, Straßenbahnwagen, Autobussen o. ä. zum Aus- und Einsteigen* (siehe Bild): er half ihr, als sie vom T. herunterstieg.

Trittbrett

Triumph, der; -[e]s, -e: **a)** *großer Erfolg, stolzer Sieg:* die Sängerin feiert Triumphe; diese Maschine ist ein T. der Technik. **b)** ⟨ohne Plural⟩ *stolze Freude über einen Erfolg:* er brachte den Preis im T. nach Hause.

triumphal ⟨Adj.⟩: *großen Jubel, große Begeisterung hervorrufend; herrlich, großartig:* ein triumphaler Erfolg, Sieg; die Astronauten wurden in der Heimat t. empfangen und gefeiert.

triumphieren, triumphierte, hat triumphiert ⟨itr.⟩: **a)** *einen Sieg davontragen:* er triumphierte über seine Gegner. **b)** *seiner Freude über einen Erfolg Ausdruck geben:* er triumphierte, als er das hörte; ⟨häufig im 1. Partizip⟩ ein triumphierendes Lächeln.

Triumphzug, der; -[e]s, Triumphzüge: *Fahrt durch die Straßen unter großem Jubel der Bevölkerung:* die Heimkehr der Sportler von den Olympischen Spielen gestaltete sich zu einem wahren T.; sie zogen im T. durch die Straßen.

trivial ⟨Adj.⟩: *gewöhnlich, alltäglich; von geringem Wert, geistlos:* ein trivialer Gedanke.

Trivialität, die; -, -en: **a)** ⟨ohne Plural⟩ *Plattheit, Alltäglichkeit:* die T. dieses Romans ist erschreckend. **b)** *geistloser Gedanke, geistlose Äußerung:* ich bekam nur Trivialitäten zu hören.

Trivialliteratur, die; -: *Literatur, die sich ganz nach dem primitiven Geschmack eines bestimmten Kreises von Lesern richtet und vor allem aus geschäftlichen Gründen produziert wird:* die Romane und Reportagen der Illustrierten gehören meist zur T.

trocken ⟨Adj.⟩: **1.** *nicht naß oder feucht:* trocknes Wetter; die Wäsche ist t.; das Brot ist zu t. *(nicht mehr frisch).* * **trocknes Brot** *(Brot ohne Aufstrich)*; (ugs.) **auf dem trocknen sitzen** *(nicht weiterkönnen, kein Geld mehr zur Verfügung haben).* **2. a)** *nüchtern, langweilig:* ein trockner Vortrag. **b)** *knapp und treffend:* eine trockne Bemerkung; trockner Humor. **3.** *herb:* ein trockner Sekt. **Trockenheit,** die; -.

Trockendock, das; -s, -s: *Dock, aus dem das Wasser herausgepumpt worden ist, nachdem das Schiff hineingefahren ist:* das Schiff liegt im T.

trockenlegen, legte trocken, hat trockengelegt ⟨tr.⟩: **1.** *(ein Kind) säubern und mit frischen Windeln versehen:* sie muß ihr Baby t. **2.** *durch Entzug der überschüssigen Feuchtigkeit fruchtbar machen:* einen Sumpf, Land t. **Trockenlegung,** die; -, -en.

Trockenmilch, die; -: *aus Milch hergestelltes Pulver.*

trocknen, trocknete, hat/ist getrocknet: **1.** ⟨tr.⟩ *trocken machen, trocken werden lassen:* Holz [am Ofen] t.; er hat seine Haare getrocknet. **2.** ⟨itr.⟩ *trocken werden:* die Wäsche ist schnell getrocknet.

Troddel, die; -, -n: *kleine Quaste* (siehe Bild S. 662): eine Uniform, eine Mütze mit Troddeln.

Trödel, der; -s (ugs.; abwertend): *altes, nicht mehr brauchbares Zeug; Kram:* diesen alten T. kannst du ruhig wegwerfen.

Troddel

trödeln, trödelte, hat geträdelt ⟨itr.⟩ (ugs.): *langsam sein, (etwas) langsam und ohne Lust tun, bummeln:* bei der Arbeit t.; die Kinder trödeln schon wieder *(gehen zu langsam).*

Trödler, der; -s, -: *jmd., der mit alten Gegenständen, Kleidern o. ä. handelt:* er hat beim T. eine alte Uniform für den Maskenball gekauft.

Trog, der; -[e]s, Tröge: *großes, meist längliches Gefäß [zum Füttern von Tieren]* (siehe Bild): die Schweine fressen aus dem T.

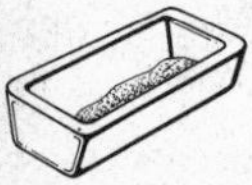

Trog

trollen, sich; trollte sich, hat sich getrollt (ugs.): *[in kurzen Schritten] ein wenig betrübt oder beschämt weggehen:* als ich ihn ausschimpfte, hat er sich getrollt; troll dich!

Trommel, die; -, -n: /ein Musikinstrument/ (siehe Bild): die T. schlagen.

Trommel

Trommelfell, das; -s, -e: **1.** *Häutchen im Ohr, das den Schall aufnimmt.* **2.** *die über die Trommel gespannte gegerbte Tierhaut.*

Trommelfeuer, das; -s: *längere, ununterbrochene Beschießung:* das Gebäude wurde durch das schwere feindliche T. völlig zerstört.

trommeln, trommelte, hat getrommelt ⟨itr.⟩: **a)** *die Trommel schlagen.* **b)** *fortgesetzt und schnell auf einen Gegenstand schlagen:* mit den Fingern auf den Tisch t.; der Regen trommelte auf das Dach.

Trommelwirbel, der; -s: *sehr schnell aufeinanderfolgende Schläge auf der Trommel:* die Vorstellung im Zirkus begann mit einem T.

Trommler, der; -s, -: *Musiker, der die Trommel schlägt.*

Trompete, die; -, -n: /ein Musikinstrument/ (siehe Bild): [die] T. blasen.

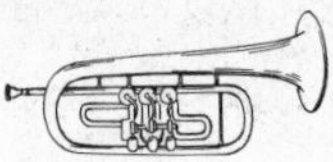

Trompete

trompeten, trompetete, hat trompetet ⟨itr.⟩: *Trompete blasen;* bildl.: der Elefant trompetet *(stößt laute Töne aus);* (ugs.; scherzh.) er trompetet *(schnaubt sich sehr laut die Nase).*

Trompeter, der; -s, -: *Musiker, der Trompete bläst.*

Tropen, die ⟨Plural⟩: *zu beiden Seiten des Äquators liegende Zone mit sehr heißem Klima:* diese Pflanzen kommen nur in den T. vor.

Tropf, der; -[e]s, Tröpfe (ugs.): *einfältiger Mensch, Dummkopf:* so ein T.!; er ist ein armer T. *(ein unglücklicher Mensch, der sich nicht selbst helfen kann).*

tröpfeln, tröpfelte, hat/ist getröpfelt: **1.** ⟨itr.⟩ *in wenigen, kleinen Tropfen fallen oder rinnen:* das Blut ist aus der Wunde auf den Boden getröpfelt; es hat nur getröpfelt *(nur leicht geregnet).* **2.** ⟨tr.⟩ *in kleinen Tropfen fließen lassen:* er hat ihm die Arznei in die Augen getröpfelt.

tropfen, tropfte, hat/ist getropft ⟨itr.⟩: **a)** *in Tropfen fallen oder rinnen:* das Blut ist aus der Wunde getropft. **b)** *Tropfen fallen lassen:* die Kerze hat getropft.

Tropfen, der; -s, -: **1.** *kleine, in runder Form abgesonderte Menge einer Flüssigkeit:* ein T. Blut; es regnet in großen T.; ein Glas bis auf den letzten T. *(ganz)* leeren; bildl.: ein guter T. *(ein guter Wein).* **2.** ⟨Plural⟩ *Medizin (die in Tropfen genommen wird):* hast du deine T. schon genommen?

tropfenweise ⟨Adverb⟩: *in einzelnen Tropfen:* du darfst die Medizin nur t. nehmen.

tropfnaß ⟨Adj.⟩: *so naß, daß das Wasser noch heruntertropft:* ein tropfnasser Mantel; das Hemd t. aufhängen.

Trophäe, die; -, -n: **a)** *etwas, was man als Erinnerung an einen Sieg erhält, z. B. ein Pokal:* der Sportler hat viele schöne Trophäen gesammelt. **b)** *Teil der Beute, z. B. ein Geweih, Fell, als Erinnerung an eine Jagd:* der Jäger hängte seine Trophäen an die Wände des Wohnzimmers.

tropisch ⟨Adj.; nicht adverbial⟩: *aus den Tropen stammend; in den Tropen vorkommend:* tropische Pflanzen; das Klima des Landes ist t.

Troß, der; Trosses, Trosse: **1.** (geh.) *Anhänger, Mitläufer (von jmdm./etwas):* der T. der Partei. **2.** (veralt.) *Teil der Truppen, der das Gepäck, die Verpflegung usw. beförderte:* dem Heer folgte der T.

Trosse, die; -, -n: *starkes Tau:* das Schiff wurde mit Trossen am Ufer befestigt.

Trost, der; -es: *etwas, was in Leid und Kummer aufrichtet, ermuntert:* die Kinder sind ihr einziger T.; in etwas T. finden. * **jmdm. Trost spenden/zusprechen** *(jmdn. trösten);* (ugs.; abwertend) **nicht [ganz, recht] bei T. sein** *(nicht bei Verstand, bei Sinnen sein; unvernünftig handeln):* wie konntest du das tun, du bist wohl nicht recht bei T.!

trösten, tröstete, hat getröstet: **a)** ⟨tr.⟩ *in Leid und Kummer aufrichten, wieder zuversichtlich machen:* die Mutter tröstet das Kind; dieser Gedanke tröstete ihn. **b)** ⟨rfl.⟩ *(etwas Unangenehmes, Bedrückendes) überwinden:* er tröstete sich schnell über den Verlust.

tröstlich ⟨Adj.⟩: *noch ganz erfreulich, beruhigend; bei allem Übel noch als Trost verblieben:* es ist t. zu wissen, daß wir nach dieser vielen Arbeit auf Urlaub fahren können; es ist ein tröstlicher Gedanke, daß diese unruhige Zeit bald vorüber ist; das ist nicht sehr t. *(nicht sehr angenehm).*

trostlos ⟨Adj.⟩: **1.** *traurig, unerfreulich, hoffnungslos:* unsere Lage war t. **2.** (abwertend) *öde; ohne jeden Reiz, keine Abwechslung bietend:* eine trostlose Gegend; auf dieser Party war es t. **Trostlosigkeit,** die; -.

Trostpreis, der; -es, -e: *kleiner Preis [für den Unterlegenen]:* der Verlierer erhielt als T. eine Tafel Schokolade.

Trott, der; -s: *langsamer, schwerfälliger Gang:* das Pferd geht im T.; bildl.: es geht alles im alten, im gleichen T. *(in gewohnter Gleichmäßigkeit)* weiter.

Trottel, der; -s, - (ugs.; abwertend): *dummer, einfältiger Mensch* /Schimpfwort/: so ein T.!

trottelhaft ⟨Adj.⟩: *dumm, einfältig; wie ein Trottel:* er benimmt sich ausgesprochen t.

trotten, trottete, ist getrottet ⟨itr.⟩: *langsam und schwerfällig dahingehen:* er trottete müde durch den Sand.

Trottoir [trɔto'a:r], das; -s, -s (veralt.): *Bürgersteig:* auf dem T. gehen.

trotz ⟨Präp. mit dem Gen.⟩: /kennzeichnet ein Hindernis, über das man sich hinwegsetzt/: wir gingen t. des Regens spazieren; ⟨auch mit dem Dativ⟩ t. allem kann ich ihr nicht böse sein; ⟨aber auch ohne Flexionsendung vor starken Substantiven im Singular, wenn sie ohne Artikel und ohne adjektivisches Attribut stehen; im Plural dann mit Dativ⟩ t. Schnee und Kälte; t. Regen; t. Gesetzen.

Trotz, der; -es: *starrer Widerstand, Eigensinn:* wir müssen seinen T. brechen; er tut es mir zum T. *(um mich zu ärgern).*

trotzdem ⟨Adverb⟩: *trotz hindernder Umstände, dennoch:* ich bin nicht verreist. T. habe ich mich erholt; es ist verboten, aber ich habe es t. getan.

trotzen, trotzte, hat getrotzt ⟨itr.⟩: *Widerstand leisten:* einer Gefahr t.

trotzig ⟨Adj.⟩: **a)** *widersetzlich, störrisch:* sie gab mir eine trotzige Antwort. **b)** *furchtlos, nicht nachgebend:* er wehrte sich t.

Trotzkopf, der; -[e]s, Trotzköpfe: *trotziges kleines Kind, bes. Mädchen:* sie ist ein furchtbarer T.

trübe ⟨Adj.⟩: *nicht klar, nicht hell:* trübes Wetter; das Wasser ist t.; bildl.: trübe *(traurige)* Gedanken. * **im trüben fischen** *(eine unklare Lage ausnutzen, um sich Vorteile zu verschaffen).*

Trubel, der; -s: *heftig bewegtes Durcheinander, Gewühl:* sich in den T. des Verkehrs stürzen; bildl.: etwas im T. der Geschäfte [zu tun] vergessen.

trüben, trübte, hat getrübt: **a)** ⟨tr.⟩ *trübe, undurchsichtig machen:* die Abwässer haben das Wasser getrübt; bildl.: dein Kummer hat mir die Freude getrübt. * **jmdm. den Blick für etwas t.** *(jmdn. hindern, eine Tatsache richtig zu erkennen).* **b)** ⟨rfl.⟩ *trübe werden:* das Wetter hat sich getrübt; bildl.: das gute Verhältnis hat sich getrübt.

Trübsal, die; -: *mißmutige, traurige Stimmung; Verdrossenheit:* er gab sich seiner T. hin. * **T. blasen** *(mißmutig, schlecht gelaunt sein):* es hat doch keinen Sinn, den ganzen Tag nur T. zu blasen.

trübselig ⟨Adj.⟩: *traurig gestimmt:* trübselige Gedanken. **Trübseligkeit,** die; -.

trübsinnig ⟨Adj.⟩: *sehr niedergeschlagen; in düsterer Stimmung:* man kann nichts mit ihm anfangen, er ist so t.; er geht oft tagelang t. umher. **Trübsinnigkeit,** die; -.

Trübung, die; -, -en: **a)** *Beeinträchtigung, Störung der Klarheit:* wegen der T. des Wassers kann man nicht bis auf den Grund sehen. **b)** *krankhafte Störung, Schwächung:* eine T. des Bewußtseins. **c)** *durch etwas Störendes, Unangenehmes hervorgerufene Beeinträchtigung:* die T. einer Freundschaft, der Stimmung.

trudeln, trudelte, hat/ist getrudelt ⟨itr.⟩: *fallen und sich dabei der Länge nach drehen:* das Flugzeug hat getrudelt, kommt ins Trudeln; der Reifen ist ins Wasser getrudelt.

Trüffel, die; -, -n: **1.** *unter der Erde wachsender Pilz* (siehe Bild). **2.** *aus Kakao, Zucker u. a. hergestellte süße Speise [in Form von Kugeln]:* sie ißt gern Trüffeln.

Trüffel 1.

Trug, der; -[e]s (geh.): *Täuschung:* das ist alles T. * **Lug und T.** *(Täuschung, Lüge):* alles, was er sagt, ist Lug und T.

Trugbild, das; -[e]s, Trugbilder: *etwas, was man sich einbildet, vortäuscht, ohne Aussicht auf Erfüllung erhofft:* ein T. der Phantasie.

trügen, trog, hat getrogen ⟨itr.⟩: *einen falschen Eindruck erwecken, irreführen:* wenn mich mein Gedächtnis nicht trügt *(wenn ich mich recht erinnere),* dann war er damals dabei; sein gutes Aussehen trügt *(in Wirklichkeit ist er krank).*

trügerisch ⟨Adj.⟩: *zu falschen Annahmen oder Hoffnungen verleitend; trügend; irreführend:* trügerische Hoffnungen; die glänzende Fassade der großen Feste war t., denn dahinter gab es im Volk großes Elend; das Eis ist t. *(scheint fest zu sein, trägt aber keinen Menschen).*

Trugschluß, der; Trugschlusses, Trugschlüsse: *falsches Ergebnis des Denkens:* das ist ein T. von dir.

Truhe, die; -, -n: *Möbelstück in Form eines Kastens mit einem Deckel zum Aufklappen an der Oberseite* (siehe Bild): sie legte die Wäsche in die T.

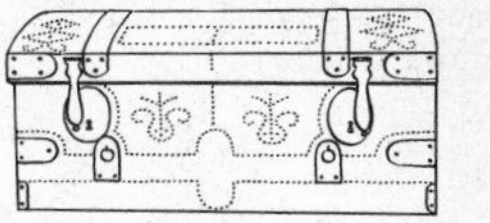

Truhe

Trümmer, die ⟨Plural⟩: *Bruchstücke, Überreste eines zerschlagenen oder zerbrochenen Ganzen:* die T. eines Hauses, eines Spiegels. * **in Trümmern liegen** *(zerstört sein);* **in T. gehen** *(zerbrechen).*

Trümmerfeld, das; -es, Trümmerfelder: *Gegend, Stadt, die große Verwüstungen und Zerstörungen zeigt:* nach dem Krieg waren die Städte riesige Trümmerfelder.

Trümmerhaufen, der; -s, -: *Haufen von Trümmern:* das Erdbeben verwandelte das Haus in einen T.

Trumpf, der; -es, Trümpfe: *die Karten, die bei einem Spiel jeweils als die wertvollsten gelten:* einen T., Trümpfe ausspielen; bildl.: Sport ist heute T. *(wird heute am meisten geschätzt);* er hat alle Trümpfe in der Hand *(er hat alle Vorteile auf seiner Seite).*

Trụnk, der; -[e]s: **a)** *Getränk:* ein kühler, erfrischender T. **b)** *das Trinken* /von Alkohol/: er neigt zum T., ist dem T. verfallen.

trụnken ⟨Adj.⟩: **1.** (veralt.) *betrunken:* er war t. von Wein; er wollte ihn t. machen. **2.** (geh.) *überaus glücklich und begeistert, von Gefühlen überwältigt:* t. von Freude; der Sieg machte sie ganz t.

Trụnkenbold, der; -[e]s, -e (abwertend): *Trinker:* diesem T. sollte man keinen Schnaps mehr geben.

Trụnkenheit, die; -: *Zustand des Betrunkenseins:* der Kraftfahrer wurde wegen T. am Steuer bestraft.

Trụnksucht, die; -: *gewohnheitsmäßiges Verlangen nach Alkohol:* seine T. hat ihn ruiniert.

Trụpp, der; -s, -s: *kleine geschlossene Gruppe von Menschen:* ein T. Studenten kam vorüber.

Trụppe, die; -; -n: **1.** *zusammen auftretende Gruppe von Schauspielern, Artisten o. ä.* **2.** *im Kampf einsetzbarer Teil eines Heeres:* zur T. versetzt werden; die Regierung zieht Truppen zusammen.

Trust [trast], der; -s, -s: *durch Zusammenschluß mehrerer Unternehmen entstandenes großes Unternehmen, das den gesamten Markt beherrscht:* die drei größten Ölfirmen bildeten einen T.

Truthahn, der; -[e]s, Truthähne: /ein als Haustier gehaltener Vogel/ (siehe Bild): er ißt gern T.

Truthahn

tschịlpen, tschilpte, hat getschilpt ⟨itr.⟩: *zwitschern* /vom Sperling/: die Sperlinge tschilpen in den Sträuchern.

Tube, die; -, -n: *Behälter für Salben, Pasten u. a.* (siehe Bild):

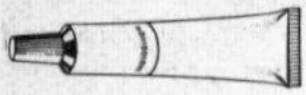

Tube

eine T. Senf kaufen. * (ugs.) **auf die T. drücken** *(die Geschwindigkeit erhöhen; beschleunigen).*

Tubẹrkel, der; -s, - (auch: die; -, -n): *kleine Geschwulst im Gewebe, bes. bei Tuberkulose.*

tuberkulös ⟨Adj.⟩: Med. *an Tuberkulose leidend, durch sie hervorgerufen, auf ihr beruhend, sie betreffend:* tuberkulöse Veränderungen der Haut.

Tuberkulose, die; -: *durch Infektion hervorgerufene Krankheit bes. der Lunge:* er hat T.

Tụch, das; -[e]s, Tücher und Tuche: **1.** ⟨Plural: Tücher⟩ *meist viereckiges Stück eines Stoffes:* ein seidenes T. * **jmd./etwas wirkt auf jmdn. wie ein rotes Tuch** *(jmd./etwas reizt jmdn., macht jmdn. wütend).* **2.** ⟨Plural: Tuche⟩ /ein glattes Gewebe/: ein Anzug aus feinem T.

Tụchent, die; -, -en (bes. östr.): *Federbett:* sich mit einer T. zudecken.

Tụchfühlung: ⟨in den Wendungen⟩ **T. haben/in T. stehen: a)** *so neben anderen stehen, daß man sie [leicht] berührt.* **b)** *lose Verbindung halten:* die beiden Parteien standen in T.; **auf T. gehen** *(nahe aneinanderrücken).*

tụ̈chtig ⟨Adj.⟩: *fähig und geschickt; den Anforderungen voll entsprechend:* ein tüchtiger Kaufmann; eine tüchtige *(sehr gute)* Leistung. **2.** ⟨nicht prädikativ⟩ (ugs.) *groß, als Leistung hervortretend; reichlich; ordentlich, viel:* einen tüchtigen Schluck nehmen; t. laufen. **Tụ̈chtigkeit,** die; -.

Tụ̈cke: ⟨in den Wendungen⟩ **Tücken haben** *(versteckte schlechte Eigenschaften oder Schwierigkeiten haben):* diese Maschine hat ihre Tücken; **mit List und T.** *(mit Klugheit und Geschicklichkeit):* ich habe ihn nur mit List und T. umstimmen können.

tụ̈ckisch ⟨Adj.⟩: *hinterlistig, durch versteckte Bosheit gefährlich:* ein tückischer Gegner; bildl.: eine tückische Krankheit.

Tụffstein, der; -[e]s: *aus Körnern von verschiedener Größe bestehendes Gestein:* eine Gartenmauer, ein Gefäß für Blumen aus T.

Tugend, die; -, -en: **a)** ⟨ohne Plural⟩ *stetige Bereitschaft zu sittlichem Handeln.* **b)** *sittlich wertvolle Eigenschaft:* er ist ein Muster demokratischer Tugenden. * **aus der Not eine T. machen** *(eine ungünstige Lage noch günstig ausnutzen).*

Tugendbold, der; -[e]s, -e (abwertend): *jmd., der seine eigene Tugendhaftigkeit sehr hervorhebt:* dieser T. dünkt sich immer besser als andere.

tugendhaft ⟨Adj.⟩ (veraltend): *moralisch untadelig:* sie ist sehr t., führt ein tugendhaftes Leben. **Tugendhaftigkeit,** die; -.

Tụ̈ll, der; -s: *Gewebe in der Art eines Netzes:* Gardinen aus T.

Tụ̈lle, die; -, -n: *an Kannen o. ä. angebrachter Teil, durch den der Inhalt ausgegossen wird.*

Tulpe, die; -, -n: /eine Gartenblume/ (siehe Bild).

Tulpe

tụmmeln, sich; tummelte sich, hat sich getummelt: *sich lebhaft bewegen:* die Kinder tummeln sich im Garten, im Wasser.

Tumor, der; -s, -en: *Geschwulst:* er hat einen T. im Gehirn.

Tụ̈mpel, der; -s, - (abwertend): *kleiner Teich mit stehendem Wasser.*

Tumụlt, der; -[e]s, -e: **a)** *Durcheinander lärmender und aufgeregter Menschen:* bei einem Verkehrsunfall entstand ein T.; ich kann bei diesem T. nicht arbeiten. **b)** *Aufruhr:* einen T. unterdrücken.

tumultuarisch ⟨Adj.; nicht prädikativ⟩: *mit großem Lärm und großer Aufregung verbunden; turbulent, aufgeregt:* tumultuarische Ereignisse; es ging t. zu.

tun, tat, hat getan: **1. a)** ⟨tr.⟩ *machen, ausführen, vollbringen:* er tut viel Gutes; er tut seine Pflicht; ich muß noch etwas t. *(ich muß noch arbeiten).* **b)** ⟨als Funktionsverb⟩ einen Schwur t. *(schwören);* jmdm. Schaden t. *(jmdm. schaden).* **2.** ⟨itr.⟩ *arbeiten, schaffen:* er hat viel zu t.; ich will nichts damit zu t. haben. **3.** ⟨tr.⟩ *zufügen:* jmdm. Unrecht, Gutes t. **4.** ⟨tr.⟩ *an eine Stelle bringen:* Salz ins Essen t. **5.** ⟨itr.⟩ *ein bestimmtes Verhalten vortäuschen:* sie tut immer sehr freundlich; er tut [so], als ob ich sein Freund wäre.

Tünche, die; -: 1. *auf einer Wand aufgetragene Farbe:* die T. in diesem Zimmer ist häßlich, bröckelt schon ab. 2. (abwertend) *äußerer Schein, der etwas verdecken soll:* seine Höflichkeit ist nur T.

tünchen, tünchte, hat getüncht ⟨tr.⟩: *mit Tünche streichen:* er hat die Mauer getüncht.

Tunell, das; -s, -s (landsch.): *Tunnel.*

Tunichtgut, der; -[s], -e: *jmd., der zu nichts taugt und oft Schaden anrichtet:* der kleine T. hat schon wieder ein Fenster eingeschlagen.

Tunke, die; -, -n (landsch.): *Soße.*

tunken, tunkte, hat getunkt ⟨tr.⟩ (ugs.): *(in eine Flüssigkeit) tauchen:* sie tunkten das harte Brot in die Milch.

tunlichst ⟨Adverb⟩: *möglichst; so weit wie möglich:* jeder Lärm soll t. vermieden werden.

Tunnel, der; -s, - und -s: *unterirdisches Bauwerk, durch das eine Bahn oder Straße geführt wird:* einen T. durch den Berg bohren.

Tüpfelchen: ⟨in der Fügung⟩ das T. auf dem i (ugs.): *die letzte Kleinigkeit, die eine Sache erst vollkommen macht:* bei dieser Arbeit fehlt noch das T. auf dem i.

tupfen, tupfte, hat getupft ⟨tr.⟩: *durch leichtes Berühren auftragen:* Salbe auf eine Wunde t.

Tupfen, der; -s, -: *großer runder Punkt:* ein Kleid mit roten T.

Tür, die; -, -en: **a)** *Eingang in ein Gebäude o. ä.:* durch eine T. gehen. **b)** *Vorrichtung, mit der*

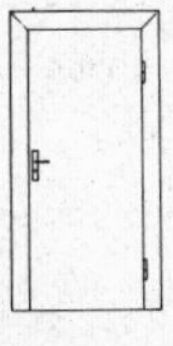

Tür b)

ein Eingang verschlossen wird (siehe Bild): die T. knarrt. * (ugs.) **jmdn. vor die T. setzen** *(jmdn. hinauswerfen).*

Türangel, die; -, -n: *Vorrichtung, mit der die Tür beweglich am Türrahmen befestigt werden kann.*

Turban, der; -s, -e: /orientalische Kopfbedeckung/ (siehe Bild): einen T. tragen.

Turban

Turbine, die; -, -n: *Maschine, durch die die Energie von fließendem Wasser, Gas oder Dampf zur Erzeugung einer drehenden Bewegung ausgenutzt wird:* die Turbinen eines Kraftwerkes.

turbulent ⟨Adj.⟩: *stürmisch, aufgeregt lärmend:* eine turbulente Versammlung.

Turf, der; -s: *Rennbahn für Pferderennen:* auf dem vom Regen schweren T. wurden nur mäßige Zeiten erzielt; seine große Leidenschaft ist der T. *(sind Pferderennen).*

Türfüllung, die; -, -en: *dünne Platte aus Glas oder Holz, die in die Tür eingesetzt ist.*

Türgriff, der; -[e]s, -e: *Türklinke.*

Türkis, der; -es, -e: /ein blauer Edelstein/.

türkisfarben ⟨Adj.⟩: *von einer hellen, grünlich schimmernden blauen Farbe:* ein türkisfarbenes Kleid.

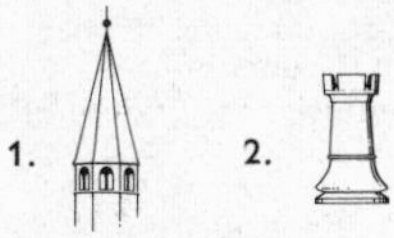

Turm

Türklinke, die; -, -n: *Griff an der Tür, mit dem man die Tür öffnen und schließen kann:* die T. niederdrücken; er hatte schon die T. in der Hand *(er wollte gerade weggehen).*

Turm, der; -[e]s, Türme: 1. *hoch aufragendes Bauwerk* (siehe Bild): die Kirche hat zwei Türme. 2. /eine Figur im Schachspiel/ (siehe Bild).

türmen: I. türmte sich, hat sich getürmt: *sich übereinander erheben:* die Wolken türmen sich am Himmel. II. türmte, ist getürmt ⟨itr.⟩ (ugs.): *weglaufen:* der Dieb ist getürmt.

turmhoch ⟨Adj.⟩: 1. *sehr hoch:* turmhohe Häuser. 2. ⟨verstärkend bei Verben und Adjektiven⟩ *sehr, bei weitem:* er überragt seine Kollegen t.; er ist ihm t. überlegen.

Turmspringen, das; -s: *sportliche Disziplin, bei der man von einer 5 oder 10 Meter hohen Plattform ins Wasser springt:* er wurde bei den Meisterschaften Sieger im T.

turnen, turnte, hat geturnt ⟨itr.⟩: *körperliche Übungen [an Geräten] ausführen:* er turnt an den Ringen. **Turnen,** das; -s.

Turner, der; -s, -: *jmd., der [an Geräten] turnt.*

turnerisch ⟨Adj.; nicht prädikativ⟩: *das Turnen betreffend:* gute turnerische Leistungen.

Turnier, das; -s, -e: *sportlicher Wettkampf, der aus mehreren einzelnen Wettkämpfen besteht:* an einem T. teilnehmen; er siegte bei einem internationalen T. im Tennis.

Turnlehrer, der; -s, -: *Lehrer, der Turnen unterrichtet.*

Turnus, der; -: *festgelegte, sich wiederholende Reihenfolge:* das Amt wechselte im T. unter den Mitgliedern.

Turnverein, der; -s, -e: *Verein, in dem besonders das Turnen gepflegt wird:* er ist Mitglied eines Turnvereins.

Türrahmen, der; -s, -: *in die Wand eingelassener Rahmen aus Holz oder Metall, in den die Tür eingehängt wird:* den T. ausbessern, frisch streichen.

Türschnalle, die; -, -n (östr.): *Türklinke.*

Türstock, der; -[e]s, Türstöcke (östr.): *Türrahmen.*

Turteltaube, die; -, -n: /eine kleine, zierliche Taube/ (siehe Bild): die beiden sind zärtlich, verliebt wie die Turteltauben.

Turteltaube

Tusch, der; -s, -e: *kurzes, kräftiges Ertönen der Musik bei einer Ehrung o. ä.:* die Kapelle spielte einen T.

Tusche, die; -, -n: *besondere, zum Zeichnen oder Malen verwendete Tinte:* eine Zeichnung in T. ausführen.

tuscheln, tuschelte, hat getuschelt ⟨itr./tr.⟩: *leise und heimlich sprechen, sagen:* die Frauen tuschelten miteinander; sie tuschelte ihm etwas ins Ohr.

tuschen, tuschte, hat getuscht ⟨tr./itr.⟩: *mit Tusche zeichnen oder malen.*

Tüte, die; -, -n: *etwas, was meist in der Art eines Trichters aus Papier oder Kunststoff hergestellt ist und in das Waren verpackt werden* (siehe Bild): er hat mir eine T. voll Kirschen mitgebracht.

Tüte

tuten, tutete, hat getutet ⟨itr.⟩: **a)** *eine Hupe, ein Horn o. ä. laut ertönen lassen:* das Schiff tutete. **b)** *mit einem Horn o. ä. einen [langgezogenen] dunklen Laut hervorbringen:* er tutete auf seinem Horn. * (ugs.) **von Tuten und Blasen keine Ahnung haben** *(gar keine Ahnung haben von etwas, gar nichts wissen).*

Tweed [tvi:t], der; -s /ein Gewebe für Mäntel, Anzüge o. ä./: ein Kostüm aus T.

Twen, der; -[s], -s: *junger Mann in den Zwanzigern.*

Twist: I. der; -s, -s: /ein Tanz/: einen T. tanzen. **II.** der; -[e]s, -e: *aus mehreren Fäden bestehendes Garn aus Baumwolle:* einen Pullover mit T. stopfen.

Typ, der; -s, -en: **1.** *[technisches] Muster, Modell:* die Firma bringt einen neuen T. auf den Markt. **2.** *Gattung; ausgeprägte Art einer Gruppe von Personen:* er ist der T. eines Kaufmanns; dieses Mädchen ist nicht mein T. *(es gefällt mir nicht).*

Type, die; -, -n: **1.** *gegossener Buchstabe für den Druck oder in der Schreibmaschine:* die Typen reinigen. **2.** (ugs.; abwertend) *eigenartiger, merkwürdiger Mensch:* das ist auch so eine T.

Typhus, der; -: *durch Infektion hervorgerufene schwere Krankheit, die sich durch Fieber, rote Flecken, Störungen des Bewußtseins und der Verdauung usw. anzeigt:* er ist an T. erkrankt.

typisch ⟨Adj.⟩: *die Art, Gattung von jmdm./etwas kennzeichnend; charakteristisch:* er ist ein typischer Seemann; es war t. für ihn, daß er zu spät kam.

typisieren, typisierte, hat typisiert ⟨tr.⟩: **1.** *als Typ darstellen, nicht als individuelle Persönlichkeit:* die Gestalten des klassischen französischen Dramas sind stark typisiert. **2.** *nur nach bestimmten Normen herstellen:* die Bestandteile für diese Maschinen wurden typisiert. **3.** *in Typen einteilen:* Fahrzeuge t.

Typisierung, die; -, -en.

typographisch ⟨Adj.; nicht prädikativ⟩: *die künstlerische Gestaltung (eines Buches o. ä.) betreffend:* die typographische Anordnung eines Textes; die Zeitschrift ist t. sehr gut gemacht.

Typus, der; -, Typen: *ausgeprägter Vertreter einer bestimmten Art, Kategorie von Menschen:* er ist der T. des kühl berechnenden Geschäftsmannes.

Tyrann, der; -en, -en: *jmd., der seine Macht über andere streng und rücksichtslos zur Geltung bringt:* sein Vorgesetzter ist ein T.

tyrannisch ⟨Adj.⟩: *übermäßig streng, rücksichtslos, herrschsüchtig:* ein tyrannischer Ehemann; jmdn. t. unterdrücken.

tyrannisieren, tyrannisierte, hat tyrannisiert ⟨tr.⟩: *anderen seinen Willen aufzwingen, sie seine Macht fühlen lassen:* er tyrannisiert die ganze Familie.

Tz: siehe Tezett.

U

U-Bahn, die; -, -en: *Untergrundbahn.*

übel ⟨Adj.⟩: **1.** *moralisch schlecht:* eine üble Gesellschaft; einen üblen Ruf haben. **2. a)** *sehr ungünstig, nachteilig, schlimm:* er befindet sich in einer üblen Lage; er hat es ü. vermerkt *(übelgenommen)*, daß du ihn übersehen hast. **b)** *sehr unangenehm, schlecht:* ein übler Geruch. * **jmdm. ist/wird ü.** *(jmd. fühlt sich nicht wohl [und muß sich übergeben]).*

Übel, das; -s, -: **1.** *schlimmer Zustand, Schaden für die Gesellschaft:* die Kriminalität der Jugend ist ein Ü. **2.** (geh.) *[schwere] langwierige Erkrankung:* ein unheilbares Ü.

Übelkeit, die; -: *Zustand, in dem jmdm. übel ist; Unwohlsein.*

übelnehmen, nimmt übel, nahm übel, hat übelgenommen ⟨tr.⟩: *(durch jmds. Verhalten) gekränkt oder beleidigt sein [und es ihn fühlen lassen]:* sie hat ihm seine Unhöflichkeit übelgenommen.

Übelstand, der; -[e]s, Übelstände: *Übel, mißliche Lage:* dem schlimmsten Ü. abhelfen.

Übeltäter, der; -s, -: *jmd., der etwas Verbotenes getan hat:* der Ü. konnte nicht ergriffen werden.

üben, übte, hat geübt: **1.** ⟨itr./tr.⟩ *bestimmte Übungen machen oder (etwas) öfter wiederholen, um Fertigkeit darin zu erlangen:* sie übt täglich eine Stunde [auf dem] Klavier; er übt immer dieselben Stücke; ⟨auch rfl.⟩ die Kinder übten sich im Schwimmen. **2.** ⟨als Funktionsverb⟩ /drückt ein bestimmtes Verhalten aus/: Nachsicht ü. *(nachsichtig sein);* Kritik an jmdm./etwas ü. *(jmdn./etwas kritisieren).*

über ⟨Präp. mit Dativ oder Akk.⟩: **1.** /räumlich/ **a)** ⟨mit Dativ; auf die Frage: wo?⟩ /kennzeichnet eine höhere Lage/: ü. dem Sofa hängt ein Bild; bildl.: er steht ü. den Parteien *(er ist unparteiisch);* seine Leistung liegt ü. dem Durchschnitt *(ist überdurchschnittlich).* **b)** ⟨mit Akk.; auf die Frage: wohin?⟩ /kennzeichnet die Bewegung in eine höhere Lage oder an einen Ort jenseits von einem anderen/: er hängt das Bild ü. das Sofa; sie sind bei Nacht ü. die Grenze gegangen; dieser Zug fährt nicht ü. Heidelberg *(passiert Heidelberg nicht).* **2.** /zeitlich/ **a)** ⟨mit Akk.⟩ *in einem bestimmten Zeitraum:* er liest das Buch ü. das Wochenende, ü. die Ferien. **b)** ⟨mit Dativ⟩ *bei, während:* er ist ü. der Arbeit eingeschlafen. **3.** ⟨mit Akk.⟩ *wegen* /drückt die Begründung aus/: er ärgerte sich ü. die Ungerechtigkeit. **4.** ⟨mit Akk.⟩ /kennzeichnet das Übersteigen eines bestimmten Maßes oder das Überschreiten einer bestimmten Grenze/: Kinder ü. zehn Jahre müssen den vollen Preis bezahlen; er steckt bis ü. die Knie im Schnee. **5.** ⟨mit Akk. oder Dativ⟩ /kennzeichnet eine Häufigkeit/: hier wurden Fehler ü. Fehler gemacht; es fiel ihm eins ü. dem anderen *(immer mehr)* ein. **6.** ⟨mit Akk.⟩ /drückt aus, daß sich ein Geschehen auf jmdn./etwas richtet/: ü. jmdn. lachen, spotten, klagen, sich freuen; ü. jmdn./etwas schreiben.

überall [auch: überall] ⟨Adverb⟩: **a)** *an allen Orten, an jeder Stelle:* sie haben ihn ü. gesucht; er ist ü. *(bei allen Leuten)* beliebt. **b)** *bei jeder Gelegenheit:* er drängt sich ü. vor.

überaltert ⟨Adj.⟩: *größtenteils mit alten Menschen besetzt, von ihnen bewohnt:* der Betrieb, die Stadt ist ü.

Überangebot, das; -[e]s: *Angebot, das die Nachfrage übersteigt:* es herrscht im Augenblick ein Ü. an Butter.

überanstrengen, überanstrengte, hat überanstrengt ⟨rfl./tr.⟩: *(jmdm./sich) gesundheitlich schaden, indem man (jmdm./sich) eine zu große körperliche oder geistige Anstrengung zumutet:* er hat sich, seine Kräfte überanstrengt; man darf Kinder nicht ü.; ⟨häufig im 2. Partizip⟩ er sieht sehr überanstrengt aus.

überantworten, überantwortete, hat überantwortet ⟨tr.⟩ (geh.): *(jmdm.) die volle Verantwortung (für jmdn./etwas) übertragen:* das Kind wurde den Pflegeeltern überantwortet. *** jmdn. dem Gericht/der Gerechtigkeit ü.** *(jmdn. vor Gericht stellen).*

überarbeiten, überarbeitete, hat überarbeitet: **1.** ⟨tr.⟩ *durcharbeiten und dabei verbessern; eine neue Fassung (von etwas) herstellen:* eine wissenschaftliche Abhandlung, ein Theaterstück ü. **2.** ⟨rfl.⟩ *sich durch Arbeit überanstrengen:* er hat sich überarbeitet; ⟨häufig im 2. Partizip⟩ er ist völlig überarbeitet. **Überarbeitung,** die; -.

überaus [auch: überaus] ⟨Adverb⟩ (geh.): *in einem ungewöhnlich hohen Grade; sehr:* er ist ü. geschickt.

überbacken, überbäckt, überbackte, hat überbacken ⟨tr.⟩: *kurze Zeit backen:* einen Auflauf ü.

Überbau, der; -[e]s, -e und -ten: *Teil eines Baues, der über etwas hinausragt:* der Ü. wurde von sechs Säulen getragen; der Ü. *(der auf den Pfeilern aufliegende Teil)* einer Brücke; bildl.: die einzelnen Institutionen werden durch einen zentralen Ü. verwaltet.

überbehalten, behält über, behielt über, hat überbehalten ⟨tr.⟩ (ugs.): *übrigbehalten:* sie hat bei ihren Einkäufen nichts, kein Geld mehr überbehalten.

Überbein, das; -[e]s, -e: *Geschwulst an [Hand]gelenken:* das Ü. operieren lassen.

überbekommen, bekam über hat überbekommen ⟨itr.⟩ (ugs.): *(jmds./einer Sache) überdrüssig werden:* ich habe sein Gerede überbekommen; ⟨auch rzp.⟩ die Verliebten haben einander, sich [gegenseitig] überbekommen. ****eins ü.** *(einen Schlag, Hieb bekommen):* er hat von seinem Vater eins überbekommen.

überbetonen, überbetonte, hat überbetont ⟨tr.⟩: *im Übermaß, zu stark betonen, hervorheben:* der Politiker hat seine Erfolge überbetont.

überbewerten, überbewertete, hat überbewertet ⟨tr.⟩: *zu hoch bewerten:* er hat ihre Leistung überbewertet. **Überbewertung,** die; -, -en.

überbieten, überbot, hat überboten ⟨tr.⟩: **1.** *mehr (als ein anderer) bieten:* er hat ihn bei der Versteigerung um fünfzig Mark überboten. **2.** *übertreffen:* einen Rekord ü.

Überbleibsel, das; -s, -: *kleiner Rest von etwas, was zerfallen oder zerstört ist:* wenige Steine waren die einzigen Ü. der Kapelle, die hier gestanden hatte.

überblenden, überblendete, hat überblendet ⟨tr.⟩: Filmw. *allmählich ineinander übergehen lassen, so daß eine Szene langsam zurücktritt, während die andere allmählich deutlich wird:* der Regisseur überblendete die beiden Szenen. **Überblendung,** die; -, -en.

Überblick, der; -s, -e: **1.** *Blick von einem erhöhten Standort, von dem aus man etwas übersieht:* von hier oben hatten sie einen guten Ü. über die Stadt. **2. a)** *[in einer Zusammenfassung vermittelte] Kenntnisse in großen Zügen über ein bestimmtes Gebiet:* er gab in seinem Vortrag einen Ü. über die moderne Kunst; er verschaffte sich einen Ü. über die neuesten Forschungen. **b)** ⟨ohne Plural⟩ *Fähigkeit, ein bestimmtes Gebiet zu überschauen:* es fehlt ihm an Ü.; er hat den Ü. verloren.

überblicken, überblickte, hat überblickt ⟨tr.⟩: **1.** *mit weitem Blick (über etwas) sehen:* von hier kann man die Stadt ü. **2.** *sich aus verschiedenen Vorgängen ein Bild (von etwas) machen und darüber Bescheid wissen:* er hatte die Lage sofort überblickt; er überblickt noch nicht, was hier vorgeht.

überbringen, überbrachte, hat überbracht ⟨tr.⟩: *(jmdm. etwas) bringen, zustellen; Bote (für eine Sendung) sein:* er überbrachte ihm verschiedene Bücher; er überbrachte das Geld im Auftrage des Vereins; eine Nachricht ü. *(jmdn. von etwas benachrichtigen);* Glückwünsche ü. *(in jmds. Namen gratulieren).*

Überbringer, der; -s, -: *jmd., der etwas überbringt:* zahlen Sie gegen diesen Scheck aus meinem Guthaben an ... oder Ü. hundert Mark.

überbrücken, überbrückte, hat überbrückt ⟨tr.⟩: *(über bestimmte Schwierigkeiten) hinwegkommen, (sie) [für kürzere Zeit] beseitigen:* einen augenblicklichen Geldmangel durch Aufnahme eines Kredits ü.; es gelang ihm, die Kluft zwischen ihnen zu ü. **Überbrückung,** die; -.

überdachen, überdachte, hat überdacht ⟨tr.⟩: *mit einem Dach versehen:* die Terrasse wurde notdürftig überdacht. **Überdachung,** die; -, -en.

überdauern, überdauerte, hat überdauert ⟨tr.⟩: *sich (über etwas hinaus) erhalten; standhal-*

ten, überstehen: das Museum hat den Krieg überdauert; diese Kirche hat viele Jahrhunderte überdauert.

überdecken, überdeckte, hat überdeckt ⟨tr.⟩: *(durch etwas anderes) verdecken, verhüllen, überlagern:* eine Farbe durch eine andere ü.; bildl.: die Schmerzempfindung wurde durch den Schock überdeckt.

überdenken, überdachte, hat überdacht ⟨tr.⟩: *(über etwas) einige Zeit nachdenken, bevor man eine endgültige Entscheidung trifft:* er wollte die Sache, den Fall noch einmal ü.

überdies: ⟨Adverb⟩: **1.** *ohnehin, sowieso:* du brauchst dich jetzt nicht mehr zu bemühen, die Sache ist ü. erledigt. **2.** *außerdem, darüber hinaus, davon abgesehen:* sie hatte keinen Platz mehr für weitere Gäste, ü. war sie ohne Hilfe im Haushalt.

überdimensional ⟨Adj.⟩: *über das übliche Maß hinausgehend, übermäßig groß:* ein überdimensionales Gemälde hing an der Wand.

überdrehen, überdrehte, hat überdreht ⟨tr.⟩: **a)** *(ein Gewinde, eine Schraube, eine Feder) durch zu starkes Drehen zerstören:* er hat die Uhr[feder] beim Aufziehen überdreht. **b)** *(einen) Motor) mit zu hoher Tourenzahl laufen lassen:* der Fahrer hatte den Motor, seinen Wagen überdreht.

Überdruck, der; -[e]s, -e: **1.** ⟨ohne Plural⟩ Physik *über dem normalen Druck liegender Druck:* im Kessel herrschte Ü. **2.** *(auf etwas Gedrucktes) nachträglich Gedrucktes:* die Briefmarke hat, zeigt einen Ü.

Überdruß, der; Überdrusses: *Widerwille, Abneigung gegen etwas nach zu lange andauernder und eingehender Beschäftigung damit:* er scheint einen gewissen Ü. am Leben zu haben; solche Ermahnungen hatte er bis zum Ü. gehört.

überdrüssig: ⟨in der Fügung⟩ jmds./einer Sache ü. sein/werden (geh.): *nach zu lange andauernder und eingehender Beschäftigung mit einer Person oder Sache keine Lust mehr zu einer Fortsetzung dieser Tätigkeit haben:* er war ihrer ü. geworden; ich bin der dauernden Diskussionen ü.

überdurchschnittlich ⟨Adj.⟩: *über dem Durchschnitt liegend, sehr gut:* ein überdurchschnittliches Ergebnis; seine Leistungen waren ü.

Übereifer, der; -s: *zu großer Eifer:* in seinem Ü. hat er mehrere Fehler gemacht.

übereignen, übereignete, hat übereignet ⟨tr.⟩: *als Eigentum übertragen:* jmdm. ein Haus, ein Geschäft ü. **Übereignung,** die; -.

übereilen, übereilte, hat übereilt: **a)** ⟨tr.⟩ *ohne genügende Überlegung zu schnell ausführen:* du solltest deine Abreise, deinen Entschluß nicht ü.; ⟨häufig im 2. Partizip⟩ eine übereilte Zusage. **b)** ⟨rfl.⟩ *ohne genügende Überlegung zu schnell handeln:* bei dem Bau des Hauses hat er sich übereilt. **Übereilung,** die; -.

übereinander ⟨Adverb⟩: *eines über das andere; eines über dem anderen;* ⟨oft zusammengesetzt mit Verben⟩ übereinanderlegen, übereinanderliegen.

übereinanderschlagen, schlägt übereinander, schlug übereinander, hat übereinandergeschlagen ⟨tr.⟩: *schräg übereinanderlegen:* die Beine ü.

übereinkommen, kam überein, ist übereingekommen ⟨itr.⟩: *sich (mit einem Partner) einigen, eine bestimmte Abmachung (mit ihm) treffen:* er kam mit ihr überein, daß sie ihren Urlaub abwechselnd an der See und im Gebirge verbringen wollten.

Übereinkommen, das; -s, -: *Übereinkunft:* ein Ü. treffen, einhalten.

Übereinkunft, die; -, Übereinkünfte: *Einigung zwischen Partnern:* zu einer Ü. gelangen; diese Versuche wurden von der Wissenschaft nach stillschweigender Übereinkunft *(ohne daß man sich darüber verständigen mußte)* lange Zeit geheimgehalten.

übereinstimmen, stimmte überein, hat übereingestimmt ⟨itr.⟩: **1.** *(in einer bestimmten Angelegenheit) gleicher Meinung (mit jmdm.) sein:* er stimmte mit ihnen überein, daß sofort eine neue Schreibmaschine gekauft werden müßte. **2.** *nicht voneinander abweichen; miteinander in Einklang stehen:* ihre Aussagen stimmten nicht überein; die Farben stimmten überein. **Übereinstimmung,** die; -.

überempfindlich ⟨Adj.⟩: *sehr, übertrieben empfindlich:* ein überempfindlicher Patient. **Überempfindlichkeit,** die; -, -en.

übererfüllen, übererfüllte, hat übererfüllt ⟨tr.⟩: *mehr (an geforderter Arbeit o. ä.) leisten, als verlangt wird* /in der DDR/: das Soll, der Plan wurde übererfüllt. **Übererfüllung,** die; -.

überessen, sich; überißt sich, überaß sich, hat sich übergessen: *zuviel essen:* du hast dich bei der Feier übergessen, und jetzt bist du krank.

überfahren, überfährt, überfuhr, hat überfahren ⟨tr.⟩: **1.** *mit einem Fahrzeug (über jmdn./ein Tier) fahren und (ihn/es) dabei [tödlich] verletzen:* er hat eine alte Frau überfahren. **2.** *(an etwas) vorbeifahren, ohne es zu beachten:* ein Signal ü. **3.** (ugs.) *dadurch, daß man (jmdm.) nicht lange Zeit zum Überlegen läßt, durch Überreden erreichen, daß er seine Zustimmung gibt:* ich lasse mich nicht ü.; sie fühlte sich von seiner Einladung überfahren.

Überfahrt, die; -, -en: *Fahrt über ein Gewässer:* die Ü. war sehr stürmisch.

Überfall, der; -s, Überfälle: *überraschender Angriff:* die Zeitungen berichteten ausführlich über den Ü. auf die Bank.

überfallen, überfällt, überfiel, hat überfallen **1.** ⟨tr.⟩: *überraschend angreifen:* der Kassierer des Vereins wurde auf dem Weg zur Bank überfallen. **2. a)** ⟨itr.⟩ *überkommen:* in diesem Augenblick überfielen ihn furchtbare Schmerzen; als sie zu Hause ankamen, überfiel sie sofort der Schlaf. **b)** ⟨tr.⟩ *bestürmen:* die Kinder überfielen ihn mit tausend Fragen.

überfällig ⟨Adj.; nicht adverbial⟩: **a)** *verspätet und noch nicht eingetroffen:* das Flugzeug ist seit zwei Stunden ü. **b)** *längst fällig:* sein Besuch bei uns ist schon lange ü.

Überfallkommando, das; -s, -s: *stets zum Einsatz bereite Polizeistreife:* auf den Anruf hin raste das Ü. herbei.

überfeinert ⟨Adj.⟩: *sehr, übertrieben verfeinert:* ein überfeinerter Geschmack.

überfliegen, überflog, hat überflogen ⟨tr.⟩: **1.** *mit einem Flugzeug (über etwas) fliegen:* eine Stadt, den Ozean ü. **2.** *flüchtig lesen:* ich habe den Brief, die Zeitung nur überflogen.

überfließen: I. überfließen, floß über, ist übergeflossen ⟨itr.⟩: *über den Rand fließen:* das Wasser des Beckens ist übergeflossen; bildl.: von Dankbarkeit ü. *(sich überschwenglich bedanken).* **II.** überfließen, überfloß, hat überflossen ⟨tr.⟩ (geh.): *(mit einer Flüssigkeit) bedecken, überfluten:* ihr Gesicht war von Tränen überflossen.

überflügeln, überflügelte, hat überflügelt ⟨tr.⟩: *[ohne große Anstrengung] in seinen Leistungen übertreffen:* er hat die anderen Schüler längst überflügelt.

Überfluß, der; Überflusses: *übergroße, über den eigentlichen Bedarf hinausgehende Menge:* einen Ü. an Nahrungsmitteln haben; Geld ist bei ihnen im Ü. vorhanden.

überflüssig ⟨Adj.⟩: *über den Bedarf hinausgehend, überzählig und daher unnütz:* ein überflüssiges Gerät; überflüssige Worte; er kam sich ü. vor *(er hatte das Gefühl, nicht gebraucht zr werden oder zu stören).*

überfluten: I. überfluten, flutete über, ist übergeflutet ⟨itr.⟩ (geh.): *über den Rand fließen, überfließen:* der Strom ist während des Regens übergeflutet. **II.** überfluten, überflutete, hat überflutet ⟨tr.⟩: *(mit einer Flüssigkeit) bedecken, überschwemmen:* die stürmische See überflutete den Damm; bildl.: Licht überflutete den Platz; ein Gefühl des Mitleids überflutete ihn.

überfordern, überforderte, hat überfordert ⟨tr.⟩: *von jmdm. mehr verlangen, als er leisten kann:* du überforderst ihn mit dieser Aufgabe. **Überforderung,** die; -, -en.

überfragt: ⟨in der Fügung⟩ ü. sein: *etwas nicht wissen [können]:* in diesem Punkt war er sichtlich ü.; es tut mit leid, da bin ich ü.

überfremdet: ⟨in der Verbindung⟩ ü. sein/werden: *in zu starkem Maß von fremden Einflüssen durchsetzt sein/werden:* die deutsche Literatur war durch französische und italienische Einflüsse überfremdet.

überfressen, sich; überfrißt sich, überfraß sich, hat sich überfressen: *zuviel fressen:* die Kuh hatte sich überfressen; (derb) du hast dich Weihnachten überfressen *(übergessen).*

Überfuhr, die; -, -en (östr.): *Fähre:* die Ü. verpassen.

überführen: I. überführen/überführen, führte über /überführte, hat übergeführt/überführt ⟨tr.⟩: *(an einen anderen Ort) bringen:* der Patient wurde in eine besondere Klinik übergeführt. **II.** überführen, überführte, hat überführt ⟨tr.; mit Gen.⟩: *(jmdm. eine Schuld oder Verfehlung) nachweisen:* der Angeklagte wurde [des Verbrechens] überführt.

Überführung, die; -, -en: **I.** *das Überführen.* **II.** *Weg, Brükke über eine Eisenbahn, eine Straße u. a.*

überfüllt ⟨Adj.; nicht adverbial⟩: *mit zuviel Menschen besetzt:* ein überfüllter Saal; zu Weihnachten waren die Züge ü.

Überfüllung, die; -: *Zustand des Überfülltseins:* der Saal wurde wegen Ü. geschlossen.

überfüttern, überfütterte, hat überfüttert ⟨tr.⟩: *(jmdm./einem Tier) zuviel zu [fr]essen geben:* Kaninchen darf man nicht ü.

Übergabe, die; -: *das Übergeben:* die Ü. der Schlüssel an den neuen Mieter; die Ü. der Stadt *(Auslieferung der Stadt an den Feind).*

Übergang, der; -[e]s, Übergänge: **1. a)** *das Hinübergehen, das Überschreiten (von etwas):* der Ü. der Truppen über den Rhein. **b)** *Stelle zum Hinübergehen:* ein Ü. für Fußgänger. **2.** *das Fortschreiten und Hinüberwechseln zu etwas anderem, Neuem; Überleitung:* der Ü. vom Schlafen zum Wachen; der Ü. aus einer Tonart in die andere. **3.** *Übergangszeit:* für den Ü. genügt ihm ein Appartement.

Übergangszeit, die; -, -en: *einen Übergang kennzeichnende, zwischen zwei Ereignissen, Epochen liegende Zeit:* in der Ü. zwischen seinem Ausscheiden aus der Firma und dem Antreten der neuen Stellung machte er Urlaub.

Übergardine, die; -, -n: *über den Store zu ziehender Vorhang:* am Abend die Übergardine[n] zuziehen.

übergeben, übergibt, übergab, hat übergeben: **1.** ⟨tr.⟩ **a)** *(jmdm. etwas) aushändigen und ihn damit in den Besitz von etwas bringen:* der Bote übergab ihm ein Päckchen; der Brief mußte [ihm] persönlich ü. werden. **b)** *als Eigentum geben:* er hat das Geschäft seinem Sohn übergeben. **2.** ⟨tr.⟩ *(jmdm. eine Aufgabe) übertragen, (die Weiterführung einer bestimmten Arbeit, die weitere Beschäftigung mit jmdm./etwas) überlassen:* jmdm. die Führung ü.; er hat die Angelegenheit dem Anwalt übergeben; der Verbrecher wurde der Polizei übergeben; das Museum wurde der Öffentlichkeit übergeben *(wurde eröffnet).* **3.** ⟨tr.⟩ *dem Feind ausliefern:* die Stadt wurde nach schweren Kämpfen übergeben. **4.** ⟨rfl.⟩ *aufgenommene Nahrung durch den Mund wieder von sich geben:* sie mußte sich mehrmals ü.

übergehen: I. übergehen, ging über, ist übergegangen ⟨itr.⟩: **1.** *sich von nun an mit etwas anderem befassen:* zu einem andern Thema ü.; er begann sein Studium mit Jura, ging aber bald zur Medizin über; man geht immer mehr dazu über, Kunststoffe zu verwenden. *** zum Angriff/zur Offensive ü.** *(seinen Gegner angreifen);* **zur Tagesordnung ü.** *(sich anderen Fragen zuwenden).* **2.** *allmählich (zu etwas) werden; sich (in etwas) verwandeln:* die Tonart geht aus c-Moll in Es-Dur über; die Unterhaltung ging in lautes Schreien über. *** in jmds. Besitz ü.** *(künftig jmdm. gehören):* das Grundstück ist in seinen Besitz übergegangen; **in andere Hände ü.** *(einen neuen Besitzer erhalten):* das Geschäft ist in andere Hände übergegangen. **II.** übergehen, überging, hat übergangen ⟨tr.⟩: *nicht in seine Überlegungen einbeziehen, nicht beachten, (bei etwas) auslassen:* meinen Einwand überging er; man hat ihn bei der Beförderung übergangen.

übergeordnet ⟨Adj.⟩: **a)** *in der Rangfolge eine höhere Stelle einnehmend:* eine übergeordnete Behörde; **b)** *wichtiger, von größerer Bedeutung:* ein übergeordnetes Problem.

Übergewicht, das; -[e]s: **1.** *zu hohes Gewicht:* Ü. gefährdet die Gesundheit; der Brief hatte Ü. **2.** *größere Bedeutung (als jmd./etwas anderes sie hat), Übermacht:* in der Partei haben die Arbeiter ein Ü. gegenüber den Bauern. ** **Ü. bekommen** *(das Gleichgewicht verlieren):* auf der Leiter bekam er plötzlich Ü. und stürzte hinunter.

übergießen, übergoß, hat übergossen ⟨tr.⟩: *(eine Flüssigkeit über jmdn./etwas) gießen:* er übergoß die nassen Sachen vor dem Verbrennen mit Petroleum; bildl.: die Scheinwerfer übergossen den Platz mit Licht *(beleuchteten ihn hell).*

überglücklich ⟨Adj.⟩: *sehr glücklich:* als er von dem Gewinn erfuhr, war er ü.

übergreifen, griff über, hat übergegriffen ⟨itr.⟩: *sich rasch (auch auf etwas anderes) ausbreiten; (etwas anderes) miterfassen:* das Feuer griff sofort auf andere Häuser über; die Seuche griff auf weitere Gebiete über.

Übergriff, der; -s, -e: *Eingriff in die Angelegenheiten oder in den Bereich eines anderen:* sich Übergriffe erlauben; sie mußten sich gegen feindliche Übergriffe schützen.

überhaben, hat über, hatte über, hat übergehabt ⟨itr.⟩ (ugs.): **1.** *als Rest übrighaben:* er hat von seinem Geld nichts mehr über. **2.** *als Kleidungsstück über anderen anhaben, tragen:* sie hatte nur einen dünnen Mantel über. **3.** *(jmds./einer Sache) überdrüssig sein:* ich habe sein ewiges Nörgeln über.

überhandnehmen, nimmt überhand, nahm überhand, hat überhandgenommen ⟨itr.⟩: *in zu großer Zahl, zu oft vorkommen:* die Unfälle haben in letzter Zeit überhandgenommen.

überhängen: **I.** hing über, hat übergehangen ⟨itr.⟩: *(über jmdm./einer Sache) hängen:* wir schnitten die Zweige, die überhingen, ab. **II.** hängte über, hat übergehängt ⟨tr.⟩: *über die Schultern legen, hängen:* ich hängte ihr, mir einen Mantel über.

überhastet ⟨Adj.⟩: *wegen zu großer Eile unüberlegt, übereilt:* ü. vergab der Stürmer die gute Möglichkeit zu einem Tor.

überhäufen, überhäufte, hat überhäuft ⟨tr.⟩: *(jmdm.) zuviel (von etwas) zuteil werden lassen; zu stark belasten:* man überhäufte sie mit Angeboten, Geschenken; er war gerade sehr mit Arbeit überhäuft.

überhaupt ⟨Adverb⟩: **1.** *aufs Ganze gesehen:* ich habe ihn gestern nicht angetroffen, er ist ü. selten zu Hause. **2.** *in irgendeiner Weise, eigentlich:* wie war das ü. möglich? **3.** ⟨in Verbindung mit einer Negation⟩ *ganz und gar:* das war ü. nicht vorgesehen. **4.** *abgesehen davon, sowieso:* ich kann dir diesen Vorwurf nicht ersparen, ü., wir müssen uns noch über vieles unterhalten.

überheblich ⟨Adj.⟩: *die eigenen Fähigkeiten zu hoch einschätzend und auf andere herabsehend:* ein sehr überheblicher Mensch; ü. meinte sie, daß sie diese Aufgabe viel besser gelöst hätte. **Überheblichkeit,** die; -.

überhitzt ⟨Adj.⟩: *zu sehr angespannt, zu schnell und zu stark entwickelt:* bei der überhitzten Konjunktur sind kaum Arbeitskräfte zu bekommen.

Überhitzung, die; -: *zu schnelle und zu starke Entwicklung:* Maßnahmen gegen die Ü. der Konjunktur treffen.

überhöht ⟨Adj.; nicht adverbial⟩: *zu stark erhöht, zu hoch:* er fuhr mit überhöhter Geschwindigkeit.

überholen, überholte, hat überholt ⟨tr.⟩ /vgl. überholt/: **1.** *durch größere Geschwindigkeit einholen und vorbeifahren:* er hat mehrere Autos überholt; er hat ihn beim 10000-m-Lauf in der dritten Runde überholt; ⟨auch itr.⟩ man darf nur links ü. **2.** *bessere Leistungen als ein anderer zeigen:* er hat alle seine Mitschüler überholt. **3.** *auf Mängel prüfen und reparieren:* er hat seinen Wagen ü. lassen; die Maschine muß einmal gründlich überholt werden.

überholt ⟨Adj.; nicht adverbial⟩: *überlebt, unmodern, veraltet, nicht mehr der gegenwärtigen Zeit oder dem augenblicklichen Stand entsprechend:* eine überholte Vorstellung; diese Anschauung ist heute ü.

überhören, überhörte, hat überhört ⟨tr.⟩: **a)** *aus Unaufmerksamkeit nicht hören:* entschuldigen Sie bitte, ich habe Ihre Frage überhört. **b)** *so tun, als ob man etwas nicht hörte:* eine Mahnung, eine spöttische Bemerkung ü.; das möchte ich lieber überhört haben!

überirdisch ⟨Adj.; nicht adverbial⟩: *nicht der Erde angehörend, über das Irdische erhaben:* ein überirdisches Wesen.

überkandidelt ⟨Adj.⟩ (ugs.): *überspannt, von übersteigerten Vorstellungen ausgehend:* sie war ziemlich ü. und sprach nicht mit jedem.

überkippen, kippte über, ist übergekippt ⟨itr.⟩: **1.** *auf der einen Seite zu schwer werden, das Gleichgewicht verlieren und sich zum Fallen neigen oder fallen:* das Tablett kippt über; wenn du dich zu weit aus dem Fenster lehnst, kippst du über. **2.** *plötzlich sehr hoch und schrill klingen:* seine Stimme kippte über.

überkleben, überklebte, hat überklebt ⟨tr.⟩: *(etwas auf etwas) kleben und dadurch verdecken:* Helfer überklebten die Plakate mit gelben Zetteln.

überkochen, kochte über, ist übergekocht ⟨itr.⟩: *kochen und über den Rand des Gefäßes fließen:* die Milch ist übergekocht; bildl.: sie reizte ihn so, daß er schließlich vor Wut überkochte *(äußerst wütend wurde).*

überkommen: **I.** überkommen, überkam, hat überkommen ⟨itr.⟩: *plötzlich ergreifen, erfassen:* in der Dunkelheit überkam die Kinder oft Furcht und Entsetzen. **II.** ⟨Adj.; nicht adverbial⟩ *überliefert:* überkommene Sitten und Gebräuche; diese Tradition war ihnen seit langer Zeit ü.

überkriegen, kriegte über, hat übergekriegt ⟨itr.⟩ (ugs.): *überbekommen.*

überladen: **I.** überladen, überlädt, überlud, hat überladen ⟨tr.⟩: *zuviel (auf etwas) laden:* einen Wagen ü. * **sich** (Dativ) **den Magen ü.** *(zuviel von etwas essen):* er hat sich [mit Torte] den Magen überladen. **II.** ⟨Adj.⟩

für den betreffenden Raum zuviel enthaltend: das Zimmer wirkte sehr ü.; ein überladener *(schwülstiger)* Stil.

überlagern, überlagerte, hat überlagert ⟨tr.⟩: *sich in bestimmten Bereichen überschneiden, überdecken:* sein Traum wurde von einem anderen überlagert; ⟨auch rfl.⟩ diese Ereignisse haben sich überlagert. **Überlagerung,** die; -, -en.

überlassen, überläßt, überließ, hat überlassen: **1.** ⟨tr.⟩ *auf den Besitz (von etwas) zugunsten eines anderen [teilweise] verzichten:* wenn ich mir ein Auto kaufe, werde ich meinem Bruder mein Fahrrad ü.; er hat mir seinen alten Wagen billig überlassen *(verkauft)*. **2.** ⟨tr./rfl.⟩ *anvertrauen:* sie überläßt die Kinder oft den Nachbarn; sie haben sich seiner Führung überlassen. **3.** ⟨tr.⟩ *(jmdm. etwas) anheimstellen:* die Wahl überlasse ich dir; man muß es den Eltern ü., ob sie das Kind bestrafen wollen. **4.** ⟨rfl./tr.⟩ *(jmdn./sich einer Empfindung, einem Zustand o. ä.) ganz hingeben, preisgeben:* sich seinem Schmerz ü.; er überließ ihn seiner Verzweiflung. *** jmdn. sich** (Dativ) **selbst ü.: a)** *(jmdn. ohne Gesellschaft, ohne Aufsicht lassen):* er hat sich soweit beruhigt, daß man ihn für eine Weile sich selbst ü. kann. **b)** *jmdm. in einer schwierigen Situation nicht zur Seite stehen, jmdn. allein lassen:* Sie können ihre Frau in diesem Zustand doch nicht völlig sich selbst ü.; **jmdn. seinem Schicksal ü.** *(jmdn. im Stich lassen, sich nicht um ihn kümmern)*. **5.** ⟨tr.⟩ *nicht selbst tun, sondern einen andern machen lassen:* jmdm. die Arbeit, die Ausführung eines Planes, die Erziehung der Kinder ü.; jmdm. die Initiative ü. *(von jmdm. erwarten, daß er die Initiative ergreift)*. **Überlassung,** die; -.

überlastet ⟨Adj.; nicht adverbial⟩: *von zu vielen Pflichten oder Aufgaben belastet:* unsere leitenden Angestellten sind alle ü.

Überlauf, der; -[e]s, Überläufe: *Stelle, Vorrichtung, an der bes. Wasser überläuft:* der Ü. einer Talsperre, eines Sees, einer Badewanne.

überlaufen: I. überlaufen, läuft über, lief über, ist übergelaufen ⟨itr.⟩: **1. a)** *über den Rand eines Gefäßes fließen:* die Milch läuft über. **b)** *zuviel Flüssigkeit enthalten, so daß diese über den Rand des Gefäßes fließt:* der Eimer, der Topf ist übergelaufen. **2.** *sich auf die Seite des Gegners begeben:* er ist [zum Feind] übergelaufen. **II.** überlaufen, überläuft, überlief, hat überlaufen ⟨itr.⟩: *als unangenehme, bedrohliche Empfindung (über jmdn.) kommen:* ein Schauder überlief mich. **III.** überlaufen ⟨Adj.; nicht adverbial⟩ *von zu vielen Menschen aufgesucht werdend:* der Arzt ist ü.; der Park ist am Sonntag ü.

Überläufer, der; -s, -: *jmd., der sich auf die Seite des Gegners begeben hat; Deserteur.*

überleben, überlebte, hat überlebt ⟨itr.⟩: *(etwas Schweres) überwinden und weiterleben:* er hat den Tod seines Sohnes nicht überlebt; nur die Hälfte der Einwohner hat die Katastrophe überlebt. *** sich überlebt haben/überlebt sein** *(nicht mehr in die gegenwärtige Zeit passen):* diese Prinzipien haben sich/sind überlebt.

überlebensgroß ⟨Adj.⟩: *die natürliche, wirkliche Größe übertreffend:* eine überlebensgroße Darstellung des Herrschers wurde vor dem Palast aufgestellt.

überlegen: I. überlegen, legte über, hat übergelegt ⟨tr.⟩: **1.** *(über jmdn./etwas) legen:* weil es zu kalt war, habe ich mir noch eine Decke übergelegt. **2.** *übers Knie legen, verprügeln:* der Vater hat ihn übergelegt. **II.** überlegen, überlegte, hat überlegt ⟨itr.⟩: *sich in Gedanken mit etwas beschäftigen, um zu einer bestimmten Entscheidung zu kommen:* überlege dir alles genau, und dann gib uns Bescheid, ob du einverstanden bist!; ich muß erst einmal ü. **III.** ⟨Adj.; nicht prädikativ⟩: **a)** *andere weit übertreffend, eine Situation beherrschend:* er ist ein überlegener Geist; er siegte ü. *** jmdm. ü. sein** *(mehr Kraft oder Können haben als ein anderer):* er ist ihm an Talent, Kraft [weit] ü. **b)** *ein Gefühl der Erhabenheit über andere zum Ausdruck bringend, herablassend:* eine überlegene Miene aufsetzen; er lächelte ü. **Überlegenheit,** die; -.

Überlegung, die; -, -en: **a)** ⟨ohne Plural⟩ *das Nachdenken, ehe man sich in einer bestimmten Weise entscheidet:* ohne Ü. handeln; nach sorgfältiger Ü. sagte er zu. **b)** *Folge von Gedanken, durch die man sich vor einer Entscheidung über etwas klarzuwerden versucht:* etwas in seine Überlegungen einbeziehen. *** Überlegungen anstellen** *(überlegen)*.

überleiten, leitete über, hat übergeleitet ⟨itr.⟩: *(zu etwas Neuem) hinführen, einen Übergang (zu etwas) herstellen:* mit diesen Worten leitete er auf ein anderes Thema über; die kurze Szene leitet in den nächsten Akt über. **Überleitung,** die; -, -en.

überlesen, überliest, überlas, hat überlesen ⟨tr.⟩: **1.** *beim Lesen nicht bemerken:* bei der Korrektur hat er viele Fehler überlesen. **2.** *flüchtig, schnell lesen:* vor der Rede überlas er noch einmal das Manuskript.

überliefern, überlieferte, hat überliefert ⟨tr.⟩: *(etwas, was einen kulturellen Wert darstellt) einer späteren Generation weitergeben:* sie behielten alle Bräuche bei, die ihnen von ihren Vorfahren überliefert worden waren; die Melodien zu den frühen Gedichten sind meist nicht überliefert. **Überlieferung,** die; -, -en.

überlisten, überlistete, hat überlistet ⟨tr.⟩: *eine List (gegen jmdn.) anwenden und ihn auf diese Weise übervorteilen:* er hat ihn überlistet; es gelang dem Flüchtenden, seine Verfolger zu ü.

Übermacht, die; -: *Macht, die durch die größere Anzahl oder Stärke für jmdn. gefährlich ist:* ein Kampf gegen feindliche Ü.; jmdn. seine Ü. fühlen lassen; vor der Ü. eines anderen weichen.

übermächtig ⟨Adj.⟩: *zu mächtig:* der übermächtige Einfluß dieser Partei schadet der Demokratie.

übermalen, übermalte, hat übermalt ⟨tr.⟩: *(Farbe o. ä.) mit dem Pinsel (auf etwas) auftragen und dadurch verdecken:* man hatte den Namen des Schiffes zur Tarnung übermalt.

übermannen, übermannte, hat übermannt ⟨tr.⟩: *als Emp-*

findung oder Zustand überwältigen: der Schmerz, der Schlaf übermannte ihn; von seinen Gefühlen übermannt werden.

Übermaß, das; -es: *über ein normales Maß hinausgehende und eigentlich nicht zu ertragende Intensität, Menge (von etwas):* ein Ü. von Schmerzen, an Arbeit; etwas im Ü. genießen.

übermäßig ⟨Adj.⟩: **a)** *über das normale oder erträgliche Maß hinausgehend, zu stark, zu groß:* eine übermäßige Belastung; in übermäßiger Eile. **b)** ⟨verstärkend bei Adjektiven und Verben⟩ *allzu; allzu sehr:* ü. hohe Kosten; ü. essen, rauchen.

Übermensch, der; -en, -en: *vollkommener, Gott gleichender Mensch:* Nietzsches Vision vom Übermenschen.

übermenschlich ⟨Adj.⟩: *das menschliche Maß übersteigend, gewaltig, äußerst groß:* er besitzt übermenschliche Kräfte.

übermitteln, übermittelte, hat übermittelt ⟨tr.⟩: **a)** *schriftlich, telegraphisch oder telefonisch mitteilen:* jmdm. eine Nachricht telefonisch ü.; sie übermittelten ihm telegraphisch ihre Glückwünsche. **b)** *(etwas, was jmd. einem anderen sagen läßt) überbringen, ausrichten:* der Bürgermeister übermittelte der Versammlung die Grüße der Stadt. **Übermittlung,** die; -, -en

übermorgen ⟨Adverb⟩: *an dem auf morgen folgenden Tag:* sie kommen ü. aus dem Urlaub zurück; vielleicht können wir uns ü. abend treffen!

übermüdet ⟨Adj.⟩: *äußerst müde:* von der Anstrengung ü., schlief ich sofort ein.

Übermut, der; -s: *ausgelassene Fröhlichkeit, die kein Maß kennt und sich oft in mutwilligem Verhalten ausdrückt:* die Kinder wußten sich vor Ü. nicht zu lassen; das hat er aus lauter Ü. getan.

übermütig ⟨Adj.⟩: *ausgelassen fröhlich und sich in lebhaftem, oft mutwilligem Verhalten äußernd:* übermütige Kinder; er wird leicht ü.

übernächste ⟨Adj.⟩: *dem nächsten folgend:* jetzt ist Mai, ich verreise im übernächsten Monat, also im Juli.

übernachten, übernachtete, hat übernachtet ⟨itr.⟩: *eine Nacht (irgendwo) verbringen:* im Hotel, bei Freunden, unter freiem Himmel ü. **Übernachtung,** die; -, -en.

übernächtig ⟨Adj.⟩: *übernächtigt.*

übernächtigt ⟨Adj.⟩: *nicht ausgeschlafen, übermüdet:* von der langen Reise ü., kamen wir am Morgen in der Stadt an.

Übernahme, die; -: *das Übernehmen:* die Ü. eines Geschäftes, eines Amtes.

übernatürlich ⟨Adj.⟩: *über die Gesetze der Natur hinausgehend und mit dem Verstand nicht zu erklären:* die Angst verlieh ihm übernatürliche Kräfte; übernatürliche Erscheinungen.

übernehmen, übernimmt, übernahm, hat übernommen: **1.** ⟨tr.⟩ **a)** *(etwas, was einem übergeben wird oder auf einen übergeht) in Besitz nehmen:* sein Sohn hat inzwischen das Geschäft übernommen. **b)** *von einem andern nehmen und für eigene Zwecke verwenden:* der Westdeutsche Rundfunk hat die Sendung übernommen. **c)** *an Bord nehmen:* die Passagiere wurden von einem andern Schiff übernommen. **2.** ⟨tr.⟩ *(etwas, was einem übertragen wird) annehmen und sich bereit erklären, die damit verbundenen Aufgaben zu erfüllen:* ein Amt, einen Posten, einen Auftrag ü.; ⟨häufig als Funktionsverb⟩ die Verantwortung ü. *(etwas verantworten);* die Verpflichtung ü. *(sich zu etwas verpflichten);* die Bürgschaft ü. *(für etwas bürgen).* **3.** ⟨rfl.⟩ **a)** *sich etwas vornehmen, dem man seinen Kräften nach gar nicht gewachsen ist:* er wollte die Arbeit bis Ende des Monats abliefern, es war mir aber sofort klar, daß er sich damit übernommen hatte. **b)** *so viel von sich selbst verlangen, daß die Kräfte versagen; sich überanstrengen:* sie hat sich beim Umzug übernommen.

überparteilich ⟨Adj.⟩: *in seiner Ansicht über den Parteien stehend, von ihnen unabhängig:* eine überparteiliche Zeitung.

Überproduktion, die; -, -en: *Produktion, die den Absatz, die Nachfrage, das normale Maß übersteigt:* die Ü. landwirtschaftlicher Erzeugnisse.

überprüfen, überprüfte, hat überprüft ⟨tr.⟩: **a)** *nochmals prüfen, nachprüfen, kontrollieren:* eine Rechnung, die Richtigkeit von etwas ü. **b)** *nochmals überdenken:* eine Entscheidung ü.; ich habe alle Möglichkeiten überprüft. **Überprüfung,** die; -, -en.

überquellen, quillt über, quoll über, ist übergequollen ⟨itr.⟩: *über den Rand eines Gefäßes quellen:* der Teig, die Hefe ist übergequollen; bildl.: die Tribüne quoll von Zuschauern über *(war überfüllt);* ⟨häufig im 1. Partizip⟩ überquellende *(enthusiastische)* Freude, Dankbarkeit.

überqueren, überquerte, hat überquert ⟨tr.⟩: *von einer Seite (von etwas) auf die andere gehen oder fahren:* eine Straße, eine Kreuzung, einen Fluß ü. **Überquerung,** die; -, -en.

überragen, überragte, hat überragt ⟨tr.⟩: **1.** *durch seine Größe über jmdn./etwas hinausragen:* der Turm überragte die Stadt; er überragte seinen Vater um Haupteslänge *(war einen Kopf größer als sein Vater).* **2.** *weit übertreffen:* er überragte alle an Mut, Geist; ⟨häufig im 1. Partizip⟩ *außergewöhnlich:* ein Problem von überragender Bedeutung; eine überragende Leistung.

überraschen, überraschte, hat überrascht ⟨tr.⟩: **a)** *durch etwas Unerwartetes in Erstaunen versetzen:* jmdn. mit einer Nachricht, einem Geschenk ü.; ich war von seiner Leistung überrascht; ⟨häufig im 1. Partizip⟩ das Angebot kam völlig überraschend; das Problem wurde auf überraschende Weise gelöst. **b)** *(für jmdn.) unerwartet kommen; ertappen:* man überraschte sie bei ihrem Diebstahl. **Überraschung,** die; -, -en.

überreden, überredete, hat überredet ⟨tr.⟩: *(jmdn.) durch Worte dazu bringen, daß er etwas tut, was er ursprünglich nicht wollte:* er ließ sich ü., mit uns in unser Hotel zu kommen; wir lassen uns wohl überzeugen, aber nicht ü. **Überredung,** die; -, -en.

Überredungskunst, die; -, Überredungskünste: *Fähigkeit, jmdn. zu überreden:* er mußte seine ganze Ü. aufbieten, um ihn für dieses Vorhaben zu gewinnen.

überreichen, überreichte, hat überreicht ⟨tr.⟩: *[feierlich] übergeben:* der Präsident überreichte die Urkunde; der Preis wurde im Rahmen einer Feier überreicht. **Überreichung,** die; -.

überreif ⟨Adj.; nicht adverbial⟩: *in besonders starkem Maße reif, zu reif* /von Obst o. ä./: die Tomaten waren ü. und mußten sofort verbraucht werden.

überreizt ⟨Adj.⟩: *durch eine allzu große Beanspruchung der Nerven übermäßig gereizt:* ein überreizter Mensch; er ist in letzter Zeit sehr ü.

überrennen, überrannte, hat überrannt ⟨tr.⟩: **1.** *in einem schnellen Angriff besetzen und selbst weiter vorrücken:* die Kompanie überrannte die feindlichen Stellungen; bildl.: der Vertreter versuchte, sie mit Argumenten zu ü. *(zu überreden, ohne sie zum Nachdenken kommen zu lassen).* **2.** *so (gegen jmdn.) rennen, daß er zu Boden stürzt:* als er in vollem Lauf um die Ecke bog, hätte er fast ein kleines Mädchen überrannt.

Überrest, der; -[e]s, -e: *letzter Rest von etwas:* ein kläglicher Ü.; die Überreste *(Trümmer)* eines Autos; die Überreste *(die Ruine)* eines Gebäudes. *** die sterblichen Überreste** *(das, was von einem Verstorbenen übrigbleibt und bestattet wird; Leiche).*

überrieseln, überrieselte, hat überrieselt ⟨tr.⟩ (geh.): *rieselnd (über etwas) hinfließen:* Bäche überrieselten die Wiesen; bildl.: ein Schauer überrieselte mich; ⟨auch itr.⟩ es überrieselte mich heiß und kalt.

überrollen, überrollte, hat überrollt ⟨tr.⟩: *(einen militärischen Gegner) mit überlegenen Mitteln und ohne große Mühe besiegen, vernichten [und selbst weiter vorrücken]:* das Gros der Truppen wurde von starken gegnerischen Verbänden überrollt.

überrumpeln, überrumpelte, hat überrumpelt ⟨tr.⟩: *überfallen oder überraschen, so daß der Betreffende unvorbereitet ist und sich nicht wehren oder ausweichen kann:* man muß den Gegner ü.; er hat ihn mit seiner Frage überrumpelt. **Überrumplung,** die; -, -en.

überrunden, überrundete, hat überrundet ⟨tr.⟩: *(jmdn.) bei einem Wettlauf oder bei einer Wettfahrt so weit überholen, daß man eine ganze Runde voraus ist:* ein Läufer wurde beim 10000-m-Lauf überrundet; bildl.: er hat in Mathematik seine Mitschüler längst überrundet *(er ist in Mathematik besser als seine Mitschüler).*

übersät ⟨Adj.⟩: *dicht bedeckt:* ein mit Sternen übersäter Himmel; sein ganzer Körper war mit Pickeln ü.

übersättigt ⟨Adj.; nicht adverbial⟩: *(von etwas) soviel habend, daß man gar nicht mehr in der Lage ist, es zu schätzen oder zu genießen:* übersättigte Bürger.

Überschallgeschwindigkeit, die; -, -en: *Geschwindigkeit, die größer ist als die des Schalls:* das Flugzeug flog mit Ü.

überschatten, überschattete, hat überschattet ⟨tr.⟩: *ganz mit seinem Schatten bedecken:* ein großer Baum überschattete den Hof; bildl.: ein tödlicher Unfall überschattete das Rennen *(dämpfte die Stimmung der Teilnehmer und Besucher des Rennens).*

überschätzen, überschätzte, hat überschätzt ⟨tr./rfl.⟩: *zu hoch einschätzen:* den Wert einer Sache ü.; er neigt dazu, sich zu ü.

Überschau, die; -, -en: *knappe Übersicht, Zusammenfassung:* in einer kurzen Ü. faßte der Gelehrte die Ergebnisse seiner Forschungen zusammen.

überschauen, überschaute, hat überschaut ⟨tr.⟩ **1.** *[von einem erhöhten Standort aus] einen weiten Blick (über etwas) haben:* von hier aus überschaut man die Stadt sehr gut. **2.** *sich aus verschiedenen Vorgängen ein Bild (von etwas) machen und darüber Bescheid wissen:* ich überschaue noch nicht ganz, was wir an Material nötig haben.

überschäumen, schäumte über, ist übergeschäumt ⟨itr.⟩: *schäumend über den Rand eines Gefäßes fließen:* der Sekt schäumt über; bildl.: er schäumte über vor Temperament; ⟨häufig im 1. Partizip⟩ ein überschäumendes Temperament.

überschlafen, überschläft, überschlief, hat überschlafen ⟨itr.⟩: *nicht sofort entscheiden, sondern erst eine Nacht darüber vergehen lassen:* dieses diffizile Problem will, muß ich erst einmal ü.

Überschlag, der; -[e]s, Überschläge: **1.** *schnelle Berechnung (der ungefähren Größe einer Summe oder Anzahl):* der Verkäufer machte einen Ü. und nannte uns den ungefähren Preis. **2.** *ganze Drehung um die horizontale Achse:* einen Ü. mit Anlauf turnen; nach dem Ü. landete das Auto wieder auf den Rädern.

überschlagen, überschlägt, überschlug, hat überschlagen: **1.** ⟨tr.⟩ *auslassen:* eine Mahlzeit ü.; ein Kapitel ü. *(nicht lesen).* **2.** ⟨tr.⟩ *(die ungefähre Größe einer Summe oder Anzahl) schnell berechnen:* die Kosten ü.; er überschlug, ob sein Geld noch für einen Anzug reichte. **3.** ⟨rfl.⟩ *im Fallen umkippen und sich um sich selbst drehen:* das Auto stürzte den Abhang hinunter und überschlug sich mehrmals. **4.** ⟨rfl.⟩ *plötzlich sehr hoch und schrill klingen:* seine Stimme überschlug sich im Zorn.

überschnappen, schnappte über, ist übergeschnappt ⟨itr.⟩ (ugs.): *nicht mehr fähig bleiben, vernünftig und ruhig zu denken und zu handeln:* er ist so in seine Aufgabe verbohrt, daß er bald überschnappt; ⟨häufig im 2. Partizip⟩ du bist wohl übergeschnappt *(du bist wohl nicht ganz bei Verstand)!*

überschneiden, sich; überschnitt sich, hat sich überschnitten: **1.** *sich in einem oder mehreren Punkten schneiden:* die beiden Linien überschneiden sich. **2. a)** *zur gleichen Zeit stattfinden:* die Vorlesungen überschneiden sich. **b)** *viele Probleme gemeinsam haben:* die Arbeitsgebiete der beiden Wissenschaftler überschneiden sich. **Überschneidung,** die; -, -en.

überschreiben, überschrieb, hat überschrieben ⟨tr.⟩: **1.** *(einem Text) als Überschrift geben:* der Autor überschrieb das erste Kapitel des Buches mit „Grundlegende Fragen". **2.** *als Eigentum übertragen:* er hat das Haus [auf den Namen] seiner Frau ü. lassen.

überschreiten, überschritt, hat überschritten ⟨tr.⟩: 1. *über etwas hinübergehen:* die Schwelle eines Hauses, die Gleise, eine Grenze ü.; bildl.: das Fest hat den Höhepunkt überschritten; er hat die Sechzig bereits überschritten *(er ist mehr als* 60 *Jahre alt).* 2. *(eine Vorschrift) nicht beachten, sich nicht (an ein bestimmtes Maß) halten:* ein Gesetz, seine Befugnisse, einen Kostenanschlag ü. **Überschreitung,** die; -, -en.

Überschrift, die; -, -en: *das, was zur Kennzeichnung des Inhalts über einen Text geschrieben steht; Titel:* er hatte in der Zeitung nur die Überschriften gelesen.

Überschuß, der; Überschusses, Überschüsse: **a)** *Gewinn:* durch die billigere Herstellung erzielten sie hohe Überschüsse. **b)** *eine über den notwendigen Bedarf, über ein bestimmtes Maß hinausgehende Menge:* das Kind hat einen Ü. an Kraft und Temperament; der Ü. an Frauen wird in den nächsten Jahren zurückgehen.

überschüssig ⟨Adj.; nicht adverbial⟩: *über den eigentlichen Bedarf hinausgehend und daher nicht verbraucht oder nicht genutzt:* überschüssige Kräfte.

überschütten, überschüttete, hat überschüttet ⟨tr.⟩: *(jmdm. etwas) besonders reichlich oder in allzu großem Maße zuteil werden lassen; überhäufen:* jmdn. mit Geschenken, Beifall, Lob, Vorwürfen ü.; bei seiner Ankunft wurde er mit Fragen überschüttet *(wurden ihm Fragen über Fragen gestellt).*

Überschwang, der; -s: *Übermaß an Gefühl:* der Ü. der Freude; diese Äußerung ist aus seinem jugendlichen Ü. zu erklären.

überschwemmen, überschwemmte, hat überschwemmt ⟨tr.⟩: *ganz mit Wasser bedecken:* die Fluten überschwemmten weite Teile des Landes; bildl.: der Leser wird heute mit [einer Flut von] Zeitschriften überschwemmt. **Überschwemmung,** die; -, -en.

überschwenglich ⟨Adj.⟩: *in Gefühlsäußerungen übersteigert [und übertrieben]:* eine überschwengliche Begeisterung; sie äußert sich immer sehr ü.; er wurde ü. gelobt. **Überschwenglichkeit,** die; -.

Übersee: ⟨in den Fügungen⟩ aus/für/in/nach/von Ü.: *aus usw. Gebieten, die jenseits des Ozeans (bes. in Amerika) liegen:* nach Ü. auswandern; in Ü. leben.

übersehbar ⟨Adj.⟩: *so beschaffen, daß man sich ein Bild davon machen kann:* der bei dem Brand entstandene Schaden war noch [nicht] ü.

übersehen: I. übersehen, sieht über, sah über, hat übergesehen ⟨itr.⟩ (ugs.): *(etwas) nicht mehr sehen mögen, weil man es schon so häufig gesehen hat:* ich habe mir die Farbe übergesehen; man sieht sich solch ein Stück leicht über. **II.** übersehen, übersieht, übersah, hat übersehen ⟨tr.⟩: 1. *[von einem erhöhten Standort aus] einen weiten Blick (über etwas) haben:* von seinem Fenster konnte er den ganzen Platz ü. 2. *sich aus verschiedenen Vorgängen ein Bild (von etwas) machen und darüber Bescheid wissen:* die Lage läßt sich jetzt ungefähr ü.; ob es möglich sein wird, ist noch nicht zu ü. 3. *unbeabsichtigt oder absichtlich nicht sehen:* er hatte einige Fehler übersehen; er meinte, ihn ü. zu können.

übersenden, übersandte/übersendete, hat übersandt/übersendet ⟨tr.⟩: *senden, schikken:* er übersandte mir die Unterlagen mit der Post. **Übersendung,** die; -.

übersetzen: I. übersetzen, setzte über, hat übergesetzt ⟨tr./itr.⟩: *ans andere Ufer fahren:* der Fährmann hat sie übergesetzt; wir ließen uns mit der Fähre ü.; den Truppen gelang es, auf das südliche Flußufer überzusetzen. **II.** übersetzen, übersetzte, hat übersetzt ⟨tr.⟩: *schriftlich oder mündlich in einer anderen Sprache wiedergeben:* einen Text wörtlich, frei ü.

Übersetzer, der; -s, -: *jmd., der Gesprochenes oder Geschriebenes in eine andere Sprache übersetzt:* mehrere Ü. übertrugen die Rede ins Deutsche, Französische und Spanische.

Übersetzung, die; -, -en: **a)** ⟨ohne Plural⟩ *das Übersetzen:* die Ü. des Textes ist schwierig. **b)** *übersetzte Rede, übersetzter Text:* die Ü. ist schlecht, zu frei.

Übersicht, die; -, -en: 1. ⟨ohne Plural⟩ *Fähigkeit, ein bestimmtes Gebiet oder größere Zusammenhänge zu übersehen:* er hat die Ü. völlig verloren. 2. *Liste oder Tabelle, die ein Verzeichnis enthält:* eine Ü. der unregelmäßigen Verben; eine Ü. über die Konzerte des kommenden Winters.

übersichtlich ⟨Adj.⟩: *sich leicht überblicken lassend, so daß man die Anlage gut erkennen kann:* ein übersichtliches Gelände; eine übersichtliche Anordnung; die Arbeit war ü. gegliedert.

übersiedeln, siedelte über, ist übergesiedelt, (auch:) übersiedeln, übersiedelte, ist übersiedelt ⟨itr.⟩: *sich mit seinen Möbeln und anderem Besitz an einem andern Ort niederlassen, [um dort dauernd oder für längere Zeit zu wohnen]:* er ist vor zehn Jahren hierher übergesiedelt; wir überlegen uns noch, ob wir nicht endgültig nach Heidelberg ü. sollen. **Übersiedlung,** [auch: Übersiedlung], die; -, -en.

übersinnlich ⟨Adj.⟩: *mit den Sinnen nicht wahrnehmbar:* an eine übersinnliche Welt glauben.

überspannt ⟨Adj.⟩: *das Maß des Vernünftigen überschreitend; übersteigert:* überspannte Ideen, Forderungen; sie ist ü.

überspielen, überspielte, hat überspielt ⟨tr.⟩: 1. *(etwas auf Tonband oder Schallplatte Aufgenommenes) übertragen:* eine Schallplatte auf ein Tonband ü. 2. *schnell (über etwas Unangenehmes oder Peinliches) hinweggehen und (es) durch geschicktes Verhalten andern nicht bewußt werden lassen:* durch seine betonte Sorglosigkeit versuchte er nur seine geheimen Befürchtungen zu ü.; sie weiß ihre Fehl Forderungen; sie ist ü. **Überspanntheit,** die; -, -en.

überspitzt ⟨Adj.⟩: *übertrieben scharf ausgesprochen, unterscheidend; zu genau, zu fein:* einzelne Formulierungen des Redners waren ü.

überspringen: I. überspringen, sprang über, ist übergesprungen ⟨itr.⟩: *(von etwas auf etwas) springen, wechseln:* die

Funken sprangen von dem einen zum anderen Pol, von der brennenden Scheune auf das Haus über; bildl.: der Redner sprang auf ein anderes Thema über *(wechselte jäh das Thema)*. **II.** überspringen, übersprang, hat übersprungen ⟨tr.⟩: *(über etwas) springen:* der Sportler konnte diese Höhe erst im letzten Versuch überspringen; bildl.: wegen seiner ausgezeichneten Leistungen hat er eine Klasse übersprungen *(ist er in die übernächste aufgerückt)*; in seinem Vortrag hat er diese heiklen Fragen übersprungen *(ausgelassen, ist er nicht auf sie eingegangen)*.

übersprudeln, sprudelte über, ist übergesprudelt ⟨itr.⟩: *über den Rand eines Gefäßes sprudeln:* die Limonade ist übergesprudelt; bildl.: er sprudelt von guten Ideen über *(er hat viele gute Ideen)*; ⟨häufig im 1. Partizip⟩ sie besitzt ein übersprudelndes *(äußerst lebhaftes)* Temperament.

überspülen, überspülte, hat überspült ⟨tr.⟩: *ganz mit Wasser bedecken:* die Wiesen wurden von dem Hochwasser führenden Fluß überspült.

überstehen, überstand, hat überstanden ⟨tr.⟩: *(etwas, was mit Schwierigkeiten, Anstrengungen, Schmerzen o. ä. verbunden ist) hinter sich bringen; überwinden:* Gefahren, eine Krise ü.; er hat die schwere Krankheit überstanden.

übersteigen, überstieg, hat überstiegen: **1.** ⟨tr.⟩ *(über etwas) steigen, klettern:* eine Mauer ü. **2.** ⟨itr.⟩ *über eine gewisse Grenze, die man in Gedanken gezogen hatte, hinausgehen:* die Ausgaben überstiegen die Einnahmen; das übersteigt unsere Kräfte, alle unsere Erwartungen.

übersteigern, übersteigerte, hat übersteigert ⟨tr./rfl.⟩: *(etwas/sich) zu sehr steigern und über das normale Maß hinausgehen lassen:* die Forderungen durften nicht übersteigert werden; sie übersteigerte sich *(ging zu weit)* in ihren Gefühlsäußerungen; ⟨häufig im 2. Partizip⟩ ein übersteigertes Selbstbewußtsein. **Übersteigerung,** die; -, -en.

überstimmen, überstimmte, hat überstimmt ⟨tr.⟩: *bei einer Wahl besiegen:* der Vorsitzende wurde von der Mehrheit überstimmt.

überstreifen, streifte über, hat übergestreift ⟨tr.⟩: *(ein Kleidungsstück) über den Körper oder einen Körperteil streifen, ziehen:* man hat dem Weltmeister ein Trikot in den Farben des Regenbogens übergestreift; ich streifte mir die Handschuhe über.

überströmen: I. überströmen, strömte über, ist übergeströmt ⟨itr.⟩ (geh.): *über den Rand eines Gefäßes strömen:* das Wasser strömte über; bildl.: er ist von Dankesworten übergeströmt *(er hat sich überschwenglich bedankt)*; ⟨häufig im 1. Partizip⟩ er begrüßte mich mit überströmender *(überschwenglicher)* Freude. **II.** überströmen, überströmte, hat überströmt ⟨tr.⟩ (geh.): *mit einer Flüssigkeit (bes. Wasser) bedecken:* der Fluß überströmte bei Hochwasser die Wiesen vor der Stadt; bildl.: ⟨häufig im 2. Partizip⟩ von Schweiß überströmt; die Stadt ist jeden Sommer von Touristen überströmt *(stark besucht)*.

Überstunde, die; -, -n: *Stunde, in der über die festgesetzte Zeit hinaus gearbeitet wird:* bezahlte Überstunden; Überstunden machen *(über die festgesetzte Zeit hinaus arbeiten)*.

überstürzen, überstürzte, hat überstürzt: **1.** ⟨tr.⟩ *zu hastig tun, ohne sich Zeit für die nötige Überlegung zu nehmen:* er hat seine Reise überstürzt; sie wollten nichts ü.; ⟨häufig im 2. Partizip⟩ eine überstürzte Flucht; überstürzt handeln. **2.** ⟨rfl.⟩ *zu rasch aufeinanderfolgen:* manchmal überstürzen sich die Ereignisse; seine Worte überstürzten sich. **Überstürzung,** die; -.

übertölpeln, übertölpelte, hat übertölpelt ⟨tr.⟩: *(jmdn., der in einem bestimmten Fall nicht gut aufgepaßt hat) übervorteilen:* er hat ihn übertölpelt. **Übertölplung,** die; -, -en.

übertönen, übertönte, hat übertönt ⟨tr.⟩: *lauter sein (als etwas) und dadurch bewirken, daß es nicht gehört wird:* er übertönte alle mit seiner lauten Stimme.

Übertrag, der; -[e]s, Überträge: *auf die nächste Seite übertragene Summe:* bei der Abrechnung steckte im Ü. ein Fehler.

übertragbar ⟨Adj.⟩: **1.** *so beschaffen, daß eine Übertragung auf andere Bereiche möglich ist:* diese Methode ist nicht auf die Physik ü. **2.** ⟨nicht adverbial⟩ Med. *ansteckend:* eine übertragbare Krankheit, Infektion. **3.** ⟨nicht adverbial⟩ *zum Gebrauch, zur Verwendung auch für andere Personen gültig:* diese verbilligte Fahrkarte ist nicht ü.

übertragen, überträgt, übertrug, hat übertragen: **1.** ⟨tr.⟩ **a)** *von/aus etwas in/auf etwas schreiben oder zeichnen:* eine Rechnung in ein dafür bestimmtes Buch ü.; eine Zeichnung, ein Muster ü. **b)** *auf einen anderen Tonträger bringen:* eine Schallplattenaufnahme auf ein Tonband ü. **2.** ⟨tr.⟩ *übersetzen:* einen Text aus dem Englischen ins Deutsche ü. **3.** ⟨tr.⟩ *auf etwas anderes anwenden, so daß die betreffende Sache auch dort Geltung und Bedeutung hat:* die Gesetze der Malerei dürfen nicht auf die Literatur übertragen werden; ⟨häufig im 2. Partizip⟩ *nicht im eigentlichen Sinn des Wortes zu verstehen; bildlich:* ein Wort in übertragener Bedeutung. **4.** ⟨tr.⟩ *(eine Aufgabe, ein Recht) anvertrauen, (jmdn. mit etwas) beauftragen:* jmdm. eine Arbeit, ein Amt, ein Recht ü. **5. a)** ⟨tr.⟩ *(eine Krankheit o. ä.) weitergeben:* eine Krankheit kann direkt, aber auch durch Insekten übertragen werden. **b)** ⟨rfl.⟩ *(jmdn.) befallen:* die Krankheit überträgt sich auch auf Menschen. **6.** ⟨tr.⟩ *senden:* der Rundfunk überträgt das Fußballspiel aus London. **Übertragung,** die; -, -en.

übertreffen, übertrifft, übertraf, hat übertroffen ⟨tr.⟩: **a)** *(über die Leistungen anderer auf dem gleichen Gebiet) hinauskommen; Besseres leisten (als andere):* jmdn. an Fleiß ü. **b)** *(über dem eigentlich Erwarteten) liegen; besser sein (als vermutet):* das Ergebnis übertraf die kühnsten Hoffnungen.

übertreiben, übertrieb, hat übertrieben ⟨tr.⟩ /vgl. übertrieben/: *größer, wichtiger oder schlimmer darstellen, als die betreffende Sache wirklich ist:*

die Zahlen der Verletzten wurden absichtlich übertrieben; er hatte die Wirkung etwas übertrieben; ⟨auch itr.⟩ er übertrieb maßlos. **Übertreibung**, die; -, -en.

übertreten: I. übertreten, tritt über, trat über, hat/ist übergetreten ⟨itr.⟩: 1. Sport: *im Anlauf über die zum Abspringen o. ä. festgelegte Stelle treten:* sein Sprung ist ungültig, weil er übergetreten hat/ist. 2. *seine religiösen, politischen o. ä. Anschauungen ändern und einer anderen Gemeinschaft beitreten; konvertieren:* er ist zur evangelischen Kirche, zu einer andern Partei übergetreten. II. übertreten, übertritt, übertrat, hat übertreten ⟨tr.⟩: *(eine Vorschrift oder ein Gesetz) verletzen, nicht beachten:* ein Gesetz, ein Verbot ü. **Übertretung**, die; -, -en.

übertrieben ⟨Adj.⟩: a) *durch Übertreibungen gekennzeichnet:* eine übertriebene Schilderung; übertriebene *(überspannte)* Ansichten. b) *zu weit gehend, zu stark:* übertriebenes Mißtrauen; übertriebene Forderungen; ⟨häufig verstärkend bei Adjektiven⟩ er ist ü. *(allzu)* vorsichtig, ehrgeizig.

Übertritt, der; -[e]s, -e: *das Übertreten zu einer anderen Religion, Partei o. ä.:* der Ü. zur katholischen Religion.

übertrumpfen, übertrumpfte, hat übertrumpft ⟨tr.⟩: *besser sein (als jmd.); überbieten:* mit dieser großartigen Leistung hat er alle übertrumpft.

übervölkert ⟨Adj.; nicht adverbial⟩: *von zu vielen Menschen bewohnt:* in dem übervölkerten Land wurde die Geburtenkontrolle eingeführt.

übervorteilen, übervorteilte, hat übervorteilt ⟨tr.⟩: *sich durch Geschicklichkeit oder List (gegenüber einem andern) einen Vorteil verschaffen, indem man dessen Unwissenheit ausnutzt:* bei dem Kauf des Hauses ist er sehr übervorteilt worden.

überwachen, überwachte, hat überwacht ⟨tr.⟩: *(jmds. Tun) kontrollieren; für den richtigen Ablauf (von etwas) sorgen:* der Häftling wurde von nun an strenger überwacht; die Ausführung eines Befehls, den Verkehr ü. **Überwachung**, die; -, -en.

überwältigen, überwältigte, hat überwältigt ⟨tr.⟩: 1. *im Kampf besiegen; dafür sorgen, daß sich jmd. nicht mehr wehren kann:* er überwältigte seinen Gegner; der Verbrecher wurde schließlich von den Passanten überwältigt. 2. *mit solcher Intensität ergreifen, daß die betreffende Person sich der Wirkung nicht entziehen kann:* das Schauspiel, die Erinnerung überwältigte ihn; ⟨häufig im 1. Partizip⟩ ein überwältigender Anblick; seine Leistungen waren nicht überwältigend *(waren mittelmäßig)*; eine überwältigende *(außergewöhnlich große)* Mehrheit. **Überwältigung**, die; -, -en.

überweisen, überwies, hat überwiesen ⟨tr.⟩: 1. *auf jmds. Konto einzahlen:* einen Betrag durch die Bank ü. 2. *zur weiteren Behandlung mit einem entsprechenden Schreiben zu einem anderen Arzt schicken:* der Arzt hat ihn zum Spezialisten, in die Klinik überwiesen. **Überweisung**, die; -, -en.

überwerfen, sich; überwirft sich, überwarf sich, hat sich überworfen: *sich wegen einer bestimmten Angelegenheit mit jmdm. streiten und sich deshalb von ihm trennen:* wegen der Erbschaft haben sich die Geschwister überworfen; er hat sich mit seinem besten Freund überworfen.

überwiegen, überwog, hat überwogen ⟨itr.⟩: a) *das Übergewicht haben, vorherrschen und das Bild von etwas bestimmen:* in dieser Gesellschaft überwiegt die Toleranz; ⟨häufig im 1. Partizip⟩ der überwiegende *(größte)* Teil der Bevölkerung ist katholisch; es waren überwiegend *(meist)* hilfsbereite Menschen, denen er begegnete. b) *stärker sein (als etwas):* die Neugier überwog seine Ehrfurcht.

überwinden, überwand, hat überwunden: a) ⟨tr.⟩ *(einen starken äußeren oder inneren Widerstand) besiegen:* alle Hindernisse, Schwierigkeiten ü.; ein Gefühl, seine Angst ü. b) ⟨itr.⟩ *an einer als falsch erkannten Haltung oder Einstellung nicht festhalten:* er hatte alle Bedenken überwunden; diesen Standpunkt hat man heute längst überwunden. c) ⟨rfl.⟩ *nach anfänglichem Zögern doch etwas tun, was einem schwerfällt:* er hat sich schließlich überwunden, ihm einen Besuch zu machen. **Überwindung**, die; -.

überwintern, überwinterte, hat überwintert ⟨itr.⟩: *den Winter [in einem dem Schlaf ähnlichen Zustand an einem bestimmten Ort] verbringen* /von Tieren und Pflanzen/: der Hamster überwintert in seinem Bau; die Knollen müssen bei 15 Grad Wärme im Keller ü.

überwuchern, überwucherte, hat überwuchert ⟨tr.⟩: *dicht und üppig (über etwas) wachsen:* das Unkraut hat die jungen Pflanzen, den Gartenweg überwuchert.

Überwurf, der; -[e]s, Überwürfe: 1. *loser Umhang:* sie hängte sich einen Ü. um. 2. (östr.) *Decke als Zierde für Betten o. ä.:* ein gestrickter, bunter Ü. 3. /ein bestimmter Wurf beim Ringen/.

Überzahl: ⟨in der Wendung⟩ in der Ü. sein: *in größerer Anzahl vorhanden sein (als andere):* bei der Versammlung waren die Liberalen in der Ü.

überzählig ⟨Adj.; nicht adverbial⟩: *über den Bedarf hinausgehend, zuviel vorhanden:* bei der Party waren einige Damen ü.; die überzähligen Exemplare wurden an Interessenten verteilt; wir sind hier ü. *(anscheinend unerwünscht)*, wir wollen gehen.

überzeichnen, überzeichnete, hat überzeichnet ⟨tr.⟩: Börsenw. *Anteile (einer Anleihe, eines Wertpapiers o. ä.,) in einem das Angebot übersteigenden Maße bestellen:* die Anleihe war um 20 Prozent überzeichnet worden.

überzeugen, überzeugte, hat überzeugt ⟨tr./rfl.⟩: *(jmdm./sich) durch Argumente oder eigene Prüfung Gewißheit über etwas verschaffen; (jmdn./sich) dahin bringen, daß er/man etwas für wahr oder notwendig hält:* jmdn./sich von der Schuld eines andern ü.; auch dieses Argument konnte ihn nicht ü.; ⟨häufig im 1. Partizip⟩ *plausibel, glaubhaft:* überzeugende Gründe; eine überzeugende Darstellung; ⟨häufig im 2. Partizip⟩

(an etwas) glaubend: er ist überzeugter Christ; ich bin von seinen Fähigkeiten überzeugt *(glaube an seine Fähigkeiten).*

Überzeugung, die; -, -en: *durch jmdn. oder durch eigene Prüfung oder Erfahrung gewonnene Gewißheit:* das war seine feste Ü.; er war nicht von seiner Ü. abzubringen.

überziehen: **I.** überziehen, zog über, hat übergezogen ⟨tr.⟩: *(ein Kleidungsstück) über den Körper oder einen Körperteil ziehen:* ich zog mir einen Pullover über; vor dem Kauf zog sie den Rock in der Kabine über *(probierte sie ihn an).* ** (ugs.) **jmdm. eins ü.** *(jmdm. mit etwas einen Schlag, Hieb versetzen):* er hat seinem Sohn eins übergezogen. **II.** überziehen, überzog, hat überzogen ⟨tr.⟩: **1.** *mit einem Überzug (aus etwas) versehen:* einen Deckel mit Stoff ü.; die Sessel, das Sofa neu ü. lassen *(mit einem neuen Bezug versehen lassen);* die Betten [frisch] ü. *(die Bettwäsche erneuern);* ⟨häufig im 2. Partizip⟩ frisch überzogene Betten; bildl.: eine tiefe Röte überzog *(färbte)* ihr Gesicht; Nebel überzog das Gelände *(das Gelände wurde in Nebel gehüllt);* feindliche Truppen überzogen das Land mit Krieg *(führten im ganzen Land Krieg).* **2.** *einen das Guthaben übersteigenden Betrag (von seinem Konto) abheben:* er hatte sein Konto überzogen.

überzüchtet ⟨Adj.; nicht adverbial⟩: *bei der Zucht auf Kosten der Gesundheit und Widerstandsfähigkeit hoch entwickelt* /von Tieren, Pflanzen/: diese Rasse ist ü.

Überzug, der; -[e]s, Überzüge: **a)** *Schicht, mit der etwas überzogen ist:* Holz mit einem feinen Ü. aus klarem Lack versehen; ein Ü. aus Schokolade. **b)** *Hülle:* einen Ü. für einen Sessel nähen.

üblich ⟨Adj.; nicht adverbial⟩: *den allgemeinen Gewohnheiten, Bräuchen entsprechend, immer wieder vorkommend:* die übliche Begrüßung; etwas zu den üblichen Preisen kaufen; er verspätete sich wie ü.; das ist schon lange nicht mehr ü. *(tut man schon lange nicht mehr).*

U-Boot, das; -[e]s, -e: *Schiff [für militärische Zwecke], das längere Zeit unter Wasser fahren kann:* das U-Boot tauchte und ging auf große Tiefe.

übrig ⟨Adj.; nicht adverbial⟩: *[als Rest] noch vorhanden:* drei Äpfel waren ü.; nur eine kleine Gruppe war noch im Saal, die übrigen *(anderen)* waren schon gegangen; wir hatten nichts mehr ü. *(es war kein Rest geblieben).* * **etwas für jmdn. ü. haben** *(jmdn. sympathisch finden und ihn gern haben);* **etwas für etwas ü. haben** *(eine Vorliebe oder Schwäche für etwas haben):* mein Onkel hatte immer etwas für das Theater ü.; **im übrigen** *(abgesehen von diesem einen Fall, im allgemeinen, außerdem):* ich möchte nichts essen, und im übrigen mache ich mir auch nicht viel aus Kuchen; er ist im übrigen mit seiner Arbeit zufrieden.

übrigbehalten, behält übrig, behielt übrig, hat übrigbehalten ⟨tr.⟩: *als Rest behalten:* er hat nicht das ganze Geld ausgegeben, sondern noch einige Mark übrigbehalten.

übrigbleiben, blieb übrig, ist übriggeblieben ⟨itr.⟩: *als Rest [ver]bleiben:* es ist noch eine kleine Summe übriggeblieben. * **jmdm. bleibt nichts [anderes/weiter] übrig als...** *(jmd. hat keine andere Wahl, als...):* unter diesen Umständen blieb ihm nichts anderes übrig, als zu kündigen.

übrigens ⟨Adverb⟩: *um noch etwas hinzuzufügen, nebenbei bemerkt:* ü. könntest du mir noch einen Gefallen tun; das Buch hatte er ü. vergessen.

übriglassen, läßt übrig, ließ übrig, hat übriggelassen ⟨tr.⟩: *als Rest [zurück] lassen:* er hat den ganzen Kuchen aufgegessen und ihr nichts übriggelassen. * **jmd./etwas läßt in etwas nichts zu wünschen übrig** *(jmd./etwas ist in etwas ohne Fehler, Tadel):* die saubere Arbeit läßt, er läßt in seiner Arbeit nichts zu wünschen übrig.

Übung, die; -, -en: **1.** ⟨ohne Plural⟩ *das Üben; regelmäßige Wiederholung von etwas, um Fertigkeit darin zu erlangen:* ein Stück zur Ü. spielen; ihm fehlt die Ü. **2. a)** Turnen *Ablauf, Folge bestimmter Bewegungen:* eine Ü. am Barren. **b)** *etwas, was in bestimmter Form zur Erlangung einer guten Technik ausgeführt wird:* er spielt heute nur Übungen [auf dem Klavier]. **3.** *Unterrichtsstunde an der Hochschule, bei der die Studenten aktiv mitarbeiten; Seminar.* **4.** *probeweise durchgeführte Veranstaltung oder Unternehmung, um für den Ernstfall geschult zu sein:* militärische Übungen; die Feuerwehr rückt zur Ü. aus.

Ufer, das; -s, -: *Begrenzung eines Gewässers durch das Festland:* ein steiles, flaches U.; der Fluß ist über die U. getreten.

uferlos ⟨Adj.; nicht adverbial⟩: *endlos, fruchtlos:* er ließ sich mit den Demonstranten auf eine uferlose Diskussion ein; der Redner geriet ins Uferlose. * **etwas geht ins uferlose** *(etwas geht allzu weit, ist allzu phantastisch):* seine Pläne gingen ins uferlose.

Uhr, die; -, -en: *Gerät, das die Zeit mißt* (siehe Bild): die U. geht nach; die U. aufziehen, stellen.

Uhr

Uhrmacher, der; -s, -: *jmd., der Uhren [herstellt und] repariert* /Berufsbezeichnung/: die defekte Uhr zum U. bringen.

Uhrwerk, das; -[e]s, -e: *eine Uhr o. ä. antreibender Mechanismus:* ein präzise laufendes U.; bildl.: sein Leben machte den Eindruck eines streng geregelten Uhrwerks.

Uhu, der; -s, -s: /ein Vogel/ (siehe Bild).

Uhu

Ukas, der; Ukasses, Ukasse (abwertend): *Befehl, Erlaß, Vorschrift:* der Minister hat schon wieder so einen U. herausgegeben, der nichts als Nachteile für die Bevölkerung bringt.

Ulk, der; -s: *(lärmender) Spaß, lustiger Unfug in einer Gruppe:* U. machen.

ulken, ulkte, hat geulkt ⟨itr.⟩: *(mit jmdm.) Unsinn reden und sich dabei auf seine Kosten amü-*

sieren: sie ulkten mit der neuen Kollegin.

ulkig ⟨Adj.⟩ (ugs.): *belustigend und komisch wirkend:* ein ulkiger Kerl; ulkige Masken.

Ulme, die; -, -n: /ein Baum/ (siehe Bild).

Ulme

Ulster, der; -s, -: *lose fallender Mantel aus schwerem Stoff mit zwei Reihen Knöpfen (bes. für Herren).*

Ultima ratio, die; - - (geh.): *letztes geeignetes Mittel:* ich halte den Krieg nicht für die Ultima ratio politischer Auseinandersetzungen.

ultimativ ⟨Adj.⟩: *mit Nachdruck [fordernd]; [unter Androhung harter Gegenmaßnahmen] eine Entscheidung erzwingen wollend; in Form eines Ultimatums [erfolgend]:* der Unterhändler überbrachte die ultimativen Forderungen des Gegners; die Regierung forderte u. die Freilassung ihres Botschafters; er verlangte u. die Zahlung des geschuldeten Betrages.

Ultimatum, das; -s: *[auf diplomatischem Wege übermittelte] Aufforderung eines Staates an einen anderen, in einer bestimmten kurzen Frist eine Angelegenheit befriedigend zu lösen [meist gleichzeitig verbunden mit der Androhung harter Maßnahmen, falls der Aufforderung nicht entsprochen wird]:* in einem U. wurde die Regierung aufgefordert, die Gefangenen binnen 24 Stunden freizulassen; ein U. stellen.

Ultimo, der; -s, -s: Kaufmannsspr. *letzter Tag eines Monats:* die Rechnung ist bis zum U. zu bezahlen.

Ultraschall, der; -[e]s: *Schall, der mit dem Gehör nicht mehr wahrnehmbar ist:* Fledermäuse orientieren sich mit Hilfe von U.

um: I. ⟨Präp.; mit Akk.⟩ **1.** ⟨räumlich⟩ *(jmdn./etwas) im Kreis umgehend, einschließend:* alle standen um ihn; er schlug um sich; um das Dorf lagen die Felder. **2.** ⟨zeitlich⟩ **a)** *genau zu einer bestimmten Zeit:* um 12 Uhr. **b)** *ungefähr zu einer Zeit:* um Ostern [herum]. **3.** ⟨kausal⟩/gibt den Grund für etwas an/: sie machte sich Sorgen um ihn. **4.** /kennzeichnet einen Zweck/: um Hilfe rufen; er bat um Aufschub. **5. a)** /kennzeichnet einen regelmäßigen Wechsel/: sie besuchten sich einen um den anderen Tag *(jeden zweiten Tag)*. **b)** /kennzeichnet eine ununterbrochene Reihenfolge/: er zahlte Runde um Runde. **6.** *betreffend:* wie steht es um ihn? **7.** /kennzeichnet einen Unterschied bei Maßangaben/: der Rock wurde um 5 cm gekürzt; er sieht um vieles jünger aus. **8.** *für:* ich würde ihn um alles in der Welt nicht besuchen. **9.** /kennzeichnet einen Verlust/: er hat mich um mein ganzes Vermögen gebracht. ** **um... willen** *(wegen):* um des lieben Friedens willen gab er nach *(um Zank und Streit zu vermeiden, gab er nach)*. **II.** ⟨Adverb⟩ *ungefähr:* ich brauche so um 100 Mark [herum]; es waren um [die] 20 Mädchen. **III.** ⟨in bestimmten Verbindungen⟩ **1. a) um so**: wir fahren schon früh am Nachmittag zurück, um so eher sind wir zu Hause. **b) je ... um so**: je früher wir mit der Arbeit anfangen, um so *(desto)* eher sind wir fertig. **2. um zu** ⟨Konj. beim Inf.⟩ **a)** /kennzeichnet einen Zweck/: sie ging in die Stadt, um einzukaufen. **b)** /in weiterführend-abschließender und paradoxal-abschließender Funktion/: er hörte von vielen Krankheiten, um sie sogleich bei sich festzustellen; er hat mit Novellen angefangen, um erst im Alter Romane zu schreiben.

umändern, änderte um, hat umgeändert ⟨tr.⟩: *in eine andere Form bringen:* die zweite Fassung des Dramas änderte er um. **Umänderung,** die; -, -en.

umarbeiten, arbeitete um, hat umgearbeitet ⟨tr.⟩: *noch einmal anfertigen; nach neuen Gesichtspunkten überholen und dadurch der betreffenden Sache ein anderes Aussehen geben:* einen Mantel nach der neuen Mode u. lassen; er arbeitete seinen Roman zu einem Drama um. **Umarbeitung,** die; -, -en.

umarmen, umarmte, hat umarmt ⟨tr./rzp.⟩: *die Arme (um jmdn.) legen:* die Mutter umarmte ihr Kind; sie umarmten sich. **Umarmung,** die; -, -en.

Umbau, der; -[e]s, -ten: **1.** ⟨ohne Plural⟩ *das Umändern von Gebäuden, Räumen o. ä.:* der U. des Hauses kostete viel Geld; bildl.: ein U. *(Reorganisation)* der Verwaltung ist nötig. **2.** *umgebautes Gebäude:* im U. wurde eine Klimaanlage installiert.

umbauen: I. umbauen, baute um, hat umgebaut ⟨tr.⟩: *(Gebäude, Räume o. ä.) durch Bauen umändern:* die alte Turnhalle wurde umgebaut und modernisiert; bildl.: man muß die Verwaltung u. *(reorganisieren)*. **II.** umbauen, umbaute, hat umbaut ⟨tr.⟩: *mit Bauten umgeben, einschließen:* man hat den Platz mit modernen Wohnhäusern umbaut. * **umbauter Raum** *(von den äußeren Begrenzungen eines Gebäudes gebildeter Rauminhalt, der den Berechnungen der Baukosten zugrunde gelegt wird)*: die Anzahl der Kubikmeter umbauten Raumes ist in letzter Zeit stark gestiegen.

umbenennen, benannte um, hat umbenannt ⟨tr.⟩: *den Namen von etwas ändern:* die Brücke wurde in Theodor-Heuß-Brücke umbenannt. **Umbenennung,** die; -, -en.

umbesetzen, besetzte um, hat umbesetzt ⟨tr.⟩: *(eine Rolle o.ä.) anders [als geplant] besetzen:* da ein Schauspieler erkrankte, mußte der Regisseur die Rolle u. **Umbesetzung,** die; -, -en.

umbetten, bettete um, hat umgebettet ⟨tr.⟩: **1.** *(einen Kranken, Bettlägerigen) in ein anderes Bett legen:* der Schwerkranke wurde umgebettet. **2.** *(eine Leiche) aus dem ursprünglichen Grab nehmen und in einem anderen bestatten:* die Gefallenen wurden auf einen zentralen Friedhof umgebettet. **Umbettung,** die; -, -en.

umbiegen, bog um, hat/ist umgebogen: **1.** ⟨tr.⟩ *auf die Seite biegen:* er hat den Draht umgebogen. **2.** ⟨itr.⟩ *in die entgegengesetzte Richtung gehen oder fahren:* an dieser Stelle sind wir umgebogen.

umbilden, bildete um, hat umgebildet ⟨tr.⟩: *in anderer Form bilden, verändern, in seiner Zusammensetzung ändern:* nach dem Ausscheiden der beiden

Minister aus ihrem Amt wurde das Kabinett umgebildet. **Umbildung,** die; -, -en.

umbinden, band um, hat umgebunden ⟨tr./itr⟩: *durch Binden am Körper befestigen:* sie band dem Kind, sich eine Schürze um; ich band mir eine Krawatte um.

umblättern, blätterte um, hat umgeblättert ⟨itr./tr.⟩: *ein Blatt in einem Buch o. ä. auf die andere Seite wenden:* als sein Nachbar mitlesen wollte, blätterte er um; die Zeitung u.

umblicken, sich; blickte sich um, hat sich umgeblickt: *umsehen.*

umbringen, brachte um, hat umgebracht ⟨tr./rfl.⟩: *gewaltsam töten:* sie hat ihr Kind umgebracht; es ist anzunehmen, daß er sich umgebracht hat *(Selbstmord begangen hat).*

Umbruch, der; -[e]s, Umbrüche: *grundlegende Änderung:* die Entdeckung des Atoms kennzeichnet einen U. in der Geschichte der Naturwissenschaften.

umbuchen, buchte um, hat umgebucht ⟨tr.⟩: **1.** *(eine Summe, einen Betrag o. ä.) in der Buchführung an einer anderen Stelle aufnehmen, verzeichnen:* diese Summe kann nicht mehr umgebucht werden. **2.** *beim Reisebüro (eine dort vorbestellte Reise o. ä.) zeitlich [und räumlich] verlegen:* er mußte den Flug auf Montag u. [lassen].

umdenken, dachte um, hat umgedacht ⟨itr.⟩: *die Grundlage seines Denkens [ganz] ändern:* viele ältere Bürger können nicht mehr u.; der Prozeß des Umdenkens.

umdeuten, deutete um, hat umgedeutet ⟨tr.⟩: *die Deutung (von etwas) umändern:* diese Theorie wurde von den nachfolgenden Forschern umgedeutet.

umdrängen, umdrängte, hat umdrängt ⟨tr.⟩: *sich eng, dicht (um jmdn./etwas) drängen:* die Fans umdrängten den bekannten Star.

umdrehen, drehte um, hat umgedreht: **a)** ⟨tr.⟩ *auf die entgegengesetzte Seite drehen, wenden:* ein Blatt Papier, einen Mantel, den Schlüssel im Schloß u. **b)** ⟨rfl.⟩ *kehrtmachen, sich wenden:* als sie sich umdrehte und ich ihr Gesicht sah, erkannte ich sie; er drehte sich nach ihr um *(wandte den Kopf und blickte ihr nach).*

Umdrehung, die; -, -en: *Drehung [um die eigene Achse]:* zum Transportieren des Films genügt eine halbe U.; der Motor macht 6000 Umdrehungen *(Touren)* in der Minute.

umeinander ⟨Adverb⟩: *einer um den andern:* sie kümmerten sich nicht viel u.

umfahren: I. umfahren, fährt um, fuhr um, hat/ist umgefahren: **1.** ⟨tr.⟩ *(gegen jmdn./etwas) fahren und zu Boden werfen:* der Betrunkene hat den Mann, das Verkehrsschild umgefahren. **2.** ⟨itr.⟩ *einen Umweg fahren:* ich bin beinahe eine Stunde umgefahren. **II.** umfahren, umfährt, umfuhr, hat umfahren ⟨tr.⟩: *(um etwas) fahren und (ihm) dadurch ausweichen:* wir müssen versuchen, die Großstadt mit ihrem dichten Verkehr zu u.

umfallen, fällt um, fiel um, ist umgefallen ⟨itr.⟩: **1. a)** *auf die Seite fallen:* die Lampe fiel um, dabei ging die Birne entzwei. **b)** *infolge eines Schwächeanfalls sich nicht mehr aufrecht halten können und [ohnmächtig] zu Boden fallen:* es war so heiß, daß einige Teilnehmer der Kundgebung umfielen. **2.** (ugs.; abwertend) *unter irgendwelchen Einflüssen seinen bisher vertretenen Standpunkt aufgeben:* bei der Abstimmung ist er dann doch noch umgefallen.

Umfang, der; -s: **1.** *Länge der Begrenzungslinie:* alte Eichen erreichen einen U. bis zu 12 Metern; den U. des Kreises berechnen. **2.** *Ausdehnung, Ausmaß:* der U. des Buches beträgt ca. 500 Seiten; seine Stimme hat einen großen U. *(er kann sehr hoch und sehr tief singen);* man muß das Problem in seinem vollen U. sehen.

umfangen, umfängt, umfing, hat umfangen ⟨tr.⟩ (geh.): *seine Arme (um jmdn.) legen:* bei der Begrüßung umfing sie ihn freudig und küßte ihn; bildl.: er umfing sie mit seinen Blicken *(blickte sie lange und aufmerksam an);* er trat in den Raum, und Dunkelheit umfing *(umgab)* ihn.

umfänglich ⟨Adj.; nicht adverbial⟩: *[ziemlich] umfangreich:* er besitzt eine umfängliche Sammlung alter Bilder.

umfangreich ⟨Adj.; nicht adverbial⟩: *einen großen Umfang, ein großes Ausmaß habend:* umfangreiche Untersuchungen; das Werk dieses Autors ist sehr u. *(er hat viel geschrieben).*

umfassen, umfaßte, hat umfaßt: **1.** ⟨tr.⟩ *die Hände (um etwas) legen:* jmds. Knie, Hände u. **2.** ⟨itr.⟩ *enthalten:* die neue Ausgabe umfaßt Gedichte und Prosa des Autors; ⟨häufig im 1. Partizip⟩ *sich auf vieles, alles erstreckend; vieles, alles enthaltend:* umfassende Vorbereitungen; ein umfassendes Geständnis.

umformen, formte um, hat umgeformt ⟨tr.⟩: *(einer Sache) eine andere Form geben; umändern:* ein System allmählich u. **Umformung,** die; -, -en.

Umfrage, die; -, -n: *[systematische] Befragung einer [größeren] Anzahl von Personen nach ihrer Meinung zu einem Problem o. ä.:* wir müssen durch eine U. feststellen, ob sich diese Methode bewährt hat; eine U. unter der Bevölkerung hat ergeben, daß...

umfüllen, füllte um, hat umgefüllt ⟨tr.⟩: *(in ein anderes Gefäß) füllen:* die Milch [aus einem Krug in eine Kanne] u.

umfunktionieren, funktionierte um, hat umfunktioniert ⟨tr.⟩: *(etwas in etwas anderes) verwandeln und es für einen anderen Zweck verwenden:* die Veranstaltung wurde in eine politische Diskussion umfunktioniert.

Umgang, der; -s: *das Befreundetsein, gesellschaftlicher Verkehr (mit jmdm.):* außer mit ihnen hatte er keinen U.; du tätest gut daran, den U. mit diesem Menschen zu meiden. *** jmd. ist kein U. für jmdn.** *(jmd. paßt in seinem niedrigeren Niveau, seinen geistigen Voraussetzungen nicht zu jmdm.).*

umgänglich ⟨Adj.; nicht adverbial⟩: *im täglichen Umgang keine Schwierigkeiten machend, leicht zu leiten; freundlich, entgegenkommend:* ein umgänglicher Mann; du mußt umgänglicher sein, nicht so abweisend und schroff.

Umgangsformen, die ⟨Plural⟩: *Art des Umgangs mit anderen Menschen:* gute, schlechte U. besitzen; seine Eltern versuchten, ihm gute U. beizubringen.

Umgangssprache, die; -, -n: *zwischen Hochsprache und Mundarten stehende Sprachschicht mit vielen festen, auch derben, bildlichen Ausdrücken und Wendungen.*

umgarnen, umgarnte, hat umgarnt ⟨tr.⟩: *durch Koketterie, Schmeichelei, List o. ä. für sich zu gewinnen suchen:* sie umgarnte ihren Vorgesetzten mit geschickten Schmeicheleien.

umgeben, umgibt, umgab, hat umgeben ⟨tr.⟩: **a)** *auf allen Seiten (um etwas) herum sein lassen, einfassen:* sie haben ihr Grundstück mit einer Mauer umgeben. **b)** *auf allen Seiten (um etwas) herum sein:* eine hohe Hecke umgibt den Garten; ⟨häufig im 2. Partizip⟩ als er seine Waren laut anpries, war er bald von Neugierigen umgeben.

Umgebung, die; -, -en: **a)** *das, was als Landschaft, Häuser o. ä. in der Nähe eines Ortes, Hauses o. ä. liegt:* das Haus hat eine schöne U.; sie machten oft Ausflüge in die U. **b)** *Kreis von Menschen oder Bereich, in dem man lebt:* seine nähere U. versuchte alles zu verheimlichen; das Kind mußte sich erst an die neue U. gewöhnen.

Umgegend, die; -, -en: *um etwas herum liegende Gegend:* er hat die ganze U. abgesucht, ohne eine Spur zu finden.

umgehen: I. umgehen, ging um, ist umgegangen ⟨itr.⟩ /vgl. umgehend/: **1. a)** *im Umlauf sein; sich von einem zum andern ausbreiten:* ein Gerücht, die Grippe geht um. **b)** *als Gespenst erscheinen:* der Geist des Toten soll noch im Schloß u. **c)** *sich in Gedanken (mit etwas) beschäftigen:* mit einem Plan, einem Vorhaben u.; er war schon lange mit dem Gedanken umgegangen, seine Wohnung aufzugeben. **2.** *auf bestimmte Weise behandeln:* er geht immer ordentlich mit seinen Sachen um; mit Kindern muß man behutsam u. **II.** umgehen, umging, hat umgangen ⟨tr.⟩: *(etwas, was eigentlich geschehen müßte) nicht tun oder zustande kommen lassen, weil es für einen selbst oder für andere unangenehm wäre:* Schwierigkeiten, ein Thema zu u. versuchen; eine Vorschrift u. *(es so einrichten, daß man sich nicht daran zu halten braucht).*

umgehend ⟨Adj.; nicht prädikativ⟩: *sofort, bei der ersten Gelegenheit* /wird meist im Bereich der Korrespondenz und des geschäftlichen Verkehrs gebraucht/: er hat u. geantwortet; die Bestellung wurde u. ausgeführt.

umgestalten, gestaltete um, hat umgestaltet ⟨tr.⟩: *auf andere Weise gestalten; anders machen, als die betreffende Sache geplant oder bereits ausgeführt war:* einen Park, einen Raum u.; diese Ideen haben das Weltbild umgestaltet. **Umgestaltung,** die; -, -en.

umgraben, gräbt um, grub um, hat umgegraben ⟨tr.⟩: *durch Graben die untere Erde nach oben bringen:* ein Beet, einen Garten u.

umgruppieren, gruppierte um, hat umgruppiert ⟨tr.⟩: *anders gruppieren:* Truppen u. **Umgruppierung,** die; -, -en.

umgucken, sich; guckte sich um, hat sich umgeguckt (ugs.): *umsehen.*

umhaben, hat um, hatte um, hat umgehabt ⟨itr.⟩ (ugs.): *(ein Kleidungsstück o. ä.) um den Körper oder einen Körperteil tragen:* er hatte einen Schal, eine Krawatte, eine Uhr um.

Umhang, der; -[e]s, Umhänge: *lose über den Schultern hängendes Kleidungsstück ohne Ärmel:* der Geistliche trug einen schwarzen U.

umhängen, hängte um, hat umgehängt ⟨tr.⟩: **1.** *über die Schulter, um die Schultern hängen:* ich hängte mir mein Gewehr, den Rucksack um. **2.** *an einen anderen Ort hängen:* ich würde das Bild u., da es hier nicht gut zur Tapete paßt.

umhauen: I. haute/(geh.:) hieb um, hat umgehauen ⟨tr.⟩: *durch einen Schlag, Hieb o. ä. zu Boden schlagen:* er haute den Baum [mit der Axt] um. **II.** haute um, hat umgehauen ⟨itr.⟩ (ugs.): *[bis zum körperlichen Zusammenbruch] schwächen:* die Hitze im Saal hat mich bald umgehauen; das haut mich um *(überrascht mich sehr, verblüfft mich).*

umher ⟨Adverb⟩: *ringsum, nach allen Seiten; bald hier[hin], bald dort[hin];* ⟨oft zusammengesetzt mit Verben⟩ umherliegen, umherlaufen.

umhinkönnen, konnte umhin, hat umhingekonnt ⟨itr.⟩: *(etwas) umgehen, vermeiden können* /wird meist verneint gebraucht/: er wird kaum u., seine Verwandten einzuladen; wir können nicht umhin, auch die andern mitzunehmen.

umhüllen, umhüllte, hat umhüllt ⟨tr.⟩: *eine Hülle (um etwas) legen:* der Verletzte wurde mit einer Decke umhüllt und in den Krankenwagen gehoben; bildl.: das alles bleibt wohl immer von einem Geheimnis umhüllt. **Umhüllung,** die; -, -en.

Umkehr, die; -: *das Zurückgehen, Sich-Umwenden:* den Feind zur U. zwingen; bildl. (geh.): nachdem man ihm ins Gewissen geredet hatte, gelobte er U. *(versprach er, sich von Grund auf zu bessern).*

umkehren, kehrte um, hat/ist umgekehrt: **1.** ⟨itr.⟩ *nicht in einer bestimmten Richtung weitergehen, sondern sich umwenden und zurückgehen oder -fahren:* er ist umgekehrt, weil der Weg versperrt war. **2.** ⟨tr.⟩ *in die entgegengesetzte Richtung bringen, so daß dabei das Innere nach außen, das Vordere nach hinten kommt o. ä.:* er hat die Taschen seines Mantels umgekehrt; er kehrte seine Hand um; die Reihenfolge wurde bei der neuen Anordnung umgekehrt; ⟨häufig im 2. Partizip⟩ *entgegengesetzt:* die Sache verhält sich genau umgekehrt; etwas geschieht in umgekehrter Reihenfolge. **Umkehrung,** die; -, -en.

umkippen, kippte um, hat/ist umgekippt: **1.** ⟨itr.⟩ *aus dem Gleichgewicht kommen und umfallen:* durch die starke Zugluft ist die Vase umgekippt; das Boot ist im Sturm umgekippt *(gekentert).* **2.** ⟨itr.⟩ (ugs.) *infolge eines Schwächeanfalls [ohnmächtig] der Länge nach hinfallen:* die Luft im Saal war so schlecht, daß einige umgekippt sind. **3.** ⟨tr.⟩ *umwerfen:* er hat aus Versehen den Papierkorb umgekippt.

umklammern, umklammerte, hat umklammert ⟨tr.⟩: *sich (an jmdm./etwas) mit den Händen, Armen gewaltsam, krampf-*

haft festhalten: er umklammerte das Geländer, mein Handgelenk; bildl.: Truppen u. *(von mehreren Seiten einschließen).* **Umklammerung,** die; -, -en.

umkleiden: **I.** umkleiden, sich; kleidete sich um, hat sich umgekleidet: *sich umziehen, andere Kleidung anziehen:* bevor du gehst, mußt du dich noch u. **II.** umkleiden, umkleidete, hat umkleidet ⟨tr.⟩: *auf allen Seiten mit Stoff o. ä. bedecken und dadurch verhüllen:* ein Gestell mit Tuch u.

umknicken, knickte um, hat/ist umgeknickt: **1.** ⟨tr.⟩ *umbiegen, so daß ein starker Knick entsteht:* sie haben mehrere Zweige umgeknickt. **2.** ⟨itr.⟩ *plötzlich mit dem Fuß zur Seite knicken, weil man keinen Halt finden konnte:* er ist auf der Treppe umgeknickt.

umkommen, kam um, ist umgekommen ⟨itr.⟩: **1.** *bei einem Unglück den Tod finden:* in den Flammen u.; seine Angehörigen sind im Krieg umgekommen. **2.** *nicht verbraucht werden, sondern so lange liegenbleiben, bis es schlecht geworden ist; verderben:* die Reste wurden für das Abendbrot verwertet, damit nichts umkam; sie läßt nichts u.

Umkreis, der; -es: *bis zu einer bestimmten Entfernung reichende Umgebung:* im U. von 100 Kilometern gibt es hier keine größere Stadt.

umkreisen, umkreiste, hat umkreist ⟨tr.⟩: *sich in einer Bahn, die die Form eines Kreises hat, (um etwas) bewegen:* der Satellit umkreist die Erde.

umkrempeln, krempelte um, hat umgekrempelt ⟨tr.⟩: **1. a)** *umschlagen:* die Ärmel des Hemdes, eine Hose u. **b)** *umdrehen, von innen nach außen kehren:* nach dem Waschen krempelte sie die Jacke um; nachdem sie die Handschuhe genäht hatte, krempelte sie sie um. **2.** (ugs.) *von Grund auf ändern:* man kann einen Menschen nicht u.; der neue Mitarbeiter hätte am liebsten alles umgekrempelt.

umlagern: **I.** umlagern, umlagerte, hat umlagert ⟨tr.⟩: *sich (um jmdn./etwas) drängen; umringen:* die Fans umlagerten den Star und baten um ein Autogramm. **II.** umlagern, lagerte um, hat umgelagert ⟨tr.⟩: *anders lagern, in ein anderes Lager bringen:* die Lebensmittel mußten [in trockene Räume] umgelagert werden.

Umlauf, der; -s, Umläufe: **1.** ⟨ohne Plural⟩ *das Kreisen (in einer Bahn):* der U. des Planeten. *** etwas in U. bringen/setzen** *(machen, daß etwas verbreitet, weitergegeben wird):* ein Gerücht in U. bringen. **2.** *an eine bestimmte Gruppe von Personen gerichtete schriftliche Mitteilung, die von einem zum anderen weitergegeben werden soll.*

umlaufen: **I.** umlaufen, läuft um, lief um, ist umgelaufen ⟨itr.⟩: *verbreitet, weitergegeben werden:* über ihn laufen allerlei Gerüchte, Erzählungen um. **II.** umlaufen, umläuft, umlief, hat umlaufen ⟨tr.⟩: *sich (in einer bestimmten Bahn um etwas) bewegen:* der Planet umläuft die Sonne in etwas über elf Jahren.

umlegen, legte um, hat umgelegt ⟨tr.⟩: **1.** *(etwas, was steht) hinlegen:* der Wind hat das Getreide umgelegt; das Schiff legt seinen Schornstein um, weil es unter der Brücke durchfahren will; den Mantelkragen u. **2.** *um Hals oder Schulter legen:* jmdm./sich eine Kette, einen Schal, einen Pelz u. **3.** *in einem anderen Zimmer unterbringen:* der Patient wurde umgelegt. **4.** (ugs.) **a)** *kaltblütig erschießen:* die Verbrecher haben den Polizisten einfach umgelegt. **b)** *zu Boden schlagen:* er hat ihn mit einem kräftigen Schlag umgelegt. **5.** *(die Zahlung von etwas) gleichmäßig verteilen:* die Kosten wurden auf die einzelnen Mitglieder des Vereins umgelegt.

umleiten, leitete um, hat umgeleitet ⟨tr.⟩: *vom bisherigen [direkten] auf einen anderen Weg bringen:* wegen Straßenarbeiten den Verkehr u.; die Post wurde umgeleitet. **Umleitung,** die; -, -en.

umlernen, lernte um, hat umgelernt ⟨itr.⟩: **a)** *auf Grund einer veränderten Situation seine Anschauungen revidieren, seine Auffassung von etwas ändern:* du mußt eben u., weil vieles anders geworden ist. **b)** *einen anderen Beruf lernen:* nach der Schließung der Zeche mußten viele Bergleute u.

umliegend ⟨Adj.; nur attributiv⟩: *in der näheren Umgebung, im Umkreis von etwas liegend:* die umliegenden Dörfer wurden ebenfalls dem Erdboden gleichgemacht.

ummodeln, modelte um, hat umgemodelt ⟨tr.⟩ (ugs.): *durch Ausprobieren [nach und nach] in eine andere Form bringen; ändern:* sie hat das Kleid mehrmals umgemodelt; der neue Chef hat alles umgemodelt.

umnachtet ⟨Adj.; nicht adverbial⟩ (geh): *sich im Zustand geistiger Verwirrung befindend:* in den letzten Jahren seines Lebens war er [geistig] u.

Umnachtung, die; -: *Zustand geistiger Verwirrung:* dieses Werk enthält schon die ersten Anzeichen seiner späteren geistigen U.

umnebeln, umnebelte, hat umnebelt ⟨tr.⟩: *(den Blick, den Verstand) in der Klarheit nachteilig beeinflussen, trüben:* der Alkohol hat seinen Blick umnebelt; ⟨häufig im 2. Partizip⟩ mit umnebeltem Verstand.

umpflanzen: **I.** umpflanzen, pflanzte um, hat umgepflanzt ⟨tr.⟩: *an einen anderen Ort pflanzen:* die Blumen haben hier zu wenig Sonne, wir müssen sie u. **II.** umpflanzen, umpflanzte, hat umpflanzt ⟨tr.⟩: *(mit Pflanzen) umgeben, einfassen:* ein Beet [mit Astern] u.

umpflügen, pflügte um, hat umgepflügt ⟨tr.⟩: *mit dem Pflug bearbeiten:* der Bauer pflügte den Acker um.

umrahmen, umrahmte, hat umrahmt ⟨tr.⟩: *einen Rahmen bilden (um etwas); wie mit einem Rahmen umgeben:* ein Bart umrahmte sein Gesicht; die Feier wurde von musikalischen Darbietungen umrahmt *(am Anfang und am Ende gab es musikalische Darbietungen).* **Umrahmung,** die; -, -en.

umranden, umrandete, hat umrandet ⟨tr.⟩: *mit einem Rand umgeben:* der Korrektor hat die Fehler rot umrandet. **Umrandung,** die; -, -en.

umräumen, räumte um, hat umgeräumt ⟨tr.⟩: **a)** *an eine andere Stelle räumen:* die Waren [in einem Lager] u. **b)** *(einen Raum o. ä.) in bezug auf die Anordnung der in ihm befindlichen Sachen anders gestalten:* ein Lager u.

ụmrechnen, rechnete um, hat umgerechnet ⟨tr.⟩: *ausrechnen, wieviel eine Währung, eine Einheit o. ä. in einer anderen Währung, einer anderen Einheit ergibt:* zehn Mark in Dollar, Meter in Zentimeter u.

umreißen: I. ụmreißen, riß um, hat umgerissen ⟨tr.⟩: *mit einer heftigen Bewegung erfassen, so daß die betreffende Person oder Sache umfällt:* das Auto fuhr in die Menge und riß mehrere Fußgänger um. II. umreißen, umriß, hat umrissen ⟨tr.⟩: *in großen Zügen, knapp darstellen; das Wesentliche (von etwas) mitteilen:* er verstand es, die politische Situation in wenigen Worten zu u.; ⟨häufig im 2. Partizip in Verbindung mit bestimmten Adjektiven⟩ *in einer bestimmten Form ausgebildet; ausgeprägt:* er hat scharf umrissene Ansichten; eine klar umrissene Persönlichkeit.

ụmrennen, rannte um, hat umgerannt ⟨tr.⟩: *durch heftige Bewegung im Laufen anstoßen, so daß die betreffende Person oder Sache umfällt:* auf dem Weg zum Bahnhof hat er ein kleines Kind umgerannt.

umrịngen, umringte, hat umringt ⟨tr.⟩: *dicht (um jmdn./etwas) herumstehen:* sie umringten ihn, um die Neuigkeit zu erfahren.

Ụmriß, der; Umrisses, Umrisse: *äußere Linie eines Körpers, die sich von dem Hintergrund abhebt:* der U. einer Figur; die Umrisse des Schlosses waren in der Dämmerung kaum zu erkennen. *** in Umrissen** *(in großen Zügen, nur auf das Wesentliche beschränkt):* eine Weltgeschichte in Umrissen; ein Problem in groben Umrissen darstellen.

ụmrühren, rührte um, hat umgerührt ⟨tr.⟩: *rührend durcheinanderbewegen:* die Suppe u.; du mußt die Soße u., damit sie nicht anbrennt.

ụms ⟨Verschmelzung von *um* und *das*⟩.

ụmsatteln, sattelte um, hat umgesattelt ⟨itr.⟩ (ugs.): *den Beruf wechseln.*

Ụmsatz, der; -es, Umsätze: *Wert oder Menge aller Waren, die in einem bestimmten Zeitraum verkauft wurden:* einen guten U. haben; den U. steigern.

ụmschalten, schaltete um, hat umgeschaltet ⟨tr.⟩: *auf eine andere Stelle, Stufe schalten; anders einstellen:* ein elektrisches Gerät [auf eine höhere Spannung] u.; ⟨auch itr.⟩ [das Radio, den Fernseher] auf einen anderen Sender u.

Ụmschau: ⟨in der Wendung⟩ nach jmdm./etwas U. halten: *sich nach jmdm./etwas suchend umsehen:* er hat vergebens nach ihr U. gehalten.

ụmschauen, sich; schaute sich um, hat sich umgeschaut: *umsehen.*

umschịffen, umschiffte, hat umschifft ⟨tr.⟩ (veralt.): *mit einem Schiff (um etwas) herumfahren:* eine Klippe, Kap Horn u.; bildl.: er hat das Gesetz geschickt mit einem Trick umschifft *(umgangen);* er hat in der Prüfung alle Klippen umschifft *(alle Schwierigkeiten gemeistert).*

Ụmschlag, der; -s, Umschläge: 1. a) *Umhüllung eines Buches o. ä.:* einen U. um ein Buch legen. b) *Briefumschlag:* den Brief in einen U. stecken; den U. zukleben. 2. *feuchtes Tuch, das um einen Körperteil gelegt wird:* einen kalten, warmen U. machen; der Arzt verordnete Umschläge. 3. *umgeschlagener Rand einer Hose:* eine Hose mit, ohne U. 4. ⟨ohne Plural⟩ *plötzliche [vorübergehende] Veränderung [ins Gegenteil]:* der U. des Wetters störte die Erntearbeiten; der U. der Stimmung war deutlich zu merken. 5. ⟨ohne Plural⟩ *das Laden von Waren von einem Schiff auf ein anderes Fahrzeug:* in diesem Hafen findet der U. von den Schiffen auf die Eisenbahn statt.

ụmschlagen, schlägt um, schlug um, hat/ist umgeschlagen: 1. ⟨tr.⟩ *durch Schlagen zum Umstürzen bringen; fällen:* sie haben den Baum, der ihnen im Wege stand, umgeschlagen. 2. ⟨tr.⟩ *(etwas oder den Rand von etwas) so biegen oder wenden, daß das Innere nach außen kommt; umwenden:* einen Kragen, einen Ärmel u.; er hat die Hose umgeschlagen; eine Seite im Buch u. 3. ⟨tr.⟩ *von einem Schiff auf ein anderes Fahrzeug laden:* sie haben im Hafen Waren, Güter umgeschlagen. 4. ⟨itr.⟩ *plötzlich oder schnell kentern:* der Kahn, das Boot ist umgeschlagen. 5. ⟨itr.⟩ *plötzlich [vorübergehend] anders werden, sich ins Gegenteil verwandeln:* das Wetter, die Stimmung ist umgeschlagen.

umschließen, umschloß, hat umschlossen ⟨tr.⟩: *auf allen Seiten eng umgeben:* eine hohe Mauer umschließt den Garten.

umschlịngen, umschlang, hat umschlungen ⟨tr./rzp.⟩: *(etwas, bes. seine Arme) eng (um jmdn./etwas) schlingen:* das Kind hatte mit seinen Armen den Hals der Mutter umschlungen; sie hatten einander, sich [gegenseitig] eng umschlungen; ⟨häufig im 2. Partizip⟩ ein eng umschlungenes Liebespaar.

ụmschmeißen, schmiß um, hat umgeschmissen ⟨tr.⟩ (ugs.): *umwerfen.*

ụmschnallen, schnallte um, hat umgeschnallt ⟨tr.⟩: *(um den Körper oder einen Körperteil) legen und mit einer Schnalle befestigen:* ich schnallte [mir] das Koppel, die Pistole um.

umschreiben: I. ụmschreiben, schrieb um, hat umgeschrieben ⟨tr.⟩: *neu schreiben und umarbeiten:* einen Aufsatz u.; der Autor hat sein Stück umgeschrieben. II. umschreiben, umschrieb, hat umschrieben ⟨tr.⟩: a) *darlegen, beschreiben, umreißen:* eine Aufgabe mit wenigen Worten u. b) *nicht mit den zutreffenden, sondern mit anderen, oft verhüllenden Worten ausdrücken:* er suchte nach Worten, mit denen er den Sachverhalt u. konnte. **Ụmschreibung** [auch: Umschreibung], die; -, -en.

ụmschulen, schulte um, hat umgeschult ⟨tr.⟩: 1. *in eine andere Schule schicken, einweisen:* als die Eltern in eine andere Stadt zogen, mußten sie ihr Kind u. 2. *in einem andern Beruf ausbilden:* nach der Schließung der Zeche wurde eine große Anzahl von Bergleuten umgeschult. **Ụmschulung,** die; -, -en.

umschwạ̈rmen, umschwärmte, hat umschwärmt ⟨tr.⟩: *in Schwärmen (um etwas) fliegen:* die Insekten umschwärmten die brennende Lampe; bildl.: dieses hübsche Mädchen wird von vielen Jungen umschwärmt *(viele Jungen bewundern sie und suchen ihre Gunst zu erlangen).*

Umschweife: ⟨in der Fügung⟩ ohne U.: *frei heraus (das sagend, was man meint):* er erklärte ohne U., daß er nicht einverstanden sei.

umschwenken, schwenkte um, ist umgeschwenkt ⟨itr.⟩: *seine Meinung, Absicht o. ä. ändern:* als er sah, daß diese Haltung mit Gefahren verbunden war, schwenkte er sogleich um.

Umschwung, der; -s, Umschwünge: *Veränderung ins Gegenteil:* der U. der öffentlichen Meinung brachte die Regierung zum Sturz; der plötzliche U. der Stimmung wirkte geradezu beunruhigend.

umsehen, sich; sieht sich um, sah sich um, hat sich umgesehen: *sich umwenden, umdrehen, um (jmdn./etwas) zu sehen:* er hat sich noch mehrmals nach ihr umgesehen. *** sich nach etwas u.** *(nach etwas Passendem, Entsprechendem suchen):* er sah sich bald nach einer anderen Tätigkeit um; ich will mich heute in der Stadt u., ob ich passende Knöpfe zum Stoff finde.

umsein, ist um, war um, ist umgewesen ⟨itr.⟩ (ugs.): *vorbei, vorüber, abgelaufen sein:* die Frist ist um; meine Ferien sind um.

umseitig ⟨Adj.; nicht prädikativ⟩: *[sich] auf der andern Seite eines Blattes [befindend]:* die umseitige Abbildung soll den Text veranschaulichen; das Gebäude ist u. abgebildet.

umsetzen, setzte um, hat umgesetzt ⟨tr.⟩: *innerhalb eines bestimmten Zeitraums verkaufen:* Waren u.; wegen der Hitze haben sie in den letzten Monaten viele Getränke umgesetzt. **** etwas in die Tat u.** *(etwas verwirklichen):* einen Plan, eine Idee in die Tat u.

Umsicht, die; -: *Überblick, Verstand; Fähigkeit zum klugen Handeln:* in dieser kritischen Lage bewies er viel U.; mit U. handeln, vorgehen.

umsichtig ⟨Adj.⟩: *alles, was zu berücksichtigen ist, überlegend; bedacht:* eine umsichtige Sekretärin; er ist sehr u.; u. handeln.

umsiedeln, siedelte um, hat/ist umgesiedelt: **1.** ⟨itr.⟩ *(an einen anderen Ort) ziehen, sich (an einem anderen Ort) niederlassen:* nach dem Krieg sind seine Eltern nach Köln umgesiedelt. **2.** ⟨tr.⟩ *an einem anderen Ort ansiedeln, (jmdm.) einen anderen Wohnort, eine andere Wohnung zuweisen:* man hat die Flüchtlinge umgesiedelt. **Umsiedlung,** die; -, -en.

umsonst ⟨Adverb⟩: **1.** *ohne die erwartete Wirkung, vergeblich:* ich bin u. hingegangen, es war niemand zu Hause; sie haben u. so große Anstrengungen gemacht; nicht u. *(nicht ohne Grund)* hielt er sich verborgen. **2.** *ohne Bezahlung:* er hat die Arbeit u. gemacht; wir durften u. mitfahren.

umsorgen, umsorgte, hat umsorgt ⟨tr.⟩: *sich (um jmdn.) in besonderem Maße sorgen, kümmern:* sie hat die Kinder mit großer Hingabe umsorgt.

umspannen: I. umspannen, umspannte, hat umspannt ⟨tr.⟩: *seine Arme, Finger o. ä. eng (um etwas) legen, pressen:* seine Hand umspannte mein Handgelenk; bildl.: seine Forschungen umspannten *(umfaßten)* mehrere Gebiete. **II.** umspannen, spannte um, hat umgespannt ⟨tr./itr.⟩: *(die vor etwas gespannten Tiere, bes. Pferde) wechseln:* der Kutscher ließ [die Pferde] u.

umspielen, umspielte, hat umspielt ⟨tr.⟩: **1.** *im Spiel (um jmdn.) laufen, springen:* die Hunde umspielten ihren Herrn; bildl. (geh.): ein Lächeln umspielte *(umgab, zog sich um)* ihre Lippen. **2.** Sport *(an einem Gegner) mit einem Trick o. ä. vorbeikommen:* der Stürmer umspielte den Verteidiger und schoß den Ball ins Tor.

umspringen: I. umspringen, sprang um, ist umgesprungen ⟨itr.⟩: **1.** *seine Richtung ändern* /vom Wind/: der Wind sprang dauernd um; bildl.: die allgemeine Stimmung sprang jäh um. **2.** (ugs.; abwertend) *(jmdn. schlecht) behandeln:* die Aufseher sind mit den Gefangenen ziemlich rücksichtslos umgesprungen. **II.** umspringen, umsprang, hat umsprungen ⟨tr.⟩: *(um jmdn.) im Kreis springen:* die Hunde umsprangen aufgeregt die Jäger.

umspulen, spulte um, hat umgespult ⟨tr.⟩: *auf eine andere Spule wickeln:* ein Tonband, einen Film u.

Umstand, der; -s, Umstände: *besondere Einzelheit, die für ein Geschehen wichtig ist und es mit bestimmt:* ein unvorhergesehener, entscheidender U.; das Befinden des Kranken ist den Umständen entsprechend *(ist so gut, wie es eben in dem Zustand sein kann).* *** unter Umständen** *(vielleicht, möglicherweise):* unter Umständen werde ich kommen; **unter allen Umständen** *(unbedingt):* du mußt unter allen Umständen verhindern, daß sich ein solcher Streit wiederholt; **in anderen Umständen sein** *(schwanger sein);* **[keine großen] Umstände machen** *(für einen Besuch o. ä. [nicht extra] große Vorbereitungen treffen):* ich komme nur, wenn ihr keine großen Umstände macht; **mildernde Umstände** *(besondere Situation, Lage, die eine Straftat verständlicher erscheinen läßt):* der Verteidiger machte mildernde Umstände geltend.

umständlich ⟨Adj.⟩: **a)** *nicht gewandt, langsam handelnd:* er ist ein umständlicher Mensch; u. nahm er jedes einzelne Buch aus dem Regal, um ein bestimmtes Werk zu finden. **b)** *unnötig und daher zeitraubend; allzu ausführlich:* umständliche Vorbereitungen; er hat den Vorgang sehr u. erzählt. **Umständlichkeit,** die; -.

umsteigen, stieg um, ist umgestiegen ⟨itr.⟩: *aus einem Fahrzeug in ein anderes steigen* /besonders von Zügen, Straßenbahnen o. ä./: Sie müssen in Hannover u., weil dieser Zug nicht bis Bremen durchfährt; auf dem Marktplatz ist er in die Linie 10 umgestiegen.

umstellen: I. umstellen, stellte um, hat umgestellt: **1.** ⟨tr.⟩ *auf einen andern Platz stellen:* Bücher, Möbel u. **2.** ⟨tr.⟩ *(einen Betrieb) bestimmten Erfordernissen entsprechend verändern:* sie haben ihre Fabrik auf die Herstellung von Kunststoffen umgestellt. **3.** ⟨rfl.⟩ *sich den veränderten Verhältnissen anpassen:* ich konnte mich nur schwer auf diese Verhältnisse u. **II.** umstellen, umstellte, hat umstellt ⟨tr.⟩: *sich auf allen Seiten (um jmdn./etwas) aufstellen, so daß niemand entkom-*

men kann: die Polizei umstellte das Haus. **Umstellung,** die; -, -en.

umstimmen, stimmte um, hat umgestimmt ⟨tr.⟩: *in eine andere Stimmung versetzen; bewirken, daß jmd. seine Meinung ändert:* trotz aller Versprechen konnte er seine Freunde nicht u.

umstoßen, stößt um, stieß um, hat umgestoßen ⟨tr.⟩: **1.** *durch einen Stoß verursachen, daß jmd./etwas umfällt:* beinahe hätte er das Kind umgestoßen; er stieß den Eimer um. **2.** *grundlegend ändern:* einen Plan, eine Bestimmung u.; durch ihren Besuch wurden unsere Reisepläne wieder umgestoßen.

umstritten ⟨Adj.; nicht adverbial⟩: *in seiner Gültigkeit, seinem Wert o. ä. nicht vollkommen geklärt:* eine umstrittene Theorie; die Echtheit des Gemäldes ist nach wie vor u.

umstülpen, stülpte um, hat umgestülpt ⟨tr.⟩: *[etwas gewaltsam] von oben nach unten oder von innen nach außen wenden:* sie stülpte ihre Handtasche um, fand den Schlüssel aber nicht.

Umsturz, der; -es, Umstürze: *gewaltsame grundlegende Änderung der bisherigen politischen Ordnung:* einen U. planen, vorbereiten.

umstürzen, stürzte um, hat/ist umgestürzt: **1.** ⟨tr.⟩ **a)** *zum Einsturz bringen:* der Sturm hat den Zaun umgestürzt; bildl.: die alte Ordnung u. **b)** *zum Umfallen bringen:* bei dem Aufprall hat die Lokomotive einige Wagen umgestürzt. **2.** ⟨itr.⟩ **a)** *zum Einsturz gebracht werden, in sich zusammenfallen:* bei dem Erdbeben ist der Turm umgestürzt. **b)** *auf die Seite fallen, stürzen:* an dem Wagen hatte sich ein Rad gelöst, und er war umgestürzt.

umtaufen, taufte um, hat umgetauft ⟨tr.⟩: *(jmdm./einer Sache) einen anderen Namen geben:* eine Straße u.

Umtausch, der; -es: *das Umtauschen:* Waren zu herabgesetzten Preisen sind vom U. ausgeschlossen *(werden nicht umgetauscht);* ein U. ist nur innerhalb einer Woche möglich.

umtauschen, tauschte um, hat umgetauscht ⟨tr.⟩: *(etwas, was einem nicht gefällt oder was den Wünschen nicht entspricht) zurückgeben und etwas anderes dafür erhalten:* ein Geschenk u.; wenn du das Buch schon kennst, kannst du es u.

Umtriebe, die ⟨Plural⟩: *gegen jmdn. oder eine Institution gerichtete Tätigkeit:* feindliche U.

umtun, tat um, hat umgetan ⟨ugs.⟩: **1.** ⟨tr.⟩ *umlegen, umhängen:* ich tat mir, ihr einen Mantel um. **2.** ⟨rfl.⟩ *sich (um jmdn./etwas) bemühen:* ich muß mich allmählich nach einer neuen Anstellung, nach einer Sekretärin u.

umwandeln, wandelte um, hat umgewandelt ⟨tr.⟩: *(einer Sache) eine andere Form geben; umgestalten, [ver]ändern:* während des Krieges war die Kirche in ein Lazarett umgewandelt worden; die Freiheitsstrafe wurde in eine Geldstrafe umgewandelt. * (ugs.) **jmd. ist wie umgewandelt** *(jmds. Benehmen, Stimmung hat sich völlig geändert).*

Umweg, der; -s, -e: *Weg, der länger ist als der direkte Weg:* wir haben einen U. gemacht; bildl.: wir haben die Nachricht auf Umwegen *(über Dritte)* erfahren.

Umwelt, die; -: *Lebensbereich eines Individuums; alles das, was einen Menschen umgibt und in seinem Verhalten beeinflußt:* sich der U. anpassen; jeder ist den Einflüssen seiner U. ausgesetzt.

umwenden, wandte/wendete um, hat umgewandt/umgewendet: **1.** ⟨tr.⟩ *auf die andere Seite wenden:* die Seiten eines Buches u. **2.** ⟨rfl.⟩ *sich umdrehen:* sie wandte sich um und verließ den Raum.

umwerfen, wirft um, warf um, hat umgeworfen: **1.** ⟨tr.⟩ *durch eine bestimmte Bewegung verursachen, daß etwas umfällt:* ein Gefäß, einen Stuhl u. **2.** ⟨tr.⟩ *grundlegend ändern:* seine Entscheidung wirft alle unsere Pläne um. **3.** ⟨itr.⟩ (ugs.) *stark (auf jmdn.) wirken [und dem nicht gewachsen sein]:* die Frechheit dieses Menschen hat mich umgeworfen; die Nachricht wird ihn nicht u. *(erschüttern);* ein einziges Glas Wein wird dich nicht gleich u. *(betrunken machen).*

umwickeln, umwickelte, hat umwickelt ⟨tr.⟩: *(flexibles Material um etwas) wickeln:* der Arzt umwickelte die Hand des Verletzten mit einem Verband; einen Stock mit Draht u.

umwittert ⟨Adj.; nicht adverbial⟩: *(in geheimnisvoller Weise) umgeben:* ein von Geheimnissen umwitterter Ort.

umwölken, sich; umwölkte sich, hat sich umwölkt: *sich mit Wolken beziehen:* der Himmel hat sich umwölkt; bildl. (geh.): sein Blick, seine Stirn umwölkte sich *(seine Miene verfinsterte sich);* ⟨häufig im 2. Partizip⟩ seine Stirn war [vor Unmut] umwölkt.

umzäunen, umzäunte, hat umzäunt ⟨tr.⟩: *mit einem Zaun umgeben, einzäunen:* ein Grundstück u. **Umzäunung,** die; -, -en.

umziehen, zog um, ist umgezogen: **1.** ⟨itr.⟩ *aus einer Wohnung in eine andere ziehen:* sie sind inzwischen [in eine größere Wohnung] umgezogen. **2.** ⟨rfl.⟩ *andere Kleidung anziehen:* ich muß mich erst noch u., ehe wir gehen; sich zum Essen, fürs Theater u.

umzingeln, umzingelte, hat umzingelt ⟨tr.⟩: *(einen Feind oder Fliehenden) auf allen Seiten umgeben und ein Entweichen verhindern:* die Feinde u.; die Polizei umzingelte den Verbrecher. **Umzingelung,** die; -, -en.

Umzug, der; -s, Umzüge: **1.** *das Umziehen in eine andere Wohnung:* er hat sich für den U. einen Tag Urlaub genommen. **2.** *Veranstaltung, bei der sich eine größere Gruppe aus bestimmtem Anlaß durch die Straßen bewegt:* politische Umzüge waren verboten; an einem U. teilnehmen.

unabänderlich ⟨Adj.⟩: *nicht mehr zu ändern oder rückgängig zu machen:* eine unabänderliche Entscheidung; mein Entschluß ist u., steht u. fest. **Unabänderlichkeit,** die; -.

unabdingbar ⟨Adj.; nicht adverbial⟩: *so notwendig oder von solcher Art, daß man nicht darauf verzichten kann:* eine unabdingbare Forderung.

unabhängig ⟨Adj.⟩: *nicht von jmdm./etwas abhängig:* eine [politisch] unabhängige Zeitung; er ist wirtschaftlich u. * **u. von etwas** *(abgesehen von* *etwas):* u. von der Auskunft, die er erhalten hatte, erkundigte ich mich selbst noch einmal wegen der Zugverbindung; nimm bitte an der Versammlung teil, u. *(gleichgültig)* ob ich mitgehe oder nicht! **Unabhängigkeit,** die; -.

unabkömmlich 〈Adj.; nicht adverbial〉: *nicht abkömmlich; bei etwas dringend erforderlich und nicht frei für anderes:* er mußte die Expedition leiten und war deshalb u.

unablässig [auch: un...] 〈Adj.; nicht prädikativ〉: *nicht nachlassend, unaufhörlich:* unablässiges Geschrei; es regnete u.

unabsehbar [auch: un...] 〈Adj.〉: *sehr groß, sehr weit (so daß man es nicht überblicken kann):* diese Entscheidung würde unabsehbare Folgen haben.

unabsichtlich 〈Adj.〉: *nicht absichtlich; zufällig:* er hat mich u. auf den Fuß getreten.

unabwendbar [auch: un...] 〈Adj.〉: *so beschaffen, daß keine andere Entwicklung möglich ist; mit Sicherheit eintretend:* dieses schlimme Schicksal ist u.

unachtsam 〈Adj.〉: *nicht auf etwas achtend:* eine unachtsame Mutter; sie ließ u. eine Tasse fallen. **Unachtsamkeit,** die;-.

unanfechtbar [auch: un...] 〈Adj.〉: *nicht anzufechten, endgültig:* diese Entscheidung ist u.

unangebracht 〈Adj.〉: *nicht angebracht; nicht in einen bestimmten Rahmen, in einer bestimmten Situation passend; fehl am Platz:* dieser Scherz war bei der ernsten Lage u.

unangefochten 〈Adj.〉: **a)** *von niemandem bestritten, angefochten:* das ist ein unangefochtenes Recht. **b)** *von niemandem bedrängt, behindert; überlegen:* u. lief er als Sieger ins Ziel.

unangemeldet 〈Adj.〉: *nicht angemeldet, überraschend:* der Besuch kam u.

unangemessen 〈Adj.〉: *nicht angemessen, (zu etwas) in einem falschen Verhältnis stehend:* diese leichte Arbeit wurde u. hoch bezahlt; unangemessene Forderungen.

unangenehm 〈Adj.〉: *peinliche Verwicklung heraufbeschwörend oder Widerwärtigkeiten mit sich bringend:* eine unangenehme Geschichte; die Schulden machten sich u. bemerkbar; er hatte die unangenehme Aufgabe, ihnen ihre Entlassung mitzuteilen; sie war u. berührt *(ärgerlich beleidigt),* als sie das hörte; ein unangenehmer *(schlechter)* Geruch.

unangetastet 〈Adj.〉: *unversehrt, (durch etwas) nicht berührt, nicht eingeschränkt:* die Rechte des Adels blieben u.

unannehmbar [auch: un...] 〈Adj.〉: *übertrieben (und deshalb abzulehnen), eine Zustimmung nicht zulassend:* er stellte unannehmbare Forderungen.

Unannehmlichkeit, die; -, -en: *unangenehme Sache, die Verdruß bereitet:* wenn Sie sich genau an die Vorschrift halten, können Sie sich unnötige Unannehmlichkeiten ersparen.

unansehnlich 〈Adj.; nicht adverbial〉: *durch seine Ärmlichkeit, Ungepflegtheit o. ä. nicht [mehr] gut aussehend:* unansehnliche Gestalten; das Buch war u. geworden.

unanständig 〈Adj.〉: *den gesellschaftlichen Anstand verletzend:* eine unanständige Bemerkung; er hat sich u. benommen. **Unanständigkeit,** die; -, -en.

unappetitlich 〈Adj.〉: *nicht appetitlich, abstoßend, widerwärtig:* ein schwitzender Ober brachte uns das u. aussehende Essen.

Unart, die; -, -en: *schlechte Angewohnheit, die sich besonders im Umgang mit anderen unangenehm bemerkbar macht; schlechtes Benehmen:* kindliche Unarten; diese U. mußt du dir abgewöhnen.

unartig 〈Adj.〉: *sich nicht so aufführend, wie es die Erwachsenen von einem Kind erwarten; ungezogen, frech:* die Kinder waren heute sehr u.

unartikuliert 〈Adj.〉: *undeutlich ausgesprochen, unverständlich:* der Bewußtlose stieß unartikulierte Laute aus.

unästhetisch 〈Adj.〉: *abstoßend [wirkend], häßlich, das ästhetische Gefühl verletzend:* bei diesem unästhetischen Anblick empfand er Ekel.

unauffällig 〈Adj.〉: *in keiner Weise hervortretend oder Aufmerksamkeit auf sich lenkend:* ein unauffälliges Aussehen; er wollte sich u. entfernen.

unauffindbar [auch: un...] 〈Adj.〉: *verborgen (so daß man jmdn./etwas nicht [mehr] finden kann):* sein Freund blieb in der Menge u.; die Schlüssel waren in dem Durcheinander u.

unaufgefordert 〈Adj.〉: *ohne Aufforderung, von der eigenen Initiative ausgehend, von sich aus:* Sie haben sich u. bei der Behörde zu melden.

unaufhaltsam [auch: un...] 〈Adj.〉: *sich nicht aufhalten lassend, sondern stetig mit der Zeit fortschreitend:* bei ihm ist ein unaufhaltsamer Verfall festzustellen; die technische Entwicklung schreitet u. voran.

unaufhörlich [auch: un...] 〈Adj.; nicht prädikativ〉: *eine längere Zeit dauernd, obwohl eigentlich ein Aufhören erwartet wird; nicht enden wollend:* ein unaufhörliches Geräusch; es regnete u.

unaufmerksam 〈Adj.〉: *nicht aufmerksam, nicht mit Interesse folgend:* einige Schüler waren u. **Unaufmerksamkeit,** die; -.

unaufrichtig 〈Adj.〉: *nicht frei und offen seine Überzeugung äußernd, nicht ehrlich in seinen Äußerungen und Handlungen:* ein unaufrichtiger Mensch. **Unaufrichtigkeit,** die; -.

unausbleiblich [auch: un...] 〈Adj.〉: *sich als Folge zwingend, sicher ergebend; [durch einen unabänderlichen Verlauf] bestimmt:* dieser Vorfall wird unausbleibliche Folgen haben.

unausgeglichen 〈Adj.; nicht adverbial〉: *nicht ausgeglichen, sondern von seinen Stimmungen, Launen abhängig:* ein unausgeglichener Mensch.

unausgesetzt 〈Adverb〉: *immerzu, unaufhörlich:* es hat gestern u. geregnet.

unauslöschlich [auch: un...] 〈Adj.〉: *sich über die Zeiten hin in der Erinnerung haltend; bleibend:* die Feier hinterließ einen unauslöschlichen Eindruck in ihm.

unaussprechlich [auch: un...] 〈Adj.〉: *so stark empfunden, so sehr, daß man es nicht ausdrükken kann:* unaussprechliche Freude; er tat mir u. *(sehr)* leid.

unausstehlich 〈Adj.〉: *in seinem Wesen nicht auszustehen,* *unerträglich:* eine unausstehliche Person; sie ist u. neugierig.

unausweichlich [auch: un...] ⟨Adj.⟩: *so, daß ein Ausweichen nicht möglich ist; sicher [eintretend], unvermeidlich:* die Zuspitzung des Konflikts war u.

unbändig ⟨Adj.⟩: *nicht zu bändigen, ohne Maß und Beschränkung (sich äußernd):* eine unbändige Wut packte ihn; er lachte u. **Unbändigkeit,** die; -.

unbar ⟨Adj.; nicht prädikativ⟩: *nicht bar; über ein Konto erfolgend:* eine Rechnung u. bezahlen.

unbarmherzig ⟨Adj.⟩: *kein Mitleid habend und seine Hilfe verweigernd:* ein unbarmherziger Mensch.

unbeabsichtigt ⟨Adj.⟩: *ohne Absicht, zufällig:* er hatte ihn mit diesen Worten völlig u. beleidigt.

unbeachtet ⟨Adj.⟩: *von der Öffentlichkeit nicht beachtet:* der Dichter lebte u. in einem kleinen Dorf.

unbeanstandet ⟨Adj.⟩: *nicht beanstandet, ohne Beanstandung:* das Auto ging u. durch die Kontrolle; u. bleiben.

unbeantwortet ⟨Adj.⟩: *nicht beantwortet, ohne Antwort:* er ließ den Brief u.

unbedacht ⟨Adj.⟩: *nicht genügend überlegt, voreilig:* eine unbedachte Äußerung; er hat sehr u. gehandelt.

unbedarft ⟨Adj.⟩: *keine Erfahrung besitzend, gewisse Zusammenhänge nicht durchschauend, naiv:* für den unbedarften Wähler sind diese komplizierten Probleme nicht verständlich.

unbedenklich ⟨Adj.⟩: *ohne Bedenken [auszulösen oder zu haben]:* dieses Angebot kannst du u. annehmen.

unbedeutend ⟨Adj.⟩: **a)** ⟨nicht adverbial⟩ *wenig Bedeutung oder Einfluß habend:* ein unbedeutender Mensch; eine unbedeutende Stellung. **b)** *sehr klein, sehr wenig, gering:* der Schaden war zum Glück u.; sie hat sich nur u. verändert.

unbedingt [auch: unbedingt] ⟨Adj.⟩: **a)** ⟨nur attributiv⟩ *uneingeschränkt, absolut:* für diese Stellung wird unbedingte Zuverlässigkeit verlangt. **b)** ⟨nur adverbial⟩ *ohne Rücksicht auf Hindernisse oder Schwierigkeiten; unter allen Umständen:* du mußt u. zum Arzt gehen; er will u. herausfinden, wer ihn denunziert hat.

unbefangen ⟨Adj.⟩: *sich in seiner Meinung oder seinem Handeln nicht durch andere gehemmt fühlend; nicht schüchtern:* jmdn. u. ansehen, etwas fragen. **Unbefangenheit,** die; -.

unbefriedigend ⟨Adj.⟩: *nicht befriedigend:* das Ergebnis der Verhandlungen war u.

Unbefugte, der; -n, -n ⟨aber: [ein] Unbefugter, Plural: Unbefugte⟩: *jmd., der nicht zu etwas befugt oder berechtigt ist:* Unbefugten ist der Zutritt verboten!

unbegabt ⟨Adj.⟩: *nicht begabt, ohne Begabung:* diesem unbegabten Schauspieler sollte man nur kleine Rollen geben.

unbegreiflich [auch: un...] ⟨Adj.⟩: *nicht zu begreifen, zu verstehen; rätselhaft:* es ist mir u., wie es zu diesem Unfall kommen konnte; eine unbegreifliche Dummheit.

unbegrenzt [auch: ...grenzt] ⟨Adj.⟩: *nicht durch etwas begrenzt oder eingeschränkt:* er hat unbegrenzte Vollmacht; ihm kann man u. vertrauen.

unbegründet ⟨Adj.⟩: *ohne stichhaltigen Grund; nicht begründet:* ein unbegründeter Verdacht; dein Mißtrauen ist völlig u.

Unbehagen, das; -s: *unbehagliches Gefühl:* er empfand ein leichtes U., als sie ihn lobte; die Vorstellung, wieder von anderen abhängig zu sein, bereitete ihm U.

unbehaglich ⟨Adj.⟩: **a)** *ein unangenehmes Gefühl empfindend oder verbreitend:* er fühlte sich u. in seiner Situation; eine unbehagliche Atmosphäre. **b)** *ungemütlich:* ein unbehagliches Zimmer.

unbehelligt [auch: un...] ⟨Adj.; nicht attributiv⟩: *ohne jede Behinderung, Belästigung:* die Posten ließen ihn u. passieren; er blieb u.

unbeherrscht ⟨Adj.⟩: *zügellos sich einer Empfindung überlassend oder davon zeugend:* er ist oft u.; eine unbeherrschte Äußerung.

unbehindert [auch: un...] ⟨Adj.⟩: *[von Behinderung] frei:* zu der Veranstaltung hatte die Presse unbehinderten Zutritt.

unbeholfen ⟨Adj.⟩: *ungeschickt [und sich nicht recht zu helfen wissend], nicht gewandt:* eine unbeholfene Bewegung; alte Leute sind oft u. **Unbeholfenheit,** die; -.

unbeirrbar [auch: un...] ⟨Adj.⟩: *nicht zu beirren, zielbewußt, konsequent:* er hat unbeirrbare Überzeugungen.

unbeirrt [auch: un...] ⟨Adj.⟩: *nicht beirrt, nicht beeinflußt von Hindernissen:* er ist u. seinen Weg gegangen.

unbekannt ⟨Adj.; nicht adverbial⟩: *nicht bekannt; dem eigenen Erfahrungsbereich nicht angehörend; dem Wissen verborgen:* eine unbekannte Gegend; diese Zusammenhänge waren mir bisher u.

unbekümmert ⟨Adj.⟩: *keine Sorgen um irgendwelche möglichen Schwierigkeiten erkennen lassend; sorglos:* ein unbekümmertes Wesen; ihr Lachen klang völlig u. **Unbekümmertheit,** die; -.

unbelehrbar [auch: un...] ⟨Adj.; nicht adverbial⟩: *unzugänglich für jmds. Rat oder nicht bereit, aus einer negativen Erfahrung zu lernen:* ein unbelehrbarer Mensch; immer wieder begeht er denselben Fehler, er ist u.

unbeliebt ⟨Adj.; nicht adverbial⟩: *nicht beliebt; allgemein nicht gern gesehen:* ein unbeliebter Lehrer; er machte sich durch diese Maßnahme bei allen u.

unbemannt ⟨Adj.⟩: *mit keiner Besatzung, Mannschaft versehen:* ein unbemanntes Raumschiff.

unbemerkt ⟨Adj.; nur adverbial⟩: *nicht beachtet, unauffällig:* der Einbrecher ist u. entkommen; der Verlust blieb u.

unbemittelt ⟨Adj.; nicht adverbial⟩: *ohne Geld, arm:* er würde gern ein Geschäft aufmachen, ist aber völlig u.

unbenommen [auch: un...]: ⟨in der Verbindung⟩ etwas bleibt/ist jmdm. u.: *etwas bleibt jmdm. überlassen, freigestellt:* es bleibt jedem u., sich gegen solche Angriffe zu verteidigen.

unbeobachtet ⟨Adj.⟩: *von keinem beobachtet, den Blicken anderer verborgen:* er glaubte sich

u. und gähnte, ohne sich die Hand vor den Mund zu halten; in einem unbeobachteten Augenblick machte er sich davon.

unbequem ⟨Adj.⟩: **1.** *für den Gebrauch nicht bequem:* unbequeme Schuhe; der Stuhl ist u. **2.** *störend, lästig, beunruhigend:* eine unbequeme Meinung; er war ihm u.

unberechenbar ⟨Adj.⟩: *so beschaffen, daß man seine Reaktionen und Handlungen nicht voraussehen kann:* ein unberechenbarer Mensch; er ist u.

unberechtigt ⟨Adj.⟩: *nicht berechtigt, der Berechtigung entbehrend:* seine Forderungen waren u.

unberücksichtigt ⟨Adj.⟩: *nicht berücksichtigt, nicht in Betracht gezogen:* seine Einwände blieben in der Diskussion u.

unberührt ⟨Adj.⟩: **1.** *[mit den Fingern, der Hand] nicht berührt, angefaßt:* der Arzt nahm eine unberührte Spritze aus dem Schrank; das Bett war u. *(nicht benutzt worden);* Spuren im unberührten *(makellosen)* Schnee. **2.** *nicht beeindruckt, nicht bewegt:* er blieb von dem ganzen Lärm u. **3.** *jungfräulich:* das Mädchen blieb bis zu seiner Heirat u.

unbeschadet [auch: un...] ⟨Präp. mit Gen.⟩ (geh.): /kennzeichnet, daß etwas für etwas anderes nicht von Nachteil ist/: u. seiner Verdienste darf man nicht vergessen, daß er seine Macht mitunter mißbraucht hat.

unbescholten ⟨Adj.; nicht adverbial⟩: *einen untadeligen Ruf, Leumund besitzend:* sie galt allgemein als eine unbescholtene Dame.

unbeschrankt ⟨Adj.⟩: *nicht mit Schranken versehen:* ein unbeschrankter Bahnübergang.

unbeschränkt [auch: un...] ⟨Adj.⟩: *nicht durch etwas eingeschränkt:* er kann zu jeder Zeit einen unbeschränkten Kredit erhalten; ich besitze sein unbeschränktes *(volles, unbegrenztes)* Vertrauen.

unbeschreiblich [auch: un...] ⟨Adj.⟩: **a)** ⟨nicht adverbial⟩ *alles sonst Übliche übertreffend [so daß man keine Worte dafür findet]; unsagbar:* eine unbeschreibliche Frechheit; das Durcheinander war u. **b)** ⟨verstärkend bei Adjektiven und Verben⟩ *sehr:* er war u. höflich; die Unfälle haben in letzter Zeit u. zugenommen.

unbeschwert ⟨Adj.⟩: *frei von Sorgen; nicht von etwas bedrückt:* ein unbeschwertes Gemüt; sie konnten u. ihre Jugend genießen.

unbesehen [auch: un...] ⟨Adj.; nicht prädikativ⟩: *ohne Bedenken [geschehend]:* die unbesehene Hinnahme der Entscheidung hatte unangenehme Folgen; das glaube ich u. *(ohne weiteres, ohne zu überlegen).*

unbesonnen ⟨Adj.⟩: *nicht besonnen, unvernünftig:* durch diese unbesonnene Handlung hat er sich viele Sympathien verscherzt. **Unbesonnenheit,** die; -, -en.

unbesorgt [auch: ...sorgt] ⟨Adj.⟩: *von Sorge frei; ohne Sorge, Bedenken:* sei u., ihm ist sicher nichts zugestoßen.

unbeständig ⟨Adj.⟩: **a)** ⟨nicht adverbial⟩ *seine Absichten oder Meinungen ständig ändernd; in seinen Neigungen oft wechselnd:* ein unbeständiger Charakter; er ist sehr u. in seinen Gefühlen. **b)** *wechselhaft, nicht beständig oder gleichbleibend:* das Wetter ist zur Zeit sehr u.

unbestechlich [auch: un...] ⟨Adj.⟩: *nicht zu bestechen; sich in seinem Urteil durch nichts beeinflussen lassend:* ein unbestechlicher Mann, Charakter; er war u.

unbestimmt ⟨Adj.⟩: *nicht bestimmt, vage, zweifelhaft:* ob er kommt, ist noch u.; über den Preis konnte er mir nur eine unbestimmte Auskunft geben. **Unbestimmtheit,** die; -.

unbestreitbar [auch: un...] ⟨Adj.⟩: *nicht zu widerlegen, über jeden Zweifel erhaben; richtig:* daß die technische Entwicklung immer weiter fortschreitet, ist eine unbestreitbare Tatsache.

unbeteiligt [auch: un...] ⟨Adj.⟩: **1.** *nicht als Teilnehmer zugegen:* bei dem Diebstahl, der Demonstration war er u. **2.** *teilnahmslos, gleichgültig:* trotz der schlechten Nachricht blieb er merkwürdig u.

unbeugsam [auch: ...beug...] ⟨Adj.; nicht adverbial⟩: *sich keinem fremden Willen beugend; jeder Beeinflussung verschlossen:* ein unbeugsamer Charakter; sein Wille war u.

unbewacht ⟨Adj.⟩: *nicht bewacht:* die Geräte wurden nachts gestohlen, als die Baustelle u. war; in einem unbewachten Augenblick *(als er einen Augenblick nicht bewacht war)* lief er davon.

unbewaffnet ⟨Adj.⟩: *nicht bewaffnet, ohne Waffen:* in England sind die Polizisten u.

unbewältigt [auch ...wäl...] ⟨Adj.⟩: *nicht bewältigt, als Problem nicht gelöst:* ein unbewältigtes Problem. * **die unbewältigte Vergangenheit** *(Zeit der vom Nationalsozialismus begangenen Verbrechen, die von einem Teil des deutschen Volkes unbewußt seelisch verdrängt werden).*

unbeweglich [auch: ...weg...] ⟨Adj.⟩: *nicht zu bewegen oder sich nicht bewegend:* er saß u. auf seinem Platz; er ist geistig sehr u. *(kann sich nur schwer auf etwas Neues einstellen, kann sich nicht schnell umstellen).*

unbewohnt ⟨Adj.⟩: **a)** *leerstehend, nicht als Wohngelegenheit genutzt:* das Haus, die Etage ist seit einiger Zeit u. **b)** *von Menschen nicht bewohnt, ohne menschliche Siedlungen:* die Wüsten und Urwälder des Landes sind u.

unbewußt ⟨Adj.⟩: *ohne sich über die betreffende Sache eigentlich klar zu sein:* eine unbewußte Angst; er hat u. *(instinktiv)* das Richtige getan.

unbezähmbar [auch: un...] ⟨Adj.⟩: *sehr groß, heftig, stark (so daß ein Bezähmen unmöglich ist):* ihre Neugierde war u.

Unbilden, die ⟨Plural⟩ (geh.): *[bes. durch das Wetter hervorgerufene] Unannehmlichkeiten:* die alte Dame litt sehr unter den U. des Winters.

Unbill, die; - (veralt.): *Unrecht, Härte, Kränkung:* sie hat die ihr zugefügte U. tapfer ertragen.

unblutig ⟨Adj.⟩: *nicht mit Verletzten oder Toten verbunden; ohne daß Blut vergossen wurde:* durch einen unblutigen Handstreich wurde die Regierung gestürzt.

unbrauchbar ⟨Adj.⟩: *[für eine weitere Verwendung] nicht geeignet, nicht [mehr] zu gebrauchen:* durch falsche Lagerung sind die Waren u. geworden;

für diese viel eigene Initiative erfordernde Tätigkeit ist er u.

und ⟨Konj.⟩: **a)** /drückt aus, daß jmd./etwas zu jmdm./etwas hinzukommt oder hinzugefügt wird/: ich traf den Chef u. dessen Frau auf der Straße; arme u. reiche Leute; es ging ihm besser, u. er konnte wieder arbeiten. **b)** /dient der Steigerung und Verstärkung, indem es gleiche Wörter verbindet/: nach u. nach; er überlegte u. überlegte, aber das Wort fiel ihm nicht ein. **c)** *aber* /drückt einen Gegensatz aus/: alle verreisen, u. er allein soll zu Hause bleiben? **d)** ⟨in Konditionalsätzen⟩ *selbst wenn:* man muß es versuchen, u. wäre es noch so schwer.

undankbar ⟨Adj.⟩: **1.** *kein Gefühl des Dankes zeigend (den man jmdm. schuldet):* einem so undankbaren Menschen sollte man nicht mehr helfen. **2.** *nicht lohnend, nachteilig:* es ist meist ein undankbares Geschäft, einen Streit zu schlichten.

undefinierbar [auch: un...] ⟨Adj.⟩: *nicht [genau] zu definieren, unbestimmt, nicht näher erkennbar:* undefinierbare Laute, Geräusche.

undenkbar ⟨Adj.; nur prädikativ⟩: *so, daß es jmds. Vorstellung, Erwartung, Denken übersteigt; unvorstellbar:* ich halte es für u., daß er so gemein ist.

undeutlich ⟨Adj.⟩: *nicht klar; schlecht zu verstehen, zu entziffern, wahrzunehmen:* er hat eine undeutliche Aussprache, Schrift.

Unding: ⟨in der Fügung⟩ es ist ein U. *(es ist unsinnig, widersinnig):* es ist ein U., so etwas zu verlangen.

unduldsam ⟨Adj.⟩: *nicht duldsam, intolerant:* gegen seine politischen Gegner war er äußerst u.

undurchdringlich ⟨Adj.⟩: **a)** ⟨nicht adverbial⟩ *nicht zu durchdringen, sehr dicht:* der Wald war u. **b)** *nicht zu durchschauen oder in seinem eigentlichen Wesen zu erkennen:* eine undurchdringliche Miene.

undurchsichtig ⟨Adj.⟩: **1.** *(als Materie) so beschaffen, daß man nicht hindurchsehen kann:* das Papier, der Vorhang ist u. **2.** (abwertend) *nicht zu durchschauen:* die Lage in der besetzten Stadt war u.

uneben ⟨Adj.⟩: **a)** *nicht flach, hügelig:* unebenes Land, Gelände. **b)** *nicht glatt:* die Tischplatte ist u. * (ugs.) **nicht u.** *(ganz nett, nicht schlecht):* dein Vorschlag ist gar nicht so u. **Unebenheit,** die; -, -en.

unecht ⟨Adj.⟩: *künstlich [hergestellt], imitiert:* sie trägt unechten Schmuck, unechtes Haar.

unedel ⟨Adj.⟩ (geh.): *von schlechter, gemeiner Gesinnung [zeugend]:* sein unedles Verhalten wurde von allen mißbilligt.

unehelich ⟨Adj.⟩: **a)** *außerhalb der Ehe entstanden:* ein uneheliches Kind. **b)** *nicht verheiratet* /von einer Mutter/: eine uneheliche Mutter.

uneingeschränkt ⟨Adj.⟩: *ohne Einschränkung geltend, voll:* er verdient uneingeschränktes Lob.

uneinig ⟨Adj.⟩: *nicht gleicher Meinung seiend:* eine uneinige Partei; sie waren u., wie man am besten vorgehen wolle. **Uneinigkeit,** die; -.

uneins: ⟨in bestimmten Verbindungen⟩ mit jmdm. u. sein/werden: *nicht mit jmdm. einig sein/werden:* in dieser Frage war er mit seinem Lehrer u.

unempfindlich ⟨Adj.⟩: *nicht empfindlich gegenüber etwas, was auf den Körper oder die Seele einwirkt:* er ist u. gegen Hitze oder Kälte; er zeigte sich u. gegen Beleidigungen.

unendlich ⟨Adj.⟩: **a)** *endlos; unabsehbar groß:* unendliche Wälder; es kostete ihn unendliche Mühe. **b)** ⟨verstärkend bei Adjektiven und Verben⟩ *sehr, außerordentlich:* sie war u. froh, daß sie den Schmuck wiedergefunden hatte; der Kranke hat sich u. über den Besuch gefreut. **Unendlichkeit,** die; -.

unentbehrlich [auch: un...] ⟨Adj.⟩: *unbedingt nötig, so daß man nicht darauf verzichten kann:* für das Verständnis ist hier eine kurze Erläuterung u.; du hast dich u. gemacht *(man kann auf deine Mitarbeit nicht mehr verzichten).*

unentgeltlich [auch: un...] ⟨Adj.⟩: *umsonst, ohne daß dafür bezahlt zu werden braucht:* unentgeltliche Bemühungen; sie hat diese Arbeiten u. ausgeführt.

unentschieden ⟨Adj.⟩: **1.** *nicht entschieden:* es ist noch u., ob er das Haus verkauft. **2.** *unentschlossen:* ein unentschiedener Mensch. **3.** Sport *so, daß beide sich gegenüberstehende Mannschaften/Spieler die gleiche Anzahl von Punkten/Toren erzielt haben und kein Sieger oder Verlierer feststeht:* das Spiel, der Kampf endete u.

Unentschieden, das; -s, -: Sport *unentschiedenes Ergebnis:* bei einem U. muß das Spiel verlängert werden.

unentschlossen ⟨Adj.⟩: *sich nicht entschließen könnend:* ein unentschlossener Mann; sie waren noch u.; er machte einen unentschlossenen Eindruck *(schien sich nicht entschließen zu können).*

unentwegt [auch: un...] ⟨Adj.; nicht prädikativ⟩: **a)** *stetig, mit großer Geduld und gleichmäßiger Ausdauer [sein Ziel verfolgend]:* ein unentwegter Kämpfer für den Frieden; u. begann er jedesmal von neuem. **b)** *unaufhörlich:* das Telefon klingelte u.

unerbittlich [auch: ...bitt....] ⟨Adj.⟩: *nicht bereit, von seinen Anschauungen oder Absichten abzugehen:* er blieb u. bei seinen Forderungen.

unerfahren ⟨Adj.⟩: *[noch] nicht die nötige Erfahrung besitzend, nicht erfahren:* in der Liebe war sie noch ziemlich u. **Unerfahrenheit,** die; -.

unerfindlich [auch: un...] ⟨Adj.⟩: *nicht zu begreifen, unerklärlich, rätselhaft:* die Gründe für sein Handeln bleiben mir u.

unerfreulich ⟨Adj.⟩: *Ärger oder Unbehagen bereitend:* eine unerfreuliche Angelegenheit.

unerfüllbar [auch: un...] ⟨Adj.⟩: *nicht zu erfüllen:* ihre Wünsche waren u.

unergiebig ⟨Adj.⟩: *wenig Ertrag oder Nutzen bringend:* eine unergiebige Arbeit; diese Methode ist u.

unergründlich [auch: un...] ⟨Adj.⟩: *nicht zu ergründen, unerklärlich:* aus unergründlichen Motiven verstieß er immer wieder gegen die Gesetze.

unerheblich ⟨Adj.⟩: *nicht erheblich, unbedeutend:* an dem Fahrzeug entstand bei dem Unfall nur [ein] unerheblicher Schaden.

unerhört ⟨Adj.⟩: **I.** unerhört: *empörend, unglaublich:* eine unerhörte Frechheit. **II.** unerhört ⟨nicht prädikativ⟩: *nicht erfüllt:* die Bitte blieb u.

unerklärlich [auch: un...] ⟨Adj.⟩: *mit dem Verstand nicht zu erklären, nicht verständlich:* es ist mir u., wie das geschehen konnte.

unerläßlich [auch un...] ⟨Adj.; nicht adverbial⟩: *unbedingt nötig:* ein abgeschlossenes Studium ist für diesen Posten u.

unerlaubt ⟨Adj.⟩: **a)** *ohne Erlaubnis [geschehend]:* unerlaubtes Fernbleiben von der Schule. **b)** ⟨nicht adverbial⟩ *dem Gesetz widersprechend:* eine unerlaubte Tat.

unermeßlich [auch: un ...] ⟨Adj.⟩: *in einem kaum vorstellbaren Maße groß; überaus viel; sehr:* er mußte unermeßliche Leiden ertragen; er ist u. reich.

unermüdlich [auch: un...] ⟨Adj.⟩: *unentwegt und ausdauernd; mit Ausdauer und Fleiß ein Ziel anstrebend:* die Frau kocht und putzt u. den ganzen Tag; unermüdlicher Eifer.

unerquicklich ⟨Adj.⟩: *nicht erfreulich und nicht angenehm:* dies war ein unerquickliches Gespräch.

unerreichbar [auch: un...] ⟨Adj.⟩: **1.** *so hoch, so weit, daß man es mit dem Arm, den Händen nicht erreichen kann:* das Glas mit den Bonbons stand für den kleinen Jungen u. im obersten Regal. **2.** *so, daß man nicht in den Besitz (von etwas) gelangen kann, etwas nicht erlangen, verwirklichen kann:* diese gute Stellung, dieses Ziel bleibt für ihn u.

unerreicht [auch: un...] ⟨Adj.; nicht adverbial⟩: *nicht erreicht, von niemandem erreicht:* dieser Rekord ist bis heute u.

unersättlich [auch: un...] ⟨Adj.⟩: *nicht zu befriedigen; ungeheuer groß:* sie wurde von unersättlicher Neugier gequält.

unerschöpflich [auch: un...] ⟨Adj.⟩: *so groß, daß es nicht zu Ende, zur Neige geht:* seine finanziellen Mittel scheinen u. zu sein.

unerschrocken ⟨Adj.⟩: *ohne Furcht, mutig, tapfer:* er trat u. für die gerechte Sache ein.

unerschütterlich [auch: un...] ⟨Adj.⟩: *durch nichts aus der Ruhe zu bringen, beherrscht:* mit unerschütterlicher Ruhe ließ er ihre Vorwürfe über sich ergehen.

unerschwinglich [auch: un...] ⟨Adj.; nicht adverbial⟩: *(für jmdn. im Preis) zu teuer (so daß man es sich nicht leisten kann):* dieses schnittige Auto ist für uns u.

unersprießlich [auch: un...] ⟨Adj.; nicht adverbial⟩: *nicht vorteilhaft, keinen Nutzen oder Gewinn bringend, nicht erfreulich:* die Arbeit an diesem Projekt war für beide Seiten u.

unerträglich ⟨Adj.⟩: **1.** *so stark auftretend, daß man es kaum ertragen kann:* er litt unerträgliche Schmerzen. **2.** *unsympathisch; den Mitmenschen lästig seiend:* ein unerträglicher Kerl.

unerwartet [auch: ...wa...] ⟨Adj.⟩: *überraschend:* sein unerwarteter Besuch stellte uns vor einige Probleme.

unerwünscht ⟨Adj.; nicht adverbial⟩: *nicht erwünscht; jmds. Wünschen, Vorstellungen widersprechend:* in diesem Hotel sind Gäste mit Hunden u.

unfähig ⟨Adj.; nicht adverbial⟩: **a)** *nicht die körperlichen Voraussetzungen, die nötige Kraft (für etwas) habend:* er ist seit seinem Unfall u. zu arbeiten. **b)** *seinen Aufgaben nicht gewachsen:* der unfähige Minister wurde abgesetzt. **Unfähigkeit,** die; -.

unfair ['ʊnfɛ:r] ⟨Adj.⟩: *einem anderen gegenüber einen Vorteil in nicht feiner Weise ausnutzend und ihn dadurch benachteiligend; nicht fair, nicht den üblichen Regeln des Verhaltens entsprechend:* sein Verhalten war u.; der unfaire Spieler wurde vom Platz gewiesen.

Unfall, der; -s, Unfälle: *Ereignis, bei dem jmd. verletzt oder getötet wird oder materieller Schaden entsteht:* ein schwerer, tödlicher U.; er hatte einen U. mit dem Auto; in der Fabrik wurden Maßnahmen ergriffen, um Unfälle zu verhüten.

unfaßbar [auch: un...] ⟨Adj.⟩: **a)** ⟨nicht adverbial⟩ *so, daß man es nicht begreifen kann; unverständlich:* ein unfaßbares Wunder; es ist mir u., wie das geschehen konnte. **b)** *unglaublich; so, daß man es kaum wiedergeben kann:* unfaßbare Armut.

unfehlbar [auch: un...] ⟨Adj.⟩: **a)** *auf jeden Fall richtig; nicht bezweifelt werden könnend:* seine Entscheidungen sind u. **b)** ⟨nur adverbial⟩ *ganz bestimmt (in einer Weise wirkend), unweigerlich:* das Haus war so eigenartig, daß man u. davor stehenblieb. **Unfehlbarkeit,** die; -.

unfein ⟨Adj.⟩: *grob, roh, nicht gepflegt:* ein unfeines Benehmen.

unfertig ⟨Adj.⟩: **a)** *noch nicht fertig:* er wohnt in einem unfertigen Haus. **b)** *noch nicht reif, um selbständig urteilen zu können:* ein unfertiger Mensch. **c)** *nicht ganz durchdacht, geringe Tiefe oder Erfahrung zeigend:* ein unfertiger Gedanke, ein unfertiger Aufsatz.

Unflat, der; -[e]s (veralt.): *Schmutz, Dreck:* der U. in den Straßen der Stadt;

unflätig ⟨Adj.⟩: *den Wert, die Ehre (von jmdm.) grob mißachtend, sehr derb, unanständig:* er hat sich der Dame gegenüber ganz u. benommen; u. schimpfen; er gebrauchte unflätige Ausdrücke. **Unflätigkeit,** die; -.

unförmig ⟨Adj.⟩: *groß und breit, aber keine angenehme Form, keine Proportion habend:* eine unförmige Kiste; der gequetschte Finger sah ganz u. aus.

unfrei ⟨Adj.⟩: **1.** *abhängig, gebunden:* in diesem totalitären Staat sind die Bürger u. **2.** *nicht frankiert (so daß das Porto vom Empfänger bezahlt werden muß):* er schickte die Sendung u.

unfreundlich ⟨Adj.⟩: **a)** *nicht liebenswürdig, unhöflich:* er machte eine unfreundliche Miene; eine unfreundliche Antwort. **b)** ⟨nicht adverbial⟩ *kalt und regnerisch* /vom Wetter/: am Sonntag war unfreundliches und kaltes Wetter.

Unfrieden, der; -s: *Zustand der Gereiztheit, der durch ständige Unstimmigkeiten, Zerwürfnisse hervorgerufen wird:* er hat vom ersten Tag an versucht, zwischen den Kollegen U. zu stiften.

unfruchtbar ⟨Adj.; nicht adverbial⟩ **1.** *nicht geeignet, Pflanzen oder Früchte hervorzubringen; wenig Ertrag bringend* /vom Boden/: der Boden ist u.; auf das unfruchtbare Gelände werden die Schafe getrieben. **2.** *zur*

Fortpflanzung nicht fähig: die Frau ist u.

Unfug, der; -s: **1.** *störendes Treiben; Streich [durch den Schaden entsteht]:* das Beschmieren des Denkmals war ein grober U. **2.** *etwas Dummes, Törichtes; Unsinn:* rede keinen U.!; das ist doch alles U.!

ungeachtet ⟨Präp. mit Gen.⟩: *ohne Rücksicht (auf etwas), trotz:* u. wiederholter Mahnungen/ wiederholter Mahnungen u. besserte er sich nicht.

ungeahnt [auch: ...ahnt] ⟨Adj.; nur attributiv⟩: *die Erwartung übersteigend:* in diesem Land bieten sich dem Menschen ungeahnte Möglichkeiten.

ungebärdig ⟨Adj.⟩: *ungezogen, wild:* ungebärdige Kinder; ein ungebärdiges Betragen.

ungebeten ⟨Adj.⟩: *nicht willkommen, nicht zum Besuch aufgefordert:* die ungebetenen Gäste blieben bis zum späten Abend.

ungebildet ⟨Adj.⟩: *von geringer Bildung, geringem Wissen zeugend; nicht kultiviert:* ein ungebildeter Mensch; er redet so u.

ungebräuchlich ⟨Adj.⟩: *nicht gebräuchlich, nicht üblich, selten verwendet:* dieses Wort ist u.

ungebraucht ⟨Adj.⟩: *[noch] nicht in Gebrauch genommen, [noch] nicht benutzt:* zwei ungebrauchte Öfen preiswert zu verkaufen.

ungebrochen ⟨Adj.⟩: **a)** *trotz großer Belastung nicht geschwächt:* die ungebrochene Kraft seines Körpers. **b)** *(von Leiden, Rückschlägen o. ä.) nicht entmutigt oder erschüttert:* nach dem Brand begann er mit ungebrochener Energie, das Haus wieder aufzubauen.

ungebührlich ⟨Adj.⟩ (geh.): *ohne den nötigen Respekt; den gebührenden Anstand nicht wahrend:* ein ungebührliches Benehmen; er hat sich dem Lehrer gegenüber u. benommen.

ungebunden ⟨Adj.⟩: **1.** *nicht mit einem Einband versehen:* ungebundene Bücher. **2.** *frei, ohne bindende Verpflichtung:* die Junggesellen führten ein ungebundenes Leben.

Ungeduld, die; -: *fehlende Geduld, Mangel an innerer Ruhe:* voller U. ging er auf und ab und sah dauernd auf die Uhr.

ungeduldig ⟨Adj.⟩: *von Ungeduld erfüllt, nervös:* u. wartete er auf den verspäteten Zug.

ungeeignet ⟨Adj.; nicht adverbial⟩: *nicht die Eigenschaften habend, die für etwas nötig sind:* er ist für diesen Posten u.; eine ungeeignete Methode.

ungefähr: I. ⟨Adverb⟩ *nicht ganz genau; möglicherweise etwas mehr oder weniger als:* ich komme u. um 5 Uhr; es waren u. 20 Personen. * **von u.** *(beiläufig; zufällig):* er näherte sich ihm wie von u. **II.** ⟨Adj.; nur attributiv⟩ *nicht ganz genau [bestimmt]:* er konnte nur eine ungefähre Zahl nennen.

ungefährlich ⟨Adj.⟩: **a)** *mit keiner Gefahr verbunden, keine Gefahr bringend:* der Mann, die Kurve ist u. **b)** *in seinen Folgen mit keiner Gefahr verbunden:* diese Expedition ist verhältnismäßig u.

ungefragt ⟨Adverb⟩: *ohne gefragt zu sein:* diese zusätzliche Information gab er mir u.

ungehalten ⟨Adj.⟩: *empört, verärgert über etwas:* er war sehr u. über diese Störung.

ungehemmt ⟨Adj.⟩: *nicht durch irgendwelche Rücksichten oder Beschränkungen gehemmt:* sie war völlig u.; er äußerte u. seine Meinung.

ungeheuer [auch: ... heuer] ⟨Adj.⟩: **a)** *gewaltig; außerordentlich groß:* ein Wald von ungeheurer Ausdehnung; es war eine ungeheure Anstrengung. **b)** ⟨verstärkend bei Adjektiven und Verben⟩ *sehr, außerordentlich:* die Aufgabe ist u. schwer; er war u. erregt.

Ungeheuer, das; -s, -: *großes, wildes, furchterregendes Tier /bes. in Märchen, Sagen o. ä./:* in dieser Höhle lebt ein schreckliches U.; bildl.: wer ein solches Verbrechen begeht, muß ein U. *(grausamer, roher Mensch)* sein.

ungeheuerlich [auch: un...] ⟨Adj.⟩: *empörend, unglaublich:* diese Behauptung ist u. **Ungeheuerlichkeit,** die; -, -en.

ungehindert ⟨Adj.; nicht prädikativ⟩: *ohne Behinderung [erfolgend], ohne gehindert zu werden:* wir erreichten u. unser Haus; die ungehinderte Bildung von Vereinen als Grundrecht.

ungehobelt [auch: ...ho...] ⟨Adj.⟩: *grob und unhöflich:* er ist ein ungehobelter Mensch; sein Benehmen ist sehr u.

ungehörig ⟨Adj.⟩: *gegen den Anstand verstoßend; frech:* er ist schon einige Male durch seine ungehörigen Antworten aufgefallen. **Ungehörigkeit,** die; -, -en.

ungehorsam ⟨Adj.⟩: *nicht folgsam:* die frechen und ungehorsamen Kinder wurden bestraft.

Ungehorsam, der; -s: *das Nichtgehorchen, das Sich-nicht-Unterordnen unter den Willen der Vorgesetzten:* der Soldat wurde wegen Ungehorsams bestraft.

ungelegen ⟨Adj.⟩: *zu einem ungünstigen Zeitpunkt; nicht passend:* er kam zu ungelegener Zeit; sein Besuch ist mir jetzt u. * **etwas kommt jmdm. u.** *(etwas geschieht zu einem Zeitpunkt, der für jmdn. nicht günstig ist).*

ungelenk ⟨Adj.⟩: *schwerfällig, steif; unbeholfen:* er tanzte mit ungelenken Bewegungen; eine ungelenke Schrift; bildl.: er begann seine Rede mit ungelenken Worten.

ungelernt ⟨Adj.; nur attributiv⟩: *nicht für ein Handwerk o. ä. ausgebildet:* er ist [ein] ungelernter Arbeiter.

ungelogen ⟨Adverb⟩ (ugs.): *ohne zu lügen, in Wahrheit, tatsächlich:* ich habe u. keinen Pfennig mehr.

ungemein [auch: ...mein] ⟨Adj.⟩: **a)** *sehr groß, außerordentlich:* er hat ungemeine Fortschritte gemacht. **b)** ⟨verstärkend bei Adjektiven und Verben⟩ *sehr, überaus:* er ist u. fleißig; dein Besuch hat ihn u. gefreut.

ungemütlich ⟨Adj.⟩: *wenig behaglich; nicht bequem:* ein ungemütlicher Raum; hier ist es u. *(unangenehm)* kalt. * (ugs.) **u. werden** *(aus Ärger über etwas grob, unfreundlich werden):* als er merkte, daß man ihn belogen hatte, wurde er u. **Ungemütlichkeit,** die; -.

ungenannt ⟨Adj.⟩: *nicht mit Namen genannt, unbekannt:* er spendete einen höheren Betrag, wollte aber u. bleiben.

ungenau ⟨Adj.⟩: **a)** *nicht exakt, nicht zuverlässig:* ungenaue Angaben machen; die Waage ist u. **b)** *nicht sorgfältig:* er arbeitet zu u. **Ungenauigkeit,** die; -, -en.

ungeniert ⟨Adj.⟩: *ungezwungen, frei; sich nicht besonders um die gesellschaftlichen Formen kümmernd:* er griff u. zu und aß, was ihm schmeckte. **Ungeniertheit,** die; -.

ungenießbar [auch: ...nieß...] ⟨Adj.; nicht adverbial⟩: *nicht zum Essen geeignet:* dieser Pilz ist u.; bildl. (ugs.): der Chef ist heute wieder u. *(schlecht gelaunt).* **Ungenießbarkeit,** die; -.

ungenügend ⟨Adj.⟩: *nicht ausreichend, sehr mangelhaft:* er hatte seinen Vortrag u. vorbereitet.

ungenutzt ⟨Adj.⟩: *nicht genutzt; ohne Nutzen, Vorteil aus etwas zu ziehen:* er ließ diese gute Chance, Gelegenheit u.

ungenützt ⟨Adj.⟩: *ungenutzt.*

ungepflegt ⟨Adj.⟩: *nicht in ordentlichem Zustand; vernachlässigt:* ein ungepflegter Garten.

ungerade ⟨Adj.⟩: *nicht in immer gleicher Richtung verlaufend:* eine ungerade Linie. ** **eine ungerade Zahl** *(eine nicht durch 2 teilbare Zahl).*

ungeraten ⟨Adj.; nur attributiv⟩: *nicht so geworden, wie man es erhofft hatte* /in bezug auf die Entwicklung der Kinder/: ein ungeratener Sohn.

ungerecht ⟨Adj.⟩: *nicht dem Recht und den allgemeinen Auffassungen vom Recht entsprechend:* eine ungerechte Strafe; jmdn. u. behandeln. **Ungerechtigkeit,** die; -, -en.

ungereimt ⟨Adj.⟩: *keinen richtigen Sinn habend; zusammenhanglos:* ungereimtes Zeug reden. **Ungereimtheit,** die; -, -en.

ungern ⟨Adverb⟩: *widerstrebend:* er verzichtete nur u. auf die Teilnahme an dieser Veranstaltung.

ungerührt ⟨Adj.⟩: *ohne innere Beteiligung; gleichgültig, kalt:* er sah u. zu, als das Tier geschlachtet wurde.

ungeschehen: ⟨in der Fügung⟩ etwas am liebsten u. machen: *wünschen, etwas nicht getan zu haben:* er hätte seine Tat am liebsten u. gemacht.

Ungeschick, das; -s: *Mangel an Geschicklichkeit:* sein U. bei den Verhandlungen ärgerte ihn.

ungeschickt ⟨Adj.⟩: *nicht gewandt, linkisch, nicht wendig:* mit ungeschickten Händen öffnete er das Paket; etwas u. einrichten; es war u. *(unklug),* das jetzt zu sagen. **Ungeschicktheit,** die; -.

ungeschlacht ⟨Adj.⟩ (abwertend): *plump; grob und unförmig:* ein ungeschlachter Bursche.

ungeschmälert ⟨Adj.⟩: *ganz; in vollem Umfang:* er hat sein Erbe u. erhalten.

ungeschminkt ⟨Adj.⟩: *nicht geschminkt:* ihr ungeschminktes Gesicht sah alt aus; der Schauspieler war noch u.; bildl.: er hat ihm u. *(unverblümt, ohne beschönigende Worte)* die Wahrheit gesagt.

ungeschoren: ⟨in den Fügungen⟩ **jmdn. u. lassen** *(jmdn. nicht behelligen; jmdn. in Ruhe lassen);* **u. bleiben / davonkommen** *(nicht behelligt werden; von etwas Unangenehmem nicht betroffen werden).*

ungeschrieben: ⟨in der Fügung⟩ ein ungeschriebenes Gesetz: *eine stillschweigende Übereinkunft:* es war ein ungeschriebenes Gesetz, daß in diesem Raum nicht geraucht wurde.

ungesehen ⟨Adverb⟩: *ohne von jmdm. gesehen zu werden:* er hatte u. das Haus verlassen.

ungesetzlich ⟨Adj.⟩: *vom Gesetz nicht erlaubt; unrechtmäßig:* ungesetzliche Handlungen; sich etwas auf ungesetzliche Weise beschaffen. **Ungesetzlichkeit,** die; -, -en.

ungesittet ⟨Adj.⟩: *nicht dem Anstand entsprechend:* sie haben sich in dem Lokal so u. benommen, daß man sie hinausgeworfen hat.

ungestört ⟨Adj.⟩: *ohne Störung; ruhig:* bei diesem Lärm kann man nicht u. arbeiten. **Ungestörtheit,** die; -.

ungestraft ⟨in Verbindung mit bestimmten Verben⟩: *ohne Strafe, ohne schlimme Folgen:* u. davonkommen; etwas nicht u. tun; das wird nicht u. bleiben.

ungestüm ⟨Adj.⟩: *sehr heftig und schnell; stürmisch, temperamentvoll:* er hat ein ungestümes Wesen; er sprang u. auf.

ungesund ⟨Adj.⟩: **a)** *der Gesundheit schadend:* in einem ungesunden Klima leben; sich u. ernähren; bildl.: die ungesunden *(schlechten, ungünstigen)* wirtschaftlichen Verhältnisse des Landes. **b)** *auf Krankheit hinweisend; kränklich:* ein ungesundes Aussehen; die ungesunde Farbe seines Gesichtes war auffallend.

ungeteilt ⟨Adj.⟩: *nicht geteilt, in seiner Ganzheit bestehend:* die Bestrebungen nach einem ungeteilten Deutschland.

ungetrübt ⟨Adj.⟩: *nicht beeinträchtigt, rein:* das ungetrübte Glück gibt es nur im Märchen.

Ungetüm, das; -s, -e: *etwas, was einem übermäßig groß [und häßlich] erscheint:* ihr Hut ist ein wahres U.; ein U. von Schrank.

ungewandt ⟨Adj.⟩: *linkisch, unbeholfen:* er ist noch etwas u. in seinem Auftreten. **Ungewandtheit,** die; -.

ungewaschen ⟨Adj.⟩: *nicht sauber, schmutzig:* man sollte kein ungewaschenes Obst essen.

ungewiß ⟨Adj.; nicht adverbial⟩: *nicht sicher; unbestimmt, fraglich:* eine ungewisse Zukunft; es ist noch u., ob er heute kommt. * **jmdn. über etwas im ungewissen lassen** *(jmdm. keine genaue Kenntnis von etwas geben).* **Ungewißheit,** die; -.

ungewöhnlich ⟨Adj.⟩: *nicht dem Gewohnten, Üblichen entsprechend; anders als man gewöhnt ist oder erwarten kann:* er brachte ihm ungewöhnliches Vertrauen entgegen; ein ungewöhnliches *(sehr großes, außergewöhnliches)* Talent; er ist für sein Alter u. groß.

ungewohnt ⟨Adj.; nicht adverbial⟩: *nicht vertraut; nicht üblich:* dies war eine für ihn [ganz] ungewohnte Arbeit; sie bot in den alten Kleidern einen ungewohnten Anblick; der dauernde Lärm war ihm u. *(den dauernden Lärm war er nicht gewöhnt).*

ungewollt ⟨Adj.⟩: *nicht beabsichtigt, nicht gewollt:* die Farbe hatte eine ganz ungewollte Wirkung.

ungezählt ⟨Adj.⟩: **1.** *ohne (etwas) gezählt zu haben:* er steckte das Geld u. in seine Tasche. **2.** ⟨nur attributiv⟩ *sehr viel, unzählig, zahllos:* er hat dich ungezählte Male zu erreichen versucht.

ungezähmt ⟨Adj.⟩: *nicht zahm; wild:* der Zirkus hat zwei ungezähmte Löwen gekauft; bildl.: ungezähmte *(leidenschaftliche, hemmungslose)* Begierden.

Ungeziefer, das; -s: *lästige [schädliche] kleine Tiere* /bes. Insekten/: das Haus war voller U.; ein Mittel gegen U. aller Art.

ungezogen ⟨Adj.⟩: *ungehorsam, frech:* sie hat ungezogene Kinder; deine Antwort war sehr u. **Ungezogenheit,** die; -, -en.

ungezwungen ⟨Adj.⟩: *natürlich und frei; nicht steif und förmlich:* ihr ungezwungenes Wesen machte sie bei allen beliebt; sich u. benehmen. **Ungezwungenheit,** die; -.

Unglaube, der; -ns: *fehlender Glaube:* seine bösartigen Äußerungen waren der Ausdruck seines Unglaubens.

ungläubig ⟨Adj.⟩: **1.** ⟨nicht adverbial⟩ *nicht an Gott glaubend:* er versuchte die ungläubigen Menschen zu bekehren. **2.** *zweifelnd:* als er ihr die Geschichte erzählt hatte, lächelte sie u.

unglaublich [auch: un...] ⟨Adj.⟩: **a)** ⟨nicht adverbial⟩ *sehr groß, unerhört; kaum zu glauben:* das ist eine unglaubliche Frechheit; es ist u., was er in dieser kurzen Zeit geleistet hat. **b)** ⟨verstärkend bei Adjektiven und Verben⟩ *sehr:* er ist u. frech; er hat u. geprahlt.

unglaubwürdig ⟨Adj.⟩: *nicht zuverlässig, nicht vertrauenswürdig:* eine unglaubwürdige Aussage; der Zeuge ist u. **Unglaubwürdigkeit,** die; -.

ungleich ⟨Adj.⟩: **1.** *nicht übereinstimmend; verschieden:* zwei Schränke von ungleicher Größe; die beiden Brüder sind sehr u. *(in ihrer Art sehr verschieden).* **2.** ⟨verstärkend vor dem Komparativ⟩ *viel, weitaus:* die neue Straße ist u. besser als die alte. **Ungleichheit,** die; -, -en.

ungleichmäßig ⟨Adj.⟩: *nicht regelmäßig; nicht in gleicher Weise erfolgend, fortbestehend:* ein ungleichmäßiger Puls; der Besitz ist sehr u. verteilt. **Ungleichmäßigkeit,** die; -.

Unglück, das; -s, -e: **1.** ⟨ohne Plural⟩ *unheilvolles, trauriges Ereignis oder Geschehen (von dem eine oder mehrere Personen betroffen werden); Mißgeschick:* in dieser Zeit ereignete sich ein U. nach dem anderen in seiner Familie; ein schweres U. hat die Stadt heimgesucht. * **jmdn. ins U. bringen/stürzen** *(jmdn. sehr unglücklich machen; jmdm. großen Schaden zufügen);* **ins/in sein U. rennen** *(ohne es zu erkennen, etwas tun, womit man sich sehr schadet);* **zu allem U.** *(außerdem, obendrein):* es war schon sehr spät, und zu allem U. hatte er auch noch seine Fahrkarte verloren. **2.** *Unfall:* an diesem Tag ereigneten sich in der Stadt mehrere schwere Unglücke.

unglücklich ⟨Adj.⟩: **1.** *traurig und bedrückt:* er versuchte vergebens das unglückliche Mädchen zu trösten; er war sehr u. über diesen Verlust. **2.** *ungünstig, bedauerlich, verhängnisvoll:* das war ein unglücklicher Zufall, ein unglückliches Zusammentreffen verschiedener Umstände; sein Sturz war so u., daß er sich ein Bein brach.

unglücklicherweise ⟨Adverb⟩: *zum Unglück; wie es ein unglücklicher, bedauerlicher Umstand wollte:* u. war niemand zu Hause, als der Brand ausbrach.

unglückselig ⟨Adj.; nur attributiv⟩: *verhängnisvoll; unglücklich [verlaufend]; unselig:* er versuchte vergeblich, die ganze unglückselige Zeit des Krieges zu vergessen; die unglückselige *(vom Unglück verfolgte)* Frau wußte sich keinen Rat mehr.

Unglücksfall, der; -s, Unglücksfälle: *unheilvolles, verhängnisvolles Ereignis; Unfall:* er ist durch einen U. ums Leben gekommen.

Unglücksrabe, der; -n, -n (ugs.): *jmd., der vom Unglück verfolgt ist, der immer Pech hat:* jetzt hat sich dieser U. auch noch das Bein gebrochen.

Ungnade: ⟨in der Wendung⟩ [bei jmdm.] in U. fallen: *jmds. Gunst verlieren; sich jmds. Unwillen zuziehen:* seit er bei seinem Chef in U. gefallen ist, hat er viele Schwierigkeiten.

ungnädig ⟨Adj.⟩: *schlecht gelaunt und unfreundlich; mürrisch:* der Chef ist heute wieder sehr u.; sie reagierte u. auf seine Frage.

ungültig ⟨Adj.⟩: *nicht mehr geltend; verfallen:* eine ungültige Fahrkarte; eine Urkunde für u. erklären. **Ungültigkeit,** die; -.

Ungunst, die; -: **1.** *das Unfreundliche, Unangenehme; Nachteil:* die U. der Witterung, der Verhältnisse. * **zu jmds. Ungunsten** *(zu jmds. Nachteil):* die Verkäuferin hatte sich zu meinen Ungunsten verrechnet. **2.** *Mangel an Gunst; Mißfallen:* er hat sich die U. seines Vorgesetzten zugezogen.

ungünstig ⟨Adj.⟩: *nicht vorteilhaft; nachteilig, negativ:* einen ungünstigen Bescheid bekommen; ungünstiges Klima; die Sache ist u. für ihn ausgegangen.

ungut ⟨Adj.⟩: *unerfreulich, böse, schlecht:* zwischen den beiden sind ungute Worte gefallen; er hatte ein ungutes Gefühl bei dieser Sache. * **nichts für u.!** *(nehmen Sie es mir nicht übel!).*

unhaltbar [auch: ...halt...] ⟨Adj.; nicht adverbial⟩: **a)** *sehr bedroht; nicht länger zu verteidigen:* die Stellung der Feinde war u. geworden. **b)** *Besserung erfordernd; dringend der Änderung bedürfend; unmöglich:* in dieser Firma herrschen unhaltbare Zustände. **c)** *nicht zutreffend; nicht zu begründen:* unhaltbare Behauptungen, Theorien.

unhandlich ⟨Adj.; nicht adverbial⟩: *wegen seiner Größe, seinem Gewicht o. ä. unpraktisch im Gebrauch:* ein unhandlicher Koffer; dieses Gerät ist zu u.

unharmonisch ⟨Adj.⟩: **a)** *nicht einträchtig:* ein unharmonisches Zusammenleben. **b)** ⟨nicht adverbial⟩ *nicht ausgeglichen:* er ist ein unharmonischer Mensch.

Unheil, das; -s: *verhängnisvolles, schreckliches Geschehen; Unglück:* das U. des Krieges; ich sah das U. [schon] kommen; gib acht, daß er in meiner Abwesenheit kein U. *(nichts Böses, Schlimmes)* anrichtet!

unheilbar [auch: ...heil...] ⟨Adj.⟩: *nicht zu heilen; nicht heilbar:* eine unheilbare Krankheit. **Unheilbarkeit,** die; -.

unheilvoll ⟨Adj.⟩: *voller Gefahr, Unheil; bedrohlich, schlimm:* die unheilvolle Entwicklung der Politik eines Landes.

unheimlich ⟨Adj.⟩: **1.** *Angst, leichtes Grauen erregend:* eine unheimliche Gestalt kam in der Dunkelheit auf ihn zu; in seiner Nähe habe ich ein unheimliches *(unbehagliches)* Gefühl; in dem einsamen Haus war es ihr u. [zumute] *(empfand sie eine unbestimmte Angst).* **2.** (ugs.) **a)** *sehr groß, sehr viel:* bei ihm war ein unheimliches Durcheinander; er kann u. essen. **b)** ⟨verstärkend bei Adjektiven und Verben⟩ *sehr, überaus:* das Kind ist schon u. groß; sie hat sich über die Blumen u. gefreut.

unhöflich ⟨Adj.⟩: *gegen die Umgangsformen verstoßend; nicht höflich:* eine unhöfliche Antwort geben; dein Verhalten war sehr u.; eine unhöfliche *(taktlose)* Frage. **Unhöflichkeit,** die; -, -en.

Unhold, der; -s, -e (abwertend): *roher, grausamer Mensch; jmd., der sich durch eine Tat [in sittlicher Hinsicht] abscheulich anderen gegenüber benommen hat:* der U., der diese Mädchen angefallen hatte, konnte gefaßt werden.

uni [y'ni:] ⟨Adj.; indeklinabel⟩: *einfarbig:* das Kleid ist u.

Uni, die; -, -s (ugs.): *Universität.*

Uniform, die; -, -en: *in Material, Form und Farbe einheitlich gestaltete Kleidung, die bei Militär, Polizei, Post o. ä. im Dienst getragen wird* (siehe Bild): die Polizisten tragen eine grüne U.

Uniform

uniformiert ⟨Adj.⟩: *in Uniform gekleidet:* von den beiden Beamten war nur einer u.

Uniformität, die; -: *Gleichmaß, Gleichmäßigkeit, gleichförmige Beschaffenheit:* die U. der öffentlichen Meinung.

Unikum, das; -s, -s (ugs.): *origineller Mensch, Sonderling:* er ist ein in der ganzen Stadt bekanntes U.

uninteressant ⟨Adj.⟩: *langweilig; ohne Reiz:* ein uninteressantes Buch; seine Meinung ist für mich u. *(ist mir gleichgültig).*

uninteressiert ⟨Adj.⟩: *keinen Anteil nehmend:* sie zeigten sich bei der Besprechung ziemlich u.; er war an diesem Unternehmen u. *(es war ihm gleichgültig, interessierte ihn nicht).*

Union, die; -, -en: *Bund, Vereinigung (bes. von Staaten):* die Staaten schlossen sich zu einer U. zusammen.

Universität, die; -, -en: *in mehrere Fakultäten gegliederte Anstalt für wissenschaftliche Ausbildung und Forschung; Hochschule:* eine U. besuchen; an einer U. studieren.

Universum, das; -s: *Weltall.*

unken, unkte, hat geunkt ⟨itr.⟩ (ugs.; abwertend): *[aus einer pessimistischen Haltung oder Einstellung heraus] Schlechtes, Unheil voraussagen:* was man auch unternimmt, immer mußt du u.

unkenntlich ⟨Adj.⟩: *nicht erkennbar; nicht mehr zu erkennen:* er versuchte, die durch das Alter fast u. gewordene Schrift zu entziffern; die Schminke hatte sein Gesicht [völlig] u. gemacht. **Unkenntlichkeit,** die; -.

Unkenntnis, die; -: *das Nichtwissen; mangelnde Kenntnis:* in seinen Äußerungen zeigte sich seine U. auf diesem Gebiet; aus U. etwas falsch machen. * **jmdn. [über etwas] in U. lassen** *(jmdn. nicht [über etwas] aufklären, nicht [von etwas] unterrichten):* er hat sich falsch entschieden, weil man ihn über die wahren Zusammenhänge in U. gelassen hatte.

unklar ⟨Adj.⟩: **1.** *trüb; nicht rein:* eine unklare Flüssigkeit. **2. a)** *verschwommen; nicht deutlich:* unklare Vorstellungen über etwas haben; einen Gegenstand in der Ferne nur u. erkennen. **b)** *ungenau; nicht verständlich:* er drückt sich zu u. aus; mir ist noch [völlig] u. *(ich kann mir nicht erklären),* wie er das zustande gebracht hat. * **jmdn. [über etwas] im unklaren lassen** *(jmdn. [von etwas] nicht oder unvollständig unterrichten).* **Unklarheit,** die; -, -en.

unklug ⟨Adj.⟩: *nicht diplomatisch; unvorsichtig, ungeschickt:* es war sehr u. von dir, ihm das zu sagen.

unkompliziert ⟨Adj.⟩: *nicht kompliziert, einfach:* er hat ein unkompliziertes Wesen.

Unkosten, die ⟨Plural⟩: **a)** *[unvorhergesehene] Kosten, die neben den normalen Ausgaben entstehen:* durch seinen Umzug sind ihm diesen Monat große U. entstanden. * (ugs.) **sich in U. stürzen** *(für etwas besonders viel Geld ausgeben).* **b)** *Ausgaben, Kosten:* hatten Sie Unkosten?

Unkraut, das; -s: *Pflanze oder alle Pflanzen, die in störender, unerwünschter Weise zwischen angebauten Pflanzen wild wachsen:* wir müssen jetzt endlich das U. im Garten entfernen.

unkultiviert ⟨Adj.⟩: *ungesittet; ohne Manieren:* mit seinem unkultivierten Benehmen fiel er bei allen auf; sie aßen sehr u.

unkundig: ⟨in der Verbindung⟩ einer Sache u. sein (geh.): *(mit etwas) nicht vertraut sein, (etwas) nicht beherrschen:* der deutschen Sprache u. sein.

unlängst ⟨Adverb⟩: *vor kurzer Zeit; kürzlich:* er hat mich u. besucht.

unlauter ⟨Adj.⟩: *nicht den gesetzlichen Bestimmungen entsprechend, nicht ehrlich:* sich unlauterer Mittel bedienen; unlauterer Wettbewerb.

unleidlich ⟨Adj.⟩: *mißmutig, schlecht gelaunt [und daher schwer zu ertragen]:* er ist ein unleidlicher Mensch; sei doch nicht immer so u.

unleserlich [auch: ...le...] ⟨Adj.⟩: *sehr schlecht geschrieben und daher nicht oder nur sehr schwer zu lesen:* eine unleserliche Unterschrift; er schreibt u.

unliebsam ⟨Adj.; nicht prädikativ⟩: *[in peinlicher Weise] unangenehm:* er wurde nicht gern an das unliebsame Vorkommnis errinnert; er ist durch sein schlechtes Benehmen u. aufgefallen.

unlogisch ⟨Adj.⟩: *der Logik widersprechend:* eine unlogische Folgerung; der Schluß, den er aus der Sache zog, erschien ihr u.

unlösbar [auch: un...] ⟨Adj.⟩: *sehr schwierig und daher nicht zu lösen, nicht zu bewältigen:*

eine unlösbare Aufgabe; das Rätsel ist für ihn u.

Unlust, die; -: *Unbehagen, Abneigung, Widerwille:* er geht mit U. an die Arbeit.

unmäßig ⟨Adj.⟩: **a)** *nicht das Maß einhaltend, maßlos:* er ist u. in seinen Forderungen. **b)** *heftig, überaus groß:* er hatte ein unmäßiges Verlangen nach dieser Speise. **c)** ⟨verstärkend bei Adjektiven⟩ *sehr, überaus:* sein Hunger war u. groß. **Unmäßigkeit**, die; -.

Unmenge, die; -, -n: *sehr große Menge, Anzahl:* er hat heute eine U. Äpfel gegessen.

Unmensch, der; -en, -en: *roher, grausamer Mensch:* wer seine Kinder so sehr verprügelt, ist ein U. * **kein U. sein** *(mit sich reden lassen, keineswegs unzugänglich gegenüber jmds. Wünschen o. ä. sein):* warum haben Sie nichts davon gesagt, ich bin ja kein U.?

unmenschlich [auch: unmenschlich] ⟨Adj.⟩: **1.** *roh, grausam, brutal:* die Gefangenen wurden u. behandelt. **2.** *überaus groß; ungeheuer:* sie mußten unmenschliche Schmerzen ertragen. **Unmenschlichkeit**, die; -, -en.

unmerklich [auch: un...] ⟨Adj.; nicht prädikativ⟩: *nicht oder kaum zu merken; nicht oder kaum wahrnehmbar, spürbar:* mit ihm war eine unmerkliche Veränderung vor sich gegangen; es war u. dunkler geworden.

unmißverständlich ⟨Adj.⟩: *sehr deutlich und nachdrücklich; keinen Zweifel aufkommen lassend:* er hat eine unmißverständliche Absage erhalten; seine Meinung u. sagen.

unmittelbar ⟨Adj.; nicht prädikativ⟩: *direkt; ohne räumlichen oder zeitlichen Abstand, ohne vermittelndes Glied:* der Baum steht in unmittelbarer Nähe des Hauses; er betrat den Raum u. nach dir; er hat sich u. an den Chef gewandt.

unmodern ⟨Adj.⟩: *nicht dem Geschmack, dem Stil, den Gegebenheiten der Gegenwart entsprechend; veraltet:* ein unmoderner Hut; seine Ansichten über die Erziehung der Kinder sind ziemlich u.

unmöglich [auch: unmög...]: **I.** ⟨Adj.⟩ **1.** *nicht durchzuführen, nicht denkbar:* das ist ein unmögliches Verlangen; das Unwetter hat mein Kommen u. gemacht; es ist [uns] u., die Ware heute schon zu liefern. **2.** (ugs.) *unangenehm auffallend; ungehörig, sehr unpassend:* sie trug einen unmöglichen Hut; du hast dich u. benommen. * **jmdn./sich u. machen** *(jmdn./sich bloßstellen oder blamieren):* er hat ihn durch seine Verleumdungen u. gemacht. **II.** ⟨Adverb⟩ *keinesfalls, unter keinen Umständen:* das kannst du u. von ihm verlangen; das geht u.

unmoralisch ⟨Adj.⟩: *nicht der Sitte, Moral entsprechend:* ein unmoralisches Leben führen.

unmotiviert ⟨Adj.⟩: *nicht begründet, ohne erkennbaren Grund:* sein plötzlicher Zorn war [ganz] u., denn niemand hatte ihm Anlaß dazu gegeben.

unmündig ⟨Adj.; nicht adverbial⟩: *noch nicht erwachsen:* sie ließ drei unmündige Kinder zurück. **Unmündigkeit**, die; -.

unmusikalisch ⟨Adj.⟩: *nicht musikalisch begabt; ohne musikalisches Empfinden:* von seinen Kindern war nur eins u.

Unmut, der; -s: *durch Enttäuschung, Unzufriedenheit o. ä. hervorgerufene Verstimmtheit, Ärger, Verdruß:* sie konnte ihren U. über sein schlechtes Verhalten nicht verbergen.

unnachahmlich [auch: ...ahm...] ⟨Adj.⟩: *einzigartig; in nicht nachzuahmender, unverwechselbarer Weise:* er hat eine unnachahmliche Gabe, Geschichten zu erzählen.

unnachgiebig ⟨Adj.⟩: *nicht zu Zugeständnissen bereit; unerbittlich:* eine unnachgiebige Haltung einnehmen; er blieb trotz aller Bitten, Drohungen u. **Unnachgiebigkeit**, die; -.

unnachsichtig ⟨Adj.⟩: *streng; ohne Nachsicht:* nach dem Vorfall hat er die Schüler u. bestraft. **Unnachsichtigkeit**, die; -.

unnahbar [auch: un...]⟨Adj.⟩: *sehr zurückhaltend und stolz; abweisend:* er wagte nicht, sie anzusprechen, weil sie ihm immer so u. erschienen war. **Unnahbarkeit**, die; -.

unnatürlich ⟨Adj.⟩: **a)** *nicht der Natur, der Regel, dem rechten Maß entsprechend; vom Normalen abweichend:* ihr Gesicht hatte eine unnatürliche Blässe. **b)** *gekünstelt; unecht wirkend:* seine Fröhlichkeit war u. **Unnatürlichkeit**, die; -.

unnormal ⟨Adj.⟩: **a)** *nicht der Regel, dem gewöhnlichen Maß entsprechend:* die Kälte ist für diese Jahreszeit u.; er ist u. groß. **b)** *geistig nicht normal:* sie haben ein unnormales Kind.

unnötig ⟨Adj.⟩: *überflüssig, nicht notwendig:* sich unnötige Sorgen machen; diese Ausgaben waren ganz u.

unnütz ⟨Adj.⟩: *zu nichts taugend; keinen Nutzen, Gewinn bringend; nutzlos:* mache dir keine unnützen Gedanken darüber; es ist u., darüber zu streiten.

unordentlich ⟨Adj.⟩: **a)** *keinen Sinn für Ordnung habend:* er ist ein unordentlicher Mensch; du hast sehr u. *(nachlässig, nicht sorgfältig)* gearbeitet. **b)** *nicht in Ordnung gehalten:* ein unordentliches Zimmer; er sah sehr u. *(ungepflegt)* aus. **Unordentlichkeit**, die; -.

Unordnung, die; -: *mangelnde Ordnung; Durcheinander:* in seinem Zimmer war große U.

unparteiisch ⟨Adj.⟩: *(in seinem Urteil) nicht von einer Seite beeinflußt; neutral:* eine unparteiische Haltung einnehmen; er bemühte sich, bei diesem Streit u. zu sein.

unpassend ⟨Adj.⟩: *nicht passend, nicht angebracht [und deshalb unangenehm auffallend]:* eine unpassende Bemerkung machen; sich u. benehmen.

unpäßlich ⟨Adj.⟩: *von leichtem Unwohlsein befallen; leicht erkrankt:* sie hatte den ganzen Tag das Haus nicht verlassen, weil sie sich u. fühlte. **Unpäßlichkeit**, die; -, -en.

unpersönlich ⟨Adj.⟩: *sachlich, nüchtern; nicht von Gefühlen bestimmt:* der Brief war in sehr unpersönlichem Stil geschrieben; jmdn. u. behandeln; die Einrichtung seines Zimmers war sehr u. *(verriet nichts von der Eigenart des Bewohners).*

unpopulär ⟨Adj.⟩: *allgemein nicht gewünscht; unbeliebt:* diese Maßnahmen der Regierung waren u.

unpraktisch ⟨Adj.⟩: **a)** *nicht geschickt; umständlich:* er ist ein sehr unpraktischer Mensch. **b)** *nicht zweckmäßig; nicht gut* *zu handhaben:* ein unpraktisches Gerät.

unproportioniert ⟨Adj.⟩: *in den Proportionen nicht stimmend, schlecht gebaut:* ein unproportionierter Körper.

unpünktlich ⟨Adj.⟩: *nach der festgesetzten Zeit, verspätet:* sein unpünktliches Erscheinen ärgerte den Chef; der Zug fuhr u. ab; er ist immer u. *(kommt immer zu spät).* **Unpünktlichkeit,** die; -.

unqualifiziert ⟨Adj.⟩: *nicht geeignet; ohne die nötigen Voraussetzungen; nicht befähigt:* ein unqualifizierter Mitarbeiter; seine Äußerungen waren ziemlich u. *(unpassend und dumm).*

Unrast, die; -: *innere Unruhe, die jmdn. dazu treibt, sich ständig zu betätigen:* seine U. ließ ihn nicht zur Ruhe kommen; sie war voller U.

Unrat, der; -s (geh.): *Schmutz, Abfall:* sie mußten den U. von der Straße beseitigen.

unrecht ⟨Adj.⟩: **a)** ⟨nur attributiv⟩ *nicht richtig, nicht geeignet; falsch:* du hast an die unrechte Tür geklopft; den unrechten Zeitpunkt für etwas wählen. **b)** *böse, schlimm, übel; nicht zu rechtfertigen:* er hat eine unrechte Tat begangen; du hast u. gehandelt. ****u. haben** *(im Irrtum sein; nicht recht haben);* **jmdm. u. geben** *(jmds. Meinung für falsch erklären);* **jmdm. u. tun** *(jmdn. ungerecht beurteilen, behandeln).*

Unrecht, das; -s: *Handlung, Tat, die nicht dem Recht und den allgemeinen Auffassungen vom Recht entspricht:* er hat ein schweres U. begangen; in der Welt gibt es viel U. *(Böses, Ungerechtigkeit).* ***im U. sein** *(eine falsche Meinung vertreten; nicht recht haben);* **jmdn. ins U. setzen** *(durch etwas bewirken, daß es so aussieht, als ob jmd. nicht recht hätte);* **sich [mit/durch etwas] selbst ins U. setzen** *(durch sein Verhalten nicht mehr berechtigt sein, das Recht zu verteidigen);* **zu U.** *(ohne Berechtigung; fälschlich):* man hat ihn zu U. verdächtigt.

unrechtmäßig ⟨Adj.⟩: *widerrechtlich, unberechtigt; ohne rechtlichen Anspruch, ohne rechtliche Begründung:* ein unrechtmäßiger Besitz; er hat sich das Buch u. angeeignet. **Unrechtmäßigkeit,** die; -.

unredlich ⟨Adj.⟩: *nicht ehrlich; betrügerisch:* ein unredlicher Kaufmann. **Unredlichkeit,** die; -.

unreell ⟨Adj.⟩: *(in geschäftlicher Hinsicht) nicht ehrlich, nicht zuverlässig:* ein unreelles Angebot; seine Geschäfte sind u.

unregelmäßig ⟨Adj.⟩: *nicht einer festen Regel folgend; ungleichmäßig:* ein unregelmäßiges Muster; die Glocke ertönte in unregelmäßigen *(ungleichen)* Abständen; der Kranke atmete sehr u. **Unregelmäßigkeit,** die; -, -en.

unreif ⟨Adj.; nicht adverbial⟩: **1.** *noch nicht reif; nicht voll entwickelt:* er hat unreife Äpfel gegessen. **2. a)** *nicht erfahren; unfertig:* er wirkt noch ziemlich u. **b)** *nicht genügend durchdacht; höheren Ansprüchen nicht genügend:* unreife Gedanken, Ideen.

unrein ⟨Adj.⟩: **1.** *nicht sauber; schmutzig, trüb:* das Wasser ist ziemlich u.; ihre Haut ist sehr u. *(voller Pickel o. ä.).* **2.** *nicht exakt [gebildet, ausgeführt]; ungenau:* unreine Töne auf der Geige spielen; sie sangen sehr u. ** **etwas ins unreine schreiben** *(erst einmal einen schriftlichen Entwurf von etwas anfertigen; etwas skizzieren).* **Unreinheit,** die; -.

unrentabel ⟨Adj.⟩: *nicht lohnend; keinen großen Gewinn bringend:* er gab das Geschäft auf, weil es zu u. geworden war.

unrettbar [auch: un...]: ⟨in der Fügung⟩ u. verloren: *unwiderruflich, endgültig verloren:* der Patient war u. verloren.

unrichtig ⟨Adj.⟩: *nicht wahr; falsch:* er hat bei der Polizei unrichtige Angaben gemacht.

Unruhe, die; -, -n: **1.** ⟨ohne Plural⟩ *als störend empfundener Mangel an Ruhe; durch Lärm, ständige Bewegung o. ä. hervorgerufene Störung:* er konnte die U., die in dem Raum herrschte, nicht länger ertragen. **2.** ⟨ohne Plural⟩ *innere Erregung; Besorgnis:* als die Kinder nicht kamen, wuchs ihre U. immer mehr; es herrschte große U. *(Erregtheit, Unzufriedenheit)* im Volk. * **in U. sein** *(in Sorge sein, beunruhigt sein).* **3.** ⟨Plural⟩ *Demonstrationen, Aufruhr einer bestimmten Gruppe, einer Menge von Menschen:* bei den Unruhen in den Straßen der Stadt wurden mehrere Menschen verletzt.

Unruheherd, der; -[e]s, -e: *Gebiet, in dem häufig politische, soziale Unruhen ausbrechen:* der Kongo als großer U. Afrikas.

Unruhestifter, der; -s, -: *jmd., der häufig Unruhe stiftet, indem er andere aufwiegelt:* bei der Demonstration wurden einige der U. festgenommen.

unruhig ⟨Adj.⟩: **1. a)** *ständig in Bewegung befindlich:* die unruhigen Kinder störten ihn bei der Arbeit; die Tiere liefen u. in ihrem Käfig auf und ab; er führt ein unruhiges *(ruheloses, unstetes)* Leben. **b)** *nicht still, laut:* er wohnt in einer unruhigen Gegend. **2.** *innerlich erregt; besorgt; ungeduldig; nervös:* sie wartete u. auf die Rückkehr der Kinder.

unrühmlich ⟨Adj.⟩: *keinen Ruhm, Schande, Verachtung einbringend; schmählich, schmachvoll:* er nahm ein unrühmliches Ende als Dieb.

unsachgemäß ⟨Adj.⟩: *nicht sachgemäß; in der Anwendung, Ausführung gegen die Vorschriften, Anweisungen verstoßend:* bei unsachgemäßer Behandlung des Gerätes wird keine Garantie übernommen.

unsachlich ⟨Adj.⟩: *von Gefühlen, Vorurteilen bestimmt; nicht nüchtern, nicht objektiv:* unsachliche Argumente; etwas u. beurteilen.

unsagbar ⟨Adj.⟩: *unsäglich.*

unsäglich ⟨Adj.⟩: **a)** *sehr groß; unbeschreiblich:* sie litt unsägliche Schmerzen. **b)** ⟨verstärkend bei Adjektiven und Verben⟩ *sehr, außerordentlich:* sie war u. glücklich; sie freuten sich u.

unsanft ⟨Adj.⟩: *nicht zart, grob:* jmdn. u. anfassen, wecken.

unsauber ⟨Adj.⟩: **1. a)** *nicht rein, schmutzig:* er durfte das Baby mit seinen unsauberen Händen nicht anfassen. **b)** *unordentlich; nicht sorgfältig:* er hat seine Schulhefte sehr u. geführt. **2.** *nicht anständig; unehrlich:* er macht unsaubere Geschäfte. **Unsauberkeit,** die; -.

ụnschädlich ⟨Adj.⟩: *ungefährlich, harmlos:* unschädliche Insekten; dieses Mittel ist völlig u. * **jmdn. u. machen** *(verhindern, daß jmd. [weiteren] Schaden anrichtet):* die Polizei versuchte, den Verbrecher so schnell wie möglich u. zu machen. **Ụnschädlichkeit,** die; -.

unschạ̈tzbar [auch: ụn...] ⟨Adj.; nicht adverbial⟩: *außerordentlich groß; ungeheuer:* er hat unschätzbare Verdienste um den Staat.

ụnscheinbar ⟨Adj.⟩: *sehr unauffällig; keinen besonderen Eindruck machend; ohne charakteristische, einprägsame Merkmale:* sie ist ein unscheinbares Mädchen; der Angeklagte ist klein und u.

ụnschlüssig ⟨Adj.⟩: *unentschlossen, schwankend:* sie tadelte ihn wegen seiner unschlüssigen Haltung; er blieb u. stehen; bist du [dir] immer noch u., ob du morgen fahren sollst? **Ụnschlüssigkeit,** die; -.

ụnschön ⟨Adj.⟩: **1.** *häßlich:* ihr unschönes Gesicht wurde durch die Brille noch häßlicher. **2.** *nicht anständig, nicht fair:* es war sehr u. von dir, ihn so zu behandeln.

Ụnschuld, die; -: **1.** *das Freisein von Schuld:* er konnte seine U. nicht beweisen und wurde bestraft. **2.** *sittliche Reinheit:* ein Ausdruck von U. lag auf ihrem Gesicht.

ụnschuldig ⟨Adj.⟩: **1.** *frei von Schuld:* ein unschuldiger Gefangener; er wurde u. *(zu Unrecht)* verurteilt. * **an etwas u. sein** *(für etwas nicht verantwortlich sein):* er ist am Tod seines Bruders u. **2. a)** *sittlich rein; unverdorben:* ein junges, unschuldiges Mädchen. **b)** *unerfahren; naiv:* das unschuldige Kind wußte nicht, was es mit diesen Worten eigentlich gesagt hatte; laß ihm doch sein unschuldiges *(harmloses)* Vergnügen.

ụnschwer ⟨Adj.; in Verbindung mit bestimmten Verben⟩: *leicht, nicht schwierig:* es ließ sich u. erraten, worum es sich handelte; er konnte u. feststellen, daß sie geweint hatte.

ụnselbständig ⟨Adj.⟩: *auf die Hilfe anderer angewiesen:* er ist ein unselbständiger Mensch; er arbeitet sehr u. **Ụnselbständigkeit,** die; -.

ụnselig ⟨Adj.; nur attributiv⟩: *verhängnisvoll; unheilvoll; unglücklich:* er wurde das unselige Laster nicht los.

ụnser ⟨Possessivpronomen⟩ /bezeichnet ein Besitz- oder Zugehörigkeitsverhältnis einer die eigene Person einschließenden Gruppe/: unser Haus ist größer als eures; auf unseren Stühlen sitzt man ausgezeichnet; unsere Waschmaschine ist kaputt.

ụnsicher ⟨Adj.⟩: **1.** *durch eine Gefahr bedroht; gefährdet:* einen unsicheren Weg gehen; in jenen Zeiten lebte man sehr u. **2.** *nicht zuverlässig; ungewiß; unbestimmt:* auf diese unsichere Sache würde ich mich nicht einlassen; er hatte dabei ein unsicheres Gefühl; es ist noch u. *(fraglich, zweifelhaft)*, ob er kommt. ***jmdn. u. machen** *(jmdn. verwirren, beirren):* seine vielen Fragen machten sie u. **3.** *nicht selbstbewußt; innerlich nicht gefestigt; Hemmungen habend:* sein unsicheres Auftreten erstaunte alle; er wirkt, ist sehr u. **Ụnsicherheit,** die; -, -en.

ụnsichtbar ⟨Adj.⟩: *mit den Augen nicht wahrnehmbar:* unsichtbare Strahlen; sie blieb den ganzen Tag u. *(zeigte sich nicht)*.

Ụnsinn, der; -s: **1.** *sinnloses Reden oder Handeln; Blödsinn, dummes Zeug:* er redet viel U.; was du hier tust, ist reiner U. **2.** *Unfug:* sie machten, trieben den ganzen Tag U.

ụnsinnig ⟨Adj.⟩: **1.** *keinen Sinn, Zweck habend; unvernünftig; sinnlos:* unsinniges Gerede; es ist u., so große Forderungen zu stellen. **2. a)** ⟨nur attributiv⟩ *sehr groß; ungeheuer:* ich habe unsinnigen Durst; unsinnige Forderungen stellen. **b)** ⟨verstärkend bei Adjektiven und Verben⟩ *sehr, ungemein:* er hat u. hohe Forderungen gestellt; er hat sich u. gefreut.

Ụnsitte, die; -, -n: *schlechte Angewohnheit:* eine U. ablegen; es ist eine U. von dir, beim Essen so viel zu trinken.

ụnsittlich ⟨Adj.⟩: *nicht den Forderungen der Sitte, Moral entsprechend; unanständig, anstößig:* eine unsittliche Handlung; sich u. aufführen. **Ụnsittlichkeit,** die; -.

ụnsolide ⟨Adj.⟩: *nicht solide, nicht maßvoll (in seiner Lebensweise); ausschweifend:* er ist ein ziemlich unsolider Mensch; er lebte in letzter Zeit sehr u.

unstẹrblich [auch: ụn...] ⟨Adj.⟩: **1.** ⟨nicht adverbial⟩ *ewig dauernd, unvergänglich:* die unsterblichen Werke Beethovens. **2.** ⟨verstärkend bei bestimmten Verben⟩ (ugs.) *sehr:* sie hat sich u. blamiert; er war u. verliebt. **Unstẹrblichkeit,** die; -.

Ụnstern, der; -[e]s (geh.): *schlechtes Vorzeichen:* er scheint unter einem U. geboren zu sein.

ụnstet ⟨Adj.⟩: *von Unrast getrieben; ruhelos; nicht beständig:* ein unstetes Leben führen; er ist sehr u. **Ụnstetigkeit,** die; -.

unstịllbar [auch: ụn...] ⟨Adj.; nicht adverbial⟩: *sehr groß, nicht zu befriedigen:* ein unstillbarer Durst; sein Verlangen nach Meer und Sonne war u.

Ụnstimmigkeit, die; -, -en: **1.** *etwas, was sich in einem bestimmten Zusammenhang als Widerspruch, als nicht ganz richtig erweist; Fehler:* bei der Überprüfung der Rechnung fand sich eine U. **2.** ⟨Plural⟩ *Auseinandersetzungen; Streit:* bei der Verhandlung kam es zu Unstimmigkeiten zwischen den Parteien.

ụnstreitig [auch: ...streit...] ⟨Adverb⟩: *zweifellos; sicherlich:* es wäre u. das beste gewesen, sofort abzureisen.

Ụnsumme, die; -, -n: *sehr große, übermäßig große Summe:* das Haus hat eine U. [Geldes] gekostet; für diesen Zweck sind schon Unsummen *(ist schon übermäßig viel Geld)* ausgegeben worden.

ụnsympathisch ⟨Adj.⟩: *unangenehm wirkend; nicht für sich einnehmend:* ein unsympathischer Mensch; er sieht sehr u. aus. * **jmdm. u. sein: a)** *jmdm. nicht gefallen; unangenehm auf jmdn. wirken:* er war mir schon immer u. **b)** *nicht den eigenen Wünschen, Vorstellungen entsprechen; jmdm. nicht zusagen:* dieser Plan ist mir sehr u.

ụnsystematisch ⟨Adj.⟩: *ohne ein bestimmtes System; planlos:* er arbeitet ganz u.

ụntad[e]lig ⟨Adj.⟩: *keinerlei Anlaß zu einem Tadel bietend; einwandfrei, tadellos;* er fiel durch sein untadliges Benehmen auf; er war u. gekleidet.

Untat, die; -, -en: *großen Abscheu, Entsetzen erregende Tat; abscheuliches Verbrechen:* die Untaten dieser Leute sind zu verabscheuen.

untätig ⟨Adj.⟩: *nichtstuend, müßig; ohne zu handeln:* er saß den ganzen Tag u. im Sessel; er sah dem Streit u. *(ohne einzugreifen)* zu.

untauglich ⟨Adj.; nicht adverbial⟩: *nicht geeignet, nicht brauchbar; den Anforderungen nicht genügend:* ein untaugliches Mittel verwenden; er ist für diese Arbeit u. **Untauglichkeit,** die; -.

unteilbar [auch: un...] ⟨Adj.; nicht adverbial⟩: *sich nicht teilen lassend; nicht zu trennen, nicht zu zerlegen:* ein unteilbares Ganzes; das Erbe, der Besitz ist u. **Unteilbarkeit,** die; -.

unten ⟨Adverb⟩: *tief gelegen; in der, in die Tiefe; unter jmdm./etwas*/Ggs. oben/: der Ort liegt u. im Tal; von u. kommen; nach u. gehen; sie wohnen u. *(in einem unteren Stockwerk)*; er war von oben bis u. *(ganz, völlig)* mit Farbe beschmutzt.

unter: ⟨Präp. mit Dativ und Akk.⟩: 1. /räumlich/ **a)** ⟨mit Dativ; auf die Frage wo?⟩ /kennzeichnet eine tiefere Lage/: u. dem Spiegel stand ein kleiner Tisch; der Brief lag u. der Zeitung *(war von ihr bedeckt)*. **b)** ⟨mit Akk.; auf die Frage: wohin?⟩ /kennzeichnet die Bewegung in eine tiefere Lage/: sie stellte den Tisch unter die Lampe; sie legte die Früchte unter ein Tuch *(bedeckte sie damit)*. **2.** ⟨mit Dativ⟩ *bei, mit* /kennzeichnet den Umstand der Art und Weise/: er reiste u. falschem Namen; er verließ die Versammlung u. einem Vorwand, u. Protest; das tue ich nur u. bestimmten Bedingungen. **3.** ⟨mit Dativ⟩ *zwischen, inmitten, bei* /kennzeichnet das gemeinsame Vorhandensein mit anderen Personen oder Dingen/: u. den Gästen waren mehrere Ausländer; er fand den Brief u. seinen Papieren; es gab Streit u. den Brüdern; hier sind wir ganz u. uns *(ungestört)*. * **u. anderem** (Abk.: u. a.; *außerdem; neben anderem)*: sie kaufte sich u. a. einen neuen Hut. **4.** ⟨mit Dativ⟩ *weniger als* /kennzeichnet die Einordnung unterhalb einer bestimmten Grenze oder Begrenzung/: für Jugendliche u. 18 Jahren ist der Zutritt verboten; die Temperatur sank auf fünf Grad u. Null; etwas u. seinem Wert verkaufen; ⟨auch als Adverb ohne Rektion⟩ /verleiht bestimmten Zahlen Unbestimmtheit/: u. fünf Gläser Bier trinkt er nicht; für Jugendliche, die u. 18 Jahre alt sind, ist der Film nicht geeignet. **5.** ⟨mit Dativ⟩ /kennzeichnet eine bestimmte Rangordnung/: die Operation wurde u. der Leitung eines berühmten Arztes vorgenommen; er hat mehrere Abteilungen u. sich *(leitet mehrere Abteilungen)*. **6.** /in Verbindung mit bestimmten Verben/: sie litten alle u. der Kälte; sie beugten sich u. seine Herrschaft.

Unterarm, der; -[e]s, -e: *unterer Teil des Armes.*

Unterbewußtsein, das; -s: *geistig-seelischer Bereich, der dem Bewußtsein nicht zugänglich ist:* die Erinnerung an diesen Vorgang stieg langsam aus seinem U. wieder auf.

unterbieten, unterbot, hat unterboten ⟨tr.⟩: **a)** *für eine Ware, eine Arbeit o. ä. weniger Geld fordern als ein anderer:* seinen Konkurrenten u.; jmds. Preise u. **b)** *im sportlichen Wettkampf beim Laufen, Schwimmen o. ä. weniger Zeit benötigen als ein anderer:* er hat den Rekord seines Rivalen unterboten. **Unterbietung,** die; -.

unterbinden, unterband, hat unterbunden ⟨tr.⟩: *nicht weiterhin geschehen lassen, erlauben; verhindern, verbieten:* der Vater unterband den Verkehr seiner Kinder mit dem Sohn des Nachbarn.

unterbleiben, unterblieb, ist unterblieben ⟨itr.⟩: *nicht geschehen, nicht stattfinden:* wenn diese Störungen nicht unterbleiben, werden wir zu anderen Maßnahmen greifen müssen; das hat in Zukunft zu u. *(das darf sich nicht mehr ereignen)*.

unterbrechen, unterbricht, unterbrach, hat unterbrochen ⟨tr.⟩: **1.** *vorrübergehend einstellen; für kürzere oder längere Zeit (mit etwas) aufhören:* er unterbrach seine Arbeit, um zu frühstücken; eine Reise u.; die Sendung mußte leider für einige Minuten unterbrochen werden. **2.** *am Fortführen einer Tätigkeit hindern; stören:* die Kinder unterbrachen ihn öfter bei seiner Arbeit; er unterbrach den Redner mit einer Frage; ⟨häufig im 2. Partizip⟩ eine unterbrochene Verbindung wieder herstellen; der Verkehr ist durch einen schweren Unfall unterbrochen. **Unterbrechung,** die; -, -en.

unterbreiten, unterbreitete, hat unterbreitet ⟨tr.⟩: **a)** *vorlegen, überreichen:* jmdm. ein Gesuch, ein Schriftstück u. **b)** *darlegen, mitteilen, erklären:* eines Tages unterbreitete er seinen Eltern, daß er auswandern wolle; jmdm. einen Vorschlag u. *(jmdm. etwas vorschlagen)*.

unterbringen, brachte unter, hat untergebracht ⟨tr.⟩: **1.** *(für jmdn./etwas) Platz finden:* er konnte das ganze Gepäck und die drei Kinder im Wagen u. **2. a)** *(jmdm.) eine Unterkunft beschaffen:* er brachte seine Gäste in einem guten Hotel unter. **b)** *(jmdm.) eine Stellung, einen Posten verschaffen:* er brachte seinen Sohn bei einer großen Firma unter. **Unterbringung,** die; -.

unterderhand ⟨Adverb⟩: *ohne großes Aufheben; unbemerkt: nebenbei:* er hat sich u. ein ganz schönes Vermögen gespart; das habe ich u. erfahren.

unterdessen ⟨Adverb⟩: *inzwischen, indessen* /drückt aus, daß etwas in der abgelaufenen Zeit geschehen ist oder gleichzeitig mit etwas anderem geschieht/: sie hat sich u. verheiratet; ich gehe einkaufen, du paßt u. auf die Kinder auf.

Unterdruck, der; -[e]s: Physik *unter dem normalen Druck liegender Druck:* in dem Behälter herrscht U.

unterdrücken, unterdrückte, hat unterdrückt ⟨tr.⟩: **1.** *nicht aufkommen lassen; zurückhalten, herrschen:* er konnte seinen Zorn, seine Erregung nur mit Mühe u.; ein Lachen u.; eine Nachricht u. *(nicht bekanntwerden lassen)*. **2.** *mit Gewalt und Terror beherrschen:* einen Aufstand u.; das Volk wurde lange Zeit von seinen Herrschern unterdrückt. **Unterdrückung,** die; -.

Unterdrücker, der; -s, -: *jmd., der andere mit Gewalt und Terror beherrscht:* das Volk lehnte sich gegen seine U. auf.

untere ⟨Adj.; nur attributiv⟩: *sich unten befindend:* er wohnt in einem der unteren Stockwerke.

untereinander ⟨Adverb⟩: **1.** *eines unter das andere; eines unter dem anderen:* ⟨häufig zusammengesetzt mit Verben⟩ untereinanderlegen, untereinanderstellen. **2.** *miteinander; unter uns, unter euch, unter sich:* das müßt ihr u. ausmachen.

unterentwickelt ⟨Adj.; nicht adverbial⟩: **a)** *nicht seinem Alter entsprechend entwickelt:* das Kind ist geistig und körperlich u. **b)** *den Stand der industrialisierten Länder noch nicht erreicht habend:* unterentwickelte Länder.

unterernährt ⟨Adj.⟩: *nicht genügend ernährt und daher in schlechter körperlicher Verfassung:* in diesem Viertel der Stadt gibt es viele unterernährte Kinder.

unterfangen, sich; unterfängt sich, unterfing sich, hat sich unterfangen (geh.): *wagen:* wie konnte er sich u., ihm dieses ins Gesicht zu sagen.

Unterfangen, das; -s (geh): *schwieriges, gewagtes Unternehmen; Wagnis:* es war ein kühnes U., diese Versammlung zu verbieten; es ist ein aussichtsloses U., ihn von seiner Ansicht abzubringen.

unterfassen, faßte unter, hat untergefaßt ⟨tr.⟩: *unter den Arm fassen [und so stützen], Arm in Arm gehen:* er hatte die ältere Dame untergefaßt; ⟨häufig im 2. Partizip⟩ untergefaßt gehen.

Unterführung, die; -, -en: *Straße o. ä., die unter einer Brücke hindurchgeht* (siehe Bild).

Unterführung

Untergang, der; -s: *das Zerstörtwerden, Zugrundegehen; Vernichtung:* der U. dieses Reiches war nicht mehr aufzuhalten; *(ugs.)* der Alkohol war sein U. *(Verderben).*

Untergebene, der; -n, -n ⟨aber: [ein] Untergebener, Plural: Untergebene⟩: *jmd., der einem anderen unterstellt und von ihm abhängig ist:* der Chef behandelt seine Untergebenen sehr schlecht.

untergehen, ging unter, ist untergegangen ⟨itr.⟩: **1.** *im Wasser versinken:* das Boot kippte um und ging sofort unter; bildl.: seine Worte gingen im Lärm unter *(wurden nicht gehört, kamen nicht zur Geltung).* **2.** *am Horizont verschwinden:* die Sonne, der Mond geht unter. **3.** *vernichtet, zerstört werden; zugrunde gehen:* dieses große Reich, Volk ist vor vielen tausend Jahren untergegangen.

untergeordnet ⟨Adj.; nur attributiv⟩: *nicht wichtig, nicht bedeutend; gering:* das ist von untergeordneter Bedeutung; eine untergeordnete Stellung innehaben.

Untergewicht, das; -[e]s: *zu niedriges Gewicht:* nach der schweren Krankheit hatte er U.

untergliedern, untergliederte, hat untergliedert ⟨tr.⟩: *in [kleinere] Abschnitte gliedern, unterteilen:* dieses umfangreiche Kapitel hätte der Autor lieber u. sollen. **Untergliederung,** die; -, -en.

untergraben, untergräbt, untergrub, hat untergraben ⟨tr.⟩: *langsam zerstören; schwächen:* diese Gerüchte untergruben sein Ansehen.

Untergrund, der; -[e]s: **1. a)** *(unter einer Oberfläche liegende) [Boden]schicht:* steiniger U. **b)** *unterste Farbschicht* /von Gemälden, Bildern o. ä./: eine schwarze Zeichnung auf rotem U. **2.** *[verbotene, illegale] Tätigkeit, Betätigung:* die verbotene Partei arbeitete im U., ging in den U.

Untergrundbahn, die; -, -en: *meist unter der Erde fahrende elektrische Bahn in einer Großstadt.*

unterhalb ⟨Präp. mit Gen.⟩: *an einer Stelle unter (etwas):* die Wiese liegt u. des Weges.

Unterhalt, der; -s: *Kosten, Aufwendungen für Ernährnug, Kleidung, Erziehung o. ä.:* er sorgt für den U. seiner Mutter.

unterhalten, unterhält, unterhielt, hat unterhalten: **1.** ⟨tr.⟩ **a)** *(für jmdn.) sorgen; den Unterhalt (für jmdn.) aufbringen:* er muß neben seiner Familie noch verschiedene Verwandte u. **b)** *instand halten; für das Fortbestehen (von etwas) sorgen:* Straßen, Brücken, Anlagen müssen unterhalten werden; ein Geschäft u. *(betreiben).* **c)** *lebendig erhalten; pflegen:* gute Beziehungen zu seinen Nachbarn u. **2. a)** ⟨tr.⟩ *für Zerstreuung, Zeitvertreib sorgen; erheitern; (jmdm.) die Zeit vertreiben:* er unterhielt seine Gäste mit Musik und Spielen; ⟨häufig im 1. Partizip⟩ unterhaltende Lektüre; der Abend war recht unterhaltend. **b)** ⟨rfl.⟩ *sich vergnügen, amüsieren; sich angenehm die Zeit vertreiben:* er hat sich im Theater gut unterhalten; sie unterhielten sich den ganzen Abend mit Spielen. **3.** ⟨rfl.⟩ *sprechen, plaudern; ein Gespräch führen:* er hat sich lange mit ihm u.; sie unterhielten sich über den neuesten Film. **Unterhaltung,** die; -, -en.

unterhaltsam ⟨Adj.⟩: *der Zerstreuung, dem Zeitvertreib dienend; die Zeit vertreibend, erheiternd:* in dieser lustigen Gesellschaft verbrachten wir manchen unterhaltsamen Abend.

unterhandeln, unterhandelte, hat unterhandelt ⟨itr.⟩: *vorläufig verhandelnd auf eine Einigung (über etwas) hinwirken* /bes. bei militärischen Konflikten/: man unterhandelte mit dem besiegten Staat über einen Waffenstillstand.

Unterhändler, der; -s, -: *jmd., der unterhandelt:* die U. trafen sich zu Verhandlungen über einen Waffenstillstand.

Unterhemd, das; -[e]s, -en: *unter einem oder mehreren Kleidungsstücken unmittelbar auf dem Körper getragenes Hemd:* im Sommer trug er kein U.

unterhöhlen, unterhöhlte, hat unterhöhlt ⟨tr.⟩: **1.** *unter der Oberfläche hohl machen:* das Wasser hat das Ufer unterhöhlt. **2.** *heimlich zerstören; untergraben:* es waren Kräfte am Werk, die die Autorität des Staates unterhöhlten.

Unterholz, das; -es: *aus Sträuchern, Büschen und kleine-*

ren Bäumen bestehender, meist dicht zusammengewachsener niederer Teil des Waldes: undurchdringliches U. versperrte uns den Weg.

Unterhose, die; -, -n: *unter der Hose unmittelbar auf dem Körper getragenes Kleidungsstück des Mannes:* im Winter trug er lange Unterhosen.

unterirdisch ⟨Adj.⟩: *unter der Erde [vorhanden]:* unterirdische Höhlen, Quellen; die Bahn fährt u.

unterjochen, unterjochte, hat unterjocht ⟨tr.⟩: *unter ein Joch zwingen, unterwerfen:* die Eroberer unterjochten die einheimische Bevölkerung und beuteten sie aus.

unterkellern, unterkellerte, hat unterkellert ⟨tr.⟩: *einen Keller (unter einem Gebäude) bauen:* wenn wir das Haus unterkellern, erhöhen sich die Baukosten; ⟨häufig im 2. Partizip⟩ in England findet man wenig unterkellerte Häuser.

unterkommen, kam unter, ist untergekommen ⟨itr.⟩: *eine Unterkunft, Anstellung finden:* die beiden Flüchtlinge kamen vorübergehend bei einer Familie unter; er ist bei der Firma seines Onkels untergekommen.

unterkriegen, kriegte unter, hat untergekriegt ⟨tr.⟩ (ugs.): *besiegen, bezwingen:* ich werde ihn schon u. * **sich nicht u. lassen** *(den Mut nicht sinken lassen):* Kopf hoch, und laß dich nicht u.!

unterkühlt ⟨Adj.⟩: *zu kalt geworden, zu geringe Temperatur aufweisend:* er hatte die Nacht im Freien verbracht, und am Morgen war sein Körper leicht u.; bildl.: er schreibt einen wissenschaftlich unterkühlten *(durch wissenschaftliche Ausdrucksweise im Verhältnis zu dem behandelten Problem allzu nüchternen, zurückhaltenden, sachlichen)* Stil.

Unterkunft, die; -, Unterkünfte: *Raum, der jmdm. [vorübergehend] zum Wohnen dient; Quartier:* eine U. für eine Nacht suchen.

Unterlage, die; -, -n: 1. *etwas, was zu einem bestimmten Zweck, zum Schutz o. ä. unter etwas gelegt wird:* die schweren Gegenstände standen alle auf einer U. aus Gummi; eine U. zum Schreiben. 2. ⟨Plural⟩ *Schriftstücke, die zum Belegen von etwas, als Nachweis, Beweis für etwas dienen:* einer Bewerbung die üblichen Unterlagen beilegen.

unterlassen, unterläßt, unterließ, hat unterlassen ⟨tr.⟩: *nicht tun; bleibenlassen:* es wird gebeten, das Rauchen zu u.; unterlaß bitte diese Bemerkungen!; er hat es unterlassen *(versäumt),* die Sache rechtzeitig zu prüfen. **Unterlassung,** die; -, -en.

Unterlassungssünde, die; -, -n: *Fehler, der dadurch entsteht, daß man etwas, was man hätte tun sollen, unterlassen hat:* durch eine U. war es zu diesem Unglück gekommen.

unterlaufen, unterläuft, unterlief, ist unterlaufen ⟨itr.⟩: *unbemerkt geschehen; versehentlich vorkommen:* bei der Berechnung muß ein Fehler unterlaufen sein; ihm ist ein großer Irrtum unterlaufen.

unterlegen /vgl. unterliegen/: I. unterlegen, legte unter, hat untergelegt: *unter jmdn./etwas legen; darunterlegen:* sie legte dem Kind ein Kissen unter; bildl.: er hat meinen Worten einen anderen Sinn untergelegt *(unterschoben).* II. unterlegen, unterlegte, hat unterlegt: *mit einer Unterlage versehen:* er hat die Glasplatte mit Filz unterlegt; mit Seide unterlegte Spitzen; bildl.: einer Melodie einen Text u. *(eine Melodie mit einem Text versehen).*

Unterlegenheit, die; -: *geringere Stärke; geringeres Können:* die U. der Mannschaft fand in der hohen Niederlage ihren Ausdruck.

Unterleib, der; -s: *unterer Teil des Rumpfes:* Schmerzen im U. haben.

unterliegen, unterlag, ist unterlegen ⟨itr.⟩: 1. *besiegt werden, bezwungen werden:* er unterlag seinem Gegner im Kampf, bei der Wahl; ⟨häufig im 2. Partizip⟩ die unterlegene Fußballmannschaft muß ausscheiden. * **jmdm. unterlegen sein** *(jmdm. nicht ebenbürtig, nicht gleichwertig sein):* er ist seiner Frau [geistig] unterlegen. 2. *ausgesetzt sein, preisgegeben sein:* die Mode unterliegt dem Wechsel der Zeit.

untermalen, untermalte, hat untermalt ⟨tr.⟩: *(mit Musik) begleiten:* eine monotone Melodie untermalte den ganzen Film. **Untermalung,** die; -, -en.

untermauern, untermauerte, hat untermauert ⟨tr.⟩: *mit [stichhaltigen] Argumenten begründen, stützen:* er versuchte, seine Behauptung zu u.

Untermiete: ⟨in der Fügung⟩ in/zur U. wohnen: *als Untermieter (bei jmdm.) wohnen.*

Untermieter, der; -s, -: *jmd., der einen Raum gemietet hat, der zur Wohnung eines anderen gehört.*

unterminieren, unterminierte hat unterminiert ⟨tr.⟩: *allmählich schwächen, zerstören:* die vielen Mißhandlungen haben seine Widerstandskraft völlig unterminiert.

unternehmen, unternimmt, unternahm, hat unternommen ⟨tr.⟩ /vgl. unternehmend/: *(ein Vorhaben) ins Werk setzen; machen, tun, durchführen:* eine Reise u.; was wollt ihr denn heute u.?

Unternehmen, das; -s, -: 1. *Tat, Vorhaben:* dieser Flug ist ein gewagtes U. 2. *oft aus mehreren Werken, Fabriken, Räumen bestehender wirtschaftlicher Betrieb:* dieses große U. wurde erst nach dem Kriege gegründet.

unternehmend ⟨Adj.; nicht adverbial⟩: *aktiv, lebendig, geschäftig:* er ist ein sehr unternehmender Mensch.

Unternehmer, der; -s, -: *Besitzer eines Unternehmens, einer Fabrik o. ä.*

Unternehmung, die; -, -en: *Tat, Vorhaben, Unternehmen:* die Reise in dieses Land ist eine etwas gewagte U.

unternehmungslustig ⟨Adj.⟩: *stets bereit, etwas zu unternehmen:* sein unternehmungslustiger Freund überredete ihn, die Reise mitzumachen; Klaus ist immer sehr u.

Unteroffizier, der; -s, -e: *Angehöriger der Streitkräfte, der im Rang zwischen einfachem Soldaten und Offizier steht.*

unterordnen, ordnete unter, hat untergeordnet /vgl. untergeordnet/: **a)** ⟨tr.⟩ *zugunsten einer anderen Sache zurückstellen:* er ordnete seine eigenen

Pläne denen seines Bruders unter. * **jmdm. untergeordnet sein** *(im Rang tiefer stehen als ein anderer)*. **b)** ⟨rfl.⟩ *sich freiwillig nach einem anderen richten; sich fügen, anpassen:* es fällt ihm nicht leicht, sich [andern] unterzuordnen.

Unterpfand, das; -[e]s, Unterpfänder: *Gegenstand, Person, Eigenschaft o. ä. als Beweis, Zeichen von etwas:* das Kind war für sie ein bindendes U. seiner Liebe.

Unterpflasterbahn, die; -, -en: *[teilweise] unterirdisch geführte Straßenbahn:* man muß den starken Verkehr in den Innenstädten durch Unterpflasterbahnen entlasten.

Unterprima, die; -, Unterprimen: *achte Klasse an Gymnasien.*

Unterredung, die; -, -en: *Gespräch, bei dem bestimmte Fragen besprochen, verhandelt werden; Besprechung:* eine wichtige U. vereinbaren; bei einer U. seine Meinung äußern; die U. ist beendet.

Unterricht, der; -s: *planmäßiges Lehren von Kenntnissen in bestimmten Fächern:* der U. dauert von 8 bis 12 Uhr; U. in Englisch geben, erteilen *(Englisch unterrichten)*; U. in Englisch nehmen *(sich in der englischen Sprache unterrichten lassen)*.

unterrichten, unterrichtete, hat unterrichtet: **1.** ⟨tr./itr.⟩ *(als Lehrer) Kenntnisse in bestimmten Fächern o. ä. vermitteln; lehren:* er unterrichtet diese Klasse schon seit drei Jahren; sie unterrichtet an einem Gymnasium [Englisch und Französisch]. **2. a)** ⟨tr.⟩ *in Kenntnis setzen; informieren, verständigen:* er hat ihn über seine Abreise rechtzeitig unterrichtet; hat er dich nicht davon unterrichtet? **b)** ⟨rfl.⟩ *sich Kenntnis verschaffen; sich informieren:* er hat sich über die Vorgänge genau unterrichtet; er hat sich davon unterrichtet, daß alles in Ordnung war. **Unterrichtung,** die; -.

Unterrock, der; -[e]s, Unterröcke: /ein Kleidungsstück/ (siehe Bild).

untersagen, untersagte, hat untersagt ⟨tr.⟩: *[von amtlicher Seite] verbieten:* es ist untersagt, die Waren zu berühren. **Untersagung,** die; -.

Unterrock

Untersatz, der; -es, Untersätze: *Teller, Platte o. ä., worauf etwas gestellt wird:* die Kaffeekanne stand auf einem silbernen U.

unterschätzen, unterschätzte, hat unterschätzt ⟨tr.⟩: *zu gering einschätzen:* er hat seinen Gegner, die Kräfte seines Gegners unterschätzt; eine Entfernung u.

unterscheiden, unterschied, hat unterschieden: **1.** ⟨tr.⟩ *in Einzelheiten erkennen:* am Horizont unterschied er deutlich die beiden Schiffe. **2. a)** ⟨tr.⟩ *einen Unterschied machen (zwischen jmdm./etwas); die Verschiedenheit erkennen (von jmdm./etwas); auseinanderhalten:* er unterscheidet genau das Richtige vom Falschen; die beiden Brüder sind kaum zu u.; kannst du die beiden Pflanzen voneinander u.?; sein Fleiß unterscheidet ihn von den anderen Schülern. **b)** ⟨tr./itr.⟩ *nach bestimmten Gesichtspunkten (in etwas) trennen; eine bestimmte Einteilung vornehmen:* wir müssen bei dieser Entwicklung drei Phasen u.; man unterscheidet zwischen abstrakter und gegenständlicher Kunst. **3.** ⟨rfl.⟩ *anders sein (als jmd./etwas); abweichen (von jmdm./etwas); verschieden sein:* er unterscheidet sich kaum von seinem Bruder; die beiden Kleider unterscheiden sich nur durch ihre Farbe. **Unterscheidung,** die; -, -en.

Unterschenkel, der; -s, -: *Teil des Beines zwischen Knie und Fuß:* er hat sich den U. gebrochen.

unterschieben: I. unterschieben, schob unter, hat untergeschoben ⟨tr.⟩: *unter jmdn./etwas schieben, darunterschieben:* sie schob dem Kranken ein Kissen unter. **II.** unterschieben /(auch:) unterschieben, unterschob/ (auch): schob unter, hat unterschoben/ (auch:) hat untergeschoben ⟨tr.⟩: *mit böser Absicht jmdm. (etwas) zuschreiben, von jmdm. behaupten:* diese Äußerung habe ich nie getan, man hat sie mir unterschoben.

Unterschied, der; -[e]s, -e: *Verschiedenheit; das Anderssein:* zwischen den beiden Brüdern ist, besteht ein großer U.; der U. in der Qualität beider Stoffe ist kaum festzustellen; in diesem Land kennt man keinen U., macht man keine Unterschiede *(macht man keine Unterscheidung, trennt man nicht)* zwischen Schwarzen und Weißen. * **im U. zu/zum U. von** *(im Gegensatz zu):* im U. zu ihrer Schwester ist sie blond.

unterschiedlich ⟨Adj.⟩: *ungleich; verschieden:* zwei Häuser von unterschiedlicher Größe; die Kinder werden in diesem Heim sehr u. behandelt.

unterschiedslos ⟨Adj.⟩: *gleich, ohne Unterschied:* es werden alle Personen u. behandelt.

unterschlagen, unterschlägt, unterschlug, hat unterschlagen ⟨tr.⟩: **a)** *unrechtmäßig an sich nehmen oder behalten; veruntreuen:* er hat Geld, große Summen unterschlagen. **b)** (ugs.) *verheimlichen; nicht mitteilen, nicht erwähnen:* der Redner unterschlug verschiedene wichtige Mitteilungen; warum hast du mir diese Neuigkeit unterschlagen? **Unterschlagung,** die; -, -en.

Unterschlupf, der; -[e]s: *Ort, an dem man Schutz findet oder an dem man sich vorübergehend verbirgt; Zuflucht:* als das Gewitter kam, suchten sie einen U. im Wald; auf der Flucht fanden sie U. bei einem Bauern.

unterschlupfen, schlupfte unter, ist untergeschlupft ⟨itr.⟩: *unterschlüpfen.*

unterschlüpfen, schlüpfte unter, ist untergeschlüpft ⟨itr.⟩: *Unterschlupf finden:* nach der Tat ist der Dieb bei einem Komplicen untergeschlüpft.

unterschreiben, unterschrieb, hat unterschrieben ⟨tr.⟩: *zum Zeichen des Einverständnisses o. ä. seinen Namen (unter etwas) schreiben:* einen Vertrag u.; ⟨auch itr.⟩ er wollte nicht u.

unterschreiten, unterschritt, hat unterschritten ⟨tr.⟩: *in der Höhe niedriger, geringer sein (als etwas):* diese Summe hat den geplanten Betrag unterschritten.

Unterschrift, die; -, -en: *mit der Hand geschriebener Name einer Person unter einem Schriftstück o. ä.:* der Antrag ist ohne U. nicht gültig; seine U. kann man nicht lesen.

unterschwellig ⟨Adj.⟩: *unbewußt vorhanden; aufs Unbewußte wirkend:* unterschwellige Gefühle der Angst; die unterschwelligen Reize der Umwelt.

Unterseeboot, das; -[e]s, -e: *U-Boot.*

Untersekunda, die; -, Untersekunden: *sechste Klasse an Gymnasien.*

Untersetzer, der; -s, -: *Untersatz für Tassen, Gläser, Blumentöpfe o. ä.:* die Gläser standen auf Untersetzern aus Metall.

untersetzt ⟨Adj.; nicht adverbial⟩: *nicht sehr groß und dabei etwas dick, kräftig; gedrungen:* ein untersetzter, älterer Herr.

Unterstand, der; -[e]s, Unterstände: **1.** *unter der Erde liegender Raum zum Schutz vor Beschuß und vor feindlichen Angriffen:* die Soldaten warteten in ihren Unterständen. **2.** *behelfsmäßige, primitive Hütte zum Schutz vor Unwettern:* während des Gewitters fanden wir im Wald in einem U. Zuflucht. **3.** (östr.) *Unterkunft.*

unterstandslos ⟨Adj.⟩ (östr.): *obdachlos.*

unterste ⟨Adj.; Superlativ von *untere;* nur attributiv⟩: *sich ganz unten, unter allem befindend:* die Abteilung für Lebensmittel ist in der untersten Etage.

unterstehen, unterstand, hat unterstanden: **1.** ⟨itr.⟩ *unter einem Vorgesetzten, einer vorgesetzten Stelle arbeiten; unter jmds. Kontrolle, Aufsicht stehen:* er untersteht einer staatlichen Behörde. **2.** ⟨rfl.⟩ *wagen, sich anmaßen:* wie konntest du dich u., ihm zu widersprechen!

unterstellen: I. unterstellen, stellte unter, hat untergestellt: **1.** ⟨tr.⟩ *vorläufig unterbringen, in etwas stellen:* er hat sein Fahrrad bei ihnen untergestellt. **2.** ⟨rfl.⟩ *sich zum Schutz vor Regen o. ä. in, unter etwas stellen:* sie stellten sich während des Regens [in einer Hütte] unter. **II.** unterstellen, unterstellte, hat unterstellt ⟨tr.⟩: **1. a)** *(jmdm.) die Leitung, Aufsicht (von etwas) übertragen:* er hat dem neuen Mitarbeiter eine Abteilung unterstellt. **b)** *unter jmds. Leitung, Aufsicht stellen:* man hat ihn einem neuen Chef unterstellt. **2. a)** *annehmen; voraussetzen:* wir wollen einmal u., daß seine Angaben richtig sind. **b)** *fälschlich (von jmdm.) behaupten; unterschieben:* er hat mir diese Tat, diese Absicht unterstellt. **Unterstellung,** die; -, -en.

unterstreichen, unterstrich, hat unterstrichen ⟨tr.⟩: *zur Hervorhebung einen Strich (unter etwas Geschriebenes, Gedrucktes) ziehen:* auf einer Seite waren einige Wörter unterstrichen; bildl.: in seiner Rede unterstrich *(betonte)* er besonders die Verdienste der Partei. **Unterstreichung,** die; -, -en.

unterstützen, unterstützte, hat unterstützt ⟨tr.⟩: *(jmdm.) [durch Zuwendungen] Beistand, Hilfe gewähren; (jmdm.) helfen, beistehen:* sein Onkel unterstützte ihn während des Studiums mit Geld; jmdn. bei seiner Arbeit u.; solchen Eifer muß man u. *(fördern).* **Unterstützung,** die; -, -en.

untersuchen, untersuchte, hat untersucht ⟨tr.⟩: *prüfend betrachten, betasten o. ä.; mit Hilfe bestimmter Methoden festzustellen, zu erkennen suchen:* der Arzt untersuchte den Kranken gründlich; er wird diesen Fall genau u. **Untersuchung,** die; -, -en.

Untersuchungshaft, die; -: *Haft eines einer Straftat Beschuldigten, während der Strafprozeß vorbereitet und durchgeführt wird:* jmdn. in U. nehmen.

untertags ⟨Adverb⟩ (östr.): *tagsüber.*

untertan: ⟨in der Verbindung⟩ jmdm./einer Sache u. sein: **a)** (hist.) *(jmds.) Untertan sein:* wir sind nur dem Kaiser u. **b)** (geh.) *(von jmdm./etwas) beherrscht werden:* seinen Trieben u. sein.

Untertan, der; -s, -en (hist.): *jmd., der von einem absolut regierenden Herrscher abhängig ist:* in der Demokratie gibt es keine Untertanen, sondern nur gleichberechtigte Bürger.

untertänig ⟨Adj.⟩ (veralt.): *gehorsam, devot, ergeben* /bes. in alten Briefflosklen/: Ihr untertänig[st]er Diener; den König untertänig[st] um etwas bitten.

Untertasse, die; -, -n: *kleiner Teller, auf dem die Tasse steht* (siehe Bild).

Untertasse

untertauchen, tauchte unter, hat/ist untergetaucht: **1. a)** ⟨itr.⟩ *ganz im Wasser versinken; völlig unter der Oberfläche des Wassers verschwinden:* er ist mehrmals im See untergetaucht. **b)** ⟨tr.⟩ *ganz in etwas tauchen:* er hatte seinen Freund beim Schwimmen aus Spaß untergetaucht. **2.** ⟨itr.⟩ *(in einer großen Menschenmenge, Stadt o. ä.) verschwinden und dort nicht mehr zu finden sein:* der Verbrecher ist irgendwo in Amerika untergetaucht.

unterteilen, unterteilte, hat unterteilt ⟨tr.⟩: *einteilen, gliedern:* einen Schrank in mehrere Fächer u. **Unterteilung,** die; -, -en.

Untertertia, die; -, Untertertien: *vierte Klasse an Gymnasien.*

Unterton, der; -[e]s, Untertöne: *Tonfall; in der Stimme zum Ausdruck gebrachte Absicht, Haltung:* er sprach mit einem leicht ironischen U.

untertreiben, untertrieb, hat untertrieben ⟨itr.⟩: *in seinen Aussagen kleiner, geringer erscheinen lassen (als es in Wirklichkeit ist):* er hat ziemlich untertrieben, als er sagte, man brauche dazu nur zwei Stunden. **Untertreibung,** die; -, -en.

unterwandern, unterwanderte, hat unterwandert ⟨tr.⟩: *allmählich und in wenig auffallender Weise fremde Personen, Ideen (in einen Kreis von Personen) hineinbringen und (ihn) dadurch beeinflussen:* die Kommunisten versuchten, die Verwaltung, die Streitkräfte des Landes zu u. **Unterwanderung,** die; -, -en.

Unterwäsche, die; -: *Wäsche, die unter der Kleidung unmittelbar auf dem Körper getragen wird.*

unterwegs ⟨Adverb⟩: *auf dem Weg; auf, während der Reise:* wir haben u. viel Neues gesehen; er ist den ganzen Tag u. *(ist* *wenig zu Hause);* der Brief ist schon u. *(abgeschickt).*

unterweisen, unterwies, hat unterwiesen ‹tr.› (geh.): *(jmdm.) durch Anleitung oder Belehrung Kenntnisse oder Fertigkeiten vermitteln; lehren:* jmdn. in einer Sprache, in Geschichte u. **Unterweisung,** die; -, -en.

Unterwelt, die; -: **1.** *Reich der Toten /in der antiken Mythologie/:* der Gott der U. **2.** *Welt der Verbrecher in der Großstadt:* in der U. herrschen, verkehren.

unterwerfen, unterwirft, unterwarf, hat unterworfen: **1.** ‹tr.› *besiegen und von sich abhängig machen:* ein Volk, ein Land u. **2.** ‹rfl.› *sich ergeben, sich beugen, sich fügen:* sich jmds. Willen u.; die Feinde waren nicht bereit, sich bedingungslos zu u. **Unterwerfung,** die; -, -en.

unterwürfig [auch: un...] ‹Adj.› (abwertend): *sich in würdeloser Weise ganz dem Willen eines anderen unterwerfend; in übertriebener Weise ergeben; devot:* ein unterwürfiger Angestellter; er näherte sich seinem Vorgesetzten in unterwürfiger Haltung. **Unterwürfigkeit,** die; -.

unterzeichnen, unterzeichnete, hat unterzeichnet ‹tr.›: *unterschreiben; durch seine Unterschrift bestätigen:* einen Vertrag u.; ‹auch itr.› der Antrag ist erst gültig, wenn Sie unterzeichnet haben. **Unterzeichnung,** die; -, -en.

unterziehen, unterzog, hat unterzogen ‹tr./rfl.; mit Dativ›: *mit sich geschehen lassen; an etwas vollzogen werden:* er mußte sich einer Kur u.; er hat sich nicht der Mühe unterzogen *(sich nicht die Mühe gemacht),* alles noch einmal zu lesen; das Gebäude wurde einer gründlichen Reinigung unterzogen *(wurde gründlich gereinigt).*

Untiefe, die; -, -n: **1.** *flache Stelle in einem Fluß, im Meer o. ä.:* das Schiff war in eine U. geraten. **2.** *sehr große Tiefe in einem See, im Meer o. ä.:* der Schwimmer wurde von einem Strudel in die U. gerissen.

Untier, das; -s, -e: *großes, wildes Tier; Ungeheuer.*

untragbar [auch: un...] ‹Adj.; nicht adverbial›: *nicht [länger] zu ertragen, zu dulden; nicht zumutbar; unhaltbar:* dort herrschen untragbare Zustände; die Ausgaben sind u. geworden.

untrennbar [auch: un...] ‹Adj.›: *eine Trennung nicht zulassend, nicht zu trennen:* diese Begriffe bilden eine untrennbare Einheit.

untreu ‹Adj.; nicht adverbial›: *treulos; einem Versprechen oder einer Verpflichtung zuwiderhandelnd:* ein untreuer Ehemann. *** jmdm./einer Sache u. werden** *(sich von jmdm./etwas abwenden, sich nicht mehr um jmdn./etwas kümmern):* er ist seiner Idee u. geworden.

Untreue, die; -: *das Untreusein; treuloses Verhalten:* die U. des Ehemannes war nicht erwiesen.

untröstlich [auch: un...]: ‹in der Verbindung› u. [über etwas] sein: *betrübt, traurig [über etwas] sein [weil man auf etwas verzichten muß, an etwas nicht teilnehmen darf]:* das Kind war u. darüber, daß es nicht mitfahren durfte; ich bin u. *(es tut mir sehr leid),* daß ich vergessen habe, das Buch mitzubringen.

untrüglich [auch: un...] ‹Adj.›: *ganz sicher:* dies ist ein untrüglicher Beweis für seine Unschuld.

Untugend, die; -, -en: *schlechte Gewohnheit, die andere stört:* er hat die U., alles dort liegen zu lassen, wo er es gebraucht hat.

unüberbrückbar [auch: un...] ‹Adj.›: *nicht zu überbrücken, kraß:* unüberbrückbare Gegensätze; diese Kluft ist u.

unüberlegt ‹Adj.›: *ohne genügend nachzudenken; unbedacht, voreilig:* sein unüberlegtes Handeln hat ihm schon oft geschadet. **Unüberlegtheit,** die; -.

unübersehbar [auch: un...] ‹Adj.; nicht adverbial›: **1. a)** *sehr groß (so daß man es nicht überblicken kann):* eine unübersehbare Menge von Menschen hatte sich versammelt. **b)** ‹verstärkend bei Adjektiven› *sehr, ungeheuer:* das Gelände war u. groß. **2.** *von der Art, daß man es bemerken muß; nicht unbemerkt bleibend; leicht sichtbar:* das Material hat unübersehbare Fehler.

unübersichtlich ‹Adj.›: *nicht zu übersehen; den Überblick erschwerend:* ein unübersichtliches Gelände; der Plan war ziemlich u.; die Zahlen sind u. angeordnet. **Unübersichtlichkeit,** die; -.

unübertrefflich [auch: un...] ‹Adj.›: *nicht zu übertreffen; hervorragend, ausgezeichnet:* sie ist eine unübertreffliche Köchin.

unüberwindlich [auch: un...] ‹Adj.›: *nicht zu bewältigen, nicht zu bezwingen; sehr groß:* unüberwindliche Schwierigkeiten.

unumgänglich [auch: un...] ‹Adj.; nicht adverbial›: *unbedingt nötig; nicht zu vermeiden:* die Behandlung dieser Fragen ist u.

unumschränkt [auch: un...] ‹Adj.›: *durch keinerlei Beschränkung behindert oder eingeengt:* der König hatte unumschränkte Gewalt; er herrschte u.

unumstößlich [auch: un...] ‹Adj.›: *nicht abzuändern; endgültig:* sein Vorsatz stand u. fest.

unumstritten [auch: un...] ‹Adj.; nicht adverbial›: *nicht umstritten, allgemein gültig und anerkannt:* das ist eine unumstrittene Tatsache.

unumwunden [auch: ...wun...] ‹Adj.›: *ohne Umschweife; offen, frei heraus:* u. seine Meinung sagen.

ununterbrochen [auch: ...bro...] ‹Adj.; nicht prädikativ›: *andauernd, fortwährend; ohne Unterbrechung:* es regnete u.

unveränderlich [auch: un...] ‹Adj.›: *beständig, gleichbleibend:* die unveränderlichen Gesetze der Natur.

unverändert [auch: ...än...] ‹Adj.›: *nicht verändert, gleichgeblieben:* in seinem Aussehen war er ziemlich u.

unverantwortlich [auch: un...] ‹Adj.›: *nicht zu verantworten; ohne Verantwortungsgefühl; leichtfertig:* durch sein unverantwortliches Verhalten hat er viele Menschen gefährdet; es war u. von ihm, auf dieser Straße so schnell zu fahren.

unverbesserlich [auch: un...] ‹Adj.; nicht adverbial›: *nicht zu ändern; nicht bereit, sich zu bessern:* er ist ein unverbesserlicher Optimist; du bist wirklich u.

unverbindlich [auch: ...bind...] ⟨Adj.⟩: 1. *nicht verpflichtend, nicht bindend:* er konnte ihm nur eine unverbindliche Auskunft geben; in diesem Geschäft kann man sich alles u. *(ohne zum Kauf gezwungen zu sein)* ansehen. 2. *ohne freundliches Entgegenkommen; sehr zurückhaltend; abweisend:* er ist wegen seiner unverbindlichen Art nicht sehr beliebt; ihre Antwort war kurz und u. **Unverbindlichkeit,** die; -.

unverblümt [auch: un...] ⟨Adj.⟩: *ganz offen und ohne Umschweife:* er hat ihm u. seine Meinung gesagt.

unverbrüchlich [auch: un...] ⟨Adj.⟩: *ganz fest, treu:* er schwor unverbrüchliche Treue, Verschwiegenheit; u. an etwas festhalten.

unverbürgt [auch: un...] ⟨Adj.; nicht adverbial⟩: *nicht bestätigt, nicht sicher:* unverbürgte Nachrichten.

unverdaulich [auch: ...dau...] ⟨Adj.; nicht adverbial⟩: *von der Art, daß es nicht verdaut werden kann:* die künstliche Haut dieser Wurst ist u.; bildl.: eine unverdauliche *(sehr schwer verständliche)* Lektüre.

unverdient [auch: ...dient...] ⟨Adj.⟩: *ohne eigenes Verdienst; nicht berechtigt:* ein unverdientes Lob, Glück; der Sieg dieser Mannschaft war u.

unverdorben ⟨Adj.⟩: 1. *noch in gutem, eßbarem Zustand:* sie suchten sich die unverdorbenen Früchte heraus. 2. *anständig, unschuldig:* sie war ein noch unverdorbenes junges Mädchen.

unverdrossen [auch: ...dro...] ⟨Adj.⟩: *unermüdlich und ohne Anzeichen von Ärger oder Verdruß:* trotz vieler Hindernisse arbeitete er u. an seinem Plan.

unvereinbar [auch: un...] ⟨Adj.; nicht adverbial⟩: *nicht in Einklang zu bringen; gegensätzlich:* unvereinbare Anschauungen haben; deine Wünsche sind mit seinem Plan u.

unverfälscht [auch: ...fälscht] ⟨Adj.⟩: *nicht verfälscht, ganz rein:* er sprach unverfälschte westfälische Mundart.

unverfänglich [auch: ...fäng ...] ⟨Adj.⟩: *keinen Verdacht, kein Mißtrauen erregend; nicht bedenklich:* unverfängliche Fragen stellen; die Situation, in der er die beiden antraf, schien ganz u. zu sein.

unverfroren [auch: ...fro...] ⟨Adj.⟩: *frech, dreist:* er reizte seine Lehrer immer wieder durch seine unverfrorenen Antworten. **Unverfrorenheit,** die; -.

unvergänglich [auch: ...gäng ...] ⟨Adj.; nicht adverbial⟩: *immer bleibend, gültig; ewig; unsterblich:* die unvergänglichen Werke Beethovens. **Unvergänglichkeit,** die; -.

unvergessen [auch: ...ges...] ⟨Adj.⟩: *nicht vergessen:* mein unvergessener Mann; diese Reise ist u.

unvergeßlich [auch: un...] ⟨Adj.; nicht adverbial⟩: *in der Zukunft als Erinnerung immer lebendig:* es waren unvergeßliche Stunden, die sie im Hause dieses Künstlers verbracht hatten; dieser Mann wird uns immer u. bleiben.

unvergleichlich [auch: un...] ⟨Adj.⟩: a) *(in seiner Schönheit, Güte, Großartigkeit o. ä.) mit nichts Ähnlichem zu vergleichen; einzigartig:* die untergehende Sonne über dem Meer bot einen unvergleichlichen Anblick. b) ⟨verstärkend bei Adjektiven⟩ *sehr; viel, weitaus, wesentlich:* eine u. schöne Frau; es geht ihm heute u. besser als gestern.

unverhältnismäßig [auch: ...hält...] ⟨Adverb⟩: *vom normalen Maß abweichend, im Verhältnis (zum Üblichen), [all]zu:* für sein Alter ist das Kind u. groß, klein.

unverhofft ⟨Adj.⟩: *plötzlich eintretend; unvermutet* /drückt meist aus, daß etwas Erfreuliches, Positives eintrifft/: das unverhoffte Wiedersehen mit seinem alten Freund hatte ihn sehr gefreut; wir trafen uns gestern ganz u.

unverhohlen [auch: ...ho...] ⟨Adj.⟩: *nicht verborgen; ganz offen gezeigt:* mit unverhohlener Neugier betrachtete sie das Kleid ihrer Nachbarin.

unverkäuflich [auch: ...käuf ...] ⟨Adj.⟩: *nicht zum Verkauf bestimmt oder geeignet:* diese Bilder sind u.

unverkennbar [auch: un...] ⟨Adj.⟩: *eindeutig erkennbar; nicht zu verwechseln:* das ist u. der Stil dieses Malers.

unverlangt ⟨Adj.⟩: *nicht gefordert, freiwillig, von sich aus:* u. eingesandte Manuskripte.

unverletzlich [auch: un...] ⟨Adj.; nicht adverbial⟩: *allgemein anerkannt (so daß es nicht verletzt werden darf)* /von Rechten, Gesetzen o. ä./: dieses Grundrecht ist u. **Unverletzlichkeit,** die; -.

unvermeidlich [auch: un...] ⟨Adj.⟩: *nicht zu verhindern, nicht zu vermeiden; sich notwendig ergebend:* unvermeidliche Auseinandersetzungen; eine Verzögerung war u.

unvermindert ⟨Adj.⟩: *nicht geringer werdend; gleichbleibend:* der Sturm dauerte mit unverminderter Stärke an.

unvermittelt ⟨Adj.⟩: *ohne Übergang oder Zusammenhang [erfolgend]; plötzlich:* seine unvermittelte Frage überraschte sie; er brach seine Rede u. ab.

Unvermögen, das; -s: *Mangel an Können oder Fähigkeit (für etwas); Unfähigkeit:* sein U., sich einer Situation schnell anzupassen, hat ihm schon manchmal geschadet.

unvermögend ⟨Adj.⟩: *wenig oder kein Vermögen besitzend; arm:* nicht unvermögende Witwe sucht Bekanntschaft mit seriösem Herrn zwecks späterer Heirat.

unvermutet ⟨Adj.; nicht prädikativ⟩: *plötzlich eintretend oder erfolgend, ohne daß man damit gerechnet hat:* unvermutete Schwierigkeiten tauchten auf; er erschien ganz u. bei dem Fest.

Unvernunft, die; -: *Mangel an Vernunft und Einsicht:* es ist reine U., bei diesem Sturm mit dem Boot aufs Meer hinauszufahren.

unvernünftig ⟨Adj.⟩: *wenig Vernunft zeigend; nicht sinnvoll, nicht einsichtig:* du benimmst dich wie ein unvernünftiges Kind; es ist sehr u., bei dieser Kälte schwimmen zu gehen.

unveröffentlicht ⟨Adj.⟩: *nicht veröffentlicht, einem großen Kreis unbekannt:* er hat eine Reihe unveröffentlichter Briefe von Fontane herausgegeben.

unverrichteterdinge ⟨Adverb⟩: *ohne das erreicht zu haben, was man wollte oder was man sich vorgenommen hatte:* die Tür war verschlossen, und sie mußten u. wieder umkehren.

unverschämt ⟨Adj.⟩: *sehr frech, ohne Rücksicht auf Takt und Anstand:* ein unverschämter Bursche; er grinste u. **Unverschämtheit,** die; -.

unverschuldet [auch: ...schul...] ⟨Adj.⟩: *ohne eigene Schuld, ohne schuld zu sein:* er ist u. in Not geraten.

unversehens [auch: ...se...] ⟨Adverb⟩: *plötzlich, ohne daß man es voraussehen konnte:* er kam u. ins Zimmer.

unversehrt [auch: ...sehrt] ⟨Adj.⟩: *nicht verletzt; nicht beschädigt:* er kam u. aus dem Kriege zurück; das Siegel auf dem Paket ist noch u. **Unversehrtheit,** die; -.

unversöhnlich [auch: ...söhn...] ⟨Adj.⟩: **a)** *nicht zur Versöhnung bereit:* er blieb u. trotz aller Bitten. **b)** *keinen Ausgleich zulassend:* ein unversöhnlicher Gegensatz. **Unversöhnlichkeit,** die; -.

Unverstand, der; [-e]s: *mangelnde Einsicht; Dummheit, Torheit:* in seinem U. hat er einen großen Fehler gemacht.

unverstanden ⟨Adj.⟩: *kein Verständnis bei anderen findend:* er fühlt sich u.

unverständig ⟨Adj.⟩: *[noch] keinen Verstand habend oder zeigend; dumm:* ein unverständiges Kind.

unverständlich ⟨Adj.⟩: **a)** *nicht deutlich zu hören:* er murmelte unverständliche Worte. **b)** *nicht zu begreifen:* es ist mir u., warum er nicht kommt.

Unverständnis, das; -ses: *mangelndes, fehlendes Verständnis:* mit seinen Ausführungen stieß er allgemein auf U.

unversucht [auch: ...sucht]: ⟨in der Wendung⟩ nichts u. lassen: *alles Mögliche versuchen:* er ließ nichts u., in dieser Sache sein Recht zu erhalten.

unverträglich [auch ...träg...] ⟨Adj.; nicht adverbial⟩: **a)** *sich nicht vertragend, unvereinbar; streitsüchtig:* unverträgliche Gegensätze; er ist sehr u. **b)** *schwer zu verdauen:* eine unverträgliche Speise.

unverwandt ⟨Adj.; nicht prädikativ⟩: *unaufhörlich und forschend oder interessiert den Blick (auf etwas/jmdn.) richtend; sich nicht abwendend:* er sah mich u. an; mit unverwandtem Blick.

unverwechselbar [auch: ...wechsel...] ⟨Adj.⟩: *eindeutig zu erkennen; einmalig:* er schreibt in einem unverwechselbaren Stil.

unverwüstlich [auch: un...] ⟨Adj.; nicht adverbial⟩: *sehr haltbar; sehr dauerhaft:* dieser Stoff ist u.; ein unverwüstlicher *(durch nichts zu erschütternder)* Optimist. **Unverwüstlichkeit,** die; -.

unverzagt ⟨Adj.⟩: *nicht verzagt, tapfer, unerschrocken:* u. ging er an die schwierige Aufgabe heran.

unverzeihlich [auch: un...] ⟨Adj.⟩: *nicht zu entschuldigen, nicht zu verzeihen:* ein unverzeihlicher Leichtsinn.

unverzüglich [auch: un...] ⟨Adj.; nicht prädikativ⟩: *sofort [geschehend]; ohne Zeit zu verlieren:* er schrieb u. an seinen Vater; unverzügliche Hilfe.

unvollendet [auch: ...en...] ⟨Adj.⟩: *nicht abgeschlossen, nicht ganz fertig:* ein unvollendetes Gedicht; der Bau blieb u.

unvollkommen [auch: ...kom...] ⟨Adj.⟩: *mangelhaft, unvollständig:* er hat nur unvollkommene Kenntnisse im Englischen. **Unvollkommenheit,** die; -.

unvollständig [auch: ...stän...] ⟨Adj.⟩: *nicht vollständig, nicht ganz:* ich habe seine Worte nur u. in Erinnerung. **Unvollständigkeit,** die; -.

unvorbereitet ⟨Adj.⟩: *ohne Vorbereitung, aus dem Stegreif:* er mußte u. ins Examen gehen; eine unvorbereitete Rede.

unvoreingenommen ⟨Adj.⟩: *frei von Vorurteilen; objektiv:* er ist nicht mehr u.; etwas u. beobachten, beurteilen. **Unvoreingenommenheit,** die; -.

unvorhergesehen ⟨Adj.⟩: *nicht vorausgesehen; nicht erwartet, plötzlich:* es traten unvorhergesehene Schwierigkeiten auf.

unvorsichtig ⟨Adj.⟩: *nicht an die Folgen denkend; unbedacht:* eine unvorsichtige Bemerkung; er hat u. gehandelt.

Unvorsichtigkeit: ⟨in der Wendung⟩ eine U. begehen: *etwas Unbedachtes tun:* er beging die U., vorzeitig von seinem Plan zu sprechen.

unvorstellbar [auch: un...] ⟨Adj.; nicht adverbial⟩: *mit dem Denken oder der Phantasie nicht zu erfassen; nicht auszudenken:* eine unvorstellbare Entfernung; es ist mir u., daß er uns verrät.

unvorteilhaft ⟨Adj.⟩: *ungünstig; einen schlechten Eindruck machend:* sie hat eine unvorteilhafte Figur.

unwahr ⟨Adj.⟩: *der Wahrheit nicht entsprechend:* eine unwahre Behauptung.

Unwahrheit, die; -, -en: *etwas, was nicht wahr ist; Lüge:* er hat bewußt die U. gesagt.

unwahrscheinlich ⟨Adj.⟩: **a)** ⟨nicht adverbial⟩ *nicht anzunehmen, kaum möglich:* es ist u., daß er so spät noch kommt. **b)** *unglaublich; nicht zu glauben; kaum der Wirklichkeit entsprechend:* seine Geschichte klingt sehr u. **c)** ⟨verstärkend vor Adjektiven⟩ *sehr:* der kleine Wagen fährt u. schnell.

unwegsam ⟨Adj.⟩: *so beschaffen, daß man schwer darauf gehen kann; nicht leicht zugänglich:* ein unwegsames Gelände.

unweigerlich [auch: un...] ⟨Adj.; nicht prädikativ⟩: *ganz bestimmt; mit Sicherheit (als etwas Unangenehmes) eintretend und nicht zu vermeiden; sicher; auf jeden Fall:* wenn er bei diesem Wetter auf den Berg steigen will, gibt es u. ein Unglück.

unweit ⟨Präp. mit Gen.⟩: *nicht weit entfernt (von jmdm./etwas):* das Haus liegt u. des Flusses; ⟨auch als Adverb in Verbindung mit *von*⟩ u. vom Berg liegt ein kleines Dorf.

Unwesen, das; -s: *schädigende, störende Betätigung; Störung der Ordnung; Unfug:* eine Bande von Dieben treibt in der Gegend ihr U.

unwesentlich ⟨Adj.⟩: *für das Wesen, den Kern einer Sache nicht wichtig:* wir müssen nur einige unwesentliche Änderungen vornehmen.

Unwetter, das; -s, -: *starker Sturm und Gewitter [die großen Schaden verursachen]:* Überschwemmungen und U. zerstörten die ganze Ernte; bildl.: als er die Schulaufgaben schon wieder nicht gemacht hatte, brach das U. über ihn los *(wurde er streng getadelt, bestraft).*

unwichtig ⟨Adj.⟩: *keine oder nur geringe Bedeutung habend, belanglos:* diese Frage ist vorläufig u.

unwiderruflich [auch: un...] ⟨Adj.⟩: *endgültig; so, daß es auf keinen Fall geändert wird:* das Stück wird heute u. zum letzten Mal gespielt.

unwiderstehlich [auch: un...] ⟨Adj.⟩: *so, daß man kaum widerstehen kann; mitreißend:* ein unwiderstehlicher Drang; seine Rede wirkte u. auf seine Zuhörer.

unwiederbringlich [auch: un...] ⟨Adj.⟩: *endgültig; nicht mehr rückgängig gemacht werden könnend:* ein unwiederbringlicher Verlust.

Unwille, der; -ns: *Mißfallen, Ärger (über etwas); gereizte, zornige Stimmung (wegen etwas):* er äußerte unverhohlen seinen Unwillen; sein angeberisches Benehmen erregte allgemein Unwillen.

unwillig ⟨Adj.⟩: *ungeduldig, verärgert:* er schüttelte u. den Kopf; er wurde u. über die vielen lästigen Fragen.

unwillkürlich [auch: ...kür...] ⟨Adj.⟩: *nicht beabsichtigt; ohne es zu wollen:* als er die Stimme hörte, drehte er sich u. um; bei seiner Erzählung erinnerte sie sich u. an ihre eigene Jugend.

unwirksam ⟨Adj.⟩: *nicht wirksam, wirkungslos:* diese Gesetze stellten sich als u. heraus.

unwirsch ⟨Adj.⟩: *mürrisch und unfreundlich:* er gab eine unwirsche Antwort.

unwirtlich ⟨Adj.⟩: *einsam, unfruchtbar, wenig anziehend:* eine unwirtliche, öde Gegend.

unwissend ⟨Adj.⟩: *(in bestimmter Hinsicht) unerfahren:* ein unwissendes Kind. * **sich u. stellen** *(so tun, als wüßte man über eine bestimmte Angelegenheit nichts):* obwohl er gut informiert war, stellte er sich u.

Unwissenheit, die; -: **a)** *fehlende Kenntnis von einer Sache:* er hat es aus U. falsch gemacht. **b)** *Mangel an [wissenschaftlicher] Bildung:* in vielen Ländern der Erde herrscht noch große U.

unwohl: ⟨in den Wendungen⟩ **jmdm. ist u., jmd. fühlt sich u.** *(jmdm. ist nicht wohl, jmd. fühlt sich nicht wohl):* da ihr u. war, blieb sie im Bett; (ugs.) **ein unwohles Gefühl bei etwas haben** *(Bedenken bei etwas haben).*

Unwohlsein, das; -s: *[vorübergehende] Störung des körperlichen Wohlbefindens:* wegen Unwohlseins mußte sie den Saal verlassen.

unwürdig ⟨Adj.⟩: **a)** *nicht würdig:* er ist des hohen Lobes u. **b)** *jmds. Rang, Würde nicht entsprechend; erniedrigend:* er wurde in unwürdiger Weise beschimpft.

Unzahl, die; -: *sehr große [unübersehbare] Anzahl:* eine U. von Briefen trafen bei der Redaktion ein.

unzählig [auch: un...] ⟨Adj.⟩: **a)** ⟨nicht adverbial⟩ *in großer Zahl [vorhanden]:* unzählige Menschen standen an der Straße. **b)** ⟨verstärkend bei Adjektiven⟩ *sehr:* u. viele Menschen.

Unzeit: ⟨in der Fügung⟩ zur U. (geh.): *zu unpassender Zeit:* er besuchte die Dame zur U.

unzeitgemäß ⟨Adj.⟩: *nicht zeitgemäß, unmodern:* mit seinen unzeitgemäßen Ansichten stieß er überall auf Ablehnung.

unzerbrechlich [auch: un...] ⟨Adj.; nicht adverbial⟩: *so fest, daß es nicht bricht; nicht zerbrechlich:* unzerbrechliches Glas.

unzertrennlich [auch: un...] ⟨Adj.⟩: *eng miteinander verbunden; sehr eng:* die beiden Jungen waren unzertrennliche Freunde.

Unzucht, die; -: *unsittliches Verhalten; unsittliche, gegen die geschlechtliche Moral verstoßende Handlung:* jmdn. zur U. verleiten.

unzüchtig ⟨Adj.⟩: *gegen die geschlechtliche Moral verstoßend, unsittlich:* er wurde wegen Verbreitung unzüchtiger Schriften bestraft.

unzufrieden ⟨Adj.⟩: **a)** *nicht zufrieden:* der Lehrer ist mit seinen Schülern u. **b)** *mißmutig:* er macht ein unzufriedenes Gesicht. **Unzufriedenheit,** die; -.

unzugänglich ⟨Adj.⟩: **a)** *schwierig oder unmöglich zu betreten:* ein unzugängliches Gelände, Grundstück. **b)** *gegen näheren Kontakt mit anderen Menschen abgeneigt, verschlossen:* er ist sehr u. **Unzugänglichkeit,** die; -.

unzukömmlich ⟨Adj.⟩ (östr.): **a)** *nicht ausreichend, unzulänglich:* die Ernährung ist u. **b)** *nicht ganz gerechtfertigt:* er wurde in unzukömmlicher Weise begünstigt. **Unzukömmlichkeit,** die; -, -en.

unzulänglich ⟨Adj.⟩: *den gestellten Anforderungen, Aufgaben nicht entsprechend:* er hat unzulängliche Kenntnisse; die Versorgung der Bevölkerung mit Lebensmitteln war u. **Unzulänglichkeit,** die; -.

unzulässig ⟨Adj.⟩: *nicht zulässig; verboten:* die Firma wandte bei der Werbung unzulässige Methoden an.

unzurechnungsfähig ⟨Adj.⟩: *nicht zurechnungsfähig:* das Gericht berücksichtigte, daß der Täter zur Tatzeit u. war.

unzureichend ⟨Adj.⟩: *für einen bestimmten Zweck nicht ausreichend:* das Gesuch wurde wegen unzureichender Begründung abgelehnt.

unzusammenhängend ⟨Adj.⟩: *ohne Zusammenhang, sinnlos:* der Bewußtlose stammelte unzusammenhängende Worte.

unzutreffend ⟨Adj.⟩: *nicht zutreffend, falsch:* diese Behauptung war u.; Unzutreffendes *(für die eigene Person nicht Zutreffendes* /auf Formularen/*)* bitte streichen.

unzuverlässig ⟨Adj.⟩: **a)** *nicht zuverlässig; ungenau:* seine Angaben sind u. **b)** *nicht vertrauenswürdig:* er ist politisch u. **Unzuverlässigkeit,** die; -.

unzweckmäßig ⟨Adj.⟩: *nicht zweckmäßig, unpraktisch:* die Anwendung dieses Verfahrens erwies sich als u.

unzweideutig ⟨Adj.⟩: *eindeutig, klar, unmißverständlich:* aus seinen Kommentaren geht u. hervor, daß er gegen dieses Projekt ist.

üppig ⟨Adj.⟩: **a)** *in großer Fülle und guter Qualität [vorhanden]:* ein üppiges Mahl; die Pflanzen wachsen hier ü. **b)** (ugs.) *von rundlichen, vollen Formen [die die Blicke auf sich ziehen]:* sie hat eine üppige Figur. **Üppigkeit,** die; -.

up to date ['ʌptə'deɪt]: ⟨in der Verbindung⟩ jmd./etwas ist [nicht mehr ganz] up to date.: *jmd./etwas ist [nicht mehr ganz] zeitgemäß, auf dem neuesten Stand:* er ist in seinen Ansichten nicht mehr ganz up to date.

Urabstimmung, die; -, -en: *geheime Abstimmung derjenigen Mitglieder einer Gewerkschaft, die für die Teilnahme an einem Streik in Betracht kommen:* in einer U. beschloß man zu streiken.

uralt ⟨Adj.; nicht adverbial⟩: *sehr alt:* ein uralter Mann; (abwertend) der Witz ist u.

Uran, das; -s: /ein chemisches Element/.

Uraufführung, die; -, -en: *erste Aufführung (eines Theaterstücks, Musikstücks oder Films):* bei der U. war der Autor selbst anwesend.

urbar ⟨Adj.⟩: *zur landwirtschaftlichen Nutzung geeignet:* ein Stück Land u. machen.

Urbild, das; -[e]s, -er (geh.): *ideales, charakteristisches Vorbild, Inbegriff:* als ein U. des Lebens erscheinen.

ureigen ⟨Adj.; nur attributiv⟩: *jmdm. ganz allein gehörend, ihn im besonderen Maß betreffend:* diese Anordnung berührt seine ureigensten Interessen.

Ureinwohner, der; -s, -: *ursprünglicher, erster Bewohner (eines Gebietes):* die U. haben sich mit den fremden Einwanderern vermischt.

Urenkel, der; -s, -: *Sohn des Enkels.*

Urgroßmutter, die; -, Urgroßmütter: *Mutter der Großmutter oder des Großvaters.*

Urgroßvater, der; -s, Urgroßväter: *Vater des Großvaters oder der Großmutter.*

Urheber, der; -s, -: *derjenige, der etwas bewirkt oder veranlaßt hat:* er ist der geistige U. dieser neuen Bewegung.

Urheberrecht, das; -[e]s, -e: *Recht, über die eigenen schöpferischen Leistungen, Kunstwerke o. ä. allein verfügen zu können:* gegen das U. verstoßen.

urheberrechtlich ⟨Adj.; nicht prädikativ⟩: *das Urheberrecht betreffend, durch das Urheberrecht:* das Werk ist u. geschützt.

Urheberschaft, die; -: *das Urhebersein:* die geistige U.

urig ⟨Adj.⟩ (ugs.): *urwüchsig, urtümlich, originell:* ein uriger Kauz.

Urin, der; -s: *Flüssigkeit, die sich in der Blase sammelt und ausgeschieden wird; Harn.*

urinieren, urinierte, hat uriniert ⟨itr.⟩: *Urin ausscheiden.*

urkomisch ⟨Adj.⟩: *äußerst komisch [und unpassend]:* sich u. aufführen, gebärden; etwas u. finden.

Urkunde, die; -, -n: *[amtliches] Schriftstück, durch das etwas beglaubigt oder bestätigt wird:* er erhielt eine U. über die Verleihung des Preises.

Urlaub, der; -s: *Zeit, in der man von der Arbeit oder vom Dienst freigestellt ist [um sich zu erholen]:* er verbrachte seinen U. in der Schweiz; der Soldat erhielt drei Tage U.

Urlauber, der; -s, -: *jmd., der seinen Urlaub nicht an seinem Wohnort verbringt:* die U. sonnten sich am Strand.

Urlaubsgeld, das; -[e]s: *vom Arbeitgeber dem Arbeitnehmer gewährter Zuschuß zur Finanzierung des Urlaubs:* die meisten Betriebe zahlen heute U.

Urne, die; -, -n: **a)** *Gefäß zum Aufbewahren der Asche eines Toten* (siehe Bild). **b)** *Gefäß, in dem sich die Lose befinden, die gezogen werden sollen:* der Sportler trat an die U. und zog für den Start Platz Nr. 9. **c)** *Gefäß, in das bei einer Wahl die Zettel geworfen werden, die den Willen des Wählers ausdrücken* (siehe Bild): das Volk geht am Sonntag zu den Urnen *(geht zur Wahl).*

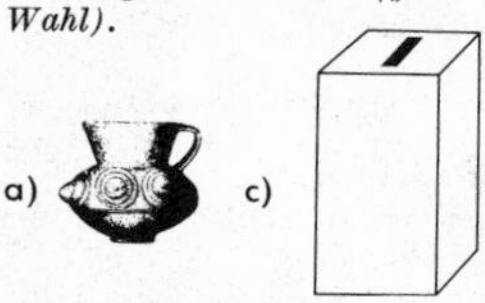

Urne

urplötzlich ⟨Adj.⟩: *ganz plötzlich, unverhofft:* u. stand er vor mir.

Ursache, die; -, -n: *etwas, was eine Erscheinung, Handlung oder einen Zustand bewirkt, veranlaßt:* die U. des Brandes ist noch nicht geklärt; die Armut der Bevölkerung war die U. der Revolution.

ursächlich ⟨Adj.⟩: *auf einer, auf der gleichen Ursache beruhend, in bezug auf die Ursache:* die Dinge stehen in einem ursächlichen Zusammenhang.

Ursprung, der; -s, Ursprünge: *Beginn; Ort oder Zeitraum, in dem der Anfang von etwas liegt, von dem etwas ausgegangen ist:* der U. des Christentums liegt in Palästina; der Brauch hat seinen U. im 16. Jahrhundert.

ursprünglich ⟨Adj.; nicht prädikativ⟩ (Abk.: urspr.): *so, wie es am Anfang war:* der ursprüngliche Plan ist geändert worden; u. wollte er Lehrer werden, er studierte aber dann Medizin. **Ursprünglichkeit,** die; -.

Urständ: ⟨in der Wendung⟩ [fröhliche] U. feiern (scherzh.): *aufs neue bekannt, populär werden:* die langen Mäntel feiern in letzter Zeit fröhliche U.

Urteil, das; -s, -e: **1.** *Entscheidung, die einen Streit schlichtet oder ein Problem löst:* der Richter fällte ein mildes U.; der Angeklagte legte gegen das U. Berufung ein. **2.** *Meinung, Standpunkt:* ich kann mir kein U. darüber bilden.

urteilen, urteilte, hat geurteilt ⟨itr.⟩: **1.** *seine Ansicht äußern (über etwas); ein Urteil über den Wert (von etwas) abgeben:* er urteilte sehr hart über sie. **2.** *durch Denken zu einer Meinung, Erkenntnis kommen [und diese äußern]:* er hat über das Problem ganz richtig geurteilt.

Urteilsvermögen, das; -s: *geistige Fähigkeit, zu einem selbständigen Urteil zu gelangen.*

urtümlich ⟨Adj.⟩: *ursprünglich, natürlich:* eine urtümliche, rauhe Gegend.

Urwald, der; -[e]s, Urwälder: *großer nicht erforschter Wald [in den Tropen].*

urwüchsig ⟨Adj.⟩: **a)** *natürlich, nicht gekünstelt, nicht geziert:* er hat eine urwüchsige Sprache. **b)** *derb, drastisch:* ein urwüchsiger Kerl. **Urwüchsigkeit,** die; -.

Usance [y'zã:s], die; -, -n: *Brauch, Gepflogenheit, bes. im geschäftlichen Bereich:* das entspricht den Usancen in unserer Branche.

usurpieren, usurpierte, hat usurpiert ⟨tr.⟩: *(die Macht, Gewalt o. ä.) widerrechtlich an sich reißen:* der Adel hatte die Staatsgewalt usurpiert.

Usus, der; -: *Brauch, Sitte, Gewohnheit:* es ist in diesem Betrieb so U., daß die Geburtstage mit den Kollegen gefeiert werden.

Utensilien, die ⟨Plural⟩: *Gegenstände, die man zu einem bestimmten Zweck braucht:* er packte seine U. zusammen und fuhr ins Bad.

Utopie, die; -, -n: *Plan, Idee, die nicht verwirklicht werden konnte oder in der Zukunft als nicht durchführbar gilt:* die Idee eines allgemeinen Friedens ist bist jetzt U. geblieben; eine Fahrt zum Mond ist keine U. mehr.

utopisch ⟨Adj.⟩: *nicht wirklich, unausführbar, phantastisch:* diese kühnen Pläne wurden vielfach als u. angesehen.

uzen, uzte, hat geuzt ⟨tr.⟩ (ugs.): *necken:* warum habt ihr ihn immer geuzt?

V

va banque [va'bã:k]: ⟨in der Wendung⟩ va banque spielen (geh.): *in gefährlicher und leichtsinniger Weise alles riskieren:* in seiner aussichtslosen Lage blieb ihm nichts anderes übrig, als va banque zu spielen.

Vabanquespiel [va'bã:k...], das; -[e]s: *riskantes Wagnis, durch das man alles verlieren oder alles gewinnen kann:* er treibt ein leichtsinniges V.

Vademekum, das; -s, -s (veraltend): *kurz gefaßtes Lehrbuch zur allgemeinen Einführung in ein Fach:* er schrieb ein Vademekum der Phonetik.

Vagabund, der; -en, -en: *Landstreicher.*

vagabundieren, vagabundierte, ist/hat vagabundiert ⟨itr.⟩ (abwertend): *nicht seßhaft sein, sondern ohne festen Wohnsitz im Lande umherziehen:* er hat es nie lange an einem Ort ausgehalten und ist lieber durch die Länder vagabundiert; wenn er genug vagabundiert hat, kehrt er immer wieder nach Hause zurück.

vage ⟨Adj.⟩: *nicht eindeutig, nur flüchtig angedeutet:* eine vage Vorstellung, Hoffnung.

vakant ⟨Adj.; nicht adverbial⟩ (veraltend): *frei, unbesetzt, offen:* eine vakante Stelle; der Posten des Personalchefs ist v.

Vakanz, die; -, -en (veraltend): *freie, zu besetzende Stelle:* in unserer Firma gibt es einige Vakanzen.

Vakuum, das; -s, Vakua und Vakuen: **1.** *fast luftleerer Raum; Raum mit ganz geringem Druck:* in der Pumpe wird ein V. hergestellt. **2.** *Bereich, der nicht ausgefüllt ist, der jedem Einfluß offensteht:* nach dem Krieg war in Mitteleuropa ein politisches V. entstanden; ein soziales, wirtschaftliches V.

Valuta, die; -, Valuten: **a)** */aus-ländische/ Währung:* er zahlte mit V. **b)** *Wert einer Währung im Verhältnis zu anderen Währungen:* die Valuten der einzelnen Länder weisen große Unterschiede auf.

Vamp [vɛmp], der; -s, -s: *Typ der verführerischen, kalt berechnenden Frau [die ihre Verehrer gesellschaftlich und finanziell zugrunde richtet]:* sie spielt in diesem Film einen V.

Vampir [auch: ...pir] der; -s, -e: *Geist eines Toten, der Lebenden nachts mit langen Zähnen das Blut aussaugt.*

Vanille [va'nɪl(j)ə], die; -: **a)** /eine tropische Pflanze/. **b)** *aus der gleichnamigen Pflanze gewonnener pulverförmiger, süßer Stoff mit besonderem Aroma:* Pudding, Eis mit V.

Vanillezucker [va'nɪl(j)ə...], der; -s: *sehr feiner Zucker mit Vanille* /zum Backen o. ä./: die Kekse werden mit V. bestreut.

variabel ⟨Adj.⟩: *veränderlich; so, daß man es ändern kann:* variable Größen; etwas v. gestalten.

Variante, die; -, -n: *etwas, was von etwas in kleineren Einzelheiten abweicht:* zu dieser Stelle der Handschrift gibt es mehrere Varianten; sein Plan ist nur eine V. zu den früheren Vorschlägen.

Variation, die; -, -en: *Veränderung, Abwandlung:* die Variation eines Stils, eines Musters; Variationen über ein musikalisches Thema.

Varieté [varie'te:], das; -s, -s: *Gattung des Theaters, die durch ein buntes Programm mit akrobatischen, tänzerischen, musikalischen u. ä. Darbietungen gekennzeichnet ist:* sie gehen jede Woche ins V.

variieren, variierte, hat variiert: **a)** ⟨tr.⟩ *(ein Thema, einen Gedanken) umgestalten [und dabei erweitern]:* seit den letzten Jahren variierte er immer dasselbe Thema in seiner Malerei. **b)** ⟨itr.⟩ *verschieden sein, sich von Fall zu Fall ändern:* das Klima variiert sehr stark in den einzelnen Landschaften.

Vasall, der; -en, -en (abwertend): *jmd., der von jmdm. abhängig ist, sich jmdm. gefügig unterordnet:* seine Mitarbeiter sind die reinsten Vasallen; die Vasallen der Großmächte *(die von den Großmächten abhängigen Staaten).*

Vase, die; -, -n: *aus Glas, Ton oder Porzellan [künstlerisch] gefertigtes Gefäß für Blumen o. ä.* (siehe Bild): sie stellte den Strauß in eine V.

Vase

Vaseline, die; -: *weiche, farb- und geruchlose Masse zur Herstellung von Salben, kosmetischen Mitteln o. ä.*

Vater, der; -s, Väter: *Mann, der ein Kind gezeugt hat:* ein strenger V.; V. und Mutter.

Vaterland, das; -es: *Land, Staat, in dem jmd. geboren ist und dem er sich zugehörig fühlt:* sein V. lieben; dem V. dienen.

väterlich ⟨Adj.⟩: **1.** ⟨nur attributiv⟩ *dem Vater zugehörend, vom Vater kommend:* er soll einmal das väterliche Geschäft übernehmen; in der väterlichen Linie sind schon mehrere Selbstmorde vorgekommen. **2.** *sich einem anderen gegenüber wie ein Vater verhaltend:* ein väterlicher Freund.

Vatermörder, der; -s, - (veralt.; scherzh.): *hoher, steifer Kragen, dessen Ecken umgebogen sind:* er trug beim Maskenball einen V.

Vaterschaft, die; -: *das Vatersein; [die gerichtlich festgestellte] Tatsache, daß man der Vater, Erzeuger eines Kindes ist:* die V. annehmen, feststellen, leugnen.

Vaterstadt, die; -, Vaterstädte: *Stadt, in der man geboren und aufgewachsen ist:* er ist in seine V. zurückgekehrt.

Vaterunser, das; -s, -: *wichtigstes Gebet der Christen:* ein V. beten.

Vegetarier, der; -s, -: *jmd., der ausschließlich oder vorwiegend pflanzliche Nahrung zu sich nimmt.*

vegetarisch ⟨Adj.⟩: *überwiegend auf pflanzlichen Stoffen beruhend, sich von pflanzlichen Stoffen ernährend:* eine vegetarische Kost; v. leben, essen.

Vegetation, die; -, -en: *Gesamtheit der Pflanzen in einem bestimmten Gebiet:* die V. Europas, Südamerikas.

vegetativ ⟨Adj.⟩: *dem Willen nicht unterliegend* /von Nerven/: das vegetative Nervensystem; die Atmung wird v. gesteuert.

vegetieren, vegetierte, hat vegetiert ⟨itr.⟩ (abwertend): *so kümmerlich leben, daß man gerade noch existiert:* sie vegetieren seit Jahren in Lagern.

vehement ⟨Adj.⟩: *heftig, ungestüm:* eine vehemente Äußerung; v. sprang er auf und verließ das Zimmer.

Vehemenz, die; -: *mitreißende Kraft, Schwung, Heftigkeit:* mit großer V. schlug er die Tür zu.

Vehikel, das; -s, -: **1.** (abwertend) *altes, schlechtes Fahrzeug:* mit diesem klapprigen V. kommst du nicht bis Spanien. **2.** (geh.) *etwas, was als Mittel zu etwas dient; etwas, wodurch etwas ausgedrückt oder begründet wird:* die Sprache als V. der dichterischen Idee; der Ruf nach Reformen ist vielfach nur ein V., um an die Macht zu kommen.

Veilchen, das; -s, -: /eine Blume/ (siehe Bild): V. pflükken; das V. gehört zu den ersten Blumen im Frühling.

Veilchen

Veitstanz, der; -es: *Erkrankung der Nerven, die sich in ruckartigen Bewegungen und Zuckungen der Muskeln äußert:* er hat den V.

Velo, das; -s, -s (schweiz.): *Fahrrad:* V. fahren.

Velours [vəˈluːr], der; - /ein dem Samt ähnliches Gewebe/: ein Vorhang, Mantel aus V.

Vene, die; -, -n: *Ader, die das Blut dem Herzen zuführt:* aus einer V. Blut entnehmen; er hat stark hervortretende Venen am Arm.

venerisch ⟨Adj.⟩: *(als Krankheit) an den Geschlechtsteilen [auftretend]:* venerische Krankheiten; er ist v. erkrankt.

venös: ⟨in der Fügung⟩ venöses Blut: *Blut, das arm an Sauerstoff ist und durch die Venen zum Herzen zurückgebracht wird.*

Ventil, das; -s, -e: *Vorrichtung, durch die das Austreten von flüssigen oder gasförmigen Stoffen gesteuert werden kann:* das V. eines Dampfkessels, Autoreifens; ein V. öffnen; bildl.: das Kabarett ist oft ein V. für die Unzufriedenheit des Volkes.

Ventilation, die; -: *Erneuerung der Luft durch Zufuhr von frischer Luft:* in den Räumen muß für ausreichende V. gesorgt werden.

Ventilator, der; -s, -en: *elektrisches Gerät, das durch ein sich sehr schnell drehendes Rad die Luft bes. zum Entlüften oder Kühlen in Bewegung bringt* (siehe Bild): bei großer Hitze schaltet er den V. ein.

Ventilator

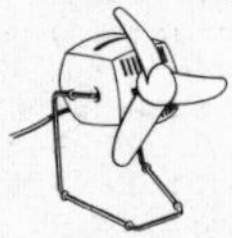

ventilieren, ventilierte, hat ventiliert ⟨tr.⟩: **a)** *sorgfältig erwägen:* auf der letzten Sitzung ventilierten wir das Problem nochmals. **b)** *in Form von vorsichtigen Andeutungen vorschlagen [und dann erst einmal die Reaktion abwarten]:* die Arbeitgeber ventilierten eine Erhöhung um 5 Prozent.

verabreden, verabredete, hat verabredet ⟨tr./rfl.⟩: *gemeinsam einen Plan (zu einem Treffen oder Unternehmen) machen und ihn nach Ort, Zeit oder sonstigen Umständen festlegen:* eine Zusammenkunft, eine Besprechung v.; es geschah alles, wie es verabredet war; sie haben sich für morgen [im Theater] verabredet. *** verabredet sein** *(mit jmdm. ein Treffen vereinbart haben):* am Nachmittag kann ich dich nicht besuchen, da bin ich schon verabredet. **Verabredung,** die; -, -en.

verabreichen, verabreichte, hat verabreicht ⟨tr.⟩: *(etwas) in bestimmten Mengen, Portionen geben:* die Schwester verabreichte ihm eine kleine Dosis von dem Medikament; ⟨als Funktionsverb⟩ (iron.) jmdm. Schläge v. *(jmdn. schlagen);* jmdm. eine Spritze verabreichen *(jmdm. eine Spritze geben).* **Verabreichung,** die; -.

verabsäumen, verabsäumte, hat verabsäumt ⟨tr.⟩: *(etwas) unterlassen, wozu man verpflichtet gewesen wäre:* er hat es verabsäumt, die Polizei zu verständigen.

verabscheuen, verabscheute, hat verabscheut ⟨tr.⟩: *Abscheu (gegenüber jmdm./etwas) empfinden:* er verabscheute jede Art von Schmeichelei.

verabschieden, verabschiedete, hat verabschiedet: **1.** ⟨rfl.⟩ *Abschied nehmen; sich (von jmdm.) mit bestimmten Worten, Gesten trennen:* er verabschiedete sich von allen mit Handschlag. **2.** ⟨tr.⟩ *in feierlicher Form aus dem Amt entlassen:* einen Offizier, einen hohen Beamten v. **3.** ⟨tr.⟩ *annehmen und für gültig erklären:* ein Gesetz v. **Verabschiedung,** die; -, -en.

verachten, verachtete, hat verachtet ⟨tr.⟩: *nicht achten, für schlecht, für geringfügig halten:* er glaubte, ihn v. zu können; er hat die Gefahr, den Tod stets verachtet. * (ugs.) **etwas ist nicht zu v.** *(etwas ist von recht guter Qualität):* der Braten ist nicht zu v.

verächtlich ⟨Adj.⟩: **1.** *(etwas, was anderen wertvoll ist) verachtend und herabzusetzen suchend:* ein verächtliches Lachen; du darfst von ihm nicht v. sprechen. ***etwas v. machen** *(jmdn./etwas so darstellen, daß er oder es auch von anderen verachtet wird):* er versucht dauernd, seinen Kollegen bei anderen v. zu machen. **2.** ⟨nicht adverbial⟩ *wegen der moralischen Minderwertigkeit Verachtung verdienend:* eine verächtliche Gesinnung.

Verachtung, die; -: *das Nichtbeachten, Ausdruck der*

Geringschätzung: jmdn. mit V. anblicken; er gab ihn der allgemeinen V. preis.

veralbern, veralberte, hat veralbert ⟨tr.⟩: *(sich über jmdn.) lustig machen; verspotten:* er wurde von seinen Kameraden veralbert.

verallgemeinern, verallgemeinerte, hat verallgemeinert ⟨tr.⟩: *für allgemeingültig erklären:* du darfst diese Feststellung nicht v.

veralten, veraltete, ist veraltet ⟨itr.⟩: *mit der Zeit außer Gebrauch, aus der Mode kommen:* die gegenwärtigen Richtungen der Kunst werden bald wieder v.; ⟨häufig im 2. Partizip⟩ eine veraltete *(nicht mehr zeitgemäße)* Anschauung; die Ausgabe war völlig veraltet.

Veranda, die; -, Veranden: *kleinerer Vorbau an Wohnhäusern [mit Wänden aus Glas]:* sie saßen in der V. und tranken Kaffee.

veränderlich ⟨Adj.⟩: *sich leicht, von selbst ändernd; der Veränderung unterworfen:* er hat ein veränderliches Wesen; das Wetter ist dort im allgemeinen v. **Veränderlichkeit,** die; -.

verändern, veränderte, hat verändert: **1.** ⟨tr.⟩ *(jmdm./etwas) ein anderes Aussehen oder Wesen geben:* einen Raum v.; die Erlebnisse der letzten Zeit haben ihn sehr verändert; ⟨häufig im 2. Partizip⟩ er war völlig verändert. **2.** ⟨rfl.⟩ **a)** *ein anderes Aussehen oder Wesen bekommen, anders werden:* sie hat sich sehr zu ihrem Vorteil verändert; bei uns hat sich vieles verändert. **b)** *die berufliche Stellung wechseln:* nach zehn Jahren in demselben Betrieb wollte er sich v. **Veränderung,** die; -, -en.

verängstigt ⟨Adj.⟩: *so von Angst erfüllt, daß man sich nicht davon lösen kann:* die verängstigten Bewohner wagten sich nicht auf die Straße; das Kind war ganz v.

verankern, verankerte, hat verankert ⟨tr.⟩: **1. a)** *(Schiffe) [im Hafen] durch einen Anker befestigen:* ein Schiff v. **b)** *(im Boden o. ä.) so gut befestigen, daß es nicht wegbewegt werden kann:* die Hütte ist mit Pfählen fest verankert. **2.** *einen festen Platz (in etwas) haben, einen wichtigen Bestandteil von etwas bilden:* die Partei konnte ihre Stellung unter den Arbeitern fest v.; die Rechte des Präsidenten sind in der Verfassung verankert. **Verankerung,** die; -, -en.

veranlagen, veranlagte, hat veranlagt ⟨tr.⟩: *(für jmdn.) die Summe, die er zu versteuern hat, festsetzen:* er wurde mit 50000 Mark veranlagt.

veranlagt ⟨Adj.; nicht adverbial⟩: *von Natur aus bestimmte Fähigkeiten oder Eigenschaften habend:* ein musikalisch veranlagtes Kind; sie ist etwas sentimental v.

Veranlagung, die; -, -en: *Art und Weise, in der jmd. veranlagt ist:* die künstlerischen Fähigkeiten sind im allgemeinen eine Sache der V.; sein Neid ist eine krankhafte V.

veranlassen, veranlaßte, hat veranlaßt ⟨tr.⟩: *auf irgendeine Weise dahin wirken, daß etwas Bestimmtes geschieht oder daß jmd. etwas Bestimmtes tut:* er veranlaßte eine genaue Prüfung des Vorfalls; niemand wußte, was ihn zu diesem Entschluß veranlaßt hatte; er fühlte sich veranlaßt *(verpflichtet)*, auf die Folgen aufmerksam zu machen. **Veranlassung,** die; -.

veranschaulichen, veranschaulichte, hat veranschaulicht ⟨tr.⟩: *anschaulich machen, leicht verständlich machen:* eine Beschreibung durch Bilder v. **Veranschaulichung,** die; -.

veranschlagen, veranschlagte, hat veranschlagt ⟨tr.⟩: *nach Berechnungen schätzen, im voraus berechnen:* die Kosten für den Bau des Theaters wurden mit 50 Millionen veranschlagt; er hat für die Dauer der Reise 3 Wochen veranschlagt.

veranstalten, veranstaltete, hat veranstaltet ⟨tr.⟩: *(eine Versammlung mehrerer Personen) [zu einem bestimmten Zweck] stattfinden lassen, (etwas) organisieren und durchführen:* ein Fest, eine Ausstellung v.; eine Umfrage v. *(eine größere Gruppe von Menschen über ihre Meinung zu etwas befragen).* **Veranstaltung,** *die*; -, -en.

verantworten, verantwortete, hat verantwortet: **a)** ⟨tr.⟩ *(eine Handlungsweise oder ein Verhalten) für richtig befinden und bereit sein, die Konsequenzen daraus zu ziehen:* eine Maßnahme v.; er wird sein Tun selbst v. müssen. **b)** ⟨rfl.⟩ *sein Verhalten oder seine Absicht einer Anklage oder einem Vorwurf gegenüber rechtfertigen:* er hatte sich wegen seiner Äußerung vor Gericht zu v.

verantwortlich ⟨Adj.⟩: **a)** *die Verantwortung tragend:* der verantwortliche Herausgeber einer Zeitschrift. * **für jmdn./etwas v. sein** *(für jmdn./etwas die Verantwortung tragen):* die Eltern sind für ihre Kinder v.; **jmdn. für etwas v. machen** *(behaupten, daß jmd. schuld an etwas sei):* sie machten den Gegner für den Ausbruch des Krieges v.; **für etwas v. zeichnen** *(die Verantwortung für ein Unternehmen, eine Aufgabe o. ä. tragen):* er zeichnet v. für die Illustrationen. **b)** *mit Verantwortung verbunden, Verantwortung mit sich bringend:* eine verantwortliche Stellung.

Verantwortung, die; -: *Verpflichtung, einen Auftrag richtig und ordnungsgemäß auszuführen und für etwaige Folgen einzustehen:* die V. für etwas übernehmen, ablehnen; du kannst es auf meine V. tun *(ich werde verantworten, was du tust).*

Verantwortungsgefühl, das; -[e]s: *Bereitschaft, sich bei etwas ganz einzusetzen und Verantwortung zu übernehmen [auch wenn man dazu nicht unbedingt verpflichtet wäre]:* der Lehrer hat großes V. und nimmt sich jedes Kindes an; sein V. läßt es nicht zu, daß die Sache nur oberflächlich behandelt wird.

verarbeiten, verarbeitete, hat verarbeitet ⟨tr.⟩: **1.** *(einen Rohstoff, ein Material) für die Herstellung von etwas verwenden:* Gold zu Schmuck v.; sie verarbeitete den Stoff zu einem Mantel. **2.** *verdauen:* so fette Nahrung konnte sein Magen nicht v. **3.** *geistig bewältigen; für die eigene Arbeit nutzbar machen:* ein Buch in sich v.; er verarbeitete fremde Ideen in seinem Werk. **Verarbeitung,** die; -.

verargen, verargte, hat verargt ⟨tr.⟩ (geh.): *übelnehmen:* das kann man ihm nicht v.

verärgern, verärgerte, hat verärgert ⟨tr.⟩: *durch ständiges Ärgern in üble Laune und in gereizte Stimmung bringen:* durch eure spöttischen Bemerkungen habt ihr ihn verärgert; ⟨häufig im 2. Partizip⟩ er war sehr verärgert; verärgert wandte er sich ab. **Verärgerung,** die; -, -en.

verarmen, verarmte, ist verarmt ⟨itr.⟩: *durch den Verlust früheren Reichtums arm werden:* die Grafen sind im letzten Jahrhundert verarmt; ⟨häufig im 2. Partizip⟩ verarmte Bauern.

verarzten, verarztete, hat verarztet ⟨tr.⟩ (ugs.; scherzh.): *(jmdn.) bei einem leichten Unfall o. ä. Erste Hilfe leisten; verbinden:* er mußte den Kleinen verarzten.

verästeln, sich; verästelte sich, hat sich verästelt: **a)** *sich in viele kleine Äste verzweigen:* die Zweige des Strauches verästeln sich sehr stark. **b)** *in viele Teile gegliedert sein:* die Firma ist in viele spezialisierte Abteilungen verästelt. **Verästelung,** die; -.

verausgaben, verausgabte, hat verausgabt ⟨tr.⟩: *(Geld) ausgeben:* beim Bau dieses Hauses wurde eine halbe Million Mark verausgabt; ⟨auch rfl.⟩ diesen Monat habe ich mich ganz verausgabt *(habe ich alles Geld ausgegeben)*; bildl.: er hat in unnützer Weise seine Kräfte verausgabt *(erschöpft)*; bei der schwierigen Sonate hat sich der Pianist völlig verausgabt.

veräußern, veräußerte, hat veräußert ⟨tr.⟩: *verkaufen [weil man sich in einer finanziellen Notlage befindet]:* sie war gezwungen, ihren Schmuck zu v.; ehe er auswanderte, veräußerte er all seine Habe.

verballhornen, verballhornte, hat verballhornt ⟨tr.⟩ (ugs.): *entstellen, verdrehen [um eine komische Wirkung zu erzielen]:* ein Wort, einen Namen v.

Verband, der; -es, Verbände: **I.** *etwas, was man als Schutz auf eine Wunde legt und an dem entsprechenden Körperteil befestigt:* die Krankenschwester legte ihm einen V. an. **II. 1.** *größere Vereinigung, die durch Zusammenschluß von Vereinen oder Gruppen entsteht:* einen V. gründen; einem V. angehören. **2.** *Zusammenschluß militärischer Einheiten:* der Feind ersetzte seine Verluste durch neue Verbände.

verbannen, verbannte, hat verbannt ⟨tr.⟩: **a)** *auf Grund eines Urteils aus dem Land weisen, an einen entlegenen Ort schicken:* jmdn. auf eine ferne Insel v.; er wurde aus seinem Vaterland verbannt. **b)** *(aus seinem Bewußtsein) verdrängen:* er verbannte alle trüben Gedanken aus seinem Herzen. **Verbannung,** die; -.

verbarrikadieren, verbarrikadierte, hat verbarrikadiert: **a)** ⟨tr.⟩ *durch Barrikaden absperren:* eine Straße, ein Haus v. **b)** ⟨rfl.⟩ *sich durch Barrikaden schützen:* sie verbarrikadierten sich in einem Keller.

verbauen, verbaute, hat verbaut ⟨tr.⟩: **1.** *durch Bauen versperren:* jmdm. die Aussicht v.; bildl.: durch sein unkluges Verhalten hat er sich alle Möglichkeiten für die Zukunft verbaut. **2.** *beim Bauen verbrauchen:* Holz, Steine v.; sie haben ihr ganzes Geld verbaut. **3.** *falsch und unzweckmäßig bauen:* der Architekt hat das Haus völlig verbaut; ⟨häufig im 2. Partizip⟩ ein verbautes Haus.

verbeißen, verbiß, hat verbissen /vgl. verbissen/: **1.** ⟨itr.⟩ *mit Mühe unterdrücken, zurückhalten:* ich verbiß mir das Lachen. **2.** ⟨rfl.⟩ **a)** *(in etwas) heftig beißen und nicht loslassen:* die Hunde verbissen sich ineinander. **b)** *hartnäckig (an etwas) festhalten; nicht ablassen (von einer Aufgabe o. ä.), bevor sie gelöst ist:* er verbiß sich in dieses schwierige Problem.

verbergen, verbirgt, verbarg, hat verborgen /vgl. verborgen/: **1.** ⟨tr./rfl.⟩ *für eine gewisse Zeit fremden [suchenden] Blicken entziehen; verstecken:* etwas unter seinem Mantel v.; er suchte sein Gesicht, seine Tränen zu v.; der Flüchtling verbarg sich im Wald. **2.** ⟨tr.⟩ *(jmdn.) aus irgendeinem Grund nicht wissen lassen; vorenthalten:* sie verbarg ihm ihre wahre Meinung über diese üblen Zustände.

verbessern, verbesserte, hat verbessert: **1. a)** ⟨tr.⟩ *verändern und besser machen:* eine Erfindung v.; seine wirtschaftliche Lage v. **b)** ⟨rfl.⟩ *sich eine bessere Stellung verschaffen:* er wollte sich v. **2.** ⟨tr./rfl.⟩ *berichtigen:* einen Fehler v.; ich muß mich v. **Verbesserung,** die; -, -en.

verbeugen, sich; verbeugte sich, hat sich verbeugt: *sich (vor jmdm.) zum Gruß oder zum Zeichen seiner Dankbarkeit o. ä. nach vorne beugen:* der Schauspieler verbeugte sich höflich nach allen Seiten; er verbeugte sich tief vor der alten Dame. **Verbeugung,** die; -, -en.

verbiegen, verbog, hat verbogen: **a)** ⟨tr.⟩ *durch Biegen krumm, unbrauchbar machen:* ein Stück Draht, einen Nagel v. **b)** ⟨rfl.⟩ *krumm oder eingedrückt und dadurch unbrauchbar werden:* die Schienen haben sich verbogen; ⟨häufig im 2. Partizip⟩ der Kotflügel ist ganz v.

verbieten, verbot, hat verboten ⟨tr.⟩: *bestimmen, daß etwas unerlaubt und zu unterlassen ist:* die Eltern haben ihr den Umgang mit ihm verboten; ⟨auch rfl.⟩ das verbietet sich von selbst *(es ist selbstverständlich, daß es nicht geschehen kann)*; ⟨häufig im 2. Partizip⟩ Rauchen verboten!; (ugs.) er sieht verboten *(ungepflegt, abstoßend)* aus. * **jmdm. den Mund** v. *(jmdn. energisch zum Schweigen auffordern)*.

verbilligen, verbilligte, hat verbilligt ⟨tr.⟩: *billiger machen, den Preis (von etwas) ermäßigen:* die Rationalisierung soll die Herstellung der Ware, die Ware verbilligen; ⟨häufig im 2. Partizip⟩ die Ware wird verbilligt abgegeben; verbilligte Bücher. **Verbilligung,** die; -.

verbinden, verband, hat verbunden: **1.** ⟨tr.⟩ *mit einer Binde oder einem Verband versehen:* jmdm. die Augen v.; eine Wunde v.; die Verwundeten mußten verbunden werden. **2.** ⟨tr.⟩ *(durch etwas zwei Dinge oder Teile) zusammenbringen, miteinander in Kontakt bringen:* zwei Stadtteile mit einer Brücke v.; beide Orte wurden durch eine Buslinie miteinander verbunden; ⟨auch rfl.⟩ diese Stoffe verbinden sich [chemisch] miteinander *(werden zu einem neuen Stoff)*. **3.** ⟨tr.⟩ *(zwei Eigenschaften oder Dinge, die nicht notwendig zusammengehören) zugleich haben oder tun:* er verbindet Großzügigkeit mit einer gewissen Strenge; sie verbindet immer das Praktische mit dem

Schönen. 4. ⟨tr.⟩ *(an etwas) anschließen, knüpfen:* ich weiß nicht, ob er mit seinen Worten eine religiöse Vorstellung verband; ⟨häufig im 2. Partizip⟩ diese Aufgabe ist mit großen Schwierigkeiten verbunden *(enthält große Schwierigkeiten)*. **5.** ⟨tr.⟩ *eine Beziehung zwischen Personen herstellen und aufrechterhalten:* uns verbinden gemeinsame Interessen; sie verbindet nichts mehr; ⟨häufig im 2. Partizip⟩ sie waren freundschaftlich miteinander verbunden. ***verbindende Worte** *(Worte, die von etwas auf etwas anderes überleiten)*. **6.** ⟨rfl.⟩ *sich [zu einem Bündnis] zusammentun:* die demonstrierenden Studenten wollten sich mit den Arbeitern verbinden. ***sich ehelich v.** *(heiraten)*. **7.** ⟨tr.⟩ *(jmdm.) ein Telefongespräch vermitteln:* bleiben Sie am Apparat, ich verbinde Sie; man hatte ihn falsch verbunden. ****jmdm. verbunden sein, sich jmdm. verbunden fühlen** *(jmdm. verpflichtet, dankbar sein)*: ich bin Ihnen für Ihre Hilfe sehr verbunden.

verbindlich ⟨Adj.⟩: **1.** *freundlich, entgegenkommend:* verbindliche Worte; er lächelte v. **2.** *bindend, verpflichtend:* das Abkommen wurde für v. erklärt.

Verbindlichkeit, die; -, -en.

Verbindung, die; -, -en: **1.** *das Verbinden:* die V. zweier Orte durch die Eisenbahn. **2.** *das Verbundensein:* die V. zur Außenwelt war durch die Katastrophe unterbrochen; die telefonische V. ist nicht zustande gekommen; er hielt die V. zwischen ihnen aufrecht. **3.** *Möglichkeit, einen bestimmten Ort mit einer Eisenbahn, einem Bus, einem Flugzeug o. ä. zu erreichen:* er suchte eine günstige V. nach Heidelberg; nach Hamburg gibt es von hier eine direkte V. *(bei der man nicht umsteigen muß)*. **4.** *Bekanntschaft, die jmdm. nützen kann:* er hat viele Verbindungen; er ist ohne Verbindungen *(Beziehungen)*. **5.** *Vereinigung von Studenten:* in eine V. eintreten; nach 1945 wurden die Verbindungen wieder zugelassen. **6.** *Stoff, der durch die Vereinigung zweier oder mehrerer chemischer Elemente entsteht.*

Verbindungslinie, die; -, -n: **a)** *Linie, die zwei Punkte verbindet:* die V. zwischen Punkt A und B. **b)** *Verkehrslinie, die zwei Orte verbindet:* die Autobahn ist die wichtigste V. zwischen Stuttgart und München.

Verbindungsmann, der; -[e]s, Verbindungsmänner und Verbindungsleute: *jmd., der zwischen zwei Parteien oder Personen den Kontakt herstellt, vermittelt; Mittelsperson:* er fungierte als V. zwischen den beiden Diplomaten.

verbissen ⟨Adj.⟩: *allzu hartnäckig und zäh:* ein verbissener Gegner; er kämpfte v. um seinen Vorteil. **Verbissenheit,** die; -.

verbitten, verbat, hat verbeten ⟨tr.⟩: *die Unterlassung (von etwas) energisch verlangen:* ich verbitte mir solche Frechheiten.

verbittern, verbitterte, hat verbittert ⟨tr.⟩ /vgl. verbittert/: **a)** *durch eine unverdiente, beleidigende, verletzende Äußerung oder Behandlung verbittert machen:* daß seine Arbeit nie richtig gewürdigt wurde, hat ihn sehr verbittert. **b)** *trostlos, bitter machen:* Krankheit, Enttäuschung verbitterte die letzten Jahre seines Lebens.

verbittert ⟨Adj.⟩: *von einem stetigen Groll gegen etwas oder von Gedanken an sein Unglück unablässig erfüllt:* eine verbitterte alte Frau; er war sehr v. über seine Entlassung.

Verbitterung, die; -: *das Verbittertsein; durch Enttäuschung, Unglück hervorgerufene mißmutige Stimmung, von der man sich nicht befreien kann:* in seiner V. wollte er mit niemandem mehr reden.

verblassen, verblaßt, verblaßte, ist verblaßt ⟨itr.⟩: **a)** *den leuchtenden Glanz verlieren, blaß werden:* die Farben, die Tapeten sind schon etwas verblaßt; bildl.: neben seinem Erfolg verblaßten die Leistungen der andern. **b)** *im Bewußtsein undeutlich werden:* die Erinnerungen an die Kindheit verblaßten immer mehr.

Verbleib, der; -s: *Ort, wo sich jmd./etwas befindet:* der V. des verschwundenen Schülers konnte noch nicht geklärt werden.

verbleiben, verblieb, ist verblieben ⟨itr.⟩: **1.** *[nach großen Verlusten o. ä.] als Rest übrigbleiben, erhalten bleiben:* von seinem ganzen Besitz ist ihm nur dieses kleine Anwesen verblieben; ⟨häufig im 1. Partizip⟩ in den noch verbleibenden Urlaubstagen will er sich zu Hause erholen. **2.** *unverändert für lange, unbegrenzte Zeit (bei etwas) bleiben, ausharren:* er ist schon vor 20 Jahren in die Firma eingetreten und bis heute dort verblieben; /Formel am Ende eines Briefes/ mit freundlichen Grüßen verbleibe ich Ihr... **3.** *auf eine Anordnung, einen Beschluß hin [bis zur Erledigung des Falles o. ä.] an einem Ort zurückbehalten werden:* die Dokumente verbleiben bis zur endgültigen Klärung der Angelegenheit beim Gericht.

verbleichen, verblich, ist verblichen ⟨itr.⟩: **1.** *den hellen Glanz verlieren, in den Farben blaß werden:* die Farben verbleichen schon; ⟨häufig im 2. Partizip⟩ ein verblichenes Bild; ein verblichener Vorhang. **2.** *nach großer Wirkung immer mehr zurückgehen, schwinden:* sein Ruhm, der Zauber seiner Stimme ist verblichen.

verblenden, verblendete, hat verblendet ⟨tr.⟩: **1.** *bewirken, daß man die Einsicht verliert, nicht mehr vernünftig überlegt:* der Ruhm hat ihn ganz verblendet; ⟨häufig im 2. Partizip⟩ ein verblendeter Mensch; er ist ganz verblendet. **2.** *(mit schönerem, wertvollerem Material) verkleiden:* ein Gebäude, eine Fassade mit Aluminium v.

Verblendung, die; -: *fehlende Einsicht:* er war nicht von seiner V. zu heilen; in seiner V. hatte er sich von seinem besten Freund getrennt.

verbleuen, verbleute, hat verbleut ⟨tr.⟩ (ugs.): *verprügeln:* sie haben ihn tüchtig verbleut; ⟨auch rzp.⟩ einander, sich [gegenseitig] v.

verblöden, verblödete, ist verblödet ⟨itr.⟩: **a)** *allmählich schwachsinnig werden:* nach der Krankheit ist er verblödet. **b)** *(durch eine eintönige Tätigkeit, Mangel an Abwechslung) ganz teilnahmslos und abgestumpft werden:* in dieser Gegend, bei dieser Arbeit verblödet man ganz.

verblüffen, verblüffte, hat verblüfft ⟨tr.⟩: *(jmdn.) so überraschen, daß er zunächst die*

Sache gar nicht richtig beurteilen kann: ihre Antwort verblüffte uns; mancher Käufer läßt sich durch die niedrigen Preise v.; ⟨häufig im 1. Partizip⟩ er hat eine verblüffende Ähnlichkeit mit seinem Bruder; ⟨häufig im 2. Partizip⟩ er stand verblüfft da. **Verblüffung,** die; -.

verblühen, verblühte, ist verblüht ⟨itr.⟩: *zu Blühen aufhören, verwelken:* die Blumen sind verblüht.

verbluten, verblutete, hat/ist verblutet: **1.** ⟨itr.⟩: *durch starken Blutverlust sterben:* er ist an der Unfallstelle verblutet. **2.** ⟨rfl.⟩ *starke militärische Verluste erleiden:* der Gegner hat sich in nutzlosen Angriffen auf die Festung verblutet.

verbohrt ⟨Adj.⟩ (ugs.): *nicht von seiner falschen Ansicht, seinem Vorhaben oder Tun abzubringen; starrköpfig:* ein verbohrter Mensch; er war völlig in seinen Plan v. **Verbohrtheit,** die; -.

verborgen: I. verborgen, verborgte, hat verborgt ⟨tr.⟩: *jmdm. (etwas) vorübergehend zur Benutzung geben:* ich verborge nicht gerne meine Sachen. **II.** ⟨Adj.⟩ *nicht sichtbar oder [noch] nicht erkennbar:* überall lauern verborgene Gefahren; es bleibt nichts v. ***im verborgenen** *(unbemerkt):* im verborgenen bleiben, leben.

Verborgenheit, die; -: *das Verborgensein:* in der V. leben.

Verbot, das; -[e]s, -e: *von einer dazu befugten Stelle oder Person ausgehender Befehl, der etwas zu tun verbietet:* ein strenges V.; ein V. übertreten; er verstieß gegen das ausdrückliche V. des Arztes zu rauchen.

verbrämen, verbrämte, hat verbrämt ⟨tr.⟩: **1.** *(mit einem Rand aus Pelz) verzieren:* einen Mantel mit Pelz v. **2.** *jmdm. gegenüber kunstvoll in Worte kleiden, weil man nicht wagt, ihm die unangenehme Wahrheit direkt zu sagen:* er versuchte, seine negative Beurteilung etwas zu v.

Verbrauch, der; -[e]s: **a)** *das Verbrauchen:* diese Seife ist sparsam im V. **b)** *verbrauchte Menge:* der V. an Butter ist in den letzten Jahren gestiegen.

verbrauchen, verbrauchte, hat verbraucht ⟨tr.⟩: **a)** *[regelmäßig] (eine gewisse Menge von etwas) nehmen und für einen bestimmten Zweck verwenden:* sie haben viel Strom verbraucht; für das Kleid verbrauchte sie drei Meter Stoff. **b)** *allmählich, nach und nach aufzehren:* sie hatten alle ihre Vorräte verbraucht; das letzte Stück Seife war inzwischen verbraucht; sie hatten bei dieser Arbeit ihre Kräfte völlig verbraucht; ⟨häufig im 2. Partizip⟩ verbrauchte *(abgenutzte)* Nerven; verbrauchte *(schlechte)* Luft.

Verbraucher, der; -s, -: *derjenige, der die angebotenen Waren kauft und verbraucht:* bei der Festsetzung der Preise muß auch auf den V. Rücksicht genommen werden.

verbrechen, verbricht, verbrach, hat verbrochen ⟨tr.⟩ (scherzh.): *(etwas Schlechtes) anstellen, anrichten:* was habt ihr denn verbrochen, daß ihr nicht mitkommen dürft?; wer hat dieses Machwerk, Buch verbrochen *(geschrieben)*?

Verbrechen, das; -s, -: **a)** *Handlung, die so schwer gegen Moral und Gesetz verstößt, daß sie sehr hoch bestraft wird:* ein schweres, grauenvolles V.; das V. wurde noch nicht aufgeklärt. **b)** *verwerfliche, verantwortungslose Handlung:* Kriege sind ein V. an der Menschheit; es ist ein V., Kinder auf so grausame Weise zu strafen.

Verbrecher, der; -s, -: *jmd., der ein Verbrechen begangen hat:* der V. konnte gefaßt werden.

verbrecherisch ⟨Adj.⟩: **a)** ⟨nicht adverbial⟩ *so verwerflich, ungehörig, daß es fast schon ein Verbrechen ist:* das ist ja verbrecherischer Leichtsinn. **b)** *vor einem Verbrechen nicht zurückschreckend:* ein verbrecherischer Mensch.

verbreiten, verbreitete, hat verbreitet: **1. a)** ⟨tr.⟩ *durch sein Erscheinen in jmdm. erregen:* die Feinde verbreiteten überall Furcht und Schrecken. **b)** ⟨tr.⟩ *(etwas [Unwahres]) an viele Leute weitergeben, so daß es bald in einem weiten Umkreis bekannt ist:* ein Gerücht v.; sie verbreiteten sofort die Nachricht im Dorf; ⟨häufig im 2. Partizip⟩ eine weit verbreitete *(eine von vielen geteilte)* Ansicht. **c)** ⟨rfl.⟩ *in einem weiten Umkreis bekannt werden:* die Nachricht verbreitete sich durch die Presse; sein Ruf verbreitete sich schnell. **d)** ⟨rfl.⟩ *sich ausbreiten:* die Krankheit verbreitete sich über das ganze Land. **2.** ⟨rfl.⟩ *(über etwas) ausführlich schreiben oder sprechen:* in seiner Einleitung verbreitete er sich über die historischen Voraussetzungen.

verbreitern, verbreiterte, hat verbreitert: **a)** ⟨tr.⟩ *breiter machen:* eine Straße, einen Weg v. **b)** ⟨rfl.⟩ *breiter werden:* nach vorne hin verbreitert sich die Bühne. **Verbreiterung,** die; -.

Verbreitung, die; -: *das Verbreiten oder Sichverbreiten:* die Presse sorgte für eine rasche V. der Ereignisse; die V. der Krankheit nahm in erschreckendem Maße zu. ***V. finden** *(weithin bekannt-, gelesen werden):* seine Schriften fanden überall V.

verbrennen, verbrannte, hat/ist verbrannt: **1.** ⟨itr.⟩ **a)** *vom Feuer verzehrt werden:* durch das Feuer ist ihre ganze Einrichtung verbrannt; drei kleine Kinder sind in der Wohnung verbrannt. **b)** *durch zu große Hitze schwarz [und ungenießbar] werden:* der Braten ist total verbrannt. **2.** ⟨tr.⟩ **a)** *vom Feuer verzehren lassen:* er hat Holz, Papier verbrannt; eine Leiche v. **b)** *durch übermäßige Hitze beschädigen, verletzen:* ich habe mir die Hand verbrannt; die Sonne hat sein Gesicht verbrannt *(stark gebräunt)*; ⟨auch rfl.⟩ er hat sich an dem heißen Metall verbrannt. **Verbrennung,** die; -, -en.

verbringen, verbrachte, hat verbracht ⟨tr.⟩: *sich (eine bestimmte Zeit an einem bestimmten Ort) aufhalten oder (die Zeit in einer bestimmten Weise) vergehen lassen:* sie verbringen ihren Urlaub an der See; er hatte die Zeit mit Warten verbracht; er verbrachte den Abend in angenehmer Gesellschaft.

verbrüdern, sich; verbrüderte sich, hat sich verbrüdert: *(mit jmdm.) Freundschaft schließen und sich danach duzen:* die Gegner verbrüderten sich; er will sich nicht mit jedem beliebigen v. **Verbrüderung,** die; -.

verbrühen, verbrühte, hat verbrüht ⟨tr./rfl.⟩: *mit heißem Wasser verletzen:* ich habe mir die Hand verbrüht; das Kind hat sich verbrüht.

verbuchen, verbuchte, hat verbucht ⟨tr.⟩: **1.** *buchen und dadurch für den weiteren Gang der Geschäfte festhalten:* der Betrag ist bei uns noch nicht verbucht. **2.** *(als etwas Positives oder Negatives) vermerken, feststellen:* das Ergebnis kann als Erfolg verbucht werden. **Verbuchung,** die; -, -en.

verbummeln, verbummelte, hat/ist verbummelt (ugs.): **a)** ⟨tr.⟩ *nutzlos verbringen:* er hat die letzten Monate, das ganze Semester verbummelt. **b)** ⟨itr.⟩ *aus Faulheit, Leichtsinn o. ä. nichts Rechtes mehr leisten, arbeiten:* er ist immer mehr verbummelt. **c)** ⟨tr.⟩ *aus Faulheit, Leichtsinn o. ä. versäumen:* er hat die Anmeldung verbummelt.

verbünden, sich; verbündete sich, hat sich verbündet: *ein Bündnis schließen; sich zusammenschließen:* er hat sich mit ihm gegen uns verbündet; ⟨häufig im 2. Partizip⟩ Frankreich und England waren verbündet.

Verbundenheit, die; -: *Beziehung, in der man eng mit jmdm. verbunden ist:* sie lebten in enger geistiger V.; das Gefühl der V. half ihnen in ihrer verzweifelten Lage.

Verbündete, der; -n, -n ⟨aber: [ein] Verbündeter, Plural: Verbündete⟩: *jmd., der mit einem anderen verbündet ist:* die Verbündeten im zweiten Weltkrieg.

verbürgen, verbürgte, hat verbürgt: **1.** ⟨tr.⟩ *die Gewähr geben, daß etwas geschieht, eintritt; garantieren:* eine gute Werbung verbürgt den guten Absatz der Ware; ⟨häufig im 2. Partizip⟩ eine verbürgte *(sichere, bewiesene)* Tatsache. **2.** ⟨rfl.⟩ *(von jmds. guten Eigenschaften, von der Wahrheit, Richtigkeit einer Sache) überzeugt sein und mit seiner eigenen Person eine Sicherheit dafür bieten:* ich verbürge mich für ihn, für seine Anständigkeit.

verbüßen, verbüßte, hat verbüßt ⟨tr.⟩: *(eine Freiheitsstrafe) in ihrer ganzen Dauer ableisten:* er hat eine Strafe von drei Wochen Gefängnis verbüßt.

verchromt [fɛr'kro:mt] ⟨Adj.⟩: *mit einer dünnen Schicht Chrom überzogen:* die Lenkstange meines Fahrrads ist v.

Verdacht, der; -[e]s: *Vermutung, daß jmd. eine heimliche [böse] Absicht verfolge oder in einer bestimmten Angelegenheit der Schuldige sei:* er hatte einen bestimmten V.; der V. richtete sich nicht gegen ihn, sondern gegen seinen Freund; sein Verhalten brachte ihn in den V. der Untreue. ***jmdn. im/in V. haben** *(jmdn. verdächtigen; glauben, jmd. verfolge irgendeine geheime Absicht);* **im/in V. stehen** *(verdächtigt werden):* er steht im V., den Mord begangen zu haben.

verdächtig ⟨Adj.⟩: *durch seine Erscheinung oder sein Tun zu einem bestimmten Verdacht Anlaß gebend; nicht geheuer:* eine verdächtige Person; die Sache ist mir v.; durch sein Verhalten machte er sich v.

verdächtigen, verdächtigte, hat verdächtigt ⟨tr.⟩: *(von jmdm.) annehmen, er verfolge eine bestimmte böse Absicht oder habe sich einer bestimmten unerlaubten Handlung schuldig gemacht:* man verdächtigt ihn des Diebstahls; man hatte sie zu Unrecht verdächtigt. **Verdächtigung,** die; -, -en.

verdammen, verdammte, hat verdammt ⟨tr.⟩: *mit Nachdruck für schlecht, verwerflich oder strafwürdig erklären:* seine Einstellung wurde von allen verdammt; ich will niemanden v.; ⟨häufig im 2. Partizip⟩ (derb) *gemein, übel:* so ein verdammter Kerl!; ⟨häufig im 2. Partizip verstärkend bei Adjektiven und Verben⟩ (ugs.) *ziemlich, sehr:* es war verdammt kalt; sie mußten sich verdammt anstrengen. **Verdammung,** die; -.

verdampfen, verdampfte, hat/ist verdampft: **1.** ⟨itr.⟩ *in gasförmigen Zustand übergehen* /von Flüssigkeiten/: das Wasser ist rasch verdampft. **2.** ⟨tr.⟩ *(Flüssigkeiten) in gasförmigen Zustand übergehen lassen:* er hat die Flüssigkeit verdampft.

verdanken, verdankte, hat verdankt ⟨tr.; mit Dativ⟩: *(jmdm. für etwas) Dank schulden:* wir verdanken ihm unsere Rettung; die Erhaltung der Statue war einem besonderen Umstand zu v. *(zuzuschreiben).*

verdattert ⟨Adj.⟩ (ugs.): *so verwirrt, daß man im Augenblick nichts sagen oder tun kann:* als er mich so plötzlich anschrie, war ich ganz v.; v. dreinschauen.

verdauen, verdaute, hat verdaut ⟨tr.⟩: *(aufgenommene Nahrung) im Körper auflösen und verwandeln:* er hatte das Essen noch nicht verdaut; Erbsen sind schwer zu v. **Verdauung,** die; -.

Verdeck, das; -[e]s, -e: **a)** *oberstes Deck eines Schiffes:* der Kapitän ist gerade auf dem V. **b)** *Dach eines Wagens, das man aufklappen, zurückschieben kann:* wegen des schönen Wetters hat er das V. seines Autos zurückgeschlagen.

verdecken, verdeckte, hat verdeckt ⟨tr.⟩: *sich vor etwas befinden und dadurch verhindern, daß jmd. es sieht:* das Haus war durch Bäume verdeckt; die Hochhäuser verdeckten *(verhinderten)* die Sicht auf die Kirche.

verdenken, verdachte, hat verdacht ⟨tr.⟩: *übelnehmen:* sein langes Zögern wurde ihm sehr verdacht; man kann es ihm nicht v., wenn er ins Ausland geht.

Verderb: ⟨in der Fügung⟩ auf Gedeih und V.: *bedingungslos; in Glück und Unglück:* er ist auf Gedeih und V. mit ihr verbunden; er ist ihm auf Gedeih und V. ausgeliefert.

verderben, verdirbt, verdarb, hat/ist verdorben: **1.** ⟨itr.⟩ *durch innere Gärung oder Fäulnis ungenießbar werden:* das ganze Obst war verdorben; ⟨häufig im 2. Partizip⟩ verdorbene Speisen. **2.** ⟨tr.⟩ *schädigen, ruinieren:* du wirst dir durch das Lesen bei schlechter Beleuchtung die Augen v.; ich habe mir den Magen verdorben *(habe etwas gegessen, was der Magen schlecht vertragen hat).* **3.** ⟨tr.⟩ *zunichte machen; durch sein Verhalten dafür sorgen, daß aus einer Sache nichts wird:* jmdm. die Freude an etwas v.; er hat ihm das Konzept verdorben. ***es mit jmdm. v.** *(sich jmdn. zum Feind machen):* er wollte es mit niemandem v. **4.** ⟨tr.⟩ *(auf jmdn.) einen schlechten Einfluß ausüben:* diese Leute haben ihn verdorben; ⟨häufig im 2. Partizip⟩ *schlecht:* ein verdorbener Charakter; ein verdorbener Geschmack.

Verderben, das; -s: *Zustand, in dem jmd. umkommt oder*

moralisch verkommt; Unglück: er hat ihn ins V. gestürzt; der Alkohol war sein V.

verderblich ⟨Adj.⟩: **1.** *leicht ungenießbar werdend:* [leicht] verderbliche Lebensmittel. **2.** *sich auf den Charakter schlecht auswirkend; schädlich:* sein verderblicher Einfluß.

verdeutlichen, verdeutlichte, hat verdeutlicht ⟨tr.⟩: *deutlicher, klarer machen:* er versuchte, seinen Standpunkt an einem Beispiel zu v.

verdichten, sich; verdichtete sich, hat sich verdichtet: *dichter werden:* der Nebel verdichtete sich; bildl.: die gegen ihn erhobenen Vorwürfe verdichteten sich *(nahmen zu, wurden stärker).*

verdicken, verdickte, hat verdickt: **a)** ⟨tr.⟩ *dicker, zähflüssiger machen:* eine Flüssigkeit v. **b)** ⟨rfl.⟩ *dicker werden:* das Rohr verdickt sich zum Ende hin. **Verdickung,** die; -, -en.

verdienen, verdiente, hat verdient ⟨tr.⟩: **1.** *(eine bestimmte Summe) als entsprechenden Lohn für eine bestimmte Leistung oder Tätigkeit erhalten:* in diesem Beruf verdient man viel Geld; der Händler verdient 50% an einigen Waren; ich habe mir das Studium selbst verdient *(das Geld fürs Studium durch eigene Arbeit beschafft).* **2.** *(etwas) wert sein:* seine Tat verdient Anerkennung; er verdient kein Vertrauen; dieses Schicksal hat er nicht verdient *(er hätte aufgrund seines Lebenswandels eigentlich ein besseres Schicksal haben müssen).* * **sich um etwas verdient machen** *(Großes leisten für etwas):* er hat sich um sein Land sehr verdient gemacht.

Verdienst: **I.** der; -es: *Geld, das man sich durch seine Arbeit erwirbt:* er hat einen hohen V.; er gibt fast seinen ganzen V. an die Eltern ab. **II.** das; -es, -e: *Tat oder Verhalten, durch das man sich verdient macht und sich Anspruch auf Anerkennung erwirbt:* sein V. um die Wissenschaft ist groß; das V. für diese Erfindung gebührt ihm allein; du hast dir große Verdienste um die Stadt erworben *(hast Großes für die Stadt geleistet).*

Verdienstspanne, die; -, -n: *Differenz zwischen Einkaufspreis oder Herstellungskosten und Verkaufspreis als Gewinn für den Produzenten oder Händler:* die V. ist zu niedrig.

verdientermaßen ⟨Adverb⟩: *seinen Verdiensten gemäß; wie es jmd. verdient hat:* er ist v. gelobt worden.

Verdikt [vɛr'dɪkt], das; -[e]s, -e: *sehr schlechtes, abfälliges Urteil (über jmdn./etwas):* der Komponist, die Oper verfiel dem V. des Kritikers.

verdonnern, verdonnerte, hat verdonnert ⟨tr.⟩ (ugs.): *(jmdm. etwas) als Strafe auferlegen; verurteilen:* er wurde zu 500 Mark Buße verdonnert.

verdoppeln, verdoppelte, hat verdoppelt: **1.** ⟨tr.⟩ **a)** *doppelt machen, um dasselbe Maß o. ä. vermehren:* die Geschwindigkeit v. **b)** *verstärken, intensivieren:* wir müssen unsere Anstrengungen v. **2.** ⟨rfl.⟩ *doppelt so groß werden wie bisher:* der Ertrag der Felder hat sich mehr als verdoppelt. **Verdopplung,** die; -, -en.

verdorren, verdorrte, ist verdorrt ⟨itr.⟩: *trocken, dürr werden:* die Felder sind in der Hitze verdorrt; verdorrte Blumen und Sträucher.

verdrängen, verdrängte, hat verdrängt ⟨tr.⟩: **a)** *(von einer Stelle) drängen, nicht mehr (an seinem Platz) lassen:* er wollte mich aus meiner Stellung v.; bildl.: sein neues Hobby hat bei ihm alle anderen Interessen verdrängt. **b)** *aus dem Bewußtsein ausscheiden; unterdrücken:* er versuchte, die unangenehmen Erinnerungen zu v.; ⟨häufig im 2. Partizip⟩ verdrängte Erlebnisse. **Verdrängung,** die; -, -en.

verdrehen, verdrehte, hat verdreht ⟨tr.⟩: **1.** *[durch Drehen] in eine ungewohnte, unbequeme Stellung bringen:* den Kopf, die Augen v.; er verdrehte ihm den Arm. * (ugs.) **jmdm. den Kopf** v. *(machen, daß sich jmd. in jmdn. völlig verliebt):* sie hat ihm den Kopf verdreht. **2.** *den Sinn (von etwas) entstellen, unrichtig wiedergeben; falsch auslegen:* er hat deine Worte ganz verdreht.

verdreschen, verdrischt, verdrosch, hat verdroschen ⟨tr.⟩ (ugs.): *verprügeln:* sie haben ihn furchtbar verdroschen.

verdrießen, verdroß, hat verdrossen ⟨itr.⟩: *verstimmen, verärgern, verletzen:* es hat mich sehr verdrossen, daß er sich so undankbar benommen hat; ⟨häufig im 2. Partizip⟩ er war die ganze Zeit hindurch sehr verdrossen.

verdrießlich ⟨Adj.⟩: **a)** *leicht verärgert; nicht in der besten Laune und das in Miene und Verhalten zum Ausdruck bringend:* ein verdrießliches Gesicht; v. packte er die nicht verkauften Sachen wieder ein. **b)** *Verdruß bereitend:* eine verdrießliche Angelegenheit.

verdrossen ⟨Adj.⟩: *durch etwas um seine gute Laune gebracht und seine Verstimmung deutlich zeigend; mürrisch:* er war sehr v.; ein verdrossenes Gesicht; v. machte er sich wieder an seine Arbeit. **Verdrossenheit,** die; -.

verdrücken, verdrückte, hat verdrückt (ugs.): **1.** ⟨rfl.⟩ *sich [heimlich] entfernen:* Wolfgang ist nicht da, der hat sich wohl verdrückt. **2.** ⟨tr.⟩ *(etwas) [hastig] aufessen:* er hat schon ein ganzes Huhn verdrückt.

Verdruß, der; Verdrusses: *durch Unzufriedenheit oder Enttäuschung hervorgerufenes unangenehmes Gefühl; Ärger, Unwille:* V. empfinden; er tat alles mit V.

verduften, verduftete, ist verduftet ⟨itr.⟩ (ugs.): *heimlich weggehen:* als es gefährlich wurde, ist er verduftet.

verdummen, verdummte, hat/ist verdummt: **1.** ⟨tr.⟩ *dumm machen:* die Parolen des Diktators haben das Volk verdummt. **2.** ⟨itr.⟩ *dumm werden; geistig abstumpfen:* er verdummt immer mehr.

verdunkeln, verdunkelte, hat verdunkelt ⟨tr.⟩: **a)** *dunkel machen:* einen Raum v.; die Fenster wurden verdunkelt, damit kein Licht nach außen drang. **b)** *unklar machen, die Spuren (von etwas) verwischen:* eine Tat v. **Verdunklung,** die; -.

verdünnen, verdünnte, hat verdünnt ⟨tr.⟩: *(etwas Flüssiges) durch Hinzufügen von Wasser o. ä. weniger stark machen:* Wein, Milch v.; eine Medizin v. **Verdünnung,** die; -.

verdunsten, verdunstete, ist verdunstet ⟨itr.⟩: *sich in Dunst auflösen:* das Wasser ist verdunstet. **Verdunstung,** die; -.

verdursten, verdurstete, ist verdurstet ⟨itr.⟩: *vor Durst* *sterben:* sie sind in der Wüste verdurstet; (scherzh.) ich bin auf dem Marsch fast verdurstet *(ich hatte auf dem Marsch sehr großen Durst).*

verdutzt ⟨Adj.⟩ (ugs.): *von etwas Unerwartetem so verwirrt, daß man glaubt, seinen Augen oder Ohren nicht trauen zu können:* er war ganz v.; er machte ein verdutztes Gesicht.

verebben, verebbte, ist verebbt ⟨itr.⟩: *allmählich nachlassen, schwächer werden und dann ganz aufhören:* die Empörung, der Lärm verebbte.

veredeln, veredelte, hat veredelt ⟨tr.⟩: **a)** *charakterlich, moralisch besser machen:* er wollte mit seinen Büchern die Menschen veredeln. **b)** *fruchtbarer machen; so bearbeiten, daß ein größerer Ertrag erreicht wird:* einen Boden v. **c)** *eine wild wachsende oder schlechtere Pflanze in der Qualität verbessern und edle Früchte bei ihr erzielen, indem man den Zweig einer edlen Pflanze mit ihr verwachsen läßt:* einen Baum, Rosen v. **Veredelung,** die; -.

verehelichen, sich; verehelichte sich, hat sich verehelicht (geh.; veraltend): *heiraten:* sie hat sich ein zweites Mal verehelicht.

verehren, verehrte, hat verehrt ⟨tr.⟩: **1. a)** *(jmdn.) aus einer ehrfurchtsvollen Haltung heraus lieben und sehr hoch schätzen:* er verehrte seinen Lehrer; ⟨häufig im 2. Partizip⟩ verehrte Anwesende!; unser verehrter Herr Präsident. **b)** *seinen Glauben (an ein höheres Wesen, an Heilige o. ä.) zum Ausdruck bringen:* die Griechen verehrten viele Götter; sie ist als Heilige verehrt worden. **2.** ⟨mit Dativ⟩ *(jmdm. etwas) schenken, als freundliche Geste feierlich überreichen:* er hat ihr eine goldene Kette verehrt; er verehrte der Gastgeberin einen Blumenstrauß.

Verehrer, der; -s, - (ugs.): *jmd., der ein Mädchen gern mag und sich sehr um sie bemüht:* sie hat viele V.; mit welchem V. gehst du denn heute abend aus?

Verehrung, die; -: *das Verehren:* die V. eines Heiligen.

vereidigen, vereidigte, hat vereidigt ⟨tr.⟩: *durch einen Eid verpflichten:* die Zeugen wurden vereidigt; der Präsident wurde auf die Verfassung vereidigt. **Vereidigung,** die; -, -en.

Verein, der; -s, -e: *Gruppe von Personen, die sich auf Grund gleicher Interessen zusammengeschlossen haben:* einen V. gründen; in einen V. eintreten; der V. hat über 100 Mitglieder; ein V. für Menschenrechte. ***im V. mit** *(zusammen mit):* im V. mit dem Roten Kreuz versuchte man die Not der Bevölkerung zu lindern.

vereinbar: ⟨in der Verbindung⟩ mit etwas v. sein: *(mit etwas) übereinstimmen, im Einklang, nicht im Widerspruch stehen:* solche Methoden sind mit unseren Grundsätzen nicht v.

vereinbaren, vereinbarte, hat vereinbart ⟨tr.⟩: *durch gemeinsamen Beschluß festlegen, verabreden:* ein Treffen v. * **etwas ist mit etwas nicht zu v.** *(etwas kann mit etwas nicht gleichzeitig existieren; etwas paßt mit etwas nicht zusammen, ist ein Widerspruch zu etwas):* ein solches Verhalten konnte ich mit meiner politischen Anschauung nicht v. **Vereinbarung,** die; -, -en.

vereinen, vereinte, hat vereint ⟨tr.⟩ (geh.): **1.** *zu einer Einheit zusammenfassen:* sie vereinten ihre Bitten im Gebet zum Herrn; ⟨häufig im 2. Partizip⟩ mit vereinten Kräften; in seinen Vorführungen sind sportliche Leistung und Eleganz harmonisch vereint. **2.** *in Übereinstimmung, Einklang bringen:* diese Gegensätze ließen sich nicht v.

vereinfachen, vereinfachte, hat vereinfacht ⟨tr.⟩: *einfacher machen:* ein Verfahren, eine Methode v. **Vereinfachung,** die; -.

vereinheitlichen, vereinheitlichte, hat vereinheitlicht ⟨tr.⟩: *einheitlich machen:* die Rechtschreibung v.

vereinigen, vereinigte, hat vereinigt: **1. a)** ⟨tr.⟩ *zu einer Einheit oder Gesamtheit zusammenfassen:* verschiedene Unternehmen v.; er vereinigt sehr gegensätzliche Eigenschaften in sich. **b)** ⟨rfl.⟩ *sich verbinden:* aus wirtschaftlichen Gründen vereinigten sich zwei kleinere Orchester zu einem großen Orchester. **2.** ⟨tr.⟩ *in Übereinstimmung bringen:* sein Handeln läßt sich mit seinen politischen Ansichten nicht v.

Vereinigung, die; -, -en: **1.** *das Vereinigen:* die V. der beiden Unternehmen brachte Schwierigkeiten mit sich. **2.** *Verein:* eine V. für die Freunde klassischer Musik.

vereinzelt ⟨Adj.; nicht prädikativ⟩: *einzeln vorkommend oder auftretend:* vereinzelte Fälle einer Krankheit; es fielen nur noch vereinzelte Schüsse; abweichende Merkmale lassen sich nur v. feststellen.

vereist ⟨Adj.⟩: **a)** *durch Eis sehr glatt:* eine vereiste Fahrbahn, Straße. **b)** *mit Eis bedeckt; wegen Eis nicht funktionierend:* vereiste Fenster; der Motor ist vereist.

vereiteln, vereitelte, hat vereitelt ⟨tr.⟩: *dafür sorgen, daß (etwas) scheitert oder nicht verwirklicht wird; (etwas) verhindern:* einen Plan, ein Unternehmen, jmds. böse Absichten v.

verenden, verendete, ist verendet ⟨itr.⟩: *als hilflose Kreatur [langsam und qualvoll] sterben* /von Tieren/: das Reh war in der Schlinge verendet; in dem harten Winter sind viele Tiere verendet.

verengen, verengte, hat verengt ⟨tr.⟩: *eng zusammenziehen:* er verengte die Augen zu einem schmalen Spalt; ⟨auch rfl.⟩ seine Pupillen verengten sich.

vererben, vererbte, hat vererbt ⟨tr.⟩: **1.** *(jmdm. etwas) als Erbe überlassen:* er hat dem Neffen sein ganzes Vermögen vererbt. **2.** *als Veranlagung (auf die Nachkommen) übertragen:* sie hat ihren Kindern ihre schwachen Gelenke vererbt; ⟨auch rfl.⟩ die Begabung für Musik hat sich in der Familie seit Generationen vererbt. **Vererbung,** die; -, -en.

verewigen, verewigte, hat verewigt ⟨tr./rfl.⟩: *(jmdn./etwas) an besonderer Stelle erwähnen und dadurch nicht in Vergessenheit geraten lassen:* der Dichter hat seine Frau in einem Roman verewigt; du hattest dich, deinen Namen im Gästebuch verewigt.

verfahren: I. verfahren, verfährt, verfuhr, hat/ist verfahren: **1.** ⟨itr.⟩ *in bestimmter Weise, nach einer bestimmten*

Methode vorgehen, handeln: er verfährt immer nach demselben Schema; er ist sehr eigenmächtig verfahren. 2. ⟨itr.⟩ *(jmdn.) mit Willkür behandeln und über ihn verfügen; (mit jmdm.) umgehen:* er ist grausam mit ihm verfahren. 3. ⟨tr.⟩ *durch Fahren verbrauchen:* wir haben in der letzten Zeit viel Geld verfahren. 4. ⟨rfl.⟩ *vom richtigen Weg abkommen und in eine falsche Richtung fahren:* sie hatten sich trotz der Wegschilder verfahren. **II.** ⟨Adj.⟩ *falsch begonnen, so daß sich die betreffende Sache nicht weiterführen läßt; ausweglos:* eine verfahrene Angelegenheit; die Situation war völlig v.

Verfahren, das; -s, -: **1.** *bestimmte Art und Weise, nach der man bei seiner Arbeit vorgeht; Methode:* ein neues V. entwickeln, anwenden. **2.** *gerichtliche Untersuchung:* ein V. gegen jmdn. einleiten, eröffnen.

Verfall, der; -[e]s: **a)** *das allmähliche Zusammenfallen, Baufälligwerden:* der V. des Hauses. **b)** *Verschlechterung des körperlichen, geistigen, seelischen Zustandes; ständiges Abnehmen der Kräfte:* der V. der Kräfte, des Körpers; geistiger V. **c)** *das ständige Sinken des Niveaus; Untergang, Zerfall:* der kulturelle, sittliche V. einer Epoche.

verfallen, verfällt, verfiel, ist verfallen ⟨itr.⟩: **1.** *allmählich zusammenfallen, baufällig werden:* sie ließen das Gebäude v.; ⟨häufig im 2. Partizip⟩ ein verfallenes Haus, Schloß. **2.** *körperlich und geistig kraftlos werden:* der Kranke verfiel zusehends. **3.** *nach einer bestimmten Zeit wertlos oder ungültig werden:* die Eintrittskarten waren inzwischen verfallen. ****in etwas v.** *(in etwas geraten):* in Schweigen, in eine traurige Stimmung v.; er verfiel wieder in den alten Fehler *(beging wieder den alten Fehler);* **auf etwas v.** *(plötzlich einen bestimmten [seltsamen] Gedanken oder eine bestimmte [seltsame] Absicht haben):* er verfiel auf eine merkwürdige Idee; man ist jetzt auf ein neues Projekt verfallen; **jmdm. verfallen sein** *(an jmdn. gefühlsmäßig oder triebhaft so stark gebunden sein, daß man sich von der Bindung nicht mehr frei machen kann):* er ist ihr verfallen; **einer Sache verfallen sein** *(einer Sache ausgeliefert sein und sich nicht mehr von ihr lösen können):* er ist seiner Leidenschaft verfallen; er ist dem Trunk verfallen *(trinkt hemmungslos Alkohol).*

verfälschen, verfälschte, hat verfälscht ⟨tr.⟩: *(etwas) zu seinem Nachteil verändern, schlechter machen:* sein Geschmack war durch schlechte Filme verfälscht worden; sie hatten den Wein verfälscht. 2. *bewußt falsch darstellen:* einen Text absichtlich v.; in diesem Roman wird das Bild Mozarts verfälscht.

verfangen, verfängt, verfing, hat verfangen: **1.** ⟨rfl.⟩ *(in etwas [Verflochtenem] hängenbleiben, sich verwickeln:* der Fuß hat sich in den Schnüren verfangen; der Ball verfing sich im Gestrüpp; bildl.: der Verdächtige verfing sich in Widersprüchen. **2.** ⟨itr.⟩ *die gewünschte Wirkung, Reaktion (bei jmdm.) hervorrufen:* solche Mittel, Tricks verfangen bei mir nicht.

verfänglich ⟨Adj.⟩: *so beschaffen, daß man dabei leicht in Verlegenheit kommt, daß man sich in etwas verstrickt:* eine verfängliche Situation; die Frage war, klang v.

verfassen, verfaßt, verfaßte, hat verfaßt ⟨tr.⟩: *schriftlich formulieren, abfassen:* einen Brief, eine Rede, einen Artikel für eine Zeitung, einen Roman v.

Verfasser, der; -s, -: *jmd., der ein literarisches Werk oder überhaupt etwas Schriftliches verfaßt hat:* der V. eines Dramas; der V. des Briefes blieb anonym.

Verfassung, die; -, -en: **1.** *Zustand, in dem man sich geistig-seelisch oder körperlich befindet:* er traf ihn in bester gesundheitlicher V. an; er fühlte sich nicht in der V. *(Stimmung, Lage),* das Fest mitzumachen. 2. *Grundsätze, in denen die Form eines Staates und die Rechte und Pflichten seiner Bürger festgelegt sind:* die V. ändern.

verfaulen, verfaulte, ist verfault ⟨itr.⟩: *völlig von Fäulnis durchdrungen werden, verderben:* wenn die Kartoffeln nicht vor Feuchtigkeit geschützt werden, verfaulen sie; das Obst war bereits verfault.

verfechten, verficht, verfocht, hat verfochten ⟨tr.⟩: *(für etwas) [energisch] eintreten, sich (zu etwas) bekennen und es auch verteidigen:* eine Meinung, einen Standpunkt, eine Idee v.

Verfechter, der; -s, -: *jmd., der etwas verficht, für etwas eintritt:* er war ein V. der großen Koalition.

verfehlen, verfehlte, hat verfehlt /vgl. verfehlt/: **1.** ⟨tr.⟩ *(jmdn., den man treffen will) nicht bemerken, nicht finden:* ich wollte ihn am Bahnhof abholen, habe ihn aber verfehlt; ⟨auch rzp.⟩ wir haben einander, uns [gegenseitig] verfehlt. **2.** ⟨tr.⟩ *(etwas, worauf man gezielt hat) nicht erreichen:* er hat das Ziel, das Tor verfehlt. **3.** ⟨in Verbindung mit bestimmten Substantiven⟩ /drückt aus, daß das, was beabsichtigt war oder sein sollte, nicht eingetreten ist/: den Zweck, die Wirkung v. *(nicht in gewünschter Weise wirken);* den Weg v. *(sich verirren);* die Rede hat ihren Eindruck nicht verfehlt *(hat Eindruck gemacht).*

verfehlt ⟨Adj.⟩: *falsch, ungünstig; für den betreffenden Zweck ganz ungeeignet:* eine verfehlte Aktion; der Plan ist ganz v.

Verfehlung, die; -, -en: *Verstoß gegen Grundsätze oder Vorschriften:* er hat seine V. eingestanden; er wurde wegen seiner Verfehlungen entlassen.

verfeinden, sich; verfeindete sich, hat sich verfeindet: *zum Feind eines anderen, anderer werden:* die beiden haben sich verfeindet; ⟨häufig im 2. Partizip⟩ die verfeindeten Brüder.

verfeinern, verfeinerte, hat verfeinert: **a)** ⟨tr.⟩ *feiner machen und dadurch verbessern:* den Geschmack einer Soße durch etwas Wein v. **b)** ⟨rfl.⟩ *feiner werden und eine bessere Qualität erhalten:* ihre Umgangsformen hatten sich verfeinert. **Verfeinerung,** die; -.

verfemen, verfemte, hat verfemt ⟨tr.⟩ (veralt.): *ächten; scharf verurteilen und bekämpfen:* die Bewohner des Dorfes haben ihn wegen seiner politischen Überzeugung verfemt.

verfilmen, verfilmte, hat verfilmt ⟨tr.⟩: *einen Film (aus etwas) machen, als Film gestal-*

ten: einen Roman v.; dieser Stoff wurde schon mehrmals verfilmt.

verfilzen, verfilzte, hat verfilzt ⟨rfl./itr.⟩: **1.** *sich so ineinander verschlingen, daß es wie Filz wird:* die Haare haben sich verfilzt; Wolle verfilzt beim Waschen leicht; ⟨häufig im 2. Partizip⟩ ein verfilzter Pullover. **2.** *mit etwas durcheinandergebracht werden, womit es gar nicht zusammengehört:* in der Diskussion verfilzten [sich] Argumente und polemische Vorwürfe.

verfinstern, sich; verfinsterte sich, hat sich verfinstert: **a)** *finster, dunkel werden:* der Himmel verfinsterte sich. **b)** *düster, unfreundlich werden:* sein Gesicht verfinsterte sich.

verflechten, verflicht, verflocht, hat verflochten: **1.** ⟨tr.⟩ *durch Flechten verbinden:* Bänder miteinander v. **2.** ⟨rfl.⟩ *sich eng verbinden; ineinander übergehen:* griechische Kultur und römischer Staat haben sich eng verflochten.

verfliegen, verflog, hat/ist verflogen: **1.** ⟨rfl.⟩ *sich beim Fliegen verirren:* der Pilot hat sich verflogen. **2.** ⟨itr.⟩ (geh.) *rasch vergehen, verschwinden:* die Stunden verflogen im Nu; die Schmerzen, die Träume waren verflogen.

verfließen, verfloß, ist verflossen ⟨itr.⟩: **1.** *ineinander übergehen, so daß keine scharfe Grenze mehr besteht:* die Farben verfließen; bildl.: die einzelnen Disziplinen der Wissenschaft verfließen heute vielfach. **2.** (geh.) *vergehen:* die Stunden und Tage verflossen; in den verflossenen *(letzten)* Jahren.

verfluchen, verfluchte, hat verflucht ⟨tr.⟩: **a)** *den Zorn Gottes (auf jmdn.) herabwünschen:* die Anhänger der Sekte verfluchten ihn, als er sich nicht von ihnen bekehren lassen wollte. **b)** *heftig seinen Ärger (über etwas) äußern und wünschen, daß es nicht geschehen wäre:* er hat schon oft verflucht, daß er damals mitgemacht hat; ⟨häufig im 2. Partizip⟩ (derb) *sehr unangenehm, sehr ärgerlich:* das verfluchte Spiel; das ist eine verfluchte Sache; ⟨verstärkend bei Adjektiven und Verben⟩ (ugs.) *ziemlich, sehr:* er ist verflucht gescheit; das sieht verflucht nach Betrug aus.

verflüchtigen, sich; verflüchtigte sich, hat sich verflüchtigt: **1.** *sich in Luft auflösen:* Alkohol verflüchtigt sich leicht; bildl.: ihre Freundschaft verflüchtigte sich bald. **2.** (ugs.; scherzh.) *unbemerkt weggehen; verschwinden:* er hat sich inzwischen verflüchtigt; mein Bleistift hat sich anscheinend verflüchtigt.

verflüssigen, verflüssigte, hat verflüssigt: **1.** ⟨tr.⟩ *flüssig machen:* Gas v. **2.** ⟨rfl.⟩ *flüssig werden:* der Stoff hat sich verflüssigt. **Verflüssigung,** die; -.

verfolgen, verfolgte, hat verfolgt ⟨tr.⟩: **1. a)** *zu erreichen suchen, um den Betreffenden gefangenzunehmen:* einen Verbrecher v.; er fühlte sich überall verfolgt; bildl.: er wird vom Unglück verfolgt *(wird oft von Unglück betroffen)*. **b)** *(einer Spur o. ä.) nachgehen, folgen:* die Polizei verfolgte die falsche Fährte. **2.** *(mit etwas) bedrängen, belästigen; (jmdm. mit etwas) zusetzen:* jmdn. mit Bitten, mit seinem Haß v. **3.** *durch ständiges Bemühen zu erreichen oder zu verwirklichen suchen:* ein Ziel, einen Plan v. **4.** *die Entwicklung (von etwas) genau beobachten:* eine Angelegenheit, die politischen Ereignisse v.

Verfolger, der; -s, -: *jmd., der jmdn. verfolgt:* er konnte seinen Verfolgern entkommen.

Verfolgung, die; -, -en: **1.** *das Verfolgen:* die V. des Verbrechers. **2.** *ständige Bemühung, etwas zu erreichen oder zu verwirklichen:* die V. solcher Ziele.

Verfolgungsjagd, die; -, -en: *längere Zeit dauernde und sich über größere Entfernungen erstreckende Verfolgung:* die Polizei konnte den Verbrecher nach einer wilden V. durch die Straßen der Stadt festnehmen.

Verfolgungswahn, der; -[e]s: *krankhafte Einbildung, ständig verfolgt zu werden:* er leidet an V.

verfrühen, sich; verfrühte sich, hat sich verfrüht: *früher kommen als erwartet oder notwendig:* ich habe mich etwas verfrüht; ⟨häufig im 2. Partizip⟩ die Meldung war verfrüht.

verfügen, verfügte, hat verfügt ⟨tr.⟩: *[amtlich] anordnen:* der Minister verfügte den Bau der Brücke. **** über etwas/jmdn. v.: a)** *(etwas) besitzen und es ungehindert gebrauchen können:* er verfügt über ein ansehnliches Kapital; er verfügt über gute Beziehungen. **b)** *bestimmen, was mit jmdm./etwas geschehen soll:* er kann noch nicht selbst über sein Geld v.; er verfügt über ihn wie über eine Sache.

Verfügung, die; -, -en: **1.** *Anordnung [einer Behörde oder eines Gerichts]:* eine V. erlassen. **2.** ⟨in den Wendungen⟩ **etwas zur V. haben** *(etwas zur Benutzung, zur Verwendung besitzen):* das sind alle Mittel, die ich im Augenblick zur V. habe; **jmdm. zur V. stehen** *(bei Bedarf für jmdn. dasein):* ich stehe Ihnen gerne für ein Gespräch zur V.; es stand ihm nur wenig Material für seine Untersuchung zur V.; **jmdm. etwas zur V. stellen** *(jmdm. etwas zur Benutzung überlassen):* wir stellen Ihnen unsere Räume zur V.; **sich zur V. stellen** *(sich als Hilfe anbieten):* er stellte sich sofort für die Rettungsarbeiten zur V.

verführen, verführte, hat verführt ⟨tr.⟩: *(jmdn.) so beeinflussen, daß er etwas tut, was nicht in seiner Absicht liegt [und was er nachher bereut]:* er hat ihn zum Trinken verführt; der niedrige Preis verführte sie zum Kauf; der Strolch hat das Mädchen verführt *(zum Geschlechtsverkehr verleitet)*.

verführerisch ⟨Adj.⟩: *verführend, verlockend:* ein verführerisches Angebot; sie sieht v. aus.

Verführung, die; -: *das Verführen:* die V. war zu groß.

vergaben, vergabte, hat vergabt ⟨tr.⟩ (schweiz.): *vermachen, schenken.*

vergällen, vergällte, hat vergällt ⟨tr.⟩: *beeinträchtigen, trüben:* jmdm. die Freude, das Leben v.; der Tag wurde ihm durch dieses unerfreuliche Gespräch vergällt.

vergaloppieren, sich; vergaloppierte sich, hat sich vergaloppiert (ugs.): *etwas zu rasch und unbedacht sagen oder tun, was sich nachher als Irrtum herausstellt und einem peinlich ist:* da hat er sich aber gewaltig vergaloppiert.

Vergangenheit, die; -: **a)** *Zeit, die hinter jmdm. liegt; ver-*

gangene Zeit: die jüngste V.; sich in die V. zurückversetzen. **b)** *(jmds.) Leben in der vergangenen Zeit bis zum gegenwärtigen Zeitpunkt:* seine V. war dunkel; die Stadt ist stolz auf ihre V. *(Geschichte)*.

vergänglich ⟨Adj.; nicht adverbial⟩: *ohne Bestand in der Zeit, nicht dauerhaft, vom Vergehen bedroht:* vergänglicher Besitz; das ist alles v. **Vergänglichkeit,** die; -.

vergasen, vergaste, hat vergast ⟨tr.⟩: *durch giftiges Gas töten:* im Krieg wurden viele Juden von den Nationalsozialisten vergast. **Vergasung,** die; -, -en.

vergeben, vergibt, vergab, hat vergeben ⟨tr.⟩: **1.** *(eine Schuld, die jmd. bereut) als nicht geschehen ansehen, verzeihen:* er hat ihm die Kränkung vergeben. **2.** *eine Aufgabe o. ä. zuteilen:* eine Arbeit, eine Stelle v.; ein Stipendium v. *(gewähren);* ⟨häufig im 2. Partizip⟩ er ist für heute schon vergeben *(hat schon etwas anderes vor);* seine Töchter sind alle vergeben *(verlobt oder verheiratet).* * **sich** (Dativ) **etwas/nichts v.** *(seinem Ansehen durch ein Tun schaden/nicht schaden):* er glaubte sich etwas zu v., wenn er seine Fehler zugeben würde.

vergebens ⟨Adverb⟩: *ohne seine Absicht zu erreichen:* er hat v. gewartet; man hat v. versucht, ihn von seinem Vorhaben abzubringen.

vergeblich ⟨Adj.⟩: *ohne Erfolg, erfolglos:* eine vergebliche Anstrengung; ihr Besuch war v.; er hat sich bisher v. um diesen Posten bemüht.

Vergebung, die; -: *Verzeihung:* die V. der Sünden; (geh.) ich bitte um V.!

vergegenwärtigen, vergegenwärtigte, hat vergegenwärtigt ⟨itr.⟩: *deutlich in die Erinnerung bringen; sich vorstellen:* er konnte sich alles genau v.; man muß sich die damalige Situation einmal v.

vergehen, verging, ist vergangen ⟨itr.⟩: **1. a)** *dahingehen, dahinschwinden und Vergangenheit werden:* die Zeit bis zum Fest vergeht schnell; die Schmerzen sind inzwischen vergangen; ⟨häufig im 2. Partizip⟩ vergangene Zeiten; im vergangenen *(letzten)* Jahr. **b)** *nicht mehr (in jmdm.) vorhanden sein:* die Lust, der Appetit ist ihm vergangen; das Lachen wird dir noch v. *(du wirst eines Tages nicht mehr lachen).* **c)** *(etwas) sehr stark empfinden:* vor Scham, Angst, Ungeduld v. **2.** ⟨rfl.⟩ *durch sein Handeln gegen Gesetz und Sitte, gegen die menschliche Ordnung verstoßen:* warum hast du dich gegen das Gesetz vergangen? **3.** ⟨rfl.⟩ *(jmdn.) geschlechtlich mißbrauchen:* er hat sich in widerlicher Weise an ihr vergangen.

Vergehen, das; -s, -: *gegen Bestimmungen, Vorschriften oder Gesetze verstoßende strafbare Handlung:* ein leichtes, schweres V.; er hat sich eines Vergehens schuldig gemacht.

vergeistigt ⟨Adj.⟩: *ganz auf den Geist gerichtet:* ein vergeistigter Mensch; er sieht ganz v. aus.

vergelten, vergilt, vergalt, hat vergolten ⟨tr.⟩: *(auf etwas, was einem von jmdm. widerfahren ist) mit einem bestimmten freundlichen oder feindlichen Verhalten reagieren:* man soll nicht Böses mit Bösem v.; er hat stets Haß mit Liebe zu v. gesucht; wie soll ich dir das v. *(wie soll ich mich dafür erkenntlich zeigen)*?

Vergeltung, die; -: *das Vergelten einer bösen Tat auf eine entsprechende Weise; Rache:* er sann auf V.; er hat seinem Gegner V. angedroht. * **V. üben** *(sich für etwas rächen).*

vergessen, vergißt, vergaß, hat vergessen: **1.** ⟨tr.⟩ **a)** *aus dem Gedächtnis verlieren, nicht behalten können:* Vokabeln, eine Regel v.; er hatte den Namen der Straße vergessen. **b)** *(an etwas) nicht mehr denken:* den Schlüssel v.; ich habe vergessen, ihm zu schreiben; sie hatten ihn längst vergessen *(er war aus ihrer Erinnerung geschwunden);* ⟨häufig im 2. Partizip⟩ ein vergessener *(heute unbekannter)* Schriftsteller. **2.** ⟨rfl.⟩ *die Beherrschung verlieren:* in seinem Zorn vergaß er sich völlig. **Vergessenheit,** die; -.

vergeßlich ⟨Adj.; nicht adverbial⟩: *leicht und immer wieder etwas vergessend:* ein vergeßlicher Mensch; er ist sehr v. **Vergeßlichkeit,** die; -.

vergeuden, vergeudete, hat vergeudet ⟨tr.⟩: *(etwas [Kostbares]) sinnlos verbrauchen, so daß es unwiederbringlich verloren ist:* sein Geld, seine Kräfte v.; mit dieser Arbeit wurde nur Zeit vergeudet.

vergewaltigen, vergewaltigte, hat vergewaltigt ⟨tr.⟩: **a)** *mit Gewalt zum Geschlechtsverkehr zwingen:* das Mädchen wurde vergewaltigt. **b)** *mit Gewalt, Terror unterdrücken:* ein Volk v. **c)** *entstellen, verfälschen:* das Recht, die Sprache v. **Vergewaltigung,** die; -, -en.

vergewissern, sich; vergewisserte sich, hat sich vergewissert: *nachsehen, prüfen, ob etwas tatsächlich geschehen ist, zutrifft:* bevor ich wegging, vergewisserte ich mich, ob das Licht überall abgedreht war.

vergießen, vergoß, hat vergossen ⟨tr.⟩: *unbeabsichtigt aus einem Gefäß schütten:* sie hat die ganze Milch vergossen. * **Tränen v.** *(heftig weinen);* **sein Blut für jmdn./etwas v.** *(sich für jmdn./etwas einsetzen und dabei schwer verwundet werden [und sterben]):* er hat sein Blut für ihn, für das Vaterland vergossen; **Schweiß v.** *(schwere, anstrengende Arbeit leisten).*

vergiften, vergiftete, hat vergiftet: **1.** ⟨tr.⟩ *mit Gift vermischen, giftig machen:* Speisen v. **2.** ⟨rfl.⟩ *seine Gesundheit durch Gift schädigen:* sie hatten sich an Pilzen, durch schlechtes Fleisch vergiftet. **3.** ⟨tr./rfl.⟩ *durch Gift töten:* sie hat ihren Mann vergiftet; er hat sich mit Tabletten vergiftet. **Vergiftung,** die; -, -en.

vergilbt ⟨Adj.⟩: *vor Alter gelb, blaß:* ein vergilbtes Foto.

Vergißmeinnicht, das; -s, -: /eine blaue Blume/ (siehe Bild).

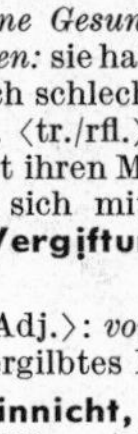

Vergißmeinnicht

verglasen, verglaste, hat verglast: **1.** ⟨tr.⟩ *mit Glasscheiben versehen:* ein Fenster v. **2.** ⟨itr.⟩ *glasig werden:* die Augen verglasen; ⟨meist im 2. Partizip⟩ verglaste Augen.

Vergleich, der; -s, -e: 1. *Betrachtung oder Überlegung, in der jmd./etwas mit jmdm./etwas verglichen wird:* ein treffender V.; dieser Roman hält keinen V. mit den früheren Werken des Dichters aus; im V. zu ihm *(verglichen mit ihm)* ist er unbegabt. 2. *gütlicher Ausgleich in einem Streitfall, Kompromiß:* einen V. vorschlagen; der Streit wurde durch einen V. beendet.

vergleichbar ⟨Adj.⟩: *so weit ähnlich, daß ein Vergleich möglich und sinnvoll ist:* die sozialen Verhältnisse des vorigen Jahrhunderts sind mit den heutigen nicht mehr v.

vergleichen, verglich, hat verglichen: 1. ⟨tr.⟩ *prüfend nebeneinanderhalten oder gegeneinander abwägen, um Unterschiede oder Übereinstimmungen festzustellen:* Bilder, Preise v.; ⟨auch rfl.⟩ er kann sich nicht mit ihm v. *(messen).* 2. ⟨rfl.⟩ *durch gegenseitiges Nachgeben einen Streit beenden; sich gütlich einigen:* die streitenden Parteien haben sich verglichen.

verglimmen, verglomm /verglimmte, ist verglommen/ verglimmt ⟨itr.⟩ (geh.): *immer schwächer glimmen und dann ganz verlöschen:* das Feuer verglimmt.

verglühen, verglühte, ist verglüht ⟨itr.⟩: a) *immer schwächer glühen und dann ganz verlöschen:* das Feuer ist verglüht. b) *durch große Geschwindigkeit und Reibung zu glühen beginnen und so zerstört werden:* die Rakete ist beim Eintritt in die Atmosphäre verglüht.

vergnügen, sich; vergnügte sich, hat sich vergnügt/vgl. vergnügt/: *sich in froher Stimmung die Zeit vertreiben:* sich auf einem Fest v.; die Kinder vergnügten sich mit ihren Geschenken.

Vergnügen, das; -s, -: 1. ⟨ohne Plural⟩ *Befriedigung oder Genuß, den man bei einer Beschäftigung oder beim Anblick von etwas [Schönem o. ä.] hat:* mit seinem Besuch bereitete er uns ein großes V.; die Arbeit machte ihm V.; ich wünsche euch viel V. im Theater. 2. *[festliche] Veranstaltung mit Tanz:* ein V. besuchen; auf ein V. gehen.

vergnügt ⟨Adj.⟩: *fröhlich, heiter und zufrieden:* er ist immer heiter und v.; er lächelte v. vor sich hin; es war ein vergnügter Abend.

Vergnügungen, die ⟨Plural⟩: *Veranstaltungen, Feste, die man besucht, um sich zu unterhalten:* er geht gern V. nach; er stürzte sich in wilde V.

Vergnügungspark, der; -s, -s: *auf einem größeren freien Gelände aufgebaute Volksbelustigungen wie Karussell, Achterbahn o. ä.:* Tivoli ist der Name eines großen Vergnügungsparks in Kopenhagen.

vergolden, vergoldete, hat vergoldet ⟨tr.⟩: 1. *mit einer dünnen Schicht Gold überziehen:* eine Statue v.; ⟨häufig im 2. Partizip⟩ eine vergoldete Uhr; bildl. (geh.): die untergehende Sonne vergoldete die Dächer *(gab den Dächern einen goldenen Glanz).* 2. (geh.) *verschönen; als glücklich, angenehm erscheinen lassen:* die Erinnerung vergoldete die schweren Jahre.

vergöttern, vergötterte, hat vergöttert ⟨tr.⟩: *übermäßig lieben und verehren:* die Schüler vergötterten ihren Lehrer; er vergötterte seine beiden Töchter. **Vergötterung,** die; -.

vergraben, vergräbt, vergrub, hat vergraben: 1. ⟨tr.⟩ *in ein gegrabenes Loch legen und wieder mit Erde bedecken:* das tote Tier wurde [in der Erde] vergraben. 2. ⟨tr.⟩ a) *verbergen:* sie vergrub das Gesicht in ihren Händen. b) *tief (in etwas) stecken:* die Hände in den Taschen v. 3. ⟨rfl.⟩ *sich mit etwas so intensiv beschäftigen, daß man kaum in Verbindung mit der Umwelt bleibt:* ich vergrub mich ganz in meine Bücher.

vergrämen, vergrämte, hat vergrämt ⟨tr.⟩ /vgl. vergrämt/: *kränken, verärgern:* er hat seinen besten Freund vergrämt.

vergrämt ⟨Adj.⟩: *so von Gram erfüllt, daß es im Gesicht deutlich erkennbar ist; seelisch leidend:* eine vergrämte alte Frau; er sieht v. aus.

vergreifen, sich; vergriff sich, hat sich vergriffen: ⟨in Verbindung mit bestimmten Präpositionen⟩ **sich in etwas v.** *(etwas Falsches wählen):* er hat sich im Ton, im Ausdruck vergriffen; **sich an etwas v.** *(sich etwas einem nicht gehört, aneignen):* sich an fremdem Eigentum v.; **sich an jmdm. v.** *(jmdm. Gewalt antun; jmdn. schlagen):* wie können Sie sich an fremden Kindern v.!

vergriffen ⟨Adj.; nicht adverbial⟩: *nicht lieferbar:* das Buch ist v.

vergrößern, vergrößerte, hat vergrößert: 1. ⟨tr.⟩ a) *größer machen:* einen Raum, ein Geschäft v. b) *vermehren:* sein Kapital v.; diese Maßnahme hatte das Übel noch vergrößert *(verschlimmert).* c) *eine größere Reproduktion (von etwas) herstellen:* eine Photographie v. 2. ⟨rfl.⟩ a) *größer werden:* der Betrieb hat sich wesentlich vergrößert. b) *zunehmen, sich vermehren:* die Zahl der Mitarbeiter hatte sich inzwischen vergrößert. **Vergrößerung,** die; -, -en.

Vergünstigung, die; -, -en: *[finanzieller] Vorteil, den man auf Grund bestimmter Voraussetzungen genießt; Ermäßigung:* die Eisenbahn gewährt bedeutende Vergünstigungen für Rentner und Pensionäre; die bisherigen Vergünstigungen wurden ihm entzogen.

vergüten, vergütete, hat vergütet ⟨tr.⟩: a) *(jmdn.) für Unkosten oder finanzielle Nachteile entschädigen:* jmdm. seine Auslagen, einen Verlust, den Verdienstausfall v. b) *(jmds. Leistungen) bezahlen:* eine Arbeit, eine Tätigkeit v. **Vergütung,** die; -, -en.

verhaften, verhaftete, hat verhaftet ⟨tr.⟩: *(jmdm.) auf Grund einer gerichtlichen Anordnung, eines Haftbefehls die Freiheit entziehen; festnehmen:* er ist unschuldig verhaftet worden; die Polizei hat den Mörder verhaftet. **Verhaftung,** die; -, -en.

verhalten, sich; verhält sich, verhielt sich, hat sich verhalten: 1. a) *(in einer bestimmten Weise) auf andere reagieren, sich jmdm. oder einer Situation gegenüber einstellen; sich benehmen:* sich korrekt, tolerant v.; sie verhielten sich zunächst abwartend; er hat sich völlig passiv verhalten. b) *sich in einem bestimmten Zustand befinden, sein:* die Sache verhält sich *(ist)* in Wirklichkeit ganz anders. 2. *(zu etwas) in einem bestimmten Verhältnis stehen:*

die beiden Gewichte verhalten sich zueinander wie 1 zu 2.

Verhalten, das; -s: *das Reagieren auf andere in einer bestimmten Weise, das Sicheinstellen jmdm. oder einer Situation gegenüber, Benehmen:* ein tadelloses V.; ich kann mir sein V. nicht erklären; er versuchte, sein V. zu rechtfertigen.

Verhältnis, das; -ses, -se: **1.** *Beziehung, in der sich etwas vergleichen läßt oder in der etwas in etwas enthalten ist:* sie teilten im V. 2 zu 1; der Lohn steht in keinem V. zur Arbeit *(ist zu gering, gemessen an der Arbeit).* **2.** *persönliche Beziehung, durch die man jmdn./etwas gut kennt:* in einem freundschaftlichen V. zu jmdm. stehen; in ein näheres V. zu jmdm. treten; er hat ein V. *(eine feste intime Freundschaft)* mit diesem Mädchen. **3.** ⟨Plural⟩ *durch die Zeit oder das Milieu geschaffene Umstände, unter denen jmd. lebt:* er ist ein Opfer der politischen Verhältnisse; sie lebten in ärmlichen Verhältnissen; er lebt über seine Verhältnisse *(gibt mehr Geld aus, als er sich leisten kann).*

verhältnismäßig ⟨Adverb⟩: *im Verhältnis zu etwas anderem, verglichen mit anderem; ziemlich:* diese Arbeit geht v. schnell; es waren v. viele Leute gekommen.

verhandeln, verhandelte, hat verhandelt ⟨itr./tr.⟩: *Unterredungen (über etwas) führen, sich (über etwas) besprechen:* die Vertreter der Regierungen verhandelten über den Abzug der Truppen; es wurden immer die gleichen Fragen verhandelt, ohne daß man zu einem Ergebnis gekommen wäre. **Verhandlung,** die; -, -en.

verhängen, verhängte, hat verhängt ⟨tr.⟩: **1.** *(etwas) vor etwas hängen, um es zu verdecken:* eine Tür mit einem Tuch v. **2.** *als Strafe oder als notwendige und unangenehme Maßnahme anordnen:* eine Strafe, Sperre über jmdn. v.

Verhängnis, das; -ses: *Unglück, dem jmd. nicht entgehen kann:* das V. brach über ihn herein; seine Leidenschaft wurde ihm zum V.

verhängnisvoll ⟨Adj.⟩: *leicht zu einem Verhängnis führend; so beschaffen, daß es unangenehme Folgen haben kann:* eine verhängnisvolle Entscheidung; es wirkte sich v. aus, daß man früher das Problem zu wenig beachtete.

verhärmt ⟨Adj.⟩: *wegen großer Sorgen schlecht und kränklich aussehend:* v. stand sie am Bett ihres kranken Kindes.

verhärten, verhärtete, hat verhärtet: **1.** ⟨tr.⟩ *hart[herzig], gefühllos machen:* das Leben, sein Schicksal hat ihn verhärtet. **2.** ⟨rfl.⟩ **a)** *hart werden:* die Geschwulst verhärtet sich. **b)** *sich verschließen; sich (gegen jmdn./etwas) abweisend, hartherzig zeigen:* dein Gefühl verhärtet sich, du verhärtest dich gegen deine Mitmenschen; ⟨häufig im 2. Partizip⟩ sein Gemüt, Herz ist verhärtet. **Verhärtung,** die; -.

verhaßt ⟨Adj.⟩: *gehaßt, verabscheut; Widerwillen in jmdm. erregend:* ein verhaßter Mensch; eine verhaßte Pflicht; diese Arbeit war mir v.

verhauen, verhaute, hat verhauen (ugs.): **1.** ⟨tr.⟩ *(jmdn.) ziemlich kräftig und anhaltend schlagen, um ihn zu strafen oder um seinem Ärger Luft zu machen:* zwei Jungen haben einen anderen verhauen. **2.** ⟨tr.⟩ *viele Fehler (in einer Klassenarbeit) machen:* ich habe die Lateinarbeit gründlich verhauen. **3.** ⟨rfl.⟩ *sich grob (mit etwas) verrechnen; sich (in etwas) irren:* du hast dich mit deiner Berechnung verhauen.

verheddern, sich; verhedderte sich, hat sich verheddert (ugs.): **a)** *sich (in etwas) verfangen, verwickeln:* er verhedderte sich im Gestrüpp. **b)** *mit dem Aussprechen eines Gedankens, dem Vortragen eines Textes nicht zurechtkommen; sich an einer Stelle mehrmals versprechen:* er verhedderte sich immer wieder bei der gleichen Strophe.

verheerend ⟨Adj.⟩: *furchtbar, entsetzlich:* ein verheerender Brand, Wirbelsturm; diese Maßnahmen wirkten sich v. aus, hatten eine verheerende Wirkung.

verhehlen, verhehlte, hat verhehlt ⟨tr.⟩ (geh.): *verheimlichen:* er konnte seine Enttäuschung über den Mißerfolg nicht v.

verheilen, verheilte, ist verheilt ⟨itr.⟩: *wieder heil werden/* von Wunden/: die Wunde wird gut v.; ⟨häufig im 2. Partizip⟩ eine verheilte Wunde; die Wunden waren noch nicht ganz verheilt.

verheimlichen, verheimlichte, hat verheimlicht ⟨tr.⟩: *(jmdn.) bewußt (von etwas) nicht in Kenntnis setzen; geheimhalten:* der Arzt verheimlichte ihr, wie schlecht es um ihren Mann stand; da gibt es nichts zu v. **Verheimlichung,** die; -, -en.

verheiraten, sich; verheiratete sich, hat sich verheiratet: *(jmdn.) heiraten:* er hat sich mit ihr verheiratet; ⟨häufig im 2. Partizip⟩ ein verheirateter junger Mann; er ist [mit ihr] verheiratet; ⟨auch tr.⟩ *(jmdm.) zur Ehe geben:* die Prinzessin wurde mit einem Herzog verheiratet.

verheißungsvoll ⟨Adj.⟩: *zu großen Erwartungen berechtigend; vielversprechend:* ein verheißungsvoller Anfang; seine Worte klangen sehr v.

verhelfen, verhilft, verhalf, hat verholfen ⟨itr.⟩: *dafür sorgen, daß (jmd. etwas) erhält oder erlangt:* jmdm. zu seinem Eigentum, zu seinem Recht v.

verherrlichen, verherrlichte, hat verherrlicht ⟨tr.⟩: *durch überschwengliches Lob herrlich und glanzvoll erscheinen lassen:* sie verherrlichten seine Taten. **Verherrlichung,** die; -.

verhindern, verhinderte, hat verhindert ⟨tr.⟩: *bewirken, daß etwas nicht geschieht oder daß jmd. etwas nicht tun kann:* ein Unglück, einen Diebstahl v.; das muß ich unter allen Umständen v.; der Dienst hat ihn verhindert, auf unserm Fest zu erscheinen; ⟨häufig im 2. Partizip⟩ er ist dienstlich verhindert; er war an der Teilnahme verhindert *(konnte nicht teilnehmen).* **Verhinderung,** die; -, -en.

verhöhnen, verhöhnte, hat verhöhnt ⟨tr.⟩: *verspotten; höhnisch auslachen und lächerlich zu machen suchen:* willst du mich v.?

Verhör, das; -s, -e: *gerichtliche oder polizeiliche Vernehmung; strenge Befragung:* das V. des Gefangenen dauerte mehrere Stunden. *** jmdn. einem V. unterziehen** *(jmdn. verhören).*

verhören, verhörte, hat verhört: **I.** ⟨tr.⟩ *gerichtlich oder polizeilich vernehmen:* den Angeklagten, die Zeugen v. **II.** ⟨rfl.⟩ *eine Äußerung falsch hören:* du mußt dich verhört haben, er hatte „morgen" und nicht „übermorgen" gesagt.

verhüllen, verhüllte, hat verhüllt ⟨tr.⟩: **1.** *hinter einer Hülle verbergen:* sie verhüllte ihr Gesicht mit einem Schleier. **2.** *(etwas) so darstellen oder ausdrücken, daß es weniger unangenehm oder schockierend wirkt:* mit seinen Worten versuchte er, die Wahrheit zu v.; ⟨häufig im 1. Partizip⟩ ein verhüllender Ausdruck; ⟨häufig im 2. Partizip⟩ eine verhüllte *(versteckte)* Drohung. **Verhüllung,** die; -, -en.

verhungern, verhungerte, ist verhungert ⟨itr.⟩: *vor Hunger sterben:* täglich verhungern in der Welt viele Menschen; (scherzh.) hoffentlich kommt das Essen bald, wir verhungern schon *(wir haben sehr großen Hunger);* ⟨häufig im 2. Partizip⟩ er sah sehr verhungert *(elend und abgemagert)* aus.

verhüten, verhütete, hat verhütet ⟨tr.⟩: *das Eintreten (von etwas) verhindern und jmdn./sich davor bewahren:* ein Unglück, eine Katastrophe v.; er konnte das Schlimmste v. **Verhütung** die; -.

Verhütungsmittel, das; -s, -: *Mittel, durch das eine Empfängnis verhütet wird.*

verifizieren, verifizierte, hat verifiziert ⟨tr.⟩: *auf die Richtigkeit hin überprüfen; (die Wahrheit von etwas) beweisen:* die Angaben, eine Behauptung v.

verirren, sich; verirrte sich, hat sich verirrt: *vom richtigen Weg abkommen, die Orientierung verlieren und bald in diese, bald in jene Richtung gehen:* sie hatten sich im Wald verirrt.

verjagen, verjagte, hat verjagt ⟨tr.⟩: **a)** *(jmdn.) veranlassen, daß er den Ort, an dem er sich befindet, für immer verläßt:* die Diebe, den Tyrannen v.; die Bauern wurden von Haus und Hof verjagt. **b)** *verscheuchen:* die Fliegen, Vögel v.; bildl.: er wollte die Sorgen, den unangenehmen Gedanken v.

verjähren, verjährte, ist verjährt ⟨itr.⟩: *auf Grund eines Gesetzes nach einer bestimmten Anzahl von Jahren nicht mehr verlangt oder gerichtlich verfolgt werden können:* die Schulden sind inzwischen verjährt; Mord verjährt nach dreißig Jahren. **Verjährung,** die; -.

verjubeln, verjubelte, hat verjubelt ⟨tr.⟩ (ugs.): *für Vergnügen ausgeben, verschwenden:* er hat gestern abend sein ganzes Geld verjubelt.

verjüngen, verjüngte, hat verjüngt: **1.** ⟨tr.⟩ *(jmdm.) ein jüngeres Aussehen und das Gefühl geben, jünger geworden zu sein:* sie hat sich v. lassen; dieses Mittel hat ihn um Jahre verjüngt; ⟨auch rfl.⟩ du hast dich verjüngt *(wirkst jünger als vorher).* **2.** ⟨rfl.⟩ *[nach oben hin] schmaler, dünner, enger werden:* die Säule verjüngt sich. **Verjüngung,** die; -.

verkalkt ⟨Adj.⟩: *alt und geistig schon recht unbeweglich:* dieser verkalkte Kerl läßt sich auch durch die besten Argumente nicht mehr umstimmen.

verkalkulieren, sich; verkalkulierte sich, hat sich verkalkuliert: *sich verrechnen, sich irren:* mit seinen Schätzungen hat er sich gewaltig verkalkuliert.

Verkauf, der; -s: *das Verkaufen:* der V. von Waren, Eintrittskarten, Briefmarken; der V. der alten Möbel brachte ihnen nicht viel Geld.

verkaufen, verkaufte, hat verkauft: **1.** ⟨tr.⟩ *zu einem bestimmten Preis an jmdn. abgeben:* etwas teuer, billig v.; sie mußten ihr Haus v.; das Kleid war schon verkauft; sie verkaufen Düngemittel und Kohlen *(handeln mit Düngemitteln und Kohlen);* sie verkauft Blumen auf dem Markt *(bietet auf dem Markt Blumen zum Kauf an).* **2.** ⟨rfl.⟩ (ugs.) *sich bestechen lassen:* er hat sich verkauft.

Verkäufer, der; -s, -: **1.** *Angestellter, der in einem Geschäft Waren verkauft:* er ist V. in einem Schuhgeschäft. **2.** *jmd., der etwas als Besitzer verkauft:* der V. dieses Hauses legt Wert darauf, daß die Hälfte der Summe gleich bezahlt wird.

Verkäuferin, die; -, -nen: *Angestellte, die in einem Geschäft Waren verkauft:* sie ist V. in einem Warenhaus.

Verkehr, der; -s: **1.** *Beförderung oder Bewegung von Personen, Sachen oder Fahrzeugen auf dafür vorgesehenen Wegen:* in der Stadt herrscht lebhafter V.; der V. stockt; ein Polizist lenkt den V. * **etwas aus dem V. ziehen** *(etwas nicht mehr für den Gebrauch zulassen):* ein Auto, Briefmarken, Banknoten aus dem V. ziehen. **2.** *Kontakt zu jmdm.; Beziehung zwischen Personen, die miteinander zu tun haben:* in brieflichem V. mit jmdm. stehen; er hat den V. mit ihr abgebrochen; er war unerfahren im V. mit Behörden.

verkehren, verkehrte, hat verkehrt: **1.** ⟨itr.⟩ *als öffentliches Verkehrsmittel regelmäßig auf einer Strecke fahren:* der Omnibus verkehrt alle fünfzehn Minuten; dieser Zug verkehrt nicht an Sonn- und Feiertagen. **2.** ⟨itr.⟩ **a)** *(mit jmdm.) Kontakt pflegen, sich regelmäßig (mit jmdm.) treffen oder schreiben:* die Frauen der beiden Kollegen verkehrten miteinander; sie verkehrt mit niemandem. **b)** *(bei jmdm.) regelmäßig zu Gast sein; regelmäßig (ein Lokal) besuchen:* er verkehrte viel in dieser Familie; in diesem Restaurant verkehren nur vornehme Leute. **3.** *(ins Gegenteil) verwandeln:* Recht und Unrecht v.; eine solche Auslegung hieße den Sinn der Worte ins Gegenteil v.

Verkehrsader, die; -, -n: *für den Verkehr eines Gebietes sehr wichtige Straße, Bahn o. ä.:* die Autobahn gehört zu den großen Verkehrsadern Deutschlands.

Verkehrsampel, die; -, -n: *Anlage, die durch rote, gelbe oder grüne Signale den Verkehr regelt* (siehe Bild): die V. zeigt Grün; die Kreuzung ist mit Verkehrsampeln versehen.

Verkehrsampel

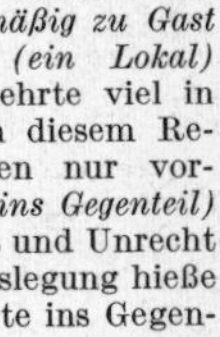

Verkehrsinsel, die; -, -n: *etwas erhöhter Platz in der Mitte einer Straße oder Kreuzung, durch den der Verkehrsstrom in bestimmte Bahnen geleitet werden soll.*

Verkehrsmittel, das; -s, -: *Fahrzeug, das der Öffentlichkeit* *für die Beförderung von Personen zur Verfügung steht:* durch die Überschwemmung fielen alle V. aus.

verkehrsreich ⟨Adj.⟩: *starken Verkehr habend:* eine verkehrsreiche Straße.

Verkehrsschild, das; -[e]s, -er: *Tafel mit einem Verkehrszeichen* (siehe Bild): die Verkehrsschilder an der Kreuzung sind zu unübersichtlich aufgestellt.

Verkehrsschild

Verkehrsunfall, der; -s, Verkehrsunfälle: *Unfall im Straßenverkehr:* er ist bei einem V. ums Leben gekommen.

Verkehrsweg, der; -[e]s, -e: *Straße, Bahn, Weg usw., auf dem sich der Verkehr abwickelt:* wegen des vielen Schnees sind viele Verkehrswege blockiert.

Verkehrszeichen, das; -s, -: *Zeichen zur Regelung des [Straßen]verkehrs* (siehe Bild): er hat nicht auf die V. geachtet.

Verkehrszeichen

verkehrt ⟨Adj.⟩: *dem Richtigen, Zutreffenden, Sinngemäßen entgegengesetzt:* du hast eine verkehrte Einstellung zu dieser Sache; er macht alles v. *(falsch)*; er hat den Pullover v. angezogen *(den vorderen Teil nach hinten)*.

verkennen, verkannte, hat verkannt ⟨tr.⟩: *nicht richtig, nicht in seiner wirklichen Bedeutung erkennen; falsch beurteilen:* jmds. Worte, den Ernst der Lage v.; ihre Absicht war nicht zu v. *(war deutlich zu erkennen)*; er wurde von allen verkannt *(in seinem Wert unterschätzt)*. * **etwas nicht v.** *(etwas zugeben)*: wir verkennen nicht, daß er auch manches Gute geschaffen hat.

verklagen, verklagte, hat verklagt ⟨tr.⟩: **1.** *eine gerichtliche Untersuchung (gegen jmdn.) verlangen; bei Gericht anzeigen:* er wurde wegen Körperverletzung verklagt. **2.** (landsch.) *verraten:* er hat seinen Kameraden beim Lehrer verklagt.

verklären, verklärte, hat verklärt ⟨tr.⟩: **a)** *schön, strahlend machen:* die Freude verklärte ihr Gesicht; ⟨auch rfl.⟩ ihre Augen verklärten sich. **b)** *schöner, glücklicher erscheinen lassen [als etwas eigentlich war]:* die Erinnerung verklärte die schweren Jahre. **Verklärung,** die; -.

verklausulieren, verklausulierte, hat verklausuliert ⟨tr.⟩: **a)** *mit vielen Klauseln versehen und dadurch unklar und unverständlich machen:* einen Vertrag v. **b)** *durch viele Einschränkungen oder ausweichende Floskeln undeutlich, unbestimmt machen:* die Erklärung des Ministers war sehr verklausuliert.

verkleiden, verkleidete, hat verkleidet: **1.** ⟨tr./rfl.⟩ *durch veränderte Kleidung unkenntlich machen und als einen anderen erscheinen lassen; kostümieren:* sie verkleideten ihn als Seemann; ich verkleidete mich als Harlekin. **2.** ⟨tr.⟩ *mit etwas bedecken und dadurch verhüllen:* Wände mit Holz v. **Verkleidung,** die; -, -en.

verkleinern, verkleinerte, hat verkleinert: **1.** ⟨tr.⟩ **a)** *kleiner machen:* einen Raum v. **b)** *kleiner erscheinen lassen, schmälern:* er versuchte, ihre Leistungen zu v. **c)** *eine kleinere Reproduktion (von etwas) herstellen:* ein Bild v. **2.** ⟨rfl.⟩ **a)** *kleiner werden:* dadurch, daß sie einige Räume als Büro benutzen, hat sich ihre Wohnung verkleinert. **b)** *geringer werden:* durch diese Umstände verkleinert sich seine Schuld nicht. **Verkleinerung,** die; -, -en.

verknöchert ⟨Adj.⟩: *alt und geistig nicht mehr sehr beweglich; verkalkt:* er ist schon sehr v.

verknüpfen, verknüpfte, hat verknüpft ⟨tr.⟩: **1.** *durch einen Knoten verbinden:* du mußt die Fäden v. **2. a)** *zugleich (mit etwas anderem) erledigen; verbinden:* er verknüpfte die Urlaubsreise mit einem Besuch bei seinen Eltern. **b)** *in Zusammenhang bringen; eine Verbindung herstellen:* zwei Gedanken logisch v.; ⟨häufig im 2. Partizip⟩ der Name des Architekten ist mit den großen Bauwerken seiner Zeit verknüpft. **Verknüpfung,** die; -.

verkommen, verkam, ist verkommen ⟨itr.⟩: **a)** *durch Vernachlässigung oder Haltlosigkeit allmählich zugrunde gehen:* das Kind verkam immer mehr; in dieser Gesellschaft wird er bestimmt v.; ⟨häufig im 2. Partizip⟩ sie ist ein verkommenes Wesen. **b)** *[durch Vernachlässigung] in einen solchen schlechten Zustand geraten, daß die betreffende Sache nicht mehr nutzbar ist:* sie lassen ihr Haus völlig v.; das Obst verkommt, weil es niemand erntet.

verkorksen, verkorkste, hat verkorkst (ugs.): *verderben; zunichte, falsch machen:* er hat uns den ganzen Plan verkorkst; er hat den Aufsatz verkorkst.

verkörpern, verkörperte, hat verkörpert ⟨tr.⟩: **a)** *(eine Gestalt) auf der Bühne darstellen:* die Schauspielerin verkörperte die Iphigenie vorbildlich. **b)** *(etwas) durch sein Wesen so vollkommen zur Anschauung bringen, daß man fast damit gleichzusetzen ist:* er verkörpert die höchsten Tugenden seines Volkes. **Verkörperung,** die; -, -en.

verköstigen, verköstigte, hat verköstigt ⟨tr.⟩: *jmdn. [längere Zeit hindurch] mit den täglichen Mahlzeiten versorgen:* während des Studiums wurde er von einer Tante verköstigt.

verkrachen, sich; verkrachte sich, hat sich verkracht /vgl. verkracht/ (ugs.): *(mit jmdm.) in Streit geraten; sich (mit jmdm.) verfeinden:* die beiden haben sich verkracht; ich habe mich mit ihr verkracht; ⟨häufig im 2. Partizip in Verbindung mit *sein*⟩ ich bin mit meinem Kollegen verkracht *(habe mich mit ihm verkracht)*.

verkracht ⟨Adj.; nur attributiv⟩ (ugs.): *[beruflich] gescheitert:* ein verkrachter Student, Lehrer.

verkraften, verkraftete, hat verkraftet ⟨tr.⟩ (ugs.): *mit seinen Kräften bewältigen:* es ist fraglich, ob er diese seelischen Belastungen überhaupt v. wird; zusätzliche Ausgaben kann ich in diesem Monat nicht v. *(mir nicht leisten)*.

verkrampfen, sich; verkrampfte sich, hat sich verkrampft: **a)** *sich wie im Krampf zusammenziehen:* seine Hand verkrampfte sich in die Decke; ⟨häufig im 2. Partizip⟩ er saß in verkrampfter Haltung am Schreibtisch. **b)** *unter irgendwelchen Einflüssen unfrei und gehemmt werden:* er verkrampfte sich durch die Versuche, seine Hemmungen abzulegen, immer mehr; ⟨häufig im 2. Partizip⟩ er ist ein verkrampfter Mensch; er lächelte verkrampft. **Verkrampfung,** die; -, -en.

verkriechen, sich; verkroch sich, hat sich verkrochen (ugs.): **a)** *in, unter etwas kriechen, um sich zu verstecken:* das Tier hat sich im Gebüsch verkrochen. **b)** *sich scheu von der Umwelt zurückziehen, um ganz allein zu sein:* er liebt so laute Feste nicht und hat sich bald verkrochen.

verkrümmen, verkrümmte, hat verkrümmt ⟨tr.⟩: *krumm machen, biegen:* sein Rückgrat wurde bei dem Unfall verkrümmt; ⟨meist im 2. Partizip⟩ verkrümmte Finger. **Verkrümmung,** die; -, -en.

verkühlen, sich; verkühlte sich, hat sich verkühlt (bes. östr.): *sich erkälten:* ich habe mich verkühlt.

Verkühlung, die; -, -en (bes. östr.): *Erkältung.*

verkümmern, verkümmerte, ist verkümmert ⟨itr.⟩: **a)** *allmählich eingehen:* durch die lange Trockenheit verkümmern die Pflanzen; ⟨häufig im 2. Partizip⟩ ein verkümmerter Strauch; verkümmerte Organe *(Organe, die sich zurückgebildet haben, die geschrumpft sind).* **b)** *in der Entwicklung stehenbleiben:* du darfst dein Talent nicht v. lassen; ⟨häufig im 2. Partizip⟩ ein verkümmertes Kind. **Verkümmerung,** die; -, -en.

verkünden, verkündete, hat verkündet ⟨tr.⟩: **a)** *öffentlich bekanntgeben:* ein Urteil, die Entscheidung des Landgerichts v.; die Anordnungen der Behörde werden in der Zeitung verkündet; im Radio wurde das Ergebnis des Wettkampfes verkündet. **b)** *[laut] erklären, mitteilen:* er verkündete stolz, daß er gewonnen habe. **Verkündung,** die; -, -en.

verkündigen, verkündigte, hat verkündigt ⟨tr.⟩: *[in feierlicher Form] bekanntmachen:* das Evangelium v. **Verkündigung** die; -.

verkürzen, verkürzte, hat verkürzt ⟨tr.⟩: *kürzer machen:* eine Schnur, ein Brett v.; die Arbeitszeit soll verkürzt werden; ⟨häufig im 2. Partizip⟩ verkürzte Arbeitszeit; der Arm erscheint auf dem Bild stark verkürzt *(perspektivisch verkleinert).* **Verkürzung,** die; -, -en.

Verlad, der; -[e]s (schweiz.): *Verladung.*

verladen, verlädt, verlud, hat verladen ⟨tr.⟩: *zum Transport in ein Fahrzeug bringen:* Güter, Waren v.; Truppen v.; im Hafen wurden Autos verladen. **Verladung,** die; -.

Verlag, der; -[e]s, Verlage: *Unternehmen, das Bücher o. ä. veröffentlicht und über den Buchhandel verkauft:* unser V. gibt Taschenbücher heraus.

verlagern, verlagerte, hat verlagert ⟨tr.⟩: **a)** *an einen anderen Ort bringen und dort lagern:* im Krieg wurden viele wertvolle Bilder des Museums aufs Land verlagert. **b)** *verschieben:* das Gewicht von einem Bein aufs andere v.; ⟨auch rfl.⟩ der Schwerpunkt der Nachforschungen verlagerte sich nunmehr auf die Frage nach dem Motiv.

Verlagerung, die; -, -en.

verlangen, verlangte, hat verlangt: **1.** ⟨tr.⟩ **a)** *(etwas) unbedingt haben wollen; fordern, unbedingt erwarten:* er verlangte von ihm 100 Mark; von jmdm. eine Antwort v. **b)** *(jmdn.) sprechen wollen:* Sie werden am Telefon verlangt; ⟨auch itr.⟩ der Chef hat nach ihm verlangt. **c)** *erfordern; notwendig brauchen:* diese Arbeit verlangt viel Geduld. **2.** ⟨itr.⟩ (geh.) *(etwas) begehren; sich (nach etwas) sehnen:* er verlangte/ihn verlangte [es] danach, sich zu bewähren.

Verlangen, das; -s: **1.** *Sehnsucht; inniger Wunsch:* er hatte ein großes V. danach, sie wiederzusehen. **2.** *Forderung; nachdrückliche Bitte:* auf sein V. hin wurde die Polizei gerufen.

verlängern, verlängerte, hat verlängert ⟨tr.⟩: **a)** *länger machen:* ein Kleid v. **b)** *längere Zeit dauern lassen:* er verlängerte seinen Urlaub; sie verlängerten den Vertrag um ein Jahr; ⟨auch rfl.⟩ der Vertrag verlängert sich um ein Jahr *(ist für ein weiteres Jahr gültig).* **Verlängerung,** die; -, -en.

verlangsamen, verlangsamte, hat verlangsamt ⟨tr.⟩: *die Geschwindigkeit (von etwas) vermindern:* die Fahrt, den Schritt v.

Verlaß: ⟨in der Verbindung⟩ auf jmdn. ist kein V.: *auf jmdn. kann man sich nicht verlassen:* auf ihn ist kein V.

verlassen, verläßt, verließ, hat verlassen: **1.** ⟨tr.⟩ **a)** *nicht mehr (bei jmdm./irgendwo) bleiben; (von jmdm./irgendwo) fortgehen:* um 10 Uhr hatte er das Haus verlassen. **b)** *(jmdm.) nicht beistehen, helfen; (jmdn.) im Stich, allein lassen:* er hatte seine Freunde in höchster Not verlassen. **2.** ⟨rfl.⟩ *(mit jmdm./etwas) fest rechnen; (auf jmdn./etwas) vertrauen:* er verläßt sich darauf, daß du kommst; ich kann mich auf meine Freunde v.

Verlassenschaft, die; -, -en (bes. schweiz.; östr.): *Hinterlassenschaft.*

verläßlich ⟨Adj.⟩: *so beschaffen, daß man sich darauf verlassen kann; zuverlässig, vertrauenswürdig:* ein verläßlicher Arbeiter; verläßliche *(glaubwürdige)* Nachrichten. **Verläßlichkeit,** die; -.

Verlauf, der; -[e]s, Verläufe: **1.** *Entwicklung, Hergang, Ablauf:* der V. der Krankheit war normal; im V. dieser Aktion *(während diese Aktion ablief);* nach V. mehrerer Stunden *(nachdem mehrere Stunden vergangen waren).* **2.** *Richtung, in der etwas verläuft; Art, wie sich etwas erstreckt:* den V. der Straße festlegen.

verlaufen, verläuft, verlief, hat/ist verlaufen: **1.** ⟨rfl.⟩ *vom richtigen Weg abkommen; sich verirren:* die Kinder hatten sich im Wald verlaufen. **2.** ⟨rfl.⟩ *auseinandergehen; sich auflösen, sich entfernen:* die Menge hat sich schnell verlaufen; das Wasser hat sich wieder verlaufen; ⟨auch itr.⟩ das Wasser war nach drei Tagen wieder verlaufen; die Zeit verlief *(verging)* sehr schnell. *(ugs.) **im Sand v.** *(erfolglos ausgehen):* dieses Unternehmen ist bald im Sand v.

3. ⟨itr.⟩ *sich entwickeln; ablaufen:* die Sache ist gut verlaufen; die Krankheit verlief normal. 4. ⟨itr.⟩ *sich erstrecken; eine bestimmte Richtung haben:* die Straße verläuft gerade. 5. ⟨itr.⟩ *ineinander übergehen:* die braune Farbe ist ins Grüne verlaufen.

verlautbaren, verlautbarte, hat verlautbart ⟨tr.⟩: *[amtlich] bekanntgeben:* über den Stand der Untersuchung wurde noch nichts verlautbart. **Verlautbarung,** die; -, -en.

verleben, verlebte, hat verlebt ⟨tr.⟩ /vgl. verlebt/: *verbringen, zubringen:* er hat eine glückliche Jugend verlebt; er hat drei Jahre in Amerika verlebt.

verlebt ⟨Adj.⟩: *durch ein ausschweifendes Leben vorzeitig gealtert und verbraucht:* er sieht v. aus. **Verlebtheit,** die; -.

verlegen: I. verlegte, hat verlegt: 1. ⟨tr.⟩ a) *(an einen anderen Ort) legen:* er hat seinen Wohnsitz nach Frankfurt verlegt. b) *(auf einen späteren Zeitpunkt, in einen anderen Zeitraum) legen; verschieben:* die Veranstaltung ist [auf die nächste Woche] verlegt worden. c) *an den falschen Platz legen; (etwas) so legen, daß man es nicht wiederfindet:* seine Brille v. d) *über eine bestimmte Strecke hin legen, zusammenfügen:* sie verlegten die Rohre für die Wasserleitung. 2. ⟨tr.⟩ *versperren:* jmdm. den Weg v. 3. ⟨tr.⟩ *(als Verlag ein Buch o. ä.) veröffentlichen; (ein Buch o. ä.) drucken [lassen] und vertreiben:* dieser Verlag verlegt Bücher und Zeitungen. 4. ⟨rfl.⟩ *es (mit etwas anderem) versuchen:* er verlegte sich aufs Bitten. II. ⟨Adj.⟩ *in eine peinliche Lage versetzt, so daß man nicht recht weiß, wie man sich verhalten soll; befangen, verwirrt:* er fühlte sich durchschaut und lachte v.

Verlegenheit, die; -: a) *das Verlegensein; Unsicherheit, wie man sich verhalten soll:* man merkte ihm seine V. deutlich an. b) *Situation, in der man sehr verlegen ist; peinliche Lage:* er hat mir aus der V. geholfen.

Verleger, der; -s, -: *jmd., der Bücher o. ä. verlegt; Inhaber eines Verlags:* er sucht einen V. für seinen Roman.

verleiden, verleidete, hat verleidet ⟨tr.⟩: *erreichen, daß jmd. (an etwas) keine Freude mehr hat:* das schlechte Zimmer hat mir den ganzen Urlaub verleidet.

verleihen, verlieh, hat verliehen ⟨tr.⟩: a) *(jmdm.) leihen:* er hat seinen Schirm [an einen Bekannten] verliehen. b) *(jmdm.) überreichen und (ihn damit) auszeichnen:* ihm wurde ein hoher Orden verliehen. c) (geh.) *geben, verschaffen:* diese Arbeit verlieh seinem Leben ein wenig Inhalt; mit diesen Worten hatte er der Meinung aller Ausdruck verliehen *(hatte er die Meinung aller ausgedrückt).* **Verleihung,** die; -, -en.

verleimen, verleimte, hat verleimt ⟨tr.⟩: *mit Hilfe von Leim fest zusammenfügen, verbinden:* die Bretter werden verleimt.

verleiten, verleitete, hat verleitet ⟨tr.⟩: *(jmdn.) dazu bringen, daß er etwas tut, was er für unklug oder unerlaubt hält und eigentlich nicht tun wollte:* er verleitete mich zu einer unvorsichtigen Äußerung; jmdn. zu einer Sünde v.

verlernen, verlernte, hat verlernt ⟨tr.⟩: *wieder vergessen:* er verlernt alles, was er mühselig gelernt hat; etwas verlernt haben *(etwas nicht mehr können).*

verlesen, verliest, verlas, hat verlesen. I. 1. ⟨tr.⟩ *öffentlich vorlesen [um es zur Kenntnis zu bringen]:* einen Befehl v.; die Namen der Anwesenden wurden verlesen. 2. ⟨rfl.⟩ *sich beim Lesen irren, etwas falsch lesen:* er hat sich in dem einen Satz mehrmals verlesen. II. ⟨tr.⟩ *die schlechten Körner, Beeren o. ä. (von etwas) aussondern:* Beeren, Erbsen v.

verletzen, verletzte, hat verletzt ⟨tr.⟩: 1. *(jmdm.) eine Wunde beibringen:* ich habe ihn/mich [an der Hand] verletzt; jmdm./sich die Hand v. 2. a) *(etwas) nicht wahren, nicht achten:* sein Verhalten verletzt den Anstand, den Geschmack; ein Gesetz v. *(übertreten);* seine Pflicht v. *(nicht erfüllen).* b) *(jmdn.) in seinem Stolz treffen, ihn kränken, beleidigen:* seine Bemerkung hatte ihn sehr verletzt; ⟨häufig im 1. Partizip⟩ eine verletzende Bemerkung.

Verletzung, die; -, -en: 1. *Verwundung, Beschädigung des Körpers, der Gliedmaßen; verletzte Stelle:* er wurde nach dem Unfall mit schweren Verletzungen ins Krankenhaus gebracht. 2. *das Nichtbeachten (einer Vorschrift, eines Gesetzes), Übertretung:* die V. einer Vorschrift, Pflicht, eines Gesetzes.

verleugnen, verleugnete, hat verleugnet ⟨tr.⟩: *behaupten, daß etwas Bestehendes nicht besteht; (etwas Bestehendes) als nicht bestehend erscheinen lassen:* die Wahrheit v.; seine Freunde v. *(erklären, daß es nicht seine Freunde sind);* ⟨auch rfl.⟩ in diesem Fall müßte ich mich selbst v. *(müßte ich gegen meine eigentlichen Vorstellungen, mein wahres Wesen handeln).* * **sich v. lassen** *(seine Anwesenheit verheimlichen; so tun, als ob man nicht da wäre).* **Verleugnung,** die; -, -en.

verleumden, verleumdete, hat verleumdet ⟨tr.⟩: *(über jmdn.) Unwahres verbreiten und seinem Ruf dadurch schaden:* als Politiker wird man oft verleumdet. **Verleumdung,** die; -, -en.

verlieben, sich; verliebte sich; hat sich verliebt: *von Liebe (zu jmdm.) ergriffen werden:* er hatte sich heftig in das Mädchen verliebt; ⟨häufig im 2. Partizip⟩ ein verliebtes Paar; sie war in ihn verliebt. **Verliebtheit,** die; -.

verlieren, verlor, hat verloren: 1. ⟨tr.⟩ *(etwas, was man gehabt, besessen, bei sich getragen hat o. ä.) [plötzlich] nicht mehr haben:* seine Brieftasche v.; er hat sein ganzes Vermögen verloren *(eingebüßt);* der Baum verliert die Blätter *(die Blätter fallen vom Baum ab);* ich verliere *(verschwende)* bei dieser Arbeit nur meine Zeit; ⟨häufig im 2. Partizip⟩ das ist verlorene *(vergebliche)* Mühe; er ist ein verlorener *(zugrunde gerichteter, dem Untergang ausgesetzter)* Mann; ⟨auch itr.⟩ er verlor an Ansehen *(sein Ansehen wurde nach und nach geringer).* 2. ⟨tr.⟩ *(bei einer Sache) erfolglos sein, besiegt werden; nicht gewinnen:* den Krieg v.; ⟨auch itr.⟩ er hat [beim Spiel] hoch verloren. 3. ⟨rfl.⟩ *verschwinden:* der Weg verlor sich im Wald; die Angst verlor sich *(schwand)* nach und nach; er hatte sich völlig in Träumen verloren *(war völlig in seinen Träumen aufgegangen).*

verloben, sich; verlobte sich, hat sich verlobt: *(jmdm.) die Heirat versprechen:* er verlobte sich mit der Tochter des Nachbarn; ⟨häufig im 2. Partizip in Verbindung mit *sein*⟩ er ist bereits verlobt *(hat sich bereits verlobt)*. **Verlobung,** die; -, -en.

verlocken, verlockte, hat verlockt (geh.) ⟨tr.⟩: *(auf jmdn.) so einwirken, daß er kaum widerstehen kann:* der blaue See verlockte sie zum Baden.

verlogen ⟨Adj.⟩ (abwertend): *immer wieder lügend, zum Lügen neigend; unaufrichtig:* ein verlogenes Kind. **Verlogenheit,** die; -.

verlorengehen, ging verloren, ist verlorengegangen ⟨itr.⟩: *[plötzlich] nicht mehr vorhanden sein; [ver]schwinden, abhanden kommen:* meine Brieftasche war verlorengegangen; (ugs.) an ihm ist ein Arzt verlorengegangen *(er hätte ein guter Arzt werden können)*.

verlosen, verloste, hat verlost ⟨tr.⟩: *durch Los verteilen; durch Los bestimmen, wer etwas bekommt:* es wurden drei Autos verlost. **Verlosung,** die; -, -en.

Verlust, der; -es, -e: **1.** *das Verlieren, das Verschwinden:* der V. seiner Brieftasche; der V. *(die Einbuße)* seines gesamten Vermögens; groß war der V. an Ansehen *(die Abnahme, die Verringerung des Ansehens)*; dieses Geschäft brachte 1000 Mark V. *(Defizit)*; es waren nur materielle Verluste *(Schäden)* zu beklagen; den V. *(Tod)* des Vaters beklagen. * (Amtsspr.) **in V. geraten** *(verlorengehen)*. **2.** *Mißerfolg, Niederlage (in etwas):* der V. dieses Prozesses.

verlustig: ⟨in der Wendung⟩ einer Sache v. gehen: *(einen Posten, ein Recht o. ä.) verlieren:* er ist seines Amtes, seines Wahlrechts v. gegangen.

vermachen, vermachte, hat vermacht ⟨tr.⟩: *vererben, als Erbe hinterlassen:* sie hat ihm ihr Haus vermacht.

Vermächtnis, das; -ses, -se: *Erbe, Hinterlassenschaft:* jmdm. ein V. hinterlassen; bildl.: wir sollen seine Forschungen weiterführen, denn das war das V. *(der letzte Wunsch)* des Verstorbenen.

vermählen, sich; vermählte sich, hat sich vermählt (geh.): *sich verheiraten:* er hat sich mit der Tochter des Nachbarn vermählt; ⟨häufig im 2. Partizip in Verbindung mit *sein*⟩ er ist vermählt *(hat sich vermählt)*. **Vermählung,** die; -, -en.

vermehren, vermehrte, hat vermehrt: **1. a)** ⟨tr.⟩ *an Menge, Anzahl o. ä. größer machen:* er vermehrt sein Vermögen in jedem Jahr um eine Million. **b)** ⟨rfl.⟩ *an Menge, Anzahl o. ä. größer werden; wachsen:* die Bevölkerung der Erde vermehrt sich sehr schnell. **2.** ⟨rfl.⟩ *sich fortpflanzen:* Schnecken vermehren sich in der Regel durch Eier. **Vermehrung,** die; -, -en.

vermeiden, vermied, hat vermieden ⟨tr.⟩: *darauf achten, daß man etwas nicht tut, daß etwas nicht geschieht:* man sollte diese heiklen Fragen v.

vermeintlich ⟨Adj.; nicht prädikativ⟩: *irrtümlich als solcher angesehen; nach fälschlicher Ansicht:* der vermeintliche Verbrecher entpuppte sich als harmloser Tourist.

vermerken, vermerkte, hat vermerkt ⟨tr.⟩: **a)** *notieren, aufschreiben:* er vermerkte den Tag der Konferenz im Kalender. **b)** *zur Kenntnis nehmen; beachten:* diese Bemerkung wurde in der Öffentlichkeit sehr wohl vermerkt. ** **[jmdm.] etwas übel v.** *([jmdm.] etwas übelnehmen; etwas mit Mißfallen aufnehmen)*.

vermessen: I. vermessen, vermißt, vermaß, hat vermessen: **1. a)** ⟨tr.⟩ *genau [ab]messen:* das Feld v. **b)** ⟨rfl.⟩ *falsch messen:* das ist nicht richtig, du hast dich vermessen. **2.** ⟨rfl.⟩ (geh.) *sich anmaßen; wagen:* du hast dich vermessen, ihn zu kritisieren? **II.** ⟨Adj.⟩ (geh.) *sich zu sehr auf die eigenen Kräfte oder auf das Glück verlassend; tollkühn:* ein vermessener Mensch; es ist v., so zu reden.

vermieten, vermietete, hat vermietet ⟨tr.⟩: *gegen Bezahlung für eine begrenzte Zeit zur Benutzung überlassen:* [jmdm./an jmdn.] eine Wohnung, ein Auto v. **Vermietung,** die; -, -en.

vermindern, verminderte, hat vermindert: **a)** ⟨tr.⟩ *geringer, kleiner, schwächer machen; abschwächen:* die Gefahr eines Krieges wurde vermindert. **b)** ⟨rfl.⟩ *geringer, kleiner, schwächer werden; abnehmen:* sein Einfluß verminderte sich. **Verminderung,** die; -, -en.

vermischen, vermischte, hat vermischt ⟨tr.⟩: *sorgfältig und gründlich mischen:* das Mehl wird mit der Butter vermischt.

vermissen, vermißt, vermißte, hat vermißt ⟨tr.⟩: *[schmerzlich berührt] bemerken, daß etwas nicht mehr da ist und zur Verfügung steht, daß jmd. nicht mehr in der Nähe, anwesend ist:* er vermißte seine Brieftasche; ⟨häufig im 2. Partizip⟩ er wurde im Krieg als vermißt *(verschollen)* gemeldet.

vermitteln, vermittelte, hat vermittelt: **1.** ⟨tr.⟩ *(jmdm.) verschaffen:* jmdm. eine Wohnung v. **2.** ⟨itr.⟩ *(zwischen Gegnern) eine Einigung erzielen; bei einem Streit als Schiedsrichter tätig sein:* er vermittelte zwischen den beiden streitenden Parteien. **Vermittlung,** die; -, -en.

Vermittler, der; -s, -: *jmd., der zwischen zwei Personen oder Parteien vermittelt:* das Geschäft ist über einen V. abgeschlossen worden.

Vermittlung, die; -, -en: *das Vermitteln:* ich habe die Wohnung durch seine V. bekommen.

vermöge ⟨Präp. mit Gen.⟩ (geh.): *durch, auf Grund:* v. seiner Beziehungen hat er einen guten Posten bekommen.

vermögen, vermag, vermochte, hat vermocht ⟨itr.; v. + zu + Inf.⟩: *die nötige Kraft aufbringen, die Fähigkeit haben (etwas zu tun); imstande sein:* nur wenige vermochten, sich zu retten.

Vermögen, das; -s, -: **1.** ⟨ohne Plural⟩ *Kraft, Fähigkeit (etwas zu tun):* sein V., die Menschen zu beeinflussen, ist groß. **2.** *gesamter Besitz, der einen geldlichen Wert darstellt:* ein großes V. besitzen.

vermögend ⟨Adj.; nicht adverbial⟩: *ein größeres Vermögen besitzend; reich:* eine vermögende Familie.

vermuten, vermutete, hat vermutet ⟨tr.⟩: *für möglich, für wahrscheinlich halten; annehmen, glauben:* ich vermute, daß er nicht kommt; ich vermute ihn in der Bibliothek *(ich ver-*

mute, daß er in der Bibliothek ist).

vermutlich: I. ⟨Adj.; nur attributiv⟩: *für möglich, wahrscheinlich gehalten; vermutet:* er stellte Berechnungen an über das vermutliche Ergebnis der Wahl. II. ⟨Adverb⟩: *wie man vermuten kann; schätzungsweise, vielleicht:* er wird v. morgen kommen.

Vermutung, die; -, -en: *Annahme, Ansicht:* er wehrte sich gegen die V., daß es sich um einen Selbstmord handele.

vernachlässigen, vernachlässigte, hat vernachlässigt ⟨tr.⟩: *sich nicht genügend (um jmdn./etwas) kümmern:* er vernachlässigte seine Arbeit.

vernehmen, vernimmt, vernahm, hat vernommen ⟨tr.⟩: 1. (geh.) *hören:* er vernahm leise Schritte. 2. *gerichtlich befragen; verhören:* der Angeklagte wurde vernommen.

Vernehmung, die; -, -en: *gerichtliche Befragung:* die Vernehmung des Angeklagten.

verneigen, sich; verneigte sich, hat sich verneigt (geh.): *sich verbeugen:* ich verneigte mich tief; bildl.: sich vor einem großen Toten v. *(ihm Ehrfurcht zollen).* **Verneigung,** die; -, -en.

verneinen, verneinte, hat verneint ⟨tr.⟩: *(zu etwas) nein sagen:* er verneinte die Frage heftig; er verneinte die Möglichkeit einer Einigung *(schloß sie aus, ließ sie nicht gelten).* **Verneinung,** die; -, -en.

vernichten, vernichtete, hat vernichtet ⟨tr.⟩: *völlig zerstören:* die Stadt wurde vernichtet; seine Feinde v.; ⟨häufig im 1. Partizip⟩ eine vernichtende *(völlige)* Niederlage; bildl.: ein vernichtendes *(absolut negatives)* Urteil.

Vernunft, die; -: *Fähigkeit des Menschen, die Zusammenhänge und die Ordnung des Wahrgenommenen zu erkennen:* der Mensch ist mit V. begabt; jmdn. zur V. *(Einsicht, Besonnenheit)* bringen.

vernünftig ⟨Adj.⟩: a) *einsichtig, besonnen; von Vernunft geleitet:* er ist ein vernünftiger Mensch. b) *von Einsicht und Vernunft zeugend und daher angemessen; einleuchtend:* diese Frage ist v.

veröffentlichen, veröffentlichte, hat veröffentlicht ⟨tr.⟩: *in gedruckter o. ä. Form der Öffentlichkeit zugänglich machen:* einen Roman v. **Veröffentlichung,** die; -, -en.

verordnen, verordnete, hat verordnet ⟨tr.⟩: 1. *(als Arzt) festlegen, was zur Heilung eingenommen oder getan werden soll; verschreiben:* der Arzt hat [ihm] ein Medikament und Bettruhe verordnet. 2. *verfügen, anordnen:* es wird hiermit verordnet, daß von 2 bis 4 Uhr keine Autos fahren dürfen. **Verordnung,** die; -, -en.

verpachten, verpachtete, hat verpachtet ⟨tr.⟩: *für längere Zeit gegen Zahlung eines bestimmten Betrages zur Nutzung überlassen:* ein Gut, eine Jagd v. **Verpachtung,** die; -, -en.

verpacken, verpackte, hat verpackt ⟨tr.⟩: *zum Transport (in etwas) packen, (in etwas) unterbringen:* sie verpackte die Eier in Kästen; er verpackte das Buch in Zeitungspapier *(umwickelte es mit Zeitungspapier).* **Verpackung,** die; -, -en.

verpassen, verpaßt, verpaßte, hat verpaßt ⟨tr.⟩ (ugs.): *versäumen:* den Zug v. *(nicht erreichen);* eine Chance v. *(nicht nützen);* ⟨häufig im 2. Partizip⟩ eine verpaßte Gelegenheit. ** **jmdm. eine [Ohrfeige] v.** *(jmdn. ohrfeigen).*

verpatzen, verpatzte, hat verpatzt ⟨tr.⟩ (ugs.): *durch Ungeschicklichkeit, Unachtsamkeit zunichte machen; verderben:* er hat die ganze Szene verpatzt.

verpesten, verpestete, hat verpestet ⟨tr.⟩: *mit Gestank erfüllen:* die Luft in der Stadt wird durch die Fabriken verpestet. **Verpestung,** die; -.

verpflanzen, verpflanzte, hat verpflanzt ⟨tr.⟩: a) *an eine andere Stelle pflanzen:* einen Baum v. b) *(Organe) in einen fremden Körper einsetzen:* ein Herz, eine Niere v. **Verpflanzung,** die; -, -en.

verpflegen, verpflegte, hat verpflegt ⟨tr.⟩: *mit Nahrung versorgen:* während der Krankheit ihrer Mutter verpflegte sie ihren Bruder und sich. **Verpflegung,** die; -, -en.

verpflichten, verpflichtete, hat verpflichtet: 1. ⟨tr.⟩ a) *(jmdn. an etwas) vertraglich o. ä. binden:* jmdn. für ein Amt v.; er ist als Schauspieler nach München verpflichtet *(in München eingestellt)* worden; jmdn. eidlich [auf etwas] v. *(vereidigen).* b) *(jmdm.) die Pflicht auferlegen; (jmdn.) verbindlich (auf etwas) festlegen:* sein Amt verpflichtet ihn [dazu], sich um die Sorgen der Bürger zu kümmern. 2. ⟨rfl.⟩ *fest versprechen; sich festlegen; ganz fest zusagen:* ich habe mich verpflichtet, diese Aufgabe zu übernehmen; er hat sich für ein Jahr verpflichtet *(vertraglich gebunden).* **Verpflichtung,** die; -, -en.

verpfuschen, verpfuschte, hat verpfuscht ⟨tr.⟩: *so ungeschickt, schlecht herstellen, daß es kaum brauchbar ist:* die Schneiderin hat das Kleid verpfuscht; ein verpfuschtes *(durch äußere Einflüsse oder eigene Schuld verdorbenes)* Leben.

verplempern, verplemperte, hat verplempert (ugs.): 1. ⟨tr.⟩ *planlos, sinnlos verbrauchen oder verbringen:* Geld, Zeit v. 2. ⟨rfl.⟩ *sich ständig leichtsinnig mit Mädchen einlassen und sich dadurch verausgaben:* du hast dich mit diesen Bekanntschaften ganz gehörig verplempert.

verprügeln, verprügelte, hat verprügelt ⟨tr.⟩: *heftig prügeln:* der Junge verprügelte seinen Klassenkameraden.

verpumpen, verpumpte, hat verpumpt ⟨tr.⟩ (ugs.): *verleihen, für eine begrenzte Zeit zur Verfügung stellen:* er hat sein Fahrrad für eine Woche verpumpt.

Verputz, der; -es: *Masse aus Kalk und Sand [die auf rohe Wände aufgetragen wird]; Putz:* der V. fällt schon von den alten Mauern.

verputzen, verputzte, hat verputzt ⟨tr.⟩: 1. *mit Putz versehen:* der Maurer verputzt die Wände. 2. (ugs.) *essen:* er hat eine Menge Kuchen verputzt.

verquicken, verquickte, hat verquickt ⟨tr.⟩: *(mit etwas) in Verbindung bringen, womit es eigentlich nicht zusammengehört:* zwei verschiedene Dinge miteinander v.; hier werden politische und wissenschaftliche Probleme verquickt. **Verquickung,** die; -.

Verrat, der; -[e]s: 1. *das Weitersagen von etwas, das geheim bleiben sollte:* der V. militärischer Geheimnisse. **2.** *Bruch der Treue; das Im-Stich-Lassen:* der V. an seinen Freunden.

verraten, verrät, verriet, hat verraten ⟨tr.⟩: **1.** *(etwas, das geheim bleiben sollte) weitersagen:* er hat [ihm] verraten, wo das Treffen stattfinden soll; ich will dir v. *(im Vertrauen mitteilen)*, wo ich hinfahre. **2.** *(jmdn.) durch Weitersagen von etwas Geheimem an einen anderen ausliefern; (jmdm.) die Treue brechen; im Stich lassen:* er hat seinen Freund verraten. **3.** *erkennen lassen; offenbar werden lassen:* seine Miene verriet tiefe Bestürzung.

Verräter, der; -s, -: *jmd., der Verrat übt.*

verrechnen, verrechnete, hat verrechnet: **1.** ⟨tr.⟩ *Forderungen, die auf zwei Seiten bestehen, miteinander ausgleichen:* der Kaufmann verrechnete die Forderung seines Kunden mit seiner eigenen. **2.** ⟨rfl.⟩ **a)** *falsch rechnen; beim Rechnen einen Fehler machen:* du hast dich bei dieser Aufgabe verrechnet. **b)** (ugs). *sich täuschen, sich irren:* er hatte sich in diesem Menschen sehr verrechnet.

verrecken, verreckte, ist verreckt (derb): *[unter großen Qualen] sterben; elend zugrunde gehen:* man ließ ihn wie einen Hund v.

verregnet ⟨Adj.⟩: *durch länger anhaltenden Regen verdorben:* ein verregneter Sonntag; der Urlaub war v.

verreisen, verreiste, ist verreist ⟨itr.⟩: *für eine bestimmte Zeit seinen Wohnort verlassen, an einen anderen Ort fahren und dort bleiben:* er ist für drei Wochen verreist.

verreißen, verriß, hat verrissen ⟨tr.⟩: **1.** *sehr schlecht beurteilen, kritisieren:* das neue Theaterstück wurde von den Kritikern völlig verrissen. **2.** *aus der [richtigen] Richtung reißen* /von der Lenkung/: der Fahrer hat das Steuer verrissen.

verrenken, verrenkte, hat verrenkt ⟨itr.⟩: *(ein Glied) so unglücklich bewegen, daß der Knochen aus der normalen Lage gebracht und das Gelenk verletzt wird:* ich habe mir den Arm verrenkt. **Verrenkung,** die; -, -en.

verrichten, verrichtete, hat verrichtet ⟨tr.⟩: *ordnungsgemäß ausführen, tun:* eine Arbeit v. **Verrichtung,** die; -, -en.

verringern, verringerte, hat verringert: **a)** ⟨tr.⟩ *kleiner, geringer machen:* den Abstand v. **b)** ⟨rfl.⟩ *kleiner, geringer werden:* die Kosten haben sich in diesem Jahr nicht verringert. **Verringerung,** die; -, -en.

verrosten, verrostete, ist verrostet ⟨itr.⟩: *stark rosten [so daß es langsam unbrauchbar wird]:* das Auto war von unten bereits ganz verrostet.

verrucht ⟨Adj.⟩ (geh.; veraltend): *verabscheuenswert, schändlich, verbrecherisch:* ein verruchter Mörder; eine verruchte Tat.

verrückt ⟨Adj.; nicht adverbial⟩: **a)** *seines Verstandes beraubt, geistesgestört:* seit ihrem Unfall ist sie v. **b)** *ausgefallen, ungewöhnlich, nicht alltäglich:* er hat eine verrückte Idee. ****v. sein auf etwas** *(begierig sein auf etwas):* sie ist ganz v. auf saure Gurken; **v. sein auf jmdn./nach jmdm.** *(in jmdn. sehr verliebt sein):* er ist ganz v. nach ihr.

verrufen ⟨Adj.; nicht adverbial⟩: *in einem sehr schlechten Ruf stehend:* eine verrufene Gegend.

verrühren, verrührte, hat verrührt ⟨tr.⟩: *durch Rühren (mit etwas) vermischen:* das Mehl mit Milch v.

Vers, der; -es, -e: *rhythmische [durch Reim begrenzte] Einheit, Zeile eines Gedichts:* ein gereimter V. *(ugs.) **sich** (Dativ) **keinen V. auf etwas machen können** *(sich etwas nicht erklären können).*

versagen, versagte, hat versagt: **1.** ⟨tr.⟩ *(etwas Erwartetes, Gewünschtes o. ä.) nicht gewähren, nicht zubilligen; verweigern:* er versagte ihnen seinen Schutz; jmdm. einen Wunsch v. *(nicht erfüllen; abschlagen).* ***sich etwas v.** *(auf etwas verzichten; sich etwas nicht gönnen):* er versagt sich (Dativ) alles; ich kann es mir nicht v., darauf hinzuweisen *(ich muß darauf hinweisen).* **2.** ⟨itr.⟩ **a)** *nicht das Erwartete leisten:* er hat im Examen versagt; da versagt auch die ärztliche Kunst *(da kann auch die ärztliche Kunst nicht mehr helfen).* **b)** *nicht mehr funktionieren:* plötzlich versagten die Bremsen; mitten auf der Kreuzung versagte der Motor.

Versager, der; -s, -: **a)** *jmd., der nicht das Erwartete leistet, versagt hat:* er ist in seinem Beruf ein V. **b)** *etwas, was nicht funktioniert:* das Gerät war ein V.; auf der ganzen Fahrt gab es keinen V. *(hat das Fahrzeug nie versagt).*

versalzen, versalzte, hat versalzen ⟨tr.⟩: *zu stark salzen:* sie hat die Suppe versalzen; ⟨häufig im 2. Partizip⟩ das Essen ist versalzen; bildl. (ugs.): jmdm. die ganze Freude v. *(verderben).*

versammeln, versammelte, hat versammelt: **a)** ⟨tr.⟩ *(mehrere Menschen) veranlassen, sich an einen bestimmten Ort zu begeben, um dort für einige Zeit zusammen zu sein; (um sich) sammeln, vereinigen:* er versammelte seine Familie um sich. **b)** ⟨itr.⟩ *sich an einen bestimmten Ort begeben, um dort für einige Zeit mit anderen zusammen zu sein; sich sammeln; zusammenkommen:* die Schüler versammelten sich vor der Schule. **Versammlung,** die; -, -en.

Versand, der; -[e]s: *das Versenden von Waren [vom Produzenten zum Händler oder Käufer]:* der V. der Bücher muß noch vor Weihnachten abgeschlossen sein.

versanden, versandete, ist versandet ⟨itr.⟩: *durch Anschwemmung von Sand immer seichter werden, nicht mehr schiffbar o. ä. sein:* der Fluß, die Mündung des Flusses versandet immer mehr; bildl.: die Diskussion ist versandet *(ist nach und nach schwächer geworden und hat schließlich ganz aufgehört).*

versäumen, versäumte, hat versäumt ⟨tr.⟩: *(die Möglichkeit zu etwas) ungenutzt vorübergehen lassen, nicht nutzen; (etwas Beabsichtigtes, Erforderliches) nicht tun:* er hat die Gelegenheit versäumt, ihm seine Meinung zu sagen; versäume nicht, dieses Buch zu lesen; er wird den Zug versäumen *(nicht erreichen).*

Versäumnis, das; -ses, -se: *das Versäumen, Unterlassen (von etwas, was man hätte tun sollen):* die Versäumnisse der Regierung in den letzten Jahren rächen sich jetzt.

verschaffen, verschaffte, hat verschafft ⟨tr.⟩: *(jmdm. etwas)* *besorgen, beschaffen:* er verschaffte ihm, sich Geld und Arbeit.

verschandeln, verschandelte, hat verschandelt ⟨tr.⟩: (ugs.; abwertend): *durch sein Vorhandensein das gute Aussehen (von etwas) verderben:* das neue Hochhaus verschandelt den ganzen Ort. **Verschandelung,** die; -, -en.

verschärfen, verschärfte, hat verschärft: **a)** ⟨tr.⟩ *schärfer, stärker machen; steigern, erhöhen:* das Tempo v.; die Strafe wurde verschärft *(erschwert).* **b)** ⟨rfl.⟩ *schärfer, größer werden; sich steigern:* die Gegensätze verschärften sich immer mehr; die Lage hat sich verschärft *(ist schwieriger, ernster geworden).* **Verschärfung,** die; -, -en.

verschenken, verschenkte, hat verschenkt: **a)** ⟨tr.⟩ *als Geschenk weggeben:* er hat seine Bücher verschenkt; ich habe nichts zu v. *(ich kann nichts ohne Gegenleistung geben).* **b)** ⟨rfl.⟩ *sich (jmdm., der dessen nicht würdig ist) hingeben:* sie hat sich an ihn verschenkt.

verscherzen, verscherzte, hat verscherzt ⟨tr.⟩: *durch Leichtsinn und Gedankenlosigkeit verlieren, einbüßen:* du hast dir sein Wohlwollen verscherzt.

verscheuchen, verscheuchte, hat verscheucht ⟨tr.⟩: *vertreiben:* die Mücken v.; bildl.: die Müdigkeit v.

verschicken, verschickte, hat verschickt ⟨tr.⟩: *an einen anderen Ort schicken; wegschicken:* Waren v.; Kinder (vom Sozialamt) in ein Erholungsheim v.; Gefangene auf eine Insel v. *(verbannen).* **Verschickung,** die; -, -en.

verschieben, verschob, hat verschoben: **1. a)** ⟨tr.⟩ *in eine andere Stellung, an eine andere Stelle schieben:* wir mußten den Schrank v. **b)** ⟨rfl.⟩ *in eine andere Stellung, an eine andere Stelle geraten, sich bewegen:* der Tisch hatte sich durch die Erschütterung um einige Zentimeter verschoben. **2. a)** ⟨tr.⟩ *(auf einen späteren Zeitpunkt) legen; aufschieben:* seine Reise ist auf nächste Woche verschoben worden. **b)** ⟨rfl.⟩ *auf einen späteren Zeitpunkt gelegt, aufgeschoben werden:* der Termin hat sich verschoben.

verschieden ⟨Adj.⟩: **1. a)** ⟨nur attributiv⟩ **verschiedene** ⟨Plural⟩ *mehrere, manche:* verschiedene Punkte der Tagesordnung wurden ohne Diskussion angenommen. **b) verschiedenes** ⟨Neutrum Singular⟩ *manches, einiges:* verschiedenes war noch zu besprechen. **2.** *nicht gleich; in wesentlichen oder allen Merkmalen voneinander abweichend; unterschiedlich:* die Stoffe hatten verschiedene Muster; die beiden Brüder sind ganz v.

verschiedenartig ⟨Adj.⟩: *nicht gleich; unterschiedlich:* es lagen verschiedenartige Entwürfe vor.

verschiedenfarbig ⟨Adj.⟩: *verschieden gefärbt, in der Farbe verschieden:* im Schaufenster waren verschiedenfarbige Modelle ausgestellt.

Verschiedenheit, die; -, -en: *das Verschiedensein; Unterschied (in etwas):* die V. der Ansichten war zu groß, als daß eine Einigung möglich gewesen wäre.

verschimmeln, verschimmelte, ist verschimmelt ⟨itr.⟩: *sich mit Schimmel beziehen, durchsetzen; durch Schimmel verderben:* das Brot war verschimmelt.

verschlafen: I. verschläft, verschlief, hat verschlafen: **1.** ⟨tr.⟩ **a)** *schlafend verbringen:* er hat den ganzen Tag verschlafen. **b)** *durch Schlaf versäumen:* eine Verabredung v. **2.** ⟨rfl.⟩ *zu lange schlafen:* ich habe mich gestern verschlafen. **II.** ⟨Adj.⟩ *noch nicht ganz wach; noch benommen:* v. öffnete er die Tür; der Junge ist immer so v. *(geistig träge).*

Verschlag, der; -[e]s, Verschläge: **a)** *Raum, der durch eine aus einfachen Brettern o. ä. hergestellte Wand abgeteilt wird:* er hat seine alten Sachen in einem V. auf dem Dachboden untergebracht. **b)** *kleine Hütte aus einfachen, dünnen Brettern [die an ein größeres Gebäude angebaut ist]:* die Geräte und Werkzeuge befinden sich in einem V. hinter dem Wohnhaus.

verschlagen: I. verschlägt, verschlug, hat verschlagen: **1.** ⟨tr.⟩ *(mit angenagelten Brettern o. ä.) versperren:* die Öffnung der Tür war mit Brettern und Latten verschlagen. ***etwas verschlägt jmdm. den Atem** *(etwas läßt jmdm. den Atem stokken);* **etwas verschlägt jmdm. die Sprache** *(etwas läßt jmdn. verstummen).* **2.** ⟨tr.⟩ **a)** *(eine bestimmte Seite in einem Buch) nach erfolgtem [Um]blättern nicht mehr finden:* er hat die Seite im Buch verschlagen. **b)** *(den Ball) so schlagen, daß ein Fehler daraus entsteht:* beim Tennis den Ball v. **c)** *(irgendwohin) treiben:* der Sturm verschlug das Schiff an eine einsame Insel; bildl.: er wurde als Arzt in ein kleines Dorf verschlagen *(geriet durch Zufall in ein kleines Dorf).* **3.** ⟨itr.⟩ **a)** *helfen, nützen:* die Arznei verschlägt bei ihm nicht. **b)** ⟨häufig in Verbindung mit *nichts*⟩ *ausmachen, bedeuten:* es verschlägt nichts, daß er nicht kommt. **II.** ⟨Adj.⟩ (ugs.) *unaufrichtig und schlau; gerissen:* er ist ein verschlagener Mensch.

verschlechtern, verschlechterte, hat verschlechtert: **a)** ⟨tr.⟩ *schlechter werden lassen; verschlimmern:* der Fieberanfall hat den Zustand der Kranken sehr verschlechtert; dieser Skandal hat seine Aussichten, gewählt zu werden, verschlechtert *(verringert).* **b)** ⟨rfl.⟩ *schlechter, schlimmer werden:* ihre Gesundheit hat sich verschlechtert; ich habe mich verschlechtert *(ich bin in eine ungünstigere Lage gekommen).* **Verschlechterung,** die; -, -en.

verschleiern, verschleierte, hat verschleiert: **a)** ⟨tr.⟩ *mit einem Schleier verhüllen:* sein Gesicht v.; bildl.: seine wahren Absichten v. *(nicht genau erkennen lassen).* **b)** ⟨rfl.⟩ *sich bedecken:* der Himmel verschleierte sich mit einer dünnen Wolkenschicht; bildl. (geh.): seine Stimme verschleierte sich *(wurde leicht heiser).* **Verschleierung,** die; -, -en.

Verschleiß, der; -es: *das Verschleißen; starke Abnutzung:* in Kurven ist der V. der/bei den Reifen größer als auf gerader Strecke.

verschleißen, verschliß, hat verschlissen: **1.** ⟨tr./rfl.⟩ **a)** *stark abnutzen (so daß es nicht mehr brauchbar ist):* durch die lange Fahrt waren die Reifen verschlissen worden. **b)** *[vorzeitig] verbrauchen:* seine Kräfte wurden durch dauernde Streitigkeiten verschlissen; du hast dich in diesem Beruf ganz verschlissen. **2.** ⟨itr.⟩ *sich durch [langen] Gebrauch abnutzen:* die Wäsche verschleißt durch häufiges Waschen.

verschleppen, verschleppte, hat verschleppt ⟨tr.⟩: **1.** *gewaltsam an einen fremden Ort bringen:* die Frauen wurden von Soldaten verschleppt. **2.** *die Entscheidung (von etwas) immer wieder hinauszögern:* einen Prozeß, Verhandlungen v.; ⟨häufig im 2. Partizip⟩ eine verschleppte *(nicht rechtzeitig behandelte und daher sehr lange dauernde)* Grippe.

verschließen, verschloß, hat verschlossen: **1.** ⟨tr.⟩ **a)** *mit einem Schloß o. ä. zumachen, schließen, sichern; (das Schloß von etwas) abschließen:* er verschloß alle Zimmer; die Fenster waren verschlossen. **b)** *in einen Behälter o.ä. legen, der mit einem Schloß gesichert ist:* er verschloß das Geld in seinem Schreibtisch. **2. a)** ⟨tr.⟩ *(für sich) behalten; nicht offenbaren:* seine Gedanken, seine Gefühle in sich v.; ⟨häufig im 2. Partizip⟩ er ist ein sehr verschlossener *(sein Inneres nicht offenbarender; äußerst zurückhaltender)* Mensch. **b)** ⟨rfl.⟩ *(der Meinung eines anderen o. ä.) nicht zugänglich sein; (etwas) abweisen:* er verschloß sich seinen Argumenten; er konnte sich [gegenüber] dieser Überlegung nicht v. *(er mußte sie anerkennen, einsehen).*

verschlimmern, verschlimmerte, hat verschlimmert: **a)** ⟨tr.⟩ *schlimmer werden lassen; verschlechtern:* eine Erkältung hatte die Krankheit verschlimmert. **b)** ⟨rfl.⟩ *schlimmer werden; sich verschlechtern:* ihr Zustand verschlimmerte sich. **Verschlimmerung,** die; -, -en.

verschlingen, verschlang, hat verschlungen ⟨tr.⟩: **1.** *ineinanderschlingen:* er hatte die Fäden zu einem Knäuel verschlungen. **2. a)** (abwertend) *gierig und hastig [auf]essen:* in kurzer Zeit hatte Bert den ganzen Braten verschlungen. **b)** *ohne [viel] zu kauen [hastig] fressen:* der Hund verschlang das Fleisch.

verschlucken, verschluckte, hat verschluckt: **1.** ⟨tr.⟩ *hinunterschlucken; durch Schlukken in den Magen bringen:* er hat aus Versehen den Kern einer Kirsche verschluckt; bildl. (ugs.): dieser Bau hat große Summen verschluckt *(gekostet).* **2.** ⟨rfl.⟩ *etwas in die Luftröhre bekommen:* ich hatte mich verschluckt und mußte furchtbar husten.

Verschluß, der; Verschlusses, Verschlüsse: *Vorrichtung, mit der man etwas zumacht, verschließt:* er öffnete den V. der Flasche.

verschlüsseln, verschlüsselte, hat verschlüsselt ⟨tr.⟩: *in Geheimschrift abfassen:* einen Text, ein Telegramm v.

verschmähen, verschmähte, hat verschmäht ⟨tr.⟩: *aus Verachtung ablehnen, zurückweisen, nicht annehmen:* er hat meine Hilfe verschmäht.

verschmelzen, verschmilzt, verschmolz, hat/ist verschmolzen: **a)** ⟨tr.⟩ *(Metalle) verbinden, indem man sie schmilzt und zusammenfließen läßt:* er hat Kupfer und Zinn verschmolzen. **b)** ⟨itr.⟩ *sich durch Schmelzen und Zusammenfließen verbinden:* Kupfer und Zinn sind auf diese Weise [miteinander] verschmolzen; bildl.: die Firmen sind zu einem großen Unternehmen verschmolzen *(haben sich vereinigt);* Kirche und Staat waren zu einer Einheit verschmolzen. **Verschmelzung,** die; -.

verschmerzen, verschmerzte, hat verschmerzt ⟨tr.⟩: *sich (mit einem Verlust o. ä.) abfinden; (über etwas) hinwegkommen; sich (über etwas) trösten; überwinden:* er wird diesen Verlust bald verschmerzt haben.

verschmieren, verschmierte, hat verschmiert ⟨tr.⟩: **1.** *ausfüllen, indem man etwas (in etwas) schmiert:* ein Loch in der Wand v. **2.** *durch häßliches, unsauberes Schreiben, Zeichnen o. ä. verunstalten:* er hat sein Heft verschmiert. **3.** *(etwas auf etwas) streichen und es dadurch schmutzig, unsauber machen:* Farbe, Marmelade auf dem Tisch v.; ⟨häufig im 2. Partizip⟩ die Fenster sind, sein Gesicht ist ganz verschmiert.

verschmitzt ⟨Adj.⟩: *listig und pfiffig; mehr Einsicht in bestimmte Dinge als andere zeigend oder habend:* v. lächeln. **Verschmitztheit,** die; -.

verschmutzen, verschmutzte, hat verschmutzt: **1.** ⟨tr.⟩ *schmutzig machen, verunreinigen:* die Industrie verschmutzt die Luft. **2.** ⟨itr.⟩ *schmutzig werden:* die Wäsche verschmutzt leicht.

Verschmutzung, die; -: **a)** *das Verunreinigen (von Gewässern, der Luft o. ä. durch Staub, Abfälle o. ä.):* es müssen Maßnahmen gegen die V. der Flüsse durch die Industrie ergriffen werden. **b)** *das Schmutzigwerden:* die V. der Wäsche. **c)** *Anteil von Schmutz, schädlichen Abfällen o. ä. (in etwas):* die V. der Luft nimmt ständig zu.

verschnaufen, verschnaufte, hat verschnauft ⟨itr./rfl.⟩: *eine Pause machen, um wieder zu Atem zu kommen oder um Atem zu schöpfen:* oben auf dem Berg verschnaufte ich [mich] ein wenig.

verschnörkelt ⟨Adj.⟩: *mit Schnörkeln versehen, verziert:* verschnörkelte Buchstaben; eine verschnörkelte Schrift.

verschollen ⟨Adj.⟩: *sich nicht mehr als lebend bemerkbar gemacht habend; für verloren gehalten oder als tot betrachtet:* er ist seit zehn Jahren v.; das Flugzeug war v.

verschonen, verschonte, hat verschont ⟨tr.⟩: *(jmdm./etwas) nichts [an]tun; davon absehen, (jmdm./etwas) etwas Übles anzutun, zu tun:* die Sieger hatten die Gefangenen verschont; verschone mich *(belästige mich nicht)* mit diesen Fragen!; er wurde, blieb von diesem Unglück verschont.

verschönern, verschönerte, hat verschönert ⟨tr.⟩: *schöner machen:* einen Raum v. **Verschönerung,** die; -, -en.

verschränken, verschränkte, hat verschränkt ⟨tr.⟩: *[gekreuzt] übereinanderlegen:* er verschränkte die Hände hinter dem Kopf, die Arme vor der Brust; ⟨häufig im 2. Partizip⟩ er stand mit verschränkten Beinen da.

verschreiben, verschrieb, hat verschrieben: **1.** ⟨tr.⟩ *(als Arzt) schriftlich verordnen:* der Arzt hat ihm mehrere Medikamente verschrieben. **2.** ⟨tr.⟩ *beim Schreiben verbrauchen:* er hat den ganzen Block verschrieben. **3.** ⟨rfl.; mit Dativ⟩ *sich ganz widmen; (in einer Sache) ganz* *aufgehen:* er hat sich völlig seinem Beruf verschrieben. **4.** ⟨rfl.⟩ *falsch schreiben:* er hat sich in diesem Brief zweimal verschrieben.

verschroben ⟨Adj.⟩ (abwertend): *in seinem Wesen oder Verhalten absonderlich, schrullig:* ein verschrobener Mensch; verschrobene Ansichten.

verschrotten, verschrottete, hat verschrottet ⟨tr.⟩: *zu Schrott machen, als Schrott verwerten:* das alte Auto wird verschrottet.

verschulden, verschuldete, hat verschuldet ⟨tr.⟩: *in schuldhafter Weise verursachen, bewirken:* durch seinen Leichtsinn hätte er beinahe ein großes Unglück verschuldet. ****verschuldet sein** *(mit Schulden belastet sein).* **Verschuldung,** die; -, -en.

verschütten, verschüttete, hat verschüttet ⟨tr.⟩: **1.** *völlig zudecken; ganz bedecken:* die Lawine verschüttete einige Häuser des Dorfes. **2.** *unbeabsichtigt aus einem Gefäß schütten:* er verschüttete die Milch.

verschweigen, verschwieg, hat verschwiegen ⟨tr.⟩ /vgl. verschwiegen/: *(etwas) bewußt nicht erzählen, verheimlichen:* er hat mir diese Nachricht verschwiegen.

verschwenden, verschwendete, hat verschwendet ⟨tr.⟩: *in allzu reichlichem Maße [und leichtsinnig] ausgeben, verbrauchen, anwenden; vergeuden:* sein Geld, seine Kräfte, seine Zeit v. **Verschwendung,** die; -.

verschwenderisch ⟨Adj.⟩: *leichtsinnig und allzu großzügig im Ausgeben oder Verbrauchen von Geld und Gut:* er führt ein verschwenderisches Leben; er ist mit seinem Geld v. umgegangen.

verschwiegen ⟨Adj.⟩: *zuverlässig im Bewahren eines Geheimnisses; nicht geschwätzig:* du kannst ihn ruhig einweihen, denn er ist v. **Verschwiegenheit,** die; -.

verschwinden, verschwand, ist verschwunden ⟨itr.⟩: **a)** *wegfahren, weggehen, sich entfernen o. ä. und nicht mehr zu sehen sein:* der Zug verschwand in der Ferne; er verschwand gleich nach der Besprechung; ⟨häufig im 1. Partizip als Verstärkung bei Adjektiven, die die Kleinheit, geringe Größe oder Anzahl kennzeichnen⟩ eine verschwindend *(sehr)* kleine Summe. * (ugs.) **[mal] v. müssen** *(auf die Toilette müssen);* **neben jmdm. v.** *(unbedeutend und sehr klein neben einem Größeren erscheinen):* neben ihrem Bruder verschwindet sie völlig. **b)** *verlorengehen; nicht zu finden sein:* seine Brieftasche war verschwunden. * (ugs.) **etwas v. lassen** *(etwas beiseite schaffen, heimlich mitnehmen; etwas beseitigen, vernichten).*

verschwommen ⟨Adj.⟩: **1.** *in den Umrissen nicht deutlich erkennbar:* man konnte den Gipfel des Berges nur ganz v. sehen. **2.** *nicht fest umrissen; nicht eindeutig festgelegt:* seine Vorstellungen über dieses Projekt sind noch sehr v.; er drückt sich immer so v. aus.

verschwören, sich; verschwor sich, hat sich verschworen: *sich heimlich verbünden:* die Offiziere hatten sich gegen die Diktatur verschworen; alles scheint sich gegen uns verschworen zu haben *(alles mißlingt uns).* **Verschwörung,** die; -, -en.

versehen, versieht, versah, hat versehen ⟨tr.⟩: *ausüben, erfüllen:* gewissenhaft seinen Dienst v. * **jmdn./etwas mit etwas v.** *(dafür sorgen, daß etwas bei jmdm./etwas vorhanden ist):* sein Vater versah ihn mit Geld; er versah sich mit Kleidern; **versehen sein mit etwas** *(ausgestattet, ausgerüstet sein mit etwas):* das Auto war mit zusätzlichen Scheinwerfern versehen; **ohne daß/ehe man sich's versieht** *(unerwartet, überraschend schnell):* ehe man sich's versieht, hat man mit ihm Streit.

Versehen, das; -s, -: *etwas, was man aus Unachtsamkeit anders tut, als man wollte oder sollte; Fehler, Irrtum:* sein V. bedauern. ***aus V.** *(irrtümlich; nicht mit Absicht):* etwas aus V. tun.

versehentlich ⟨Adj.; nicht prädikativ⟩: *aus Versehen, nicht mit Absicht [geschehen]; irrtümlich:* das versehentliche Betreten eines fremden Zimmers; v. in eine Versammlung geraten.

versenden, versandte/versendete, hat versandt / versendet ⟨tr.⟩: *an einen [größeren] Kreis von Personen, Kunden senden:* die Waren, Prospekte werden ab nächster Woche versandt.

versengen, versengte, hat versengt ⟨tr.⟩: *[an der Oberfläche] leicht verbrennen:* die große Hitze versengte den Rasen; die Flammen versengten ihre Haare.

versenken, versenkte, hat versenkt: **1.** ⟨tr.⟩ *bewirken, daß etwas im Wasser untergeht:* ein Schiff v. **2.** ⟨tr.⟩ *tief vergraben, in den Boden einlassen:* der Behälter für das Öl wird in die Erde versenkt; die Hände in die Hosentaschen v. *(sie ganz hineinstecken);* bildl.: die Tabletten versenkten ihn in Schlaf. **3.** ⟨rfl.⟩ *sich (in etwas) vertiefen:* ich versenkte mich in den Anblick des Bildes.

Versenkung, die; -, -en: **1.** ⟨ohne Plural⟩ *das Sichversenken:* mystische V. **2.** *Teil der Bühne, den man versenken kann:* der Schauspieler, die Dekoration verschwand in der V. *(ugs.) **in der V. verschwinden** *(in Vergessenheit geraten):* der Künstler, der Plan ist in der V. verschwunden; (ugs.) **[wieder] aus der V. auftauchen** *(wieder erscheinen, wieder wirksam werden, nachdem jmd./etwas schon in Vergessenheit geraten war):* der Politiker, der Plan ist wieder aus der V. aufgetaucht.

versessen: ⟨in der Verbindung⟩ auf etwas v. sein: *hartnäckig und heftig nach etwas verlangen:* er ist ganz v. auf Süßigkeiten; er war ganz v. darauf, etwas Neues zu erfahren.

versetzen, versetzte, hat versetzt: **1. a)** ⟨tr.⟩ *an eine andere Stelle setzen:* Bäume v. **b)** ⟨tr.⟩ *(jmdm.) einen anderen Posten geben; (jmdm. in einer anderen Institution, an einem anderen Ort) einen Posten geben:* er ist nach Frankfurt versetzt worden; Bernd ist nicht versetzt worden *(ist nicht in die nächste Klasse gekommen, ist sitzengeblieben).* **2.** ⟨tr.⟩ *[ver]mischen:* der Wein ist mit Wasser versetzt. **3.** ⟨itr.⟩ *antworten:* auf meine Frage versetzte er, er sei nicht meiner Ansicht. **4.** ⟨tr.⟩ (ugs; abwertend) *vergeblich warten lassen; im Stich lassen:* wir hatten uns verabredet, doch sie versetzte mich. **5.** ⟨tr.⟩ (ugs.)

[aus einer gewissen Not heraus] verkaufen, um zu Geld zu kommen: er mußte seine Uhr v., um die Miete bezahlen zu können. **6.** ⟨als Funktionsverb⟩ **a)** /drückt aus, daß etwas jmdm. gilt/: jmdm. einen Schlag v. *(jmdn. schlagen);* jmdm. einen Stoß v. *(jmdn. stoßen).* **b)** /drückt aus, daß jmd./etwas in einen bestimmten Zustand gebracht wird/: jmdn. in Angst v. *(bewirken, daß jmd. Angst hat);* jmdn. in Schlaf v. *(bewirken, daß jmd. schläft);* etwas in Bewegung v. *(bewirken, daß sich etwas bewegt).* ****sich in jmdn./etwas v.** *(sich in jmdn./etwas hineindenken; sich vorstellen, daß man sich in einer bestimmten Lage befände):* versetzen wir uns doch einmal in die Zeit vor 1900; versetze dich doch einmal in seine Lage!

verseuchen, verseuchte, hat verseucht ⟨tr.⟩: *verschmutzen (so daß es voller Krankheitserreger ist):* das Trinkwasser der Stadt wurde [radioaktiv] verseucht; ⟨häufig im 2. Partizip⟩ durch die Abwässer der Industrie sind die Flüsse ganz verseucht; bildl.: das Land ist mit Spionen verseucht.

versichern, versicherte, hat versichert: **1. a)** ⟨tr.⟩ *(etwas) als sicher oder gewiß bezeichnen in der Absicht, jmdn. zu überzeugen; (etwas) beteuern:* er versicherte [ihm], daß er nicht der Täter sei; ich versicherte ihm das Gegenteil. **b)** ⟨rfl.; mit Gen.⟩ *sich [über jmdn./etwas] Sicherheit oder Gewißheit verschaffen; sich (jmds./einer Sache) vergewissern:* er wollte sich seiner Hilfe v. **2.** ⟨tr.⟩ *mit einer entsprechenden Institution einen Vertrag abschließen, nach welchem diese gegen regelmäßige Zahlung eines bestimmten Betrages bestimmte Schäden ersetzt:* sein Gepäck gegen Diebstahl v.; ⟨auch rfl.⟩ ich habe mich gegen Unfall versichert; ⟨oft im 2. Partizip in Verbindung mit *sein*⟩ wir sind gegen Diebstahl versichert. **Versicherung,** die; -, -en.

Versicherungssumme, die; -, -n: *Summe, die eine Versicherung an den Versicherten zu zahlen hat, wenn der betreffende Fall eintritt.*

versickern, versickerte, ist versickert ⟨itr.⟩: *langsam in den Boden sickern:* das Wasser versickerte; bildl.: das Gespräch, das Interesse an der Sache versickerte *(ging nach und nach zurück).*

versiegeln, versiegelte, hat versiegelt ⟨tr.⟩: *mit einem Siegel [ver]schließen:* einen Brief v. **Versiegelung,** die; -, -en.

versiegen, versiegte, ist versiegt ⟨itr.⟩ (geh.): *zu fließen aufhören:* die Quelle ist versiegt; ihre Tränen versiegten; bildl.: die Geldquelle ist versiegt.

versiert ⟨Adj.⟩: *erfahren, bewandert:* ein versierter Kaufmann.

versinken, versank, ist versunken ⟨itr.⟩: **a)** *(unter die Oberfläche von etwas) geraten und verschwinden:* das Schiff versank im Meer; er versank bis an die Knöchel im Schnee. **b)** (geh.) *(in einen bestimmten Zustand) geraten:* sie versank in Trauer; er war ganz in seine Arbeit versunken *(ging ganz in seiner Arbeit auf).*

versinnbildlichen, versinnbildlichte, hat versinnbildlicht ⟨tr.⟩: *durch ein Sinnbild darstellen, anschaulich machen; Zeichen für etwas sein:* die Krone versinnbildlichte die Macht des Herrschers.

Version, die; -, -en: *eine Art der Darstellung [eines Sachverhalts] unter anderen; Lesart:* die amtliche, offizielle V.; von dem Hergang des Unfalles gibt es verschiedene Versionen.

Versmaß, das; -es, -e: *Art, in der betonte und unbetonte bzw. lange und kurze Silben in einem Vers aufeinanderfolgen.*

versnobt ⟨Adj.⟩ (abwertend): *von Snobismus erfüllt, durch Snobismus gekennzeichnet:* der Kerl kommt mir reichlich v. vor; er führt ein versnobtes Leben.

versöhnen, versöhnte, hat versöhnt: **a)** ⟨tr.⟩ *(zwischen Streitenden) Frieden stiften, einen Streit beilegen:* wir haben die Streitenden [miteinander] versöhnt. **b)** ⟨rfl.⟩ *(mit jmdm.) Frieden schließen:* ich habe mich entschlossen, mich mit meinem Gegner zu v.

versöhnlich ⟨Adj.⟩: *zur Versöhnung und friedlichen Verständigung bereit:* ein versöhnlicher Mensch; er zeigte sich diesmal recht v.; es herrschte eine versöhnliche Stimmung.

Versöhnung, die; -, -en: *das Sichversöhnen:* die V. der beiden ist durch seine Vermittlung zustande gekommen.

versorgen, versorgte, hat versorgt ⟨tr.⟩: **a)** *(jmdm. etwas Fehlendes, notwendig Gebrauchtes) [in ausreichender Menge] überlassen, geben:* sein Vater versorgte ihn mit Geld; ⟨auch rfl.⟩ er versorgte sich mit Nahrungsmitteln. **b)** *für alles Nötige sorgen, das jmd./etwas braucht; sich (um jmdn./etwas) kümmern:* drei Jahre lang versorgte sie ihre kranke Mutter und deren Haus. **Versorgung,** die; -.

verspäten, sich; verspätete sich, hat sich verspätet: *zu spät kommen; später als geplant, gewünscht, gewöhnlich kommen:* die meisten Gäste verspäteten sich an diesem Abend; ⟨häufig im 2. Partizip⟩ eine verspätete *(zu spät eingetroffene)* Einladung; der Zug traf verspätet ein. **Verspätung,** die; -, -en.

versperren, versperrte, hat versperrt ⟨tr.⟩: **1.** (landsch.) *verschließen, zuschließen:* die Zimmer, Türen v. **2.** *durch Aufstellen von Hindernissen o. ä. unzugänglich machen:* er versperrte die Einfahrt [mit Kisten]. *** jmdm. den Weg v.** *(sich jmdm. in den Weg stellen; jmdn. nicht weitergehen lassen);* **jmdm. die [Aus]sicht v.** *(sich so hinstellen, daß ein anderer nichts mehr [von der Gegend] sehen kann).*

verspielen, verspielte, hat verspielt: **1.** ⟨tr.⟩ **a)** *beim Spielen verlieren:* er hat sein ganzes Geld verspielt. **b)** *durch eigenes Verschulden, durch Leichtsinn verlieren:* sein Glück, Recht v. *** bei jmdm. verspielt haben** *(bei jmdm. nichts mehr ausrichten können, bei jmdm. alle Sympathien, alles Vertrauen verloren haben).* **2.** ⟨tr.⟩ *spielend verbringen:* das Kind hat den ganzen Tag verspielt; ⟨meist im 2. Partizip⟩ ein verspieltes *(nur immer zum Spiel aufgelegtes)* Kind.

verspotten, verspottete, hat verspottet ⟨tr.⟩: *(über jmdn./etwas) spotten; (jmdn./etwas) zum Gegenstand seines Spottes machen:* er verspottete seine politischen Gegner. **Verspottung,** die; -, -en.

versprechen, verspricht, versprach, hat versprochen: **1. a)** ⟨tr.⟩ *(jmdm.) verbindlich er-*

klären, daß etwas getan wird, geschehen wird; zusichern: er hat mir versprochen, pünktlich zu kommen; der Vater hatte ihm Geld versprochen. **b)** ⟨itr.⟩ *erwarten lassen:* der Junge verspricht, etwas zu werden; hiervon verspreche ich mir wenig; das Barometer verspricht gutes Wetter. **2.** ⟨rfl.⟩ *beim Reden einzelne Laute oder Wörter verwechseln, falsch aussprechen o. ä.:* der Vortragende war sehr nervös und versprach sich ständig.

Versprechen, das; -s, -: *verbindliche Erklärung, daß etwas Bestimmtes getan werden wird, geschehen wird; Zusage:* er hat sein V., nichts zu sagen, nicht gehalten.

Versprechung, die; -, -en: *Versprechen, Zusage:* er macht immer große Versprechungen.

verspüren, verspürte, hat verspürt ⟨tr.⟩: **a)** *durch die Sinne wahrnehmen, spüren:* er verspürte einen kalten Hauch an seinem Nacken. **b)** *(ein bestimmtes Gefühl o. ä.) haben:* er verspürte große Lust zu baden.

verstaatlichen, verstaatlichte, hat verstaatlicht ⟨tr.⟩: *zum Eigentum des Staates machen:* einen Betrieb v.; die Eisenbahnen wurden verstaatlicht. **Verstaatlichung,** die; -, -en.

Verstand, der; -es: *Kraft des Menschen, das Wahrgenommene sinngemäß aufzufassen und es zu begreifen; Fähigkeit, Begriffe zu bilden:* er hat einen scharfen V.; bei klarem V. *(klarer Überlegung)* kann man so nicht urteilen. *(ugs.) **da steht einem der V. still** *(das begreife ich nicht!)*.

Verstandesmensch, der; -en, -en: *Mensch, bei dem das Denken und der Verstand das Gefühl überwiegt:* er ist ein reiner V. und hat für Gefühle nichts übrig.

verständig ⟨Adj.⟩: **a)** *voller Verständnis; einfühlend, verstehend, einsichtig:* er fand einen verständigen Chef. **b)** *mit Verstand begabt; umsichtig, klug:* der Kleine ist für sein Alter schon sehr v.

verständigen, verständigte, hat verständigt: **1.** *(jmdm. etwas) mitteilen; (jmdn. von etwas) in Kenntnis setzen; (jmdn. über etwas) informieren:* er verständigte die Polizei über diesen, von diesem Vorfall. **2.** ⟨rfl.⟩ **a)** *(jmdm.) deutlich machen können, was man sagen will:* ich konnte mich mit dem Engländer gut v. **b)** *sich einigen:* ich konnte mich mit ihm über alle strittigen Punkte v. **Verständigung,** die; -, -en.

verständlich ⟨Adj.⟩: **a)** *so beschaffen, daß es gut zu hören, deutlich zu vernehmen ist:* der Vortragende sprach mit leiser, doch verständlicher Stimme. **b)** *so beschaffen, daß es leicht zu begreifen, in Sinn und Bedeutung leicht zu erfassen ist:* die Abhandlung ist v. geschrieben. **c)** *so beschaffen, daß man Verständnis dafür hat, daß man die Gründe und Ursachen einsieht:* sein Verhalten ist durchaus v. **Verständlichkeit,** die; -.

Verständnis, das; -ses: *Vermögen des Menschen, sich in jmdn. hineinzuversetzen, sich in etwas hineinzudenken; Fähigkeit, jmdn./etwas zu verstehen; Einfühlungsvermögen:* er hat kein V. für die Jugend.

verständnislos ⟨Adj.⟩: *ohne jegliches Verständnis [seiend], kein Verständnis habend:* „Wieso nicht?" fragte er v. **Verständnislosigkeit,** die; -.

verständnisvoll ⟨Adj.⟩: *voll Verständnis für jmdn./etwas; fähig, sich in jmdn./etwas hineinzudenken:* er hatte einen verständnisvollen Lehrer; er hörte ihm v. zu.

verstärken, verstärkte, hat verstärkt: **a)** ⟨tr.⟩ *an Zahl, dem Grad nach o. ä. größer machen, stärker machen:* die Wachen vor dem Schloß v.; den elektrischen Strom v. *(erhöhen)*; eine Mauer v. *(dicker machen)*. **b)** ⟨rfl.⟩ *dem Grad nach o. ä. größer werden, stärker werden; wachsen:* meine Zweifel haben sich verstärkt. **Verstärkung,** die; -, -en.

verstauchen, verstauchte, hat verstaucht ⟨itr.⟩: *sich durch eine übermäßige oder unglückliche Bewegung eine Verzerrung am Gelenk (eines Gliedes) zuziehen:* ich habe mir den Arm verstaucht; er ist so unglücklich gefallen, daß er sich den Fuß verstaucht hat.

verstauen, verstaute, hat verstaut ⟨tr.⟩ (ugs.): *auf relativ engem, gerade noch ausreichendem Raum [für den Transport] unterbringen:* er verstaute seine Koffer hinten im Auto.

Versteck, das; -s, -e: *geheimer, anderen nicht bekannter Ort; Ort, an dem man jmdn./etwas verstecken kann:* ein V. für sein Geld suchen.

verstecken, versteckte, hat versteckt ⟨tr./rfl.⟩: *(jmdn./etwas/sich) heimlich an einem unbekannten Ort unterbringen, so daß die Person/Sache wenigstens für eine gewisse Zeit nicht gesehen wird:* das Geld im Schreibtisch v.; er versteckte den Flüchtling hinten im Auto; sich hinter einem Baum v.; ⟨häufig im 2. Partizip⟩ etwas versteckt halten; bildl.: ein versteckter *(geheimer; nicht offen ausgesprochener)* Vorwurf.

verstehen, verstand, hat verstanden: **1.** ⟨tr.⟩ *deutlich hören, klar vernehmen:* der Vortragende sprach so laut, daß alle im Saal ihn gut v. konnten. **2.** ⟨tr.⟩ *Sinn und Bedeutung (von etwas) erfassen; begreifen:* ich habe seine Argumente verstanden; dies Buch ist schwer zu v. ***jmdm. etwas zu v. geben** *(jmdm. etwas andeuten, nahelegen):* er gab ihm zu v., daß er nach diesem Vorfall das Haus verlassen müsse; **etwas versteht sich von selbst** *(etwas ist selbstverständlich)*. **3.** ⟨tr.⟩ *den Grund (für etwas) einsehen; aus einem gewissen Einfühlungsvermögen heraus richtig beurteilen und einschätzen können:* erst jetzt verstehe ich sein sonderbares Verhalten. **4.** ⟨itr.⟩ *gut kennen, können; gelernt haben:* seinen Beruf v. ***nichts v. von etwas** *(auf einem genannten Gebiet keinerlei Kenntnisse haben, nicht mitreden können):* sie versteht nichts von Mathematik; **sich auf etwas v.** *(sich in einem Gebiet gut auskennen):* er versteht sich auf Pferde. **5.** ⟨rfl.⟩ *gleicher Meinung sein; gleiche Ansichten haben; (mit jmdm.) gut auskommen:* in dieser Frage verstehe ich mich mit ihm nicht; ⟨auch rzp.⟩ wir verstehen einander, uns [gegenseitig] gut.

versteifen, versteifte, hat versteift: **1.** ⟨tr.⟩ *steif machen und dadurch stützen:* einen Zaun durch Latten v. **2.** ⟨rfl.⟩ **a)** *steif werden:* das Gelenk versteift sich. **b)** *sich verstärken:* ihr Widerstand versteifte sich. * **sich auf etwas v.** *(hartnäckig* *an etwas festhalten, auf etwas beharren):* er versteift sich auf sein Recht; sie versteift sich darauf, Medizin zu studieren. **Versteifung,** die; -, -en.

versteigen, sich; verstieg sich, hat sich verstiegen /vgl. verstiegen/: *sich im Gebirge, beim Klettern verirren:* ich hatte mich [in der Wand] verstiegen. * **sich zu etwas v.** *(etwas in sehr kühner Weise und in übertriebenem Ausmaß tun):* er verstieg sich zu dieser Behauptung, zu diesen übertriebenen Forderungen.

versteigern, versteigerte, hat versteigert ⟨tr.⟩: *mehreren Interessenten anbieten und an den verkaufen, der das meiste Geld dafür bietet:* eine Bibliothek v. **Versteigerung,** die; -, -en.

versteinern, versteinerte, ist versteinert ⟨itr.⟩: *wie zu Stein werden:* die Pflanzen, Tiere sind versteinert; er stand wie versteinert *(starr vor Schreck, Erstaunen o. ä.)* da; bildl.: seine Miene versteinerte *(wurde völlig unbewegt)*.

Versteinerung, die; -, -en: **1.** ⟨ohne Plural⟩ *das Versteinern:* dieser Stoff entstand durch V. **2.** *versteinertes Lebewesen, versteinerte Pflanze:* der Forscher fand an der Küste aufschlußreiche Versteinerungen.

verstellbar ⟨Adj.⟩: *so beschaffen, daß man es nach Wunsch verstellen kann; zum Verstellen geeignet:* die Bretter des Regals sind v.

verstellen, verstellte, hat verstellt: **1.** ⟨tr.⟩ *durch etwas in den Weg Gestelltes versperren:* die Tür, den Eingang [mit Kisten] v. * **jmdm. den Weg v.** *(sich jmdm. in den Weg stellen; jmdn. nicht weitergehen lassen).* **2.** ⟨tr.⟩ **a)** *an einen anderen, an einen falschen Platz stellen:* beim Putzen sind die Bücher verstellt worden. **b)** *so einstellen, wie man es braucht:* die Höhe des Liegestuhls, den Liegestuhl kann man v. **3. a)** ⟨tr.⟩ *absichtlich ändern, um zu täuschen:* seine Schrift, seine Stimme v. **b)** ⟨rfl.⟩ *sich anders geben, als man ist; heucheln:* er verstellte sich und tat, als ob er schliefe.

Verstellung, die; -, -en: *Täuschung, Heuchelei:* ihre Trauer ist nur V.

versteuern, versteuerte, hat versteuert ⟨tr.⟩: *(für etwas) Steuern bezahlen:* sein Vermögen v.; diese Einkünfte müssen nicht versteuert werden. **Versteuerung,** die; -.

verstiegen ⟨Adj.⟩: *das in der Wirklichkeit Mögliche weit übersteigend, überspannt:* seine verstiegenen Pläne werden nirgends Anklang finden. **Verstiegenheit,** die; -, -en.

verstimmen, verstimmte, hat verstimmt ⟨tr.⟩ /vgl. verstimmt/: *ärgerlich machen; [ver]ärgern:* diese Absage hatte ihn sehr verstimmt; ⟨häufig im 2. Partizip⟩ verstimmt *(verärgert)* verließ er das Zimmer; verstimmt sein.

verstimmt ⟨Adj.⟩: *nicht richtig gestimmt; falsch klingend* /von Musikinstrumenten/: ein verstimmtes Klavier.

Verstimmung, die; -, -en: *das Verstimmtsein, das Verärgertsein.*

verstockt ⟨Adj.⟩ (abwertend): *ohne Einsicht in einer bestimmten inneren Haltung verharrend, bei etwas bleibend; unzugänglich für andere Argumente:* der Angeklagte beteuerte trotz der eindeutigen Beweise v., er sei unschuldig. **Verstocktheit,** die; -.

verstohlen ⟨Adj.; nicht prädikativ⟩: *auf scheue, zurückhaltende Weise, so daß es nicht bemerkt wird; vorsichtig, heimlich:* die neue Kollegin wurde v. gemustert.

verstopfen, verstopfte, hat verstopft ⟨tr.⟩: *ganz ausfüllen, so daß nichts mehr durchgehen kann:* ein Loch v.; ⟨häufig im 2. Partizip⟩ die Straße war völlig verstopft.

Verstopfung, die; -, -en: *körperlicher Zustand, bei dem der Betroffene keinen oder nur selten Stuhlgang hat:* sie leidet an V.

Verstorbene, der; -n, -n ⟨aber: [ein] Verstorbener, Plural: Verstorbene⟩: *jmd., der gestorben ist; Toter:* wir verlieren in dem Verstorbenen einen lieben Kollegen.

verstört ⟨Adj.⟩: *völlig verwirrt; zutiefst erschüttert:* sie war durch den plötzlichen Tod ihres Mannes ganz v.

Verstoß, der; -es, Verstöße: *das Verstoßen gegen ein Gesetz o. ä.; Verletzung eines Gesetzes o. ä.:* diese Tat ist ein V. gegen alle Regeln des Anstandes.

verstoßen, verstößt, verstieß, hat verstoßen: **1.** ⟨tr.⟩ *(einen Angehörigen) zwingen, das Haus und die Familie zu verlassen, weil man nicht mehr mit ihm zusammen wohnen und leben will:* er hat seine Tochter verstoßen. **2.** ⟨itr.⟩ *(gegen ein Gesetz) handeln; (ein Gesetz o. ä.) übertreten, verletzen:* er hat mit dieser Tat gegen das Gesetz verstoßen.

verstreichen, verstrich, hat/ist verstrichen: **1.** ⟨tr.⟩ **a)** *ausfüllen, indem man etwas in etwas streicht; verschmieren:* er hat das Loch in der Wand, die Fuge verstrichen. **b)** *(auf etwas) streichen; gleichmäßig verteilen:* Butter [auf dem Brot] v. **2.** ⟨itr.⟩ *vergehen:* das Jahr ist schnell verstrichen; Monate waren ungenutzt verstrichen.

verstreuen, verstreute, hat verstreut ⟨tr.⟩: **a)** *unabsichtlich [auf den Boden] streuen:* sie hat das Salz verstreut. **b)** *durcheinander ausbreiten; ohne Ordnung hinlegen oder liegen lassen:* die Kinder haben die Spielsachen im ganzen Zimmer verstreut; ⟨häufig im 2. Partizip⟩ verstreute *(weit auseinander liegende)* Häuser, Dörfer.

verstricken, verstrickte, hat verstrickt ⟨tr./rfl.⟩: *(in etwas) verwickeln:* jmdn. in ein Gespräch, in eine unangenehme Angelegenheit v.; du hast dich in deinen eigenen Lügen verstrickt; er ist ständig in Streitigkeiten verstrickt.

verstümmeln, verstümmelte, hat verstümmelt ⟨tr.⟩: *schwer verletzen, wobei eines oder mehrere Glieder abgetrennt werden:* der Mörder hatte sein Opfer mit dem Messer völlig verstümmelt; bildl.: eine verstümmelte *(sehr gekürzte und unvollständige)* Nachricht. **Verstümmelung,** die; -, -en.

verstummen, verstummte, ist verstummt ⟨itr.⟩: *plötzlich mit dem Reden aufhören:* vor Freude, vor Entsetzen v.; das Gespräch verstummte *(wurde [für eine bestimmte Zeit] nicht mehr fortgeführt)*; die Glocken verstummten *(hörten auf zu läuten)*.

Versuch, der; -[e]s, -e: **a)** *Verfahren, mit dem man etwas* *erforschen, untersuchen will; Experiment:* ein physikalischer V. **b)** *Bemühung, Unternehmen, durch das man etwas zu verwirklichen sucht:* es war ein gewagter V., aus dem Gefängnis zu entfliehen.

versuchen, versuchte, hat versucht: **1. a)** ⟨tr.⟩ *(etwas) in Angriff nehmen, unternehmen, wagen und prüfen, ob es möglich ist; (etwas) zu verwirklichen suchen:* er versuchte, aus dem Gefängnis zu entfliehen; er hatte versucht *(sich darum bemüht)*, Klavierspielen zu lernen; ⟨auch itr.⟩ wir werden es mit ihm v. *(wir werden ihn einstellen o. ä. und dann feststellen, ob er geeignet ist).* **b)** ⟨rfl.⟩ *(etwas) anfangen, in Angriff nehmen und prüfen, ob man damit fertig wird:* er versuchte sich auch in diesem Beruf, an einem Roman. **2.** ⟨tr.⟩ *(eine Speise, ein Getränk) kosten, probieren:* er versuchte den Wein, doch er schmeckte ihm zu sauer. ***versucht sein/sich versucht fühlen** *(die Neigung verspüren, aber noch zögern, etwas Bestimmtes zu tun):* ich war versucht, ihm unverblümt einmal meine Meinung zu sagen.

Versuchsballon [... balɔŋ], der; -s, -s; (bes. südd.:) [... balo:n] -s, -e: *etwas, womit man etwas ausprobiert:* die Firma sieht das neue Modell mehr als V. an; der Minister ließ einen diplomatischen V. steigen *(unternahm etwas, nur um die Reaktion darauf zu sehen).*

Versuchskaninchen, das; -s ,- (ugs.): *jmd., an dem man etwas ausprobiert:* im Krankenhaus gab es einen Skandal, weil Patienten als V. verwendet wurden.

Versuchung, die; -, -en: *Anreiz, etwas Unrechtes, Unkluges, etwas eigentlich nicht Beabsichtigtes zu tun:* dieses Angebot war eine große V. für ihn.

versündigen, sich; versündigte sich, hat sich versündigt: *(an jmdm./etwas) unrecht handeln und dadurch Schuld auf sich laden:* er hat sich an seinen Eltern versündigt; das Land hat sich an seinen Kunstschätzen versündigt *(hat sie nicht genügend gepflegt).*

vertagen, vertagte, hat vertagt ⟨tr.⟩: *auf einen späteren Zeitpunkt legen; aufschieben:* die Verhandlung wurde vertagt; ⟨auch rfl.⟩ der Landtag hat sich vertagt *(hat beschlossen, seine Tagung zu einem späteren Zeitpunkt fortzusetzen).* **Vertagung,** die; -, -en.

vertäuen, vertäute, hat vertäut ⟨tr.⟩: *mit Tauen befestigen:* ein Schiff v.

vertauschen, vertauschte, hat vertauscht ⟨tr.⟩: **a)** *austauschen:* er will sein Rad [gegen ein anderes] v. **b)** *aus Versehen, irrtümlich (etwas Falsches) statt des Richtigen nehmen:* die Schirme, Mäntel wurden vertauscht. **Vertauschung,** die; -, -en.

verteidigen, verteidigte, hat verteidigt ⟨tr./rfl.⟩: **1.** *Angriffe (auf jmdn./etwas) abwehren; vor Angriffen schützen:* eine Stadt v.; er verteidigte *(rechtfertigte)* seine Auffassung, sich sehr geschickt. **2.** *vor Gericht vertreten:* der Angeklagte wird von einem sehr bekannten Anwalt verteidigt, will sich selbst v. **Verteidigung,** die; -, -en.

verteilen, verteilte, hat verteilt: **a)** ⟨tr.⟩ *in meist gleicher Menge [ab]geben, bis der Vorrat erschöpft ist; austeilen:* er verteilte Schokolade unter die Kinder. **b)** ⟨rfl.⟩ *ein bestimmtes Gebiet einnehmen; sich über eine Fläche hin verstreuen:* die Polizisten verteilten sich über den Platz; die Bevölkerung dieses Landes verteilt sich auf drei große Städte *(die Mehrzahl der Bewohner dieses Landes lebt in drei großen Städten).* **Verteilung,** die; -, -en.

verteufeln, verteufelte, hat verteufelt ⟨tr.⟩ (ugs.) /vgl. verteufelt/: *jmdn. in polemischer Weise als schlecht hinstellen oder ihm die Schuld an etwas zuschieben:* der Politiker verteufelte die Opposition als Feinde des Staates.

verteufelt ⟨Adj.⟩ (ugs.): **a)** *lästig und unangenehm, weil man mit etwas nicht fertig wird, etwas nicht bewältigt:* eine verteufelte Angelegenheit! **b)** ⟨verstärkend bei Adjektiven und Verben⟩ *sehr:* das ist v. schwer!; es riecht hier ganz v. nach Benzin.

vertiefen, vertiefte, hat vertieft: **1. a)** ⟨tr.⟩ *tiefer machen:* einen Graben v. **b)** ⟨rfl.⟩ *tiefer werden:* die Falten in ihrem Gesicht haben sich vertieft. **c)** ⟨tr.⟩ *verstärken, vergrößern:* die Musik des Films vertiefte noch die Wirkung der Bilder; er will sein Wissen v. *(bereichern).* ****sich in etwas v.** *(sich intensiv mit etwas zu beschäftigen beginnen; sich stark auf etwas konzentrieren):* er vertiefte sich in sein Buch. **Vertiefung,** die; -, -en.

vertikal ⟨Adj.⟩: *senkrecht:* eine vertikale Linie.

vertilgen, vertilgte, hat vertilgt ⟨tr.⟩: **1.** *beseitigen, ausrotten:* Ungeziefer v. **2.** (ugs.) *ganz aufessen:* sie hatten den Kuchen bereits vertilgt. **Vertilgung,** die; -, -en.

vertippen, sich; vertippte sich, hat sich vertippt (ugs.): *beim Maschinenschreiben dadurch einen Fehler machen, daß man eine falsche Taste drückt:* ich habe mich bei dem einen Brief mehrmals vertippt.

vertonen, vertonte, hat vertont ⟨tr.⟩: *(einen Text) in Musik setzen; (zu einem Text) eine Musik schreiben:* dieses Gedicht ist von Schubert vertont worden. **Vertonung,** die; -, -en.

vertrackt ⟨Adj.⟩ (ugs.): *besonders schwierig zu bewältigen, kaum lösbar erscheinend und daher lästig und unangenehm:* er wollte mit dieser vertrackten Geschichte nichts zu tun haben.

Vertrag, der; -[e]s, Verträge: *[schriftliche] rechtlich gültige Vereinbarung zweier oder mehrerer Partner, in der die gegenseitigen Verbindlichkeiten und Rechte festgelegt sind:* einen V. schließen.

vertragen, verträgt, vertrug, hat vertragen: **1.** ⟨tr.⟩ *widerstandsfähig genug (gegen etwas) sein; aushalten:* er kann die Hitze gut v.; er verträgt keine fetten Speisen *(kann sie nicht verdauen; fette Speisen bekommen ihm nicht);* (ugs.) er kann viel v. *(viel Alkohol trinken);* er verträgt *(duldet)* keinen Widerspruch. **2.** ⟨rfl.⟩ *sich (mit jmdm.) nicht streiten; ohne Streit, in Frieden und Eintracht (mit jmdm.) leben; gut (mit jmdm.) auskommen:* er verträgt sich mit seiner Schwester; die Nachbarn vertragen sich nicht miteinander; bildl.: sein Verhalten verträgt sich nicht mit *(widerspricht)* seinen Ansichten; die Farben vertragen sich nicht *(passen nicht zueinander)*.

Verträger, der; -s, -(schweiz.): *jmd., der Zeitungen o. ä. austrägt.*

vertraglich ⟨Adj.⟩: *in einem Vertrag festgelegt, geregelt; dem Vertrag entsprechend:* eine vertragliche Vereinbarung; etwas v. regeln.

verträglich ⟨Adj.⟩: **1.** *so beschaffen, daß man es gut verträgt; bekömmlich:* die Speise ist sehr v. **2.** *nicht leicht streitend oder in Streit geratend; friedlich, umgänglich:* er ist ein verträglicher Mensch, man kann gut mit ihm auskommen. **Verträglichkeit,** die; -.

vertrauen, vertraute, hat vertraut ⟨itr.⟩ /vgl. vertraut/: *sicher sein, daß man sich auf jmdn./etwas verlassen kann:* er vertraute seinen Freunden; fest auf Gott v.; er vertraute seinen/auf seine Fähigkeiten.

Vertrauen, das; -s: *sichere Erwartung, fester Glauben daran, daß man sich auf jmdn./etwas verlassen kann:* sein V. zu seinen Freunden ist unbegrenzt; er schenkte ihm sein V.

vertrauenerweckend ⟨Adj.⟩: *so beschaffen, daß man sogleich Vertrauen hat; zuverlässig wirkend:* der Eindruck, den er machte, war v.

vertrauensselig ⟨Adj.⟩ (abwertend): *zu leicht geneigt, anderen zu vertrauen:* du bist immer zu v.!

vertrauenswürdig ⟨Adj.⟩: *des Vertrauens würdig; zuverlässig:* er ist ein vertrauenswürdiger Mensch.

vertraulich ⟨Adj.⟩: **a)** *nur für einige besondere Personen bestimmt; geheim:* eine vertrauliche Mitteilung; etwas streng v. behandeln *(nicht an Außenstehende weitererzählen)*. **b)** *(auf Vertrauen gegründet und daher) freundschaftlich:* er sah sie in einem vertraulichen Gespräch mit einem Herrn; er ist immer plump v. *(ist sehr zudringlich, wahrt nicht den eigentlich nötigen Abstand)*.

verträumt ⟨Adj.⟩: **a)** *den Vorstellungen und Wünschen seiner Phantasie hingegeben; nicht in der Wirklichkeit lebend:* ein verträumtes Kind; er ist zu v., um sich im Leben durchzusetzen. **b)** *still, idyllisch [gelegen]:* ein verträumtes Dörfchen.

vertraut ⟨Adj.⟩: **a)** *freundschaftlich verbunden; eng befreundet:* etwas in einem vertrauten Kreis aussprechen; sie sind sehr v. miteinander. **b)** *bekannt und daher in keiner Weise fremd:* er fühlte sich wohl in der vertrauten *(gewohnten)* Umgebung; er sah kein vertrautes Gesicht *(keinen bekannten Menschen)*. ***mit etwas v. sein** *(etwas genau kennen; sich gut in etwas auskennen)*; **sich mit etwas v. machen** *(sich in etwas einarbeiten)*. **Vertrautheit,** die; -.

vertreiben, vertrieb, hat vertrieben ⟨tr.⟩: **1.** *veranlassen oder zwingen, den Ort zu verlassen:* jmdn. aus seiner Heimat v.; der Lärm hat das Wild vertrieben; der Wind vertrieb die Wolken schnell *(wehte sie schnell weg)*; bildl.: die schlechte Laune v. ***jmdm./sich die Zeit mit etwas v.** *(jmdn./sich für einen bestimmten Zeitraum mit etwas unterhalten, beschäftigen)*. **2.** *im großen verkaufen; (mit etwas) handeln:* er vertreibt seine Waren in verschiedenen Ländern. **Vertreibung,** die; -, -en.

vertretbar ⟨Adj.⟩: *so [beschaffen], daß man es vertreten, von einem bestimmten Standpunkt aus für berechtigt und gut halten kann:* das Projekt übersteigt die wirtschaftlich vertretbaren Kosten; etwas für v. halten.

vertreten, vertritt, vertrat, hat vertreten ⟨tr.⟩: **a)** *vorübergehend (jmds.) Stelle einnehmen und dessen Aufgaben übernehmen:* er vertritt seinen kranken Kollegen. **b)** *[(jmds.) Interessen] wahrnehmen; für jmdn. sprechen:* ein bekannter Anwalt vertritt ihn vor Gericht. **c)** *(für eine bestimmte Institution o. ä.) erscheinen, auftreten; (eine bestimmte Institution o. ä.) repräsentieren:* er vertritt auf dieser Tagung den hiesigen Sportverein. **d)** *(für eine Firma) Waren vertreiben:* er vertritt die Firma „Müller und Söhne“. **e)** *sich (zu etwas) bekennen; (für etwas) einstehen, eintreten:* er vertritt diesen Standpunkt ganz entschieden. ****vertreten sein** *(anwesend, zugegen sein)*: von dem Betrieb war niemand vertreten; **jmdm. den Weg v.** *(sich jmdm. in den Weg stellen; jmdn. nicht weitergehen lassen)*; (ugs.) **sich** (Dativ) **die Füße/Beine v.** *([nach längerem Sitzen] ein wenig umhergehen, um sich Bewegung zu machen)*.

Vertreter, der; -s, -: **a)** *jmd., der vorübergehend jmds. Stelle einnimmt:* bei Erkrankung ist er sein V. **b)** *jmd., der jmds. Interesse vertritt:* er ist vor Gericht sein V. **c)** *jmd., der eine bestimmte Institution o. ä. vertritt, Repräsentant:* er ist auf der Tagung der V. unseres Vereins; ein gewählter V. des Volkes *(ein Abgeordneter)*. **d)** *jmd., der beruflich für eine Firma Waren vertreibt:* er ist V. in Tabakwaren. **e)** *jmd., der einen bestimmten Standpunkt o. ä. vertritt; Anhänger:* er ist ein V. dieser Ideologie.

Vertrieb, der; -[e]s, -e: **a)** ⟨ohne Plural⟩ *das Vertreiben, Verkaufen:* die Firma übernimmt den V. des Artikels für Deutschland. **b)** *Organisation für den Verkauf:* er ist Leiter des Vertriebs.

vertrocknen, vertrocknete, ist vertrocknet ⟨itr.⟩: *völlig trocken werden [und dadurch zusammenschrumpfen]:* vertrocknetes Gras; der Baum ist vertrocknet; die Quelle ist vertrocknet *(hat kein Wasser mehr)*; bildl.: ein vertrockneter *(zusammengeschrumpfter, hutzliger)* Mann.

vertrösten, vertröstete, hat vertröstet ⟨tr.⟩: *jmdn., dessen Wunsch oder Forderungen man nicht erfüllen kann, zum Warten bewegen, indem man ihm die Erfüllung für einen späteren Zeitpunkt verspricht:* er vertröstete ihn von einem Termin zum anderen.

vertun, vertat, hat vertan (ugs.): **1.** ⟨tr.⟩ *(Geld, Zeit) verbrauchen, ohne auf Sinn und Nutzen zu achten:* er hat sein ganzes Geld vertan; er vertut seine Zeit mit nutzlosen Debatten. **2.** ⟨rfl.⟩ *sich (bei etwas) irren:* ich habe mich da vertan.

vertuschen, vertuschte, hat vertuscht ⟨tr.⟩: *weil man nicht möchte, daß etwas Peinliches o.ä. bekannt wird, sich bemühen, alles, was darauf hindeutet, vor anderen zu verbergen; verheimlichen:* er will das Verbrechen v.

verübeln, verübelte, hat verübelt ⟨tr.⟩: *übelnehmen:* er hat es ihm sehr verübelt, daß er ihn kritisiert hat.

verüben, verübte, hat verübt ⟨Funktionsverb⟩: eine Erpressung v. *(jmdn. erpressen);* einen Einbruch v. *(einbrechen).*

verulken, verulkte, hat verulkt ⟨tr.⟩ (ugs.): *sich (über jmdn.) lustig machen:* seine Kameraden verulkten ihn.

verunfallen, verunfallte, ist verunfallt ⟨itr.⟩ (schweiz.): *verunglücken:* er ist mit dem Auto verunfallt.

verunglücken, verunglückte, ist verunglückt ⟨itr.⟩: *bei einem Unfall verletzt oder getötet werden; einen Unfall erleiden:* er ist mit dem Auto, in der Fabrik verunglückt.

verunreinigen, verunreinigte, hat verunreinigt ⟨tr.⟩ (geh.): *schmutzig machen:* der Hund hat die Straßenbahn verunreinigt; verunreinigtes Wasser.

verunstalten, verunstaltete, hat verunstaltet ⟨tr.⟩: *das Aussehen von jmdm./etwas so beeinträchtigen, daß es häßlich oder unansehnlich wird:* die große Narbe hat ihr Gesicht sehr verunstaltet.

veruntreuen, veruntreute, hat veruntreut ⟨tr.⟩ (geh.): *(anvertrautes Geld o. ä.) für sich oder andere Zwecke unrechtmäßig ausgeben, unrechtmäßig behalten:* sie haben die Gelder ihres Bruders veruntreut. **Veruntreuung,** die; -, -en.

verunzieren, verunzierte, hat verunziert ⟨tr.⟩: *verunstalten:* die Parolen, die an die Wände geschmiert wurden, verunzierten das Gebäude.

verursachen, verursachte, hat verursacht ⟨tr.⟩: *die Ursache, der Urheber (von etwas nicht Beabsichtigtem, Unerwünschtem) sein; hervorrufen, bewirken:* seine unvorsichtige Bemerkung verursachte eine große Aufregung bei seinen Kollegen.

verurteilen, verurteilte, hat verurteilt ⟨tr.⟩: **1.** *durch ein Urteil für schuldig erklären und bestrafen:* er wurde zu einem Jahr Gefängnis verurteilt. **2.** *(über jmdn./etwas) eine vernichtende Kritik aussprechen; heftig ablehnen:* er verurteilte ihr Benehmen entschieden. **Verurteilung,** die; -, -en.

Verve ['vɛrvə], die; - (geh.): *Schwung, Begeisterung:* der Pianist spielte das Stück mit hinreißender V.

vervielfachen, vervielfachte, hat vervielfacht ⟨tr.⟩: **a)** *(eine Menge, Anzahl) um das Vielfache vermehren, vergrößern:* der Umsatz ist in den letzten Jahren vervielfacht worden; ⟨auch rfl.⟩ der Umsatz hat sich vervielfacht. **b)** *multiplizieren:* ich vervielfache 3 mit 5 und erhalte 15.

vervielfältigen, vervielfältigte, hat vervielfältigt ⟨tr.⟩: *(von etwas) eine größere Menge Kopien machen:* ein Bild v. **Vervielfältigung,** die; -, -en.

vervollkommnen, vervollkommnete, hat vervollkommnet ⟨tr.⟩: *vollkommen machen; verbessern:* das Verfahren zur Herstellung dieses Produktes ist vervollkommnet worden. **Vervollkommnung;** die; -, -en.

vervollständigen, vervollständigte, hat vervollständigt ⟨tr.⟩: *vollständig[er] machen; (etwas Fehlendes einer Sache) hinzufügen; ergänzen:* er vervollständigte seine Sammlung. **Vervollständigung,** die; -, -en.

verwachsen: I. verwächst, verwuchs, hat/ist verwachsen: **1.** ⟨itr./rfl.⟩ *durch Wachsen verschwinden, heilen; zuwachsen:* die Narbe, Wunde ist verwachsen/hat sich verwachsen. **2.** ⟨itr.⟩ *zu einer Einheit wachsen, werden; zusammenwachsen:* die Blätter verwachsen langsam miteinander; bildl.: er ist mit dem Unternehmen völlig verwachsen *(er ist mit dem Betrieb aufs engste verbunden).* **II.** ⟨Adj.⟩: **1.** *fehlerhaft, schief gewachsen:* ein verwachsener Mensch. **2.** *von Pflanzen dicht bewachsen, überwuchert; undurchdringlich:* ein verwachsenes Grundstück; der Weg ist völlig v.

verwackeln, verwackelte, hat verwackelt ⟨tr.⟩: *durch unruhiges Halten der Kamera unscharfe Bilder verursachen:* er hat die Aufnahme verwackelt; ⟨häufig im 2. Partizip⟩ ein verwackeltes Bild.

verwahren, verwahrte, hat verwahrt (geh.): **1.** ⟨tr.⟩ *gut und sicher aufheben, aufbewahren:* er verwahrte sein Geld in einem Safe. **2.** ⟨rfl.⟩ *protestieren; Widerspruch erheben:* ich verwahre mich gegen deine Verdächtigungen.

verwahrlosen, verwahrloste, ist verwahrlost ⟨itr.⟩: **a)** *ungepflegt und unordentlich werden:* der Garten ist völlig verwahrlost. **b)** *in moralischer Hinsicht in einen schlechten Zustand geraten:* verwahrloste Kinder. **Verwahrlosung,** die; -.

Verwahrung, die; -, -en: **a)** ⟨ohne Plural⟩ *das Aufbewahren; sichere Obhut:* die vorbeugende V. eines Verbrechers. * **etwas in V. nehmen** *(etwas an sich nehmen und sicher aufbewahren);* **etwas in V. geben** *(jmdm. etwas geben, damit er es sicher aufbewahrt);* **etwas in V. halten** *(etwas sicher aufbewahren).* **b)** *das Sichverwahren, Einspruch, Protest:* mit einer energischen V. wies er die Verdächtigungen zurück. * **gegen etwas V. einlegen** *(sich gegen etwas verwahren, gegen etwas Widerspruch erheben, protestieren).*

verwaisen, verwaiste, ist verwaist ⟨itr.⟩: *Waise werden, die Eltern verlieren:* er ist schon früh verwaist; ⟨häufig im 2. Partizip⟩ verwaiste Kinder; bildl.: ein verwaistes *(von den [meisten] Bewohnern verlassenes)* Haus.

verwalten, verwaltete, hat verwaltet ⟨tr.⟩: *(für etwas) verantwortlich sein und die damit verbundenen Geschäfte führen, Angelegenheiten regeln o. ä.:* ein Vermögen, ein Amt v. **Verwaltung,** die; -, -en.

verwandeln, verwandelte, hat verwandelt: **a)** ⟨tr.⟩ *völlig anders machen; völlig [ver]ändern:* der Schnee hatte die ganze Landschaft verwandelt. **b)** ⟨rfl.⟩ *völlig anders werden; sich völlig [ver]ändern:* seit dem Tod ihres Vaters hatte sie sich sehr verwandelt. ***verwandelt sein** *(sich völlig verändert, geändert haben).* **Verwandlung,** die; -, -en.

verwandt ⟨Adj.⟩: **1.** *von gleicher Abstammung:* die beiden sind miteinander v. – er ist ihr Onkel. **2.** *in wichtigen Merkmalen gleich; ähnlich:* ihn bewegten verwandte Gedanken.

Verwandte, der; -n, -n ⟨aber: [ein] Verwandter, Plural: Verwandte⟩: *jmd., der die gleiche Abstammung hat:* die Verwandten waren zur Hochzeit eingeladen; die beiden sind Verwandte – er ist ihr Onkel.

Verwandtschaft, die; -, -en: **1. a)** *gleiche Abstammung; das Verwandtsein:* die V. zwischen ihnen bindet sie eng aneinander. **b)** *alle Verwandten von jmdm.:* die ganze V. war zur Hochzeit eingeladen. **2.** *Übereinstimmung in wichtigen Merkmalen; Ähnlichkeit:* zwischen den beiden Plänen bestand eine gewisse V.

verwarnen, verwarnte, hat verwarnt ⟨tr.⟩: *zurechtweisen, rügen und für den Fall einer Wiederholung des Vergehens eine Bestrafung androhen:* der unfaire Spieler wurde vom Schiedsrichter verwarnt. **Verwarnung** die; -, -en.

verwässern, verwässerte, hat verwässert ⟨tr.⟩: *durch Änderungen entstellen, so daß der ursprüngliche Charakter (von etwas) nicht mehr in der rechten Weise gewahrt ist:* das Theaterstück, der Film wurde durch unnötige Einschübe verwässert; die Rede wurde verwässert wiedergegeben.

verwechseln, verwechselte, hat verwechselt ⟨tr.⟩: *irrtümlich eins für das andere halten, nehmen:* er hatte die Mäntel verwechselt. *(ugs.) **mein und dein v.** *(stehlen).* **Verwechslung,** die; -, -en.

verwegen ⟨Adj.⟩: *sich unerschrocken, oft in Überschätzung der eigenen Kräfte, in eine Gefahr begebend; überaus kühn:* v. griff er seine Gegner an. **Verwegenheit,** die; -.

verwehren, verwehrte, hat verwehrt ⟨tr.⟩ (geh.): *(jmdn. an etwas) hindern:* er verwehrte ihm den Eintritt; seine Krankheit verwehrte ihm die Teilnahme.

verweichlichen, verweichlichte, hat verweichlicht ⟨tr.⟩: *weichlich machen, verwöhnen:* ein Kind v.; der Reichtum hat ihn verweichlicht; ⟨häufig im 2. Partizip⟩ ein verweichlichter Mensch. **Verweichlichung,** die; -.

verweigern, verweigerte, hat verweigert ⟨tr.⟩: *(etwas Erwartetes, Gewünschtes o. ä.) nicht tun; (jmdm.) nicht gewähren:* Sie können die Aussage v.; er verweigerte ihm jede Hilfe. **Verweigerung,** die; -.

verweilen, verweilte, hat verweilt ⟨itr.⟩ (geh.): **a)** *(einen Ort oder einen Platz für eine bestimmte Zeit) nicht verlassen, (dort) bleiben:* er verweilte noch einige Wochen in der Stadt; bildl.: ihr Blick verweilte *(ruhte)* lange auf ihm; ⟨auch rfl.⟩ ich will mich nicht länger v. *(ich will nicht länger bleiben).* **b)** *(für eine bestimmte Zeit) eine bestimmte Stellung beibehalten:* er verweilte kurz an der Tür und lauschte.

Verweis, der; -es, -e: **1.** *Hinweis, daß an einer anderen Stelle [des Buches] etwas darüber zu finden ist; Aufforderung, an einer anderen Stelle nachzuschlagen:* im Lexikon steht unter „Deutsch" ein V. auf „Sprachen". **2.** *Tadel, Rüge:* ein milder, strenger V.; jmdm. einen V. erteilen.

verweisen, verwies, hat verwiesen ⟨tr.⟩: **1. a)** *hinweisen; aufmerksam machen:* den Leser auf eine frühere Stelle des Buches v. **b)** *(jmdm.) empfehlen, sich an eine bestimmte zuständige Person zu wenden:* man hat mich an den Inhaber des Geschäfts verwiesen. **2. a)** *(jmdn. wegen etwas) tadeln; tadelnd verbieten:* die Mutter verwies dem Jungen die vorlauten Worte. **b)** *(jmdm.) das weitere Bleiben (in einer Schule o. ä.) verbieten:* man verwies ihn von der Schule. **Verweisung,** die; -, -en.

verwelken, verwelkte, ist verwelkt ⟨itr.⟩: *welk werden:* die Blumen verwelken schon; bildl.: ein verwelktes Gesicht.

verwendbar ⟨Adj.⟩: *zum Gebrauch geeignet; so beschaffen, daß man es für einen bestimmten Zweck verwenden kann:* diese Methode ist hier nicht v. **Verwendbarkeit,** die; -.

verwenden, verwandte/verwendete, hat verwandt/verwendet: **1.** ⟨tr.⟩ *(für einen bestimmten Zweck) nutzen; gebrauchen, anwenden:* er verwendet das Buch im Unterricht; er hat viel Fleiß auf diese Arbeit verwandt *(für diese Arbeit aufgeboten);* er ist für diese Arbeit nicht zu v. *(nicht geeignet).* **2.** ⟨rfl.⟩ *als Fürsprecher (für jmdn./etwas) eintreten; sich (für jmdn./etwas) einsetzen:* ich werde mich bei seinem Chef für ihn v. **Verwendung,** die; -, -en.

verwerfen, verwirft, verwarf, hat verworfen ⟨tr.⟩/vgl. verworfen/: *als unannehmbar zurückweisen; völlig ablehnen:* die Kirche hat diese Lehre verworfen.

verwerflich ⟨Adj.⟩: *vom sittlichen Standpunkt aus unannehmbar, schlecht:* eine verwerfliche Handlung.

verwertbar ⟨Adj.⟩: *für eine Verwertung geeignet; so beschaffen, daß man es verwerten kann:* das Material ist nicht mehr v. **Verwertbarkeit,** die; -.

verwerten, verwertete, hat verwertet ⟨tr.⟩: *Nutzen (aus etwas) ziehen; ausnutzen:* eine Erfindung v. **Verwertung,** die; -, -en.

verwesen, verweste, ist verwest ⟨itr.⟩: *in Fäulnis übergehen* /von toten menschlichen oder tierischen Körpern/: die Leichen waren schon stark verwest. **Verwesung,** die; -.

verwickeln, verwickelte, hat verwickelt ⟨tr.⟩/vgl. verwickelt/: *verursachen, daß sich jmd. an etwas beteiligt, in etwas gerät :* er hatte ihn in ein Gespräch verwickelt; er war in diesen Streit verwickelt *(in diesen Streit geraten, an diesem Streit beteiligt).* * **sich in Widersprüche v.** *(offenkundig einander widersprechende Aussagen machen).*

verwickelt ⟨Adj.⟩: *schwer zu durchschauen, zu erklären, zu lösen; kompliziert, schwierig:* diese Geschichte ist sehr v.

verwildern, verwilderte, ist verwildert ⟨itr.⟩: **a)** *roh und wild werden; die guten Manieren verlieren:* in den Ferien verwilderten die Kinder völlig. **b)** *von Pflanzen dicht bewachsen, überwuchert werden:* der Garten verwilderte; ⟨häufig im 2. Partizip⟩ verwilderte *(ungepflegte, wirre)* Haare.

verwirken, verwirkte, hat verwirkt ⟨tr.⟩: *zur Strafe einbüßen, verlieren; sich um das Recht (auf etwas) bringen:* das Leben, die Freiheit v.

verwirklichen, verwirklichte, hat verwirklicht: **a)** ⟨tr.⟩ *in die Wirklichkeit umsetzen; Wirklichkeit werden lassen:* einen Plan v. **b)** ⟨rfl.⟩ *Wirklichkeit werden:* seine Hoffnungen haben sich nicht verwirklicht. **Verwirklichung,** die; -, -en.

verwirren, verwirrte, hat verwirrt: **1. a)** ⟨tr.⟩ *in Unordnung* *bringen; durcheinanderbringen:* der Wind verwirrte ihre Haare. **b)** ⟨rfl.⟩ *in Unordnung geraten:* das Garn hat sich verwirrt. **2.** ⟨tr.⟩ *irremachen, unsicher machen:* seine Frage verwirrte sie; ⟨häufig im 1. und 2. Partizip⟩ im Kaufhaus gibt es eine verwirrende Fülle von Waren; sie waren durch den ungewohnten Anblick ganz verwirrt. **Verwirrung,** die; -, -en.

verwischen, verwischte, hat verwischt: **1.** ⟨tr.⟩ *durch Wischen [unabsichtlich] undeutlich, unkenntlich machen:* er hat durch seine Unachtsamkeit die Schrift auf der Tafel verwischt; das Meer verwischte die Spuren im Sand; bildl.: die Spuren eines Verbrechens v. *(beseitigen).* **2.** ⟨rfl.⟩ *undeutlich werden; verschwimmen:* die Erinnerungen an jene Zeit haben sich verwischt.

verwittern, verwitterte, ist verwittert ⟨itr.⟩: *durch die Einflüsse der Witterung (Regen, Kälte, Hitze o. ä.) langsam zerfallen:* die Mauern der Burg waren schon stark verwittert. **Verwitterung,** die; -.

verwitwet ⟨Adj.; nicht adverbial⟩: *Witwe oder Witwer geworden:* er ist v.

verwöhnen, verwöhnte, hat verwöhnt ⟨tr.⟩ /vgl. verwöhnt/: **a)** *zu nachgiebig, mit zu großer Fürsorge behandeln; nicht streng genug erziehen:* sie hat ihre Kinder sehr verwöhnt. **b)** *(jmdm.) jeden Wunsch erfüllen; alles (für jmdn.) tun:* er verwöhnte seine Frau mit Geschenken.

verwöhnt ⟨Adj.; nur attributiv⟩: *hohe Ansprüche stellend; wählerisch:* er hat einen sehr verwöhnten Geschmack; die Zigarre für den verwöhnten Raucher.

verworfen ⟨Adj.⟩ (geh.): *verabscheuenswürdig, lasterhaft:* ein verworfener Mensch.

verworren ⟨Adj.⟩: *wirr und unklar:* niemand hatte seine verworrene Rede richtig verstanden; die ganze Angelegenheit ist ziemlich v. **Verworrenheit,** die; -.

verwundbar ⟨Adj.; nicht adverbial⟩: *leicht zu verwunden:* eine verwundbare Stelle; bildl.: seine Ehre soll man nicht kränken, das ist seine verwundbare Stelle *(da ist er sehr empfindlich).* **Verwundbarkeit,** die; -.

verwunden, verwundete, hat verwundet ⟨tr.⟩: *(jmdm.) eine Wunde beibringen* /bezogen auf das Verletzen durch Waffen o. ä. im Krieg/: der Schuß verwundete ihn am Arm; ⟨häufig im 2. Partizip⟩ die verwundeten Soldaten wurden ins Lazarett gebracht; er wurde im Krieg schwer verwundet; bildl.: seine Worte haben ihn sehr verwundet *(schwer gekränkt).*

verwunderlich ⟨Adj.⟩: *erstaunlich, seltsam:* das ist doch sehr v.!; die Sache schien ihm höchst v.

verwundern, verwunderte, hat verwundert ⟨itr./rfl.⟩: *wundern:* es verwunderte mich, daß er gar nichts dazu sagte; ich verwunderte mich über sein Benehmen; ⟨häufig im 2. Partizip⟩ er schaute verwundert zu. **Verwunderung,** die; -.

Verwundung, die; -, -en: **a)** *das Verwundetwerden:* die V. wäre zu vermeiden gewesen. **b)** *beigebrachte Wunde:* die V. war tödlich.

verwünschen, verwünschte, hat verwünscht ⟨tr.⟩: *(über jmdn./etwas) sehr ärgerlich, wütend sein:* er verwünschte den Tag, an dem er diesem Menschen begegnet war; ⟨häufig im 2. Partizip⟩ das ist eine ganz verwünschte *(sehr ärgerliche, unerfreuliche)* Geschichte! **Verwünschung,** die; -, -en.

verwurzelt: ⟨in der Fügung⟩ in etwas v. sein: *eine feste innere Bindung (an etwas) haben:* er ist tief in seiner Heimat, in der Tradition v.

verwüsten, verwüstete, hat verwüstet ⟨tr.⟩: *(ein Gebiet) zur Wüste machen, zerstören:* der Sturm hat das ganze Land verwüstet. **Verwüstung,** die; -, -en.

verzagen, verzagte, ist verzagt ⟨itr.⟩: *(in einer schwierigen Situation) die Zuversicht, die Hoffnung verlieren, aufgeben:* er wollte schon v., als ihm endlich eine Stellung angeboten wurde; ⟨häufig im 2. Partizip⟩ der Kranke war völlig verzagt, weil sich sein Zustand nicht besserte.

verzählen, sich; verzählte sich, hat sich verzählt: *beim Zählen einen Fehler machen; falsch zählen:* du mußt dich verzählt haben, es waren nicht zwölf, sondern nur zehn Personen.

verzahnen, verzahnte, hat verzahnt ⟨tr.⟩: *verbinden, indem man an beiden Seiten vorstehende Teile ineinandergreifen läßt:* die Teile eines Möbelstückes v.; bildl.: die Artikel eines Lexikons durch Verweise v.

verzapfen, verzapfte, hat verzapft ⟨tr.⟩ (ugs.; abwertend): *(etwas Dummes, Unsinniges) von sich geben, sagen, schreiben:* er verzapft lauter Unsinn; wer hat dieses Pamphlet verzapft?

verzärteln, verzärtelte, hat verzärtelt ⟨tr.⟩ (abwertend): *(ein Kind) durch übertrieben fürsorgliche Behandlung anfällig, schwach, untüchtig machen:* sie hat das Kind so verzärtelt, daß es sich dauernd erkältet.

verzaubern, verzauberte, hat verzaubert ⟨tr.⟩: *durch Zauber verwandeln* /im Märchen/: die Hexe verzauberte die Kinder [in Vögel].

verzehren, verzehrte, hat verzehrt: **1.** ⟨tr.⟩ *[in einer Gaststätte] essen [und trinken]:* habt ihr gestern in diesem Lokal viel verzehrt?; als er sein Brot verzehrt *(aufgegessen)* hatte, begann er wieder zu arbeiten. **2.** ⟨tr.⟩ *völlig verbrauchen; aufzehren:* die Krankheit hat ihre Kräfte völlig verzehrt. **3.** ⟨rfl.⟩ *heftiges Verlangen haben, sich sehr (nach etwas) sehnen:* er verzehrte sich nach seiner Heimat.

verzeichnen, verzeichnete, hat verzeichnet ⟨tr.⟩: **1. a)** *falsch zeichnen:* der Maler hat eine der beiden Figuren auf diesem Bild etwas verzeichnet. **b)** *entstellt, falsch darstellen:* der Schriftsteller hat den historischen Helden seines Romans ziemlich verzeichnet. **2.** *aufführen; schriftlich anführen; notieren:* die Namen sind alle in der Liste verzeichnet; der Schauspieler hatte große Erfolge zu v. *(hatte viel Erfolg);* Fortschritte wurden nicht verzeichnet *(gab es nicht).*

Verzeichnis, das; -ses, -se: *Aufstellung von Namen, Titeln o. ä. in einer bestimmten Reihenfolge; Liste, Register:* er legte ein V. von allen Gegenständen an.

verzeihen, verzieh, hat verziehen ⟨tr.⟩: *(ein Unrecht, eine*

Kränkung o. ä.) nicht nachtragen, (eine Störung) nicht übelnehmen; Nachsicht zeigen (für jmdn./etwas); entschuldigen: diese Äußerung wird sie mir nie v.; er verzieh ihr alles, was sie ihm je angetan hatte; ⟨auch itr.⟩ verzeihen Sie bitte! **Verzeihung,** die; -.

verzerren, verzerrte, hat verzerrt ⟨tr.⟩: **1.** *aus seiner normalen Form bringen und dadurch entstellen:* der Schmerz verzerrte sein Gesicht; dieser Spiegel verzerrt die Gestalt *(gibt sie entstellt wieder);* ⟨häufig im 2. Partizip⟩ die Stimmen auf dem Tonband klangen sehr verzerrt *(entstellt).* **2.** *falsch, entstellt darstellen; verfälschen:* er verzerrte in seinem Artikel die Vorgänge völlig; ⟨häufig im 2. Partizip⟩ er hat den Vorfall ziemlich verzerrt wiedergegeben. **Verzerrung,** die; -, -en.

verzetteln, verzettelte, hat verzettelt: **I.** ⟨itr./rfl.⟩: *durch viele, kleine, unwichtige Dinge verbrauchen und dadurch etwas Großes, Wichtiges nicht leisten können:* er verzettelte seine Kraft, sein Geld mit unnützen Dingen; du verzettelst dich zu sehr in einzelnen Aktionen. **II.** ⟨tr.⟩: *(Wörter) einzeln auf Zettel, Karten schreiben [um diese in eine Kartei o. ä. einordnen zu können]:* er hat für eine wissenschaftliche Arbeit den ganzen Wortschatz von Goethes „Faust" verzettelt.

Verzicht, der; -[e]s: *das Verzichten; Aufgabe eines Anspruchs, eines Vorhabens o. ä.:* der V. auf diese Reise fiel ihm sehr schwer.

verzichten, verzichtete, hat verzichtet ⟨itr.⟩: *(etwas) nicht [länger] beanspruchen; nicht (auf einer Sache) bestehen; (einen Anspruch, ein Vorhaben o. ä.) aufgeben:* er verzichtete auf das Geld, das ihm zustand; es fiel ihm schwer, auf dieses Amt zu v.

verziehen, verzog, hat/ist verzogen: **1. a)** ⟨tr.⟩ *aus seiner normalen Form bringen; verzerren:* du hast den Pullover verzogen, weil du ihn so auf das Seil gehängt hast; er verzog das Gesicht zu einer Grimasse *(machte, schnitt eine Grimasse);* ⟨häufig im 2. Partizip⟩ das Kleid ist ganz verzogen *(hat seine gute Form verloren).* **b)** ⟨rfl.⟩ *seine normale Form verlieren:* das Kleid hat sich verzogen; bei Feuchtigkeit verziehen sich die Bretter. **2. a)** ⟨itr.⟩ *an einen anderen Ort, in eine andere Wohnung ziehen; umziehen:* diese Familie ist [nach München] verzogen. **b)** ⟨rfl.⟩ *allmählich verschwinden, wegziehen:* der Nebel, das Gewitter hat sich verzogen; (ugs.) als die Gäste kamen, verzog er sich *(ging er heimlich weg, verschwand er).* **3.** ⟨tr.⟩ *falsch erziehen; verwöhnen:* sie hat ihre Kinder verzogen.

verzieren, verzierte, hat verziert ⟨tr.⟩: *mit Schmuck versehen; ausschmücken:* sie verzierte das Kleid mit Spitzen. **Verzierung,** die; -, -en.

verzinsen, verzinste, hat verzinst: **1.** ⟨tr.⟩ *Zinsen in bestimmter Höhe (für etwas) zahlen:* die Bank verzinst das Geld mit fünf Prozent. **2.** ⟨rfl.⟩ *Zinsen bringen:* das Kapital verzinst sich mit sechs Prozent.

verzögern, verzögerte, hat verzögert: **a)** ⟨tr.⟩ *langsamer geschehen, ablaufen lassen; hinausschieben:* das schlechte Wetter verzögerte die Ernte. **b)** ⟨rfl.⟩ *später geschehen, eintreten als vorgesehen:* seine Ankunft hat sich verzögert. **Verzögerung,** die; -, -en.

verzollen, verzollte, hat verzollt ⟨tr.⟩: *(für etwas) Zoll bezahlen:* diese Waren müssen verzollt werden.

Verzug: ⟨in den Wendungen⟩ **mit etwas in V. geraten/kommen** *(mit etwas zeitlich in Rückstand geraten);* **mit etwas in V. sein** *(mit etwas zeitlich im Rückstand sein):* er ist mit seinen Zahlungen in V.; **ohne V.** *(sofort, ohne zu zögern).* ** **es ist Gefahr im V.** *(es droht Gefahr).*

verzweifeln, verzweifelte, ist verzweifelt ⟨itr.⟩/vgl. verzweifelt/: *(in einer schwierigen Situation) jede Hoffnung, Zuversicht verlieren; keinen Ausweg mehr sehen:* der Kranke wollte schon v., als ihm schließlich dieses Mittel doch noch half; er verzweifelte am Gelingen dieses Versuches; ⟨häufig im 2. Partizip⟩ sie war in einer verzweifelten Stimmung; sie war ganz verzweifelt.

verzweifelt ⟨Adj.⟩: **1.** ⟨nicht adverbial⟩ *sehr schwierig; keine Hoffnung auf Besserung bietend; ausweglos:* er war in einer verzweifelten Lage. **2. a)** ⟨nur attributiv⟩ *sehr groß, aber vergeblich; außerordentlich:* er machte verzweifelte Anstrengungen, sich zu befreien. **b)** ⟨verstärkend bei Adjektiven und Verben⟩ *sehr:* er strengte sich v. an; die Situation ist v. ernst.

Verzweiflung, die; -: *Zustand des Verzweifeltseins; große Niedergeschlagenheit, Hoffnungslosigkeit:* eine tiefe V. erfüllte ihn, weil er keinen Ausweg mehr sah.

verzweigen, sich; verzweigte sich, hat sich verzweigt: *sich in mehrere Zweige teilen:* der Ast verzweigt sich; die Krone des Baumes ist weit verzweigt; bildl.: ⟨häufig im 2. Partizip⟩ ein weit verzweigtes Geschlecht.

verzwickt ⟨Adj.⟩ (ugs.): *sehr kompliziert; schwer zu durchschauen oder zu lösen:* eine verzwickte Angelegenheit; die Sache ist ganz v.

Vesper, die; -, -n: **1.** Rel. kath. *Gottesdienst am späten Nachmittag.* **2.** (landsch., bes. südwestd.) *kleinere Mahlzeit [am Nachmittag]:* wir werden jetzt V. machen.

vespern, vesperte, hat gevespert ⟨itr.⟩ (landsch., bes. südwestd.): *eine kleine Mahlzeit [am Nachmittag] einnehmen:* wir wollen jetzt v.

Vestibül, das; -s, -e: *[große] Halle, die sich an den Eingang eines Gebäudes anschließt:* wir trafen uns im V. des Theaters.

Veteran, der; -en, -en: **1.** *jmd., der in einem früheren Krieg Soldat war:* ein V. aus dem ersten Weltkrieg. **2.** *jmd., der zu den ältesten Mitgliedern gehört:* die Veteranen des Vereins. **3.** *eines der frühesten Automodelle; Auto sehr alten Typs:* er fährt einen Veteranen aus dem Jahr 1914.

Veterinär, der; -s, -e: *Tierarzt.*

Veto, das; -s, -s: **a)** *Protest, Einspruch [durch den etwas verhindert wird]:* dem Bundespräsidenten steht ein V. zu. * **[s]ein V. einlegen** *(Einspruch erheben).* **b)** *Recht, gegen etwas Einspruch zu erheben:* der Präsident machte von seinem V. Gebrauch.

Vettel, die; -, -n (veraltend; abwertend): *liederliche, schlampige [alte] Frau:* so eine V.!

Vetter, der; -s, -n: *Sohn eines Onkels oder einer Tante.*

Vetternwirtschaft, die; - (ugs.; abwertend): *Bevorzugung von Verwandten und Freunden bei der Besetzung von Posten ohne Rücksicht auf die fachliche Qualifikation:* in diesem Betrieb herrscht eine furchtbare V.

Viadukt, der; -[e]s, -e: *Bauwerk, durch das ein Tal überbrückt wird* (siehe Bild): die Bahn, Autobahn wird über einen V. geführt.

Viadukt

vibrieren, vibrierte, hat vibriert ⟨itr.⟩: *in schwingend-zitternder Bewegung sein [und einen Ton von sich geben]:* der Boden auf dem Deck des Schiffes vibriert; seine Stimme vibrierte.

Vieh, das; -[e]s: **1. a)** *Tiere, die zu einem bäuerlichen Betrieb gehören (wie Rinder, Schweine, Schafe o. ä.):* der Bauer hat fast all sein V. verkauft. **b)** *Kühe, Rinder:* das V. auf die Weide treiben. **2.** (ugs.) *Tier:* das arme V.!; dieses V. *(das Huhn)* hat wieder den Salat abgefressen.

viehisch ⟨Adj.⟩ (abwertend): *triebhaft wie ein Tier; äußerst roh [und grausam]:* ein viehischer Mörder; jmdn. v. behandeln.

Viehzucht, die; -: *das Ziehen und Halten von Tieren, die zu einem bäuerlichen Betrieb gehören.*

viel, mehr, meiste ⟨Indefinitpronomen und unbestimmtes Zahlwort⟩: **1. a) vieler, viele, vieles;** /unflektiert/ **viel** ⟨Singular⟩: *eine große Menge (von etwas):* viel[es] gutes Reden nutzte nichts; trotz vielem Angenehmen; es begegnete ihm vieles Unbekannte/ v. Unbekanntes; er hat v. Arbeit; er hat auf seiner Reise viel[es] gesehen; du hast v. gegessen. **b) viele;** /unflektiert/ **viel** ⟨Plural⟩ *eine große Anzahl (einzelner Personen oder Sachen):* viel[e] hohe Häuser; das Ergebnis vieler genauer Untersuchungen; es waren viele Reisende unterwegs; es waren viele unter ihnen, die ich nicht kannte. **2.** ⟨verstärkend bei Adjektiven im Komparativ oder vor *zu* + Adjektiv⟩ *in hohem Maß, weitaus:* sein Haus ist viel kleiner als deines; es wäre mir v. lieber, wenn du hierbliebest; die Schuhe sind mir v. zu klein.

Vieleck, das; -s, -e: *geometrische Figur mit drei und mehr Ecken.*

vielerlei ⟨unbestimmtes Zahlwort⟩: *viele unterschiedliche Dinge, Arten o. ä. umfassend:* auf dem Tisch lagen v. Dinge; v. zu erzählen haben.

vielfach ⟨unbestimmtes Zahlwort⟩: *viele Male [sich wiederholend]; oft [vorkommend]; häufig:* ein vielfacher Meister im Tennis; das Konzert wird auf vielfachen Wunsch *(auf den Wunsch vieler)* wiederholt; sein Name wurde in diesem Zusammenhang v. genannt.

Vielfalt, die; -: *das Vorkommen, Auftreten in vielen verschiedenen Arten, Formen o. ä.:* die V. der Formen und Farben beeindruckte ihn sehr.

vielfältig ⟨Adj.; nur attributiv⟩: *in vielen Arten, Formen o. ä. vorkommend:* vielfältige Farben; er erhielt vielfältige Anregungen; er pflegte vielfältigen Kontakt mit ihm. **Vielfältigkeit,** die; -.

Vielfraß, der; -es, -e (abwertend): *jmd., der übermäßig viel ißt:* er ist ein ausgesprochener V.

vielgestaltig ⟨Adj.⟩: *viele Gestalten, Formen aufweisend, zeigend:* Amerika ist ein vielgestaltiger Kontinent; die Politik des Staates ist sehr v.

vielleicht ⟨Adverb⟩: *wenn es möglich, passend ist; möglicherweise, eventuell; unter Umständen:* er kommt v. morgen schon zurück; v. habe ich mich geirrt; kannst du mir v. helfen?

vielmals ⟨Adverb; in bestimmten Verwendungen⟩: *sehr:* ich bitte v. um Entschuldigung; ich danke Ihnen v.

vielmehr ⟨Adverb⟩: *eher; dagegen; im Gegenteil:* man sollte ihn nicht verurteilen, v. sollte man ihm helfen; nicht er, v. *(sondern)* sie war gemeint; er ist v. *(statt dessen)* der Meinung, daß man sich beeilen solle.

vielsagend ⟨Adj.⟩: *etwas sehr deutlich ausdrückend, ohne daß es direkt gesagt wird:* ein vielsagender Blick; sie ging mit einem vielsagenden Lächeln aus dem Zimmer; er nickte v.

Vielschreiber, der; -s, - (abwertend): *Schriftsteller, der sehr viel, aber wenig Gutes produziert:* dieser V. bringt jedes Jahr einen neuen Roman heraus.

vielseitig ⟨Adj.⟩: **a)** *an vielen Dingen interessiert; auf vielen Gebieten bewandert:* er ist ein sehr vielseitiger Mensch. **b)** *viele Gebiete umfassend:* seine Ausbildung war sehr v. **Vielseitigkeit,** die; -.

vielversprechend ⟨Adj.⟩: *zu berechtigten Hoffnungen Anlaß gebend; so, daß man mit einem Erfolg rechnen kann:* ein vielversprechender junger Mann; der Anfang ist v.

vier ⟨Kardinalzahl⟩: 4: v. Personen; die v. Elemente, Jahreszeiten. *** in alle v. Winde** *(überallhin);* (ugs.) **auf allen vieren** *(auf Händen und Füßen);* **unter v. Augen** *(zu zweit ohne weitere Zeugen);* (ugs.; scherzh.) **sich auf seine v. Buchstaben setzen** *(sich [hin]setzen):* setz dich endlich mal auf deine v. Buchstaben!

Viereck, das; -s, -e: *geometrische Figur, deren vier Ecken durch die vier kürzesten der möglichen Linien verbunden sind.*

viereckig ⟨Adj.⟩: *die Form eines Vierecks, vier Ecken habend:* ein viereckiger Platz.

vierschrötig ⟨Adj.⟩ (abwertend): *von breiter, derber Gestalt; plump, ungeschlacht:* ein großer, vierschrötiger Mann.

vierte ⟨Ordinalzahl⟩: 4.: das v. Bild von rechts gefällt mir am besten.

Viertel ['fɪrtəl], das; -s, -: **1.** *der vierte Teil von einem Ganzen.* **2.** *Teil eines Ortes, einer Stadt; bestimmte Gegend in einer Stadt:* sie wohnen in einem sehr ruhigen V.

Vierteljahr, das; -[e]s, -e: *Zeitraum von drei Monaten:* er bestellte die Zeitung für ein V.

Viertelstunde, die; -, -n: *Zeitraum von fünfzehn Minuten:* er ist eine V. zu spät gekommen.

vierzig ['fɪrtsɪç] ⟨Kardinalzahl⟩: 40: v. Personen.

Vikar, der; -s, -e: **1.** Rel. kath. **a)** *Stellvertreter in einem kirchlichen Amt.* **b)** *Kaplan.* **2.** Rel. ev. *Theologe, der einem Pfarrer zur Ausbildung zuge-*

teilt ist. **3.** (schweiz.) *Vertreter eines Lehrers.*

Villa, die; -, Villen: *größeres, komfortables Einfamilienhaus:* sie wohnen in einer hübschen V. am Rand der Stadt.

violett ⟨Adj.⟩: *(in der Färbung) zwischen Rot und Blau liegend:* Veilchen sind v.

Violine, die; -, -n: *Geige:* ein Konzert für V. und Orchester.

Violoncello [violɔn'tʃɛlo], das; -s, -s und Violoncelli: *Cello.*

Viper, die; -, -n /eine Giftschlange/: er wurde von einer V. gebissen.

virtuos ⟨Adj.⟩: *in technischer oder formaler Hinsicht vollendet, meisterhaft:* der Pianist spielte v.

Virtuose, der; -n, -n: *Künstler, Musiker, der seine Kunst technisch vollendet beherrscht:* er ist ein V. auf dem Klavier.

Virus, das, (ugs. auch:) der; -, Viren: *kleinster, auf lebendem Gewebe gedeihender Krankheitserreger:* ein gefährliches V.; die Grippe wird durch ein V. hervorgerufen, übertragen.

Visage [vi'za:ʒə], die; -, -n (derb; abwertend): *Gesicht:* er hat eine widerliche V.

vis-à-vis [viza'vi:] ⟨Adverb⟩: *gegenüber:* v. von mir saß eine attraktive Blondine.

Visavis [viza'vi:], das; - [viza'vi:(s)]. - [viza'vi:s]: *das Gegenüber:* mein V. im Büro raucht pausenlos Zigaretten.

Visier, das; -s, -e: **1.** (hist.) *beweglicher, das Gesicht bedeckender Teil eines Helmes [aus dem Mittelalter]:* der Ritter öffnete nach dem Zweikampf das V. *** mit offenem V. kämpfen** *(in offener Weise, ohne versteckte Absichten und Winkelzüge Pläne verfolgen).* **2.** *Vorrichtung zum Zielen an Feuerwaffen o. ä.:* der Jäger bekam einen Bock ins V.

Vision, die; -, -en: *Offenbarung, Auftrag o. ä., den man durch übernatürliche Erscheinungen oder Stimmen erhält:* er hat Visionen; bildl.: die V. *(der Zukunftstraum)* von einer gerechten und friedlichen Welt.

Visite, die; -, -n: *Besuch des Arztes beim Kranken:* die morgendliche V. im Krankenhaus; der Arzt kommt zur V.

Visitenkarte, die; -, -n: *kleine Karte mit dem Namen [und der Adresse]* (siehe Bild): er gab ihm seine V.

Visitenkarte

visitieren, visitierte, hat visitiert ⟨tr.⟩ (veralt.): *durchsuchen, untersuchen:* auf dem Zollamt wurde unser Gepäck gründlich visitiert.

visuell ⟨Adj.⟩: *das Sehen betreffend; auf das Auge wirkend:* visuelle Eindrücke. *** ein visueller Typ** *(jmd., der Gesehenes besonders leicht im Gedächtnis behält).*

Visum, das; -s, Visa: *Vermerk in einem Paß, der jmdm. gestattet, die Grenze eines Landes zu überschreiten:* ein V. beantragen.

vital ⟨Adj.⟩: **1.** ⟨nur attributiv⟩ *wichtig für das Leben, für die Existenz:* die vitalen Interessen eines Volkes. **2.** *voll Energie, Tatkraft und Temperament:* er ist nicht mehr jung, aber noch sehr v. **Vitalität,** die; -.

Vitamin, das; -s, -e: *für den Körper wichtiger Stoff, der vorwiegend in Pflanzen gebildet und dem Körper durch die Nahrung zugeführt wird:* Orangen enthalten viel Vitamin C; das Kind braucht mehr Vitamine.

Vitrine, die; -, -n: *kleiner Schrank, Kasten, dessen Wände [teilweise] aus Glas bestehen und in dem etwas [von allen Seiten sichtbar] ausgestellt werden kann* (siehe Bild): in einer V. im Museum liegen alte Münzen.

Vitrine

Vivat, das; -s, -s (veralt.): *Ausruf, mit dem man jmdn. hochleben läßt.*

Vivisektion, die; -, -en: *Eingriff an lebenden Tieren zu Zwecken der Forschung.*

Vogel, der; -s, Vögel: *von Federn bedecktes Wirbeltier mit Flügeln* (siehe Bild): der V. fliegt auf den Baum. *(ugs.) **einen V. haben** *(nicht recht bei Verstand sein, seltsame Ideen haben);* (ugs). **jmdm. den/ einen V. zeigen** *(indem man mit dem Finger an die Stirn tippt, einem anderen zu verstehen geben, daß man ihn für nicht normal hält* /als Ausdruck des Ärgers/).

Vogel

Vogelperspektive: ⟨in der Fügung⟩ aus der V.: *von oben, aus der Luft [gesehen]:* vom Flugzeug aus sah er die Stadt zum erstenmal aus der V.; eine Landschaft aus der V. photographieren.

Vogelscheuche, die; -, -n: **a)** *häßliche Figur aus alten Kleidern usw. in Gestalt eines Menschen, durch die die Vögel abgeschreckt werden sollen* (siehe Bild): auf dem Feld, im Garten steht eine V. **b)** (ugs.; abwertend) *Frau, die sich geschmacklos, unpassend kleidet und daher häßlich und abstoßend aussieht:* mit diesem Hut ist sie eine [richtige] V.

Vogelscheuche a)

Vogel-Strauß-Politik, die; -: *bewußtes Nichtbeachten eines Problems; das Bestreben, etwas Unangenehmes nicht zur Kenntnis nehmen zu müssen, um einer Schwierigkeit [für den Augenblick] auszuweichen:* die Regierung treibt eine V., wenn sie von wirtschaftlichen Erfolgen spricht, aber das soziale Elend verschweigt.

Vokabel, die; -, -n (östr. auch: das; -s, -): *einzelnes [fremdsprachiges] Wort:* Vokabeln lernen.

Volant [vo'lã:], der; -s, -s (veralt.): *Lenkrad, Steuer beim Kraftwagen:* der Chauffeur setzte sich hinter den V.

Volk, das; -[e]s, Völker: **1.** *Gemeinschaft von Menschen, die nach Sprache, Kultur und Geschichte zusammengehören:* das deutsche Volk; die Völker Europas. **2.** ⟨ohne Plural⟩ *untere Schichten der Bevölkerung:* ein Mann aus dem V. **3.** ⟨ohne Plural⟩ *größere Anzahl von Menschen (die irgendwo zusammengekommen sind); Menge:* das V. drängte sich auf dem Platz.

Völkerball, der; -[e]s: *Ballspiel mit zwei Mannschaften, dessen Teilnehmer die gegnerischen Spieler mit dem Ball zu treffen suchen, die dann, wenn sie den Ball nicht fangen können und getroffen worden sind, ausscheiden.*

Völkerkunde, die; -: *Wissenschaft, die sich mit Kultur, Religion, Gesellschaft usw. der Völker [mit niedriger Kulturstufe] beschäftigt.*

Völkerrecht, das; -[e]s: *rechtliche Normen für die Beziehungen zwischen Völkern, Staaten oder internationalen Organisationen.*

Völkerwanderung, die; - (hist.): *vom 4. bis zum 8. Jahrhundert dauernde Wanderung germanischer Völker in den Süden und Westen Europas, die zur Bildung neuer Staaten auf dem Boden des früheren Römischen Reiches führte:* die Zeit der V.; bildl.: im Urlaub fahren Millionen Menschen ans Meer oder ins Gebirge, eine wahre V.!

Volksglaube, der; -ns: *im Volk verbreitete abergläubische Vorstellung[en].*

Volkshochschule, die; -, -n: *Anstalt, in der Erwachsene Kurse usw. besuchen können, um sich nach Abschluß der Schul- und Berufsausbildung weiterzubilden:* er besucht einen Kurs für Maschinenschreiben in der V.

Volkskunde, die; -: *Wissenschaft, die sich mit den Lebensformen und -äußerungen des Volkes oder einer sozialen Gruppe, mit ihren geistig-seelischen Schöpfungen und ihren handwerklichen Erzeugnissen beschäftigt.*

Volkslied, das; -[e]s, -er: *im Volk gesungenes, einfaches gereimtes Lied.*

Volksschule, die; -, -n: *Schule, deren Besuch Pflicht ist und die vier bzw. neun Schuljahre umfaßt.*

Volksseele: ⟨in der Fügung⟩ die empörte/kochende V. (ugs.): *das empörte, wütende Volk:* die kochende V. beruhigte sich erst nach großen Zugeständnissen.

Volksstamm, der; -[e]s, Volksstämme: *Stamm innerhalb eines Volkes.*

volkstümlich ⟨Adj.⟩: *einfach, allgemein verständlich [und beliebt]; populär:* ein volkstümliches Theaterstück; er schreibt sehr v. **Volkstümlichkeit,** die; -.

Volksvertretung, die; -, -en: *Gesamtheit der vom Volk gewählten Abgeordneten; Parlament:* die V. nahm den Antrag an.

Vollbeschäftigung, die; -: *Zustand der Wirtschaft, bei dem praktisch jeder Arbeit finden kann und nur ein ganz geringer Teil der Bevölkerung arbeitslos ist:* es herrscht V.; die Erhaltung der V. ist das wichtigste Ziel der Wirtschaftspolitik.

voll ⟨Adj.⟩: **1.** *ganz gefüllt (so daß nichts mehr hineingeht, nichts mehr hinzugetan werden kann):* ein volles Glas; der Koffer ist v. Kleider, v. von Kleidern, voller Kleider; der Tisch lag voll[er] Zeitungen *(war bedeckt von Zeitungen);* der Himmel ist voll[er] Sterne *(ist übersät mit Sternen);* der Omnibus war ziemlich v. *(besetzt);* bildl.: sie schaute ihn voll[er] Angst an; /oft zusammengesetzt mit Verben/ vollgießen, vollaufen, vollstopfen. * (ugs.) **v. sein** *(betrunken sein).* **2.** *ganz, völlig; vollständig:* er mußte ein volles Jahr warten; er bezahlte die volle Summe; die Maschine arbeitet mit voller *(unverminderter)* Kraft; sie haben seine Leistung v. anerkannt; er hat sich v. *(mit seiner ganzen Kraft)* für diesen Plan eingesetzt. **3.** *etwas dick; füllig, rundlich:* er hat ein volles Gesicht; sie ist etwas voller geworden.

Vollbesitz: ⟨in der Fügung⟩ im V. von etwas sein: *etwas voll und ganz haben:* er ist trotz seines Alters noch im V. seiner Kräfte; im V. seiner Würde, seines Verstandes.

vollblütig ⟨Adj.⟩: **a)** *lebensfroh, voll Temperament:* eine vollblütige Frau. **b)** *aus reinrassiger, edler Zucht stammend:* ein vollblütiges Pferd.

vollbringen, vollbrachte, hat vollbracht ⟨tr.⟩ (geh.): *zustande bringen; ausführen:* er hat eine große Tat vollbracht.

vollenden, vollendete, hat vollendet ⟨tr.⟩ /vgl. vollendet/: *zum Abschluß bringen; fertig machen:* er hat seine Arbeit vollendet.

vollendet ⟨Adj.⟩: *ohne jeden Fehler; vollkommen, hervorragend, unübertrefflich:* er hat das Konzert v. gespielt.

vollends ⟨Adverb⟩: *ganz und gar; völlig, gänzlich:* die Nachricht hat ihn v. aus der Fassung gebracht.

Vollendung, die; -: **a)** *das Vollenden, Fertigstellen:* er erlebte die V. des Hauses nicht mehr. **b)** *höchste Qualität, Vollkommenheit:* er hat in seinem letzten Werk höchste V. erreicht.

Volleyball ['vɔli...], der; -[e]s, Volleybälle: **1.** *im Volleyballspiel verwendeter Ball.* **2.** ⟨ohne Plural⟩ /Sportart des Volleyballspiels/.

Volleyballspiel ['vɔli...], das; -[e]s, -e: *Spiel von zwei Mannschaften zu je sechs Spielern, die den Ball mit den Händen über ein Netz schlagen, ohne daß er den Boden oder das Netz berühren darf.*

Vollgas: ⟨in den Wendungen⟩ **V. geben** *([beim Auto] die Geschwindigkeit so rasch wie möglich erhöhen);* **mit V.** *(mit höchstmöglicher Geschwindigkeit):* er fuhr mit V. durch die Straßen; bildl. (ugs.): ich muß jetzt mit V. arbeiten.

völlig ⟨Adj.; nicht prädikativ⟩: *gänzlich, vollständig, ganz und gar* /kennzeichnet den höchsten Grad von etwas/: er ließ ihm völlige Freiheit; das ist v. ausgeschlossen.

volljährig ⟨Adj.⟩: *mündig:* er braucht die Erlaubnis seiner Eltern, weil er noch nicht v. ist. **Volljährigkeit,** die; -.

vollkommen [auch: voll...] ⟨Adj.⟩: **1.** *ohne jeden Fehler; unübertrefflich, hervorragend:* ein Bild von vollkommener Schönheit; das Spiel des Pianisten war v. **2.** (ugs.) *völlig,* *gänzlich; ganz und gar:* eine vollkommene Niederlage; du hast v. recht; das genügt v. *(durchaus).* **Vollkommenheit,** die; -.

Vollkornbrot, das; -[e]s, -e: *sehr dunkles Brot, in dem alle Bestandteile des nicht geschälten Getreidekorns enthalten sind.*

Vollmacht, die; -, -en: *schriftlich gegebene Erlaubnis, bestimmte Handlungen an Stelle eines andern vorzunehmen:* wenn Sie diese Sendung für ihn abholen wollen, brauchen Sie eine V.

Vollmilch, die; -: *viel Fett enthaltende Milch, der der Rahm nicht entzogen wurde.*

Vollpension ['fɔlpãsio:n; südd., östr., schweiz.: ...pɛnzio:n], die; -: *Unterkunft in einer Pension, einem Gasthof o. ä. mit Übernachtung und allen Mahlzeiten:* die Preise sind einschließlich Flug und V.

vollschlank ⟨Adj.⟩: *nicht schlank, aber auch nicht besonders dick:* eine vollschlanke Frau; sie ist v.

vollständig ⟨Adj.⟩: **1.** *mit allen dazugehörenden Teilen, Stücken vorhanden; keine Lücken, Mängel aufweisend; komplett:* das Museum hat eine fast vollständige Sammlung der Bilder dieses Malers; das Service ist nicht mehr v. **2.** (ugs.) *völlig, gänzlich, ganz und gar:* er ließ ihm vollständige Freiheit; die Stadt hat sich v. verändert. **Vollständigkeit,** die; -.

vollstrecken, vollstreckte, hat vollstreckt ⟨tr.⟩: *in amtlichem Auftrag durchführen:* ein Urteil, eine Pfändung v. **Vollstreckung,** die; -, -en.

Volltreffer, der; -s, -: *Treffer genau ins Ziel:* das war ein V.!; bildl.: der Titel des neuen Films war ein V. *(hat eingeschlagen, große Wirkung erzielt).*

vollwertig ⟨Adj.⟩: **a)** *ebensoviel wert; jmdn./etwas zur vollen Zufriedenheit ersetzend:* ein vollwertiger Nachfolger; er verlangte vollwertigen Ersatz für den Schaden. **b)** *alle nötigen Eigenschaften besitzend; keine wesentlichen Mängel aufweisend:* er ist kein vollwertiger Mensch *(er ist schwach, kränklich);* er kaufte zu einem billigen Preis ein vollwertiges *(gut ausgerüstetes und funktionierendes)* Auto.

vollzählig ⟨Adj.⟩ *die vorgeschriebene, gewünschte Anzahl aufweisend; alle ohne Ausnahme:* eine vollzählige Versammlung; die Familie war v. versammelt. **Vollzähligkeit,** die; -.

vollziehen, vollzog, hat vollzogen: **1.** ⟨tr.⟩: *ausführen, durchführen, in die Tat umsetzen:* ein Urteil, eine Strafe v.; die Trauung ist vollzogen. **2.** ⟨rfl.⟩ *geschehen:* diese Entwicklung, dieser Vorgang vollzieht sich sehr langsam.

Vollzug, der; -[e]s: *das Vollziehen, Ausführen:* der V. einer Anordnung.

Volontär, der; -s, -e: *jmd., der sich im Rahmen seiner Ausbildung ohne oder nur gegen geringes Entgelt in die Praxis eines [kaufmännischen] Berufes einarbeitet:* er arbeitet als V. in einer Bank.

volontieren, volontierte, hat volontiert ⟨itr.⟩: *als Volontär tätig sein:* er volontiert bei der hiesigen Tageszeitung.

Volumen, das; -s, -: *Inhalt (eines Raumes):* der Würfel hat ein V. von 8 m³; das V. eines Körpers messen, berechnen.

vom ⟨Verschmelzung von *von* + *dem*⟩.

von ⟨Präp. mit Dativ⟩: **1. a)** /gibt einen räumlichen Ausgangspunkt an/: der Zug kommt von Berlin; von Norden nach Süden; von hier; von oben; sie kommt gerade vom Arzt. **b)** /gibt einen zeitlichen Ausgangspunkt an/: von heute an wird sich das ändern; von morgens bis abends; von 10 bis 12 Uhr. **c)** /gibt eine Person oder Sache als Urheber oder Grund an/: ein Roman von Goethe; die Idee stammt von ihm; grüße ihn von mir; die Stadt wurde von einem Erdbeben zerstört; er ist müde vom Laufen. **2.** /dient der Angabe bestimmter Eigenschaften, Maßangaben o. ä./: ein Gesicht von großer Schönheit; eine Frau von dreißig Jahren; eine Stadt von 100000 Einwohnern; ein Tuch von zwei Meter Länge. **3.** /steht bei der Bezeichnung des Teils eines Ganzen oder einer Gesamtheit/: er aß nur die Hälfte von dem Apfel; einen Zweig von einem Baum brechen; einer von meinen Freunden. **4.** /in Abhängigkeit von bestimmten Wörtern/: ob wir fahren können, hängt von dir ab *(mußt du entscheiden);* er ist nicht frei von Schuld *(nicht ohne Schuld).*

voneinander ⟨Adverb⟩: *einer von dem andern:* sie wollten sich nicht v. trennen.

vonnöten: ⟨in der Verbindung⟩ v. sein: *nötig sein:* eine ärztliche Behandlung ist dringend v.

vonstatten: ⟨in der Wendung⟩ v. gehen: **a)** *stattfinden:* wann geht die Feier v.? **b)** *verlaufen, sich entwickeln, vorwärtsgehen:* die Verhandlungen gingen nur sehr langsam v.

vor ⟨Präp. mit Dativ und Akk.⟩: **1.** ⟨lokal⟩ **a)** ⟨mit Dativ; auf die Frage: wo?⟩ *an der vorderen Seite:* der Baum steht vor dem Haus; zwei Kilometer vor *(außerhalb)* der Stadt; plötzlich stand er vor mir *(mir gegenüber).* **b)** ⟨mit Akk.; auf die Frage: wohin?⟩ *an die vordere Seite:* er stellte das Auto vor das Haus; er trat vor die Tür *(trat aus dem Haus).* **2.** ⟨temporal; mit Dativ⟩ *früher als:* er kommt nicht vor dem Abend; einen Tag vor seiner Abreise; vor vielen Jahren habe ich ihn zum letztenmal gesehen *(es ist viele Jahre her, daß ich ihn zum letztenmal gesehen habe).* **3.** ⟨kausal; mit Dativ⟩ *aus; bewirkt durch* /gibt den Grund, die Ursache an/: er zitterte vor Angst; sie weinte vor Freude. **4.** ⟨mit Dativ⟩ /in Abhängigkeit von bestimmten Wörtern/: sich vor der Kälte *(gegen die Kälte)* schützen; Achtung vor dem Gesetz *(gegenüber dem Gesetz)* haben.

Vorabend: ⟨in der Fügung⟩ am V.: *am Abend vor einem bestimmten Tag, Fest:* am V. der Hochzeit; bildl.: am V. *(kurz vor Beginn)* des zweiten Weltkriegs.

voran ⟨Adverb⟩: *vorne, an der Spitze;* ⟨oft zusammengesetzt mit Verben⟩ vorangehen, voranlaufen.

vorangehen, ging voran, ist vorangegangen ⟨itr.⟩: **1.** *vor jmdm./etwas her gehen; vorne, an der Spitze gehen:* der Führer ging der Gruppe voran; dem Festzug ging ein Mann mit einer Fahne voran; jmdn. v. *(zuerst eintreten oder hinaus-*

gehen) lassen. **2.** *sich [gut] entwickeln; Fortschritte machen:* die Arbeit geht recht gut voran.

vorankommen, kam voran, ist vorangekommen ⟨itr.⟩: **1.** *sich vorwärtsbewegen; einen Weg, eine Strecke zurücklegen:* sie kamen im Schnee nur mühsam voran; an diesem Tag kam er nur zehn Kilometer voran. **2.** *Erfolg haben; Fortschritte machen:* sie kommen mit ihrer Arbeit gut voran.

Voranschlag, der; -[e]s, Voranschläge: *auf vorläufigen Berechnungen beruhende Aufstellung der Kosten; Kostenvoranschlag:* einen V. für das geplante Gebäude machen.

Vorarbeit, die; -, -en: *Arbeit, die als Vorbereitung für eine andere Arbeit dient:* die Vorarbeiten für eine wissenschaftliche Untersuchung; er hatte gründliche V. geleistet.

vorarbeiten, arbeitete vor, hat vorgearbeitet: **1.** ⟨tr.⟩ *im voraus mehr arbeiten, um später mehr freie Zeit zu haben:* wir haben für Weihnachten zwei Tage vorgearbeitet. **2.** ⟨rfl.⟩ *[durch harte Arbeit, Fleiß] eine bessere Stellung erreichen:* du hast dich bis zum Abteilungsleiter vorgearbeitet. **3.** ⟨itr.⟩ *Vorarbeit leisten:* er hat [ihm] gut vorgearbeitet.

Vorarbeiter, der; -s, -: *Anführer einer Gruppe von Arbeitern:* der V. teilt den einzelnen Leuten die Arbeit zu.

voraus ⟨Adverb⟩: *vor den anderen, an der Spitze;* ⟨häufig zusammengesetzt mit Verben⟩ vorausgehen, vorauseilen, vorausfahren. * **jmdm./einer Sache v. sein** *(schneller, weiter, besser sein als jmd./etwas):* er ist seinen Kameraden in der Schule weit v.; er ist seiner Zeit v.; **im v.** [auch: vo...] *(schon vorher):* er hat im v. bezahlt.

vorausgehen, ging voraus, ist vorausgegangen ⟨itr.⟩: **1.** *schon vorher, früher als ein anderer irgendwohin gehen:* die Kinder sind schon vorausgegangen, aber ihr werdet sie schnell einholen. **2.** *sich vorher ereignen; früher (als etwas anderes) geschehen:* dem Streit war ein Vorfall vorausgegangen, von dem niemand etwas gewußt hatte.

voraushaben, hat voraus, hatte voraus, hat vorausgehabt ⟨itr.⟩: *(einem anderen gegenüber in bestimmter Hinsicht) überlegen, im Vorteil sein:* er hat den andern Mitarbeitern einige Erfahrung voraus.

voraussagen, sagte voraus, hat vorausgesagt ⟨tr.⟩: *(etwas Zukünftiges) im voraus ankündigen; vorhersagen:* er hat das Mißlingen des Planes vorausgesagt.

voraussetzen, setzte voraus, hat vorausgesetzt ⟨tr.⟩: *als vorhanden, als gegeben, als selbstverständlich annehmen:* diese genauen Kenntnisse kann man bei ihm nicht v.; ⟨häufig im 2. Partizip⟩ ich komme gegen Abend zu dir, vorausgesetzt, du bist um diese Zeit zu Hause.

Voraussetzung, die; -, -en.

Voraussicht: ⟨in den Fügungen⟩ **aller V. nach, nach aller menschlichen V.** *(höchst wahrscheinlich):* ich werde aller V. nach am Samstag kommen; (scherzh.) **in weiser V.** *(weil man bereits ahnte, was kommen würde).*

voraussichtlich ⟨Adj.; nicht prädikativ⟩: *mit ziemlicher Gewißheit zu erwarten; wahrscheinlich, vermutlich:* die voraussichtliche Verspätung des Zuges wurde bekanntgegeben; er kommt v. erst morgen.

vorauszahlen, zahlte voraus, hat vorausgezahlt ⟨tr.⟩: *im voraus zahlen:* er mußte die Hälfte des Preises v. **Vorauszahlung,** die; -, -en.

Vorbau, der; -[e]s, -ten: *an der Vorderseite angebauter Teil eines Hauses o. ä.:* vor dem Gasthaus befindet sich ein gedeckter V.

vorbauen, baute vor, hat vorgebaut ⟨itr.⟩: *rechtzeitig etwas unternehmen, Vorkehrungen treffen; vorsorgen:* er hat viel gespart und für Notfälle vorgebaut; man muß Mißverständnissen v. *(vorbeugen).*

Vorbedacht: ⟨in den Fügungen⟩ **mit V.** *(bewußt, überlegt):* er hat es mit V. gesagt; **ohne V.** *(ohne vorher zu überlegen):* etwas ohne V. tun.

Vorbehalt, der; -[e]s, -e: *Bedenken, Einwand; Einschränkung:* er hatte viele Vorbehalte gegen diesen Plan; mit, ohne V. zusagen; er machte nur unter dem V. mit, jederzeit wieder aufhören zu können.

vorbehalten, behält vor, behielt vor, hat vorbehalten ⟨itr.⟩: *sich die Möglichkeit offenlassen, gegebenenfalls anders zu entscheiden:* die letzte Entscheidung in dieser Frage hast du dir hoffentlich vorbehalten; sie haben sich alle Rechte vorbehalten *(sie haben sie nicht an andere abgetreten, veräußert).* * **etwas ist/bleibt jmdm. vorbehalten** *(jmd. ist der erste, der etwas Bestimmtes tut, dem etwas Bestimmtes gelingt):* den Amerikanern blieb es vorbehalten, den Mond zu betreten.

vorbei ⟨Adverb⟩: **1.** ⟨räumlich⟩ *neben jmdm./etwas, an etwas entlang und weiter fort; vorüber:* der Wagen kam sehr schnell angefahren und war im Nu an uns v.; ⟨oft zusammengesetzt mit Verben, die eine Bewegung ausdrücken⟩ vorbeifahren, vorbeigehen, vorbeiziehen. **2.** ⟨zeitlich⟩ *vergangen, verschwunden:* der Sommer ist v.

vorbeibenehmen, sich; benimmt sich vorbei, benahm sich vorbei, hat sich vorbeibenommen (ugs.): *sich in einer bestimmten Situation schlecht benehmen, gegen die Regeln des Anstandes verstoßen:* heute abend hast du dich aber gründlich vorbeibenommen!

vorbeigehen, ging vorbei, ist vorbeigegangen ⟨itr.⟩: **1.** *(neben jmdm./etwas oder an jmdm./etwas) entlanggehen und dabei nicht anhalten:* an einem Haus v.; er ging an mir vorbei, ohne mich zu grüßen; (ugs.) bei jmdm. v. *(jmdn. kurz besuchen);* bildl.: seine Ansichten gehen an der Wirklichkeit vorbei *(berücksichtigen sie nicht).* **2.** *vergehen:* diese Woche ist schnell vorbeigegangen.

vorbeireden, redete vorbei, hat vorbeigeredet ⟨itr.⟩: *(über etwas) reden, ohne das eigentlich Wichtige, den Kern der Sache zu treffen:* er hat dauernd an dem eigentlichen Problem vorbeigeredet. * **aneinander v.** *(miteinander reden, ohne wirklich zu verstehen, was der andere meint).*

Vorbemerkung, die; -, -en: *einleitende erläuternde Bemerkung:* in einer V. äußert sich der

Autor über den Zweck seines Buches.

vorbereiten, bereitete vor, hat vorbereitet ⟨tr./rfl.⟩: *(für etwas) im voraus bestimmte Arbeiten erledigen:* eine Veranstaltung, ein Fest v.; er hat sich für die Prüfung gut vorbereitet *(er hat viel dafür gearbeitet).* *** sich auf etwas v.** *(alles tun, um einer Aufgabe gewachsen zu sein):* er hat sich auf den Wettkampf, auf die Diskussion vorbereitet; **jmdn. auf etwas v.** *(jmdm. etwas vorsichtig andeuten, damit er auf etwas Unangenehmes gefaßt ist):* er versuchte, seine Mutter auf diese schlimme Nachricht vorzubereiten; **auf etwas vorbereitet sein** *(auf etwas gefaßt sein):* darauf war ich nicht vorbereitet. **Vorbereitung,** die; -, -en.

vorbestellen, bestellte vor, hat vorbestellt ⟨tr.⟩: *schon vorher bestellen, um es später abholen zu können:* er hat die Karten für das Konzert schon lange vorbestellt. **Vorbestellung,** die; -, -en.

vorbestraft ⟨Adj.; nicht adverbial⟩: *bereits früher von einem Gericht verurteilt und bestraft:* ein bereits mehrmals vorbestrafter Betrüger.

Vorbeter, der -s -: R e l. k a t h. *jmd. der ein Gebet laut vorspricht [damit es die anderen wiederholen oder mit einer bestimmten Formel, einem anderen Gebet antworten].*

vorbeugen, beugte vor, hat vorgebeugt: **1.** ⟨rfl.⟩ *sich nach vorn beugen:* er beugte sich so weit vor, daß er fast aus dem Fenster gefallen wäre. **2.** ⟨itr.⟩ *durch bestimmtes Verhalten oder bestimmte Maßnahmen (etwas) zu verhindern suchen:* einer Gefahr, einer Krankheit v. **Vorbeugung,** die; -.

Vorbild, das; -[e]s, -er: *Person oder Sache, die als [mustergültiges] Beispiel dient:* er war ein V. für seine Brüder.

vorbildlich ⟨Adj.⟩: *sehr gut; mustergültig; beispielhaft:* er hat sich in der schwierigen Situation v. verhalten.

vorbringen, brachte vor, hat vorgebracht ⟨tr.⟩: *[an zuständiger Stelle] äußern, zur Sprache bringen:* seine Wünsche, Forderungen v.; ein Einwand, der immer wieder vorgebracht wird.

vordere ⟨Adj.; nur attributiv⟩: *sich vorn befindend:* sie saßen in den vorderen Reihen; der vordere Teil des Hauses.

Vordergrund, der; -[e]s: *vorderer Teil eines Raumes o. ä.:* im V. des Bildes stehen einige Figuren. *** etwas steht im V.** *(etwas ist sehr wichtig, findet allgemeine Beachtung):* das Problem der Versorgung mit Lebensmitteln steht im V.; **jmdn./etwas in den V. stellen** *(die Aufmerksamkeit auf jmdn./etwas lenken; veranlassen, daß jmd./etwas Beachtung findet):* die Partei hat den neuen Mann in letzter Zeit sehr in den V. gestellt.

vordergründig ⟨Adj.⟩: *oberflächlich, nicht gründlich:* die vordergründige Behandlung einer Frage.

vorderhand ⟨Adverb⟩: *einstweilen, vorläufig, zunächst [einmal]:* sie führt das Geschäft v. weiter, will es aber später verkaufen.

Vordermann, der; -[e]s, Vordermänner: *jmd., der sich innerhalb einer bestimmten Ordnung vor jmdm. befindet* /Ggs. Hintermann/: er klopfte seinem V. auf die Schulter. * (ugs.) **jmdn. auf V. bringen: a)** *jmdn. dazu bringen, daß er gut arbeitet, für eine angestrebte Leistung gut vorbereitet ist:* der Trainer will die Mannschaft für das entscheidende Spiel auf V. bringen. **b)** *jmdn. dazu bringen, daß er nur die von oben vorgeschriebene Meinung vertritt:* die gesamte Presse wurde von dem neuen Regime auf V. gebracht.

Vorderseite, die; -, -n: *die vordere, dem Betrachter zugewandte Seite:* auf der V. der Münze befindet sich ein Wappen.

vordrängen, sich; drängte sich vor, hat sich vorgedrängt: **a)** *durch Drängeln nach vorne kommen [wollen]:* stelle dich hinten an und dräng dich nicht vor! **b)** *sich auffällig benehmen, sich selbst besonders hervorheben, um anderen gegenüber einen Vorrang zu erreichen:* er hat immer die Ämter angenommen, die man ihm angetragen hat, und hat sich nie v. wollen.

vordringen, drang vor, ist vorgedrungen: **a)** *vorwärts [gewaltsam] (in etwas) dringen:* die Truppen sind bis zur Hauptstadt vorgedrungen; b i l d l. : in die Geheimnisse des Atoms v. **b)** *(in etwas) bekannt werden, Einfluß gewinnen:* das Christentum ist bis in alle Teile der Welt vorgedrungen.

vordringlich ⟨Adj.⟩: *sehr wichtig; besonders dringend:* die vordringlichen Aufgaben zuerst erledigen; diese Frage muß v. *(vor allen andern)* behandelt werden.

Vordruck, der; -[e]s, -e: *Blatt, auf dem die Fragen o. ä. bereits gedruckt sind, so daß man es nur noch auszufüllen braucht; Formular:* einen V. ausfüllen.

voreilig ⟨Adj.⟩: *zu schnell und unbedacht; übereilt, unüberlegt:* eine voreilige Entscheidung treffen.

voreinander ⟨Adverb⟩: *einer vor dem andern:* sie schämten sich v.

voreingenommen ⟨Adj.⟩: *von einem Vorurteil bestimmt und deshalb nicht objektiv:* seine voreingenommene Haltung ändern; er ist gegen den neuen Mitarbeiter v. **Voreingenommenheit,** die; -.

vorenthalten, enthält vor, enthielt vor, hat vorenthalten ⟨tr.⟩: *(jmdm. etwas) [worauf er Anspruch hat] nicht geben:* man hat ihm sein Erbe v.; warum hast du mir das vorenthalten *(nichts davon gesagt)?*

vorerst ⟨Adverb⟩: **a)** *einstweilen, fürs erste:* ich möchte v. nichts unternehmen. **b)** *zunächst, vorher:* es muß unbedingt v. geklärt werden, wieviel das Unternehmen kostet.

Vorfahren, die ⟨Plural⟩: *frühere Generationen einer Familie; Ahnen:* unsere V. stammten aus Frankreich.

Vorfahrt, die; -: *Recht, an einer Kreuzung o. ä. zuerst zu fahren:* welcher Wagen hat hier die V.; er hat die V. nicht beachtet.

Vorfall, der; -[e]s, Vorfälle: *plötzlich eintretendes Ereignis, Geschehen (das für die Beteiligten meist unangenehm ist):* er wollte sich für den peinlichen V. entschuldigen.

vorfallen, fällt vor, fiel vor, ist vorgefallen ⟨itr.⟩: *sich [als etwas Unangenehmes] plötzlich ereignen:* er wollte wissen, was vorgefallen war und sie berichtete ihm von dem Streit.

vorfinden, fand vor, hat vorgefunden ⟨tr.⟩: *an einem bestimmten Ort [in einem bestimmten Zustand] finden; antreffen:* als er nach Hause kam, fand er die Kinder in schlechtem gesundheitlichem Zustand vor.

Vorfreude, die; -: *Freude auf etwas, was erst später eintritt:* die V. auf Weihnachten.

vorfühlen, fühlte vor, hat vorgefühlt ⟨itr.⟩: *durch vorsichtige Fragen oder Bemerkungen jmds. Reaktion erkunden, bevor man ein offizielles Angebot macht oder Verhandlungen beginnt:* der Minister wollte v., ob die Russen vielleicht zu Verhandlungen bereit wären.

vorführen, führte vor, hat vorgeführt ⟨tr.⟩: **a)** *zur Untersuchung o. ä. (vor jmdn.) bringen:* der Patient wurde dem Arzt vorgeführt. **b)** *(jmdm. etwas) zeigen, so daß man es im einzelnen betrachten oder kennenlernen kann:* der Verkäufer führte den Kunden verschiedene Geräte vor; bei der Modenschau wurden die neuesten Modelle vorgeführt. **Vorführung,** die; -, -en.

Vorgang, der; -[e]s, Vorgänge: *Hergang, Ablauf, Geschehen:* er schilderte den Vorgang in allen Einzelheiten; der V. wiederholte sich am nächsten Abend.

Vorgänger, der; -s, -: *jmd., der vor einem anderen dessen Stelle, Amt o. ä. innehatte:* er wurde von seinem V. eingeführt.

Vorgarten, der; -s, Vorgärten: *kleiner Garten an der Vorderseite eines Hauses.*

vorgaukeln, gaukelte vor, hat vorgegaukelt ⟨tr.⟩: *jmdm. etwas [Angenehmes] so schildern, daß er sich falsche Hoffnungen macht:* glaube ja nicht, was er dir vorgegaukelt hat!

vorgeben, gibt vor, gab vor, hat vorgegeben ⟨itr.⟩: *fälschlich behaupten:* er gab vor, durch Krankheit verhindert gewesen zu sein.

vorgeblich ⟨Adj.; nicht prädikativ⟩: *nicht wirklich, sondern nur vorgetäuscht; angeblich:* eine vorgebliche Krankheit; sie ging v. spazieren.

vorgefaßt ⟨Adj.; nur attributiv⟩: *von vornherein feststehend; auf Vorurteilen beruhend:* eine vorgefaßte Meinung; ein vorgefaßtes Urteil.

vorgefertigt ⟨Adj.; nur attributiv⟩: *bereits in fertigem Zustand [geliefert]:* die Anlage wurde aus vorgefertigten Teilen errichtet.

vorgehen, ging vor, ist vorgegangen ⟨itr.⟩: **1.** *vor einem anderen, früher als ein anderer gehen; vorausgehen:* ich gehe schon vor, ihr könnt dann später nachkommen. **2.** *geschehen, sich ereignen:* er weiß nicht, was in der Welt vorgeht; große Veränderungen gehen vor. **3.** *etwas unternehmen, bestimmte Maßnahmen ergreifen:* gegen diese Mißstände muß man energisch v.; bei der Behandlung dieses Falles gingen sie sehr rücksichtslos vor *(handelten sie sehr rücksichtslos).* **4.** *als wichtiger, dringender betrachtet oder behandelt werden (als etwas anderes):* diese Arbeit geht jetzt vor. **5.** *eine zu frühe Zeit anzeigen:* deine Uhr geht vor.

Vorgeschichte, die; -, -en: **I.** *alles [früher Geschehene], was für einen gegenwärtigen Fall von Bedeutung ist:* die V. einer Krankheit. **II.** ⟨ohne Plural⟩ *Zeitraum in der Geschichte, der vor dem Beginn der schriftlichen Überlieferung liegt:* die Zeugnisse für die Besiedlung der Gegend reichen bis in die V. zurück.

Vorgeschmack, der; -s: *etwas, woraus man einen kleinen Eindruck von etwas Kommendem erhält:* dieser Zwischenfall gab uns einen kleinen V. von den Schwierigkeiten, die uns erwarteten.

Vorgesetzte, der; -n, -n ⟨aber: [ein] Vorgesetzter, Plural: Vorgesetzte⟩: *jmd., der anderen in seiner beruflichen Stellung übergeordnet ist (und dessen Anweisungen die anderen befolgen müssen):* seine Vorgesetzten waren sehr verständnisvoll; viele Vorgesetzte sind zu streng.

vorgestern ⟨Adverb⟩: *einen Tag vor dem vorangegangenen Tag:* ich habe ihn v. getroffen.

vorgreifen, griff vor, hat vorgegriffen ⟨itr.⟩: **a)** *etwas sagen, tun, was ein anderer [etwas später] selbst hätte sagen, tun wollen:* Sie greifen meinen Worten vor. **b)** *etwas tun, ohne abzuwarten, was vorher erfolgen müßte:* wir dürfen der gerichtlichen Entscheidung nicht v.

vorhaben, hat vor, hatte vor, hat vorgehabt ⟨tr.⟩: *beabsichtigen; (tun, ausführen) wollen:* er hat vor, eine größere Reise zu machen; hast du morgen abend schon etwas vor?

Vorhaben, das; -s, -: *etwas, was man zu tun beabsichtigt; Plan, Absicht:* er konnte sein V. [eine Reise nach Paris zu machen] nicht ausführen.

vorhalten, hält vor, hielt vor, hat vorgehalten ⟨itr.⟩: **1.** *(zum Schutz o. ä.) vor jmdn./sich halten:* als er das Badezimmer betrat, hielt sie sich rasch ein Tuch vor; ich halte mir die Hand vor, wenn ich gähne. **2.** *vorwerfen:* sie hielt ihm immer wieder vor, daß er zuviel Geld für Zigaretten ausgebe.

Vorhaltungen: ⟨in der Fügung⟩ jmdm. V. machen: *sich bei jmdm. über dessen Benehmen o. ä. beschweren, es kritisieren [und auf die Folgen hinweisen]:* sie hatte ihm V. gemacht, daß er zuviel Geld ausgebe und nicht an seine Familie denke.

Vorhand, die; -: **1.** *Position des Spielers, der zuerst ausspielt* /bei Kartenspielen/: die V. haben. **2.** *vorderer Teil von Tieren, bes. von Pferden:* auf der rechten V. lahmen.

vorhanden ⟨Adj.; nicht adverbial⟩: *zur Verfügung stehend; verfügbar, daseiend:* alle vorhandenen Tücher waren gebraucht; es müßte noch etwas Mehl v. sein.

Vorhang, der; -[e]s, Vorhänge: *in entsprechende Form gebrachter Stoff an Öffnungen wie Fenster, Türen, Bühnen o. ä.* (siehe Bild): sie zog die Vorhänge [an den Fenstern] zu, damit die Sonne nicht eindringen konnte; der V. im Theater geht langsam auf.

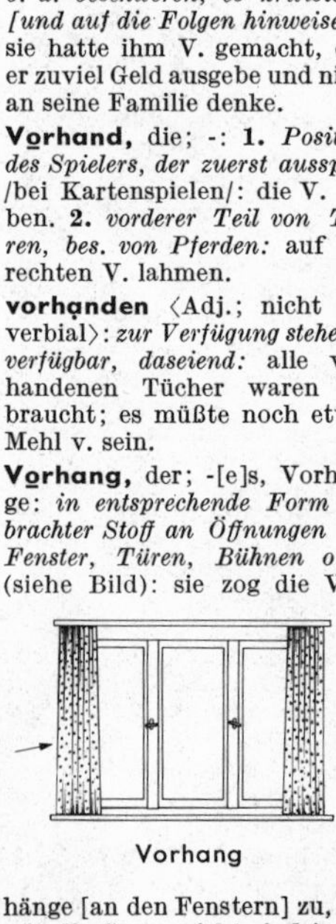

Vorhang

Vorhaut, die; -, Vorhäute: *Haut über dem vorderen Teil des Penis:* die V. zurückziehen.

vorher ⟨Adverb⟩: *vor einem bestimmten Zeitpunkt, vor einem anderen Geschehen; davor, zuvor:* warum hast du mir das nicht v. gesagt, jetzt ist es zu spät; als er mich besuchte, war er erst einige Tage v. von seiner Reise zurückgekehrt.

vorhergehend ⟨Adj.; nur attributiv⟩: **1.** *vorher stattfindend, stattgefunden habend:* in den vorhergehenden Gesprächen wurden viele strittige Fragen geklärt; am vorhergehenden Tag *(am Tag vorher).* **2.** *(in einem Text) weiter oben, vorher stehend:* die vorhergehenden Stellen.

vorherig [auch: vor...] ⟨Adj.⟩: *vorhergehend:* sie führen das Spiel ohne vorherige Hauptprobe auf.

Vorherrschaft, die; -: *das Vorherrschen; führende Rolle:* durch die Revolution wurde die V. des Adels beseitigt.

vorherrschen, herrschte vor, hat vorgeherrscht ⟨itr.⟩: *in seiner Wirkung stärker als alles andere sein; beherrschend sein, überwiegen:* diese Meinung herrscht allgemein vor; auf diesem Gemälde herrscht das Rot vor.

Vorhersage, die; -, -n: *Ankündigung, wie etwas Zukünftiges verlaufen, sein wird:* die Vorhersagen über die wirtschaftliche Entwicklung; die V. des Wetters.

vorhersagen, sagte vorher, hat vorhergesagt ⟨tr.⟩: *(etwas in der Zukunft Liegendes) ankündigen; voraussagen:* es ist schwierig, das Wetter für morgen vorherzusagen.

vorhersehen, sieht vorher, sah vorher, hat vorhergesehen ⟨tr.⟩: *im voraus erkennen; ahnen:* daß sich die Sache so entwickeln würde, war nicht vorherzusehen.

vorhin [auch: ...hin] ⟨Adverb⟩: *gerade eben; vor wenigen Augenblicken, Minuten oder Stunden:* v. hatte ich das Buch noch in der Hand, und jetzt finde ich es nicht mehr.

vorhinein: ⟨in der Fügung⟩ im v. (östr.): *im voraus:* er hat alles bereits im v. erledigt.

vorige ⟨Adj.; nur attributiv⟩: *vergangen, vorhergegangen:* in der vorigen Woche; das vorige Jahr.

Vorkämpfer, der; -s, -: *jmd., der sich für die Ausbreitung einer Idee o. ä. mit großem Eifer einsetzt:* ein Vorkämpfer des europäischen Gedankens.

Vorkehr, die; - (schweiz.): *Vorkehrung.*

Vorkehrung, die; -, -en: *Maßnahme, Anordnung zum Schutz, zur Sicherheit:* die Vorkehrungen der Polizei waren nicht ausreichend. *** Vorkehrungen treffen** *(alles zum Schutz, zur Sicherheit Notwendige tun, veranlassen).*

Vorkenntnisse, die ⟨Plural⟩: *grundlegende Kenntnisse, auf denen man aufbauen kann:* in diesem Kurs können Sie auch ohne besondere V. Englisch lernen.

vorknöpfen, sich; knöpfte sich vor, hat sich vorgeknöpft ⟨itr.⟩ (ugs.): *zur Rede stellen und scharf zurechtweisen:* den werde ich mir einmal v.

vorkommen, kam vor, ist vorgekommen ⟨itr.⟩: **1.** *geschehen, sich ereignen:* solche Verbrechen kommen immer wieder vor; so etwas darf nicht wieder v. **2.** *vorhanden sein; auftreten; dasein:* in dem englischen Text kamen viele Wörter vor, die er nicht kannte; diese Pflanzen kommen nur im Gebirge vor *(gibt es nur im Gebirge).* **3.** *(in bestimmter Weise) erscheinen; (auf jmdn.) einen bestimmten Eindruck machen:* dieses Bild kommt mir sehr bekannt vor; es kam ihm vor *(er hatte das Gefühl),* als hätte er sie schon einmal gesehen; du kommst dir wohl sehr schlau vor *(hältst dich wohl für sehr schlau).*

Vorkommnis, das; -ses, -se: *Vorfall, Geschehen:* nach diesem V. verließ er die Stadt für immer.

vorladen, lädt vor, lud vor, hat vorgeladen ⟨tr.⟩: *auffordern, vor einer Behörde (Gericht, Polizei) zu erscheinen:* er wurde als Zeuge vorgeladen. **Vorladung,** die; -, -en.

Vorlage, die; -, -n: *etwas, was bei der Anfertigung von etwas als Muster dient:* das Bild war nach einer V. gemalt.

vorlassen, läßt vor, ließ vor, hat vorgelassen ⟨tr.⟩: *(jmdm.) Zutritt (zu jmdm.) gewähren:* er wollte den Minister sprechen, aber er wurde nicht vorgelassen.

Vorläufer, der; -s, -: *jmd./etwas, was einer Idee, einem Ereignis o. ä. vorausgeht und bereits wichtige Merkmale dafür erkennen läßt:* dieser Dichter ist ein V. des Expressionismus; seine Erfindung ist ein V. des heutigen Fahrrads.

vorläufig ⟨Adj.⟩: *noch nicht endgültig; vorübergehend; einstweilen, zunächst:* das ist nur eine vorläufige Regelung; v. wohnt er noch im Hotel.

vorlaut ⟨Adj.⟩: *sich ohne Zurückhaltung zu Dingen äußernd, die einen nichts angehen; sich überall einmischend:* er ist ein kleiner vorlauter Junge.

Vorleben, das; -s: *Verlauf und besondere Ereignisse des bisherigen Lebens; Art, wie jmd. früher gelebt hat:* ich erkundigte mich über sein V.

vorlegen, legte vor, hat vorgelegt: **1.** ⟨tr.⟩ **a)** *(vor jmdn.) hinlegen, damit es unterschrieben, kontrolliert o. ä. wird:* sie legte ihm den Brief [zur Unterschrift] vor. **b)** *übergeben, einreichen, damit es behandelt, diskutiert werden kann oder damit man es als Grundlage für weitere Arbeiten verwenden kann:* einen Plan, Entwurf v.; der Minister legte das Budget für das kommende Jahr vor. **2. a)** ⟨tr.⟩ *(vor jmdn./etwas) legen:* den Tieren Futter v.; einen Riegel v. *(die Tür mit einem Riegel verschließen).* **b)** ⟨rfl.⟩ *sich weit vorbeugen, nach vorn beugen:* ich legte mich auf meinem Rad ganz vor. **3.** ⟨tr./itr.⟩ *(jmdm. die Speisen) auf den Teller legen:* der Kellner legte ihm [das Fleisch] vor. **4.** ⟨tr.⟩ (landsch.) *auslegen, (für jmdn.) vorläufig bezahlen:* eine Summe v.; kannst du mir 5 Mark v.? **5.** ⟨als Funktionsverb⟩ eine Frage v. *(fragen);* einen Wunsch v. *(wünschen).*

vorlesen, liest vor, las vor, hat vorgelesen ⟨tr./itr.⟩: *laut lesen, um gleichzeitig (jmdn. über etwas) zu unterrichten, zu unterhalten, um das gerade Gelesene gleichzeitig (jmdm.) mitzuteilen:* den Kindern Geschichten v.; dem Blinden aus der Zeitung v.

Vorlesung, die; -, -en: *an einer Hochschule von einem Professor oder Dozenten gehaltene, über das ganze Semester laufende Reihe von zusammenhängenden wissenschaftlichen Vorträgen über ein bestimmtes Thema:* eine Vorlesung besuchen, versäumen; der Professor kündigte für das nächste Semester eine V. über den zweiten Weltkrieg an.

Vorliebe, die; -: *besonderes Interesse, spezielle Neigung für etwas:* seine V. gilt der alten Musik. ***mit V.** *(besonders gern):* er ißt mit V. die Haut der gebratenen Hähnchen.

vorliebnehmen, nimmt vorlieb, nahm vorlieb, hat vorliebgenommen ⟨itr.⟩: *sich (mit etwas Schlechterem, Minderwertigerem [als man erwartet hat]) begnügen, zufriedengeben:* du mußt heute mit einer einfachen Kost v.

vorliegen, lag vor, hat vorgelegen ⟨itr.⟩: **a)** *zur genaueren Prüfung, Untersuchung, Bearbeitung, Beobachtung o. ä. (vor jmdm.) liegen, sich in (jmds.) Händen befinden:* der Antrag liegt dem Anwalt bereits vor. **b)** *[als unumgängliche Tatsache, wichtiger Beweis, Hinweis o. ä.] vorhanden sein, bestehen:* es liegt ein Verschulden des Fahrers vor; es liegen gewichtige Gründe vor.

vormachen, machte vor, hat vorgemacht ⟨tr.⟩: **1.** (ugs.) *(vor einer Öffnung) anbringen, befestigen; vor etwas legen, um es zu verschließen, ein unerwünschtes Eindringen zu verhindern:* ein Brett v.; den Riegel v. *(die Tür mit einem Riegel verschließen).* **2. a)** *(etwas) tun, um (jmdm.) zu zeigen, wie es geht, wie man es machen muß:* bis sie es selbst konnte, machte er ihr jeden Handgriff vor. * (ugs.) **mir macht** [**darin**] **keiner etwas vor** *(ich weiß selbst, wie leicht oder schwer die Sache ist, weil ich große Erfahrung darin besitze).* **b)** *(mit etwas) absichtlich einen falschen Eindruck, ein falsches Bild (bei jmdm.) erwecken, um ihn dadurch täuschen oder belügen zu können:* so leicht kann er mir nichts v.! ⟨auch rzp.⟩ da wollen wir einander, uns [gegenseitig] doch nichts v. *(einer dem anderen nichts Falsches einreden, keine Illusionen machen; ehrlich zueinander sein).* * **jmdm. ein X für ein U v.** *(jmdn. mit einer absichtlich falschen Aussage, Auskunft abfertigen, um einen bestimmten Eindruck zu erwecken).*

Vormarsch, der; -es, Vormärsche: *[von militärischen Erfolgen begleitetes] Vordringen (einer Truppe) auf ein Gebiet, das besetzt oder eingenommen werden soll:* der V. der feindlichen Truppen konnte nicht aufgehalten werden; auf dem V. sein; bildl.: diese neuen, fremdländischen Gewohnheiten sind auch bei uns schon auf dem/im V. *(breiten sich aus).*

vormerken, merkte vor, hat vorgemerkt ⟨tr.⟩: *für eine spätere Berücksichtigung aufschreiben:* ich werde diese Plätze für Sie v.; eine Bestellung v.

vormittag ⟨Adverb; in Verbindung mit der Angabe eines bestimmten Tages⟩: *am Vormittag:* heute v. fährt er in die Stadt.

Vormittag, der; -s, -e: *Zeit vom Morgen bis zum Mittag:* den V. verbrachte sie meist im Bett.

vormittags ⟨Adverb⟩: *am Vormittag; jeden Vormittag:* v. ist er nie zu Hause.

Vormund, der; -[e]s, -e und Vormünder: *jmd., der vom Gericht dazu bestimmt ist, die Angelegenheiten einer anderen Person (meist eines Minderjährigen) zu erledigen.*

Vorname, der; -ns, -n: *persönlicher Name, der jmdm. zu seinem Familiennamen gegeben wurde:* sie hat drei Vornamen: Eva, Maria und Anna.

vorn[**e**] ⟨Adverb⟩: **1.** *(von einem bestimmten Punkt, einer bestimmten Stelle aus betrachtet) auf der nahe gelegenen Seite, im nahe gelegenen Teil:* der Schrank steht gleich v. an der Tür. **2.** *an erster oder an einer der ersten Stellen [einer Reihe]; vor den andern; an der Spitze:* bei den Wanderungen marschiert er immer v.; nach der ersten Runde des Rennens war der amerikanische Läufer noch v. * **von v. anfangen** *(neu, noch einmal beginnen).*

vornehm ⟨Adj.⟩: **1.** *sich durch untadeliges Benehmen und edle Gesinnung auszeichnend; fein:* sie ist eine vornehme Dame; er denkt und handelt sehr v. **2.** *kostbar und geschmackvoll; elegant:* eine vornehme Wohnung; sie waren sehr v. gekleidet.

vornehmen, nimmt vor, nahm vor, hat vorgenommen: **1.** ⟨itr.⟩ *den Entschluß (zu etwas) fassen; die feste Absicht haben (etwas Bestimmtes zu tun):* er hat sich vorgenommen, in Zukunft nicht mehr zu rauchen. **2.** ⟨als Funktionsverb⟩ eine Änderung v. *(ändern);* eine Prüfung v. *(prüfen);* eine Untersuchung v. *(untersuchen).*

vornehmlich ⟨Adverb⟩ (geh.): *vor allem, besonders, in erster Linie:* dieses Lokal wird v. von hohen Beamten besucht.

vornherein [auch: ...herein]: ⟨in der Fügung⟩ von v.: *sofort; gleich von Anfang an:* er hat den Plan von v. abgelehnt.

Vorort, der; -[e]s, -e: *Stadtteil am Rand oder außerhalb einer Stadt.*

Vorrang, der; -[e]s: **a)** *wichtigere oder bevorzugte Stellung, größere Beachtung (im Vergleich mit jmdm./etwas anderem):* den V. vor jmdm./etwas haben; jmdm. den V. streitig machen. **b)** (östr.) *das Vorrecht, zuerst einen Verkehrsweg zu benutzen:* auf dieser Straße besteht V.; der von rechts Kommende, die Straßenbahn hat immer V.

Vorrat, der; -[e]s, Vorräte: *etwas, was man sich in größerer Menge oder Anzahl zum späteren Gebrauch beschafft, gesammelt hat:* sie hat in ihrem Schrank einen großen V. von/an Lebensmitteln; die Vorräte sind aufgebraucht.

vorrätig ⟨Adj.; nicht adverbial⟩: *(als Vorrat) vorhanden:* alle noch vorrätigen Waren sollen zuerst verkauft werden; davon ist nichts mehr v.

Vorraum, der; -[e]s, Vorräume: *Raum, durch den man einen anderen, größeren Raum betritt:* im V. zu seinem Büro warteten einige Leute.

vorrechnen, rechnete vor, hat vorgerechnet ⟨tr.⟩: *(den Verlauf einer Rechnung) darlegen, um ihn zu erklären oder um ihn (von jmdm.) überprüfen zu lassen:* er hat mir die schwierige Aufgabe vorgerechnet; er rechnete mir vor *(erklärte mir anhand von Zahlen und Fakten),* wie sich die Erhöhung der Löhne auf die Preise auswirken würde.

Vorrecht, das; -[e]s, -e: *besonderes Recht, das jmd. genießt, das jmdm. zugestanden wird; Vergünstigung:* er machte von seinem V., kostenlos zu reisen, reichlich Gebrauch.

Vorrichtung, die; -, -en: *Gegenstand oder Teil eines Gegenstandes, der eine bestimmte Funktion hat:* sie brachte auf ihrem Balkon eine V. zum Aufhängen der Wäsche an.

vorrücken, rückte vor, hat/ist vorgerückt: **1.** ⟨tr.⟩ **a)** *nach vorn schieben, rücken:* er hat den Stuhl etwas vorgerückt, um in der Sonne zu sitzen. **b)** *(vor etwas) schieben, rücken:* wenn du den Schrank vorrückst, kann niemand die Tür öffnen. **2.** ⟨itr.⟩ **a)** *sich (mit etwas, was man rücken, schieben muß) ein kleines Stück nach vorn bewegen:* wenn du mit deinem Stuhl etwas vorrückst, haben wir auch noch Platz. **b)** *sich auf Grund militärischer Erfolge vorwärts bewegen:* die Truppen rückten vor, ohne Widerstand zu finden. **c)** Sport *in der Bewertung (einen besseren Platz als früher) einnehmen:* unser Verein rückte auf den zweiten Platz vor. **d)** (geh.) *unaufhaltsam auf einen späteren Zeitpunkt zugehen, sich einer bestimmten, schon späten Tageszeit nähern:* die Nacht rückte immer mehr vor. * (geh.) **vorgerückten Alters sein** *(schon ziemlich alt sein);* (geh.) **in/zu vorgerückter Stunde** *(ziemlich spät in der Nacht).*

vorsagen, sagte vor, hat vorgesagt: **1.** ⟨tr./itr.⟩ *(einem anderen) vorher genau sagen, zuflüstern, was er zu sagen, zu antworten hat:* er mußte ihm jeden Satz v.; wer in der Schule vorsagt, wird bestraft. **2.** ⟨itr.⟩ *[leise] vor sich hin sprechen, um es sich einzuprägen und im Gedächtnis zu behalten:* ich sagte mir den Satz ein paarmal vor, dann erst meldete ich mich zu Wort.

Vorsatz, der; -es, Vorsätze: *etwas, was man sich fest vorgenommen hat; fester Entschluß, feste Absicht:* er ist bei seinem V. geblieben, an diesem Abend keinen Alkohol zu trinken. * **einen V. fassen** *(sich etwas vornehmen; sich zu etwas entschließen).*

vorsätzlich ⟨Adj.⟩: *ganz bewußt und absichtlich; mit Vorsatz:* eine vorsätzliche Beleidigung; jmdn. v. töten.

Vorschau, die; -, -en: *kurzer, anhand einzelner Szenen und Ausschnitte gebotener Überblick über das kommende Programm in Kino und Fernsehen:* in der V. wurde ein spannender Krimi angekündigt.

Vorschein: ⟨in der Wendung⟩ zum V. kommen: *entdeckt, sichtbar werden; sich finden:* als man die Farbe an den Wänden der Kirche entfernte, kamen alte Gemälde zum V.

vorschieben, schob vor, hat vorgeschoben ⟨tr.⟩: **1.** *nach vorn bewegen, schieben:* sie schob den Kopf etwas vor; ⟨auch rfl.⟩ ich schob mich [durch die Menge] vor, um besser sehen zu können. **2.** *(vor etwas) schieben:* wenn du den Schrank vorschiebst, weiß keiner, daß hier eine Tür ist; den Riegel v. *(die Tür mit einem Riegel verschließen).* * **einer Sache einen Riegel v.** *(etwas durch bestimmte Maßnahmen verhindern, unterbinden).* **3.** *(etwas nicht Zutreffendes) als Grund, Vorwand angeben:* er schob eine wichtige Besprechung vor. **4.** *(jmdn. [der bessere Chancen hat]) in den Vordergrund treten und für andere handeln lassen:* wenn es um höhere Gehälter geht, wird er immer von seinen Kollegen vorgeschoben.

Vorschlag, der; -[e]s, Vorschläge: *Äußerung, Erklärung, mit der man jmdm. eine bestimmte Möglichkeit zeigt, ihm etwas Bestimmtes empfiehlt oder anbietet; Rat:* er lehnte den V. des Architekten, die Fenster zu vergrößern, ab; er machte ihr den V. *(das Angebot),* mit ihm eine Reise um die Welt zu unternehmen.

vorschlagen, schlägt vor, schlug vor, hat vorgeschlagen ⟨tr.⟩: *eine bestimmte Möglichkeit nennen; einen Vorschlag machen; empfehlen:* ich schlage vor, wir gehen jetzt nach Hause; ich schlage Ihnen dieses Hotel vor; er schlug ihr vor *(bot ihr an),* mit ihm zu kommen.

vorschnell ⟨Adj.⟩: *etwas zu schnell und unüberlegt; übereilt:* einen vorschnellen Entschluß rückgängig machen; v. handeln.

vorschreiben, schrieb vor, hat vorgeschrieben ⟨tr.⟩: *befehlen; anordnen; bestimmen:* ich lasse mir von ihm nicht v., wann ich gehen soll; das Gesetz schreibt vor, daß das Gericht darüber zu entscheiden hat.

Vorschrift, die; -, -en: *Anweisung, Verordnung:* er hat die Vorschriften des Arztes nicht befolgt; der Beamte erklärte, er müsse sich an seine Vorschriften halten.

Vorschub: ⟨in der Wendung⟩ jmdm./einer Sache V. leisten: *jmdn./etwas (bei etwas, was man nicht gutheißen kann) unterstützen, fördern.*

Vorschule, die; -, -n: *noch im Stadium der Erprobung befindliche, mit der Grundschule verbundene Institution, durch die noch nicht schulpflichtige Kinder in ihrer geistigen Entwicklung planmäßig gefördert und damit auf den Eintritt in die Grundschule vorbereitet werden sollen.*

Vorschuß, der; Vorschusses, Vorschüsse: *im voraus ausbezahlter Teil des Lohnes, des Gehaltes oder eines Honorars:* bei jmdm. um einen V. bitten; bildl.: einen V. an Vertrauen beanspruchen.

vorschützen, schützte vor, hat vorgeschützt ⟨tr.⟩: *(etwas nicht Zutreffendes) als Grund, als Entschuldigung angeben; vorgeben:* er lehnte die Einladung ab und schützte eine Krankheit vor.

vorsehen, sieht vor, sah vor, hat vorgesehen: **1.** ⟨tr.⟩ *bestimmen; in Aussicht nehmen:* den größten Raum sah er für seine Bibliothek vor; das Gesetz sieht für diese Tat eine hohe Strafe vor *(legt sie fest);* ⟨häufig im 2. Partizip⟩ der vorgesehene *(geplante)* Aufenthalt fiel aus; er war für dieses Amt vorgesehen. **2.** ⟨rfl.⟩ *sich in acht nehmen; sich hüten; aufpassen:* sieh dich vor dem Hund vor!; du mußt dich v., daß du dich nicht erkältest.

vorsetzen, setzte vor, hat vorgesetzt ⟨tr.⟩: **1. a)** *nach vorn setzen:* der Lehrer hat ihn wegen der schlechten Augen vorgesetzt; ⟨auch rfl.⟩ wir mußten uns alle v., um vom Lehrer besser gesehen zu werden. **b)** *nach vorn stellen:* sie setzte zögernd den rechten Fuß vor; **2. a)** *(vor* *etwas) setzen, stellen, anbringen:* wenn man ein Brett vorsetzt, könnte man das Loch verschließen; dieser Note muß man ein Kreuz v. **b)** *(etwas zu essen oder zu trinken vor jmdn.) auf den Tisch stellen; zu essen oder zu trinken geben:* in diesem Lokal werden einem nur gute Weine vorgesetzt; etwas Gutes vorgesetzt bekommen.

Vorsicht, die; -: *Aufmerksamkeit, Besonnenheit (bei Gefahr oder in bestimmten kritischen Situationen):* bei dieser gefährlichen Arbeit ist große V. nötig; bei diesem Geschäft rate ich dir zur V.; V.! Glas!

vorsichtig ⟨Adj.⟩: *behutsam, besonnen; mit Vorsicht:* er ist ein vorsichtiger Mensch; bei ihm muß man sich v. ausdrükken; sei v., sonst fällst du! **Vorsichtigkeit,** die; -.

vorsichtshalber ⟨Adverb⟩: *zur Vorsicht:* v. werde ich noch einmal nachsehen, ob die Tür auch abgeschlossen ist.

vorsingen, sang vor, hat vorgesungen ⟨tr./itr.⟩: *(vor jmdm.) singen, um zu unterhalten, ein neues Lied vorzuführen oder um Stimme und musikalische Fähigkeiten beurteilen zu lassen:* den Kindern am Abend ein Lied v.; der Lehrer hat uns das Lied zuerst vorgesungen; vor einem Engagement muß jeder junge Künstler v.

vorsintflutlich ⟨Adj.⟩ (ugs.): *völlig veraltet, schon längst nicht mehr gebräuchlich; altmodisch:* mit vorsintflutlichen Waffen versuchten sie das Land zu verteidigen; vorsintflutliche Gesetze.

Vorsitz, der; -es: *Leitung einer Versammlung, die etwas berät, diskutiert oder beschließt:* den V. haben; die Verhandlungen finden unter dem V. von Herrn X statt.

Vorsitzende, der; -n, -n ⟨aber: [ein] Vorsitzender, Plural: Vorsitzende⟩: *jmd., der einen Verein, eine Partei o. ä. leitet:* die Partei wählte einen neuen Vorsitzenden.

Vorsorge, die; -: *vorsorgliche Maßnahme, die für später etwas sichern soll:* sie hat für das Alter die nötige V. getroffen.

vorsorgen, sorgte vor, hat vorgesorgt ⟨itr.⟩: *in Hinblick auf die Zukunft im voraus etwas unternehmen, (für etwas) sorgen:* sie hat für schlechtere Zeiten vorgesorgt.

vorsorglich ⟨Adverb⟩: *schon im voraus für etwas sorgend; auf etwas bedacht, was später unter bestimmten Umständen notwendig oder günstig sein wird:* sie hat v. auch wärmere Kleider mitgenommen.

Vorspann, der; -[e]s, -e: **1.** *alles, was dem eigentlichen Film vorausgeht und den Titel, Angaben über Schauspieler, Regisseur, Produzent o. ä. enthält* /im Kino und Fernsehen/: der V. ist bei diesem Film zu lang. **2.** *kurze Einleitung, die vor dem eigentlichen Text eines Zeitungs- oder Zeitschriftenartikels steht und auf wichtige Zusammenhänge hinweist oder den Grundgedanken kurz hervorhebt:* der V. kündigt mehr an, als der ganze Artikel enthält.

Vorspeise, die; -, -n: *kleinere, appetitanregende Speise, die eine aus mehreren Gängen bestehende Mahlzeit einleitet:* als V. gab es einen raffiniert zubereiteten Salat und Toast.

Vorspiegelung, die; -, -en: **1.** ⟨ohne Plural⟩ *Handlung, Vorgehen, das bewußt auf jmds. Täuschung abzielt:* unter der V., er sei von der Presse, verschaffte er sich Zutritt. * **V. falscher Tatsachen: a)** *das bewußte, auf Täuschung abzielende Vorgeben von etwas, was der Wirklichkeit nicht entspricht):* wegen V. falscher Tatsachen belangt werden. **b)** (scherzh.) *etwas, was dem wahren Sachverhalt nicht entspricht:* ihre blonden Haare waren nur eine V. falscher Tatsachen, denn sie waren gefärbt. **2.** *etwas, was dem wahren Sachverhalt nicht entspricht und bewußt auf jmds. Täuschung abzielt:* die Gründe, die er dafür angab, waren nur Vorspiegelungen.

Vorspiel, das; -[e]s, -e: **a)** *kurze musikalische Einleitung zu einem größeren Musikstück oder zu einem Theaterstück:* nach dem V. traten die Sänger vor, öffnete sich der Vorhang. **b)** *kurzes, dem eigentlichen Theaterstück vorausgehendes Spiel, das auf seinen Inhalt vorbereiten soll:* bei dieser Aufführung wurde auf das V. verzichtet. **c)** *bloßer Beginn (von etwas), bloße Einleitung:* das war nur ein V., die Hauptsache kommt erst noch. **d)** Sport *vor dem eigentlichen Spiel stattfindendes, weniger wichtiges Spiel:* das V. beginnt um 15 Uhr.

vorsprechen, spricht vor, sprach vor, hat vorgesprochen: **1.** ⟨tr.⟩ *(jmdm. gegenüber) deutlich sprechen, damit er es sofort richtig wiederholen kann:* er sprach ihm das schwierige Wort immer und immer wieder vor. **2.** ⟨itr.⟩ *zur Beurteilung der Stimme, der schauspielerischen Fähigkeiten o. ä. vor jmdm. etwas vortragen:* vor dem Engagement muß jeder junge Schauspieler v. **3.** ⟨itr.⟩ *(jmdn.) in einer besonderen Angelegenheit, mit einer Bitte, einem Anliegen o. ä. besuchen, aufsuchen:* ich habe bei ihm [wegen der aufgetretenen Schwierigkeiten] vorgesprochen.

vorspringen, sprang vor, ist vorgesprungen ⟨itr.⟩: **1.** *aus einer bestimmten Stellung heraus [plötzlich] nach vorn springen [und sichtbar werden]:* aus dem Versteck, aus der Deckung v.; der Zeiger der Uhr sprang wieder um ein Stück vor. **2.** *durch eine übermäßig ausgeprägte Form aus etwas auffallend herausragen und stark in Erscheinung treten:* der Erker des Hauses springt etwas zu weit vor.; ⟨häufig im ersten Partizip⟩ vorspringende Stockwerke; eine vorspringende Nase.

Vorsprung, der; -[e]s: *Abstand, um den jmd. einem anderen voraus ist:* der erste der Läufer hatte einen V. von drei Metern; bildl.: dieses Land hat in seiner technischen Entwicklung einen großen V. vor andern Ländern.

Vorstand, der; -[e]s, Vorstände: **a)** *aus einer oder mehreren Personen bestehendes Gremium, dem die Leitung und Geschäftsführung eines Vereins, eines Verbandes, einer Genossenschaft o. ä. obliegt:* den V. bilden, wählen; der V. tritt morgen zusammen. **b)** (bes. schweiz.; östr.) *Vorsitzender, Vorsteher.*

vorstehen, stand vor, hat vorgestanden ⟨itr.⟩: **1.** *[durch eine bestimmte anormale Stellung oder durch eine bestimmte Form] auffallend weit von etwas abstehen, herausragen:* das Haus stand zu weit vor; der Unterrock steht etwas vor; ⟨häufig im 1. Partizip⟩ vorstehende Zähne haben. **2.** (veraltend) *die Aufsicht, Leitung, Verwaltung (über etwas, eine Institution o. ä.) innehaben:* einem Geschäft, einem Amt, einer Gemeinde v.

Vorsteher, der; -s, -: *jmd., der die Aufsicht, Leitung, Verwaltung (über etwas, eine Institution o. ä.) innehat:* der V. einer Schule, Gemeinde.

vorstellen, stellte vor, hat vorgestellt: **1. a)** ⟨tr.⟩ *durch Nennen des Namens (jmdn./sich mit einem anderen) bekannt machen:* er stellte ihn seiner Frau vor; nachdem er sich ihnen vorgestellt hatte, nahm er Platz. **b)** ⟨rfl.⟩ *(bei der Bewerbung um eine Stelle o. ä.) einen ersten Besuch machen:* heute stellt sich ein junger Mann vor, der bei uns arbeiten will. **2.** ⟨itr.⟩ *sich (von jmdm./etwas) ein Bild, einen Begriff machen:* ich kann ihn mir nicht v.; ich hatte mir den Verkehr schlimmer vorgestellt *(hatte ihn schlimmer erwartet);* ich kann mir das alte Haus noch gut v. *(mich noch gut daran erinnern).*

vorstellig: ⟨in der Verbindung⟩ bei jmdm./etwas [in einer Sache, wegen etwas] v. werden (veraltend): *sich an jmdn./etwas [in einer Sache, wegen etwas] wenden, um etwas zu erlangen oder um Einspruch, Klage zu erheben:* wegen einer dringlichen Angelegenheit wurde er beim Bürgermeister v.

Vorstellung, die; -, -en: **1.** *Nennung eines Namens, um jmdn. oder sich mit einem anderen bekannt zu machen:* die V. der neuen Mitarbeiter fand um 9 Uhr statt. **2.** *Aufführung, Darstellung:* nach der V. gingen wir noch in ein Café, das dem Theater gegenüber lag. **3.** *Bild, Begriff, Gedanke; Ansicht, Meinung:* er hat seltsame Vorstellungen von diesem Ereignis; das entspricht meinen Vorstellungen.

Vorstoß, der; -es, Vorstöße: **1. a)** *durch militärische Erfolge ermöglichtes Vordringen in ein vom Feind besetztes Gebiet:* den Truppen ist ein neuer V. gelungen. **b)** *energisch unternommenes Vorgehen, das eine Änderung bisheriger Verhältnisse herbeiführen oder neue Möglichkeiten erschließen soll:* einen V. bei der Geschäftsleitung wagen; ein V. in den Weltraum. **2.** *aus einem ein wenig vorstehenden Besatz bestehende Verzierung der Kante eines Kleidungsstückes:* der Mantel hat am Kragen einen grünen V.

Vorstrafe, die; -, -n: *länger zurückliegende Strafe auf Grund einer früheren gerichtlichen Verurteilung, die bis zur Tilgung auf jmdm. lastet:* wegen der vielen Vorstrafen wurde das Urteil noch verschärft.

vortäuschen, täuschte vor, hat vorgetäuscht ⟨tr.⟩: *(mit etwas) absichtlich einen falschen Eindruck erwecken; (von etwas) ein falsches Bild geben:* er täuschte Gefühle vor, die er nicht empfand. **Vortäuschung,** die; -, -en.

Vorteil, der; -s, -e: *Nutzen, Vorteil:* dieser Vertrag bringt Ihnen viele Vorteile; diese Lösung hat viele Vorteile *(viele Vorzüge).* *** im V. sein** *(in einer besseren Lage als andere sein):* sie ist allein schon durch ihr Aussehen den anderen gegenüber im V.; **es ist ein V., daß...** *(es ist günstig, daß...):* es ist ein V., daß wir das Auto schon vor der Preiserhöhung gekauft haben; **zu jmds. V.** *(zu jmds. Gunsten):* er unterscheidet sich in seinem Benehmen zu seinem V. von anderen Jugendlichen.

vorteilhaft ⟨Adj.⟩: *Vorteile, Gewinn, Nutzen bringend; günstig:* er hat ihm ein sehr vorteilhaftes Angebot gemacht.

Vortrag, der; -[e]s, Vorträge: **1.** ⟨ohne Plural⟩ *das Vortragen von etwas; Darbietung:* der V. des Gedichtes war nicht fließend genug. **2.** *ausführliche mündliche Darlegung, Rede über ein bestimmtes, oft wissenschaftliches Thema:* der V., den er gehalten hat, war sachlich und trotzdem interessant.

vortragen, trägt vor, trug vor, hat vorgetragen ⟨tr.⟩: **1.** *künstlerisch vorsprechen oder vorsingen:* sie trug einige Lieder von Schubert vor. **2.** *sachlich darlegen; in förmlichen Worten zur Kenntnis bringen:* er trug dem Minister seine Wünsche, sein Anliegen vor.

vortrefflich ⟨Adj.⟩: *sehr gut, hervorragend, ausgezeichnet:* der Kuchen schmeckt v. **Vortrefflichkeit,** die; -.

vortreten, tritt vor, trat vor, ist vorgetreten ⟨itr.⟩: **a)** *(aus einer Reihe oder vom ursprünglichen Platz) einige Schritte nach vorn gehen:* wer aufgerufen wird, soll v. **b)** *(aus einer Reihe, Linie o. ä.) vorragen:* der Balkon tritt zu weit über die Front des Hauses vor; vortretende Backenknochen.

Vortritt: ⟨in bestimmten Wendungen⟩ **jmdm. den V. lassen: a)** *(jmdn.) zuerst eintreten oder hinausgehen lassen:* einer Dame den V. lassen. **b)** *(jmdm.) Gelegenheit geben, etwas zuerst zu tun:* in dieser Angelegenheit lasse ich ihm den V.; **den V. haben** *(berechtigt sein, etwas zuerst zu tun).*

vorüber ⟨Adverb⟩: **1.** ⟨räumlich⟩ *vorbei:* der erste Wagen war kaum v., da kam schon der nächste angefahren; ⟨oft zusammengesetzt mit Verben, die eine Bewegung ausdrücken⟩ vorüberfahren, vorübergehen, vorüberziehen. **2.** ⟨zeitlich⟩ *vergangen, verschwunden:* wir gehen erst, wenn das Gewitter v. ist.

vorübergehend ⟨Adj.⟩: *nicht lange dauernd; für kurze Zeit:* vorübergehende Beschwerden.

Vorurteil, das; -s, -e: *nicht objektive, meist von Gefühlen bestimmte Meinung, die man sich im voraus über jmdn./etwas gebildet hat; Voreingenommenheit:* daß man ihn für ungeeignet hält, ist ein reines V.; er versuchte vergeblich, die Vorurteile der Bevölkerung gegen diese neue Einrichtung zu bekämpfen.

Vorverkauf, der; -s: *Verkauf von Eintrittskarten schon [längere Zeit] vor der Vorstellung, nicht erst an der Abendkasse:* der V. für das Konzert beginnt vier Wochen vorher; die Karten im V. kaufen.

Vorwählnummer, die; -, -n: *Zahl, die man vor der eigentlichen Telefonnummer wählen muß, wenn man von auswärts anruft:* die V. von Wien lautet 0222; Deutschland hat von Österreich aus die V. 06.

Vorwand, der; -[e]s, Vorwände: *nicht zutreffender Grund (den man angibt, um etwas Bestimmtes tun zu können oder etwas nicht tun zu müssen):* er findet immer einen V., wenn er sich nicht an einer Arbeit beteiligen will; er ist unter einem V. verreist.

vorwärts 〈Adverb〉: *nach vorn:* du mußt den Wagen noch ein kleines Stück v. fahren.

vorwärtsbringen, brachte vorwärts, hat vorwärtsgebracht 〈tr.〉: *etwas leisten, (bei etwas) Erfolge erzielen:* er bringt das Geschäft nicht vorwärts.

vorwärtsgehen, ging vorwärts, ist vorwärtsgegangen 〈itr.〉: *sich [gut] entwickeln; Fortschritte machen:* seine Arbeit an dem neuen Buch geht recht gut vorwärts.

vorwärtskommen, kam vorwärts, ist vorwärtsgekommen 〈itr.〉: *Erfolg haben; Fortschritte machen:* sie sind heute mit ihrer Arbeit gut vorwärtsgekommen.

vorwegnehmen, nimmt vorweg, nahm vorweg, hat vorweggenommen 〈tr.〉: **a)** *(etwas) sagen, tun, bevor es an die Reihe kommt, bevor es paßt:* er hat bei einem Witz die Pointe vorweggenommen; um es gleich vorwegzunehmen, ich kann das Angebot nicht annehmen. **b)** *schon viel früher erkennen [und veröffentlichen], bevor es ein anderer, durch den es bekannt wurde und der am meisten darüber geschrieben hat, es veröffentlichte:* Nietzsche hat manche Einsichten Sigmund Freuds schon vorweggenommen.

vorweisen, wies vor, hat vorgewiesen 〈tr.〉: *vorzeigen.*

vorwerfen, wirft vor, warf vor, hat vorgeworfen 〈tr.〉: *jmds. Handlungsweise heftig tadeln oder kritisieren:* jmdm. Faulheit v.; sie warf ihm vor, daß er ihr nicht geholfen hatte, als sie in Not war; man warf ihm Betrug vor *(beschuldigte ihn des Betruges).*

vorwiegend 〈Adj.; nicht prädikativ〉: *überwiegend; zum größten Teil:* der vorwiegende Gebrauch eines Wortes; in diesem Sommer herrschte v. *(meist)* trockenes Wetter.

vorwitzig 〈Adj.〉: *neugierig und sich ungehörig vordrängend; vorlaut:* ein vorwitziger kleiner Kerl.

Vorwort, das; -[e]s, Vorworte: *einem Buch, bes. einer wissenschaftlichen Abhandlung o. ä., vorangestellte Bemerkungen:* im V. zu seinem Buch dankte der Verfasser allen, die ihm geholfen hatten.

Vorwurf, der; -[e]s, Vorwürfe: *Äußerung, mit der man jmdm. etwas vorwirft; Beschuldigung, Vorhaltung:* die Vorwürfe, die sie ihm wegen seines Verhaltens gemacht hatte, trafen ihn schwer.

Vorzeichen, das; -s, -: *Anzeichen, das auf etwas Kommendes hinweist:* diese Vorzeichen deuten auf einen strengen Winter.

vorzeigen, zeigte vor, hat vorgezeigt 〈tr.〉: *bei einer Kontrolle zeigen:* den Ausweis, Paß, die Fahrkarte v.

vorzeitig 〈Adj.; nicht prädikativ〉: *zu früh; früher als erwartet:* alle wunderten sich über seine vorzeitige Abreise; sie ist v. gealtert.

vorziehen, zog vor, hat vorgezogen 〈tr.〉: **a)** *lieber mögen; bevorzugen:* ich ziehe eine ruhige Verständigung dem ständigen Streit vor; er zog es vor, zu Hause zu bleiben *(er blieb lieber zu Hause).* **b)** *besser behandeln (als andere); begünstigen:* der Lehrer zieht diesen Schüler [den anderen] vor.

Vorzimmer, das; -s, -: **a)** *Zimmer, das man betritt, bevor man in das Büro eines Direktors o. ä. gelangt, und in dem man sich anmelden muß:* er fragte im V. die Sekretärin, ob der Chef zu sprechen sei. **b)** (österr.) *Vorraum in einer Wohnung; Diele:* den Mantel im V. ablegen.

Vorzug, der; -[e]s, Vorzüge: *gute Eigenschaft:* dieses Material hat alle Vorzüge. ** **jmdm./einer Sache den V. geben** *(jmdn./etwas vorziehen, bevorzugen).*

vorzüglich 〈Adj.〉: *sehr gut, hervorragend, ausgezeichnet:* er ist ein vorzüglicher Redner; der Kuchen schmeckt v.

Vorzugsschüler, der; -s, - (österr.): *Schüler einer höheren Schule mit besonders guten Noten:* er war während der ganzen Schulzeit im Gymnasium V.

votieren, votierte, hat votiert 〈itr.〉: *seine Stimme (für oder gegen etwas/jmdn.) abgeben, sich (für oder gegen etwas/jmdn.) entscheiden:* die Mehrheit der Wähler votierte gegen das Vorhaben, die Todesstrafe wiedereinzuführen; für einen bestimmten Politiker v.

Votivbild, das; -[e]s, -er: *aus Dank oder auf Grund eines Versprechens einem Heiligen oder Maria geweihtes Bild mit der Darstellung des betreffenden Vorfalls:* in der Kirche hängt ein V., auf dem seine Errettung vor dem Ertrinken dargestellt ist.

Votum, das; -s, Voten: *Äußerung einer Meinung; Äußerung dessen, wofür man sich [bei einer Abstimmung] entscheidet:* die Abstimmung ist ein eindeutiges V. für die Politik der Regierung.

vulgär 〈Adj.〉: *sehr ordinär; sehr gemein:* er gebraucht häufig vulgäre Ausdrücke.

Vulkan, der; -s, -e: *Berg, aus dessen Innerem glühende Massen von Gestein o. ä. geschleudert werden* (siehe Bild).

Vulkan

vulkanisch 〈Adj.; nicht adverbial〉: **a)** *auf Kräften beruhend, die das Empordringen von Stoffen an die Oberfläche der Erde bewirken:* vulkanischer Boden; vulkanisches Gestein. **b)** *mit Vulkanen bedeckt; die Eigenschaft eines Vulkans habend:* die Insel ist v.

W

Waage, die; -, -n: *Gerät zum Feststellen des Gewichtes* (siehe Bild): etwas auf die W. legen. * **sich die W. halten** *(gleich wichtig, gleich einflußreich, gleich oft vorhanden sein, so daß sich beides ausgleicht):* Vorteil und Nachteil hielten sich die W.

Waage

waag[e]recht ⟨Adj.⟩: *im rechten Winkel zu einer senkrechten Fläche oder Linie verlaufend; nicht senkrecht:* etwas w. legen; ein waagerechter Balken.

Waagschale, die; -, -n: *Schale an einer Waage, auf die das, was gewogen wird, oder Gewichte gelegt werden:* die Waagschalen halten das Gleichgewicht. *** auf die W. legen** *(genau abschätzen, prüfen, beurteilen):* jede seiner Bemerkungen wurde auf die W. gelegt; **etwas in die W. werfen** *(etwas geltend machen, als Mittel einsetzen):* er warf sein ganzes Ansehen in die W., um das Projekt zu verwirklichen; **in die W. fallen** *(ins Gewicht fallen, sehr viel bedeuten):* dieser Fehler fällt schwer in die W.

Wabe, die; -, -n: *[aus Wachs gebildete] Zellen in einem Bienenstock oder Wespennest:* in den Waben ist Honig gelagert.

wach ⟨Adj.⟩: **a)** ⟨nicht adverbial⟩ *nicht mehr schlafend, nicht mehr schläfrig:* ich war heute schon früh w.; um 7 Uhr wurde er wach *(erwachte er).* **b)** *rege; aufgeweckt:* etwas mit wachem Bewußtsein tun; ein wacher Geist.

Wache, die; -, -n: **a)** *eine Person oder eine Gruppe von Personen, die etwas bewacht:* die W. hatte bei dem Einbruch nichts bemerkt. **b)** ⟨ohne Plural⟩ *Aufsicht, Beobachtung:* die W. an jmdn. übergeben, von jmdm. übernehmen. **c)** *Dienststelle, Räumlichkeiten der Polizei in einem bestimmten Revier:* der Betrunkene wurde auf die W. gebracht.

wachen, wachte, hat gewacht ⟨itr.⟩: **1.** *wach sein; nicht schlafen:* ich habe die ganze Nacht gewacht; sie wachte, bis ihr Mann nach Hause kam. **2.** *aufpassen, beobachten; Wache halten:* er wacht [streng] darüber, daß die Vorschriften eingehalten werden; die Schwester wachte die ganze Nacht bei dem Kranken.

Wacholder, der; -s: **1.** /eine Pflanze/ (siehe Bild). **2.** *aus den Beeren der gleichnamigen Pflanze hergestellter Branntwein:* wir trinken ein Glas W.

wachrufen, rief wach, hat wachgerufen ⟨tr.⟩: *[wieder] ins Bewußtsein, in die Erinnerung rufen:* Gefühle, Empfindungen in jmdm. w.; das Gespräch rief längst vergessene Erlebnisse wach.

Wacholder 1.

wachrütteln, rüttelte wach, hat wachgerüttelt ⟨tr.⟩: *geistig, seelisch zur Erkenntnis der Wirklichkeit bringen:* diese Nachricht hat ihn aus seinen Träumen wachgerüttelt.

Wachs, das; -es: **a)** *fettähnliche Ausscheidung der Bienen:* Kerzen aus echtem W. **b)** *künstlich hergestellter Stoff ähnlicher Art:* den Boden, das Auto mit W. polieren.

wachsam ⟨Adj.; nicht adverbial⟩: *scharf beobachtend, sehr aufmerksam:* wachsame Hunde. ***auf jmdn./etwas ein wachsames Auge haben** *(jmdn./etwas genau beobachten, überwachen).*

Wachsamkeit, die; -.

wachseln, wachselte, hat gewachselt ⟨tr.⟩ (bayr.; östr.): *wachsen, mit Wachs bestreichen:* bei diesem Schnee ist es wichtig, die Schier gut zu w.

wachsen: **I.** wachste, hat gewachst ⟨tr.⟩: *mit Wachs bestreichen:* die Schier w.; ⟨auch itr.⟩ wenn der Schnee feucht ist, muß ich erneut w. **II.** wächst, wuchs, ist gewachsen ⟨itr.⟩: **a)** *größer, stärker werden; an Umfang, Ausdehnung zunehmen:* der Junge ist im letzten Jahr sehr gewachsen; er ließ sich die Haare lang w.; unsere Familie ist gewachsen *(wir haben ein Kind oder mehrere Kinder hinzubekommen);* die Erregung im Volk wuchs von Stunde zu Stunde *(wurde von Stunde zu Stunde größer);* ⟨häufig im 1. und 2. Partizip⟩ etwas mit wachsendem Interesse beobachten; ständig wachsende Ausgaben; ein gut gewachsenes Mädchen *(ein Mädchen mit guter Figur).* ***jmdm. nicht gewachsen sein** *(jmdm. unterlegen sein);* **einer Sache nicht gewachsen sein** *(eine Sache nicht bewältigen können).* **b)** *sich entwickeln, gedeihen, vorkommen /in bezug auf Pflanzen/:* auf diesem Boden wachsen keine Reben; überall wächst Unkraut.

wächsern ⟨Adj.; nur attributiv⟩: *aus Wachs [bestehend]:* in der Kapelle waren wächserne Kerzen aufgestellt; bildl.: mit wächsernem *(sehr bleichem)* Gesicht lag sie auf der Bahre.

Wachstube, die; -, -n: *Raum, in dem sich Soldaten, Polizisten o. ä. aufhalten, wenn sie nicht Posten stehen o. ä.:* der Betrunkene wurde mit auf die W. genommen.

Wachstuch, das; -[e]s, Wachstücher: *auf einer Seite wasserdicht gemachtes Gewebe aus Leinen, Baumwolle o. ä.:* der Tisch war mit [einem] W. bespannt.

Wachstum, das; -s: **1.** *das geistige und körperliche Wachsen:* das W. der Pflanzen wird durch viel Licht gefördert. **2.** *Wein, der auf jmds. Boden gewachsen ist:* wir tranken eine Flasche eigenes W. des Winzers.

Wächte, die; -, -n: *große, durch den Wind angewehte, überhängende Menge Schnee [an Graten]:* es war zu sehen, daß die W. schon brüchig war.

Wachtel, die; -, -n: /ein Vogel/ (siehe Bild).

Wachtel

Wächter, der; -s, -: *jmd., der wacht, aufpaßt.*

Wachtposten, der; -s, -: *Soldat, der Wache hält:* die W. wurden bei dem Überfall niedergemacht.

Wachzimmer, das; -s, - (östr.): *Dienststelle, Räumlichkeiten der Polizei in einem bestimmten Revier; Wache:* der Täter meldete sich selbst im W.

wackeln, wackelte, hat gewackelt ⟨itr.⟩: *nicht feststehen, nicht festsitzen; locker sein und sich daher etwas hin und her bewegen:* der Tisch, Stuhl wackelt; sie wackelt mit den Hüften; der alte Mann wackelte *(ging sehr unsicher)* über die Straße; bildl.: seine Stellung wackelt seit einiger Zeit *(ist seit einiger Zeit in Gefahr).*

wacker ⟨Adj.⟩: **1.** ⟨nicht adverbial⟩ (veralt.) *tüchtig, ehrbar:*

er war der Sohn eines wackeren Bauern. **2. a)** *tapfer, kraftvoll:* wackere Kämpfer. **b)** *frisch, ohne Zögern:* er schritt w. voran.

wacklig ⟨Adj.⟩: *wackelnd; nicht feststehend, nicht festsitzend:* die Leiter steht sehr w.; ich fühle mich [nach der Krankheit] noch etwas w. *(schwach)*.

Wade, die; -, -n: *Bündel von Muskeln am hinteren Unterschenkel:* kräftige Waden haben.

Waffe, die; -, -n: *Gerät, Mittel o. ä. zum Kämpfen, zum Angriff oder zur Verteidigung:* eine W. bei sich tragen; konventionelle Waffen; bildl.: mit geistigen Waffen kämpfen; jmdn. mit seinen eigenen Waffen *(durch Anwendung seiner eigenen Methoden)* schlagen. ***die Waffen niederlegen** *(aufhören zu kämpfen)*.

Waffel, die; -, -n: *dünnes, süßes Gebäck mit einem Muster in Form einer Wabe:* Waffeln werden oft mit einer Creme gefüllt.

Waffengattung, die; -, -en: *Truppenteil, der mit einer bestimmten gleichen Art von Waffen ausgestattet ist:* die Rekruten warteten, bis sie einer W. zugeteilt wurden.

Waffenschein, der; -[e]s, -e: *schriftliche Bestätigung des Rechtes, eine Waffe bei sich zu führen:* für den Besitz einer Pistole ist ein W. nötig.

Waffenstillstand, der; -s: *von den Gegnern vereinbarte Einstellung der militärischen Kämpfe:* einen W. schließen; der W. wurde mehrmals gebrochen.

wagemutig ⟨Adj.⟩: *kühn, tapfer, verwegen:* eine wagemutige Tat.

wagen, wagte, hat gewagt ⟨tr.⟩: *kühn und ohne Gefahren zu scheuen, (etwas) unternehmen, tun; riskieren:* einen Angriff w.; er hat sein Leben gewagt *(eingesetzt, aufs Spiel gesetzt)*, um ihn zu retten; ⟨auch rfl.⟩ er wagte sich nicht auf die Straße; ⟨häufig im 2. Partizip⟩ ein gewagtes *(riskantes)* Unternehmen.

Wagen, der; -s, -: **a)** *Fahrzeug mit Rädern, das gezogen oder geschoben wird* (siehe Bild): Pferde an den W. spannen. **b)** *Auto:* er hat seinen W. auf der Straße geparkt. ****(ugs.) jmdm. an den W. fahren** *(jmdm. etwas anhaben wollen, ihn grob kritisieren)*.

Wagen a)

Wagenschlag, der; -s, Wagenschläge: *Tür eines Wagens:* öffnen Sie bitte den hinteren W.!

Waggon [va'gõ:], der -s, -s: *Wagen bei Eisenbahn oder Straßenbahn:* ein W. mit Gemüse.

waghalsig ⟨Adj.⟩: *in leichtsinniger Weise mutig, [toll]kühn:* waghalsige Fahrer rasten über die schwierige Strecke.

Wagnis, das; -ses, -se: *kühnes Unternehmen, gefährliches Vorhaben:* sich auf kein W. einlassen; dieses W. hat sich gelohnt.

Wahl, die; -, -en: **a)** ⟨ohne Plural⟩ *das Auswählen; das Sichentscheiden für eine von mehreren Möglichkeiten:* die W. fällt mir schwer; eine gute W. treffen; Strümpfe erster W. *(der besten Qualität)*. ***die W. haben** *(eine von mehreren Möglichkeiten wählen können)*; **jmdn. vor die W. stellen** *(jmdm. nur zwei Möglichkeiten zur Entscheidung geben)*; **keine andere W. haben** *(nicht anders handeln können)*. **b)** *Abgabe der Stimme beim Wählen von Abgeordneten u. a.; Abstimmung:* freie, geheime Wahlen; zur W. gehen; Wahlen fordern, abhalten.

Wahlalter, das; -s: *Alter, in dem man wählen und gewählt werden darf:* es wird gefordert, daß das aktive W. auf 18 Jahre herabgesetzt wird.

wählen, wählte, hat gewählt ⟨tr./itr.⟩ /vgl. gewählt/: **1.** *sich für eine von mehreren Möglichkeiten entscheiden; auswählen, aussuchen:* der Gewinner konnte zwischen einer Reise und 2000 Mark w.; er wählte die Freiheit. **2.** *seine Stimme abgeben; stimmen (für etwas/jmdn.); durch Wahl bestimmen:* eine Partei w.; jmdn. zum Abgeordneten, Präsidenten w.; ein neues Parlament w.; wir haben noch nicht gewählt. **3** *beim Telefon durch Drehen einer Scheibe nach einer bestimmten Folge von Ziffern eine Verbindung herstellen:* die Nummer 3633 w.; erst w., wenn ein bestimmter Ton zu hören ist!

Wähler, der; -s, -: *jmd., der seine Stimme für eine Partei usw. abgeben darf:* die Mehrheit der W. hat sich für die Partei der Mitte entschieden.

wählerisch ⟨Adj.⟩: *nur schwer zufriedenzustellen; anspruchsvoll:* er ist im Essen sehr w.

Wahlkampf, der; -[e]s, Wahlkämpfe: *Zeit vor einer Wahl, in der die Parteien durch intensive Propaganda Wähler für sich zu gewinnen suchen.*

Wahllokomotive, die; -, -n: *Person, die im Wahlkampf einer Partei als besonders zugkräftig gilt und daher stark in den Vordergrund gestellt wird:* Strauß war damals die W. der CDU.

wahllos ⟨Adj.; nicht prädikativ⟩: *ohne Überlegung; planlos:* die Geschenke wurden w. verteilt.

Wahlrecht, das; -[e]s: *Recht, zu wählen oder gewählt zu werden:* die Bürger machten von ihrem W. Gebrauch; aktives W. *(Recht zu wählen)*; passives W. *(Recht, gewählt zu werden)*.

Wahlspruch, der; -[e]s, Wahlsprüche: *kurzer Spruch, den sich jmd. für sein Handeln gewählt hat.*

Wahn, der; -s: *falsche, trügerische Vorstellung; Einbildung:* er lebt in dem W., daß er krank sei.

wähnen, wähnte, hat gewähnt (geh.): **1.** ⟨tr.⟩ *[fälschlich] glauben, vermuten:* sie wähnten ihn zu Hause. **2.** ⟨rfl.⟩ *von sich glauben, in einem bestimmten Zustand zu sein; sich (für etwas) halten:* in dieser gefährlichen Situation wähnte er sich verlassen.

Wahnsinn, der; -s: **1.** (veraltend) *Geisteskrankheit:* von W. befallen werden. **2.** (ugs.) *unverantwortliches Vorgehen, gefährliche Torheit:* es ist W., bei diesem Wetter eine Bergtour zu unternehmen.

wahnsinnig ⟨Adj.⟩ (ugs.): **a)** *unsinnig, töricht, verrückt:* ein wahnsinniger Plan; bis du w.? **b)** *sehr [groß]:* ich habe einen wahnsinnigen Schreck bekommen; er fährt w. schnell.

wahr ⟨Adj.⟩: **1.** *mit dem wirklichen Geschehen übereinstimmend; wirklich; tatsächlich; nicht erfunden:* eine wahre Geschichte. ***etwas wird w.** *(etwas trifft ein)*: seine Vermutungen sind w. geworden; **etwas w. machen** *(etwas in die Tat umsetzen)*: er machte seine Drohungen w. **2.** ⟨nur attributiv⟩ *echt, recht,* *richtig:* das ist wahre Kunst; es ist ein wahres Wunder, daß ihm nichts passiert ist.

wahren, wahrte, hat gewahrt ⟨tr.⟩: *erhalten, schützen, verteidigen:* seine Interessen w.; er hat bei der Auseinandersetzung den Anstand gewahrt *(sich so verhalten, wie es der Anstand erfordert).*

währen, währte, hat gewährt ⟨itr.⟩ (geh.): *dauern:* der Winter war streng und währte lang.

während: I. ⟨Präp. mit Gen.⟩ *im [Verlauf von]:* er lebte w. des Krieges im Ausland. **II.** ⟨Konj.⟩ *zur gleichen Zeit:* **a)** ⟨temporal⟩ w. *(als)* ich schrieb, las er. **b)** ⟨adversativ⟩ w. ich arbeiten muß, gehst du spazieren *(ich muß arbeiten, und du dagegen kannst spazierengehen)!*

wahrhaben: ⟨in der Wendung⟩ etwas nicht w. wollen: *etwas bestreiten, etwas nicht eingestehen oder zugeben wollen:* er wollte nicht w., daß seine Freundin der Grund für die Reise war.

wahrhaftig ⟨Adverb⟩: *in der Tat, wirklich:* um ihn brauchst du dich w. nicht zu sorgen.

Wahrheit, die; -: *der Wirklichkeit entsprechende Darstellung, Schilderung; Übereinstimmung zwischen Gesagtem und Geschehenem oder Bestehendem, zwischen Gesagtem und Gedachtem:* das ist die W.; die W. erfahren; die W. sagen *(nicht lügen).*

wahrnehmbar ⟨Adj.⟩: *mit einem der Sinne erfaßbar; erkennbar:* die Geräusche sind hier kaum w.

wahrnehmen, nimmt wahr, nahm wahr, hat wahrgenommen ⟨tr.⟩: **1.** *mit den Sinnen erfassen; merken:* einen unangenehmen Geruch w. **2. a)** *nutzen:* jede Gelegenheit w., etwas zu erreichen. **b)** *berücksichtigen, vertreten:* seinen Vorteil, die Interessen seiner Firma w. **Wahrnehmung,** die; -, -en.

wahrsagen, wahrsagte/ sagte wahr, hat gewahrsagt/ wahrgesagt ⟨itr./tr.⟩: *[die Zukunft] voraussagen:* die Zigeunerin wahrsagte ihm die Zukunft; sie hat aus den Karten wahrgesagt.

Wahrsagerin, die; -, -nen: *Frau, die wahrsagt:* die W. mischte ihre Karten.

währschaft ⟨Adj.⟩ (schweiz.): *echt, kräftig, ordentlich:* ein währschaftes Essen, Kleidungsstück.

wahrscheinlich ⟨Adverb⟩: *möglicherweise, voraussichtlich:* er wird w. nicht kommen. ***etwas ist w.** *(etwas ist zu erwarten):* es ist sehr w., daß er gewinnt. **Wahrscheinlichkeit,** die; -, -en.

Wahrung, die; -: *Erhaltung, das Wahren:* die W. seiner Interessen stand im Vordergrund.

Währungsreform, die; -, -en: *staatliche Neuordnung einer zerrütteten Währung:* die W. wurde hinausgezögert.

Waise, die; -, -n: *minderjähriges Kind, das die Eltern verloren hat.*

Waisenknabe, der; -n, -n (veraltend): *Knabe, dessen Eltern gestorben sind:* er kümmerte sich um den Waisenknaben. * (ugs.; scherzh.) **gegen jmdn. ein W. sein** *(an jmdn. nicht heranreichen):* gegen diesen Redner bist du ein W.

Wal, der; -[e]s, -e: /ein Säugetier/ (siehe Bild).

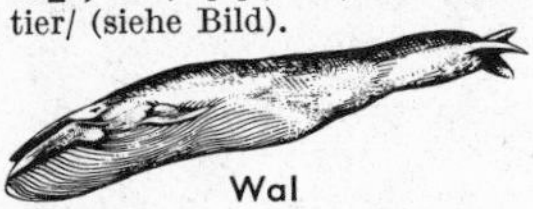

Wal

Wald, der; -es, Wälder: *größeres Stück Gelände, das dicht mit Bäumen bewachsen ist.*

Waldlauf, der; -[e]s, Waldläufe: *sportlicher Lauf durch den Wald:* beim Training einen W. machen.

Waldmeister, der; -s, -: /eine Pflanze/(siehe Bild): W. gibt der Bowle ein bestimmtes Aroma.

Waldmeister

Walküre, die; -, -n: *große, stattliche, blonde Frau:* sie ist eine [richtige] W.

Wall, der; -s, Wälle: *längere [durch Anhäufen von Erde o. ä. entstandene] Erhebung im freien Gelände:* die Burg ist durch W. und Graben geschützt.

wallen, wallte, hat gewallt ⟨itr.⟩ (geh.): *sprudeln, bewegt fließen:* das kochende Wasser wallte im Topf; bildl.: ⟨häufig im 1. Partizip⟩ wallendes *(lang herunterhängendes)* Haar.

Wallfahrt, die; -, -en: *Fahrt oder Wanderung zu einer heiligen Stätte als Sühne oder wegen eines Anliegens:* die Gläubigen der Gemeinde machten eine W.

Wallung, die; -, -en: Med. *aufsteigende Hitze und Röte:* sie litt manchmal unter Wallungen. * (geh.) **in W. kommen/geraten** *(in Erregung, Aufruhr geraten):* sein Blut kam in W.; **in W. bringen/versetzen** *(in Erregung, Aufruhr versetzen):* der Zorn hat sein Blut in W. gebracht; die Bilder haben seine Phantasie in W. versetzt.

Walnuß, die; -, Walnüsse: /eine Frucht/ (siehe Bild).

Walnuß

Walroß, das; Walrosses, Walrosse: /ein Tier/ (siehe Bild).

Walroß

walten, waltete, hat gewaltet ⟨itr.⟩ (geh.): *herrschen, wirken:* überall waltete Vernunft; ich will noch einmal Gnade w. lassen *(nachsichtig sein).* * **seines Amtes w.** *(sein Amt ausüben);* **frei/nach Belieben** o. ä. **schalten und w. können, schalten und w. können wie ...** *(in einem Bereich nach eigenem Gutdünken handeln können):* hier kannst du schalten und w., wie es dir beliebt; **jmdn. schalten und w. lassen** *(jmdm. in einem Bereich völlige Freiheit zu handeln geben).*

Walze, die; -, -n: *länglicher Körper, dessen Querschnitt die Form eines Kreises hat* (siehe Bild).

Walze

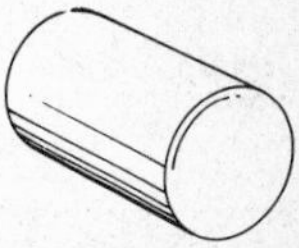

wälzen, wälzte, hat gewälzt ⟨tr.⟩: *drehend, rollend [fort]be-*

bewegen: den Stein zur Seite w.; ⟨auch rfl.⟩ ich wälzte mich die ganze Nacht im Bett, weil ich nicht schlafen konnte; der Hund wälzt sich im Gras. ***Probleme w.** *(über Probleme eingehend diskutieren, nachdenken);* **Bücher w.** *(in vielen Büchern nachschlagen, um über etwas Klarheit zu bekommen).*

Walzer, der; -s, -: *in Gesellschaft paarweise getanzter Tanz:* J. Lanner und J. Strauß Vater und Sohn waren die Schöpfer des Wiener Walzers; [einen] W. tanzen.

Wamme, die; -, -n: **1.** *hängende Hautfalte zwischen Hals und Brust bei Rind und Hund:* er faßte den Stier an der W. **2.** (derb) *fetter Bauch:* er hat eine ziemliche W.

Wams, das; -es, Wämser (veralt.): *Bekleidung für den Oberkörper des Mannes:* das W. wurde ursprünglich unter der Rüstung, dann auch im Haus getragen.

Wand, die; -, Wände: *senkrecht stehende Fläche; seitliche Begrenzung eines Raumes:* an der W. hängt ein Bild. ***in den eigenen vier Wänden** *(bei sich zu Hause);* **jmdn. an die W. drükken** *(sich selbst in den Vordergrund bringen, indem man einen anderen beiseite drängt);* **jmdn. an die W. stellen** *(jmdn. erschießen);* **mit dem Kopf durch die W. wollen** *(Unmögliches erzwingen wollen).*

Wandalismus, der; -: *wütende, sinnlose Zerstörung:* die Kunstwerke fielen dem W. der Eroberer zum Opfer.

Wandel, der; -s: *[sich allmählich vollziehende] Veränderung; Wechsel:* der W. in der Sprache.

wandelbar ⟨Adj.⟩: *so beschaffen, daß es sich wandeln kann:* er ist ein Mensch mit wandelbarer Gesinnung.

Wandelhalle, die; -, -n: *gedeckte Halle zum Aufundabgehen:* sie unterhielten sich in der W.

wandeln, wandelte, ist/hat gewandelt: **1.** ⟨itr.⟩ (geh.) *gemächlich und gemessen gehen:* sie sind unter den Bäumen im Schatten gewandelt. **2.** ⟨rfl.⟩ *sich ändern:* seine Ansichten haben sich im Laufe der Zeit gewandelt.

Wanderer, der; -s, -: *jmd., der wandert* (siehe Bild).

Wanderer

wandern, wanderte, ist gewandert ⟨itr.⟩: **1.** *eine größere Strecke über Land zur Erholung zu Fuß gehen:* er ist durch den Wald gewandert; bildl.: ihre Blicke wanderten von einem zum anderen; seine Gedanken wanderten in die Vergangenheit *(er dachte an die Vergangenheit).* **2.** (ugs.) *gegeben werden, gelangen:* der Ball wandert von Mann zu Mann; der Brief wanderte gleich in den Papierkorb; er wanderte für zwei Jahre ins Gefängnis.

Wanderpreis, der; -es, -e: *Preis, der jährlich an den neuen Sieger in einem sportlichen Wettkampf weitergegeben wird:* zur Erinnerung an den populären Rennfahrer wurde ein W. gestiftet.

Wanderschaft, die; -: *Zeit des Wanderns, das Wandern bes. bei Handwerksburschen:* die W. brachte dem Gesellen neue Erfahrungen; er ging auf W.

Wanderung, die; -, -en: *längerer Gang über Land zur Erholung:* eine W. machen, unternehmen.

Wandlung, die; -, -en: **1.** *Änderung, Wechsel:* es trat eine bedeutsame W. in seinem Leben ein. **2.** Rel. kath. *Teil der heiligen Messe, in dem die Hostie und der Wein in den Leib und das Blut Christi verwandelt werden:* der Priester spricht die Gebete der W.

Wandmalerei, die; -, -en: **1.** ⟨ohne Plural⟩ *das Malen unmittelbar auf die trockene oder feuchte Wand:* die W. ist die bei weitem älteste Gattung der Kunst. **2.** *nach dem gleichnamigen Verfahren geschaffenes Bild:* berühmte Wandmalereien.

Wandschrank, der; -[e]s, Wandschränke: *in die Wand eingebauter Schrank:* durch den W. wird Platz gespart.

Wandtafel, die; -, -n: *Tafel an der Wand [in der Schule], an die etwas [vom Lehrer o. ä.] für alle sichtbar angeschrieben werden kann:* der Lehrer schrieb das schwierige Wort an die W.

Wandzeitung, die; -, -en: *schriftliche oder gedruckte Mitteilung[en] in Form eines Plakates:* in China werden politische Parolen durch Wandzeitungen bekanntgemacht.

Wange, die; -, -n (geh): *Teil des menschlichen Gesichts zwischen Auge, Nase und Ohr.*

Wankelmut, der; -[e]s (abwertend): *schwankende Gesinnung, Stimmung, Haltung:* ihr W. machte sich unangenehm bemerkbar.

wankelmütig ⟨Adj.⟩ (abwertend): *schwankend in der Stimmung, Gesinnung, Haltung:* ein wankelmütiger Mensch.

wanken, wankte, hat /ist gewankt ⟨itr.⟩: **a)** *schwankend gehen:* er ist durch die Straßen gewankt. **b)** *schwanken; unsicher, schwach sein:* der Mast hat gewankt. *** etwas ins Wanken bringen** *(etwas erschüttern oder in Frage stellen);* **etwas gerät ins Wanken** *(etwas wird erschüttert, gefährdet).* ****nicht w. und weichen** *(sich nicht von der Stelle bewegen, keinen Schritt weggehen).*

wann ⟨Interrogativadverb⟩: *zu welchem Zeitpunkt:* w. kommst du?

Wanne, die; -, -n: *länglichovales Gefäß, bes. zum Baden.*

Wanst, der; -es, Wänste: **1.** *Teil des Magens bei Rindern.* **2.** (derb) *[dicker] Bauch, Magen:* er füllte sich den W.; /als Schimpfwort/: du [alter] W.! *** sich** (Dativ) **den W. vollschlagen** *(übermäßig viel essen):* na, hast du dir wieder mal den W. vollgeschlagen?

Wanze, die; -, -n: /ein Insekt/ (siehe Bild).

Wanze

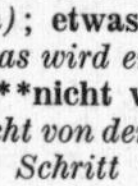

Wappen, das; -s, -: *graphisch besonders gestaltetes Abzeichen als Kennzeichen einer Person, Familie oder Körperschaft:* eine Fahne mit dem W. der Stadt.

wappnen, sich; wappnete sich, hat sich gewappnet: *sich auf et-*

was vorbereiten, einstellen: sich mit Geduld für die Auseinandersetzung w. ***gegen etwas gewappnet sein*** *(auf etwas innerlich vorbereitet sein und die Kraft haben, es abzuwehren).*

Ware, die; -, -n: *Gegenstand, der in größerer Zahl zum Kauf angeboten [und als Sache des täglichen Lebens häufiger gekauft] wird:* die bestellten Waren sind noch nicht gekommen.

Warenhaus, das; -es, Warenhäuser: *Kaufhaus.*

Warenzeichen, das; -s, -: *aus einem Wort oder Bild bestehende gesetzliche Kennzeichnung für Waren von bestimmten Unternehmen:* das W. ist gesetzlich geschützt.

warm, wärmer, wärmste ⟨Adj.⟩: **a)** *eine mäßig hohe und als angenehm empfundene Temperatur habend* /Ggs. kalt/: warmes Wasser; der Kaffee ist noch w.; mir ist w. *(ich friere nicht);* bildl.: warme *(angenehm wirkende)* Farben. **b)** *die Kälte abhaltend; gegen Kälte schützend:* der Mantel ist sehr w.; sich w. anziehen. **c)** *herzliches Gefühl, Empfinden zeigend:* mit warmen Worten würdigte er die Verdienste des Mitarbeiters. ***mit jmdm. nicht w. werden*** *(zu jmdm. kein herzliches Verhältnis finden).*

Wärme, die; -: **a)** *hohe Temperatur, die aber noch nicht als heiß empfunden wird:* eine angenehme W.; heute wurden 30° W. gemessen. **b)** *Empfindung, Herzlichkeit:* mit großer W. von jmdm. sprechen.

wärmen, wärmte, hat gewärmt: **a)** ⟨tr./rfl.⟩ *warm machen, aufwärmen:* das Essen w.; ich habe mich, mir die Hände am Ofen gewärmt. **b)** ⟨itr.⟩ *Wärme geben; warm halten:* Wolle wärmt.

Wärmflasche, die; -, -n: *Behälter aus Gummi, der mit heißem Wasser gefüllt wird* (siehe Bild): sie wärmte ihr Bett mit einer W.

Wärmflasche 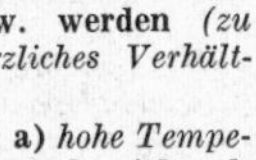

warmhalten, hält warm, hielt warm, hat warmgehalten ⟨itr.⟩ (ugs.): *sich geneigt erhalten:* ich habe mir diesen einflußreichen Bekannten warmgehalten.

Warmwasserheizung, die; -, -en: *Zentralheizung, die mit Hilfe von heißem Wasser heizt:* in das neue Haus wurde eine W. eingebaut.

warnen, warnte, hat gewarnt ⟨tr.⟩: **a)** *mit aller Deutlichkeit auf eine Gefahr, Schwierigkeit aufmerksam machen:* die Bevölkerung vor dem Betrüger w.; ich habe ihn mehrmals gewarnt *(ihm abgeraten)*, sich auf diesen Handel einzulassen; ⟨auch itr.⟩ die Polizei warnt vor dem Gebrauch dieser Lebensmittel; ⟨häufig im 1. Partizip⟩ warnend seine Stimme erheben. **b)** *jmdm. drohen, um ihn an einer Tat zu hindern:* ich warne dich [,mir zu nahe zu kommen]!

Warnung, die; -, -en.

Warnzeichen, das; -s, -: **1.** *Verkehrszeichen, das vor einer Gefahr warnt:* er beachtete das W. vor der scharfen Kurve nicht. **2.** *warnendes Zeichen, Signal:* ein W. geben.

Warte: ⟨in den Wendungen⟩ **von jmds. W. aus** *(von jmds. Standpunkt aus):* von meiner W. aus kann ich das nicht beurteilen; **auf einer höheren W. stehen** *(an Übersicht und Einsicht andere übertreffen).*

warten, wartete, hat gewartet: **I. 1.** ⟨itr.⟩ *(jmdn./etwas) erwarten und deshalb an demselben Ort bleiben, bis er kommt oder etwas eintrifft:* ich habe schon eine Stunde [auf dich] gewartet; ich kann w. *(ich habe Zeit, ich kann mich gedulden).* **2.** ⟨itr.⟩ *(einer Sache) mit Erwartung entgegensehen:* auf das Ergebnis der Untersuchung w. **II.** ⟨tr.⟩ *pflegen, betreuen:* die Maschine, das Auto regelmäßig w. [lassen].

Wärter, der; -s, -: *jmd., der Personen oder Tiere, die sich nicht frei bewegen können, beaufsichtigt oder betreut:* der W. im Gefängnis, im Zoo.

Wartesaal, der; -s, Wartesäle: *Raum auf Bahnhöfen, in dem sich Reisende aufhalten und auf ihren Zug warten können:* da der Zug Verspätung hatte, gingen wir in den W.

Wartezeit, die; -, -en: *Zeit des Wartens:* die W. schien ihm endlos lang.

Wartezimmer, das; -s, -: *Raum, in dem man wartet, bis man vorgelassen wird, bes. beim Arzt:* das W. war überfüllt.

Wartung, die; -: *[von einer Firma übernommene] Instandhaltung von etwas durch entsprechende Pflege, regelmäßige Überprüfung und Ausführung notwendiger Reparaturen:* die W. des Aufzugs.

warum ⟨Interrogativadverb⟩: *aus welchem Grunde:* w. hast du das getan?

Warze, die; -, -n: *kleine runde Wucherung:* er hat eine W. an der Hand.

was ⟨Interrogativpronomen⟩ /fragt ganz allgemein nach Sachen oder einem Verhalten/: was ist das?; was hast du getan?

Waschbecken, das; -s, -: *Bekken, an das fließendes Wasser angeschlossen ist und das zum Waschen der Hände usw. dient:* sie putzte sich die Zähne am W.

Wäsche, die; -: **1.** *Teile der Bekleidung, die man unmittelbar auf dem Körper und unter der Kleidung trägt:* die W. wechseln. **2. a)** *alle Dinge des täglichen Lebens, die aus Stoff bestehen und die gewaschen werden müssen:* W. waschen, bügeln; die W. ist noch nicht trocken. **b)** *das Waschen; Vorgang des Waschens:* der Pullover ist bei der W. eingelaufen.

waschecht ⟨Adj.⟩: **1.** *so beschaffen, daß es durch Waschen nicht leidet:* der Stoff behält seine frischen Farben, er ist w. **2.** (ugs.) *ganz echt, durch und durch:* er ist ein waschechter Berliner.

Wäscheklammer, die; -, -n: *Klammer, mit der die Wäsche an der Wäscheleine befestigt wird:* sie legte die Wäscheklammern in den Korb.

Wäscheleine, die; -, -n: *Leine, auf der die Wäsche zum Trocknen aufgehängt wird:* sie spannte die W. zwischen die beiden Pfosten.

waschen, wäscht, wusch, hat gewaschen ⟨tr./rfl.⟩: *(mit Wasser und Seife o. ä.) reinigen, säubern:* Wäsche, Strümpfe w.; ich wasche mich morgens und abends.

Wäscherei, die; -, -en: *Anstalt, in der Wäsche gegen Entgelt gewaschen wird:* er holt die Wäsche aus der W.

Wäscheschleuder, die; -, -n: *Gerät, das die Wäsche schleudert:* in der W. wird durch Rotation das Wasser aus der Wäsche entfernt.

Wạschküche, die; -, -n: *Raum [im Keller], in dem die Wäsche gekocht und gewaschen wird:* die Waschküchen wurden durch die modernen Waschmaschinen verdrängt; bildl.: das Flugzeug geriet in eine gefährliche W. *(in dichten Nebel, schlechtes Wetter).*

Wạschlappen, der; -s, -: **1.** *Lappen aus Baumwolle o.ä., mit dem man sich wäscht:* die Mutter fuhr dem Kind mit dem W. über das Gesicht. **2.** (ugs.) *feige, willenlose, nachgiebige männliche Person:* dieser W. wagt keinen Widerspruch.

Wạschmaschine, die; -, -n: *Maschine zum Waschen der Wäsche:* sie schaltete die W. ein.

Wạschung, die; -, -en: *das Waschen, Reinigen des Körpers:* kalte Waschungen sind sehr gesund; rituelle Waschungen sind in fast allen Religionen zu finden.

Wạschweib, das; -[e]s, -er (derb): *geschwätzige Frau, Person:* du bist ein altes W.

Wạschzeug, das; -s: *Gegenstände, die zum Waschen und Pflegen des Körpers verwendet werden:* sie ging mit ihrem W. ins Bad.

Wạsser, das; -s: **1.** *natürliche durchsichtige Flüssigkeit ohne Geruch und Farbe:* warmes W. **2.** *Gewässer:* am W. liegen und sich sonnen. *(ugs.) **etwas fällt ins W.** *(etwas findet nicht statt);* (ugs.) **das W. steht jmdm. bis zum/an den Hals** *(jmd. ist in großen [finanziellen] Schwierigkeiten);* (abwertend) **jmdm. nicht das W. reichen [können]** *(sich mit jmds. Fähigkeit, Leistung nicht messen können);* (ugs.) **mit allen Wassern gewaschen sein** *(durchtrieben, gerissen sein).*

Wạsserball, der; -s, Wasserbälle: **1. a)** *großer Gummiball zum Aufblasen, mit dem man bes. im Wasser spielt.* **b)** *aus Leder hergestellter Ball von bestimmter Größe und bestimmtem Gewicht, der im gleichnamigen Sport verwendet wird:* der W. wird über den Kopf dem Partner zugeworfen. **2.** ⟨ohne Plural⟩ *sportliches Ballspiel zwischen zwei im Wasser schwimmenden Mannschaften:* W. erfordert intensives Training im Schwimmen, Fangen und Werfen.

Wässerchen, das; -s, - (scherzh.): *Mittel zur Pflege [der Haut]:* sie verwendet alle diese W. für ihre Schönheit. ** (ugs.) **[so] aussehen/tun, als ob man kein W. trüben könnte** *(harmlos, unschuldig aussehen [es in Wirklichkeit aber nicht sein]):* er sieht aus, als ob er kein W. trüben könnte.

wạsserdicht ⟨Adj.⟩: *kein Wasser durchlassend:* die Uhr ist w.

Wạsserfahrzeug, das; -[e]s, -e: *[kleineres] Fahrzeug für den Verkehr auf dem Wasser:* die Polizei ist auch mit Wasserfahrzeugen ausgerüstet.

Wạsserfall, der; -s, Wasserfälle: *über Felsen in die Tiefe stürzendes Wasser eines Baches oder Flusses* (siehe Bild).

Wasserfall

Wạsserfarbe, die; -, -n: *durchscheinende, in Wasser lösliche Farbe:* ich male gern mit Wasserfarben.

Wạsserhahn, der; -s, Wasserhähne: *Vorrichtung am Ende einer Wasserleitung, mit der das Fließen des Wassers bewirkt oder verhindert wird* (siehe Bild).

Wasserhahn

Wạsserkopf, der; -[e]s, Wasserköpfe: *krankhafte Vergrößerung des Kopfes durch übermäßige Ansammlung von Flüssigkeit:* das kleine Kind hatte einen unförmigen W.; bildl.: die riesige Hauptstadt ist für das kleine Land ein W. *(im Verhältnis viel zu groß).*

Wạsserlauf, der; -[e]s, Wasserläufe: *kleineres fließendes Gewässer:* wir folgten dem W.

Wạsserleitung, die; -, -en: *Anlage aus Rohren, durch die Wasser fließt.*

wạssern, wasserte, hat gewassert ⟨itr.⟩: *auf dem Wasser niedergehen* /vom Flugzeug oder von Flugkörpern/: das Flugzeug wasserte.

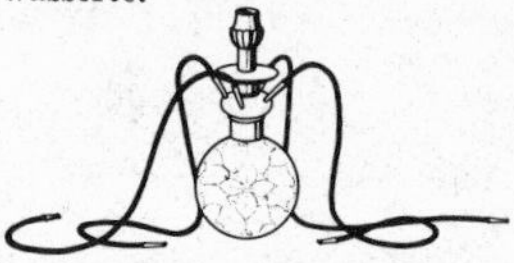

Wasserpfeife

wässern, wässerte, hat gewässert ⟨tr.⟩: **1.** *eine Zeitlang zu einem bestimmten Zweck ins Wasser legen:* Heringe w. (um das Salz herauszulösen). **2.** *(Pflanzen) reichlich mit Wasser versorgen:* Bäume w.

Wạsserpfeife, die; -, -n: *Pfeife mit mehreren Mundstücken, deren Rauch durch Wasser geleitet und dadurch gekühlt wird* (siehe Bild): die W. ist im Orient verbreitet.

wạsserscheu ⟨Adj.⟩: *ängstlich vor dem Wasser:* der Junge lernt nicht schwimmen, weil er w. ist.

Wạsserschi, der; -s, -er: *kurzer, breiter Schi, auf dem man von einem Motorboot mit hoher Geschwindigkeit über das Wasser gezogen wird:* die Wasserschier müssen beim Start schräg aufwärts gehalten werden.

Wạsserschloß, das; Wasserschlosses, Wasserschlösser: *Schloß, das ringsum von Wasser umgeben ist:* man hatte von dem Hügel eine schöne Aussicht auf das W.

Wạsserspiegel, der; -s: *Oberfläche eines Meeres, Flusses, Sees o. ä.*

Wạssersport, der; -s: *Sport, der in und auf dem Wasser betrieben wird:* in dieser Gegend gibt es sehr viele Möglichkeiten, W. zu treiben.

Wạsserspülung, die; -, -en: *Vorrichtung im WC, bei der durch einen kräftigen Strahl Wasser Kot und Urin des Menschen beseitigt werden:* eine Toilette mit W.

Wạsserstand, der; -[e]s, Wasserstände: *Höhe des Wasserspiegels:* den W. messen.

Wạsserstoff, der; -[e]s: /ein chemisches Element/.

Wasserturm, der; -[e]s, Wassertürme: *Turm, der zur Versorgung der Bevölkerung Wasser speichert:* das Wahrzeichen der Stadt Mannheim ist ein W.; der alte W. wird nicht mehr benutzt.

Wasserwaage, die; -, -n: *Instrument, mit dem die waagrechte oder senkrechte Lage ebener Flächen geprüft wird* (siehe Bild): der Maurer legte prüfend die W. auf die gemauerte Wand.

Wasserwaage

Wasserweg, der; -[e]s, -e: *Verkehrsweg über Gewässer:* diese Güter werden auf dem W. befördert.

Wasserzeichen, das; -s, -: *Zeichen im Papier, das beim Durchsehen hell erscheint (als Angabe der Herkunft und Qualität oder zur Verhinderung von Fälschungen):* an Hand des Wasserzeichens wurde die Firma ausfindig gemacht.

wäßrig ⟨Adj.; nicht adverbial⟩: *zu viel Wasser enthaltend:* die Kartoffeln sind dieses Jahr sehr w.; wäßriger Wein. ***jmdm. den Mund w. machen** *(jmdn. zum Genuß von etwas reizen).*

waten, watete, ist gewatet ⟨itr.⟩: *mit stapfenden Schritten durch etwas gehen:* durch den Bach, Schlamm w.; wir sind bis an die Knöchel im Schmutz gewatet.

Watsche, die; -, -n (südd.; östr.; ugs.): *Ohrfeige:* er drohte ihm eine W. an.

watscheln, watschelte, ist gewatschelt ⟨itr.⟩ (ugs.): *wackelnd, schleppend gehen:* Enten watschelten am Ufer; /abwertend von Menschen/ die Alte ist über den Hof gewatschelt.

Watt, das; -s, -en: *Untiefe, seichter Streifen der Nordsee zwischen Küste und vorgelagerten Inseln:* sie gingen bei Ebbe auf das W. hinaus.

Watte, die; -: *aus weichen Fasern hergestelltes Material, das verschiedenartige Verwendung findet, z. B. um den Druck auf etwas zu mildern oder zur kosmetischen Pflege:* W. auf die wunde Stelle legen; den Ring in W. packen. * (iron.) **jmdn. in W. packen** *(wegen jmds. übermäßiger Empfindlichkeit alles von ihm fernhalten wollen, um ihn zu schonen).*

Wattebausch, der; -[e]s, -e und Wattebäusche: *Bausch aus Watte:* mit einem W. wird die Stelle abgetupft.

wattieren, wattierte, hat wattiert ⟨tr.⟩: *mit einem aus Watte bestehenden Polster versehen:* der Schneider wattierte die Jacke.

Wauwau [auch: ...wau], der; -s, -s: Kinderspr. *Hund.*

WC [ve:'tse:], das; -[s], -[s]: *Toilette mit Wasserspülung.*

Webe, die; -, -n (östr.): *Gewebe [für Bettzeug]:* feine, weiße W. verarbeiten.

weben, webte, hat gewebt ⟨tr./itr.⟩: *auf bestimmte Weise ein Gewebe herstellen:* mit der Hand gewebte Teppiche.

Weber, der; -s, -: *jmd., der Gewebe, Stoffe o. ä. herstellt* /Berufsbezeichnung/.

Weberei, die; -, -en: **1.** *gewebtes Erzeugnis:* bunte Webereien verkaufen, anbieten. **2.** *handwerklicher, industrieller Betrieb, in dem Stoffe gewebt werden:* er arbeitet in einer W.

Webstuhl, der; -[e]s, Webstühle: *Maschine zur Herstellung von Geweben:* neue Webstühle wurden angeschafft.

Wechsel, der; -s, -: **1.** ⟨ohne Plural⟩ *[Ver]änderung, [Aus]tausch:* in der Führung der Partei vollzog sich ein W. **2.** *schriftliche Verpflichtung zur Zahlung in einem bestimmten Zeitraum:* mit einem W. bezahlen.

Wechselbeziehung, die; -, -en: *gegenseitige Beziehung:* der Mensch hat starke Wechselbeziehungen mit seiner Umwelt.

Wechselgeld, das; -es: *Geld, das zum Wechseln und Herausgeben verwendet wird:* er hatte kein W. in der Kasse.

wechselhaft ⟨Adj.⟩: *ohne Bestand, wechselnd* /bes. vom Wetter/: das Wetter bleibt w.

Wechseljahre, die ⟨Plural⟩: *Zeitraum physischer und psychischer Veränderungen bei der Frau im Alter von etwa 45 bis 50 Jahren:* in die W. kommen.

Wechselkurs, der; -es, -e: *Preis der ausländischen Währung, gemessen an der inländischen Währung:* sie erkundigte sich auf der Bank nach dem W.

wechseln, wechselte, hat gewechselt: **1.** ⟨tr.⟩ **a)** *[aus]tauschen; durch Neues ersetzen:* die Wäsche, Wohnung w. **b)** *sich einer Sache/jmd. anders zuwenden:* er hat die Stellung, den Chauffeur gewechselt. **2.** ⟨itr.⟩ *sich ändern; sich ins Gegenteil umkehren:* seine Stimmung wechselt schnell; ⟨häufig im 1. Partizip⟩ er kämpfte mit wechselndem Erfolg. **3.** ⟨tr./itr.⟩ *für einen größeren Betrag, meist einen Geldschein, mehrere kleinere Münzen oder Scheine im gleichen Wert geben:* jmdm. hundert Mark w.; bevor ich die Grenze überschreite, werde ich noch etwas Geld w. *(in eine andere Währung umtauschen).*

wechselseitig ⟨Adj.⟩: **1.** *gegenseitig:* wechselseitige Beziehungen. **2.** *abwechselnd von der einen und von der anderen Seite ausgehend:* wechselseitiges Lob.

Wechselwirkung, die; -, -en: *gegenseitige Wirkung, Einfluß aufeinander:* der Vortrag behandelte Wechselwirkungen zwischen Wirtschaft und Politik.

wecken, weckte, hat geweckt ⟨tr.⟩ /vgl. geweckt/: **1.** *wach machen:* wecke mich um sechs Uhr! **2.** *hervorrufen:* schlummernde Kräfte, Interesse w.; alte Erinnerungen w. *(wieder ins Bewußtsein rufen).*

Wecken, der; -s, - (östr.): *Brot in länglicher Form:* er holte einen frischen W. aus der Bäckerei.

Wecker, der; -s, -: *Uhr, die zu einer gewünschten Zeit klingelt, um zu wecken* (siehe Bild): der W. rasselte.

Wecker

Wedel, der; -s, -: *Büschel aus Zweigen, Federn o. ä.:* mit einem W. den Staub entfernen.

wedeln, wedelte, hat gewedelt ⟨itr.⟩: **1.** *(etwas) hin und her bewegen; schwenken:* der Hund wedelte mit dem Schwanz. **2.** Schi *abwechselnd rhythmisch nach links oder rechts schwingen, um dadurch die Geschwindigkeit bei der Abfahrt zu verringern.*

wẹder: ⟨nur in der Verbindung⟩ weder ... noch /betont nachdrücklich, daß von den [zwei] genannten Möglichkeiten oder Personen keine eine Wirkung hat/: w. mir noch ihm gelang es, den Lehrer zu überzeugen.

Weekend ['vi:k'ɛnt], das; -s, -s (veraltend): *Wochenende:* wir haben das W. in den Bergen verbracht.

wẹg ⟨Adverb⟩: *fort:* er ist schon lange w.; der Schlüssel ist w. *(nicht zu finden);* der Reiz an der Sache ist w. *(verloren);* er wohnt weit w. *(entfernt);* die Ware war schnell w. *(verkauft, vergriffen);* w. damit! ***(ugs.) w. sein [von jmdm./etwas]** *(begeistert sein [von jmdm./etwas]):* wir waren alle ganz w.

We̲g, der; -es, -e: **1.** *oft nicht ausgebaute Strecke, die zum Gehen und zum Fahren dient:* ein steiler W.; dieser W. führt ins nächste Dorf. ***sich auf den W. machen** *(aufbrechen, losgehen);* **jmdm. im Wege sein** *(jmdm. hinderlich sein);* **auf halbem Wege stehenbleiben** *(etwas nicht vollenden);* **etwas in die Wege leiten** *(etwas vorbereiten und in Gang bringen);* **etwas auf diplomatischem / privatem / legalem W. erledigen** *(etwas auf diplomatische/private/legale Art und Weise erledigen);* **jmdm. nicht über den W. trauen** *(gegenüber jmdm. sehr mißtrauisch sein);* **seinen W. machen** *(sicher und auf sich gestellt vorwärtskommen):* der Junge wird schon seinen W. machen; **jmdm./einer Sache aus dem W. gehen** *(jmdn./etwas meiden);* **jmdm. etwas in den W. legen** *(jmdm. Schwierigkeiten machen);* **eigene Wege gehen** *(sich selbständig machen, selbständig entscheiden).* **2.** *Gang [um etwas zu erledigen]; Besorgung; Reise:* ich habe noch einige Wege zu machen, zu erledigen; mein erster W. war nach Hause. ***jmdm. einen W. abnehmen** *(für jmdn. etwas erledigen und ihn dadurch entlasten).*

We̲gbereiter, der; -s, -: *jmd., der für jmdn./etwas die Voraussetzungen schafft:* er war ein W. des Sozialismus.

wẹgbleiben, blieb weg, ist weggeblieben ⟨itr.⟩ (ugs.): **a)** *nicht [mehr] kommen:* auf einmal blieb er weg. **b)** *unterbleiben:* diese Bemerkung bliebe besser weg. *** jmdm. bleibt die Luft/Spucke weg** *(jmd. ist äußerst erstaunt).*

We̲gelagerer, der; -s, - (veralt.): *jmd., der sich auf Wegen und Straßen aufhält und Überfälle ausführt:* er wurde von Wegelagerern ausgeplündert.

we̲gen ⟨Präp. mit Gen.⟩: *auf Grund, infolge; um ... willen:* /drückt den Grund, den Zweck aus/: w. seines verletzten Beines konnte er nicht starten; ⟨aber auch ohne Flexionsendung vor starken Substantiven im Singular, wenn sie ohne Artikel und ohne adjektivisches Attribut stehen; im Plural dann mit Dativ⟩ w. Umbau geschlossen; w. Geschäften war er verreist.

wẹgfahren, fährt weg, fuhr weg, ist weggefahren ⟨itr.⟩: *an einen anderen Ort fahren:* sie fuhren über das Wochenende weg.

wẹgfallen, fällt weg, fiel weg, ist weggefallen ⟨itr.⟩: *entfallen, nicht mehr in Betracht kommen:* dieser Grund fällt jetzt weg; in letzter Zeit sind die großen Ausgaben weggefallen; das Programm war so groß, daß die letzten Punkte w. mußten.

wẹgfliegen, flog weg, ist weggeflogen ⟨itr.⟩: *an einen anderen Ort fliegen:* die Schwalben fliegen im Herbst weg.

wẹggehen, ging weg, ist weggegangen ⟨itr.⟩: *sich entfernen, fortgehen:* er ist vor einer halben Stunde weggegangen; bei dem Regen werde ich nicht mehr w. *(ausgehen, spazierengehen);* (ugs.) die Karten gingen rasend weg *(waren sehr schnell verkauft);* der Fleck an der Hose geht nicht mehr weg *(läßt sich nicht mehr entfernen).*

wẹghaben, hat weg, hatte weg, hat weggehabt ⟨itr.⟩ (ugs.): **1.** *entfernt wissen:* sie wollten den ungerechten Vorgesetzten w. **2.** *bekommen, erhalten haben:* sie hat ihren Tadel weg. *** einen w.** *(betrunken sein).* **3.** *etwas begreifen, [gut] können:* das hatte er sofort weg. *** die Ruhe w.** *(ruhig, langsam, träge sein).*

wẹgjagen, jagte weg, hat weggejagt: *verjagen, ungehalten wegschicken:* sie haben die Katze weggejagt.

wẹgkommen, kam weg, ist weggekommen ⟨itr.⟩ (ugs.): **a)** *fortkommen, verschwinden:* beeilen wir uns, daß wir von hier wegkommen! **b)** *[durch Diebstahl] abhanden kommen, verlorengehen:* es ist ihm Geld weggekommen. **c)** *(etwas) überwinden, (mit etwas) fertig werden:* sie ist über den Verlust noch nicht weggekommen. **d)** *(bei etwas) in bestimmter Weise behandelt, berücksichtigt werden:* das nächste Mal kommen Sie nicht so billig weg.

wẹgkriegen, kriegte weg, hat weggekriegt ⟨itr.⟩ (ugs.): **a)** *entfernen [können]:* ich habe den Fleck nicht weggekriegt. **b)** *etwas davontragen, hinnehmen müssen:* die Wunde hat er bei einer Schlägerei weggekriegt. **c)** *begreifen, bemerken, (eine bestimmte Situation) erfassen:* sie hat es schon weggekriegt, was wir vorhaben.

wẹglassen, läßt weg, ließ weg, hat weggelassen ⟨tr.⟩: **a)** *nicht berücksichtigen, nicht verwenden, auslassen:* diesen Abschnitt, das Bild werde ich w. **b)** (ugs.) *fortgehen lassen:* die Kinder haben die Eltern nicht weggelassen.

wẹglaufen, läuft weg, lief weg, ist weggelaufen ⟨itr.⟩: *[heimlich, ohne sich zu verabschieden] fortgehen:* aus Angst ist der Junge weggelaufen; plötzlich lief sie weg, ohne ein Wort zu sagen; ihm ist die Frau weggelaufen *(seine Frau hat ihn verlassen).* ***(ugs.) etwas läuft nicht weg** *(etwas hat Zeit, braucht nicht gleich erledigt zu werden).*

wẹglegen, legte weg, hat weggelegt ⟨tr.⟩: *an einen anderen Ort legen, aus der Hand legen:* lege das Buch weg!

wẹgmachen, machte weg, hat weggemacht ⟨tr.⟩ (ugs.): *entfernen:* mache den Schmutz weg!

wẹgnehmen, nimmt weg, nahm weg, hat weggenommen ⟨tr.⟩: **a)** *von einer Stelle nehmen:* das oberste Buch w.; würden Sie bitte Ihre Sachen hier w.? **b)** *(etwas, was ein anderer hat) an sich nehmen:* der Vater nahm dem Kind den Ball weg; paß auf, daß dir nichts weggenommen *(gestohlen)* wird!; bildl.: der Vorhang nimmt viel Licht weg *(hält das Licht ab);* der

Schrank nimmt viel Platz weg *(beansprucht, braucht viel Platz)*.

wegräumen, räumte weg, hat weggeräumt ⟨tr.⟩: *etwas an seinen richtigen Platz bringen:* sie mußte das Geschirr w.

wegscheren, sich; scherte sich weg, hat sich weggeschert (derb): *sich entfernen, weggehen* /meist in Aufforderungen/: scher dich weg!

wegschicken, schickte weg, hat weggeschickt ⟨tr.⟩: **a)** *mit der Post an einen bestimmten Ort schicken:* er hat den Brief schon weggeschickt. **b)** *zum Weggehen veranlassen:* sie hat ihn nicht angehört, sondern weggeschickt.

wegschnappen, schnappte weg, hat weggeschnappt ⟨tr.⟩ (ugs.): *schnell wegnehmen, ehe ein anderer zugreifen kann:* der beste Posten wurde ihm weggeschnappt. *** jmdm. etwas vor der Nase w.** *(jmdm. etwas, was er schon zu besitzen glaubt, noch schnell wegnehmen)*: sie schnappte mir die letzte Karte für das Konzert vor der Nase weg.

wegstoßen, stößt weg, stieß weg, hat weggestoßen ⟨tr.⟩: *durch einen Stoß entfernen, zur Seite stoßen:* er stieß ihn mit dem Ellenbogen weg.

wegtreten, tritt weg, trat weg, ist weggetreten ⟨itr.⟩: *sich entfernen, weggehen* /von militärischen Formationen/: der Leutnant läßt die Kompanie gerade w.; /als Kommando/ wegtreten, weggetreten!

wegtun, tat weg, hat weggetan ⟨tr.⟩: **a)** *an einen anderen Ort, an seinen richtigen Platz tun:* tu deine Sachen [von hier] weg! **b)** *verbergen, verstecken:* du mußt den Brief w., wenn er kommt.

Wegweiser, der; -s, -: *Schild, auf dem angegeben wird, wohin der Weg, die Straße führt* (siehe Bild): auf den W. achten.

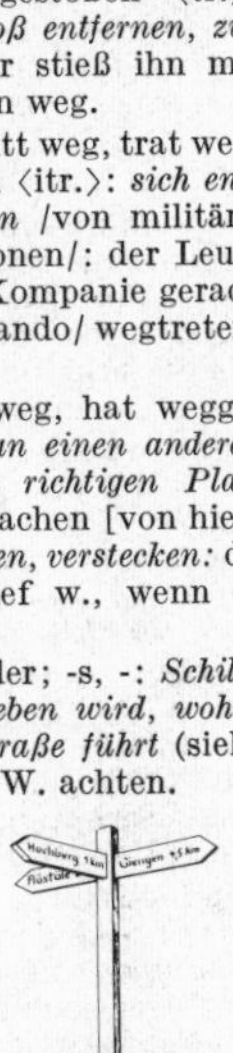

Wegweiser

wegwerfen, wirft weg, warf weg, hat weggeworfen ⟨tr.⟩ /vgl. wegwerfend/: *von sich werfen; fortschaffen, weil man nicht mehr daran interessiert ist, keine Verwendung mehr dafür hat, es nicht mehr gebrauchen kann:* abgetragene Kleider w.; im Wald keine brennenden Zigaretten w.!

wegwerfend ⟨Adj.; nicht prädikativ⟩: *verachtend, verächtlich:* jmdn. w. behandeln; eine wegwerfende Handbewegung.

wegzählen, zählte weg, hat weggezählt ⟨tr.⟩ (östr.): *subtrahieren:* er zählt diesen Betrag weg.

wegziehen, zog weg, hat/ist weggezogen: **1.** ⟨tr.⟩ *zur Seite ziehen, durch Ziehen entfernen:* sie hat die Vorhänge weggezogen. **2.** ⟨itr.⟩ **a)** *seinen Wohnsitz, Aufenthaltsort aufgeben, fortziehen:* sie sind [aus München] weggezogen. **b)** *nach Süden ziehen* /von Zugvögeln/: im Herbst ziehen die Schwalben weg.

weh: ⟨in bestimmten Wendungen⟩ **jmdm. tut etwas weh** *(jmdn. schmerzt etwas):* der Kopf tut mir weh; **jmdm. weh tun: a)** *jmdm. körperlichen Schmerz zufügen:* du bist mir auf den Fuß getreten und hast mir dabei weh getan. **b)** *jmdm. seelischen Schmerz zufügen, Kummer bereiten:* mit diesen Worten hast du ihm weh getan; **sich** (Dativ) **weh tun** *(körperlichen Schmerz empfinden):* bei diesem Sturz habe ich mir weh getan.

Weh, das; -s, -e (veralt.): *seelischer Schmerz, Leid:* ein tiefes Weh erfüllte sie. * (ugs.) **mit/unter Ach und Weh** *(nur mit Seufzen, höchst ungern):* er hat seine Arbeit mit Ach und Weh geschafft.

Wehe, die; -, -n: *schmerzhaftes Zusammenziehen der Muskeln der Gebärmutter bei der Geburt:* die Wehen setzen ein.

wehen, wehte, hat geweht: **a)** ⟨itr.⟩: *sich im Wind bewegen; flattern:* die Fahnen wehen im Wind. **b)** ⟨itr.⟩ *in stärkerer Bewegung sein* /bezogen auf die Luft/: heute weht ein kalter Wind aus Osten; bildl.: jetzt weht ein anderer, frischer Wind *(jetzt herrscht hier eine neue, strengere Ordnung)*. **c)** ⟨tr.⟩ *treiben:* der Wind wehte mir den Sand ins Gesicht.

wehleidig ⟨Adj.⟩ (abwertend): *schon bei kleinen Schmerzen jammernd; übertrieben empfindlich:* ein wehleidiger Mensch.

Wehmut, die; -: *verhaltene Trauer, stiller Schmerz (bei der Erinnerung an etwas Vergangenes, Verlorenes):* mit W. dachte sie an vergangene Zeiten.

wehmütig ⟨Adj.⟩: *von Wehmut erfüllt oder geprägt; traurig:* w. dachte er an diese Zeit; mit einem wehmütigen Lächeln sah er dem Vergnügen zu.

Wehr, das; -[e]s, -e: *in ein fließendes Gewässer gebaute Anlage zur Regelung des Wasserstandes o. ä.:* das W. staut das Wasser. ** **sich zur W. setzen** *(sich wehren, verteidigen):* gegen diese Ungerechtigkeit mußt du dich zur W. setzen.

Wehrdienst, der; -es: *Dienst, der beim Militär geleistet werden muß:* er ist zum W. eingezogen worden.

wehren, wehrte, hat gewehrt: **1.** ⟨rfl.⟩ *sich sträuben, widersetzen:* sich heftig gegen die Vorwürfe w. **2.** ⟨itr.⟩ (geh.) *(etwas) bekämpfen:* den feindlichen Umtrieben w.; wehret den Anfängen [, damit sich das Übel nicht weiter ausbreiten kann]!

wehrlos ⟨Adj.⟩: *nicht fähig, sich zu wehren, sich zu verteidigen:* eine wehrlose Frau; wir waren völlig w. gegen diesen Vorwurf; den Feinden w. *(ohne Schutz, Hilfe)* ausgeliefert sein.

Wehrpflicht, die; -: *Verpflichtung zum Wehrdienst:* die allgemeine W. wurde eingeführt.

Wehwehchen, das; -s, - (scherzh.): *eingebildeter, übertriebener Schmerz:* sie geht mit jedem W. zum Arzt.

Weib, das; -es, -er: *Frau* /heute vorwiegend ugs. abwertend/: so ein dummes W.!

Weibchen, das; -s, -: **1.** *weibliches Tier:* das W. fütterte die Jungen. **2. a)** (fam.; veralt.) ⟨in der Anrede für die eigene Ehefrau⟩ mein W. **b)** *geistig uninteressierte, nur für Mann, Küche und Kinder lebende Frau:* er hat ein richtiges W. geheiratet.

Weibel, der; -s, - (schweiz.): *untergeordneter Angestellter in einem Amt, bei Gericht o. ä.*

Weiberfeind, der; -[e]s, -e (ugs.): *Mann, der eine schlechte Meinung über Frauen hat und nichts mit ihnen zu tun haben will:* er ist als ausgesprochener W. bekannt.

weibisch ⟨Adj.⟩ (abwertend): *nicht die charakteristischen Eigenschaften eines Mannes habend; zu weich; nicht männlich* /vom Mann/: er wirkt sehr w.

weiblich ⟨Adj.⟩: **1.** ⟨nicht adverbial⟩ *dem Geschlecht angehörig, das Nachkommen gebären kann:* die weiblichen Mitglieder der Familie. **2.** *für eine Frau charakteristisch:* eine typisch weibliche Eigenschaft; eine sehr weibliche *(die weiblichen Merkmale noch betonende)* Mode.

Weiblichkeit, die; -.

weich ⟨Adj.⟩: **1. a)** *einem Druck leicht nachgebend, federnd:* ein weiches Polster. **b)** *nicht hart oder fest:* ein weicher Stoff **2.** *leicht zu rühren; empfindsam:* er hat ein weiches Gemüt.

Weichbild, das; -es, -er: *Gebiet, innerhalb dessen sich eine Stadt ausdehnt:* sie näherten sich dem W. der Stadt.

Weiche, die; -, -n: *Vorrichtung an den Gleisen, mit deren Hilfe die Fahrtrichtung einer Eisenbahn oder Straßenbahn geändert werden kann* (siehe Bild): der Fahrer der Straßenbahn stellte die W. * (ugs.) **für etwas**

Weiche

die Weichen stellen *(einer Sache [bei ihrem Beginn] eine bestimmte Richtung geben):* die Partei stellte die Weichen für eine neue Politik.

weichen: I. wich, ist gewichen ⟨itr.⟩: **a)** *sich zurückziehen; weggehen:* sie wich nicht von dem Bett des Kranken; bildl.: die Angst wich von ihm *(verließ ihn).* **b)** *nachgeben, ausweichen:* vor dem Auto mußten sie zur Seite w.; die Mauer wich dem Druck des Wassers; bildl.: ihr anfänglicher Optimismus wich der Furcht. **II.** weichte, hat geweicht ⟨itr.⟩: *(in Wasser o. ä.) weich werden lassen:* die Erbsen müssen im Wasser w.

weichherzig ⟨Adj.⟩: *leicht zu rühren, mildtätig:* die weichherzige Frau gab dem Bettler zu essen.

weichlich ⟨Adj.⟩: *ohne die nötige innere Festigkeit und Kraft; nicht männlich:* er ist ein sehr weichlicher Mensch.

Weide, die; -, -n: **I.** *[mit einem Zaun umgebene] Wiese für weidende Tiere:* Kühe grasen auf der W. **II.** /ein Baum/ (siehe Bild).

Weide II.

weiden, weidete, hat geweidet: **1. a)** ⟨itr.⟩ *auf der Weide Gras fressen; grasen:* Kühe weideten auf der Wiese. **b)** ⟨tr.⟩ *grasen lassen:* der Junge weidete die Ziegen auf den Bergen. **2.** ⟨rfl.⟩ **a)** *sich (an etwas) freuen, ergötzen:* er weidete sich an dem schönen Anblick. **b)** *(etwas) mitleidlos, schadenfroh betrachten:* er weidete sich an ihrer Unsicherheit.

Weidenkätzchen, das; -s, -: *Blüte der Weide* (siehe Bild Weide).

weidlich ⟨Adverb⟩: *in einem kaum zu überbietenden Maße (einen Anlaß, eine Gelegenheit nutzend); tüchtig, sehr:* er hat seine Freiheit w. ausgenutzt.

Weidmann, der; -[e]s, Weidmänner (geh.): *Jäger:* er ist ein begeisterter W.

weidmännisch ⟨Adj.⟩: *den Weidmann betreffend; den Regeln der Jagd entsprechend:* eine gute weidmännische Ausbildung; er zerlegte das Wild w.

weigern, sich; weigerte sich, hat sich geweigert: *ablehnen (etwas Bestimmtes zu tun):* er weigerte sich, den Befehl auszuführen. **Weigerung,** die; -, -en.

Weihbischof, der; -s, Weihbischöfe: Rel. kath. *Bischof, der einen ordentlichen Bischof in seinem Amt unterstützt:* der W. hat oft das Recht auf die Nachfolge im Amt.

Weihe, die; -, -n: **1.** bes. Rel. kath. *das Weihen:* die W. der Kerzen wird im Dom vollzogen. **2.** (geh.) *Erhabenheit, Würde, heiliger Ernst:* sie waren sich der W. dieser Stunde bewußt.

weihen, weihte, hat geweiht **1.**: ⟨tr.⟩ bes. Rel. kath. *jmdn./etwas nach einem bestimmten religiösen Zeremoniell segnen:* der Bischof weihte die neuen Glokken. **2.** ⟨tr./rfl.⟩ (geh.) *widmen, unterstellen:* du hast dein Leben, dich der Arbeit geweiht. * (geh.) **dem Untergang, Tode geweiht sein** *(dem Untergang, Tode preisgegeben sein, dazu verurteilt sein).*

Weiher, der; -s, -: *kleiner Teich:* das Dorf hat einen W.

weihevoll ⟨Adj.⟩ (geh.): *feierlich, andächtig, erhaben:* in weihevoller Stimmung sein; einen weihevollen Anblick bieten.

Weihnachten, das (und als Plural: die); -: *Fest der Geburt Christi:* er will uns zu, (bes. südd.) an W. besuchen; fröhliche W.!

weihnachtlich ⟨Adj.⟩: *Weihnachten betreffend, für Weihnachten bestimmt, durch Weihnachten hervorgerufen:* es kommt keine weihnachtliche Stimmung auf; alle Räume sind w. geschmückt.

Weihnachtsbaum, der; -[e]s, Weihnachtsbäume (bes. nordd.): *Christbaum.*

Weihnachtsfeier, die; -, -n: *Feier zu Weihnachten in Betrieben, Schulen o. ä.:* eine W. veranstalten.

Weihnachtslied, das; -[e]s, -er: *für Weihnachten komponiertes und zu Weihnachten gesungenes Lied:* der Chor sang alte Weihnachtslieder.

Weihnachtsmann, der; -es, Weihnachtsmänner: *Gestalt, die in der Vorstellung der Kinder zu Weihnachten Geschenke bringt:* der W. bringt den Kindern Süßigkeiten und Spielzeug.

Weihrauch, der; -[e]s: **a)** *aus einer Art von Harz bestehende gelb-bräunliche Körner, die beim Verbrennen einen aromatischen Duft und Rauch von sich geben und bes. bei kultischen Handlungen verwendet werden.* *(geh.) **jmdm. W. streuen** *(jmdn. übertrieben ehren):* den Mächtigen wird oft W. gestreut. **b)** *Rauch vom gleichnamigen Stoff:* von dem Altar stieg W. auf

Weihwasser, das; -s: Rel. kath. *geweihtes Wasser, das beim Segnen verwendet wird:* das W. ist ein Sinnbild der inneren Reinigung.

weil ⟨Konj.⟩: *da* /leitet eine Begründung ein/: er kann nicht kommen, w. er keine Zeit hat.

Weile: ⟨in der Fügung⟩ eine W.: *kurze, einige Zeit:* nachdem er angeklopft hatte, dauerte es eine W., bis die Tür geöffnet wurde.

weilen, weilte, hat geweilt ⟨itr.⟩ (geh.): *sich (an einem bestimmten Ort) aufhalten:* sie weilten längere Zeit in dieser Stadt.

Wein, der; -[e]s, -e: **a)** *alkoholisches Getränk aus Weintrauben o. ä.:* sie tranken viel W. an diesem Abend. ***jmdm. reinen/klaren W. einschenken** *(jmdm. über etwas die volle Wahrheit sagen).* **b)** ⟨ohne Plural⟩ *Weintrauben:* W. anbauen, lesen, keltern.

Weinbau, der; -s: *Anbau von Wein:* in Südtirol wird viel W. getrieben.

Weinbeere, die; -, -n: *einzelne Beere der Weintraube.*

Weinberg, der; -[e]s, -e: *mit Wein bepflanztes [ansteigendes] Gelände:* die Winzer arbeiteten in den Weinbergen.

Weinbrand, der; -[e]s, Weinbrände: *aus Wein hergestelltes Getränk mit hohem Gehalt an Alkohol.*

weinen, weinte, hat geweint ⟨itr.⟩: *Schmerz oder Trauer empfinden, wobei Tränen aus den Augen rinnen; Tränen vergießen:* sie weinte über den Tod ihres Kindes; ⟨auch tr.⟩ das Kind weinte bittere Tränen *(sehr heftig).*

weinerlich ⟨Adj.⟩: *dem Weinen nahe:* sie sprach mit weinerlicher Stimme.

Weingeist, der; -es: *[in alkoholischen Getränken enthaltene] brennend schmeckende Flüssigkeit.*

Weinhauer, der; -s, - (östr.): *Winzer:* der W. begutachtete die Trauben.

Weinkeller, der; -s, -: *Keller zum Lagern von Wein:* einige Flaschen aus dem W. holen.

Weinlese, die; -, -n: *im Herbst stattfindende Ernte der Weintrauben.*

Weinrebe, die; -, -n: /eine Pflanze/ (siehe Bild).

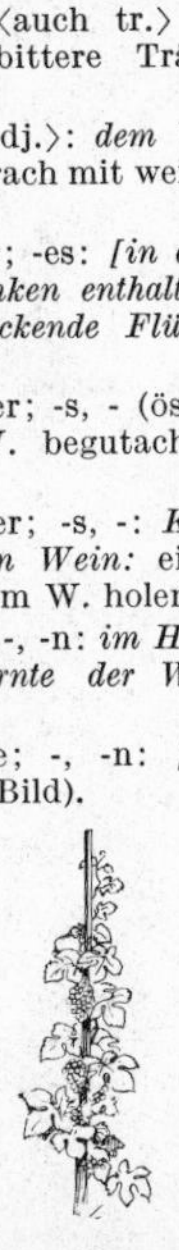

Weinrebe

Weintraube, die; -, -n: /eine Frucht/ (siehe Bild).

Weintraube

weise ⟨Adj.⟩: *von Weisheit zeugend; klug:* ein weiser Richter; er hat sehr w. gehandelt in seinem Amt.

Weise, die; -, -n: **I.** *Form, Art (in der etwas geschieht oder getan wird):* er ist auf geheimnisvolle W. verschwunden; die W., in der man ihn behandelte, war nicht sehr schön. ***auf diese W.** *(so; dadurch):* auf diese W. wirst du es nicht erreichen. **II.** *Melodie; anspruchsloses Musikstück:* die Kapelle spielte flotte Weisen.

weisen, wies, hat gewiesen: **1. a)** ⟨tr.⟩ *zeigen:* er wies dem Fremden den Weg. **b)** ⟨itr.⟩ *(auf etwas) zeigen, deuten:* er wies mit der Hand auf ein Haus, das in der Ferne zu sehen war. **2.** ⟨tr.⟩ *wegschicken:* er wies die lärmenden Kinder aus dem Haus; der Schüler wurde von der Schule gewiesen *(er durfte die Schule nicht mehr besuchen);* er hat den Vorschlag [weit] von sich gewiesen *(zurückgewiesen, abgelehnt).*

Weisheit, die; -, -en: **1.** ⟨ohne Plural⟩ *durch Alter und Erfahrung gewonnene innere Reife; Klugheit:* er ist ein Mensch von großer W. **2.** *Erkenntnis, Erfahrung, Lehre:* diese Sprüche enthalten viele Weisheiten.

Weisheitszahn, der; -[e]s, Weisheitszähne: *hinterster Backenzahn des Menschen (oft erst nach dem 20. Lebensjahr durchbrechend):* der W. muß gezogen werden.

weismachen, machte weis, hat weisgemacht ⟨tr.⟩: *Falsches einreden, vorschwindeln:* ihm kann man nichts/etwas w.

weiß ⟨Adj.⟩: **a)** *von der Farbe des Schnees:* die Blüten des Kirschbaumes sind w. **b)** *blaß, bleich:* vor Angst war er ganz w. geworden.

weissagen, weissagte, hat geweissagt ⟨tr./itr.⟩ (geh.): **a)** *als Seher, Prophet verkünden; vorhersagen:* Kassandra weissagte den Untergang Trojas; sie kann w., hat die Gabe des Weissagens. **b)** *ahnen, erkennen lassen; prophezeien:* seine Miene weissagte mir nichts Gutes.

Weissagung, die; -, -en: *prophetische Verkündigung:* die W. des Sehers erfüllte sich.

Weißbrot, das; -[e]s, -e: *Brot, das aus Weizenmehl und Hefe, ohne Milch, Fett und Zucker hergestellt wird.*

weißen, weißte, hat geweißt ⟨tr.⟩: *tünchen, weiß machen:* die Decken der Zimmer müssen neu geweißt werden.

Weißglut, die; -: *stärkste Glut:* das Eisen wird bis zur W. erhitzt. *** jmdn. in W. bringen** *(jmdn. bis zum äußersten reizen, in heftigen Zorn versetzen):* er hat mich in W. gebracht.

Weißkohl, der; -s: *Kohl von heller, weißlicher Farbe.*

Weißkraut, das; -s: *[zubereiteter] Weißkohl.*

weißlich ⟨Adj.⟩: *in der Farbe fast weiß:* der Himmel hatte eine weißliche Färbung.

Weißwaren, die ⟨Plural⟩: *aus gebleichter, nicht gefärbter Baumwolle, Leinen o. ä. hergestellte Waren, bes. Wäsche:* wir verkaufen nur W.

Weißwein, der; -[e]s, -e: *aus weißen und roten Trauben hergestellter Wein von heller, durchsichtiger Farbe:* für feinste Weißweine werden nur ausgelesene Beeren gepreßt.

Weißwurst, die; -, Weißwürste: *Wurst von weißlicher Farbe, die heiß gegessen wird.*

Weisung, die; -, -en: *Anordnung:* sie folgten den Weisungen des Chefs.

weit ⟨Adj.⟩: **1. a)** *von großer räumlicher Ausdehnung; ausgedehnt:* eine weite Ebene; der Himmel über dem Meer war unermeßlich w. **b)** *räumlich oder zeitlich ausgedehnt, entfernt:* er hatte einen weiten Weg zur Schule; man hat von hier aus einen weiten *(in die Ferne reichenden Blick)*; bis zum nächsten Dorf war es sehr w.; der nächste Flughafen liegt w. weg von hier; sie tanzten bis w. in die Nacht; bildl.: seine bisherigen Ergebnisse sind noch w. von der Lösung des Problems entfernt *(eine Lösung des Problems ist noch lange nicht zu erwarten).* **2.** *nicht fest sitzend oder eng anliegend:* ein weiter Rock;

die Schuhe sind ihm zu w. **3.** ⟨verstärkend bei Verben und Adjektiven im Komparativ⟩ *sehr, viel:* er hat ihn darin w. übertroffen; sein Haus ist w. schöner als das seines Bruders. *** bei weitem: a)** *weitaus:* dieses Kleid ist bei weitem das schönste. **b)** *längst:* er hat ihm bei weitem nicht alles erzählt; **von weitem** *(bereits aus großer Entfernung):* er sah ihn schon von weitem; **w. und breit: a)** *so weit, wie man sehen kann* /in Verbindung mit einer verneinten Aussage/: man sah w. und breit keinen Baum *(nirgends einen Baum).* **b)** *in der ganzen Umgebung:* er ist der beste Schütze w. und breit.

weitaus ⟨Adverb⟩: **a)** ⟨in Verbindung mit einem Komparativ⟩ *sehr viel:* er sang w. besser als die anderen. **b)** ⟨in Verbindung mit einem Superlativ⟩ *alles andere, alle anderen weit übertreffend:* sein Spiel war w. am besten.

Weitblick, der; -[e]s: *Fähigkeit, vorauszuschauen, die Erfordernisse der Zukunft richtig zu erkennen und einzuschätzen:* mit diesem Plan bewies er einen erstaunlichen W.

weitblickend, weiter blickend/ weitblickender, weitestblikkend / weitblickendst ⟨Adj.⟩: *vorausschauend, mit Weitblick ausgestattet:* w. Entscheidungen fällen.

Weite, die; -, -n: **1. a)** *große räumliche Ausdehnung, Unendlickeit:* die W. des Landes, des Meeres. **b)** *Ferne:* er blickte in die W. **2.** *Umfang, Größe:* der Rock muß in der W. geändert werden; die Öffnung des Gefäßes hat eine geringe W. **3.** *(bei einem Sprung, Wurf o. ä.) erreichte Entfernung:* beim ersten Sprung erreichte er eine W. von 7,50 m.

weiten, weitete, hat geweitet ⟨tr./rfl.⟩: *[aus]dehnen, vergrößern:* erstaunt weitete sie ihre Augen; das Tal weitet sich zum Kessel; bildl.: auf Reisen weitet sich der Blick *(lernt man vieles kennen, erkennt man größere Zusammenhänge).*

weiter: I. ⟨Adj.; nur attributiv⟩ **a)** *sonstig, übrig:* haben Sie noch weitere Fragen?; alle weiteren Versuche scheiterten. **b)** *zusätzlich, neu:* wir warten auf weitere Nachrichten; eine weitere Schwierigkeit. *** ohne weiteres** *(ohne Bedenken, ohne zu zögern).* **II.** ⟨Adverb⟩ **1.** *außerdem, darüber hinaus, sonst:* er sagte, daß er w. nichts wisse; es gibt dort einen breiten, langen Strand, w. gibt es viele Möglichkeiten der Unterhaltung. **2.** *weiterhin; auch in der folgenden Zeit:* er versprach, w. für sie zu sorgen. **III.** ⟨zusammengesetzt mit bestimmten Verben⟩ /drückt aus, daß etwas Begonnenes fortgesetzt wird/: weiterbestehen, weitergehen, weitermachen, weiterlesen.

weiterbilden, sich; bildete sich weiter, hat sich weitergebildet: *seine Bildung, seine Kenntnisse erweitern:* er hat sich sein ganzes Leben lang bemüht, sich weiterzubilden. **Weiterbildung,** die; -.

weiterentwickeln, entwickelte weiter, hat weiterentwickelt ⟨tr./rfl.⟩: *die Entwicklung (von etwas) fortführen:* die Automation wird ständig weiterentwickelt; die Technik entwickelt sich heute sehr rasch weiter.

weitererzählen, erzählte weiter, hat weitererzählt: **a)** ⟨tr./ itr.⟩ *mit einer Erzählung fortfahren:* willst du [uns die Geschichte] nicht w.? **b)** ⟨tr.⟩ *anderen erzählen (was einem jmd. erzählt, anvertraut hat):* er muß immer alles gleich w.

weiterfahren, fährt weiter, fuhr weiter, ist weitergefahren: **1.** ⟨itr.⟩ *eine begonnene Fahrt fortsetzen:* der Zug fährt weiter; er ist mit der Straßenbahn, nach Wien weitergefahren; bildl.: er fuhr in seiner Rede weiter *(nahm die unterbrochene Rede wieder auf).* **2.** ⟨tr.⟩: **a)** *(ein bestimmtes Fahrzeug) auch in Zukunft noch besitzen und fahren:* ich werde diesen Wagen noch einige Zeit lang w. müssen. **b)** *(jmdn.) in seinem Fahrzeug eine zusätzliche Strecke mitnehmen:* ich werde dich ein Stück w.

Weiterfahrt, die; -: *Fortsetzung einer Fahrt, das Weiterfahren:* die W. nach Zürich erfolgt um 12 Uhr; auf der W. waren wir durch schlechtes Wetter behindert.

weitergeben, gibt weiter, gab weiter, hat weitergegeben ⟨tr.⟩: *jmdm. anderen geben, von einem zum anderen reichen, leiten:* die Liste soll weitergegeben werden; er empfängt Befehle und gibt sie an die Untergebenen weiter.

weitergehen, ging weiter, ist weitergegangen ⟨itr.⟩: **1.** *das Gehen fortsetzen, nicht stehenbleiben:* er geht [zu Fuß, einige Schritte, hundert Meter] weiter; bitte w.!; bildl.: ⟨häufig im 1. Partizip⟩ weitergehende *(weitere, über etwas hinausgehende)* Bestrebungen haben. **2.** *in der gleichen Weise bleiben wie vorher:* so kann es nicht w.

weiterhin ⟨Adverb⟩: **1.** *weiter; auch in der folgenden Zeit, in Zukunft:* sie lebten w. im Hause ihrer Eltern. **2.** *außerdem, darüber hinaus:* w. forderte er, daß man sofort mit der Arbeit beginnen solle.

weiterkommen, kam weiter, ist weitergekommen ⟨itr.⟩: *voran-, vorwärts kommen:* die Bergsteiger sind wieder ein gutes Stück weitergekommen; bildl.: wir sind in unserer Arbeit gut weitergekommen.

weiterleiten, leitete weiter, hat weitergeleitet ⟨tr.⟩: *(an jmdn.) leiten, weitergeben:* eine Bitte, eine Anfrage an den Vorgesetzten w.

weiters ⟨Adverb⟩ (östr.): *weiterhin, ferner:* wie w. bekanntgegeben wurde, bestehen keine Schwierigkeiten bei der Abfertigung.

weitersagen, sagte weiter, hat weitergesagt ⟨tr.⟩: *(was einem mitgeteilt oder anvertraut wurde [in geschwätziger Weise]) einem anderen sagen; weitererzählen:* was ich dir jetzt erzählt habe, sollst du nicht w.; sag es bitte weiter *(teile es den anderen mit),* daß wir morgen nicht zu arbeiten brauchen!

weitgehend, weiter gehend/ weitgehender, weitestgehend/ weitgehendst ⟨Adj.; nicht prädikativ⟩: *fast vollständig, vieles umfassend:* er hatte weitgehende Freiheit in seiner Arbeit; die Zustände hatten sich w. *(sehr)* gebessert.

weitherzig ⟨Adj.⟩: *großzügig:* w. auf etwas verzichten.

weithin ⟨Adverb⟩: **a)** *bis in große Entfernung; in einem großen Umkreis:* der Lärm war w. zu hören. **b)** *im allgemeinen, vielfach, oft:* dieser Künstler ist noch w. *(bei vielen)* unbekannt.

weitläufig ⟨Adj.⟩: 1. *groß und viel Raum bietend; ausgedehnt:* ein weitläufiges Gebäude; der Park war sehr w. 2. *nicht unmittelbar; entfernt:* er ist ein weitläufiger Verwandter von ihm; die beiden sind nur w. verwandt. **Weitläufigkeit,** die; -.

Weitling, der; -s, -e (bayr., östr.): *große, sich nach oben stark erweiternde Schüssel:* die Zutaten werden in einem W. vermengt.

weitreichend, weiter reichend/ weitreichender, weitestreichend/ weitreichendst ⟨Adj.⟩: *beträchtlich, erheblich, außerordentlich:* der Vertrag ist von weitreichender Bedeutung.

weitschweifig ⟨Adj.⟩ (abwertend): *ausführlich und umständlich:* seine Berichte sind immer sehr w. **Weitschweifigkeit,** die; -, -en.

weitsichtig ⟨Adj.⟩: a) *nur entfernte Dinge gut sehend:* der Arzt hat festgestellt, daß ich w. bin. b) *klug das Zukünftige bedenkend:* er hat in diesem Fall sehr w. gehandelt.

Weitsichtigkeit, die; -: *Fehler des Auges, bei dem man nur entfernte Dinge gut sieht:* alte Menschen leiden oft an W.

Weitsprung, der; -s: *Disziplin der Leichtathletik, bei der der Sportler so weit wie möglich zu springen sucht* (siehe Bild): er hat im W. gesiegt.

Weitsprung

weittragend, weiter tragend/ weittragender, weittragendst ⟨Adj.⟩: *weitreichend:* einen Entschluß von weittragender Bedeutung fassen.

Weizen, der; -s: /eine Getreideart/ (siehe Bild).

Weizen

welcher, welche, welches: I. ⟨Interrogativpronomen⟩ /fragt nach einem ganz bestimmten Wesen oder Ding aus einer Klasse, Art o. ä./: „Welcher Pullover gefällt dir am besten?" – „Der blaue"; welche Frau hat es dir gesagt? welches ist der größte Tisch?; /unflektiert/ **welch** ⟨Singular⟩: wir erkundigten uns, welch kluger Mann sich das ausgedacht hatte. II. ⟨Relativpronomen⟩: *der, die, das.*

welk ⟨Adj.⟩: *(durch einen Mangel an Feuchtigkeit) nicht mehr frisch; schlaff geworden:* eine welke Haut; die Blumen sind auf dem langen Weg w. geworden.

welken, welkte, hat gewelkt ⟨itr.⟩: *durch Mangel an Feuchtigkeit welk, schlaff werden:* die Blumen welkten, weil sie vergessen hatte, ihnen Wasser zu geben.

Wellblech, das; -[e]s, -e: *in Form von Wellen gebogenes Blech:* ein Dach mit W. decken.

Welle, die; -, -n: 1. *durch den Wind hervorgerufene Bewegung der Oberfläche des Wassers; Woge:* eine W. warf das Boot um; bildl.: Wellen der Begeisterung gingen durch den Saal, als der Sänger auftrat. 2. *Haare, die in geschwungener Form liegen:* sie ließ sich das Haar in Wellen legen. 3. *Teil einer Maschine, der drehende Bewegungen überträgt:* die W. ist gebrochen. 4. *Turnübung [am Reck], bei der der Körper um die Stange des Recks geschwungen wird.* 5. a) Physik *räumlich und zeitlich periodische Änderung einer physikalischen Größe, z. B. des Drucks u. ä.:* Wellen des Schalls, des Lichts. b) *Bereich, in dem ein Sender sendet; Wellenlänge:* diese W. wird meist von einem ausländischen Sender überlagert.

Wellenbad, das; -[e]s, Wellenbäder: *Bad mit künstlicher Bewegung des Wassers.*

Wellenreiten, das; -s: *Wassersport, bei dem man sich, auf einem breiten Holzbrett stehend, von den Wellen der Brandung ans Ufer tragen läßt.*

Wellfleisch, das; -[e]s: *gekochtes Fleisch von frisch geschlachteten Schweinen.*

Welpe, der; -n, -n: *Junges* /bes. vom Hund/: die Aufzucht der Welpen bereitete Schwierigkeiten.

Wels, der; -es, -e: /ein Fisch/ (siehe Bild).

Wels

Welt, die; -, -en: 1. ⟨ohne Plural⟩ *(der Planet) Erde:* er hat eine Reise um die W. gemacht; dieser Künstler ist überall in der W. bekannt. * (geh.) **zur W. kommen** *(geboren werden);* (geh.) **zur W. bringen** *(gebären);* **etwas aus der W. schaffen** *(eine unangenehme Angelegenheit bereinigen; etwas endgültig beseitigen):* der Grund für ihren Streit ist endlich aus der W. geschafft. 2. ⟨ohne Plural⟩ *Universum, Weltall:* Theorien über die Entstehung der W. 3. ⟨ohne Plural⟩ *alle Menschen:* die W. hofft auf den Frieden. ***alle W.** *(jeder).* 4. *[Lebens]bereich, Sphäre:* die W. des Kindes; die W. der Technik, der Träume.

Weltall, das; -s: *der unendliche Raum, der alle Himmelskörper umschließt; Kosmos:* die Menschen beginnen das W. zu erobern.

Weltanschauung, die; -, -en: *bestimmte Art, die Welt, die Natur und das Wesen des Menschen zu begreifen:* er hat eine religiös bestimmte W.

Weltausstellung, die; -, -en: *internationale Ausstellung, auf der die meisten Länder der Erde ihre wirtschaftlichen, kulturellen und technischen Leistungen zeigen:* er besuchte die W. in Osaka.

weltberühmt ⟨Adj.⟩: *sehr berühmt; in der ganzen Welt bekannt:* er war als Sänger w.

Weltbild, das; -es, -er: *gesamtes Wissen eines einzelnen von der Welt und den Menschen sowie sein Urteil und seine Vorstellung von der Welt und den Menschen:* das W. Ulrichs von Türheim.

weltfremd ⟨Adj.⟩: *ohne Bezug zur Wirklichkeit; die Realitäten des Lebens nicht richtig einschätzend oder erkennend:* seine Ideen sind etwas w. **Weltfremdheit,** die; -.

Weltgeltung, die; -: *Bedeutung für die ganze Welt:* die W.

der deutschen Wirtschaft; ein Kunstwerk von W.

Wẹltgeschichte, die; -: *geschichtliche Entwicklung aller Völker und Kulturen in ihrer Gesamtheit und in ihren Beziehungen zueinander:* dieses Werk befaßt sich mit der W. der neusten Zeit.

Wẹltkrieg, der; -[e]s, -e: *Krieg, der die meisten Teile der Welt erfaßt:* der erste W. dauerte von 1914 bis 1918, der zweite von 1939 bis 1945.

wẹltlich ⟨Adj.⟩: *der Welt angehörend oder zugewandt; nicht geistlich oder kirchlich:* das Buch enthält weltliche und geistliche Lieder; er ist sehr w. eingestellt.

Wẹltmacht, die; -, Weltmächte: *Staat mit großer Macht in der Welt.*

wẹltmännisch ⟨Adj.⟩: *erfahren und gewandt im Umgang mit Menschen:* er hat ein weltmännisches Auftreten.

Wẹltmarkt, der; -[e]s: *als Einheit aufgefaßter Markt für die auf der ganzen Welt gehandelten Güter der Wirtschaft:* die Preise auf dem W. schwanken erheblich.

Wẹltmeister, der; -s, -: *Sportler, der eine Weltweisterschaft gewonnen hat.*

Wẹltmeisterschaft, die; -, -en: **a)** *ein [Wett]kampf oder eine Reihe von [Wett]kämpfen, durch die der beste Sportler oder die beste Mannschaft der Welt ermittelt wird:* 1970 fand die W. im alpinen Schilauf in Gröden statt. **b)** ⟨ohne Plural⟩ *Gewinn der gleichnamigen Meisterschaft:* um die W. boxen.

Wẹltraum, der; -s: *Raum außerhalb der Atmosphäre der Erde:* die Astronauten sind aus dem W. zurückgekehrt.

Wẹltraumfahrt, die; -, -en: *[Gebiet, das sich mit der] Fortbewegung im Weltraum mit Hilfe von Raketen o. ä. [befaßt]:* die W. brachte der Wissenschaft auf vielen Gebieten neue Erkenntnisse.

Wẹltreise, die; -, -n: *Reise um die ganze Welt:* sich auf eine W. begeben.

Wẹltrekord, der; -[e]s, -e: *beste erreichte [sportliche] Leistung überhaupt:* einen W. aufstellen; einen W. brechen.

Wẹltruf, der; -s: *Berühmtheit in der ganzen Welt:* Wien ist eine Stadt von W.; der W. dieser Firma.

Wẹltschmerz, der; -es: *tiefe Depression, melancholische Stimmung wegen der Unzulänglichkeit der Welt:* der Dichter hat sich dem W. hingegeben.

Wẹltsprache, die; -, -n: *Sprache von Weltgeltung:* Englisch, Französisch und Spanisch sind Weltsprachen.

wẹltweit ⟨Adj.⟩: *sich über die ganze Welt erstreckend:* die Organisation hat weltweiten Einfluß.

Wẹltwirtschaft, die; -: *Gesamtheit der internationalen Beziehungen in der Wirtschaft:* die W. wird ermöglicht durch internationale Verträge über Handel, Zoll und Währung.

Wẹltwunder, das; -s, -: *eines der sieben berühmten Bau- und Kunstwerke des Altertums:* die ägyptischen Pyramiden zählten zu den Sieben Weltwundern.

Wẹnde, die; -: *Wendung, Umschwung; entscheidende Veränderung:* in seinem Schicksal trat eine unerwartete W. ein; an der W. *(am Ende)* des 19. Jahrhunderts.

Wẹndekreis, der; -es, -e: *nördlichste oder südlichste (gedachte) Linie auf der Erdoberfläche, die parallel zum Äquator verläuft und auf der die Sonne noch im Zenit steht:* zwischen nördlichem und südlichem W. liegt die tropische Zone.

Wẹndeltreppe, die; -, -n: *Treppe, deren einzelne Stufen um eine Achse angeordnet sind* (siehe Bild): auf die Spitze des Turmes führte eine W.

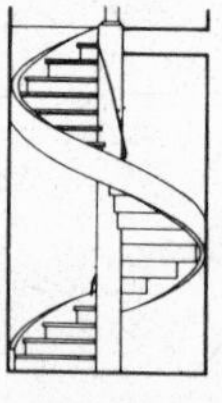

Wendeltreppe

wẹnden: **I.** wendete, hat gewendet: **a)** ⟨tr.⟩ *in eine andere Lage bringen; umdrehen:* sie wendete den Braten im Topf; die Bauern haben das Heu gewendet. **b)** ⟨itr.⟩ *in die entgegengesetzte Richtung bringen, drehen:* er konnte in der engen Straße [mit dem Wagen] nicht w. **II.** wendete/wandte, hat gewendet/ gewandt ⟨itr./rfl.⟩ /vgl. gewandt/: *(in eine bestimmte Richtung) drehen:* den Kopf zur Seite w.; als es klopfte, wandten sich ihre Augen zur Tür. *** sich an jmdn. w.** *(jmdn. in einer bestimmten Sache um Hilfe o. ä. bitten):* wenn sie den Weg nicht finden, müssen sie sich an die Polizei w.

Wẹndepunkt, der; -[e]s, -e: *Zeitpunkt, an dem für jmdn./etwas eine entscheidende Veränderung eintritt:* er war an einem W. in seinem Leben angelangt.

wẹndig ⟨Adj.; nicht adverbial⟩: **1.** *beweglich; nicht schwerfällig (in der Bewegung):* dieses Auto ist sehr w. **2.** *flink; fähig, sich schnell an eine bestimmte Situation anzupassen:* er ist ein wendiger Geschäftsmann. **Wẹndigkeit,** die; -.

Wẹndung, die; -, -en: **1.** ⟨ohne Plural⟩ *das Wenden, Drehung:* durch eine schnelle W. nach der Seite entging der Fahrer dem Hindernis. ***etwas nimmt eine bestimmte W.** *(etwas ändert sich in bestimmter Weise);* **eine W. tritt in/bei etwas ein** *(etwas ändert sich entscheidend);* **einer Sache eine bestimmte W. geben** *(etwas in eine bestimmte andere Richtung lenken):* dieses Ereignis gab seinem Leben eine neue W. **2.** *aus mehreren Wörtern bestehende sprachliche Einheit:* sie gebrauchte in ihrem Brief eine W., die viele nicht kannten.

wenig ⟨Indefinitpronomen und unbestimmtes Zahlwort⟩: **1. a) weniger, wenige, weniges;** /unflektiert/ **wenig** ⟨Singular⟩: *eine geringe Menge (von etwas); nicht viel:* man sah w. schönes Porzellan; mit sehr w. Geld auskommen; er hat w. Schönes gesehen; er hat heute w. Zeit; das Kind hat w. gegessen; in dem Geschäft gefiel mir nur weniges: er hat mir w. geholfen; er hat mich nicht w. geärgert *(er hat mich sehr geärgert).* **b) wenige;** /unflektiert/ **wenig** ⟨Plural⟩: *eine geringe Anzahl (einzelner Personen oder Sachen):* die Arbeit weniger Menschen; es sind nur wenige mitgegangen; er hat es mit wenig[en] Worten erklärt. **2.** ⟨unflektiert; vor einem Adjektiv⟩ *nicht sehr:* diese Handlung war w. schön. *** ein w.** *(etwas; ein bißchen):* sie nahm ein w. Zucker aus dem Gefäß.

wenigstens ⟨Adverb⟩: *zumindest, immerhin:* er sollte sich w. entschuldigen; gut, daß es w. nicht *(nicht auch noch)* regnet.

wenn ⟨Konj.⟩: **1.** *falls; für den Fall, daß:* w. du willst, kannst du mit uns fahren. **2.** *sobald:* w. die Ferien anfangen, verreisen wir. **3.** *sooft:* [immer] w. er dieses Lied hört, erinnert er sich an ein Erlebnis in seiner Kinderzeit. **4.** ⟨in Verbindung mit *auch*⟩ *obgleich, obwohl:* er gehorchte, w. es ihm auch schwerfiel. **5.** ⟨in Wunschsätzen; in Verbindung mit *doch/nur*⟩ *ich wünschte, daß:* w. er doch endlich aufhören wollte zu schreien.

Wenn: ⟨in der Fügung⟩ das [viele, ständige, ewige] W. und Aber: *die vielen Zweifel, Einwände, Bedenken:* er ging ohne viel W. und Aber an seine Aufgabe.

wenngleich ⟨Konj.⟩: *obgleich, wenn auch:* er gab sich große Mühe, w. ihm die Arbeit wenig Freude machte.

wer ⟨Interrogativpronomen⟩ /fragt nach männlichen oder weiblichen Personen/: wer war das? (Ilse oder Michael?); wem gehört das Buch?

Werbebüro, das; -s, -s: *Unternehmen, das im Auftrag einer Firma o. ä. für deren Produkt[e] die Werbung macht:* der Absatz konnte durch die Einschaltung eines Werbebüros noch gesteigert werden.

Werbefilm, der; -s, -e: *Film, der für etwas Werbung macht:* der W. wurde für das Fernsehen gedreht.

werben, wirbt, warb, hat geworben: **a)** ⟨tr.⟩ *(jmdn. für etwas Bestimmtes) zu gewinnen suchen:* seine Aufgabe ist es, Mitglieder, Käufer, Abonnenten zu w. **b)** ⟨itr.⟩ *für etwas Reklame machen, andere zu interessieren suchen:* er wirbt für bestimmte Waren, für eine Partei. **c)** ⟨itr.⟩ *sich bemühen (um jmdn./etwas):* die Stadt wirbt um Besucher; er warb vergebens um das schöne Mädchen, das ihn nicht heiraten wollte.

Werbespot, der; -s, -s: Fernsehen *zu Werbezwecken kurz eingeblendete Szene:* mehrere Filme und Werbespots flimmerten über den Bildschirm.

Werbetrommel: ⟨in der Wendung⟩ die W. rühren/schlagen: *für etwas werben, Reklame machen:* vor der Wahl schlagen die Parteien eifrig die W.

Werbung, die; -: *das Werben:* die W. von Abonnenten, für eine Partei.

Werdegang, der; -s: *Gang der Ausbildung oder Entwicklung:* er beschreibt seinen W. in seinem Lebenslauf.

werden, wird, wurde, ist geworden/ (nach vorangehendem 2. Partizip) ist ... worden ⟨itr.⟩: **1. a)** ⟨werden + Artangabe⟩ *in einen bestimmten Zustand kommen; eine bestimmte Eigenschaft bekommen:* er wird alt, müde; das Wetter wird wieder besser. **b)** ⟨werden + Artangabe; unpersönlich⟩ *das Gefühl (von etwas) bekommen:* plötzlich wurde ihm übel, schwindlig. **2.** ⟨werden + Substantiv im Nominativ⟩ /drückt ein Verhältnis (Identität oder Zuordnung) aus, das zwischen dem Subjekt und dem zweiten Substantiv entsteht/: er wird Bäcker; sie wurde seine Frau. **3.** ⟨werden + Zeitangabe; unpersönlich⟩ *sich einem bestimmten Zeitpunkt nähern:* es wird Abend; es wird gleich 12 Uhr.

werfen, wirft, warf, hat geworfen: **1. a)** ⟨tr.⟩ *mit einem Schwung durch die Luft fliegen lassen; schleudern:* er hat den Ball 50 Meter weit geworfen; er warf alle Kleider von sich; bildl.: die lauten Gäste wurden aus dem Lokal geworfen *(wurden zum Verlassen des Lokals aufgefordert);* ⟨auch itr.⟩ er wirft gut. **b)** ⟨itr./rfl.⟩ *mit Schwung irgendwohin befördern; fallen lassen:* er hat das Papier einfach auf den Boden geworfen; er warf sich in einen Sessel; bildl.: er warf *(richtete)* einen Blick auf die Zeitung seines Nachbarn. **2.** ⟨tr.⟩ *gebären* /von bestimmten Säugetieren/: die Katze hat 3 Junge geworfen.

Werft, die; -, -en: *Anlage, zum Bauen und Ausbessern von Schiffen:* das Schiff kommt zur Reparatur in die W.

Werg, das; -s: *Abfall von Flachs, Hanf:* die Leitungen wurden mit W. umwickelt.

Werk, das; -[e]s, -e: **I. a)** *Tat, Arbeit:* ein mühevolles W.; ein W. der Barmherzigkeit; die Helfer haben ihr W. beendet. **b)** *etwas, was durch [künstlerische] Arbeit hervorgebracht wurde oder wird:* ein großes W. der Malerei; er kennt alle Werke dieses Dichters; ein großes W. schaffen. **II.** *Fabrik, Industriebetrieb:* in diesem W. werden bestimmte Flugzeugteile hergestellt. **III.** *Getriebe eines Apparates, einer Maschine o. ä.:* das W. der Uhr mußte durch ein neues ersetzt werden.

Werkbank, die; -, Werkbänke: *größerer, stabiler Tisch zum Arbeiten [mit Fächern, Schraubstock o. ä.]* /bes. bei Handwerkern/: der Schlosser arbeitete an der W.

werken, werkte, hat gewerkt ⟨itr.⟩: *(handwerklich) tätig sein, arbeiten:* er werkt von früh bis spät.

werkgetreu ⟨Adj.⟩: *dem originalen Kunstwerk entsprechend wiedergegeben:* die Aufführung der Oper war w.

Werkmeister, der; -s, -: *erfahrener Facharbeiter, der einer Abteilung in einem Werk vorsteht:* er wurde als W. eingestellt.

Werkstatt, die; -, Werkstätten: *Arbeitsraum eines Handwerkers:* der Schreiner arbeitet in seiner W.

Werkstoff, der; -[e]s, -e: *Material zur Herstellung eines Produktes:* der W. muß geprüft werden.

Werkstück, das; -[e]s, -e: *Gegenstand, der noch technisch bearbeitet werden muß:* die Werkstücke sind in der Montage.

Werkstudent, der; -en, -en: *Student, der sich durch [gelegentliche] Arbeit sein Studium und seinen Lebensunterhalt selbst verdient:* der W. ist einer großen Belastung ausgesetzt.

Werktag, der; -s, -e: *jeder Tag einer Woche mit Ausnahme des Sonntags:* die Läden sind hier nur an Werktagen geöffnet.

werktags ⟨Adverb⟩: *an Werktagen; wochentags:* w. hat er wenig Zeit zum Lesen.

werktätig ⟨Adj.;⟩: *arbeitend; einen Beruf ausübend:* die werktätige Bevölkerung.

Werkunterricht, der; -s: *schulischer Unterricht, der die Schüler zu praktischer Betätigung bes. auf den Gebieten des Handwerks und der angewandten Technik führen will.*

Werkzeug, das; -s, -e: **a)** *einzelnes Gerät, mit dessen Hilfe* *etwas bearbeitet oder hergestellt wird:* der Hammer ist ein W.; bildl.: er war als Spion ein W. der feindlichen Macht. **b)** ⟨ohne Plural⟩ *alle Geräte, die jmd. für seine Arbeit braucht:* die Handwerker haben ihr W. mitgebracht.

Wẹrmut, der; -s: **1.** *Heilpflanze, die reich an ätherischen Ölen ist:* die getrockneten Blätter und Zweigspitzen des Wermuts finden medizinische Verwendung. **2.** *alkoholisches Getränk mit einem bitteren Extrakt, der aus der gleichnamigen Pflanze gewonnen wird:* W. wird als Aperitif getrunken.

Wẹrmutstropfen, der; -s: *etwas, was in einem sonst schönen, angenehmen Zustand als schmerzlich empfunden wird, die Freude trübt:* die Freude war nicht ohne einen W.

wẹrt: ⟨in bestimmten Verbindungen⟩ **etwas w. sein** *(einen bestimmten Wert haben; einem bestimmten Betrag in Geld entsprechen):* der Schmuck war 1000 Mark w.; dieser Apparat ist nichts w. *(taugt nichts)*; **einer Person oder Sache w. sein** *(einer Person oder Sache würdig sein):* seine Tat ist der Bewunderung w.; er war es nicht w. *(verdiente es nicht)*, daß man sich um ihn bemühte.

Wẹrt, der; -es, -e: **1. a)** *Preis, den etwas im Falle seines Verkaufs haben würde:* das Haus hat einen W. von 100000 Mark; der W. des Schmuckes ist gering. **b)** ⟨Plural⟩ *Gegenstände oder Besitz, der sehr wertvoll ist:* der Krieg hat viele Werte zerstört. **2.** ⟨ohne Plural⟩ *Bedeutung; Wichtigkeit:* der künstlerische W. des Bildes; der W. dieser Entdeckung wurde erst später erkannt; seine Hilfe war uns von großem W. ***viel/großen/wenig W. auf etwas legen** *(jmdm. ist etwas sehr/nicht sehr wichtig)*. **3.** *[durch Messung gewonnene] Zahl; in Zahlen oder Zeichen ausgedrücktes Ergebnis einer Messung oder Untersuchung o. ä.:* die Werte von einer Skala, einem Meßgerät ablesen.

wẹrtbeständig ⟨Adj.⟩: *den Wert beibehaltend:* wertbeständige Anleihen; Gelder w. anlegen.

wẹrten, wertete, hat gewertet ⟨tr.⟩: *einschätzen, bewerten, beurteilen:* seine Arbeit wurde niemals richtig gewertet.

Wẹrtgegenstand, der; -[e]s, Wertgegenstände: *wertvoller Gegenstand:* für Wertgegenstände wird keine Haftung übernommen.

wẹrtlos ⟨Adj.⟩: *ohne Wert:* dieser Schmuck ist völlig w.

Wẹrtobjekt, das; -[e]s, -e: *Wertgegenstand:* er besitzt kein einziges W.

Wẹrtpapier, das; -s, -e: *Urkunde über ein privates Recht bes. auf eine Geldsumme, das ohne sie nicht geltend gemacht werden kann:* zu den Wertpapieren zählen besonders Wechsel, Schecks und Aktien.

Wẹrtsachen, die ⟨Plural⟩: *Wertgegenstände:* sie schloß die W. in den Safe.

Wẹrtschätzung, die; -: *Ansehen, Achtung:* er genießt keine besondere W. bei seinen Kollegen.

wẹrtvoll ⟨Adj.⟩: **a)** *von großem Wert; kostbar:* wertvoller Schmuck. **b)** *von großem Nutzen; nützlich:* seine Hilfe war uns sehr w.

We̲sen, das; -s, -: **1.** ⟨ohne Plural⟩ *(einem Menschen zugehörige, ihn charakterisierende) Art:* das Kind hat ein sehr freundliches W. **2.** ⟨ohne Plural⟩ *das Kennzeichnende; charakteristische Eigenschaft, wesentlichstes Merkmal:* zum W. der Demokratie gehört die Achtung der menschlichen Freiheit. **3.** *Lebewesen, Geschöpf:* der Mensch ist ein W., das mit Vernunft begabt ist.

We̲senszug, der; -[e]s, Wesenszüge: *Merkmal, Eigenschaft des Charakters:* dieser W. ist typisch für die Familie.

we̲sentlich ⟨Adj.⟩: **a)** *bedeutsam, wichtig:* zwischen den beiden Methoden besteht ein wesentlicher Unterschied. **b)** ⟨verstärkend bei Adjektiven im Komparativ und bei Verben⟩ *sehr, viel:* er ist w. größer als sein Bruder; er hat sich nicht w. verändert.

weshạlb ⟨Interrogativadverb⟩: *aus welchem Grunde; warum:* w. willst du nach Hause gehen?

Wẹspe, die; -, -n: /ein Insekt/ (siehe Bild).

Wẹspennest, das; -es, -er: *runder Bau aus Waben, in dem die Wespen ihre Brut aufziehen:* das W. besteht aus einer dem Papier ähnlichen Masse. * (ugs.) **in ein W. greifen/stechen** *(eine heikle Angelegenheit anfassen):* er soll sich hüten, in dieses W. zu stechen; (ugs.) **sich in ein W. setzen** *(durch sein Verhalten viele gegen sich aufbringen):* mit dieser Aussage hat er sich in ein W. gesetzt.

Wespe

Wẹste, die; -, -n: /ein Kleidungsstück, das am Oberkörper getragen wird/ (siehe Bild): er trägt einen Anzug mit W. *(ugs.) **eine weiße / reine / saubere W. haben** *(nichts Unehrenhaftes, Gesetzwidriges getan haben):* dieser Politiker hat noch eine reine W.

Weste

Wẹsten, der; -s: **1.** *Himmelsrichtung, in der die Sonne untergeht:* von, nach, im W. **2.** *der in dieser Richtung liegende Teil eines Gebietes:* der W. des Landes.

Wẹstern, der; -[s], -: *Film, der im Milieu der Cowboys, Indianer o. ä. spielt, mit einfacher, schematischer Handlung, tätlichen Auseinandersetzungen und Schießereien:* italienische W. zeichnen sich durch besondere Brutalität aus.

wẹstlich: I. ⟨Adj.; nur attributiv⟩: **1.** *im Westen liegend:* der westliche Teil des Landes. **2.** *nach Westen gerichtet:* das Schiff steuert westlichen Kurs. **II.** ⟨Präp. mit Gen.⟩ *im Westen (von etwas):* die Autobahn verläuft w. der Stadt; ⟨auch als Adverb in Verbindung mit *von*⟩ w. von Mannheim.

Wẹttbewerb, der; -[e]s, -e: *Kampf, Wettstreit von mehreren Beteiligten um die beste Leistung, um eine führende Stellung o. ä.:* er bekam den ersten Preis in dem W. um die Gestaltung eines modernen Schwimmbades; unter den Firmen herrscht ein harter W. *(eine harte Konkurrenz).*

Wettbüro, das; -s, -s: *Büro, in dem Wetten abgeschlossen werden* /bes. bei Pferderennen/: er holte seinen Gewinn im W. ab.

Wette, die; -, -n: *Vereinbarung zwischen zwei oder mehreren Personen, nach der derjenige, der in einer fraglichen Sache recht behält, einen vorher bestimmten Preis bekommt:* er hat die W. gewonnen. * **um die W. laufen/fahren** *(mit einem oder mehreren anderen zugleich laufen oder fahren, um festzustellen, wer am schnellsten ist).*

wetteifern, wetteiferte, hat gewetteifert ⟨itr.⟩: *sich zugleich mit einem oder mehreren anderen um etwas bemühen, etwas Bestimmtes zu erreichen suchen:* die beiden Hotels wetteiferten um die Gunst der Touristen.

wetten, wettete, hat gewettet ⟨itr.⟩: **a)** *mit einem oder mehreren anderen vereinbaren, daß derjenige, der in einer fraglichen Sache recht behält, einen vorher bestimmten Preis bekommt; eine Wette abschließen:* er wettete um einen Kasten Bier, daß diese Mannschaft gewinnen werde. **b)** *überzeugt, fast sicher sein:* ich wette, er kommt heute nicht.

Wetter, das; -s: **1.** *wechselnde Erscheinungen von Sonne, Regen, Wind, Kälte, Wärme o. ä. auf der Erde:* heute ist sonniges W. *(heute scheint die Sonne);* das W. ändert sich. **2.** *zur Explosion neigendes Gemisch von Luft, Gas und Dunst in Bergwerken:* schlagende W.

Wetterbericht, der; -[e]s, -e: *[täglich veröffentlicher] Bericht über die [voraussichtliche] Entwicklung des Wetters:* er hörte im Rundfunk den W.

Wetterdienst, der; -[e]s, -e: *staatliche Stelle zur Beobachtung und Vorhersage des Wetters:* der W. meldet Regen.

Wetterfleck, der; -[e]s, -e (östr.): *weiter Regenmantel ohne Ärmel:* einen W. umhängen.

Wetterkarte, die; -, -n: *Landkarte, auf der die Erscheinungen des Wetters eingezeichnet sind:* eine W. lesen, erläutern.

Wetterleuchten, das; -s: *Widerschein entfernter Blitze:* ein W. erhellte dann und wann den Himmel.

wettern, wetterte, hat gewettert ⟨itr.⟩: *laut und heftig schimpfen:* er wetterte über die schlechten Straßen.

wetterwendisch ⟨Adj.; nicht adverbial⟩ (abwertend): *leicht seine Einstellung oder seine Meinung ändernd; launenhaft und daher unberechenbar:* er ist ein sehr wetterwendischer Mensch.

Wettfahrt, die; -, -en: *Fahrt um die Wette, um den Schnellsten zu ermitteln:* die Kinder machten eine W.

Wettkampf, der; -[e]s, Wettkämpfe: *Kampf um die beste Leistung im Sport:* im Stadion fand ein W. statt.

Wettkämpfer, der; -s, -: *jmd., der an einem sportlichen Wettkampf teilnimmt:* die W. stellen sich in einer Reihe auf.

Wettlauf, der; -[e]s, Wettläufe: *Lauf um die Wette, um den Schnellsten zu ermitteln:* einen W. gewinnen; bildl.: der W. zum Mond *(das Bemühen, den Mond als erster zu erreichen).*

wettmachen, machte wett, hat wettgemacht ⟨tr.⟩: *(durch etwas anderes) ersetzen (und dadurch einen Ausgleich schaffen); ausgleichen:* er bemühte sich, seine geringere Begabung durch Fleiß wettzumachen.

Wettrennen, das; -s, -: *Rennen um die Wette, Wettlauf:* die Kinder machen ein W.; bildl.: das W. zwischen den Parteien *(das Bemühen einer Partei, die andere[n] zu überflügeln).*

Wettstreit, der; -[e]s, -e: *freundschaftlicher Kampf mehrerer um die beste Leistung o. ä.:* es gab bei diesem Spiel einen W. zwischen den Kindern.

wetzen, wetzte, hat gewetzt ⟨tr.⟩: *(durch Schleifen an einem harten Gegenstand) wieder schärfen, glätten:* der Fleischer wetzt sein Messer; der Vogel wetzt seinen Schnabel an einem Zweig.

Whisky, der; -s, -s: *aus Gerste, Mais oder Roggen hergestellter Branntwein:* W. mit Soda trinken.

Wicht, der; -es, -e: **1.** *Kobold, Zwerg:* ein Märchen von einem W. erzählen. **2.** (ugs.) *kleiner Kerl* /bes. von Kindern/: komm her, du [kleiner] W.!

wichtig ⟨Adj.⟩: *von einer bestimmten Bedeutung; bedeutsam:* eine wichtige Mitteilung; diese Arbeit ist nicht sehr w.; er hielt die Sache für sehr w. * (abwertend) **sich w. machen** *(angeben, sich aufspielen).* **Wichtigkeit,** die; -.

Wichtigtuerei, die; -: *als aufdringlich empfundene Art, alles besser zu wissen, sich überall einzumischen:* durch W. auffallen.

wichtigtuerisch ⟨Adj.⟩: *von Wichtigtuerei bestimmt:* ich habe von seinem wichtigtuerischen Gerede genug.

Wickel, der; -s, -: *Umschlag, der wie ein Verband um einen Körperteil gewickelt wird:* dem Kranken wurde ein feuchter W. gemacht. ** (ugs.) **jmdn. am/beim W. packen/kriegen/haben/nehmen: a)** *jmdn. [am Kragen] fassen und festhalten:* sie hat den Lümmel beim W. genommen und verdroschen. **b)** *jmdn. zurechtweisen, zur Rede stellen:* ich muß ihn mal tüchtig beim W. nehmen.

Wickelkind, das; -[e]s, -er: *Säugling:* sie wird wie ein W. behandelt.

wickeln, wickelte, hat gewickelt: **1.** ⟨tr.⟩ *durch eine drehende Bewegung [der Hand] (zu einem Knäuel o. ä.) schlingen:* sie wickelt die Wolle zu einem dicken Knäuel. **2.** ⟨tr./rfl.⟩ *mit einer Hülle versehen; einpacken:* der Verkäufer wickelt das Paket in Papier; sie wickelt eine Binde um das verletzte Bein; als er zu frieren begann, wickelte er sich in seine Decke; der Säugling wird [in Windeln] gewickelt.

Widder, der; -s, - (bes. östr. und südd.): *männliches Schaf:* der W. wird geschlachtet.

wider ⟨Präp. mit Akk.⟩ (geh.): *gegen* /bezeichnet einen Gegensatz, Widerstand, eine Abneigung/: das geschah w. meinen Willen; er handelte w. besseres Wissen *(obwohl er wußte, daß es nicht richtig war).*

Wider: ⟨in der Fügung⟩ das Für und [das] W.: *der Vor- und Nachteil; die Argumente, die dafür oder dagegen sprechen:* das Für und [das] W. einer Sache abwägen.

widerborstig ⟨Adj.⟩: *hartnäckig widerstrebend:* der Schüler war w.

widerfahren, widerfährt, widerfuhr, ist widerfahren ⟨itr.⟩ (geh.): *begegnen, zustoßen:* es ist ihm viel Leid in seinem Leben widerfahren.

Widerhaken, der; -s, -: *Haken, der so gekrümmt ist, daß er nicht mehr zurückgezogen werden kann:* ich steckte den Köder auf den W.

Widerhall, der; -[e]s: *das Hallen eines Tones oder Geräuschs (bes. in großen leeren Räumen), Echo:* man hörte den W. seiner Schritte in dem Gewölbe. * **W. finden** *(mit Interesse oder Wohlwollen aufgenommen werden):* seine Vorschläge fanden keinen W.

widerhallen, hallte wider, hat widergehallt ⟨itr.⟩: *den Schall zurückwerfen:* die Schritte hallten auf dem Pflaster wider.

widerlegen, widerlegte, hat widerlegt ⟨tr.⟩: *nachweisen, daß etwas nicht zutrifft:* es war nicht schwer, seine Behauptungen zu w.

widerlich ⟨Adj.⟩ (abwertend): **a)** *Widerwillen oder Ekel erregend:* ein widerlicher Geruch; diese Insekten sind w. **b)** *unerträglich:* ein widerlicher Mensch; er ist mir w. *(zuwider).*

widernatürlich ⟨Adj.⟩: *dem natürlichen Empfinden oder Verhalten entgegengesetzt; abartig:* sein Verhalten war w.

Widerpart, der; -[e]s, -e (geh.; veralt.): *Gegner:* es war sein alter W., der ihm hier wieder begegnete. ** **jmdm. W. bieten** *(jmdm. Widerstand leisten):* es bot ihm niemand mehr W.

widerrechtlich ⟨Adj.⟩: *zu unrecht, gegen das Recht [geschehend]:* eine widerrechtliche Inhaftierung; die Verhafteten wurden w. zurückgehalten.

Widerrede, die; -, -n: *Widerspruch:* der Vater duldete keine W.; er gehorchte ohne W. *(ohne Weigerung, ohne zu widersprechen).*

Widerruf, der; -s, -e: *Zurücknahme einer Aussage, Erlaubnis o. ä.:* die Durchfahrt ist bis auf W. gestattet.

widerrufen, widerrief, hat widerrufen ⟨tr.⟩: *(eine eigne Aussage) für falsch oder für nicht gültig erklären:* der Angeklagte hat sein Geständnis w.; ⟨auch itr.⟩ der Angeklagte hat widerrufen.

Widersacher, der; -s, -(geh.): *persönlicher Gegner, Feind:* er hatte mehrere Widersacher in der eigenen Partei.

Widerschein, der; -s: *Licht, das zurückgeworfen wird:* der W. des Feuers leuchtete an der Wand.

widersetzen, sich; widersetzte sich, hat sich widersetzt: *sich heftig weigern (etwas Bestimmtes zu tun), sich gegen jmdn./etwas wehren:* er widersetzte sich der Aufforderung, seinen Ausweis vorzuzeigen.

widersetzlich ⟨Adj.⟩: *leicht geneigt, sich gegen etwas zu wehren oder etwas, was gefordert wird, nicht zu tun:* der Junge ist sehr w. und darum schwer zu erziehen. **Widersetzlichkeit,** die; -.

Widersinn, der; -[e]s: *logische Verkehrtheit, Unsinn:* der W. seiner Behauptung war klar zu erkennen.

widersinnig ⟨Adj.⟩: *voll von Widersinn, unlogisch:* die widersinnigen Anordnungen wurden nicht ausgeführt.

widerspenstig ⟨Adj.⟩: *sich dem Willen eines anderen ungern, erst nach längerem Widerstand fügend; widersetzlich, ungehorsam:* ein widerspenstiges Kind; das Pferd ist sehr w. **Widerspenstigkeit,** die; -.

widerspiegeln, spiegelte wider, hat widergespiegelt: **a)** *erkennen lassen, zeigen:* sein Gesicht spiegelt seinen Zorn wider. **b)** ⟨rfl.⟩ *erkennbar werden, sich zeigen:* in dieser Dichtung spiegeln sich die politischen Verhältnisse der Zeit wider.

widersprechen, widerspricht, widersprach, hat widersprochen ⟨itr.⟩: **a)** *der Meinung, Äußerung eines anderen entgegentreten; jmds. Äußerung für unrichtig erklären:* er widersprach dem Redner heftig; ⟨auch rfl.⟩ du widersprichst dir. **b)** *nicht übereinstimmen:* diese Entwicklung widerspricht den bisherigen Erfahrungen; ⟨auch rzp.⟩ die Darstellungen w. einander, sich [gegenseitig]; ⟨häufig im 1. Partizip⟩ sie machten einander widersprechende Aussagen.

Widerspruch, der; -s, Widersprüche: **1.** *Äußerung, durch die man einer anderen Meinung o. ä. entgegentritt und sie zu widerlegen sucht:* sein W. war berechtigt; er verträgt keinen W. * **auf W. stoßen** *(keine Zustimmung finden).* **2.** *Gegensatz; etwas Unvereinbares, nicht Übereinstimmendes:* zwischen seinem Reden und Handeln besteht ein W. * **in W. stehen zu jmdm./etwas** *(mit jmdm./etwas nicht übereinstimmen).*

widersprüchlich ⟨Adj.⟩: *Widersprüche aufweisend; nicht übereinstimmend:* die Aussagen der Zeugen waren w. **Widersprüchlichkeit,** die; -.

widerspruchslos ⟨Adj.⟩: *keinen Widerspruch erhebend, ohne Widerspruch:* das Kind gehorchte w.

Widerstand, der; -es, Widerstände: *Haltung oder Kraft, die einer anderen Absicht entgegensteht oder entgegenwirkt:* sein W. gegen diesen Plan war groß; er mußte innere Widerstände *(Hemmungen)* überwinden; beim Graben stieß er auf einen W. *(auf etwas Hartes).* ***auf W. stoßen/treffen** *(in seinen Bestrebungen oder Unternehmungen nicht unterstützt, sondern abgelehnt werden):* seine Wünsche stießen bei seinen Eltern auf W.; er traf mit seinen Plänen auf W. bei seinen Kameraden; **den Weg des geringsten Widerstandes gehen** *(bei der Verfolgung eines Zieles Schwierigkeiten zu umgehen suchen, die leichtere Möglichkeit wählen):* er ging den Weg des geringsten Widerstandes.

widerstandsfähig ⟨Adj.⟩: *gegen schädliche Einflüsse, Krankheitserreger u. ä. nicht empfindlich oder anfällig:* der Aufenthalt an der See hat die Kinder sehr w. gemacht; ein widerstandsfähiges Material. **Widerstandsfähigkeit,** die; -.

Widerstandskämpfer, der; -s, -: *jmd., der gegen ein politisches Regime kämpft:* er gehört einer Gruppe der W. an.

Widerstandskraft, die; -, Widerstandskräfte: *Kraft, Widerstand zu leisten:* er hatte keine W. gegen die Krankheit.

widerstandslos ⟨Adj.; nicht prädikativ⟩: *ohne Widerstand; ohne sich zu wehren:* der Dieb ließ sich w. verhaften.

widerstehen, widerstand, hat widerstanden ⟨itr.⟩: **1. a)** *standhalten:* die Häuser widerstanden dem heftigen Sturm. **b)** *der Versuchung, etwas Bestimmtes zu tun, nicht nachgeben:* er widerstand tapfer dem Alkohol. 2. *gegen etwas einen Widerwillen haben und es darum nicht essen oder trinken wollen; widerliche, ablehnende Gefühle (in jmdm.) auslösen:* dieses Fett widersteht mir.

widerstreben, widerstrebte, hat widerstrebt ⟨itr.⟩: *zuwider sein, sich widersetzen, nicht mögen:* es widerstrebte ihm, über diese Angelegenheit zu sprechen; er widerstrebte den Forderungen, die man an ihn stellte; ⟨häufig im 1. Partizip⟩ er tut diese Arbeit nur sehr widerstrebend *(ungern).*

Widerstreit, der; -s: *Zwiespalt, in dem verschiedene Wünsche im Menschen gegeneinander kämpfen; innerer Konflikt:* er lebte in einem W. zwischen Pflicht und Neigung.

widerwärtig ⟨Adj.⟩ (abwerrend): *abstoßend, heftigen Ekel erregend:* der schmutzige Raum bot einen widerwärtigen Anblick; die Angelegenheit war ihm w. *(sehr unangenehm).* **Widerwärtigkeit,** die; -, -en.

Widerwille, der; -ns: *heftige Abneigung, Ekel:* er hat einen Widerwillen gegen fettes Fleisch

widerwillig ⟨Adj.; nicht prädikativ⟩: *Widerwillen zeigend; sehr ungern:* er macht diese Arbeit nur w.

widmen, widmete, hat gewidmet: 1. ⟨tr.⟩ *(als Zeichen der Verehrung o. ä.) ein eigenes [künstlerisches] Werk durch eine Widmung für einen anderen bestimmen:* er widmete seine Sinfonien dem König. 2. a) ⟨tr.⟩ *(auf etwas) verwenden; (für etwas) gebrauchen:* er widmete seine freie Zeit der Malerei. b) ⟨rfl.⟩ *sich (jmds./einer Sache) annehmen; sich eingehend (mit jmdm./etwas) beschäftigen:* sie widmet sich ganz ihrem Haushalt; du mußt dich den Gästen w.

Widmung, die; -, -en: *persönliche, in ein Buch o. ä. geschriebene Worte, wodurch es jmdm. geschenkt, zugeeignet wird:* in dem Buch stand eine W. des Verfassers.

widrig ⟨Adj.; nicht adverbial⟩: *ungünstig:* widrige Winde; widrige Umstände. **Widrigkeit,** die; -, -en.

wie: I. ⟨Adverb⟩ 1. /dient zur Kennzeichnung einer Frage/ a) *auf welche Art und Weise:* w. soll ich das machen?; w. komme ich von hier aus zum Bahnhof?; w. geht es Dir? b) *in welchem Maße:* w. warm war es heute?; w. oft spielst du Tennis? 2. /drückt als Ausruf Erstaunen, Freude, Bedauern o. ä. aus/: w. dumm, daß du keine Zeit hast!; w. schön!; ⟨auch alleinstehend⟩ /drückt Erstaunen, Entrüstung u. ä. aus/: wie! Du willst nicht mitgehen? II. ⟨Vergleichspartikel⟩ a) /nach einem Positiv/: er ist so groß w. ich. b) /in Vergleichssätzen/: Wilhelm ist ebenso groß, w. sein Bruder im gleichen Alter war. c) /dient der Aufzählung/: sie haben viele Tiere, w. Pferde, Schweine, Hühner usw. III. ⟨Konj.⟩ /leitet einen Gliedsatz ein/: ich sah, wie er auf die Straße lief.

wieder ⟨Adverb⟩: 1. *erneut; noch einmal:* er ist in diesem Jahr w. nach Prag gefahren; er hat w. nach dir gefragt. 2. a) /drückt die Rückkehr in den früheren Zustand o. ä. aus/ der junge Mann wurde w. freigelassen; der umgefallene Stuhl wurde w. aufgestellt; er hob den Bleistift w. auf; er hat sich w. erholt. b) ⟨zusammengesetzt mit Verben⟩ *zurück:* wiederbekommen, wiederbringen, wiedergewinnen. ** **hin und w.** *(manchmal).*

Wiederaufbau, der; -[e]s: *neuer Aufbau (von etwas Zerstörtem):* der W. [der zerstörten Städte] nach dem Krieg.

wiederaufleben, lebte wieder auf, ist wiederaufgelebt ⟨itr.⟩: *neues Leben, neue Kraft gewinnen:* er ist im Urlaub wiederaufgelebt; der Handel lebte wieder auf.

Wiederaufnahme, die; -, -n: *Fortsetzung (von etwas Unterbrochenem):* die W. der Verhandlungen ist beschlossen.

wiederaufnehmen, nimmt wieder auf, nahm wieder auf, hat wiederaufgenommen ⟨tr.⟩: *erneut aufnehmen:* das Verfahren wird wiederaufgenommen.

wiederbeleben, belebte wieder, hat wiederbelebt ⟨tr.⟩: *ins Leben zurückrufen:* durch künstliche Atmung konnte man den Verunglückten w.; bildl.: alte Bräuche wurden wiederbelebt. **Wiederbelebung,** die; -.

Wiederbelebungsversuche, die ⟨Plural⟩: *Versuche, jmdn. wiederzubeleben:* alle W. scheiterten.

wiedererkennen, erkannte wieder, hat wiedererkannt ⟨tr.⟩: *nach [längerer] Abwesenheit erneut erkennen:* nach den vielen Jahren hatte ich sie kaum wiedererkannt.

wiederfinden, fand wieder, hat wiedergefunden ⟨tr.⟩: *(etwas Verlorenes) finden:* ich habe die Schere wiedergefunden; ⟨auch rzp.⟩ sie haben sich wiedergefunden; bildl.: er hat sein [altes] Selbstvertrauen wiedergefunden.

Wiedergabe, die; -, -n: a) *Reproduktion:* eine gute W. eines Gemäldes von Picasso. b) *Darstellung:* es wurde eine exakte W. der Vorgänge gefordert. c) *Darbietung; Interpretation:* diese Schallplatte bietet eine vollendete W. einer Kantate von Bach.

wiedergeben, gibt wieder, gab wieder, hat wiedergegeben ⟨tr.⟩: 1. *(dem Eigentümer) zurückgeben:* gib dem Kind sein Spielzeug wieder! 2. a) *mit Worten darstellen, schildern:* er versuchte seine Eindrücke wiederzugeben. b) *vortragen, darbieten:* er hat die Lieder vollendet wiedergegeben.

Wiedergeburt, die; - (geh.): *seelische und geistige Erneuerung:* die W. der Antike in der Renaissance.

wiedergutmachen, machte wieder gut, hat wiedergutgemacht ⟨tr.⟩: *Entschädigung (für etwas, was man verschuldet hat) leisten:* einen Verlust w. **Wiedergutmachung,** die; -, -en.

wiederherstellen, stellte wieder her, hat wiederhergestellt ⟨tr.⟩: *in den früheren guten Zustand versetzen:* das alte Gebäude wurde wiederhergestellt; bildl.: er ist von seiner Krankheit noch nicht ganz wiederhergestellt. **Wiederherstellung,** die; -, -en.

wiederholen: I. wiederholen, holte wieder, hat wiedergeholt ⟨tr.⟩: *wieder an den alten Platz, zu sich holen:* er wird [sich] sein Buch morgen w. II. wiederholen, wiederholte, hat wiederholt /vgl. wiederholt/: 1. ⟨tr.⟩ *noch einmal sagen oder tun:* er wiederholte seine Worte; die Untersuchung mußte wiederholt werden. **2.** ⟨rfl.⟩ *immer wieder von neuem geschehen oder eintreten:* diese seltsame Szene wiederholte sich mehrmals. **3.** ⟨tr.⟩ *dem Gedächtnis von neuem einprägen:* die Schüler wiederholten die Vokabeln.

wiederholt ⟨Adj.; nicht prädikativ⟩: *mehrmals, immer wieder:* er wurde w. aufgefordert, sich zu melden.

Wiederholung, die; -, -en: *das Wiederholen, das nochmalige Ausführen einer Handlung o. ä.:* es gibt für diese Prüfung nicht die Möglichkeit der W.

Wiederhören: ⟨in der Fügung⟩ auf W.: /im Rundfunk und beim Telefonieren gebräuchliche Formel bei der Verabschiedung/.

wiederkäuen, käute wieder, hat wiedergekäut: **1.** ⟨tr./itr.⟩ *das fast unzerkaute Futter aus dem Magen heraufholen und noch einmal kauen* /vom Rind/: die Rinder käuten [das Futter] wieder; die Kuh lag wiederkäuend da. **2.** (ugs.) *wieder und wieder sagen, vorbringen:* wie oft soll ich denn den Lehrstoff noch w.!

Wiederkäuer, der; -s, -: *Tier, das wiederkäut:* das Rind gehört zur Gattung der W.

Wiederkehr, die; - (geh.): **1.** *das Zurückkommen; Rückkehr:* sie glauben an die W. Christi. **2.** *Wiederholung; das wiederholte Auftreten von etwas:* die häufige W. des gleichen Wortes in dem Text störte ihn.

wiederkehren, kehrte wieder, ist wiedergekehrt ⟨itr.⟩ (geh.): **1.** *zurückkommen, zurückkehren:* er ist von seiner Reise bis jetzt nicht wiedergekehrt; ⟨häufig im 1. Partizip⟩ bei wiederkehrendem Bewußtsein erkannte er seinen Retter. **2.** *sich wiederholen:* dieser Gedanke kehrt in dem Aufsatz häufig wieder; ⟨häufig im 1. Partizip⟩ ein immer wiederkehrendes Thema.

wiederkommen, kam wieder, ist wiedergekommen ⟨itr.⟩: **a)** *einen Ort (von dem man ausgegangen ist oder an dem man schon einmal war) wieder aufsuchen; zurückkommen:* er wollte in einer Woche w. **b)** (ugs.) *wieder auftreten:* der Ausschlag ist nach kurzer Zeit wiedergekommen.

wiedersehen, sieht wieder, sah wieder, hat wiedergesehen ⟨itr./rzp.⟩: *(nach einer Trennung) wieder begegnen:* ich habe Klaus nach acht Jahren in Berlin wiedergesehen; die Freunde sahen sich nach vielen Jahren wieder.

Wiedersehen, das; -s: *Begegnung, Treffen von zwei oder mehreren Menschen nach einer Trennung:* als alle Kinder wieder zu Hause waren, gab es ein fröhliches W. * **auf W.!** *(Grußformel beim Abschied).*

wiedervereinigen, vereinigte wieder, hat wiedervereinigt ⟨tr.⟩: *erneut vereinigen, aufs neue zusammenschließen:* das Bestreben, Deutschland wiederzuvereinigen. **Wiedervereinigung,** die; -.

Wiederwahl, die; -, -en: *neuerliche Wahl einer Person:* er bemühte sich um seine W.

Wiege, die; -, -n: *Kinderbett (für einen Säugling), das in schaukelnde Bewegung gebracht werden kann* (siehe Bild): sie kauften für ihr Baby eine W.

Wiege

wiegen: I. wog, hat gewogen /vgl. gewogen/: **1.** ⟨tr./rfl.⟩ *das Gewicht (von jmdm./etwas) mit einer Waage feststellen:* sie wog die Äpfel; er hat sich heute gewogen und festgestellt, daß er zugenommen hat. **2.** ⟨itr.⟩ *ein bestimmtes Gewicht haben:* er wiegt 60 kg; bildl.: seine Worte wiegen nicht schwer *(sind nicht von großer Bedeutung).* **II.** wiegte, hat gewiegt /vgl. gewiegt/: **a)** ⟨tr.⟩ *[in einer Wiege] schaukeln; in schaukelnde Bewegung bringen:* das kleine Mädchen wiegt seine Puppe in den Schlaf. **b)** ⟨itr./rfl.⟩ *langsam, schwingend hin und her bewegen:* er wiegte sorgenvoll den Kopf; sie wiegt sich beim Gehen in den Hüften.

Wiegenlied, das; -[e]s, -er: *Lied, das dem Kind vorgesungen wird, damit es leichter einschläft:* ein W. summen.

wiehern, wieherte, hat gewiehert ⟨itr.⟩: *ungleichmäßig laute, helle, schmetternde Töne von sich geben* /vom Pferd/.

Wiese, die; -, -n: *mit Gras bewachsene Fläche:* Kühe weideten auf der W.

Wiesel, das; -s, -: /ein Tier/ (siehe Bild).

Wiesel

wieso ⟨Interrogativadverb⟩: *warum; aus welchem Grunde denn* /klingt nachdrücklicher als die Frage: *warum?*/: w. muß ich denn immer diese Arbeiten machen?

wieviel [auch: wie...] ⟨Interrogativadverb⟩: *welche Menge, welches Maß, welche Anzahl:* w. Mehl braucht man für diesen Kuchen?; w. Kinder haben Sie?

wieweit ⟨Konj.⟩: *bis zu welchem Maß, Grad:* ich bin im Zweifel, w. ich mich darauf verlassen kann.

Wigwam, der; -s, -s: *einem Zelt ähnliche Behausung der Indianer Nordamerikas:* der Häuptling verließ seinen W.

Wikinger, der; -s, -: *Angehöriger eines skandinavischen Volkes im frühen Mittelalter, das zur See fuhr:* die W. erreichten bereits die Küste Nordamerikas.

wild ⟨Adj.⟩: **I.** ⟨nicht adverbial⟩ *in der freien Natur lebend oder wachsend; nicht gezüchtet oder angebaut:* wilde Kaninchen; diese Pflanzen kommen nur w. vor; wilde *(auf einer niedrigen Stufe der Entwicklung stehende)* Völker. **II. a)** *ungestüm, sehr lebhaft, stürmisch:* die Kinder sind sehr w.; es herrschte ein wildes Durcheinander. **b)** *sehr zornig; heftig erregt:* der Gefangene schlug w. um sich.

Wild, das; -es: *Tiere, die gejagt werden dürfen:* sie fütterten das W. im Winter.

Wildbret, das; -s (geh.): *Fleisch des geschossenen Wildes:* das W. zubereiten.

Wilddieb, der; -[e]s, -e: *jmd., der ohne Berechtigung jagt:* der W. wurde gefaßt.

Wilde, der; -n, -n ⟨aber: [ein] Wilder, Plural: Wilde⟩: *Angehöriger eines primitiven Vol-*

kes: die Gebräuche der Wilden erforschen. * **wie ein Wilder** *(unbeherrscht, wild, verrückt):* er raste wie ein Wilder auf der Autobahn.

Wilderer, der; -s, -: *Wilddieb:* einem W. auf der Spur sein.

wildern, wilderte, hat gewildert ⟨itr.⟩: **a)** *ohne Berechtigung jagen:* der Bursche wilderte. **b)** *dem Wild nachstellen* /bes. von Hunden und Katzen/: wildernde Hunde werden erschossen.

Wildfang, der; -s, Wildfänge: *ausgelassenes Kind:* du bist ein [richtiger] W.

wildfremd ⟨Adj.⟩ (ugs.): *ganz, völlig fremd:* ein wildfremder Mensch.

Wildleder, das; -s: *weiches Leder von Rehen, Gemsen, Antilopen o. ä. mit rauher Oberfläche:* er trug eine Jacke aus W.

Wildnis, die; -, -se: *unbewohntes, nicht kultiviertes oder bebautes Land:* diese Region des Landes war lange Zeit eine W.; der Garten ist in ihrer langen Abwesenheit eine W. geworden *(ist völlig verwildert).*

Wildschwein, das; -s, -e: /ein Tier/ (siehe Bild).

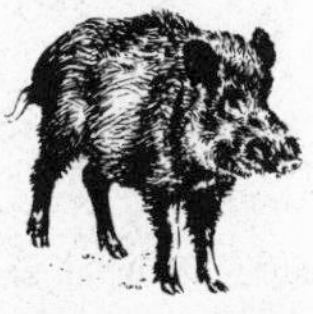

Wildschwein

Wildwasser, das; -s, -: *über Felsen fließendes, reißendes Gewässer:* der Weg führte an einem W. entlang; alle W. kennen.

Wille, der; -ns: *das Wollen; Fähigkeit des Menschen, sich für bestimmte Handlungen zu entscheiden:* er hat einen starken Willen; er hatte den festen Willen *(die feste Absicht),* sich zu bessern. * **aus freiem Willen** *(freiwillig, ohne Zwang);* **beim besten Willen nicht** *(unmöglich):* ich kann beim besten Willen nicht kommen.

willen: ⟨nur in Verbindung mit *um*⟩ **um .... w.** ⟨Präp. mit Gen.⟩: *wegen; zum Nutzen (von jmdm./ etwas):* um ihrer Kinder w. haben sie auf vieles verzichtet.

willenlos ⟨Adj.⟩: *ohne eigenen Willen:* er ist ihm w. ausgeliefert.

willens: ⟨in der Fügung⟩ w. sein: *bereit sein (etwas zu tun):* er war w., uns zu helfen.

willensschwach ⟨Adj.⟩: *nur einen schwachen Willen besitzend:* ein willensschwacher Mensch.

willensstark ⟨Adj.⟩: *einen starken Willen besitzend:* ein willensstarker Mensch.

willfahren, willfahrte, hat willfahrt, (auch:) willfahren, willfahrte, hat gewillfahrt ⟨itr.⟩ (geh.): *zu Willen sein, gehorchen:* sie willfahrte dem Wunsch ihrer Eltern.

willfährig ⟨Adj.⟩ (abwertend): *ohne Bedenken, in würdeloser Weise bereit, zu tun, was ein anderer von einem fordert; gefügig:* er war ein willfähriger Handlanger der Verbrecher.

willig ⟨Adj.⟩: *immer bereit, zu tun, was gefordert wird; guten Willen zeigend:* die Arbeiter zeigten sich sehr w.

willkommen ⟨Adj.⟩: *erfreulich, angenehm:* eine willkommene Nachricht; er ist uns immer ein willkommener *(gern gesehener)* Gast; du bist uns immer w. *(wir freuen uns immer über deinen Besuch).* ** **jmdn. w. heißen** *(als Gastgeber jmdn. bei seiner Ankunft begrüßen).*

Willkür, die; -: *Weise zu handeln, die ohne Rücksicht auf andere nur den eigenen Wünschen folgt:* sie waren der W. eines launischen Vorgesetzten ausgeliefert.

Willkürherrschaft, die; -: *Herrschaft, die durch Willkür bestimmt ist:* eine W. beenden.

willkürlich ⟨Adj.⟩: **a)** *vom Willen oder Bewußtsein gesteuert:* man unterscheidet willkürliche und unwillkürliche Bewegungen. **b)** *nach eigenem Willen und ohne die Interessen anderer zu berücksichtigen:* er handelt immer sehr w.

wimmeln, wimmelte, hat gewimmelt ⟨itr.⟩: *sich in großer Zahl an einem bestimmten Ort bewegen oder dort vorhanden, anwesend sein:* im Schwimmbad wimmelte es von Kindern; die Straße wimmelte *(war voll)* von Menschen; der Aufsatz wimmelt von Fehlern *(hatte sehr viele Fehler).*

Wimmerl, das; -s, -[n] (bayr.; östr.): **a)** *Eiter-, Hitzebläschen, Pickel:* ein rotes W. auf der Nase haben. **b)** *Täschchen von Schiläufern, das an einem Gurt um die Taille befestigt wird:* das Brot in das W. packen.

wimmern, wimmerte, hat gewimmert ⟨itr.⟩: *leise, klagend weinen:* das kranke Kind wimmerte.

Wimpel, der; -s, -: *kleine Fahne* (siehe Bild): die Jungen hatten bei der Wanderung einen W. bei sich.

Wimpel

Wimper, die; -, -n: *Haar am Lid des Auges* (siehe Bild): das Kind hatte lange seidige Wimpern.

Wimper

Wind, der; -es, -e: *spürbare stärkere Bewegung der Luft:* auf den Bergen wehte ein heftiger W.; der W. kommt von Osten. * **bei W. und Wetter** *(auch bei schlechtem Wetter):* er macht bei W. und Wetter seinen täglichen Spaziergang; **etwas in den W. schlagen** *(etwas, bes. eine Warnung, nicht beachten);* **in den W. reden** *(etwas [Warnendes] sagen, ohne daß es jmd. beachtet);* (ugs.) **W. von etwas bekommen** *(etwas, was einem eigentlich nicht bekanntwerden sollte, doch auf irgendeine Weise erfahren [und sich entsprechend verhalten]):* die Polizei hatte von dem Anschlag W. bekommen.

Windbeutel, der; -s, -: **1.** *leichtes, mit Sahne gefülltes Gebäck.* **2.** (ugs.) *leichtlebiger, unzuverlässiger Mensch:* er ist ein W.

Winde, die; -, -n: *mit einer Kurbel angetriebene Vorrichtung zum Heben von Lasten:* einen schweren Stein mit der W. heben.

Wịndel, die; -, -n: *weiches Tuch aus Stoff oder Papier, mit dem man einen Säugling wickelt und das dazu dient, die Ausscheidungen aufzunehmen:* sie hat viele Windeln zu waschen.

wịndelweich: ⟨in der Wendung⟩ jmdn. w. schlagen/hauen/prügeln (ugs.): *jmdn. tüchtig verprügeln:* er wurde von zwei Burschen w. geschlagen.

wịnden, sich; wand sich, hat sich gewunden: 1. *sich (vor Schmerzen) krümmen, sich hin und her werfen:* der Verletzte wand sich vor Schmerzen. 2. *durch ausweichende Reden eine klare Antwort oder Entscheidung zu umgehen suchen:* er wand sich in seinen Reden, um die unangenehme Sache zu verbergen.

Wịndeseile: ⟨in der Fügung⟩ mit W.: *äußerst rasch:* die Nachricht verbreitete sich mit W.

Wịndhund, der; -[e]s, -e:/ein Hund/ (siehe Bild).

Windhund

wịndig ⟨Adj.; nicht adverbial⟩: *stärkere Bewegung der Luft aufweisend:* eine windige Stelle; heute ist es sehr w. draußen.

Wịndjacke, die; -, -n: *wetterfeste, sportliche Jacke:* eine W. anziehen.

Wịndmühle, die; -, -n: *Mühle, die durch die Kraft des Windes angetrieben wird* (siehe Bild):

Windmühle

Windmühlen in Holland. * **gegen Windmühlen kämpfen** *(einen aussichtslosen, sinnlosen Kampf kämpfen):* in diesem Fall kämpft man gegen Windmühlen.

Wịndpocken, die ⟨Plural⟩: *harmlose, ansteckende Kinderkrankheit mit einem Ausschlag in Form von Bläschen:* an W. erkranken

Wịndrose, die; -, -n: *Kreis, auf dem die vier Himmelsrichtungen mit Unterteilungen eingezeichnet sind* (siehe Bild): die W. des Kompasses.

Windrose

Wịndsack, der; -[e]s, Windsäcke: *rot-weißes, an einer langen Stange befestigtes, einem Sack ähnliches Gebilde, das die Stärke und Richtung des Windes auf Flugplätzen, Autobahnbrücken o. ä. anzeigt:* den W. beachten.

Wịndschatten, der; -s, -: *vor dem Wind geschützte Seite, auf der die Geschwindigkeit des Windes geringer ist:* im W. eines Lastwagens fahren.

wịndschief ⟨Adj.⟩ (ugs.): *nicht gerade stehend, verzogen:* die windschiefen Buchstaben waren schwer leserlich; die Hütte ist schon ganz w.

Wịndschutzscheibe, die; -, -n: *vordere Glasscheibe am Auto:* gegen die W. prallen.

wịndstill ⟨Adj.⟩: *vor Wind geschützt, ohne Wind:* hier ist es w.; ein windstilles Plätzchen.

Wịndung, die; -, -en: *Biegung; Krümmung in Form eines Bogens:* der Bach fließt in vielen Windungen durch das Tal.

Wịnk, der; -[e]s, -e: *durch eine Bewegung der Hand o. ä. gegebenes Zeichen (mit dem man etwas Bestimmtes ausdrückt):* auf einen W. des Gastes kam der Kellner herbei; bildl.: man hatte ihm den W. *(Rat)* gegeben, die Stadt schnell zu verlassen.

Wịnkel, der; -s, -: 1. *geometrisches Gebilde aus zwei geraden Linien, die sich schneiden* (siehe Bild): die beiden Linien bilden einen W. von 60°. 2. *Bezeichnung für verschiedene Geräte zum Zeichnen, Messen u. ä.* (siehe Bild): der Schüler benutzte zum Zeichnen einen W. 3. *Ecke, die von zwei Wänden gebildet wird:* in einem W. des Zimmers stand ein Sessel. 4. *Gegend, Stelle, Bereich:* wir wohnen in einem ganz abgelegenen W. der Stadt.

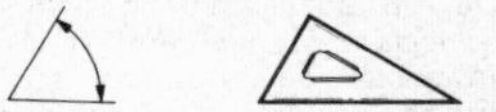

1. 2.

Winkel

Wịnkeladvokat, der; -en, -en (abwertend; veraltend): *unseriöser, unbekannter Advokat:* diesem Winkeladvokaten darfst du den Fall nicht anvertrauen.

Wịnkelmesser, der; -s, -: *Gerät zum Messen und Übertragen von Winkeln* (siehe Bild): den W. anlegen.

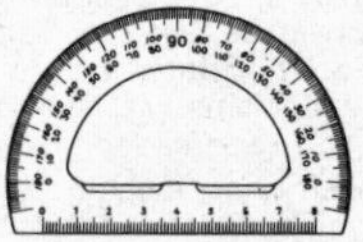

Winkelmesser

Wịnkelzug, der; -[e]s, Winkelzüge: a) *Ausflucht, Vorwand:* er macht gern Winkelzüge. b) *geschicktes, nicht gleich durchschaubares Vorgehen:* durch einen schlauen W. hat er sich aus der mißlichen Lage befreit.

wịnken, winkte, hat gewinkt ⟨itr.⟩: 1. *mit einer oder mit wiederholten Bewegungen der Hand oder des Armes Zeichen geben, um etwas Bestimmtes auszudrücken:* die Kinder standen auf dem Bahnsteig und winkten, als die Mutter abreiste; der Gast winkte dem Kellner, weil er zahlen wollte. 2. *(jmdn.) erwarten:* dem Finder winkte eine hohe Belohnung.

wịnseln, winselte, hat gewinselt ⟨itr.⟩: *in leisem Ton klagende, jammernde Laute hervorbringen:* der Hund winselte vor der Tür.

Wịnter, der; -s, -: *auf den Herbst folgende Jahreszeit, die im Kalender festgelegt ist auf die Zeit vom 22. Dezember bis 19. März.*

Wịntergarten, der; -s, Wintergärten: *mit großen Glasfenstern und Zierpflanzen ausgestatteter [Wohn]raum:* die Gäste wurden in den W. geführt.

wịnterlich ⟨Adj.⟩: *dem Winter entsprechend, wie im Winter:* winterliches Wetter; winterliche *(warme)* Kleidung anziehen.

Wịnterschlußverkauf, der; -[e]s, Winterschlußverkäufe: *Schlußverkauf am Ende des Winters:* billig im W. einkaufen.

Wịntersport, der; -s: *auf Eis oder Schnee betriebener Sport:* Schilaufen, Rodeln, Eislaufen und Eishockey sind bevorzugte Arten des Wintersports.

Wịnzer, der; -s, -: *jmd., der Wein anbaut.*

wịnzig ⟨Adj.; nicht adverbial⟩: *sehr klein:* das Haus hat winzige Fenster. **Wịnzigkeit,** die;-.

Wịpfel, der; -s, -: *oberer Teil, Spitze (eines Baumes); Krone:* der Junge kletterte in den W. des Baumes.

Wịppe, die; -, -n: /eine Art Schaukel/ (siehe Bild).

Wippe

wịppen, wippte, hat gewippt ⟨itr.⟩: *kurze schaukelnde Bewegungen ausführen; (etwas) federnd auf und nieder bewegen:* der Junge wippte mit den Beinen·

wịr ⟨Personalpronomen⟩ /bezeichnet eine die eigene Person einschließende Gruppe/: wir arbeiten heute länger.

Wịrbel, der; -s, -: **1.** *schnelle drehende, kreisende Bewegung:* in dem Strom sind starke Wirbel. **2.** *Knochen der Wirbelsäule:* der fünfte W. ist beschädigt. **3.** *längeres, sehr schnelles Schlagen auf eine Trommel:* die Trommler empfingen den Minister mit einem W.

wịrbeln, wirbelte, hat/ist gewirbelt: **1.** ⟨itr./tr.⟩ *[sich] schnell und drehend, kreisend bewegen:* der Staub ist in die Höhe gewirbelt; der Wind hat den Schnee von den Bäumen gewirbelt. **2.** ⟨itr.⟩ *in einem Wirbel geschlagen werden:* die Trommeln wirbelten.

Wịrbelsäule, die; -, -n: *aus einzelnen gelenkig miteinander verbundenen Knochen bestehende Achse des Skeletts von Menschen und bestimmten Tieren; Rückgrat:* ich habe mir die W. verletzt.

Wịrbelsturm, der; -[e]s, Wirbelstürme: *durch wirbelnde Luftströme entstehender, sehr heftiger Sturm, bes. in den Tropen:* der W. Holly war am Montag etwa 1600 Kilometer östlich von San Juan.

Wịrbeltier, das; -[e]s, -e: *Tier, das eine Wirbelsäule hat.*

wịrken, wirkte, hat gewirkt: **1.** ⟨tr.⟩ *arbeiten; tätig sein:* er hat hier als Arzt lange gewirkt. **2.** ⟨tr.⟩ (geh.) *schaffen, leisten, hervorbringen:* er hat viel Gutes gewirkt. **3.** ⟨itr.⟩ *Wirkung haben; Einfluß ausüben:* die Tabletten wirken [schnell]. **4.** ⟨itr.⟩ **a)** *erscheinen; einen bestimmten Eindruck hervorrufen:* die Arbeit wirkt primitiv; ⟨häufig im 1. Partizip⟩ ein sympathisch wirkender Mensch. **b)** *zur Geltung kommen:* das Bild, die Farbe wirkt in diesem Raum nicht. **5.** ⟨tr.⟩ *auf besondere Weise aus Fäden herstellen:* Teppiche w.; ⟨häufig im 2. Partizip ⟩mit der Hand gewirkte Stoffe.

wịrklich: I. ⟨Adj.⟩ *in Wirklichkeit vorhanden, bestehend; real:* Szenen aus dem wirklichen Leben. **II.** ⟨Adverb⟩ *in der Tat, tatsächlich; bestimmt:* er kommt w.; das war eine w. gute Aufführung.

Wịrklichkeit, die; -: *Zustand, wie man ihn tatsächlich antrifft, erlebt; Realität:* was er sagte, war von der W. weit entfernt.

wịrklichkeitsfremd ⟨Adj.⟩: *der Wirklichkeit nicht gemäß, entsprechend; die Wirklichkeit nicht berücksichtigend:* das ist eine ganz wirklichkeitsfremde Einstellung.

wịrklichkeitsnah ⟨Adj.⟩: *der Wirklichkeit gemäß, entsprechend; die Wirklichkeit berücksichtigend:* eine wirklichkeitsnahe Schilderung, Einstellung.

wịrksam ⟨Adj.⟩: *gewünschte Wirkung erzielend, mit Erfolg wirkend:* ein wirksames Mittel gegen Husten. **Wịrksamkeit,** die; -.

Wịrkstoff, der; -[e]s, -e: *für den Ablauf der Vorgänge im Organismus wichtiges Vitamin, Hormon o. ä.:* den Körper mit natürlichen Wirkstoffen versorgen.

Wịrkung, die; -, -en: *Verhalten, das von jmdm./etwas bewirkt wird; Folge, Reaktion:* eine schnelle W. erkennen lassen; zwischen Ursache und W. unterscheiden; ohne W. bleiben. * **mit W. vom ...** *(vom ... an [gültig]).*

Wịrkungsbereich, der; -[e]s, -e: *Bereich des Wirkens, der Wirksamkeit (von jmdm./etwas):* sein W. als Leiter dieser Behörde ist sehr groß.

Wịrkungsgrad, der; -[e]s, -e: *Grad, Ausmaß der Wirkung (von etwas):* Maschinen mit höherem W. bauen.

wịrkungslos ⟨Adj.⟩: *keine Wirkung habend; keine Reaktion hervorrufend:* alle Maßnahmen waren w.

wịrkungsvoll ⟨Adj.⟩: *von großer Wirkung; die Aufmerksamkeit auf sich lenkend:* die Schaufenster sind w. dekoriert.

Wịrkwaren, die ⟨Plural⟩: *maschinell, in der Art des Strickens oder Häkelns hergestellte Kleidungsstücke, bes. Strümpfe, Pullover, Unterwäsche o. ä.:* W. haben eine sehr große Elastizität.

wịrr ⟨Adj.⟩: *[völlig] durcheinander; verwirrt; unklar:* die Haare hingen ihr w. ins Gesicht; ich bin ganz w. von dem Lärm.

Wịrren, die ⟨Plural⟩: *ungeordnete Verhältnisse, Unruhen:* er hat die politischen W. zu seinem Vorteil ausgenutzt.

Wịrrkopf, der; -[e]s, Wirrköpfe: *jmd., der nur verwirrte Vorstellungen, Ideen von etwas hat:* er ist ein harmloser W.

Wịrrnis, die; -, -se (geh.): *verwirrende Unordnung:* die grüne W. des Gartens; bildl.: in den Wirrnissen des Lebens.

Wirsing

Wirrwarr, der; -s: *großes Durcheinander, Unordnung:* ein W. von Stimmen.

Wirsing, der; -s: /eine bestimmte Art von Kohl/ (siehe Bild S. 775).

Wirt, der; -[e]s, -e: *Inhaber, oder Pächter eines Restaurants* (siehe Bild). * **die Rechnung ohne den W. machen** *(etwas tun oder zu tun beabsichtigen, ohne die entscheidende Person zu berücksichtigen, die dem Vorhaben entgegenstehen oder die Verwirklichung verhindern kann).*

Wirt

Wirtschaft, die; -, -en: **1.** ⟨ohne Plural⟩ *alle Einrichtungen, Maßnahmen und Vorgänge, die mit der Produktion, dem Handel und dem Konsum von Waren, Gütern in Zusammenhang stehen:* die Entwicklung der W. beobachten; die freie W. *(wirtschaftliches System, das auf freiem Wettbewerb und auf der Aktivität privater Unternehmen beruht).* **2.** *Lokal, Gaststätte, Restaurant:* in die W. gehen. **3.** (ugs.) *Unordnung, Durcheinander:* was ist denn das für eine W.!

wirtschaften, wirtschaftete, hat gewirtschaftet ⟨itr.⟩: *mit gegebenen Mitteln in bestimmter Weise umgehen und sie für die Verwendung einteilen:* in der Firma wurde schlecht gewirtschaftet; seine Frau muß sehr genau w., um mit dem Geld auszukommen.

Wirtschafterin, die; -, -nen: *Frau, die für jmdn. den Haushalt führt:* eine neue W. einstellen.

wirtschaftlich ⟨Adj.⟩: **a)** ⟨nicht prädikativ⟩ *den Bereich der Wirtschaft betreffend; auf die Wirtschaft bezogen, sie betreffend:* die wirtschaftliche Lage, Entwicklung eines Staates. **b)** *finanziell günstig; rechnerisch; rationell; sparsam:* dieses Verfahren ist nicht w.; w. denken.

Wirtschaftlichkeit, die; -: *größtmöglicher Erfolg aus gegebenen Mitteln; Rentabilität:* die Maschine soll auf ihre W. geprüft werden.

Wirtschaftsgeld, das; -es, -er: *Geld, das zur Führung des Haushalts gebraucht wird:* sie kommt mit dem W. nicht aus.

Wirtschaftswissenschaften, die ⟨Plural⟩: *Gesamtheit der Wissenschaftszweige, die sich mit Wesen, Ordnung, Aufbau und Ziel der Wirtschaft befassen:* er studiert W.

Wirtshaus, das; -es, Wirtshäuser: *einfaches Gasthaus:* er geht oft ins W.

Wisch, der; -[e]s, -e (abwertend): *[unordentliches] Stück Papier:* ich habe den W. weggeworfen.

wischen, wischte, hat gewischt ⟨tr.⟩: **a)** *durch Streichen, Gleiten über etwas oder durch Reiben entfernen:* ich wischte mir den Schweiß von der Stirn; den Staub von den Büchern w. **b)** *mit feuchtem Lappen säubern:* den Fußboden vor dem Einräumen der Möbel kurz w.

Wischtuch, das; -[e]s, Wischtücher: *Tuch, mit dem etwas abgewischt oder trockengewischt wird:* mit einem W. die Gläser säubern.

wispern, wisperte, hat gewispert ⟨tr./itr.⟩: *flüstern, tonlos sprechen:* die Kinder wisperten; sie wisperte ihm etwas ins Ohr.

Wißbegier[de], die; -: *Wunsch, Wille, etwas in Erfahrung zu bringen, zu lernen:* die W. der Kinder war groß.

wißbegierig ⟨Adj.⟩: *voll Wißbegier[de]:* w. blätterte er in dem Buch.

wissen, weiß, wußte, hat gewußt: **1.** ⟨itr.⟩ *[genaue] Kenntnisse haben; kennen; informiert sein:* er weiß viel auf diesem Gebiet; ich weiß weder seinen Namen noch seine Adresse. **2.** ⟨itr./tr.⟩ *sich erinnern; im Gedächtnis haben:* ich weiß nicht mehr, wo ich das gelesen habe. **3.** ⟨itr.⟩ *sich (über etwas) im klaren sein; sich (einer Sache) sicher sein:* er weiß nicht, was er will; ich weiß wohl, welche Folgen dieser Entschluß für mich hat; ob er es wirklich ernst meint, weiß ich noch nicht. **4.** ⟨wissen + zu + Inf.⟩ *können:* er weiß sich zu benehmen.

Wissen, das; -s: *[umfangreiche, genaue] Kenntnisse:* er hat ein enormes W.

Wissenschaft, die; -, -en: *durch Forschung für ein bestimmtes Gebiet erarbeitetes System von Erkenntnissen; systematisch entwickelte Methode, mit der ein fachlicher Bereich erforscht wird:* die medizinische W. * (ugs.) **etwas ist eine W. für sich** *(etwas ist sehr schwierig, kompliziert).*

Wissenschaftler, der; -s, -: *jmd., der forschend oder lehrend in einer Wissenschaft tätig ist:* die W. hielten eine Tagung ab.

wissenschaftlich ⟨Adj.⟩: *der Wissenschaft entsprechend, zur Wissenschaft gehörend:* er liest ein wissenschaftliches Buch; w. arbeiten, forschen.

Wissensgebiet, das; -[e]s, -e: *Gebiet von zusammenhängenden Erkenntnissen:* er hat sich gut in dieses W. eingearbeitet.

wissenswert ⟨Adj.⟩: *wert, daß man es wissen sollte:* er hat ihm wissenswerte Neuigkeiten erzählt.

wissentlich ⟨Adj.⟩: *mit Wissen, absichtlich:* er hat die Angaben w. falsch weitergeleitet.

wittern, witterte, hat gewittert ⟨tr.⟩: **1.** *durch den Geruch wahrnehmen* /von Tieren/: der Hund wittert Wild. **2.** *(Unangenehmes) ahnen, vermuten, kommen sehen:* Gefahr, Unheil, Verrat w.

Witterung, die; -: **1.** *Art des Wetters:* warme, feuchte W. **2.** *das Aufspüren oder die Wahrnehmung durch den Geruch* /von Hunden oder vom Wild/: der Hund hat eine feine W.

Witwe, die; -, -n: *Ehefrau, deren Mann tot ist.*

Witwer, der; -s, -: *Ehemann, dessen Frau tot ist.*

Witz, der; -es, -e: *geistreicher Scherz; kurze Äußerung mit besonderer Pointe:* ein guter, politischer W.

Witzblatt, das; -[e]s, Witzblätter: *Zeitung, die nur Witze o. ä. bringt:* das gehört in ein W.

Witzbold, der; -[e]s, -e (ugs.): *Person, die häufig nicht besonders geistreiche Witze erzählt, Scherzhaftes sagt, ohne damit Anklang zu finden:* du wirst doch nicht ernst nehmen, was dieser W. sagt.

witzeln, witzelte, hat gewitzelt ⟨itr.⟩: *witzig-spöttische Bemerkungen machen:* sie haben über alles und jedes gewitzelt.

witzig ⟨Adj.⟩: *spaßig, lustig:* eine witzige Bemerkung; der Hut sieht aber w. aus.

witzlos ⟨Adj.⟩ (ugs.): *ohne Sinn und ohne Reiz; der eigentlichen Absicht nicht mehr entsprechend:* es ist ja w., bei diesem Wetter zu verreisen.

wo ⟨Adverb⟩: **1.** ⟨interrogativ⟩ *an welchem Ort, an welcher Stelle:* w. wohnst du?; ich weiß nicht, w. man das kaufen kann. **2.** ⟨relativ⟩ **a)** ⟨lokal⟩: die Stelle, wo *(an der)* das Unglück passierte; die Stadt, wo *(in der)* ich geboren wurde. **b)** ⟨temporal⟩: an den Tagen, wo *(an denen)* kein Unterricht ist, sind die Omnibusse leerer; die Zeit, wo *(in der)* es nichts zu kaufen gab, ist mir noch gut in Erinnerung. **3.** ⟨indefinit⟩ (ugs.) *irgendwo:* das Buch muß doch wo liegen.

Woche, die; -, -n: *Zeitraum von sieben Tagen, bes. von Sonntag bis Sonnabend:* die dritte W. im Monat; er bekommt vier Wochen Urlaub.

Wochenbett, das; -[e]s: *Zeitraum von sechs bis acht Wochen nach der Entbindung.*

Wochenende, das; -s, -n: *das Ende der Woche, an dem im allgemeinen nicht gearbeitet wird; bes. Samstag und Sonntag.*

Wochenkarte, die; -, -n: *von Montag bis Sonnabend gültige, ermäßigte Fahrkarte für [Straßen]bahn, Autobus o. ä. für die Fahrt zum Arbeitsplatz, zur Schule und zurück:* dem Schaffner die W. zeigen.

wochenlang ⟨Adj.; nicht prädikativ⟩: *mehrere Wochen lang, eine Reihe von Wochen dauernd:* w. wartete sie auf eine Nachricht.

Wochenmarkt, der; -[e]s, Wochenmärkte: *Markt, der jede Woche einmal oder mehrmals abgehalten wird:* auf dem W. Gemüse einkaufen.

Wochenschau, die; -, -en: *wöchentlich gespielter Film, der einen Bericht über die wichtigen Ereignisse einer Woche gibt:* in der W. waren Ausschnitte von den Weltmeisterschaften zu sehen.

Wochentag, der; -[e]s, -e: *Werktag:* das Geschäft ist an allen Wochentagen geöffnet.

wöchentlich ⟨Adj.; nicht prädikativ⟩: *jede Woche:* wir treffen uns w. zweimal, zweimal w.

Wöchnerin, die; -, -nen: *Frau in der Zeit des Wochenbettes:* die W. muß geschont werden.

Wodka, der; -s, -s: *russischer Branntwein aus Kartoffeln:* eine Flasche W. kaufen.

wodurch ⟨Pronominaladverb⟩: *durch welche Sache, durch welchen Umstand:* **1.** [nachdrücklich auch: wodurch] ⟨interrogativ⟩: w. wurde der Unfall verursacht?; ich weiß nicht, w. er zu diesem Beschluß veranlaßt wurde. **2.** ⟨relativ⟩: der lange Regen führte zu großen Überschwemmungen, wodurch der Verkehr lahmgelegt wurde.

wofür ⟨Pronominaladverb⟩: *für welche Sache, für welchen Zweck:* **1.** [nachdrücklich auch: wofür] ⟨interrogativ⟩: w. brauchst du das Geld?; ich weiß nicht, w. wir uns entscheiden sollen. **2.** ⟨relativ⟩: ich habe ihr einige neue Kleider gekauft, w. sie mir sehr dankbar war.

Woge, die; -, -n (geh.): *große, mächtige Welle:* die Wogen schlugen über dem Schiff zusammen; bildl.: die Wogen der Begeisterung gingen hoch.

wogen, wogte, hat gewogt ⟨itr.⟩ (geh.): *sich in Wellen bewegen:* das Wasser wogte; ⟨häufig im 1. Partizip⟩ die wogende See; bildl.: der Kampf wogte hin und her; wogende Kornfelder.

woher ⟨Adverb⟩: *von welcher Stelle; aus welchem Ort:* **1.** ⟨interrogativ⟩: w. kommst du?; ich weiß nicht, w. er seine Informationen hat. **2.** ⟨relativ⟩: er soll wieder dorthin gehen, w. er gekommen ist.

wohin ⟨Adverb⟩: *in welche Richtung; an welchen Ort:* **1.** ⟨interrogativ⟩: w. gehen wir?; ich weiß, w. er fährt. **2.** ⟨relativ⟩: nirgends fanden wir Unterstützung, w. wir uns auch wandten.

wohl ⟨Adverb⟩: **1.** *gut:* dieser Plan ist w. überlegt; sich w. fühlen; jmdm. ist nicht w. *** jmdm. ist bei etwas nicht w.** *(jmd. hat bei etwas Bedenken).* **2. a)** *vermutlich, vielleicht; sicherlich:* das ist w. das Beste, was man tun kann; er wird w. noch kommen. **b)** *etwa, ungefähr:* es wird w. ein Jahr sein, daß ich dort war. **3.** *zwar:* w. nimmt er an der Veranstaltung teil, doch hat er im Grunde kein besonderes Interesse daran.

Wohl, das; -[e]s: *Gedeihen, Wohlbefinden:* für das W. der Familie sorgen. *** das leibliche W.** *(das Essen und Trinken).*

Wohlbefinden, das; -s: *Zustand, in dem man sich wohl fühlt.*

Wohlbehagen, das; -s: *Zustand des behaglichen Wohlbefindens:* mit W. sein Pfeifchen schmauchen.

wohlbehalten ⟨Adverb⟩: *ohne Schaden zu nehmen; ohne Unfall, Verletzung:* sie ist w. zu Hause angekommen.

Wohlergehen, das; -s: *Zustand, in dem man gesund und zufrieden ist.*

wohlerzogen ⟨Adj.⟩: *gut erzogen, artig:* ein wohlerzogenes Kind.

Wohlfahrtsstaat, der; -[e]s, -en (oft abwertend): *Staat, der durch umfassende Gesetzgebung und sonstige Maßnahmen für die soziale Sicherheit seiner Bürger sorgt:* im W. wird dem einzelnen die Verantwortung für sich selbst weitgehend abgenommen.

wohlfeil ⟨Adj.⟩ (veralt.): *billig, preiswert:* wohlfeile Waren anbieten.

Wohlgefallen, das; -s: *großes Gefallen, Freude an jmdm./etwas:* er betrachtete das Kunstwerk mit W. * (ugs.) **etwas löst sich in W. auf: a)** *etwas endet gut, findet eine gute Lösung:* zuerst gab es Streit, aber später löste sich alles in W. auf. **b)** *etwas geht entzwei, aus dem Leim:* das Buch wird sich bald in W. auflösen.

wohlgefällig ⟨Adj.⟩: *mit Wohlgefallen, freudig:* er sah w. an seiner untadeligen Kleidung hinab.

wohlgenährt ⟨Adj.⟩: *gut genährt, beleibt:* wohlgenährte Bürger.

Wohlgeruch, der; -s, Wohlgerüche: *angenehm empfundener Geruch; Duft.*

wohlgesinnt ⟨Adj.⟩: *gut, freundlich gesinnt:* der Lehrer ist seinem Schüler w.

wohlhabend ⟨Adj.; nicht adverbial⟩: *Vermögen habend, begütert:* er ist ein wohlhabender Bürger.

wohlig ⟨Adj.⟩: *angenehm, wohltuend:* wohlige Wärme durchströmte ihn.

wohlriechend ⟨Adj.⟩: *duftend, gut riechend:* wohlriechende Blumen.

wohlschmeckend ⟨Adj.⟩: *gut schmeckend:* wohlschmeckende Speisen standen auf dem Tisch.

Wohlstand, der; -[e]s: *hoher Lebensstandard:* die Familie lebt im W.

Wohltat, die; -, -en: **a)** *gute, helfende Tat; Unterstützung:* jmdm. eine W. erweisen. **b)** ⟨ohne Plural⟩ *etwas, was in einer bestimmten Situation als besonders angenehm in seiner Wirkung empfunden wird; Annehmlichkeit:* der Regen ist bei der Hitze eine wahre W.

Wohltäter, der; -s, -: *jmd., der anderen Wohltaten erweist:* sie ist ihrem W. dankbar.

wohltätig ⟨Adj.⟩: *Wohltaten erweisend; sozial:* w. wirken.

Wohltätigkeit, die; -.

wohltuend ⟨Adj.⟩: *angenehm [wirkend]:* eine wohltuende Ruhe.

wohlverdient ⟨Adj.⟩: *in besonderem Maße verdient:* er wurde mit wohlverdienten Ehren überhäuft.

wohlweislich ⟨Adverb⟩: *aus gutem Grund:* er hat sich w. gehütet, gegen ihn etwas zu unternehmen.

Wohlwollen, das; -s: *Geneigtheit, freundschaftliche Gesinnung; Zuneigung, Gunst:* er genießt das W. des Direktors.

wohlwollend ⟨Adj.⟩: *freundlich gesinnt, von Wohlwollen bestimmt:* er bat um eine wohlwollende Beurteilung.

Wohnblock, der; -s, -s: *Einheit von mehreren zusammenhängend und einheitlich gebauten Häusern mit Wohnungen.*

wohnen, wohnte, hat gewohnt ⟨itr.⟩ **a)** *seine Wohnung, seinen ständigen Wohnsitz haben:* er wohnt jetzt in Mannheim. **b)** *übernachten; Unterkunft haben:* ich wohne im Hotel.

wohnhaft: ⟨in der Verbindung⟩ w. sein (Amtsspr.): *wohnen, seinen Wohnsitz haben:* er ist seit dem 1. Januar hier w.

Wohnhaus, das; -es, Wohnhäuser: *Haus, das eine oder mehrere Wohnungen enthält:* in den Vororten herrschen schlichte Wohnhäuser mit ein und zwei Stockwerken vor.

wohnlich ⟨Adj.⟩: *(zum Wohnen) gemütlich, behaglich:* ein w. eingerichtetes Zimmer.

Wohnort, der; -[e]s, -e: *Ort, an dem jmd. seinen ständigen Wohnsitz hat:* er wechselt häufig seinen W.

Wohnraum, der; -[e]s, Wohnräume: **a)** *Raum eines Hauses, einer Wohnung, der bewohnt wird:* dieses Haus hat vier Wohnräume. **b)** ⟨ohne Plural⟩ *Platz zum Wohnen:* der W. der Stadt muß vergrößert werden.

Wohnsitz, der; -es, -e: *Ort, in dem man wohnt und polizeilich gemeldet ist:* er hat seinen ständigen W. in Mannheim; sein zweiter W. ist Wien.

Wohnung, die; -, -en: *Einheit von mehreren Räumen als ständige Unterkunft für eine oder mehrere Personen.*

Wohnungsamt, das; -[e]s, Wohnungsämter: *Amt zur Erfassung und Verteilung von Wohnraum:* er ließ sich auf dem W. vormerken.

Wohnungsnot, die; -: *Mangel an Wohnungen:* Bemühungen, die drückende W. zu beseitigen.

Wohnviertel, das; -s, -: *Gebiet einer Stadt, in dem hauptsächlich Wohnhäuser stehen:* dieses W. ist sehr ruhig.

Wohnwagen, der; -s, -: *zum Wohnen eingerichteter Anhänger für Kraftfahrzeuge* (siehe Bild).

Wohnwagen

Wohnzimmer, das; -s, -: *Raum in einer Wohnung, in dem sich der größte Teil des häuslichen Lebens abspielt:* sie haben im W. ein Fernsehgerät.

wölben, sich; wölbte sich, hat sich gewölbt: *sich in Form eines Bogens (über etwas) erstrecken:* der Himmel wölbt sich über uns.

Wölbung, die; -, -en.

Wolf, der; -[e]s, Wölfe: **I.** /ein Raubtier/ (siehe Bild): ein hungriger W.; die Wölfe heulen. ***mit den Wölfen heulen** *(sich der Meinung der Mehrheit anschließen, um nicht aufzufallen).* **II.** /eine Maschine zum Zerkleinern von Fleisch o. ö./: er hat das Fleisch durch den W. gedreht.

I.

Wolf

Wolfshunger, der; -s (ugs.): *großer Hunger:* mit einem W. setzten sie sich zu Tisch.

Wolfsrachen, der; -s, -: Med. *angeborene, durchgehende Spaltung von Lippen, Kiefer und Gaumen.*

Wolke, die; -, -n: *hoch in der Luft schwebender Dampf, der sich zu Tropfen oder Eiskristallen verdichtet* (siehe Bild): eine W. steht am Himmel; Wolken bringen Regen. * (ugs.) **aus allen Wolken fallen** *(von etwas völlig überrascht sein):* er fiel aus allen Wolken, als er mich sah.

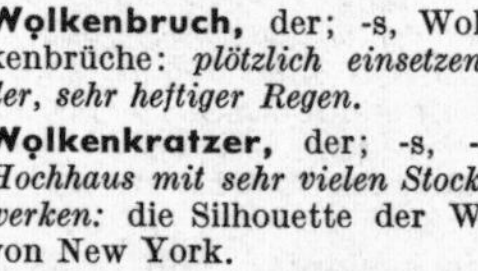

Wolke

Wolkenbruch, der; -s, Wolkenbrüche: *plötzlich einsetzender, sehr heftiger Regen.*

Wolkenkratzer, der; -s, -: *Hochhaus mit sehr vielen Stockwerken:* die Silhouette der W. von New York.

Wolkenkuckucksheim, das; -[e]s: *Reich der Phantasie, des Traumes, das keinen Bezug zur Wirklichkeit hat:* er lebt in einem W.

wolkenlos ⟨Adj.⟩: *ungetrübt, klar* /vom Himmel/: über uns der wolkenlose Himmel; bildl.: vor ihm schien eine wolkenlose Zukunft zu liegen.

Wolkenwand, die; -: *größere Zusammenballung von Wolken:* die W. im Westen kam immer näher.

wolkig ⟨Adj.; nicht adverbial⟩: *mit Wolken bedeckt* /vom Himmel/: der Himmel ist w.; es ist w.

Wolldecke, die; -, -n: *dicke, warme Decke aus Wollstoff:* sie hüllte sich frierend in eine W.

Wolle, die; -: **1.** *die krausen Haare des Schafes oder anderer Tiere:* W. waschen, verarbeiten. * (ugs.) **sich in die W. geraten** *(sich heftig streiten):* die beiden sind sich schon wieder in die W. geraten. **2.** *aus den Haaren des Schafes gesponnene Faser:* ein Pullover aus feiner W.

wollen, will, wollte, hat gewollt /(nach vorangehendem Inf.) hat... wollen ⟨itr.⟩: **1.** /drückt einen Wunsch oder eine Absicht aus/ **a)** *wünschen, verlangen; fordern:* ich will mein Recht; er will Geld [haben]; diese Pflanze will *(braucht)* trockenen Boden; ⟨oft im 2. Konjunktiv⟩ ich wollte, er käme zurück. **b)** *planen, die Absicht haben; mögen:* er will arbeiten; sie will zum Theater; ich will *(mag)* nichts davon wissen; er will es nicht gewesen sein *(er behauptet, er sei es nicht gewesen)*. **2.** ⟨im 1. Konjunktiv⟩ /drückt eine höfliche Aufforderung oder einen frommen Wunsch aus/: man wolle die Vorschrift genau beachten!; Sie wollen sich bitte morgen bei mir melden; das wolle *(möge)* Gott verhüten! **3.** /drückt eine Notwendigkeit aus/: das will überlegt sein; Tanzen will gelernt sein. **4.** /hat nur umschreibende Funktion/: das will nichts bedeuten *(das bedeutet nichts);* die Arbeit will mir nicht schmecken *(schmeckt mir nicht)*.

wollig ⟨Adj.⟩: **a)** *aus Wolle bestehend:* die wollige Seite des Fells wird innen getragen. **b)** *dicht und gekräuselt* /vom Haar/: wolliges Haar.

Wollstoff der; -[e]s, -e: *Stoff aus Wolle:* ein Anzug aus leichtem, warmem W.

Wolltuch, das; -[e]s, Wolltücher: *Tuch aus Wolle:* sie legte sich ein W. um die Schultern.

Wollust, die; -, Wollüste (geh.): **a)** *Gefühl höchster Lust bei der Befriedigung des Geschlechtstriebes:* die Mächtigen ergaben sich der W. **b)** *höchste Freude, Wonne:* sich mit W. an jmdm. rächen.

wollüstig ⟨Adj.⟩ (geh.): *von dem Gefühl höchster Lust bei der Befriedigung des Geschlechtstriebes bestimmt:* wollüstige Empfindungen, Vorstellungen.

womit ⟨Pronominaladverb⟩: **1.** [nachdrücklich auch: womit] ⟨interrogativ⟩ *mit welcher Sache?, auf welche Weise?:* w. kann ich dir helfen? **2.** ⟨relativ⟩ *mit welcher (eben erwähnten) Sache, mit welchen (eben erwähnten) Worten u. ä.:* das Seil, w. er gefesselt war; er schätzt sie sehr, w. ich nicht sagen will, daß er sie liebt.

womöglich ⟨Adverb⟩: **a)** *wenn es möglich ist, möglichst:* ich möchte w. schon heute abreisen. **b)** *vielleicht [sogar]:* er ist w. schon da.

wonach ⟨Pronominaladverb⟩: **1.** [nachdrücklich auch: wonach] ⟨interrogativ⟩ *nach welcher Sache?:* w. suchst du? **2.** ⟨relativ⟩ **a)** *nach welcher (eben erwähnten) Sache:* das Buch, w. du fragst. **b)** *nach dessen/deren Wortlaut:* der Bericht, wonach er verunglückt ist, trifft nicht zu.

Wonne, die; -, -n: *glückliche Freude; Gefühl des höchsten Vergnügens:* etwas mit W. genießen; die Wonnen der Liebe; es wäre mir eine wahre W., ihm richtig die Meinung zu sagen.

woran ⟨Pronominaladverb⟩: **1.** [nachdrücklich auch: woran] ⟨interrogativ⟩ **a)** *an welcher Sache?:* w. erkennst du ihn?; ich frage mich, w. das liegt *(warum das so ist)*. **b)** *an welche Sache?:* w. denkst du? **2.** ⟨relativ⟩ **a)** *an welcher (eben erwähnten) Sache:* das Bild, w. er arbeitet. **b)** *an welche (eben erwähnte) Sache:* das ist alles, w. ich mich erinnern kann.

worauf ⟨Pronominaladverb⟩: **1.** [nachdrücklich auch: worauf] ⟨interrogativ⟩ **a)** *auf welche Sache?:* w. kommt es hier an? **b)** *auf welcher Sache?:* w. liegst du? **2.** ⟨relativ⟩ **a)** *auf welche (eben erwähnte) Sache:* das Geld, w. ich warte. **b)** *auf welcher (eben erwähnten) Sache:* der Stuhl, w. er sitzt. **c)** *auf welchen (eben erwähnten) Vorgang folgend:* ich gab ihm den Brief, w. er das Zimmer verließ.

woraus ⟨Pronominaladverb⟩: **1.** [nachdrücklich auch: woraus] ⟨interrogativ⟩ *aus welcher Sache?; aus welchen Teilen?:* w. besteht dein Frühstück? **2.** ⟨relativ⟩ *aus welcher (eben erwähnten) Sache:* das Glas, w. er trinkt; er war sofort bereit, w. ich schließe, daß er schon Bescheid wußte.

worin ⟨Pronominaladverb⟩: **1.** [nachdrücklich auch: worin] ⟨interrogativ⟩ *in welcher Sache?:* w. besteht der Vorteil? **2.** ⟨relativ⟩ *in welcher (eben erwähnten) Sache:* er las den Brief, w. die Anordnung stand.

Wort, das; -es, Wörter und Worte: **1.** *kleinster selbständiger Teil einer Sprache, der eigene Bedeutung oder Funktion hat:* **a)** ⟨Plural: Wörter⟩ /als einzelnes Gebilde/: ein kurzes, langes W.; ein Satz von zehn Wörtern. * **W. für W.** *(jedes Wort für sich):* etwas W. für W. übersetzen. **b)** ⟨Plural: Worte⟩ /als Träger eines Sinnes/: die Worte „Frieden" und „Freiheit" werden oft mißbraucht. **2.** ⟨Plural: Worte⟩ *Ausspruch, Äußerung:* ein W. von Goethe; das war ein mutiges W.; ⟨oft im Plural⟩ tröstende Worte sprechen; unnötige Worte machen. * **das W. ergreifen** *(in einer Versammlung sprechen);* **jmdm. ins W. fallen** *(jmdn. unterbrechen);* **sein W. halten** *(sein Versprechen halten)*.

wortbrüchig ⟨Adj.⟩: *ein gegebenes Versprechen nicht haltend:* er wurde an seinem Freund w.

Wörtchen: ⟨in bestimmten Wendungen⟩ (ugs.) **ein W. mit jmdm. zu reden haben** *(jmdm. die Meinung sagen wollen):* mit dir habe ich noch ein W. zu reden; (ugs.) **ein W. mitzureden haben** *(befugt sein, bei einer Entscheidung mitzuwirken):* in dieser Sache habe ich auch noch ein W. mitzureden.

Wörterbuch, das; -[e]s, Wörterbücher: *meist nach dem Abc geordnetes Verzeichnis von Wörtern einer Sprache, das auch Erklärungen oder die entsprechenden Wörter einer anderen Sprache enthält.*

Wortführer, der; -s, -: *Sprecher einer Gruppe:* sie machten ihn zu ihrem W.

Wortgefecht, das; -[e]s, -e: *Streit mit Worten:* sie trugen ein W. aus.

wortgetreu ⟨Adj.⟩: *wortwörtlich:* eine wortgetreue Wiedergabe des Textes.

wortkarg ⟨Adj.⟩: *wenig redend, einsilbig, schweigsam:* ein wortkarger Mann.

Wortklauberei, die; -, -en: *pedantisches, kleinliches Auslegen von Worten:* laß doch diese W. endlich sein!

Wortlaut, der; -[e]s: *genauer Text; wörtlicher Inhalt:* ich kenne den W. des Vertrages nicht.

wörtlich ⟨Adj.⟩: *dem Wortlaut genau entsprechend:* eine wörtliche Übersetzung; so hat er w. gesagt.

wortlos ⟨Adj.⟩: *schweigend, ohne ein Wort zu sprechen; ohne Worte:* er reichte mir w. die Hand; wortloses Beten.

Wortmeldung, die; -, -en: *Meldung bei einer Diskussion o. ä., daß man sprechen möchte:* einige Wortmeldungen konnten nicht mehr berücksichtigt werden.

Wortschatz, der; -es: **a)** *alle zu einer Sprache gehörenden Wörter.* **b)** *alle Wörter, die einem einzelnen zur Verfügung stehen:* sein W. ist nicht sehr groß.

Wortschwall, der; -[e]s (abwertend): *viele, rasch aufeinanderfolgende Worte:* er überschüttete mich mit einem wahren W.

Wortspiel, das; -[e]s, -e: *witzige Zusammenstellung gleich oder ähnlich klingender Wörter mit verschiedener Bedeutung.*

Wortwechsel, der; -s, -: *Streit mit Wörtern:* es kam zu einem heftigen W. zwischen ihnen.

wortwörtlich ⟨Adj.⟩: *dem Wortlaut getreu, Wort für Wort:* er schrieb alles w. ab.

worüber ⟨Pronominaladverb⟩: **1.** [nachdrücklich auch: worüber] ⟨interrogativ⟩ *über welche Sache?:* w. freust du dich so? **2.** ⟨relativ⟩ *über welche (eben erwähnte) Sache:* das Thema, w. er spricht.

worum ⟨Pronominaladverb⟩: **1.** [nachdrücklich auch: worum] ⟨interrogativ⟩ *um welche Sache?:* w. handelt es sich denn? **2.** ⟨relativ⟩ *um welche (eben erwähnte) Sache:* es gibt vieles, w. ich dich bitten könnte.

worunter ⟨Pronominaladverb⟩: **1.** [nachdrücklich auch: worunter] ⟨interrogativ⟩ *unter welcher Sache?:* w. hat er zu leiden? **2.** ⟨relativ⟩ *unter welcher (eben erwähnten) Sache:* Erklärungen, w. vieles zu verstehen ist.

wovon ⟨Pronominaladverb⟩: **1.** [nachdrücklich auch: wovon] ⟨interrogativ⟩ *von welcher Sache?:* w. sprichst du? **2.** ⟨relativ⟩ *von welcher (eben erwähnten) Sache:* er erwähnte etwas, w. ich schon gehört hatte.

wovor ⟨Pronominaladverb⟩: **1.** [nachdrücklich auch: wovor] ⟨interrogativ⟩ *vor welcher Sache?:* w. hat das Kind Angst? **2.** ⟨relativ⟩ *vor welcher (eben erwähnten) Sache:* er sagte nicht, w. er sich fürchtete.

wozu ⟨Pronominaladverb⟩: **1.** [nachdrücklich auch: wozu] ⟨interrogativ⟩ **a)** *zu welchem Zweck?:* w. brauchst du das? **b)** *zu welcher Sache?:* w. gehört dieses Bild? **2.** ⟨relativ⟩ *zu welcher (eben genannten) Sache:* ich muß noch Briefe schreiben, w. ich gestern keine Zeit hatte.

Wrack, das; -s, -s: *[durch Zerstörung] unbrauchbar gewordenes Schiff, Flugzeug o. ä.:* ein W. liegt am Strand; bildl.: er ist nur noch ein W. *(ein durch Krankheit oder Alter hinfälliger Mensch).*

wringen, wrang, hat gewrungen ⟨tr.⟩: *windend drehen, zusammendrehen:* sie wringt die Wäsche *(dreht das Waschwasser heraus).*

Wucher, der; -s: *das Fordern zu hoher Zinsen oder Preise:* er treibt W.

Wucherer, der; -s, -: *jmd., der zu hohe Zinsen, Mieten u. a. verlangt.*

wuchern, wucherte, hat/ist gewuchert ⟨itr.⟩: **1.** *üppig und wild wachsen:* das Unkraut ist über den Weg gewuchert. **2.** *Wucher treiben:* er hat mit seinem Geld gewuchert.

Wucherung, die; -, -en: *krankhaft gewachsenes Gewebe im Körper; Geschwulst.*

Wuchs, der; -es: *Art, wie jmd./etwas gewachsen ist:* ein Baum, ein Mädchen von schlankem W.

Wucht, die; -: *kräftiger Schwung; volle Kraft, die sich aus einer Bewegung ergibt:* der Stein traf ihn mit voller W.; unter der W. seiner Schläge brach das Tor.

wuchten, wuchtete, hat gewuchtet ⟨tr.⟩ (ugs.): *mit Kraft, Anstrengung vorwärts schieben, heben:* sechs Männer wuchteten den Stein auf den Wagen.

wuchtig ⟨Adj.⟩: **a)** *kraftvoll, gewaltig:* ein wuchtiger Schlag. **b)** *schwer, massig:* eine wuchtige Mauer.

wühlen, wühlte, hat gewühlt: **a)** ⟨itr.⟩ *(in etwas) mit beiden Händen oder Pfoten graben; (etwas) mit den Händen o. ä. durcheinanderbringen:* sie wühlte in ihrem Koffer; der Hund wühlte in der Erde. **b)** ⟨tr./rfl.⟩ *grabend bohren:* ein Loch w.; der Wurm wühlt sich durch die Erde.

Wulst, der; -es, Wülste: *länglich hervorstehende Stelle an einer Fläche o. ä.:* der Deckel hat einen W. am Rande.

wulstig ⟨Adj.; nicht adverbial⟩: *länglich und rund hervortretend:* wulstige Lippen.

wund ⟨Adj.; nicht adverbial⟩: *durch Reibung o. ä. an der Haut verletzt:* wunde Füße; das Kind ist ganz w. [vom Liegen]; er hat sich w. gelaufen. ***der wunde Punkt** *(die schwierige, kritische Stelle einer Angelegenheit).*

Wunde, die; -, -n: *Verletzung, die durch die Haut geht:* die W. blutet; bildl.: der Krieg hat dem Lande tiefe Wunden geschlagen *(große Schäden zugefügt).*

Wunder, das; -s, -: **a)** *außerordentlicher, Staunen erregender, den Erfahrungen oder den Naturgesetzen widersprechender Vorgang:* es ist ein W. geschehen; es war ein W., daß er gerettet wurde. *** W. wirken** *(überraschend gute Wirkung haben):* die Arznei hat W. gewirkt; (ugs.) **sein blaues W. erleben** *(etwas erleben, was einen in Verwunderung, in Erstaunen versetzt, [unangenehm] überrascht).* **b)** *Gegenstand, den man bewundern muß:* diese Brücke ist ein W. der Technik.

wunderbar ⟨Adj.⟩: **1. a)** *Bewunderung erregend, bezaubernd, herrlich:* ein wunderbarer Abend; sie sang w. **b)** *sehr gut, sehr schön, großartig:* sie hat sich w. erholt, ein wunderbares Essen. **c)** /verstärkend bei Adjektiven/ *sehr, außerordentlich:* die Blumen sind w. frisch. **2.** *wie ein Wunder wirkend:* seine wunderbare Errettung. ***ans**

Wunderbare grenzen *(fast unerklärlich sein):* seine Fähigkeiten grenzen ans Wunderbare.

Wụnderkind, das; -[e]s, -er: *Kind, das schon frühzeitig erstaunliche Fähigkeiten entwickelt:* der kleine Mozart war ein W.

wụnderlich ⟨Adj.⟩: *in seinem Wesen und Verhalten sonderbar erscheinend:* ein wunderlicher alter Mann; sie ist w. geworden.

Wụndermittel, das; -s, -: *Mittel von wunderbarer Wirkung:* ein W. gegen diese Krankheit gibt es nicht.

wụndern, wunderte, hat gewundert: **1.** ⟨itr.⟩ *jmds. Erwartungen nicht entsprechen; erstaunen, befremden:* es wundert mich, daß er nicht kommt. **2.** ⟨rfl.⟩ *erstaunt, befremdet sein:* ich wunderte mich über seine klugen Antworten. ***du wirst dich** [**noch**] **w.** *(es kommt ganz anders, als du denkst).*

wụndernehmen, nimmt wunder, nahm wunder, hat wundergenommen ⟨itr.⟩ (veraltend; geh.): *sich wundern:* es würde mich nicht w., wenn das geschähe.

wụnderschön ⟨Adj.⟩: *sehr schön:* ein wunderschöner Tag.

wụndervoll ⟨Adj.⟩: *bezaubernd, herrlich:* wundervolle Blumen.

Wụnderwerk, das; -[e]s, -e: *hervorragende, außergewöhnliche Leistung:* ein W. der Baukunst, der Technik.

wụndliegen, sich; lag sich wund, hat sich wundgelegen: *sich durch langes, unbequemes Liegen die Haut aufreiben:* ich habe mich wundgelegen.

Wụndmal, das; -[e]s, -e (geh.): *nicht verheilte oder vernarbte Wunde:* die fünf Wundmale Christi.

Wụndstarrkrampf, der; -[e]s: *Vergiftung und Lähmung des gesamten Nervensystems durch in die Wunde eingedrungene Bazillen:* eine Spritze gegen W. bekommen.

Wụnsch, der; -es, Wünsche: **1. a)** *[starkes] Verlangen, Streben:* er hat den W., Arzt zu werden. **b)** *Bitte:* einen W. aussprechen; er ist auf seinen W. [hin] versetzt worden; jmdm. einen W. erfüllen. **2.** *Glückwunsch:* mit den besten Wünschen für das neue Jahr.

Wụ̈nschelrute, die; -, -n: *gegabelter Zweig eines Haselnußstrauches, einer Weide o. ä., der durch Ausschlagen Bodenschätze oder Wasser anzeigt:* er geht mit der W. über das Grundstück.

wụ̈nschen, wünschte, hat gewünscht ⟨tr.⟩: **a)** *etwas (für sich oder andere) gern haben wollen:* ich wünsche mir ein Fahrrad zum Geburtstag; ich wünsche dir gutes Wetter für den Urlaub. **b)** ⟨wünschen + zu + Inf.⟩ *gern etwas tun wollen; ein Verlangen aussprechen; um etwas bitten:* er wünschte, seinem Beispiel zu folgen; er wünscht, um 6 Uhr geweckt zu werden; er wünscht, nach Hause gehen zu dürfen.

wụ̈nschenswert ⟨Adj.⟩: *wert, daß man es sich wünschen sollte; wie man es sich wünscht:* das ist eine wünschenswerte Verbesserung.

wụnschgemäß ⟨Adverb⟩: *jmds. Wunsch gemäß, entsprechend; so, wie es sich jmd. gewünscht hat:* der Auftrag wurde w. erledigt.

wụnschlos ⟨Adj.⟩: *ohne weiteren Wunsch; ganz zufrieden:* wunschloses Glück; ich bin augenblicklich ganz w. *** w. glücklich sein** *(sehr glücklich sein):* sie ist w. glücklich.

Wụnschtraum, der; -[e]s, Wunschträume: *etwas, was man sich sehnlichst wünscht:* sein W. ist eine Weltreise.

Wụnschzettel, der; -s, -: *Zettel mit einer Reihe von Wünschen:* die Kinder schrieben zu Weihnachten ihre W.

Wụ̈rde, die; -, -n: **1.** ⟨ohne Plural⟩ **a)** *achtunggebietender innerer Wert; hoher Rang:* die W. des Menschen achten. **b)** *Haltung, die durch das Bewußtsein vom eigenen Wert oder von einer geachteten Stellung, die man innehat, bestimmt wird:* etwas mit W. ertragen; er fand es unter seiner W., ihr zu antworten. **2.** *ehrenvoller Titel; hohe Stellung:* jmdm. eine akademische W. verleihen; er hat die höchsten Würden erreicht.

wụ̈rdelos ⟨Adj.⟩: *ohne Würde; ohne das Bewußtsein seines Wertes oder der Bedeutung seiner Stellung:* sein Betragen ist w.

Wụ̈rdenträger, der; -s, -: *jmd., der ein hohes weltliches oder geistliches Amt bekleidet, hohe Auszeichnungen besitzt:* hohe W. nahmen an der Premiere teil.

wụ̈rdevoll ⟨Adj.⟩: *vom Bewußtsein seines Wertes oder der Bedeutung seiner Stellung getragen:* sich w. benehmen; würdevolle Haltung.

wụ̈rdig ⟨Adj.⟩: **1.** *Würde besitzend und zeigend:* ein würdiger Gelehrter; würdiges Auftreten. **2.** *den erforderlichen Wert habend:* ein würdiger Nachfolger; (geh.) er war meines Vertrauens nicht w.

wụ̈rdigen, würdigte, hat gewürdigt ⟨tr.⟩: **1.** *nach seinem Wert beurteilen; anerkennen:* der Redner würdigte die Verdienste des Ministers; ich weiß deine Hilfe zu w. *(zu schätzen).* **2.** *für wert halten:* er würdigte mich keines Blickes *(er hielt es nicht für nötig, mich anzusehen).*

Wụ̈rdigung, die; -, -en.

Wụrf, der; -[e]s, Würfe: **1.** *die Handlung des Werfens:* das war ein guter W. [mit dem Ball]. *** einen großen W. tun** *(mit etwas großen Erfolg haben).* **2.** *die auf einmal geborenen Jungen bestimmter Tiere:* ein W. Dackel, Schweine.

Wụ̈rfel, der; -s, -: **1.** /ein geometrischer Körper/ (siehe Bild). **2. a)** *zum Spiel gebrauchter Stein, dessen Seiten 1 bis 6 Punkte tragen* (siehe Bild). *** die W. sind gefallen** *(die Entscheidung ist getroffen).* **b)** *Gegenstand mit der Form eines geometrischen Würfels:* ein W. Speck.

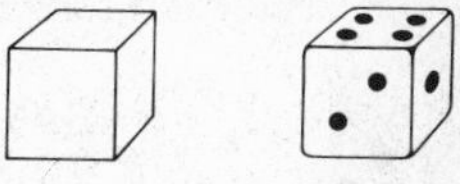
1. 2. a)
Würfel

wụ̈rfeln, würfelte, hat gewürfelt ⟨itr.⟩ /vgl. gewürfelt/: *mit Würfeln spielen:* sie würfelten darum, wer anfangen solle.

Wụ̈rfelspiel, das; -[e]s, -e: *Spiel mit Würfeln, die aus einem Becher geleert werden und deren obere Anzahl an Punkten nach einem bestimmten System den Gewinner bestimmt:* sie sitzen den ganzen Abend beim W.

Wụ̈rfelzucker, der; -s: *Zukker, der in die Form kleiner Würfel gepreßt ist:* W. in eine Dose füllen.

Wurfgeschoß, das; Wurfgeschosses, Wurfgeschosse: *Geschoß, das geworfen oder geschleudert wird:* sie benutzten Steine als Wurfgeschosse.

würgen, würgte, hat gewürgt **1.** ⟨tr.⟩ *(jmdm.) die Kehle zusammendrücken:* er hat mich gewürgt. **2.** ⟨itr.⟩ *(etwas) nicht schlucken können:* sie würgte an dem Bissen.

Wurm, der; -[e]s, Würmer: /ein kriechendes Tier von läng-

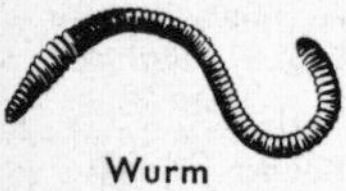

Wurm

licher Form/ (siehe Bild): der W. krümmt sich. * (ugs.) **da ist/sitzt der W. drin** *(das sieht nur äußerlich gut aus).*

Würmchen, das; -s, -(ugs.): *kleines, hilfloses Kind:* dem armen W. muß geholfen werden.

wurmen, wurmte, hat gewurmt ⟨itr.⟩ (ugs.): *(jmdm.) anhaltenden Ärger verursachen:* es wurmt mich, daß ich nicht eingeladen wurde.

Wurst, die; -, Würste: /Nahrungsmittel aus fein gehacktem Fleisch in einem Darm/ (siehe Bild): eine Scheibe W. * (ugs.) **das ist mir W.** *(das ist mir gleichgültig);* (ugs.) **es geht um die W.** *(es geht um die Entscheidung).*

Wurst

Würstchen, das; -s, -: *kleine, dünne Wurst, die in Wasser heiß gemacht wird:* Frankfurter W.

Wurstel, der; -s, -(bayr.; östr.): *Hanswurst, Kasperle:* den W. im Theater spielen.

Würstel, das; -s, -(bayr.; östr.): *Würstchen:* sie tauchte das W. in den Senf. * (ugs.) **bei etwas gibt es keine W.** *(bei etwas werden keine Ausnahmen gemacht, gibt es keine besonderen Rücksichten):* ihr macht jetzt eure Hausaufgaben, da gibt es keine W.

wurstig ⟨Adj.⟩ (ugs.): *gleichgültig, desinteressiert, teilnahmslos:* er ist, benimmt sich ziemlich w. **Wurstigkeit,** die; -.

Würze, die; -, -n (geh.): *Mittel zur Verbesserung des Geschmacks von Suppen, Soßen o. ä.:* der Soße fehlt die W.; bildl.: Musik ist eine W. des Lebens *(macht das Leben angenehmer, gehaltvoller).*

Wurzel, die; -, -n: **1.** *Organ, mit dem sich Pflanzen in der Erde festhalten und ernähren* (siehe Bild): Unkraut mit der W. ausziehen; bildl.: ein Übel an der W. packen *(es von Grund aus beseitigen wollen).* * **Wurzeln schlagen** *(festwachsen;* bildl.: *sich irgendwo eingewöhnen).* **2.** *im Kiefer sitzender Teil des Zahnes:* der Zahnarzt muß die W. behandeln. **3.** /ein mathematischer Wert/: die W. einer Zahl ziehen.

Wurzel 1.

wurzeln, wurzelte, hat gewurzelt ⟨itr.⟩: *mit den Wurzeln festsitzen:* die Kiefer wurzelt auf einem Felsen; bildl.: jmd. wurzelt in der Heimat *(jmd. ist mit der Heimat eng verbunden).*

Wurzelstock, der; -[e]s, Wurzelstöcke: *einer Wurzel ähnlicher, häufig unterirdischer Sproß, mit dem bestimmte Pflanzen, bes. Stauden, überwintern können:* einen W. ausgraben.

Wurzelwerk, das; -s: **a)** *alle Wurzeln einer Pflanze:* das W. der Blume soll nicht beschädigt werden. **b)** *Zusammenstellung verschiedener Wurzeln, bes. von Mohrrüben, Sellerie und Petersilie, die beim Kochen von Suppen, Fleisch o. ä. hinzugefügt werden:* das W. zerkleinern.

würzen, würzte, hat gewürzt ⟨tr.⟩: *mit Gewürzen u. a. schmackhaft machen:* eine Suppe w.; bildl.: er würzte seinen Vortrag mit Humor *(er streute humorvolle Bemerkungen ein).*

würzig ⟨Adj.⟩: *kräftig schmeckend oder duftend:* eine würzige Speise; würzige Luft.

Wust, der; -es: *Durcheinander, ungeordnete Menge:* ein W. von Papieren.

wüst ⟨Adj.⟩: **1.** ⟨nicht adverbial⟩ *öde, nicht kultiviert:* eine wüste Gegend. **2. a)** *wirr, verwahrlost:* im Zimmer herrschte eine wüste Unordnung; hier sieht es w. aus. **b)** *roh, verwildert, ausschweifend:* ein wüster Kerl; ein wüstes *(wildes)* Fest.

Wüste, die; -, -n: *trockenes, meist heißes Gebiet ohne Pflanzen:* die arabische W.

wüsten, wüstete, hat gewüstet ⟨itr.⟩: *(mit etwas) verschwenderisch umgehen:* er wüstete mit seinem Vermögen, seinen Kräften.

Wüstenei, die; -, -en: **1.** (geh.; veraltend) *wüste, wilde, öde Gegend:* das Land war vor wenigen Jahren noch eine W. **2.** (ugs.) *große Unordnung:* in seinem Zimmer herrscht eine furchtbare W.

Wüstling, der; -s, -e: *ausschweifend lebender, roher Mensch:* einem W. in die Hände fallen.

Wut, die; -: *heftiger, unbeherrscht ausbrechender Zorn:* er geriet in W.

wüten, wütete, hat gewütet ⟨itr.⟩ /vgl. wütend/: **a)** *toben, rasen:* er wütete vor Zorn. **b)** *von zerstörender, vernichtender Wirkung sein:* draußen wütete der Sturm; Seuchen wüteten in allen Ländern.

wütend ⟨Adj.⟩: *von Wut erfüllt, bestimmt:* er kam w. ins Zimmer; er schrie mit wütender Stimme.

wutentbrannt ⟨Adj.⟩: *sehr wütend, voll Wut:* er knallte w. die Tür zu.

Wüterich, der; -s, -e: *jmd., der leicht in Wut gerät und dabei roh und gewalttätig ist:* ein gefürchteter W.

X

x-beliebig ⟨Adj.; nur attributiv⟩ (ugs.): *irgendein; ganz gleichgültig, was für ein:* ein x-beliebiges Buch.

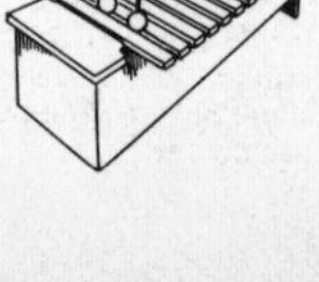

Xylophon

x-mal ⟨Adverb⟩ (ugs.): *unzählige Male:* das habe ich dir x-mal gesagt!

Xylophon, das; -s, -e: /ein Musikinstrument/ (siehe Bild S. 782).

Z

Zacke, die; -, -n: *Spitze an einem Körper [innerhalb einer längeren Reihe]* (siehe Bild): die Zacken eines Geweihs; eine Z. des Rechens ist abgebrochen.

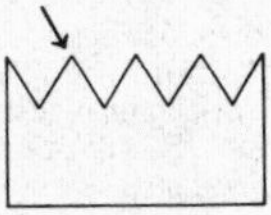

Zacke

Zacken, der; -s, -: *einzelne, unförmige [störende] Spitze:* hier ragt ein Z. hervor. * (ugs.) **sich** (Dativ) **bei etwas keinen Z. aus der Krone brechen** *(bei etwas keineswegs seiner eigenen Würde schaden):* besuch ihn doch einmal, dabei brichst du dir keinen Z. aus der Krone.

zackig ⟨Adj.⟩: **1.** ⟨nicht adverbial⟩ *viele Zacken, Spitzen habend:* zackige Felsen. **2.** (ugs.) *stramm, schneidig; sich sportlich und energisch bewegend:* ein zackiger Soldat.

zaghaft ⟨Adj.⟩: *ohne Vertrauen auf das Gelingen dessen, was man unternimmt; unsicher, ängstlich:* z. klopfte er an die Tür des Direktors. **Zaghaftigkeit,** die; -.

zäh ⟨Adj.⟩: **1. a)** *dehnbar und dabei so stark, daß es nicht leicht zerreißt:* seine Haut ist z. wie Leder. **b)** (abwertend) *schwer zu zerkleinern oder zu kauen:* das Fleisch ist sehr z.; bildl.: die Angelegenheit geht nur z. *(langsam)* voran. **2. a)** *körperlich ausdauernd, widerstandsfähig:* ein zäher Bursche. **b)** *beharrlich; mit verbissener Ausdauer an etwas festhaltend:* durch zähen Fleiß erreichte er sein Ziel.

zähflüssig ⟨Adj.⟩: *dick und dadurch nur langsam fließend:* ein zähflüssiger Brei.

Zäheit, die; -: *zähe Beschaffenheit:* die Z. des Fleisches, des Werkstoffes.

Zähigkeit, die; -: *Ausdauer, Beharrlichkeit:* die Z. seines Willens war erstaunlich.

Zahl, die; -, -en: **1.** *Angabe einer Menge, Größe o. ä. in bezug auf eine Einheit:* die Zahl 1000; den Wert einer Sendung in Zahlen angeben; zwei Zahlen addieren; eine gerade *(durch zwei teilbare)* Z. **2.** *Summe von mehreren Personen, Dingen usw.; Anzahl:* die Z. der Mitglieder steigt ständig; die ungefähre Z. der Teilnehmer.

zahlbar: ⟨in der Verbindung⟩ z. sein (Kaufmannsspr.): *zur Zahlung fällig, zu bezahlen sein:* diese Summe ist zum 1. des Monats z.

zählebig ⟨Adj.⟩: **a)** *kräftig, widerstandsfähig:* diese Pflanze ist sehr z. **b)** *eine unerwartet lange Zeit bestehend; sich einer Neuerung entziehend:* manch alte Verordnung hat sich als überraschend z. erwiesen.

zahlen, zahlte, hat gezahlt ⟨tr./itr.⟩: *jmdm. Geld (für etwas) geben:* er zahlt jeden Monat die Miete; er rief den Kellner, um zu z.; der Betrieb zahlt gut *(zahlt hohe Löhne).*

zählen, zählte, hat gezählt: **1.** ⟨itr.⟩ *die Zahlen der Reihe nach nennen:* von 1 bis 100 z. * (ugs.) **nicht bis drei z. können** *(sehr dumm sein).* **2.** ⟨tr.⟩ *die Anzahl von etwas feststellen:* die Äpfel z.; er zählte, wieviel Leute anwesend waren. **3.** ⟨itr.⟩ *sich (auf jmdn./etwas) verlassen; (mit jmdm./etwas) rechnen:* du kannst auf mich, auf meine Hilfe z. **4.** ⟨itr.⟩ *gelten; von Bedeutung sein:* hier zählt nur die Leistung. **5.** ⟨itr.⟩ *zu etwas/jmdm. gehören:* er zählt fast schon zu unserer Familie; er zählt zum Adel. **6.** ⟨tr.⟩ *für etwas halten, als etwas ansehen:* ich zähle ihn zu den größten Politikern. **7.** ⟨itr.⟩ *betragen; die Größe, den Umfang, das Alter usw. haben:* das Dorf zählt 2000 Einwohner; er zählt 40 Jahre.

Zahlengedächtnis, das; -ses: *Fähigkeit, sich Zahlen zu merken:* sie hat ein schlechtes Z.

zahlenmäßig ⟨Adj.⟩: *der Zahl nach gerechnet:* die z. stärkste Klasse.

Zähler, der; -s, -: **1.** Math. *die über dem Strich stehende Zahl bei einem Bruch:* bei dem Bruch $^3/_4$ ist 3 der Z. **2.** *Gerät, das den Verbrauch bes. von Elektrizität oder Gas mißt:* den Z. ablesen.

Zahlkarte, die; -, -n: *Formular für eine Zahlung auf ein Konto durch die Post.*

zahllos ⟨Adj.⟩: *sehr viele; unzählige:* zahllose Lichter; eine zahllose Menge.

zahlreich ⟨Adj.⟩: **a)** *viele:* er hat zahlreiche Briefe bekommen. **b)** *aus vielen Mitgliedern, Teilnehmern bestehend:* eine zahlreiche Familie, Versammlung.

Zahlung, die; -, -en: *das Zahlen:* die Z. der Miete erfolgt monatlich. ***in Z. nehmen** *(einen gebrauchten Gegenstand beim Kauf eines neuen mit dem Preis verrechnen):* der Händler hat das alte Auto in Z. genommen; **in Z. geben** *(beim Kauf eines neuen Gegenstandes den Preis teilweise mit einem alten gebrauchten Gegenstand begleichen):* er kauft sich ein neues Auto und gibt das alte in Z.

Zählung, die; -, -en: *das Feststellen der Anzahl von Personen oder Sachen:* durch eine Z. den Bestand an Haustieren feststellen.

Zahlungsbefehl, der; -[e]s, -e: *gerichtliche Aufforderung zur Zahlung:* der Geschäftsinhaber erwirkte einen Z. gegen den Schuldner.

zahlungsfähig ⟨Adj.⟩: *in der Lage, die fälligen Rechnungen zu bezahlen; mit genügend Mitteln versehen, den finanziellen Verpflichtungen nachzukommen:* ein zahlungsfähiger Kunde. **Zahlungsfähigkeit,** die; -.

Zahlungsmittel, das; -s, -: *gesetzlich anerkanntes Mittel zum Zahlen, z. B. Geld, Scheck, Wechsel usw.*

zahlungsunfähig ⟨Adj.⟩: *nicht zahlungsfähig:* ihm wird nichts mehr geliefert, weil er z. zu sein scheint. **Zahlungsunfähigkeit,** die; -.

Zählwerk, das; -[e]s, -e: *Vorrichtung bes. an Maschinen, die die Anzahl (von etwas) registriert:* ein Arbeiter liest am Z. die Anzahl der produzierten Stücke ab.

zahm ⟨Adj.⟩: **1. a)** *an den Menschen gewöhnt, nicht mehr* *wild [lebend]; gebändigt* /von Tieren/: ein zahmer Löwe. **b)** *willig, gefügig, gehorsam:* der Junge ist nach der Ermahnung recht z. geworden. **2.** *gemäßigt, mild, ohne besonderen Nachdruck:* seine Äußerungen waren sehr z.; eine zahme Kritik.

zähmen, zähmte, hat gezähmt ⟨tr.⟩: **1. a)** *an den Menschen gewöhnen; bändigen* /vom Tier/: einen Löwen z. **b)** *gefügig, willig machen:* einen ausgelassenen Jungen z. **2.** *beherrschen:* die Ungeduld z.; ⟨auch rfl.⟩ er konnte sich nicht z. **Zähmung,** die; -.

Zahn, der; -[e]s, Zähne: **1.** *kleiner [scharfer] Knochen im Mund zum Zerkleinern von Speisen* (siehe Bild): die Zähne putzen. ***die Zähne zusammenbeißen** *(tapfer einen Schmerz ertragen);* **sich** (Dativ) **an etwas die Zähne ausbeißen** *(mit Mühe etwas zu bewältigen suchen und damit nicht fertig werden);* **jmdm. die Zähne zeigen** *(gegen jmdn. Widerstand leisten).* **2.** *Zacke am Rand eines Gegenstandes innerhalb einer längeren Reihe* (siehe Bild): die Zähne der Briefmarke; bei seinem Kamm sind ein paar Zähne ausgebrochen.

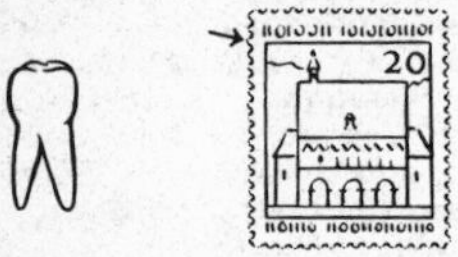

1. 2.

Zahn

Zahnarzt, der; -[e]s, Zahnärzte: *Facharzt für Erkrankungen der Zähne.*

Zahnbürste, die; -, -n: *Bürste, mit der man sich die Zähne putzt* (siehe Bild): eine Z. mit weichen Borsten.

Zahnbürste

Zahnfleisch, das; -[e]s: *den Rand des Kiefers und den unteren Teil der Zähne umgebender Teil der Schleimhaut:* entzündetes Z. haben. * (ugs.) **auf dem Z. gehen/laufen** *([vom Gehen] sehr erschöpft sein):* arbeite nicht soviel, sonst wirst du bald auf dem Z. gehen.

zahnlos ⟨Adj.⟩: *keine Zähne besitzend:* ein zahnloses altes Weib.

Zahnpasta, die; -, Zahnpasten: *Paste, die man auf die Zahnbürste aufträgt und mit der man sich die Zähne putzt.*

Zahnrad, das; -[e]s, Zahnräder: *Rad, das an seinem Rand Zähne, Zacken besitzt* (siehe Bild): die Übertragung der Bewegung geschieht mit Hilfe von Zahnrädern.

Zahnrad

Zahnradbahn, die; -, -en: *Bahn, die mit Hilfe von Zahnrädern große Steigungen überwindet:* die Z. auf den Schafberg.

Zahnschmerzen, die ⟨Plural⟩: *Schmerzen an den Zähnen:* er hatte heftige Z. und mußte zum Zahnarzt gehen.

Zahnstocher, der; -s, -: *feines kleines hölzernes Stäbchen zum Reinigen der Zwischenräume zwischen den Zähnen.*

Zander, der; -s, -: /ein Fisch/ (siehe Bild).

Zander

Zange, die; -, -n: /ein Werkzeug/ (siehe Bild). ***jmdn. in die Z. nehmen** *(jmdn. mit genauen, immer wiederkehrenden Fragen so weit bringen, daß er keine ausweichende Antwort mehr geben kann).*

Zange

Zank, der; -s: *mit lauten Beschimpfungen und Vorwürfen ausgetragener Streit:* ein gehässiger Z.; es gab dauernd Z. zwischen den beiden.

Zankapfel, der; -s: *Sache, um die man sich streitet, die Ursache eines Streites ist:* das leidige Geld wurde immer wieder zum Z. zwischen den Eheleuten.

zanken, zankte, hat gezankt ⟨rfl.⟩: *sich in kleinlicher, gehässiger Weise streiten:* ich zankte mich mit ihm; sie zankten sich ständig; ⟨auch itr.⟩ die Jungen zankten, wer der erste war.

Zankerei, die; -, -en: *wiederholtes Zanken:* er regte sich über ihre Z. nicht mehr auf.

zänkisch ⟨Adj.; nicht adverbial⟩: *streitsüchtig, oft zankend:* sie ist alt und z. geworden.

Zäpfchen, das; -s, -: **1.** *Medikament in der Form eines kleinen Kegels zur Einführung in den After oder die Scheide.* **2.** *in der Mitte des hinteren Gaumens frei herabhängendes Gebilde in Form eines kleinen Zapfens.*

zapfen, zapfte, hat gezapft ⟨tr.⟩: **1.** *(aus einem Faß Flüssigkeit, bes. Bier) durch einen Spund entnehmen, abfüllen:* Pils muß sehr sorgfältig gezapft werden. **2.** *(Bretter o. ä) durch Zapfen miteinander verbinden:* Balken z.

Zapfen, der; -s, -: **1.** *holzige, die Samen enthaltende Frucht der Nadelbäume* (siehe Bild). **2.** *sich verdickender [hohler] Verschluß* /für Fässer o. ä./: einen Z. in das Faß schlagen. **3.** *in einen dazu passenden Schlitz greifender Vorsprung* /an Brettern o. ä./ (siehe Bild).

Zapfen 1.

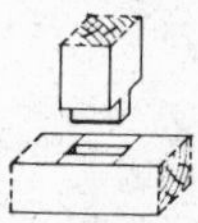

Zapfen 3.

Zapfenstreich, der; -[e]s, -e: *militärisches Signal, mit dem die Soldaten am Abend aufgefordert werden, sich in ihre Unterkunft zu begeben:* wer nicht bei Z. in der Kaserne ist, muß mit Bestrafung rechnen; zu Ehren des hohen Gastes wurde der Große Z. *(ein bestimmtes militärisches Musikstück)* gespielt.

zappelig ⟨Adj.⟩ (ugs.): *sehr unruhig in seinen Bewegungen,* *nervös:* er war ganz z. vor Aufregung.

zappeln, zappelte, hat gezappelt ⟨itr.⟩: *sich [mit den Gliedmaßen] in kurzen, heftigen Stößen, Zuckungen bewegen:* er zappelte vor Ungeduld an Händen und Füßen; der Fisch zappelte an der Angel. ***jmdn. z. lassen** *(jmdn., der auf eine Entscheidung, Nachricht o. ä. ungeduldig wartet, [absichtlich] in Ungewißheit lassen).*

Zappelphilipp, der; -s, -e und -s (ugs.): *zappeliges Kind:* nun bleib doch einmal ruhig sitzen, du Z.

Zar, der; -en, -en (hist.): *Kaiser des russischen Reiches.*

zart ⟨Adj.⟩: **a)** *weich, fein:* zarte Seide, zartes Fleisch. **b)** ⟨nicht adverbial⟩ *leicht verletzbar; nicht widerstandsfähig:* eine zarte Blume; das Kind ist sehr klein und z. **c)** ⟨nicht adverbial⟩ *angenehm, sanft, mild auf die Sinne wirkend:* ein zartes *(nicht aufdringliches)* Rot; eine zarte *(lieblich klingende)* Melodie; ein zarter *(sanfter)* Hauch. **d)** *zärtlich, liebevoll:* eine zarte Berührung. **Zartheit,** die; -.

zartbesaitet, zarter besaitet/zartbesaiteter, zartbesaitetst ⟨Adj.⟩: *sehr feinfühlig; in Dingen empfindlich, die das Gefühl betreffen:* ein zartbesaitetes junges Mädchen.

Zartgefühl, das; -[e]s: *Rücksichtnahme auf jmds. Gefühl; Takt:* er ist wirklich mit sehr viel Z. vorgegangen.

zärtlich ⟨Adj.⟩: **a)** *voll Liebe, Zuneigung, Gefühl (gegenüber jmdm.) handelnd:* ein zärtlicher Gatte; sie sorgte z. für ihn. **b)** *von Liebe, Zuneigung, Gefühl (für jmdn.) zeugend:* zärtliche Worte; er sah ihr z. in die Augen. **Zärtlichkeit,** die; -, -en.

Zaster, der; -s (ugs.): *Geld:* es ist rätselhaft, wie er an den vielen Z. gekommen ist.

Zäsur, die; -, -en: *Unterbrechung, Pause in einem Vers:* die Z. als syntaktischer Einschnitt; bildl.: dieses Datum stellt eine Z. *(einen wichtigen Einschnitt)* in der modernen Forschung dar.

Zauber, der; -s: **1.** *Handlung oder Zeichen, das eine übernatürliche Kraft, Wirkung hat:* die Alte wollte durch einen Z. die Krankheit heilen. **2.** *anziehende, unwiderstehliche Wirkung; Fluidum, das von der Erscheinung oder dem Verhalten einer Person ausgeht:* der Z. ihres Lächelns; der Z. der Jugend.

Zauberei, die; -: *das Zaubern:* seine enormen Fähigkeiten grenzen an Z.

Zauberer, der; -s, -: **a)** *jmd., der angeblich durch übernatürliche Kräfte etwas bewirken kann:* in vielen Märchen gibt es Hexen und Zauberer. **b)** *jmd., der Kunststücke vorführt, die sich der Zuschauer nicht erklären kann:* der Z. zog plötzlich eine Taube aus dem Ärmel.

zauberhaft ⟨Adj.⟩: *bezaubernd, entzückend:* ein zauberhaftes Kleid.

Zauberkünstler, der; -s, -: *jmd., der Kunststücke vorführt, die sich der Zuschauer nicht erklären kann:* mit verblüffenden Tricks begeisterte der Z. sein Publikum.

zaubern, zauberte, hat gezaubert: **a)** ⟨tr.⟩ *durch Zauber hervorbringen:* er zauberte eine Schlange aus seinem Hut. **b)** ⟨itr.⟩ *Kunststücke vorführen, die für den Zuschauer unerklärlich sind:* du kannst wohl z.? ***nicht z. können** *(etwas Unmögliches nicht leisten können):* gedulde dich doch ein wenig, ich kann ja nicht z. **b)** ⟨tr.⟩ *mit großem Können, mit Geschicklichkeit hervorbringen, so daß es an/in/auf etwas sichtbar wird:* der Maler zauberte eine Landschaft auf das Papier, an die Wand.

zaudern, zauderte, hat gezaudert ⟨itr.⟩: *aus Angst, Unschlüssigkeit o. ä. immer wieder zögern; sich nur langsam entschließen können:* er tat es, ohne zu z.

Zaum, der; -[e]s, Zäume: *aus Riemen bestehende Vorrichtung am Kopf eines Pferdes, mit der man es führen und lenken kann* (siehe Bild): dem Pferd einen Z. anlegen. * **im Z. halten** *(beherrschen):* er konnte seinen Zorn nicht im Z. halten.

Zaum

Zaun, der; -[e]s, Zäune: *aus Latten, Gittern o. ä. bestehende Vorrichtung, mit der ein Grundstück begrenzt wird* (siehe Bild): er errichtete um sein Haus einen Z.; ein lebender Z. *(eine Hecke).* * **einen Streit/Zank/Krieg vom Z. brechen** *(einen Streit/Zank/Krieg absichtlich verursachen).*

Zaun

Zaungast, der; -[e]s, Zaungäste: *jmd., der nicht zu den Teilnehmern einer Veranstaltung o. ä. gehört, sondern nur aus gewisser Entfernung zusieht:* im Hintergrund drängten sich bei diesem Empfang einige Zaungäste.

Zaunkönig, der; -s, -e: /ein sehr kleiner Vogel/ (siehe Bild).

Zaunkönig

Zaunpfahl, der; -[e]s, Zaunpfähle: *zum Errichten eines Zaunes verwendeter Pfahl:* einen Z. in den Boden treiben. * (ugs.) **jmdm. einen Wink mit dem Z. geben** *(jmdn. sehr deutlich, ziemlich plump auf etwas hinweisen).*

Zebra, das; -s, -s: /ein Tier/ (siehe Bild).

Zebra

Zebrastreifen, der; -s, -: *durch schwarze und weiße Streifen auf der Fahrbahn gekennzeichnete Stelle, an der Fußgänger die Straße überqueren dürfen* (siehe Bild S. 786): über den Z. gehen.

Zeche, die; -, -n: **I.** *Preis für die in einem Gasthaus verzehrten Speisen und Getränke:* die Z. bezahlen. * (ugs.) **die Z. prellen** *(aus dem Gasthaus weggehen,* *ohne bezahlt zu haben).* **II.** *Bergwerk:* die Z. wurde stillgelegt.

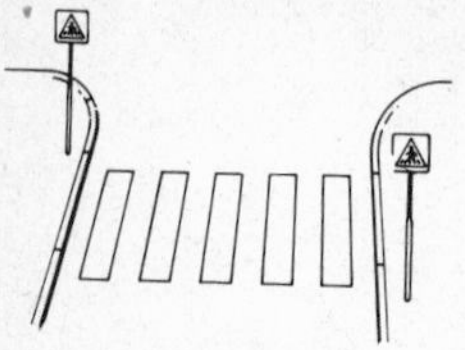

Zebrastreifen

zẹchen, zechte, hat gezecht ⟨itr.⟩: *mit anderen gemeinsam längere Zeit und ausgiebig Alkohol trinken:* sie zechten bis in den frühen Morgen.

Zẹcher, der; -s, - (geh.): *jmd., der zecht:* ein unentwegter Z.

Zẹchpreller, der; -s, -: *jmd., der die Zeche prellt:* der Z. konnte von der Polizei gefaßt werden.

Zeder, die; -, -n: /ein Baum/ (siehe Bild).

Zeder

Zeh, der; -[e]s, -en und **Zehe,** die; -, -n: *Glied am Ende des Fußes* (siehe Bild).

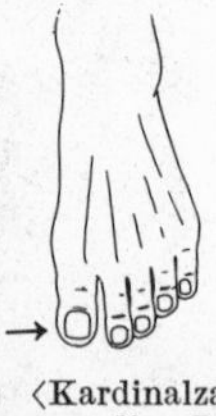

Zeh

zehn ⟨Kardinalzahl⟩: 10: z. Personen; die Zehn Gebote. * (ugs.) **sich** (Dativ) **alle z. Finger nach etwas lecken** *(etwas sehr gern haben wollen).*

zehnte ⟨Ordinalzahl⟩: 10.: der z. Mann; bildl. (ugs.): das habe ich dir schon zum zehnten *(zum soundsovielten)* Mal gesagt. * (ugs.) **das weiß der z. nicht** *(das wissen sehr viele nicht).*

zehren, zehrte, hat gezehrt ⟨itr.⟩: **1.** *schwach, mager machen:* Fieber zehrt; die harte Arbeit zehrt an seiner Gesundheit *(schädigt auf die Dauer seine Gesundheit).* **2.** *sich ernähren (von etwas); den Lebensunterhalt bestreiten (von etwas):* er zehrt von den Vorräten, von seinen Ersparnissen. **3.** *an früher Erlebtes noch immer denken, sich daran freuen und darin innere Kraft und Trost finden:* er zehrt von seinen Erinnerungen; von diesem Konzert zehrt er noch lange.

Zeichen, das; -s, -: **1.** *etwas Wahrnehmbares, was etwas ausdrücken soll:* er machte ein Z. an den Rand; der Dirigent gibt das Z. zum Einsatz; der Unterricht ist erst zu Ende, wenn das Z. ertönt. * **seines Zeichens** *(von Beruf):* er ist seines Zeichens Tischler. **2. a)** *etwas, was auf etwas hinweist oder aus dem man etwas schließen kann:* starkes Fieber war das erste Z. für seine Krankheit. **b)** *etwas, was etwas Zukünftiges ankündigt:* wenn die Vögel tief fliegen, ist das ein Z. für schlechtes Wetter.

Zeichensetzung, die; -: *Interpunktion:* einen Fehler in der Z. machen.

Zeichensprache, die; -: *Mittel der Kommunikation durch Zeichen ohne gesprochenes Wort:* die Taubstummen verständigen sich mit Hilfe der Z.

zeichnen, zeichnete, hat gezeichnet: **1.** ⟨tr./itr.⟩ **a)** *mit einem Bleistift o. ä. in Strichen herstellen:* ein Porträt, eine Skizze z. **b)** *das Aussehen (von jmdm./etwas) mit Bleistift o. ä. in Strichen nachahmen:* einen Baum z.; nach der Natur z. **2.** ⟨tr.⟩ *kennzeichnen, markieren:* die Wäsche, einen Baum z. * **von etwas gekennzeichnet sein** *(so aussehen, daß man einen bestimmten Zustand an jmdm. erkennen kann):* er ist vom Unglück, vom Tode gezeichnet.

Zeichner, der; -s, -: *jmd., der zeichnet* /Berufsbezeichnung/: er ist als technischer Z. beschäftigt.

Zeichnung, die; -, -en: **1.** *etwas in Strichen Hergestelltes, Gezeichnetes:* die Z. des Schülers wurde auf einer Ausstellung gezeigt. **2.** *natürliches Muster, das auf etwas sichtbar ist:* die Z. des Gefieders.

Zeigefinger, der; -s, -: *aus drei Gliedern bestehender zweiter Finger der Hand vom Daumen aus:* mit dem Z. auf etwas deuten.

zeigen, zeigte, hat gezeigt: **1.** ⟨itr.⟩ *durch eine Geste, Bewegung [mit der Hand] (auf jmdn./etwas) aufmerksam machen, deuten:* er zeigte [mit dem Finger] auf das Haus. **2.** ⟨tr./rfl.⟩ *sehen lassen, vorführen:* er zeigte ihm seine Bücher; er zeigte sich nicht in der Öffentlichkeit; der Meister zeigte dem Lehrling, wie die Maschine funktioniert; sein Können z. *(beweisen).* **3.** ⟨tr.⟩ *(ein Gefühl, die Einstellung zu jmd. anderem) anmerken lassen, erkennen lassen:* er hat mir seinen Unwillen deutlich gezeigt. **4.** ⟨rfl.⟩ *deutlich werden, klar werden; sich herausstellen:* es zeigte sich, daß seine Berechnung falsch war. **5.** ⟨als Funktionsverb⟩ /drückt eine Eigenschaft, Fähigkeit oder ein Gefühl aus, das an jmdm. zu erkennen ist/: Begabung, Fleiß z. *(begabt, fleißig sein);* Interesse z. *(interessiert sein);* Freude z. *(sich freuen).*

Zeiger, der; -s, -: *beweglicher Teil bei einer Uhr oder einem Instrument für Messungen, der die Zeit oder den gemessenen Wert angibt* (siehe Bild): die Z. richtig stellen.

Zeiger

Zeigestock, der; -[e]s, Zeigestöcke: *Stock, mit dessen Hilfe man auf etwas zeigt:* der Lehrer zeigte uns mit dem Z. die Hauptstadt Rom auf der Landkarte.

zeihen, zieh, hat geziehen ⟨tr./rfl.⟩ (geh.): *bezichtigen, beschuldigen:* du hast ihn, dich zu Unrecht eines solchen Vergehens geziehen; ⟨auch rzp.⟩ sie haben sich [gegenseitig] der Lüge geziehen.

Zeile, die; -, -n: **a)** *die in einer einzelnen waagrechten Linie stehenden Buchstaben:* auf der letzten Seite stehen nur drei Zeilen; er schickte ihr ein paar Zeilen *(eine kurze Mitteilung, einen kurzen Brief)*; zwei Zeilen *(einen Zwischenraum in der Breite von zwei Zeilen)* auslassen. * **zwischen den Zeilen lesen** *(auch das nicht ausdrücklich Gesagte zu verstehen versuchen)*. **b)** *Reihe:* eine Z. von Häusern, Bäumen.

Zeisig, der; -s, -e:/ein Vogel/ (siehe Bild).

Zeisig

zeit: ⟨in der Wendung⟩ z. seines Lebens: *während des ganzen Lebens:* ich werde dir z. meines Lebens dankbar sein; er hat z. seines Lebens viel ertragen müssen.

Zeit, die; -, -en: **1.** ⟨ohne Plural⟩ *Ablauf der Stunden, Tage oder Jahre, als Ganzes gesehen:* die Z. vergeht schnell; er hat viel Z. für seine Kinder; er war lange Z. krank. * **Z. finden** *(Zeit haben)*; **sich Z. lassen** *(sich nicht beeilen bei etwas; etwas in Ruhe tun)*; **sich die Z. vertreiben** *(sich so beschäftigen, daß man keine Langeweile hat)*; **jmdm. die Z. stehlen** *(jmdn. so beanspruchen, daß er von Wichtigerem abgehalten wird)*; **mit der Z.** *(allmählich)*. **2.** *Abschnitt in einer [historischen] Entwicklung; Epoche:* er lebte zur gleichen Z. wie Napoleon; nach dem Krieg gab es für die Bevölkerung schlechte Zeiten. * **zur Z.** *(gegenwärtig, jetzt)*; **von Z. zu Z.** *(manchmal)*. **3.** *bestimmter Punkt im Ablauf eines Tages, Jahres usw.:* wir vereinbarten eine bestimmte Z. für unser Treffen; die Z. für den Besuch ist jetzt ungünstig.

Zeitabschnitt, der; -[e]s, -e: *zeitlicher Abschnitt.*

Zeitalter, das; -s, -: *Abschnitt, Epoche in der Geschichte mit besonderer Prägung:* das Z. der Technik das Z. der Entdeckungen.

Zeitansage, die; -, -n: *das Bekanntgeben der genauen Uhrzeit* /im Rundfunk, Fernsehen und (telefonisch) bei der Post/: er schaltete das Radio an und wartete auf die Z.; die Z. anrufen.

Zeitgeist, der; -es: *eine bestimmte Zeit kennzeichnende geistige Haltung:* der Z. war von der Erinnerung an den Krieg geprägt.

zeitgemäß ⟨Adj.⟩: *den Erfordernissen der Gegenwart entsprechend; modern:* seine Ansichten sind nicht mehr z.

Zeitgenosse, der; -n, -n: *jmd., der zur gleichen Zeit lebt, Mitmensch:* der Künstler war von den Zeitgenossen nicht richtig eingeschätzt worden; er war ein Z. Napoleons.

zeitgenössisch ⟨Adj.⟩: *der gleichen Zeit angehörend:* andere zeitgenössische Maler entwikkelten eine neue Kunstrichtung.

zeitgerecht ⟨Adj.⟩ (östr.): *rechtzeitig.*

zeitig ⟨Adj.⟩: *früh:* er stand z. auf und ging noch vor dem Frühstück schwimmen.

zeitigen, zeitigte, hat gezeitigt ⟨tr.⟩ (geh.): *hervorbringen, das Ergebnis von etwas sein:* diese Entwicklung zeitigte überraschende Erfolge, Ergebnisse.

Zeitkarte, die; -, -n: *[ermäßigte] Fahrkarte, die für längere Zeit Gültigkeit besitzt:* Inhaber von Zeitkarten können den hinteren Einstieg benutzen.

Zeitlang: ⟨in der Fügung⟩ eine Z.: *[für] eine gewisse Zeit:* er ist eine Z. im Ausland gewesen.

zeitlebens ⟨Adverb⟩: *während des ganzen Lebens:* er hat z. schwer gearbeitet.

zeitlich ⟨Adj.⟩: **1.** *die Zeit betreffend; im Hinblick auf die zur Verfügung stehende Zeit:* der Besuch des Museums war z. nicht mehr möglich. **2.** ⟨nur attributiv⟩ *vergänglich:* die zeitlichen Güter.

zeitlos ⟨Adj.⟩: *nicht von der augenblicklichen Methode abhängig; in jede Zeit passend:* zeitlose Möbel.

Zeitlupe, die; -: Filmw. *Verfahren, mit dessen Hilfe schnell verlaufende Vorgänge ganz langsam vorgeführt und in ihren Einzelheiten dem Auge sichtbar gemacht werden (indem man bei der Aufnahme den Film mit erhöhter, bei der Projektion mit normaler Geschwindigkeit laufen läßt):* einen Bewegungsablauf in Z. filmen.

Zeitmangel, der; -s: *Mangel an Zeit:* aus Z. konnte ich dir nicht eher schreiben.

Zeitmaß, das; -es, -e: *Einheit für die regelmäßige Aufeinanderfolge von Tönen, Bewegungen o. ä.*

Zeitnot: ⟨in den Wendungen⟩ **in Z. sein:** *zu wenig Zeit haben für etwas;* **in Z. geraten:** *in eine Lage geraten, durch die man zu wenig Zeit für etwas hat:* wegen der großen Schwierigkeiten, die zu überwinden waren, ist er in Z. geraten.

Zeitpunkt, der; -[e]s, -e: **a)** *bestimmter Punkt in einem zeitlichen Ablauf:* der Z. für die Verhandlungen steht noch nicht fest. **b)** *bestimmter Augenblick, der für ein Geschehen wichtig und entscheidend sein kann:* er hat den günstigen Z. verpaßt.

zeitraubend ⟨Adj.; nicht adverbial⟩: *viel Zeit in Anspruch nehmend:* dieses zeitraubende Verfahren hemmt die Produktion.

Zeitraum, der; -s, Zeiträume: *zeitlicher Abschnitt [in dem etwas besteht oder geschieht]:* das Reich bestand über riesige Zeiträume hin; in einem Z. von drei Monaten kamen über tausend Besucher in das Schloß; in einem bestimmten Z. muß die Arbeit fertig sein.

Zeitschrift, die; -, -en: *gedrucktes Heft, das regelmäßig, meist wöchentlich monatlich oder viermal im Jahr erscheint:* eine Z. abonnieren, herausgeben.

Zeitung, die; -, -en: *täglich oder wöchentlich erscheinende gedruckte Blätter, die besonders die neuesten Nachrichten, Kommentare und Anzeigen bringen:* die Z. hat eine hohe Auflage; die Z. brachte die Meldung auf der ersten Seite.

Zeitverlust, der; -es, -e: *Verlust, Einbuße an Zeit:* einen solchen Z. kann er kaum noch aufholen.

Zeitvertreib, der; -s: *Beschäftigung zum Vergnügen oder Hobby:* er malt zum Z.

zeitweilig ⟨Adj.⟩: *nur für eine kurze Zeit; vorübergehend:* eine zeitweilige Abwesenheit; die Straße ist z. gesperrt.

zeitweise ⟨Adverb⟩: *manchmal; eine Zeitlang; nicht immer:* das Ufer ist z. überschwemmt.

Zeitzeichen, das; -s, -: *Ton bei der Zeitansage, der exakt zur angesagten Zeit ertönt:* beim Z. ist es 13 Uhr.

Zeitzünder, der; -s, -: *Vorrichtung, die einen Sprengkörper zu einer bestimmten eingestellten Zeit explodieren läßt:* die Bombe wurde durch einen Z. gezündet.

zelebrieren, zelebrierte, hat zelebriert ⟨tr.⟩: *feierlich begehen, in aller Form feiern:* der Bischof zelebrierte die Messe.

Zelle, die; -, -n: **I.** *enger und sehr einfach eingerichteter Raum für Mönche oder Sträflinge:* in der Z. stand nur ein hartes Bett und ein Stuhl. **II.** *kleinste Einheit der Lebewesen, die selbständig zu leben fähig ist:* die Zellen wachsen, sterben ab. **III.** *kleine Gruppe innerhalb einer [politischen] Organisation, von der besonders starke Aktivität ausgeht:* in den Fabriken und an den Universitäten wurden Zellen gebildet.

Zelluloid [tsɛlu'lɔʏt], das; -s: /dem Horn ähnlicher Kunststoff/: Filme werden aus Z. hergestellt.

Zelt, das; -[e]s, -e: *aus bestimmtem Stoff und Stangen errichtete vorübergehende Unterkunft* (siehe Bild): die Pfadfinder schlugen am See ihr Z. auf. *** die Zelte abbrechen** *(sich von einem Ort entfernen).*

Zelt

Zeltbahn, die; -, -en: *eine der Bahnen eines Stoffes, aus denen Zelte zusammengestellt werden:* man legte den Verletzten auf eine Z.

zelten, zeltete, hat gezeltet ⟨itr.⟩: *im Zelt wohnen:* sie wollen im Urlaub z.

Zement, der; -[e]s, -e: *pulverförmiger Baustoff aus Mörtel und Beton, der an der Luft oder im Wasser hart wird.*

zementieren, zementierte, hat zementiert ⟨tr.⟩: *mit Zement ausfüllen:* er hat die Einfahrt zur Garage zementiert; bildl. (ugs.): *endgültig machen so festlegen, daß es nicht mehr geändert werden kann:* es gibt Kräfte, die die augenblicklichen Zustände z. möchten. **Zementierung,** die; -.

Zenit, der; -s: *senkrecht über dem Beobachter gelegener höchster Punkt des Himmels:* die Sonne stand im Z.; bildl. (geh.): er stand im Z. *(auf dem Höhepunkt)* seiner Laufbahn.

zensieren, zensierte, hat zensiert ⟨tr.⟩: **a)** *[in der Schule] nach einem bestimmten System beurteilen:* der Lehrer zensierte den Aufsatz sehr streng. **b)** *im Hinblick auf Unerlaubtes kontrollieren:* das Buch, den Brief z. **Zensierung,** die; -, -en.

Zensur, die; -, -en: **1.** *Beurteilung einer Leistung in der Schule; Note:* der Schüler erhielt eine schlechte Z. für den Aufsatz. **2.** *[vom Staat angeordnete] Kontrolle von Büchern, Briefen o. ä., im Hinblick auf Unerlaubtes oder dem Staat Unerwünschtes:* das Buch über die Mißstände in der Regierung wurde von der Z. verboten.

Zentimeter [auch zen...], der, (auch:) das; -s, -: /Maß für die Länge/: sein Finger ist fünf Z. lang.

Zentner, der; -s, -: *Gewicht* **a)** *von 50 Kilogramm* (in Deutschland). **b)** *von 100 Kilogramm* (in Österreich und in der Schweiz).

Zentnerlast, die; -, -en: *sehr schwere, drückende, quälende Last:* eine Z. auf der Seele haben.

zentral ⟨Adj.⟩: **a)** *sich im Mittelpunkt, Zentrum befindend; im Mittelpunkt, Zentrum [einer Stadt]:* ein Geschäft in zentraler Lage; das Haus ist z. gelegen. **b)** *von einem Mittelpunkt aus organisiert, geleitet:* eine zentrale Organisation, Stelle; der Staat wird z. regiert; die Daten werden z. ausgewertet. **c)** ⟨nur attributiv⟩ *sehr wichtig; von entscheidender Bedeutung:* ein zentrales Problem, eine zentrale Frage.

Zentrale, die; -, -n: *Zentrum, von dem aus etwas organisiert oder geleitet wird:* die Anordnungen wurden von der Z. ausgegeben; die Filialen des Geschäftes werden von der Z. aus geleitet.

Zentralheizung, die; -, -en: *Anlage, durch die ein ganzes Haus von einer Stelle aus geheizt werden kann.*

zentralisieren, zentralisierte, hat zentralisiert ⟨tr.⟩: **a)** *vereinigen, zusammenziehen:* wir müssen alle Kräfte z. **b)** *so organisieren, daß alles von einem Zentrum aus geleitet wird:* die Verwaltung wird zentralisiert. **Zentralisierung,** die; -.

Zentrifugalkraft, die; -, Zentrifugalkräfte: *Fliehkraft.*

Zentrum, das; -s, Zentren: **1.** *Mitte:* im Z. des Platzes steht ein Denkmal. **2.** *der innere, zentrale Teil einer Stadt:* er wohnt im Z. **3.** *Gruppe von Menschen, Institution o. ä., die bei etwas führend ist, von der etwas ausgeht:* das Z. der Revolution; das geistige Z. eines Landes.

Zeppelin, der; -s, -e: /ein Luftfahrzeug/ (siehe Bild).

Zeppelin

Zepter, das; -s, -: *[verzierter] Stab als Sinnbild der Macht und Würde eines Herrschers* (siehe Bild): der König hielt das Z. in der Hand. *** das Z. führen/schwingen** *(bestimmen, was geschieht):* sie schwingt das Z. im Hause.

Zepter

zerbrechen, zerbricht, zerbrach, hat/ist zerbrochen: **1.** ⟨tr.⟩ *(etwas) durch Drücken, Schlagen, Fallenlassen usw. in Stücke brechen; zerstören:* das Kind hat das Glas zerbrochen. **2.** ⟨itr.⟩ *so fallen usw., daß etwas zerstört, entzwei ist:* das Glas ist zu Boden gefallen und zerbrochen. *** an etwas z.** *(etwas innerlich nicht bewältigen können, an etwas seelisch zugrunde gehen):* er ist an diesem Problem zerbrochen.

zerbrechlich ⟨Adj.; nicht adverbial⟩: *leicht zerbrechend:* das

Glas ist z. **Zerbrechlichkeit,** die; -.

zerbröckeln, zerbröckelte, hat/ist zerbröckelt: 1. ⟨tr.⟩ *so zerdrücken, zerreiben, daß kleine Brocken entstehen:* er hat einen Klumpen Erde zerbröckelt. 2. ⟨itr.⟩ *in kleine Brocken zerfallen:* das Stück Kuchen ist zerbröckelt.

zerdrücken, zerdrückte, hat zerdrückt ⟨tr.⟩: *so drücken, daß es zerstört wird:* er zerdrückte ein Ei in seiner Hand.

Zeremonie, die; -, -n: *feierliche Handlung, die auf einer Tradition beruht:* der Rektor der Universität wurde in einer langen Z. in sein Amt eingeführt.

zeremoniell ⟨Adj.⟩: *dem Zeremoniell entsprechend, äußerst feierlich, förmlich:* in einer zeremoniellen Handlung wurde ihm die neue Würde übertragen.

Zeremoniell, das; -s, -e: *Gesamtheit der für feierliche, festliche, formelle Handlungen und den gesellschaftlichen Verkehr festgelegten Regeln.*

zerfahren ⟨Adj.⟩: 1. *durch Darüberfahren beschädigen, zerstören:* die Straße ist durch die schweren Lastautos ganz z. 2. *nicht konzentriert; dauernd zerstreut:* er ist sehr z. und gibt selten eine richtige Antwort.

Zerfall, der; -s: a) *das Zusammenbrechen, Einstürzen:* der Z. der Mauer, der Ruine. b) *Untergang:* der Z. des Römischen Reiches.

zerfallen, zerfällt, zerfiel, ist zerfallen ⟨itr.⟩: 1. *auseinanderbrechen sich in die einzelnen Teile auflösen:* die alte Mauer zerfällt langsam; der Leib zerfällt nach dem Tode zu Staub. 2. *zugrunde gehen, untergehen:* das große Reich ist zerfallen. 3. *eingeteilt, gegliedert sein (in etwas):* das Buch zerfällt in drei Kapitel.

zerfetzen, zerfetzte, hat zerfetzt ⟨tr.⟩: *in Fetzen [zer]reißen:* der Sturm hat die Fahne zerfetzt; ⟨häufig im 2. Partizip⟩ der Bettler trug einen zerfetzten Mantel.

zerfledert ⟨Adj.⟩: *durch häufigen Gebrauch (bes. an den Rändern) abgenutzt, zerfetzt* /von Büchern, Zeitungen o. ä./: das zerfledérte Buch war heimlich von Hand zu Hand gegangen.

zerfleischen, zerfleischte, hat zerfleischt ⟨tr./rzp./rfl.⟩: *(die Beute) mit den Zähnen in Stücke reißen* /von Tieren/: die Wölfe haben den Hirsch zerfleischt; die Hyänen haben sich bei dem erbitterten Kampf [gegenseitig] zerfleischt; bildl.: du zerfleischst dich in *(quälst dich sehr mit)* Vorwürfen gegen dich selbst.

zerfließen, zerfloß, ist zerflossen ⟨itr.⟩: a) *flüssig werden [und sich auflösen]:* der Schnee ist in der Sonne zerflossen; bildl.: vor Freundlichkeit, Mitleid z. *(ein Übermaß an Freundlichkeit, Mitleid zeigen).* *** in Tränen z.** *(lange und heftig weinen);* **Geld o. ä. zerfließt jmdm. unter den Händen** *(Geld o.ä. wird von jmdm. sehr rasch und leichtsinnig ausgegeben):* sein Geld, der Reichtum ist ihm unter den Händen zerflossen. b) *auf [schlechtem] Papier o. ä. zu schnell auseinanderfließen:* er hatte etwas auf den Rand der Zeitung geschrieben, aber die Tinte war sofort zerflossen.

zerfressen, zerfrißt, zerfraß, hat zerfressen ⟨tr.⟩: *durch Fressen zerstören, beschädigen:* die Motten hatten den Stoff zerfressen; bildl.: der Rost hat das Eisen zerfressen.

zergehen, zerging, ist zergangen ⟨itr.⟩: *aus dem festen Zustand in den flüssigen übergehen, schmelzen:* das Eis zergeht in der Sonne; das Fett in der Pfanne z. lassen.

zerkleinern, zerkleinerte, hat zerkleinert ⟨tr.⟩: *in kleinere Stücke teilen; (aus etwas) kleine Stücke machen:* das Holz mit dem Beil z.

zerklüftet ⟨Adj.⟩: *von vielen Klüften durchzogen:* ein zerklüftetes Gebirge.

zerknirscht ⟨Adj.⟩: *reumütig einer Schuld bewußt:* z. hörte er die Vorwürfe an.

zerknittern, zerknitterte, hat zerknittert ⟨tr.⟩: *so zusammendrücken, daß es viele unregelmäßige Falten aufweist:* Papier, Stoff z.; ⟨häufig im 2. Partizip⟩ eine zerknitterte Zeitung; das Kleid ist ganz zerknittert.

zerknüllen, zerknüllte, hat zerknüllt ⟨tr.⟩: *(ein Stück Papier oder Stoff) in der Hand zu einem Ball, Knäuel zusammendrücken:* wütend zerknüllte er den Brief; vor Aufregung zerknüllte er sein Taschentuch.

zerkratzen, zerkratzte, hat zerkratzt ⟨tr./rfl.⟩: *Kratzer, Schrammen (in etwas) machen und es dadurch beschädigen, verletzen:* die Katze hat ihr die Hand zerkratzt; du hast dich beim Schneiden der Rosen ziemlich zerkratzt; ⟨häufig im 2. Partizip⟩ die Tischplatte war ganz zerkratzt.

zerlassen, zerläßt, zerließ, hat zerlassen ⟨tr.⟩: *(Fett o. ä.) in der Pfanne zum Schmelzen bringen:* Margarine z.; ⟨häufig im 2. Partizip⟩ Spargel mit zerlassener Butter übergießen.

zerlegen, zerlegte, hat zerlegt ⟨tr.⟩: a) *(die einzelnen Bestandteile eines Gerätes, einer Maschine) auseinandernehmen:* die Uhr, das Fahrrad z. b) *[in Portionen] zerteilen* /von Speisen/: ein Huhn, den Braten z. **Zerlegung,** die; -, -en.

zerlesen ⟨Adj.⟩: *durch häufiges Lesen abgenutzt, unansehnlich:* eine zerlesene alte Schwarte.

zerlumpt ⟨Adj.⟩: *mit Lumpen bekleidet:* ein zerlumpter Bettler.

zermalmen, zermalmte, hat zermalmt ⟨tr.⟩: *vollständig zerdrücken, zerquetschen:* sein Körper wurde von den Rädern des Zuges zermalmt.

zermürben, zermürbte, hat zermürbt ⟨tr.⟩: *jmdn. durch längere Beeinflussung nachgiebig, mürbe machen; jmds. Widerstandskraft brechen:* der Gefangene wurde durch die ständigen Verhöre ganz zermürbt. **Zermürbung,** die; -.

zerpflücken, zerpflückte, hat zerpflückt ⟨tr.⟩: 1. *durch Pflükken, Rupfen zerkleinern, in seine Bestandteile zerlegen:* Salat, eine Rose z. 2. *in seinen einzelnen Teilen kritisch untersuchen [und äußerst schlecht beurteilen]:* der Kritiker hat den neuen Roman von X zerpflückt.

zerquetschen, zerquetschte, hat zerquetscht ⟨tr.⟩: *etwas so stark drücken, daß es ganz platt oder zu Brei wird:* einen Apfel z.; sein Arm wurde bei dem Unfall zerquetscht.

Zerrbild, das; -[e]s, -er: *[mit Absicht] verzerrte, entstellte Wiedergabe, Karikatur:* in diesem Buch entwirft der Autor ein Z. der Wirklichkeit.

zerreiben, zerrieb, hat zerrieben ⟨tr.⟩: *durch Reiben zerkleinern:* er zerrieb den gepreßten Tabak mit den Fingern; bildl.: die Truppen sind vom Feind zerrieben *(vernichtet)* worden.

zerreißen, zerriß, hat zerrissen: **a)** ⟨tr.⟩ *durch kräftiges Auseinanderziehen trennen; in mehrere Stücke zerteilen:* er zerreißt das Blatt Papier; einen Faden z.; bildl.: das Band der Freundschaft ist zerrissen. **b)** ⟨itr.⟩ *ein Loch, einen Riß bekommen* /von Kleidungsstükken, Tuch/: er hat sich die Strümpfe zerrissen; ⟨häufig im 2. Partizip⟩ die Hose ist zerrissen.

Zerreißprobe, die; -, -n: *Test unter extremen Bedingungen:* bei der Rallye wurde das Auto einer echten Z. unterworfen.

zerren, zerrte, hat gezerrt ⟨tr.⟩: *mit Gewalt ziehen:* er zerrte ihn ins Zimmer; ⟨auch itr.⟩ der Hund zerrt an der Leine.

zerrinnen, zerrann, ist zerronnen ⟨itr.⟩: *allmählich flüssig werden [und sich auflösen]:* das Eis ist in der Sonne zerronnen; bildl.: das ganze Geld ist [in nichts] zerronnen *(allmählich für Nichtigkeiten ausgegeben worden, ohne daß etwas Wertvolles angeschafft worden wäre)*. * **Geld o. ä. zerrinnt jmdm. unter den Fingern** *(Geld o. ä. wird von jmdm. sehr rasch und leichtsinnig ausgegeben):* das Geld ist ihm nur so unter den Fingern zerronnen.

Zerrissenheit, die; -: *fehlende Harmonie, Uneinigkeit:* die innere Z. des Volkes.

Zerrung, die; -, -en: *zu starke Dehnung eines Muskels, einer Sehne o. ä.:* der Sportler mußte wegen einer Z. aus dem Wettkampf ausscheiden.

zerrüttet ⟨Adj.⟩: *[durch zu große Aufregung, Anstrengung, Belastung] in Unordnung gekommen, stark gestört:* eine zerrüttete Gesundheit, Ehe, Familie; er hat zerrüttete Nerven; er kommt aus zerrütteten Verhältnissen.

zerschellen, zerschellte, ist zerschellt ⟨itr.⟩: *(gegen etwas) prallen und auseinanderbrechen:* das Schiff ist an den Klippen zerschellt.

zerschlagen, zerschlägt, zerschlug, hat zerschlagen ⟨tr.⟩: *durch Schlagen oder Fallenlassen zerbrechen:* er hat einen Teller zerschlagen. * **etwas hat sich z.** *(etwas, was bereits feststand, ist nicht zustande gekommen):* der Plan, die Verlobung hat sich z.

zerschmettern, zerschmetterte, hat zerschmettert ⟨tr.⟩: *mit großer Wucht zerschlagen:* er zerschmetterte vor Zorn eine Vase; ein herabstürzender Felsen hat seinen Schädel zerschmettert.

zerschneiden, zerschnitt, hat zerschnitten ⟨tr.⟩: *durch Schneiden in Stücke teilen:* ein Blatt Papier z.

zersetzen, zersetzte, hat zersetzt: **1.** ⟨tr./rfl.⟩ *in die Bestandteile auflösen; im Gefüge locker werden; durch chemische Einwirkung o. ä. zerstört werden:* die Säure zersetzt das Metall; der Körper zersetzt sich nach dem Tod. **2.** ⟨tr.⟩ *auf etwas so einwirken, daß die Einheit, Disziplin usw. gestört wird, eine bestehende Ordnung angezweifelt wird; untergraben:* die ständige Propaganda zersetzt die Gesinnung der Bürger, den Staat; ⟨häufig im 1. Partizip⟩ zersetzende Strömungen, Schriften. **Zersetzung,** die; -.

zersplittern, zersplitterte, ist zersplittert: **1.** ⟨tr./rfl.⟩ *vollständig zerstören [so, daß nur noch Splitter übrigbleiben]:* der Sturm hat den Mast zersplittert; bildl.: wir müssen geschlossen vorgehen, ohne unsere Kräfte, ohne uns zu z. *(ohne unsere Kräfte zu teilen und damit in ihrer Wirkung zu schwächen)*. **2.** ⟨itr.⟩ *nach Einwirkung von Gewalt in Splitter zerfallen, zerbrechen:* der Knochen war gebrochen und zersplittert. **Zersplitterung,** die; -.

zerspringen, zersprang, ist zersprungen ⟨itr.⟩: *in Stücke zerbrechen:* die Vase fiel auf den Boden und zersprang; bildl. (geh.): das Herz wollte ihr vor Glück z.

zerstäuben, zerstäubte, hat zerstäubt ⟨tr.⟩: *(eine Flüssigkeit) mit Druck durch eine feine Düse austreten lassen (so, daß sie sich in feinen Tropfen verteilt):* Parfüm, Wasser z.

zerstören, zerstörte, hat zerstört ⟨tr.⟩: *so stark beschädigen, daß es nicht mehr brauchbar ist; vernichten:* bei dem Erdbeben wurden viele Häuser zerstört. **Zerstörung,** die; -, -en.

zerstoßen, zerstößt, zerstieß, hat zerstoßen ⟨tr.⟩: *durch Stoßen zerkleinern:* die Frau zerstieß die Körner in einem Mörser.

zerstreuen, zerstreute, hat zerstreut /vgl. zerstreut/: **1.** ⟨tr.⟩ *weit auseinanderstreuen:* der Wind zerstreut die Blätter. **2.** ⟨tr.⟩ *auseinandertreiben, trennen:* die Polizei versuchte, die Demonstranten zu z.; die Bewohner dieses Gebietes wurden im Krieg in die ganze Welt zerstreut *(kamen in verschiedene Teile der Welt)*. **3.** ⟨rfl.⟩ *nach verschiedenen Richtungen auseinandergehen:* die Zuschauer zerstreuten sich nach dem Ende der Vorstellung. **4.** ⟨rfl.⟩ *sich unterhalten, vergnügen, entspannen:* er geht ins Kino, um sich zu z. **5.** ⟨tr.⟩ *(etwas) durch Argumente, Zureden beseitigen:* jmds. Zweifel, Bedenken z.

zerstreut ⟨Adj.⟩: **1.** *seine Gedanken nicht auf das gerichtet habend, worauf sie gerichtet sein sollten; nicht konzentriert:* er vergißt alles und ist oft z. **2.** *einzeln und weit voneinander entfernt liegend oder wohnend:* seine Verwandten sind im ganzen Land z.; z. liegende Häuser. **Zerstreutheit,** die; -.

Zerstreuung, die; -, -en: **1.** ⟨ohne Plural⟩ *das Auseinandertreiben:* die Z. der aufgebrachten Menge bereitete der Polizei Schwierigkeiten. **2.** *der Unterhaltung, dem Zeitvertreib dienendes Vergnügen:* zur Z. der Gäste spielte eine Kapelle.

zerteilen, zerteilte, hat zerteilt: **a)** ⟨tr.⟩ *(aus einem Ganzen) einzelne Teile herstellen; auseinandertrennen:* den Braten z.; der Wind zerteilt die Wolken. **b)** ⟨rfl.⟩ *auseinandergehen, sich teilen:* das Wasser zerteilt sich hinter dem Boot.

Zertifikat, das; -[e]s, -e: *[amtliche] Bescheinigung, Zeugnis:* ein Z. ausstellen.

zertreten, zertritt, zertrat, hat zertreten ⟨tr.⟩: *durch Darauftreten zerstören oder töten:* einen Käfer, den Rasen z.

zertrümmern, zertrümmerte, hat zertrümmert ⟨tr.⟩: *in Stücke schlagen, vollständig zer-*

stören: bei der Schlägerei wurden die Möbel zertrümmert.

Zertrümmerung, die; -.

Zervelatwurst [auch: zɛr...], die; -, Zervelatwürste: *trockene, harte, haltbare Wurst.*

zerwühlen, zerwühlte, hat zerwühlt ⟨tr.⟩: *(den Boden, die Erde) durch Wühlen durcheinanderbringen [und dabei Unteres nach oben befördern]:* der Feldweg war von den schweren Fahrzeugen zerwühlt worden; ⟨häufig im 2. Partizip⟩ ein zerwühltes *(stark in Unordnung gebrachtes)* Bett.

Zerwürfnis, das; -ses, -se: *feindliche Stimmung, Abneigung gegen jmdn. wegen gegensätzlicher Meinungen:* Anlaß für das Z. war ein Streit um geliehenes Geld.

zerzaust ⟨Adj.⟩: *ungeordnet; wirr durcheinander* /von Haaren oder Federn/: ihre Haare sind vom Wind ganz z.

Zeter: ⟨in der Wendung⟩ Z. und Mord[io] schreien (ugs.): *[vor Entrüstung] in übertriebener Weise laut schreien, jammern.*

zetern, zeterte, hat gezetert ⟨itr.⟩ (abwertend): *laut und schrill schimpfen und jammern:* er zetert wie ein altes Weib.

Zettel, der; -s, -: *loses Blatt Papier:* etwas auf einem Z. notieren; einen Z. [mit einer Nachricht] an die Tür kleben.

Zeug, das; -s: **1.** (abwertend) **a)** *etwas nicht näher Bestimmtes, meist Wertloses, z. B. etwas, was man ißt, bei sich trägt o. ä.:* im Gasthaus bekam ich ein furchtbares Z. zu trinken; sie packte allerlei Z. in ihre Tasche; das alte Z. kauft dir doch niemand ab. **b)** *etwas Gesprochenes, Gelesenes o. ä., was wenig wert ist:* er träumte wirres Z.; er soll nicht immer sinnloses Z. reden. *** dummes Z.** *(Unsinn).* **2. a)** (ugs.) *Kleidung [und Ausrüstung]:* er hielt sein Z. in Ordnung. *** sich ins Z. legen** *(sich anstrengen, einsetzen für etwas);* **jmdm. am Z. flicken** *(an jmdm. dauernd etwas auszusetzen haben).* **b)** *Tuch, Stoff:* er trug einen Mantel aus dickem Z. **3.** ⟨in bestimmten Verwendungen⟩ *die nötigen Voraussetzungen, Fähigkeiten:* er hatte/besaß das Z. zu einem guten Arzt; in ihm steckt das Z. zu etwas; ich fühle das Z. in mir, die Aufgabe zu schaffen.

Zeuge, der; -n, -n: *jmd., der bei einem Ereignis anwesend war und darüber berichten kann:* er war Z .des Unfalls; er sagte als Z. vor Gericht aus.

zeugen, zeugte, hat gezeugt: **I.** ⟨tr.⟩ *durch Geschlechtskraft erschaffen; durch Befruchtung hervorbringen* /vom Mann/: ein Kind z. **II.** ⟨itr.⟩ *als Zeuge aussagen:* er hat vor Gericht gegen ihn gezeugt. *** etwas zeugt von etwas** *(etwas zeigt etwas, läßt etwas erkennen):* seine Arbeit zeugt von großem Können.

Zeugnis, das; -ses, -se: **1.** *Schriftstück, auf dem die Leistungen in der Schule oder bei einer Prüfung bestätigt sind:* er hat nur gute Noten im Z. **2.** (geh.) *Aussage:* er legte vor Gericht ein Z. ab. **3.** *etwas, was für etwas als Beweis oder Beispiel gilt:* die alten Burgen sind wichtige Zeugnisse der Vergangenheit. **4.** *Gutachten:* ein ärztliches Z.

Zeugung, die; -, -en: *das Zeugen, Befruchtung.*

Zibebe, die; -, -n (südd.; östr.): *große Rosine.*

Zicken: ⟨in der Wendung⟩ [keine] Z. machen (ugs.): *[keine] Streiche, Torheiten, Schwierigkeiten machen.*

Zickzack: ⟨in der Fügung⟩ im Z.: *von der geraden Linie in mehreren scharfen Knicken nach rechts oder links abweichend:* im Z. laufen.

Ziege, die; -, -n: /ein Haustier/ (siehe Bild).

Ziege

Ziegel, der; -s, -: **a)** *Stein aus gebranntem Ton zum Bauen*

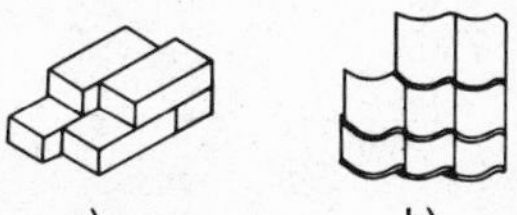

a) b)

Ziegel

(siehe Bild): in Norddeutschland baut man die Häuser weithin aus Ziegeln. **b)** *Stein aus gebranntem Ton zum Dachdecken* (siehe Bild): ein Dach mit Ziegeln decken.

Ziegenpeter, der; -s (ugs.): *Mumps.*

Ziehbrunnen, der; -s, -: *Brunnen, bei dem das Wasser in einem Eimer hochgezogen wird* (siehe Bild).

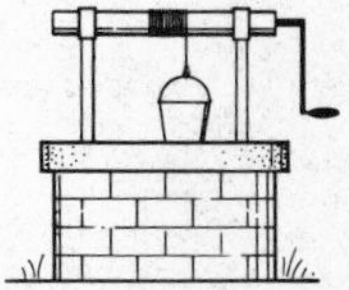

Ziehbrunnen

ziehen, zog, hat/ist gezogen: **1.** ⟨tr.⟩ **a)** *[unter Anwendung von Kraft] hinter sich her bewegen:* das Pferd hat den Wagen gezogen. **b)** *(etwas) unter Anwendung von Kraft in, aus oder auf etwas in Richtung zu sich selbst bewegen:* er hat das Boot aus dem Wasser gezogen. *** etwas in den Schmutz z.** *(etwas schlechtmachen);* **die Aufmerksamkeit /das Interesse auf sich z.** *(erreichen, daß man beachtet wird, auffällt);* **nach sich z.** *(zur Folge haben):* der Bau der Fabrik zog große wirtschaftliche Veränderungen nach sich. **c)** *(aus etwas) herausnehmen:* das Portemonnaie z.; er hat ihm einen Zahn gezogen. **2.** ⟨itr.⟩ *sich in bestimmter Weise fortbewegen:* die Demonstranten sind zum Rathaus gezogen *(marschiert);* die Vögel ziehen *(fliegen)* nach Süden. *** gegen etwas zu Felde z.** *(etwas mit allen Mitteln bekämpfen).* **b)** *übersiedeln:* die Familie ist in eine andere Stadt gezogen. **3.** ⟨tr.⟩ *züchten:* Schweine, Hühner z. **4.** ⟨rfl.⟩ **a)** *verlaufen:* die Straße zieht sich in vielen Kurven auf den Berg. **b)** *sehr lange dauern; kein Ende zu nehmen scheinen:* die Feier hat sich [in die Länge] gezogen. **5.** ⟨itr.⟩ *von Luft, Wind durchströmt sein:* es hat im Zimmer so stark gezogen, daß er sich erkältete. **6.** ⟨als Funktionsverb⟩ einen Vergleich z. *(vergleichen);* einen Schluß aus etwas z. *(aus etwas schließen);* aus etwas Nutzen, Vorteil z. *(etwas so auswerten, daß man daraus einen Nutzen, Vorteil hat);* jmdn. zur Verantwortung z. *(jmdn. verantwortlich machen).*

Ziehharmonika, die; -, -s und Ziehharmoniken: *einfachere, volkstümliche Form des Akkordeons.*

Ziehung, die; -, -en: *das Bestimmen der bei einer Lotterie gewinnenden Lose, Zahlen.*

Ziel, das; -[e]s, -e: **1.** *Punkt, Ort, den man erreichen will:* das Z. seiner Reise ist Paris; der Läufer ist am Z. angelangt. **2.** *das, wonach man strebt, worauf eine Handlung oder Absicht gerichtet ist:* die soziale Sicherheit des Bürgers war das Z. seiner Politik.

zielbewußt ⟨Adj.⟩: *ausdauernd und energisch auf sein Ziel hinarbeitend:* er geht sehr z. an die Arbeit.

zielen, zielte, hat gezielt ⟨itr.⟩: **1.** *(das, womit man schießt oder wirft) genau auf ein Ziel richten, um treffen zu können:* der Jäger zielt auf den Hasen. **2.** *beabsichtigen; einen bestimmten Zweck verfolgen:* seine Bemühungen zielten auf eine Änderung der politischen Verhältnisse; worauf zielte seine Frage?

ziellos ⟨Adj.⟩: *ohne festes Ziel:* z. liefen wir durch die unbekannte Stadt.

Zielscheibe, die; -, -n: *Scheibe mit um ein Zentrum angeordneten Kreisen, auf die als Ziel geschossen wird* (siehe Bild): der Pfeil hat die Zielscheibe knapp verfehlt; bildl.: er war zur Z. unseres Spottes geworden *(zur Person, auf die sich unser Spott konzentrierte).*

Zielscheibe

zielsicher ⟨Adj.⟩: **1. a)** *das Ziel sicher treffend:* ein zielsicherer Schütze. **b)** *sicher auf das Ziel zuhaltend:* z. den Hafen ansteuern. **2.** *seines Zieles sicher; zielbewußt:* er erklärte z., daß das bereits geschehen sei. **Zielsicherheit,** die; -.

zielstrebig ⟨Adj.⟩: *zielbewußt.* **Zielstrebigkeit,** die; -.

ziemen, sich; ziemte sich, hat sich geziemt (geh.): *den üblichen Regeln von Sitte und Anstand entsprechen, sich gehören:* es ziemt sich nicht zu sitzen, wenn ältere Leute stehen.

ziemlich: I. ⟨Adj.; nur attributiv⟩: *von großem, aber nicht übermäßig großem Ausmaß:* er hat ein ziemliches Vermögen; das Haus hat eine ziemliche Höhe. **II.** ⟨Adverb⟩ **a)** *sehr, aber nicht übermäßig; recht:* es ist z. kalt. **b)** *fast, beinah[e]:* er ist z. fertig; das ist z. gleich.

Zier, die; - (veralt.): *Zierde.*

Zierat, der; -[e]s, -e (geh.): *Verzierung:* ein mit künstlerischen Zieraten ausgestattetes Gebäude.

Zierde, die; -, -n: **1.** ⟨ohne Plural⟩ *jmd., der oder etwas, was zum Ansehen, zur Schönheit von etwas in hohem Maß beiträgt:* sie ist eine Z. ihrer Klasse; der alte Dom ist eine Z. der Stadt. **2.** *etwas, womit etwas verziert wird:* sein Orden steckt als Z. am Frack.

zieren, zierte, hat geziert /vgl. geziert/: **1.** ⟨tr.⟩ (geh.) *verzieren:* diese Schleife ziert ihr Haar. **2.** ⟨rfl.⟩ *in unnatürlicher, gekünstelter Weise etwas ablehnen, was man eigentlich gern haben oder tun möchte:* sie zierte sich erst eine Weile, bevor sie den Kuchen nahm; zier dich nicht so!

zierlich ⟨Adj.⟩: *fein, zart:* ein zierlicher Körper; eine zierliche Schrift. **Zierlichkeit,** die; -.

Zierpflanze, die; -, -n: *Pflanze, die nur der Zierde dient:* die Rose ist eine Z.

Ziffer, die; -, -n: *schriftliches Zeichen für eine Zahl:* die Zahl 52 hat zwei Ziffern; die Summe in Worten und Ziffern eintragen.

Zifferblatt, das; -[e]s, Zifferblätter: *mit Zahlen, Ziffern oder Zeichen versehene Scheibe der Uhr, auf der sich die Zeiger drehen* (siehe Bild): ein Z. mit römischen Zahlen.

Zifferblatt

Zigarette, die; -, -n: *kleine Rolle aus Tabak, von Papier umgeben* (siehe Bild): eine Z. rauchen.

Zigarette

Zigarettenlänge, die; -, -n: *Länge der Zigarette:* dieses Etui ist für die gängigen Zigarettenlängen geeignet; bildl. (ugs.): nach dieser schweren Anstrengung machten wir eine Z. Pause *(eine Pause von der Dauer, die man zum Rauchen einer Zigarette benötigt).*

Zigarillo, das; -s, -s: *kleine, dünne Zigarre* (siehe Bild); ich kaufte mir eine Schachtel leichte Zigarillos.

Zigarillo

Zigarre, die; -, -n: *Rolle aus Tabakblättern* (siehe Bild): eine Z. rauchen; eine starke Z.

Zigarre

Zigeuner, der; -s, -: *Angehöriger eines meist nicht seßhaften, ursprünglich aus Indien stammenden Volkes:* die Z. fuhren in ihren Wagen durch ganz Europa.

Zille, die; -, -n (östr.): *flacher, mit einem Ruder bewegter kleiner Kahn.*

Zimmer, das; -s, -: *Raum in einer Wohnung oder einem Haus:* er bewohnt ein Z. im dritten Stock; ein Z. mieten; eine Wohnung mit 3 Zimmern.

Zimmerflucht, die; -, -en: *zusammenhängende Reihe von Zimmern:* der Präsident bewohnte in dem Hotel eine Z.

Zimmerlautstärke, die; -: *Lautstärke innerhalb der Wohnung, bei der kein Nachbar belästigt wird:* das Radio auf Z. stellen.

Zimmermädchen, das; -s, -: *Angestellte in Hotels o. ä., die die Zimmer aufräumt, säubert:* das Z. hatte das Bett frisch bezogen.

Zimmermann, der; -[e]s, Zimmerleute: *Handwerker, der bei Bauten die Teile aus Holz herstellt:* der Z. setzt den Dachstuhl auf.

zimmern, zimmerte, hat gezimmert: **a)** ⟨tr.⟩ *(eine aus Holz bestehende Konstruktion) herstellen:* einen Schrank, Tisch, eine Laube z. **b)** ⟨itr.⟩ *(an einer aus Holz bestehenden Konstruktion) arbeiten:* er hat den ganzen Nachmittag an dem Regal gezimmert; er zimmert gern.

Zimmerpflanze, die; -, -n: *Zierpflanze, die in der Wohnung gehalten wird:* der Gummibaum ist eine Z.

Zimmertemperatur, die; -: *normale, mittlere Temperatur von 18°–20°C, die für das Bewohnen eines Zimmers ausreicht:* dieses Mittel wird bei Z. flüssig.

Zimmertheater, das; -s, -: **1.** *[kleinerer] Raum, in dem dafür geeignete Theaterstücke o. ä. aufgeführt werden:* das Z. wurde renoviert. **2.** *Unternehmen, das in dem gleichnamigen Raum dafür geeignete Theaterstücke o. ä. aufführt:* das Z. spielt meist avantgardistische Stücke, experimentiert gern.

zimperlich ⟨Adj.⟩ (abwertend): *übertrieben empfindlich:* sei nicht so z., es ist doch gar nicht so kalt; sie ist sehr z. *(prüde)*, wenn man einen Witz erzählt. **Zimperlichkeit,** die; -.

Zimt, der; -[e]s: **1.** *braunes, süßlich schmeckendes Gewürz in Form von gemahlenem Pulver oder länglichen dünnen Stangen:* Reisbrei mit Zucker und Z. bestreuen. **2.** (ugs.; abwertend) **a)** *wertloses Zeug, Kram:* wirf doch den ganzen Z. in den Papierkorb. **b)** *Unsinn:* rede doch nicht solch einen Z.! **c)** *lästige, unangenehme Angelegenheit:* der ganze Z. kann mir gestohlen bleiben, hängt mir zum Halse heraus.

Zink, das; -s: /ein Metall/.

Zinke, die; -, -n: *Spitze, Zacke:* die Zinken des Kammes, des Rechens.

Zinn, das; -s: /ein weiß glänzendes Metall/.

Zinne, die; -, -n (hist.): *einer Zacke ähnliches Stück Mauer, das mit anderen zusammen den Abschluß eines Bauwerks, einer Mauer bildet* (siehe Bild).

Zinne

Zinnober, der; -s, -: **1.** *glänzendes, meist rotes Mineral.* **2.** ⟨ohne Plural⟩ (ugs.) **a)** *wertloses Zeug:* diesen ganzen Z. kannst du ruhig wegwerfen. **b)** *überflüssige, unnötige Umstände; Unsinn:* mach keinen Z.!; laß doch den Z.!

Zinsen, die ⟨Plural⟩: *in Prozenten ausgedrückter Betrag, den jmd. für ein zeitweilig ausgeliehenes Kapital erhält:* er spart bei der Sparkasse und bekommt 3 Prozent Zinsen; er muß für sein Darlehen 6 Prozent Zinsen zahlen.

Zinseszinsen, die ⟨Plural⟩: *Zinsen des um die Zinsen vermehrten Kapitals.*

Zipfel, der; -s, -: *spitz zulaufendes Ende:* der Z. eines Kissens, einer Wurst.

Zipfelmütze, die; -, -n: /eine Mütze/ (siehe Bild).

Zipfelmütze

zirka ⟨Adverb⟩: *ungefähr:* er kommt in z. 3 Wochen.

Zirkel, der; -s, -: **1.** *Gerät, mit dem man einen Kreis zeichnen kann* (siehe Bild). **2.** *Gruppe von Personen mit bestimmten gemeinsamen Interessen:* die Künstler bildeten einen Z.

Zirkel 1.

Zirkulation, die; -, -en: **a)** *das Kreisen in einer bestimmten Bahn; Kreislauf:* die Z. des Blutes. **b)** *Umlauf, das In-Umlauf-Sein:* die Z. des Geldes.

zirkulieren, zirkulierte, hat/ist zirkuliert ⟨itr.⟩: **a)** *(in einer bestimmten Bahn) kreisen:* das Blut ist/hat in den Adern zirkuliert; das Blut ist/hat zu langsam zirkuliert. **b)** *in Umlauf sein:* vor kurzem ist/hat Falschgeld in der Stadt zirkuliert.

Zirkus, der; -ses, -se: *Unternehmen, das Vorführungen von Tieren, Artisten, Clowns o. ä. in einem großen Zelt zeigt:* er ist Dompteur beim Z.

zirpen, zirpte, hat gezirpt ⟨itr.⟩: *hohe, schrille Töne von sich geben* /bes. von Grillen/: eine Grille zirpte im Gras.

zischen, zischte, hat gezischt ⟨itr.⟩: *einen scharfen Laut hervorbringen, wie er beim Aussprechen eines s entsteht:* das Wasser zischt, wenn es auf eine heiße Platte kommt; die Schlange zischt; das Publikum zischte *(zeigte durch Zischen sein Mißfallen).*

Zisterne, die; -, -n: *unterirdischer Behälter zum Auffangen von [Regen]wasser.*

Zitadelle, die; -, -n: *Festung innerhalb, oberhalb oder am Rande einer Stadt.*

Zitat, das; -s, -e: *Stelle aus dem Text eines Werkes, die wörtlich übernommen wird:* er schloß seinen Vortrag mit einem Z. aus Goethes „Faust".

Zither, die; -, -n: /ein Musikinstrument/ (siehe Bild).

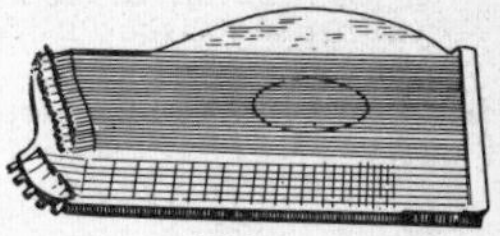

Zither

zitieren, zitierte, hat zitiert ⟨tr.⟩: **1.** *eine Stelle aus einem Werk [als Erklärung oder Beweis] wörtlich wiedergeben:* er zitiert oft Goethe. **2.** ⟨mit näherer Bestimmung⟩ *(jmdn.) auffordern, in einer bestimmten Angelegenheit [zu einer Behörde] zu kommen:* er wurde vor Gericht zitiert.

Zitrone, die; -, -n: /eine Südfrucht/ (siehe Bild).

Zitrone

zittern, zitterte, hat gezittert ⟨itr.⟩: *sich in ganz kurzen, schnellen und unwillkürlichen Schwingungen hin und her bewegen:* er zitterte vor Angst; das Laub zittert im Wind.

Zitterpappel, die; -, -n: /ein Baum/ (siehe Bild S. 794).

Zitterpappel

zittrig ⟨Adj.⟩: **a)** *(wegen eines körperlichen Gebrechens, aus Erregung) zitternd:* mit vor Aufregung zittrigen Fingern drehte er sich eine Zigarette; ein zittriger *(auf Grund seines Alters seine Bewegungen nicht mehr beherrschender)* Greis. **b)** *unsicher, die Erregung verratend:* er antwortete mit zittriger Stimme; sie unterschrieb mit zittriger Handschrift.

Zitze, die; -, -n: *Organ, durch das an die saugenden Jungen die Milch abgegeben wird* /von weiblichen Säugetieren/: die Welpen sogen an den Zitzen der Hündin.

zivil ⟨Adj.⟩: **1.** *nicht militärisch:* der zivile Beruf des Offiziers ist Ingenieur; ein Flughafen für den zivilen Verkehr. **2.** *mäßig, nicht übertrieben:* zivile Preise, Forderungen.

Zivil, das; -s: *bürgerliche Kleidung (im Unterschied zur Uniform):* der Beamte trug Z.; der Soldat war, ging in Z.

Zivilcourage [tsi'vi:lkura:ʒə], die; -: *Mut, für seine Überzeugung trotz eines zu erwartenden Widerstandes oder Nachteils einzustehen:* der Polizist bewies Z. und zeigte den Minister wegen Geschwindigkeitsübertretung an.

Zivilisation die; -: *durch Technik und Wissenschaft gestaltete und verfeinerte Lebensweise (im Gegensatz zur ursprünglich natürlichen oder primitiven):* das Land hat eine alte Kultur, aber nur geringe Z.

zivilisieren, zivilisierte, hat zivilisiert ⟨tr.⟩: *die Zivilisation (bei jmdm./in etwas) einführen:* bei den Bemühungen, diesen wilden Stamm zu z., stießen die Missionare auf größte Schwierigkeiten.

Zobel

Zivilist der; -en, -en: *jmd., der nicht zum Militär gehört:* der Zutritt zur Kaserne ist für Zivilisten gesperrt.

Zobel, der; -s, -: /ein Tier/ (siehe Bild).

Zofe, die; -, -n (hist.): *Dienerin einer Adligen:* die Z. führte den Gärtner zur Gräfin.

zögern, zögerte, hat gezögert ⟨itr.⟩: *vor einer Handlung oder Entscheidung unschlüssig warten:* er zögerte mit der Antwort; er gehorchte, ohne zu z.

Zögling, der; -s, -e: *jmd., der in einem Internat, Heim erzogen wird:* die Zöglinge fahren in den Ferien nach Hause.

Zölibat, das, (auch:) der; -[e]s: *Vorschrift für Geistliche, aus religiösen Gründen ehelos zu bleiben* /bes. kath. Rel./: die Abschaffung des Zölibats wird heftig diskutiert.

Zoll, der; -s, Zölle: **1.** *Abgabe, die man für eine Ware beim Überschreiten der Grenze an den Staat zahlen muß:* wir mußten für den Kaffee Z. bezahlen, als wir über die Grenze fuhren. **2.** ⟨ohne Plural⟩ *Behörde, die die gleichnamige Abgabe erhebt:* er ist beim Z. beschäftigt.

Zollamt, das; -[e]s, Zollämter: **1.** *Büro, Dienststelle des Zolls.* **2.** *Gebäude, in dem die gleichnamige Dienststelle untergebracht ist.*

zollen, zollte, hat gezollt ⟨Funktionsverb⟩ (geh.): jmdm. Achtung z. *(jmdn. achten);* jmdm. Dank z. *(jmdn. danken);* jmdm. Lob z. *(jmdn. loben).*

zollfrei ⟨Adj.⟩: *von Abgaben an den Zoll frei:* bis zu 20 Zigaretten sind z.

Zollkontrolle, die; -, -n: *Kontrolle durch den Zoll:* bei der Z. wurde der Schmuggler gefaßt.

Zöllner, der; -s, - (ugs.): *Beamter des Zolls:* der Z. kontrollierte die Reisenden sehr sorgfältig.

zollpflichtig ⟨Adj.⟩: *nicht zollfrei; der Pflicht, Bestimmung unterliegend, verzollt zu werden:* die Einfuhr von Alkohol ist z.

Zollstock, der; -[e]s, Zollstöcke: *Metermaß, das sich zusammenklappen läßt* (siehe Bild): der Schreiner maß die Länge des Brettes mit dem Z.

Zone, die; -, -n: **a)** *nach bestimmten Gesichtspunkten abgegrenztes Gebiet:* das Land wurde in vier Zonen eingeteilt. **b)** *Gebiet mit bestimmten [klimatischen] Eigenschaften:* das Klima der gemäßigten Z.; über 2000 m Höhe beginnt die baumlose Z. **c)** *Entfernung, nach der die Gebühren bei der [Straßen]bahn oder beim Telefon berechnet werden:* innerhalb der ersten Z. kostet die Fahrt 50 Pfennig.

Zollstock

Zoo, der; -[s], -s: *öffentliche Einrichtung zur Haltung von [exotischen] Tieren in Gehegen, Gärten, Käfigen usw.:* die Kinder lachen über die Affen im Z.

Zoologe [tsoo'lo:gə], der; -n, -n: *jmd., der Zoologie studiert [hat].*

Zoologie [tsoolo'gi:], die; -: *wissenschaftliches Gebiet, das sich mit den Tieren beschäftigt.*

zoologisch [tsoo'lo:gɪʃ] ⟨Adj.⟩: *die Zoologie betreffend, zu ihr gehörend:* zoologische Untersuchungen.

Zopf, der; -[e]s, Zöpfe: *aus mehreren Teilen geflochtene Haarsträhne* (siehe Bild): das Mädchen hat lange Zöpfe. * **ein alter Z.** *(eine längst überholte, veraltete Ansicht).*

Zopf

Zorn, der; -[e]s: *heftiger, leidenschaftlicher Unwille (gegen jmdn.); Wut:* er hatte einen furchtbaren Z. auf ihn; er gerät leicht in Z.

Zornader: ⟨in der Wendung⟩ jmdm. schwillt die Z. [an] (geh.): *jmd. wird sehr zornig.*

zornig ⟨Adj.⟩: *voll Zorn; durch Ärger, Wut über etwas/jmdn. erregt:* er schimpfte z.

Zote, die; -, -n (abwertend): *derber, obszöner Witz:* ich will solche Zoten nicht mehr hören.

zu: I. ⟨Präp. mit Dativ⟩ **1.** /lokal/ **a)** ⟨auf die Frage: wohin?⟩ /drückt eine Bewegung bis an ein Ziel hin aus/: das

Kind läuft zur Mutter; der Weg zum Bahnhof; ⟨oft zusammengesetzt mit Verben⟩ auf das Haus zufahren, zugehen. **b)** ⟨auf die Frage: wo?⟩ /bezeichnet einen Ort oder eine Lage/: zu Hause sein; zu Tisch sitzen; /in Verbindung mit Ortsnamen/ (geh.): der Dom zu Köln. **2.** /temporal/ ⟨auf die Frage: wann?⟩ /bezeichnet einen Zeitpunkt/: zu Mittag; zur rechten Zeit. **3.** /drückt aus, daß etwas durch etwas erweitert wird, daß etwas hinzugefügt wird/: stelle das Buch zu den anderen; er nimmt Sahne zum Kuchen. **4.** /drückt einen Zweck aus/ *zwecks, für:* Maßnahmen zur Verbesserung der Wirtschaft. **5.** ⟨in Verbindung mit Zahlwörtern⟩ **a)** /bezeichnet ein Verhältnis/: die Mannschaft siegte mit drei zu zwei Toren. **b)** /bei der Nennung eines Preises/: er kaufte das Stück zu sechs Pfennig. **c)** *in einer Gemeinschaft von jmdm.:* wir gingen zu dritt *(wir gingen als Gruppe von drei Personen).* **6.** /bezeichnet das Ergebnis eines Vorganges, einer Veränderung/: den Apfel zu Brei zerquetschen; er ist zum Dieb geworden; er wurde zum Direktor ernannt. **II.** ⟨Adverb⟩ *in höherem Maß, als es gut oder angemessen ist:* das Buch ist zu teuer; er fährt zu schnell. **III.** ⟨Konj. beim Inf.⟩: er hofft, pünktlich zu kommen; er hofft, pünktlich anzukommen; er hat Angst zu kommen; er nahm das Geld, ohne zu fragen; sie ging in die Stadt, um einzukaufen.

Zubehör, das; -s: *etwas, was (zu einem Haus, einer Maschine o. ä.) dazugehört:* eine Kamera mit allem Z.

zubeißen, biß zu, hat zugebissen ⟨itr.⟩: *mit den Zähnen (nach etwas) schnappen und rasch die Kiefer schließen:* als er den Hund mit einem Stock schlagen wollte, biß dieser zu.

Zuber, der; -s, -: *hölzerner Bottich mit zwei Griffen:* Wasser in einem Z. herbeiholen.

zubereiten, bereitete zu, hat zubereitet ⟨tr.⟩: *[aus den einzelnen Bestandteilen] herstellen und zum Gebrauch fertigmachen* /von Speisen o. ä./: das Essen, Frühstück z.; eine Arznei z. **Zubereitung,** die; -.

zubilligen, billigte zu, hat zugebilligt ⟨tr.⟩: *(etwas, worauf Anspruch erhoben wird) als berechtigt anerkennen und gewähren:* dem Volk wurde größere Freiheit zugebilligt. **Zubilligung,** die; -.

zubinden, band zu, hat zugebunden ⟨tr.⟩: *mit einem Band, einer Schnur verschließen:* er bindet den Sack mit einem Faden zu.

zubleiben, blieb zu, ist zugeblieben ⟨itr.⟩ (ugs.): *geschlossen bleiben:* das Fenster muß z., da es sonst zieht.

zubringen, brachte zu, hat zugebracht ⟨tr.⟩: *verbringen:* er brachte die ganzen Ferien auf dem Land zu.

Zubringer, der; -s, -: *Straße, die ein Gebiet mit einer Hauptverkehrsstraße, Autobahn o. ä. verbindet:* der Z. der Autobahn war verstopft.

Zucht, die; -: **1.** *das Züchten:* die Z. von Pferden. **2.** *straffe Unterordnung unter eine Autorität oder Regel; strenge Ordnung, Disziplin:* in der Klasse herrscht keine Z.

züchten, züchtete, hat gezüchtet ⟨tr.⟩: *für die Vermehrung und Verbesserung der Art von Pflanzen oder Tieren sorgen, um daraus wirtschaftlichen Nutzen zu ziehen:* in dieser Gegend wird besonders Vieh gezüchtet; Rosen z.

Züchter, der; -s, -: *jmd., der Tiere oder Pflanzen züchtet:* er ist ein begeisterter Z. von Schäferhunden.

Zuchthaus, das; -es, Zuchthäuser: **a)** ⟨ohne Plural⟩ *frühere schwere Freiheitsstrafe:* er wurde mit [zehn Jahren] Z. bestraft. **b)** *Gebäude, in dem die gleichnamige Freiheitsstrafe verbüßt wurde:* der Mörder kam ins Z.

Zuchthäusler, der; -s, -: *Verbrecher, der seine Strafe im Zuchthaus verbüßt:* die Z. arbeiten in einem Steinbruch.

züchtigen, züchtigte, hat gezüchtigt ⟨tr.⟩ (geh.): *durch Schläge strafen:* er hat seinen Sohn wegen dieser Ungezogenheit mit dem Stock gezüchtigt. **Züchtigung,** die; -, -en.

zuchtlos ⟨Adj.⟩: *ohne Disziplin; jede Erziehung vermissen lassend:* ein zuchtloses Benehmen; er ist völlig z. aufgewachsen.

Züchtung, die; -, -en: **1.** ⟨ohne Plural⟩ *das Züchten:* die Z. einer neuen Getreidesorte. **2.** *gezüchtete Gattung, Art, Rasse:* diese Z. ist besonders ergiebig und widerstandsfähig.

zucken, zuckte, hat gezuckt ⟨itr.⟩: *[unwillkürlich] eine schnelle und kurze Bewegung machen:* er hat ein nervöses Z. in den Beinen; der Fisch zuckt an der Angel.

zücken, zückte, hat gezückt ⟨tr.⟩: *[schnell] hervornehmen:* als der Präsident zu sprechen begann, zückten die Reporter ihre Bleistifte.

Zucker, der; -s: *Nahrungsmittel zum Süßen von Speisen:* er trinkt den Kaffee ohne Z.

Zuckerkrankheit, die; -: *Krankheit, bei der das Blut einen erhöhten Gehalt an Zucker aufweist.*

Zuckerl, das; -s, -[n] (bayr.; östr.): *Bonbon.*

zuckern, zuckerte, hat gezukkert ⟨tr.⟩: *mit Zucker süßen:* Erdbeeren z.; einen Napfkuchen z. *(mit Zucker bestreuen).*

Zuckerrohr, das; -s: /eine Pflanze, deren Mark Zucker liefert/ (siehe Bild).

Zuckerrohr

Zuckerrübe, die; -, -n: *Pflanze, aus deren Rübe Zucker gewonnen wird.*

zuckersüß ⟨Adj.⟩: **1.** *so süß wie Zucker, sehr süß:* das Getränk war, schmeckte z. **2.** (ugs.; abwertend) **a)** *in besonders kitschiger Weise hübsch, lieblich, anmutig:* sie malt zukkersüße Bilder. **b)** *übertrieben freundlich:* z. lächeln.

Zuckung, die; -, -en: *unwillkürliche, kurze und schnelle Bewegung:* die letzten Zuckungen eines geschlachteten Tieres; er leidet an nervösen Zuckungen im Gesicht.

zudecken, deckte zu, hat zugedeckt ⟨tr.⟩: **1.** *(mit etwas) bedecken:* die Mutter deckte das

Kind mit einer Decke zu; bildl.: seine Worte wurden vom Geschrei der Menge zugedeckt *(übertönt)*. **2.** *verheimlichen, vertuschen:* der Minister wollte die Mißstände z.

zudem ⟨Adverb⟩: *außerdem:* es war sehr kalt, z. regnete es.

zudrehen, drehte zu, hat zugedreht: **1.** ⟨tr.⟩ *durch Drehen (eines Hahnes o. ä.) verschließen:* die Heizung, das Wasser z. **2.** ⟨tr./rfl.⟩ *sich zu jmdm. wenden:* er drehte sich mir zu; er dreht mir den Rücken zu *(stellt sich so, daß sein Rücken zu mir gewandt ist)*.

zudringlich ⟨Adj.⟩: *durch zu große Vertraulichkeit lästig fallend:* dieser zudringliche Mensch erzählt mir immer private Dinge, die mich gar nicht interessieren. **Zudringlichkeit,** die; -.

zudrücken, drückte zu, hat zugedrückt ⟨tr.⟩: *(gegen etwas) drücken und es so schließen:* die Tür, den Deckel der Truhe z.; einem Toten die Augen z. * (ugs.) **ein Auge/beide Augen z.** *(nachsichtig mit jmdm. sein):* du hast mich zwar belogen, aber ich werde noch einmal beide Augen z.

zueinander ⟨Adverb⟩: *einer zum andern:* sie waren sehr freundlich z.; ⟨oft zusammengesetzt mit Verben⟩ zueinanderfinden, zueinanderstehen.

zuerkennen, erkannte zu/ (selten auch:) zuerkannte, hat zuerkannt ⟨tr.⟩: *durch einen Beschluß erklären, daß jmdm. etwas gebührt, gegeben werden soll:* ihm wurde ein hohe Belohnung zuerkannt.

zuerst ⟨Adverb⟩: **a)** *als erster, als erstes:* z. kam mein Bruder, dann folgten die andern. **b)** *am Anfang:* z. dachte ich, es würde mißlingen, dann ging aber alles gut.

Zufahrt, die; -, -en: *Straße, auf der man direkt bis zu einem Gebäude, zu einer anderen Straße o. ä. fahren kann:* die Z. zu einem Haus, zur Autobahn.

Zufall, der; -s, Zufälle: *etwas, wofür keine Ursache, kein Zusammenhang, keine Gesetzmäßigkeit erkennbar ist:* es war ein Z., daß wir uns in Paris trafen; durch Z. erfuhr ich von seiner Heirat.

zufallen, fällt zu, fiel zu, ist zugefallen ⟨itr.⟩: **1.** *sich [von selbst] schnell schließen:* der Deckel, die Tür ist zugefallen. **2. a)** *[unverdient oder unerwartet] erlangen, zuteil werden:* sein Reichtum ist ihm nicht einfach zugefallen, sondern er hat hart gearbeitet; ihm ist die ganze Erbschaft zugefallen. **b)** *(jmdm.) aufgetragen werden:* ihm ist die Aufgabe zugefallen, die Rede zu halten.

zufällig ⟨Adj.⟩: *durch Zufall; auf Zufall beruhend:* ein zufälliges Zusammentreffen; er hat das Buch z. in einem Schaufenster gesehen.

zufassen, faßte zu, hat zugefaßt ⟨itr.⟩: **a)** *anfassen, (mit den Händen, Fingern) greifen:* sie faßte mit ihren Fingern vorsichtig zu. **b)** *mithelfen:* jetzt müssen alle z.!

zufliegen, flog zu, ist zugeflogen ⟨itr.⟩: **a)** *zu jmdm. fliegen:* ein Vogel ist ihm zugeflogen; bildl.: die Herzen fliegen ihr zu *(sie ist sehr beliebt)*. **b)** *heftig zufallen, sich mit Krach schließen:* bei dem Wind ist die Tür zugeflogen. **c)** *ohne Mühe erlangen:* dem Jungen fliegt in der Schule alles zu *(er lernt sehr leicht)*; ihm fliegen die Gedanken nur so zu.

Zuflucht, die; -, Zuflüchte: *Ort, an dem man in Sicherheit ist:* der Flüchtling fand in Amerika eine Z.; er gewährte seinem Freund [in seinem Haus] Z. * **Z. zu etwas nehmen** *(als letzte Möglichkeit zu etwas übergehen, greifen):* die Mannschaft nahm zu unfairen Methoden ihre Z.; **Z. bei jmdm./etwas suchen** *(bei jmdm./etwas Trost suchen):* wenn sie traurig ist, sucht sie bei ihrem Freund, bei ihren Büchern Z.

Zufluchtsort, der; -[e]s, -e: *Ort, an dem man Zuflucht sucht:* an diesem sicheren Z. wartete er das Ende der Unruhen ab.

Zufluß, der; Zuflusses, Zuflüsse: **a)** *Fluß, der in einen anderen mündet:* der Main ist ein Z. des Rheins. **b)** *das Einströmen, Eindringen:* der Z. ausländischen Kapitals in die heimische Wirtschaft.

zuflüstern, flüsterte zu, hat zugeflüstert ⟨tr.⟩: *mit flüsternder Stimme mitteilen:* sie hat ihm die Neuigkeit zugeflüstert.

zufolge ⟨Präp. mit Gen. oder Dativ⟩: *als Folge, auf Grund:* z. seines Wunsches / seinem Wunsch z. fuhren wir einen Tag später.

zufrieden ⟨Adj.⟩: **a)** *innerlich ausgeglichen und nichts anderes verlangend als man hat:* ein zufriedener Mensch; er dachte z. an die vergangenen Tage. **b)** *mit den gegebenen Verhältnissen, Leistungen o. ä. einverstanden; nichts auszusetzen habend:* der Lehrer ist mit seinen Schülern nicht z.; er ist mit der neuen Stellung nicht z.

zufriedengeben, sich; gibt sich zufrieden, gab sich zufrieden, hat sich zufriedengegeben: *sich begnügen, zufrieden sein:* mit diesem geringen Verdienst wollte ich mich nicht z.

Zufriedenheit, die; -: *das Zufriedensein:* er strahlte vor Z.

zufriedenlassen, läßt zufrieden, ließ zufrieden, hat zufriedengelassen ⟨tr.⟩: *in Ruhe lassen, nicht behelligen:* laß mich doch endlich [mit deinen Vorwürfen] zufrieden!

zufriedenstellen, stellte zufrieden, hat zufriedengestellt ⟨tr.⟩: *zufrieden machen:* der Wirt versuchte alles, um seine Gäste zufriedenzustellen; ⟨häufig im 1. Partizip⟩ seine Leistungen sind nicht zufriedenstellend.

zufrieren, fror zu, ist zugefroren ⟨itr.⟩: *von Eis ganz bedeckt werden:* der See ist zugefroren.

zufügen, fügte zu, hat zugefügt ⟨itr.⟩: *(etwas) tun, was für jmdn. von Nachteil ist, ihm schadet:* jmdm. ein Leid, Schaden z.

Zufuhr, die; -: *Versorgung (mit Gütern, Waren o. ä.):* die Z. von Lebensmitteln war unterbrochen; durch die Z. *(das Herannahen)* kalter Luft wird das Wetter schlechter.

zuführen, führte zu, hat zugeführt: **1.** ⟨tr.⟩ *(in etwas) leiten, (jmdn./etwas mit jmdm./etwas) versorgen:* einer Maschine Strom, Treibstoff z.; der Truppe wurden frische Kräfte zugeführt; der Dieb wurde seiner verdienten Strafe zugeführt *(es wurde veranlaßt, daß er seine verdiente Strafe erhielt)*; bildl.: eine Frage einer vernünftigen Lösung z. *(für eine Frage eine vernünftige Lösung finden)*. **2.** ⟨itr.⟩ *(auf etwas) hinführen, in die*

Richtung (auf etwas hin) verlaufen: der Weg führt genau auf das Tor zu; bildl.: diese Entwicklung führt auf eine Katastrophe zu.

Zug, der; -es, Züge: **1.** *Lokomotive mit den dazugehörenden Wagen bei der Eisenbahn:* er fuhr mit dem letzten Z. nach Hause. **2.** *Kolonne, Gruppe:* der Z. der Flüchtlinge nahm kein Ende. **3.** *das Ziehen, Wandern:* der Z. der Vögel in den Süden. **4.** *Luftzug:* bei dem starken Z. hat er sich erkältet. **5. a)** *Schluck:* er tat einen kräftigen Z. aus der Flasche. * **etwas in vollen Zügen genießen** *(etwas voll und ganz genießen).* **b)** *das Einatmen der Luft, das Einziehen des Rauches:* er atmete in tiefen Zügen; er machte einen Z. aus seiner Pfeife. * (ugs.) **in den letzten Zügen liegen** *(im Sterben liegen).* **6.** *charakterliche Eigenart:* das ist ein sympathischer Z. an ihm. **7.** *typische Linien des Gesichts:* jugendliche, hagere Züge. **8.** *das Bewegen einer Figur beim Spiel:* er machte mit dem Springer einen falschen Z. * **zum Zuge kommen** *(die Möglichkeit bekommen, tätig zu werden, zu handeln):* die Jugend kommt jetzt überall zum Zuge. ** **etwas in großen Zügen darstellen** *(etwas nur in Umrissen, nicht in Einzelheiten berichten).*

Zugabe, die; -, -n: **a)** *etwas, was zusätzlich gegeben wird:* das Kind erhielt beim Einkauf ein Bonbon als Z. **b)** *zusätzliche Darbietung bei einer künstlerischen Veranstaltung:* der Sänger sang als Z. zwei Lieder von Schubert; die Zuhörer erzwangen mit ihrem Applaus mehrere Zugaben.

Zugang, der; -[e]s, Zugänge: **1. a)** *Eingang, Einfahrt:* der Z. zum Schloß ist gesperrt. **b)** *das Betreten, Hineingehen:* der Z. zum Garten ist verboten. **2.** *Fähigkeit, sich einzufühlen, etwas zu verstehen; Sinn (für etwas):* er hat keinen Z. zur modernen Malerei.

zugänglich ⟨Adj.⟩: **1. a)** *erreichbar:* er wohnt in einem schwer zugänglichen Dorf im Gebirge. **b)** *für den Zugang oder die Benutzung zur Verfügung stehend:* das Museum wurde der Öffentlichkeit z. gemacht; die Bücher sind für jeden z. **2.** *gegenüber anderen Menschen aufgeschlossen:* er ist vernünftigen Vorschlägen immer z.; ein schwer zugänglicher *(verschlossener)* Mensch. **Zugänglichkeit,** die; -.

Zugbrücke, die; -, -n: *Brücke, die sich um die eigene Achse nach oben bewegen läßt* (siehe Bild).

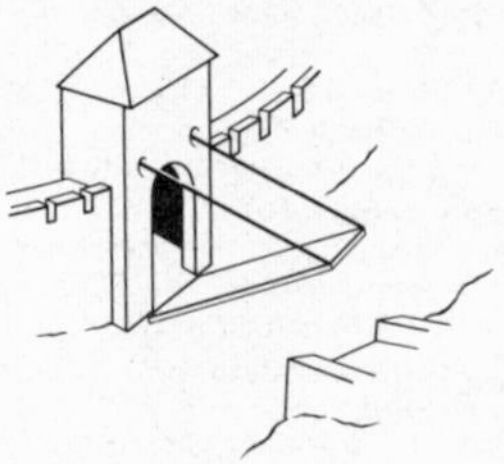

Zugbrücke

zugeben, gibt zu, gab zu, hat zugegeben: **1.** *[nach längerem Zögern oder Leugnen] gestehen:* der Junge hat zugegeben, daß er das Fenster zerbrochen hat. **2.** *erlauben:* der Vater wird es nie z., daß sie diese Reise unternimmt.

zugedacht: ⟨in der Verbindung⟩ jmdm. etwas z. haben (geh.): *etwas für jmdn. bestimmt haben:* er hatte mir eine wenig dankbare Rolle zugedacht; bei der ihm zugedachten Aufgabe versagte er.

zugegen: ⟨in der Verbindung⟩ z. sein: *anwesend sein:* er war bei der Feier nicht z.

zugehen, ging zu, ist zugegangen ⟨itr.⟩: **1.** *in Richtung auf etwas gehen:* er ging auf das Haus zu. **2.** *geschlossen werden können:* die Tür geht nicht zu. **3.** *(an jmdn.) gesandt, jmdm. zugestellt, überbracht werden:* der Brief geht Ihnen mit der Post zu. **4.** *geschehen, sich ereignen:* wie ist das zugegangen?; bei dem Fest ging es fröhlich zu *(herrschte eine fröhliche Stimmung).*

zugehörig ⟨Adj.⟩: *zu jmdm./etwas gehörend, dazugehörend:* ein Haus mit zugehörigem Garten kaufen.

Zugehörigkeit, die; -: *das Dazugehören (als Mitglied, Mitarbeiter o. ä.):* die Z. zu einem Verein.

zugeknöpft ⟨Adj.⟩ (ugs.): *verschlossen, zurückhaltend, abweisend:* zu ihm kann man nur schwer ein engeres Verhältnis gewinnen, da er immer sehr z. ist.

Zügel

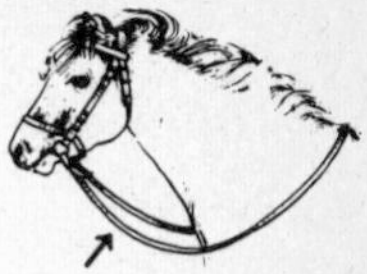

Zügel, der; -s, -: *Riemen, mit dem das Pferd gelenkt wird* (siehe Bild): die Z. [straff] anziehen; bildl.: die Z. des Betriebes fest in der Hand haben *(den Betrieb energisch leiten).*

zügellos ⟨Adj.⟩: *nicht von Vernunft und sittlicher Einsicht kontrolliert, hemmungslos:* ein zügelloses Treiben. **Zügellosigkeit,** die; -.

zügeln, zügelte, hat gezügelt ⟨tr.⟩: *zurückhalten, nicht frei gehen lassen:* sein Pferd z.; bildl.: sein Temperament, seine Leidenschaft z. *(beherrschen).*

Zugeständnis: ⟨in der Wendung⟩ jmdm. ein Z./Zugeständnisse machen: *jmdm. [in einer Sache] entgegenkommen:* die Arbeitgeber machten den Arbeitern bei den Lohnverhandlungen Zugeständnisse.

zugestehen, gestand zu, hat zugestanden ⟨tr.⟩: **a)** *einräumen, gewähren:* jmdm. ein Recht z. **b)** *zugeben:* ich muß ihm z., daß er korrekt gehandelt hat.

zugetan: ⟨in der Verbindung⟩ jmdm. z. sein: *für jmdn. freundliche, herzliche Gefühle haben:* sie war meiner Mutter sehr z.

zugig ⟨Adj.; nicht adverbial⟩: *der Zugluft ausgesetzt:* ein zugiger Korridor.

zügig ⟨Adj.⟩: *schnell und stetig; in einem Zuge:* die Arbeiten gehen z. voran; z. fahren.

Zugkraft, die; -: *öffentliches Interesse an einer Veranstaltung o. ä., durch das Zuschauer zum Besuch angereizt werden:* das Kino hat viel an Z. eingebüßt.

zugkräftig ⟨Adj.⟩: *(das Publikum) anziehend, anreizend; attraktiv:* ein zugkräftiges Theaterstück; das Plakat war sehr z.

zugleich ⟨Adverb⟩: **a)** *im selben Augenblick, zur gleichen Zeit:* sie griffen beide z. nach dem Buch. **b)** *in gleicher Weise,* *ebenso, auch:* er wollte mich loben und z. ermahnen; er ist Dichter und Maler z. *(in einer Person).*

Zugluft, die; -: *als unangenehm empfundene, stetig strömende kühle Luft:* in diesem Raum herrscht Z.

Zugmaschine, die; -, -n: *Kraftfahrzeug zum Ziehen von Anhängern o. ä.*

zugreifen, griff zu, hat zugegriffen ⟨itr.⟩: *schnell nehmen; anpacken:* bei diesem billigen Angebot muß man z.; wo es Arbeit gab, griff er zu; die Polizei hat zugegriffen *(hat den Verbrecher plötzlich verhaftet);* bitte greifen Sie zu! *(nehmen Sie sich bitte von dem Dargebotenen).*

zugrunde: ⟨in den Wendungen⟩ **z. gehen** *(vernichtet werden, untergehen, verderben);* **z. legen/liegen** *(als Grundlage verwenden/dienen);* **jmdn./etwas z. richten** *(jmdn./etwas vernichten, jmdn. ins Verderben stürzen).*

Zugtier, das; -[e]s, -e: *Haustier, das einen Wagen o. ä. zieht.*

zugunsten ⟨Präp. mit Gen.⟩: *zum Vorteil von jmdm. oder etwas:* er hat z. seines Sohnes auf das Erbe verzichtet.

zugute: ⟨in den Wendungen⟩ **jmdm. etwas z. halten** *(jmdm. etwas als Entschuldigung o. ä. anrechnen):* man hielt ihm seine Jugend z.; **etwas kommt jmdm. z.** *(etwas ist jmdm. [in bestimmten Lagen] nützlich):* es kam ihm z., daß er gut englisch sprach; der Ertrag der Sammlung kommt dem Altersheim z. *(ist für das Altersheim bestimmt).*

Zugvogel, der; -s, Zugvögel: *Vogel, der vor Einbruch des Winters wärmere Gegenden aufsucht und im Frühjahr zurückkehrt:* Storch, Drossel und Schwalbe sind Zugvögel.

zuhalten, hält zu, hielt zu, hat zugehalten: 1. ⟨tr.⟩ *[mit der Hand] verschließen:* eine Öffnung z.; sich die Ohren z. 2. ⟨itr.⟩ *in Richtung auf etwas zufahren:* das Boot hielt auf den Dampfer zu.

Zuhälter, der; -s, -: *Mann, der von den Einkünften einer Prostituierten lebt.*

Zuhause, das; -: *Ort, an dem man zu Hause ist [und sich wohl fühlt]:* seit dem Tod seiner Eltern ist er ohne richtiges Z.

zuhören, hörte zu, hat zugehört ⟨itr.⟩: *seine Aufmerksamkeit auf Worte oder Töne richten; einer Rede, einem Konzert o. ä. folgen:* einem Redner z.; dem Klang einer Geige z.; bei einer Unterhaltung z.; hör zu! *(paß auf, was ich sage!).*

Zuhörer, der; -s, -: *jmd., der einer Rede, einem Konzert o. ä. zuhört.*

Zuhörerschaft, die; -: *Gesamtheit der Zuhörer:* der Redner sprach vor einer großen Z.

zujubeln, jubelte zu, hat zugejubelt ⟨itr.⟩: *mit Jubel begrüßen, applaudieren:* die Fans jubelten dem Sänger begeistert zu.

zuklappen, klappte zu, hat/ist zugeklappt: 1. ⟨tr.⟩ **a)** *(etwas, was nur an einer Seite befestigt ist) nach unten, innen bewegen und dadurch etwas schließen:* er hat den Deckel der Kiste, Schachtel wieder zugeklappt. **b)** *(etwas) schließen, indem man den (an einer Seite befestigten) Deckel, Einband o. ä. nach unten, innen bewegt:* er hat den Koffer, das Buch zugeklappt. 2. ⟨itr.⟩ *sich [von selbst] schnell schließen:* der Deckel ist plötzlich zugeklappt.

zuknallen, knallte zu, hat/ist zugeknallt (ugs.): 1. ⟨tr.⟩ *mit einem Knall schließen:* vor Wut hat er die Tür zugeknallt. 2. ⟨itr.⟩ *sich mit einem Knall schnell schließen:* bei dem Durchzug ist das Fenster zugeknallt.

zukommen, kam zu, ist zugekommen ⟨itr.⟩: 1. *sich (jmdm.) nähern, sich (auf jmdn. zu) bewegen:* er kam mit schnellen Schritten auf mich zu; bildl.: er ahnte nicht, was mit dieser Arbeit auf ihn zukam. * **jmdm. etwas z. lassen: a)** *veranlassen, daß jmd. etwas erhält:* ich lasse Ihnen einen Bericht darüber z. **b)** *veranlassen, daß jmd. einen materiellen Vorteil, Nutzen hat:* von Zeit zu Zeit ließ er seinen armen Verwandten auch etwas z.; **etwas auf sich z. lassen** *(ohne selbst die Initiative zu ergreifen, abwarten, bis etwas an einen herantritt):* du läßt alles auf dich z. 2. (geh.) **a)** *zustehen; ein Recht, einen Anspruch (auf etwas) haben:* ihm kam noch vom vorigen Jahr Urlaub zu. **b)** *sich (für jmdn.) gehören; (zu etwas) berechtigt sein:* in dieser Angelegenheit kommt es ihm nicht zu, Kritik zu üben. 3. *(für etwas) angemessen, zutreffend sein; (etwas) als Eigenschaft, besonderes Merkmal besitzen:* dieser Entscheidung kommt eine erhöhte Bedeutung zu.

Zukunft, die; -: *die Zeit, die vor jmdm. liegt, die kommende, spätere Zeit:* die Z. voraussehen; du mußt an deine Z. *(an dein späteres [berufliches] Leben)* denken. * **keine Z. haben** *(keine günstige Entwicklung erwarten können):* dieses Handwerk hat keine Z.; **in Z.** *(künftig, von jetzt an);* ich will in Z. immer benachrichtigt werden.

zukünftig: I. ⟨Adj.; nur attributiv⟩: *in der Zukunft liegend, bestehend; künftig, später:* meine zukünftige Wohnung; damals lernte er seine zukünftige Frau kennen. **II.** ⟨Adverb⟩ *von heute an:* er verlangte von ihm, z. seinen Anweisungen nachzukommen.

Zukunftsmusik: ⟨in der Verbindung⟩ etwas ist Z. (ugs.): *etwas ist zwar im Hinblick auf die Zukunft wünschenswert und erstrebenswert, aber utopisch, nicht zu realisieren:* diese Vorstellungen über modernes Wohnen sind Z.

Zukunftstraum, der; -[e]s, Zukunftsträume: *nicht zu realisierender, utopischer Wunsch:* diese Zukunftsträume werden sich nicht verwirklichen.

Zulage, die; -, -n: *zusätzliche Zahlung von Geld zum Gehalt o. ä.:* bei dieser gefährlichen Arbeit wurde den Arbeitern eine hohe Z. gewährt.

zulangen, langte zu, hat zugelangt ⟨itr.⟩ (ugs.): 1. *(nach etwas) greifen und an sich nehmen:* als der Dieb sich unbeobachtet glaubte, langte er schnell zu; bildl.: die hungrigen Gäste haben [tüchtig] zugelangt *([viel] gegessen).* 2. *in ausreichendem Maß vorhanden sein, reichen:* das Geld langte [nicht] zu.

zulassen, läßt zu, ließ zu, hat zugelassen ⟨tr.⟩: 1. *(etwas) dulden, erlauben:* ich kann es nicht z., daß er übergangen wird; die Gesetze lassen keine Ausnahme zu. 2. *(jmdn./etwas) in einer Funktion [amtlich] anerkennen:* einen Rechtsanwalt bei einem Gericht z.; ⟨häufig im 2. Partizip⟩ der Kraftwagen ist noch nicht [zum Verkehr] zugelassen.

zulässig ⟨Adj.; nicht adverbial⟩: *erlaubt, als vertretbar zugestanden:* die zulässige Geschwindigkeit; dieses Verfahren ist nicht z. **Zulässigkeit,** die; -.

Zulauf: ⟨in der Verbindung⟩ Z. haben: *von vielen Menschen besucht werden:* das neue Kaufhaus hat großen Z.

zulaufen, läuft zu, lief zu, ist zugelaufen ⟨itr.⟩: **1.** *(zu jmdm./etwas) laufen:* voller Angst lief sie auf das Haus zu. **2.** *sich (jmdm.) anschließen* /von herrenlosen, entlaufenen Haustieren/: dieser junge Hund ist uns vor einigen Tagen zugelaufen. **3. a)** *auf das Ende zu (in einer bestimmten Form) verlaufen:* der Bolzen lief spitz, konisch zu. **b)** *(in Richtung auf etwas hin) verlaufen:* die Straße läuft auf das Haus zu. **4.** *(zu einer schon vorhandenen Menge Flüssigkeit noch zusätzlich) hinzukommen:* das Wasser ist zu heiß, laß noch kaltes z.

zulegen, legte zu, hat zugelegt: **1.** ⟨tr.⟩ *annehmen, erwerben:* der Künstler hat sich einen anderen Namen zugelegt; (ugs.) er hat sich ein Auto zugelegt *(gekauft).* **2.** ⟨itr.⟩ (ugs.) *sein Tempo steigern:* der Läufer hat tüchtig zugelegt.

zuleide: ⟨in der Wendung⟩ jmdm. etwas z. tun: *jmdm. einen Schaden, eine Verletzung zufügen; jmdn. kränken:* er kann niemandem etwas z. tun.

zuleiten, leitete zu, hat zugeleitet ⟨tr.⟩: **1.** *(etwas in etwas) leiten, (etwas mit etwas) versorgen:* einer Maschine Wasser, Strom z. **2.** *(jmdm. Nachrichten, Sendungen o. ä.) übermitteln:* dieser Bescheid wird Ihnen in Kürze zugeleitet werden.

zuletzt ⟨Adverb⟩: **a)** *als letzter, als letztes:* mein Vater kam z.; daran habe ich erst z. gedacht. **b)** *schließlich, zum Schluß:* wir mußten z. doch umkehren; er arbeitete bis z. *(bis zum Ende; bis zu seinem Tode).* * **nicht zuletzt** *([besonders] auch* /hebt etwas als wichtig hervor/*)*: alle Leute und nicht z. die Kinder hatten ihn gern.

zuliebe ⟨Adverb⟩: *um (jmdm.) einen Gefallen zu tun; mit Rücksicht (auf jmdn./etwas):* das tue ich nur meinem Vater z.; der Wahrheit z. muß ich dir widersprechen.

zum ⟨Verschmelzung von *zu* + *dem*⟩.

zumachen, machte zu, hat zugemacht ⟨tr.⟩ (ugs.): *schließen:* die Tür z.; die Jacke z. *(mit Knöpfen schließen);* ⟨auch itr.⟩ er hat zugemacht *(er hat sein Geschäft, Unternehmen aufgegeben).*

zumal: I. ⟨Adverb⟩ *besonders, vor allem:* unsere Straße wird z. gegen Abend viel von Autos befahren; ⟨häufig in Verbindung mit *da* und *wenn*⟩ sie hat zu Hause wenig zu tun, z. da sie eine Putzfrau hat. **II.** ⟨Konj.⟩ *besonders da, weil:* sie hat zu Hause wenig zu tun, z. sie eine Putzfrau hat.

zumindest ⟨Adverb⟩: *als wenigstes, auf jeden Fall:* ich kann z. verlangen, daß er mich anhört.

zumute: ⟨in der Wendung⟩ jmdm. ist traurig / seltsam o. ä. z.: *jmd. ist in trauriger, seltsamer o. ä. Stimmung.*

zumutbar ⟨Adj.⟩: *so beschaffen, daß es von jmdm. als Leistung erwartet werden kann:* zumutbare Steuern, Belastungen. **Zumutbarkeit,** die; -.

zumuten, mutete zu, hat zugemutet ⟨tr.⟩: *von jmdm. etwas verlangen, was er nicht oder nur schwer leisten oder ertragen kann:* er mutete uns zu, zwei Stunden zu stehen; das kannst du ihr nicht z.; ⟨auch rfl.⟩ du hast dir zuviel zugemutet. **Zumutung,** die; -, -en.

zunächst ⟨Adverb⟩: **a)** *zuerst, als erstes:* er ging z. nach Hause, dann ins Theater. **b)** *vorerst, einstweilen:* daran denke ich z. noch nicht.

Zunahme, die; -: *das Zunehmen; Vergrößerung, Vermehrung* /Ggs. Abnahme/: die Z. des Gewichtes; eine rasche Z. des Verkehrs.

Zuname, der; -ns, -n: *Familienname.*

zünden, zündete, hat gezündet: **1.** ⟨tr.⟩ *in Brand setzen, zur Explosion bringen:* eine Mine z.; ⟨auch itr.⟩ der Blitz hat gezündet *(etwas in Brand gesetzt).* **2.** ⟨itr.⟩ *Stimmung, Begeisterung hervorrufen:* dieser Vorschlag zündete sofort; ⟨häufig im 1. Partizip⟩ eine zündende Rede halten.

Zunder, der; -s: *leicht brennbares Material, das man früher beim Feuerschlagen verwendete:* das Stroh brannte wie Z. * (ugs.) **jmdm. Z. geben** *(jmdn. schlagen, prügeln):* diesen Burschen müßte man einmal Z. geben; (ugs.) **Z. bekommen/kriegen** *(Schläge, Prügel bekommen).*

Zünder, der; -s, -: **1.** *Vorrichtung zum Zünden von Sprengkörpern:* den Z. aus einer Granate schrauben. **2.** ⟨Plural⟩ (bes. östr.; ugs.) *Streichhölzer.*

Zündholz, das; -es, Zündhölzer: *Streichholz.*

Zündkerze, die; -, -n: *Vorrichtung, durch die in Motoren das aus Luft und Brennstoff bestehende Gemisch elektrisch gezündet wird* (siehe Bild): die Zündkerzen waren verschmutzt, deshalb sprang der Motor nicht an.

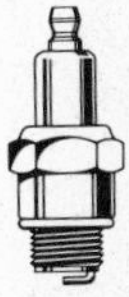

Zündkerze

Zündschnur, die; -, Zündschnüre: *aus gut brennbarem Material hergestellte Schnur zum Zünden von Sprengstoff:* eine Z. legen.

Zündstoff, der; -[e]s, -e: *explosiver Stoff:* die Lagerung von Zündstoffen erfordert äußerste Sorgfalt; bildl.: seine Rede enthielt viel politischen Z. *(viele heikle, schwierige und umstrittene Fragen der Politik).*

Zündung, die; -, -en: *das Zünden:* die Z. einer Bombe.

zunehmen, nimmt zu, nahm zu, hat zugenommen ⟨itr.⟩: **a)** *größer, stärker werden, sich vermehren* /Ggs. abnehmen/: die Kälte nimmt zu; ⟨häufig im 1. Partizip⟩ zunehmende Schwierigkeiten; er gewann zunehmend an Einfluß. **b)** *sein Gewicht vergrößern* /Ggs. abnehmen/: ich habe [3 Pfund] zugenommen.

Zuneigung, die; -: *herzliches Gefühl des Wohlwollens; Anhänglichkeit; Sympathie* /Ggs. Abneigung/: sie faßte schnell Z. zu ihm; zu jmdm. Z. haben.

Zunft, die; -, Zünfte (hist.): *Zusammenschluß von Handwerkern, Innung:* die Z. der Bäcker; bildl. (scherzh.): die Z. der

Dichter, Diebe; er ist von der Z. *(er ist ein Fachmann).*

zünftig ⟨Adj.⟩: *der Art und Gewohnheit einer bestimmten Gruppe entsprechend:* ein zünftiger Sportler; eine zünftige Kleidung; in der Kneipe ging es z. zu *(so, wie man es dort erwarten muß).*

Zunge, die; -, -n: *fleischiges, bewegliches Organ im Munde* (siehe Bild): die Z. zeigen; sich auf die Z. beißen. * **etwas liegt jmdm. auf der Z.: a)** *jmd. ist nahe daran, einen Namen o. ä. nennen zu können, der ihm aber noch nicht einfällt:* sein Name liegt mir auf der Zunge, wie heißt er doch gleich? **b)** *jmd. will etwas sagen, unterdrückt es aber:* es lag mir auf der Zunge zu sagen, daß es dafür zu spät sei.

Zunge

züngeln, züngelte, hat gezüngelt ⟨itr.⟩: *die Zunge schnell hin und her, nach vorn und wieder nach hinten bewegen* /bes. von Schlangen/: die Schlange züngelte; bildl.: die Flammen züngelten aus dem Fenster des brennenden Hauses.

Zünglein: ⟨in der Wendung⟩ bei etwas das Z. an der Waage sein/bilden: *bei etwas [trotz an sich nur geringen Einflusses] die Entscheidung haben:* bei der Regierungsbildung war diese kleine Partei das Z. an der Waage.

zunichte: ⟨in den Wendungen⟩ **etwas z. machen** *(etwas vereiteln, vernichten):* das Unwetter machte unsere Pläne z.; **z. werden** *(vereitelt werden, vergehen):* seine Hoffnungen wurden z.

zunutze: ⟨in der Wendung⟩ sich etwas z. machen: *Nutzen aus etwas ziehen, etwas ausnutzen:* sie macht sich seine Dummheit z.

zuoberst ⟨Adverb⟩: *ganz oben:* die Hemden lagen im Koffer z. * **das Unterste z. kehren** *(alles durcheinanderbringen).*

zuordnen, ordnete zu, hat zugeordnet ⟨tr.⟩: *zu etwas Geordnetem hinzufügen:* etwas einer Gattung, einem System z. **Zuordnung,** die; -.

zupacken, packte zu, hat zugepackt ⟨itr.⟩: *schnell und fest zugreifen:* er packte zu und würgte ihn.

zupfen, zupfte, hat gezupft ⟨tr.⟩: *kurz und leicht ziehen:* jmdn. am Ärmel z.; die Saiten eines Instruments z.; ⟨auch itr.⟩ er zupfte nervös an seinem Bart.

zur ⟨Verschmelzung von *zu* + *der*⟩.

zuraten, rät zu, riet zu, hat zugeraten ⟨itr.⟩: *empfehlen, etwas zu tun* /Ggs. abraten/: er riet mir zu, diesen Wagen zu kaufen.

zurechnungsfähig ⟨Adj.⟩: *fähig, sein eigenes Handeln zu beurteilen; seines Handelns bewußt:* er hatte viel getrunken und war zur Zeit der Tat nicht z. **Zurechnungsfähigkeit,** die; -.

zurechtfinden, sich; fand sich zurecht, hat sich zurechtgefunden ⟨rfl.⟩: *von selbst den richtigen Weg, die richtige Lösung einer Aufgabe o. ä. finden; Zusammenhänge erkennen:* er fand sich in der Stadt schnell zurecht; er konnte sich im Leben nicht mehr z.

zurechtkommen, kam zurecht, ist zurechtgekommen ⟨itr.⟩: **1.** *(mit etwas) fertig werden; (mit jmdm./etwas) richtig umgehen können:* ich komme mit der Maschine, mit meinem Kollegen nicht zurecht. **2.** *zur rechten Zeit kommen:* er kam gerade noch zurecht, ehe der Zug abfuhr.

zurechtlegen, legte zurecht, hat zurechtgelegt ⟨tr.⟩: **1.** *zum Gebrauch passend hinlegen:* er legte Hut und Mantel zurecht. **2.** *sich ausdenken:* er legte sich eine Ausrede zurecht.

zurechtmachen, machte zurecht, hat zurechtgemacht: **a)** ⟨tr.⟩ (ugs.) *für den Gebrauch vorbereiten:* den Salat, das Bett z. **b)** ⟨rfl.⟩ (ugs.) *sich frisieren, schminken usw.:* sie hat sich [zu sehr] zurechtgemacht.

zurechtrücken, rückte zurecht, hat zurechtgerückt ⟨tr.⟩: *an die richtige Stelle rücken:* die Krawatte, die Stühle z. * (ugs.) **jmdm. den Kopf z.** *(jmdn. zur Vernunft bringen).*

zurechtsetzen, setzte zurecht, hat zurechtgesetzt: **1.** ⟨tr.⟩ *an die richtige Stelle setzen:* [sich] den Hut z.; die Stühle z. **2.** ⟨rfl.⟩ *sich richtig, in einer bestimmten Form hinsetzen:* ich setzte mich im Sessel zurecht.

zurechtweisen, wies zurecht, hat zurechtgewiesen ⟨tr.⟩: *(jmdn.) tadelnd auf Pflicht und Ordnung hinweisen:* er hat ihn streng zurechtgewiesen. **Zurechtweisung,** die; -, -en.

zureden, redete zu, hat zugeredet ⟨itr.⟩: *(jmdn.) durch Worte veranlassen wollen, etwas zu tun; (jmdn.) durch Reden beeinflussen:* wir haben ihm gut zugeredet, sich hinzulegen; alles Zureden half nichts.

zurichten, richtete zu, hat zugerichtet ⟨tr.⟩: **1.** *(in einer bestimmten Form, für einen bestimmten Zweck) vor-, zubereiten:* wir richteten die Wohnung für unsere Gäste zu; das Essen z. **2. a)** *beschädigen:* die Kinder haben die Möbel schlimm zugerichtet. **b)** *(jmdm.) körperliche Verletzungen beibringen; verletzen:* bei der Schlägerei ist er übel zugerichtet worden.

zürnen, zürnte, hat gezürnt ⟨itr.⟩ (geh.): *(auf jmdn.) böse, zornig sein:* er zürnte mir wegen meiner Absage.

zurück ⟨Adverb⟩: *wieder an den Ausgangspunkt, in umgekehrter Richtung:* wir wollen hin und z. mit der Bahn fahren; ⟨häufig zusammengesetzt mit Verben⟩ zurückgehen, zurückkommen. * **z. sein: a)** *wiedergekommen sein:* ich bin um 7 Uhr heute abend z. **b)** (ugs.) *den erwarteten Stand noch nicht erreicht haben:* sie sind mit ihrem Pensum noch z.

zurückbleiben, blieb zurück, ist zurückgeblieben ⟨itr.⟩: **1.** *an einer Stelle bleiben:* mein Koffer blieb im Hotel zurück. **b)** *als Folge bleiben:* von seinem Unfall blieb eine Schwäche zurück. **2.** *langsamer vorwärtskommen, sich langsamer als normal entwickeln:* das Kind ist geistig zurückgeblieben.

zurückblicken, blickte zurück, hat zurückgeblickt ⟨itr.⟩: **a)** *nach hinten blicken:* der Wanderer blickt zurück. **b)** *die Gedanken auf Vergangenes richten:* er blickt auf ein reiches Leben zurück.

zurückdenken, dachte zurück, hat zurückgedacht ⟨itr.⟩: *sich erinnern:* sie dachte gern an diese schöne Zeit zurück; soweit ich z. kann, hat sich ein solcher Fall noch nicht ereignet.

zurückfahren, fährt zurück, fuhr zurück, hat/ist zurückgefahren: **1.** ⟨itr.⟩ *in umgekehrter Richtung, wieder an den Ausgangspunkt fahren:* er ist gestern früh mit dem Zug nach Hamburg zurückgefahren. **2.** ⟨tr.⟩ *(mit einem Fahrzeug) wieder an den Ausgangspunkt befördern:* er hat seine Eltern mit dem Auto nach Hause zurückgefahren. **3.** ⟨itr.⟩ *sich (aus Angst, vor Schreck) plötzlich abwenden; plötzlich zurückweichen:* bei dem Knall bin ich erschrocken zurückgefahren.

zurückfallen, fällt zurück, fiel zurück, ist zurückgefallen ⟨itr.⟩: **1.** *nach hinten fallen:* er ließ sich in den Sessel z. **2.** *in Rückstand geraten; sich in seiner Placierung im Abstand zu den Konkurrenten verschlechtern:* im Ziel war der Läufer weit zurückgefallen; durch diese Niederlage fiel die Mannschaft auf den letzten Platz zurück. **3.** *(einer Sache) [wieder gewohnheitsmäßig] verfallen:* sie ist [wieder] in ihren alten Fehler zurückgefallen. **4.** *(jmdm.) angelastet, als Schuld, Fehler angerechnet werden:* seine schlechte Erziehung fällt auf seine Eltern zurück.

zurückfinden, fand zurück, hat zurückgefunden ⟨itr./rfl.⟩: *wieder den Weg zu seinem Ausgangspunkt finden:* er verlief sich, fand aber nach einiger Zeit zum Dorf zurück; ich fand den Weg, mich zu dem Ort nicht mehr zurück; bildl.: nach einigen Jahren hat er doch wieder zu seiner geschiedenen Frau zurückgefunden *(hat sich wieder mit ihr verbunden);* zur Sprache z. *(nach einer großen Erregung, Überraschung wieder zu sprechen in der Lage sein);* ich suchte mich aus meiner Verwirrung zurückzufinden.

zurückführen, führte zurück, hat zurückgeführt ⟨tr.⟩: **1.** *wieder an den Ausgangspunkt führen:* er führte uns ins Dorf zurück. **2.** *(etwas) als Folge von etwas erklären, aus etwas ableiten:* er führte den Unfall auf ein Versehen zurück.

zurückgehen, ging zurück, ist zurückgegangen ⟨itr.⟩: **1. a)** *in umgekehrter Richtung, wieder zum Ausgangspunkt gehen:* ins Haus z.; fünf Schritte z. **b)** *seinen Ursprung (in jmdm./etwas) haben:* diese Verordnung geht noch auf Napoleon zurück. **2.** *abnehmen, geringer werden:* das Fieber ist in den letzten Tagen zurückgegangen.

zurückgezogen: ⟨in den Wendungen⟩ z. **leben, ein zurückgezogenes Leben führen** *(für sich, in der Stille leben).* **Zurückgezogenheit,** die; -.

zurückgreifen, griff zurück, hat zurückgegriffen ⟨itr.⟩: **1.** *sich (aus etwas mit Geld, Waren o. ä.) [im Notfall] versorgen:* wenn wir in Schwierigkeiten geraten, können wir immer noch auf unsere Ersparnisse z. **2.** *sich (auf etwas Vergangenes) beziehen, stützen:* diese Universitätsreform greift auf ältere Vorschläge zurück.

zurückhalten, hält zurück, hielt zurück, hat zurückgehalten: **1. a)** ⟨tr.⟩ *am Weglaufen hindern, festhalten:* er konnte das Kind gerade noch z. **b)** ⟨tr./itr.⟩ *(Gefühle, Meinungen o. ä.) nicht merken lassen:* er hielt seinen/mit seinem Ärger zurück; ⟨häufig im 1. Partizip⟩ er äußerte sich sehr zurückhaltend über das Buch. **2.** ⟨rfl.⟩ *sich mäßigen:* sich beim Trinken z. **Zurückhaltung,** die; -.

zurückkehren, kehrte zurück, ist zurückgekehrt ⟨itr.⟩: *wiederkommen:* nach Hause z.; er kehrte zu der früheren Methode zurück *(verwendete sie wieder).*

zurücklassen, läßt zurück, ließ zurück, hat zurückgelassen ⟨tr.⟩: **1.** *an dem Ort, von dem man sich entfernt hat, lassen:* als wir flohen, mußten wir fast unseren ganzen Besitz z.; er hatte eine Nachricht zurückgelassen; bildl.: die Wunde ließ tiefe Narben zurück; bei seinem Tod ließ er zwei Kinder zurück. **2.** *hinter sich lassen, übertreffen, überholen:* er hat seine Konkurrenten weit [hinter sich] zurückgelassen.

zurückkommen, kam zurück, ist zurückgekommen ⟨itr.⟩: **1.** *wiederkommen:* er kam nicht aus dem Kriege zurück. **2.** *einen Gedanken o. ä. wieder aufgreifen:* ich komme auf mein Angebot zurück.

zurücklegen, legte zurück, hat zurückgelegt ⟨tr.⟩: **1. a)** *wieder hinlegen, nach hinten legen:* den Hammer [in den Kasten] z. **b)** *beiseite legen; sparen:* eine Eintrittskarte für jmdn. z.; Geld [für etwas] z. **2.** *eine Strecke hinter sich bringen:* wir haben täglich 15 km zurückgelegt.

zurückliegen, lag zurück, hat zurückgelegen ⟨itr.⟩: *in der Vergangenheit geschehen sein:* das Ereignis liegt schon einige Jahre zurück.

zurücknehmen, nimmt zurück, nahm zurück, hat zurückgenommen ⟨tr.⟩: **1. a)** *(etwas, was man einem anderen gegeben hat) wieder an sich nehmen:* er mußte das Geld, das er ihm leihen wollte, wieder z. **b)** *(etwas, was man einem anderen verkauft hat) wieder annehmen und das beim Verkauf erhaltene Geld zurückzahlen:* diese Ware wird nicht zurückgenommen. **2.** *nach hinten verlegen:* die Front, die erschöpften Truppen mußten zurückgenommen werden; der Trainer hat den Stürmer zurückgenommen *(ihm einen Platz in der Hintermannschaft angewiesen).* **3.** *rückgängig machen, widerrufen:* eine Beleidigung, ein Versprechen, eine Klage z.; beim Schach darf man einen Zug nicht z.

zurückrufen, rief zurück, hat zurückgerufen: **1.** ⟨tr.⟩ *durch Rufen zum Umkehren auffordern:* als ich mich schon entfernt hatte, rief er mich noch einmal zurück; bildl.: es gelang dem Arzt, den Ertrunkenen wieder ins Leben zurückzurufen *(ihn aus seiner tiefen Bewußtlosigkeit zu wecken).* **2.** ⟨tr.⟩ *in Erinnerung rufen, (an etwas) erinnern:* ich rief ihm, mir die vergangenen Ereignisse [ins Gedächtnis] zurück. **3.** ⟨itr.⟩ *durch Zurufen antworten:* er hat noch zurückgerufen, daß er auf mich warten würde. **4.** ⟨itr.⟩ *sich (mit jmdm., von dem man angerufen worden ist) wieder telefonisch in Verbindung setzen; wieder anrufen:* sobald ich in dieser Angelegenheit etwas erfahre, werde ich z.

zurückschlagen, schlägt zurück, schlug zurück, hat zurückgeschlagen: **1.** ⟨tr.⟩ **a)** *in die umgekehrte Richtung, wieder zum Ausgangspunkt schlagen:* der Verteidiger schlug den Ball in die Mitte des Spielfeldes zurück. **b)** *(einen Angriff, den Feind o. ä.) abwehren:* der Angriff, die feindlichen Truppen konnten zurückgeschlagen werden. **2.** ⟨tr.⟩ *in umgekehrter Richtung, nach hinten, zur Seite bewegen:* den Deckel, die Vorhänge, den Kragen z. **3.** ⟨itr.⟩ *(jmdn., der einen geschlagen hat) zur Vergeltung ebenfalls schlagen:* er schlug seinem Gegner bei dem Streit ins Gesicht, und dieser schlug sofort zurück; bildl.: bei einem feindlichen Angriff muß in kürzester Zeit zurückgeschlagen werden.

zurückschrecken, schreckte/schrak zurück, ist zurückgeschreckt ⟨itr.⟩: *nicht den Mut (zu etwas) haben:* so brutal er ist, vor einem Mord schreckt er doch zurück.

zurücksehnen, sehnte zurück, hat zurückgesehnt ⟨rfl./tr.⟩: *starkes Verlangen (nach etwas Vergangenem, Verlorenem) empfinden:* du wirst dich noch oft nach der Geborgenheit deines Elternhauses z.; (geh.) manchmal sehnte er die schöne Zeit seiner Jugend zurück.

zurücksetzen, setzte zurück, hat zurückgesetzt ⟨tr.⟩: **1.** *wieder hinsetzen, nach hinten setzen:* einen Stein z. **2.** *benachteiligen:* du darfst ihn nicht so z. **Zurücksetzung,** die; -.

zurückspringen, sprang zurück, ist zurückgesprungen ⟨itr.⟩: *nach hinten springen:* als der Zug einlief, konnte er noch im letzten Augenblick z.; bildl.: das Haus springt einige Meter zurück *(seine Front liegt, verläuft einige Meter hinter der der anderen Häuser)*.

zurückstecken, steckte zurück, hat zurückgesteckt: **1.** ⟨tr.⟩ *wieder (an seinen ursprünglichen Platz) stecken:* er steckte die Zeitung in die Tasche zurück. **2.** ⟨tr.⟩ *weiter nach hinten stecken:* einen Pflock einen halben Meter z. **3.** ⟨itr.⟩ *in seinen Ansprüchen bescheidener, in seinen Forderungen mäßiger werden:* er hat ein wenig zurückgesteckt. * (ugs.) **einen Pflock/einige/ein paar Pflöcke z. [müssen]** *(in seinen Ansprüchen bescheidener, in seinen Forderungen mäßiger sein [müssen]):* diesen Monat müssen wir einmal einen Pflock z.

zurückstehen, stand zurück, hat zurückgestanden ⟨itr.⟩: *an Wert oder Leistung geringer sein:* er steht hinter seinen Kollegen zurück; er will nicht z.

zurückstellen, stellte zurück, hat zurückgestellt ⟨tr.⟩: **1. a)** *wieder hinstellen:* ein Buch in den Schrank z. **b)** *reservieren:* Waren für einen Kunden z. **c)** *rückwärts bewegen:* die Zeiger einer Uhr, die Uhr z. **2.** *auf etwas [vorläufig] verzichten:* seine Pläne, Bedenken z. **3.** *(jmdm.) gewähren, daß er den Wehrdienst zu einem späteren als dem normalen Termin ableistet:* wegen seines Studiums wurde er zurückgestellt.

zurücktreten, tritt zurück, trat zurück, ist zurückgetreten ⟨itr.⟩: **1.** *nach hinten treten:* einen Schritt z. **2.** *eine Stellung, ein Amt aufgeben:* der Minister ist zurückgetreten.

zurückversetzen, versetzte zurück, hat zurückversetzt: **1.** ⟨tr.⟩ *wieder (in den früheren Zustand, Rang o. ä., in die frühere Stellung) versetzen:* nach diesen Vorfällen wurde er wieder auf seinen alten Posten zurückversetzt. **2.** ⟨rfl.⟩ *sich wieder (in eine vergangene Zeit) versetzen:* versetze dich einmal in die Zeit vor hundert Jahren zurück!

zurückweichen, wich zurück, ist zurückgewichen ⟨itr.⟩ (geh.): *sich ein wenig nach hinten entfernen, nach hinten ausweichen:* die Menge wich ehrfürchtig zurück; der Feind wich zurück; bildl.: er hat keine Willenskraft, vor jeder Anstrengung weicht er zurück *(er meidet jede Anstrengung)*.

zurückweisen, wies zurück, hat zurückgewiesen ⟨tr.⟩: *[schroff, entschieden] ablehnen, abwehren:* er wies mein Angebot zurück; eine Verleumdung z. **Zurückweisung,** die; -.

zurückwerfen, wirft zurück, warf zurück, hat zurückgeworfen: **1.** ⟨tr.⟩ *nach hinten, wieder an seinen Ausgangspunkt werfen:* den Ball z.; die Brandung warf den Schwimmer immer wieder zurück; bildl.: wir werden dadurch um Jahre zurückgeworfen *(am Vorwärtskommen, in der Entwicklung gehindert)*; der Spiegel wirft die Lichtstrahlen zurück *(reflektiert sie)*. **2.** ⟨rfl.⟩ *sich mit einer raschen Bewegung nach hinten setzen, legen:* ich werfe mich in den Sessel, auf das Bett zurück.

zurückziehen, zog zurück, hat zurückgezogen /vgl. zurückgezogen/: **1.** ⟨tr.⟩ **a)** *nach hinten, zur Seite ziehen:* den Vorhang z. **b)** *(etwas) rückgängig machen, (auf etwas) verzichten:* einen Antrag, Auftrag z. **2.** ⟨rfl.⟩ *sich [nach hinten] entfernen, sich absondern:* er zog sich in sein Zimmer z. **b)** *eine Arbeit o. ä. aufgeben:* er zog sich von den Geschäften zurück.

Zuruf, der; -[e]s, -e: **a)** ⟨ohne Plural⟩ *das Zurufen:* der Vorstand wurde durch Z. gewählt. **b)** *kurze, laute Äußerung oder Mitteilung:* anfeuernde, höhnische Zurufe.

zurufen, rief zu, hat zugerufen ⟨tr.⟩: *mit lauter Stimme mitteilen:* er rief mir zu, alles sei in Ordnung; jmdm. einen Gruß z.

Zusage, die; -, -n: **a)** *Versprechen:* jmdm. eine Z. machen; seine Zusagen einhalten. **b)** *zustimmende Antwort* /Ggs. Absage/: auf unsere Einladung bekamen wir zahlreiche Zusagen.

zusagen, sagte zu, hat zugesagt: **1. a)** ⟨tr.⟩ *versprechen:* er hat mir schnelle Hilfe zugesagt. **b)** ⟨itr.⟩ *ein Angebot, eine Einladung annehmen* /Ggs. absagen/: dein Bruder hat schon zugesagt. **2.** *passend, angenehm erscheinen; gefallen:* diese Wohnung sagt mir zu.

zusammen ⟨Adverb⟩: **a)** *einer mit einem anderen oder etwas mit etwas anderem; gemeinsam:* wir waren gestern abend noch lange z.; die Bände werden nur z. verkauft; ⟨häufig zusammengesetzt mit Verben⟩ zusammentreffen, zusammenfügen. **b)** *insgesamt:* alles z. kostet 10 Mark.

Zusammenarbeit, die; -: *gemeinsames Arbeiten, Wirken an der gleichen Sache, auf dem gleichen Gebiet:* durch Z. in der Forschung und Entwicklung wollen die Firmen Geld sparen.

zusammenarbeiten, arbeitete zusammen, hat zusammengearbeitet ⟨itr.⟩: *gemeinsam arbeiten; an der gleichen Sache, auf dem gleichen Gebiet wirken:* bei diesem Projekt haben mehrere Forscher zusammengearbeitet.

zusammenballen, ballte zusammen, hat zusammengeballt: **1.** ⟨tr.⟩ *zu einem Klumpen o. ä.*

ballen: er ballte das Papier, etwas Schnee zusammen. **2.** ⟨rfl.⟩ *sich ballen:* auf dem riesigen Platz ballten sich Menschenmassen zusammen; bildl. (geh.): dem Verhängnis, das sich über seinem Haupt zusammenballte, konnte er nicht entrinnen. **Zusammenballung,** die; -.

zusammenbeißen, biß zusammen, hat zusammengebissen: **1.** ⟨tr.⟩ *(die Zähne) kräftig gegeneinanderpressen:* er biß vor Schmerz die Zähne zusammen; ⟨häufig im 2. Partizip⟩ den Schmerz mit zusammengebissenen Zähnen ertragen. * (ugs.) **die Zähne z.** *(Schmerzen, etwas Unangenehmes o. ä. tapfer ertragen, ohne sich etwas anmerken zu lassen).* **2.** ⟨rfl.⟩ (ugs.) *sich unter mancherlei Kummer und Nöten aneinander gewöhnen, sich anpassen* /von Neuverheirateten/: die beiden müssen sich erst z.

zusammenbinden, band zusammen, hat zusammengebunden ⟨tr.⟩: *durch Binden zusammenfügen, vereinigen:* sie bindet die Blumen zu einem Strauß zusammen.

zusammenbrauen, braute zusammen, hat zusammengebraut: **1.** ⟨tr.⟩ (ugs.) *(ein Getränk) aus verschiedenen Dingen mischen:* was für ein Zeug hast du da zusammengebraut!; bildl.: da hast du dir ja eine schöne Geschichte zusammengebraut *(dich in eine unangenehme Lage gebracht).* **2.** ⟨rfl.⟩ *sich am Himmel zusammenziehen, sich nähern:* ein Gewitter braut sich zusammen.

zusammenbrechen, bricht zusammen, brach zusammen, ist zusammengebrochen ⟨itr.⟩: **a)** *einstürzen, auseinanderbrechen:* die Brücke brach unter der schweren Last zusammen; bildl.: die Firma brach zusammen *(machte Bankrott).* **b)** *vor Überanstrengung hinfallen; ohnmächtig werden:* der Mann brach aus Erschöpfung zusammen und war bewußtlos.

zusammenbringen, brachte zusammen, hat zusammengebracht ⟨tr.⟩: **a)** *(durch Vereinigung von vorher Getrenntem, von Teilen) schaffen, sammeln, anhäufen:* er hat damit ein Vermögen zusammengebracht. **b)** (ugs.) *fertigbringen, zustande bringen, können:* gestern habe ich das Gedicht noch so gut gekonnt, jetzt bringe ich es nicht mehr zusammen; er brachte keinen Satz zusammen *(konnte vor Erregung, Dummheit nicht viel sagen).* **c)** *die Bekanntschaft, das Zusammensein (von Personen) herbeiführen:* er hat die beiden in seiner Wohnung zusammengebracht.

Zusammenbruch, der; -s: **a)** *das Zusammenbrechen; Ruin:* der wirtschaftliche Z.; der Staat stand vor dem Z. **b)** *völlige Erschöpfung; Ohnmacht; schwere gesundheitliche Schädigung:* die vielen Aufregungen führten bei ihm zu einem totalen Z.

zusammendrängen, drängte zusammen, hat zusammengedrängt ⟨tr./rfl.⟩: *(auf eine Menge, größere Anzahl von Personen, Tieren) von allen Seiten eindringen und (auf einen im Verhältnis engen Raum) drängen:* die Menge wurde von der Polizei auf einem Platz zusammengedrängt; bildl.: in diesem Buch wird die Weltgeschichte auf kleinem Raum zusammengedrängt *(kurz zusammengefaßt).*

zusammenfahren, fährt zusammen, fuhr zusammen, hat/ist zusammengefahren: **1.** ⟨itr.⟩ **a)** (ugs.) *beim Fahren zusammenstoßen:* zwei Autos sind zusammengefahren. **b)** *[vor Schreck] zusammenzucken:* ich bin bei dem lauten Knall zusammengefahren. **2.** ⟨tr.⟩ **a)** *mit Fahrzeugen (an einem Ort) zusammenbringen, sammeln:* man hat das Holz am Waldrand zusammengefahren. **b)** (ugs.) *(gegen jmdn./etwas) fahren und dadurch verletzen, töten, beschädigen:* er hat gestern eine Frau, eine Mauer zusammengefahren.

zusammenfallen, fällt zusammen, fiel zusammen, ist zusammengefallen ⟨itr.⟩: **1.** *einstürzen:* die schön aufgebaute Dekoration fiel durch den starken Wind zusammen. **2.** *zur gleichen Zeit stattfinden:* die Geburtstage, Veranstaltungen fallen zusammen. **3.** *mager, körperlich schwach werden:* er fällt immer mehr zusammen.

zusammenfalten, faltete zusammen, hat zusammengefaltet ⟨tr.⟩: *(einer Sache) durch Falten, durch Übereinanderlegen, Übereinanderklappen ein kleineres Format geben:* ein Stück Papier, das Tischtuch z.

zusammenfassen, faßte zusammen, hat zusammengefaßt ⟨tr.⟩: **1.** *miteinander verbinden, konzentrieren:* man hat alle Gruppen, die das gleiche Ziel verfolgen, in diesem Verband zusammengefaßt. **2.** *zum Abschluß einer Rede, Diskussion o. ä. die Ausführungen [als Ergebnis] kurz und klar formulieren:* seine Gedanken, Ergebnisse in wenigen Sätzen z.; ⟨häufig im 1. Partizip⟩ zusammenfassend kann man sagen, daß ... **Zusammenfassung,** die; -, -en.

zusammenfügen, fügte zusammen, hat zusammengefügt: **a)** ⟨tr.⟩ *in bestimmter Weise und Form zusammensetzen:* der Künstler fügt die Steine zu einem Muster zusammen. **b)** ⟨rfl.⟩ *sich [zu einem Ganzen] verbinden:* alles fügt sich schön zusammen.

zusammengehören, gehörte zusammen, hat zusammengehört ⟨itr.⟩: *in enger Beziehung zueinander stehen; eine Einheit bilden:* diese drei Personen gehören zusammen; sie suchten alle zusammengehörenden Teile heraus.

zusammengehörig ⟨Adj.; nur attributiv⟩: *zusammengehörend:* alle zusammengehörigen Teile ordnen. **Zusammengehörigkeit,** die; -.

Zusammenhalt, der; -[e]s: *innere Verbundenheit:* die Mannschaft hat keinen Z.

zusammenhalten, hält zusammen, hielt zusammen, hat zusammengehalten: **1.** ⟨itr.⟩ *einander beistehen, verbunden sein:* wir wollen immer z. **2.** ⟨tr.⟩ *sparen, nicht ausgeben:* er hielt sein Vermögen nach Kräften z. **3.** ⟨tr.⟩ *beieinander-, geschlossen in einer Gruppe halten:* der Lehrer konnte die Schüler bei dem Ausflug nur schwer z. ***seine Gedanken z.** *(sich nicht verwirren lassen, sich konzentrieren)* **4.** ⟨tr.⟩ *vergleichend nebeneinander halten:* sie hat die beiden Stoffe zusammengehalten.

Zusammenhang, der; -[e]s, Zusammenhänge: *innere Beziehung, Verbindung:* zwischen diesen Vorgängen besteht kein Z.; dieser Satz ist aus dem Z. *(aus dem dazugehörigen Text)* gerissen.

zusạmmenhängen, hing zusammen, hat zusammengehangen ⟨itr.⟩: **a)** *verbunden sein:* die beiden Teile hängen vorerst nur lose zusammen. **b)** *in Zusammenhang, Beziehung stehen:* mit der Abrüstung hängt die Frage der nationalen Sicherheit eng zusammen; ⟨häufig im 1. Partizip⟩ alle damit zusammenhängenden *(damit in Beziehung stehenden)* Fragen erörtern; etwas zusammenhängend *(im Zusammenhang)* berichten.

zusạmmenhanglos ⟨Adj.⟩: *ohne Zusammenhang:* eine völlig zusammenhanglose Darstellung.

zusạmmenkehren, kehrte zusammen, hat zusammengekehrt ⟨tr.⟩: *auf einen Haufen kehren:* die Krumen unter dem Tisch z.

zusạmmenklappen, klappte zusammen, hat/ist zusammengeklappt: **1.** ⟨tr.⟩ **a)** *zusammenlegen:* er hat den Tisch, das Taschenmesser zusammengeklappt. **b)** *gegeneinanderschlagen:* der Soldat hat die Hacken zusammengeklappt. **2.** ⟨itr.⟩ (ugs.) *kraftlos werden, zusammenbrechen:* sie hat sich überanstrengt und ist zusammengeklappt.

zusạmmenkleben, klebte zusammen, hat zusammengeklebt: **1.** ⟨tr.⟩ *(mit Klebstoff) verbinden:* die Seiten eines Heftes z. **2.** ⟨itr.⟩ *(durch Klebstoff) aneinander haften:* die Briefmarken kleben zusammen.

zusạmmenkneifen, kniff zusammen, hat zusammengekniffen ⟨tr.⟩: **a)** *(die Augen) beinahe schließen, (mit den Augen) blinzeln:* er kniff die Augen in dem grellen Licht zusammen. **b)** *(die Lippen) fest aufeinanderdrücken:* zusammengekniffene Lippen.

zusạmmenknüllen, knüllte zusammen, hat zusammengeknüllt ⟨tr.⟩: *zusammenballen, zu einer Kugel o. ä. knüllen:* er knüllte die Zeitung zusammen und warf sie in den Papierkorb.

zusạmmenkommen, kam zusammen, ist zusammengekommen ⟨itr.⟩: *sich treffen, sich versammeln:* wir werden im nächsten Monat wieder z.; bildl.: an diesem Tag kam alles zusammen *(ereignete sich bei mir sehr viel gleichzeitig);* bei der Sammlung kam viel Geld zusammen *(wurde viel Geld gespendet).*

zusạmmenkratzen, kratzte zusammen, hat zusammengekratzt ⟨tr.⟩: *mit Mühe zusammenbringen:* er hat sein letztes Geld dafür zusammengekratzt.

Zusạmmenkunft, die; -, Zusammenkünfte: *Treffen, Versammlung; Sitzung:* der Termin für die nächste Z. liegt noch nicht fest.

zusạmmenläppern, sich; läpperte sich zusammen, hat sich zusammengeläppert (ugs.): *sich aus kleinen Mengen zu einem umfangreichen Ganzen ansammeln:* die zusätzlichen Ausgaben haben sich ganz schön zusammengeläppert.

zusạmmenlaufen, läuft zusammen, lief zusammen, ist zusammengelaufen ⟨itr.⟩: **1.** *von verschiedenen Seiten an eine Stelle laufen* /von Menschen, Tieren/: die Menschen liefen zusammen. **2.** *von verschiedenen Seiten zusammenfließen* /von Flüssigkeit/: das Wasser ist in der Vertiefung zusammengelaufen. * **jmdm. läuft das Wasser im Mund[e] zusammen** *(jmd. bekommt beim Anblick einer Speise besonderen Appetit):* beim Anblick des Bratens lief ihr das Wasser im Mund[e] zusammen. **3.** *sich vereinigen, sich treffen:* an diesem Punkt laufen die Linien zusammen; bildl.: alle Fäden liefen in seiner Hand zusammen *(er lenkte aus dem Hintergrund das gesamte Unternehmen).* **4.** (landsch.) *gerinnen* /von der Milch/: die Milch ist zusammengelaufen. **5.** *an den Rändern ineinander übergehen* /von aufgetragenen Farben/: die Farben sind leider zusammengelaufen. **6.** (ugs.) *(beim Waschen) kleiner werden:* der Stoff ist beim Waschen zusammengelaufen.

zusạmmenleben, lebte zusammen, hat zusammengelebt ⟨itr.⟩: *(mit jmdm.) in Gemeinschaft leben:* sie lebt mit ihrer Familie zusammen; das Zusammenleben mit ihm war schwierig.

zusạmmenlegen, legte zusammen, hat zusammengelegt: **1.** ⟨tr.⟩ *(einer Sache) durch Falten, durch Übereinanderlegen, Übereinanderklappen ein kleineres Format geben:* Papier, Decken, Zelte z.; den Tisch kann man z. **2.** ⟨tr.⟩ *zusammenfassen, vereinigen; konzentrieren:* verschiedene Abteilungen, Ämter z.; Grundstücke z. **3.** ⟨tr./itr.⟩ *gemeinsam Geld geben; sich gemeinsam finanziell beteiligen:* wenn wir [Geld] z., können wir uns das Auto kaufen.

zusạmmennehmen, nimmt zusammen, nahm zusammen, hat zusammengenommen: **1.** ⟨tr.⟩ *konzentrieren:* alle seine Gedanken, Kräfte, den Verstand z. **2.** ⟨rfl.⟩ *sich beherrschen, acht geben:* er hat sich heute sehr zusammengenommen; nimm dich doch zusammen!

zusạmmenprallen, prallte zusammen, ist zusammengeprallt ⟨itr.⟩: *mit Kraft, Wucht aneinanderstoßen:* auf der Kreuzung sind zwei Autos zusammengeprallt.

zusạmmenpressen, preßte zusammen, hat zusammengepreßt ⟨tr.⟩: *mit Kraft zusammendrücken:* sie preßte die Hände zusammen.

zusạmmenraffen, raffte zusammen, hat zusammengerafft ⟨tr.⟩: *gierig an sich bringen:* er hat ein großes Vermögen zusammengerafft.

zusạmmenreimen, reimte zusammen, hat zusammengereimt (ugs.): **1.** ⟨tr.⟩ *ergänzen, sich (etwas auf Grund von etwas) erklären:* ich kann mir die Geschichte aus verschiedenen Andeutungen z. **2.** ⟨tr.⟩/rfl.⟩ *dem Sinne nach zusammenfügen, in Übereinstimmung bringen:* ich kann seine Worte mit seinen Taten z.; wie reimt sich das zusammen?

zusạmmenrotten, sich; rottete sich zusammen, hat sich zusammengerottet ⟨itr.⟩: *sich in aufrührerischer Absicht spontan zusammenschließen:* Jugendliche und Studenten rotteten sich zusammen und stürmten das Rathaus.

zusạmmenrücken, rückte zusammen, hat/ist zusammengerückt: **1.** ⟨tr.⟩ *so schieben, daß sie näher beisammenstehen:* wir haben die Möbel zusammengerückt. **2.** ⟨itr.⟩ *sich enger ne-*

beneinandersetzen [um Platz zu machen]: sie sind auf der Bank zusammengerückt; bildl.: die Völker rücken zusammen *(lernen einander besser kennen und verstehen).*

zusammensacken, sackte zusammen, ist zusammengesackt ⟨itr.⟩ (ugs.): *kraftlos und schwer hinsinken, zusammenbrechen:* er ist unter dem Gewicht, in sich (Dativ) zusammengesackt.

zusammenschlagen, schlägt zusammen, schlug zusammen, hat/ist zusammengeschlagen: **1. a)** ⟨tr.⟩ *[kräftig] gegeneinanderschlagen:* er hat die Hacken, Absätze zusammengeschlagen. **b)** ⟨itr.⟩ *[über jmdn./etwas] hinweggehen:* die Wellen sind über dem sinkenden Schiff zusammengeschlagen; bildl.: das Unglück schlägt über mir zusammen *(es ist so groß, daß es mich zu vernichten droht).* ***die Hände über dem Kopf z.** *(entsetzt sein):* als sie ihr schmutziges Kind sah, schlug sie die Hände über dem Kopf zusammen. **2.** ⟨tr.⟩ *falten, zusammenlegen:* er hat die Fahne, Zeitung zusammengeschlagen. **3.** ⟨tr.⟩ **a)** *zu Boden schlagen:* der Einbrecher hat ihn zusammengeschlagen. **b)** *zertrümmern, zerschlagen:* in seiner Wut schlug er alle Möbel zusammen.

zusammenschließen, sich; schloß sich zusammen, hat sich zusammengeschlossen: *sich vereinigen; künftig gemeinsam handeln, arbeiten:* die beiden Vereine wollen sich z.; die beiden Firmen haben sich zusammengeschlossen. **Zusammenschluß,** der; Zusammenschlusses, Zusammenschlüsse.

zusammenschmelzen, schmilzt zusammen, schmolz zusammen, hat/ist zusammengeschmolzen: **1.** ⟨tr.⟩ *durch Schmelzen verbinden, in eins schmelzen:* er hat die verschiedenen Metalle zu einer Legierung zusammengeschmolzen. **2.** ⟨tr.⟩ *schmelzen und dadurch weniger werden:* der Schnee schmilzt in der Sonne zusammen; bildl.: sein Vermögen ist beträchtlich zusammengeschmolzen *(hat sich stark verringert).*

zusammenschreiben, schrieb zusammen, hat zusammengeschrieben ⟨tr.⟩: **1.** *in einem Wort schreiben:* die beiden Wörter werden zusammengeschrieben. **2.** (ugs.) *durch Schreiben verdienen:* du hast dir ein Vermögen zusammengeschrieben. **3.** (ugs.; abwertend) *schreiben, verfassen:* was für einen Unsinn hast du da zusammengeschrieben!

zusammenschrumpfen, schrumpfte zusammen, ist zusammengeschrumpft ⟨itr.⟩: *schrumpfen:* der Apfel ist zusammengeschrumpft; bildl.: unser Vorrat schrumpft immer mehr zusammen.

zusammensetzen, setzte zusammen, hat zusammengesetzt: **1.** ⟨tr.⟩ *aneinanderfügen:* Steine zu einem Mosaik, bunte Platten zu einem Muster z. **b)** *zu einem Ganzen fügen:* eine Wand aus Platten, das Fahrrad aus den einzelnen Teilen z.; ⟨häufig im 2. Partizip⟩ zusammengesetzte Wörter, Verben. **2.** ⟨rfl.⟩ **a)** *sich zueinander-, nebeneinandersetzen:* wir wollen uns im Kino z. **b)** *bestehen (aus etwas):* die Uhr setzt sich aus vielen Teilen zusammen.

Zusammensetzung, die; -, -en: **1. a)** *zusammengesetzter Stoff:* eine explosive Z. **b)** *Bestandteile eines zusammengesetzten Stoffes:* die Z. dieses Parfüms ist mir unbekannt. **2.** *zusammengesetztes Wort:* „Eisenbahn" ist eine Z. aus „Eisen" und „Bahn".

Zusammenspiel, das; -[e]s: *gemeinsames harmonisches Spiel; das Eingehen der Spieler aufeinander:* das hervorragende Z. der beiden Darsteller, innerhalb der Mannschaft.

zusammenstauchen, stauchte zusammen, hat zusammengestaucht ⟨tr.⟩ (ugs.): *heftig tadeln:* er stauchte ihn ordentlich zusammen.

zusammenstecken, steckte zusammen, hat zusammengesteckt: **1.** ⟨tr.⟩ *(etwas in etwas) stecken und es dadurch zusammenfügen:* der Stoff wird mit Nadeln zusammengesteckt; bildl. (ugs.): sie stecken die Köpfe zusammen *(beugen sich zueinander, um etwas heimlich zu erzählen).* **2.** ⟨itr.⟩ (ugs.) *häufig [von anderen abgesondert] beisammen sein:* die beiden stecken immer zusammen.

zusammenstellen, stellte zusammen, hat zusammengestellt ⟨tr.⟩: **a)** *an die gleiche Stelle setzen:* Stühle, Tische, Bretter z. **b)** *(eine Einheit, ein Ganzes) aus [ausgewählten] Teilen bilden, gestalten:* eine Ausstellung, eine Mannschaft, eine Speisekarte z. **Zusammenstellung,** die; -, -en.

zusammenstimmen, stimmte zusammen, hat zusammengestimmt ⟨itr.⟩: *harmonieren, einander im Klang entsprechen:* die zwei Instrumente stimmen zusammen; bildl.: wir Geschwister stimmten immer gut zusammen *(sind immer gut miteinander ausgekommen).*

Zusammenstoß, der; -es, Zusammenstöße: *heftiger Zusammenprall:* ein Z. von zwei Autos auf der Straßenkreuzung; bildl. (ugs.): ich hatte kürzlich einen Z. *(eine heftige Auseinandersetzung)* mit meinem Hauswirt; es kam zu Zusammenstößen *(Tätlichkeiten)* zwischen Polizei und Demonstranten.

zusammenstoßen, stößt zusammen, stieß zusammen, ist zusammengestoßen ⟨itr.⟩: **a)** *(auf etwas) prallen:* die Straßenbahn ist mit dem Bus zusammengestoßen. **b)** *sich treffen; eine gemeinsame Grenze haben:* die Linien stoßen in diesem Punkt zusammen; unsere Gärten stoßen zusammen. **c)** *sich streiten, eine Auseinandersetzung (mit jmdm.) haben:* ich bin heute mit ihm heftig zusammengestoßen.

zusammentreffen, trifft zusammen, traf zusammen, ist zusammengetroffen ⟨itr.⟩: *einander begegnen, sich treffen:* er ist mit alten Bekannten zusammengetroffen; bildl.: die beiden Ereignisse trafen zusammen *(geschahen gleichzeitig);* es war ein unglückliches Zusammentreffen verschiedener Umstände.

zusammentreten, tritt zusammen, trat zusammen, hat/ist zusammengetreten: **1.** ⟨tr.⟩ *durch Treten zerstören:* der Junge hat die Pflanzen, das Beet zusammengetreten. **2.** ⟨itr.⟩ *sich versammeln /von gewählten Organen/:* die Regierung, der Vorstand ist zusammengetreten.

zusammentrommeln, trommelte zusammen, hat zusammengetrommelt ⟨tr.⟩ (ugs.): *(mehrere Personen) zu einer*

Zusammenkunft herbeirufen: er hat seine Freunde zusammengetrommelt.

zusammentun, tat zusammen, hat zusammengetan: **1.** ⟨tr.⟩ (ugs.) *an eine gemeinsame Stelle bringen, legen:* sie hat die Äpfel und Birnen in einem Korb zusammengetan. **2.** ⟨rfl.⟩ *sich (mit jmdm.) verbinden:* sie taten sich zu gemeinsamer Arbeit zusammen.

zusammenwachsen, wächst zusammen, wuchs zusammen, ist zusammengewachsen ⟨itr.⟩: *sich durch Wachsen vereinen, eng verbinden:* die beiden Städte wachsen zusammen; die siamesischen Zwillinge sind an den Hüften zusammengewachsen; bildl.: sie sind in ihrer langen Freundschaft zusammengewachsen *(sie haben sich seelisch eng miteinander verbunden).*

zusammenzählen, zählte zusammen, hat zusammengezählt ⟨tr.⟩: *zu einer Summe zusammenrechnen; addieren:* die verschiedenen Beträge z.

zusammenziehen, zog zusammen, hat zusammengezogen: **a)** ⟨tr.⟩ *durch Ziehen verkleinern, enger machen, schließen:* das Loch im Strumpf z.; er zog die Augenbrauen zusammen; bildl.: Truppen z. *(konzentrieren);* Zahlen z. *(zusammenzählen, addieren);* der Anblick dieser Speisen zieht mir das Wasser im Munde zusammen *(löst einen großen Appetit danach aus);* ⟨auch rfl.⟩ ein Gewitter, ein Unheil zieht sich zusammen *(bildet sich, entsteht).* **b)** ⟨rfl.⟩ *sich verkleinern, schließen:* die Wunde zieht sich zusammen; bei Kälte ziehen sich alle Körper zusammen. **c)** ⟨itr.⟩ *gemeinsam eine Wohnung beziehen:* sie ist mit ihrer Freundin zusammengezogen.

zusammenzucken, zuckte zusammen, ist zusammengezuckt ⟨itr.⟩: *(vor Schreck, Schmerz o. ä.) eine zuckende Bewegung machen:* er zuckte bei dem lauten Knall heftig zusammen.

Zusatz, der; -es, Zusätze: **1.** ⟨ohne Plural⟩ *das Hinzufügen:* unter Z. von Öl wird die Mayonnaise ständig gerührt. **2.** *[später] hinzugefügter Teil:* die Zusätze zu dem Vertrag müssen beachtet werden.

zusätzlich ⟨Adj.⟩: *hinzukommend, weiter; ergänzend:* es entstehen keine zusätzlichen Kosten; er gab ihm z. einen Gutschein für eine Reise.

zuschanden: ⟨in bestimmten Wendungen⟩ (geh.) **etwas z. machen** *(etwas vereiteln, zerstören, vernichten):* seine Hoffnung ist z. gemacht worden; (geh.) **z. werden** *(vereitelt werden):* alle seine Pläne wurden z.; **(ein Reittier) z. reiten** *(ein Reittier durch übermäßige Beanspruchung völlig entkräften);* (geh.) **(ein Fahrzeug) z. fahren** *(ein Fahrzeug durch leichtsinniges Fahren so beschädigen, daß es nicht repariert werden kann):* er hat sein Auto z. gefahren.

zuschanzen, schanzte zu, hat zugeschanzt ⟨tr.⟩ (ugs.): *(jmdm. zu etwas) verhelfen:* er hat ihm diese Stellung zugeschanzt.

zuschauen, schaute zu, hat zugeschaut ⟨itr.⟩: *(bei etwas) aufmerksam zusehen:* er schaut ihm bei der Arbeit zu.

Zuschauer, der; -s, -: *Besucher einer Veranstaltung, bei der es etwas zu sehen gibt:* die Zuschauer waren von dem Fußballspiel enttäuscht.

zuschicken, schickte zu, hat zugeschickt ⟨tr.⟩: *(zu jmdm.) schicken; (jmdm.) zugehen lassen:* der Verlag schickte dem Verfasser drei Exemplare des Buches zu.

zuschieben, schob zu, hat zugeschoben ⟨tr.⟩: **1.** *durch Schieben schließen:* er schob die Tür des Waggons zu. **2.** *(in Richtung auf jmdn./etwas) schieben:* sie schob ihm das Glas zu; bildl.: man hat ihm die Schuld daran zugeschoben *(ihn zu Unrecht beschuldigt).* * **jmdm. den Schwarzen Peter z.** *(jmdm. die Schuld an etwas geben, den unangenehmen Teil von etwas überlassen).*

zuschießen, schoß zu, hat/ist zugeschossen: **1.** ⟨tr.⟩ **a)** *(in Richtung auf jmdn./etwas) schießen:* er schießt ihm den Ball zu; bildl.: sie hat mir einen warnenden Blick zugeschossen *(mich mit einem raschen Blick warnend angesehen).* **b)** (ugs.) *beisteuern:* er hat [zu dem Unternehmen] viel Geld zugeschossen. **2.** ⟨itr.⟩ (ugs.) *rasch (auf jmdn.) zugehen:* sie ist plötzlich auf mich zugeschossen.

Zuschlag, der; -[e]s, Zuschläge: **1.** *Erhöhung eines Preises (um einen bestimmten Betrag):* die Ware wurde mit einem Z. von zehn Mark verkauft. **2. a)** *besondere Gebühr für die Benutzung eines D-Zuges o. ä.:* das ist ein Schnellzug, der kostet Z. **b)** *Bescheinigung über die gleichnamige besondere Gebühr:* hast du die Zuschläge noch? **3.** *Zeichen für den Erwerb eines Gegenstandes* /bei einer Versteigerung/: der Z. wurde mir erteilt.

zuschlagen, schlägt zu, schlug zu, hat/ist zugeschlagen: **1. a)** ⟨itr.⟩ *einen Schlag (mit der Faust, einem Stock o. ä.) gegen jmdn. führen, zu schlagen beginnen:* er hatte sich auf ihn gestürzt und mit geballter Faust zugeschlagen; bildl.: der Feind hatte hart zugeschlagen. **b)** ⟨tr.⟩ *den Deckel (einer Kiste o. ä.) durch Schläge mit einem Werkzeug [mit Nägeln o. ä.] festmachen und so die Kiste o. ä. schließen:* er hatte das Faß und die Kiste zugeschlagen. **2. a)** ⟨tr.⟩ *heftig und mit einem lauten Knall zumachen, schließen:* er hatte das Fenster zugeschlagen; ein Buch z. **b)** ⟨itr.⟩ *heftig mit einem lauten Knall zugehen, sich schließen:* die Tür schlug zu.

zuschließen, schloß zu, hat zugeschlossen ⟨tr.⟩: *mit einem Schloß o. ä. sichern; abschließen:* das Zimmer, den Koffer z.

zuschnappen, schnappte zu, hat/ist zugeschnappt ⟨itr.⟩: **1.** *zuschlagen:* die Tür ist zugeschnappt. **2.** *plötzlich zubeißen* /bes. von Hunden/: der Hund hat gleich zugeschnappt.

zuschneiden, schnitt zu, hat zugeschnitten ⟨tr.⟩: *(einen Stoff) in eine Form schneiden, wie man sie zum Nähen, Herstellen eines Kleidungsstückes braucht:* der Schneider schnitt den Stoff für den Anzug zu. * **auf etwas zugeschnitten sein** *(auf etwas angelegt, ausgerichtet sein):* der ganze Kurs war auf die Prüfung zugeschnitten.

Zuschnitt, der; -[e]s, -e: *Schnitt (von Kleidungsstücken):* der Z. des Anzuges ist ganz modern; bildl. (geh.): er hat seinem Leben einen bewundernswerten Z. *(Art der Gestaltung)* verliehen.

zuschnüren, schnürte zu, hat zugeschnürt ⟨tr.⟩ : *mit einer Schnur o. ä. fest zubinden:* er hat das Paket zugeschnürt; bildl.: Angst schnürte ihm die Kehle zu *(er konnte vor Angst nicht sprechen, kaum atmen).*

zuschreiben, schrieb zu, hat zugeschrieben ⟨tr.⟩: *der Meinung sein, daß etwas jmdm./einer Sache zukommt:* das Verdienst an diesem Erfolg wird ihm zugeschrieben; einer Sache keine Bedeutung z.; dieses Bild wird Rembrandt zugeschrieben *(er gilt als der Schöpfer dieses Bildes).* * **sich etwas selbst zuzuschreiben haben** *(selbst die Schuld an etwas tragen):* du hast dir den Unfall selbst zuzuschreiben.

Zuschrift, die; -, -en: *Schreiben, das sich auf ein Angebot, ein bestimmtes Thema o. ä. bezieht:* zu diesem Artikel bekam die Zeitung zahlreiche Zuschriften.

zuschulden: ⟨in der Wendung⟩ sich etwas z. kommen lassen: *eine strafbare Handlung begehen:* du hast dir einen Betrug z. kommen lassen.

Zuschuß, der; Zuschusses, Zuschüsse: *Betrag, der jmdm. zur Verfügung gestellt wird, um ihm bei der Finanzierung einer Sache zu helfen; finanzielle Hilfe:* für den Bau des Hauses erhielt er vom Staat einen Z.

zusehen, sieht zu, sah zu, hat zugesehen ⟨itr.⟩: **1.** *(einem Ereignis o. ä.) mit den Augen folgen; (jmdn./etwas) beobachten, betrachten:* jmdm. bei der Arbeit z.; er sah der Prügelei aus sicherer Entfernung zu. **2.** *[ab]warten; mit der Entscheidung zögern:* wir werden noch eine Weile zusehen, ehe wir eingreifen. **3.** *(für etwas) sorgen; (auf etwas) achtgeben:* sieh zu, daß du nicht fällst; ich werde zusehen *(mich darum bemühen),* daß ich pünktlich bin.

zusehends ⟨Adverb⟩: *wie man deutlich sieht; sichtlich, offenkundig; schnell:* er wird z. dicker.

zusetzen, setzte zu, hat zugesetzt: **1.** ⟨tr.⟩ *(etwas zu etwas) tun, mischen, hinzufügen:* Wasser [zum Wein] z. **2.** ⟨tr./itr.⟩ *(Geld) verlieren, einbüßen; mit Verlust arbeiten:* bei diesem Unternehmen hat er [viel Geld] zugesetzt; bildl. (ugs.): du hast nichts zuzusetzen *(du bist so schlank, daß du im Falle einer Krankheit ganz mager würdest).* **3.** ⟨itr.⟩ **a)** *(jmdn.) hartnäckig zu überreden versuchen, bedrängen, bestürmen:* er setzte mir so lange zu, bis ich versprach zu kommen. **b)** *(jmdn.) schwächen:* die Krankheit setzt ihm bedenklich zu.

zusichern, sicherte zu, hat zugesichert ⟨tr.⟩: *fest versprechen:* der Handwerker hat mir zugesichert, daß er heute kommen werde. **Zusicherung,** die; -, -en.

zuspielen, spielte zu, hat zugespielt: **a)** ⟨tr./itr.⟩ *(den Ball o. ä. zu einem anderen Spieler) schießen, werfen o. ä.:* er spielte [den Ball] dem Spieler zu, der vorm Tor stand. **b)** ⟨tr.⟩ *dafür sorgen, daß jmd. etwas bekommt; zukommen lassen:* er hatte dem Reporter die Nachricht von diesem Skandal zugespielt.

zuspitzen, sich; spitzte sich zu, hat sich zugespitzt: *ernster, bedrohlich werden; zu einer Entscheidung drängen:* die Situation spitzte sich gefährlich zu. **Zuspitzung,** die; -, -en.

zusprechen, spricht zu, sprach zu, hat zugesprochen: **1.** ⟨itr.⟩ *(in bestimmter Weise zu jmdm.) sprechen, (auf jmdn.) einreden:* jmdm. beruhigend z.; ⟨auch tr.⟩ jmdm. Mut, Trost z. *(jmdn. trösten).* **2.** ⟨itr.⟩ *(etwas) reichlich und gern zu sich nehmen, genießen:* er sprach eifrig dem Bier zu. **3.** ⟨tr.⟩ *erklären, daß etwas jmdm. gehört, daß etwas jmds. Eigentum ist; zuerkennen:* jmdm. das Erbe z.

Zuspruch, der; -[e]s: **1.** *Trost, Ermunterung:* ein freundlicher Z. **2. a)** *Besuch, Andrang:* das Lokal hatte mittags viel Z. **b)** *Zustimmung, Beliebtheit:* das Essen fand allgemein Z.

Zustand, der; -[e]s, Zustände: *Beschaffenheit, Lage, in der sich jmd./etwas befindet; Verfassung:* sein körperlicher Z. war gut; das Haus war in einem verwahrlosten Z.; ⟨nur im Plural⟩ sie hat wieder ihre Zustände *(ihre nervösen Anfälle)* bekommen.

zustande: ⟨in den Wendungen⟩ **z. bringen** *(verwirklichen und vollenden; erreichen, fertigbringen):* er hat nichts z. gebracht; **z. kommen** *(verwirklicht und vollendet, erreicht werden; gelingen:)* es ist nicht viel z. gekommen.

zuständig ⟨Adj.; nicht adverbial⟩: *(für ein bestimmtes Sachgebiet) verantwortlich;* *kompetent:* er wurde an die zuständige Stelle verwiesen. **Zuständigkeit,** die; -, -en.

zustatten: ⟨in der Wendung⟩ jmdm. z. kommen: *für jmdn. von Vorteil sein:* diese Kenntnisse werden dir noch z. kommen.

zustecken, steckte zu, hat zugesteckt ⟨tr.⟩: **1.** *(etwas in etwas stecken) und so zusammenfügen, schließen:* sie steckte die geplatzte Naht [mit einer Nadel] zu. **2.** *heimlich in jmds. Hände, Tasche stecken:* er hat ihr Geld zugesteckt.

zustehen, stand zu, hat zugestanden ⟨itr.⟩: *(jmdm.) mit Recht gehören, zukommen; (jmds.) Recht sein:* ihm stehen im Jahr 20 Tage Urlaub zu *(er hat im Jahr auf 20 Tage Urlaub Anspruch);* es steht mir zu *(ich habe das Recht),* euch so zu fragen.

zustellen, stellte zu, hat zugestellt ⟨tr.⟩: **1.** *durch etwas in den Weg Gestelltes versperren:* er stellte die Tür [mit einem Schrank] zu. **2.** *(jmdm. einen Brief o. ä.) [durch die Post] übergeben, aushändigen [lassen]; zuschicken, zugehen lassen:* seinen Kunden einen Katalog z.

Zusteller, der; -s, -: Amtsspr. *Postbeamter, der Briefe o. ä. zustellt.*

zusteuern, steuerte zu, hat/ist zugesteuert: **1.** ⟨itr.⟩ *in Richtung (auf etwas) steuern:* das Schiff ist auf den Hafen zugesteuert; bildl.: die Partei will auf neue Wahlen z. *(strebt neue Wahlen an).* **2.** ⟨tr.⟩ (ugs.) *beitragen:* er hat zu dem Geschenk fünf Mark zugesteuert.

zustimmen, stimmte zu, hat zugestimmt ⟨itr.⟩: *erklären, daß man die Meinung eines anderen teilt oder sein Vorhaben billigt:* er stimmte ihm, dem Plan zu. **Zustimmung,** die; -.

zustoßen, stößt zu, stieß zu, hat/ist zugestoßen: **1.** ⟨itr.⟩ *einen Stoß (mit einem Messer o. ä.) gegen jmdn. führen:* er hatte mit dem Messer zweimal zugestoßen. **2.** ⟨tr.⟩ *durch einen Stoß mit dem Arm oder Fuß schlie-*

ßen, zumachen: er hat die Tür zugestoßen. **3.** ⟨itr.⟩ *geschehen, passieren, widerfahren:* ihm ist ein Unglück zugestoßen.

zustürzen, stürzte zu, ist zugestürzt ⟨itr.⟩: *(jmdm.) entgegeneilen:* er stürzte aufgeregt auf ihn zu.

zutage: ⟨in bestimmten Wendungen⟩ **etwas tritt z.: a)** *etwas wird an der Erdoberfläche sichtbar:* das Gestein tritt dort z. **b)** *etwas tritt in Erscheinung, wird offenkundig:* die Mißstände sind erst jetzt z. getreten; **z. bringen** *(zum Vorschein bringen):* die Untersuchung hat viel Material z. gebracht; **etwas liegt offen z.** *(etwas ist deutlich erkennbar):* seine Schuld liegt nun offen z.

Zutat, die; -, -en: *notwendiger oder zusätzlicher Teil eines Ganzen:* die Zutaten werden im Teig verrührt; schmückende Zutaten an einem Kleid.

zuteil: ⟨in der Fügung⟩ z. werden (geh.): *gewährt, auferlegt werden:* ihm ist eine Gnade, ein schweres Los z. geworden; ihm wurde eine hohe Auszeichnung z. *(er erhielt eine hohe Auszeichnung).*

zuteilen, teilte zu, hat zugeteilt ⟨tr.⟩: **a)** *(an jmdn.) vergeben; (jmdm.) übertragen:* jmdm. eine Arbeit, einen Auftrag z.; man teilte ihn einer anderen Gruppe zu *(veranlaßte, daß er zu einer anderen Gruppe kam).* **b)** *in Teilen abgeben; (jmdm.) den ihm zukommenden Teil geben:* er teilte [ihnen] die Geschenke zu. **Zuteilung,** die; -, -en.

zutiefst ⟨Adverb⟩: *aufs tiefste; äußerst, sehr:* er war wegen dieser Bemerkung z. gekränkt.

zutragen, trägt zu, trug zu, hat zugetragen: **1.** ⟨tr.⟩ *(jmdm. von etwas) heimlich berichten; (jmdm.) heimlich zur Kenntnis bringen:* sie trägt ihm alles zu, was sie hört. **2.** ⟨rfl.⟩ *als etwas Bedeutsames, Rätselhaftes in eine bestimmte Situation eintreten; sich ereignen:* es hatte sich etwas Seltsames zugetragen.

zuträglich ⟨Adj.; nicht adverbial⟩: *so beschaffen, daß man es gut verträgt; bekömmlich, förderlich:* die neblige Luft war ihr nicht z. **Zuträglichkeit,** die; -.

zutrauen, traute zu, hat zugetraut ⟨tr.⟩: **a)** *glauben, daß jmd. bestimmte Fähigkeiten, Eigenschaften o. ä. hat:* ich traue ihm einen solchen Geschmack nicht zu. **b)** *glauben, daß jmd. fähig, imstande ist, etwas Bestimmtes zu tun:* ich traue ihm nicht zu, daß er lügt; ich traue mir zu, diesen Plan durchzuführen.

Zutrauen, das; -s: *Vertrauen:* ich habe kein Z. mehr zu ihm.

zutraulich ⟨Adj.⟩: *ohne Scheu, Fremdheit und Ängstlichkeit; voll Vertrauen:* das Kind blickte ihn z. an. **Zutraulichkeit,** die; -.

zutreffen, trifft zu, traf zu, hat zugetroffen ⟨itr.⟩: *richtig sein, stimmen; den Sachverhalt genau treffen, den Tatsachen entsprechen:* seine Beschreibung traf genau zu; ⟨häufig im 1. Partizip⟩ eine zutreffende Bemerkung.

zutrinken, trank zu, hat zugetrunken ⟨itr.⟩: *auf jmds. Wohl trinken:* er hob sein Glas und trank ihr zu.

Zutritt, der; -[e]s: **a)** *das Eintreten, das Hineingehen:* Z. verboten! **b)** *Berechtigung zum Eintreten, zum Hineingehen:* er hat im Museum jederzeit Z.

Zutun: ⟨in der Wendung⟩ ohne jmds. Z.: *ohne daß jmd. etwas dazu tut oder getan hat:* er hat die Stellung nicht ohne Z. seines Freundes bekommen.

zutunlich ⟨Adj.⟩: *zutraulich, anschmiegsam:* sie hat ein zutunliches Wesen.

zuunterst ⟨Adverb⟩: *ganz unten:* das Buch liegt ganz z. * **das Oberste z. kehren** *(alles durcheinanderbringen).*

zuverlässig ⟨Adj.⟩: *so beschaffen, daß man sich darauf verlassen kann; verläßlich, vertrauenswürdig:* er ist ein zuverlässiger Arbeiter; er hat diese Nachricht aus zuverlässiger *(glaubwürdiger)* Quelle. **Zuverlässigkeit,** die; -.

Zuversicht, die; -: *festes Vertrauen (auf etwas zu erwartendes Gutes); hoffnungsvolle Überzeugung:* ich habe die frohe Z., daß wir eine Lösung finden werden.

zuversichtlich ⟨Adj.⟩: *mit Zuversicht (erfüllt); hoffnungsvoll:* er sprach sehr z. von der künftigen Entwicklung seiner Fabrik. **Zuversichtlichkeit,** die; -.

zuviel ⟨Indefinitpronomen⟩: *mehr als sein sollte; mehr als angemessen:* es ist z. Milch im Kaffee; es ist/wird ihm alles z. *(er kann nicht mehr alles schaffen).*

zuvor ⟨Adverb⟩: *zeitlich vorhergehend; davor; zuerst:* ich muß z. noch telefonieren; wir haben ihn nie z. gesehen; im Jahr z. hat er uns besucht.

zuvorkommen, kam zuvor, ist zuvorgekommen ⟨itr.⟩ /vgl. zuvorkommend/: **a)** *schneller sein (als eine andere Person, die das gleiche tun wollte):* ich wollte das Bild kaufen, aber ein anderer kam mir zuvor; die Konkurrenz kam uns zuvor. **b)** *handeln, bevor etwas Erwartetes, Vermutetes eintrifft, geschieht:* allen Vorwürfen, einem Angriff z.

zuvorkommend ⟨Adj.⟩: *höflich, hilfsbereit, liebenswürdig:* er hat ein zuvorkommendes Wesen; jmdn. z. behandeln.

zuvortun, tat zuvor, hat zuvorgetan ⟨itr.⟩ (geh.): *(jmdn. in etwas) übertreffen:* er hat es seinem Konkurrenten an Mut zuvorgetan.

Zuwachs, der; -es: *Vergrößerung, Vermehrung, Steigerung:* der Verein hatte im letzten Jahr einen großen Z. an Mitgliedern zu verzeichnen. * **auf Z.** *(so, daß ein Kleidungsstück auch noch paßt, wenn sein Träger gewachsen ist):* der Anzug wurde auf Z. gemacht.

zuwege: ⟨in den Wendungen⟩ **etwas z. bringen** *(etwas fertigbringen):* ich bringe es nicht z.; **mit etwas z. kommen** *(mit etwas fertig werden):* er kommt mit der Arbeit [nicht] z.; (ugs.) **[noch] gut z. sein** *([noch] rüstig sein):* trotz seines Alters ist er [noch] gut z.

zuweilen ⟨Adverb⟩: *gelegentlich, manchmal:* er besucht uns z.

zuweisen, wies zu, hat zugewiesen ⟨tr.⟩: *übertragen, zuteilen, zur Verfügung stellen:* jmdm. eine Rolle, Aufgabe z.; den Instituten werden jährlich feste Beträge aus dem Etat zugewiesen; jmdm. einen Platz in der vierten Reihe z.; er wird der Abteilung für Presse und Werbung zugewiesen *(zugeordnet).*

zuwenden, wandte/wendete zu, hat zugewandt/zugewendet ⟨tr./rfl.⟩: **1.** *(in die Richtung von jmdm./etwas) wenden:* sie hat ihm den Rücken zugewandt; ich habe mich der Sonne zugewendet; bildl.: er wendet sich einem neuen Unternehmen zu. **2.** *zukommen lassen:* er hat ihr seine ganze Aufmerksamkeit zugewendet.

Zuwendung, die; -, -en: *[einmalige] finanzielle Unterstützung:* ich habe von der Stiftung eine Z. erhalten.

zuwenig ⟨Indefinitpronomen⟩: *weniger als sein sollte; weniger als angemessen:* er leistet z.

zuwerfen, wirft zu, warf zu, hat zugeworfen ⟨tr.⟩: **1. a)** *mit Schwung, heftig schließen:* er warf die Tür zu. **b)** *Erde o. ä. (in etwas) schaufeln und so bis zum Rand füllen:* man hat die Grube zugeworfen. **2.** *(in Richtung auf jmdn.) werfen:* er wirft ihm den Ball zu; bildl.: er warf ihr einen feindseligen Blick zu *(blickte sie feindselig an).*

zuwider ⟨in der Wendung⟩ jmdm. z. sein *(jmdm. unangenehm, widerwärtig sein; jmdm. widerstreben):* er ist mir z.; dieses Essen war ihm schon immer z.

zuwiderhandeln, handelte zuwider, hat zuwidergehandelt ⟨itr.⟩: *das Gegenteil von dem tun, was vorgeschrieben oder erlaubt ist:* dem Gesetz, einer Anordnung z.

zuwinken, winkte zu, hat zugewinkt ⟨itr.⟩: *(in die Richtung von jmdm.) winken:* er hat ihm aus dem Auto zugewinkt.

zuzahlen, zahlte zu, hat zugezahlt ⟨tr.⟩: *zusätzlich bezahlen:* er hat fünf Mark z. müssen.

zuziehen, zog zu, hat/ist zugezogen: **1.** ⟨tr.⟩ *durch Zusammenziehen schließen:* sie hat die Vorhänge zugezogen. **2.** ⟨tr.⟩ *als Helfer, Berater o. ä. hinzuziehen:* wir haben einen Arzt zugezogen. **3.** ⟨rfl.⟩ *[durch eigenes Verhalten, Verschulden] bekommen, auf sich ziehen:* er hat sich eine Krankheit, den Zorn des Chefs, die Kritik des Publikums zugezogen. **4.** ⟨itr.⟩ *seinen Wohnsitz an einen bestimmten Ort verlegen:* sie sind erst vor kurzer Zeit zugezogen.

Zuzug, der; -[e]s: *Verlegen des Wohnsitzes an einen bestimmten Ort:* der Z. in Gebiete mit Industrie ist sehr groß.

zuzüglich ⟨Präp. mit Gen.⟩: *hinzukommend, unter Hinzurechnung (von etwas):* der Apparat kostet 200 Mark z. des Portos für den Versand; ⟨aber: ohne Flexionsendung vor starken Substantiven im Singular, wenn sie ohne Artikel und ohne adjektivisches Attribut stehen; im Plural mit Dativ⟩ z. Porto; z. Beträgen für Transporte.

Zwang, der; -[e]s: **1.** *zwingende Notwendigkeit, Pflicht:* es besteht kein Z. zur Teilnahme; unter dem Z. der Verhältnisse verkaufte er das Haus; etwas nur aus Z. tun. **2.** *psychologischer Druck; seelische Belastung, Hemmung:* unter einem moralischen, inneren Z. stehen, handeln; dem Z. erliegen; sich, seinen Gefühlen keinen Z. antun, auferlegen *(sich frei und ungezwungen benehmen, verhalten).*

zwängen, zwängte, hat gezwängt ⟨rfl./tr.⟩: *drücken, drängen, quetschen:* ich zwängte mich durch die Menge; er zwängte seinen Finger durch den Spalt.

zwanglos ⟨Adj.⟩: **a)** *ungezwungen; ohne gesellschaftliche Förmlichkeit:* sich z. benehmen; ein zwangloses Zusammensein. **b)** *unregelmäßig, nicht in fester Folge:* die Zeitschrift erscheint in zwangloser Folge.

Zwangsarbeit, die; -: Rechtsw. *unter Zwang geleistete Arbeit* /als schwere Freiheitsstrafe in verschiedenen Ländern/: er wurde zu zehn Jahren Z. verurteilt.

Zwangsjacke, die; -, -n: *hinten schließende Jacke aus Segeltuch mit besonders langen Ärmeln ohne Öffnung, die auf dem Rükken zusammengebunden werden* /zum Gebrauch bei Tobsüchtigen/: jmdn. in die Zwangsjacke stecken; bildl.: autoritäre Staatsformen sind eine Z. für das Volk *(unterdrücken das Volk, nehmen ihm die Freiheit).*

Zwangslage, die; -, -en: *Notlage, Bedrängnis:* er muß aus dieser Z. befreit werden.

zwangsläufig ⟨Adj.⟩: *notgedrungen, unabänderlich:* das ist die zwangsläufige Folge dieser Entscheidung; das führt z. zur Katastrophe.

Zwangsmaßnahme, die; -, -n: *Maßnahme, mit der jmd. zu etwas gezwungen wird:* die Regierung greift zu Zwangsmaßnahmen.

zwangsweise ⟨Adverb⟩: *[durch die Behörde] erzwungen, unter Zwang, notgedrungen:* die Bewohner wurden z. umgesiedelt.

zwanzig ⟨Kardinalzahl⟩: 20: z. Personen.

zwar ⟨Adverb⟩: **1.** ⟨in Verbindung mit „aber"⟩ zwar ... aber /leitet eine allgemeine Feststellung ein, der aber sogleich eine Einschränkung folgt/: der Wagen ist z. gut gepflegt, er hat aber doch einige verrostete Stellen; z. war er dabei, aber angeblich hat er nichts gesehen. **2.** ⟨in Verbindung mit vorangestelltem „und"⟩ und z. /leitet eine genauere oder verstärkende Angabe zu dem zuvor Gesagten ein/: er geht ins Krankenhaus, und z. sofort; rechne die Kosten aus, und z. genau.

Zweck, der; -[e]s, -e: *Ziel einer Handlung; Absicht:* welchen Z. verfolgst du damit?; das hat seinen Z. erfüllt; das hat doch alles keinen Z. *(das ist doch sinnlos);* das Geld ist für einen guten Z.

zweckdienlich ⟨Adj.⟩: *für einen bestimmten Zweck nützlich:* zweckdienliche Angaben werden erbeten.

Zwecke, die; -, -n: *Reißzwecke.*

zweckentfremdet ⟨Adj.⟩: *nicht für den ursprünglichen, richtigen Zweck verwendet:* eine zweckentfremdete Kirche.

zwecklos ⟨Adj.⟩: *keinen Sinn, Zweck habend, keinen Erfolg versprechend:* ein zweckloses Unternehmen; alle Versuche, ihn von diesem Plan abzuhalten, sind z.

zweckmäßig ⟨Adj.⟩: *dem Zweck entsprechend, von ihm bestimmt; praktisch:* eine zweckmäßige Einrichtung; die Ausstattung des Wagens ist z.

zwecks ⟨Präp. mit Gen.⟩: /drückt einen bestimmten Zweck aus, der zu erreichen ist/: er wurde z. gründlicher Untersuchung in ein Krankenhaus eingewiesen.

zwei ⟨Kardinalzahl⟩: 2: z. Personen; es mit zweien *(mit zwei Gegnern)* aufnehmen können.

zweideutig ⟨Adj.⟩: **1.** *doppeldeutig; unklar:* die Frage ist z. **2.** *anstößig, unanständig, schlüp-*

frig: zweideutige Witze erzählen. **Zweideutigkeit,** die; -, -en.

Zweifel, der; -s, -: *Bedenken; schwankende Ungewißheit, ob man etwas glauben soll oder ob etwas richtig ist:* Z. an der Richtigkeit seiner Aussage haben; keinen Z. [aufkommen] lassen. ***im Z. sein** *(sich noch nicht entschieden haben [etwas Bestimmtes zu tun]):* ich bin im Z., ob ich den Vertrag unterschreibe; **ohne Z.** *(gewiß);* **etwas steht außer Z.** *(etwas kann nicht bezweifelt werden, ist ganz sicher).*

zweifelhaft ⟨Adj.⟩: **a)** *fraglich, unsicher:* es ist z., ob das Gesetz vom Parlament gebilligt wird; ein Werk von zweifelhaftem Wert. **b)** *bedenklich, fragwürdig, anrüchig:* seine Geschäfte erscheinen mir etwas z.; sein zweifelhafter Umgang hat ihn verändert.

zweifellos ⟨Adverb⟩: *ohne Zweifel; gewiß; bestimmt:* er hat z. recht; die Einrichtungen sind z. vorbildlich.

zweifeln, zweifelte, hat gezweifelt ⟨itr.⟩: *Zweifel haben, bekommen; unsicher sein, werden:* ich zweifle [noch], ob die Angaben stimmen; er zweifelt am Erfolg des Unternehmens.

Zweifelsfall, der; -[e]s, Zweifelsfälle: *unklarer, Zweifel erweckender Fall:* im Z. wenden Sie sich an die Beratung.

zweifelsohne ⟨Adverb⟩: *ohne Zweifel:* das ist z. richtig.

Zweig, der; -[e]s, -e: *Teil des Baumes* (siehe Bild): er brach die dürren Zweige des Baumes ab; bildl.: ein Z. *(eine Fachrichtung)* der Naturwissenschaften; er entstammt einem Z. der königlichen Familie *(er entstammt einer Familie, die mit der königlichen Familie verwandt ist).* *(ugs.) **auf keinen grünen Z. kommen** *(es zu nichts bringen):* er kam trotz aller Anstrengungen auf keinen grünen Z.

Zweig

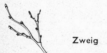

Zweigniederlassung, die; -, -en: *Filiale:* die Firma hat verschiedene Zweigniederlassungen im Ausland.

Zweigstelle, die; -, -n: *Niederlassung, Filiale:* eine Z. eröffnen.

Zweikampf, der; -[e]s, Zweikämpfe: *Kampf zwischen zwei Personen; Duell:* die beiden Spieler lieferten sich spannende Zweikämpfe.

zweimal ⟨Adverb⟩: *ein zweites Mal, einmal und noch einmal:* er hat schon z. angerufen. * **sich etwas nicht z. sagen lassen** *(etwas sofort freudig tun):* ich gehe gern mit ins Kino, das lasse ich mir nicht z. sagen.

zweireihig ⟨Adj.⟩: *mit zwei Reihen von Knöpfen [besetzt]:* ein zweireihiger Anzug.

zweischneidig ⟨Adj.⟩ : *mit zwei Schneiden [versehen]:* eine zweischneidige Waffe. * **etwas ist ein zweischneidiges Schwert** *(etwas hat eine gute, aber zugleich auch eine schlechte, äußerst bedenkliche Seite).*

zweiseitig ⟨Adj.⟩: *auf beiden Seiten [bestehend]:* das Blatt ist z. bedruckt.

zweisprachig ⟨Adj.⟩: **a)** *in zwei verschiedenen Sprachen nebeneinander stehend:* ein zweisprachiger Text; das Wörterbuch ist z. **b)** *[von Kind auf] zwei Sprachen sprechend:* ein zweisprachiges Kind; er wurde z. erzogen; ein zweisprachiges Gebiet *(Gebiet, in dem zwei Sprachen gesprochen werden).*

zweite ⟨Ordinalzahl⟩: 2.: der z. Weltkrieg. * **die z. Geige spielen** *(von der führenden Rolle ausgeschlossen sein; geringeren Einfluß als der Leiter, Vorgesetzte, Chef o. ä. haben);* **ein zweiter Napoleon** usw. *(so bedeutend wie Napoleon* usw.).

Zweitschrift, die; -, -en: *eine dem Original genau entsprechende zweite Aufzeichnung eines Textes; Kopie, Abschrift:* eine Z. bei den Akten aufbewahren.

Zwerchfell, das; -[e]s, -e: *im Körper des Menschen und bestimmter Tiere quer verlaufende Haut, die Brust und Bauch voneinander trennt:* das Z. ist für die Atmung wichtig.

Zwerg, der; -es, -e: **1.** *kleines, meist hilfreiches Wesen des Volksglaubens:* Schneewittchen und die sieben Zwerge. **2.** *Mensch mit rassisch oder individuell bedingtem sehr kleinem Wuchs.*

Zwetsche, die; -, -n: /eine Frucht/ (siehe Bild).

Zwetsche

Zwetschge, die; -, -n (südd., schweiz.): *Zwetsche.*

Zwetschke, die; -, -n (östr.): *Zwetsche.*

Zwickel, der; -s, -: *keilfömiger Einsatz an Kleidungsstücken, Gebäuden o. ä.:* in die Jacke einen Z. einsetzen.

zwicken, zwickte, hat gezwickt: **1.** ⟨tr.⟩ *mit zwei Fingern o. ä. drücken, kneifen:* jmdn. ins Bein z. **2.** ⟨itr.⟩ *unangenehm beengen:* der Kragen zwickt [mich].

Zwickmühle, die; -, -n (ugs.): *unangenehme Lage, bei der die Beseitigung einer Schwierigkeit eine andere Schwierigkeit hervorruft:* sich in einer Z. befinden; wie kommen wir aus dieser Z. heraus?

Zwieback, der; -s, Zwiebäcke: *geröstetes Gebäck aus Weizen:* bei verdorbenem Magen empfiehlt sich Z.

Zwiebel, die; -, -n: *Pflanze, die meist als Gewürz verwendet wird* (siehe Bild).

Zwiebel

zwiebeln, zwiebelte, hat gezwiebelt ⟨tr.⟩ (ugs.): *(mit etwas) plagen, quälen:* ich habe ihn so lange gezwiebelt, bis er das Gedicht konnte.

zwielichtig ⟨Adj.⟩: *nicht zu durchschauen; Mißtrauen, Verdacht erregend:* er ist ein zwielichtiger Charakter; seine Haltung war etwas z.

Zwiespalt, der; -[e]s: *innere Uneinigkeit, Widersprüchlichkeit, Zerrissenheit:* in einen Z. geraten; der Z. zwischen Gefühl und Verstand.

zwiespältig ⟨Adj.⟩: *unsicher, schwankend; innerlich zerrissen:* etwas hinterläßt zwiespältige Gefühle; ein zwiespältiges Wesen. **Zwiespältigkeit,** die; -.

Zwietracht, die; -: *Uneinigkeit; Streit:* zwischen den beiden herrscht Z.; Z. säen.

Zwịlling, der; -s, -e: *eines von zwei gleichzeitig im Mutterleib entwickelten Kindern:* die beiden Söhne sind Zwillinge.

zwịngen, zwang, hat gezwungen ⟨tr.⟩: *nötigen; durch Drohung, Zwang veranlassen, etwas zu tun:* jmdn. zu einem Geständnis z.; sich zu nichts z. lassen; ⟨häufig im 1. Partizip⟩ *wichtig, schwerwiegend, überzeugend:* es lagen zwingende Gründe vor; der Beweis ist nicht zwingend; ⟨häufig im 2. Partizip⟩ *gekünstelt, unnatürlich:* eine gezwungene Haltung, Freundlichkeit. * **zu etwas gezwungen sein** *(genötigt sein, etwas zu tun):* ich bin zu strengeren Maßnahmen gezwungen.

Zwịnger, der; -s, -: **1.** *von einem Gitter, Zaun o. ä. umgebener Raum bes. für Hunde:* der Schäferhund wurde in einem Z. gehalten. **2.** *anerkannte Zuchtstätte für Hunde:* ein bekannter Z. bietet reinrassige Welpen an.

zwịnkern, zwinkerte, hat gezwinkert ⟨itr.⟩: *die Augenlider schnell schließen und wieder öffnen:* bevor er sich an das grelle Licht gewöhnt hatte, zwinkerte er mehrmals mit den Augen.

zwịrbeln, zwirbelte, hat gezwirbelt ⟨tr.⟩: *(die Haare eines langen Schnurrbartes) durch Reiben zwischen Zeigefinger und Daumen zu einer Spitze drehen:* der alte Förster zwirbelte bedächtig seinen mächtigen Schnurrbart.

Zwịrn, der; -[e]s, -e: *aus mehreren einzelnen, ineinandergedrehten Fäden bestehendes Garn:* er nähte das Leder mit starkem Z.

Zwịrnsfaden, der; -s, Zwirnsfäden: *Faden aus Zwirn:* mit einem kräftigen Ruck zerriß er den Z. * (ugs.) **etwas hängt an einem Z.** *(der gute Ausgang, die weitere Entwicklung von etwas ist sehr bedroht):* sein Leben hängt an einem Z.; **über einen Z./über Zwirnsfäden stolpern** *(an Kleinigkeiten scheitern).*

zwịschen ⟨Präp. mit Dativ und Akk.⟩: **1.** ⟨Dativ⟩ /Lage/ *ungefähr in der Mitte von; mitten in, mitten unter:* der Garten liegt z. dem Haus und dem Wald; ich saß z. zwei Gästen. **2.** ⟨Akk.⟩ /Richtung/ *ungefähr in die Mitte von; mitten in, mitten hinein:* er stellte sich z. die beiden Damen; etwas z. die Bücher legen. **3.** ⟨Dativ⟩ /temporal/ *innerhalb eines bestimmten Zeitraumes:* er will z. den Feiertagen Urlaub nehmen; der Arzt ist z. neun und zehn Uhr zu sprechen; sie ist z. 40 und 50 Jahre alt. **4.** ⟨Dativ⟩ /drückt eine bestehende Beziehung aus/: z. ihm und seiner Frau bestehen seit einiger Zeit Spannungen; es bestehen große Unterschiede z. den verschiedenen Entwürfen.

zwischendụrch ⟨Adverb⟩: *[gelegentlich] zwischen der einen und der nächsten Tätigkeit:* ich werde z. telefonieren.

Zwịschenergebnis, das; -ses, -se: *Ergebnis zu einem bestimmten Zeitpunkt, bei einem bestimmten Stand vor dem endgültigen Ergebnis:* dieses Z. läßt auf eine starke Steigerung der Produktion hoffen.

Zwịschenfall, der; -[e]s, Zwischenfälle: *kurzer, überraschender Vorgang, der den bisherigen Gang der Dinge unangenehm stört:* bei der Veranstaltung kam es zu schweren Zwischenfällen.

Zwịschenlandung, die; -, -en: *Landung von Flugzeugen vor dem endgültigen Ziel:* bei der Z. wurde die Maschine aufgetankt.

Zwịschenraum, der; -[e]s, Zwischenräume: *freier Raum zwischen zwei Dingen:* er will den Z. zwischen den Schränken für Regale ausnutzen.

Zwịschenspiel, das; -[e]s, -e: **a)** *meist kurzes, einen Übergang bildendes Spiel in einem Musikstück.* **b)** *meist kurzes [eine Pause ausfüllendes] Spiel in einem Theaterstück.* **c)** *kleine, unbedeutende Begebenheit am Rande des Geschehens:* dieses Treffen der Politiker wurde allgemein nur als Z. gewertet.

Zwịschenzeit, die; -, -en: **1.** ⟨ohne Plural⟩ *Zeitraum zwischen zwei Vorgängen:* ich komme in einer Stunde wieder, in der Z. kannst du dich ausruhen. **2.** Sport *Zeit, die für das Zurücklegen eines Teiles einer Strecke gestoppt wird:* diese Z. über 1000 m läßt auf einen neuen Rekord über 1500 m hoffen.

Zwịst, der; -es, -e: *Uneinigkeit, Streit:* mit jmdm. in Z. geraten, leben.

Zwịstigkeit, die; -, -en: *Zwist.*

zwịtschern, zwitscherte, hat gezwitschert ⟨itr.⟩: *trillernde Töne von sich geben* /von Vögeln/: jeden Morgen zwitschern die Vögel im Garten.

Zwịtter, der; -s, -: *Pflanze, Lebewesen, das seinen geschlechtlichen Eigenschaften und Merkmalen nach sowohl männlich als auch weiblich ist:* der Regenwurm ist ein Z.

zwọ̈lf ⟨Kardinalzahl⟩: 12: z. Personen; die z. Jünger Christi. * (ugs.) **es ist fünf Minuten vor z.** *(es ist allerhöchste Zeit);* (ugs.) **nun hat es aber z. geschlagen!** *(das ist ja unerhört!)* /Ausruf des Erstaunens/.

zwọ̈lfte ⟨Ordinalzahl⟩: 12.: der z. Mann. * **in zwölfter Stunde** *(kurz bevor es zu spät ist).*

zyklisch ⟨Adj.⟩: **1.** *regelmäßig ablaufend, sich regelmäßig wiederholend:* die zyklische Wiederkehr bestimmter Vorgänge. **2.** *auf einer bestimmten, sich aus dem Inhalt ergebenden Folge beruhend:* der zyklische Aufbau eines literarischen, musikalischen Werkes.

Zyklon, der; -s, -e: *Wirbelsturm.*

Zỵklus [auch: Zỵklus], der; -, Zyklen: **1.** *sich regelmäßig wiederholender Ablauf:* der Z. des Jahres. **2.** *Folge inhaltlich zusammengehörender [literarischer] Werke:* ein Z. von Gedichten über die Jahreszeiten.

Zylịnder, der; -s, -: **1.** *hoher Herrenhut, der zu feierlichen Anlässen oder zu Beerdigungen getragen wird* (siehe Bild). **2.** *röhrenförmiger Hohlkörper, in dem sich ein Kolben bewegt* (siehe Bild). **3.** /eine geometrische Figur/ (siehe Bild).

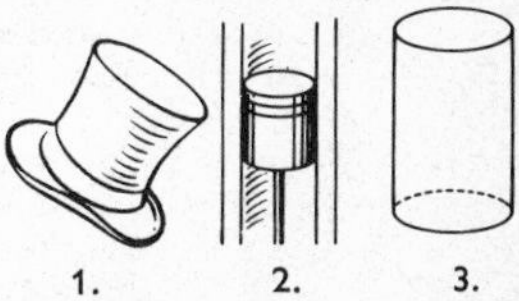

1. 2. 3.

Zylinder

zylịndrisch ⟨Adj.⟩: *die Form eines Zylinders besitzend; hohl* *und im Querschnitt einen Kreis zeigend:* eine zylindrische Vase, Hülse.

Zyniker, der; -s, -: *zynischer Mensch:* die Kommentare dieses Zynikers wirken provozierend.

zynisch ⟨Adj.⟩: *bissig, spöttisch, hämisch, verletzend, gemein:* ein zynischer Mensch; er hatte nur ein zynisches Lächeln übrig; jmdn. z. behandeln.

Zypresse

Zynismus, der; -, Zynismen: **1.** ⟨ohne Plural⟩ *zynische Haltung:* sein ganzes Wesen war von Z. bestimmt. **2.** *zynische Gemeinheit, Frechheit, Schamlosigkeit:* mit seinen Zynismen beleidigt er oft seine Kolleginnen.

Zypresse, die; -, -n: /ein Baum/ (siehe Bild).

Übersicht über die in diesem Buch verwendeten Zeichen der Internationalen Lautschrift

a	helles bis mittelhelles a	Bagage [ba'ga:ʒə]
ɑ	dunkles a	en passant [ãpɑ'sã]
ã	nasales a	Gourmand [gʊr'mã:]
æ	sehr offenes ä	Jazzband ['dʒæz'bænd]
ʌ	abgeschwächtes dunkles a	Publicity [pʌ'blɪsɪtɪ]
aɪ	ei-Diphthong	Design [di'zaɪn]
aʊ	au-Diphthong	Couch [kaʊtʃ]
dʒ	dsch-Laut („weich“)	Job [dʒɔb]
e	geschlossenes e	Deserteur [dezɛr'tø:r]
ɛ	offenes e	Deserteur [dezɛr'tø:r]
ɛ̃	nasales [ɛ]	Teint [tɛ̃:]
ə	Murmellaut	Bagage [ba'ga:ʒə]
i	geschlossenes i	Bankier [baŋki'e:]
ɪ	offenes i	Billett [bɪl'jɛt]
ŋ	ng-Laut	Balkon [bal'kɔŋ]
o	geschlossenes o	Cello ['(t)ʃɛlo]
õ	nasales o	Bonbon [bõ'bõ:]
ɔ	offenes o	Boykott [bɔʏ'kɔt]
ø	geschlossenes ö	pasteurisieren [pastøri'zi:rən]
œ	offenes ö	Girl [gœrl]
ɔʏ	eu-Laut	Boykott [bɔʏ'kɔt]
s	ß-Laut („scharf“)	Slums [slams]
ʃ	sch-Laut	Chance ['ʃã:sə]
θ	stimmloser englischer th-Laut	Thriller ['θrɪlər]
ts	z-Laut	WC [ve:'tse:]
tʃ	tsch-Laut	chartern ['tʃartərn]
u	geshlossenes u	Tourist [tu'rɪst]
ʊ	offenes u	unfair ['ʊnfɛ:r]
v	w-Laut	Varieté [varie'te:]
w	konsonantisches u	Teamwork ['ti:mwə:rk]
y	ü-Laut	Pyjama [py'ja:ma]
ʏ	offenes ü	vgl. ɔʏ
z	s-Laut („weich“)	Saison [zɛ'zõ:]
ʒ	sch-Laut („weich“)	Genie [ʒe'ni:]
'	Kehlkopfverschlußlaut	knockout [nɔk''aʊt]
:	Längezeichen	Bagage [ba'ga:ʒə]
'	Hauptbetonung, steht unmittelbar vor der betonten Silbe, wird nicht gesetzt bei einsilbigen Wörtern.	

Übersicht über die in diesem Buch verwendeten sprachwissenschaftlichen Fachausdrücke

Adjektiv: Wort, das eine Eigenschaft oder ein Merkmal bezeichnet, das ausdrückt, wie jemand oder etwas ist, wie etwas vor sich geht oder geschieht; Eigenschaftswort, z. B. ein *großes* Haus; das Haus ist *groß;* er läuft *schnell.*

Adverb: Wort, das den Umstand des Ortes, der Zeit, der Art und Weise oder des Grundes näher bezeichnet, die räumlichen, zeitlichen usw. Beziehungen kennzeichnet; Umstandswort, z. B. ich komme *bald;* er läuft *sehr* schnell; das Buch *dort; hoffentlich* geht alles gut.

adverbial: von Adjektiven, die ein durch ein Verb ausgedrücktes Geschehen kennzeichnen; umstandswörtlich, z. B. die Rose *blüht schön.*

adversativ: einen Gegensatz kennzeichnend; entgegensetzend, z. B. er kommt nicht heute, *sondern* morgen.

Akkusativ: Fall, der mit „wen?“ oder „was?“ erfragt wird; Wenfall, z. B. ich grüße *den Lehrer* (wen grüße ich?); ich lese *ein Buch* (was lese ich?).

Aktiv: Blickrichtung beim Verb, bei der ein Geschehen in Hinblick auf den Täter, Urheber gesehen wird (Gegensatz: Passiv); Tätigkeitsform, z.B. Fritz *schlägt* den Hund; die Rose *blüht.*

Artangabe: Umstandsergänzung oder freie Umstandsangabe, die die Art und Weise (Qualität, Quantität, Intensität usw.) angibt und mit „wie?“ (wieviel?, wie sehr? usw.) erfragt wird; Umstandsbestimmung, adverbiale Bestimmung der Art und Weise, z. B. Karl singt *laut;* er peinigte mich *bis aufs Blut;* die Figur ist *aus Holz.*

Artikel: Wort, das Geschlecht, Fall und Zahl eines Substantivs angibt; **bestimmter Artikel** (der, die, das), **unbestimmter Artikel** (ein).

attributiv: als nähere Bestimmung bei einem Substantiv stehend; beifügend, z. B. eine *schöne Rose.*

Bestimmungswort: voranstehender (untergeordneter) Teil eines zusammengesetzten Wortes, der das Grundwort näher bestimmt (Gegensatz: Grundwort), z. B. *Regen*schirm, *hand*gemalt.

Dativ: Fall, der mit „wem?“ erfragt wird; Wemfall, z. B. das Buch gehört *mir* (wem gehört das Buch?).

Demonstrativpronomen: Pronomen, das auf etwas Bekanntes [nachdrücklich] hinweist; hinweisendes Fürwort, z. B. *dieses* Buch gefällt mir besser.

flektiert: je nach Fall, Geschlecht oder Zahl in der Wortform verändert; gebeugt (vgl. unflektiert).

final: den Zweck, eine Absicht kennzeichnend, z. B. er fährt zu einer Kur, *damit* er sich erholt.

Funktionsverb: Verb, das nur oder neben seinem Gebrauch als Vollverb in bestimmten Verbindungen mit Substantiven auftritt, in denen sein eigener Inhalt verblaßt ist und in denen es dann nur Teil eines festen Gefüges ist, z. B. in Gefahr *bringen* (gefährden), zum Einsatz *kommen* (eingesetzt werden), einen Kauf *tätigen* (etwas kaufen).

generalisierend: alle Exemplare einer Gruppe von Lebewesen oder Dingen, eine Gattung bezeichnend (Gegensatz: individualisierend), z. B. der Baum (= alle Bäume) ist eine Pflanze.

Genitiv: Fall, der mit „wessen?“ erfragt wird; Wesfall, z. B. das Haus *des Vaters* (wessen Haus?).

Grundwort: nachstehender (übergeordneter) Teil eines zusammengesetzten Wortes, nach dem sich Wortart, Geschlecht und Zahl des ganzen Wortes richten (Gegensatz: Bestimmungswort), z. B. Regen*schirm*, hand*gemalt.*

Imperativ: Aussageweise des Verbs, die einen Befehl, eine Bitte, Aufforderung, Warnung o. ä. kennzeichnet; Befehlsform, z. B. *komme* schnell!

Indefinitpronomen: Pronomen, das eine Person, Sache oder Zahl in ganz allgemeiner und unbestimmter Weise bezeichnet; unbestimmtes Fürwort, z. B. *alle* waren gekommen; er hat *etwas* mitgebracht.

indeklinabel: zur Deklination nicht fähig; unbeugbar, z. B. ein *rosa* Kleid.

Indikativ: die allgemeine, normale und neutrale Art der Aussage des Verbs, die ein Geschehen oder Sein als tatsächlich oder wirklich hinstellt; Wirklichkeitsform, z. B. er *kommt* morgen.

individualisierend: einzelne Exemplare einer Gruppe, einer Gattung von Lebewesen oder Dingen bezeichnend (Gegensatz: generalisierend), z. B. der Baum im Garten trägt Früchte.

Infinitiv: Form des Verbs, die ein Sein oder Geschehen ohne Verbindung mit Person, Zahl usw. angibt; Nennform, z. B. kommen, laufen.

instrumental: das Mittel oder Werkzeug kennzeichnend (auf die Frage: womit?, wodurch?), z. B. er öffnete das Paket, *indem* er die Schnur zerschnitt.

Interjektion: Wort, das eine Empfindung, ein Begehren, eine Aufforderung ausdrückt oder mit dem ein Laut nachgeahmt wird; Empfindungswort, Ausrufewort, z. B. ach!, au!, hallo!, muh!

interrogativ: eine Frage kennzeichnend; fragend, z. B. *wofür* brauchst du das Geld?

Interrogativadverb: Adverb, das zur Kennzeichnung einer Frage verwendet wird; Frageumstandswort, z. B. *woher* kommst du?

Interrogativpronomen: Pronomen, das eine Frage kennzeichnet; Fragefürwort, z. B. *was* hast du gesagt?

intransitiv: zu einem persönlichen Passiv nicht fähig (weder transitiv, reflexiv noch reziprok); nicht zielend, z. B. ich arbeite.

Kardinalzahl: Zahlwort, das eine bestimmte Anzahl oder Menge bezeichnet; Grundzahl (vgl. Ordinalzahl), z. B. die Hand hat *fünf* Finger.

kausal: einen Grund oder eine Ursache kennzeichnend; begründend (auf die Frage: warum?), z. B. ich konnte nicht kommen, *weil* ich krank war.

Komparativ: Vergleichsform des Adjektivs, die die Ungleichheit zweier (oder mehrerer) Wesen feststellt; 1. Steigerungsstufe, z. B. Fritz ist *größer* als Lotte.

konditional: die Bedingung, unter der ein Geschehen eintritt, kennzeichnend; bedingend, z. B. ich komme, *wenn* ich Zeit habe.

Konjunktion: Wort, das zwischen Wörtern, Wortgruppen oder Sätzen eine (räumliche, zeitliche, kausale o. ä.) Beziehung kennzeichnet; Bindewort, z. B. er *und* sie; ich hoffe, *daß* es gelingt.

Konjunktiv: Aussageweise des Verbs, durch die der Aussage ein geringerer Sicherheitsgrad verliehen wird und die eine persönliche Stellungnahme des Sprechers zum Geltungsgrad der Aussage kennzeichnet; Möglichkeitsform. Der **1. Konjunktiv** (Konjunktiv Präsens) kennzeichnet besonders ein Begehren oder die mittelbare Wiedergabe, z. B. *hoffen* wir es; er sagte, er *komme*. Der **2. Konjunktiv** (Konjunktiv Präteritum) kennzeichnet einen irrealen Wunsch oder eine irreale Aussage, z. B. er *käme*, wenn er Zeit hätte; beinahe *hätte* ich ihn nicht *erkannt*.

konsekutiv: eine Folge kennzeichnend; folgernd, z. B. er sprach so laut, *daß* ihn alle hörten.

konzessiv: einen Umstand kennzeichnend, der einem Geschehen eigentlich entgegenwirkt, es aber nicht verhindert; einräumend, z. B. er ging spazieren, *obwohl* es regnete.

lokal: einen Ort kennzeichnend; räumlich (auf die Frage: wo?), z. B. die Stelle, *wo* das Unglück passierte.

männlich: Bezeichnung des Geschlechts, das bei Substantiven durch den Artikel ,,der", bei Pronomen durch die Form ,,er" gekennzeichnet sein kann, z. B. *der* Mann *(er)* ist berühmt.

modal: die Art und Weise kennzeichnend (auf die Frage: wie?), z. B. er tat, *als ob* nichts geschehen wäre.

Nominativ: Fall, der mit ,,wer?" erfragt wird; Werfall, z. B. *der Vater* kommt nach Hause (wer kommt nach Hause?).

Ordinalzahl: Zahlwort, das angibt, an welchem Punkt einer Reihenfolge oder Rangordnung eine Person oder Sache steht; Ordnungszahl (vgl. Kardinalzahl), z. B. er wohnt im *zweiten* Stock.

Partikel: Wort, das nicht gebeugt werden kann (Adverb, Präposition, Konjunktion).

Partizip: Form des Verbs, die eine Mittelstellung zwischen Verb und Adjektiv einnimmt; Mittelwort. **1. Partizip** (Partizip Präsens, Mittelwort der Gegenwart), z. B. der *lobende* Lehrer. **2. Partizip** (Partizip Perfekt, Mittelwort der Vergangenheit), z. B. der *gelobte* Schüler.

Passiv: Blickrichtung beim Verb, bei der das Geschehen im Vordergrund steht und der Täter, Urheber nicht oder nur nebenbei genannt wird (Gegensatz: Aktiv); Leideform, z. B. der Hund *wird geschlagen;* es *wurde* viel *gelacht.*

persönlich: in Verbindung mit allen Formen des Personalpronomens, zumindest aber in der 3. Person, oder eines entsprechenden Substantivs möglich (Gegensatz: unpersönlich), z. B. ich laufe, du läufst, der Motor (er) läuft.

Personalpronomen: Pronomen, das angibt, von welcher Person oder Sache die Rede ist, von der Person, die spricht (ich, wir), von der Person, die angesprochen wird (du, ihr) oder von der Person oder Sache, über die gesprochen wird (er, sie, es; sie); persönliches Fürwort, z. B. *ich* lese *es* (das Buch) *dir* vor.

Plural: Wortform, die das zwei- oder mehrmalige Vorkommen eines Wesens oder Dinges ausdrückt, die sich auf zwei oder mehrere Wesen oder Dinge bezieht (Gegensatz: Singular); Mehrzahl, z. B. *die Kinder* spielen.

Positiv: Vergleichsform des Adjektivs, die eine Eigenschaft einfach nennt oder die Gleichheit zweier (oder mehrerer) Wesen oder Dinge feststellt; Grundform, z. B. Fritz ist *groß;* Fritz ist so *groß* wie Lotte.

Possessivpronomen: Pronomen, das ein Besitz- oder Zugehörigkeitsverhältnis ausdrückt; besitzanzeigendes Fürwort, z. B. das ist *mein* Buch; *sein* Vater.

Prädikat: Teil des Satzes (Verb), der einen Zustand oder ein Geschehen ausdrückt oder aussagt, was mit dem Subjekt geschieht; Satzaussage, z. B. die Rosen *blühen.*

prädikativ: von Adjektiven, die in Verbindung mit dem Verb ,,sein" stehen; aussagend, z. B. die Rose *ist schön.*

Präposition: Wort, das in Verbindung mit einem anderen Wort, meist einem Substantiv, ein (räumliches, zeitliches, kausales o. ä.) Verhältnis kennzeichnet; Verhältniswort, z. B. er geht *in* das Zimmer; er tut es *aus* Liebe; er arbeitet *mit* dem Hammer.

präpositional: mit einer Präposition gebildet, z. B. präpositionales Attribut (meine Freude *über den Sieg*), präpositionales Objekt (Maria denkt *an ihre Schwester*).

Pronomen: Wort, das in einem Satz statt eines Substantivs stehen kann; Fürwort, z. B. *der Vater* kam nach Hause. *Er* brachte mir ein Buch mit.

Pronominaladverb: Adverb, das statt einer Fügung Präposition + Pronomen steht und aus den Adverbien *da, hier* oder *wo* und einer Präposition besteht, z. B. *darüber* (= über das) weiß ich nichts.

reflexiv: sich auf das Subjekt selbst beziehend; rückbezüglich, z. B. *ich* wasche *mich.*

Reflexivpronomen: Pronomen, das ausdrückt, daß sich das Geschehen auf das Subjekt selbst richtet und zurückbezieht; rückbezügliches Fürwort, z. B. *er* wäscht *sich.*

relativ: einen Bezug zu einem Wort des übergeordneten Satzes herstellend; bezüglich, z. B. er soll wieder *dorthin* gehen, *woher* er gekommen ist.

Relativpronomen: Pronomen, das den Bezug eines Gliedsatzes zu einem Substantiv oder Pronomen des übergeordneten Satzes herstellt; bezügliches Fürwort, z. B. das ist der Mann, *den* ich gestern gesehen habe.

reziprok: in wechselseitiger Beziehung zwischen zwei oder mehreren Subjekten; wechselbezüglich, z. B. sie rauften *sich, einander, sich gegenseitig* die Haare.

sächlich: Bezeichnung des Geschlechts, das bei Substantiven durch den Artikel ,,das", bei Pronomen durch die Form ,,es" gekennzeichnet sein kann, z. B. *das* Kind *(es)* ist lebhaft.

Singular: Wortform, die das einmalige Vorkommen eines Wesens oder Dinges ausdrückt, die sich auf ein einziges Wesen oder Ding bezieht (Gegensatz: Plural); Einzahl, z. B. *das Kind* spielt.

Subjekt: Teil des Satzes, der etwas Seiendes, Vorhandenes, über das im Satz etwas ausgesagt wird, benennt; Satzgegenstand, z. B. *die Rosen* blühen.

Substantiv: Wort, das ein Lebewesen, Ding oder einen Begriff u. ä. benennt; Nomen, Hauptwort, Dingwort, z. B. Vater, Stuhl, Schönheit, Freude, Drehung.

Superlativ: Vergleichsform des Adjektivs, die den höchsten Grad feststellt, der überhaupt oder innerhalb einer getroffenen Auswahl von zwei (oder mehreren) Wesen oder Dingen zu erreichen ist, z. B. Fritz ist der *größte* unter den Schülern; der Betrieb arbeitet mit *modernsten* Maschinen.

temporal: eine Zeitangabe kennzeichnend; zeitlich (auf die Frage: wann?), z. B. *als* er mich sah, kam er auf mich zu.

transitiv: ein Akkusativobjekt verlangend und zu einem persönlichen Passiv fähig; zielend, z. B. ich *schreibe* den Brief – der Brief *wird* von mir *geschrieben.*

unflektiert: in Fall, Geschlecht und Zahl nicht verändert; ungebeugt (Gegensatz: flektiert), z. B. flektiert: *welcher* kluge Mann, unflektiert: *welch* kluger Mann.

unpersönlich: nur in Verbindung mit ,,es" möglich (Gegensatz: persönlich), z. B. es schneit.

Verb: Wort, das ein Geschehen, einen Vorgang, Zustand oder eine Tätigkeit bezeichnet; Zeitwort, Tätigkeitswort, z. B. gehen, liegen, sich verändern.

Vergleichsform: Form des Adjektivs, manchmal auch des Adverbs (Positiv, Komparativ und Superlativ), durch die Beziehungen und Verhältnisse bestimmter Art zwischen zwei oder mehreren Wesen oder Dingen gekennzeichnet werden.

weiblich: Bezeichnung des Geschlechts, das bei Substantiven durch den Artikel ,,die", bei Pronomen durch die Form ,,sie" gekennzeichnet sein kann, z. B. *die* Frau *(sie)* ist schön.

Zahlwort: Wort, das eine Zahl bezeichnet, etwas zahlenmäßig näher bestimmt; Numerale; **bestimmte Zahlwörter** (z. B. eins, drei), **unbestimmte Zahlwörter** (z. B. manche, mehrere, viele).